SKOOLWOORDEBOEK
SCHOOL DICTIONARY

Afrikaans – Engels
English – Afrikaans

verskyn, dui dit aan dat die betrokke woord of woorddeel vas geskryf word aan woorde of woorddele wat daarop volg, bv. **two-ply** tweelaag=

9. **Ronde hakies ( )** om 'n letter of letters in 'n woord dui aan dat die woord met of sonder die letter(s) tussen hakies geskryf kan word, bv. **puntene(u)rig**

10. Die **skuins streep** (/) beteken dat die gebruiker 'n vrye keuse het tussen die betrokke woorde, bv. **aandryf/aandrywe**

11. Die **gelyk aan-teken** (=) beteken: kyk by die woord wat na die teken verskyn, bv. **aalwee** (veroud.) = **aalwyn**

12. **Etikette** (woorde tussen hakies) **direk na 'n trefwoord** verskaf gebruiksin= ligting, bv. **bioskoop** (veroud.); **krok** (omgangst.)

13. **Etikette** (woorde tussen hakies) **na vertaalvoorstelle** dui die vakgebied, terrein of betekenis aan waarvoor die betrokke vertaling uitsluitlik of hoofsaaaklik gebruik word, bv. **slinger** (s) **-s** pendulum (clock); sling (arm); crank (car)

Afrikaanse redaksionele afkortings

a.d. aan die
ABO Anglo-Boereoorlog
advert. advertensie; advertensiewese
afk. afkorting
Afr. Afrikaans
akad. akademies(e)
Am. Amerika; Amerikaans(e)
anat. anatomie
atl. atletiek
b byvoeglike naamwoord
bes.vnw besitlike voornaamwoord
biol. biologie
boekh. boekhou
bouk. boukunde
Br. Brits(e); Brittanje
bw bywoord
chem. chemie; chemies(e)
D Duits(e); Duitsland
digt. digterlik(e)
dipl. diplomatiek(e); diplomasie
e.a. en ander(e)
ekon. ekonomie; ekonomies(e)
ekv enkelvoud
elektr. elektries(e); elektrisiteit
Eng. Engeland; Engels(e)
Eur. Europa; Europees, Europese
fig. figuurlik
fot. fotografie; fotografies(e)
geogr. geografie; geografies(e)
geol. geologie; geologies(e)
geselst. geselstaal
gimn. gimnastiek
gram. grammatika; grammatikaal, grammatikale
Heb. Hebreeus(e)
hist. histories(e)
hoofs. hoofsaaklik
iem. iemand
imp. imperatief
infml. informeel
instr. instrument
joern. joernalistiek
kindert. kindertaal
lett. letterlik(e)
lugv. lugvaart

lw lidwoord
med. medies(e); medisyne
meetk. meetkunde
mil. militêr
mitol. mitologie; mitologies(e)
mus. musiek
musiekinstr. musiekinstrument
mv meervoud
N.Am. Noord-Amerika; Noord-Amerikaans(e)
neerh. neerhalend
omgangst. omgangstaal
pers.vnw persoonlike voornaamwoord
polit. politiek(e)
rek. rekenaar; rekenaarwetenskap
RK Rooms-Katoliek(e)
RKK Rooms-Katolieke Kerk
s selfstandige naamwoord
S.Am. Suid-Amerika; Suid-Amerikaans(e)
SA Suid-Afrika; Suid-Afrikaans(e)
sielk. sielkunde; sielkundig(e)
skeepv. skeepvaart
skerts. skertsend
stat. statistiek
sterrek. sterrekunde
taalk. taalkunde; taalkundig(e)
tegn. tegnologie; tegnologies(e)
tel. telefonie; telefoon
telw telwoord
tw tussenwerpsel
uitspr. uitspraak
v. van
v.d. van die
verklw verkleinwoord
verl. tyd verlede tyd
veroud. verouderd; verouderend
vgl. vergelyk
vgw voegwoord
vnw voornaamwoord
vs voorsetsel
vulg. vulgêr(e)
w werkwoord
w.g. weinig gebruiklik
wisk. wiskunde

How to use *School Dictionary*

1. **Headwords** are printed in bold roman and are listed alphabetically. Where confusion might arise the part of speech is abbreviated in brackets.
2. The Afrikaans and English **editorial abbreviations** used in this dictionary appear on pages (x) and (xii) respectively.
3. **Plurals of English nouns** are given only where the spelling of the plural differs substantially from the singular. The plural is either abbreviated or printed fully in bold roman after the headword, e.g. **echo** (n) **-es; pansy** (n) **pansies; terminus** (n) **..ni**
4. **Dots:** Where the spelling of the last syllable of a long noun differs in the plural from that of the singular this change is preceded by two dots which represent the preceding syllables, e.g. **terminus** (n) **..ni**
5. **Idioms and sentences/phrases** are printed in italic, e.g. *to the best of my ability*
6. To save space, the **swung dash** or **tilde (~)** replaces a headword, e.g. (under the headword **paint**): **~box = paintbox; ~ed lady = painted lady; ~ remover = paint remover**
7. The **hyphen** fulfils various functions:
   a) It indicates that a word should be written with a hyphen, e.g. **rat-trap**
   b) Following a noun, a hyphen preceding one or more letters indicates that for plurals the letter(s) have to be joined to the headword, e.g. **echo** (n) **-es**
8. The **break sign** (⁼) at the end of a line of type indicates that the divided parts of the word should be written without a space, e.g. **ran⁼sack** is written **ransack**
9. A **bracketed letter within a word** indicates that the user has the choice to write the word with or without the bracketed letter, e.g. **judg(e)ment**
10. The **forward slash** (/) indicates optional use, e.g. *beat/break a record*
11. The **equal sign** (=) indicates that the translation of a headword should be looked up under the headword printed after the equal sign, e.g. **tunny = tuna**
12. **Bracketed labels after a headword** provide usage information, e.g. **phizz** (slang); **thee** (obs. form of address); **ticking-off** (infml.)
13. **Bracketed labels after translations** indicate the meaning for which the translation is exclusively or predominantly used, or the subject with which the translation is exclusively or predominantly associated, e.g. **paint** (v) verf (bv. 'n muur); skilder (bv. 'n skildery); **ruck** (n) trop, klomp; losskrum (rugby)

English editorial abbreviations

a adjective
abbr. abbreviation
AB War Anglo-Boer War
adv adverb
advert. advertising; advertisement
Afr. Afrikaans
Am. America; American
anat. anatomical; anatomy
archit. architecture
astr. astronomy
athl. athletics
Austr. Australia; Australian
bookk. bookkeeping
Br. Britain; British
chem. chemical; chemistry
comp. computer; computer science
conj conjunction
derog. derogatory
dipl. diplomatic; diplomacy
econ. economical; economy
educ. education; educational
e.g./eg for example
electr. electrical; electricity
esp. especially
fem. feminine
fig. figurative(ly)
geom. geometry
Germ. German; Germany
gram. grammar; grammatical
gymn. gymnastics
hist. historical

infml. informal
interj interjection
instr. instrument
joc. jocular(ly)
lit. literal(ly); literary
math. mathematics
med. medical; medicine
mil. military
mus. music; musical
mythol. mythological; mythology
n noun
neg. negative
NZ New Zealand
obs. obsolete
phil. philosophical; philosophy
phot. photographical; photography
pl plural
prep preposition
pron pronoun
RC Roman Catholic
RCC Roman Catholic Church
SA South Africa; South African
SAE South African English
sing singular
s.o. someone
stats. statistics
techn. technological; technology
UK United Kingdom
v verb
vulg. vulgar

Afrikaans – Engels

A

a[1] (s) -'s a; *van ~ tot z* from beginning to end

a![2] (tw) ah!

A-aan′drywer A-drive (comp.)

aai (w) ge- stroke, caress *ook* **streel**

aai′nie (omgangst.) -s shooting (big) marble *ook* **ghoen**

aak′lig (b) -e horrible, nasty, dismal, awful *ook* **gru′welik, afstoot′lik;** *'n ~e gesig* a horrible sight; *~e gewoontes* nasty habits

aal (s) ale eel (fish)

aal′moes (s) -e alms; dole; charity *ook* **lief′de= gawe**

aal′wee (veroud.) = **aal′wyn**

aal′wyn -e aloe *ook* **ga′ringboom**

aam′beeld -e anvil; *altyd op dieselfde ~ slaan* keep on harping on the same string

aam′bei (s) -e piles, haemorrhoids

aambors′tig (b) asthmatic, wheezy *ook* **korta= sem, asma′ties**

aan[1] (b, bw) on, in, upon; *ek wil weet waar ek ~ of af is* I want to know where I stand

aan[2] (vs) at, near, next to, upon; *~ boord gaan* embark; *~ die gang* on the go; *~ die kant* tidy, neat; *~ tafel* at table; *~ tering sterf* die of TB; *wat is ~ die gang?* what is going on?

aan′betref (w) *~ concern* ook **betref′**

aan′beveel *~ recommend ook* **aan′raai; aan′be= vole prys** recommended price *ook* **rig′prys; aanbevelenswaar′dig** (b) commendable; laud= able

aan′beveling -s recommendation; *op ~ van* on the recommendation of; **~(s)brief** letter of recommendation

aanbid′ (w) *~ worship;* idolise; adore *ook* **ver= eer′, loof;** **~ding** adoration, worship

aan′bied -ge- offer, present; volunteer; tender; *jou dienste ~* offer/tender one's services; **~er** presenter (radio/TV); **~ing** (s) -e, -s offer; tender; presentation; overture

aan′bind -ge- tie, fasten, bind; *die stryd ~* take up the cudgels

aan′blaas -ge- fan (flame); rouse (passions)

aan′blaser -s instigator, inciter *ook* **op′stoker, aan′hitser**

aan′blik (s) sight; view, look; *by die eerste ~* at first sight; (w) glance at

aan′bly -ge- continue, remain; hold on; *bly asseblief aan* please hold the line (telephone)

aan′bod ..biedinge, ..biedings offer, proposal; supply; *vraag en ~* supply and demand

aan′bou (s) annex, construction; (w) -ge- build on; **~ing/~sel** addition (to building)

aan′brand -ge- burn (food)

aan′breek -ge- dawn; come; *die dag sal ~* the day will come

aan′bring -ge- bring (near, on); effect (improve= ments)

aand -e evening, eve *ook* **ske′mering, voor′nag**

aanda′dig (b) -e accessory, implicated in; *~ aan* instrumental in; **~er** perpetrator (person)

aan′dag (s) attention, devotion *ook* **opmerk′= saamheid;** *~ gee* pay attention; *die ~ vestig op* draw attention to; *iem. se ~ ontgaan* escape s.o.'s attention; *~ wy aan* give/devote atten= tion to; **~streep** dash

aandag′tig (b) attentive; observant

aand′baadjie -s dinner jacket

aand: ~blad/~koerant′ evening paper; **~blom** evening flower; **~diens** evening service

aan′deel ..dele share; portion, part; *~ hê in* have a share in; **~hou′er** shareholder; **~houding** shareholding; **~maatskappy′** joint stock com= pany

aan′dele: ~beurs stock exchange, bourse *voor= heen* **effek′tebeurs** *kyk ook* **sekuriteit′e= beurs′;** **~bewys′** share certificate; (pl) scrip; **~blok** shares block; **~kapitaal′** share capital; **~maatskappy′** joint stock company; **~porte= feul′je** share portfolio

aan′denking -s, -e remembrance; keepsake, souvenir, memento

aand: ~e′te supper; dinner (formal); **~klas** evening/night class; **~klokre′ëling** curfew *ook* **klok′reël; A~land:** *die Aandland* the Occident, the West; **~lied** evensong, vesper

aan′doen -ge- call at (port); cause, render, affect; *smart/leed ~* cause grief/sorrow; **~ing** emo= tion; **~′lik** touching, moving *ook* **(ont)roe= r′end;** pathetic

aand: ~pak dress suit *ook* **aand′drag; ~party** soiree, evening party

aan′dra -ge- bring to, carry to; tell, inform

aan′draai -ge- screw tighter, fasten by twisting; turn on; tighten

aan′drang (s) urge; pressure, insistence

aan′dring (w) -ge- urge, insist on; *~ op* insist on

aand′rok -ke evening dress (woman) *oo* **aand′tabberd**

aan′druk -ge- hug; press against/on; *julle moet* you must hurry, get a move on

aan′dryf/aandrywe -ge- float along; press on drive on; incite; actuate; **aan′drywer** driv (comp.); **voor′wielaan′drywing** front-whe drive

aand: ~sitting evening/night session; **~ske′m= ring** twilight, dusk; **~skool** night school; **~st** evening star

aan′dui (w) -ge- indicate, point out *ook* **aan′wy aan′toon;** *nader ~* specify; **~ding** (s) indic= tion, sign, designation

aan′durf -ge- dare; venture *ook* **aanpak;** *'n taak* ~ tackle a (daunting) job/task

aaneen′ together, connected, consecutively; *tien dae* ~ ten days on end

aaneen′skakel -ge- link together, connect consecutively; link (comp.); **~ing** series, sequence

aan′gaan -ge- concern; begin; proceed, continue, carry on; call; *koste* ~ incur expenses; *'n ooreenkoms* ~ conclude/enter into an agreement; *wat my* ~ as far as I am concerned

aangaan′de as for, concerning, regarding *ook* **betref′fende, ra′kende**

aan′gaap -ge- stare at, gape at

aan′gebore innate, inborn *ook* **in′gebore**

aan′gedaan (b) moved/overcome (with emotions); affected *ook* **bewo′ë, hart′seer**

aan′gee (s) **..geë** pass (rugby); (w) -ge- hand on, pass; reach; mention, give notice; set; *die pas* ~ set the pace

aan′gehou in custody, detained; **~dene** detainee (person)

aan′geklaagde -s accused, defendant (person) *ook* **beskul′digde**

aan′geklam -de tipsy; groggy *ook* **lek′kerlyf, geko′ring**

aan′geleentheid **..hede** affair, concern, matter; issue; incident *ook* **saak; kwes′sie;** *'n privaat/ private* ~ a private matter

aan′genaam pleasant, pleasing, amiable, agreeable, enjoyable *ook* **lek′ker, genot′vol;** **~!/aangename kennis(making)** how do you do?, pleased to meet you

aan′genome (b) accepted; adopted; ~ **kind** adopted child; (vgw) supposing, granted

aan′gesien seeing that, whereas, since, because, as *ook* **omdat′, omre′de**

aan′gesig -te countenance, face; *van* ~ *tot* ~ face to face

aan′geskakel online (comp.)

aan′geskrewe: *hoog* ~ held in high esteem/ repute

aan′geslaan[1] (b) **..slane** coated; furred (tongue)

aan′geslaan[2] (w) taxed, assessed (tax); knocked on (rugby)

aan′geteken -de noted; registered; **-de pos** registered post

aan′getroud -e related by marriage

aan′gewese obvious, right, proper; designated; *die* ~ *persoon* the right person; *die* ~ *weg* the proper course

aan′gord -ge- gird/buckle on (belt); *gord vas!* belt up!, buckle up!

aangren′send -e adjacent, bordering on, adjoining; **~e pla′se** adjoining farms

aan′groei (s) growth, increase; (w) -ge- grow, swell; increase

aan′gryp -ge- seize, catch hold of; attack; *'n geleentheid* ~ grasp/seize an opportunity

aangry′pend touching, moving, gripping *ook* **(ont)roer′end, aandoen′lik;** *~e verhaal* moving story

aan′haak -ge- hook on, fasten; hitch on

aan′haal -ge- quote, cite; ~ ... *afhaal* quote ... unquote; *bewyse* ~ produce proof/evidence; *'n skrywer* ~ quote an author; **~te′kens** quotation marks, inverted commas

aan′haling -s, -e quotation, quoted passage; **~(s)te′kens** quotation marks, inverted commas *ook* **aan′haaltekens**

aan′hang (s) following; adherents, party; (w) -ge- follow; hang on to; adhere to, attach; **~er** (s) -s follower, adherent, disciple; fan *ook* **bewon′deraar**

aanhang′ig pending; under consideration; *'n saak* ~ *maak* broach/raise a matter

aan′hangmotor outboard motor

aan′hangsel -s supplement, appendix, annexure *ook* **by′lae;** attachment (e-mail)

aanhank′lik devoted, attached

aan′hê (w) aangehad have on, wear

aan′hef (s) beginning, preamble; *die* ~ *van 'n brief* the beginning/salutation of a letter

aan′heg -ge- affix, annex, attach; *aangehegte kwitansie* attached receipt; **~sel** annexure, appendix *ook* **by′lae**

aan′hits -ge- instigate, incite, abet *ook* **op′stook; ~er** agitator *ook* **op′stoker**

aan′hou -ge- continue, insist, persevere; keep (servant); keep on (clothes); detain, arrest; *~ding sonder verhoor* detention without trial; *in ~ding* detained, in custody; **aan′gehoudene** detainee (person)

aanhou′dend -e continual, incessant *ook* **langdu′rig, voortsle′pend;** *~e droogte* prolonged drought

aan′houer -s perseverer; ~ *wen* perseverance will be rewarded; never say die

aan′ja/aan′jaag (w) -ge- hurry; urge; drive on; boost; **~vuur′pyl** booster rocket

aan′kapknieë knockknees *ook* **x-be′ne**

aan′kla -ge- accuse, charge (with), arraign, indict, impeach

aan′klaer -s prosecutor; accuser, plaintiff *kyk* **staats′aanklaer**

aan′klag -te accusation, charge; indictment, impeachment; *op* ~ *van* on a charge of, charged with; **~kantoor′** charge office (police)

aan′klamp -ge- board (a vessel); accost; sponge upon

aan′kleef/aan′klewe (w) -ge- stick, adhere/cling to

aan′klop -ge- knock, beat (at the door); *om hulp* ~ ask for help

aan′knoop -ge- fasten; enter into (conversation); tie on to; *'n praatjie* ~ start/strike up a conversation; **~punt** point of contact

aan′knopingspunt -e point of contact, starting point *ook* **aan′knooppunt**

aan′kom -ge- arrive, get at; acquire; drop in; *betyds/op tyd ~* arrive in time; *as dit daarop ~, kan hy dit doen* when it comes to a pinch, he can do it; **~ende maand** next month; **~ende trein** approaching train

aan′komeling -e (new) arrival (person)

aan′koms arrival; *~ en vertrek van treine* arrival and departure of trains

aan′kondig -ge- announce, publish, inform; **-er** announcer; **~ing** announcement, notification *ook* **bekend′making**; review (in press); adver= tisement

aan′koop (s) **..kope** purchase; (w) **-ge-** pur= chase, buy; **aan′koper** buyer (for firm)

aan′kruip -ge- crawl along; *teen iem. ~* nestle/ cuddle close to s.o.

aan′kweek -ge- cultivate, grow, rear; foster; *goeie gewoontes ~* cultivate good habits

aan′kyk -ge- look at; *iem. skeef ~* look askance/ doubtingly at s.o.

aan′land -ge- land, arrive; **~ig** onshore (wind)

aan′las -ge- join, attach, dovetail; exaggerate (a story)

aan′lê -ge- aim at; apply; plan, build, lay out; court; *~ met 'n geweer* take aim; *by 'n meisie ~* court a girl

aan′leer -ge- learn (a language); acquire (a skill)

aan′leg -te talent *ook* **talent′, ga′we;** flair, natural ability; installation, factory, plant; plan, ar= rangement;*'n ~ vir* a bent/flair for; **~ en masjinerie′** plant and machinery; **~toets** aptitude test

aan′lei -ge- lead to, induce; **~dende oor′saak** primary/contributory cause

aan′leiding -e, -s cause, reason, motive *ook* **oor′saak, re′de;** *~ gee tot* give rise to; *na/ van* with reference to, concerning *ook* **met betrek′king tot**

aan′lok -ge- attract; charm; entice, tempt *ook* **verlei′;** solicit

aanlok′lik attractive, charming *ook* **bekoor′lik;** inviting, alluring

aan′loop (s) patronage (customers of shop); takeoff; (w) **-ge-** go on walking; walk faster; call in passing; *agter meisies ~* run after girls; **~baan** runway *ook* **styg′baan**

aan′lyn online (comp.)

aan′maak -ge- prepare, mix

aan′maan -ge- warn, admonish, exhort; remind

aan′maning warning, reminder; relapse (dis= ease); *'n ~ om te betaal* a reminder to pay

aan′matig -ge- arrogate to oneself, lay claim to, presume, pretend; usurp

aan′matigend presumptuous, arrogant; haughty *ook* **verwaand′; astrant′, parman′tig;** *'n ~e houding* an arrogant bearing/attitude

aan′mekaar together, connected; consecutively, continuously; *die twee is ~* the two of them are fighting/quarrelling *ook* **haaks**

aan′meld -ge- announce, report; *jy moet jou môre ~* you must report tomorrow; **~bare siek′te** notifiable disease

aan′merk -ge- remark, observe, note

aan′merking -s, -e, (critical) remark; criticism; observation *kyk* **op′merking;** *'n beledigende ~* an insulting remark; *in ~ kom vir* qualify for; *in ~ neem* take into consideration/account

aanmerk′lik considerable, notable, appreciable; **~e verbe′tering** marked improvement

aan′moedig -ge- encourage *ook* **aan′spoor; ~ing** encouragement *ook* **aan′sporing**

aan′name acceptance; assumption *ook* **veron= derstel′ling;** passing (bill in parliament); adoption/passing (of resolution)

aan′neem -ge- accept; adopt; assume, admit; confirm; *'n vriendelike houding ~* adopt a friendly attitude; *'n uitnodiging ~* accept an invitation; *eenparig ~* carry/adopt unani= mously; **aanneem′lik** (b) acceptable, credible, reasonable

aan′nemer -s contractor *ook* **(bou)kontrakteur′;** undertaker

aan′neming adoption; confirmation (in church)

aan′pak -ge- seize, take hold of; tackle, take in hand, initiate *ook* **aan′durf;** *saggies ~* deal gently with; **~sel** layer, coating (of dirt); sediment

aan′pas -ge- try on, fit; adapt, adjust; customise (comp.); *by omstandighede ~* adapt/adjust to circumstances; **~ser** adapter (electr.) *oo.* **pas′stuk, af′takker; ~sing** adjustment; **~(sings)vermoë** adaptability

aan′peiler (s) **-s** homing device

aan′piekel -ge- carry with difficulty; go/mov laboriously, drag along *ook* **aan′kruie**

aan′plak -ge- post up (bills), stick; **~biljet′** bil poster, placard

aan′por -ge- prod, rouse, urge, instigate

aan′prys -ge- commend, extol; **~ing** commenda tion, eulogy *ook* **kompliment′, pluim′pie**

aan′raai -ge- advise, suggest, recommend

aan′raak -ge- touch

aan′raking touch, contact; *in ~ bly/kom m* keep/get in touch with; contact (a person)

aan′rand -ge- assault, attack *ook* **aan′val, m lesteer′; ~er** attacker, assailant; **~ing** assaul attack; **onse′delike ~ing** indecent assault

aan′rig cause, commit; *skade ~* cause damage

aan′roep (s) call; challenge; (w) **-ge-** invo (deity); call upon; hail (taxi)

aan′roer -ge- touch upon, broach, mention; s up; hasten; *'n saak ~* address/broach subject/matter; *'n teer snaar ~* touch sensitive/soft spot

aan'ry -ge- drive faster; call at (in passing); **~kafee'** roadhouse *ook* **pad'kafee**

aan'ryg (w) **-ge-** string (beads); lace up (boots); baste

aans/aan'sies presently *ook* **net'nou, nou'-nou, bin'nekort;** perhaps *ook* **dalk, miskien'**

aan'sien (s) appearance; respect, status, esteem; *hoog in ~ wees* be highly respected, be held in high repute; *sonder ~ des persoons* not re= specting anyone; **~soe'ker** social climber *ook* **sosia'le vlin'der**

aansien'lik (b) respectable; handsome (man) *ook* **aantrek'lik;** notable; considerable, substan= tial; *'n ~e bedrag* a considerable amount

aan'sit -ge- sit down (at table); put on; instigate; start (motor); **~e'te** sit-down meal *kyk* **buffet'= ete; ~ka'bel** jumper lead, booster cable *ook* **krag'kabel; ~slin'ger** crank handle; **~ter** starter (motor); prompter; sharpener

aan'skaf -ge- procure, buy, secure; provide

aanskou' ~ see, look at, contemplate, view, behold; *die lewenslig ~* be born; **~er** onlooker *ook* **om'stander; ~ingson'derrig** visual edu= cation

aanskou'lik (b) attractive, striking *ook* **aantrek'= lik, tref'fend;** visible, perceptible; graphic (description)

aan'skryf/aan'skrywe -ge- notify; send a letter of demand, sue; *hy staan goed/sleg aangeskryf by my* he is in my good/bad books; *ek laat jou ~* I will sue you

aan'skrywing -e, -s notification, letter of de= mand; summons *ook* **dag'vaarding**

aan'slaan -ge- touch, strike; assume (a tone); assess (tax); knock on (rugby); *die regte toon ~* strike the right note; *hoog ~* rate highly

aan'slag ..slae stroke; attempt; touch (music); assessment; *'n ~ op sy lewe* an attempt on his life

aan'slik -ge- silt up (soil, mud) *ook* **aan'slib**

aan'sluit -ge- join; enlist, enrol; connect; *by die leër ~* join the army; **~geld** entrance fee *ook* **in'treegeld; ~ing** junction *kyk* **T-aan'sluiting; ~vlug** connecting flight

aan'smeer (w) grease; apply (ointment); fob, foist, palm off

aan'sny -ge- give the first cut to (a loaf); raise/broach (a matter)

aan'soek -e application *ook* **applika'sie;** request, proposal; *'n ~ rig* apply; *~ doen om/vir 'n betrekking* apply for a position; **~er** applicant *ook* **applikant'; ~vorm** application form

aan'spoor -ge- spur/urge on, encourage; **~bo'nus** incentive bonus

aan'sporing encouragement; incentive

aan'spraak (s) **..sprake** claim, title, right; *~ maak op iets* lay claim to something; **~ma'ker** contender (for a title or position)

aan'spreek -ge- address; speak to; accost; **~vorme** forms of address

aanspreek'lik responsible; accountable, liable; *~ hou vir die koste* hold responsible for the cost; **~heid** liability

aan'staan -ge- please, like, suit; *hy staan my glad nie aan nie* I don't like him at all

aanstaan'de (s) **-s** fiancé (male), fiancée (fe= male); (b) next (week) *ook* **vol'gende, eersko'= mende;** prospective; forthcoming

aan'staar -ge- stare/gaze/gape at

aan'stalte -s preparation; *~ maak* get ready

aan'stap -ge- walk on; walk briskly; *die hor= losie/tyd stap aan* time is passing

aan'steek (w) -ge- infect; light, kindle; pin on

aansteek'lik infectious, contagious (illness) *ook* **besmet'lik, oordraag'baar**

aan'steker -s (cigarette) lighter

aan'stel -ge- appoint; pretend; sham, put on; *moenie jou so ~ nie* don't put on such airs

aan'stellerig conceited *ook* **verwaand', geveins'**

aan'stelling -s, -e, appointment; **~regis'ter** appointments register

aan'sterk (w) -ge- recuperate, convalesce; **~ver= lof'** convalescent leave

aan'stigter (s) **-s** perpetrator

aan'stip -ge- jot down; touch on; mention

aan'stons presently, directly, anon *ook* **net'nou, nou'-nou, binnekort'**

aan'stoot (s) offence; *~ neem* take exception; *~ gee of neem* give or take offence/umbrage; *steen des ~s* stumbling block; thorn in one's flesh; (w) push on; bump against

aanstoot'lik (b) offensive, objectionable; inde= cent *ook* **kwet'send, skanda'lig**

aan'stryk -ge- walk on; brush over *ook* **aan'verf, aan'pleister**

aan'stuur -ge- send/pass on; despatch

aan'suiwer -ge- pay off, settle; adjust; *'n tekort ~ make* up a deficit; **~ings** adjustments

aan'sukkel -ge- struggle/trudge along

aan'suur (w) culture (buttermilk)

aan'tal -le number *ook* **hoeveel'heid;** *'n hele ~ foute* quite a few mistakes *kyk* **getal'**

aan'tas -ge- touch; attack, affect; *sy gesondheid was aangetas* his health was impaired

aan'teel (s) breed(ing); (yearly) increase; (w) **-ge-** breed, rear, multiply; **~vee** breeding cattle/stock

aan'teken -ge- note down; record; register; score; *'n brief ~* register a letter; *'n drie ~* score a try (rugby); *protes ~* lodge a protest; **~ing** (s) note; record; registration; **~ingboek** notebook, scribbler

aan'tog (s) approach, advance; *in ~* advancing (army)

aanto'nend: -e wys indicative mood (gram.)

aan'toon -ge- show, demonstrate; indicate

aan′tref -ge- come across, stumble upon *ook* **raak′loop;** meet

aan′trek -ge- dress; draw tighter; attract; take to heart (a reprimand)

aantrek′lik (b) attractive, charming, pleasing *ook* **bekoor′lik;** sensitive; handsome (man)

aan′tyging -s allegation, accusation *ook* **beskul′= diging, aan′klag;** *'n ~ weerlê* refute/deny a charge

aanvaar′ ~ accept; assume; enter upon; *'n uit= nodiging* ~ accept an invitation

aanvaar′ding acceptance; assumption

aan′val (s) -le attack, onset, charge; *'n ~ afslaan* repel an attack; *tot die ~ oorgaan* take the offensive; (w) attack, charge; **~ler** assailant, attacker *ook* **aggres′sor**

aanval′lig lovely, amiable, charming (woman) *ook* **bekoorlik, aantrek′lik**

aan′vang (s) beginning, start, commencement; (w) begin, commence; *wat het jy aangevang?* what have you done/been up to? **~s′kol′wer** opening batsman (cricket); **~sta′dium** initial stage

aanvank′lik (b) -e initial, incipient; elementary; (bw) in the beginning, originally

aanveg′baar debatable; open to attack; **aanveg′= bare stel′ling** debatable point

aan′verwant (s, b) -e relative *ook* **familie′lid;** kindred; cognate

aan′voeg join, add; **~ende wys** subjunctive mood (gram.)

aanvoel′bare: ~ **temperatuur′** wind-chill (am= bient) factor *ook* **wind′verkoeling(s)faktor**

aan′voeling (s) (tussen mense) vibe *ook* **uit′= straling, au′ra**

aan′voer (s) supply; (w) supply; allege; advance; adduce; state; command, lead; *onder ~ing van* under the command of; **~der** commander, leader *ook* **lei′er**

aan′voor -ge- begin (ploughing); *'n saak ~* take the first steps; **~werk** spadework

aan′vra -ge- apply for, request

aan′vraag (s) application, request; demand; *daar is 'n groot ~ vir/vraag na hierdie artikel* this article is much in demand

aan′vul -ge- fill up, replenish; complete, supple= ment; **~ling** complement, replenishment, addi= tion, amplification; **~(lings)eksa′men** sup= plementary examination

aan′vuur -ge- encourage, inspire *ook* **aan′spoor, inspireer′;** inflame

aan′wakker -ge- animate, encourage, rouse, quicken; foment (discord); fan (hatred); *be= langstelling ~* rouse interest

aan′was (s) growth, increase (of population); (w) -ge- grow, increase

aan′wend -ge- use, employ, apply; utilise; appropriate; **~ing van fondse** application/ employment of funds (bookk.); *'n poging ~* make an attempt; **~ing** employment; applica= tion, implementation *ook* **toe′passing**

aan′wensel -s (bad) habit *ook* (**verkeer′de) gewoon′te, heb′belikheid**

aanwe′sig (b, bw) -e present *ook* **teenwoor′dig;** *veertien leerders is* ~ fourteen learners are present

aan′wins acquisition, asset; gain, profit

aan′wys -ge- show, point out, indicate; allocate; *op jouself aangewys/aangewese wees* be thrown on your own resources; **~stok** pointer

aanwy′send -e indicating; demonstrative (pro= noun)

aan′wyser -s indicator; pointer; **ekono′miese ~** economic indicator

aan′wysing (s) -s indication; direction; alloca= tion *ook* **toe′wysing**

aap (s) ape; monkey; fool, twit; *die ~ uit die mou laat* let the cat out of the bag; spill the beans; **~stert** monkeytail; sjambok; **~stre′ke** monkey tricks

aap′stui′pe: *die ~ kry* fly into a passion; very upset

aar[1] (s) **are** ear (of corn)

aar[2] (s) **are** vein; underground watercourse

aar′bei -e strawberry; **~konfyt′** strawberry jam

aard[1] (s) nature, kind *ook* **in′bors, natuur′** temper; *niks van die ~ nie* nothing of the kind; *'n ~jie na sy vaartjie* like father, like son; (w take after; thrive (plants in soil)

aard[2] (w) ge- earth (electr.)

aard: **~be′wing** earthquake, quake; **~bewo′ne** earthling; **~bo′dem** earth, earth's surface; **~be** terrestrial globe

aar′de earth; *hemel en ~ beweeg* leave no sto unturned; *ter ~ bestel* bury (a person moe′der~ mother earth; **verskroei′de** scorched earth

aard: **~dor′pie** global village *ook* **wê′reldwer ~gas** natural gas

aar′dig (a) nice, agreeable; queer, strange *o naar, ongemak′lik;* *'n ~e sommetjie geld* considerable sum of money; ~ *voel* fe uneasy/queasy; **~heid** joke, pleasantry, fu *vir die ~heid* for fun/kicks

aard: **~kors** crust of the earth; **~kun′de** geolog *ook* **geologie′;** **~lekbevei′liging** earth leaka protection (electr.); **~ryk** earth

aardrykskun′de geography *ook* **geografie ~rykskun′dig** (b) -e geographical; **~e** (s) geographer (person)

aards -e earthly; worldly, mundane

aard: **~se gesag′** temporal power; **~skok/~sku ding/~tril′ling** earth tremor, seismic sho **~verwar′ming** global warming aar'sel ge- hesitate, waver *ook* wei'fel, talm; hui'wer; ~ing hesitation

aar'tappel -s potato *ook* er'tappel; ~moer seed potato; ~sky'fie (potato) chip

arts: ~bis'kop archbishop; ~en'gel archangel; ~her'tog archduke; ~va'der patriarch; ~va'= derlik patriarchal; ~vy'and archenemy

aar: ~verkal'king arteriosclerosis; ~voe'ding intravenous feeding, drip

aas¹ (s) carrion; bait; (w) feed/prey on; scrounge

aas² (s) ase ace (cards)

aas'voël -s vulture, scavenger; glutton; sponger (person)

b -te abbot

bakus -se abacus *ook* tel'raam

battoir' -s abattoir; public slaughterhouse *ook* slag'plaas

b'ba ge- carry (piggyback/pickaback) on one's back (baby); ~hart piggyback heart; ~vlieg'= tuig piggyback plane

bc' abc, alphabet; *die ~ van 'n vak/leerarea* the rudiments/elements of a subject

bdis' -se abbess (female) *kyk* ab

bdy' -e abbey, monastery *ook* kloos'ter(kerk)

b'latief ..tiewe ablative (gram.)

blu'sieblok (s) -ke ablution block (public showers, toilets, etc.)

bnormaal' abnormal, uncommon *ook* af'wy= kend

bor'sie (s) -s abortion *ook* vrug'afdrywing *kyk* mis'kraam; aborteer' (w) ge- abort

brakada'bra abracadabra, gibberish *ook* war'= taal

o'seil (w) abseil; ~er abseiler (person)

osent' absent; ~eïsme absenteeism *ook* (werk)= afwe'sigheid

oses' -se abscess, ulcer *ook* et'tersweer, ver= swe'ring

osoluut' (b) ..lute absolute; (bw) absolutely *ook* volstrek', volko'me

osorbeer' (w) ge- absorb *ook* op'suig, in'= neem

ostraheer' (w) ge- abstract, outline

ostrak' (b, bw) -te abstract; nonconcrete

osurd' (b, bw) -e absurd, preposterous *ook* ongerymd', belag'lik, onsin'nig; ~e tea'ter theatre of the absurd; absurditeit' (s) absurd= ity

ouis': *per ~* by mistake

cappella: ~-koor a cappella choir (without accompaniment)

cre -s acre (± 4000 m²)

dams: ~ap'pel Adam's apple; ~gewaad' in nature's garb, nude, in the buff

der -s adder, viper; ~gebroed'sel breed of vipers; vermin

disioneel' ..nele additional, extra *ook* by'ko= mend

a'del nobility *kyk* a'delstand

a'delaar -s eagle *ook* a'rend

a'delbors marine cadet; midshipman

a'del: ~dom nobility; ~lik noble, high-born; *van ~like afkoms* of noble birth; ~stand nobility, peerage

a'dem (fml.) (s) -s breath; (w) breathe (fig.); ~lose stil'te breathless silence; ~tog (last) breath, gasp; respiration

adenoïed' -e adenoid *ook* keel'poliep

adjektief' (s) ..tiewe adjective *ook* byvoeg'like naam'woord

adjudant' -e adjutant, aide-de-camp

adjunk' -te deputy; ~minis'ter deputy minister; ~president' deputy president

administra'sie administration; management

administrateur' (s) -s administrator; ~-generaal' (s) administrateurs-generaal' administrator-general

administratief' (b) ..tiewe administrative, orga= nisational; executive

administreer' (w) ge- manage, administer; ~der administrator (in business) *ook* administra'= tor

admiraal' -s admiral; ~skip admiral's ship, flagship *ook* vlag'skip

admis'sie admission *ook* toe'lating; ~-eksa'men entrance examination (mostly theology)

adolessen'sie adolescence *ook* puberteits'jare, tie'nerjare

adolessent' -e adolescent *ook* pu'ber, tie'ner (persoon)

adoons' monkey (nickname); ugly fellow

adrenalien' adrenalin(e) *ook* by'nierstof

adres' -se address *ook* woon'plek; *per ~* care of; ~boek directory; ~etiket address label; ~kaart dispatch label; ~kaar'tjie tag; trade card, visiting/name card; ~lys mailing list; ~veld address field (comp.)

addresseer' ~, ge- address, direct

Advent' Advent *ook* koms/na'dering (van Christus)

adverteer' ~, ge- advertise

adverten'sie -s advertisement; ad (infml.); ~bal= lon' blimp; ~buro' advertising agency *ook* rekla'meagent'skap

advies' advice *ook* raad; *iem. ~ gee* advise s.o., give s.o. advice; *op ~ van* on the advice of; *van ~ (be)dien* advise; *~ vra* seek advice; ~brief letter of advice, notice; ~komitee' advisory committee; ~raad advisory coun= cil

adviseer' (w) ge- advise; inform *ook* in'lig; coun= sel

adviseur' (s) -s adviser *ook* raad'gewer

advokaat'¹ (s) ..kate advocate, barrister-at-law, lawyer; *hy praat/pleit soos 'n ~* he has the gift of the gab

advokaat' [2] (s) eggflip, advocaat (egg liqueur)

af off, down, from; *van sy jeug* ~ since his (early) youth; ~ *en toe* now and then *ook:* **nou en dan**

af'baken -ge- mark/beacon off, delimit; ~ing delimitation; demarcation; zoning

af'beeld -ge- picture, portray, depict; ~ing picture, portrait, illustration *ook* **prent, illu=stra'sie**

af'been cripple(d)

af'betaal (w) ~ pay off, dismiss; settle (a debt) *ook* **vereffen**

af'betaling -s payment, settlement; *op* ~ *koop* buy on instalment system/on terms

af'bind -ge- tie off (a vein), ligate

af'blaas -ge- blow off; let off

af'bly -ge- leave alone, keep off

af'brand -ge- burn down, torch (hut/house)

af'breek -ge- pull down, demolish; destroy; break off, sever; ~baar (bio)degradable

af'breuk damage, injury; ~ *doen aan* detract from; prejudice

af'bring -ge- bring down, reduce; come off

af'byt -ge- bite off; *die spit* ~ bear the brunt

af'daal -ge- descend, go down

af'dak -ke shed, lean-to; penthouse; **mo'tor**~ carport *ook* **motorskui'ling**

af'dank -ge- dismiss, discharge; sack, fire, axe *ook* **ontslaan', af'betaal;** ~ing discharge, dismissal

af'dek -ge-: *die tafel* ~ clear the table

af'deling -s division, section, department; de=tachment; ~ **solda'te** squad of soldiers; ~(s)**bestuur'der** system/section manager; ~(s)**win'kel** -s department(al) store

af'doen (w) -ge-, **afgedaan** finish, complete; take off; expedite; ~de decisive *ook* **beslis'=send;** ~de **bewys'** clear/conclusive proof

af'dop (w) -ge- shell (egg, peas) *ook* **pel** (eier); peel, skin

af'draai -ge- turn off, twist off, branch off; reel off; ~pad sideroad

af'draand (s) -e, -es/**af'draande** -s slope, declivity, descent; *hy is op die* ~ he is going downhill/is deteriorating; (bw) descending, downhill

af'dreig -ge- blackmail; extort *ook* **afpers;** ~geld protection money *ook* **beskerm'geld;** ~ing (s) blackmail; extortion *ook* **af'persing**

af'droë/af'droog -ge- dry, wipe off

af'druk (s) -ke copy, impression; print; repro=duction; imprint; (w) -ge- print, imprint, impress; press down

af'drup -ge- trickle down

af'dryf/af'drywe -ge- float/drift downstream; expel, purge *kyk* **vrug'afdrywing**

af'dwaal -ge- stray/deviate (from road); digress (from topic)

af'dwing -ge- extort *ook* **af'dreig;** enforce; exact (confession); ~baar enforceable

affair' (love) affair *ook* **(lief'des)verhou'ding**

affekteer' ge- affect *ook* **raak**

affê're -s affair, thing, matter, business *ook* **petal'je, deba'kel**

affiniteit' affinity *ook* **verwant'skap**

affodil' -le daffodil *ook* **mô'rester** (blom)

affront' -e affront *ook* **bele'diging; bere'kende** ~ calculated insult

affronteer' ge- insult, affront; ~spe'letjie come sit-by-me (game)

af'gaan -ge- go down, descend; wear off; *op iem se woord* ~ rely on s.o.'s word

afgedank'ste (b) confounded; ~ **loe'sing/pak/slae** severe thrashing

af'gee -ge- deliver, hand over; come off, give off; emit; mingle (with); *onenigheid* ~/ver oorsaak cause dissension

af'gehaal (w) fetched from; (b) snubbed; humil iated; ~ *voel* feel snubbed/humiliated

af'gelas ~ call off; *die polisie gelas die soekto af* the police are calling off the search

af'geleë (b) remote, distant, far-off *ook* **af'ge sonder**

af'geleef -de worn with age, decrepit *oo* **uit'geleef**

af'gemat (b) tired, weary, exhausted *ook* **uit'ge put, poot'uit**

af'gesaag (b) hackneyed, stale *ook* **verve'li banaal';** ~de grap stale joke

af'gesant -e envoy, emissary (person)

af'gesien: ~ *van* notwithstanding, apart from

af'geskakel switched off (lights); off-lin (comp.)

af'gesonder (b, bw) -de isolated, remote; retire lonely *ook* **een'saam** (persoon)

af'gestorwene -s (the) deceased *ook* (di **oorle'dene** (persoon)

af'getakel careworn, washed out; dismantle (ship)

af'getrokke (b, bw) meer ~, mees ~ absen minded; abstract *ook* **ingedag'te;** ~ *profess* absent-minded professor

af'gevaardigde -s delegate, deputy *ook* **vertee woor'diger; kur'susganger; kongres'gange Huis van A**~s House of Delegates

af'giet -ge- cast, mould; pour off; ~sel cast; co

af'god -e idol; *geld tot 'n* ~ *maak* idolise mone ~e'diens idolatry

af'gooi -ge- throw down/off; cast off

af'grond -e precipice, abyss, chasm; *iem. in* ~ *stort* ruin s.o.

af'gryse (s) horror, loathing; *publieke* ~/woe public outrage

afgrys'lik horrible, hideous, dreadful, ghas *ook* **aak'lig, afsku'welik**

af'guns (s) envy, jealousy, spite *ook* **jaloes**

~'tig (b) envious, jealous *ook* **jaloers', na=**
y'werig

'haak **-ge-** unhook, detach; let go, let loose;
deliver a blow; marry; *wanneer gaan julle ~?*
when are you getting married?

'haal **-ge-** take down; meet s.o.; call for;
unquote (in written text); *iem.* ~ insult s.o.;
~gereg'te take-aways *ook* **weg'neeme'tes,**
koop-en-loophap'pies; ~te'ken closing quota=
tion marks

'handel settle; terminate; conclude; finalise
ook **af'rond, finaliseer'**

'hang **-ge-** hang down; depend (up)on; *alles*
hang van jou af everything depends on you

'hank'lik (b) dependent (on); **~e** (s) **-s** depen=
dant (person); **on'derlinge ~heid** interdepen=
dence

'hou **-ge-** keep off; hinder; withhold

'jak (s) **-ke** rating, rebuff, scolding; snub *ook*
affront'; (w) rate, scold, chide, snub

'kam **-ge-** comb off; denigrate, run down (by
criticism) *ook* **kleineer', af'kraak**

'kap **-ge-** cut off, chop off; apostrophise;
~te'ken/~pingste'ken apostrophe

'keer[1] (s) aversion, dislike *ook* **af'sku, teë'sin,**
renons'; *'n ~ hê van* have a dislike/loathing
of; *met ~ vervul* fill(ed) with aversion

'keer[2] (w) **-ge-** avert, ward off; turn aside
e'rig: ~ van averse to/from

'keur (w) **-ge-** disapprove, condemn; reject,
scrap *ook* **verwerp'**

'keuring (s) disapproval, censure; *sy ~ uit=*
preek express his disapproval

'klim **-ge-** climb down, descend; dismount
from horse); *van sy perdjie ~* come down a
notch or two

'klop **-ge-** beat, thrash; peg out (infml.), die
ok **dood'gaan, sterf**

'knip **-ge-** cut off, clip off

'knou **-ge-** bully (v) *ook* **boe'lie** (w); **~er** (s)
bully (person) *ook* **baasspeler, boe'lie**

'koel **-ge-** cool down; *koel af, Jan!* cool it,
John!

'kom **-ge-** come down, descend; *met 'n boete*
aarvan ~ get off with a fine; *die rivier sal ~*
he river will be in flood; **~e'ling** descendant,
ibling; **~s** descent, extraction, origin; *van hoë*
s *wees* be of noble birth

oms'tig derived from, descended from; ~ *van*
ie Karoo hailing from the Karoo

ondig **-ge-** proclaim, declare, promulgate *ook*
ekend'maak; *gebooie ~* publish the banns;
ing proclamation, promulgation, declaration

onkel **-ge-** coax/entice away (staff member/
ayer) *ook* **af'rokkel;** alienate

oop (s) surrender; (w) surrender (insurance
olicy); redeem; **~boe'te** spotfine; **~waar'de**
urrender value (insurance)

af'kort **-ge-** shorten, abbreviate, abridge; *ook*
verkort'; ~ing abbreviation

af'kraak (w) **-ge-** denigrate, run down (a person)
ook **sleg'sê, verne'der, kleineer'**

af'krap **-ge-** scrape off, scratch (off)

af'kyk **-ge-** copy, crib *ook* **af'skryf; af'loer;** look
down; spy

af'laai **-ge-** unload, offload; discharge; download
(comp.)

af'landig (b) offshore (wind) *ook* **see'waarts**

af'lê **-ge-** lay down, part with; take (oath); pass
(examination); give (evidence); pay (visit);
retrench (staff) *kyk* **af'dank;** *'n besoek ~* pay a
visit; *'n eed ~* take an oath; *eksamen ~* take an
examination; *getuienis ~* give evidence

af'leer **-ge-** unlearn, forget; cure of (a habit)

af'leggingspakket' severance package *ook* **uit'=**
treepakket', skei'dingspakket'

af'lei **-ge-** deduce, infer; derive; divert; lead
down; **~ding** derivation, deduction; diversion,
distraction; *tennis is goeie ~ding* tennis is
good recreation; **~er** (lightning) conductor;
distractor (in multiple choice questions)

af'lek **-ge-** lick; trickle down

af'lewer **-ge-** deliver; **~ing** delivery; part, num=
ber (of magazine/periodical)

af'loer **-ge-** spy, watch secretly

af'loop (s) end, result, issue; expiry; run-off;
gelukkige ~ happy ending; *na ~ van die*
vergadering after the meeting; (w) end; flow
down; decline

af'los **-ge-** relieve; redeem; discharge; *mekaar ~*
take turns; **~baar** redeemable (bonds); **~sing**
relief; redemption; **~wed'loop** relay race

af'luister **-ge-** eavesdrop *ook* **mee'luister;** tap
(telephone); **~aar** eavesdropper (person)

af'maak **-ge-** kill; put down (sick/old animal)
ook **uit'sit**

af'mat: **~tend** (b) tiring, tiresome; **~ting** weari=
ness, fatigue, exhaustion

af'merk **-ge-** tick off (as correct); mark down

af'meting **-s, -e** measurement, measure, dimen=
sion; *'n gebou van reusagtige ~s* a gigantic
building

af'neem **-ge-** take away, deprive; decrease,
shrink; photograph *ook* **fotografeer';** snap;
clear (table); *'n eed ~* take an oath; *'n*
eksamen ~ examine; *sy kragte neem vinnig af*
his strength is rapidly declining

af'nemer **-s** photographer *ook* **fotograaf'**

af'paar **-ge-** pair off (people)

af'pen **-ge-** peg off (claim of land)

af'perk **-ge-** enclose; shut off; limit, fence in;
strate ~ cordon off streets

af'pers **-ge-** extort, exact from; blackmail *ook*
af'dreig, af'dwing; ~er blackmailer, racket=
eer; **~ing** extortion; blackmail *ook* **af'drei=**
ging

af'plat (w) level off; slow down (economy); ~ting (n) slowdown, decline

af'pluk -ge- pick (off), gather

af'praat -ge- dissuade from, discourage ook af'raai

af'pyl (w): ~ op make a beeline for

af'raai -ge- advise/caution against, dissuade from ook af'keur; kyk aan'raai

af'rammel -ge- rattle off, prattle; die voordrag ~ rattle off the recitation

af'ransel -ge- thrash, flog ook foe'ter, ta'kel; ~ing thrashing, flogging ook loe'sing

af'reis (s) departure; (w) depart, leave; die hele land ~ travel all over the country

af'reken -ge- settle; get even with; settle a score, square up; dag van ~ing day of reckoning

af'rig -ge- train, coach (sport); ~ter trainer, coach ook brei'er; ~ting training, coaching

A'frika Africa (continent); ~tale African languages

Afrikaan' ..kane African (person)

Afrikaans' (s) Afrikaans (language); (b) -e Afrikaans (customs, etc.)

Afrika'ner[1] -s Afrikaner (person)

afrika'ner[2] -s marigold (flower)

afrika'nerbees -te ..bul, ..koei, ..os Afrikaner/Africaner (bull, cow, ox)

Af'rican Na'tional Con'gress (ANC) African National Congress (ANC) (political party)

af'rit -te off-ramp, exit (traffic) ook uit'rit

af'rokkel -ge- coax, wheedle away ook af'konkel; iem. se werknemer ~ coax/entice away s.o.'s employee

af'rol -ge- roll down, unroll; duplicate; ~masjien' duplicator kyk ook (foto)kopieer'der

af'rond -ge- round off, finish off; ~ing rounding off; finishing touch(es); ~(ing)skool finishing school ook slyp'skool

af'ruk -ge- tear off, snatch away

af'saag/af'sae -ge- saw off; af'gesaagde grap stale joke; af'gesaagde versko'ning worn-out excuse

af'saal -ge- off-saddle; êrens ~ go courting somewhere

af'sak -ge- sink, go down, slip down; ~sel sediment, deposit; lees (wine)

af'sê -ge- sack; ditch; countermand; sy meisie het hom afgesê his girlfriend sent him packing

af'send -ge- send off, forward, consign; ~er sender, consigner; ~ing consignment, dispatch ook besen'ding

af'set (s) turnover, sales; ~gebied' market, sales area; ~punt outlet

af'setter -s swindler, cheat, conman ook verneu'ker, bedrie'ër; ~y swindling, cheating

af'sien -ge- give up, abandon; see off; van 'n plan ~ give up a plan

afsien'baar measureable; binne ..bare tyd short-ly/in the foreseeable future

afsig'telik ugly, hideous ook afsku'welik, af-grys'lik

af'sit -ge- put down; dismiss; dethrone (a king); start (runners); run away; amputate (a limb) ook amputeer' (w); ~ter starter (person, sport)

af'skaal (w) -ge- scale down ook af'gradeer

af'skadu -ge- foreshadow; typify; ~wing fair resemblance; foreshadowing

af'skaf -ge- abolish, abrogate, repeal ook beëin-dig, op'gee, prys'gee; ~fer abstainer, teeto-taller ook geheel'onthouer (persoon); ~fin abolition, teetotalism

af'skakel (w) switch off (lights) ook af'si-los'maak

af'skeep -ge- do work in a slip-shod manner oo-verwaar'loos; treat shabbily; jou werk neglect/botch/bungle your work

af'skei -ge- separate; sever; ~ van secede from secrete

af'skeid parting, departure, farewell; ~ toewu-wave farewell; ~ing separation; secretio-secession; ~s'geskenk' farewell gift/presen-~s'groet farewell, last greeting; ~s'kus partir kiss; ~s'maal farewell dinner

af'skep -ge- skim, scoop off

af'skeur -ge- tear off; ~stro'kie tear-off slip o-skeur'strokie

af'skiet -ge- discharge, fire; shoot off (leg); se-up, launch (rocket)

af'skil -ge- peel, rind

af'skilfer -ge- scale, peel off, flake off/away

af'skop (s) -pe kick-off; (w) -ge- kick off

af'skort -ge- partition off; ~ing partition; cubic-ook kleed'hokkie

af'skrif -te copy, duplicate ook kopie', dupl-kaat'; gewaar'merkte ~ certified copy

af'skrik (s) horror, aversion; (w) frighten, dau-deter, discourage; ~mid'del deterrent; ~wel-kend (b) terrifying, frightening

af'skryf/af'skrywe -ge- copy, crib; cancel, wri-off; R50 van 'n rekening ~ write off R50 fro-an account

af'sku abomination, horror, abhorrence o-af'keer, af'gryse; met ~ vervul horrified

af'skud -ge- shake off

af'skuif/af'skuiwe (w) ge- push/shove o-exculpate

af'skuur -ge- scour off; grind; rub down o-af'krap, af'vryf

afsku'welik (b) abominable, horrible, grueso-ook afgrys'lik, gru'welik; ~heid abominatio-monstrosity

af'slaan -ge- decline, refuse (an invitation) o-wei'er; repulse, beat off (the enemy); redu-(price); knock off; serve, service (tennis); aanbod ~ refuse an offer

ˈslaer -s auctioneer (person)

ˈslag[1] **(s)** reduction, rebate, discount *ook* **korˈting; ~winkel** discount store

ˈslag[2] **(w) -ge-** flay, skin; *Ma gaan my ~!* Mom's going to kill me!

ˈsloof -ge- drudge, slave, toil, flog oneself *ook* **ooreisˈ, uitˈput**

ˈsluit -ge- close, shut off *ook* **versperˈ;** fence in; seclude; disconnect; conclude *ook* **beëinˈ= dig;** *rekenings ~ aan die einde van die boek= jaar/geldjaar* close off accounts at the end of the financial year; **~ing** enclosure, fence; closing; **~kraan** stopcock

slyt (w) wear out, waste

ˈsmeer (w) ge- palm off; foist (on s.o.); *hy het daardie ou fiets aan my afgesmeer* he palmed off/foisted that old bicycle on me

ˈsnou -ge- snap/snarl at, speak harshly to

ˈsny -ge- cut off, curtail, lop off

ˈsonder -ge- isolate, separate, segregate; **~ing** seclusion, retirement; **~ingshospitaal** isola= tion hospital

sonˈderlik (b) -e separate, isolated *ook* **apartˈ; ~e gevalˈle** isolated cases; **(bw)** sepa= rately

sper (w) -ge- cordon off (an area)

ˈspoel -ge- rinse, wash away

ˈspraak ..sprake appointment; agreement *ook* **ooreenˈkoms; ~** *met tandarts* appointment with dentist; *volgens ~* according to agree= ment; **~opˈroep** fixed-time/trunk call; **~ver= kragˈting** date rape *ook* **geselˈverkragting**

ˈspreek -ge- agree upon, arrange

ˈspring -ge- jump off, alight; pounce (up)on; **-plek** springboard (for attacks)

ˈstaan -ge- give up, yield, cede, surrender

ˈstam -ge- descend, spring/derive from; **~me= ing (s) -e** descendant *ook* **naˈsaat;** sibling from one or both parents), issue; **~ming** extraction; derivation *ook* **afleiˈding**

ˈstand -e distance; abdication, cession; *~ doen an die troon* abdicate the throne; **~(s)beheerˈ** remote control; **~meˈter (s)** odometer *ook* **ˈodomeˈter; ~onˈderrig** distance learning, eletuition (by correspondence, tape, video, nternet)

ˈstap -ge- step down; change (subject)

ˈsteek -ge- contrast with; deliver (speech); cut ff; mark off; *iem. die loef ~* outdo/out= mart/outperform s.o.

ˈstem -ge- vote against; reject, turn down

ˈsterf/afˈsterwe -ge- die (off); lose touch with

ˈstof dust; **~lap** duster *ook* **stofˈlap**

ˈstoot -ge- push off; repel; *jy stoot al jou riende af* you alienate all your friends

ˈootˈlik (b) repulsive, hideous *ook* **afskuˈwe= k, walgˈlik**

ˈort -ge- plunge; tumble down

afˈstroop -ge- strip off (leaves); pillage, ransack *ook* **kaalˈstroop**

afˈstudeer (w) ~, -ge- complete/finish studies

afˈstuur -ge- dispatch; bear down upon; consign; send off (rugby/soccer player for foul play); ~ *op* make/head for

afˈsweer[1] **(w) -ge-** abjure, swear off, renounce; *hy het alle aardse genietinge afgesweer* he renounced all worldly pleasures

afˈsweer[2] **(w) -ge-** rot off, fester off

afˈswoeg -ge- slave, overwork (oneself) *ook* **moor, doodˈwerk**

afsyˈdig (b) aloof; detached *ook* **onpartyˈdig, neutraalˈ**

afˈtakel -ge- dismantle; thrash; unrig (ship); *iem. lelik ~* criticise s.o. severely; *hy takel vinnig af* he is getting weaker

afˈtap -ge- tap, siphon (v); bottle; trickle down

afˈtas -ge- scan *ook* **skandeerˈ; ~ter** scanner *ook* **tasˈter, skandeerˈder**

afˈteken -ge- mark; draw; sign off; *die berge staan afgeteken teen die lug* the mountains are silhouetted against the sky

afˈtel[1] **-ge-** lift off

afˈtel[2] **-ge-** count out; count down; **~ling** count off; countdown (space launch)

afˈtik -ge- type; tick off (seconds)

afˈtjop (omgangst.) (w) -ge snuff it (infml.); die; fail

afˈtog retreat; *die ~ blaas* sound/beat the retreat

afˈtrap -ge- wear out (heels); break by treading; cycle; kick away; *'n lelike stel ~* have a nasty experience, put one's foot into it

afˈtrede/afˈtreding resignation, retirement *kyk* **uitˈtrede**

afˈtree[1] **-ge-** pace, measure

afˈtree[2] **-ge-** resign *ook* **uitˈtree** (as voorsitter); retire; **~~annuïteitˈ** retirement annuity; **~be= planˈning** retirement/pension planning; **~oord** retirement village/resort; **~pakket** retirement package *kyk* **skeiˈdingspakketˈ**

afˈtrek (s) demand; subtraction; **(w)** deduct, subtract; pull off; **~lys** drop-down list (comp.); **~orˈder** stop order *kyk* **debietˈorder; ~papier** tracing paper *ook* **naˈtrekpapierˈ; ~sel** extract; tincture; **~som** subtraction sum; **~tal** minuend

afˈtuimel -ge- tumble down; **~kiesˈlys/~menuˈ** drop-down menu (comp.)

afˈvaardig (w) delegate, depute; **~ing (s)** depu= tation, delegation; **afgevaarˈdigde (s) -s** dele= gate (person)

afˈval (s) head and trotters (of a sheep); offal (meat); refuse, trash, waste; forsaking, apos= tasy; **(w)** fall off, tumble down; forsake; ~ *herwin/hersikleer* recycle refuse/trash

afvalˈlig faithless, apostate; disagreeing, dissi= dent; **~e** deserter; backslider; dissident (per= son)

af′val: ~produk′ byproduct; **~stuk** cut-off; **~waar′de** scrap value

af′vee(g) -ge- wipe off; dry, dust, polish

af′voer (s) conveyance, discharge; (w) convey away; carry off; **~een′heid** output unit (comp.); **~pyp** waste/overflow pipe; downpipe (gutter)

af′vra -ge-: *ek het my dikwels afgevra* I have often wondered; *die boer die kuns ~* fish for information

af′vry -ge- oust (in courting); cut out

af′vuur -ge- fire (off), discharge (in battle)

af′wag -ge- await, abide; *sy beurt ~* take his turn; **~ting** expectation; **~re′kening** suspense ac= count

af′was -ge- wash, cleanse; **~sing** ablution *ook* **rei′niging**

af′water (s) effluent; *fabrieke se ~ moet beheer word* factory effluent must be controlled; (w) **-ge-** drain, pour off; *afgewaterde/verwaterde teks/weergawe* watered-down text/version

af′weer -ge- ward off, avert; **~geskut′** anti-air= craft gun, ack-ack

af′wend -ge- ward off, divert; *die gevaar ~* avert the danger

af′wentel -ge- roll away; shift off; devolve; *blaam ~ op iem. anders* let s.o. else take the blame; **~ing** devolution *ook* **devolu′sie**

af′werk -ge- complete, finish; put finishing touches to; **~ing** finish, finishing touches

af′werp -ge- throw/shake off, shed

afwe′sig (b) **-e** absent; absent-minded *ook* **af′getrokke, verstrooid′**; **~heid** absence; ab= senteeism

af′wissel -ge- change, alternate; take turns; vary; **~end** (b) alternating, varied, diversified; **~ende kleu′re** varying colours; (bw) alternately, in turns; **~ing** variation *ook* **varia′sie**

af′wyk -ge- deviate, diverge; depart from; deflect; *van die waarheid ~* swerve from the truth; **~ing** deviation, deflection; divergence, variation

af′wys -ge- reject; refuse, decline *ook* **wei′er**

ag[1] (s) attention, care; *in ~ neem* take into consideration; *~ slaan op* pay attention to; (w) **ge-** esteem, value; *iets nodig ~* consider something necessary

ag[2]**/agt** (telw) eight; *oor 'n dag of ~* within a week

ag[3] (tw) alas!, gosh!, oh!

ag′baar ..bare respectable, venerable, honour= able; *agbare voorsitter* (man of vrou) Mr Chairman/Madam Chair, Chairperson

agen′da -s agenda *ook* **sa′kelys;** *verskuilde ~* hidden agenda

agent′ -e agent *ook* **saak′waarnemer; ~skap** agency, franchise

aggregaat′ aggregate, total *ook* **(eind)totaal′**

aggres′sie (s) aggression; antagonism; (b) **ag gressief′** aggressive *ook* **aan′vallend**

a′gie -s Nosy Parker, Paul Pry; quidnunc *nuuskierige ~s hoort in die wolwehok* curiosit killed the cat

agita′tor -s agitator *ook* **op′stoker, skoor′soe ker;** demagogue

agnos′tikus agnostic (person) *ook* **niegelo′wige**

agret′jie/agret′ta -s mayflower

agronomie′ agronomy, field husbandry *oc* **ak′kerbou**

agronoom′ agronomist (person) *ook* **landbou kun′dige**

agt (telw) = **ag**

agtelo′sig careless; perfunctory *ook* **agter′losi nala′tig**

ag′ter behind, after; late; *my horlosie is ~* n watch is slow; *~ die tralies* in jail

ag′teraan behind, at the back

ag′teraf out-of-the-way; backward; secretly; *mense* uncultured/backward people

agterbaks′ (b) sly, underhand, behind one's ba *ook* **onderduims′, skelm**

ag′terbanker -s backbencher (parliament)

ag′terbeen ..bene hind leg

ag′terbly -ge- remain behind, straggle; surviv

ag′terbuurt -e backstreet, slum area/quarte slum(s) *ook* **krot′buurt; onder′dorp, gops**

ag′terdeur -e backdoor; *~ oophou* keep backdoor open

ag′terdog suspicion *ook* **suspi′sie;** *~ koes* harbour suspicion

agterdog′tig (b) suspicious *ook* **suspisieus′**

agtereenvol′gens successively, consecutively

ag′terent hind part, rear; backside, bum *o* **ag′terste, sit′vlak**

ag′tergeblewe: ~ gemeen′skap disadvantage deprived community *ook* **on′derbevoorreg gemeen′skap, in′haalgemeenskap**

ag′tergrond background; *op die ~ bly* remain the background; keep a low profile

ag′terhoede -s rearguard; backline

ag′terhou (w) **-ge-** keep behind, keep back

ag′terin at the back (of)

ag′terkant -e back, back part, reverse side

ag′terklap[1] (s) slander, calumny, gossip

ag′terklap[2] (s) **-pe** rear/back flap (bakkie canop

ag′terkleinkind -ers great-grandchild

ag′terkom -ge- discover, find out *ook* **ontdek**

ag′terlaaier -s breech-loading gun

ag′terlaat -ge- leave behind (having died); *v onversorg ~* leave wife unprovided for

ag′terlig -te tail light (car)

ag′terlik (b) backward *ook* **sim′pel, mind waar′dig;** mentally deficient/handicapped *verstan′delik gestrem**

agterlo′sig = agte′losig

ag′terlyf ..ly′we hind quarters; abdomen (ins

gtermekaar' in order, orderly, well-organised *ook* **or'delik; puik;** spick and span, neat; *'n ~ kêrel* a fine/smart fellow/chap

gtermid'dag ..mid'dae (late) afternoon

gterna' after, later, subsequently; *~ hardloop* run/rush after; **~wys'heid** hindsight

gteroor' backward(s), supinely; *~* **buig** bend backwards (to please)

gterop'skop (w) **-geskop** frisk, kick up the heels; be unmanageable

g'**teros -se** hind ox; *~ kom ook in die kraal* slowly but surely

g'**terpoot ..pote** hind foot; *gou op die ..pote wees* be quick-tempered

g'**terplaas ..plase** backyard

g'**terryer** attendant on horseback; henchman

g'**tersaal -s** pillion

g'**terskot -te** deferred/arrear payment (by co-operative society); backpay

g'**terslag ..slae** thong (of a whip)

g'**terspeler -s** back (football)

g'**terstaan -ge-** be behind; be inferior; *by niemand ~ nie* be inferior to nobody

,**terstal'lig -e** in arrear, overdue; *sy rekening is drie maande ~* his account is three months overdue *ook* **uit'staande**

,'**terstand** backlog; arrears; backward position; *~ inhaal* make up lost ground

'**terste** last, hindmost

'**terstel** (s) tail-end (wagon), rear (chassis)

t**erstevoor'** hind part foremost; topsyturvy, upside down *ook* **om'gekeerd, a'weregs;** *'n perd ~ ry* (idioom) put the cart before the horse (idiom)

'**terstewe -ns** stern (of ship); buttock/backside (of a person) *ook* **boud, sit'vlak**

'**tertoe** astern; towards the back; *staan asse= blief ~* please stand back

teruit' backwards; *~ boer* farm at a loss; go downhill (fig.), lose money; *die pasiënt gaan ~* the patient is getting worse

teruit'gaan (w) go backwards; grow worse, deteriorate, be on the downgrade; **agteruit'= gang** (s) decay, retrogression, deterioration, degeneration; decline

tervoegsel -s suffix *ook* **suf'fiks**

t**ervolg'** (w) *~* follow, pursue, trail; hound (v); **~ing** pursuit, persecution; **~ingswaan'** perse= cution mania/complex

t**erwe'ë** aside, behind; *~ bly* fail to appear; emain in abeyance; *iets ~ laat* omit some= hing; leave undone

terwêreld undeveloped region; backside, iind part (of a person) *ook* **sit'vlak, ag'terent**

t**erwiel** (s) **-e** back/rear wheel

t)'hoek (s) **-e** octagon; (b) **ag(t)hoek'ig** ictagonal

ting (s) regard, esteem, respect *ook* **eer'bied,**

respek'; *uit ~ vir* out of consideration/respect for

ag(t)'ste -s eighth

agt'(t)ien (telw) eighteen; **~de** eighteenth

agt'uur eight o'clock; breakfast; **~werk'dag** eight-hour working day

agur'kie (s) **~s** gherkin; small cucumber

ai (s) sloth (three-toed) *ook* **lui'dier**

ai'kôna!/hai'kô'na (tw) oh no!, not at all! *ook* **glad nie**

akade'mie -s academy; studies; academe; **~s** (b) **-e** academic(al), scholastic; *~e opleiding* academic training

aka'sia -s acacia (shrub, tree)

akkedis' -se lizard, skink

ak'ker[1] (s) **-s** field; acre; *Gods water oor Gods ~ laat loop* let matters take their own course; **~bou** crop farming *ook* **saai'boerdery**

ak'ker[2] (s) **-s** acorn; **~boon(tjie)** cowpea

ak'kertjie -s garden/flower bed

akklama'sie acclamation *ook* **applous';** acclaim

akklimatiseer' (w) **ge-** acclimatise

akkommoda'sie accommodation *ook* **verblyf', huis'vesting**

akkommodeer' (w) **ge-** accommodate; serve, assist

akkoord' (s) agreement, accord *ook* **ooreen'= koms, skik'king;** harmony; chord (music); *~ gaan met* agree with *ook* **akkordeer'** (w); **~gehoor'** (s) captive audience *ook* **in'stem= mende gehoor'**

akkordeer' (w) **ge-** agree *ook* **saam'stem**

akkor'deon (s) accordion *ook* **trek'klavier, pens'klavier**

akkuraat' accurate, exact *ook* **presies', korrek'**

akkusatief' ..tiewe accusative (gram.)

ak'nee -s acne, facial pimples *ook* **vet'puisie(s)**

akoestiek' (s) acoustics *ook* **geluids'leer**

akrobaat' ..bate acrobat

akroniem' (s) **-e** acronym *ook* **letter'woord**

aksent'[1] accent *ook* **klem; tong'val**

aksent'[2] accent/stress mark; *~* **akuut'** ('); *~ ook* **aksent'strepie**

aksep'bank -e merchant bank *kyk* **han'delsbank**

aksepteer' ge- accept; *'n wissel ~* accept a bill (of exchange)

ak'sie action, suit; tiny bit; *'n ~ hê teen iem.* have a bone to pick with s.o.

aksioom' (s) **..iome** axiom *ook* **stel'ling, uit'= gangspunt**

aksyns' excise; **~belas'ting** excise duty (on tobacco, alcohol)

ak'te deed; certificate; *'n ~ verly* execute a deed; *~ van oprigting* memorandum of association (of company); **~tas** briefcase, attaché case *ook* **brie'wetas**

akteur' -s actor *ook* **toneel'speler**

aktief' active *ook* **bedry'wig;** **..tiewe aan'dry=**

wer active drive (comp.); **..tiewe vulkaan′** active volcano

aktivis′ -te activist (fighter for a cause)

aktiveer′ (w) **ge-** activate, arouse, start *ook* **aan′wakker; aktief′ maak**

aktiwiteit′ (s) **-e** activity *ook* **bedry′wigheid**

aktri′se -s actress *ook* **toneel′speelster, film′ster**

aktualiteit′ -e actuality; topicality

aktuarieel′ (b) **..riële** actuarial; **aktua′ris** (s) **-se** actuary (insurance specialist)

aktueel′ ..tuele actual, real, topical; vital; *'n aktuele artikel* a topical article

akupunktuur′/akupunk′sie acupuncture *ook* **naald′prikking**

akuut′ acute *ook* **skerp, he′wig; ~balk** (/) slash *ook* **skuins′streep**

akwarel′ -le watercolour painting, aquarelle *ook* **wa′terverfskildery′**

akwaduk′ -te aquaduct *ook* **(oop)** **wa′terleiding**

akwakultuur′ aquaculture *ook* **waterkwe′king**

akwa′rium -s aquarium (fish tank/reservoir)

al[1] (b, telw) all, every; *~ om die ander week* every other week; *~ drie* all three; *in ~le geval* in any case

al[2] (bw) already; continually; *~ hoe meer* more and more

al[3] (vgw) though, even if; *~ is hy nog so arm* however poor he may be

alarm′ -s alarm; tumult; *~ maak* sound the alarm; **~klok** alarm bell; **~kreet** cry of alarm; **~ma′ker** whistle-blower *ook* **onthul′ler, verklikker**

albas′ter -s marble (game); alabaster (gypsum used for sculptures)

al′batros -se albatross (ocean bird)

al′bei both; *hulle is ~ siek* both of them are ill

al′bum -s album *ook* **gedenk′boek, (foto)plak′boek**; music selection (on CD)

al′dag all day, every day; *nie ~ se kêrel nie* an outstanding fellow

aldus′ thus, so, in this manner

al′ewig -e continual, incessant; *~ laat wees* be continually/always late

al′fa alpha; *die ~ en die omega* the beginning and the end

al′fabet (s) alphabet; **~iseer′** (w) **ge-** alphabetise, arrange in alphabetical order; (b) **alfabe′ties** alphabetic(al)

alg algae *ook* **wier**

al′gar all, everybody *ook* **al′mal, ie′dereen**

al′gebra algebra

al′geheel total(ly), entire(ly), overall; **al′gehele guns′teling** hot favourite; **al′gehele wen′ner** overall winner *kyk* **naas′wenner**

al′gemeen ..mene; ..mener, -ste general(ly), universal(ly), common(ly); *die algemene belang* the public interest; *oor/in die ~* in general; **al′gemene jaar′vergadering** annual

general meeting; **al′gemene praktisyn′** famil practitioner *ook* **huis′arts**

al′heilmiddel -s panacea, elixer (universal cur

alhoewel′ (al)though *ook* **hoewel′**

a′lie (omgangst.) (s) **-s** marble (game); buttoc backside (of a person)

a′lias (s) **-se** alias *ook* **an′ders genoem;** (bv alias, otherwise

a′libi -s alibi; *sy ~ bewys* establish one's alibi

a′likreukel -s periwinkle *ook* **a′rikreuke a′likruikel**

aljim′mers always, ever, repeatedly *ook* **al′tye**

alka′li -ë, -′s alkali

al′kant all sides; *~ selfkant* six of the one a half-a-dozen of the other; no difference

al′kante on all sides

al′kohol (s) alcohol; liquor; **alkoho′lies** (alcoholic

alkoholis′ -te alcoholic (person); **~me** alcoho ism

alkoof′ alkowe alcove (recess in wall)

al′ko: ~me′ter alcolmeter; **~toet′ser** breathalys *ook* **a′semtoetser**

al′la! good gracious!, (upon) my word!

alla: ~krag′tie!, ~mag′tig!, ~mas′kas!, ~ma tig!, ~men′sig!, ~min′tig!, ~wêreld! go gracious!, (upon) my word!, gee whiz!

Al′lah Allah (Supreme Being – Islam)

alledaags′ -e commonplace, ordinary o **(dood)gewoon′;** familiar; trivial; **~e voo valle** common events/occurrences

alleen′ alone, single, lonely; sole; *die gedagte* the mere thought; **~agent′** sole agent; **~ha del** monopoly; **~heer′ser** absolute monar autocrat; **~lik** only; **~lo′per** (s) loner (perso **~op′sluiting** solitary confinement; **~reg** s right; **~spraak** monologue, soliloquy; **~v sprei′der** sole distributor

allegaar′tjie -s mixed grill *ook* **gemeng′ braai′gereg**

allegorie′ -ë allegory *ook* **sin′nebeeld**

al′lemansvriend hail-fellow-well-met, everyb dy's friend; *~ is niemandsvriend* a friend everybody is a friend to nobody *see* **fa weather friend**

allengs′ gradually, by degrees *ook* **gaan′dewe**

alle′nig alone, lonely; lonesome

allerbes′te very best *ook* **eers′teklas; pr′ima**

allereers′(te) first of all; in the first place

al′lerhande all sorts/kinds, sundry, miscel neous *ook* **diver′se**

Allerhoog′ste the Supreme Being, God

allerlaas′te very last, ultimate

al′lerlei all kinds of, miscellaneous

allerliefs′(te) (b) most charming, dearest, swe est; (bw) preferably

allermees′(te) most of all, very most, mostly

allermins′(te) very least, least of all

l'lerweë everywhere, in all respects

l'les all, everything; ~ van die beste/mooiste all the best, good luck: ~ behal'we every=thing/anything but, except for, besides; sy het ~ ~ biologie geslaag she passed everything but/except (for) biology

l'lesbehal'we not at all, far from ook glad/volstrek nie

'lesins in every respect, by all means

'leswinkel -s hypermarket, bazaar

lian'sie (s) -s alliance ook verbond', bond'=genootskap

liga'tor -s alligator, caiman ook kaai'man, wa'terlikkewaan'

litera'sie (s) alliteration; allitereer' (w) allit=erate (repeat initial consonants)

looi alloy; standard, quality; van die suiwerste ~ of the finest quality

luviaal' ..viale alluvial (river diamonds, etc.)

mag omnipotence, supreme power

mag'tig (b) -e almighty, omnipotent; die A~e God the Almighty, God Almighty

'mal all, everybody; ons ~ all of us ook al'gar

manak' -ke almanac ook kalen'der

melewe always, the whole time ook ale'wig; ~ laat wees be continually late

miskie' nevertheless, notwithstanding ook nog'tans

om' everywhere; ~bekend' known by all; ~teenwoor'dig omnipresent

omvat'tend -e all-embracing, comprehensive ook omvat'tend

pak'ka¹ (s) alpaca (animal)

pak'ka² (s) nickel, silver, German silver

pe: die ~ the Alps (Swiss/Italian mountains)

reeds' already ook reeds

ien'de: ~ oog all-seeing eye

o' thus, in this way, so

y'dig -e versatile, allround, many-sided ook veelsy'dig

-e contralto, alto (voice/violin/flute)

taar altare altar

ans' at least, anyway, at any rate

te very; too; ek voel nie ~ lekker nie I don't feel too well; dis ~ jammer it's too bad

emit(s)' perhaps, maybe ook dalk, miskien'; dis nie ~ nie no doubt about it

ernatief' ..tiewe alternative; choice, option; opposite; ~we gemeen'skap alternative so=ciety ook teen'kultuur

esame altogether, together

oos always, ever ook al'tyd, deur'entyd

ruïs'me altruism, unselfishness ook onselfsug'=igheid, naas'teliefde

yd always, ever; ~deur always, ever and anon

in' (s) -e alum; potassium

mi'nium aluminium

alum'nus (s) ..ni, -se alumnus, ook oud'student

al'vermoënd -e omnipotent, all-powerful

al'vleisklier -e pancreas (gland behind stomach)

alvo'rens before, until; ~ hy aangestel word, moet hy ... before he is appointed he should ...

alwe'tend -e all-knowing, omniscient

al'weter -s know-all (person) ook be'terweter

amalgama'sie amalgamation ook sa'mesmelting

amalgameer' (w) ge- amalgamate ook saam'=smelt

aman'del -s almond

amaril' emery ook skuur'steen

amaso'ne -s amazon ook man'netjiesvrou

amateur' -s amateur, layman ook leek

am'bag (s) -te trade, occupation, handicraft, business; twaalf ~te, dertien ongelukke Jack of all trades, master of none; (w) do, be busy with; ~skool trade/industrial school; ~s'man ..lui/-ne artisan, workman

ambassa'de -s embassy; ambassadeur' ambas=sador (dipl.)

am'ber amber ook barn'steen; geel (verkeerslig)

ambi'sie ambition ook eer'sug; (b) ambisieus' ambitious ook vooruitstre'wend

ambulans' -e ambulance

ameg'tig (b) breathless, panting for breath

a'men -s amen; op alles ja en ~ sê agree to everything

amendement' -e amendment (legislation, reso=lution) ook wy'siging

Ame'rika America (country and continent); Ame=rikaans' (b) -e American; ~e voet'bal American football

Amerika'ner -s American (person)

ametis' -te amethyst (semiprecious stone)

ameublement' -e set/suite of furniture ook meublement'/meubelment'

amfibie' -ë amphibious animal; amphibian

amfi'bies (b) amphibious (can live/operate on land and water)

amfitea'ter -s amphitheatre

ammoniak' ammonia

ammuni'sie ammunition ook skiet'goed

amnes'tie amnesty ook vry'waring, kwyt'skel=ding (voor skuldigbevinding); ~ verleen grant a pardon/amnesty

amok' amok ook raserny'; ~ maak run amok; go on the rampage

amoreus' (b) amorous

amorf' -e amorphous ook vorm'loos

amortisa'sie amortisement; ~fonds sinking fund ook del'ging(s)fonds

amp (s) -te office, employment ook betrek'king, pos; charge; duty, function; 'n ~ beklee hold an office

am'per nearly, almost ook by'na; ~ maar (nog) nie stamper nie a miss is as good as a mile

am'perbroekie -s scanty-panty, scanties

am′persand/&-teken ampersand (also comp.)

amps: ~**aan′klag** impeachment *ook* **staat van beskul′diging;** ~**bedie′ning** (tenure of) office; ~**bekle′ër** holder of office, incumbent; ~**ge= noot′** (official) counterpart *ook* e′**weknie;** ~**gewaad′** robes of office; ~**hal′we** officially, ex officio; in attendance (at meetings); ~**ket= ting** chain of office (mayor); ~**mo′tor** official car; ~**termyn′** term of office

amp: ~**staf** mace (parliament); ~′**telik** offi= cial(ly); ~′**tenaar** official, officer, functionary; ~**tenary′** officialdom

amulet′ -te amulet *ook* **geluk′steentjie**

amusant′ (b) amusing, entertaining *ook* **ver= maak′lik, komiek′lik**

amuseer′ (w) amuse, entertain *ook* **vermaak′**

anabo′liese steroïed′ anabolic steroid(s)

anachronis′me/anakronis′me -s anachronism *ook* **tyd′verskuiwing**

analfabeet′ analphabete, illiterate (person)

analis′ (s) -te analyst (of shares, politics) *ook* **ontle′der**

anali′se (s) -s analysis *ook* **ontle′ding; analiseer′** (w) analyse *ook* **ontleed′**

analogie′ -ë analogy *ook* **ooreen′koms;** *na* ~ *van* on/after the analogy of

anapes′ -te an(a)paest (scansion)

anargie′ anarchy *ook* **wet′teloosheid; anargis′** anarchist (person)

anatomie′ anatomy *ook* **ontleed′kunde**

an′der other, another; *aan die* ~ *kant* on the other hand; *met* ~ *woorde* in other words; ~**half** one and a half; ~**kant** across, on the other side; ~**land** foreign country; ~*land toe gaan* go abroad, relocate; ~**maal** once again

an′ders otherwise, else, different; failing which; ~ *as sy familie* not like his relations; *heeltemal iets* ~ something totally/quite different; *maak gou,* ~ *is jy laat* hurry up, else you'll be late

andersden′kend ~**e** dissenting, of a different opinion; ~**e** dissident (person)

an′dersins otherwise

an′dersom the other way about; *dis net* ~ it's just the reverse/opposite

ander(s)ta′lig (b) -**e** speaking another language

andy′vie -s endive (salad plant)

anekdo′te -s anecdote *ook* **staal′tjie, vertel′lin= kie**

anemie′ anaemia *ook* **bloed′armoede**

anemoon′ ..mone anemone *ook* **wind′blom**

an′gel -s sting (of a bee)

angelier′ -e carnation (flower)

Angel-Sak′sies Anglo-Saxon

Anglikaans′ -e Anglican; ~**e Kerk** Anglican Church

angliseer′ ge- anglicise *ook* **vereng′els**

Anglisis′me -s Anglicism

Anglo-Boe′reoorlog (ABO) Anglo-Boer War;

South African War *ook* **Twee′de Vry′heids= oorlog**

Ango′la Angola (country); **Angolees′ (s, b) ..ese** Angolan (person; language; customs, etc.)

ango′rabok -ke angora goat

angs -te anxiety, fear; agony; *met* ~ *en bewing* in fear and trembling; *dodelike* ~ *uitstaan* be in mortal fear; ~**bevan′ge** fear-stricken; ~**knop= pie** panic button *ook* **nood′knoppie;** ~**kree** cry of distress; ~**sweet** cold sweat

ang′stig afraid, terrified *ook* **benoud′, bekom= merd;** ~**e** *oomblikke* anxious moments

angsval′lig (b) timorous, worried; meticulous over-conscientious

angswek′kend alarming, fearsome, hair-raising horrifying *ook* **vrees′aanjaend**

anima′sie: ~**film** animated film/cartoon *ook* **te′kenfilm**

a′nimo (s) gusto, zest, energy, spirit *ook* **op′gewektheid**

an′ker (s) -s anchor; *êrens* ~ *gooi* go courting somewhere; *voor* ~ *lê* lie/ride at anchor; ~**gel** anchorage (dues); ~**paal** straining post; ~**to** cable, hawser

anna′le annals, chronicles; records *ook* **kro= niek′(e)**

anneks′ -e annex *ook* **by′gebou**

anneksa′sie -s annexation *ook* **in′lywing; an= nekseer′** (w) ge- annex; take, grab

annuïteit′ annuity *ook* **jaar′geld**

anomalie′ -ë anomaly *ook* **ongerymd′heid**

anoniem′ (b) anonymous *ook* **naam′loos**

anorak′ windbreaker, anorak *ook* **(wind)jek′k**

anorek′sie anorexia *ook* **aptyt′verlies, dieet siekte** *kyk* **bulimie′**

ansjo′vis anchovy (fish)

antagonis′me antagonism, animosity *ook* **vyan digheid**

anten′na/anten′ne -s aerial (wire), antenna *oo* **lug′draad**

antibio′ties (b) -**e** antibiotic; **antibio′tikum (** ..**tika** antibiotic

antiek′ -e antique; ~**win′kel** antique shop

an′tiklimaks anticlimax

antikwaar′ dealer in antiques *ook* **oudheidkun dige** (persoon)

an′tiloop ..lope antelope *ook* **wild(s)bok**

antipatie′ -ë antipathy *ook* **teen′sin/teë′si renons′**

antiretrovira′le: ~ **middel** antiretroviral dr (med.)

antivi′rusprogram anti-virus software (comp.

antisep′ties -e antiseptic *ook* **kiem′werend**

antite′se antithesis *ook* **teen′stelling**

antitoksien′ -e antitoxin *ook* **teëgif**

An′tjie: ~ **Somers** bogeyman *ook* **bang′maker Taterat′** gossiper, chatterbox *ook* **kek′kelbek**

antrasiet′ anthracite *ook* **smeul′kole**

antropologie' anthropology *ook* **mens'kunde;**
antropoloog' ..loë anthropologist (person)

ant'woord (s) -e answer, reply; *gevatte* ~ witty
reply, (good) repartee; *in ~ op* in reply to; (w)
answer, reply; *bevestigend* ~ reply in the
affirmative; **~koevert'** reply-paid envelope;
~masjien' answering machine

anys' anise (plant); **~saad** aniseed

apart' -e apart, separate *ook* **afson'derlik; ~heid**
separateness; apartheid (policy of racial seg=
regation)

apatie' apathy *ook* **onverskil'ligheid, traak-**
my-nieag'tigheid

aperitief' aperitif, appetiser *ook* **aptyt'wekker**

apokrief' ..kriewe apochryphal, unauthenticated
ook **twyfelag'tig; Apokrie'we Boeke** Apoc=
rypha

pologeet' ..gete apologist (person) *ook* **verde'=**
diger (van 'n saak, geloof)

pologie' -ë apology *ook* **versko'ning;** ~ *aante=*
ken make/lodge an apology

pos'tel -s apostle *ook* **verkon'diger** (van
evangelie); **aposto'lies** (b) apostolic

postroof' apostrophe *ook* **af'kap(pings)teken**

pparaat' apparatus, device, appliance *ook*
toe'stel

pparatuur' (computer) hardware *ook* **har'de=**
ware *kyk* **programmatuur'**

p'pel -s apple; pupil (eye); *die ~ val nie ver van*
die boom nie like father like son; *'n ~ 'n dag*
laat die dokter wag an apple a day keeps the
doctor away; *vir 'n ~ en 'n ei verkoop* sell for
a mere song *ook* **verkwan'sel**

ppèl -le appeal; ~ *aanteken* give notice of
appeal; **~hof** court of appeal

ppelkoos' apricot; **~konfyt'** apricot jam;
~pers'ke plumcot; **~siek'te** diarrhoea *ook*
loop'maag

ppelleer' (w) ge- appeal, plead, beseech

ppellie'fie -s (Cape) gooseberry

p'pelmoes (s) apple mousse/sauce

p'pelwyn cider

pen'diks (s) appendix *ook* **blin'dederm**

ppendisi'tis appendicitis *ook* **blin'dedermont=**
steking

plikant' -e applicant *ook* **aan'soeker**

plika'sie -s application (for a post) *ook*
aan'soek; '*n ~ indien* submit an application

ploudisseer' (w) ge- applaud

plous' (s) applause *ook* **toe'juiging;** ~ *soek*
play to the gallery

presia'sie appreciation *ook* **waarde'ring;**
waar'devermeerdering

presieer' (w) ge- appreciate *ook* **waardeer';**
styg in waar'de

pril' April

ropos' by the way *ook* **terloops'**

teek' ..teke chemist's shop, pharmacy; **apte'=**

ker -s chemist; pharmacist, druggist *ook*
farmaseut'

aptyt' appetite *ook* **eet'lus**

Ara'bië Arabia (region); **Arabier'** (s) -e Arab
(person); **Ara'bies** (s) Arabic (language);
Ara'bies (b) -e Arabian (customs, etc.)

a'raroet arrowroot *ook* **pyl'wortel**

ar'bei ge- work, labour, toil

ar'beid (s) work, labour, toil; ~ *adel* labour
ennobles; *geskoolde* ~ skilled labour; **~er**
labourer, workman, worker; **~er(s)party'** la=
bour party

arbeid'saam industrious, diligent, hardworking
ook **hardwer'kend, fluks**

ar'beids: ~geskil' labour dispute; **~intensief'**
labour intensive; **~on'rus** industrial action
ook **(werk)sta'king; ~terapie'** occupational
therapy; **~verhou'dinge** industrial/labour rela=
tions; **~vraag'stuk** labour problem

arbi'ter -s arbiter, arbitrator *ook* **skeids'regter**

arbitra'sie arbitration; adjudication

arbitrêr' (b) -e arbitrary *ook* **willekeu'rig**

a'rea -s area *ook* **gebied'; op'pervlakte; leer~**
learning area

are'na -s arena *ook* **stryd'perk**

a'rend -e eagle; **~s'klou** eagle's talon; **~s'neus**
aquiline nose; **~s'oë** observing/sharp eyes

arga'ïes -e archaic, antiquated; outmoded, ob=
solete *ook* **verou'der**

ar'g(e)loos (b) unsuspecting, unsuspicious

Argenti'nië Argentina (country); **Argentyn'** (s)
-e Argentinian (person); **Argentyns'** (b) -e
Argentine, Argentinian (customs, etc.)

argeologie' archaeology *ook* **oud'heidkunde;**
argeoloog' archaeologist (person)

argief' (s) argiewe archives *ook* **~bewaar'plek**

argipel' -le archipelago *ook* **ei'landgroep**

argitek' -te architect *ook* **bou'meester**

argitekto'nies architectural

argitektuur' architecture *ook* **bou'kunde**

argiva'ris -se archivist *ook* **argief'bewaarder**

argument' (s) -e argument, plea *ook* **dispuut';**
~eer' (w) ge- argue, reason *ook* **redeneer'**

arg'waan suspicion, mistrust *ook* **wan'troue;** ~
wek rouse suspicion

a'ria -s air; aria; tune, song

a'rig (b) unwell; unfriendly, strange *ook* **onge=**
mak'lik *kyk* **aar'dig**

aristokraat' (s) **..krate** aristocrat; **aristokrasie'**
(s) aristocracy; **aristokra'ties** (b) -e aristo=
cratic

ark -e ark; *uit die ~ se dae* from time imme=
morial; *saam met Noag in die ~ gewees* as old
as the hills; **~mark** pet shop

arka'de -s arcade *ook* **deur'loop**

arm[1] (s) -s arm; *iem. se ~ draai* twist s.o.'s arm
(to enlist support)

arm[2] (b) poor, indigent, needy *ook* **behoef'tig**

arm'band -e bracelet, bangle

ar'm(e)sorg care of the poor

arm'holte -s armpit ook **ok'sel, kie'liebak**

armlas'tig (b) indigent, chargeable to the parish; ~e (s) -s pauper (person) ook **pou'per**

ar'moede poverty, want; ~ *is geen skande nie* poverty is no disgrace; *volslae* ~ abject pov= erty; *tot* ~ *verval* be reduced to poverty

armoe'dig poor, needy, indigent; shabby ook **verval'le**

armsa'lig miserable, wretched ook **ellen'dig, erbarm'lik**

arm'stoel -e armchair ook **leun'stoel**

aro'ma -s aroma, fragrance ook **geur**

a'ronskelk -e arum lily ook **vark'oor** (blom)

arres'/arresta'sie arrest, custody ook **aan'hou= ding**

arresteer' (w) ge- arrest, take prisoner ook **in heg'tenis neem**

arriveer' (w) ge- arrive ook **aan'kom**

arseen' arsenic; ~vergif't(ig)ing arsenic poison= ing

arsenaal' arsenal ook **wa'penhuis; wa'penop= slagplek**

arte'sies: ~e bron/put artesian well

arties' -te artiste; **sweef~** aerial/trapeze artiste kyk **waag'arties**

arti'kel -s article; clause; commodity

artikula'sie articulation ook **(dui'deliker) uit'= spraak; artikuleer'** (w) ge- articulate

artillerie' artillery ook **(grof)'geskut; artilleris'** gunner, artillery man

artisjok' -ke artichoke

artistiek' artistic, tasteful; ~e *gehalte* artistic quality ook **kuns'gehalte**

artri'tis arthritis ook **gewrigs'ontsteking**

arts -e physician, doctor ook **genees'heer**

artseny' medicine, medicament; ~kun'de phar= macology ook **farmakologie'**

as[1] (s) ashes; ~ *is verbrande hout* if ifs and ans were pots and pans; *in die* ~ *sit* repent

as[2] (s) -se axle, axis

as[3] (bw, vgw) as, like, than; when, if

asa'lea -s azalea ook **berg'roos**

as: ~baan dirt/cinder track; ~bak'kie ashtray

asbes' asbestos; ~to'se asbestosis (sickness)

a'sem (s) -s breath; *die laaste* ~ *uitblaas* expire, die; *met ingehoue* ~ with bated breath; (w) breathe; ~haal breathe; ~ha'ling breathing, respiration; **kunsma'tige** ~ha'ling artificial respiration; ~loos breathless; ~nood respira= tory distress, dyspnea; ~ro'wend breathtaking (view) ook **verruk'lik;** ~tog (last/dying) breath

asetileen' acetylene

as'falt asphalt ook **pad'teer**

as(se)gaai' -e assegai (Zulu spear)

as'gat[1] (s) -e ash hole; dumping site

as'gat[2] (s) (infml.) -te rascal; good-for-nothing (person)

as'hoop ..hope ash heap, scrap heap, rubbish dump; dumping site ook **as'gat**[1]

Asiaat' Asiate Asian (person); **Asia'ties** (b) -e Asian, Asiatic

A'sië Asia (continent)

asiel' -e asylum, place of refuge, sanctuary ook **toe'vlug;** ~ *soek* seek asylum

as'jas -se rascal; clod (person); joker (cards)

as'kar -re dust cart, rubbish cart

aske'ties (b) -e ascetic, self-denying ook **vroom**

as'ma asthma ook **aambors'tigheid**

aspaai' I spy (hide-and-seek game)

aspek' -te aspect; *verskillende* ~te *van die saak* various aspects of the matter

asper'sie -s asparagus

aspirant' -e aspirant, applicant; ~onderwy'ser teacher trainee; aspiring teacher

aspira'sie -s aspiration ook **begeer'te, ambi'sie**

aspirien' -e aspirin (trade name)

as'poestertjie -s cinderella

aspres'/aspris' (bw) deliberately, by design; *jy het dit* ~ *gedoen* you did it on purpose

asseblief' please, if you please; ~ *tog!* do please! *bly* ~ *bietjie aan* please hold the line (tele phone)

asses'sor -s, -e assessor (assessing insurance claims); co-opted member

assimila'sie assimilation; incorporation

assimileer' (w) ge- assimilate; absorb

assistent' -e assistant ook **(me'de)hel'per;** ~re' kenmeester assistant accountant

assosiaat' ..ate associate (of a society); ~li= associate member

assosia'sie association ook **vere'niging; asso= sieer'** (w) ge- associate ook **saam'voeg**

assuran'sie insurance (short-term; property); as= surance (life); ~agent' insurance agent; ~maat= skappy' insurance company kyk **verse'kering**

as'te/as te: *so nimmer* ~ *nooit!* never ever!

as'ter -s aster, chrysanthemum; girl, girlfriend

asterisk' -e asterisk ook **ster'retjie** (*)

asteroïed -e asteroid (small planet)

astrant' (b) cheeky, impudent ook **parman'tig;** ~heid cheek, impudence

astrologie' astrology ook **ster'rewiggelary**

astroloog' ..loë astrologer (person) ook **sterre= wiggelaar, voorspel'ler**

astronomie' astronomy ook **sterre'kunde**

astrono'mies -e astronomic(al); ~e *koste* astro= nomic/huge costs

astronoom' ..nome astronomer (person) oo **sterrekun'dige**

as'tronout -e astronaut, spaceman ook **ruim'te= vaarder**

as 't ware as it were

asuur' azure ook **he'melsblou**

as'vaal ashen pale; ~ **word** turn ashen; *jou ~ skrik* become pale with fright

asyn' vinegar; *so suur soos* ~ as sour as vinegar; **~suur** acetic acid

atavis'me atavism, reversion (to primitive instincts) *ook* **terug'aarding**

ateïs -te atheist *ook* **god'loënaar; ~me** atheism

ateljee' -s studio, workshop *ook* **stu'dio**

at'jar (s) achar, (mixed) pickles

Atlan'ties (b) **-e** Atlantic; **~e Oseaan'** Atlantic Ocean

at'las -se atlas

atleet' atlete athlete

atletiek' athletics; **~baan** athletic track; **~by= een'koms** athletic meeting

atle'ties -e athletic *ook* **gespierd'**

atmosfeer' ..sfere atmosphere

atoom' atome atom; **~bom** atom/atomic bomb; **~fu'sie** atomic fusion; **~gedre'we** atom-powered; **~ontplof'fing** atomic explosion; **~oor'log** atomic war *ook* **kern'oorlog; ~split'sing** splitting of the atom; **~sply'ting** atomic fission

attaché -s attaché (official at embassy); **~tas** briefcase, attaché case *ook* **ak'tetas, brie'wetas**

attent' attentive; *iem. op iets ~ maak* draw s.o.'s attention to

attestaat' certificate, testimonial

attributief' ..tiewe attributive (gram.)

attribuut' ..bute attribute; characteristic (n) *ook* **ei'enskap; deug**

Augus'tus August

au'la/ou'la (s) **-s** auditorium *ook* **gehoor'saal**

au pair' (s) au pair, nanny *ook* **kin'derhulp**

aureool' aureole aureole, halo *ook* **stra'lekrans**

Austra'lië Australia (country); Down Under (infml.); **~r** (s) **-s** Australian (person); **Au= stra'lies** (b) **-e** Australian (customs, etc.)

avoka'do -'s avokado (pear)

avonturier' -s adventurer, fortune hunter

avontuur' ..ture adventure *ook* **bele'wenis; ~lik** adventurous; **~verhaal'** adventure story

a'wend -e (digt. taal) evening, night

A'wendmaal/A'vondmaal the Lord's Supper

a'weregs -e wrong *ook* **agterstevoor';** purl (knitting)

a'wery average (for insurance at sea) *ook* **ewe= re'digheid; ~klousu'le** average clause (insur= ance)

B

b -'s b

ba! bah!; *nie boe of ~ sê nie* not say boo to a goose

baad'jie -s coat, jacket *ook* **jak'kie, jek'ker;** *iem. op sy ~ gee* give s.o. a beating

baai[1] (s) baize (woolen cloth)

baai[2] (s) **-e** bay (in coastline)

baai[3] (w) **ge-** bathe *ook* **swem, son'baai, son'- bruin** (w); **~er** bather (person); **~kostuum** bathing costume, swimming suit

baai'erd (veroud.) chaos, disorder *ook* **cha'os**

baal (s) **bale** bale (of wool, etc.); (w) **ge-** bale

baan (s) **bane** course, way; orbit (of a planet); court (tennis); panel (of a skirt); track (railway); lane (traffic); *op die lange ~ skuif* put off indefinitely; (w) clear, pave, make way

baan: ~beampte track steward/official; **~bre'- ker** pioneer; trailblazer *ook* **pionier', weg'be- reider; ~geld** green fees (golf); **~re'kord** track/course record; **~sy'fer** par (for a golf course); **~tjie** employment; job; *~tjies vir boeties* jobs for pals/cronies; cronyism; **~~ en veld'nommers** track and field events/items (athletics)

B-aan'drywer B-drive (comp.)

baar[1] (s) **bare** bier (for corpse); **~dra'er** stretcher-bearer (person)

baar[2] (s) **bare** ingot, bar (gold)

baar[3] (w) **ge-** give birth to, bring into the world *ook* **die le'we skenk;** bear, create

baar[4] (b) uncivilised; unskilled, untrained

baard (s) **-e** beard; *die ~ in sy keel* his voice is breaking

baar'moeder (s) **-s** womb, uterus

baars -e bass; perch (fish)

baas (s) **base** boss, master; crack, ace; **~baklei'- er** champion fighter; **~raak** (w) **-ge-** overcome, master; **~rui'ter** roughrider; **~speel** domineer, lord it over; **~spe'ler** champion/crack player; **~spe'lerig** bossy *ook* **domine'rend; ~vertel'ler** crack storyteller

baat (s) profit, gain; **bate** asset(s); *~ vind by* benefit by/from; *ten bate van* in aid/support of; (w) **ge-** avail, help; **~sug** selfishness

baat'wissel -s bill receivable *ook* **ontvang'wissel**

ba'ba(tjie) -s baby *ook* **klein'ding; ~fol'tering** baby battering *kyk* **kin'dermishandeling; ~saal** nursery; **~wag'ter** babysitter *ook* **kroos'- trooster**

bab'bel (w) **ge-** tattle, chatter *ook* **klets; ~aar** tattler, chatterer; **~bek/~kous** chatterbox; **~siek** loquacious; **~sug** verbal diarrhoea *ook* **woord'skittery**

ba'b(b)elas hangover *ook* **wing'erdgriep, wyn'- pyn**

ba'ber -s barbel (fish)

baccalau'reus ..rei, -se: B~ Ar'tium Bachelor Arts; **~graad** bachelor's degree

Bac'chus Bacchus, god of wine

bad (s) **-de, -dens** bath; (swimming) pool; **ba** (mineral) bath, hot spring; (w) take a ba bathe; **~hand'doek** bath towel; **~(s)ka'n** bathroom; **~plaas** bathing place; health res spa; **~wa'ter:** *die kind met die ~water wegg* reject the good with the bad

baf'tablou lead-coloured, deep blue

baga'sie baggage, luggage *ook* **reis'tasse, k fers; oortol'lige ~** excess baggage; **~bak b** (of car); **~rak** luggage carrier, roofcarr **~wa** luggage van

bag'ger (w) **ge-** dredge; **~boot/~masjien'** dre er, dredging machine

bai'e (b) **meer, meeste** very, much, many **veel; dik'wels, tel'kens, bit'ter;** ~ *dan* thank you very much; *ek is ~/bitter jamn vir hom* I feel so sorry for him; **~keer/~ ke ~maal/~ maal** frequently, often

bajonet' -te bayonet (dagger attached to rifle

bak[1] (s) **-ke** basin, trough, bowl; body (o car(t)); (b, bw) baggy; cupped; *sy broek sta ~* his trousers are baggy; **~be'ne** bandy-legg bow-legged

bak[2] (w) **ge-** bake, fry, roast; ~ *en b* muddle/botch (up); *iem. 'n poets ~ play* trick on s.o.

bak[3] (omgangst.) (b) fine, first-rate, decent **~gat** (omgangst.); *hy is 'n ~ ou* he is a first-r chap

bakatel' -le trifle, bagatelle *ook* **klein'igheid**

bak'boord larboard, port (side); *iem. van ~ stuurboord stuur* send s.o. from pillar to po

ba'ken -s beacon *ook* **weg'wyser; hoek'pa** buoy; waypoint

ba'kermat cradle, origin

bak'gat (omgangst.) (b, tw) excellent, to cool; swanky *ook* **puik, eer'steklas, spo gerig; cool** (omgangst.)

bak'ker -s baker; **~y** bakery

bak'kie -s small dish (tray, basin, bowl); pick light delivery van (LDV) *ook* **lig'te a leweringsvoertuig (LAV);** bakkie; punnet

bak'kies face; mug; dial (infml.) *ook* **gevreet**

bak'kiespomp -e bucket pump, Persian whee

bak'kopslang -e ringed cobra *ook* **kapel**

baklei' ge- fight, scrap, quarrel; **~ery'** scuf brawl, fracas, scrap *ook* **vuis'slanery**

bak'maat capacity, content (of a dam)

bak'oond -e oven

bak'oor ..ore large prominent ear; bumpkin

bak'poeier baking powder

k'sel -s batch, baking; 'n ~ brode a batch of loaves in (out of) the oven

k'steen ..ste'ne brick

kte'rie -ë, -s bacterium *ook* kiem

kteriolo'gies (b) -e bacteriological

kterioloog' ..loë bacteriologist

k'vis/bak'vissie flapper; teenager, teenybopper (girl) *ook* tie'nerbopper

...¹ (s) -le ball (e.g. tennis); (w) ge- clench (fist)

...² (s) -s ball (dance); gemas'kerde ~/mas'=kerbal fancy-dress ball; ~dans ballroom dancing

akla'wa: ~mus balaclava cap *ook* klap'mus

ans' (s) -e balance; equilibrium; poise

anseer' (w) ge- balance, poise

'besit possession (rugby)

ans'staat ..sta'te balance sheet

da'dig mischievous; boisterous *ook* uit'gelate

ein' -e whalebone; busk (corset)

ho'rig (b) refractory, unruly, intractable *ook* hardkop'pig, dwars

lie'¹ (s) -s tub; (water) barrel *ook* kuip

lie'² (s) -s bar; tot die ~ toegelaat word be admitted to the bar (as advocate)

jaar' (w) ge- play noisily, gambol, frolic *ook* kaperjol', ravot'

ju' -'s messenger of the court, bailiff, sheriff *ook* geregs'bode

k¹ (s) -e beam, girder, rafter; stave, bar (music); share beam (plough); slash sign (/) (on comp. keyboard) *ook* sol'idus; nie die ~ in die oog sien nie not see the beam in one's eye; ~e saag snore loudly

k² (w) ge- bray (donkey)

kon' -ne, -s balcony

k'skrif staff notation

la'de ballad (narrative, romantic poem/song)

las' ballast; ~mand'jie large bushel basket

let' -te ballet; ~dans'er/~danseres' ballet dancer

'ling -e exile; outcast (person); ~skap exile, banishment

lon' -ne balloon; ~vaar'der balloonist (person); ~versper'ring balloon barrage

'punt(pen) ballpoint pen *ook* rol'punt(pen)

'sem (s) -s balm, balsam, ointment; (w) ge-embalm (corpse)

lustra'de -s balustrade *ook* re'ling

mboes' -e bamboo *ook* stok'riet

n (s) excommunication, banishment; in die ~ doen ban; excommunicate; ostracise; (w) banish, exile

naal' (b) banal, vulgar, trite, commonplace *ook* plat'vloers, vulgêr'; af'gesaag

naliteit' (s) -e vulgarity, coarseness; platitude

nd -e band (for clothes); ribbon (for hair); tape, cord; girdle; tyre (for car); sling (for arm); truss (for rupture); volume (book); aan

~e lê put under restraint; noue ~e met close ties with

bandelier' (s) -e, -s bandoleer/bandolier

ban'deloos (b) unrestrained, turbulent; riotous, lawless *ook* rebels'

bandiet' -e convict; bandit *ook* (struik)ro'wer

band: ~hulp vir blin'des tape-aid for the blind; ~maat (s) tape measure *ook* maat'band, meet'lint; ~op'name tape recording; ~ma=sjien'/~opne'mer tape recorder; ~sky'fiereeks tapeslide sequence *ook* klank'skyfiereeks; ~wyd'te bandwidth (internet)

bang [e]; -er, -ste afraid, frightened; terrified *ook* bevrees', (dood)benoud'; liewer ~ Jan as dooie Jan better a living dog than a dead lion; ~broek coward *ook* pap'broek; ~e'rig (b) rather afraid, scary *ook* skrik'kerig; ~ma'=kery/~maakpraat'jie scare story

banier' -e banner, standard; ~dra'er standard-bearer; ~op'skrif banner caption/heading (newspaper)

ban'jo -'s banjo (mus. instr.)

bank¹ (s) -e bench; desk; pew (church); deur die ~ on the average; throughout

bank² (s) -e bank (financial institution); (w) ge-bank; ~balans' bank balance *ook* ~sal'do; ~bestuur'der bank manager

banket' banquet *ook* fees'maal; confectionery; ~bak'ker confectioner (person)

bankier' -s banker

bank: ~kassier' bank teller *ook* (bank)tel'ler; ~kommis'sie bank commission; ~noot bank=note; ~re'kening bank(ing) account; ~roof bank robbery/heist

bankrot' (b) bankrupt, insolvent *ook* insolvent'; ~ speel go bankrupt; ~skap bankruptcy

bank: ~sal'do bank balance *ook* ~balans'; ~staat bank statement

bank'vas closely packed; united

bank'wese banking; ~wis'sel bank draft

ban'neling -e exile, outcast *ook* balling (persoon)

ban'tamhoendertjie -s bantam fowl *ook* kapok'=hoendertjie, kriel'kiepie

ban'tom -s banded ox/cow; bantam (pebble)

ban'vloek anathema, ban; condemnation; taboo

ba'obab -s baobab (tree) *ook* kremetart'(boom)

bar (b) -re barren (land) *ook* verla'te

barak' -ke barracks, garrison

barbaar' ..bare barbarian, savage (person); edel(e) ~ noble savage

barbaars' barbarous, brutal *ook* dier'lik, wreed=aar'dig

barbier' -s barber *ook* haar'kapper; ~(skeer)=mes cut-throat razor

baret' -te beret (round flat woolen or felt cap)

bargoens' (s) gibberish, lingo, double-dutch *ook* brab'beltaal, koeterwaals'; geheimtaal (diewe)

ba'riton -s baritone (male singer)

bark -e barge, barque (ship)

barmhar'tig (b) merciful, compassionate *ook* **medely'dend; ~e Samaritaan'** good Samaritan; **~heid** charity, compassion

barn'steen amber *kyk* **am'ber**

barok' (b) baroque; ornate (style) *ook* **gril'lig, oorda'dig**

ba'rometer -s barometer *ook* **weer'glas**

baron' -ne baron (nobleman)

barones' -se baroness (noblewoman)

barrika'de -s barricade *ook* **(straat)versper'-ring, pad'blokkade**

bars[1] (s) **-te** burst, crack, chap; (w) **ge-** burst, crack, chap; *buig of* ~ bend or break; **~lek** blowout

bars[2] (b, bw) harsh, rough; stern *ook* **nors, stuurs;** *veg dat dit* ~ fight like mad

bas[1] (s) **-se** bass (male singer)

bas[2] (s) bark, rind; body; *sy* ~ *red* save his skin/hide/bacon; *tussen die boom en die* ~ betwixt and between

basaar' -s bazaar *ook* **alles'winkel; ker'mis**

baseer' (w) **~, ge-** base, ground

ba'sies (b) **-e** basic *ook* **fundamenteel'**

basil' -le bacillus (germ)

basiliek' -e basilica, portico (architecture)

basilisk' -e basilisk (small lizard) *ook* **boom'-akkedis**

ba'sis -se basis, base; foothold; **militê're** ~ military base

basket'bal basketball (men) *kyk* **korf'bal**

Baso'tho -'s Basuto; **~land** Basutoland *now* Leso'tho; **~po'nie** Basuto pony

bas'stem -me bass (voice)

bas'ta! enough!, stop!; ~ *met jou lollery!* stop bothering me!; ~ *raas!* stop that noise!

bas'ter[1] (s) **-s** bastard, halfcaste (racist; offensive); hybrid (crossbred animal or plant); **ge-** (w) hybridise; **~e'land** roan antelope; **~gal-joen'** stonebream (fish); **~mie'lies** hybrid maize; **~skaap** crossbred sheep

bas'ter[2] (bw) rather, somewhat; half; *ek voel* ~ *naar* I am feeling a little sick

bastion -s bastion, stronghold, citadel *ook* **ves'-ting, burg**

basuin' -e trumpet, bassoon, trombone; **~geskal'** trumpet blast

bas'viool ..viole contrabass, bass violin

bataljon (s) battalion (infantry unit)

ba'te -s asset; credit; *natuurlike bates* natural resources; **~bestuur** asset management; **~s en las'te** assets and liabilities; **~beslag'legging** assets seizure

ba'tig: ~e sal'do credit balance *ook* **krediet'-saldo**

ba'tik batik (fabric printing technique)

battery' -e battery; *'n* ~ *laai* charge a battery; **~hoen'ders** battery chickens

beaam' (w) ~ assent to, concur; approve o* **bevestig**

beamp'te -s official (also police, etc.); employe* **baan~** track official/judge

beangs' (b) anxious, afraid *ook* **benoud'**

beant'woord ~ answer, reply; *aan die doel* meet the purpose; *liefde* ~ return love

bear'bei ~ work at; cultivate, till; minister spiritual needs; **~ding** cultivation; tend/min ter to; ministering; canvassing

beboet' ~ fine; *iem. met R50* ~ fine s.o. R50

bebos' ~ afforest; **~sing** afforestation

bebou' ~ cultivate, till; **~de gebied'** built-up ar* (in town/city)

bed (s) **-dens, -de** bed

bedaar' (w) ~ soothe; relax *ook* **kalmeer; ~mi*** **del** tranquilliser, sedative *ook* **kalmeer'mi*** **del**

bedaard' (b) calm, sedate, composed *ook* **kal*** **rus'tig**

bedag' mindful, prepared *ook* **voor'bereid;** *iets* ~ *wees* be mindful/heedful of

bedags' during the day; by day *kyk* **snags**

bedag'saam considerate, obliging; circumspe* *ook* **behulp'saam, sorg'saam; ~heid** thoug* fulness, consideration

bedank' (w) ~ thank; decline, refuse; resign; *lid* ~ resign one's membership; ~ *uit 'n komi* resign from a committee; **~brief** letter thanks, thank-you letter *ook* **dank'brief; ~i*** expression of gratitude; refusal; resignation; *(* ~*ing doen/uitspreek* propose a vote of thank*

beda'ring: *bring hom tot* ~ calm him down

bed: **~bank** sofa bed; **~de'goed** bedding; **~mi*** **ken** counterpane; quilt, blanket; **~ding** riv* bed; flower/vegetable bed; **~'dinkie** sm* flower/vegetable bed

be'de -s prayer; petition, request *ook* **pleido*** **versoek(skrif)**

bedeel' ~ endow with; bestow; ~*(d) met aara* *goed* blessed with worldly goods

bedees' (b) timid, shy, demure *ook* **skaa*** **skug'ter**

be'dehuis place of worship

bedek' (w) ~ cover up, conceal, hide; (b) *hidden, covered; ~te seën* blessing in disgui* *op* ~*te wyse* covertly; **~king** cover(ing); **~tel*** indirectly; secretly

be'del (w) **ge-** beg, ask alms *ook* **soe'b*** **mooi'praat; ~aar** (s) **-s** beggar; **~bak** beggi* bowl

bede'ling (s) dispensation; endowment; **nu'we*** new dispensation/deal

be'del: ~mon'nik mendicant friar; **~or'de** ord* of mendicant friars

be'delstaf: *tot die* ~ *bring* reduce to beggary

beden'king (s) **-e, -s** doubt; consideration; **~e** *omtrent/oor* have doubts about

denk'lik (b) critical, dangerous; serious, grave, precarious *ook* **ern'stig;** *hy lê in 'n ~e toestand* he is in a critical condition

derf' (s) decay; corruption, depravity; (w) ~ spoil; corrupt, ruin; **~bare goe'dere** perishable goods

devaart pilgrimage *ook* **pel'grimstog**

dien' (w) ~ serve, attend, wait upon; administer; *aan tafel* ~ serve at table; **~aar** minister, parson; **~de** servant, attendant; maid *ook* **huishulp; ~er** operator (of machine); server (comp.); **~ing** service, attendance; function; ministry; *in die ~ning bevestig* ordained as a minister (clergy); **~(ings)geld** service charge, tip *ook* **diens'geld, fooi(tjie)**

ding' (w) ~ bargain; stipulate; **~vermo'ë/~ingsmag'** bargaining power

dink' ~ consider, reflect, contrive, devise; change one's mind; *ek het my* ~ I have changed my mind; *iets nuuts* ~ devise something novel, think up something new

d: **~kus'sing** pillow; **~la'ken** (bed-)sheet; **~lê** *end* (b) bedridden, confined to bed; **~maat** bedfellow *ook* **~genoot'**

doel' (w) ~ mean; intend; purpose; *goed* ~ mean well; *ek het dit nie so* ~ *nie* this is not what I meant; ~ *wees vir* intended/designed for; **~ing** meaning; intention, aim, purpose; *met goeie ~ings* with the best of intentions

dom'pig (b) suffocating, close; sultry *ook* **benoud, druk'kend** (weer)

don'derd (omgangst.) (b) moody, obstreperous *ook* **befoe'terd, beneuk'**

dor'we spoiled *ook* **verwen';** depraved, corrupt; ~ **kind** spoilt child; ~ **lug** foul air

d'pan -ne bedpan

dra' ~ amount to; *die rekening* ~ *R500* the account amounts to R500

drag' (s) **bedrae** amount (of money); *ten bedrae van* amounting to

dreig' (w) ~ threaten, menace; **~ing** threat, menace; **~de spe'sies/diere** endangered species/animals

drem'meld (b) sheepish *ook* **beteu'terd;** perplexed, puzzled

dre'we (b) meer ~, mees ~ skilled, skilful *ook* **behen'dig, han'dig;** competent *ook* **bekwaam';** (well) versed; **~n'heid** skill, proficiency

drie'ër (s) **-s** fraud, deceiver, conman, cheat *ook* **swen'delaar, verneu'ker** (persoon)

drieg' (w) ~ cheat, deceive, defraud, dupe, con *ook* **kul, verneuk';** *skyn* ~ appearances are deceptive; **~lik** deceptive; fraudulent, deceitful *ook* **slu, slinks**

dro'ë deceived; ~ *daar van afkom* regret the consequences

droef' (w) ~ grieve, afflict; (b) sorrowful, sad,

grieved *ook* **hart'seer, verdrie'tig;** ~/**bitter min** precious little; ~ **wees oor** grieve at

bedroe'wend -e distressing, saddening

bedrog' (s) **bedrie'ërye** deceit, deception *ook* **~spul, swendelary;** fraud, scam (financial); ~ *deur kantoor- en bankpersoneel* white-collar crime; ~ *pleeg* commit fraud, practise deceit

bedruk' (b) depressed, dejected, downcast *ook* **terneer'gedruk, neerslag'tig**

bedryf' (s) **bedrywe** (branch of) industry; (line of) business; occupation, trade; act (play); *'n* ~ *beoefen* practise a trade; *in* ~ *kom* start operations; (w) ~ commit, perpetrate (a criminal act); run (a business)

bedryfs': **~ba'tes** current assets; **~ekonomie'** business economics (school subject); **~hoof** operating executive; **~kapitaal'** working capital; **~kos'te** working expenses; **~laste** current liabilities; **~lei'ding** business administration *ook* **sakeadministra'sie, sakebestuur';** **~lei'er** executive (person) *ook* **bestuurs'hoof, bedryfs'hoof; ~reg** franchise *ook* **fran'chise**

bedryf': **~siel'kunde** industrial psychology; **~spioena'sie** industrial espionage; **~stelsel** operating system (comp.)

bedryfs': **~verhou'dinge** labour/industrial relations *ook* **arbeidsverhou'dinge**

bedry'wig active, busy, bustling *ook* **aktief', produktief', werk'saam**

bed: **~sprei** bedspread; **~tyd** bedtime

bedug' (b) afraid, frightened; daunted; apprehensive *ook* **bang'(erig), bevrees'**

bedui'dend significant, meaningful

bedui'e ~ signify, mean, give to understand; point out, direct; *iem. die pad/rigting* ~ explain the road/direction to s.o.

bedui'wel (w) ~ bedevil, spoil *ook* **veron'geluk;** *die hele saak* ~ bungle the whole affair

bedui'weld (b) **-e** possessed (by an evil spirit); in a vile temper *ook* **befoe'terd**

bedwang' control; restraint; subjection; *in* ~ *hou* keep in check

bedwelm' (w) ~ stun, stupefy; drug; (b) benumbed, stunned *ook* **dui'selig;** drugged; **~ende mid'dels** narcotics; **~ing** daze, stunned state; **~mid'del** drug *kyk* **dwelms**

bedwing' ~ curb, suppress, restrain; *hy kon hom nie* ~ *nie* he could not restrain himself

beë'dig (w) ~ swear to; put upon oath; *die burgemeester is* ~/**ingehuldig** the mayor was sworn in; (b) sworn; **~de verkla'ring** sworn declaration, affidavit; **~ing** swearing in *ook* **in'huldiging**

beef/be'we (w) ge- tremble, shiver; quiver; ~ *soos 'n riet* tremble/shake like a leaf

beëin'dig (w) ~ finish off, terminate

beeld -e image, likeness, picture; statue; metaphor; *'n duidelike ~ van die toestand* a clear picture of the circumstances; *iem. se ~ poets* boosting s.o.'s image (by a spin doctor); **~bou´er** image builder (politics); **~e´diens** worship of images; **~element´** pixel (comp.); **~end** (b) descriptive, evocative; **~ende kunste** fine arts; **~e´storm** iconoclasm

beeld´hou (w) ge- sculpture, carve; **~er** sculptor (person); **~kuns** sculpture

beeld: **~ing** imaging (radiology); **~materiaal´** footage (TV); **~poet´ser/~bouer** spin doctor, image builder/booster; **~ra´dio** television *ook* **televi´sie; ~ryk** imaginative; **~saai/~send** (w) televise; **~skoon** (b) beautiful (as a picture); **~spraak** figurative/metaphorical language; **~skrif** hieroglyphics

beel´tenis -se image, portrait, likeness

been (s) **bene** bone; leg; *met die een ~ in die graf* have one foot in the grave; *harde bene kou* suffer hardships; *deur murg en ~ to* the marrow of one's bones; **~af** in love; **~as** bone-ash; **~breuk** fracture of the leg; **~e´ter** caries, necrosis; **~kous** legwarmer; **~meel** bonemeal; **~tjie** small bone, ossicle; little leg; **~vliesontste´king** periostitis; **~vorm´ing/~dig´ting** ossification (bone den= sity)

beer (s) **bere** bear (wild animal); boar (male pig); **~mark** bear market (stock exchange) *ook* **daal´mark**

bees (s) **-te** beast; bovine (animal); (mv) cattle; *'n ~ van 'n krokodil* a giant of a crocodile; **~ag´tig** bestial, beastly; **~boer** stockfarmer; **~kraal** cattle kraal; **~melk** cow's milk; **~(te)teelt** cattle breeding; **~vleis** beef; **~wag´= ter** herdsman, cattle herd

beet[1] (s) **bete** beetroot (vegetable); **~sui´ker** beet sugar

beet[2] (s) **bete** bite; hold, grip; **~kry** (w) get hold of, seize; **~neem** take hold of; deceive; **~pak** lay hold of, grip, clutch, tackle

bef (s) **bewwe** (parson's) bands; (child's) bib *ook* **bors´lap**

befaamd´ (b) **-e** famous *ook* **beroemd´, ver= maard´;** notorious; **~heid** fame; notoriety

befoe´ter (w) ~ spoil, bedevil, make a mess of *ook* **verbrou´, bederf´;** **~d** (b) cantankerous, contrary, unreasonable *ook* **beneuk´**

befond´sing: ~ *van* funding of

begaaf´ -de talented, endowed, gifted *ook* **talent´vol; ~de kind** gifted child

begaan´[1] (w) ~ commit, perpetrate; *'n fout ~/maak* make a mistake

begaan´[2] (b) upset, worried; beaten, trodden; ~ *oor die uitslag* worried about the result

begeer´ ~ desire, wish for, covet; **~lik** desirable *ook* **aanlok´lik; ~te** desire, wish

begelei´ ~ accompany, escort, convoy; **~de toer**

guided/conducted tour *ook* **gids´toer, rond**‹ **leiding; ~ding** accompaniment; **~er** compan‹ ion; attendant; accompanist (on piano)

begena´dig (w) ~ pardon, condone, repriev‹ **~ing** pardon, reprieve, clemency

bege´rig desirous, covetous; eager; ~ *om te wee* anxious/keen to know

bege´we/begeef´ ~ abandon, forsake; repair to; *kragte ~ hom* his strength fails him; *jou te ruste ~* go to bed

begif´tig ~ endow, present; **~ing** endowment donation; **~ing´polis** endowment policy *o* **uit´keerpolis**

begin´ (s) beginning, start, outset, commence‹ ment; *'n goeie ~ is halfpad gewin* well begu‹ is half done; *opnuut ~* start afresh; (w) ~ begir commence, start

begin´ner -s beginner, novice; **~boer** emergin‹ farmer; **~s´kur´sus** beginners' course

begin´sel -s principle, rudiment *ook* **prinsi´p‹ grond´reël; ~loos** unprincipled; **~vas** prir‹ cipled, of firm principles/convictions

begin´: ~sta´dium initial stage; **~voor´raa** opening stock

bego´ël/bego´gel (w) ~ bewitch, delude *o‹* **betoor´, beheks´**

bego´nia -s begonia (flower)

begraaf´ ~ bury, inter; **~plaas** graveyar‹ churchyard, cemetery *ook* **kerk´hof**

begraf´nis -se burial, funeral; *vir sy eie ~ te la‹ wees* be too slow to catch a snail; **~fond** burial fund; **~klub** stokvel *ook* (**onderling‹ spaar´klub); ~onderne´mer** funeral undertake *ook* **lyk´besorger; ~onderne´ming** funera‹ parlour/undertaking; **~pleg´tigheid** funera‹ ceremony, memorial service *ook* **rou´diens ~rys** rice with turmeric (and raisins); **~stoe** funeral procession

begra´we ~ bury, inter; *dood en ~ wees* be dea‹ and buried

begrip´ -pe idea, notion, conception; concep‹ savvy *ook* **verstand´;** *traag van ~* slow on th‹ uptake; *nie die flouste/vaagste ~/benul van n‹* the faintest/foggiest idea/notion of

begroet´ ~ greet, welcome; *met vreugde ~ gre‹* with joy; **~ing** salutation, greeting

begroot´ (w) ~ estimate, budget; ~ *vir ekstr‹ uitgawes* budget for additional expenses

begro´ting (s) **-s** estimate, budget; **~s´deba‹** debate on the budget; **~s´re´de** budget speec‹ (parliament)

begryp´ ~ understand, comprehend; *'n goeie ~‹ het (maar) 'n halwe woord nodig* a nod is a‹ good as a wink

begryp´lik (b) understandable, conceivable‹ comprehensible *ook* **verstaan´baar**

beguns´tig (w) ~ favour; patronise; **~de** bene‹ ficiary (in a will); **~er** protector; patron *oo*

beskerm'heer; **~ing** patronage; preferential treatment

behaag' ~ please, delight; **~lik** pleasant, agree= able *ook* **genot'vol**; **~siek** self-indulgent, vain *ook* **selfkoes'terend**

behaal' ~ obtain, get, win, gain, score; *hy het sy graad* ~ he obtained his degree

beha'e delight, pleasure; ~ *skep in* delight in

behal'we except, save, besides; **alles** ~ every= thing/anything but, besides, except (for) *ook* **bui'ten** *kyk ook* **al'lesbehal'we**

behan'del ~ treat; handle; manage; attend to; **~ing** treatment; handling *ook* **hante'ring**

behang' (w) cover, adorn; *met sierade* ~ adorned with trinkets; **~er** paperhanger; **~sel** wallpaper, paper hangings

behar'tig ~ take care of, manage *ook* **uit'voer, onderneem', hanteer'**; have at heart; *hy* ~ *die geldsake* he looks after the finances

beheer' (s) management, direction, control; *interne* ~ internal control; *onder* ~ under control; *onder sy* ~ under his management; ~ *verloor* lose control; (w) ~ manage, adminis= ter, govern, control; monitor; **~lig'gaam** gov= erning body; body corporate (sectional titles) *ook* **bestuurs'raad**; **~paneel'** control panel (comp.)

beheers' (w) ~ control, master; **~ing** command, mastery, grasp; restraint

beheer'voerder -s controller *ook* **kontroleur'**

behelp' ~ make shift with, resort to; *ek moet my met min* ~ I must manage to get along with little

behels' ~ comprise; embrace; contain, enclose *ook* **in'sluit**

behen'dig dexterous, handy, adroit *ook* **han'dig**; clever; **~heid** dexterity, skill

behep': ~ *met* preocupied with, troubled with; ~ *met snaakse idees* obsessed/gripped by queer ideas; **~t'heid (met)** silly obsession (with)

behoed' ~ preserve, guard, protect; *God* ~ *die koningin* God save the Queen

behoed'saam (b) cautious, circumspect, wary *ook* **waak'saam**

behoef' (w) ~ want, need, require; **~te** (s) want, need, necessity; **~tig** (b) poor, needy, indigent *ook* **arm(oe'dig)**

behoe'we on behalf of, in aid of; *die kollekte is ten* ~ *van die armes* the collection is for (the benefit of) the poor

behoor'lik (b) proper; fit; due; becoming *ook* **fatsoen'lik**; (bw) properly; thoroughly; ~ *onderteken* duly signed (document)

behoort' (w) ~ belong to; behove, ought; be proper; *die boek* ~ *aan my* the book belongs to me; *hy* ~ *tot/aan daardie kerk* he is a member of that church

beho're: *na* ~ as it should be

behou' ~ keep, retain, preserve, save

behoud' preservation, safety, conservation; **~end** (b) conservative; **~ens** save, except (legal)

behou'e safe and well; ~ *aankom* arrive safe and well

behou'er (w) containerise; **~ing** (s) contain= erisation *kyk* **hou'erskip**

behui'sing housing; **~ske'ma** housing scheme

behulp' aid, help; *met* ~ *van* with the aid of; **~saam** helpful *ook* **hulpvaar'dig**; useful

bei'aard -s carillon, chimes; **~ier'** carillon player; bell master

bei'de both; *geen van* ~ neither of the two

Bei'ere Bavaria (state); **Bei'ers** (b) **-e** Bavarian (customs, etc.)

beïn'druk (w) ~ impress favourably

beïn'vloed (w) ~ influence, affect *ook* **raak**; bias; *ongunstig* ~ affect adversely

bei'tel (s) **-s** chisel; (w) **ge-** chisel

beits ge- stain (wood); dye

bejaard' **-e** aged, old, elderly; **tehuis'** *vir* **~es** old-aged home *ook* **ou'etehuis**

bejaar'desorg (s) care of the aged; frail care

bejam'mer ~ deplore; lament, bewail; pity; *ek* ~ *jou* you have my sympathy

bejammerenswaar'dig deplorable, lamentable *ook* **beklaenswaar'dig**

beje'ën ~ treat, act towards; *met minagting* ~ treat with contempt

bek -ke beak (bird) *ook* **sna'wel**; mouth (ani= mal); snout (animal); muzzle (firearm); *'n dik* ~ *hê* sulk; *hou jou* ~! shut up!; *meer* ~ *as binnegoed* all talk

bekaaid': ~ *daarvan afkom* come away with a flea in one's ear

bek: **~af** downhearted, down in the dumps *ook* **neerslag'tig**; **teleur'gesteld**; **~dry'wer** back= seat driver

bekeer' (b) ~ convert; proselytise; **~de/~ling** convert; proselyte (person)

beken' (w) ~ confess, own up, acknowledge; avow

bekend' (b) known, conversant with, familiar; *dit is algemeen* ~ it is common knowledge; **~e** (s) **-s** acquaintance (person); **~heid** acquain= tance; notoriety; **~ma'king** (s) notice, an= nouncement, publication

bek-en-klou'seer foot-and-mouth disease

beken'tenis -se confession, avowal

be'ker -s cup, jug, bowl, mug; sports trophy *kyk* **(wissel)trofee'**

beke'ring conversion; repentance

be'kerwedstryd -e cup match/final

bek'ken -s pelvis; basin; catchment area; **~bad** bidet

bek'kig (b) cheeky, saucy *ook* **snip'perig**

beklad' ~ stain, blot, besmirch, tarnish *ook* **bevlek'**; **beswad'der** (persoon)

beklaenswaar'dig (b) lamentable, deplorable

bekle'ding covering; upholstery; tenure (of office) *ook* **amps'termyn**

beklee(d) ~ cover, clothe; fill, hold (an office); upholster

bekleed'sel -s covering, upholstery

bekle'ër -s upholsterer; ~/**bekle'der** holder (of office), incumbent *kyk* **amp(s)bekle'ër**

beklem' ~ oppress, straiten, distress; *met* ~*de gemoed* greatly distressed; ~**ming** oppression, tightness; ~**toon** (w) emphasise, stress, accen= tuate, highlight *ook* **bena'druk**

beklim' ~ ascend, climb (mountain); mount (horse) *ook* **op'klim**; scale (wall)

beklink' ~ arrange, settle; rivet; *'n saak* ~ finalise an affair, close a deal

beknop' succinct; concise; abridged; *'n* ~*te uitgawe van die boek* a condensed version of the book; ~**te woor'deboek** concise dictionary

bekom' ~ obtain *ook* **(ver)kry'**; agree (with the stomach); recover from (fright); *dit sal jou sleg* ~ jou will rue it

bekom'mer (w) ~ trouble, worry; be anxious about; *ek* ~/*kwel my daaroor* I am worried about it; ~**d** (b) worried, anxious *ook* **ongerus'**, **ang'stig**; ~**nis** worry, anxiety

bekon'kel (w) ~ plot, scheme; frame (a charge); wangle; concoct

bekoor' (w) ~ charm, enchant; fascinate; tempt; ~**der** charmer (person); ~**lik** charming, tempt= ing, fascinating *ook* **aanval'lig**, **fraai**

beko'ring (s) charm, temptation, fascination

bekos'tig ~ defray, pay; afford; fund (an expedition); *ek kan dit nie* ~ *nie* I cannot/I can ill afford it; ~**baar** affordable

bekrag'tig ~ confirm, ratify, approve; validate *ook* **beves'tig**; ~**ing** confirmation, sanction, ratification, approval

bekrom'pe narrow-minded *ook* **verkramp'**; parochial; confined (space); ~**n'heid** narrow-mindedness

bekro'ning (s) crowning; reward of merit, award *ook* **toe'kenning**

bekroon' ~ award, confer, bestow; crown; *met die eerste prys* ~ awarded the first prize; ~**de roman'** award-winning novel

bekruip' ~ creep upon, steal upon, stalk

bekwaald' -e sickly, infirm, unhealthy *ook* **siek'= lik**

bekwaam' (w) ~ qualify; enable; train; (b) able, capable, competent, efficient, skilful *ook* **knap**, **(des)kun'dig**; ~**heid** ability, capability, skill; *hy doen sy werk met groot* ~*heid* he works extremely efficiently

bekyk' ~ look at, view, inspect

bel (s) **-le** bell; wattle (on throat of turkey); (w) **ge-** ring, phone, call *ook* **ska'kel**

belag'lik ridiculous, laughable *ook* **bespot'lik**; *hy maak hom* ~ he makes a fool of himself

beland' ~ land; get to; arrive; *waar het die boe* ~*?* what has become of the book?

belang' (s) importance; interest; concern; ~ *st in* take an interest in, be interested in; *in jo eie* ~ in your own interest; *in* ~ *van* in th interest of; *van die allergrootste* ~ of vita importance; ~**e'groep** interest group

belangheb'bend (b) **-e** interested; **belang'heb bende** (s) person concerned; stakeholde (person) *ook* **belang'hebber**

belang'rik important, considerable; ~**heid** im portance

belang'stelling interest; *blyke van* ~ token(s) o sympathy (funeral)

belangwek'kend (b) causing (public) interest

belas' ~ burden; tax; rate, assess; ~ *met* in charg of (a project) ~**baar** taxable, ratable, dutiable ~**te wins** profits after tax

belas'ter (w) ~ slander, defame; backbite

belas'ting -s tax(ation); load; rate, duty; ~ *he* levy tax on; ~ *op kapitaalwins (BKW)* capita gains tax (CGT); ~ *op toegevoegde waard (BTW)* value-added tax (VAT); ~**aan'sla** assessment; ~**beta'ler** taxpayer; ratepayer ~**gaar'der** tax collector, receiver of revenu (state income); ~**jaar** fiscal year; ~**kantoo** office of the revenue service; ~**op'gawe** ta return; ~**plig'tig** (b) taxable; ~**plig'tige** (s taxpayer (person); ~**seël** revenue stamp *oo* **in'komsteseël**; ~**vry** tax-free

belê' (w) ~ convene/call (a meeting); inves (money)

bele'dig (w) ~ insult, offend; ~**end** (b) insulting offending *ook* **aanstoot'lik**; ~**ing** (s) insul offence *ook* **affront'**

bele'ë mature, seasoned (wine); ripe; ~ **hou** seasoned wood

beleef[1] (w) ~ experience, witness; live to see live through

beleef[2] (b) polite, civil, courteous *ook* **beleefd hof'lik**

beleefd'heid civility, politeness, courtesy; ~**s'** **halwe** out of politeness, by way of compli ment *ook* **beleefds'halwe**

belê'er -s convener (of meeting) *ook* **sa'meroepe**

bele'ër ~ besiege, lay siege to; ~**de** besieged

beleg' (s) **beleë'ringe/beleë'rings** siege; ~ *va Ladysmith* siege of Ladysmith

beleg'ger (s) **-s** investor (of money); **beleg'gin** investment

beleg'sel -s trimming *ook* **garneer'sel**

beleid' -e policy (of government/company) *oo* **beleids'rigting**; ~**ma'ker** policy maker

belem'mer ~ encumber, impede, hamper, ob struct *ook* **bemoei'lik**, **dwars'boom**; *die uitsi* ~ obstruct the view; ~**ing** impediment

bele'se (b) **meer** ~, **mees** ~ well-read, erudite; ~ *in die regte* learned in law

belet' ~ prohibit, forbid; hinder, prevent; **~sel** hindrance, impediment

bele'we ~ experience, witness, live to see, live through *ook* **beleef'** (w)

Belg[1] **-e** Belgian (person); **~ië** Belgium (coun= try); **~ies** (b) **-e** Belgian (customs, etc.)

belg[2]: *gebelg wees* get angry/cross/incensed

bel'hamel -s bellwether; ringleader; perpetrator *ook* **voor'bok, aan'voerder**

belieg' ~ lie to; belie

belig' ~ lighten up; illuminate; expose; **~ting** (s) lighting; illumination

belig'gaam (w) ~ embody, incorporate *ook* **in'lyf, inkorporeer'**

belladon'na belladonna (poisonous lily), deadly nightshade

bellettrie' literature, belles-lettres *ook* **sko'ne let'tere**

beloer' ~ spy upon, watch, peep at

belof'te promise; *jou* ~ *nakom* keep your promise; ~ *maak skuld* promises are to be kept

belo'ning -s, -e reward, recompense, remunera= tion; *'n* ~ *uitloof* offer a reward; *vorstelike* ~ princely/lavish reward

beloof'/belo'we (w) ~ promise

beloon (w) ~ reward, remunerate, recompense

beloop' (s) course; *dis die wêreld se* ~ it is the way of the world; (w) ~ amount to, run into

bel'roos erysipelas, facial shingles *kyk* **gor'= delroos**

belt/beld (s) **-e** belt *ook* **gor'del, (lyf)band**

beluis'ter (w) ~ listen to; eavesdrop

belus' (b) eager, desirous, keen; ~ *wees op* be eager for

bely' ~ confess, avow; **~denis'** confession; avowal; **~denis doen/aflê** be confirmed (as church member); **~er** confessor

belyn' ~ outline, define; line (route, by soldiers)

bemaak' ~ bequeath; *geld* ~ *aan* leave money to (by will)

bemag'tig (w) empower; **~ing** empowerment *ook* **instaat'stelling**

bema'king bequest *ook* **erf'lating, erf'porsie**

beman' ~ man, equip; **~ing** crew (of ship); manning (staff provision)

bemark' (w) market; **~er** marketer (person); **~ing** marketing; **~ingsbestuur'der** marketing manager/director

bemees'ter ~ overpower, master *ook* **baas'raak**

bemerk' (w) ~ observe, notice, perceive *ook* **op'merk**

bemes' (w) ~ fertilise; **~ting** manuring, fertilisa= tion; topdressing

bemid'delaar -s mediator, intercessor, go-be= tween *ook* **mid'delaar, tus'senganger**

bemid'deld -e well-to-do, wealthy, rich *ook* **wel'gesteld, wel'af**

bemid'deling mediation, medium, intercession; *deur* ~ *van* by the agency/kind offices of

bemin' (w) ~ love, be fond of *ook* **lief'hê; ~d'** (b) loved, beloved; **~de** (s) **-s** loved one, lover; **~lik** loveable, adorable

bemoe'dig (w) ~ encourage, inspire, animate *ook* **aan'moedig; ~end** encouraging; **~ing** encour= agement *ook* **aan'moediging**

bemoei' ~ meddle, interfere; ~ *jou met jou eie sake* mind your own business; **~al** busybody (person) *ook* **neus'insteker; ~ing** meddling, interference; **~lik** (w) obstruct, hinder, ham= per; **~siek** meddlesome, snoopy (person); **~sug** meddlesomeness; officiousness

bemors' ~ soil, stain, smudge, begrime *ook* **vuil'maak**

bena'deel ~ harm; hurt, injure; prejudice; **~de persoon** aggrieved party

bena'deling injury, damage; *sonder* ~ *van ons regte* without prejudice/detriment to our rights

bena'der ~ approach; approximate, estimate; **~ing** approximation, rough estimate; *by ~ing* approximately, roughly

bena'druk (w) ~ emphasise; stress *ook* **beklem'= toon**

bena'ming -e, -s name, title; term, appellation

benard' (b) critical; distressed *ook* **desperaat'**; embarrassed/embarrassing; *in ~e omstandig= hede* in straitened circumstances

ben'de -s gang, mob, troop; **~buurt** gangland *ook* **boe'wewêreld; ~lei'er** gang leader; **~ver= krag'ting** gang rape

bene'de below, beneath, under; downstairs; *dis ~ my waardigheid* it is beneath my dignity

benedik'sie benediction *ook* **seënbe'de**

bene'pe (b) **meer ~, mees ~** petty, mean-spirited, narrow-minded

beneuk' (w) ~ damage, spoil, mar; (b) daft; cantankerous, unmanageable *ook* **befoe'= ter(d); bedon'derd** (omgangst.)

bene'wel(d) (b) **-de** foggy, misty, hazy; **~de verstand** hazy mind; clouded intellect

bene'wens besides, over and above, in addition to *ook* **bo en behal'we**

ben'gel -s clapper (bell); naughty child, brat

benieu' ~: *ek was ~d om te hoor* I was keen to hear

beno'dig needed, wanted, required *ook* **no'dig; ~(d)'heid** requirement, necessity, want

benoem' ~ nominate, appoint *ook* **nomineer'**; **~baar** eligible; **~ing** appointment; nomination

benoud' anxious, oppressed, afraid *ook* **ang'stig;** stifling, suffocating *ook* **bedom'pig** (klimaat); **~e'bors** asthma, croup; **~heid** anxiety

bensien' benzine

benul' notion, idea, conception; *nie die vaagste ~ nie* not the slightest notion/idea

benut' ~ use, utilise, avail oneself of *ook*

aan′wend; *jy moet jou kanse/geleenthede ~* you must grasp your opportunities

beny′ (w) ~ envy, be jealous of; grudge; *ek ~ hom sy gesondheid* I envy him his health

benydenswaar′dig enviable; desirable

beoe′fen ~ study; practise; cultivate; exercise; pursue (a profession); *geduld ~ exercise patience;* **~aar** student; votary

beoog′ ~ aim at, have in view; **~de uit′breidings** planned extensions

beoor′deel ~ judge, adjudicate, assess; review; criticise

beoor′delaar -s adjudicator; judge (of events); reviewer, critic

beoor′deling adjudication; review; appreciation

bepaal′ ~ determine (date); define; stipulate, limit; lay down; decree; *~ jou by die saak* confine yourself to the matter

bepaald′ (b) fixed, positive, definite; *die spoed in 'n ~e oomblik* the speed at any given time; (bw) positively, decidedly

bepa′ling -s, -e stipulation, determination; provision, regulation; fixture (sport); *onder/op ~s en voorwaardes* on terms and conditions

bepeins′ ~ meditate, ponder, muse; **~ing** meditation, musing; brooding

beperk′ (w) ~ limit, confine, curb, restrict; ~ *tot* restricted to; (b) **-te** limited, restricted; *in ~te mate* in a limited sense; **~ing** limitation, restriction; restraint

beplan′ (w) ~ plan; **~ning** planning; **~ning= almanak′** year planner *ook* **jaar′beplanner**

bepleit′ (w) ~ plead, advocate; champion (a cause)

beproef′ (w) ~ try, attempt; put to the test; (b) (well-)tried, tested; trusty; **~de mid′del** proved remedy, proven cure

beproe′wing ordeal, trial, tribulation; visitation; affliction; (mv) trials and tribulations

beraad′ (s) deliberation, talk(s); think-tank, indaba *ook* **sa′mespreking(s);** *na ryp(e) ~* after full/proper consideration; **~slaag** (w) confer, consult; **~slaging** deliberation, consultation *ook* **oorleg′pleging; bos~** lekgotla (SA); bosberaad (SA) *ook* **dink′skrum; spits~** summit talks

beraam′ ~ plan, contrive; frame, estimate; *'n plan ~/maak* make a plan

bera′dene -s counsellee (person being counselled)

bera′der -s counsellor (psychology)

bera′ding (s) counselling

bera′ming estimate; specification *ook* **skat′ting**

ber′de: *te ~ bring* broach; bring up, raise, moot

bê′re/berg store; save, put aside *ook* **stoor; wegsit**

bered′der ~ manage, arrange, administer, wind up; *die boedel moet nog ~ word* the estate

must still be wound up; **~aar** administrator, executor (of an estate) *ook* **eksekuteur′**

bere′de mounted; ~ **poli′sie** mounted police

beredeneer′ ~ discuss, reason; argue about; **~d′** rational, logical

berei′ (w) ~ prepare; dress; *'n maaltyd ~* prepare a meal

bereid′ ready, prepared, willing *kyk* **gewil′lig; ~heid** readiness

berei′ding preparation, seasoning (of food)

bereidwil′lig (b) ready, willing *ook* **hulpvaar= dig; ~heid** willingness, alacrity

bereik′ (s) reach; *binne almal se ~* within everyone's reach; (w) ~ reach, attain, achieve; **~baar** attainable *ook* **haal′baar;** within reach; **~ing** attainment

bereis′ (w) ~ travel over/through (a country); **-de/bere′se** (b) experienced (in travelling); much travelled

bere′ken ~ calculate; compute; charge; **~de affront′** calculated insult; **~ing** calculation, computation

bê′re (w): **~koop** lay-by; **~plek** storage space

berg[1] (s) **-e** mountain, mount; *van 'n molshoop 'n ~ maak* make a mountain out of a molehill; *~op, ~af* up hill and down dale; *~e versit* move mountains

berg[2] (w) **ge-** salvage *kyk* **berg′ing;** store *ook* **op′berg**

bergag′tig -e mountainous

berg: ~fiets mountain bike; **~haan** bateleur eagle *kyk* **das′sievanger; ~hang/~hel′ling** mountain slope; **~ie** bergie (vagrant in Cape Town)

ber′ging salvage, salvaging (a ship); storing of; storage (maize) *ook* **op′berging;** *die ~ van die wrak* the salvaging of the wreck; **~skip** salvage vessel; **~vermoë** storage capacity (silo, warehouse)

berg: ~ket′ting mountain range; **~klim** mountaineering; **~klim′mer** mountaineer; **~kwag′ga** mountain zebra; **~pas** mountain pass; **B~rede** Sermon on the Mount; **~rug** mountain ridge; **~skil′pad** mountain tortoise; **~skool** initiation school (tribal custom); **~swa′el** bee-eater

berig′ (s) **-te** report *ook* **verslag′;** news, tidings; intelligence; *tot nader(e) ~/kennis(gewing)* until further notice; (w) ~ inform, report, notify; **~ge′wer** reporter, correspondent *ook* **verslag′gewer; informant′; ~ge′wing** report; coverage of (in media)

beril′ beryl (semiprecious stone)

beris′pe ~ reprimand, reprove, admonish; censure *ook* **bestraf′**

ber′k(eboom) birch (tree)

berlyns′blou Prussian blue

beroem′ (w) ~ boast, brag, glory in; *hy ~ hom op sy prestasies* he glories/takes pride in his achievements

beroemd' (b) famous, renowned; celebrated *ook* **befaamd'**; **~heid** fame, renown; **..he'de** (mv) stars, celebrities

beroep' (s) **-e** profession; calling, vocation *ook* **loop'baan;** trade; appeal; invitation (for church appointment); *'n ~ beoefen* follow a profession; *'n ~ doen op* appeal to; (w) **~** call, nominate; appeal to; **~s'hal'we** by virtue of one's profession; **~siek'te** occupational disease; **~s'keuse** choice of profession; **~s'leier** career adviser; **~s'lei'ding** career/vocational guidance; counselling; **~s'op'leiding** vocational training; **~rugby** professional rugby; rugby league (Br.); **~sok'ker** professional soccer/football; **~spe'ler** professional (player); **~stoei** professional wrestling; **~s'voorligting** career/vocational guidance; **~s'wed'der** bookie *ook* **boek'maker, boe'kie** (omgangst.)

beroerd' (b) rotten, miserable, lousy; *hy voel vandag ~* he is feeling miserable today

beroe'ring commotion, disturbance, unrest *ook* **op'skudding, op'roer**

beroer'te (s) stroke; apoplexy, palsy

berok'ken (w) **~** cause, create; *skade ~* cause damage

beroof' (w) **~** rob, deprive *ook* **besteel', plun'der**

berook (w) fumigate *ook* **uit'rook**

berou' (s) repentance, regret, remorse; (w) **~** repent, regret; *dit sal jou ~* you will repent/regret it

berserk' (b) berserk, frenzied; violent; raving mad *ook* **ra'send, waansin'nig; ~er** berserker *ook* **waansin'nige, ma'niak** (persoon); *~ raak* go berserk

berug' (b) notorious, infamous

berus' **~** rest upon, depend upon; acquiesce; *in die onvermydelike ~* resign oneself to the inevitable; *die besluit ~ by die raad* the decision rests with Council; *~ting* acquiescence, resignation *ook* **lyd'saamheid**

berym' **~** rhyme, versify; **~ing** rhymed version *ook* **om'digting**

bes[1] (s) B double flat (mus.)

bes[2] (s) best, utmost; *~ gee* give up; *sy uiterste ~ doen* do his utmost; *~ moontlik* quite likely; *jou ~ probeer* try your best

besaai' **~** strew, overspread; *~ met probleme* problems galore

besa'dig (b) composed, calm, dispassionate *ook* **in'getoë, ewewig'tig**

beseer' (w) **~** hurt, injure (in accident)

besef' (s) idea, realisation, notion; *tot die ~ kom* realise; (w) **~** realise, comprehend

be'sem -s broom; *nuwe ~s vee skoon* new brooms sweep clean; **~stok** broomstick

besen'ding -s consignment (of goods)

bese'ring -s injury (sport) *ook* **let'sel, wond**

beset' **~** occupy (a place); engage; trim; garrison (troops); engaged (telephone)

bese'tene -s possessed person; maniac; *hy gaan te kere soos 'n ~* he carries on like a maniac

beset'ting occupation; garrison; **~s'le'ër** army of occupation; **~sy'fer** occupancy rate (hotel); **grond~** land occupation

besiel' (w) **~** animate, inspire *ook* **inspireer';** *iem. (met moed) ~* inspire/encourage s.o.; **~d'** enthused, inspired; **~ing** (s) inspiration, stimulation

besien' **~** look at, inspect, view, examine; *van naby ~* examine closely

besienswaar'dig -e worth seeing, remarkable; **~heid** tourist attraction; place of interest

be'sig (w) **ge-** use, employ (words); (b) busy, engaged *ook* **bedry'wig, werk'saam; ~heid** business, occupation, employment; **geves'tigde ~heid** going concern; *~ hou* keep busy (person); entertain (children)

besig'tig **~** examine, inspect; **~ing** inspection, examination; *ter ~ing lê* lie for inspection; **~ing(s)toer** sight-seeing tour

besin' **~** reflect, come to one's senses; *~ voor jy begin* look before you leap; think before you ink

besing' **~** chant; sing the praises (of s.o.)

besin'ning consciousness; senses, seeing reason; *kom hy ooit tot ~?* will he ever come to his senses?

besit' (s) possession; occupation; assets; *in ~ neem* take possession of; (w) **~** own, possess; **~lik** (b) possessive; **~reg** right of ownership, title; **~ting** possession; property, estate; asset *ook* **geld, goed**

beskaaf' (w) **~** educate, civilise; (b) educated, cultured, civilised *ook* **beskaafd'; op'gevoed**

beskaam' (w) **~** abash, put to shame; falsify (expectations); *die hoop ~ nie* hope does not disappoint us; (b) **-de** shamefaced, bashful

beska'dig (w) **~** damage, harm, injure; **~ing** (s) damage, harm, injury

beska'wing (s) civilisation, culture

beskei'denheid discretion, modesty; *in/met alle ~* with due deference

beskei'e (b) **meer ~, mees ~** discreet, modest; *na my ~ mening* in my humble opinion

beskerm' **~** protect; save; shelter; guard; **~(e)'ling** protégé; **~en'gel** guardian angel; **~er** protector; **~geld** protection money; **~heer** patron (of an institute, association); **~hei'lige** patron saint

besker'ming protection *ook* **bevei'liging;** patronage; auspices; *onder ~ van die nag* under cover of night

beskik' **~** manage; arrange; dispose; *die mens wik, God ~* man proposes, God disposes; **~baar** available; **~king** disposal, arrangement; *tot sy ~king hê* have at his disposal

beskimp' ~ mock, revile, jeer/scoff at

beskin'der (w) ~ slander, gossip about *ook* **be=swad'der;** backbite

beskon'ke intoxicated, drunk *ook* **dronk, beso'=pe, hoen'derkop**

besko're granted to, allotted; *dit was my nie ~ nie* I was not destined to

beskou' ~ view, look at, behold; consider; **~ing** consideration, opinion, view; *agterna* ~ with hindsight *kyk* **agterna'wysheid**

beskroomd' (b) -e timid, timorous, shy *ook* **be=skei'e, skug'ter**

beskryf'/beskry'we ~ describe, depict; *haarfyn* ~ describe in detail; draw up (in writing)

beskry'wing -s, -e description; **~s'punt** point/item for discussion (on the agenda)

beskuit' -e rusk (dry) *ook* **boer'~**

beskul'dig (w) ~ accuse, charge with *ook* **aan'kla; blameer';** ~ *van* accuse of; **~de** accused, suspect *ook* **verdag'te; ~ing** accusa=tion, charge

beskut' ~ protect, shelter; **~ting** protection, shelter; **~te beroep'** sheltered occupation

beslaan' (w) ~ stud (with nails); mount; cover (an area); occupy, fill (space); dim with moisture (window panes); shoe (horse)

beslag' seizure; embargo; batter, dough paste; mount(ing); ~ *lê op iem. se goed* confiscate s.o.'s property; **~leg'ging** seizure (officially); attachment (of assets)

besleg' (w) ~ decide; settle; solve; *hulle het die geskil* ~ they settled the argument

beslis' (w) ~ decide; (b) decided, positive, resolute; (bw) decidedly, positively; **~send** decisive, final, conclusive; **~sende oom'blik** critical moment; **~sende spel** deciding game; **~sing** decision, ruling, resolution *ook* **besluit', resolu'sie; ~t'heid** determination, resoluteness

beslom'mering -e, -s/**beslom'mernis** -se vexa=tion, trouble, cares (of office)

beslo'te: ~ **korpora'sie (bk)** close corporation (cc)

besluit' (s) -e decision; resolution; conclusion, close; *van* ~ *verander* change one's mind; (w) ~ resolve, decide; conclude, determine; **~e'=loos** wavering; **~ne'mer** decision maker

besmeer' ~ soil, smear *ook* **vuil'maak; grease**

besmet' (w) ~ infect, contaminate, pollute, defile, taint; (b) infected; tainted

besmet'lik (b) contagious, infectious *ook* **sep'=ties; ~e siek'tes** infectious diseases *kyk* **aansteek'lik**

besmet'ting infection, contagion

besnaar' (w) ~ string; **~(d)'/-de** strung; *fynbe=snaard* highly strung

besne'de cut *kyk* **fynbesne'de;** chiselled; cir=cumcised *kyk* **besny'denis**

besnoei' ~ curtail; retrench (staff); cut; **~ing** curtailment; retrenchment; *uitgawes* ~ reduce/cut down on expenses

besny' ~ circumcise; **~denis'** (s) circumcision

besoe'del ~ pollute, contaminate; blemish *ook* **bevuil'; ~ing** pollution; contamination

besoek' (s) -e visit, call; *'n* ~ *aflê/bring* pay a visit; *vlugtige* ~ flying visit; (w) ~ visit, call on; try, afflict; **~er** (s) -s visitor, guest; **~ing** (s) visitation, affliction *ook* **beproe'wing**

besol'dig ~ pay, remunerate; **~de personeel** salaried staff; **~ing** pay, wages, salary; remu=neration *ook* **sala'ris, vergoe'ding**

beson'der (s): *in die* ~ particularly; *niks ~s* nothing to speak of; (b) particular, special; peculiar *ook* **buitengewoon', spesiaal';** (bw) particularly; **~heid** (s) **..hede** detail, data, particular(s); **meer/na'dere beson'derhede** further details; **~lik** in particular, particularly *ook* **vernaam'lik**

beson'ne (b) considerate, thoughtful; well-con=sidered *ook* **oorwo'ë** (bv. 'n mening)

beso'pe drunk, fuddled *ook* **beskon'ke, dronk**

besorg' (w) ~ have the care of; give cause; deliver (goods); procure; furnish (details); (b) anxious, concerned, uneasy *ook* **bekom'merd; ~d'heid** anxiety, worry, concern

bespaar' ~ economise; save *ook* **op'spaar; spaar; vermy';** ~ *jou die moeite* save yourself the trouble; *geld* ~ save costs/money

bespa'ring saving; **~s'rit** economy run (cars)

bespeur' ~ perceive, observe, notice *ook* **op'=merk, raak'sien**

bespied' (w) ~ spy on, watch; **~er** (s) -s spy; watcher

bespie'gel (w) ~ speculate, contemplate; ~ *oor die uitslag van die verkiesing* speculate on the outcome/result of the election; **~ing** (s) speculation, conjecture

bespoe'dig (w) ~ accelerate; hasten; expedite (delivery of item)

bespot' (w) ~ mock, laugh at, ridicule, deride *ook* **(uit)kog'gel; ~lik** ridiculous; *hom ~lik maak* make an ass of himself; **~ting** mockery, ridicule

bespreek' ~ discuss, talk about; review (book, play); reserve, book (seat, accommodation); *sitplekke* ~ book seats

bespre'king -e, -s discussion; conference *ook* **beraad'slaging;** booking, reservation; review (of book); **~(s)groep** discussion group *ook* **gespreks'groep, diskus'siegroep** *kyk* **werk'=sessie; slyp'skool**

besproei' ~ irrigate; spray, sprinkle; **~ing** irriga=tion

bes'sie -s berry; **~sap** currant/berry juice

bestaan' (s) existence, livelihood; *'n* ~ *maak* make/earn a living; (w) ~ exist, live; ~ *uit* consists of; ~ *van* live on; **~baar** compati=

ble/consistent with; possible; **~s'reg** right of existence; **~s'bevei'liging** social security; **~s'ekonomie'** subsistence economy *kyk* **mark'ekonomie**

estaans'jaar year of existence, anniversary (of a firm)

estand' proof (against); match for, equal to; ~ *teen die weer* weather-proof *ook* **weer'- bestand; ~deel** ingredient, element; component (part)

bes'te best, excellent; dear; *my (ou)* ~ my better half; *sy* ~ *vertoning nog* his best performance ever; *verreweg die* ~ by far the best

beste'ding (s) expenditure

bestee' ~ spend *ook* **uit'gee, spandeer;** use; expend, lay out; bestow (on); *aandag* ~ *aan* give/devote attention to

besteel' ~ rob, steal from *ook* **beroof'**

bestek' range; scope; specification, estimate; *buite die* ~ *van hierdie boek* beyond the scope of this book; **~op'nemer** quantity surveyor *ook* **bou'rekenaar**

bestel'[1] (s) dispensation; ordination

bestel'[2] (w) ~ order, place an order for; arrange, appoint; **~boek** order book (business)

bestel'ling (s) order, delivery; appointment *kyk* **af'spraak;** *'n* ~ *plaas* place an order; *'n* ~ *uitvoer* execute an order

bestel'vorm -s order form

bestel'wa ..waens delivery van; pick-up (van)

bestem' (w) ~ destine, fix, apportion; (b) intended, set apart; destined; **~de plek** allocated/appointed place; **~ming** (s) destination; destiny, lot, fate *ook* **lots'bestemming**

besten'dig (w) ~ stabilise; perpetuate; (b) lasting, durable, constant; consistent, stable; *die pasiënt se toestand is* ~ the patient is in a stable condition; **~e spe'ler** safe/consistent player; **~e weer** settled weather

bestier' (s) guidance; dispensation; (w) ~ govern; direct (usually by God); **~ing** godsend

bestook' ~ harass; batter; bombard; pelt; *met vrae* ~ bombard with questions

bestorm' (w) ~ storm, charge *ook* **storm'loop;** assail, attack

bestor'we deadly pale, livid; deceased; ~ **boe'del** deceased estate

bestraal' ~ irradiate, beam upon

bestraat' (w) pave *ook* **plavei'; bestra'ting** paving *ook* **plavei'sel**

bestraf' ~ rebuke, reprove; punish; **~fing** (s) rebuke, reprimand; punishment

bestry' ~ combat; dispute; defray (costs); control (pests) *kyk* **brand'bestryding**

bestryk' ~ coat, spread over; command, sweep (an area, for artillery)

bestudeer' ~ study, assess *ook* **evalueer';** scrutinise; investigate

bestuif'/bestui'we ~ pollinate, cover with dust

bestuur' (s) **..sture** management; directorate, board of control; executive; executive committee; (w) ~ govern, rule, manage, direct; drive; *besturende direkteur* managing director; **~der** manager, director; driver (car); **~ders- lisen'sie** driver's licence *ook* **ry'bewys; ~kajuit'** cockpit

bestuurs': ~hoof chief executive *ook* **bedryfs- leier; ~komitee'** management/executive committee; **~lid** committee/board member; **~raad** governing body; body corporate

bestuur'skool[1] **..skole** driving school

bestuur'skool[2] **..skole** (postgraduate) school of management

bestuurs'verga'dering board meeting

besui'nig (w) ~ economise, cut down (on expenses); retrench (staff) *ook* **besnoei'**

beswaar' (s) **besware** objection, grievance *ook* **protes', objek'sie;** *besware maak/opper* raise objections; (w) ~ burden, trouble; **~(d)'** burdened; uneasy; *met 'n ~de gemoed* with a heavy heart; **~de/verban'de ei'endom** bonded/mortgaged property; **~de** (s) objector; dissident (person); **~lik** with difficulty, hardly, scarcely; **~skrif** petition *ook* **peti'sie**

beswad'der (w) ~ malign, slander *ook* **beklad', belas'ter**

besweer' ~ swear; conjure; charm (snake)

bes'wil: *vir jou eie* ~ for your own good

beswyk' ~ succumb; yield; die; *aan 'n siekte* ~ die of a disease

beswym' ~ faint, swoon; **~ing** swoon, blackout, fainting fit; trance

bet (w) **ge-** bathe (wound), dab *kyk* **dep'per**

betaal' ~ pay, settle; *stiptelik* ~ pay promptly; *vooruit* ~ pay in advance; **haal-en-~** cash-and-carry; **~kanaal'** pay channel (TV); **~- mees'ter** paymaster; **~mid'del** tender; currency; **wet'tige ~mid'del** legal tender

betaam' ~ become, befit, behove, be proper, suit; *dit* ~ *jou nie* it is not proper for you to; **~lik** becoming, decent, seemly, proper *ook* **eer'- baar, welvoeg'lik**

beta'kel (w) ~ dirty, besmear *ook* **besmeer'**

beta'ling payment; remuneration *ook* **besol- diging**

betas' (w) ~ finger, feel; fondle *ook* **bevoel'** *kyk* **seksue'le teis'tering**

bete'ken ~ mean, signify, imply; spell, portend; serve; *dagvaarding ~/bestel aan* serve summons on

bete'kenis (s) **-se** meaning *ook* **begrip';** sense; significance; importance *ook* **belang'rikheid;** *manne van* ~ men of note/eminence; **~vol** significant *ook* **bedui'dend;** meaningful

be′ter better, superior; *des te* ~ so much the better; **~skap** improvement; recovery (after illness); **~skapkaar′tjie** get-well card

be′terwe′ter pedant, wiseacre (person) *ook* **wys′= neus**

beteu′el (w) ~ restrain, check, bridle, curb

beteu′ter(d) (b) sheepish; perplexed, puzzled *ook* **bedrem′meld**

betig′ (w) ~ reprimand, admonish, take to task *ook* **vermaan′, tereg′wys**

beti′tel ~ name, style, give a title to; **~ing** titling of; style, nomenclature *ook* **naam′gewing, aan′spreekvorm**

beto′ger -s demonstrator (political); **beto′ging** (s) demonstration (public) *ook* **protes′optog; op′mars**

beton′ concrete; **gewa′pende** ~ reinforced concrete

betoog′ (s) **..toë** argument(ation); *dit beno= dig/behoef geen* ~ *nie* it stands to reason; (w) ~ demonstrate; argue *ook* **redeneer′**; maintain, contend

betoon′ ~ show, manifest; *hulde* ~ pay tribute (to)

beto′wer (w) ~ bewitch; enchant, fascinate; **~end** (b) charming, fascinating *ook* **bekoor′lik; ~ing** (s) enchantment, charm, fascination *ook* **aan′= trekkingskrag**

betrap′ ~ catch; surprise; trap; *iem. op heter daad* ~ catch s.o. redhanded

betree′ ~ tread upon, enter, set foot upon; **(onregma′tige) betre′ding** trespassing

betref′ (w) ~ concern, relate to, touch, affect; *wat my* ~ as for me; **~fende** concerning, regarding *ook* **aan′betref, aangaan′de, ra′= kende**

betrek′ ~ occupy, move into; involve; cloud over; trick; **~king** (s) **-e** relationship; *met ~king tot* with reference to; **~king** (s) **-s** position; job; situation; *'n lonende ~king* a plush job; **~lik** (b) relative, comparative; (bw) relatively

betreur′ ~ regret, deplore, lament; *jou lot* ~ bemoan one's fate

betreurenswaar′dig (b) pitiable, lamentable

betrok′ke cloudy, overcast (sky); gloomy; in= volved; concerned; *die* ~ *amptenaar* the official concerned; ~ *by* involved in

betrou′ ~ trust *ook* **vertrou; ~baar** trustworthy, reliable; **~baarheid** reliability

Betsjoe′analand Bechuanaland *now* **Botswa′na**

betuig′ ~ testify; declare; assure; show; *sy dank* ~ express his thanks

betui′ging -e, -s expression, testimony

betwis′ ~ dispute; contest; *'n setel* ~ contest a seat (in an election); **~baar** questionable

betwy′fel ~ doubt, question, query *ook* **bevraag′(teken)**

betyds′ in time *ook* **op tyd;** *net* ~ just in time

beu′el -s bugle, trumpet

beuk[1] (s) **-e** beech (tree)

beuk[2] (w) **ge-** beat, bang (against)

beul (s) **-s** hangman, executioner *ook* **laks′man**

beur **ge-** pull with force, strain at

beurs -e purse; bursary, scholarship; stoc[k] exchange, bourse *ook* **aan′delebeurs;** *'n styw[e]* ~ *hê* be well-to-do; **~note′ring** stock exchang[e] listing; market quotation; **~spekulant′** spec[=] ulator; **~vakan′sie** bank holiday

beur′sievryer -s sugar daddy *ook* **troe′tel[ ] oompie, paai′pappie**

beurt -e turn; over, innings (cricket); *aan die* [~] *kom* get one's turn; *~e maak* take turns; **~besi[t]** timesharing *ook* **tyd′deel; ~e′lings** by turns[,] alternately; **~spel** foursome (golf)

beuselag′tig (b) trifling, trivial *ook* **onbenul′lig**

bevaar′ ~ navigate; sail; **~baar** navigable

beval′lig (b) charming, graceful, elegant *ook* **inne′mend, grasieus′**

beval′ling childbirth, confinement, delivery (of a[ ] child); **~(s)verlof′** maternity leave *ook* **kraam′verlof**

bevan′ge seized; overcome; *van skrik* ~ seized[ ] with fear

beva′re ~ **see′man** able seaman

bevat′ ~ contain, comprise, hold *ook* **behels′**; comprehend; **~lik** intelligible; **~ting(s)ver[=]** **mo′ë** cognitive faculty (ability to understand)

beveel′ (w) ~ order, command, enjoin

beveg′ ~ combat, fight (against)

bevei′lig ~ shelter, protect, safeguard; **~ing** protection, security *ook* **besker′ming**

bevel′ (s) **-e** order, command; *die* ~ *voer oor* be[ ] in command of; **~′heb′ber/~voer′der** com= mander; **~voerende offisier′** officer command= ing; **~skrif** mandate; warrant, writ *ook* **las′brief**

beves′tig ~ confirm, corroborate, bear out *ook* **bekrag′tig;** fasten *ook* **vas′maak;** induct (clergy); **~end** affirmative; **~ing** confirmation, affirmation; fastening; induction

bevind′ (w) ~ find, experience; *skuldig* ~ *aan* find guilty of; **~ing** (s) finding *ook* **beslis′sing** (van hof); verdict; ruling

bevlek′ ~ stain, soil, tarnish *ook* **beklad′**; defile, pollute

bevlie′/bevlieg fly at, attack

bevlie′ging caprice, sudden fancy, whim *ook* **gier, gril;** *'n* ~ *kry* act on a sudden impulse

bevoeg′ -de competent, qualified, able, capable *ook* **bekwaam′; ~d′heid** competence; author= ity/power (to sign documents)

bevoel′ (w) ~ feel; finger; fondle *ook* **betas′**

bevolk′ (w) ~ people, populate; *dig* ~ densely populated; **~ing** population; **~ingsontplof′fing** population explosion

evoor′deel (w) ~ favour, promote, benefit

evoor′oordeel(d) -de biased, prejudiced *ook* **party′dig**

evoor′reg privilege, favour; *ek is* ~ *om* I am privileged to

evor′der ~ promote, advance *ook* **aan′help, promoveer′**; ~ *tot* promote to; **~ing** promo= tion, rise; **~lik** conducive (to)

evraag′teken (w) ~ query, doubt, question *ook* **betwy′fel, bevraag′**

evre′dig ~ satisfy, appease, gratify; **~end** satisfying *ook* **vervul′lend**; **~ende diens** satis= factory service; **~ing** satisfaction, gratification

evrees′ afraid, anxious; **~/bang vir gevaar** apprehensive/afraid of danger

evriend′ (b) **-e** friendly, intimate, on good terms; **~e land** friendly country

evries′ (w) ~ freeze *ook* **vries;** congeal; *bates ~* freeze assets

evro′re/bevries′de frozen; ~ **hoen′der** dressed chicken (for cooking)

evrug ~ fertilise; impregnate; **~ting** conception, impregnation; fertilisation; **kunsma′tige ~ting/insemina′sie** artificial insemination

evry′ ~ free, liberate; deliver; **~ding** deliver= ance, release, rescue

evuil′ ~ soil, dirty; pollute *ook* **besmeer′; besoe′del**

ewaak′ ~ watch, guard, safeguard, protect

ewaar′ ~ keep, preserve, maintain; save (also comp. data); ~ *jou siel!* just fancy!; **~der** keeper, warder; **~geld** storage (fee); **~kas** locker *ook* **sluit′kas(sie);** **~skool** infant school; crèche, nursery school *ook* **kleu′terskool**

ewaar′heid (w) ~ prove true, confirm

ewan′del ~ walk upon; *die breë weg* ~ follow the road to ruin

ewa′pen ~ arm, provide with arms; **~ing** armament, weaponry

ewa′rea (s) **-s** conservancy *ook* **bewaara′rea, natuur′reservaat**

ewa′ring keeping; custody; conservation; *ter veilige* ~ for safekeeping

be′we ge- tremble, shiver *ook* **beef, ril;** quiver

beweeg′ ~ move, stir; persuade; *hemel en aarde* ~ move heaven and earth; **~krag** motive power; **~kunde** physical culture *ook* **mens′like beweeg′kunde;** **~lik** movable, mobile; viva= cious; **~re′de** motive, rationale *ook* **motief′, rasionaal′;** **~ruim′te** latitude, scope; elbow room

beween′ ~ weep over, deplore, mourn *ook* **treur; wee′klaag**

beweer′ ~ allege, assert, contend

bewe′gende: ~ **rol′gang/rollo′per/loop′gang** travelator (airport)

bewe′ging -s, -e movement, motion; exercise; **~s′leer** (s) kinetics

be′wer -s beaver (animal)

bewera′sie (s) trembling fit, shivering *ook* **ritteltit′(s)**

be′werig (b) trembling, shaky; wobbly

bewe′ring assertion, contention, statement *ook* **stel′ling;** allegation *ook* **aan′tyging**

bewerk′ ~ work, machine, fashion, shape; till; **~stel′lig** bring about

bewie′rook (w) ~ praise, adulate *ook* **op′hemel;** incense

bewil′lig (w) ~ grant, consent; *geld* ~ vote money/funds

bewim′pel ~ disguise, conceal *ook* **verbloem′**

bewind′ government, rule, administration; *aan die* ~ *kom* come to power; **~hebbende party′** ruling party; **~heb′ber/~voer′der** governor, ruler; **~(s)oor′name** coup *kyk* **staats′greep;** accession (to throne)

bewo′ë moved, affected; agitated; *tot trane* ~ moved to tears

bewolk′ -te cloudy, overcast *ook* **betrok′ke**

bewon′der (w) ~ admire; **~aar** admirer, fan; **~aars′pos** fanmail *ook* **dweep′pos;** **~ing** admiration

bewo′ner -s inhabitant; occupier; ~ *van 'n huis* occupant of a house

bewoon′ ~ occupy, inhabit; dwell

bewoord′ ~ word, express (in words); **~ing** wording, phrasing; expression

bewus′ -te aware, conscious; in question; ~ *of onbewus* wittingly or unwittingly; *ten volle* ~ *van* fully aware of; **~syn** consciousness; cognition; **~wor′ding** realisation, awakening

bewus′teloos ..lose unconscious *ook* **flou;** in= sensible; **~heid** unconsciousness

bewys′ (s) **-e** proof, evidence; receipt; testimony; (w) ~ prove, substantiate; demonstrate; show; do (a favour); *iem. 'n diens* ~ render s.o. a service; *hulde* ~ pay homage; **~grond** argu= ment, proof; **~stuk** documentary evidence; voucher (bookk.); **~voe′ring** argumentation

bey′wer ~ endeavour, do one's best, apply oneself; *hom* ~ *vir* work/strive for

bib′ber ge- shiver, tremble (from cold); quake; **~weer** chilly/icy weather

bibliografie′ -ë bibliography *ook* **bron′nelys, bronnegids**

biblioteek′ ..teke library *kyk* **me′diasentrum**

biblioteka′ris -se librarian

bid ge- pray, beseech, ask a blessing; say grace; **~dag** day of prayer

bi′det (s) bidet *ook* **bek′kenbad**

bidsprin′kaan (praying) mantis

bid′uur/~stond prayer meeting

bie/bie′ë (w) **ge-** bid; tender

bied (w) **ge-** offer; present; *teenstand* ~ offer resistance

bie′ër -s bidder (person)

bief: ~**burger** beefburger *ook* **ham′burger;** ~**stuk** beefsteak, steak *ook* **steak**

bieg (s) confession; (w) **ge-** confess; ~**poësie′** confessional poetry *ook* **bely′denispoësie;** ~**stoel** confessional chair; ~**va′der** confessor (priest)

bie′lie -s stalwart; whopper *ook* **staat′maker, uit′blinker;** *jy is darem ′n* ~! you′re a brick!/ champ!

bier beer; ~**brou′er** brewer; ~**brou′ery** brewery; ~**mat′jie** coaster *ook* **drup′matjie;** ~**saal** beerhall; ~**vat** beer cask, beer barrel

bies beestings, colostrum; ~**brui′lof** (infml.) non-alcoholic wedding reception

bie′sie -s rush, reed; ~**pol** tussock of rush; peach of a girl

bie′tjie (s) a little bit *ook* **rap′sie;** a moment; *alle* ~*s help* every little bit helps; (b) few; little *ook* **wei′nig;** (bw) rather, slightly; *′n* ~ *baie* rather much; *gee ′n* ~ *pad* just stand clear; please move away; *help* ~ please give me a hand; *′n* ~/*knypie sout* a pinch of salt

bifokaal′ bifocal; **..kale bril** bifocal spectacles; (mv) bifocals

bigamie′ bigamy (having two wives or husbands)

bigamis′ bigamist *ook* **veelwy′wer, veelman′ner**

big′gel (w) **ge-** trickle (tears over cheeks)

bik′merkie (s) chip (on car, etc.)

bilateraal′ ..rale bilateral *ook* **tweesy′dig**

bilhar′zia bilharzia (parasite); ~**se** bilharziasis (disease) *ook* **rooi′water**

biljart′ (s) billiards; (w) **ge-** play billiards; ~**bal** billiard ball; ~**stok** billiard cue

biljet′ -te ticket; handbill, leaflet *ook* **blad′skrif**

biljoen′ -e (*in Afr.* = miljoen miljoen) billion (*in Britain* = million million; *in USA* = thousand million) *kyk* **miljard′**

bil′lik (b) reasonable, fair, just, equitable; *nie meer as* ~ *nie* only fair; ~**heid** equity, justice, fairness; ~**s′halwe** for the sake of equity, in fairness

bil′tong -e biltong (dried meat); jerkey (Am.); ~ *sny voor die bees geslag is* count one′s chickens before they are hatched

bind ge- tie, bind, fasten; thicken (soup); ~**geld** retaining fee, retainer; commitment fee; ~**weef′sel** connective tissue

binêr′ binary; ~**e sy′fer** binary digit

bin′ne in, within, into, inward, inside; ~ *′n paar dae* within a few days; *te* ~ *skiet* flash into one′s mind; ~**aarse voed′ing** intravenous feeding *ook* **aar′voeding;** ~**band** tube; ~**brandmo′tor** internal combustion engine; ~**goed** intestines; entrails; *meer bek as* ~**goed** all talk; ~**han′del** insider trading (stocks and securities); ~ **perke** within bounds; ~**in** inside, within; ~**kant** inside; ~**kort′** shortly,

soon, before long *ook* **net′nou, nou-nou;** ~**land** interior; ~**lands** inland, home, in the interior; **B~landse Sake** Home Affairs; ~**landse verbruik′** domestic consumption

bin′nens: ~**huis** indoors, in the house; ~**monds** mumblingly

bin′ne(n)ste innermost; ~ *buite* inside out

bin′ne: ~**ontwerp′er** interior designer; ~**versier′der** interior decorator; ~**versie′ring** interior decorating; ~**vet** fat round the intestines; *op sy* ~*vet teer* draw on one′s capital

bio-af′breekbaar (b) biodegradable *ook* **vergaan′baar**

biochemie′ biochemistry

bioda′ta (s) curriculum vitae, biodata *ook* **le′wensprofiel, loop′baangeskie′denis, CV**

biograaf′ ..gra′we biographer (person); **biografie′** biography *ook* **le′wensbeskrywing**

biologie′ (s) biology

biolo′gies (b) **-e** biological; ~**e na′vorsing** biological research

bioloog′ ..loë biologist (person)

bio′nies (b) **-e** bionic; ~**e mens** bionic man *ook* **masjien′gedrewe mens**

bioskoop′ (veroud.) **..skope** cinema, movie (theatre), bioscope (obs.) *ook* **fliek**

Bir′ma Burma (country); **Birmaan′** (s) **..ane** Burmese (person); **Birmaans′** (s, b) **-e** Burmese (language; customs, etc.)

bis bit (comp.)

bisar′ (b) bizarre, grotesque, weird *ook* **vreemd**

bis′dom -me bishopric, diocese

biseksueel′ (b) **..ele** bisexual *ook* **dubbelslag′tig**

bis′kop -pe bishop; ~**s′hoed** mitre; ~**staf** crosier

bis′mut bismuth (metallic element)

bi′son -s bison (bovine mammal)

bit′sig (b) harsh, biting; snappish *ook* **veny′nig, sarkas′ties;** ~**heid** harshness, acrimony

bit′ter (b) bitter; grievous, sad; very; *dit is* ~ *jammer* what a shame/pity; ~ *min* precious little; *in* ~*e nood verkeer* be in sore distress; ~**ap′pel** bitter apple, apple of Sodom; ~**bek** (s) grouser, grumbler; (b) malcontent, disgruntled; ~**ein′der** bitterender, hardliner (in war); diehard, persister *kyk* **kan′niedood;** ~**heid** bitterness; acerbity; ~**lik** bitterly

bitu′men bitumen (forming asphalt)

blaad′jie -s leaflet; hand-out; small magazine/newspaper; *′n nuwe* ~ *omslaan* turn over a new leaf

blaai ge- turn over pages; ~ *om* (*b.o.*) please turn over (p.t.o.); browse (in book, on internet); ~**er** browser (internet); ~**bord** flip chart; ~**lees** scan *ook* **gly′lees, blad′lees**

blaam (s) blame; blemish *ook* **skuld**

blaar[1] (s) **blare** leaf (of a plant); *deur die blare* confused; tipsy; ~**slaai** lettuce *ook* **krop′slaai, slaai**

blaar[2] (s) **blare** blister, bleb *ook* **bla'sie** (hand, voet) *kyk* **koors'blaar**

blaas[1] (s) **blase** bladder

blaas[2] (s) **blase** bubble; blister; (w) **ge-** blow, puff, hiss; **~balk** bellows; **~gom/bor'relgom** bubblegum; **~kans/~tyd** break, time for a breather; **~op'pie** toby (fish); **~orkes'** brass band; **~pyp** blowgun, blowpipe; **~vlam** cutting torch, blowlamp

blad (s) **blaaie** leaf (of a book); newspaper; blade (spring); shoulder (animal); *~ skud/steek* shake hands; *van die ~ speel* play at sight

blad: **~luis** plant louse, greenfly; **~sak** knapsack *ook* **knap'sak**; **~skrif** leaflet, hand-out; **~sy** page; **~skeiding** page break (typing on comp.); **~vul'ling** stopgap; titbit; **~wy'ser** index *ook* **in'deks**

blaf (s) **blaw'we** bark; (w) **ge-** bark; *kommandeer jou eie honde en ~ self* do your own dirty work

bla'kend -e glowing, burning; *-e gesond'heid* in the pink of health

bla'ker -s candlestick

blameer' (w) *~ blame* (a person); slander *ook* **beskul'dig; verwyt'**

blank (b) white; fair; **-e** (s) **-s** white person; white (n) (member of population group); blank; innocent

blan'ko blank; *~ tjek* blank cheque

blaps (s) blunder, glitch, slip-up *ook* **fla'ter, glips**

blas (b) sallow, darkbrown, swarthy

blat'jang chutney; relish

bleek (b) pale, pallid, colourless; *so ~ soos die dood* as pale as death; **~siel** wimp, nerd; **~sug** anaemia; green sickness; **~sug'tig** anaemic *ook* **bloedarmoe'dig**

bleik **ge-** bleach; **~poei'er** bleaching powder

blêr **ge-** bleat; **~kas** jukebox *ook* **blêr'boks**

bler'rie (omgangst.) (b) bloody, blasted (infml.) *ook* **bled'die** (omgangst.)

blerts (s) blob, splash, spatter *ook* **(vuil) spat'sel**

bles **-se** bald head; blaze; *hy is heeltemal ~* he is completely bald already; **~bok** blesbuck; **~hoen'der** white-faced coot, moorhen; **~perd** horse with a blaze

bliep (s, w) bleep; **~er** bleeper

blik[1] (s) **-ke** glance, view; *in een ~* at a glance; (w) glance, look; *sonder om te ~ of te bloos* without a blush

blik[2] (s) **-ke** tin; bin; **~brein** (infml.) computer; **~kantien'** tin can; *laaste sien v.d. ~kantien* gone/disappeared for ever

blik'ker (w) glare, glitter; dazzle; **~ring** (s) glare *ook* **lig'skittering**

blik'kies: **~dorp** shantytown; slum; **~kos** tinned foodstuffs; **~melk** condensed/tinned milk

Blik'oor ..ore (bynaam) Free Stater

blik'sem (s) **-s** lightning; scoundrel; *die ~ in* furious, livid angry *ook* **smoor'kwaad;** (w) **ge-** flash, lighten; **~straal** flash of lightning

blik: **~skêr** plate shears; tin opener; **~skot'tel!** silly ass!; rascal!; **~s'a'er** tinsmith, plumber; rascal, blighter; **~sny'er** tin opener

blind -e blind; *so ~ soos 'n mol* as blind as a bat; **~e af'spraak** blind date *ook* **toe-oë af'spraak, wil'levangs**

blind'doek (s) **-e** blindfold (n); eye bandage; (w) **ge-** blindfold

blin'dederm -s appendix *ook* **appen'diks;** **~ontste'king** appendicitis

blin'de: **~ hoog'te** blind rise; **~kol** blind spot (when reversing car); **~lings** blindly, implicitly; **~mol** blind mole; **~mol(letjie)** blind man's buff (game); **~ vertrou'e** implicit faith

blin'der[1] **-s** window blind *ook* **blin'ding**

blin'der[2] **-s** stymie (golf)

blin'de: **~skool** school for the blind; **~vlieg** blind fly, stingfly

blind: **~gebo're** blind-born; **~heid** blindness; *met ~heid geslaan* stricken with blindness

blind: **~tik** touch typing; **~tik'ster** touch typist

blink (w) **ge-** shine, glitter; (b) shining, glittering; *~ gedag'te/in'ge'wing* brainwave; **~nerf** dandy *ook* **laven'telhaan; ~nuut** brand-new *ook* **splin'ternuut; ~o'gies** cat's eye (reflecting on road); *~ toe'koms* bright future

blits (s) **-e** lightning flash; (w) flash; **~aan'val** blitz, lightning attack; **~lyn** hotline; **~mo'tor** (flying) squad car; **~patrol'lie** flying squad; **~trein** bullet train *ook* **flits'trein; ~verko'per** bestseller *ook* **tref'ferboek; ~vin'nig** like a flash/lightning

bloed blood; strain; *goed en ~ opoffer* offer life and property; *haar ~ kook* she is furious; **~armoe'de** poverty of blood, anaemia *ook* **anemie'; ~bad** bloodbath; massacre; carnage, slaughter *ook* **bloed'vergieting; ~dors'tig** (b) bloodthirsty

bloed: **~druk** blood pressure; **~drup'pel** drop of blood; **~ei'e** very own (relative) *ook* **~verwant'; ~e'rig** bloody; *'n ~erige stuk vleis* meat dripping with blood; **~hond** bloodhound; **~ig** sanguinary, bloody; scorching; *~ig warm* scorching, very hot (weather); **~ige geveg'** bloody fight; **~ing** bleeding, haemorrhage; **~jong/~jonk** very young; **~kan'ker** leukemia; **~klont** blood clot; **~laat** cup, bleed; **~lig'gaampie** blood corpuscle; **~oortap'ping** blood transfusion; **~oortap'pingsdiens** blood transfusion service; **~plas** pool of blood; **~rooi** bloodred; **~skan'de** incest; **~sken'ker** blood donor (person)

bloeds'omloop circulation of the blood

bloed: **~spoor** blood trail; **~sui'er** leech, bloodsucker *ook* **parasiet';** extortioner; **~vergie'ting** bloodshed; **~vergif'tiging/~vergif'ting** blood poisoning; **~verlies'** loss of blood; **~verwant'** relative, kinsman; **~verwant'skap** (blood) relationship; **~ve'te**, **~wraak** blood feud, vendetta; **~vint** boil, furuncle *ook* **pit's(w)eer;** **~vlek** bloodstain; **~wei'nig** precious little *ook* **~min**

bloei[1] (s) bloom, flourishing condition; *in die ~ van sy jare* in the prime of his life; (w) **ge-bloom** (flowers), blossom (trees); flourish; **~ende/flore'rende be'sigheid** prosperous business; **~sel** (s) blossom

bloei[2] (w) **ge-** bleed

bloe'kom bluegum; **~boom** bluegum tree; **~o'lie** eucalyptus oil

bloemis' **-te** florist (person)

bloem'lesing -s anthology, selected writings

bloes -e/bloe'se -s blouse

bloe'sem -s blossom, bloom *ook* **bloei'sel**

blok[1] (s) **-ke** block, log; *'n ~ sjokolade* a slab of chocolate; **~bespre'king** block booking; **~fluit** recorder; **~kie** box (on a form)

blok[2] (w) **ge-** grind at; cram, swot (for examination); justify (typing)

blok'huis -e blockhouse (fort from AB War)

blokka'de (s) blockade'; barricade (of a fort); roadblock *ook* **pad'versperring; blokkeer'** (w) blockade; block/cordon off *ook* **af'sper**

blok'kies: ~raai'sel crossword puzzle *ook* **blok'=raai(sel); ~vloer** parquet floor(ing)

blok: ~man blockman (butchery); **~skoen** clog *ook* **klomp;** wooden sandal; **~wag** blockwatch (person)

blom (s) **-me** flower, blossom; flour; (w) **ge-flower**, blossom; **~bed'ding** flower bed; **~kelk** calyx; **~kool** cauliflower; **~krans** wreath, garland; **~kweker** florist, nurseryman

blom'merangskikking -s flower arrangement

blom'meskou/blom'metentoon'stelling flower show

blom: ~pers'ke flowering/ornamental peach; **~pot** flowerpot; **~rui'ker** bouquet, nosegay; **~ryk** flowery, florid (language); **~tuin** flower garden

blond fair, light *ook* **lig'geel**

blondi'ne blonde, fair-haired girl

bloos ge- blush, colour; *~ tot agter die ore* blush to the roots of one's hair

bloot (b) **blote** naked, bare; mere; *die blote feite* the bald facts; *blote geluk* luck of the draw; *met die blote oog* with the naked eye; *blote toeval* sheer coincidence; **~gestel'** exposed; **~lê** (w) **-ge-** expose (crime ring), lay bare *ook* **oop'vlek** (w); **~stel** (w) **-ge-** expose; *jou ~ aan gevaar* expose oneself to danger; **~stelling** exposure (also to cold, poverty)

bloots bareback(ed) (riding a horse); **~hoof(s)** bareheaded; **~voet(s)** barefoot(ed) *ook* **kaal'=voet**

blos -se blush; bloom; **blo'send** blushing, flushed; rosy, ruddy

blou blue; *bont en ~ slaan* beat black and blue; **~aap/'apie** vervet monkey

blou-blou: *~ laat* let the matter rest

blou: ~bok bluebuck; **~boon'tjie** bullet; blue pill; **~druk** blueprint; **~e'rig** bluish; **~heid** blueness; **~kopkoggelman'der** blueheaded lizard; **~kor'haan** blue bustard; **~kous** blue=stocking, literary woman; **~kraagwer'ker** blue-collar worker *ook* **hand'werker; ~oog** blue-eyed; **~re'ën** wisteria (creeper); **~sel** (washing) blue; **~skim'mel** bluish grey horse; **~tjie:** *'n ~tjie loop* be unsuccessful; be refused by a girl; **~tong** blue tongue (sheep's disease); **~wildebees'** blue wildebees, brindled gnu

blues (s) blues (feeling; jazz style) *ook* (b) **neer=slag'tig, bedruk'**

bluf (s) bragging, boasting *ook* **groot'praat;** bluff; (w) **ge-** brag, boast; bluff

blus (s): *sy ~ is uit* he is done for; (w) **ge-extinguish** (a fire) *ook* **uit'doof;** slake (lime)

bly[1] (w) **ge-** stay, remain, live; *~ aan* hold the line (telephone); *in die slag ~* be killed in battle; destroyed; be lost; *mooi ~* take care (of yourself)

bly[2] (b) glad, joyful, cheerful *ook* **op'geruimd, plesie'rig;** *~ om te hoor/verneem* relieved to hear; *~ u te kenne* how do you do, pleased to meet you *ook* **aan'genaam!/aan'gename ken'=nis**

bly'beurt -e timeshare *ook* **tyd'deel**

blyd'skap joy, happiness *ook* **vreug'de**

bly'heid gladness; vitality *ook* **le'wenslus**

blyk (s) **-e** proof, mark, token, sign; *~ van waardering* token/mark of appreciation; (w) **ge-** appear, seem, be evident; *dit sal gou ~* we shall soon see

blyk'baar evidently, obviously *ook* **klaarblyk'=lik** *kyk* **skyn'baar**

bly'kens according to, as is apparent; *~ media=berigte* judging from media reports

blymoe'dig joyful, glad, cheerful *ook* **vro'lik, op'geruimd;** joyous

bly'spel -e comedy; **~dig'ter** writer of comedies

bly'wend -e lasting, permanent; **~e vre'de** lasting peace

bo above; upstairs; up, upon; over; *~ en behalwe* over and above; *~ alle verwagting* beyond all expectations

bo'a -s boa (snake; long scarf)

bo: ~aan at the top/head; *~aan die klas staan* be at the top of the class; **~aards** heavenly, celestial, supermundane; **~arm** upper arm; **~baas** master, topdog, champ(ion) *ook* **bie'lie**

bobbejaan' **..jane** monkey; baboon; *die ~ agter die bult/berg gaan haal* create/pre-empt imaginary problems; **~spin'nekop** tarantula, baboon spider; **~stui'pe** hysterics, fits *ook* **aap'stuipe**

bobo'tie curried mince, bobotie

bod/bot (s) **botte** offer, bid

bod'der (omgangst.): *moenie ~ nie* (omgangst.) don't bother

bo'de -s messenger *ook* **bood'skapper, koerier';** page

bo'dem bottom *ook* **boom** (van vat); soil, ground; territory *ook* **grond'gebied;** *~lose put* bottomless pit

bo'deur[1] (s) **-e** upper half of a door

bo'deur[2] (bw) through at the top

boe (tw) boo/bo(h); *hy kan nie ~ of ba sê nie* he can't say boo to a goose

Boeddha -s Buddha; **Boeddhis'** Buddhist (person); **~me** Buddhism; **~ties** Buddhistic

boe'del -s estate; inheritance; property; *~ oorgee* go bankrupt, surrender, give up *ook: tou opgooi;* **~belas'ting** estate duty; **~bered'= deraar** executor, administrator

boef (s) **boewe** thug, scoundrel, hoodlum, villain, rogue *ook* **skurk, skelm, boos'wig**

boeg (s) **boeë** bow, prow; **~lam** tired out, deadbeat *ook* **poot'uit;** *~lam skrik* take a hell of a fright

boe'goe buchu; **~bran'dewyn** buchu brandy

boei (s) **-e** buoy; handcuff, shackle; fetter (for feet); *die ~e verbreek* break the chains/fetters; (w) **ge-** handcuff, chain, fetter; fascinate; captivate (a story, film); **~end** captivating, spellbinding, fascinating; **~ende/span'nende verhaal'** absorbing story

boek (s) **-e** book; quire (paper); *te ~ stel* record; put on paper; **~aan'kondiging** book announce= ment; (w) **ge-** book, enter (into records, cash-book, etc.); **af~** put on sick leave; **in~/uit~** book in/out (at hotel)

boekanier' -s buccaneer, pirate *ook* **see'rower**

boek: ~beoor'delaar reviewer, critic; **~bespre'= king** book review; **~bin'der** bookbinder; **~deel** volume, part; *dit spreek ~dele* it speaks volumes; **~druk'ker** printer; **~druk'kuns** printing art, typography; **~(e)kas** bookcase; **~ery'** library (private)

boeket' **-te** bouquet, bunch of flowers *ook* **rui'ker;** bouquet (of wine)

boe'kevat **-ge-** observe divine service at home *ook* **huis'godsdiens**

boek'handel booktrade; bookshop; **~aar'** book= seller, stationer

boek'hou (s) bookkeeping; (w) **-ge-** keep books, keep accounts; **~er** bookkeeper (person)

boe'kie -s small book, booklet; *sy ~ is vol* he will be called to account (for his misdeeds)

boek'jaar financial year *ook* **geld'jaar;** *die einde van ons ~* the end of our financial year

boek: ~ma'ker bookmaker, bookie (horse rac=

ing) *kyk* **beroeps'wedder; ~merk** bookmark (*also* internet); **~rak** bookshelf; **~sak** school= bag, satchel; **~staaf** (w) **ge-** put on record, commit to paper; **~win'kel** bookshop; **~wurm** bookworm (person)

boel crowd, lot, a great many; big dog *vgl.* **boel'hond;** *'n hele ~ mense* a large crowd

boe'lie[1] (s) **-s** bully *ook* **bul'lebak, af'knouer;** (w) bully

boe'lie[2]: **~bief** bully beef *ook* **blik'kiesvleis**

boeljon' beef tea, broth, bouillon

boe'mel **ge-** loaf about; booze, spree; **~aar** tramp, loafer, hobo; **~trein** slow train

boe'merang (s) **-s** boomerang *ook* **werp'hout;** (w) backfire (fig.)

boen **ge-** rub, polish *ook* **op'vryf, poets**

boen'der **ge-** drive/shoo away *ook* **verwil'der;** scrub, rub, polish

boen'doe (s) backveld, bundu *ook* **gram(m)a= doelas;** **~baljaar'** bundu bash(ing) *ook* **~makie'tie, veld'fuif; ~hof** kangaroo court, mob justice *ook* **straat'hof**

bo'-ent **-e** topside; upper half

boe'pens **-e** paunch; potbelly; bulge (barrel)

Boer[1] (s) **-e** Boer; Afrikaner

boer[2] (s) **-e** farmer, peasant; jack, knave (cards); *die ~ die kuns afvra* try to find out a secret; (w) **ge-** farm; stay; frequent; *hy ~ by daardie meisie* he is always off to that girl; *agteruit ~* go downhill; **~boel** boerbull (mastiff); **~brood** home-baked bread, extra-large loaf; **~dery'** farm; farming; **~(e)beskuit'** rusk; **~boon'tjie** broadbean; **~e'dag** agricultural day; **~e'= matriek'** confirmation (church) *ook* **aan'= neming; ~(e)'mei'sie** country/peasant girl; **~(e)'musiek'** traditional (Afrikaans) rural mu= sic; **~e'orkes'** traditional rural band; **~plek** stamping ground *ook* **hou'plek; ~pot** jackpot (cards) *kyk* **woe'kerpot** (kasino)

boer: ~e'raat home remedy, folk medicine; **~(e)seun** country lad; **~e'verneu'ker** cheat; confidence man, conman, quack; **~(e)vrou** country woman, peasant wife; **~(e)wors** boerewors; **~kool** borecole, kale; **saai~/bees~** crop/stock farmer

boe'sel **-s** bushel (capacity measure)

boe'sem **-s** bosom, breast; *die hand in eie ~ steek* search one's own heart; **~son'de** besetting sin; **~vriend** bosom friend; chum, pal

Boes'man **-s** Bushman *ook* **San; ~te'kening** Bushman drawing/rock painting *ook* **San= rotste'kening**

boet[1] (s) brother; bra (township jargon); *baantjies vir ~ies* jobs for pals; *~ie-~ie speel* flatter

boet[2] (w) **ge-** atone, expiate; *vir sy sondes ~* pay for his sins

boe'ta (s) **-s** (eldest) brother; old chap; *ek sal jou wys, ~!* I'll show you, old chap!

boe'tabessie -s bushtick, wild cherry

boe'te (s) **-s** fine; penalty; ~ *doen* do penance; ~ *oplê* impose a fine; **~bes'sie** (infml.) meter= maid *ook* **verkeers'dame;** **~bos'sie** burweed; **~keu'se** option of a fine; **~ling** penitent

boet'man young fellow

boet: **~predika'sie** exhortation to repent, hom= ily; **~pre'diker** preacher of penitence; **~psalm** penitential psalm

boetiek' -s boutique *ook* **mo'dewinkel**

boetseer' ge- model; **~kuns** (art of) modelling

boe'we: **~ry** hooliganism, gangsterism; **~streek** villainy, roguery; **~tro'nie/~bak'kies** hang= dog/gallows face; **~wêreld** gangland *ook* **ben'debuurt**

bof[1] (s) tee (golf); base (baseball)

bof[2] (w) ge- strike (unexpected) luck; **~hou** winner (in sport)

bof'bal baseball (rounders)

bog[1] (s) **-te** bend; bay, inlet (on coast) *ook* **in'ham**

bog[2] (s) trash, tripe, crap; (playful) nonsense; *dis pure* ~ it's all bunkum

bog[3] (s) simpleton, nincompoop, twerp *ook* **snuiter, jap'snoet;** *jou klein* ~*!* you little rascal!

bo'gemiddeld above average

bog'gel -s hump, hunch; **~rug** hunchback

bog'gher/bok'ker (omgangst.) bugger (infml.) *ook* **swer'noot, va'bond**

bog'gherol/bok'kerol (omgangst.) buggerall (infml.), nothing *ook* **niks**

bog'gherop/bok'kerop (omgangst.) mess, mud= dle *ook* **gemors';** foul-up; wash-out

bog: **~praat'jie** twaddle, trash, piffle *ook* **kaf'= praatjie;** **~rym'pie** limerick *ook* **limeriek'**

bohaai' (s) fuss, hubbub, ballyhoo *ook* **op'hef, moles';** **kabaal'**

boheems' (b) bohemian, arty; unconventional

boi'kot (s) boycott; (w) boycott *ook* **ignoreer**

bok -ke goat, antelope, buck; box (of a coach); trestle; *'n ou* ~ *is ook lus vir 'n groen blaartjie* old men like tender chickens; *'n* ~ *skiet* make a blunder, slip-up

bokaal' ..**kale** beaker, goblet, drinking cup *ook* **(groot) be'ker**

bo'kas upper case, capitals (printing, comp.) *kyk* **on'derkas;** **~slot** caps lock (comp.)

bok'baard(jie) (s) goatee, billy-goat beard

bo'kerf upper notch; ~ *trek* have a tough time

bok-bok-staan-styf high cockalorum (game)

bok: **~haar** mohair *ook* **angor'ahaar;** **~ha'el** buckshot; **~kapa'ter** castrated goat

bok'kem/bokkom -s (dried) Cape herring; bloater; *hy is 'n droë* ~ he is a dry stick

bok'kerol = bog'gherol

bok'kesprong -e caper, antic; **~e** *maak* cut capers

bok'kie[1] **-s** kid; small trestle

bok'kie[2] **-s** buggy (cart)

bok'kie[3] **-s** (infml.) girlfriend

bokmakie'rie bush shrike, bokmakierie (bird)

bok: **~melk** goat's milk; **~melkkaas'** goat's cheese; **~ooi** nanny goat; **~ram** billy goat

bo'koste overhead costs, overheads (bookk.)

boks[1] (s) (cardboard) box, container *ook* **houer, doos;** box (frame around text)

boks[2] (s) boxing; (w) ge- box

bok'seil -e bucksail, tarpaulin *ook* **kap'seil**

bok'ser -s boxer, pugilist

boks: **~geveg** bout, fight; **~hand'skoen** boxing glove; **~kryt** boxing ring

bok'skyn buckskin (fabric)

bok'spring (s) caper, prance; buck (horse); (w) caper, prance; ~ *van blydskap* jump for joy

bok'tafel trestle table

bok'veld goat pasture; *hy is* ~ *toe* he has gone west, has joined his forefathers (i.e. is dead)

bok: **~vet** goat suet; **~wa** buckwagon; **~wiet** buckwheat

bol (s) **-le** bulb; ball; globe; crown (hat); (w) ge- bulge; (b) convex, round

bo'laag upper layer; topdressing (lawn)

bo: **~leer** upper leather, uppers; **~lig** skylight, fanlight; **~lip** upper lip

bol'la -s chignon, bun (hair)

bol(le)makie'sie head over heels, somersault *ook* **tui'mel, bui'tel;** ~ *slaan* loop the loop, turn cartwheel

bolletjie (s) **-s** bun (sweet roll)

bol'puntpen -ne ballpoint pen

bol'rond (b) **-e** convex, spherical; **~vor'mig** globular

bol'werk (s) **-e** bulwark, rampart *ook* **ves'ting;** (w) fortify; manage, cope (with task)

bol'wurm -s bollworm

bo'lyf ..lywe body above the hips; **~ie** bodice (of a woman's dress)

bom (s) **-me** bomb, shell; (w) bomb; *die* ~ *het gebars* the fat is in the fire; **~aan'val** bomb attack *kyk* **skok'bom, kleefmyn**

bombardeer' (w) bomb, shell, bombard, pound; **bombardement'** (s) bombardment

bombas'ties (b) bombastic; rhetorical, preten= tious (language) *ook* **hoogdra'wend**

bom: **~kombers'** bomb blanket; bomb suppres= sor, explosion inhibitor; **~ontplof'fing** bomb blast; **~(ont)rui'mer** bomb disposal expert; **~skok** shell shock; **~vry** shellproof; **~wer'per** bomber (plane)

bo'natuurlik -e supernatural, unearthly *ook* **bui'tengewoon, boaards'**

bond (s) **-e** confederation, association, union, league; **vak~** trade union *ook* **vaku'nie**

bon'del[1] (s) **-s** parcel, bundle; batch (comp.); **~dra'er** pedlar, tramp; **~op'drag** batch com=

mand (comp.); **~program'** batch program (comp.); **~transak'sie** package deal *ook* **pakket'akkoord**

on'del[2] (w) huddle, bunch (together) *ook* **saam'drom**

ond'genoot ..note ally, confederate; **~skap** alliance, confederacy

on'dig (b) brief, terse, succinct, concise *ook* **beknop'**; *kort en ~* short and to the point

ons (s) **-e** bump, bang, thud; (w) dash, beat, palpitate, bounce (ball; cheque)

ont[1] (s) fur; **~jas** fur coat *ook* **pels'jas; ~werker** furrier

ont[2] (b) odd-coloured, variegated, motley; *sy ~ varkie is weg* he has a screw loose (idiom); (bw) all over; *~ en blou slaan* beat black and blue; **~(e)'bok** bontebok; nunni, pied antelope, **~kraai** pied crow; **~kwag'ga** Burchell's zebra; **~lo'per** jaywalker (in street); **~rok'kie** stone= chat (bird)

bo'nus (s) **-se** bonus *ook* **toe'lae; sken'king**

bood'skap (s) **-pe** message *ook* **berig', me'= dedeling;** errand; *die blye ~* the glad tidings; the gospel; **~per** messenger; courier *ook* **bo'de; koerier'**

boog (s) **boë** bow; curve, arch, arc; *pyl en ~* bow and arrow; **~lamp** arc lamp; **~skiet** archery; **~skut'ter** archer; **~venster/~kom'venster** bay window *ook* **er'ker**

bo'-om/bo om round (at) the top

boom[1] (s) **bome** tree; bar, beam; *tussen die ~ en die bas* betwixt and between; **~akkedis', ~gei'tjie** gecko; **~kap'per** (tree)feller *ook* **boom'veller; ~kap(pery)'** treefelling; **~kun'= de** dendrology; tree lore; **~kwe'kery** (tree) nursery; arboriculture; **~mos** tree moss, lichen; **~pie** young tree, sapling; **~plant'dag** arbor day; **~sin'gertjie** cicada, scissor grinder *ook* **son'besie; ~skil'padjie** ladybird

boom[2] (s) **bome** bottom *kyk* **bo'dem, boom= skraap**

boom'skraap finished; empty; rock-bottom; *sy finansies is ~* he is scraping the barrel (for money)

boom: ~stam tree trunk; **~va'ring** tree fern

boon bone bean; **grond~** peanut, groundnut

boon'op moreover, besides *ook* **bo'wendien**

boon'ste top, uppermost, highest

boon'tjie -s bean; *~ kry sy loontjie* every dog has his day; **~sop** bean soup

boon'toe to the top, up(wards)

bo'-oor/bo oor over the top, right over

bo'-op/bo op on top, atop of

boor[1] (s) boron (element); **~salf** boracic oint= ment

boor[2] (w) **bore** bore, drill; gimlet; *~ en omslag* brace and bit; (w) bore, drill

boord[1] (s) **-e** orchard

boord[2] (s) **-e** border, edge; board (ship); *aan ~ gaan* go aboard; *oor~ gooi* ditch; abandon

boor'de(nste) vol brimful

boord'jie -s collar; *harde ~* starched collar; *sagte ~* soft collar

boor: ~gat borehole

boor'ling: *'n ~ling van Graaff-Reinet* born in Graaff-Reinet

boor: ~man driller (for water); **~masjien'** drilling machine; **~tjie** gimlet; **~toring** (oil) rig

boos (b) angry, cross *ook* **kwaad;** wicked, evil; *~ wees oor* be angry at; **bose kring'loop** vicious circle *ook* **dui'welspiraal**

boosaar'dig (b) malicious, ill-natured, evil *ook* **kwaadaar'dig, veny'nig**

boos: ~doe'ner evildoer, villain, perpetrator *ook* **kwaad'stigter; ~heid** anger; evil, wickedness; **~wig** villain, criminal *ook* **skurk, boef**

boot (s) **bote** boat *kyk* **skuit;** ship

bo'raks borax *ook* **na'triumsout**

bord -e plate; board

bordeel' ..dele brothel

bord'jie -s small plate; notice board; *die ~s is verhang* the tables are turned

bord'papier cardboard, paste board

borduur' (w) embroider; **~sel, ~werk** embroi= dery

borg (s) **-e** surety, security, guarantee; bail; guarantor; sponsor *ook* **befond'ser;** (w) ge= sponsor; guarantee; *~ staan* stand surety; *hy ~/befonds die byeenkoms* he is sponsoring the event; **~skap** suretyship; sponsorship; **~stel'= ling** surety, bail; **~tog** bail, surety; *op ~tog uit* released on bail

bor'rel (s) **-e** bubble; drop, tot; (w) bubble; tipple; **~bad** jacuzzi; bubble bath; mineral baths *ook* **kruit'bad, jacuz'zi; ~gom** bubblegum; **~siek'= te** air embolism; bends (diving); **~vink** red bishopbird

bor'rie turmeric, curcuma; **~geel** bright/vivid yellow

bors -te breast; chest; thorax; bust (woman); brisket (beef); *dit stuit my teen die ~* it goes against the grain; *uit volle ~ sing* sing with gusto; **~beeld** bust *kyk* **stand'beeld, rui'= terbeeld; ~been** breastbone, sternum

bor'sel (s) **-s** brush; bristle; (w) ge- brush; **tan'de~** toothbrush

bors: ~hemp dress shirt; **~kan'ker** breast cancer, carsinoma; **~lap** bib (for baby); breastpiece; **~plaat** butterscotch; **~speld** brooch; **~sui'ker** sugarstick, lollipop; **~rok** (veroud.) corset (obs.); **~vliesontste'king** pleurisy; **~voe'ding** breast feeding (of baby); **~we'ring** breastwork, parapet (fortification)

bos[1] (s) **-se** bundle, bunch, sheaf; *~ blomme* bunch of flowers; bouquet

bos[2] (s) **-se** forest, wood; shrub, bush; shock (hair); *om die ~ lei* lead by the nose; **~aap** thick-tailed lemur; **~a'pie** bushbaby; **~beraad'** bundu think-tank; bosberaad (SA); **~bok** bushbuck; **~bou** forestry, afforestation; **~bouer** forester; **~buf'fer** bullbar *ook* **~bre'= ker** (bakkie)

bosga'sie/boska'sie -s brushwood, undergrowth *ook* **struik'gewas, ruig'te;** unkempt/untidy hair

bos: **~god** satyr *ook* **sater, faun; ~kameel'perd** okapi; **~kwar'tel** button quail; **~lan'ser** un= kempt country cousin *ook* **tak'haar;** coward; **~luis** bushtick; **~luisvoël** tickbird, white heron *ook* **vee'ryer**

bosseleer'(w) ge- emboss; **ge=de koevert'** em= bossed envelope

bos'sie -s shrub, copse; *geld soos ~s* heaps of money; **~kop** untidy/unkempt mop of hair; **~s'tee** bush tea *kyk* **rooi'(bos)tee**

bos'sies (b) bush mad (army idiom)

bos'stertmuis -e dormouse

bo'staande above(-mentioned)

bos'tamboer grapevine (idiom) *ook* **bostele= graaf'** *kyk* **riem'telegram**

bos'vark -e bushpig

Bos'veld Bushveld

bos: **~wag'ter** ranger, gamekeeper; **~we'se** (department of) forestry

bot[1] (s) **-te** fluke; flounder (fish); bid (auction)

bot[2] (s) sprout, bud; (w) bud, sprout

bot[3] (b) dull, abrupt, *ook* **stug;** blunt (knife)

botanie' botany *ook* **plant'kunde; bota'nies** botanic(al); **bota'nikus** botanist (person)

bo'tol (s, w) topspin (ball games)

bo'toon overtone; *die ~ voer* boss the show

bots (s) shock, collision; (w) collide, clash; strike; **~ing** collision; smash; conflict *ook* **konflik'**

bot'stil stock-still, motionless (standing)

Botswa'na Botswana (country)

bot'tel (s) **-s** bottle, jar, flask *ook* **fles;** *al bars die ~* come what may; (w) **ge-** bottle

bot'telnek bottleneck (traffic; work flow), traffic jam/congestion *ook* **knel'punt**

bot'ter butter; *dis ~ op 'n warm klip* it serves no purpose; *met die neus in die ~ val* have all the luck; **~blom** buttercup; **~brood'jie** scone *ook* **skon; ~fabriek'** creamery; **~kop'pie** hinny *ook* **(muil)e'sel; ~peer** avocado (pear) *ook* **avoka'= do; ~pot** butterdish; **~skor's(ie)** butternut (vegetable); **~spaan** butterspat

bot'vier (w) **ge-** give rein/vent to (e.g. his anger); indulge

bot'weg (bw) flatly, bluntly, straight out; *iets ~ weier* refuse something point-blank

bou (s) construction; build; structure; (w) **ge-** build, construct; **~aan'nemer** building con=

tractor *ook* **bou'kontrakteur; ~bedryf'** build= ing industry/trade

boud (s) **-e** buttock; leg (of mutton); haunch

bou'er -s builder; **~y** building operations

bou'kontrakteur -s building contractor *ook* **bou'aannemer**

bou'kunde/bou'kuns architecture *ook* **argitek= tuur'**

boul (w) **ge-** bowl (cricket); **~beurt** over *kyk* **kolf'beurt; leë ~beurt** maiden over; **~er** bowler

bou: **~materiaal'** building material; **~mees'ter** architect; builder; **~perseel'** building site; **~re'kenaar** quantity surveyor (person); **~stof** building material(s); ingredients

bout -e bolt, pin; **~knip'per** boltcutter *ook* **slotknip'per**

bou'val ruin(s) *ook* **mura'sie; bouval'lig** (b) dilapidated, tottering, ramshackle *ook* **verval= le**

bou'vereniging -s building society

bo'we above; upon; over; upstairs; *te ~ kom* surmount difficulties

bowe(n)al' above all (things)

bowendien' moreover, besides *ook* **boon'op**

bra[1] (s) bra, brassière, bustbodice *ook* **buus'= telyfie; bo'stuk; top'pie**

bra[2] (s) brother; chum; *my ou ~* (township-taal) my bra/pal/chum

bra[3] (bw) rather, really, actually; *hy is maar ~ dom* he is rather stupid; *dit kan nie ~ anders nie* it can hardly be different

braaf virtuous, upright *ook* **dap'per;** *'n brawe Hendrik* a goody-goody

braai (w) **ge-** roast, fry, grill; scorch; **~boud** (roast) leg of mutton; **~gereg'** grill; **gemeng'de ~gereg'** mixed grill *kyk* **allegaar'tjie; ~hoek** barbecue; **~hoen'der, ~kui'ken** broiler; **~huis, ~restourant'** steakhouse; **~rib'betjie** roast(ed) rib; **~stel** barbeque; **~vet** dripping; **~vleis** roasted meat, roast; *~vleis hou* have a braai/ barbecue

braais = braai'huis

braak[1] (w) **ge-** vomit *ook* **op'gooi, op'bring;** puke (vulg.)

braak[2] (w) **ge-** break up; fallow; (b) fallow; *die land lê ~* the land lies fallow

braam (s) **brame** blackberry, bramble

brab'bel ge- jabber, mutter; **~taal** (s) gibberish, jargon

Brahmaan' ..mane (kasteel in Indië) Brahman

bra(h)maanbul' Brahman bull

brak[1] (s) **-ke** dog, mongrel, cur *ook* **straat'brak**

brak[2] (b) brackish (water); briny

brak'kie -s doggy, small mongrel; **~sak'kie** doggybag *ook* **woef'kardoes**

brand (s) **-e** fire, conflagration; mildew; blight; gangrene; *aan die ~!* on the go!; *aan die ~*

steek set ablaze/alight, torch; (w) **ge-** burn, scald (hot water); blaze; scorch; cauterise; brand (cattle); ~ *van verlange* yearn; **~alarm'** fire alarm; **~arm** indigent, destitute *ook* **behoef'tig;** **~assuran'sie** fire insurance *ook* **brand'versekering;** **~baar** combustible; (in)= flammable *ook* **(ont)vlam'baar;** **~bestry'ding** fire fighting; **~blus'ser** fire extinguisher; **~bom** incendiary/fire bomb

bran'der[1] **-s** burner *ook* **brand'toestel**

bran'der[2] **-s** large wave, breaker; (mv) surf; **~plank** surfboard; **~seil** surf sailing; **~ski** surf skiing; **~ry'er** surfer (person)

bran'der[3] **-s** rebuke, reprimand *ook* **uit'brander, skrobbe'ring**

bran'dewyn brandy *ook* **har'dehout; ~sto'kery** (brandy) distillery

brand: **~glas** burning glass, lens; **~hout** fire= wood; **~kas** safe, strongbox; **~kasbre'ker** safe-blower; **~kluis** strongroom, vault; **~kraan** hydrant *ook* **hi'drant; ~ma'er** skinny, scraggy; **~merk** (s) brand; stigma; (w) brand (cattle); stigmatise (a person); **~muur** firewall (inter= net); **~ne'tel** stinging nettle; **~of'fer** burnt offering; **~plek** burn; **~po'lis** fire policy; **~punt** focus; flashpoint; **~ris'sie** chilli *ook* **ris'sie, papri'ka; ~siek'te** mange; **~sla'ner** firefighter *ook* **brand'bestryder; ~sol'der** fire= proof ceiling; **~spi'ritus** methylated spirits; **~spuit** fire hose, hydrant; **~sta'pel** stake, pile; pyre

brand'stig (w) raise a fire; commit arson; **~ter** (s) **-s** arsonist (person); **~ting** (s) arson; incendia= rism; *vermoed ~ting* suspect arson

brand: **~stof** fuel; **~stofbespa'ring** fuel econo= my/saving; **~stof'inspuiting** fuel injection; **~stofverbruik'** fuel consumption; **~stoot** (w) pushstart (car); **~trap** fire escape; **~verse'= kering** fire insurance; **~vry** fireproof; **~wag** guard, outpost, sentry, picket

brand'weer fire brigade; *die ~ ontbied* call the fire brigade; **~man** fireman; **~sta'sie** firestation

brand: **~wond** burn, scald; **~ys'ter** branding iron

bra'sem **-s** bream (fish)

Brasiliaan' **..ane** Brazilian (person); **~s** Brazilian (customs); **Brasi'lië** Brazil (country)

bras'party/bras'sery drinking bout, booze party, revelry *ook* **fuif'party, dronk'nes**

brava'de (s) bravado, boast *ook* **groot'doenery**

bravo' **-'s** bravo; cheer; (tw) well done!

bre'die (s) stew (vegetables and meat), ragout *kyk* **pot'jiekos**

breed (b) breë; breër, -ste broad, wide; *in breë trekke* in broad outline

breedspra'kig (b) verbose, long-winded *ook* **omslag'tig**

breed'te **-s** breadth, width; **~graad** degree of latitude

breedvoe'rig detailed, exhaustive *ook* **uitvoe'= rig, in de'tail**

breek ge- break, smash, crush, snap, fracture; *maak en ~* make and mar; *nood ~ wet* necessity knows no law; **~baar** breakable, fragile; **~goed/~ware** crockery; **~wa'ter** breakwater, groyne

bre'ërandhoed -e broad-brimmed hat

brei[1] (w) **ge-** knit

brei[2] (w) **ge-** prepare skins; coach, train (sport); put through one's paces; groom (for a task)

brei'del (s) **-s** bridle; (w) bridle, check, curb; **ongebrei'delde taal** uncontrolled/vociferous language

brei'er -s coach, trainer (sport) *ook* **af'rigter;** tutor; knitter

brein brain; intellect; **~boe'lie** brainteaser *ook* **kop'krapper; ~ero'sie** braindrain *ook* **brein= kwyn'; ~flou'te** blackout; **~gim(nastiek)** braingym; **~kaart** mind map; **~kind** brainchild *ook* **skep'pende gedag'te** *kyk* **blink gedag'te**

brei'naald -e knitting needle

brein: **~ska'de** brain damage; **~skandering** brainscan *ook* **~tas'ting; ~spoel** (w) ge= brainwash *ook* **indoktrineer'; ~spoe'ling** (s) brainwashing; **~tas'ting** brainscan *ook* **breinskande'ring**

brei'paal ..pale pole for preparing riems (leather thongs)

brei: **~patroon'** knitting pattern; **~werk** knitting; **~wol** knitting wool

brek'fis (omgangst.) (s) breakfast *ook* **ontbyt'; **(w) **ge-** have breakfast *ook* **ontbyt' nut'tig**

bres (s) breach; *in die ~ tree* step into the breach; come to the rescue

breuk -e rupture; hernia; breach (peace); frac= ture; fraction; **~band** truss; **kontrak'~** breach of contract

brief (s) **briewe** letter, epistle; *aangehegte ~* attached letter; *begeleidende ~* covering letter; *bygaande ~* accompanying letter; **~gehal'te** (rekenaardrukwerk) letter quality; **~hoof** let= terhead; **~priem** (letter) spike; **~wis'seling** correspondence *ook* **korresponden'sie**

briek (s) **-e** brake *ook* **rem; ~ aandraai** go slow; (w) **ge-** apply the brake(s); **~dans** break dancing *ook* **tol'dans**

bries[1] (s) **-e** breeze *ook* **lig'te wind'jie**

bries[2] (w) **ge-** snort, fret; (b) **~end** snorting; furious, wild with rage *ook* **woe'dend, ra'= send**

brie'we: **~bestel'ler** postman *ook* **pos'man; ~bus** pillar box (for posting); **~sak** postbag, mail= bag; **~tas** briefcase *ook* **ak'tetas**

briga'de brigade; **~~bevel'voerder** brigadier

briket' **-te** briquette

bril (s) **-le** pair of spectacles; toilet seat; *alles deur 'n rooskleurige ~ bekyk* see things

through rose-coloured spectacles; (w) **ge**-
wear spectacles; **~hui′sie** spectacle case

briljant′ (s) cut diamond; (b) brilliant *ook*
skit′terend; uitmun′tend (skoolrekord)

bril′maker -s optician, optometrist

bril′raam ..rame spectacle frame

bring ge- bring, take, carry, convey; *te berde ~*
broach a matter

brin′jal -s eggplant *ook* **ei′ervrug**

Brit -te Briton (person); **~s** (b) **-e** British
(customs, etc.)

Brittan′je Britain (country)

broc′coli broccoli *ook* **spruit′kool**

broe′der -s brother; *~ in die verdrukking*
fellow-sufferer; **~lief′de** brotherly love; **~lik**
brotherly; fraternal; **~moord** fratricide; **~skap**
brotherhood, fellowship; fraternity

broei ge- brood, hatch; ponder on; **~e′rig** close,
sultry (climate); **~kas** incubator; hothouse *ook*
kweek′huis; ~masjien′ incubator

broeis (b) broody (hen); **broei′sel** brood (of
eggs); clutch

broek -e (pair of) trousers, breeches, drawers,
bloomers; *met ~ en baadjie* (potatoes) in their
jackets; **~pak** slack suit (woman); **~sak** trouser
pocket; **~skeur** (s) tear in the trousers; (bw)
hard, difficult; *dit sal ~skeur gaan* it will be
touch and go, hard-going; **~s′pyp** trouser leg

broe′kiekouse pantihose

broer -s brother; **Loer~** Big Brother; **~s′kind**
nephew, niece *ook* **neef/klein′neef, niggie/**
klein′niggie

brok -ke piece, fragment; *stukkies en ~kies* odds
and ends

brokaat′ brocade (fabric with raised design)

brok′kel ge- crumble; decompose; **brok′stuk**
-ke fragment *ook* **fragment′**

brom ge- grumble, grouse; mutter, growl; **~mer**
bluebottle, blowfly; **~po′nie** motor scooter;
~pot growler, grouser, grumbler *ook* **knor′pot,**
brom′beer (persoon); **~tol** humming top;
~voël grounded hornbill

bron -ne spring; source, origin; *uit betroubare ~*
verneem have it from a reliable source

brongi′tis bronchitis *ook* **lugpypontste′king**

bron′kors watercress

bron′ne: ~lys bibliography; references; **~mate-**
riaal′ (re)source material

brons[1] (s) bronze, brass

brons[2] (s) rut, heat; **~tig** (b) ruttish, in/on heat
ook **op hit′te** (dier)

bron′water spring water *ook* **fontein′water**

brood (s) **brode** bread; loaf; *die een se dood is*
die ander se ~ one man's meat is another
man's poison; *mooi/soet ~jies bak* eat humble
pie; **~boom** cycad, breadfruit tree *ook*
sikadee′; ~bord bread platter; **~jie** (bread)
roll; **~krum′mel** (bread) crumb; **~lyn:** *onder*

die ~lyn leef live under the breadline/poverty
line; **~mes** bread knife; **~no′dig** indispensable
essential *ook* **noodsaak′lik; ~plant** delicious
monster *ook* **geraam′teplant; ~roos′ter** toas-
ter; **~skry′wer** penny-a-liner, hack (writer) *ook*
knol′skrywer; ~trom′mel bread tin; **~win′ner**
breadwinner (person); **~win′ning** livelihood
means of subsistence; **~wor′tel** cassava

broos (b) **brose** frail, fragile, brittle; delicate *ook*
bros; delikaat′

bros (b) brittle, crisp; **~koek** shortbread *ook*
bros′brood; ~koek shortcake

brosju′re -s brochure, pamphlet, booklet *ook*
pamflet′, blad′skrif

brou (w) **ge-** brew; bungle, botch; muddle *kyk*
verbrou′; ~ery brewery; **~sel** brew, brewage
~skoot/~hou botched shot (sport)

brug[1] (s) **brûe** bridge; parallel bars; *'n ~ slaan*
oor bridge; **~hoof** bridgehead

brug[2] (s) bridge (cards)

bruid -e bride; **~e′gom** bridegroom; **~skat** dowry
(marriage portion)

bruids: ~koek wedding cake; **~kombuis′:**
~kombuis hou give a kitchen tea; **~paar** bridal
couple; **~rok, ~tab′berd** wedding dress; **~uit′-**
set trousseau *ook* **trous′seau**

bruik′baar (b) serviceable, useful

bruik′huur (s, w) leasing; lease; *ek het die*
(motor)kar op ~ I am leasing this car

bruik′leen loan (for use); lease-lend; *in ~*
afstaan make a loan of (for use)

brui′lof -te wedding *ook* **hu′welik; gou′e ~**
golden wedding, fiftieth wedding anniversary;
~s′gas wedding guest; **~s′pleg′tigheid** mar-
riage ceremony

bruin brown; tan; bay; **~brood** brown bread;
~kapel′ brown cobra; **~ man/vrou** coloured
(person); **~ mense** coloured people; **~oog**
brunette; brown-eyed

bruis (w) **ge-** foam, froth, effervesce; **~melk**
milkshake; **~poei′er** fruitsalts; **~wyn** sparkling
wine, champagne *ook* **von′kelwyn, sjampan′-**
je

brul (s) **-le** roar; (w) **ge-** roar; **~pad′da** bullfrog

brunet′ -te brunette (woman); brown-haired

Brus′sel Brussels; **~se kant** Brussels lace; **~se**
spruit′jies Brussels sprouts

brutaal′ (b) cheeky, impudent, insolent *ook*
astrant′, verme′tel, onbeskof′

bru′to (uitspr. *brutoe*) gross; **~ gewig/mas′sa**
gross weight/mass; **~ wins** gross profit

bruusk -e abrupt, blunt, offhand *ook* **kort′af,**
stuurs

bry ge- roll the ''r''; speak with a burr

bud′jie -s budgie; budgerigar

buf′fel -s buffalo; rude/crude fellow *ook* **bul′-**
lebak; ~ag′tig rude, churlish

buf′fer -s buffer; bumper *ook* **stam′per; ~staat**

buffer state; **~strook** buffer strip *kyk* **bos'= buffer, bos'breker**

uffet' (s) sideboard; bar; **~e'te** buffet (meal)

ui -e shower (of rain); whim, mood; (coughing) fit; *in 'n goeie ~/stemming wees* be in a good mood

ui'del -s pouch; purse; **~dier** marsupial animal (e.g. koala)

ui'erig -e showery (rain); temperamental, moody, whimsical; capricious

uig ge- bend, bow, stoop; curve; *~ of bars* bend or break; by hook or by crook

uig'baar (b) bendable; *daardie yster is ~* you can bend that piece of iron *kyk* **buig'saam**

ui'ging -s bow, curtsy; bend(ing); flexion (gram.); curtain call (stage)

uig'saam (b) flexible, pliable; yielding (person) *ook* **meegaan'de;** *'n ..same rottang* a flexible cane *kyk* **buig'baar**

uik -e stomach, belly; abdomen; **~danseres'** bellydancer, exotic dancer *ook* **na'eltjie= danser; ~gord** girth; **~lan'ding** crash landing (aircraft); **~plank** bottom board, bedplank; **~spraak** ventriloquy; **~spre'ker** ventriloquist; **~vliesontste'king** peritonitis; **~vol** fed up *ook* **keel'vol**

uil -e boil; swelling; **~e'pes** bubonic plague

uis -e tube, pipe, duct; **~lig** fluorescent light (tube), neon light

uit (s) booty, loot, plunder; (w) **ge-** rob, loot, carry off, plunder, pillage

uite outside; out of doors; *te ~ gaan* go too far, overstep the mark; *van ~ leer/ken* learn/know by heart; *~ perk(e)* out of bounds; *~ stemming (bly)* abstain from voting; **~baan** off-course (totalisator); **~band** tyre; **~deur** outer door; **~eg'telik** out of wedlock, extramarital; illegitimate (child); **~gebou'** outhouse, outbuild= ing; **~ka'mer** outside room; **~kans** outside chance; windfall; **~kant** (s) outside, exterior; (bw) outside; **~klub** country club; **~kur= rikulêr'** extracurricular; **~land** foreign coun= try; abroad; off-shore/global (investment); **~lan'der** foreigner; **~lands** foreign *ook* **uitheems';** exotic; **B~landse Sa'ke** Foreign Affairs; **~lisen'sie** off-sales licence; **~lug** open air; country air; **~mag'tig** ultra vires; **~muur** outer wall; **~muurs** extramural (study)

ui'ten besides, except *ook* **behal'we;** beyond; *almal ~ Piet* everyone except Peter; **~straatse parke'ring** off-street parking

uitendien' moreover, besides, in addition, furthermore *ook* **bowendien'**

ui'tengewoon extraordinary, peculiar, uncom= mon, unusual *ook* **uitson'derlik**

ui'tenshuis (b) outdoor; (bw) out of doors

uitenspo'rig extravagant, excessive *ook* **uiterma'tig; ~e wins** exorbitant profit

bui'tenste outermost, exterior; **~ duis'ternis** outer darkness

bui'te: ~pasiënt outpatient; **~perd** outsider; **~plaas** country seat, farm; **~pos** outpost; **~sintuig'like waar'neming** extrasensory per= ception; **~sluit** (w) exclude, shut out; **~stan'der** outsider; **~ste'delik** peri-urban; **~steen** facebrick *ook* **sier'steen; ~veld** out of bounds (golf) *ook* **buite per'ke; ~verkoop, ~verbruik** off-sales; **~wê'reld** outer world, public/outside world; outlying part, district; **~wyk** outskirt(s) of city

bui'ter plunderer, pillager, marauder (person)

buit'maak -ge- seize, capture, carry off *ook* **roof, kaap**

buk ge- stoop, bend, bow

buk'sie -s smallish chap; saloon rifle

bul -le bull, steer; *die ~ by die horings pak* take the bull by the horns

bul'der ge- roar, rage, boom

bulgeveg bullfight *ook* **stier'geveg**

bulimie' (s) bulimia *kyk* **anorek'sie**

bulk ge- low, bellow, moo

bulle'bak -ke bully *ook* **boe'lie, af'knouer;** surly person; lout, ruffian *ook* **gom'tor**

bulletin'/boeletien' -s notice, bulletin; **~bord** bulletin board (internet)

bul'sak -ke bolster; old-time featherbed

bult -le hillock, ridge, rising ground *ook* **steil'te;** hump, bump; *blinde ~/hoogte* blind rise; *ons is amper oor die ~* the worst is nearly over; (w) **ge-** bulge, dent; *~ jou spiere* flex your muscles; **~e'rig** (b) uneven, hilly

bun'del (s) **-s** volume, collection (book); bundle; (w) collect; publish in book form

bun'galow bungalow, one-storeyed house *ook* **bun'galow**

bun'ker (s, w) bunker; **~ko'le** bunker coal

bu're (s) (mv) neighbours; *byhou by die bure* keep up with the Joneses

burg[1] (s) **-e** castle, stronghold, bastion, citadel *ook* **ves'ting** (ommuurde stad); **fort, slot, kasteel'**

burg[2] (s) **-e** castrated boar, gelded pig, barrow

bur'gemeester -s mayor; **~es** mayor (woman); **~s'vrou'** mayoress

bur'ger -s citizen, subject (of state) *ook* **on'= derdaan;** *in ~drag/siviele drag* in plain clothes/mufti; **~kun'de** civics; **~lik** (b) civil= ian; middle-class, **~like besker'ming** civil defence; **~like inheg'tenisneming** citizen's arrest; **~like onthaal'** civic reception; **~like** (s) **-s** civilian (person); **~lug'vaart** civil aviation; **~oor'log** civil war; **~reg** right of citizenship; civic right(s); *dié woord het ~reg gekry* that word has been adopted into the language; **~sen'trum** metropolitan centre; **~skap** citizenship; **~stand** middle class, bour= geoisie; **~wag** civic guard

burg'graaf viscount (nobleman)

burlesk' (s) burlesque (comic imitation/enter=
tainment); (b) ludicrous, burlesque

buro' -**'s** (writing) desk; bureau, office; **weer~**
weather service *ook* **weer'diens**

burokrasie' bureaucracy, officialdom, red-tap=
ism

bus[1] (s) -**se** box, tin; bush (of a wheel)

bus[2] (s) -**se** (omni)bus; *'n ~ haal* catch a bus;
~diens bus service; **~dry'wer** busdriver;
~hal'te busstop; **~kaar'tjie** bus ticket; **~toer**
coach tour

bus'kruit gunpowder

buur: **~land**, **~staat** neighbouring country/state;
~man neighbour; **~skap** neighbourliness;
~vrou neighbour (woman) *kyk ook* **bu're**

buurt -**e** neighbourhood *ook* **wyk;** area, vicinity;
~wag neighbourhood watch

buus'te -**s** bust, breast; boobs (pl, vulg.); **~ly'fie**
bust bodice, bra *ook* **bra, bo'stuk, bo'lyf,**
top'pie

by[1] (s) -**e** bee (insect)

by[2] (vs) at, near, by, with; @ (comp.); *~ sy dood*
at his death; *~ ontvangs* on receipt; *~ die vyftig*
close upon fifty

by'bedoeling side-purpose, ulterior motive

by'behore accessories (motor industry, appli=
ances)

By'bel -**s** Bible, (the) Scriptures; **~beu'ker** Bible
thumper (person); **~genoot'skap** Bible So=
ciety; **~s** (b) biblical, scriptural; **~verkla'ring**
exegesis; **~teks** text from Scripture; **~verta'=
ling** Bible translation

by: **~beta'ling** surcharge; **~bly** (w) -**ge-** keep
pace/up with; be able to follow; **~bring** (w)
-**ge-** bring forward; afford; restore to con=
sciousness; *ons kan dit nie ~/bekostig nie* we
cannot afford it; **~dam** (w) -**ge-** accost,
approach, tackle *ook* (iem.) **ta'kel, looi**

byderhand' close by, handy; quick-witted, smart
ook **skerpsin'nig, skran'der**

bydertyds' (b) present-day, contemporary; tren=
dy *ook* **ei'etyds, nuwerwets'**

byderwets' (b) modern; with-it, trendy *ook*
bydertyds' *kyk* **nuwerwets'**

by'dra -**ge-** contribute

by'drae (s) -**s** contribution *ook* **in'set;** *'n ~ lewer*
give an input; make a contribution

byeen' together; **~roep** call together, convene (a
meeting)

byeen'kom -**ge-** meet, gather, assemble; **~s** (s)
-**te** gathering, meeting, assembly *ook* **saam'=
trek;** event (sport)

by'e: **~korf** beehive; **~nes** beehive; **~ry** apiary,
bee farm *ook* **by'eboerdery;** **~was** beeswax

by'gaande (b) accompanying, enclosed, annexed

by'gebou (s) -**e** annex; outbuilding

by'geloof (s) **..lowe** superstition (unproved
belief); **bygelo'wig** (b) superstitious

by'hou (w) -**ge-** keep up with, keep abreas
cope; keep up to date *kyk* **by'werk**

by'kans nearly, almost *ook* **am'per, by'na**

by'klank -**e** sound effect(s)

by'kom -**ge-** add(ed) to; recover (from a faint)

by'komende additional *ook* **addisione'le;** inc
dental; **~** **in'ligting** additional/further informa
tion *ook* **meer in'ligting**

bykoms'tig -**e** accessory *ook* **bybeho'rend;** mino
incidental; **~hede** accessories, parts (of engine
etc.); minor matters *ook* **onbenul'lighede**

byl -**e** axe, hatchet; *die ~tjie/strydbyl begraw*
bury the hatchet *ook* **vre'de maak**

by'lae (s) -**s/by'laag** (s) bylae appendix, annex
ure *ook* **by'voegsel;** enclosure; supplemen
schedule

by'lê (w) (w) -**ge-** solve, resolve; *'n geskil*
settle a dispute, difference

by'lyn -**e** extension (telephone)

bymekaar' together; **~kom** (w) -**ge-** com
together; meet; **~komplek'** meeting place
rendezvous, venue

by'na nearly, almost; **~ nooit** hardly ever

by: **~naam** nickname; pet name *ook* **noem
naam;** **~nes** beehive *ook* **by'ekorf;** **~nie**
adrenal gland; **~pas'send** (b) matching; **~oog
merk** ulterior motive; private end; **~saa**
secondary matter, mere detail *ook* **nie'tighei**
kyk **hoof'saak;** *geld is ~* money is no object

bysien'de (b) near-sighted, myopic

by'sin -**ne** dependent/subordinate clause

by'sit (w) -**ge-** add to; contribute; help; *hand*
lend a hand

by'smaak (s) aftertaste, peculiar flavour/tinge

by'staan -**ge-** assist, help, back up; **~tyd** standb
time (cellphone) *ook* **steun'tyd**

by'stand assistance, aid, support; backup (com
puter); *op ~/roep* on call (doctor); *~ verlee.*
render assistance; **~diens** stand-by duty
~fonds relief fund; **~nom'mer** emergenc
number; **~vere'niging** benefit society

by'(e)steek (s) bee sting

bys'ter: *die spoor ~ wees* be on the wrong trac

by'syn presence *ook* **teenwoor'digheid**

byt (s) bite; (w) bite, snap at; *op jou tand*
~/kners clench/grind one's teeth

byt: **~mid'del** corrosive *ook* **byt'stof;** **~so'd**
caustic soda

by'vak -**ke** ancillary/subsidiary subject

by'val[1] (s) applause; approval, approbation *oo*
goed'keuring; *~ vind* meet with approval; fin
favour with

by'val[2] (w) -**ge-** come into (one's mind)
remember

by'vanger -**s** drongo shrike (bird)

by'verdienste extra earnings; sideline job
moonlighting

by'voeg -**ge-** add, annex, append; **~ing** additio

ook **toe′voeging; ~like naam′woord** adjective; **~sel** supplement; appendix, annexure; add-on (comp.)

byvoor′beeld for example, for instance

by′voordeel (s) fringe benefit, perk (perquisite)

by′werk (w) revise; update, bring up to date (a schedule) *ook* **op′dateer**

by′woner -s subfarmer; sharecropper (person)

by′woning (s) attendance, turnout *ook* **aanwe′sigheid, op′koms** (van mense)

by′woon -ge- be present at, attend; witness; **~regis′ter** attendance register *ook* **presen′sielys; ~sy′fer** attendance figure

by′woord -e adverb; **~′elik** adverbial

by′wyf (s) **bywywe** concubine, mistress, paramour *ook* **hou′vrou**

C

c -'s c

Calvinis' **-te** Calvinist (person); **~me** Calvinism; **~ties** (b) Calvinistic

can'yon **-s** canyon, bergkloof *kyk* **ravyn'**

cap'ita (s): *per ~* per capita *ook* **per kop**

casi'no/kasi'no **-'s** casino, gambling house *ook* **dob'belhuis**

cataw'ba/katô'ba catawba (grapes)

causerie' (s).**-ë** causerie; talk, conversation

chalet' **-s** chalet, lodge *ook* **berg'hut**

cha'os (s) chaos *ook* **wan'orde, baai'erd**

chao'ties (b) **-e** chaotic *ook* **wanor'delik;** *~e toestande* chaotic conditions

chaperon'e **-s** chaperon *ook* **toe'sigbegeleier**

charge d'affai'res charge d'affaires (dipl.)

charis'ma charisma; personal charm; popularity *ook* **in'gebore sjar'me; charisma'tiese e're-diens** charismatic (divine) service

char'ter (s) **-s** charter *ook* **hand'ves;** (w) **ge-**charter, hire (ship, plane)

chateau' **-s** château *ook* **burg, slot** (kasteel)

chauffeur' **-s** chauffeur, driver

chauvinis' **-te** chauvinist *ook* **dwe'per; ~me** chauvinism *ook* **(nasiona'le) eie'waan; ~ties** chauvinistic

ched'dar cheddar (cheese)

chee'tah cheetah *ook* **jag'luiperd**

che'mikus **..mici, -se** analytical chemist

chemie' chemistry *ook* **skei'kunde**

che'mies (b) **-e** chemical (a); **~e on'kruidbeheer** chemical weed control

chemika'lie (s) **-ë** chemical (n)

chev'ronteken/sjev'ronteken **-s** chevron sign

Chi'li Chile (country); **Chi'leens** (b) **-e** Chilean (customs, etc.)

Chi'na China (country); **Chinees'** (s, b) **..nese** Chinese (person; language; customs, etc.)

chiropraktisyn' **-s** chiropractor (person)

chirurg' **-e** surgeon *ook* **sny'dokter; ~ie** surgery; **plas'tiese ~ie** plastic surgery

chloor (s) chlorine

chlorofil' chlorophyll *ook* **blad'groen**

chlo'roform chloroform

cho'lera/ko'lera cholera

choles'terol/koles'terol cholesterol

choreograaf' (s) **..grawe** choreographer

Chris'telik **-e** Christian(like); **~e jaar'telling** Christian era

Chris'ten **-e** Christian (person); **~dom** Chris tianity

Chris'tus Christ; *na ~ (n.C.)* Anno Domir (AD); *voor ~ (v.C.)* before Christ (BC)

chro'nies/kro'nies (b) chronic *ook* **langdu'rig ~e siek'te** chronic illness

chronologie'/kronologie (s) chronology; **~s** (b chronological, in order of time

chroom chrome, chromium

cir'ca circa *ook* **ongeveer', omstreeks'**

clan **-s** clan *ook* **stam'groep; kliek**

cliché' **-s** cliché, hackneyed phrase, platitude *oo* **hol'rug geseg'de**

cochenil'le/kosjeniel' cochineal (crimson dy from prickly pear pest)

cognac' cognac *ook* **konjak', frans'brandewyr**

colla'ge (s) collage *ook* **plak'skildery**

commenda'tio commendation, citation *ook* **hul digingswoord; lof'rede**

communiqué' **-s** communiqué, news bulletin

com'rade comrade; freedom fighter (SA) *oo* **kameraad'**

confet'ti/konfet'ti confetti *ook* **papier'snip pertjies** *kyk* **snip'perpara'de**

connoisseur' **-s** connoisseur *ook* **fyn'proewer**

con'tra/kon'tra contra, counter (a); **~produk tief'** counterproductive *ook* **teen'produk tief**

cool (omgangst.) (b) catchy, fine, the in-thing cool *ook* **piek'fyn; bak(gat), koel** (omgangst

cot'tage **-s** cottage *ook* **kot'huis**

coulis'se **-s** side scenes, wing (of stage)

coun'try (sangstyl) country

coup d'état coup d'état *ook* **staats'greep**

cow'boy **-s** cowboy

crèche (s) **-'-s** crèche *ook* **kin'derhawe, be waar'skool**

cre'do/kre'do **-'s** credo, belief, creed *oo* **geloofs'belydenis**

crescen'do **-'s** crescendo *ook* **toon'styging**

crou'pier/kroepier' croupier (roulette master)

crux/kruks crux *ook* **kern, knoop;** *die ~/ker v.d. saak* the crux of the matter

cry'bybie crybaby *ook* **tjank'balie**

cum: *~ laude* with distinction *ook* **me lof/onderskei'ding**

curri'culum vitae curriculum vitae (CV) *oo* **le'wensprofiel**

D

d -**'s** d

daad (s) **dade** deed, action, exploit; *op die* ~ at once; *op heter* ~ *betrap* catch in the act

daag (w) **ge-** summon; challenge; dawn; *voor die hof* ~ take to court; ~**liks** daily, every day; *vir* ~*likse gebruik* for daily use

daai (omgangst.) = **daar'die**

daal ge- descend; sink; fall; go down in price; *in iem. se agting* ~ sink in s.o.'s esteem; ~**dek'king** short covering (stock exchange); ~**ko'per**, ~**spekulant'** bear (stock exchange); ~**mark** bear market *ook* **beer'mark**

Daan'tjie: *tot by oom* ~ *in die kalwerhok* to the limit/utmost

daar (bw) there; (vgw) since, as, because; ~**aan/**~ **aan** on it; by that; ~**agter/**~ **agter** behind that/it; ~**bene'wens/**~ **bene'wens** besides, in addition; ~**deur/**~ **deur** thereby, by that means; through (there)

daar'die (aanw.vnw) that; those *ook* **daai**; *tjek daai ou* (omgangst.) watch that guy

daarente'ë/daarenteen' on the contrary, on the other hand; *Piet is slim, Jan* ~ *is 'n bietjie dom* Peter is a clever boy, John on the other hand is not so bright *kyk* **inteen'deel**

daar: ~**heen/**~ **heen** there, to that place; ~**in/**~ **in** therein, in that; ~**laat** leave aside, pass over; ~**lang(e)s/**~ **lang(e)s** past there, along that; ~**mee'** therewith, with that; ~**na/**~ **na** after that, afterwards; ~**naas/**~ **naas** next to that; ~**natoe'** there, in that direction; *dis* ~*natoe* it does not matter any longer

daar'om therefore, thus, for that reason *ook* **dus, derhal'we**

daar: ~**omtrent'** thereabout; concerning that; ~**onder/**~ **onder** under that, down there, by that; ~**oor** about that; therefore; ~**op/**~ **op** thereupon, upon that; ~**so** there

daar'stel -**ge-** bring about, *ook* **in'stel, tot stand bring**

daar: ~**teen/**~ **teen** against that; ~**toe** for that purpose, to that end; ~**uit/**~ **uit** out of that; ~**van** of that, about that, thereof; ~**vandaan'** from there; ~**voor/**~ **voor** for that, therefore

dachs'hund dachshund, sausage (dog) *ook* **wors'hond(jie)**

da'del -**s** date (fruit); *daar sal* ~*s van kom* nothing will come of it

da'delik immediately, at once, instantly *ook* **onmid'dellik, oomblik'lik**

da'eraad dawn *ook* **dag'breek**

dag[1] (s) **dae** day; *gedenkwaardige* ~ memorable day; *voor* ~ *en dou* very early in the morning; *dag ou/oud/oue koerant* day-old newspaper; ~**beplan'ner** (electronic) organiser; ~**bestuur'** executive/management committee; ~**blad** newspaper *ook* **koerant'**; ~**boek** (s) diary; (w) diarise; ~**breek** daybreak; ~**bre'ker** (sickle-winged) chat (bird); ~**dro'me** daydreams

dag[2] (w, verlede tyd) = **het gedink'/gemeen'** = **dog** (w)

dag'ga dagga, Cape hemp; hashish, cannabis, marijuana, pot *ook* **boom, (dagga)zol;** *hy rook* ~ he smokes pot; ~**ro'ker** dagga/pot smoker; worthless person

da'gha clay (bricklaying), mortar *ook* **bou'klei**

dag'lig daylight; ~**bespa'ring** daylight saving

dag: ~**lo'ner** casual labourer; ~**loon** day's wages, daily pay; ~**lumier'** dawn, daybreak *ook* **da'eraad;** ~**mars** day's march; ~**pak** lounge suit; ~**reis** day's journey; ~**sê!** good day!, greetings to you! *vgl.* **môresê!, naandsê!;** ~**skolier'** day scholar; ~**skool** day school; ~**sorg** day care; ~**taak** daily task/stint; ~**te'ken** date (from)

dag'vaar ge- summon, subpoena; ~**ding** summons, warrant; *'n* ~*ding beteken/bestel aan* serve a summons on

dah'lia -**s** dahlia; ~**bol** dahlia bulb

dak -**ke** roof; *van die* ~*ke predik* proclaim from the rooftops/housetops; ~**fees:** ~*fees vier* wet the roof; ~**feesvie'ring** roofwetting (party) *ook* **huisin'wyding;** ~**geut** gutter; ~**huis** penthouse *kyk* **dak'stel;** ~**loos** homeless, destitute (person); ~**pan** (roof) tile; ~**plank'ie** shingle; ~**rak** luggage carrier, roof carrier (car); ~**rand** eaves; ~**stel** penthouse suite

dak: ~**tuin** roof garden; ~**ven'ster** garret window, skylight; ~**vink** roof clutcher (motorist clutching roof while driving); ~**vors/**~**nok** ridge of the roof; ~**wo'ning/**~**woon'stel** penthouse

dal -**e** valley, dale, dell; *oor berg en* ~ up hill and down dale

da'ling (s) descent; fall, drop; slump, slowdown (in economy) *ook* **af'swaai**

dalk/dalk'ies perhaps, maybe *ook* **miskien', altemit'**

dam[1] (s) -**me** dam, reservoir; (w) **ge-** dam up

dam[2] (w) (w.g.) **ge-** play draughts *kyk* **dam'bord**

damas' damask; ~**pruim** damson

dam'bord/dam'spel (s) draughts (game)

da'me -**s** lady; queen (chess); ~*s en here!* ladies and gentlemen!; ~**saal** side saddle; ~*s'kos'huis* women's residence; ~*s'kroeg* ladies' bar; ~*s'vriend* ladies' man, womaniser *ook* **rok'=jagter**

damp (s) -**e** vapour, steam, fume; (w) **ge-** emit steam, puff, fume; ~**kas** cooker hood, vapour extractor (above stove); ~**kring** atmosphere;

environment; **~spoor** vapour trail, slipstream (behind jet)

dam: **~skrop** damscraper; **~wal** embankment (of dam), causeway, dike

dan[1] (bw) then; ~ *en wan* now and then *ook* **af en toe**

dan[2] (vgw) than; *al* ~ *nie* whether or not

dan′dy **..dies** dandy, lounge lizard *ook* **laven′= telhaan, pron′ker** (persoon)

da′nig (b) **-e** effusive, exuberant; (bw) much, over-friendly; *nie* ~ *goed nie* not too wonder= ful; *hom* ~ *hou* putting on airs

dank (s) thanks, gratitude; ~ *betuig* express thanks; *mosie van* ~ vote of thanks; *stank vir* ~ get small thanks; *teen wil en* ~ in spite of; ~ *verskuldig wees* owe a debt of gratitude; (w) **ge-** thank, give thanks, say grace; *te* ~*e aan* due to, thanks to *kyk* **dank′sy;** **~baar** thankful, grateful; *opreg* ~*baar* truly grateful/thankful; **~betui′ging** expression/vote/letter of thanks; **~brief** thank-you letter/card; **~dag** thanksgiv= ing day; **~gebed′** thanksgiving

dan′kie! thank you!, thanks!; *jy kan* ~ *bly wees* you can thank your lucky stars; ~ *tog!* what a relief!

dank: **~of′fer** thanks offering; **~seg′ging** thanks= giving; **~stond** thanksgiving service; **~sy** thanks to; ~*sy Piet het ons dit oorleef* thanks to Peter we survived

dans (s) **-e** dance; (w) **ge-** dance; *die poppe is aan die* ~ the fat is in the fire; **bal~** ballroom dancing; **~er** dancer; **~kuns** art of dancing; **~les** dancing lesson; **~mees′ter** dancing mas= ter; **~musiek′** dance music; **~party′** ball, dance (n); **~saal** ballroom; **~skoen** dancing shoe, pump; **~studies** dance studies (school subject)

dap′per (b) brave, bold, fearless *ook* **vrees′loos;** valorous, gallant; *met* ~ *en stapper reis* ride shank's pony; **~heid** bravery, valour, courage

da′rem though, all the same; after all; surely; *hy is* ~ *nie te sleg nie* he is not too bad after all

dar′tel (w) **ge-** frisk, gambol; (b) playful, skittish, frisky, frolicsome *ook* **vrolik, lewenslus′tig;** **~da′wie** playboy *ook* **swier′bol, pie′rewaaier**

das (s) **-se** tie (for the neck)

das′sie **-s** rockrabbit, dassie; **~van′ger** black eagle, bateleur

das′speld **-e** tie pin, scarf pin

dat that, so that, in order that

da′ta data, facts *ook* **gege′wens, beson′derhede; ~bank** data bank; **~ba′sis** database; **~ber′ging** data warehousing (comp.); **~vas′legging** da= ta/copy capturing; **~verwer′king** data proces= sing (comp.)

dateer′ (w) ~, **ge-** date (from); *dit* ~ *uit die vorige eeu* it dates from the previous century

da′tief **..tiewe** dative (gram.)

da′tum **-s** date; **~stem′pel** date stamp

da′wer (w) **ge-** roar, thunder, boom; ~*ende toejuiging* roaring/rousing applause

Dawid David; *weet waar* ~ *die wortels gegrawe het* know how many beans make five

dè! (w, imp.) take!, here you are!; ~, *vat hier* here, take this

dê! (tw) now!, see!

deba′kel **-s** debacle, smash *ook* **fias′ko, moles′**

debat′ (s) **-te** debate, discussion; **~s′vere′niging** debating society; **~voer′der** debater; spokes= person; **debatteer′** (w) **ge-** debate, discuss

debiet′ debit; **~kant** debit side; **~nota** debit note; **~or′der** debit order; **~pos** debit entry; **~sal′do, ~balans′** debit balance; **debiteer′** (w) **ge-** debit, charge (with); **debiteur′** (s) **-e, -s** debtor *ook* **skul′denaar**

debutant′(s) **-e** débutant; débutante (fem.); **debuteer′** (w) **ge-** make one's debut; **debuut′** first appearance (of actor, artist); debut *ook* **bui′ging;** **~bun′del** first volume (of poetry, prose)

deeg dough (for making bread, pastry)

deeg′lik thorough, solid, sound *ook* **deurtas′= tend;** ~*e ondersoek* thorough investigation

deeg: **~plank** pastry board; **~rol′ler** rolling pin; pastry roller

deel (s) **dele** part, portion; share; division, section; *ten dele* partly; *onafskeidelik* ~ *van* part and parcel of; (w) **ge-** divide; participate; share

deel′baar (s, b) **..bare** divisible

deel′genoot (s) **..note** partner, participator; stakeholder *ook* **deel′hebber**

deel: **~heb′ber** stakeholder; co-partner; **~na′me** participation; **~neem** participate in, partake, take part in; ~*neem aan* participate in; **~neemverband′** participation bond; **~ne′mer** participant; contestant; **~ne′ming** participa= tion; sympathy *ook* **me′delye, simpatie′;** ~*neming betuig* express sympathy; condole with *ook* **kondoleer′, jam′mer sê; ~pro= grammatuur′** shareware (comp.) *ook* **deel= ware**

deels partly, in part; **~gewys(e)′** piecemeal, bit by bit

deel: **~som** division sum; **~te′ken** diaeresis (¨); division sign; **~ti′tel** sectional title (to a property); **~woord** participle; **verle′de ~woord** past participle; ~*tyds en heeltyds* part-time and fulltime

dee′moed (s) meekness, humility *ook* **oot′moed**

deemoe′dig (b) humble, meek *ook* **ne′derig;** submissive *ook* **onderda′nig**

Deen (s) **Dene** Dane (person); **~s** (s, b) Danish (language; customs, etc.) *kyk* **De′nemarke**

deer (veroud.) **ge-** hurt, harm; **~lik** pitiful, miserable; *hom* ~*lik misgis* be sorely mistaken

deer'nis (s) compassion, pity *ook* **empatie', erbar'ming;** commiseration; charity

défaitis'me defeatism; war-weariness

defek' (s) **-te** defect; (b) defective *ook* **foutief', on'klaar** (stukkend)

definieer' (w) **ge-** define *ook* **omskryf'; defini'sie** definition *ook* **omskry'wing, verkla'ring**

definitief' **..tiewe** definitely *ook* **beslis**

def'tig (b) fashionable; plush; dignified; exclu= sive, posh, upmarket (suburb) *ook* **spog'gerig;** ~ *geklee* elegantly dressed; ~*e geleentheid* glittering occasion/do *ook* **glans'geleentheid;** ~*e stand/klas* gentry; ~ *informeel* (geklee) smart casual (dress); **~heid** stateliness, dignity

degenereer' ge- degenerate; deteriorate *ook* **versleg', ontaard'**

degradeer' ge- degrade; downgrade; demote (to a lower post)

dein ge- heave, surge, swell (waves); **~ing** heave, swell

deins ge- shrink (back) *ook* **terug'skrik;** recoil; retreat

dek (s) **-ke** deck (ship); (w) **ge-** cover; clothe; thatch (house); *'n lening* ~ cover a loan; *tafel* ~ lay the table

dekaan' dean (head of university faculty)

deka'de -s decade, decennium; ten (years) *ook* **tien'tal**

dekadent' -e decadent, deteriorating, declining *ook* **bedor'we, versleg'**

de'ka: **~gram** decagram; **~liter** decalitre; **~me= ter** decametre

de'ken[1] (s) **-s** bedspread, counterpane, quilt, coverlet

de'ken[2] (s) **-s** dean (church); doyen (dipl.)

dek: **~gras** thatch (grass); **~grond** topdressing; **~king** cover, shelter; coverage (news)

deklameer' (w) **ge-** declaim, recite *ook* (reto'= ries) **voor'dra**

deklara'sie declaration *ook* **verkla'ring, aan'= kondiging**

dek'mantel -s cloak; excuse, pretext, guise; *onder die* ~ *van* under the cloak/cover of

dek'naald -e thatching needle

dekodeer' (w) **ge-** decode; **~der** (s) **-s** decoder

dekompres'sie decompression *ook* **druk'= vermindering**

de'kor décor, (stage) setting/scenery

dekora'sie -s decoration *ook* **versie'ring;** medal, order, cross (awarded for bravery, etc.); distinction

dekoratief' **..tiewe** decorative; **dekoreer'** (w) **ge-** decorate, adorn *ook* **versier', verfraai'**

deko'rum decorum; *die* ~ *nie in ag neem nie* not observe the proprieties/etiquette

dekreet' (s) **dekrete** decree, edict

dek'sel (s) **-s** cover, lid; **~horlo'sie** hunter/hun= ting watch

dek'sels (b) **-e** blessed, darned, confounded; *'n* ~*e gelol* a darned nuisance; (bw) confounded, darned; ~ *hard* dashed hard/difficult

dek: **~spaan** thatch spade; **~stoel** deck chair

delega'sie (s) delegation *ook* **af'vaardiging; delegeer'** (w) **ge-** delegate; empower, entrust

de'ler -s divider; divisor; *grootste gemene* ~ greatest common factor

delf/del'we ge- dig, quarry, mine; delve

delg ge- discharge, pay off, redeem; *jou skuld* ~ discharge one's debt; **~ing** payment, dis= charge, redemption; **~s'fonds** sinking fund, redemption/annuity fund

delikaat' (b) delicate; delicious; tender; ticklish, difficult (affair) *ook* **ne'telig; sensitief'**

delikates'se (s) **-s** delicacy, savoury bit, titbit *ook* **lekkerny'**

de'ling division; *lang* ~ long division

deli'ries -e delirious *ook* **yl'hoofdig**

deli'rium tremens delirium tremens *ook* **hor'ries**

del'ta -s delta (river meeting ocean)

del'wer -s digger; **~y** diggings

demagoog' **..goë** demagogue, rabble rouser (person)

demobilisa'sie (s) demobilisation *ook* **ontbin'= ding van troe'pemag; demobiliseer'** (w) demobilise

demokraat' democrat (politics); **demokrasie'** democracy *ook* **volks'regering; demokra'ties** democratic

de'mon/demoon' -e demon, devil *ook* **dui'wel; demo'nies** devilish, diabolical *ook* **dui'wels, diabo'lies**

demonstra'sie -s demonstration, display *ook* **beto'ging** (politiek)

demonstreer' ge- demonstrate; display, ex= plain

demoraliseer' ge- demoralise, dishearten

demp ge- quell (riot); quench (fire); dim (light); mute (sound); fill up with earth; *ge~te lig* subdued light; *met ge~te stem* in a muffled voice; **~er** quencher; mute, sordine; silencer; damper; suppressor; **~roos'ter** suppressor grid (radio)

den -ne fir (tree), pine (tree)

De'nemarke Denmark (country)

de'nim denim (clothes, material)

denk'baar **..bare** imaginable, conceivable

denk'beeld -e idea, conception, notion; *'n* ~ *vorm van* form an idea of, conceive of

denkbeel'dig -e imaginary, fictitious *ook* **fiktief', onwerk'lik**

den'ke thought, (act of) thinking; **~r** thinker; philosopher

denk: **~patroon'** mindset; **~proses'/dinkproses'** thinking process; **~vermoë/dinkvermoë** in= tellectual capacity; **~wy'se** way of thinking; mental attitude; mindset

den'ne: ~**bol** fir cone; ~**boom** fir, pine; ~**bos** pine forest; ~**hout** pinewood, firwood; ~**naald** fir needle, pine needle

denomina'sie denomination *ook* **kerk'verband**

dep (w) **ge-** dab, swab

deo'dorant deodorant *ook* **reuk'weerder**

departement' -**e** department; ~ **(van) op'= voeding/on'derwys** department of education; **departementeel'** departmental

deponeer' **ge-** deposit *ook* **in'betaal;** lodge; ~**stro'kie** deposit slip

deporteer' **ge-** deport, banish, exile *ook* **verban'** (uit land)

depo'sito (s) -**'s** deposit (of money)

depot' -**s** depot *ook* **voorraadplek;** dump

dep'per (s) swab *ook* **wat'teprop; gaas~** gauze swab

depresia'sie depreciation *ook* **waar'devermin= dering; depresieer'** (w) **ge-** depreciate

depres'sie (s) -**s** depression (mental, economic); slump, downturn, slowdown (in economy) *ook* **af'swaai, reses'sie**

deputa'sie -**s** deputation *ook* **af'vaardiging**

der'by (s) **derbies** derby *ook* **perde(wed)ren** (vir drie jaar oues)

der'de -**s** third; **ten** ~ in the third place; ~**graadse brand'wond** third-degree burn; ~**mags'wortel** cube root; ~ **vloer/vlak** third floor; ~**rangs** third-rate; **D~straat/D~ Straat** Third Street; ~**partyverse'kering** third-party insurance; ~**wêreldland** third-world country

derdui'wel ugly/tough customer; brute; he-man

der'gelik -**e** such, the like, similar; *iets* ~**s** something similar

der'halwe therefore, so, consequently; thus *ook* **dus, daar'om**

derm (s) -**s** intestine, gut; (mv) bowels, entrails; ~**breuk** rupture of the intestines; ~**ontste'king** enteritis; ~**snaar** catgut; ~**vlies** peritoneum; ~**vliesontste'king** peritonitis

der'tien thirteen; ~**de** thirteenth

dertig thirty; ~**ste** thirtieth; ~**er'jare** the Thir= ties

der'wisj -**e** dervish *ook* **be'delmonnik**

des: ~ **te beter** so much the better; ~ **te meer** all the more; *jy is 'n kind* ~ *doods* you will die/be killed (threat)

de'se: *na* ~ after this

Desem'ber December

desentralisa'sie decentralisation; **desentraliseer'** (w) **ge-** decentralise

de'ser: *die tiende* ~ the 10th instant

de'sibel -**s** decibel (unit of sound)

de'si: ~**gram** decigram; ~**liter** decilitre; ~**meter** decimetre

desimaal' ..**male** decimal; ..**male breuk** decimal fraction; ~**kom'ma** decimal comma

deskun'dig (b, bw) -**e** expert; ~**e getui'enis** expert evidence; ~**e** (s) -**s** expert *ook* **ken'ner, kun'dige** (persoon)

des'nieteenstaande in spite of, notwithstanding

desnoods' if need be, in case of need; *ons sal* ~ *moet terugry* we may have to go back again

des'ondanks nevertheless, notwithstanding

desperaat' desperate, drastic *ook* **ra'deloos**

despoot' ..**pote** despot, tyrant (person); **despo'= ties** (b) despotic, tyrannic(al)

dessert' dessert *ook* **na'gereg**

destabiliseer' (w) **ge-** destabilise *ook* **ontwrig'**

des'tyds at that time, then *ook* **toen'tertyd**

detail' (s) -**s** detail *ook* **beson'derhede;** ~**leer'**(w) **ge-** give/provide details

deten'sie detention; ~**kaser'ne** detention bar= racks

deug (s) -**de** virtue, goodness; merit; *liewe* ~**!** good gracious!; (w) be good for, serve a purpose, be of use; *nie* ~ *nie* be unsuitable; *potlood sal* ~ pencil will do; ~**niet** rascal, good-for-nothing *ook* **niks'nuts, va'bond;** ~**saam** virtuous, honest

deun'tjie -**s** air, tune, ditty; *'n ander* ~ *sing* come down a peg or two

deur[1] (s) -**e** door, gate; *met die* ~ *in die huis val* come straight to the point

deur[2] (b) passed; (vs) through, by, throughout; ~ *die bank* all, without exception; ~ *en* ~ *ken* know backwards/inside out

deur: ~**blaai** turn the pages (book); skim; ~**bloei'er** perennial plant

deurboor' ~ pierce, stab; gore (with horns)

deur'braak (s) breach, burst, rupture; break= through; *'n groot* ~ an important breakthrough

deur'breek -**ge-** break through (sun through clouds)

deur'bring -**ge-** pass; squander (money); ~**er** spendthrift, squanderer, waster (person)

deurdag' well-thought-out; ~**te betoog'** well-rea= soned submission/argument

deur'dat because, as

deurdrenk' (b) saturated, soaked

deurdring'[1] ~ permeate, pervade; *die stank* ~ *die huis* the smell penetrates the whole house

deur'dring[2] -**ge-** penetrate, ooze through, pierce; *die waarheid het tot hom deurgedring* the truth dawned upon him

deurdrin'gend shrill, penetrating *ook* **skerp; skril**

deur'druk -**ge-** press through; persist; *tot die end* ~ see it through to the end

deur'dryf/deur'drywe force through, persist, carry one's point; *jou standpunt* ~ have one's way

deur'drywer go-getter; hustler; live wire (infml.)

deur en deur thoroughly, out and out, through and through

deur'entyd all the time *ook* **gedu'rig, ale'wig**

deur: ~**gaan** (w) pass, go through; ~**gaans** (bw) generally, usually, invariably *ook* **gewoon'lik, mees(t)'al;** ~**gang** passage; *geen* ~*gang* no thoroughfare; ~**glip,** ~**gly** slip through; ~**graaf/**~**gra'we** dig through; cut through, tunnel; ~**gra'wing** cutting

deur'grendel (s) doorbolt

deurgrond' (w) ~ fathom, penetrate, understand; *die misterie van die lewe* ~ grasp the mystery of life

deur'haal -ge- cancel, rule/strike out, delete *ook* **skrap;** pull through (sick person)

deur'hak (w) ge- cut through; solve; *die knoop* ~ solve the difficulty, cut the (Gordian) knot

deur: ~**help** help through; ~**ja(ag)** rush/hurry through

deur: ~**klok(kie)** doorbell; ~**knop** doorknob

deur: ~**kom** (w) -ge- get through; pass; survive; *hy het net deurgekom* he just managed to pass

deur'kosyn' -e doorframe; ~**styl** doorpost

deurkruis' (w) ~ traverse (continent); intersect

deur'kyk ge- look over, peruse; sum up; *ek het hom goed deurgekyk* I summed him up properly

deur'laat -ge- let through, allow to pass; *lig* ~ transmit light; be translucent

deur'lees -ge- read through, peruse

deur'loop[1] (s) shopping mall (arcade) *ook* **arka'de**

deur'loop[2] (w) ge- move on; walk through; punish; *die stout seuns het almal deurgeloop* the naughty boys were punished

deurlo'pend continuous, ceaseless, nonstop *ook* **voortdu'rend, vol'gehoue** (steun), **voortsle= pende** (geweld)

deurlug'tig (b) -e illustrious; august; ~**e besoe= kers** distinguished, high-ranking/high-profiled visitors

deur'maak -ge- go through, suffer; experience

deur'mat -te doormat

deurmekaar' in confusion; rough and tumble; delirious; ~**spul** mix-up, foul-up, shambles, havoc *ook* **war'boel, wan'orde**

deur: ~**o'pening** doorway; ~**pad** freeway, mo= torway *ook* **snel'weg;** speedway, expressway (urban); ~**paneel'** doorpanel; ~**pos** doorpost

deur'reis[1] (s) passage; through journey (no transfers); (w) -ge- travel/pass through, traverse

deurreis'[2] (w) ~ travel all over; *hy het die wêreld* ~ he has been globe-trotting; travelled all over the world

deur'set (s) -te throughput (production output) *kyk* **in'set, uit'set**

deur'settingsvermoë persistence, perseverance *ook* **volhar'ding, wil'skrag**

deursig'tig -e transparent, lucid (clear); ~**heid** transparency *ook* **open(lik)heid**

deur'sit[1] (w) -ge- sit oneself sore; *jou broek* ~ wear through the seat of one's trousers

deur'sit[2] (w) -ge- have one's will, persist; *put through (a deal)

deur'skemer -ge- glimmer through; *iets laat* ~ hint at something; insinuate

deur'skrap -ge- scratch out, delete *ook* **deur'= haal, skrap**

deur'skuif (s) doorbolt *ook* **deur'grendel**

deur'skyn -ge- shine through; show through

deursky'nend (b) transparent, translucent; see-through

deur'slaan[1] (w) -ge- strike/hit through; punch

deur'slaan[2] (w) -ge- tip; turn; *die skaal laat* ~ tip the scale

deur'slag moist soil, boggy ground; decisive factor; punch; ~**ge'wend** decisive, crucial *ook* **beslis'send;** ~**papier'** carbon paper

deur: ~**sleep** drag through; ~**slot** doorlock; ~**sluip** steal/sneak through; ~**slyt** wear through; ~**smok'kel** smuggle through

deur'snee ..sneë/**deur'snit** -te (cross) section; diameter; profile; average; ~**le'ser** average reader; ~**prys** average price

deur'snuffel hunt through, rummage; ransack

deur'sny (s) section; diameter; (w) -ge- cut through, bisect, cleave; dissect

deur'soek[1] (w) -ge- examine, search (a house); check; explore

deursoek'[2] (w) ~ search, probe; prove (fig.)

deurspek' ~ interlard; intersperse; *sy opstel is* ~ *met aanhalings* his essay is riddled with quotations

deur'spring -ge- jump through

deurstaan' ~ endure, suffer, bear (suffering); stand; *die proef* ~ stand/survive the test

deur: ~**stap** walk through; ~**steek** pierce, make a hole in, prick; ~**stoot** push through

deurstren'gel ~ interweave, entwine *ook* **deur= trek'** (met, van)

deur: ~**stroom** flow through; crowd through; ~**stuur** send through; ~**suk'kel** struggle through; ~**sy'fer** trickle through; ~**syg** (w) filter; ~**sy'pel** ooze through

deurtas'tend (b) -e decisive, resolute; sweeping; thorough *ook* **ingry'pend, deeg'lik;** ~**e maat'= reël** drastic/strong measure(s)

deur'tog (s) passage; right of way

deurtrap' -te sly, crafty, cunning *ook* **slu, gesle'pe;** ~**te skelm** cunning rascal

deurtrek'[1] (w) ~ pervade, permeate; saturate; ~ *van bedrog* riddled with deceit

deur'trek[2] (w) -ge- pass through, pull through; ~**ker** spendthrift *ook* **verkwis'ter** (persoon); pull-through (rifle); G-string, thongs *ook* **gena'delappie, terg'toutjie**

deur: ~**vaar** sail through; ~**vleg** intertwine, interlace; ~**vlieg** fly through

deurvoed' -e well-fed

deur'voer -ge- carry out; implement; *planne* ~ carry out/execute/implement plans

deur: ~**vreet** eat through; corrode; ~**vryf**/ ~**vry'we** rub through; rub sore

deurwaad' ~ ford, wade through (water hazard)

deur'wagter -s porter; janitor, doorkeeper, commissionaire (person)

deurweek' (w) ~ soak; (b) saturated; ~ *van die reën* drenched with rain

deur'weg ..weë; passage; throughway; freeway

deur'werk -ge- work through; mix; interlace

deurwin'ter (b): ~**de diplomaat'** experienced/ seasoned diplomat

deur'worstel -ge- struggle through

devalueer' ge- devaluate (reduce value of)

devolu'sie: ~ *van gesag* devolution of power *ook* **af'wenteling**

di'a -s slide *ook* **sky'fie, kleur'skyfie**

diabeet'/diabetikus diabetic (person) *ook* **sui=kersiektelyer**

diabe'tes diabetes *ook* **sui'kersiekte**

diabo'lies -e diabolic(al), devilish *ook* **dui'wels**

diadeem' ..**deme** diadem *ook* **kroon**

diagno'se -s diagnosis *ook* **ontle'ding** (vernaam= lik siektes)

diagonaal' (b) ..**nale** diagonal *ook* **oorkruis'**

diagram' -me diagram; chart; outline

dia'ken -s deacon (church official); ~**skap** deaconship

diakones' deaconess; sicknurse

dialek' -te dialect *ook* **streek'taal; groep'taal**

dialoog' ..**loë** dialogue *ook* **twee'gesprek, twee'spraak;** ~**boks**/~**venster** dialogue box (comp.)

diamant' -e diamond; sparkler; ~**del'wer** dia= mond digger; ~**han'del** diamond trade; **onwet'tige** ~**han'del** illicit diamond buying (IDB); ~**myn** diamond mine; ~**sly'per** dia= mond cutter; ~**slypery'** diamond-polishing/ cutting works

di'ameter (s) diameter *ook* **deur'snee**

diarree' diarrhoea *ook* **buik'loop, loop'maag**

didaktiek' didactics (science of teaching)

didak'ties (b) didactic *ook* **le'rend, pedago'gies**

die (lw) the

dié (vnw) this; these *ook* **daar'die**

die'derik (s) golden cuckoo (bird)

dieet' (s) **diëte** diet; (w) *sy moet* ~ she must go on a diet; ~**kun'dige** dietician; ~**siek'te** anorexia *ook* **anorek'sie** *kyk* **bulimie'**

dief (s) **diewe** thief; *diewe vang jy met diewe* set a thief to catch a thief

dief'alarm burglar alarm

dief'stal -le theft, robbery; larceny; *skuldig aan* ~ guilty of theft

dief'wering burglar proofing; burglar bars

die'gene those; ~ *wat* those (people) who

die'kant toe to that side

dien ge- serve, wait on; attend to; suit; *van advies* ~ advise; ~ *as* act/serve/function as; *hy* ~ *in/op die raad* he serves on the council

die'naar -s, ..**nare** servant, valet

dien'lik suitable, serviceable *ook* **bruik'baar**

dien'luik (s) serving hatch

dien'ooreenkomstig accordingly, consequently

diens (s) -**te** service; function, duty; divine/ religious service/meeting; (w) service (car); '*n* ~ *bewys* do a good turn, render a service; *my kar laat* ~ have my car serviced; *in* ~ *neem* employ; *op* ~ on duty; *toegewyde* ~ loyal/unstinting service; *tot u* ~ at your service; *van* ~ *af* off duty; ~**bus**/~**bus'sie** courtesy bus; ~**doen'de** on duty, acting, officiating; ~**er'we** serviced stands; ~**gelof'te** act of dedication; ~**hef'fing** service charge/ levy; ~**plig** national service; conscription; ~**roos'ter** duty roster; ~**tig** serviceable, useful; expedient; ~**termyn'**/~**tyd** term/tenure of of= fice; duration of service; ~**verskaf'fer** service provider; ~**vlug** regular/scheduled flight *ook* **roos'tervlug;** ~**voor'waardes** conditions of employment; ~**wei'eraar** conscientious objec= tor (to military service)

dienswil'lig (b) helpful; ready to serve; obedient; *u* ~**e die'naar** your obedient servant

diep deep; profound; ~ **ongeluk'kig** extremely unhappy, sorely distressed; ~**gaan'de** pro= found, thorough; ~**gaande on'dersoek** search= ing enquiry; ~**gang** (depth of) draught (ship); profundity (of thought); ~**lood** sounding lead (deep sea)

diepsin'nig (b) deep, profound, *ook* **in'sigryk;** abstruse

diep'te -s depth; profundity; *na die* ~ *gaan* go down (to the bottom); ~**bom** depth charge; ~**stu'die** in-depth study

dier -e animal; beast, brute (fig.)

diera'sie (s) beast; creature; vixen, (she-)devil (woman)

dier'baar (b) ..**are** dear, beloved *ook* **bemin'lik**

dier'bare (s) -**s** loved one, beloved (person) *ook* **gelief'de, lief'ling**

die're: ~**arts** veterinary surgeon, vet (infml.) *ook* **vee'arts;** ~**besker'ming** animal protection; **D**~**beskermingvere'niging** (**DBV**) Society for the Prevention of Cruelty to Animals (SPCA); ~**e'pos** animal epic/epos; ~**fa'bel** animal fable; ~**her'berg** (boarding) kennels *ook* **woe'fietuiste; kiet'siesorg;** ~**lief'hebber** animal lover; ~**kliniek'** veterinary clinic; ~**riem** zodiac; ~**ryk** animal kingdom; ~**sorg** animal care; ~**tem'mer** animal trainer; ~**tuin** zoo; zoological gardens; ~**versa'meling** me= nagerie; ~**wê'reld** animal kingdom; ~**win'kel** pet shop

dier'lik (b) barbaric, brutal, cruel *ook* **wreed=aar'dig**

die'sel diesel; **~en'jin** diesel engine

dieself'de the same; identical; *presies* ~ exactly the same

Diets[1] Mediaeval Dutch; Pan-Dutch (including Flemish and Afrikaans)

diets[2]: *iem. iets ~ maak* make s.o. believe the moon is made of green cheese; make-believe

die'we: **~ben'de** gang/pack of thieves; **~ry** theft; **~sleu'tel** picklock, skeleton key, masterkey; **~taal** thieves' Latin, slang; **~tra'lies** burglar bars *ook* **diefwe'ring**

differensiaal': **~re'kening** differential calculus

differensieer' differentiate *ook* **onderskei'**

difterie' diphtheria *ook* **wit'seerkeel**

dif'tong **-e** diphthong *ook* **twee'klank**

dig[1] (w) **ge-** write poetry, compose, versify; **~bundel** volume/selection of poetry

dig[2] (b) tight; close, near; dense, compact; dull, stupid *ook* **dom, toe, onno'sel** (persoon); *iets ~ hou* keep something secret; keep mum about; **~bevolk'** densely populated

dig'by nearby, close; **~op'name** close-up *ook* **na'byskoot** (fotografie)

diges'tie digestion *ook* **(spys)verte'ring**

digitaal' (b) **..tale** digital; **~tale** **dag'boek** digi(tal) diary; electronic diary **~tale horlo'sie** digital watch

dig'kuns poetry *ook* **poësie'**

dig'ter **-s** poet (both sexes)

dig'terlik poetic(al); **~e vry'heid** poetic licence

digt'heid density, compactness, denseness

dik thick; bulky; stout, corpulent; satiated *ook* **versa'dig;** *deur ~ en dun* through thick and thin/fair and foul; *~ vir* fed-up with *ook* **keel'vol, gat'vol** (omgangst.); *hulle is ~ vriende* they are great friends; **~bek** (s) pouter; curmudgeon; (b) sulky, fed-up (per= son); **~derm** colon, large intestine *ook* **ko'lon;** **~kop** conceited; blockhead (person); **~melk** curdled milk; **~sak** fatty *ook* **dik'kerd, vet'= sak**

dik'sie (s) diction, articulation *ook* **artikula'sie;** intonation

dikta'tor **-s** dictator *ook* **alleen'heerser;** auto= crat (person); **diktatuur'** dictatorship; tyranny

dik'te **-s** thickness, swollenness

diktee' (s) **-s** dictation; **~r** (w) **ge-** dictate

dik'vreter (s) fat cat *ook* **geil'kat, geil'jan** (persoon)

dik'wels often, frequently *ook* **baie'keer, tel'= kens;** *~ besoek* (w) visit often; patronise, frequent (shop, restaurant)

dilem'ma **-s** dilemma; predicament, plight, quandary *ook* **verknorsing, pena'rie;** puzzle

dilettant' **-e** dilettante, amateur *ook* **leek** (per= soon)

dimen'sie **-s** dimension *ook* **af'meting**

dina'mies (b) dynamic, vibrant, spirited *ook* **kragda'dig, energiek'**

dinamiet' dynamite; **~dop'pie** dynamite cap; **~patroon'** dynamite cartridge/stick; **~skie'ter** dynamiter, dynamitard (person)

dina'mika dynamics *ook* **krag'teleer**

di'namo/dina'mo **-'s** dynamo, generator (electr.)

dinastie' **-ë** dynasty *ook* **stam'huis** (v. konings)

dinee' **-s** dinner; dinner party; **~pak** dinner jacket; **~r'** (w) **ge-** dine (formal)

ding (s) **-e** thing, object, affair, matter; *arme ~!* poor thing!; *alle goeie ~e bestaan uit drie* there is luck in odd numbers

din'ges what-d'you-call-it, whatsitsname, thing= umabob *ook* **wat'senaam, hoe'senaam**

dink (w) **ge-, dog/dag** think, consider, ponder; *aan iets ~* think of something; *hardop ~* think aloud; **~skrum** thinktank, brainstorming ses= sion *ook* **har'singgalop**

Dins'dag **..dae** Tuesday

dip (s) **-pe** dip; (w) **ge-** dip (cattle, against insect pests); **~tenk** dipping tank

diplo'ma **-s** diploma, certificate (a qualification); **~pleg'tigheid** graduation ceremony

diplomaat' **..mate** diplomat (representing coun= try; skilled negotiator)

diplomasie' diplomacy *ook* **takt;** statecraft; **diploma'ties** (b) diplomatic; tactful; *diploma= tieke onskendbaarheid* diplomatic immunity

direk' (b) **-te** direct, straight *ook* **reg'uit; reg'= streeks; o'penlik; ~te rede** direct speech; **~te uit'sending** live broadcast *ook* **le'wende uit'= sending;** (bw) straightaway, at once *ook* **da'delik**

direk'sie **-s** board of directors; direction; **~verga'dering** board meeting

direkteur' **-e, -s** director; manager; **~-generaal'** **direkteure-generaal** director-general

dirigeer' **ge-** conduct (music); **~stok** baton, conductor's stick

dirigent' **-e** (music) conductor; choir master

dis[1] (s) D sharp (mus.)

dis[2] (s) **-se** dish, meal *ook* **gereg';** table, board

dis[3] it is; *~ te sê* that is (to say)

disinforma'sie disinformation *ook* **fop'inligting, wan'inligting**

disintegreer' (w) **ge-** disintegrate *ook* **verbrok'= kel**

diskant' treble, descant (mus.)

disket' **-te** disk, stiffy (SAE), (computer) diskette *ook* **stif'fie**

dis'ko **-'s** disco *ook* **diskoteek'** (dansklub); **~dans** disco dancing

diskon'to discount, rebate *ook* **af'slag, kor'ting**

diskoteek' **..teke** record library (music); dis= co(théque) *ook* **dis'ko** (dansklub)

dis'krediet discredit; disrepute; *iem. in ~ bring*

bring discredit on/discredit s.o.; **diskrediteer'**
(w) **ge-** discredit
diskreet' (b, bw) discreet *ook* **diploma'ties,**
bedag'saam; close, secret
diskre'sie (s) discretion *ook* **goed'dunke; oorleg'**
diskrimina'sie discrimination *ook* **voor'oordeel;**
party'digheid
dis'kus -se disc(us) *ook* **(werp)'skyf**
diskusseer' ge- discuss *ook* **bespreek'**
diskus'sie -s discussion *ook* **bespre'king;**
~groep discussion group, buzz group; news-
group (internet) *ook* **bespre'king(s)groep,**
gons'groep
diskwalifika'sie (s) disqualification; **diskwali=**
fiseer' (w) **ge-** disqualify; invalidate *ook* **on=**
gel'dig/onbevoeg' maak
dislek'sie (s) dyslexia (learning impediment) *ook*
leer'gestremdheid
dis'nis finished, done for *ook* **kat'swink;** *iem. ~*
loop beat thoroughly; run/knock s.o. flat
dispuut' ..pute dispute, controversy, argument
ook **geskil; konflik';** *'n ~ besleg* settle a
dispute/argument
dis'sel -s adze; **~boom** shaft, thill, beam (of
wagon); pole (of cart)
dissemineer' ge- disseminate, disperse (informa=
tion) *ook* **versprei'**
disserta'sie -s dissertation, thesis *ook* **proefskrif,**
tesis; *'n ~ voorlê* submit a thesis
dissident' -e dissident; rebel *ook* **andersden'=**
kende (persoon)
dissi'pel -s disciple; adherent *ook* **vol'geling**
dissipli'ne discipline *ook* **tug;** *strenge ~ hand-*
haaf maintain rigid/strict discipline
dissiplineer' (w) **ge-** discipline *ook* **beheer';**
tug(tig)
dissiplinêr' disciplinary; *~e stappe doen/neem*
take disciplinary action/steps
dissonant' -e discord, disharmony; discordant
note
distan'sie -s distance *ook* **af'stand**
dis'tel/dis'sel -s thistle (plant)
distilleer' (w) **ge-** distil, still *ook* **stook**
distribu'sie distribution *ook* **versprei'ding**
distrik' -te district; **~s'bestuur'** district council;
~s'genees'heer district surgeon
dit this, it
divan' -s divan, sofa; couch *ook* **(lae) rus'bank,**
so'fa
diver'se sundries; incidentals; *~ uit'gawes* sun-
dry/miscellaneous expenses
diversifiseer' ge- diversify, vary; mix
dividend' -e dividend; *'n ~ uitkeer/uitbetaal* pay
a dividend (on shares); *'n ~ verklaar* declare a
dividend; **tus'sendividend** interim dividend
divi'sie -s division; **lig'te ~** mobile division (mil.)
dob'bel (w) **ge-** gamble, wager; **~aar** gambler;
~ary/dobbelry gambling; **~masjien'/~outo=**

maat' gambling machine, one-armed bandit
ook **slot'masjien; ~steen** dice, cube; **~wiel**
roulette *ook* **roelet'**
dob'ber (s) **-s** float, buoy; **~tjie** float (fishing);
(w) bob up and down; fluctuate
do'de -s = dooie; ~ak'ker cemetery; graveyard;
~dans death dance; **~lied** elegy *ook* **elegie';**
~lik deadly, mortal, fatal; **~mars** funeral
march; **~mis** requiem *ook* **req'uiem; ~ryk**
realm of the dead; **~tal** number of deaths; **~tol**
death toll; carnage (on roads)
doea'ne customs; **~amp'tenaar/beamp'te** cus-
toms officer; **~reg'te** customs duty/tax *ook*
doea'nebelasting
doeblet' -te doublet *ook* **twee'lingwoord** (bv.
tabak/twak)
doe'del ge- play the bagpipe; **~sak** bagpipe
doe'die (veroud.) **-s** girlie, cutie (offensive slang)
doe'doe (w) **ge-** sing/go to sleep; (b) dor-
mie/dormy (golf)
doek -e cloth; napkin (baby); canvas, painting;
op die ~ gooi screen (a film); **~ie** piece of
cloth; *moenie ~ies omdraai nie* don't beat
about the bush
doel[1] (s) **-e, -eindes, -witte** purpose, aim,
objective; *sy ~ bereik* attain/achieve/reach
his goal/objective; *die ~ heilig die middele* the
end justifies the means; (w) **ge-** aim at
doel[2] (s) **-e** goal (sport)
doel'einde (s) **-s** purpose, aim, goal
doel: ~gebou/gemaak custom-made; customised;
~loos aimless, useless; **~lyn** goal line (sport)
doelma'tig (b) appropriate, effective *ook*
doeltref'fend
doel: ~paal goalpost; *die ~pale verskuif* move
the goalposts; change the criteria; **~punt**
goal; **~skop** goal kick; conversion (of a try
in rugby)
doeltref'fend (b) effective, efficient *ook* **effek=**
tief'
doel: ~wag'ter goalkeeper (football)
doel'wit (s) **-te** purpose; objective; aim, target;
mindset; goal
doelwitbestuur' management by objectives
(MBO)
doem (b) **ge-** doom, condemn; **~profeet'** prophet
of doom; doomsayer; doomster (infml.)
doemdoem'pie -s small gnat
doen[1] (s): *~ en late* doings; dealings
doen[2] (w) **ge-** do, make, effect, perform; *moeite*
~ go to the trouble of; *eksamen ~* sit for an
examination; **~ig** (b) busy with/on *ook* **be'sig,**
aktief'; ~igheid' (quite an) activity, doings;
~lik feasible, practical *ook* **haal'baar;**
~likheidstu'die feasibility study *ook* **haal'=**
baar(heid)studie
doe'pa magic/love potion, charm; muti *ook*
toor'goed, paljas', moe'tie; dope (racehorses)

doer: ~ *in 1945* way back in 1945; *jy moet* ~ *kyk* you must look there (far away); **D~ On'der** Down Under (infml. for Australia)

doe'sel ge- doze, nap; **~ig** (b) drowsy, dreamy

dof (b) dull, faint, dim; lacklustre *ook* **glans'loos;** dead (colour); ~ *in die kop voel* feel thick-headed; **dow'we dol'la** dumb blonde

dog[1] (vs) but, still, yet; *hy is siek,* ~ *hy kom skool toe* he is ill, but he comes to school

dog[2] (w, verlede tyd) thought (wrongly); *ek dog/dag/het gedink dit was sy naam* I really thought that was his name

dog'ma -s dogma *ook* **leer'stelling, cre'do; dog= ma'ties** dogmatic(al), assertive

dog'ter -s daughter; girl; **~maatskappy'** sub= sidiary company

doi'lie -s doily *ook* **be'kerlappie, kraal'doekie**

dok -ke dock; **dry'wende** ~ floating dock *ook* **dryf'dok; ~geld** dock duties/dues

dok'ter (s) -s doctor, family practitioner *ook* **huisarts;** physician; (w) ge- doctor, nurse; *iem. se drankie* ~ lace/spike s.o.'s drink; **~s'behan'deling** medical treatment; **~s'geld(e)** medical fees

dok'tor -e, -s doctor (of literature, law, science, etc.)

doktoraal' ..rale doctoral; **doktora'le eksa'men** examination for the degree of doctor

dok'torsgraad ..grade doctor's degree (in liter= ature, law, science, etc.)

doktrinêr' (b) doctrinaire; rigid; opinionated *ook* **eiewys', arrogant'**

dok'udrama (s) documentary drama, docudrama

dokument' -e document; **~a'sie** documentation, recorded data

dokumentêr' (s, b) -e documentary (n, a); **~e film** documentary (film)

dok'werker -s dock labourer

dol mad, crazy, frantic; ridiculous; ~ *op* crazy about (person, thing); *in ~le vaart* in headlong career

dol'beessiekte mad cow disease, bovine spongi= form encephalopathy (BSE) *ook* **bees-spons= har'singsiekte, mal'beessiekte**

dolf/dolwe ge- dig deep, turn over (soil) *ook* **diep om'spit**

dolfyn' -e dolphin (marine animal)

dol: **~graag** very keen; ever so much; **~heid** madness *ook* **mal'ligheid; ~huis** (neerh.) lunatic asylum; bedlam (derog.) *ook* **mal'huis** (neerh.)

dolk -e dagger, poniard *ook* **kris** (Oosters)

dol'la (veroud.) (s) -s attractive/lively girl

dol'lar (s) -s dollar (currency unit; symbol: $)

dol'leeg ..leë absolutely/completely empty

dolomiet' dolomite *ook* **kalk'gesteente**

dol'os -se ball of ankle joint, knucklebone; ~ *gooi* throw the bones (witchcraft); **~gooi'er** bone thrower, diviner; sangoma; witchdoctor; traditional healer

dol'verlief (b) madly in love, infatuated *ook* **smoor'verlief**

dom[1] (s) -me dome; cathedral *ook* **koe'pelkerk, dom'kerk**

dom[2] (b) stupid, dense, dull *ook* **onno'sel;** *nie so* ~ *as hy lyk nie* not as green as he looks

domastrant' (b) impudent, cheeky, insolent, arrogant; foolhardy *ook* **weerbars'tig**

domein' -e domain *ook* **terrein'** (v.d. weten= skap); crown land; demesne

dominant' (b) -e dominant *ook* **oorheer'send**

do'minee -s clergyman, minister, parson; *Do= minee Kok* Reverend Kok

domineer' (w) ge- dominate; domineer *ook* **oorheers'**

domi'nium -s dominium, realm, sovereignty *ook* **vry'e ei'endom**

do'mino -'s domino (cloak; game)

domisi'lie domicile, place of residence, home

dom'kerk -e cathedral *ook* **katedraal', dom**

dom'kop blockhead, fathead, plonker, twit, stupid (n), clot *ook* **uils'kuiken, dof'fel, pietsnot', dwaas**

dom'krag jack(screw); lifting jack; *die kar opdomkrag* jack up the car

dom'mel (w) ge- doze, drowse *ook* **in'sluimer**

dom'migheid stupidity, dullness

domp ge- dip, dim (car headlights)

dom'pel ge- plunge, dive, dip, immerse; *in ellende ge~* plunged in misery; **~aar** immer= sion heater; **~pak** survival suit (spacemen); **~pomp** submersible pump (in borehole)

dom'per -s extinguisher, damper

dona'sie -s donation, contribution *ook* **sken'king** (van geld)

donateur' -s contributor, patron; donor, sponsor *ook* **sken'ker; borg** (persoon)

don'der (s) thunder; *jou ~!* you scoundrel!; (w) ge- thunder, boom; fulminate *ook* (iemand) **foe'ter; ~bui** thunderstorm *ook* **don'derstorm; ~daan** big shot *ook* **groot' kokkedoor'** (persoon)

Don'derdag ..dae Thursday

don'der: **~slag** thunderclap; **~storm** thunder= storm *ook* **on'weersbui; ~weer** thunderstorm; **~wolk** thundercloud *ook* **cu'mulus**

don'ga -s donga (SAE); gully *ook* **in'grawing**

don'ker (s) darkness; *in die* ~ *tas* grope in the dark; (b) dark, dusky; deep; gloomy, obscure *ook* **duis'ter; ~blou** dark blue; **~bruin** dark brown; **~geel** deep yellow; **~groen** dark green; **~grys** dark grey; **~heid** darkness, obscurity; **~pers** dark purple; **~rooi** dark red; **~te** darkness; **~vat** lucky dip *ook* **geluk'pluk; ~werk:** *~werk is konkelwerk* bunglers work in the dark

don'kie **-s** donkey, ass; *~jare gelede* very long ago; **~mer'rie** she-ass; **~werk** hard work, chores *ook* **sleur'werk**

dons **-e** down, fluff; **~agtig, ~erig, ~ig** fluffy, downy; **~ha'el** bird shot, fine shot; dust; **~kombers', ~kwilt** eiderdown

dood (s) death; decease, demise; *die ~ trotseer* dice/flirt with death; *so ~ soos 'n mossie* as dead as a doornail/as mutton; (w) **ge-** kill; *~slaan* bludgeon to death; **~bedaard'** very calm; **~benoud'** scared stiff; **~bloei** bleed to death; **~brand** burn to death; cauterise; **~druk** squeeze to death; squash, silence; **~eenvou'dig** quite simple, plain sailing; **~eer'lik** quite honest; **~gaan** die; **~geboor'te** stillbirth; **~gebo're** stillborn; **~gerus'** unperturbed *ook* **on'bekommerd; ~goed** very kind, harmless; **~gooi** kill by throwing (e.g. a stone); extinguish (fire); **~(s)kis** coffin; **~loop** come to a dead end; fizzle/peter out; **~lui'ters** quite unconcerned; very casual(ly) *ook* **on'bekommerd; ~maak** kill; **~mak'lik** very easy; **~mar'tel** torture to death; **~moeg** deadbeat, dead tired *ook* **poe'gaai, poot'uit, kapot'; ~ongeluk'kig** utterly miserable

doods (b) **-e** desolate, dreary; **-e stil'te** deadly silence; **~angs** mortal fear; **~been'dere** skeleton(s); **~berig'** death notice; **~bleek** ghastly/deathly pale; **~en'gel** angel of death; **~gevaar'** peril of death; **~gewaad'** shroud *ook* **doods'kleed; ~heid** desolateness; dreariness

dood: **~se'ker** absolutely sure; **~sertifikaat'** death certificate; **~siek** dangerously ill; **~skaam** (w): *ek skaam my ~* I'll be most embarrassed; **~skiet** shoot dead

doods: **~kleed** shroud; **~klok** death knell; *die ~klok lui* the bell tolls; **~rog'gel** death rattle

doods'kop[1] (n) **-pe** death's head, skull

dood'skop[2] (w) **-ge-** kick to death

dood: **~skrik** get the fright of one's life; **~slaan** (w) **ge-** beat to death, slay; **~slag** manslaughter, homicide *ook* **man'slag; ~snik** last gasp; *in die ~snikke van die wedstryd* in the dying moments of the match; **~son'de** deadly sin; **~steek** (s) deathblow, coup de grace *ook* **gena'deslag;** *sy ~steek* his pet aversion/hate; **~steek** (w) **-ge-** stab to death; **~stil** very still, quiet as a mouse; **~straf** capital punishment; **~stryd** death struggle, agony; throes of death

doods: **~von'nis** death/capital sentence; **~vy'and** mortal enemy

dood: **~sweet** cold sweat of death; **~swyg** ignore; **~tevre'de** quite content; **~val** fall to one's death; **~verlief'** love-sick *ook* **smoor'verlief; ~vei'lig** perfectly safe; **~verwon'derd** quite astonished; **~werk** work to death

doof[1] (w) **ge-** extinguish, put out, quench *ook*

uit'doof, smoor; ~mid'del anaesthetic, drug(s) *kyk* **dwelms; ~pyl** tranquilliser dart (for animals)

doof[2] (b) deaf *ook* **gehoor'loos;** *so ~ soos 'n kwartel* as deaf as a (door)post; **~blin'de** deaf and blind person; **~heid** deafness

doof'stom (b) deaf-mute *ook* **spraak- en gehoor'gestrem'; ~me** (s) **-s** deaf-mute (person) **~me-in'rigting/skool** *kyk* **do'weskool**

dooi (w) **ge-** thaw (ice/snow melting)

dooi'e (s) **-s** the dead, the deceased *ook* **die oorle'dene** (persoon); (b) **dooie** dead, deceased, defunct; *liewer bang Jan as dooi(e) Jan* discretion is the better part of valour; *op sy ~ gemak* very leisurely

dooi'(e)mansdeur: *voor ~ kom* find nobody at home

dooi'epunt -e deadlock; stalemate; *'n ~ bereik* reach a deadlock

dooi'er -s yolk (of egg)

dooi'erig listless, sluggish

dooie'rus (bw): *~ skiet* shoot with rifle rested

dooi'eskuld bad debts *ook* **onin'bare/sleg'te skuld**

dool (w) **ge-** wander; meander; roam; **~hof** maze labyrinth *ook* **dwaal'tuin**

doop (s) christening, baptism; (w) **ge-** christen baptise; dunk/dip (rusk in coffee); *sy pen in gal ~* dip one's pen in gall; **~gelof'te** baptismal vow; **~getui'e** godparent; **~naam** first name(s); **~pleg'tigheid** christening ceremony; **~regis'ter** church register; **~seel, ~sertifikaat'** baptismal certificate

Doops'gesind -e Baptist (religion)

doop: **~vont** baptismal font, baptistry

doos (s) **dose** box *ook* **boks** (s); case; container; *uit die ou ~* old-fashioned, antiquated

dop (s) **-pe** shell (eggs); peel, husk (seed); drink; *'n halwe eier is beter as 'n leë ~* a bird in the hand is better than two in the bush; *'n ~ steek* have/take a drink; (w) **ge-** shell *ook* **uit'dop;** peel; fail (examination) *ook* **druip; ~em'mer** milking pail; **~-er'tjie** green pea; **~maat** tot measure

dop'hou (w) **-ge-** keep an eye on; observe, watch, monitor (v)

Dop'per -s Calvinist-Reformed (person), Dopper

dop'pie -s percussion cap; shell; tot; *sy ~ het geklap* he has had his chips

dor (b) **-re** dry, barren, arid; withered *ook* **uit'gedroog**

do'ring -s thorn, prickle, spine; topnotcher, crack (person); *'n ~ in die oog* an eyesore; a thorn in the flesh/side; *jy is 'n ou ~* you are a brick, a champ

do'ring: **~ag'tig** thorny; **~boom** mimosa, thorntree; **~draad** barbed wire *ook* **prik'keldraad; ~kroon** crown of thorns; **D~ro'sie** Sleeping Beauty; **~veld** thorn scrub

dorp -e village, town; dorp (SA); township; (informal) settlement

dor′peling/dor′penaar villager, town dweller

dorps: ~**bewo′ner** villager; ~**gek** village idiot; ~**grond** town lands; village common/green *ook* ~**meent;** ~**huis** town house; ~**ja′pie** ignorant chap from the town; ~**lewe** village/ town life; ~**ontwik′kelaar** town developer; ~**raad** town council

dors[1] (s) thirst; *jou* ~ *les* quench one's thirst; (w) **ge-** thirst; (b) thirsty *ook* **dors′tig**

dors[2] (w) **ge-** thresh; flail; ~**masjien** threshing machine (farming)

dors′land thirstland (waterless region)

dos (w.g.) (s) attire, array; *spoggerig uitgedos* dressed to kill

doseer′[1] (w) **ge-** lecture; teach; ~**pos** lecturing post

doseer′[2] (w) **ge-** dose (medicate farm animals)

dosent′ -e lecturer, academic teacher *ook* **lek′tor**

do′sie -s little box *ook* **bok′sie;** ~ **vuur′houtjies** box of matches

do′sis -se dose; quantity; *te groot* ~/*oordosis* overdose; **skraag~** booster dose

dossier′ (s) -e, -s dossier *ook* **poli′sielêer;** (personal) docket; file

dosyn′ -e dozen

dot′jie -s dot; little dear; brimless/shapeless hat

dou (s) dew; (w) **ge-** dew; ~**drup′pel** dewdrop; ~**punt** dew point; ~**trap′per** early bird (per= son); ~**voordag** at the crack of dawn

do′werig (b) hard of hearing *ook* **hardho′rend**

do′weskool school for the deaf

do′yen doyen, senior member; dean

dra (w) **ge-** carry; wear; bear; poise; *sy knieë* ~ take to one's heels; *vrug* ~ bear fruit

draad (s) **drade** wire; fence; thread, fibre; grain; filament; *kort van* ~ short-tempered; ~**bor′sel** wire brush; ~**hei′ning** wire fence; ~**knip′per** wire clipper; ~**loos** (veroud.) wireless (obs.) *ook* **ra′dio;** ~**sit′ter** fence-sitter; temporiser; ~**tang** wire pliers; ~**trek′ker** wirepuller; plot= ter, schemer *ook* **knoei′er, swen′delaar;** ~**werk** wire grate, filigree work; wiring; nonsense; *vol* ~*werk wees* be full of fads and fancies

draag′baar[1] (s) bier (for corpse, coffin); stretch= er *ook* **kamp(eer)bed, vou′katel(tjie); ~dra′= er** stretcher bearer *ook* **baar′draer** (persoon)

draag′baar[2] (b) portable, wearable; bearable; **..ba′re re′kenaar** portable computer; laptop *ook* **skoot′rekenaar**

draag: ~**band** (arm)sling; ~**hout** crossbar (fore= shaft of a cart); ~**krag** working load, carrying capacity *ook* **dra′krag;** ~**lik** bearable, toler= able; ~**rak** carrier (on motorcar); ~**stoel** sedan chair; ~**wyd′te/dra′wydte** range; import; scope

draai (s) -e turn, twist; corner, bend; whorl (shell); *'n* ~ *(gaan) loop* have a/take a leak/powder one's nose *ook* **gaan fluit; Kaapse** ~ detour; **slap** ~ slight turn; (w) **ge-** turn; writhe; revolve, twist, wind; tarry, linger *ook* **talm;** *stokkies* ~ play truant; ~**bank** lathe; ~**boek** script (film); scenario, ~**brug** swing/ swivel bridge; ~**hek** turnstile; ~**jak′kals** silver jackal, long-eared fox; ~**kolk** whirlpool; ~**kous** slowcoach; ~**or′rel** barrel organ; ~**room′ys** softserve *ook* **krul′ys;** ~**spil** pivot; ~**stan′der** lazy susan (on dining table); ~**stoel** revolving chair; ~**ta′fel** turntable *ook* **pla′= tespeler;** ~**tol** spinning top; ~**werk** turnery; ~**wind** whirlwind *ook* **(d)war′relwind**

draak (s) **drake** dragon; *met iem. die* ~ *steek* poke fun at s.o.

draal ge- tarry, linger, dawdle *ook* **sloer, talm**

dra′derig (b) fibrous, stringy

dra′er -s carrier; bearer; pallbearer *ook* **slip′= (pe)draer;** *'n* ~ *van vigs* an Aids carrier

draf (s) trot; *op 'n* ~ at a trot; (w) trot; jog; ~**broe′kie** running shorts; ~**skoen** running shoe; cross trainer; ~**sport** jogging *ook* **pret′= draf**

drag (s) load, burden; costume, dress; fashion; crop; pus (wound); litter (pigs) *ook* **werp′sel;** *'n* ~/*pak slae* a sound thrashing/hiding

drag′ma/drag′me -s dram; drachma (former Greek currency)

drag′tig -e pregnant, with young (animal)

dra′ma -s drama; play (for stage); ~**ties** dramatic; ~**tiese kunste** dramatic arts; speech and drama (school subject) *ook* **spraak en dra′ma;** ~**turg′** dramatist, playwright *ook* **toneel′skrywer**

drang urge (e.g. sex); impulse; craving

drank -e (strong) drink, liquor, spirits; beverage; potion; *'n* ~*ie maak* have/take a drink; *onder die invloed van* ~ intoxicated; inebriated; be the worse for liquor; *sterk* ~ alcoholic liquor; *aan* ~ *verslaaf* addicted to alcohol; ~**bestry′= ding** temperance movement; ~**han′del** liquor trade; ~**lisen′sie** liquor licence; ~**of′fer** liba= tion; ~**probleem′** drinking problem; ~**verbod′** prohibition; ~**verko′pe** liquor trade; ~**verslaaf** (b) alcoholic *ook* **dranksug′tig;** ~**win′kel** bottlestore, liquor store

drapeer′ ~, **ge-** drape (e.g. curtains)

dra′radio portable radio

dra′sak -ke carrybag, shopping bag

dras′ties -e drastic *ook* **ingry′pend;** ~ *optree* take drastic action/steps

dra′wieg -e **..wieë/dra′wiegie** -s carrycot

draw′wer -s jogger (person) *ook* **pret′drawwer;** trotter

draw′wertjie -s trotter; courser (bird)

dreef: *op* ~ *kom* get into one's stride

dreig ge- threaten, menace *ook* **bang maak; intimideer'**; *die huis ~ om in te val* the house is on the verge of collapsing

dreigement' (s) -e threat, menace

drei'gend (b) threatening, ominous *ook* **angs=wek'kend**

dreineer' (w) ge- drain; **~put** French drain *ook* **sy'ferput; dreine'ring** drainage; sewage

drek muck, dirt; dung; excrement; crap (vulg.)

drel good-for-nothing; slowcoach; wimp *ook* **slap'gat** (omgangst.)

drem'pel -s threshold (fig.) *kyk* **wins'drempel, drum'pel**

drenk ge- drench, soak; allow to drink; **~e'ling** drowned/drowning person

dren'tel ge- saunter *ook* **slen'ter;** loiter; *geen ~ nie* no loitering; **~aar'** loiterer *ook* **leeg'loper**

dresseer' (w) ge- train, coach; drill, dress *ook* **af'rig**

dreun (s) rumble, roar, thud, shock; (w) **ge-** rumble, roar, roll, boom; **~ing** rumble, roar; **~sing** (w) ululate *ook* **ululeer'; ~strook** (s) rumble strip (on road, for slowing down)

drib'bel ge- dribble (football)

drie -ë three; try (rugby); *een, twee, ~ was dit klaar* in a trice it was finished *ook* **tjop-tjop; ~dek'ker** threedecker, triplane

Drie-een'heid (Holy) Trinity

drie'ërlei of three kinds

drie'hoek -e triangle; **~ig** triangular; **~(s)me'ting** trigonometry

drie: ~ja'rig of three years; **~kan'tig, ~sy'dig** three-sided, trilateral; **~kleur** tricolour (flag); **~kuns** hat trick (sport); **~kwart** three quarters; threequarter (rugby); **~le'dige aan'val** three-pronged attack; **~lettergre'pig** trisyllabic; **~ling** triplets; **~luik** triptych *ook* **triptiek'** (skilderkuns); **~maan'deliks** quarterly; **~man=skap'** triumvirate; **~mas'ter** threemaster (ship); **~poot** tripod; **~romp(er)** trimaran; **~sprong** hop, skip and jump (athletics); junction of three roads; **~stem'mig** for three voices; **~voet** tripod; **~voud** treble; triple; *'n verklaring in ~voud* a statement in triplicate; **~wiel, ~wie'ler** tricycle

drif¹ (s) **driwwe** (deurgang deur spruit) ford, drif(t)

drif² (s) -te anger, hot temper, passion *ook* **woe'de, harts'tog;** *sy ~ beteuel* keep one's temper; **~kop** hothead, spitfire; **~tig** passionate, hasty, quick-tempered

dril ge- bore; drill, exercise, train, coach; **~kol'lege** cram college

dring ge- press, urge, push; *vorentoe ~* push forward; **~end** urgent, pressing; imperative

drink ge- drink; *op iem. se gesondheid ~* drink (to) s.o.'s health; **~baar** drinkable, potable; **~bak** watering trough; **~be'ker** tankard, gob=

let, beaker; **~e'broer** drunkard, tippler; drinking companion; **~lied** drinking song; **~party** drinking/booze party; spree; binge; **~wa'ter** drinking water

dro'ë (s) dry land; *sy skapies op die ~ hê* he has made his pile (money, wealth); *~bek sit* wait in vain; be disappointed; (w) dry *ook* **droog**

droef (b) **droewe** sad, dejected *ook* **treu'rig, bedruk'**

droefgees'tig (b) sad, dejected, gloomy *ook* **verdrie'tig, mismoe'dig**

droef'heid/droef'nis sadness, grief, sorrow *ook* **hart'seer**

dro'ë: ~koe'kie biscuit; **~pers'ke** dried peach

droe'wig (b) sad *ook* **hart'seer; verdrie'tig;** dismal, gloomy, sorrowful; **~e af'loop** sad ending

droë'wors dried wors/sausage

drog'rede/drogredena'sie fallacy, delusive/ false reasoning

drom¹ (s) **-me** (metal) drum/container *ook* **kon'ka**

drom² (w) crowd, throng; *die mense ~ saam* the people are flocking together

dromeda'ris **-se** dromedary (one-humped camel)

dro'mer (s) -s dreamer; visionary; **~ig** (b) dreamy *ook* **my'merend, verstrooid'**

drom'mel -s deuce, devil; wretch; *arme ~* poor devil/wretch; *wat de/die ~ doen hy* what on earth is he up to

drom'mels (tw) confounded, darned; by jove

dronk (b) drunk(en), intoxicated, inebriated *ook* **beso'pe;** *~ in die kop voel* feel giddy; **~aard** drunkard *ook* **~lap; ~bestuur'** drunken driv= ing; **~en'skap'** drunkenness; **~ie** tipsy/sozzled guy; **~lap** drunkard; **~nes** drinking spree, binge *ook* **fuif'party; ~geslaan** (b) perplexed; *dit slaan my ~* it beats me; **~verdriet** intoxicated self-pity, alcoholic blues

droog (w) ge- dry, make dry; (b) **droë; droër, -ste** dry, parched, arid; *hoog en ~ sit* out of harm's way; *nie ~ agter die ore nie* be a greenhorn; **~dok** dry/graving dock (for ships); **~gemaak** dried; botched, bungled *ook* **verbrou'; ~skoon'maker** drycleaner; **~te** (s) drought; dryness; **~voets** dryshod

droom (s) **drome** dream; *~prins* knight in shining armour; prince charming; (w) ge- dream; **~beeld** illusion, vision *ook* **her'= senskin, illu'sie;** chimera; pipe-dream; **~land** dreamland; **~uit'lêer** interpreter of dreams; **~verlo're** lost in dreams

drop (s) liquorice *ook* **soet'hout, soet'wortel, lie'keries**

dros ge- abscond, desert *ook* **weg'loop, deserteer'; ~ter'** deserter, absconder, runaway

drosdy' magistrate's residence/residency, drost= dy

druï′de -s druid (ancient Celtic priest)

druif druiwe grape; *die druiwe is suur* the grapes are sour; **~luis** phylloxera

druip ge- drip, trickle, fall in drops; fail (in examination) *ook* **dop, af′tjop; ~e′ling** failed candidate; **~er** (siektetoestand) gonorrhoea; **~kel′der** stalactite cave; **~nat** dripping wet, soaked; **~steen** *kyk* **drup′steen; ~stert** sneak= ing: *~stert weggaan* slink off; **~sy′fer** failure rate (of students); **~vet** dripping/cooking fat

druis (w) **ge-** roar, swirl, swish *kyk* **in′druis**

druï′we: ~konfyt′ grape jam; **~oes** grape harvest, vintage; **~pers** winepress; **~prieel′** vine trellis, pergola; **~sap** grape juice; **~stok** vine; **~tros** bunch of grapes

druk (s) pressure, weight; print, edition *ook* **uitgawe;** *uit ~ (wees)* out of print (book); (w) **ge-** press; print; squeeze, push; *op die hart ~* urge it (upon s.o.); *~ uitoefen* pressurise (v); (b) busy, fussy, lively; *~ verkeer* heavy traffic; **~bars** pressure burst (in mine); **~fout** printer's error, misprint; gremlin; **~gang** crush; **~groep** pressure group; **~kastrol′** pressure cooker; **~kend** oppressive, heavy, onerous; close; sultry (weather)

druk′ker -s printer; **~s′duï′wel** printer's devil, gremlin, literal *ook* **druk′fout, set′satan; ~y** printing works, printer

druk: ~king pressure (headache); **~knop= telefoon′** pushbutton telephone; **~ko′ker** pres= sure cooker; **~kos′te** printing costs; **~kuns** art of printing; typography; **~letter** primer; type; **~naam** imprint (of publisher); **~pers** printing press; **~proef** proofsheet, printer's proof; **~skeur** pressure burst *ook* **druk′bars; ~skrif** typescript, print; **~stuk** print-out *ook* **uit′druk; ~te** stir, bustle, fuss, ado; *'n ~te maak* make a fuss; **~te′spanning** stress, tension *ook* **stres; ~verlig′ting** decompression; **druk′vlerk/~vin** (boot) spoiler (car); **~voor′skou** print preview (comp.); **~werk** printing, printed matter

drum′pel -s threshold, doorstep; *iem. se ~ platloop* visit s.o. too often

drup (s) eaves; drip (med.); drip (boring person) *ook* **jandooi′;** (w) drip, drop; **~besproei′ing** drip irrigation; **~mat′jie** coaster *ook* **bier′= matjie**

drup′pel -s drop; *'n ~ in/aan die emmer* a drop in the ocean; (w) drop, trickle; **~gewys′(e)** by drops

drup′steen dripstone; stalactite, stalacmite; **~grot/~kel′der** stalactite cave

drupvoe′ding drip feeding (med.)

dryf/dry′we ge- float; swim; drive, conduct; *handel ~* trade; *die spot ~* mock

dryf: ~baan driving range (golf) *ook* **dryfbof; ~krag** drive; impetus; motive power/force; pizzaz *ook* **woe′ma; ~sand,** driftsand, quick=

sand; **~sneeu** sleet *ook* **ys′reën; ~′veer** motive incentive *ook* **beweeg′rede, rasionaal′, mo tief′**

dry′wer driver (of train); wagon driver; go-gette (person)

dub′bel -e double; twice; *hy verdien dit ~ er dwars* he more than deserves it

dub′bel: ~ba′lie twintub (washing machine) **~bed** double bed; **~boek′hou** double-entry bookkeeping; **~door** double-yolked egg **~ganger** double, doppelgänger; lookalike, alter ego *ook* **e′webeeld; ~han′dig** ambidex= trous; **~kajuit′bakkie** twincab bakkie; **~kan= tig** reversible; **~loop** double-barrel (gun); **~me′diumskool** double-medium school; **~pad** dual carriageway; **~punt** colon

dubbelsin′nig (b) ambiguous *ook* **meerdui′dig; ~heid** ambiguity

dubbelslag′tig bisexual *ook* **biseksueel′**

dub′belspel doubles (game); twosome

dub′beltjie[1] (veroud.) -s penny (obs. coin)

dub′beltjie[2] -s devil's thorn; banweed; *loop voor die pad vol ~s raak* be quick about it

dub′belverdieping(huis) double storey (house)

dub′belwerk(ery) moonlighting, double-jobbing

duet′ -te duet (music for two)

dui ge- point (to); indicate, suggest

dui′delik (b) clear, distinct, obvious, evident; legible; **~heid** clarity

duif duiwe pigeon, dove

duig (s) **duie** stave (of a barrel or boat hull); *in duie stort/val* collapse; miscarry (plan) *ook* **misluk′, in′stort**

duik[1] (s) -e dent; depression; (w) **ge-** dent; **~klop′per** panelbeater

duik[2] (w) **ge-** dive, plunge; **~bom′werper** divebomber; **~boot** submarine; **~er** diver; duiker (antelope); cormorant (bird); **~long** aqualung; **~pak** wetsuit; **~plank** diving board; **~weg** subway

duim -e thumb; inch; *iets uit die ~ suig* trump up a story; fabricate; **~gooi** hitchhike *ook* **ry′= loop; ~gooi′er** hitchhiker *ook* **ry′loper; ~in′= deks** thumb index (book); **~pie** little thumb; **Klein D~pie** Tom Thumb; **~ry** hitchhike; **~spy′ker(tjie)** drawing pin, thumbtack *ook* **druk′spykertjie; ~stok** inch/yard measure, footrule

duin -e dune, sand hill; **~mol** sandmole; **~(plank)gly** sandboarding

dui′nebesie -s beachbuggy

dui′sel ge- get giddy/dizzy, reel; **~ig** giddy, dizzy *ook* **lighoof′dig;** groggy; **~ingwek′kend** stag= gering

dui′send -e thousand; **~ja′rig** millennial; **~ja′rige ryk** millennium; **~poot** millipede; **~skoon** sweet william (flower); **~ste** thousandth; **~tal** a thousand; **~voud(ig)** thousandfold

duis'ter (s) dark(ness); (b) dark, dusky, gloomy; cryptic, obscure; **~heid** obscurity; **~nis** dark= (ness); obscurity; crowd, large number; **~(e) poësie'** obscure poetry

duit -e farthing; *geen bloue ~ werd nie* not worth a brass button

Duits (s, b) German (language; customs, etc.); **~er** (s) **-s** German (person); **~land** Germany

dui'wehok pigeon house, dovecot, pigeonry

dui'wel -s devil, demon, fiend *ook* **demoon'**, **sa'tan; Niek;** *dank jou die ~!* well I never!; that will be the day!; *so bang soos die ~ vir 'n slypsteen* be as scared as the devil is of holy water; *deur die ~ besete* possessed by the devil; *~s sterk* very strong; **~aanbid'ding** devil worship; **~s** devilish, diabolic *ook* **demo'nies**, **diabo'lies; ~s'drek** asafoetida; **~s'ker'wel** blackjack (plant); **~'klou** devil's claw (plant) *ook* **haak'duwweltjie; ~s'kun'stenaar** sor= cerer, magician; **~spiraal'** vicious circle *ook* **bo'se kring'loop; ~s'werk** devilish, diabolic *ook* **demo'nies**

duld ge- bear, tolerate, endure; *dit ~ geen uitstel nie* this brooks no delay

dump ge- dump; **~ing** dumping (on offshore markets)

dun thin, rarefied; sparse; slender; washy

dunk opinion; *'n hoë ~ hê van* think highly of

du'pleks -e duplex (house)

duplikaat': in ~ duplicate *ook* **in twee'voud**

durf (s) pluck, daring; guts *ook* **waag'moed;** grit; *'n man van ~* a man of mettle; *ek het nie die ~/moed om ...* I haven't got the guts to ...; (w) dare, venture

dus thus, therefore, so *ook* **daar'om, derhal'we**

dus'kant on this side of

dus'ver/dus'vêr: *tot ~* up to here/now

dut'(jie) nap, doze, snooze; *gaan dut* take a nap/forty winks *ook: gaan skuinslê;* **dut'wek= ker** snooze alarm (clock)

duur[1] (s) duration; (w) **ge-** last, continue; *dit ~ tien dae* it lasts ten days; **le'wens~** lifespan

duur[2] (b) **[dure]; -der, -ste** dear, expensive; *'n dure eed sweer* swear a solemn oath

duur'saam (b) durable; lasting; wearing well

duur'te expensiveness; **~toe'slag** cost of living allowance

du'vet (s) **-s** duvet *kyk* **kwilt'(de'ken), dons'= kombers**

dwaal ge- err; wander, roam; *dit is menslik om te*

~ to err is human; *in 'n ~* confused, perplexed; **~begrip'** false notion; fallacy; **~gees** wande= ring spirit; **~koe'ël** stray bullet; **~leer** false doctrine; **~lig** will-o'-the-wisp (moving marsh light); **~o'lifant** rogue elephant; **~spoor** false track

dwaas (s) **dwase** fool, silly fellow; (b) foolish, absurd *ook* **dom, onno'sel; ~heid** folly, foolishness

dwa'ling (s) misconception *ook* **wan'opvatting; vergis'sing;** delusion

dwang compulsion, coercion, force, duress; **~ar'beid** hard labour; penal servitude; **~baad'= jie** straitjacket; **~voe'ding** force-feeding

dwar'rel ge- whirl; **~wind** whirlwind *ook* **war'= relwind, wer'welwind; wind'hoos**

dwars across, athwart; contrary; **~balk** cross= beam; **~boom** (w) **ge-** thwart, obstruct *ook* **kort'wiek, belem'mer; ~hout** crossarm; **~klap** verbal insult, altercation; **~lê'er** sleeper (railway); **~oor** (bw) right across/over; **~skop** crosskick; **~straat** cross street; **~trek** (w) **-ge-** squabble, quarrel; **~trek'ker** (s) squabbler, nonconformist, maverick; **~weg** curtly, abrupt; *~weg antwoord gee* give an abrupt/ curt reply

dweep (w) **ge-** be infatuated, fanatical, idolise, rave about; **~pos** fanmail *ook* **bewon'= deraarspos'; ~siek** fanatic(al)

dweil (s) mop, (deck) swab; (w) mop, swab

dwelm: ~afhank'likheid drug dependence; **~hond** sniffer dog *ook* **snuf'felhond; ~han'del** drug trade/trafficking; **~koerier'** drug traffick= er; **~kristal'** crack; **~mid'del/dwelms** (non= medical) drug(s); narcotics; dope; **~misbruik'** drug abuse; **~slaaf** drug/dope addict; **~smous** drug pedlar/pusher; **~toer** (drug) trip; **~versla'wing** drug addiction *ook* **dwelmaf= hank'likheid**

dwe'per -s fanatic, bigot, zealot (person); **~y** bigotry

dwerg -e dwarf, pygmy, midget; **~kees** toypom (dog); **~ten'nis** tenniset

dwing ge- force, compel; **~e'land** tyrant, despot (person); **~elandy'** tyranny

dy (s) **-e** thigh, ham

dyk -e dike/dyke; bank, embankment

dyn'serig/dyn'sig misty, hazy; **~heid** haziness

dy'spier (s) **-e** thigh/hamstring muscle *ook* **ham'pees**

E

e -'s e

eb (s) ebb; low tide; ~ en vloed ebb and flow; (w) geëb′ ebb, flow away

eb′behout ebony (wood)

e-bedrie′ër -s e-/electronic fraudster *ook* re′ke= naarskelm

eboniet′ ebonite, vulcanite

e′del (b) noble, generous; precious *ook* sui′wer; Sy E′dele His Honour; Sy Edele die Presi= dent′ the Honourable the President

edelag′baar honourable; Your/His Worship; Sy Edelag′bare die Burgemees′ter His Worship the Mayor

edel: ~moe′dig generous, magnanimous *ook* onbaatsug′tig; ~steen precious stone, gem= stone; ~weiss edelweiss (flower), lion's foot

edik′ -te edict, decree *ook* dekreet′

ê′e (w) geê′e harrow *ook* eg (w)

eed (s) ede oath; *'n ~ aflê/doen/sweer* take an oath; *onder ~ bevestig* swear to; *~ van getrou= heid* oath of allegiance; ~breuk perjury

eek′horing -s/eek′horinkie -s squirrel

eelt (s) -e horny skin, callus

een one; someone, a certain one; *behalwe ~* bar/except one; *op ~ na* all but one; *~beentjie speel* play hopscotch; ~ak′ter/~bedryf′ one- act play

eend -e duck

een′dag once, one day; ~s′vlieg(ie) mayfly (insect with short lifespan); fly-by-night (or- ganisation; phenomenon)

een′dekker (s) monoplane, single decker

een′ders/e′ners similar, alike; *presies ~ lyk* look exactly alike, identical

een′drag concord, union, unity, harmony; *~ maak mag* union is strength

eend: ~stert ducktail; ~voël wild duck; *jy sal jou ma vir 'n ~voël aansien* you will find yourself in Queer Street

een: ~heid unit; unity; ~hoof′dig monocephalous (plant); ~ho′ring unicorn; ~ja′rig of one year, one year old; annual (plant); ~kant on one side, apart; *jou ~kant hou* keep apart/a low profile; ~keer once (upon a time); *~ keer* once/one time only; one day; *jy kan ~ keer swem* you may swim once only

eenken′nig (b) shy, timid *ook* inken′nig

een: ~klank unison; monophthong; ~kleu′rig monochrome; ~lettergre′pig monosyllabic; ~ling peculiar/eccentric individual *ook* eensel′wige mens; ~lo′pend unmarried, sin= gle; ~maal once (upon a time), one day; *dit is nou ~maal so* there is no getting away from it; *~ maal* once/one time only; ~ma′lig once only

een′oog (s) one-eye, one-eyed person; *in die land*

van die blindes is ~ koning in the kingdom of the blind one-eye is king

eenpa′rig -e unanimous, by common consent *ook* eenstem′mig, unaniem′; *~e besluit/be= slissing* unanimous decision

een′persoonsbed -dens single bed

een′rigtingstraat one-way street

eens (b, bw) of the same opinion; even; *ek is dit ~ met jou* I agree with you; *hy het nie ~ geweet nie* he didn't even know; once (upon a time) *kyk* eers

een′saam (b) lonely, desolate *ook* verla′te; *een= same opsluiting* solitary confinement; ~heid solitude, loneliness

een′sellig (b) -e unicellular

eensel′wig -e solitary, self-contained, reserved *ook* terug′getrokke (persoon)

eens′gesind -e unanimous, in harmony *ook* sameho′rig; ~heid unanimity, solidarity

eens′klaps suddenly, all of a sudden *ook* skie′lik, plot′seling

een′slag once, one day *ook* op 'n keer

eenspaai′erig (b) keeping apart/aloof, unsoci= able (person)

eenstem′mig -e for one voice (mus.); unan= imous; ~heid agreement, consensus, harmony

eensy′dig onesided, unilateral; partial; *~e nuus* slanted/biased news; ~heid one-sidedness, partiality

een′talig -e unilingual

een′tjie one; *op sy ~* all by himself

eento′nig monotonous; tedious, dull, drab *ook* saai, verve′lig

een′uur one o'clock; een uur′ a single hour

een′vloeiklep nonreturn valve

eenvor′mig (b) -e uniform *ook* een′ders, uniform′; ~heid (s) uniformity *ook* unifor= miteit′

een′voud simplicity *ook* natuur′likheid; ~ig (b) simple(hearted), homely; singular; credulous; plain; elementary; *dis ~ig malligheid* it is sheer madness

eer[1] (s) honour, repute, credit; *in ere hou* hold in esteem; *die laaste ~ bewys* render the last (funeral) honours, pay the last respects; (w) geëer honour, respect

eer[2] (vgw) before *ook* voor′dat

eer[3] (bw) sooner, rather *kyk* eer′der

eer′baar virtuous, chaste, honest; worthy *ook* opreg

eer′betoon tribute, accolade; homage, mark of honour/respect *ook* eer′betuiging, eer′bewys

eer′bied respect, regard, reverence; *uit ~ vir* out of respect for, in deference to

eer′biedig (w) ~, geëer′- respect, revere; obey;

die verkeersreëls ~/gehoorsaam obey the traffic rules; (b) respectful; **eerbiedwaar'dig** (b) respectable, venerable

eer'der sooner, rather; *hoe ~ hoe beter* the sooner the better

eer'gevoel sense of honour; **eergevoe'lig** proud, sensitive (on the point of honour)

eergie'rig ambitious *ook* **ambisieus'**

eer'gister the day before yesterday

eerlang'/eerlank' before long, soon, shortly

eer'lik honest, candid, sincere, upright *ook* **betrou'baar;** fair; *~ gesê* frankly speaking; *laat ons ~ wees* let's face it; **~heid** honesty, fairness; **~waar** honestly

eers first; formerly; *nou ~* only now

eers'daags soon, shortly *ook* **binnekort'**

eers'geboortereg birthright; *sy ~ vir 'n bord lensiesop verkoop* sell one's birthright for a mess of pottage; **eers'geborene** first-born

eers'genoemde first-mentioned; the former

eer'skennis/eer'skending (s) defamation; slan= der, slur *ook* **naam'skending, belas'tering**

eers'komende next, following

eers'te first; *die ~ die beste boek* the first book at hand; *ten ~* in the first place *ook* **eerstens; ~hands** first-hand; **~hulp** first aid; **~klas** first-class, first rate *ook* **voortref'lik, puik; ~ling** first-born, firstling; **~ns** firstly; **~rangs** first-rate

eer'sug ambition *ook* **ambi'sie, magshon'ger; ~'tig** (b) ambitious *ook* **eergie'rig, ambisieus'**

eer'tyds -e former(ly); **~e glo'rie** erstwhile/ former glory

eer'vol -le honourable; *~le vermelding* honour= able mention; highly commended

eerwaar'de reverend (religious title)

eet geëet eat; *die ore van die kop ~* consume a great quantity of food; **~baar** edible; **~gerei'** cutlery; **~goed** eatables, edibles; **~ka'mer** dining room; **~le'pel** table spoon; **~lus** appe= tite: *jou ~lus opwek* whet your appetite; **~lusdem'per** suppressant; **~luswek'ker(tjie)** appetiser; **~maal** meal; **~plek** eatery; restau= rant; **~saal** dining hall; **~salon'** dining saloon; **~servies'** dinner service; **~sta'king** hunger strike; **~ta'fel** dining table; **~wa're** victuals, provisions, foodstuffs

eeu -e century; age; *die goue ~* the golden age

eeu'e lank for centuries

eeu'e oud ..oue age-old, age-long; time-hon= oured; *eeue oue tradisie* ancient tradition

eeu'fees -te centenary; **~vie'ring** centenary celebration/festivity

eeu'wending/eeuwis'seling turn of the century

ef'fe even, level, flat, smooth; plain *kyk* **ef'fens;** *in ~ swart* in plain/solid black

effek' (s) **-te** effect, result *ook* **uit'werking, re= sultaat'; ~bejag'** striving for effect

effek'te securities; bonds; shares; gilts; **~beurs** bond exchange *kyk ook* **sekuriteit'ebeurs'; ~ma'kelaar** stockbroker; **~trust** unit trust

effektief' effective *ook* **doeltref'fend**

ef'fen (w) **geëf'fen** smooth, make even

ef'fens/ef'fentjies slightly; a moment; a little; just *ook* **ef'fe;** *wag ~* half a mo(ment)

eg[1] (s) marriage, wedlock; *in die ~ tree* enter into matrimony

eg[2] (s) **ee, eg'ge** harrow; (w) **geëg'** harrow

eg[3] (b) authentic, real, genuine; legitimate; *~te diamante* genuine diamonds

egaal'/ega'lig (b) level, smooth, even; *egalig versprei* distributed evenly

eg: ~breek (w) commit adultery; **~breker** (s) adulterer; **~breuk** (s) adultery

eg'genoot ..note spouse, husband, wife *ook* **ga'de, we'derhelf**

eg'go -'s echo *ook* **weer'klank**

Egip'te Egypt; **~naar** Egyptian (person); **Egip'= ties** (s, b) Egyptian (language; customs, etc.)

e'go ego, self; *jou ~ streel* boost one's ego; *sy alter ~* his double, his alter ego

egoïs' -te egoist; **~me** egotism; **~ties** egotistic(al) *ook* **selfsug'tig, ek'kerig**

eg'skeiding -s divorce, dissolution (marriage)

eg'ter however; yet, notwithstanding; *die meeste leerders het geslaag, heelparty het ~ gedruip* most learners passed, however, quite a few failed

egt'heid genuineness, legality, authenticity

ei'e own; natural; peculiar, specific; familiar, intimate; *~ aan* peculiar to; *uit ~ beweging* on one's own accord; *op ~ houtjie* off one's own bat; **~belang'** self-interest, personal gain; **~dunk** self-esteem, self-conceit; **~gemaak** homemade *ook* **tuis'gemaak**

eiegereg'tig (b) self-righteous, high-handed *ook* **eiesin'nig**

eiehan'dig -e with one's own hand(s); self-reliant

ei'e: ~hulp self-help *ook* **selfdien; ~lief'de** self-love, egotism; narcissism

eiemag'tig (b) arbitrary, high-handed *ook* **eiegereg'tig**

ei'en (w) **geëien** recognise; appropriate, own; *hom aan sy stap ~* recognise him by his gait

ei'enaar -s, ..nare proprietor, owner

eienaar'dig (b) peculiar, singular; strange, weird; odd *ook* **vreemd, ongewoon'**

ei'endom -me property, estate; belongings; possession; *vaste ~* real estate, fixed property; **~ontwik'kelaar** property developer

ei'endoms= proprietary; ~agent' real estate agent; **~reg** ownership; proprietary right(s); copyright *ook* **kopie'reg**

ei'enskap -pe quality, property, attribute; fea= ture, characteristic; trait *ook* **ken'merk**

i′er -s egg; *'n halwe ~ is beter as 'n leë dop* half a loaf is better than no bread at all; **~dans** egg dance (false reasoning); **~dop** eggshell; **~kel′= kie** egg cup; **~klit′ser** eggbeater **~ko′kertjie,** egg timer, eggboiler, sandglass, hourglass; **~plant** eggplant; **~stok** ovary; **~vrug** brinjal, aubergine

iesin′nig wilful, obstinate *ook* **dwars, kop′pig**

i′etyds -e present-day, contemporary *ook* **by′= dertyds;** with-it, trendy

i′ewaan self-conceit; megalomania *ook* **groot= heidswaan′**

i′ewaarde self-esteem, self-respect *ook* **self= beeld**

iewys′ opinionated, self-assertive, headstrong; **~heid** conceit, contrariness

ik -e oak (tree) *ook* **ei′keboom, ak′kerboom**

i′ke: ~boom oak tree; **~hout** oak (wood)

i′land -e island, isle

i′na (b, bw) poor, weak; painful; small; *sy kennis van Frans is maar ~* his knowledge of French is scanty; (tw) ouch, oh!, ow!; **~broe′= kie** minipants, scantypanty *ook* **am′per= broekie**

ind: ~diplo′ma final certificate; **~doel** final purpose, ultimate aim/goal

in′de -s end, conclusion, termination *ook* **end;** *ten ~ raad wees* be at one's wits' end; *ten ~* in order to

ind′eksamen -s final examination

in′delik at last, finally, ultimately *ook* **oplaas′**

in′deloos ..lose endless, never-ending *ook* **onophou′delik;** infinite

ind′fase final/terminal phase

ind′gebruiker (s) end user (person)

in′dig (w) **geëindig** end, conclude, terminate; *boekjaar ~ende/geëindig 31 Maart* financial year ending/ended 31 March; *~ met* end in

ind: ~let′tergreep final syllable; **~paal** goal, winning post; limit; **~punt** terminus, end; **~ronde** final (sport) *ook* **~wedstryd, finaal′**

in′ste (self)same, identical; *die ~/nimlike man* the very same man

int′lik (b) proper, real, actual; (bw) really, actually; *nie ~/juis nie* not exactly, not quite

is (s) **-e** demand, claim; exigency; *aan die ~e voldoen* satisfy requirements; *'n ~ instel* make/lodge a claim; (w) **geëis′** demand, claim; **~brief** letter of demand

i′ser -s plaintiff, claimant

istedd′fod -s eisteddfod *ook* **sang′fees, kuns′= wedstryd**

i′wit albumen; **~stof** protein *ook* **proteïen**

-handel e-commerce (internet)

k (pers.vnw.) I; *~ en my vriend* my friend and I-

k′ke (pers.vnw.) I (with stress); **~rig** (b) egotistic, self-centred

kologie′ ecology *ook* **omge′wingsleer**

---

ekonomie′ (s) economy; economics (also school subject); **ekono′mies** (b) economic(al) *ook* **spaar′saam; kostedoeltref′fend; ekonoom′** (s) economist (person)

e′kosisteem ecosystem; **e′kotoeris′me** ecotour= ism

eks- ex-, former; **~man** ex-husband; **~minister** former minister; **~vrou** ex-wife

eksak′ -te exact; precise; *~te wetenskappe* exact sciences

eksa′men -s examination, exam (infml.); *~ aflê/doen/skryf* sit for an examination; *(in) sy ~ sak/dop/druip* fail his examination; *(in) sy ~ slaag* pass his examination; **~vraag** examina= tion question; **~vrae′stel** examination paper

eksamina′tor -e, -s examiner (person); **eksa= mineer′** (w) **geëks-** examine; question

ekseem′ eczema (skin disease)

eksege′se exegesis *ook* **(Skrif)verkla′ring, uit′= leg**

ekseku′sie execution; **~verko′ping** sale in ex= ecution (of unpaid house, car, etc.)

eksekuteur′ (s) **-e, -s** executor (of an estate); **eksekutri′se -s** executrix (of an estate)

ekself′/ek self I myself

eksellen′sie -s excellency (person)

eksemplaar′ specimen, copy; *drie ..plare van die boek* three copies of the book

eksentriek′ eccentric, weird, odd *ook* **son′= derling, af′wykend**

eksen′tries -e eccentric(al) (math.)

ekserpeer′ make an excerpt/extract *ook: uit= treksels maak*

ek′sie-perfek′sie (b, bw) perfect, spick and span *ook* **piek′fyn;** meticulous(ly)

eksklusief′ exclusive; upmarket (area) *ook* **def= tig, weel′derig**

ekskur′sie -s excursion, outing; **~kaar′tjie** excursion ticket

ekskuus′ (s) **eksku′se** excuse, pardon *ook* **versko′ning;** *'n flou ~* a poor/feeble excuse; *~/verskoning maak* apologise; *~ (tog)!* pardon me!, so sorry!

ek′sodus exodus *ook* **uit′tog**

ekso′ties (b) exotic, foreign *ook* **uitheems′**

ekspedi′sie -s expedition *ook* **(veld)′tog**

eksperiment′ (s) **-e** experiment *ook* **proef′= neming; ~eel′** (b) experimental; **~eer′** (w) experiment

eks′pert -e expert *ook* **(des)kun′dige; vak′= kundige;** *~ advies* expert advice *ook* **kun′dige advies′**

eksploiteer′ (w) **geëks-** exploit; operate, conduct *ook* **ontgin′**

eks′po (s) expo(sition) *ook* **tentoon′stelling, skou**

ekspres′ (s) express; **~trein′** express (train)

ekspres′sie -s expression *ook* **uit′drukking**

ekspressief' expressive, eloquent; meaningful

eksta'se ecstasy; *in ~ raak* go into raptures; **eksta'ties** ecstatic; fascinated *ook* **in vervoe'= ring/verruk'king**

ekstern' -e external; ~e stu'die external study *kyk* **af'standonderrig**

ek'stra extra; additional; spare

ekstrak' -te extract

ekstremis' -te extremist (person)

ekume'nies (b) -e ecumenical, universal; ~e bewe'ging ecumenical movement (Christian churches)

ekwa'tor equator *ook* **e'wenaar; ..riale stil'= tegordel** doldrums

ekwili'brium equilibrium *ook* **e'wewig**

ekwitei'te equities (on stock exchange)

ekwivalent' -e equivalent; same, synonomous

el (s) -le ell (obs. unit of length); *ellelange verduideliking* too long an explanation

e'land -e eland (SA); elk (Europe); moose (America)

elas'ties (b) -e elastic; flexible

elastisiteit' elasticity, resiliency; ~ van vraag en aanbod elasticity of supply and demand

el'ders elsewhere; away; abroad

elegant' (b) elegant *ook* **verfynd'; sjiek** (modes)

elegie' (s) elegy, dirge *ook* **do'delied; treur'sang**

elek'sie -s election *ook* **verkie'sing**

elek'tries (b) -e electric(al); ~e stoel electric chair; ~e/elektroteg'niese ingenieur' electri= cal engineer; ~e span'ning voltage; ~e tegnologie' electrical technology (learning area) *ook* **elektrisiëns'werk**

elektrifiseer' (w) geël- electrify

elektrisiën' (s) -s electrician (person)

elektrisiteit' electricity

elektro'de (s) -s electrode (conductor of electric current)

elek'trokardiogram (EKG) electrocardiogram (ECG) *kyk* **kardiograaf'**

elektro'nies (b) electronic; ~e beheer' electronic control; ~e pos electronic mail, email/e-mail *ook* **e-pos, vonk'pos**; ~e re'kenaar computer; ~e snel'weg electronic highway

elektro'nika electronics

elektroteg'nies electrotechnical

element' -e element; ~êr (b) elementary *ook* **eenvou'dig; primêr'**

elf[1] (s) **elwe** elf, fairy *ook* **fee(tjie), to'wergodin'**

elf[2] (telw) **elwe** shad, chard (fish)

elf[3] (s) **elwe, -s** eleven; *ter ~der ure* at the eleventh hour; *op sy elf-en-dertigste* at a snail's pace; ~de eleventh; ~tal team (cricket)

elik'ser (s) -s elixir, magic/healing drink

elimineer' eliminate *ook* **uit'skakel**

eli'te (b) elite, smart (people) *ook* **hooggeplaas'= tes**; ~ voor'stad elitist/upmarket suburb

elk -e each, every; *'n ieder en 'n ~* everyone

concerned; ~e oomblik any moment; ~een everybody, everyone *ook* **ie'dereen**

el'kers = elke keer = tel'kens

el'lelang -e/el'lelank longdrawn *kyk* **el**

ellen'de (s) misery, wretchedness, distress *ook* **nood'**; *in die diepste ~* in dire distress, in untold misery; ~ling wretch, miserable fellow; villain *ook* **vloek, vrek'sel**

ellen'dig (b) wretched, miserable *ook* **armsa'lig; treu'rige toe'stand**

ellips' -e ellipse (geom.)

elm'boog ..boë elbow; *die ~ lig* lift the elbow; be addicted to drink

eloku'sie elocution *ook* **spraak'kuns**

els[1] (s) -e awl (sharp-pointed tool)

els[2] (s) -e alder (tree); ~hout alderwood

emal'je enamel *ook* **enem'mel** (veroud.); ~beker enamel jug; ~verf enamel paint *ook* **glans'ver**

emansipa'sie emancipation *ook* **vry'wording ontvoog'ding**

embar'go -'s embargo, prohibition ook **verbod' sper'tyd**

embleem' (s) **..bleme** emblem *ook* **wa'pen**

em'brio -'s embryo (growth organism)

emeritaat' ..tate clergyman's retirement; super annuation; **eme'ritus** (s) emeritus; predikant' retired clergyman, pastor emeritu

emfa'ties -e emphatic *ook* **nadruk'lik**

emfiseem' emphysema *ook* **lug'geswel** (in longe

emigrant' -e emigrant (person leaving his/he country)

emigreer' (w) emigrate, relocate, move abroad

emir' -s emir (Muslim ruler)

em'mer -s pail, bucket

emo'sie -s emotion, passion; sentiment *oo* **ontroe'ring, gevoel'; emosioneel'** (b) **..nel** emotional *ook* **sensitief'**

empatie' (s) empathy, compassion *ook* **mee lewing**

empi'ries -e empiric(al); pragmatic; ~e/feitelik navorsing empirical research

en (vgw) and; *én ... én* both ... and

end (s) **ente** end *ook* **ein'de** *kyk* **ent**[2]; termina tion, conclusion; extremity; finish, stop

ende'mies -e endemic *ook* **inheems', eie'land** (plaag, siekte) *kyk* **pande'mies**

endosseer' (w) geën- endorse (a cheque **endossement'** (s) endorsement

end'uit: ~ baklei fight to the end/finish

e'ne one, a certain; ~ mnr. X a certain Mr X; da ~/pure modder all mud(dy)

en'ema enema *ook* **lawement'**

e'nemale: ten ~ entirely, absolutely

enem'mel = emal'je

energie' energy; drive, vigour *ook* **dryf'kra; vitaliteit', woe'ma**

energiek' (b) -e energetic, active (person)

e'ners = eenders

e'netjie a little one; only one (e.g. drink)

eng narrow, tight (seats in plane); narrow-minded *ook* kleingees'tig, bekrom'pe

n'gel -e angel; engelag'tig angelic, seraphic

En'geland England

n'gelebak upper gallery, the gods (theatre)

En'gels (s) English (language); *suiwer* ~ good English; the King's/Queen's English; (b) -e English (customs, etc.)

En'gelse sout Epsom salts

En'gelsman Engelse Englishman; Brit; (pl.) the English, the Brits

ng'te (s) strait, isthmus; difficulty; ~vrees claustrophobia *ook* nou'tevrees

'nig only, sole, any; unique; ~ *in sy soort* unique; the only of its kind; ~een/e'nige een anyone; ~gebo're only-begotten (Son of God); ~ie'mand/e'nige iemand anyone *ook* elk'een; ~iets/ e'nige iets anything

nig'ma -s enigma, puzzle *ook* miste'rie; enigma'ties enigmatic *ook* raaiselag'tig

'nigsins somewhat; *as dit* ~ *kan* if at all possible

'nigste only, sole

njambement' -e enjamb(e)ment (in poetry)

n'jin -s engine; *die* ~ *plof terug* the engine backfires; *die* ~ *staak/kets* the engine stalls; ~dry'wer engine driver

n'kel[1] (s) -s ankle; *sy* ~ *verstuit* twist his ankle

n'kel[2] (b) -e single; ~e reis single journey

n'kel[3] (bw) solely, merely, only

n'kel: ~bed -dens, -de single bed; ~d single; ~geveg' dogfight; ~geslag' single-sex; ~ing individual (person); ~kaar'tjie single ticket; ~kwartie're singles' quarters; ~mediumskool' single-medium school; ~ou'er single parent; ~spel singles, single game; ~voud (s) singular; ~vou'dig (b) singular; simple *ook* eenvou'dig; ~vou'dige ren'te simple interest

nkodeer' (w) code *ook* kodeer'

norm' -e enormous, immense *ook* ontsag'lik

nsem'ble -s ensemble *ook* musiek-/toneel'geselskap

nsiklopedie' -ë encyclop(a)edia

nsovoort(s) et cetera

nt[1] (s) -e graft; (w) geënt graft, inoculate (roses, trees)

nt[2] (s) distance, length; end *kyk* end; *dis 'n hele* ~ *hiervandaan* it is quite a distance from here; *aan die kortste* ~ *trek/wees* have the worst of it

ntiteit' (s) entity (complete in itself)

nt'jie -s end; length; short distance; bit, piece; *dis net 'n* ~/*hanetreetjie soontoe* it is only a stone's throw away

ntoesias' -te enthusiast, fan; buff *ook* lief'hebber; ~me enthusiasm *ook* gees'drif; ~ties enthusiastic *ook* geesdrif'tig

ntomologie' entomology *ook* insek'tekunde; entomoloog' ..loë entomologist (person)

entrepreneur' -s entrepreneur; self-starter (business person); *ook* onderne'mer, innoveer'der

ent'stof ..stowwe serum, vaccine

epide'mie (s) -s epidemic *ook* lands'plaag *kyk* pande'mie

epide'mies (b) -e epidemic; *cholera het* ~e *afmetings aangeneem* cholera has assumed/reached epidemic proportions

epidiaskoop' epidiascope *kyk* truprojek'tor

epiek' (s) epic/heroic poetry

e'pies (b) -e epic; ~e *tog oor die berge* epic journey across the mountains

epigram' -me epigram *ook* punt'dig

epikuris' -te epicure *ook* fyn'proewer

epilep'sie epilepsy *ook* val'lende siek'te

epiloog' ..loë epilogue *ook* slot'rede, na'woord

episo'de -s episode, incident *ook* voor'val

epis'tel -s epistle *ook* (send)'brief

e'pos -se epic (poem); epopee

e-pos (s, w) email/e-mail, electronic mail *ook* vonk'pos

e'ra era *ook* tyd'vak

erbarm' ~ have pity; *jou* ~ *oor* have pity on; ~ing empathy; compassion

er'de: ~goed earthenware; crockery *ook* breek'goed; ~pot earthenware pot; ~skot'tel earthenware dish/basin; ~wa're ceramics *ook* keramiek'; ~werk earthenware, pottery, crockery

erd: ~ vark ant eater; ~wurm earthworm

e're honour; *ter* ~ *van* in honour of; ~blyk mark of honour; ~boog triumphal arch; ~bur'ger freeman (of town/city); ~bur'gerskap freedom of the town/city; ~diens church service; divine service; worship; ~gas guest of honour; ~graad honorary degree; ~lid honorary member

erek'sie (s) -s erection (penis)

ê'rens somewhere; ~ *an'ders* somewhere else

e're: ~pen'ning medal of honour; ~plek pride of place (for an item); seat of honour (for a person); ~rol roll of honour; ~sekreta'ris honorary secretary; ~ti'tel honorary title; ~wag guard of honour; ~woord word of honour

erf[1] (s) erwe plot, stand; premises; property; ~belas'ting (municipal) rates and taxes

erf[2] (w) geërf inherit; succeed to; ~deel hereditary portion; heritage; ~e'nis' inheritance; heritage; ~geld inherited money; ~*geld is swerfgeld* lightly come, lightly go; ~genaam' heir; ~la'ter testator; ~la'ting bequest, legacy; ~lik hereditary; ~pag hereditary tenure, quitrent; long lease; ~por'sie inheritance, share of inheritance; ~reg hereditary right; ~son'de original sin; ~stuk heirloom

Er'fenisdag Heritage Day (holiday, 24 September)

erg[1] (s) suspicion, mistrust; *sonder* ~ unsuspectingly

erg[2] (w) **geërg** give offence, annoy, be vexed

erg[3] (b) **-e** bad, evil, ill; severe, serious; *~e koors* severe/serious fever/temperature; (bw) badly, severely, extremely; *~ beskadig* badly damaged; *'n bietjie ~* a bit steep; *~ aangaan* go too far, exceed/overstep the limits; *~ oor iem. wees* dote on/be in love with s.o.

er'gerlik (b) offensive; vexed; *~ word* get annoyed

er'gernis -se annoyance, vexation, nuisance; *al die ~* all the hassles

erg'ste worst; *op die ~ voorberei* prepare for the worst; *die ~ verduur* bear the brunt

erken' (w) *~* acknowledge *ook* **beves'tig**; own up, admit; *ontvangs ~* acknowledge receipt; *~ning* acknowledgement; admission; *met ~ning aan* by courtesy of

erkent'lik (b) grateful, thankful; *~heid* gratitude; *uit ~heid vir* in recognition of

erken'tenis (s) acknowledgement; confession

er'ker (s) bay window *ook* **kom'venster** (uitge= boude venster)

erns earnest(ness), seriousness, gravity; *in alle ~* joking apart, seriously

ern'stig serious, grave *ook* **gewig'tig, som'ber**; earnest; *iets ~ opneem* take something serious; view something in a serious light; *~e/bedenk= like toestand* serious condition (of a patient)

ero'sie erosion *ook* **verspoe'ling; verwe'ring**

erotiek' (s) erot'icism (sexual excitement/ desire); **ero'ties** (b) erotic, sensual *ook* **sek= sueel'**; steamy *ook* **wellus'tig**

erra'tum ..ta erratum, printer's error

ersatz' (synthetic) substitute *ook* **surrogaat'**

er'tappel -s = **aar'tappel**

er'tjie -s pea *ook* **(groen)erte**; *~sop* pea soup

erts -e ore; *~afsetting* ore deposit

erudi'sie erudition, learning *ook* **bele'senheid**

ervaar' (w) *~* experience, undergo *ook* **onder= vind'**

erva're (b) **meer ~, mees ~** experienced, skilled *ook* **kun'dig, vaar'dig**

erva'ring experience; *~ opdoen* gain experience

er'we geërwe inherit *kyk* **erf**[2]

es[1] (s) **-se** fireplace (in kitchen); hearth

es[2] (s) **-se** ash (tree)

es[3] (s) **-se** short turn; *~se gooi* take sharp turns (with a vehicle)

e'sel -s ass, donkey; mule; easel (frame for painter's canvas); blockhead (person); *'n ~ stoot hom nie twee maal aan dieselfde steen/klip nie* once bitten twice shy; *~hings* jackass; *~mer'rie, ~in'* she-ass, jenny

e'sels: ~brug'gie memory aid *ook* **geheue'brug; ~kop/~oor** dunce, blockhead (person) *ook* **dom'kop, swaap, mampar'ra**

eska'der -s squadron (navy, air force)

eskadron' -ne, -s squadron (cavalry)

eskaleer' (w) **geës-** escalate, increase progres= sively *ook* **(progressief) toe'neem; verhe'wig, verskerp**

eskarp' (s) escarpment *ook* **plato'rand**

eskort' (s) **-e** escort *ook* **begelei'er, met'gesel**

esofa'gus (s) oesophagus *ook* **sluk'derm**

esote'ries -e esoteric *ook* **verbor'ge, geheim'**

esp (s) **-e** asp (tree)

Esperan'to Esperanto (artificial language)

esplana'de -s esplanade *ook* **strand'weg**

es'say (s) **-s** essay *ook* **kuns'opstel**

essen'sie essence *ook* **kern, we'se**

essensieel' (b) **..siële** essential *ook* **noodsaak'lik**

esta'blishment (s) establishment, ruling clas= system, enterprise/organisation *ook* **geves= tigde orde, heer'sersklas; onderne'min= organisa'sie**

este'ties -e aesthetic(al); *~e waarde* aesthe= value *ook* **skoon'heidswaarde**

e'te -s meal, dinner; food; *die ~ is op tafel* dinn= is ready (being served)

e'tenstyd dinner, mealtime

e'ter[1] (s) **-s** eater (person, animal)

e'ter[2] (s) ether, upper air; *~golf* ether wave

ete'ries -e ethereal *ook* **vlug'tig; vervlie'gen= ~e lig'gaam** astral body

etiek' ethics, morality *ook* **se'deleer; e'ties** (ethical, moral, principled *ook* **moreel'; begi= sel'vas**

etiket'[1] (s) etiquette *ook* **welle'wendheid(s)vo me; teen die ~ sondig** commit a breach etiquette

etiket'[2] (s) label; *~teer* (w) label; tag; docket

etimologie' -ë etymology *ook* **woord'afleiding**

et'like several *ook* **verskei'e**

et'maal 24 hours, full day; *~diens* 24-hour serv=

et'nies ethnic; *~e suiwering* ethnic cleansing *o volk'suiwering; ~e tale* ethnic languages

ets (s) **-e** etching; (w) **geëts** etch, carve, engra= *~naald* etching needle

et'ter (s) discharge; pus *ook* **sug;** (w) **geët** suppurate, fester; *~geswel'/~sweer* abscess

eufemis'me (s) euphemism *ook* **versag'ti= versag'woord; eufemis'ties** (b) euphemisti

euforie' euphoria, elation *ook* **geluks'gevo= verruk'king**

eukalip'tus eucalyptus; bluegum *ook* **blo= kom(boom)**

eu'nug eunuch, castrate *ook* **ka'merling, o= man'de** (mens)

eu'ro (s) **-'s** euro (currency unit of EU; symbol:

Euromark Euromarket/Euromart (organisati=

Euro'pa Europe (continent); **Europe'ër** (s) European (person); **Europees'** (b) **..ese** Eu= pean

Europe'se U'nie (EU) European Union (E (organisation)

Eu'rosen'tries (b) Eurocentric

eu'wel (s) **-s** evil, ill *ook* **on'heil, boos'heid**

evakueer' evacuate (a city) *ook* **ontruim'**

evalueer' (w) evaluate, assess; **evalue'ring** evalua=
tion, assessment *ook* **waar'debepaling;** *deurlo-
pende/voortgesette* ~ continuing assessment

evange'lie (s) **-s** gospel; **~pre'diker** evangelist;
~s (b) evangelical, evangelistic

evangelis' **-te** evangelist (person)

evangelisa'sie evangelisation, evangelism *ook*
sen'ding

eventueel' (b) **..tuele** if and when; in case *ook*
moont'lik, gebeur'lik

evolu'sie/evolu'sie evolution; maturation; **~leer**
theory of evolution

e'we just as, even, equally; ~ *goed* just as well,
equally well; ~ *groot* of the same size; *dis vir
my om 't* ~ it is all the same to me; ~ *veel* (just)
as much

e'we: **~beeld** lookalike (person); image; replica;
counterpart; **~kan'sig** random (stats.) *ook*
luk'raak; **~knie** equal; opposite number,
counterpart *ook* **amps'genoot**

e'wenaar[1] (s) equator, line; differential (car);
tongue (of a balance)

ewenaar'[2] (w) **geëw-** equal, rival; *niemand kan
hom* ~ *nie* no one can match/rival him

e'weneens/ewe-eens' similarly, in the same
manner, likewise

e'we(n)wel (bw) however, yet *ook* **eg'ter, nog'tans**

ewere'dig **-e** proportional, pro rata *ook* **pro-
porsioneel';** commensurate; **~heid** propor=
tion(ality)

ewetoeganklike geheue random-access memory
(comp.)

e'wewig equilibrium, balance, poise *ook* **balans',
ekwili'brium;** *sy* ~ *verloor* lose one's balance;
~tig balanced, considered; level-headed

ewewy'dig **-e** parallel, equidistant *ook* **parallel'**

e'wig **-e** eternal, everlasting, perpetual; ~ *en altyd*
perpetually; **~durend** everlasting; incessant,
perpetual, everlasting *ook* **hierna'maals;**
nooit in der ~ *nie* never (ever)

e-winkel e-shop, cybershop *ook* **kuberwinkel**
(internet)

ewolu'sie = evolu'sie

ex offi'cio ex officio *ook* **amps'halwe**

extravagan'za (s) **-s** extravaganza *ook* **musika'le
kyk'spel**

F

f -'s f

faal (w) **ge-** fail, be unsuccessful *ook* **misluk'**

fa'bel (s) -s fable; legend, fiction; *~agtige rykdom* fabulous wealth; **~leer** mythology *ook* **mitologie'**

fabriek' -e factory, manufacturing plant/works *ook* **vervaar'digingsaanleg**

fabrieks': **~aan'leg** factory, manufacturing plant/works; **~af'val** factory waste/effluent; **~ar'beider/wer'ker** factory hand/worker; **~fluit** hooter, siren; **~geheim'** trick(s) of the trade; **~merk** trademark; **~prys** cost/factory price; **~wa're** factory goods

fabrikaat' (s) brand, make; product *ook* **produk'**; manufacture; *nuwe ~ motor* new make/brand of car

fabrikant' -e manufacturer *ook* **vervaar'diger** (persoon)

fabriseer' **ge-** manufacture, engineer; fabricate; concoct, make/cook up (a story) *ook* **versin'**, **op'tower**

fagot' -te bassoon (mus. instr.)

fa'kir -s fakir *ook* **be'delmonnik**

fak'kel -s torch; flare; **~dra'er** torchbearer; **~lig** torchlight; **~loop** torch run; **~op'tog** torchlight procession

faks (s) -e fax *ook* **faksi'milee;** (w) fax; *~ vir my asseblief die ontwerp* please fax me the design

fak'sie -s faction, clique, (political) group; **~geveg'** faction fight *ook* **stam'geveg**

faksi'milee -s facsimile *ook* **reproduk'sie** *kyk ook* **faks**

fakto'tum -s handyman, factotum *ook* **nuts'man, hand'langer**

faktureer' (w) **ge-** invoice, debit, bill (an account) *ook* **debiteer'**

faktuur' invoice; bill; **~boek** invoice book

fakulteit' -e faculty; board; **~s'verga'dering** faculty meeting (at a university)

falanks' (s) phalanx *ook* **slag'orde**

familiêr familiar, chummy; *baie ~ wees (met iem.)* be very intimate, take liberties (with s.o.)

fami'lie -s family; relations, relatives; *aangetroude ~* relations by marriage; *verlangs/vêrlangs ~* distantly related; **~betrek'king** relationship; relative; **~graf** family vault/grave; **~kring** family circle; **~kwaal** hereditary malady, family complaint; **~lid** relative, relation; **~trek** family likeness/resemblance; **~trots** pride of family; **~wa'pen** family coat of arms

fanatiek'/fana'ties -e fanatic(al) *ook* **dweep'siek; fana'tikus** -se fanatic, zealot (person)

fanfa're (s) -s fanfare, flourish of trumpets

fantaseer' **ge-** imagine, fancy, invent *ook* **versin', op'tower**

fantasie' -ë imagination, phantasy *ook* **verbeel**ding; fancy; **~kostuum'** fancy dress

fantasmagorie' -ë phantasmagoria; weird scene ritual *ook* **skim'mespel**

fantas'ties fantastic, fab (infml.) *ook* **denkbeel**dig; fanciful *ook* **fabelag'tig, won'derlik**

fa'rao -'s pharaoh; *F~ se plae* all the plagues Egypt

fa'rinks -e pharynx *ook* **keel'holte**

farise'ër -s pharisee; hypocrite *ook* **hui'gelaa** **skynhei'lige** (persoon)

farmakologie' pharmacology *ook* **artseny** **kunde**

farmaseu'ties -e pharmaceutical

Fascis' -te Fascist (person); **~me** Fascism; **~ti** Fascist(ic)

fa'se -s phase, stage; *die eerste ~ van die veldte* the first phase of the campaign

faset' -te facet (of a diamond); side; *dié pr* *bleem het baie ~te* this problem has ma sides/aspects; **~ryk** multifacetted, versatile

fa'siebord -e facia board (roof finish)

fasiliteer' (w) **ge-** facilitate; **~der** (s) facilitat organiser *ook* **re'ëlaar** (beampte)

fasiliteit' -e facility; comfort, convenience *o* **gerief'; hulp'middel;** *~e vir alle ouderdomm* facilities for all ages

fassineer' (w) **ge-** fascinate, charm, captivate *o* **boei, bekoor'**

fassine'rend (b) fascinating, enchanting, co pelling *ook* **boei'end, beto'werend**

fat (s) dandy, swell, fop (person) *ook* **dan'd** **mo'degek**

fataal' (b) **..tale** fatal, deadly *ook* **noodlot'ti** **gedoem'**

fatalis' -te fatalist (person); **~me** fatalism *o* **nood'lotsleer**

fatsoen' -e shape, form, fashion, style; manne good form; *hou jou ~!* behave yourself!; *sy bewaar* keep up appearances; **fatsoeneer'** (**ge-** shape, mould, fashion

fatsoen'lik (b) presentable, respectable, prop *ook* **ordent'lik, behoor'lik**

fatsoens'halwe for decency's sake

fau'na fauna, animal life

Fe'bruarie -s February

federa'sie -s federation

fee (s) **feë** fairy; elf; pixie

feeks -e vixen, virago, shrew, bitch (woman) *t* **teef, tier'wyfie, hel'pen**

fees (s) -te feast; festival, fest; celebration *t* **fees'viering;** fête; *nasionale ~* national fes val; *'n ~ vir die oë* a treat for the eyes; (feast; celebrate; **~dag** festive day, day rejoicing; **~gety'/~tyd;** festive season; **~ma**

banquet *ook* **banket'**; **~re'de** festive speech; oration

ees'telik (b) festive; ~ *onthaal* entertain lavishly

ees'vier -ge- feast, celebrate; **~ing** (s) festival, feast; celebration; merrymaking

eil[1] (s) **-e** fault, defect, flaw; (w) err, go wrong *ook* **faal** (w)

eil[2] (s) **-e** mop, swab *ook* **was'besem**

eil'baar ..bare fallible; **feil'loos ..lose** faultless *ook* **fout'loos**

eit -e fact; *deur ~e gestaaf* supported by facts; *die blote ~* the mere fact

ei'te: ~ken'nis knowledge of facts; **~lik** factual; **~materiaal'** body of facts; **~sen'ding** fact-finding mission

eit'lik (bw) factual(ly); really, actually *ook* **by'na, am'per;** indeed, truly; *hy het ~ geen familie nie* he has practically/virtually no relatives

l (b) violent, fierce, sharp, severe *ook* **he'wig, hef'tig;** ~ *me'dedinging* keen/sharp competi= tion; **~heid** fierceness, severity, intensity

lisiteer' ge- congratulate *ook* **geluk'wens**

minis' -te feminist; **~me** feminism

'niks phoenix (mythol. bird)

n'sie (omgangst.) (w) **ge-** like *ook* **hou van;** *hy ~ daardie meisie* he likes that girl

nomeen' (s) phenomenon *ook* **(bui'tengewone) verskyn'sel**

nomenaal' phenomenal *ook* **merkwaar'dig**

odaal' (b) feudal; *feodale stelsel* feudal system (hist.) *ook* **leen'stelsel**

rm firm, solid, strong; **~e** *optrede* firm action

rmenta'sie fermentation *ook* **gis'ting**

rweel' corduroy *ook* **koord'ferweel; ~broek** corduroy trousers *kyk* **fluweel'**

s -se fez *ook* **kofi'a** (keëlvormige mus)

stoen' -e festoon *ook* **blom'slinger, loof'werk**

'tisj -e fetish; fixation, obsession *ook* **obses'sie** (met 'n voorwerp)

'tus foetus *ook* **(ongebo're) vrug**

as'ko -'s fiasco, collapse, wash-out; *op 'n ~ uitloop* result in a failure/flop

'mies capriciousness, freakishness *ook* **nuk'= (ke);** *vol ~ wees* be finicky, fussy

r (b) proud, bold, nobleminded *ook* **trots, fors**

terja'sies (s) superfluous ornaments; flourishes *ook* **tierlantyn'tjies, op'smuksels**

ts (s) **-e** bicycle; (w) **ge-** cycle; **~ry'er** cyclist; biker (racing) *ook* **fiet'ser**

urant' extra (theatre); puppet, dummy (person appearing to be independent but actually controlled by others) *ook* **strooi'pop**

uur' figure shape, figure; *'n droewige ~ slaan* cut a sorry figure; **~lik** figurative(ly) *ook* **simbo'lies;** metaphorical(ly)

s fit; vigorous, robust; ~ *bly* keep in shape; **~heid(s)toets'** fitness test

fik'sie fiction *ook* **versin'sel, verdig'ting; we'= tenskap~** science fiction (sci-fi)

fiktief' (b) fictitious, imaginary *ook* **onwerk'lik**

filantroop' philanthropist; humanitarian (person) *ook* **men'sevriend, wel'doener; filantro'pies** (b) philanthropic, altruistic

filet' -te fillet, undercut (meat, fish)

filharmo'nies -e philharmonic; *~e orkes* philhar= monic orchestra

filatelie' philately, stamp collecting *ook* **pos'= seëlkunde**

filiaal' (s) **filiale** subsidiary; branch office; **~maatskappy'** subsidiary company

filigraan' filigree (wire lace)

Filistyn'[1] **-e** Philistine (member of Biblical nation)

filistyn'[2] **-e** Philistine; barbarian, uncultured/ boorish person

fillok'sera phylloxera, vine fretter *ook* **druif'luis**

film (s) **-s** film *kyk ook* **fliek;** (w) **ge-** film; **~er** (s) **-s** film producer *ook* **filmvervaar'diger; ~ster** film star

filologie' philology *ook* **taal'wetenskap; filo= loog' ..loë** philologist (person)

filosofie' philosophy *ook* **wys'begeerte; filoso'= fies** philosophic(al); **filosoof'** philosopher *ook* **wys'geer** (persoon)

fil'ter -s filter, percolator *ook* **filtreer'der**

filtreer' (w) filter; **~kof'fie** filter(ed) coffee; **~masjien'** filtering machine

Fin (s) **-ne** Finn (person); **Fin'land** Finland (country); **Fins** (s, b) Finnic (language); Finnish (customs, etc.)

finaal' (s) finale final, total *ook* **eind=**

fina'le: ~ stel final set *ook* **beslis'sende stel** (tennis); ~ *wed'stryd* (s) final match *ook* **eind'wed'stryd**

finaliteit' finality

finansieel' ..siële financial, monetary *ook* **gel'= delik;** *finansiële bedrog* scam, swindle; *finan= siële hulpbronne* financial resources

finansier' (s) financier, banker *ook* **geld'man;** (w) **ge-** finance; *'n projek ~* finance a project *ook* **finansieer'**

finan'sies finances *ook* **geld'sake, geld'wese; finans'komitee** finance committee

fineer' (s, w) veneer (wood)

fines'se -s finesse, craft, discretion *ook* **takt, diskre'sie**

Fin'land *kyk* **Fin**

fir'ma (s) **-s** firm *ook* **sa'keonderneming, be'= sigheid;** house (commercial); *die ~* **Brits & Bell** Messrs Brits & Bell; **~blad** house journal/magazine *ook* **lyf'blad; ~mo'tor** com= pany car

firmament' firmament, sky *ook* **ster'rehemel**

fisant' -e (Cape) pheasant

fisia'ter physiatrician, naturopath(ist) (person)

fisiek' (s) physique; (b) physical; *sy ~e toestand* his physical/bodily condition

fi'sies -e physical; **~e aard'rykskunde** physical geography; **~e ei'enskappe** physical properties

fi'sika physics *ook* **natuur'kunde**

fisiologie' physiology; **fisioloog' ..loë** physiolo= gist (person)

fisioterapeut' -e physiotherapist (person); **fisioterapie'** physiotherapy, physical therapy

fiskaal'[1] (s) fiscal; bailiff; butcherbird

fiskaal'[2] (b) fiscal; **..ka'le beleid'** fiscal/taxation policy

fjord (s) **-s** fjord (in Norway)

flaai'taal (s) township language

flad'der (w) **ge-** flutter, flit, flap; hover

flagrant' -e flagrant, glaring; notorious

flair natural ability/elegance, knack *ook* **slag, vermo'ë**

flambojant' (b) flamboyant, ostentatious *ook* **swie'rig, uitspat'tig**

flamink' -e flamingo (bird)

flanelet' flannelette *ook* **flen'nie**

flank -e flank, side; **~aan'val** flank attack

flankeer' ~, ge- flirt; flank; gad about *ook* **fler'rie** (w); *met die nooiens ~* flirt with the girls

flap (s) **-pe** flap; iris (flower); widowbird, sakabula *ook* **sakaboe'la**; (w) **ge-** flap; **~o're** (skerts.) elephant

flap'pertjie -s flapjack, crumpet *ook* **plaatkoekie**

flap'teks blurb (of a book) *ook* **bla'kerteks**

flap'uit -e chatterbox, blabber (person) *ook* **bab'belkous, klets'kous**

flar'de/flar'des rags, tatters, shreds; *aan flarde skeur* tear to pieces

fla'ter -s blunder, bloomer, glitch, gaffe, slip-up *ook* **fla'ter, blaps, flop;** howler (in examina= tion); *'n ~ begaan* make a blunder; **~vry** (b) foolproof, flopproof *ook* **fout'vry, peu'tervry; ~wa'ter** correction fluid (typing) *ook* **tik'lak**

flegma'ties -e phlegmatic, stolid, impassive *ook* **onversteur'baar**

fleim mucus, phlegm *ook* **fluim, slym** (in longe)

flek'sie (s) flection *ook* **verbui'ging** (gram.)

fleksiteit' flexibility *ook* **buig'saamheid**

flen'nie flannel; **~bord** flannel graph (for school use)

flens -e flange, bead (on wheel, etc.)

flen'sie -s thin pancake

flen'ter[1] (s) **-s** rag, tatter; *g'n ~ omgee nie* not care a hoot/two bits about something

flen'ter[2] (w) **ge-** gallivant, gad/stroll about *ook* **rond'jakker**

flen'ters in tatters, in smithereens; *iets fyn en ~ slaan* smash to smithereens

fler'rie -s flirt, good-time/fast girl *ook* **koket';** tart

fles -se bottle, flask; jar; *klein ~sie medisyne* small bottle of medicine

flets (b) faded, pale, dim *ook* **dof; kleurloos**

fleur prime, bloom; *in die ~ van sy lewe* in t prime of his life; **~ig** (b) sprightly, lively o **bloe'send**

fliek (s) **-e** cinema, movie (theatre); biosco (SAE, obs.) *ook* **bioskoop'** (veroud.); mov film *ook* **rol'prent;** *'n goeie ~* a good movi film; (w) *kom ons gaan ~* let's go to t movies; **~vlooi, ~gan'ger** movie/film/cinem fan/goer

flik'flooi (w) **ge-** coax, flatter, cajole *ook* i **kruip**

flik'ker ge- glitter, sparkle, twinkle; **~i** glittering, gleam, twinkling; **~lig** flickeri light (candle); flashlight; indicator (motorca

flik'kers leaps (dancing), capers, pranks; *maak/gooi by 'n meisie* try to impress a gi

flink (b) robust; energetic; brisk, spirite vigorous; (bw) thoroughly, vigorous briskly; *~ eet* eat heartily; *iem. ~ die waarh vertel* give s.o. a piece of your mind; **~heid** thoroughness, soundness; spirit, vigour

flint'geweer flintlock (gun)

flip'pen (omgangst.) very *ook* **bai'e;** *dié kar i duur* this car is very expensive

flirt (s) **-e** flirt (girl) *kyk* **fler'rie;** (w) **ge- fl** flankeer

flirta'sie -s flirtation, coquetry

flits (s) **-e** (lightning) flash; torch (electrical); (**ge-** flash; **~berig'** news flash (radi **~lig/~lamp** flashlight, torch *ook* **flits**

floers (s) (black) crêpe, veil

flon'ker ge- sparkle, twinkle; **~ing** sparkling

flop (omgangst.) (s) flop; collapse *ook* **fla't blaps; gemors';** (w) **ge-** flop, fail *ook* **misl**

flo'ra flora, vegetation, plant life

floreer' (w) flourish, thrive *ook* **vooruit'ga flore'rend** (b) flourishing, thriving (busine

floryn' -e florin (obs. coin)

flou (b) faint, weak, dead-tired; insipid; *geen benul hê van* not have the faintest/vagu idea/notion of; *~ val* have a fainting fit

flous ge- cheat, deceive, trick, fox *ook* k **uitoor'lê, in'loop**

flou'te -s swoon, fainting fit, blackout **brein'floute**

fluim phlegm, mucus *ook* **fleim** (in longe)

fluis'ter (w) **ge-** whisper; **~ing** (s) whisper

fluit (s) **-e** whistle; flute; (w) whistle, play (the flute; zip (of bullets); piddle, have a l *ook: 'n draai loop;* **~~fluit** easily; *hy het (in) sy eksamen geslaag* he passed examination without effort; **~jie** mouth org whistle; **~jiesriet'** common reed; **~spe** flautist, flutist

fluks (b) dilligent; willing, hardworking; rapi *leer* learn well

fluktua'sie -s fluctuation *ook* **skom'meling**

flus/flus'sies directly, just now, a moment ag

weel' velvet; *so sag soos* ~ velvety soft/smooth; ~**ag'tig** velvety *kyk* **ferweel'**

...**ik** ge- thwart *ook* **very'del, dwars'boom** (w); *'n poging* ~ thwart/foil an attempt; ~**aan'val** ...affle attack

...**bie** -s phobia, revulsion *ook* **angs'gevoel, ...f'keer**

...'**fie** -s trick, dodge; gimmick, ploy, pretext *ook* **truuk, slen'ter, voor'wendsel**

...**i!** (tw) shame!, phew!, pooh!; ~ **tog!, fooi tog!** ...hame!, what a pity! *ook* **sies tog, sies'tog**

...'**lie**¹ (s) mace (spice)

...'**lie**² (s) (tin)foil

...**n'di** -'s/**foen'die** -s fundi, expert, guru *ook* ...**en'ner, ghoeroe**

...'**ter** (w) ge- bother, trouble; beat, thrash, ...**vallop** *ook* **mo'ker, op'dons;** *moenie met my* ~ ...*ie* don't bother/annoy/provoke me

... (taboewoord) (w) fuck (vulg.); breed; hit, ...eat, thrash, wallop *ook* **mo'ker, op'dons**

...**ster'riër** -s foxterrier (dog)

...**kus** (s) -se focus, focal point; ~**seer** (w) focus ... *ook* **fo'kus** (w)

...**io** -'s folio; ~**papier** foolscap paper

...**folk** (mus. style)

...'**lore** folklore *ook* **volks'kunde; oor'=** ...**ewering; mitologie'**

...**ter** ge- torture *ook* **mar'tel;** torment; ~**bank** ...torturing) rack; ~**ing** torture; **ba'bafoltering** ...aby battering; ~**ka'mer** torture chamber

...**dament'** -e foundation, base, basis; bottom ...**da'sie** building base; grounding; seating

...**ds** -e fund; ~**in'sameling** fund(s) raising ...effort) *ook* **geld'insameling**

...**due** fondue (Swiss dish)

...**etiek'** phonetics *ook* **klank'leer**

...**e'ties** (b) phonetic (speech sounds)

...**tein'** -e fountain, spring; *moenie sê:* ~*tjie, ek* ...*al nooit weer van jou drink nie* never is a long ...ord; do not burn your boats behind you; ...**wa'ter** spring water

... (s) -e tip; professional fee *ook* **vergoe'ding** ...vir beroepswerk); gratuity; *'n* ~/*fooitjie gee* ...p (v)

...**n fone** (tele)phone; ~**hul** clip-on cover ...cellphone); ~**kaart** phone card; ~**snol** callgirl ...ok **lok'pop**

... ge- hoax, fool, spoof; ~**bor'sie** falsie; ...**dos'ser** drag queen, cross-dresser (male ...ansvestite) *ook* **transvestiet';** ~**myn/~val** ...ooby trap; ~~**op'roep** hoax (telephone) call; ...**speen** baby's dummy, comforter

...**l'** -le trout (fish) *kyk* **vlieg'hengel**

...**n'sies** (b) forensic, legal *ook* **gereg'telik,** ...**ari'dies;** ~*e geneeskunde* medical jurispru= ...ence *ook* **regs'geneeskunde**

...**naat'** size, stature, shape; format; calibre; ...*an van* ~ man of stature/eminence

formaliteit' -e formality, matter of form

formeel' (b) ..mele formal; conventional

formu'le -s formula; modus operandi *ook* **han'=delwyse**

formuleer' (w) ge- formulate, specify

formule'ring (s) wording (of); statement

formulier' -e formulary (church); form; *'n* ~ *invul* fill in/complete a form/formal document *kyk* **vorm** (s)

fors (b) robust, strong, vigorous; ~ *gebou* sturdily built (person)

forseer' (w) ge- force, compel *ook* **dwing, ver=plig'**

fort -e fortress, stronghold, fort *ook* **ves'ting**

fortuin' luck, fortune; wealth; ~**hou** hole-in-one (golf); ~**soe'ker** fortune hunter; adventurer; ~**le'ser,** ~**vertel'ler** fortune-teller; astrologist; predictor *kyk* **waar'sêer**

fosfaat' ..fate phosphate (fertiliser ingredient)

fos'for phosphor(us) (chem. element) *ook* **glim'=stof**

fossiel' (s) fossil

fo'to -'s photo(graph); ~**al'bum** photo(graph) album; ~**beslis'sing** photo finish (races); ~**ge'=nies** photogenic *ook* **fo'to-aantrek'lik**

fotograaf' (s) ..grawe photographer *ook* **af=nemer;** cameraman (TV) *ook* **kam'eraman**

fotografeer' (w) ge- photograph, take a photo; *jou laat* ~ have one's photo taken

fotografie' photography

fotokopie' (s) -ë photocopy *ook* **fotostaat';** **fotokopieer'** (w) ge- photocopy

fotostaat' (s) ..state Photostat (trademark), photocopy *ook* **fotokopie'; fotostateer'** (w) ge- Photostat, photocopy *ook* **fotokopieer'**

fototeek' (s) ..teke photo library

fout (s) -e mistake, error, fault *ook* **blaps; fla'ter;** *'n* ~ *begaan/maak*; slip up; **fout(e)loos** fault=less, flawless

fouteer' (w) ~, ge- err, make a mistake, go wrong

foutief' (b) ..tiewe faulty, erroneous *ook* **on'juis, inkorrek'**

fout'speurder troubleshooter (person)

fout vind, fout ge- find fault

fout'vry (b) foolproof, flopproof *ook* **flousvry, fla'tervry, peu'tervry**

foyer' -s foyer *ook* **voor'portaal**

fraai (b) fair, pretty, handsome, becoming *ook* **sier'lik, aanval'lig**

fragment' -e fragment, part, portion, piece *ook* **brok'stuk**

fragmenta'ries fragmentary, scrappy

frai'ing -s fringe, tassel

fraktuur' fracture *ook* **breuk** (been, arm)

framboos' ..bose raspberry

fran'chise (s) franchise, concession *ook* **konses'=sie; bedryfs'reg; vervaar'digingsreg**

frank¹ (s) -e franc (currency unit)

frank[2] (b) acid, sour; frank, candid; bold; ~ *en vry* as free as air

frankeer' ~, **ge-** frank, prepay postage; **~masjien'** franking machine

Frank'ryk France (country); **Frans** (s, b) French (language; customs, etc.)

frans'brandewyn French brandy, cognac

Frans'man Franse Frenchman

frappant' striking *ook* **opmerk'lik;** ~*e ooreen= koms* striking resemblance

fra'se -s phrase *ook* **sin'snede**

fraseer' (w) phrase; express; **frase'ring** phrasing (speech style)

frats (s) **-e** freak; caprice, whim; *vol* ~*e wees* be full of pranks; **~on'geluk** freak accident

free'sia -s freesia (flower)

fregat' -te frigate (light warship)

frekwen'sie frequency; incidence; **~modula'sie (FM)** frequency modulation (FM)

fres'ko -'s fresco, mural (painting)

fret ferret (rodent); gimlet

Fries[1] (s) **-e** Frieslander (person); Frisian (language); (b) Frisian (customs, etc.); **fries'= beeste** Friesland cattle; **~land** Friesland

fries[2] (s) frieze, border (ornamental)

frikkadel' -le mincemeat ball, rissole; ~ *maak van iets* smash something completely; **~brood'jie** hamburger *ook* **ham'burger**

frik'sie friction *ook* **wry'wing**

fris (b) fresh, cool; strong, stout, healthy; ~ *gebou* well-built; ~ *en gesond* hale and hearty

frok'kie -s vest *ook* **on'derhemp;** singlet; **~hemp** T-shirt *ook* **T-hemp**

from'mel (w) fumble, crease, rumple; **~oor** cauliflower ear; **~so'ne** crumple zone (car)

frons (s) frown; dirty look; (w) frown, scowl; *die voorhoof/winkbroue* ~ knit one's brows

front (s) **-e** front; **~aan'val** frontal attack; **~bot'sing** head-on collision *ook* **kop-teen-kop-bot'sing;** (w) *die huis* ~ *noord* the house faces north

frot (s) touch, tag (children's game)

frustra'sie (s) frustration, nonfulfilment *ook* **very'deling; dwars'boming**

frustreer' (w) **ge-** frustrate *ook* **ver'ydel, dwar=** **boom, kort'wiek**

fuch'sia fuchsia (flower)

fud'ge fudge (sweets)

fu'ga -s fugue (mus. composition)

fuif (s) **fuiwe** spree, carousal; (w) **ge-** carou= spree *ook* **rinkink', suip;** **~party'** drinki party, binge *ook* **dronk'nes; veld~** bun= bash(ing) *ook* **boen'doebaljaar'**

fuik (s) bownet, tunnelnet; coop

fumigeer' **ge-** fumigate *ook* **berook', uit'rook**

fundamenteel' ..tele fundamental; **..te'le re=** fundamental/human rights *ook* **men'sereg ..te'le verskil'le** fundamental/basic differenc

fungeer' ~, act, officiate, function

funksie (s) **-s** function, capacity; duty; recept *ook* **onthaal', pleg'tigheid;** *'n* ~ *ver* perform/fulfil a function/duty

funksioneer' (w) **ge-** function *ook* **in wer'kin**

fu'sie blending, union; fusion (atom)

fussila'de (s) fussilade; rapid rifle fire; **fusille** (w) execute (by firing squad)

fut (s) mettle, dash, vim, spirit, pep, guts; *sy* ~ *uit* he has lost his spirit; **~praatjie** pep talk **motiveer'praatjie**

futiel' (b) **-e** futile *ook* **vergeefs', vrug'telo futiliteit'** futility, pointlessness

fut'loos ..lose spiritless *ook* **lamsa'lig**

fut'sel ge- fiddle, tamper *ook* **peu'ter, vroe't** trifle, dawdle

futuris' futurist (person); **~me** futurism; ~ futuristic *ook* **hipote'ties**

fyn (b) delicate; refined, subtle; ~ *en flent breek* smash to smithereens; ~ *oplet* careful attention; **~besne'de** fine-cut (f tures); **~bos** fynbos (Cape floral kingdo **~druk** fine print; **~gevoe'lig** (b) sensiti touchy; delicate *ook* **sensitief'; liggeraa ~heid** delicacy, daintiness, nicety; **~kam** search thoroughly; **~proe'wer** connoisse epicure, gourmet *ook* **lek'kerbek; ~st** invisible mending; **~tuin** herb/kitchen g den

fyt (s) **-e** whitlow, felon (abscess near nail)

G

's g

phew!, bah!

f (b) **gawe; gawer, -ste** fine, pleasant *ook* **an'genaam;** excellent; whole, undamaged; *awe kêrel* decent chap/guy

n (w) **ge-** go; move; walk; *hoe ~ dit?* how do ou do?; how are you?; *wat gaan aan?* what is oing on?; *~ trou* get(ting) married; **~de** going; *ie mense was ~de oor die sanger* the people vere excited over the singer; *iets ~de hou* keep omething going; **gaan'deweg** gradually, by egrees

p (s) **gape** yawn; (w) **ge-** yawn; gape; *gapen= e afgrond* yawning chasm, gaping abyss

r (b) sufficiently cooked; done; dressed; *goed* well-done; *te ~* overdone (meat); **~maak** (w) ge- cook

s (s) gauze, netting

t'jie (s) **-s** little hole; puncture; **~visier'** peep ght (of a rifle)

le (s) **-s** spouse, partner *ook* **eg'genoot** (man f vrou), **we'derhelf(te), met'gesel'**

eslaan (w) **-ge-** observe, watch, regard *ook* **ekyk', waar'neem**

fel -s pitchfork, prong

e lubber, churl, boor, lout (person) *ook* **om'tor, ja'fel/ja'vel**

(s) gall, bile; *~ (uit)braak/afgaan teen iem.* ent one's spleen/bitterness against s.o.

a -s gala, festive show *ook* **fees'geleentheid; konsert'** gala/command performance

agtig/gal'lerig -e bilious

k'sie (s) galaxy *ook* **ster'restelsel; melk'= eg; galak'ties** (b) galactic

nt' (b) gallant, polite, courteous *ook* **swie'= g, hof'lik**

~bitter bitter as gall; **~blaas** gall bladder

i' (s) **-e** galley; **~slaaf** galley slave

ry' (s) **-e** gallery; loft

(s) **-e** gallows, gibbet; *so slim soos die outjie van die ~* as sharp as a needle; **~e'hu= or** grim/black humour; **~e'maal'** last parting eal; **~salman'der** gallows gecko

oen'¹ (s) **-e** galleon (hist. sailing ship)

oen² (s) **-e** blackfish, galjoen

on' = **gel'ling**

n (s) peal (of bell); clang(our); (w) (re)sound

p' (s) gallop; *op 'n ~* at a gallop; (w) ~, ge- allop *ook* **galoppeer'**

steen gall stone

aniseer' (w) **ge-** galvanise *ook* **versink'** *kyk* **nk'plaat**

g (s) gait, walk; pace (horse); course (meal); assage/corridor (in a house); *sy eie ~ gaan* go e's own way

gang; ~baar passable *ook* **bevre'digend;** cur= rent; feasible *ook* **haal'baar;** *gangbare kennis* working knowledge; **~baarheidstu'die** feasi= bility study *ook* **uitvoer'baarheidstu'die, haal'baar(heid)stu'die**

gang'loper¹ (s) **-s** hall carpet, runner

gang'loper² (s) **-s** pacer (horse)

gang'maker pacesetter, go-getter (persoon) *ook* **deur'drywer;** pacemaker (medical device) *ook* **pas'aangeër**

gangreen' gangrene *ook* **koue'vuur** (siekte)

gan'na(bos) lyebush

gans¹ (s) **-e** goose; *~e aanja* be tipsy

gans² (b) **-e** whole, entire, all *ook* **geheel' en al;** *~ anders* totally different; *die ~e dag* all day long

gans: ~ei'er goose egg; **~ie** gosling; **~veer** goose quill

ga'ping (s) **-s** gap, hiatus; *die ~ vernou* narrow the gap; **~vraat** weaver (in traffic) (person)

gaps (w) **ge-** pilfer, filch *ook* **vas'lê, skaai, deps**

gara'ge -s garage *ook* **mo'torhawe, vul'stasie** (publiek); **mo'torhuis** (privaat)

garan'sie (s) guarantee, security *ook* **waar'borg**

gar'de -s guard, bodyguard; *die ou ~* the old guard

garde'nia gardenia *ook* **katjiepie'ring** (blom)

gardero'be -s wardrobe; clothing (theatre)

ga'ring thread, yarn; *tolletjie ~* reel of cotton

ga'ringboom American aloe; agave

garnaal' ..nale shrimp; **~kel'kie** shrimp cocktail; **steur~** prawn

garneer' (w) **ge-** garnish, trim; decorate; **~sel** trimming

garnisoen' garrison (armed unit)

gars barley; **~kof'fie** barley coffee

gas¹ (s) **-te** guest; visitor *ook* **kui'ermens**

gas² (s) **-se** gas; *met ~ kook* cook with gas

gasel' -le gazelle (small antelope)

gaset' -te gazette *ook* **(staats)'koerant'**

gas'fabriek -e gasworks

gas'heer host; *ons is ~ vir die geleentheid* we are hosting the event; *as ~ optree* be the host; **~span** host/home team (sport event)

gas: ~koel'drank carbonated softdrink; **~lamp** gaslamp; **~lei'ding** gas main; **~lig** gaslight; **~mas'ker** gas mask, respirator

gasolien' gasoline (fuel)

gas'spreker -s guest speaker *ook* **geleent'= heidspreker**

gas'te: ~bedryf/gas'vryheidsbedryf hospitality industry *ook* **hotel'houding en spysenie'ring; ~huis** guesthouse; **~plaas** guest farm

gastronoom' gourmet; gastronome(r), epicure *ook* **smul'paap, fyn'proewer** (persoon)

75

gas'vlam gas flame

gas: **~vrou** hostess; **~vry** hospitable; **~vry'heid** hospitality *kyk* **gas'tebedryf;** **~vry'heidstu'die** hospitality studies (school subject) *ook* **ho'= telhouding**

gat[1] (s) **-e** hole, gap; *iem. 'n ~ in die kop praat* cajole s.o. into something

gat[2] (vulg.) (s) **-te** anus, arse *ook* **(poep)'hol** (vulg.); **~krui'per** (s) yesman, toady *ook* **ja'broer, wit'voetjiesoeker**

gatsome'ter **-s** gatsometer (speed measuring device)

gat'vol (omgangst.) fed-up *ook* **keel'vol**

Gauteng' Gauteng (province)

ga'we -s gift, donation; talent; *dis 'n ~ van God* it is a gift of God; *van gunste en ~(s) leef* live on charity

gay (s) **-s** gay; homosexual (n); **~-trei'tering** gay bashing

geaard' natured, tempered; earthed, grounded; **~heid** nature, disposition *ook* **natuur', aard**

geag' (b) **-te** respected; esteemed; **Geag'te Heer** Dear Sir; **Geag'te Heer/Dame** Dear Sir/Madam; *Geagte mev. Cook* Dear Mrs Cook; *my geagte kollega* my learned friend

geallieer' (b) **-de** allied; **~de** (s) **-s** ally; **~ troe'pe** allied troops/forces

gebaar' (s) **..bare** gesture; gesticulation; *mooi ~* fine/generous gesture

gebab'bel babble, chatter; prattle, gossip

gebak' pastry, cake; *met (sy) ~te pere bly sit* be left holding the baby

geba'ker: *kort~ wees* be short-tempered

gebal' **-de** clenched; **~de vuis** clenched fist

geba're: **~spel** gesticulation; pantomime; **~taal** sign language *ook* **vin'gertaal**

gebed' **-e** prayer; *'n ~ doen* say/offer a prayer; **ta'fel~** grace (before meals)

gebe'deboek **-e** prayer book

gebed'(s)roeper muezzin (Muslim prayer caller)

gebeen'te **-s** bones, skeleton *ook* **been'dere; skelet'**

gebelg' (b) incensed; offended

gebeur' (w) **~** happen, occur, come to pass; *wat ook al ~* come what may; **~e** (series of) events; **~lik** possible, contingent; **~likheid'** possibility, eventuality; **~likheidsplan** contingency plan; **~tenis'** event, happening, occurrence *ook* **voor'val;** *ryk aan ~tenisse* eventful *ook* **gebeur'tenisvol**

gebied'[1] (s) **-e** territory, area, domain, dominion, locality; sphere; *dit val buite my ~* this is not my province/field of expertise; *gesagheb= bende op hierdie ~* authority in this field/on this subject

gebied'[2] (w) **~** command, order, direct; *iem. hiet en ~* order s.o. around

gebie'dend **-e** mandatory, imperative; compel=

ling, commanding; **~ noodsaaklik** imperati[ve] crucial, urgently/vitally necessary

gebit' **-te** set of teeth, dentures *ook* **win'keltan[d]** (skerts.); bit (bridle for horse)

geblaf' (s) barking (dog)

geblêr' (s) bleating (sheep)

geblok'te: **~ teks** justified text (typing)

gebod'[1] (s) **..booie** commandment (Bible); *ie[m.]* *die tien gebooie voorlees* bring s.o. to boo[k]

gebod'[2] (s) **gebiedinge, gebiedings** comma[nd,] order, decree

gebon'de (b) tied; (duty-)bound, obliged

gebooi'e marriage banns; *hulle ~ loop/afkon[dig]* their banns are being published

geboor'te **-s** birth; *van sy ~ af* from his bir[th] **~beper'king** birth control *kyk* **gesin[s]= beplanning;** **~dag** birthday *ook* **verjaar'(s)= dag;** **~golf** baby boom; **~grond** native s[oil,] homeland; **~land** native land, fatherla[nd,] **~merk** birthmark *ook* **moe'dervlek;** **~p[lek]** birthplace; **~reg** birthright; **~sy'fer** birth ra[te]

gebo're born; née; **~ en getoë op Grahams[tad]** born and bred in Grahamstown

gebou' (s) **-e** building; construction, structu[re;] *goed/stewig ~* well-built (chap); *mooi ~* shapely (girl) *ook* **welgevorm'(d)**

gebrab'bel jargon, gibberish *ook* **war'taal**

gebrek' (s) **-e** defect, fault; lack, want; dea[rth] *ook* **tekort';** *by ~ aan* lacking; **~ ly** suf[fer] want/poverty; **~kig** defective, faulty; *sy ken[nis]* *van Engels is ~kig* his English is poor; **~** crippled; deformed; disabled *kyk* **gestre[md];** infirm; decrepit *ook* **mismaak'**

gebroe'ders brothers; *die ~ Jones* Jones Bros

gebro'ke broken; **~ gesin/huis** broken home

gebrom' (s) buzzing (bees); growling, grumbl[ing]

gebruik' (s) **-e** use; usage; practice, ha[bit,] custom; consumption (of food); *erkende[re]* standing rule; *in ~ neem* put into service/u[se]; (w) **~** use, employ, take, enjoy; **~er** (s) us[er,] **~er(s)'vrien'delik** user-friendly *ook* **gebr[uiker=]** **kerguns'tig;** **~lik** usual, customary; **~[s]** **aanwysing** directions for use; **~s'gerig'** us[er-]friendly; **~te mo'tor** used car

gebrul' (s) roaring (lion); howling

gebul'der (s) booming, roar, rumbling

gedaan' done; finished, depleted; dead-ti[red,] exhausted; *gedane sake het geen keer nie* [no] use crying over spilt milk

gedaan'te **-s** shape, form, aspect; **~(ver)w[is=]** **seling** metamorphosis *ook* **metamorfo'se**

gedag'te **-s** thought, idea, notion, opinion; *b[link]* **~** bright idea; **~s wissel** exchange views; *i[n* verdiep wees* absorbed/wrapped in thou[ght;] **~gang** line of thought; mindset *ook* **de[nk=]** **patroon, gedag'terigting;** **~nis** remembra[nce,] memory; keepsake; *ter ~nis aan* in mem[ory] of; **~prik'kelend** (b) thought-provoki[ng]

wis'seling (s) exchange/interchange of ideas
ok dialoog'

eel'te -s part, section, portion, share; ~ uit
bek passage from book; ~lik partly, partially

ek' -te covered (head); pregnant (animal);
cured (debts); guarded

legeer'de -s delegate ook af'gevaardigde

emp' -te subdued; dull, dimmed; op ~te toon
a muffled/hushed voice

nk' (w) ~ remember, commemorate; ons ~
geboorte we commemorate his birth; ~boek
mmemorative volume, album; ~dag/~jaar
niversary; ~diens memorial service ook
u'diens; ~naald obelisk ook suil; ~pen'ning
edal(lion); ~plaat plaque ook muur'plaat,
akket'; ~seël commemorative stamp; ~skrif
emoir; ~te'ken monument

nkwaar'dig memorable; ~e dag memora-
e/red-letter day

termineer' (b) -de determined ook vasbe-
o'te

end': nie daarmee ~ wees nie not putting up
ith something

iens'tig (b) officious, obliging ook
lpvaar'dig; subservient ook onderda'nig

er'te -s animal(s), beast(s); insect(s), ver-
in; monster ook diera'sie

g' -te poem; verse; lyric

ng' (s) -e lawsuit, court case ook hof'saak;
arrel ook twis; ~voe'ring litigation ook
iga'sie

ssiplineer' (b) -de disciplined; controlled,
edient

en'te (s) -s fuss, noise ook lawaai', kabaal'

k'ter: ~de drankie spiked drink

riewaar (tw) upon my word!

a' (w) ~ behave, conduct, bear; hy ~ hom
ed he is well-behaved

ag' behaviour, conduct ook han'del(s)wyse;
wys van goeie ~ testimonial (of good
nduct); onbesproke ~ impeccable behav-
ur; ~s'kode code of ethics/conduct; ~siel'-
nde behavioural psychology; ~s'lyn line of
nduct, course; ~s'reëls rules/code of con-
ct

ang' crowd, crush, squash, throng; in die ~
m become hard-pressed, get involved/impli-
ted

en'tel (s) lounging, loitering; geen ~ (ken-
gewing) no loitering

eun' (s) drone, droning, sing-song

og' -te monster, monstrosity; ~telik' mon-
ous, hideous; outrageous

uis' (s) -e noise, stir, bustle, rumbling

uk' (b) -te printed; pressed, squeezed

g' -te formidable, tremendous, severe;
unting; ~te span formidable team

ld' (s) patience, forbearance ook lankmoe'-

digheid; nie ~ hê met domheid nie not
suffering fools gladly; my ~ is op my patience
is exhausted; ~ig patient; forbearing ook ver-
draag'saam

gedu'rende during ook ty'dens

gedu'rig (b) -e constant, continual, perpetual;
(bw) constantly, continually ook onophou'-
delik, ononderbro'ke, voortsle'pend (ge-
weld)

gedwee' (b) meek, docile; tractable ook mee-
gaan'de; onderwor'pe

gedwon'ge (en)forced; compulsory; unnatural; ~
fout forced error (tennis)

gedy' ~ prosper, thrive, flourish ook floreer'

gee (w) ge- give, confer, present with; yield; dit
gewonne ~ yield the point; te kenne ~ notify,
intimate; rekenskap ~ account for

geëer' -de honoured (guests)

geel yellow; ~bek Cape salmon; ~hout yellow-
wood (SA); fustic (Am.); ~slang yellow cobra;
~stert albacore, yellowtail; ~stroop golden
syrup;~sug jaundice; ~vink yellow finch;
~wor'tel carrot

geen[1] (s) gene; gene, reproductive unit ook
erf'likheidsbepaler (biol.)

geen[2] (vnw, tw) none; no ook g'n; ~ van beide
neither of the two; ~ ingang no entry

geeneen'/g'neen no one/no-one, not one

geen'sins (bw) by no means, not at all

gees -te spirit, ghost; mind, wit, intellect; vibe;
tendency; voor die ~ bring/roep call to mind;
die ~ is gewillig maar die vlees is swak the
spirit is willing but the flesh is weak;
teenwoordigheid van ~ presence of mind; ~
vang get into the mood/spirit; ~do'dend (b)
monotonous, dull; ~drif (s) enthusiasm, ar-
dour, zeal ook entoesias'me; ~drif'tig (b)
enthusiastic, eager, keen ook entoesias'ties

gees: ~genoot' kindred soul/spirit; ~krag spirit,
strength of mind, mental power

gees'telik (b) -e spiritual; religious; intellectual;
immaterial ook onstof'lik; mental; ~ ver-
steur(d)/gestrem mentally handicapped/de-
ranged/impaired; ~e (s) clergyman, minister
(of religion), parson

gees'tes: ~gawe intellectual gifts; ~gesteld'heid
state of mind, mentality; ~oog mind's eye;
~vermo'ë mental power/faculty; ~we'ten-
skappe human sciences

gees'tig (b) witty, bright, smart ook gevat'; ~heid
wit, humour

geesversky'ning apparition, ghost, phantasm

geesverwant' (b) like-minded, kindred spirit(ed)

gegaps' stolen, pilfered ook geskaai', gedeps'

gege'we[1] (s) -ns data, information ook da'ta,
in'ligting; nadere/meer gegewens/besonder-
hede further details

gege'we[2] (b) given; on the premise/presumption;

op 'n ~ uur at a given hour; *~ dat dit sal gebeur* on the premise that this will happen; *~ perd* gift horse

gegig'gel giggling, tittering

gegons' buzzing, whirr

gegradueer'de graduate (person) *ook* **graduant'** (universitêr); **graduaat'** (nie-universitêr)

gegroet'! greetings!; hail! *ook* **groet'nis!, dag'sê!**

gegrond' **-e** well-founded; **~e redes** sound reasons

gehak'kel (s) stammering *kyk* **hak'kel, stot'ter** (w)

gehal'te quality, standard, calibre *ook* **kwaliteit'; kali'ber;** *van hoë ~* of high standard; **~beheer'** quality control; **~verse'kering** quality assurance

gehard' (b) hardened; seasoned; rugged *ook* **taai**

gehar'war bickering, wrangling, squabbling; hassle

geha'wend (b) battered, dilapidated *ook* **verrin= neweer'**

geheel' (s) whole; entireness, entirety; *oor die ~* on the whole, by and large; **..he'le** whole, entire, complete; (adv) all, entirely; quite; *~ en al* completely; **~onthou'er** teetotaller *ook* **af'skaffer** (van drank)

geheg' **-te** attached; *~ aan* attached/devoted to; fond (of); **~t'heid** fondness, attachment

geheim' (s) **-e** secret; *'n ~ verklap* let the cat out of the bag; (b) secret; **~e in'ligting** restricted/ classified info(rmation); **~e'nis** mystery; **~hou'ding** secrecy; concealment; **~sin'nig** mysterious *ook* **raaiselag'tig**

geheu'e **-s** memory; *iets in die ~ prent* make a mental note; *onfeilbare ~* total recall; **~verlies'** loss of memory; amnesia

gehoor' (s) hearing; **..hore** audience; *~ gee aan 'n versoek* comply with a request; *die ~ toespreek* address the audience; **~buis** receiver (telephone) *ook* **hoor'stuk; ~gestrem'de** (s) hearing-impaired person; **~orgaan'** auditory organ

gehoor'saam (w) *~* obey; (b) obedient, submis= sive, docile; **~heid** obedience; *blinde ~heid* passive obedience

gehug' **-te** hamlet; (informal) settlement

gehuud' (b) **gehude** married; *gehude staat* married state; *ongehude moeder* unmarried mother

gei'gerteller/gei'germeter (s) geiger counter (measuring radiation)

geil fertile; lush *ook* **we'lig; ~jan** fat cat *ook* **dik'vreter, room'vraat** (persoon)

geïllustreer' (b) **-de** illustrated

geïnteresseer' (b) **-de** interested; *hy is ~(d)/stel belang in musiek* he is interested in music

gei'ser **-s** geyser (natural; mechanical)

geïsoleer' (b) **-de** isolated *ook* **af'gesonder**

geit'jie (s) **-s** gecko (small lizard); shrew, vi (cattish woman)

geju'bel (s) cheering, rejoicing *ook* **gej** applause

gek (s) **-ke** fool, madman, lunatic; *vir die ~* make a fool of; *die ~ skeer met* poke fun (b) foolish, mad, crazy; *~ na vis* very fon fish

gekant' (b) opposed; hostile; *~ teen* oppose

gekar'tel milled (coin); wavy (hair); cri (cut); crenate (leaf)

gekerm' (s) groaning, wailing; lamentation **gekreun'; gejam'mer**

gek'heid folly, foolishness, madness; *alle ~ o stokkie* all jesting/jokes aside

gekib'bel (s) bickering, squabbling

gek'keparadys' fool's paradise

gekkerny' jest; tomfoolery; plain nonsense, **gek'kigheid**

gek'ko **-s** gecko, tree lizard *ook* **(boom)geit**

geklee'(d) clothed, dressed; *netjies gekleed/ getrek* neatly dressed

geklets' (s) tattle, twaddle, (idle) chatter **kaf'praatjies**

geklet'ter (s) clattering (hail on roof), clan, (metal striking metal)

geklik'[1] (s) taletelling; clicking; bugging *kantoor is ~* his office is bugged

gek'lik[2] (b) silly, foolish, stupid

geknoei' messing; botching; plotting; schem

gekompliseer(d)' (b) complicated *ook* **ingev keld**

gekompromitteer(d)' (b) compromised

gekonfyt': *~ wees in* be well versed/skille *ook* **deskun'dig**

gekon'kel (s) botching; scheming *ook* **gekn** intriguing

gekonsolideer(d)' (b) consolidated; **~de bal staat** consolidated balance sheet

geko'ring (b) **-de** tipsy, drunk *ook* **ge lek'kerlyf**

gekostumeer' (b) **-de** in costume; **~de** fancy-dress ball *ook* **mas'kerbal**

gekreun' (s) groaning, moaning, whimpe *ook* **gesteun'**

gekruis' **-te** crossed; **~te tjek** crossed chequ

gek'skeer (w) **-ge-** jest, joke, fool; *hy laa met hom ~ nie* he is not to be trifled **~dery'** fooling, jesting, buffoonery

gekuis' (b) pure, chaste; **~te uitgawe** pur expurgated edition (of book)

gekwalifiseer(d)' (b) qualified, certifica guarded, conditional (opinion); **~de pr reur'** qualified attorney

gekwes' **-te** wounded (buck); disabled

gekwets' **-te** hurt, offended; **~te gevoe** hurt/aggrieved/offended feelings

gelaat' (s) **gelate** face, countenance

'(aan)gesig'; ~s'kleur complexion; ~s'trek (facial) feature

lag'¹ (s) laughter, laughing

lag'² (s) score, bill; *die ~ betaal* pay the piper; cough up

lang': *na ~ van* according to, in proportion to

las' (w) ~ order, instruct, command; *die soektog af~* call off the search

la'te (b, bw) resigned, submissive *ook* berus'= end

d¹ (s) -e money, cash; *~ soos bossies* money to burn; *~ wat stom is, maak reg wat krom is* money works wonders

d² (w) ge- be in force, be valid, concern, apply to; *die koepons ~ net een maand* the coupons are valid for one month only

d: ~beurs purse; ~boe'te fine; ~dui'wel mammon

'delik -e monetary, financial, pecuniary; *~e verknorsing* financial dilemma

dgie'rig covetous, avaricious, greedy *ook* hebsug'tig (persoon)

dig -e legal, valid, binding; *~e re'des* valid/ acceptable reasons; *~e besluit'* valid decision/ resolution; ~heid validity

d: ~in'sameling fundraising; ~kas safe, coffer; ~kis'sie cash box; ~magnaat' tycoon; ~mark money market; ~rug'by professional rugby; ~skie'ter moneylender *ook* mi'= kro(uit)lener; loan shark; ~som sum of money; ~stuk coin; ~trom'mel/~kis'sie moneybox, cash box; ~was'sery money laun= dering; ~wolf moneygrubber

e'de¹ (bw) ago, past; *vyftig jaar ~* fifty years ago; *tot kort ~* until recently

e'de² (b): *~ voer'tuig* articulated vehicle *ook* op'pellorrie, las'lorrie

e'ë situated, domiciled; convenient; *ter geleë= er/gelegener tyd* in due course; veraf= /vêraf~ distantly situated

eent'heid ..hede opportunity; occasion *ook* by= en'koms; *by dié ~* on that occasion; *ek soek ~ dorp toe* I am looking for a lift to town; *gulde/ goue ~* golden opportunity; ~s'drink'er social drinker; ~spre'ker guest speaker *ook* gas'spre= ker; ~(s)werk casual labour *ook* los ar'beid

eer' -de trained (animal)

eerd' (b, bw) -e learned, scholarly, erudite; *~e* (s) scholar, learned person *ook* deskun'dige

eerd'heid education; learning, erudition; scholarship

ei'¹ (s) jelly (meat, fruit) *kyk ook* jel'lie

ei'² (w) ~ conduct, escort; ~brief letter of safe conduct, permit; ~de (s) attendance; escort, convoy; ~de projektiel' guided missile; ~de toer conducted tour; ~delik' gradual(ly), by degrees; ~ding leading; conduit; ~er (s) attendant, guide; conductor (material)

gelet'terdheid literacy *ook* leesvaar'digheid

gelid' geledere rank, file; *in ~ stel* form, draw up in line; geslo'te gele'dere closed ranks; closed shop (eg trade union)

gelief' (b) -de dear, beloved; ~de (s) -s beloved one, dearest, sweetheart; ~des (mv) dear/ beloved ones *ook* dier'bares

gelief'koosde favourite (pastime, recreation) *ook* gun'steling (bv. skrywer, sanger)

gelie'we please; be so kind as to ...; *~ kennis te neem van 'n vergadering op ...* notice is (hereby) given of a meeting on ...; *~ my te laat weet* please let me know

gel'ling -s gallon (unit of capacity)

gelof'te -s vow, solemn promise; *'n ~ aflê* take a vow; diens~ act of dedication (teachers, nurses)

Gelof'tedag Day of the Vow (former public holiday)

geloof' (s) religion, faith; credo; trust; ..lo'we belief, creed; *blinde ~ hê in* have implicit faith in; (w) ~ believe *ook* glo; ~baar credible, believable *ook* aanneem'lik

geloofs': ~bely'denis credo, confession of faith *ook* cre'do; ~brief credentials, letter of credence; ~gene'ser faith healer; ~le'we re= ligious life, inner life; ~vry'heid religious freedom; freedom of faith/worship

geloofwaar'dig (b) trustworthy, credible, authentic; ~heid credibility

gelo'wig believing, faithful, pious; ~e (s) -s (true) believer (person)

gelui' (s) tolling, ringing, pealing (of bell)

geluid' -e sound, noise; ~s'leer accoustics

geluk' (s) joy, happiness; good luck; fortune; *~ kry* strike it lucky; get a windfall/bonanza; *~ met jou verjaardag* many happy returns; *veels ~* hearty congratulations; (w) ~ succeed; *dit het my ~* I succeeded in doing it; ~brin'ger mascot, charm; talisman *ook* ta'lisman; ~pluk lucky dip *ook* geluks'pakkie

geluk'kig happy *ook* blymoe'dig; fortunate, lucky; *~ is hy nie beseer nie* luckily he wasn't hurt

geluksa'lig -e blessed, blissful, happy

geluks': ~gevoel' euphoria; ~godin' goddess of fortune; ~kind/~voël fortune's favourite, lucky dog

geluk': ~skoot windfall, fluke; ~slag bonanza, stroke of fortune; ~soe'ker adventurer, fortune hunter; ~s'pak'kie/~'pluk/~trek'king lucky dip/packet

geluk'wens (s) -e congratulation; (w) -ge- con= gratulate; ~ing (s) -e congratulation, felicita= tion

gelyk' (b) equal, even, similar; (bw) equally, alike; fifty-fifty; simultaneously, at the same moment; *iem. ~ gee* admit s.o. is right

gelykbe′nig -e isosceles (triangle)

gely′ke (s) **-s** equal, like, peer *ook* **portuur′** (persoon); match; **~nis** resemblance, likeness; parable (moral story)

gelyk′heid equality; similarity, evenness; parity *ook* **pariteit′**

gelykhoe′kig -e equiangular

gelyklui′dend -e corresponding in sound; con= sonant; true/exact (copy); identically worded; **~e woord** homonym

gelyk′maak -ge- level; raze; assimilate; equalise

gelykma′tig -e equable, uniform, commensurate *ook* **e′wewig′tig**

gelyk′op equally, fifty-fifty *ook* **helfte-helfte**; deuce (tennis); split (drinks); **~ speel** play a draw/tie; **~ verdeel** divide equally

gelyksoor′tig of the same kind *kyk* **soort′gelyk**

gelyk′staan (w) **-ge-** correspond; *~de aan* equal to

gelyk′stel (w) **-ge-** put on a par/level

gelykty′dig -e simultaneous(ly), concurrent(ly)

gelykvor′mig -e uniform; **~heid** uniformity, conformity *kyk* **eenvor′migheid**

gemaak′ (b) **-te** affected (speech); *so ~ en so laat staan* beyond redemption; **~t′heid** affectation, pretence *ook* **aanstel′lerigheid**

gemaal′ ..male consort, partner; spouse, husband *ook* **ga′de, eg′genoot**

gemak′(s) ease, convenience, comfort, leisure; *op sy (dooie)* **~** perfectly at ease; **~(s)hui′sie** toilet, loo; **~lik** easy, convenient, comfortable; **~s′halwe** for convenience sake; **~sug** love of ease, self-indulgence; **~sone** comfort zone (eg in guaranteed job); **~sug′tig** ease-loving, self-indulgent

gemas′ker : *~de bal* masked (fancydress) ball *ook* **mas′kerbal**

gema′tig (b) **-de** moderate (person); temperate (climate); **~de poli′tikus** moderate politician

gemeen′(b) **..ene** common; mean, vulgar; *niks ~ hê nie* have nothing in common; *gemene spel* foul play; **~plaas** commonplace; platitude, cliché; **~saam** familiar, intimate; **~skap** com= munity *ook* **sa′melewing**; sexual intercourse; *in ~skap van goed(ere)* in community of prop= erty; **~skap(s)gesond′heid** community health

gemeenskap′lik (b) **-e** common, joint, mutual; *dit verg ~e optrede* this requires joint action; **~e belang′** mutual interest; **~e vriend** mutual friend

gemeen′skaps: ~bou community development; **~diens** community service

gemeenskapsen′trum community centre

gemeenslag′tig -e of common gender

gemeen′te -s community; congregation, parish; **~lid** church member *ook* **lid′maat;** **~saal** church hall *ook* **kerk′saal**

geme′nebes (s) commonwealth *ook* **sta′tebond**

geme′nereg/geme′ne reg common law; *die teenoor die landswette* common law vers statute law

gemeng′ -de mixed, miscellaneous; *met ~ gevoelens* with mixed/mingled feelings

gemeubeleer′(d)/gemeubileer′(d) (b) **-e** f nished; **-de woon′stel** furnished flat

gemid′deld (b) **-e** average, mean; **~e temper tuur′** mean temperature; (bw) on an avera generally; **~e** (s) **-s** average (of)

gemis′ want, lack; *by ~ van* for want of

gem′mer ginger; **~bier** ginger beer; **~koe′** ginger nut; **~lim(ona′de)** ginger ale

gemoed′ -ere mind, heart; disposition; *sy ~* vent his feelings; *met 'n oop ~* with an o mind; *die ~ere tot bedaring bring* calm (dow the emotions

gemoe′delik (b) good-natured, easy-going *ook* **meegaan′de, plooi′baar** (persoon)

gemoeds′: ~aandoening emotion, exciteme **~le′we** inner life; **~rus** peace/tranquility of m

gemoed′: ~stem′ming mood, frame of mi **~s′toe′stand** state of mind; temperament

gemoeid′ concerned with, involved in; at sta *hy is ten nouste ~ by hierdie saak* he intimately concerned with/involved in t matter; *baie geld is daarmee ~/daarby* trokke a big sum is involved/at stake

gemom′pel (s) murmuring, mumbling

gemors′ (s) mess, filth; shambles; hash **wan′orde;** *'n helse ~* an unholy balls-up; **~** junk mail; spam (internet) *ook* **rom′melpo**

gems′bok -ke gemsbok, oryx (antelope)

genaak′ (veroud.) (w) **~** approach, come n (b) **~baar** accessible, approachable

gena′de mercy, grace, clemency *ook* **ver fenis;** **~ betoon** pardon; *goeie ~!* g gracious!; **~brood eet** live on charity; **~d** euthanasia, mercy killing; **~lap′pie** G-st *ook* **deur′trekker; terg′toutjie; ~loos** me less, ruthless; relentless; **~slag** deathbl coup de grâce *ook* **nek′slag**

gena′dig compassionate; merciful, lenient

genant′ (s) **-e** namesake *ook* **naam′genoot**

genealogie′ genealogy *ook* **fami′liekunde; ~s -e** genealogic(al)

gene′ë (b) **meer ~, mees ~** inclined, dispos *iem. nie ~ wees nie* be unfavourably dispo towards s.o.

geneent′heid inclination; attachment, fondne

genees′ (w) **~** cure, heal, recover; *iem. ~ van* s.o. of; **~heer** medical practitioner *ook* **hu arts;** physician, doctor *ook* **dok′ter, a me′dikus**

genees′kunde medical science, medicine

geneeskun′dig -e medical; **~e ondersoek** m ical examination, check-up; **~e** (s) **-s** physi (specialist)

nees': ~lik curable, remediable; ~mid'del remedy, medicine ook **medika'sie**; drug ook **medikament'**

heig' inclined, prone; ~ tot ongelukke acci= dent-prone

heigd'heid inclination, tendency, trend

ner: *van nul en* ~ *waarde* null and void

neraal' (s) -s general (mil. rank)

nera'sie -s generation ook **geslag'** (s); ~ga'= sing generation gap

ne'ries: ~*e medisyne/middels* generic medi= cine

nereer' (w) ge- generate (income/revenue)

ne'sing (s) recovery, restoration to health

nesis genesis, origin ook **oorsprong**; **wor'=** ding

ne'ties -e genetic; ~**e manipule'ring** genetic engineering

niaal' highly gifted, ingenious; *geniale inval* brilliant idea

nie' (s) -ë genius (exceptionally gifted person); mastermind

niep'sig underhand; spiteful, malicious, nasty ook **veny'nig, bit'sig**

niet' (w) ~ enjoy, possess; *ek het die aand* ~ I njoyed the evening; *dit gate uit* ~ enjoy (something) immensely; have fun, have a jol; ~ing (s) -e, -s enjoyment, pleasure; *die* ~*e van lie lewe* the joys of life

nitief ..tiewe genitive (gram.)

nius ..nii genie (supernatural spirit), jinn ook **eskerm'gees** *of* **bo'se gees**

noe'ë -ns pleasure, delight; joy; *dit doen my* ~ t gives/affords me pleasure; *met* ~ with leasure; ~ *neem met iets* be content with

noeg' enough, sufficient; ~**doe'ning** satisfac= ion, indemnification; ~**lik** agreeable, pleasant; saam sufficient, adequate ook **voldoen'de**

noop' obliged; ~ *voel om* feel obliged/bound

noot' ..geno'te fellow (of a society); ~**skap**; ssociation, society ook **vere'niging**

not (s) **genietinge, genietings** enjoyment, leasure, joy; gratification; possession; ~ *erskaf* afford pleasure; ~**vol** delightful, en= oyable, enchanting

're (s) -s kind, genre (in art); ~**skil'der** ainter of genre pieces

'tleman ..men gentleman (upperclass/refined erson)

ug'tig: *my* ~! good gracious!; well I never!

e'fen (b) -de, **geoe'fend** -e trained, exercised

fi'sika geophysics (science)

grafie' geography ook **aard'rykskunde**; ~s) -e geographic(al)

ktrooieer' (b) chartered (institute, society); de sekreta'ris/re'kenmeester chartered sec= tary

geologie' geology ook **aard'kunde**; ~s (b) -e geologic(al); **geoloog'** ..loë geologist (person)

geometrie' geometry ook **meet'kunde**

geoor'loof -de allowed, permissible, lawful; ~de middel lawful means

gepaard' -e coupled, in pairs; ~ *gaan met* coupled/attended with, accompanied by

gepant'ser -de armoured, ironclad, mailed

gepas' -te becoming, suitable, seemly ook ge= **skik', behoor'lik;** ~**te opskrif** suitable heading

gepasteuriseer' -de pasteurised (milk)

gepast'heid aptness, suitability, appropriateness

gepensioeneer' (b) -de pensioned; ~de (s) -s pensioner ook **pensioena'ris, pensioen'trek=** ker

gepeu'pel (s) mob, riff-raff, rabble ook **gespuis', skorriemor'rie, uit'vaagsel**

gepraat' talking; tittle-tattle ook **pra'tery**

gepre'wel (s) muttering, mumbling

geraak' (b) -te vexed, offended, huffed; touchy ook **lig'geraak**

geraam'te -s skeleton, carcass; framework ook **raam'werk;** ~**plant** delicious monster ook **brood'plant**

geraas' (s) gerase noise, din; *meer* ~ *as wol* much ado about nothing; ~**bestry'ding** noise abatement

gera'de advisable, expedient; *dit nie* ~ *ag nie* not think it advisable/expedient

geraffineer' (b) -de refined; cunning, crafty; consummate; ~**de sui'ker** refined sugar *kyk* **raffina'dery, raffineer'dery**

gera'nium -s geranium ook **mal'va** (blom)

gere'delik (b) -e ready, prompt; (bw) readily

gereed' ready, prepared; ~ *om te help* willing to help; *jou* ~ *hou* hold/keep oneself ready/ prepared; ~**heid** readiness; ~**heid(s)grond'slag** (on the) alert; ~**skap** tools, implements; utensils

gere'ël -de arranged, organised, adjusted; *alles is* ~ everything has been arranged

gereeld' regular; orderly; *hy kom* ~ *laat* he is always/habitually late

gereformeerd' -e reformed (religion); **die G~e Kerk** the Reformed Church

gereg'^{1} (s) -te meal, dish; course ook **maal(tyd);** **gang** (bv. vyfgang-ete)

gereg'^{2} (s) justice, court; *voor die* ~ *verskyn* appear before court; ~**s'bode** messenger of the court; sheriff ook **balju';** ~**s'dienaar** police officer/official ook **poli'siebeampte;** ~**s'hof** court of law, court of justice, tribunal; ~**telik'** judicial, legal ook **juri'dies;** ~*telike bestuur* judicial management

gereg'tig (b, bw) -de entitled, justified; qualified; ~ *op* entitled to; ~**heid** justice ook **regver'=** digheid

gerei' equipment; **eet~** cutlery; **hen'gel~** fishing

tackle; **huis~** household appliances; **skryf~** stationery *ook* **skryf'goed**

gerek' -te tedious (speech, conversation); long-drawn, stretched (out)

gere'kende esteemed, respected; *'n ~ persoon* a respected person

gereserveer' reserved *ook* **bespreek'** (sitplekke); private; aloof, guarded (attitude)

gerf (s) **gerwe** sheaf (of hay); bundle

geria'ter (s) geriatrician *ook* **ou'derdomspesialis'**

geriatrie' geriatrics, science of old age *ook* **ou'= derdomskunde**

gerief' **..riewe** comfort, convenience, facility; lavatory, toilet, closet; **~lik** convenient, comfortable; commodious; **~s'halwe** for the sake of convenience

gerif'fel -de corrugated (iron sheet); ribbed

gering (b) small, slight, trifling; poor; *van ~e/beskeie afkoms* of humble birth; *weg van die ~ste weerstand* line of least resistance

gering'ag/gering'skat (w) **-ge-** slight, hold cheap, underestimate *ook* **(ver)kleineer'** (w)

gerit'sel rustling, rustle (of leaves); froufrou (of silk cloth)

Germaan ..mane Teuton (person); **~s'** (s) Germanic (language); **~s** (b) **-se** Teutonic

Germanis'me -s Germanism (German-influenced expression)

gerog'gel (s) rattling (in throat); death rattle *ook* **doods'roggel, dood'snik**

geroos'ter (b) **-de** roasted, toasted *kyk* **roos'= terbrood**

gerug' -te rumour, report; *~te versprei* spread rumours

gerug'steun assisted, supported; backed up (comp. data)

gerui'me long, considerable; *'n ~ tyd* a considerable time

geruis' (s) **-e** rustling (of trees); murmur; froufrou (of silk cloth) *ook* **geritsel**

geruis'loos ..lose noiseless, soundless, quiet *ook* **sag'gies/soet'jies** (loop)

geruit' -e checkered (fabric)

gerus (b) quiet, calm, peaceful; (bw) safely, really; *jy kan dit ~ doen* you may do it by all means; *kom ~ doen* come; you are welcome to come; *~te gewe'te* clear conscience

gerus'stel (w) **-ge-** reassure; soothe, relieve; **~lend** (b) reassuring, soothing, easing; **~ling** (s) assurance, consolation, comfort

gerus'heid peace of mind, security, confidence

gesaai'de (s) **-s** crop *ook* **gewas'** (boerdery)

gesag' (s) authority, power, influence; *jou ~ laat geld* enforce your authority; *op ~ van* on the authority of; **~heb'bend** authoritative *ook* **amp'= telik; ~heb'ber/~voer'der** commander *ook* **bevel'hebber; ~(s)lyn** hierarchy *ook* **hiërargie'**

gesa'mentlik (b) total (amount); collecti~ united (forces); joint (owners); *~e testam* mutual will; (bw) jointly; together

gesang' -e song; anthem, hymn; chant; **~(e)bo** hymnal *ook* **lied'boek**

gesa'nik (s) bother, nagging; droning

gesant' -e envoy, minister plenipotentiary, em sary, legate (dipl.); deputy

gesant'skap -pe mission, legation (dipl.)

gesê: *hom nie laat ~ nie* not listen to reason, intractable

gese'ën -de blessed, fortunate; *~de Kersf* Merry Christmas

geseg'de saying, expression; predicate (gram.

gesel'[1] (s) **-le** companion, partner; ma **~verkrag'ting** date rape *ook* **af'spraakv kragting**

ge'sel[2] (s) **-s** scourge, whip; (w) **ge-** scour whip; flagellate *ook* **striem, kasty'**

gesel'lig (b) sociable, homelike, cosy, comfy snoe'sig, knus; *~e byeenkoms* social gath ing; **~heid** (s) social, party; cosiness

gesellin' -ne companion, partner (female); **~k** escort agency/club

gesels'(w) **~** chat, talk; **~ery** chatting, talki **~ra'dio** talk radio; chat show *ook* **in'h program**

gesel'skap -pe company; party; drama (perfo ing) group; conversation; *in verkeerde ~ r* fall into bad company

gesels'groep chat group (internet)

geset' (b) **-te** stout, corpulent, stocky *ook* **swaarly'wig**

gesien': *'n ~e man* an esteemed/respected m *~e mense* upper class people *ook* **hoog plaastes**

gesig' -te face; sight; view; vision; eyesig *iemand in die ~ vat* offend/ridicule s.o.; *~* little face; pansy (flower); **~sne'sie** facial sue

gesigs': **~bedrog'** optical illusion; **~ein' horizon; ~kuur** facelift *ook* **~ontrim'peli ritidek'tomie** (med.); **~punt** viewpoi **~room** face/facial cream **~veld** field of vis

gesin' (s) **-ne** household, family *ook* **huis'ges**

gesind' -e disposed, minded; *iem. gunstig ~ w* be favourably disposed to s.o.; **~heid** attitu disposition, inclination; **~heidsveran'der** change of heart/persuasion

gesins'beplanning family planning *ook* **gesin voor'ligting, gesinsbeper'king**

Gesins'dag Family Day (holiday)

gesins'hoof -de head of the family

gesins'moord -e family killing

geska'keer' (b) **-de** chequered, variegated

geska'pe (b) created

geska'ter (s) burst/peal/roar of laughter

geskei(e)' (b) divorced; separated; parted

skenk' -e present, gift *ook* **present'; ~bewys'** gift voucher

skied' (w) ~ happen, occur, take place; *u wil ~ Thy will be done*

skie'denis -se history; story; *die ~ herhaal hom* history repeats itself

skiedkun'dig (b, bw) -e historical

skied'skrywer -s historian *ook* **geskiedkun'= dige, histo'rikus**

skik' fit, suitable *ook* **bruik'baar;** proper; able, capable, appropriate; **~t'heid** suitability *ook* **aan'leg, vermoë;** propriety

skil' (s) **-le** quarrel, difference, dispute, con= troversy *ook* **konflik', dispuut'; '***n ~ besleg/ bylê/skik* settle/solve a dispute; **~punt** point of difference, question at issue

skoei' -de shod; *op dieselfde lees ~* organised on the same lines

skool' **-de** trained, schooled, skilled; *~de arbeiders* skilled labourers

skrap' deleted (from a list/text)

skree(u)' (s) shouting, crying, shrieking; *veel ~ en weinig wol* much ado about nothing

skre'we written; *~ reg* statute law *ook* **lands'= wette**

skut' (b) cannon; artillery

laag(d) (b) successful *ook* **sukses'vol**

slag'[1] (s) **-te** gender, sex; lineage; race; generation; species; *die skone ~* the fair/ weaker sex; **~siekte** venereal disease

slag'[2] (b) **-te** slaughtered; butchered

slags': **~boom** genealogical tree, pedigree *ook* **stam'boom; ~de'le** genitals *ook* **~orga'= ne; ~drang/~drif** sex drive/urge *ook* **seks'= drang, libido; ~gelyk'heid** gender equality/ equity; **~gemeen'skap** sexual intercourse; **~on'derrig** sex education *ook* **~voor'ligting; ~orga'ne** genitals; **~prik'kel** (s) aphrodisiac *ook* **wel'luswekker; ~regis'ter** genealogical table/register; **~trek** sex appeal *ook* **seks'= rek**

slag'telik (b) carnal *ook* **vlees'lik;** sexual

sle'pe (b) ~ sly, cunning *ook* **skelm, slu, agterbaks;** *~ stadsmeneertjie* city slicker *ook* **tads'koejawel; ~nheid** slyness, cunning, viliness

slo'te closed, shut; reticent; *agter ~ deure* privately, in camera; *~ geledere* closed/serried ranks; closed shop (trade union); **~kring'= elevi'sie** closed-circuit television

sna'ter (s) chattering, palaver *ook* **gebab'bel, geklets'**

sne'de cut, engraved; *~ beeld* graven image; carved idol

sneu'welde (s) **-s** killed in action (soldier)

sofistikeer'(d) (b) **-e** sophisticated; advanced; developed

sog' (b) **-te** contrived, far-fetched; (much) in demand, popular *ook* **gewild', populêr'; ~te bekro'ning/toe'kenning** prestigious award

gesond' (b, bw) **-e** healthy, well; hale, fit; sound; wholesome; sane; *blakend ~* a picture of health; *~e verstand* common sense; *~maak* cure, restore to health; **~heid** health, sound= ness; **~heids'beroepe** health professions; **~heidsorg'** health care; **~heid!** cheers!; *op iem. se ~heid drink* drink to s.o.'s health; **~heidsleer'** hygiene; **~heidswe'tenskappe** health sciences

gesout' (b) **-e** salted; seasoned, cured; experi= enced, competent (people); immune (horse)

gespan'ne (b) tense, strained, stressed; twitchy; *met ~ aandag* with rapt attention; *~ verhou= dings/betrekkinge* strained relations

ges'pe (s) **-s** buckle, clasp; (w) **ge-** buckle, clasp

gespier(d)' (b) muscular, brawny, beefy

gespik'kel (b) speckled, spotted

gesple'te: **~ lip** cleft lip, harelip

gespoor' (b) spurred; aligned (wheels) *kyk* **wiel'sporing**

gesprek' **-ke** conversation, discourse; *'n ~ aanknoop* begin a conversation; **~s'groep** news group (internet); **~voe'ring** conversation, dialogue; interview *ook* **on'derhoud**

gespuis' (s) rabble, scum, riffraff *ook* **gepeu'pel**

gestal'te **-s** build; stature, figure; size; *indruk= wekkende ~* impressive figure

gestand': *sy woord ~ doen* keep one's word

gesteen'te (s) **-s** rock formation, stone; tomb (stone); (precious) stone

gestel'[1] (s) **-le** constitution, body *ook* **konstitu'= sie** (liggaam)

gestel'[2] (w) assume *ook* **veronderstel';** (vgw) supposing, assuming; granted

gesteld': *~ wees op* treasure something; put store by; **~heid** condition; nature

gesteur' **-de** offended, piqued; *geestelik ~/ge= strem* mentally handicapped; deranged

geste'wel **-de** booted; *~ en gespoor* ready; booted and spurred

gestig' (s) **-te** institution, establishment; asylum (mental)

gestoel'te **-s** pew; chair, seat; *voorste ~* seated right in front

gestrem' (b) **-de** handicapped, disabled, im= paired; **~de** (s) **-s** disabled/handicapped person

gestroom'lyn (b) streamlined *ook* **vaart'belyn**

gesuis' (s) buzzing; tinkling; singing; *~ in die ore* tinnitus (med.)

gesuk'kel plodding, bungling; pottering; bother= (ation); *'n ~ van die ander wêreld* a devil of a job; no small task

geswel' (s) **-le** swelling, tumour, growth *ook* **swel'sel**

geswets' (s) cursing, swearing; blaspheming; bragging, gassing

geswoeg' (s) drudging, toiling, grinding

gesy'ferdheid numeracy *kyk* **gelet'terdheid**

getal' **-le** number; *dertien is glo 'n ongelukkige ~* thirteen is supposed to be an unlucky number; *gelyke ~* even number; **~ster'ker** numerically superior

getalm' (s) lingering, loitering, dawdling

getik' typed, typewritten; slightly mad/off his rocker; *van lotjie ~ wees* daft, dotty, crack= brained

getjank' (s) yelping, whining; howling

getraumatiseer' traumatised; stressed; hurt, wounded

getroos' (w) ~ submit; bear, resign to; *baie moeite ~* spare no pains

getrou' (b) faithful; devoted; reliable, trusty

getroud' (b) -e married; **~e** (s) -s married person; *kwartiere vir ~es* married quarters

getrou'heid fidelity, loyalty, faithfulness

getui'e (s) -s witness; **~bank** witness box; **~nis** evidence, testimony; *~nis aflê* give evidence, testify *ook* **getuig'**

getuig' (w) ~ testify, bear witness; give evidence; *almal ~ van sy bekwaamheid* all testify to his ability; **~skrif** testimonial, certificate of char= acter; reference

getwis' (s) quarrelling, wrangling, squabbling *ook* **stry'ery**

gety' -e tide; *as die ~ verloop, versit 'n mens die bakens* one must set one's sails to the wind; **hoog~** high tide *ook* **hoog'water;** **~golf** tidal wave; **~poel** tidal pool

geu'rig (b) fragrant; odorous

geur (s) -e fragrance; savour; scent, odour, perfume; aroma, essence, flavour; *iets in ~(e) en kleur(e) vertel* relate in great detail; *daar's 'n ~tjie aan* there's something fishy/smelly about it; (w) **ge-** emit scent; flavour (a cake); season (a dish)

geur'sel -s flavouring, essence (in food, drink)

geut -e gutter; sewer, drain; duct

gevaar' (s) **gevare** danger, peril, risk; *buite ~* out of danger (patient); *~ inhou* pose a threat; **~knop'pie** hazard button (in car); **~lik** dangerous, hazardous; perilous; *~like afval* hazardous/toxic waste; **~sein** danger signal; **~te** colossus, monster; **~te'ken** danger sign/ signal

geval'[1] (s) **-le** case, event, matter; *in alle ~* in any case; **~le'studie** case study

geval'[2] (w) ~ please, suit; *jou iets laat ~* put up with something

gevan'gene -s prisoner, captive (person)

gevan'geneming (s) arrest; detention *ook* **aan'= houding, arresta'sie**

gevan'genis -prison, jail/goal *ook* **tronk; tjoe'= kie** (omgangst.); **~straf** imprisonment; con= finement

gevat' (b) shrewd, clever, smart; *~te antwoore* witty reply/retort

gevat'heid ready wit; shrewdness

geveg' (s) -te fight, battle, combat *ook* **stryd** (street) brawl *ook* **vuis'slanery;** *buite ~ ste* put out of action; **~s'linie** front line; battle zone

geveins' -de feigned, dissembling, hypocritical false, **~de** (s) -s hypocrite (person); **~d'hei** hypocrisy, cant

geves'tig: *~de belange* vested interests

gevierd' (b) fêted, famous, celebrated (person *ook* **beroemd', vermaard'**

gevleu'el (b) winged; *die ~de perd* the winge horse (Pegasus)

gevoeg'lik (b) appropriate, fit, suitable, proper **~heid** propriety, decorum

gevoel' (s) **-ens** feeling, sentiment, sense *oo* **persep'sie;** sensation, emotion; opinion, im pression, view; *'n ~ vir humor* a sense o humour *ook* **hu'morsin;** *op ~ af* by touch

gevoe'lig tender, sensitive *ook* **sensitief'; lig'** **geraak;** delicate; *~e slag* severe blow; **~hei** sensitivity; tenderness

gevoel': **~loos,** apathetic, callous; **~s'mens** per son of feeling/in touch with his/her feeling sensitive person; sentimentalist; **~s'waard** emotional value; **~vol** compassionate, full o feeling *ook* **in'nig, siel'vol; ontroe'rend**

gevolg'[1] (s) -e consequence, result; *ten ~e van a* a result of *ook* **weens;** *die ~e dra* face th consequences; **~lik** consequently, hence *oo* **dus, derhalwe**

gevolg'[2] (s) train, retinue, followers; suite

gevolg'trekking conclusion; deduction, inferenc *ook* **af'leiding;** *'n oorhaastige/ongegronde maak* jump to conclusions

gevolmag'tigde (s) proxy, holder of a power o attorney

gevor'der (b) -de advanced; *op ~de leeftyd* at a advanced age

gevrees' (b) -de dreaded (disease)

gevreet' (omgangst.) (s) **..e'te** mug, phiz, di (infml.) *ook* **bak'kies, smoel** (omgangst.); *wa 'n lelike ~* what an ugly face

gewaad' (s) **gewade** (formal) garb, garmen attire, dress

gewaag' (b) -de risky, daunting, hazardous; *~d stap* bold decision

gewaand' (b) -e supposed, feigned, pretended

gewaar'merk (b) -te hallmarked; certified; **~** *afskrif* certified copy

gewaar'word -ge- become aware of, notic **~ing** sensation, perception, experience; *onaa gename ~ing* unpleasant experience

gewag' mention; ~ *maak van* make mention o

gewa'pen armed, prepared; *~de reaksie* arme response; *~de rower/boef* armed robber/thu

ewas'[1] (s) -se crop(s); harvest

ewas'[2] (s) -se growth, tumour; *kwaadaardige ~* malignant growth (cancer)

eweeg' weighed; *~ en te lig bevind* weighed and found wanting

eween' (s) weeping, wailing

eweer' -s, ..we're rifle, firearm, gun; *presenteer ~!* present arms!; **~dop'pie** percussion cap; **~koe'ël** bullet; **~kun'de** ballistics; **~skoot** rifle shot; **~vuur** rifle fire

e'wel -s gable; **~huis** gabled house

eweld' force, violence *kyk* **geweldple'ging;** *brute ~* brute force; **~daad** act of violence

eweldda'dig (b) sheer violence *ook* **barbaars';** *~e dood* violent death; **~heid** violence, outrage

ewel'denaar -s brute; oppressor, tyrant; usurper

ewel'dig (b) enormous, mighty, terrific *ook* **ontsag'lik, enorm';** violent, fierce, vehement; (bw) greatly, dreadfully, awfully; *~/ontsaglik duur* extremely expensive

eweld'pleging (public) violence

ewelf' (s) **gewelwe** dome *ook* **verwelf';** arch

ewe'mel (s) swarming, teeming *ook* **krioel'**

ewend' (veroud.) = **gewoond'**

e'wer -s giver, donor *ook* **sken'ker, donateur'**

ewer'skaf (s) bustle, to-do, fuss *ook* **gewoel', doe'nigheid**

ewes' -te province, territory, region; *in daardie ~te* in that vicinity/region

we'se late, former; ex-; **~ ko'ning** former king *ook* **voorma'lig(e); ~ vrou** ex-wife *ook* **eks'= vrou**

wes'telik -e provincial, regional

we'te -s, -ns conscience; *sy ~ het hom gekwel* his conscience pricked him; **~(n)loos** unscrupulous

we'tens: ~beswaar' conscientious scruple/objection; **~beswaar'de** (s) conscientious objector; **~klousu'le** conscience clause; **~ondersoek'** soul searching, **~vry'heid** freedom/liberty of conscience; **~wroe'ging** qualms/pangs of conscience

wig' -te weight, mass; importance; *soortlike ~* specific gravity; **~opteller** weightlifter; **~stoot** shot put; **~tig** important, momentous, weighty; grave *ook* **belang'rik, veelseg'gend**

wild' (b) -e popular, in demand, favoured *ook* **populêr';** *~ by sy bure* popular with his neighbours; *~e vakansieoord* popular holiday resort; **~heidsleer** pop chart; popularity rating

wil'lig willing *ook* **bereid';** ready; docile; **~heid** willingness, readiness

win' (s) gain, profit, advantage; *nie vir ~ nie* not for gain *ook* **son'der wins'oogmerk**

wir'war (s) confusion, swirl *ook* **konsterna'= sie**

wis' (b) -se sure, certain; *~se dood* certain death; (bw) certainly, surely

gewoel' (s) bustle, turmoil, stir; crowd, throng

gewo'ne: ~ breuk vulgar/common/simple fraction

gewon'ne won; *dit ~ gee* yield the point

gewoon' customary, common, ordinary, usual; **~d'** accustomed, used to; *ons is dit nie van hom gewoond nie* that is quite unlike him; **~lik** usually, ordinarily; **~te** (s) -s habit, custom, practice *ook* **gebruik'** (s); **ouder ~te;** according to custom/force of habit; **~te'misda'diger** habitual criminal; **~weg** downright, plainly; *dit is ~weg dwaasheid/malligheid* it is plain foolishness

gewrig' -te joint, wrist; **~s'band** ligament; **~s'= breuk** fracture of joint; **~s'ontste'king** arthritis *ook* **artri'tis**

gewyd' (b) -e devoted; sanctified, consecrated, sacred; *~e oomblik* sacred moment

geyk' -te assized; stereotyped; *~te benaming* stereotyped phrase *ook* **cliché**

ghan'tang suitor, lover *ook* **vry'er, kê'rel, nooi**

ghie'nie -s guinea (obs. gold coin)

ghitaar' -s, ..tare guitar *ook* **kitaar'**

ghoebaai'/koebaai' (omgangst.) goodbye *ook* **tot siens/totsiens'**

ghoen (big) shooting marble; *hy is 'n regte ~* he is a fine man

ghoe'roe (s) authority; master; (spiritual) leader; mentor, guru *ook* **lei'er, leer'meester**

gholf golf; **~baan** golf course; **~jog'gie** caddie; **~klub** golf club; **~stok** golf club

ghong -s gong (mus. instr.)

ghrênd (omgangst.) = **grênd**

ghries (s) grease; (w) lubricate, grease; **~nip'pel** grease nipple

ghwa'no/gua'no guano (seagull fertiliser)

ghwar -re uncouth person; lout, clot, (country) bumpkin *ook* **ja'fel/ja'vel**

gids -e guide *ook* **toer'leier** (persoon); directory; **~aan'leg** pilot plant; **~besoek'** conducted/ guided tour *ook* **rond'leiding; ~hond** guide dog

gier (s) -e fancy, whim, caprice *ook* **gril, nuk;** *die ~ kry* get a sudden fancy

gie'rig (b) avaricious, miserly *ook* **hebsug'tig; ~aard** miser *ook* **geld'wolf; ~heid** avarice *ook* **heb'sug**

giet (w) ge- pour; cast, found; mould; *reën dat dit ~* come down in sheets (rain); *~ende reën* pouring rain; **~er** watering can; founder; **~ery** foundry; **~vorm** mould; **~ys'ter** cast iron *ook* **pot'yster**

gif poison, venom; **~brief** poison-pen letter; **~klier** poison gland; **~kun'dige** toxicologist *ook* **toksikoloog'** (persoon); **~stof** poison, toxicant; **~tand** poison fang; **~tig** poisonous, venomous; *~tige/toksiese afval* toxic waste

gig'gel (w) ge- giggle; snigger

gig'olo gigolo, toyboy (for older women) *ook* **kooi'vlooi, ka'telknapie**

gil (s,w) yell, scream, shriek

gil'de (s) -s guild, fraternity; **skry'wers~** guild/circle of writers

gimka'na -s gymkhana *ook* **rui'tersport, per'degala**

gimnas' -te gymnast (person)

gimna'sium -s gymnasium

gimnastiek' gymnastics; **~af'rigter** gymnastics instructor; **~verto'ning** gymnastic display

ginekologie' (s) gynaecology *ook* **verlos'kunde, obstetrie'**

ginekoloog' ..loë gynaecologist (person) *ook* **vrouespesialis', vrouedok'ter**

gin'negaap ge- chuckle, giggle, titter *ook* **bab'bel, klets**

gips gypsum, plaster of Paris; *sit die elmboog in* ~ put the elbow in plaster (of Paris); **~bord** gypsum board; **~model'** plaster cast; **~verband'** plaster bandage/dressing

giraf' -s giraffe *ook* **kameel'perd**

giroskoop' gyroscope *ook* **vliegwiel, tolkompas'**

gis[1] (s) yeast; (w) ferment; **~ting** fermentation

gis[2] (s) guess; *op die* ~ *af* at a guess; (w) guess; **~sing** -e, -s conjecture, supposition *ook* **bespie'geling;** *op* ~*singe berus* based on guesswork

gis'ter yesterday; *nie* ~ *se kind nie* no chicken

gisteraand' yesterday evening, last night

gisterog'gend/gistermô're/gistermo're yesterday morning

git jet; **~swart** jet black; **~swart hare** jet black hair

gits (tw) *o* ~! oh dear!; oh my!; good gracious! *ook* **o aarde!; allawêreld!**

glad (b) smooth, slippery; cunning; *so* ~ *soos seep* very slippery; (bw) quite, altogether; even; ~ *nie* not at all; ~ *van stapel loop* go off/launch smoothly; *daar is* ~ *perskes aan die boom* the tree is even bearing peaches; **~de'jan** city slicker; **~heid** smoothness

gladia'tor -e, -s gladiator *ook* **swaard'vegter**

gladio'lus -se, ..li gladiolus *ook* **swaard'lelie**

glans (s) gloss, shine, lustre; brilliancy; polish; **~geleent'heid** glittering/lavish/stylish occasion; **~kring(e)** high society *ook: (hoë) sosiale kringe;* (w) shine, gleam, glisten; **~program'** feature programme; **~punt** highlight, acme; crowning feature; **~tyd'skrif/~blad** glossy magazine; **~verf** gloss/enamel paint

glas -e glass; tumbler; *geslypte* ~ cut glass; **~bla'ser** glass-blower

gla'serig (b) -e glassy; glazed

glas'helder clear as crystal

gla'sie -s small glass

glas: ~'ogie -s Cape white-eye (bird); ~'oog ..oë artificial eye

glasuur' enamel *ook* **emal'je;** glaze (pottery

glas'vesel = ve'selglas

gles (s) -se flaw (in a diamond)

glet'ser -s glacier *ook* **(bewe'gende) ys'mass**

gleuf (s) **gleuwe** groove; slot; slit *ook* **kerf'; ty** time slot (radio/TV)

glib'berig slippery, slimy; cunning, crafty **lis'tig, slinks** (persoon)

glim (w) ge- glimmer; smoulder, glow fain highlight (with highlighter pen); **~drag** saf clothing; **~pen/~sta'fie** highlighter (pen); **verf** luminous paint; **~'wurm** glow-wo firefly *ook* **vuur'vlieg(ie)**

glim'lag (s) -ge, smile; *stralende* ~ broad sm (w) ge- smile

glin'ster ge- glitter, sparkle; twinkle (eye); ~ (s) glittering, glistening; twinkling

glip ge- slip, slide; skid; *die* ~*pe* the s (cricket); **~perig'** slippery *ook* **glad, gly'er**

glips -e slip, slip-up *ook* **blaps;** mistake

glip'weg ..weë slipway, filter (traffic)

gliserien'/gliseri'ne glycerine

glo (w) ge- believe, credit, trust; *iem.* ~ beli s.o.; ~ *aan spoke* believe in ghosts; ~ *in G* believe in God; (bw) evidently, seemingly; *is* ~ *ryk* he is said/believed to be rich

globaal' (b) ..ale global, universal; all-inclus *ook* **omvat'tend; wêreldwyd;** *globale skat* rough estimate; *globale syfers* round figu *globale tuiste* global village *ook* **wê'reldw**

globalise'ring (s) globalisation (of informati economy) *ook* **in'ternasionalise'ring**

gloed glow, heat; ardour, fervour, passion **drif, besie'ling;** *die* ~ *van die son* the glar the sun; *warm* ~*e* hot flushes

gloei (w) ge- glow, be red-hot; **~end** glowi scorching; ardent (love); ~*end heet/*~ *w* red-hot; **~lamp** light bulb; incandescent la

glooi'ing slope, gradient *ook* **hel'ling**

glo'rie glory, fame; **~ryk/~vol** glorious, brill

glossa'rium (s) glossary *ook* **woor'delys**

gluko'se glucose *ook* **bloed'suiker**

gluur (w) ge- leer, peep at, pry *ook: kw (aan)kyk*

gly ge- glide, slide, slip; **~baan** chute; **~dr** foefie slide, sliding cable; **~geut** exit sl emergency chute (airliner); **~erig'** slipp **~jak'kals** (hotel) bilker, nonpayer; **~ket'** choke chain *ook* **wurg'ketting; ~lees** scan **blaai'lees;** **~skaal** sliding scale; **~stro** wake *ook* **volg'stroom** (agter skip)

g'n no; not *ook* **geen;** *dis* ~ *waar nie it's* not at all

God God; ~ *bewaar* God forbid; ~ *sy dank* th God; *as* ~ *wil* God willing

god (s) -e idol, god *ook* **af'god**

god: **~dank** thank God!; thank heavens!; **~d** divine, sublime, glorious *ook* **hei'lig, he'n**

ddeloos' mischievous; godless *ook* **ongelo'=
vig, hei'dens;** wicked, sinful

delo'se (s) -s wicked person

de: *mindere* ~ lesser lights; **~dom** the gods;
-drank nectar; **~leer** mythology *ook*
mitologie'

l: **~geleer'de** theologian (person); **~geleerd'=
heid** theology; **~heid** deity

lin' (s) **-ne** goddess

llo'ënaar -s atheist, unbeliever, infidel *ook*
ateïs'

ls'diens -te religion, faith; divine worship;
beswaar'der conscientious objector (to mili=
ary service); **~oe'fening** divine service *ook*
'rediens; **~on'derrig** religious instruction
ok **By'belonderrig; ~oor'log** religious war

lsdiens'tig (b) religious, pious; devout *ook*
odvre'send, vroom

ls'diens: **~vry'heid** freedom of religion/
aith/worship; **~waan'sin** religious fanaticism/
hania; **~y'wer** religious zeal

ls'huis place of worship, church, chapel *ook*
erk, tem'pel

skrei'end (b) outrageous *ook* **verregaan'de**

slas'ter: **~aar** blasphemer; **~ing** blasphemy
ok **heiligs'ken'nis;** **~lik** blasphemous

s'naam: *in* ~*!* for Heaven's/goodness' sake!

ls'ryk kingdom of God

s'vrug (s) piety, devotion

s'wil: *om* ~*!* for God's sake! *kyk: in gods=
aam*

vre'send (b) God-fearing; pious

d[1] (s) **-ere** goods, stuff, property, things; ~ *en
loed* life and property; *getroud in gemeen=
kap van* ~ married in community of property

d[2] (b) **goeie; beter, beste** good, kind, well,
roper; *iets* ~*s* something good; *deksels* ~ jolly
ood; (bw) all right; *so* ~ *as seker* almost
ertain

daar'dig good-natured, good-tempered *ook*
meegaan'de (persoon)

d: **~bedeeld'** (b) buxom, full-bosomed;
doen (w) do good; cheer up; *na* ~*dunke* at
ill/discretion

der: *te* ~ *trou* in good faith

'dere: **~kantoor'** goods/luggage office;
loods goods shed; **~trein** goods train; **~wa**
ods truck, goods van

lertie'renheid mercy, clemency *ook* **me'=
edoë**

d: **~gaan!** goodbye, cheerio; **~geefs'** (b)
:nerous *ook* **vryge'wig;** **~guns'tig** well-dis=
)sed *ook* **welwil'lend;** **~har'tig** kind-hearted
k **menslie'wend;** **~heid** kindness, goodness;
rtue

dig (b) good-natured, kind *ook* **meegaan'de**

l'jies (small) things/items; odds and ends

l'keur -ge- approve, confirm, consent *ook*

goed'vind; beves'tig; ~ing approval, consent;
sy ~*ing wegdra* meet with his approval

goed: **~koop** cheap, inexpensive *ook* **bil'lik;**
~koop *is duurkoop* a bad bargain is dear at a
farthing; cheap things are dear in the long run;
~praat varnish (it) over, explain (it) away;
~skiks willingly, with good grace

goeds'moeds cheerfully; *ewe* ~ quite happily;
unprovoked *ook: sonder aanleiding*

goed'vind -ge- think fit, approve of

goei'e: **~naand'** good evening *ook* **naand'sê!;**
~(n)dag good day; **~mid'dag** good afternoon;
~môre/~more good morning; **~nag** good night

Goei'e Vry'dag Good Friday (holiday)

goei'ste: *my* ~*!* dear me!; my goodness!; ~ *weet!*
goodness knows!

go'ël ge- practise magic; juggle, conjure; **~aar**
juggler, conjurer, magician *ook* **kul'kuns=
tenaar, toor'kunstenaar**

goe'terig (omgangst.): *dit gaan* ~ reasonably
well, thank you!

goe'ters things; small fry, odds and ends *kyk*
goed'jies

goewernan'te governess, private/personal teach=
er (woman)

goewerneur' -s governor; ruler; overseer

goewerneur-generaal' governor-general

gog'ga -s insect; gogga (SAE); vermin; bogey;
bug (comp.)

goi'ingsak gunny bag; jute bag *ook* **streep'sak**

golf[1] (s) **golwe** bay, gulf *ook* **in'ham**

golf[2] (s) **golwe** wave, breaker; billow; (w) **ge-**
wave; **~lengte** wavelength; **G~stroom** Gulf
Stream

gol'wend (b) waving; undulating; rolling

gom (s) gum, glue; **~snuif** (w) sniff glue (drug
addict)

gomlastiek' (s) elastic

gom'pou -e kori bustard (bird)

gom'tor -re clodhopper; clumsy person; hooli=
gan, lout *ook* **ghwar, tak'haar, gom'gat, tang**

gon'del (s) **-s** gondola; **~ier** (s) -s gondolier
(person)

gonorree' gonorrhoea *ook* **drui'per** (geslag=
siekte)

gons (w) **ge-** buzz, hum, drone; *leer dat dit*
~/*klap* study very hard; **~er** buzzer; **~groep**
buzz group *ook* **diskus'siegroep;** **~woord**
buzzword *ook* **mo'dewoord**

gooi ge- throw, cast, fling; **~tou** lasso (herding
rope)

goor dirty; foul; nasty; lousy; rancid (food);
~/*skurwe grap* dirty/smutty joke; **~maag**
congestion of stomach

gord (w) **ge-** gird; ~ *vas!* buckle/belt up! (for
motorists)

gor'del belt *ook* **belt/beld, lyf'band;** girdle; zone
(geogr.); **~roos** shingles *kyk* **bel'roos**

gordyn -e curtain, blind; **~kap** pelmet

goril'la -s gorilla (large ape)

gor'rel (s) **-s** throat; (w) **ge-** gargle, gurgle; waffle (in examination)

gort barley; groats, grits; *die ~ is gaar* the fat is in the fire; **~wa'ter** barley water

gos'pel (s) gospel (song) *ook: (hedendaagse) geestelike liedere;* **~diens** gospel (divine) service

Go'ties (s, b) Gothic (extinct language; art style)

gou (b) **-er, -ste** quick, rapid, swift, soon; *so ~ soos jy (knip)mes kan sê* as quick as you can say Jack Robinson

goud gold; *met geen ~ te betaal nie* priceless; **~aar** gold vein; **~erts** gold ore; **~koors** gold fever; **~myn** gold mine; **~prys** gold price; **~rif** gold reef; **~smid** (s) **..smede** goldsmith *ook* **sier'smid;** **~snee** gilt edge (of book); **~veld** goldfield; **~vis** goldfish

gou'e golden, gold; ~ **brui'lof** golden wedding anniversary; ~ **hand'druk** golden handshake (on retirement/retrenchment); ~ **ou'es** golden oldies (songs)

gou'-gou quickly, in a moment/trice/jiffy

gou'igheid quickness; dexterity *ook* **rats'heid** (om iem. voor te spring)

gous'blom -me marigold, calendula; *Namakwa= landse ~* Namaqualand daisy

graad (s) **grade** degree; stage, grade; rank; class; *'n ~ behaal* obtain a (university/technikon) degree; *twee grade warmer as gister* two degrees hotter than yesterday; *sy is in ~ 12* she is in grade 12; **~kur'sus** degree course

graaf[1] (s) **grawe** spade; (w) *kyk* **gra'we/grou**

graaf[2] (s) **grawe** earl, count (nobleman); **~skap** county, shire; earldom

graag liewer, liefste [graagste] gladly, readily, willingly; *ek wil ~ weet* I would like to know; *ons help u ~* we are keen to help you; you are welcome; *met ~te* with pleasure; of course I will

graal grail; *die Heilige G~* the Holy Grail (legendary chalice)

graan (s) **grane** grain, cereal, corn

graan: ~gewas' cereal; **~kor'rel** grain of corn; **~oes** grain harvest, crop; **~silo** (s) **silo's** grain elevator *ook* **graan'suier;** **~skuur/~sol'der** granary; **~sor'ghum** (grain) sorghum; **~sui'er** (grain) elevator *ook* **si'lo;** **~vlok(kies)** corn= flakes

graat (s) **grate** fishbone

graat'jiemeerkat true meercat; suricate

grab'bel (w) **ge-** scramble for; **~sak** lucky bag/dip *ook* **geluk'pluk**

gra'de: ~band hood (over academic gown); **~boog** protractor; **~dag** graduation (day); **~pleg'tigheid** graduation ceremony

gradeer' (w) grade *ook* **in'deel; klassifiseer'**

grade'ring -e, -s grading *ook* **in'deling;** scaling

gradiënt' -e gradient, slope *ook* **hel'ling**

gradueer' ~, ge- graduate (at university/techni= kon)

graf -te grave, tomb; *swyg soos die ~* be/remai= as silent as the grave; **~blom** candytuft

grafiek' -e graph; **~papier'** graph/squared pape=

gra'fies -e graphic *ook* **aanskoulik;** in the for= of a graph

grafiet' graphite, black lead *ook* **pot'lood**

graf: ~kel'der vault; **~skrif** epitaph; **~stee** gravestone, tombstone; **~steenma'ker** mon= mental mason, monumentalist

graffi'ti (*mv. van* **graffi'to**) graffiti (*pl. of* gra= fito) *ook* **muur'krapsels**

grafika graphics; **~lêer** graphics file (comp.)

grag (s) **-te** canal (in built-up places); ditc= moat (round castle)

gram -me gram (unit of mass/weight)

gramadoe'las/grammadoe'las (b) outback, bu= du *ook* **boen'doe**

gramma'ties -e grammatic(al)

gramma'tika -s grammar *ook* **spraak'leer**

grammofoon' (veroud.) **..fone** gramophor= (obs.); **~plaat** gramophone record

gram'skap anger, ire, wrath *ook* **toorn, g=** **belgd'heid**

granaat' ..nate pomegranate (fruit); grenad= shrapnel; garnet (gem)

graniet' granite (igneous rock)

grap -pe joke, jest, fun *ook* **skerts;** prank; qui= *alle ~pies op 'n stokkie* all jokes aside; *g'n nie* no laughing matter; **~jas/~ma'ker** joke buffoon, merry andrew; **~pig** (b) funn= amusing, comic(al) *ook* **ko'mies**

gras -se grass; *van die ~ af maak* bump = (infml); kill; **~dak** thatched roof; **~e'ter=** herbivorous; **~groen** grass green; **~halm** bla= of grass

gra'sie grace, favour; *by die ~ Gods* by the gra= of God

grasieus' (b) graceful, elegant *ook* **sier'lik, e=** **gant'; bekoor'lik**

gras: ~perk lawn, green, grassy plot; **~sny'=** lawnmower; **~vlak'te** meadow, plain, prair= **~we'duwee** grass widow; **~we'wenaar** gra= widower

gratifika'sie gratuity (financial benefit)

gra'tis gratis, free; ~ **mon'ster** free sample; **programmatuur'** freeware (comp.)

graveer' (w) ~, **ge-** engrave; **~der** engrave **~kuns** (art of) engraving; **~naald/~stif** e= graver's needle (tool)

gravin' (s) **-ne** countess (noblewoman)

gravita'sie gravitation, gravity *ook* **swaar't= krag, swaar'tewerking; ~kolk** black h= (astr.)

gravu're -s engraving, copperplate

ra′we (w) ge- dig, sink, burrow *ook* **graaf, grou** (w)

reep (s) **grepe** grasp, grip; stranglehold; hilt; byte (comp.); *grepe uit die geskiedenis* dips into history; episodes from history

rein -e grain; **~hout** deal, white pine

rein′tjie -s grain, particle, atom, scrap; *geen ~ nie* not an atom/not a shred of

renadel′la -s granadilla (fruit), passion fruit

renadier′ -s grenadier (soldier)

rênd/ghrênd/grand (omgangst.) (b) grand, smart; fashionable

ren′del (s) **-s** bolt *ook* **skuif;** bar, latch; (w) ge-bolt, bar; **~slot** bolt lock *ook* **skuif′slot**

rens[1] (s) **-e** boundary, border; barrier, limit, frontier; *geen ~e ken nie* know no bounds; *op die ~ van* on the border/verge of; (w) bound/border on, adjoin

rens[2] (w) ge- cry; howl, bawl; **~ba′lie** crybaby *ook* **tjank′balie**

rens: ~boer frontiersman, frontier farmer; **~(e)loos** boundless, infinite; **~geskil′** frontier dispute; **~lyn** boundary line; **~op′brengs** marginal return; **~oor′log** frontier war; **~paal** beacon, boundary post; **~reg′ter** linesman (sport); **~voor′dele** fringe benefits *ook* **by′-voordele; ~wag** frontier/border guard

re′tig keen, eager, desirous; greedy; *~ om te leer* keen/eager to learn

rief (s) **griewe** grievance; (w) ge- grieve, hurt

riek -e Greek (person); **~e′land** Greece (country); **~s** (s) Greek (language); **~s** (b) **-se** Greek (customs, etc.)

riep influenza, flu *ook* **influen′sa**

rie′selig (b) creepy, grisly *ook* **grim′mig**

rie′seltjie -s particle, wee bit

rif fel/grif′fie -s slate pencil

riffier′ -s registrar, recorder (in law)

riffioen′ -e griffin *ook* **gryp′voël**

ril[1] (s) **-le** caprice, whim, freak; *deur die ~ van die noodlot* by some strange stroke of destiny/fate

ril[2] (w) ge- shudder; *dit laat my ~* it gives me the shakes/horrors; **~lerig** weird, eerie, creepy, horrendous *ook* **aak′lig, grie′selig; ~lig** fantastic, grotesque; whimsical, fanciful; **~prent** thriller *ook* **ril′ler**

imeer′ (w) **~,** ge- make-up (face)

ime′ring (s) make-up

im: ~lag (s) grin, sneer; (w) grin, sneer; **~mig** (b) angry, irritated *ook* **vies, vererg′**

in′nik (w) ge- sneer, smirk, snigger

int (s) gravel; **~spat** roughcast

oef (s) **groe′we** groove, rut; flute; (w) ge-groove, flute; *in 'n ~ raak* get into a rut

oei (s) growth; (w) ge- grow; *~ en bloei* prosper, thrive; **~fonds** growth fund; **~koers** growth rate; **~krag′tig** vigorous (grower);

~punt growth point; **~pyn** growing pain; **~sel** growth, tumour *ook* **gewas′, tu′mor**

groen green, verdant; unripe, immature; **~′-boontjie** green/haricot bean; **~′ert(jie)** green pea; **~′igheid** greenness, verdure; **~′mielie** green mealie; **~′seep** soft soap; **~′spaan** verdigris *ook* **ko′perroes**

groen′te -s vegetables, greens; **~-e′ter** vegetarian *ook* **vegeta′riër; ~han′delaar** greengrocer; **~mark** vegetable market; **~sop** vegetable soup; **~tuin** kitchen/vegetable garden

groen′tjie novice, freshman; fresher, freshette

groen: ~′voer fresh fodder; **~ wei′velde** green pastures

groep (s) **-e** group; **~bespre′king** block booking; **~dina′mika** group dinamics

groepeer′ (w) **~,** ge- group, classify; assort *ook* **in′deel, rang′skik**

groepe′ring (s) **-s, -e** grouping, classification

groep′leier -s group leader

groeps: ~gewys′(e) in groups, in batches; **~verse′kering** group insurance

groep′toer package (conducted) tour

groepverkrag′ting gang rape *ook* **ben′dever-krag′ting**

groet (s) **-e** greeting; salute; (w) ge- greet, shake hands, say goodbye; **~e/~nis** regards, greetings, compliments; *groete/groetnis van huis tot huis* love to all; *vriendelike groete* kind/personal regards

grof (b) **growwe; growwer, -ste** coarse; rough; rude; crude; gruff; **~geskut′** heavy artillery/guns; **~smid** blacksmith

grom ge- grumble, growl, grouse; **~pot** grouser *ook* **knor′pot, suur′knol** (persoon)

grond (s) **-e** ground, soil; land; reason; *te ~e gaan* be ruined; *op ~ van* by virtue of; (w) ge-base; *hulle ~hul mening op* they base their opinion on; **~begin′sel** basic/underlying principle; **~beheer′** ground control (aviation); **~belas′ting** land tax; **~beset′ting** land occupation; **~bewa′ring** soil conservation; **~boon′-(tjie)** peanut, groundnut; monkeynut; **~ei′e-naar** landowner *ook* **grond′besitter; ~ero′sie** soil erosion; **~er′tjie** hugo bean

gron′deloos ..lose bottomless, unfathomable; *grondelose ellende* abject misery

grond: ~gebied′ territory; **~geit′jie** gecko *ook* **gek′ko; ~herwin′ning** land reclamation

gron′dig thorough, well-founded; searching *ook* **diep′gaande;** *~e ondersoek* thorough investigation/probe

grond: ~laag bottom layer; first coat (paint); **~lêer/~legger** founder, originator; **~leg′ging** foundation; **~oor′saak** primary cause; **~re′ëls** constitution (of an association/club) *ook* **grond′wet, konstitu′sie; ~slag** foundation, basis *ook* **ba′sis; begin′sel;** *die beginsels ten*

~*slag* the underlying principles *ook: die onderliggende beginsels;* ~**stof** element; raw material; ~**teks** original text; ~**toon** keynote; dominant note (mus.); ~**-tot-lug-missiel'** ground-to-air missile; ~**trek** characteristic, basic feature; ~**verf** first coating, primer

grond'ves (veroud.) (s) foundation; (w) ge- found, base *ook* **ves'tig**

grond: ~**vlak** (s) ground floor *ook* **grond'vloer;** grassroots level *ook* **voet'soolvlak;** ~**vloer** ground floor *ook* **grond'vlak;** ~**waardin'** ground hostess; ~**wet** (written) constitution, fundamental law (of a country) *ook* **konstitu'sie**

Grondwetge'wende Vergadering (GV) Constitutional Assembly (CA)

grondwet'lik (b) -e constitutional; **G~e Hof** Constitutional Court *ook* **Konstitusione'le Hof**

groot (b) **groter,** -**ste** large, big, tall; great; vast; grown-up, adult; *grote genugtig!* good gracious!; ~ *kokkedoor* big shot, bigwig (person); *die ~ publiek* the general public; *soos 'n ~ speld verdwyn* just vanish; ~**bek** braggart; windbag; ~**boek** ledger (bookk.)

Groot-Brittan'je Great Britain

groot'handel wholesale trade; ~**aar** wholesale merchant, wholesaler; ~**prys** wholesale price

groothar'tig (b) magnanimous *ook* **grootmoe'- dig**

groot'heid greatness, largeness, magnitude; grandeur; ~**s'waan** megalomania, delusions of grandeur

groot'jie -s great grandmother/grandfather; *loop na jou* ~ go to blazes

groot: ~**liks** greatly, to a great extent *ook* **gro' tendeels;** ~**maak** rear, bring up *ook* **op'voed;** ~**maakkind'** adopted/foster child *ook* **pleeg'- kind;** ~**maat** (in) bulk; ~**man:** *jou* ~ *hou,* swagger, show off; ~**mees'ter** grand master; ~**mens** adult, grown-up (person) *ook* **volwas'- sene;** *eers* ~*mense, dan langore* age before honour; ~**moe'der** grandmother *ook* **ou'ma;** ~**moe'dig** magnanimous *ook* **edelmoe'dig;** ~**moe'digheid** magnanimity; ~ **oë:** *groot oë maak* show disapproval; ~**ou'ers** grandparents; ~**pad** highroad, main/trunk road; ~**praat** brag, boast *ook* **spog;** ~**pra'ter** braggart, boaster *ook* **wind'lawaai**

Groot'rivier Orange River *ook* **Gariep', Oran'- jerivier**

groots -e grand, majestic, magnificent *ook* **manjifiek';** proud; ~**heid** grandeur, majesty

groot: ~**skaals/**~**skeeps** large-scale; extensive; copious, grandiose

groot'te -s size, extent, magnitude; *die* ~ *van die kamer* the size/extent of the room

groot: ~**stad** metropole, unicity; ~**toon** big toe; ~**totaal'** grand total; ~**va'der** grandfather *ook* **ou'pa;** ~**vee** large stock; ~**wild** big game

~*slag* the underlying principles

gros gross; majority; ~**lys** shortlist *ook* **kort'lys**

grot -te cave, grotto; ~**bewo'ner** cave dweller, troglodyte; ~**kun'de** speleology (science)

gro'tendeels for the greater part, chiefly

gro'terig (b) fair-sized; in the teens (young person)

grotesk' -e grotesque, fanciful *ook* **gril'lig**

grou[1] (w) ge- growl, snarl; dig, burrow *ook* **graaf/grawe** (w)

grou[2] (b) grey; drab *ook* **vaal, eento'nig; grys**

grow'webrood wholewheat bread

gru (w) ge- shudder; ~/*ys by die gedagte* shudder at the thought; ~**moord** gruesome murder

gruis (s) gravel; grit; crushed maize; ~**gat** quarry *ook* **steen'groef;** ~**pad** gravel/dirt road *ook* **grond'pad**

gru'saam (b) ..**same** gruesome, gory, heinous; *grusame moord* gruesome murder *ook* **gru'- moord**

gru'wel -s horror, abomination; ~**daad** atrocity, outrage *ook* **gru'daad;** ~**grot** chamber of horrors *ook* **gru'welkamer**

gru'welik horrible, atrocious *ook* **afgrys'lik**

gryns (s) -e grin, grimace, sneer; (w) sneer; ~**lag** sneer, smirk, sardonic smile

gryp ge- snatch, grab; clutch; ~**dief** snatch and grab thief, bag snatcher *ook* **gou'dief;** ~**sug** greed *ook* **heb'sug**

grys grey; ~*e verlede* dim/remote past, hoary antiquity; ~**aard** old man, greybeard; ~**bok** grysbuck; ~**heid** greyness, old age

guerril'la -s guerrilla; ~**oor'log** guerrilla war- (fare) *ook* **sluip'oorlog**

guilloti'ne (s) -s guillotine *ook* **val'byl**

gui'tig (b) mischievous, roguish; playful *ook* **ondeund', skalks, gevat'**

gul (b) frank, generous, cordial, *iem.* ~ *onthaa* dine and wine/treat s.o.

gul'de (b) golden; ~ *geleentheid* excellent, golden opportunity; ~ *middeweg* golden mean ~/*goue reël* golden rule

gul'den (s) -s (Dutch) guilder, florin (obs currency unit)

gulhar'tig (b, bw) cordial; generous *oo* **mededeel'saam, vryge'wig**

gulp (s) fly (of trousers); (w) gush, spout

gul'sig gluttonous, greedy

gun (w) ge- grant, allow; not grudge; *ek* ~ *jou d* you are welcome to it

guns (s) -te favour, goodwill; support; *'n* ~ *be wys* do a favour/a good turn; *leef van* ~*te* e *gawes* live on charity; *ten* ~*te van* in favour o ~**bus(sie)/**~**mo'tor** courtesy bus/car *o* **diens'bus;** ~**geld/**~**loon** kickback, bribe *o* **smeer'geld;** ~**jag'ter/**~**soeker** toady (curryin favours) *ook* **wit'voetjiesoe'ker;** ~**mo't** courtesy car

guns'te'ling (s) -e favourite (n); *groot* ~ h

favourite; *my ~skrywer* my favourite author;
~telinge (mv) favo(u)rites (internet)

guns'tig (b, bw) **-e** favourable, advantageous
ook **voorde'lig;** *~e ligging* convenient site/
situation

gus (b, bw) not in milk, dry; barren (ewe, cow);
~ooi sterile/barren ewe

guur (b) bleak, cold, harsh, inclement *kyk*
on'guur; *gure weer* inclement/rough/foul
weather *ook* **hon'deweer**

gy'selaar -s hostage *ook* **aan'gehoudene, borg**
(persoon); *as ~ aanhou* take hostage; *vrylating
van ~s* release of hostages

gy'seldrama (s) hostage drama

gy'seling to hold hostage; imprisonment (for
debt)

H

h -'s h

haai[1] (s) **-e** shark (fish); *vir die ~e gooi* throw to the dogs

haai![2] (tw) heigh!; I say!

haai[3] (b) bleak, barren; *die ~ Karoo* the barren Karoo

haak (s) **hake** hook, hasp, bracket; *in die ~ bring* square, settle; (w) hook; heel (rugby ball)

haak-en-steek umbrella thorn (tree)

haak'plek obstruction *ook* **belem'mering**; hitch, glitch

haaks (b, bw) **-e** right-angled; quarrelling *ook* **oorhoop'(s)** (met mekaar); *hulle is altyd ~* they are continually at loggerheads/at odds

haak'speld safety pin

haal[1] (s) **hale** stroke, lash

haal[2] (w) ge- fetch, catch; *die paal ~* make the grade; *die trein ~* catch the train; **~baar** (b) feasible, attainable *ook* **uitvoer'baar**; **~baar= (heid)stu'die** feasibility study; **~-en-betaal'** cash-and-carry *ook* **koop-en-loop'**

haan (s) **hane** cock, rooster; *geen ~ sal daarna kraai nie* nobody wil be the wiser; **kapok'~** bantam cock

haar[1] (s) **hare** hair; *hare kloof* split hairs; bicker/quibble about; *hare op die tande hê* have plenty of grit

haar[2] (vnw) her; **~self/~ self** she herself

haar[3] (b) right; *hot en ~* left and right; **~om** to the right, clockwise; **~ag'ter** right hind

haar: **~band** hair ribbon; **~bor'sel/ha're borsel** hairbrush; **~breed'(te)** hair's breadth

haard (s) **-e** hearth, fireside, fireplace *ook* **vuur'herd**

haar: **~fyn** as fine as hair; in detail *ook* **presies'**; **~kam** comb; **~kap'per** barber; hairdresser, hairstylist; **~klowery'** hairsplitting; quibbling; **~knip** hair slide; **~knip'per** (pair of) hair= clippers; hairdresser; **~lint** hair ribbon; **~lok** lock of hair; **~mid'del** hair restorer; **~naald** hairpin; **~'olie** hair oil; **~sny'er** hairdresser *ook* **haarkap'per**; **~sproei** hairspray; **~stileer'der** hairstylist

haas[1] (s) haste, hurry; *hoe meer ~ hoe minder spoed* more haste, less speed; *~ jou* be quick

haas[2] (s) **hase** hare; rabbit (bunny)

haas[3] (bw) almost, nearly *ook* **am'per, by'na;** *hy is ~ daar* he must have nearly arrived

haas: **~bek** gap-toothed; **~lip** harelip, cleft lip *ook* **gesple'te lip**; **~o're** bunny aerial (TV)

haas'tig (bw) hasty, in a hurry *ook* **gou, spoe'dig**

haat (s) hate, hatred; (w) ge- hate, dislike, detest

haatdra'end revengeful, resentful, malicious

haat'lik hateful, detestable, spiteful; **~heid** mal= ice, spite; nastiness

haat'spraak (s) hate speech

ha'bitat (s) habitat (natural home of an animal or plant)

ha'el (s) hail; shot; (w) ge- hail; **~geweer'** shotgun; **~kor'rel** grain of shot; hailstone; **~patroon'** shot cartridge; **~steen** hailstone; **~storm/~bui** hailstorm

hag'lik critical, risky, perilous, precarious *ook* **kritiek'; bedenk'lik** (siekte)

hak[1] (s) **-ke** heel (of foot); hock (animal); *var= die ~ op die tak spring* jump about (in a conversation)

hak[2] (w) ge- chop, cut; mince; *~ die knoop deur* cut the (Gordian) knot

ha'ker **-s** hooker (rugby)

ha'kie **-s** bracket; little hook; *tussen ~s in* brackets/parenthesis; by the way *ook* **terloops'**

hak'kejag (s) hot pursuit (mil.)

hak'kel ge- stammer, stutter *ook* **stot'ter; ~aar** stammerer (person)

hak'skeen **..skene** heel (of foot); *rooi hak= skeentjies kry* (young chap) getting interested in girls

hal **-le** foyer *ook* **voor'portaal;** concourse; hall

half halwe half; *daar slaan dit ~* the half-hour is striking

halfag(t) half past seven

halfe'del (b) semiprecious; **~steen** semiprecious stone

half'eindronde semifinal (sport competition)

halfjaar'liks (bw) half-yearly, biannual (twice a year) *kyk* **twee'jarig**

halfkroon' **..krone** half a crown, a half-crown (obs. coin)

halfmaan'/halwemaan' **..mane** crescent, semi= circle; **~tjie** half-moon (earmark)

halfne'ge half past eight

half: **~pad** halfway; **~rond** (s) hemisphere; (b) hemispherical; semicircular

halfslag'tig (b) half-breed; half-hearted *ook* **besluite'loos**

half: **~slyt** secondhand, partly worn; **~stok** half-mast *ook* **half'mas** (vlag); **~uur** half an hour; **~vol** half-full

halfwas' half-grown, adolescent; medium

half'weekliks bi-weekly, twice weekly

halito'se (s) halitosis *ook* **sleg'te a'sem**

hallelu'ja hallelujah *ook* **vreug'de-uitroep, lof= lied**

hallusina'sie **-s** hallucination *ook* **sins'bedrog; ~reis** (drug) trip *ook* **dwelm'toer**

hals **-e** neck; *jou moeilikheid op die ~ haal* bring= trouble on yourself; **~band** collar (dog); **~doek** scarf, cravat; **~ket'ting** neckchain; necklace; **~lyn** neckline; cleavage; **~mis'daad**

capital crime; **~oorkop′** head over heels, helter-skelter *ook* **holderstebol′der**; **~horlo′= sie** pendant watch; **~sie′raad** neck ornament; **~snoer** necklace; **~snoermoord′** necklace murder (burning tyre around victim's neck)

halsstar′rig (b) obstinate, headstrong, stubborn *ook* **kop′pig**

halt! halt!; stop!

hal′te -s halt; siding (railway)

hal′ter -s halter; **~riem** halter strap

halveer′ (w) ge- halve, divide into halves, bisect

ham -me ham (pig thigh)

ham′ba (Xhosa, Zulu) (w) go!; be gone!; hamba!; **~ kah′le** go in peace

ham′burger -s hamburger *ook* **frikkadel′= broodjie**

ha′mel -s wether, hamel (castrated sheep ram)

ha′mer (s) -s hammer; mallet (of wood); *onder die ~* up for auction; (w) ge- hammer; **~gooi** throwing the hammer (athl.); **~kop** hammer= head, umber (bird)

hand (s) -e hand; *iets aan die ~ doen* suggest something; *met ~ en mond belowe* promise faithfully; *met die ~(e) in die hare* be at a loss (what to do); *met ~ en tand beveg* fight tooth and nail; *die ~e uit die mou steek* put the shoulder to the wheel; **~bewe′ging** motion of the hand; **~boei** handcuff; manacle; **~boek** manual, handbook, textbook; **~boord′jie** cuff; **~breed′(te)** hand's breadth; **~doek** towel; **~druk** handshake/handclasp

han′dearbeid manual labour

han′del (s) trade, commerce, business; *~ dryf/ drywe* carry on a business/trade; *~ en wandel* conduct in life; *lewendige ~* brisk trade; (w) act; deal; carry on a business; *die boek ~ oor* the book deals with; **~aar** (s) -s merchant, dealer, trader; **~ing** action, conduct; operation; **~saak** business concern, commercial enter= prise *ook* **sa′keonderneming**

han′dels: ~agent′ commercial agent; **~arti′kel** commodity; **~balans′** balance of trade; **~bank** commercial bank; **~belan′ge** commercial in= terests; **~betrek′king** trade connection

han′delsender commercial transmitter (broad= casting)

han′dels: ~fir′ma trading firm; **~flits** commercial (n), advertising spot (radio/TV); **~huis** general dealer (rural)

han′del: ~skip merchantman; **~skool** commer= cial school/college

han′dels: ~korresponden′sie commercial corre= spondence; **~kor′ting** trade discount; **~kuns** commercial art; **~kuns′tenaar** commercial artist; **~maatskappy′** trading company; **~merk** trademark; **~mis′daad** white-collar crime; **~onderne′ming** commercial undertak= ing/venture; **~reg** mercantile/commercial law;

~rei′siger commercial traveller; **~rekenkun′= de** commercial arithmetic; **~vloot** merchant navy; **~wa′re** commodities

han′del(s)wyse (n) procedure, line of action

hande-vier′voet on all fours

hand′gekeur handpicked; **~de personeel′** hand= picked staff

hand′gemeen (s) free-for-all scuffle (fighting); (bw) **~ *raak*** come to blows

hand: ~granaat′ hand grenade; **~greep** grip, grasp

hand′haaf (w) ge- maintain, uphold *ook* **behou′**; *jou ~ teen* hold one's own against; *standaarde ~* maintain standards; **hand′hawing** mainte= nance, preservation

han′dig (b) handy, useful; skilful, adroit *ook* **knap, bedre′we, behen′dig**

hand′jie vol handful; a few; *'n ~ toeskouers* hardly any spectators

hand: ~kof′fer suitcase; handbag; **~ky′kery** palmistry; **~lan′ger** handyman *ook* **nuts′man**; accomplice; **~lei′ding** textbook, manual (of instruction), handbook *ook* **hand′boek; ~perd** led horse; mistress *ook* **by′wyf; ~palm** palm of the hand; **~pop** puppet; **~re′kenaar** palmtop computer; **~rug** backhand (tennis); **~saag** handsaw; **~(s)gewys′** manual(ly); **~skoen** glove; *met die ~skoen trou* marry by proxy; **~skrif** handwriting; manuscript; **~spie′ël** hand mirror; **~stuk** handset (cellphone); **~tas** hand= bag *ook* **~sak**

handtas′telik: ~ *word* manhandle *ook:* **hand= gemeen raak**

hand: ~uit ruk/~ uitruk get out of hand/control; run amok; **~tekening** signature; **~tekening= jag′ter** autograph hunter; **~vat′sel** handle; **~ves** charter, covenant; **~wa′pen** handgun; **~werk** craft, handiwork; needlework

ha′ne: ~balk collar beam; rafter; **~geveg′** cockfight; **~kam** cock's comb; cockscomb (flower); **~pootdrui′we** hanepoot grapes; **~rig** cocky (person); **~spoor** cock's spur; **~tree′tjie** short distance, stone's throw *ook* **kat′spoegie**

hang (s) -e slope (of mountain) *ook* **berg′~;** (w) ge- hang, suspend; *aan iem. se lippe ~* listen attentively to s.o.; *'n moordenaar ~/ophang* hang a murderer

han′gar -s hangar *ook* **vlieg′tuigloods**

hang′brug ..brûe suspension bridge

han′gende pending *ook* **af′wagtend**; hanging; *die saak is ~* the matter is pending

han′ger(tjie) pendant; dropper (in wire fence)

hang: ~kas wardrobe; **~kof′fer** wardrobe trunk; **~mat** hammock; **~skou′ers** drooping shoulders; **~slot** padlock; **~sweef** *kyk* **vlerk′= sweef; ~verband′** sling (for broken arm) *ook* **draag′band**

hans (s; b, bw) hand-fed animal (esp. lamb, calf); *die lam is* ~ it is a bottle-raised/hand-reared lamb; **~die′retuin** petting zoo; **~lam** hand/bottle fed lamb

hans′wors -e clown, harlequin *ook* **nar, grap′jas**

hanteer′ (w) ge- handle, manage, deal/cope with *ook* **verwerk′; behan′del;** operate; **~kos′te** handling charges/fee

hap (s) -pe bite, piece; chip (in crockery, on car) *ook* **bik (merkie);** *'n hele* ~ *uit my salaris* quite a slice out of my salary; (w) bite, snap

ha′per ge- falter; ail, be impeded; *waar* ~ *dit?* where is the hitch?

haraki′ri harakiri (Japanese ritual suicide)

hard hard; loud; stern; *hy het 'n ~e kop* he is a stubborn person

hard′drawwer trotter (horse)

har′de: **~baard** (b) tough, not for sissies (infml.) *ook* **taai, gehard′;** **~bolkeil′** billycock, bowler (hat); **~hout** (omgangst.) brandy; **~koeja′wel** tough customer *ook* **skoor′soeker;** **~kool** leadwood; **~kwas** (b) unyielding; obstinate, stubborn *ook* **~gat** (person); **~pad** penal labour *ook* **dwang′arbeid**

hardeskyf hard drive (comp.); **~aandrywer** hard drive

har′der -s Cape herring; mullet (fish)

har′deware hardware goods *ook* **ys′terware;** hardware (comp.) *ook* **apparatuur′**

hardhan′dig (b, bw) rough, tough; rude; *iem.* ~ *hanteer* handle s.o. roughly/rudely

hard′heid hardness; loudness; sternness

hardho′rig hard of hearing *ook* **hardho′rend, gehoor′gestrem′**

hardkop′pig (b) headstrong, obstinate, stubborn

hard′loop ge- run, sprint; hurry, make haste

hardly′wig constipated; **~heid** constipation

hardnek′kig (b) stubborn, headstrong *ook* **hardkop′pig, eiewys′**

hard′op aloud, in a clear voice; ~ *lees* read aloud *ook* **luid′lees**

hardvog′tig callous, heartless *ook* **har′teloos**

hard′vrieser (s) deep-freeze(r) *ook* **vries′kas**

hardwer′kend -e hardworking, industrious *ook* **fluks, y′werig, vly′tig**

ha′rem -s harem, seraglio *ook* **vroue′verblyf**

ha′(re)rig -e hairy; shaggy

ha′ring -s herring; **gerook′te** ~ kippered herring

hark (s) -e rake; (w) ge- rake

harlekyn′ -e buffoon, harlequin, clown *ook* **nar**

harmonie′ -ë harmony; unison

harmonieus′ -e harmonious, sweet-sounding

harmo′nika -s harmonica, concertina; accordion; mouth organ

harmo′nium -s harmonium, reed organ *ook* **huis′orrel, serfyn′**

har′nas -se armour, cuirass; *iem. in die* ~ *ja/jaag* antagonise s.o.

harp -e harp (mus. instr.)

harpoen′ -e harpoon (barbed spear for whaling)

harpuis′ resin, rosin (from fir trees) *ook* **hars;** ~ *ruik* be floored (boxing)

harpy′ (s) -e harpy (mythol. monster) *ook* **gryp′godin′**

hars resin, rosin *ook* **harpuis′**

har′sing: **~galop′** think-tank *ook* **dink′skrum;** **~gimnastiek′** brain-storming session(s) *kyk* **brein′gim;** **~koors** brain fever

har′sings cerebrum, brains; *die* ~ *inslaan* dash out the brains

har′sing: **~skud′ding** concussion; **~vlies** cerebral membrane; **~vliesontste′king** meningitis

har′slag pluck (of a slaughtered animal)

hars′pan cranium; brainpan (infml.)

hart -e heart; mind; core; courage; *'n pak van die* ~ a weight off the mind; *met* ~ *en siel* whole-heartedly; *op die* ~ *druk* impress upon; *van* ~*e gelukwens* (extend) hearty/cordial congratulations; **~aanval** heart attack; **~aar** aorta; life artery

hart′bees/harte′bees -te hartebees (antelope); **~hui′sie** wattle-and-daub hut

har′te: **~bre′ker** lady-killer; **~leed** deep-felt grief; **~loos** heartless, callous *ook* **gewe′tenloos;** **~lus** heart's desire; *na* ~*lus* to one's heart's content/desire; **~aas′/~ns′aas** ace of hearts (cards); **~boer/~ns′boer′** knave/jack of hearts

har′tens hearts (cards) *ook* **har′te**

har′tewens′ (s) fondest wish

hartgron′dig -e heart-felt, cordial, sincere

hart: **~jie** little heart; darling; *in die* ~*jie van die winter* in midwinter; **~klop′pings** palpitations; **~kwaal′** heart disease; **~lam** darling, dearest *ook* **lief′ling, skat(lam)**

hart′lik hearty, sincere, cordial *ook* **in′nig, opreg′;** ~*e groete tuis/van huis tot huis* sincere greetings to all (at home); **~heid** heartiness, cordiality

hart: **~om′leiding** heart/cardiac bypass; **~oor′planting** heart transplant; **~pas′aangeër** heart pacemaker; **~roe′rend** heart-rending, touching; **~′seer** (s) grief, sorrow; (b) heartsore, sad; **~seerhoe′kie** agony column (in magazine); **~slag** heartbeat; **~tas′ting** cardiac scan(ning)

harts′tog (s) passion *ook* **drif, pas′sie;** ~′**telik** (b) passionate, fervent *ook* **vu′rig**

hartversa′king cardiac/heart failure

hartverskeu′rend heart-rending, heartbreaking

har′war (s) hustle and bustle, confusion, mix-up *ook* **war′boel, wan′orde**

ha′sepad: *die* ~ *kies* take to one's heels

has′pel (s) reel, windlass; (w) reel; bungle

ha′we[1] (s) -(n)s port, harbour; **~geld** dock/harbour dues; **~hoof** breakwater, pier, jetty, mole *ook* **pier**

ha′we² (s) goods, property, stock; le′wende ~ livestock (cattle, sheep)

ha′weloos homeless; destitute; poor, ragged; *hawelose gesin* destitute family

ha′wer oats (cereal)

ha′werklap: *om die ~* time and again

ha′wer: ~meel oatmeal; ~mout rolled oats; ~(mout)pap oatmeal porridge

hê (w) had, het gehad have, possess; *gelyk ~ be right; daar niks op teë ~ nie* have nothing against it; *hy had geen beswaar nie (... het ... gehad)* he had no objection

hè! (tw) oh!, my!; not so!; *jy kom bedel weer, ~!* you are begging again, you ..!

heb′belikheid (n) habit, peculiarity, mannerism *ook* aan′wensel (hinderlike gewoonte)

Hebre′ër (s) -s Hebrew (person); Hebreeus′ (n) Hebrew (language); (b) -e Hebrew (customs, etc.)

heb′sug (s) greed, greediness *ook* inha′ligheid

hebsug′tig (b) covetous, greedy *ook* inha′lig, gie′rig

he′de¹ (s) the present, this day; *die ~ en die verlede* the present and the past; (bw) today

he′de!² (tw) oh my!; oh heavens!; oh goodness!

he′dendaags (b) -e modern, with-it, trendy *ook* bydertyds′; presentday, nowadays; *~e Afri= kaans* current/trendy Afrikaans

hedonis′me (s) hedonism *ook* genot′sug

heel¹ (w) ge- heal, cure; *die tyd sal ook hierdie wonde ~* time will also heal these wounds

heel² (w) ge- receive (stolen property) *kyk* he′ler¹

heel³ (b) hele; heler, -ste whole, entire; undam= aged; complete, intact

heel⁴ (bw) very, quite; *~ in die begin* at the very outset; *~ moontlik* quite likely; *~ waarskynlik* most probably

heelag′ter (s) fullback (rugby)

heelal′ (s) universe; cosmos; creation

heel: ~dag the whole day; throughout the day; ~huids unscathed *ook* ongedeerd′ (na 'n on= geluk); *daar ~huids van afkom* get off unscathed/unharmed

heel′meester -s healer *ook* he′ler

heel′temal quite, altogether, entirely, utterly; *~ alleen* all alone

heel′tyds fulltime *ook* vol′tyds

heel′wat quite a lot, a good deal; *~ tyd* plenty of time

heem: ~raad heemraad, local council (hist.); ~kring conservation society

heen away; thence; *~ en weer* to and fro

heen-en-weer′tjie for a moment, short visit

heen: ~gaan die, pass away; go away, depart; ~ko′me refuge; livelihood; *êrens 'n ~kome vind* find a refuge/living somewhere; ~reis forward journey; ~vlug outward flight *kyk* tuis′vlug

Heer¹ the Lord, God, the Almighty *ook* He′re

heer² (s) here gentleman; lord, master; *die ~ des huises* master of the house; *Geagte Heer/heer* Dear Sir

heer′lik (b) glorious, delightful; delicious (food); ~heid splendour, magnificence

heers ge- reign, govern, rule; prevail; *~ende pryse* ruling prices; ~er ruler (person)

heerskappy′ (s) power, reign, authority, dom= ination; supremacy; *~ voer oor* rule over

heer′skare/heer′skaar vast army *ook* leërmag; host, multitude *ook* me′nigte

heerssug′tig despotic; domineering, dictatorial

hees (b, bw) hoarse, husky; ~heid hoarseness

heet¹ (w) ge- be called; name; *hoe ~ hy?* what is his name?; *hy ~ na sy pa* he is called after his father; *hy ~ hom welkom* he welcomes/extends a (hearty) welcome to him

heet² (b, bw) hot, burning; torrid; snik~ sweltering/sizzling hot

heet: ~heid heat; ~hoof hothead (person) *ook* ekstremis′; fana′tikus; ~hoof′dig hotheaded, passionate

hef¹ (s) hewwe handle; hilt; *die ~ in die hand(e) hê* control a situation

hef² (w) ge- raise, lift; levy, impose; *belastings ~* levy taxes

hef′boom -s ..bome lever (to transmit a force)

hef′fing -s levy; *jaarlikse ~* annual levies; ~(s)geld raising fee; tariff

hef′tig violent, strong *ook* krag′tig; *~e weer= stand* stiff opposition

heg¹ (s) -ge hedge *ook* hei′ning, omhei′ning

heg² (w) ge- fasten, attach; *geen waarde ~ aan* attach no value to; (b) firm, solid, strong; *~te vriendskap* close/firm friendship

hegemonie′ hegemony *ook* lei′erskap, domina= sie (staatkundig)

heg: ~pleis′ter sticking plaster; ~steek stitch (wound) *kyk* steek

heg′tenis′ custody, detention *ook* aan′houding; *in ~ neem* arrest/detain (a person)

hegt′heid solidity, solidarity; firmness

hei (w) drive, ram (piles); ~paal (s) pile; ~werk pile driving, piling (for firmer foundation)

hei′de heath, moor, heather; ~blom′metjie heath, heather (Scottish)

hei′den (s) -e heathen, pagan; nonbeliever; ~dom heathendom, paganism; ~s (b) pagan, savage *ook* goddeloos′

heil welfare, good, bliss; salvation; prosperity; *alle ~ en seën!* best wishes! *H~ die Leser* Lectori Salutem; To whom it may concern

Hei′land Saviour

heil: ~dronk toast; *die ~dronk instel* propose the toast

hei′lig (w) ge- sanctify, consecrate, hallow; (b) holy, sacred *ook* god′delik; *iets ~ glo* believe implicitly; ~dom sanctuary, holy shrine

hei′lige (s) **-s** saint (person); **~beeld** image/icon of a saint

hei′lig: **~heid** holiness, sanctity; **~ma′king** sanctification; beatification; **~sken′nis** blas= phemy, sacrilege; **~verkla′ring** canonisation, beatification

heil′saam beneficial, salutary, wholesome

Heils′leër Salvation Army

heil′wens (s) **-e** congratulation, good wish(es) *ook* **seën′wens**

heim′lik (b) secret, stealthy; private; clandestine *ook* **verbor′ge, klandestien′**

heim′wee homesickness, longing; nostalgia

hein′de: ~ *en ver(re)* far and wide

hei′ning -s fence, hedge, enclosure

hek -ke gate, railing; hurdle; turnpike

he′kel[1] (s) dislike, aversion; *'n ~ aan iem. hê* dislike s.o. intensely; (w) **ge-** heckle; satirise; **~dig** satire; **~dig′ter** satirist

he′kel[2] (w) **ge-** crochet; **~naald/~pen** crochet needle

hek′geld gate money; admission fee

hek′kiesloop (s) hurdle race, hurdles; (w) hurdle

heks -e witch, hag, vixen *ook* **feeks, tier′wyfie**

heksagoon′ ..gone hexagon *ook* **ses′hoek**

hek′sameter -s hexameter *ook* **ses′voetige vers**

hek′se: **~dans** witches' dance; **~jag** witch-hunt; **~ry** witchcraft *ook* **toor′kuns**; **~werk** sorcery, witchcraft; difficult job

hek′sluiter (s) youngest child, Benjamin *ook* **laat′lammetjie, trop′sluiter**

hek′stormer -s gate-crasher *ook* **party′tjie-in′= dringer**

hektaar′ ..tare hectare (10 000 m^2)

hek′to: **~gram** hectogram; **~li′ter** hectolitre; **~me′ter** hectometre

hek′wagter -s gatekeeper

hel[1] (s) hell; inferno; *die ~ in* (omgangst.) angry, annoyed

hel[2] (w) **ge-** lean, slant, slope; incline *kyk* **hel′ling**

hel[3] (veroud.) (b, bw) bright, glaring *ook* **skerp, fel** (lig)

helaas′! alas!; alack!

held -e hero (person)

hel′de: **~ak′ker** heroes' acre; **~daad** heroic deed; **~dig** heroic poem; **~digter** heroic/epic poet; **~dood** hero's death; **~moed** heroism; **~ontvangs′** hero's welcome

hel′der (b, bw) clear, bright, serene; sonorous; *so ~ soos kristal* as clear as crystal; ~ *oordag* in broad daylight; ~ *wakker* wide awake; **~heid** (s) clearness, brightness; **~sien′de** (b) clear-sighted; clairvoyant; **~siend′heid** (s) clairvoy= ance

hel′de: **~sang** heroic/epic poem/song; **~skaar** heroic band; **~stryd** heroic struggle; **~vere′= ring** hero worship

heldhaf′tig (b) heroic, brave *ook* **dap′per, kor= daat′**

heldin′ (s) **-ne** heroine (woman)

he′ler[1] (s) **-s** receiver (of stolen property); *die ~ is so goed as die steler* the receiver (of stolen goods) is as bad as the thief

he′ler[2] (s) **-s** healer *ook* **heel′meester**

helf′te -s half; *die ~ minder* less by half; ~ *van die prys* half the price, half-price *ook* **half′prys**

he′liblad (s) **..blaaie** helipad, heliport (for helicopter)

helikop′ter helicopter, chopper; *gewapende ~* gunship

heliograaf′ ..grawe heliograph *ook* **sein′spieël**

helioskoop′ ..skope helioscope *ook* **son′spieël**

he′lihawe -ns heliport *kyk* **he′liblad**

hel′lebaard -e halberd (weapon); **~ier** halber-dier; beefeater (Br., soldier); battle-axe (fig.) *ook* **hel′leveeg**

Helleen′ (s) Hellene (ancient Greek); **~s′** (b) Hellenic, Greek

hel′levaart descent into hell

hel′leveeg ..veë hellcat, vixen, termagant, shrew (woman) *ook* **hel′pen**

hel′ling -s slope, incline, dip; gradient (of a road)

helm -s helmet *ook* **hel′met**; *met die ~ gebore wees* born with a caul; *motorfietsryers moet 'n (val)~ dra* motorcyclists must wear a helmet

hel′met -s, -te helmet *ook* **helm**

help (w) **ge-** help, assist, aid; accommodate; *alle bietjies ~* many a mickle makes a muckle; every drop counts; **~er** (s) **-s** helper

help-my-krap scabies, itchiness; **~-win′kel** junkshop

hels (b, bw) **-e** hellish, devilish, infernal; *~e lawaai* hell of a noise

he′mel (s) **-e** heaven, sky; (s) **-s** canopy (of throne); *onder die blote ~* in the open; *liewe ~!* good heavens!; *in die sewende ~* on cloud nine; **~bed** fourposter *ook* **le′dekant′**; **~hoog** sky-high; **~lig′gaam** heavenly/celestial body; **~poort** gate of heaven, pearly gate; **~ruim** sky; outer space

he′mels (b) **-e** heavenly, celestial; **~blou** sky-blue, azure; **~breed** wide as heaven; poles apart; *~breë verskil* great difference; *in ~naam!* for heaven's sake!

he′melswil: *om ~!* for goodness' sake!

he′meltergend (b) crying to heaven

He′melvaart Ascension; **~sdag** Ascension Day (Christian feast, former public holiday)

he′misfeer (s) **..sfere** hemisphere *ook* **half′rond**

hemp (s) **hemde** shirt; *die ~ is nader as die rok* charity begins at home

hemps: **~knoop** shirt button; stud *ook* **boord′= jieknoop**; **~mou** shirt sleeve

hen -ne hen; **~-en-kui′kens** nest of tables *ook* **diens′tafeltjiestel′**

hen'dikep (omgangst.) (s) **-s** handicap (n); (w) **ge-** handicap (v)

hends'op (omgangst.) (w) **ge-** put up one's hands, surrender; **~per** hands-upper; coward (mainly in AB War)

hen'gel (w) **ge-** angle, fish *ook* **vis'vang**; **~aar** (s) **-s** angler; **~gerei'** fishing tackle *ook* **vis'= gereed'skap**; **~katrol'** fishing reel; **~stok** angling/fishing rod; **vlieg~** fly-fishing (trout)

heng'uit (omgangst.) (b) very *ook* **bai'e, hengs**; ~ *moeg* very/dead tired

hen'nep hemp, cannabis

her: ~ *en derwaarts* hither and thither

heraldiek' (s) heraldry *ook* **wa'penkunde**; **heral'dies** (b) **-e** heraldic *ook* **wapenkun'dig; heral'dikus** (s) **-se, ..dici** heraldist; blazoner (person)

herba'rium -s herbarium *ook* **krui'eversame= ling**

her'berg (s) **-e** inn; hostel; tavern; shebeen; (w) **ge-** shelter, lodge, accommodate *ook* **huis'ves**

herbergier' **-s** innkeeper, taverner; host

herbo're reborn, born again; regenerated

herbruik' (w) ~ recycle (paper) *ook* **herwin'**

herdenk' (w) ~ commemorate, celebrate; re= member; **~ing** (s) **-e, -s** commemoration; *twin= tigjarige ~ing* twentieth (wedding) anniversary *kyk* **gedenk'**

her'der (s) **-s** shepherd, herd *ook* **skaap'wagter**; clergyman, parson, pastor

her'der: ~lik pastoral; **~loos** shepherdless, un= guided; **~sang** pastoral poem/song; idyll; **~s'pastei'** cottage pie; **~staf** shepherd's crook; (bishop's) crosier; **~s'volk** pastoral people

herdoen (w) ~ redo (comp.)

her'druk (s) **-ke** reprint; new edition (book); (w) ~ reprint

He're the Lord, God, the Almighty; *as die ~ wil* God willing

he'rehuis -e mansion, manor house

her'eksamen -s re-examination

her'eksamineer (w) ~ re-examine

here'nig (w) ~ reunite; (s) **~ing** reunion

he'reregte transfer duty/dues (on sold property)

herfs (s) **-te** autumn; **~hui'sie** granny flat *ook* **tuin'woonstel**; **~nage'wening** autumnal equi= nox; **~tint** autumnal tint *ook* **herfs'kleur**; **~wind** autumn wind

her'gebruik (s) recycling *ook* **herwin'ning**

herhaal' (w) ~ repeat, reiterate; recapitulate; **~delik'** (bw) repeatedly, time and again

herha'ling repetition; recapitulation; recurrence (of event)

herin'ner (w) ~ remember, remind, recall, recollect; ~ *aan* remind of; *vir sover ek my kan* ~ as far as my memory serves me; **~ing** memory; remembrance, recollection; reminis= cence; keepsake; *ter ~ing aan* in memory/

remembrance of; *(in) liefdevolle ~ing* in loving memory

herken' ~ recognise, identify; **~ning** recognition; **~(nings)te'ken** distinctive mark, identification mark

herkies' ~ re-elect; ~ *as/tot burgemeester* re= elected as mayor; **~baar** eligible for re-elec= tion; *hy stel hom ~baar* he offers himself/is available for re-election; **~ing** re-election

her'koms origin, descent, extraction; source; *land van* ~ country of origin

herkou' ~ chew the cud, ruminate; repeat; *'n saak* ~ ponder over a matter; recap(itulate) an event/issue; **~tjie/~sel** cud (of animal)

herlaai (w) ~ reboot (comp.)

herlaai'baar rechargeable (battery)

herleef'/herle'we ~ revive, return to life; *'n ge= beurtenis* ~ recall/relive an event

herlei' ~ convert; simplify; reduce; **~ding** reduction; **~ding van breuke** simplification of fractions

herle'wing (s) revival, regeneration; rebirth

hermafrodiet' (s) hermaphrodite *ook* **tweeslag= tige** (dier, plant)

hermelyn' ermine, miniver (fur)

herme'ties hermetic, airtight *ook* **lugdig**; *die tenk is* ~ *gesluit* the tank is hermetically sealed

herneem' ~ recapture/retake (fort); resume

herneu'termes (s) bowieknife, jackknife

hernieu'/hernu'we/hernu' (w) ~ renew, reno= vate *ook* **op'knap**; resume; *geliewe u inteke= ning te hernu* please renew your subscription (to a magazine/the internet); *hernieude aanval* renewed/ fresh attack

hernu'wing renewal, renovation; **~ken'nis= gewing** renewal notice

hero'ïes (b) **-e** heroic; **~e** *stryd* heroic struggle

herontplooi' (w) ~ redeploy, redistribute (staff) *ook* **herskik', herplaas'**; **~ing** (s) redeploy= ment *ook* **herskik'king** (van personeel)

her'oorweeg (w) ~ reconsider, rethink *ook: opnuut beskou*

her'open reopen; **~ing** reopening (eg schools)

herout' **-e** herald *ook* **bood'skapper**

her'ower ~ recapture, reconquer (fort)

herpetoloog' **..loë** herpetologist (expert on reptiles)

her'rie confusion; din, noise, rumpus, ruction(s); *iem. op sy* ~ *gee* thrash s.o.

herroep' ~ revoke, repeal, rescind, recall, retract *ook* **terug'trek**; *dié wet is* ~ this law has been repealed; **~ing** repeal, retraction

herrys' ~ rise from the dead; **~e'nis** resurrection *ook* **wederop'standing**

her'senskim -me illusion, hallucination, figment of the imagination *ook* **fantasie', droom'beeld**

hersien' ~ revise, update; reconsider; **~ing** revision, review

hersikleer' (w) ~ recycle *ook* **herwin'; herraf=**
fineer'(olie)

herska'pe (b) reborn, recreated

herskep' (w) ~, recreate, regenerate; **~ping**
recreation, regeneration

herskik' (w) ~ redeploy (staff) *ook* **herontplooi'**

her'soneer (w) ~ rezone (a suburb/stand)

herstel' (s) repair; recovery *ook* **be'terskap;**
reparation; redress; ~ *van huweliksregte* resti=
tution of conjugal rights; (w) ~ recover,
restore, rectify, repair, mend; **~lende ak'=**
sie/op'trede affirmative action *ook* **reg'=**
stellende ak'sie; ~ling recovery, restoration;
~oord convalescent home; sanatorium; hos=
pice *ook* **hospi'tium, hos'pies; ~verlof'** con=
valescent leave

herstruktureer' (w) **ge-** reconstruct, realign

hert -e stag, deer *ook* **tak'bok**

her'tog (s) **hertoë** duke (nobleman); **~in'** (s) **-ne**
duchess

hervat' (w) ~ resume, repeat, begin again; *sy*
werk ~ resume his work; **~ting** resumption

her'vestig (w) ~ relocate, resettle *ook* **verhuis',**
(weg)trek; ~ing resettlement, relocation

hervorm' (w) ~ reform, reshape, transform; **~(d)'**
reformed; **die H~de Kerk** the Reformed
Church; **~ing** reformation; reform; **die H~ing**
the (Church) Reformation

hervul' (s) **-le** refill *ook* **hervul'ling** (van houer);
(w) ~ refill

herwin' (w) ~ regain, recapture, recover; recycle
ook **herraffineer'**(olie); **hersirkuleer'** (geld);
hersikleer' (papier); **hergebruik'**; *sy bewus=*
syn ~ regain his consciousness; **~ning** recov=
ery; recycling (glass, paper)

herwin'gids recycle bin (comp.)

herwon'ne recovered, regained; reclaimed; sal=
vaged; ~ *vryheid* freedom regained

he'serig (b) slightly hoarse, husky *kyk* **hees**

he'terdaad/he'ter daad: *(op)* ~ *betrap* catch
redhanded

heterogeen' (b) heterogeneous *ook* **ongelyk=**
soor'tig

heteroseksueel' (s, b) **..ele** heterosexual

hetsy' either; whether; ~ *warm of koud* whether
hot or cold

heug (s): *teen* ~ *en meug* against one's will;
~(e)'nis remembrance, memory; **~lik** memo=
rable; joyful, pleasant; **~like dag** memorable
day

heul ge- collude/collaborate with; be in cahoots
with *ook* **saam'span;** ~ *met die vyand* collude
with the enemy

heu'ning honey; nectar; ~ *om die mond smeer*
softsoap a person; **~by** honeybee; **~dou** honey=
dew; blight (plant fungus); **~koek** honeycomb;
~kwas: *die ~kwas gebruik* flatter, coax; **~tee**
bushtea; **~vo'ël** honey guide

heup -e hip; **~been** hipbone; **~fles** hipflask; **~jig**
hip gout, sciatica; **~sak(kie)** bumbag;
~vervang'ing hip replacement; **~vuur** firing/
shooting from the hip

heu'wel (s) **-s** hill; mound; **~ag'tig** hilly; **~top**
hilltop

he'wel (s) **-s** siphon; (w) **ge-** siphon; *petrol uit*
die tenk ~ siphon petrol out of the tank

he'wig severe, violent, fierce, vehement *ook*
kwaai, woes; ~ *ontstel* violently upset; **~e**
pyn acute/intense pain *kyk* **hef'tig**

hiaat' (s) **hiate** hiatus, gap *ook* **ga'ping, leem'te**

hiasint' -e hyacinth *ook* **na'eltjie** (blom)

hiberneer' (w) ~, **ge-** hibernate *ook* **oorwin'ter**

hibri'dies -e hybrid *ook* **ba'ster**

hidroëlektries/hi'dro-elektries (b) **-e** hydro=
electric

hidrop'sie hydropsy *ook* **wa'tersug**

hidrou'lies (b) **-e** hydraulic (pressure exerted by
fluids)

hië'na -s hyena (wolflike scavenger)

hiep-hiep-hoera! hip hip, hurrah!

hier (bw) here; ~ *te lande* in this country;
~aan/~ aan to, hereto, by this; **~ag'ter/~**
ag'ter behind this

hiërargie' -ë hierarchy *ook* **rang'orde; gesags'=**
lyn

hier: ~bene'wens/~ benewens besides this, in
addition to; **~by/~ by** hereby; herewith;
enclosed; included; **~deur/~ deur** through
this (means), by this; **~die** this, these; **~heen/~**
heen this way, to this side; **~in/~ in** in this,
herein

hier'jy! (s) lout *ook* **gom'tor;** (tw) hallo! I say!

hier'langs/~ langs along here, past here

hier: ~mee/~ mee with this, herewith; **~na/~ na**
after this, hereafter; **~naas/~ naas** next door
ook **~langs**

hierna'maals hereafter; afterworld, the great
beyond *ook* **e'wigheid**

hier'natoe this way; *dis nie* ~ *en ook nie*
daarnatoe nie it is not to the point

hiëroglief' ..gliewe hieroglyph *ook* **beeld'skrif**

hier: ~om/~ om for this reason; round here; **~**
omtrent/~ omtrent' hereabouts; **~omtrent'** concern=
ing/regarding this; **~oor/~ oor** about/regard=
ing this, over this; **~op/~ op** upon this, after
this; hereupon; **~so** here, at this place; **~teen/~**
teen against this; **~teenoor'** opposite; against
this; **~uit/~ uit** from this, out of this; **~van/~**
van herefrom; about this; **~vandaan'/~ van-**
daan from here; **~voor/~ voor** for this, in
return (for this)

hiet (w) **ge-** order; *iem.* ~ *en gebied* order s.o.
curtly about

higië'ne hygiene *ook* **gesond'heidsleer; gesond'=**
heidsorg

higië'nies (b) hygienic *ook* **sin'delik**

hik (s) **-ke** hiccup(ing); (w) **ge-** hiccup; *slaan dat hy so* ~ strike him a stunning blow

him'ne -s hymn *ook* **lof'sang; gesang'** (kerk)

hin'der (w) **ge-** hinder, obstruct; annoy, hamper, interfere; **~laag** ambush *ook* **lok'val; ~lik** annoying, troublesome *ook* **las'tig, steu'rend;** inconvenient, cumbersome; **~nis** obstacle, obstruction, barrier; hazard (golf); **~niswed= loop** obstacle race; **~nis(wed)ren** steeplechase

Hin'doe -s Hindu (adherent to Hinduism; person from Hindustan); **~ïsme** Hinduism (religion)

hings -te stallion (horse)

hing'sel -s handle, hinge *ook* **(hand)vat'sel**

hink ge- limp; halt, vacillate, waver; *op twee gedagtes* ~ halt between two opinions

hinkepink': ~ *loop* hobble, limp

hiperaktief' (b) **..tiewe** hyperactive (child)

hiperbo'lies -e hyperbolic, exaggerated; **~e taal** exaggerated speech

hiperbool' ..bole hyperbole, exaggeration *ook* **oordry'wing;** hyperbola (geom.)

hi'per: **~intelligent'** hyperintelligent; **~man'lik** macho; **~mark** hypermarket; **~modern'** ultra= modern

hiperteks hypertext (internet)

hiperten'sie hypertension, high blood pressure *ook* **oorspan'ning** *kyk* **stres**

hip-hop hip-hop (dancing; rapping)

hipno'se hypnosis, trance *ook* **slaap'toestand, beswy'ming**

hipnotiseer' (w) **ge-** hypnotise, mesmerise

hipochondrie' hypochondria *ook* **swaarmoe= digheid, neerslag'tigheid; ~s** (b) **-e** hypo= chondriac(al)

hipokon'ders/ipekon'ders (s) whims, caprices; imaginary ailments; *hy het ~/hy is 'n regte ipekonder* he is a real hypochondriac

hipote'se (s) **-s** hypothesis *ook* **(ver)onderstel= ling, teorie'**

hip'pie -s hippie/hippy (person)

histerektomie' hysterectomy, removal of womb

histe'rie (s) hysteria/hysterics *ook* **se'nuaanval**

histe'ries (b) **-e** hysterical *ook* **paniek'bevange**

histo'ries (b) **-e** historic(al) *ook* **geskiedkun'dig**

histo'rikus ..rici, -se historian *ook* **geskiedkun= dige, geskied'skrywer**

hits'motor -s hot-rod (car) *ook* **hits'tjor**

hit'te heat; *in die* ~ *van die stryd* in the heat of battle; **~golf** heatwave; **~graad** temperature *ook* **temperatuur'; ~slag/~steek** heatstroke

hit'tete: *so* ~*!* nearly, touch and go; as near as dammit

hit'te-uitputting heat exhaustion

hit'tig heated/ruttish, on heat *ook* **brons, op hit'te** (paarlustig)

hob'bel¹ -s (speed) hump *ook* **spoed'hobbel** (spoeddemper)

hob'bel² (w) **ge-** rock, go seesaw; **~ag'tig/~rig** uneven, rugged, bumpy; **~perd** rocking horse

ho'bo -'s oboe (mus. instr.)

hoe how; what; ~ *eerder* ~ *beter* the sooner the better; ~ *dit ook sy* be that as it may

hoed¹ (s) **-e** hat, bonnet; *die* ~ *rondstuur* have a whip-round (collect money informally for a cause)

hoed² (w) **ge-** guard, protect, tend

hoeda'nig how, what kind of; **~he'de** qualities, characteristics *ook* **ei'enskappe; ~heid** capac= ity, position; *in die* **~heid** *van* in the capacity of

hoe'de (s) guard, care, protection; *op jou* ~ *wees vir/teen* be on one's guard against

hoe'de: **~boks** hatbox; **~maak'ster** milliner; **~rak** hatstand; **~stan'der** hallstand; **~win'kel** milliner's/hatter's shop

hoëdigt'heidsbehuising high-density housing

hoef¹ (s) **hoewe** hoof, ungula

hoef² (w) need; *jy* ~ *nie te kom nie* you need not come; *jy* ~ *nie te gekom het nie* you need not have come

hoef: **~slag** hoof beat; **~smid** farrier; **~vor'mig** hoof-shaped, ungular; **~ys'ter** horseshoe

hoe'genaamd: ~ *niks* nothing at all, nothing whatsoever; ~ *geen voorraad nie* no stock at all

hoek -e corner, angle; hook; *iets van* ~ *tot kant ken* know something inside out

hoe'ka: *van* ~ *se tyd af* from time immemorial; *hy is* ~ *al verplaas* he was transferred long ago

hoe'kie -s little corner, nook; bar (shop); *uit alle* ~*s en gaatjies* from every nook and cranny

hoe'kig (b) angled, angular; jagged

hoe'kom why, for what reason *ook* **waar'om**

ho'ë kommissa'ris high commissioner (dipl.)

hoek'steen ..stene corner/foundation stone; **~leg'ging** laying of the foundation stone

hoek: **~vlag** corner flag; **~ys'ter** angle iron

hoe lank how long, till when

hoë'lui upper class/crust *ook* **hoogste kringe**

hoen'der -s chicken; fowl; *die* ~*s in wees* be furious; *mal Jan onder die* ~*s* a thorn among the roses; **~ei'er** (hen's) egg; **~hok** fowl house, hen coop/run; **~kop** drunk, tipsy *ook* **dronk, lek'kerlyf; ~vel** gooseflesh/goosebumps *ook* **~vleis;** *ek kry* ~*vel daarvan* it gives me gooseflesh/the (cold) creeps; **~vleis** chicken (meat)

hoe'pel -s hoop; **~been** bandyleg; **~rok** hoop petticoat, crinoline

ho'ëpriester -s high priest

ho'ër higher; ~ *on'derwys* higher/tertiary educa= tion; ~ *seun'skool/meisie'skool* boys'/ girls' high school

hoer (s) **-e** prostitute, whore, hooker *ook* **prostituut'; seks'werker**

hoera!/hoerê! hurrah!

hoereer' (w) **ge-** fornicate; whore (v); commit adultery; **~der** adulterer

Ho'ërhand: *van* ~ from God

Ho'ërhuis -e Upper House; Senate (former chamber of Parliament in SA); House of Lords (UK)

hoer: ~huis brothel *ook* **bordeel'**; **~kind** illegitimate/bastard child *kyk* **buite-eg'telike kind**

ho'ërskool/hoër skool high/secondary school *ook* **sekondêre skool**

ho'ërskoolleerling -e high school pupil/learner *ook* **leer'der**

hoes (s) cough; (w) **ge-** cough; **~bui** coughing fit/spell

hoe'senaam what-d'you-call-it, whatsitsname, *ook* **wat'senaam, hoesenaam, din'ges**

hoe'sit/hoe'zit? (omgangst.) howzit (infml.)

hoes: ~mid'del cough remedy; **~peperment'**/ **~tablet'** cough lozenge

hoë: ~sorg' (s) high care (section of hospital) *ook* **waak'sorg;** ~ **tegnologie'** (s) high tech= nology, hi-tech

ho'ëtrou high fidelity, hi-fi; **~stel** hi-fi set

hoeveel' how much/many; **~heid** quantity

hoe'veelste: *die ~ van die maand?* what day of the month? what is the date?

Ho'ëveld Highveld (region in SA); **ho'ëveld** highlands; highfield

hoe ver/hoe vêr how far; *hoe ~ is dit dorp toe?* how far (from here) is it to town?

hoever'/hoevêr/hoever're: *in ~* to what extent, (as to) how far

hoëvlak: ~ **af'vaardiging** high-level/high-profile delegation; **~sa'mesprekings** high-level talks

hoe'we (s) **-s** smallholding, plot *ook* **klein'hoewe**

hoewel' (vgw) though, although, while *ook* **alhoewel', ofskoon'**

hof (s) **howe** court; garden; ~ *van appèl* court of appeal; *'n meisie die ~ maak* court a girl; **appèl~** appeal court; **~bevel'** order of court; **~da'me** lady in waiting; **~dig'ter** poet laureate (Br.); **hoë ~** high court

ho'fie little head; heading/caption *ook* **op'skrif**

hof'lik (b) courteous, polite *ook* **beleef'(d)**; **~heid** courtesy, politeness; **~heidsbesoek'** courtesy visit

hof: ~nar court fool, jester (hist.) *ook* **harlekyn'**; **~saak** court case, lawsuit *ook* **regsgeding'**

hok (s) **-ke** pen (fowl); shed (cattle); kennel (dog); sty (pig), hutch (rabbit); cage (bird); (w) **ge-** enclose, shut in; gate (scholars); *die meisies is ge~* the girls have been gated; **~slaan** crack down on; deprive s.o. of a pleasure; beat calf off (when milking)

ho'kaai! stop! *ook* **ho'nou!**

hok'kie[1] hockey (sport)

hok'kie[2] **-s** small shed; cubicle *ook* **kleed'=**

hokkie; pigeonhole *ook* **brie'wevak;** locke *ook* **sluit'kas**

hol[1] (s) **-e** hole; cave, den; (b) hollow, empty; *~l beloftes* empty promises

hol[2] (vulg.) (s) **-le** arsehole (vulg.); anus

hol[3] (s): *iem. op ~ jaag* distract/confuse s.o.; (w **ge-** run *ook* **hard'loop;** rush, bolt; *ek moet no ~* I must get moving

holderstebol'der topsy-turvy, head over heels helter-skelter *ook* **halsoorkop'**

Hol'land Holland, the Netherlands (country) **~er** (s) **-s** Dutchman, Hollander; **~s** (s) (High Dutch (language); **~s** (b) **-e** Dutch (customs etc.)

hol: ~oog hollow-eyed, haggard; **~rond** concav

hol'rug: ~ *geryde frase* cliché *ook* **cliché af'gesaag**

hol'ster -s pistol case, holster

hol'te -s hollow, cavity

hom (vnw) him, it

hom(e)opaat' homeopath/homoeopath (practi tioner of alternative med.)

hom'melby humblebee, bumble-bee, drone

ho'mo (neerh.) (s, b) **-'s** homosexual, gay *oo* **ho'moseksueel', gay**

homogeen' homogeneous, of the same kind level

homoniem' (s) **-e** homonym (same-soundin word)

homoseksueel' (s, b) **..ele** homosexual; gay

homp -e (large) lump, hunk, chunk (of bread)

hond -e dog, hound; ~ *se gedagte kry* smell a ra *dit maak geen ~ haaraf nie* this cuts no ice; ni ~ *haaraf maak* nie to get nowhere (with task); *'n ~ uit die bos praat* having a animated conversation; *oor die ~ se stert wee* have overcome the chief difficulty/obstacle

hon'de: ~belas'ting dog tax; **~geveg'** dogfigh **~her'berg/~hotel'** kennels *ook* **woe'fietuiste ~hok** kennel, dog house; **~le'we** wretched lif

hon'derd -e hundred; ~ *en een moeilikhede* thousand and one troubles; **~dui'send/~ dui send** hundred thousand; **~ja'rig** centennia centenary; **~ste** hundredth; **~tal** a hundred century (cricket, 100 runs)

hon'de: ~siek'te distemper (in dogs); **~te'lery breeding kennel; **~weer** beastly/foul weather

hon'djie -s pup(py); *nie soseer vir die ~ as vi die halsbandjie nie* not as disinterested as would appear; there is an ulterior motive

honds (b) bitchy; cynical; creepy; **~dol'hei rabies; hydrophobia (in humans)

Hongaar' **..gare** Hungarian (person); **~s'** (b Hungarian (customs, etc.); **Hongary'e** Hun gary (country)

hon'ger (s) hunger; ~ *ly* starve; *sy ~ stil* appeas one's hunger; (b) hungry; **~dood** death fron starvation; **~ig** slightly hungry; **~kuur** hunge cure; **~loon** starvation wage, mere pittance; **~s'nood** famine, dearth; **~sta'king** hunger strike *ook* **eet'staking**

honneurs' honours; **~eksa'men** honours exam= ination; **~graad** honours degree

honora'rium honorarium, fee; royalty; *vaste ~* retaining fee *ook* **bind'geld**

honoreer' (w) ge- honour, pay (a bill)

hoof -de head; chief, leader; principal (school); *die ~ bied (aan)* offer resistance to; *iets oor die ~ sien* overlook/ignore something; **~arti'kel** leader, editorial (newspaper); **~begin'sel** main/ fundamental principle *ook* **grond'beginsel;** **~bestuur'** top management *ook* **top'bestuur;** head office; **~bestuur'der** general manager, chief director; **~bestuurs'leier** chief executive *kyk* **bestuurs'hoof;** **~bre'kens/~bre'kings** brainracking; **~delik'** per head/capita; by call (voting); **~direkteur'** chief director; **~doel** main objective; principal aim; **~dokument'** master document (comp.); **~gids** root directory (comp.); **~in'gang** main entrance

hoof'kaas brawn *ook* **sult**

hoof: ~kantoor' head office; **~kel'ner** head waiter; **~klerk** chief clerk; **~kwartier'** head= quarters; **~lei'ding** mains (electr.); **~lei'er** leader-in-chief; **~let'ter** capital letter; cap (infml., printing term); **~lig'te** headlights (car); **~lynop'roep** trunk call; **~man** chief, captain, headman; **~onderwys'er** headmaster, principal *ook* **skool'hoof;** **~persoon'** leader, leading character; **~pyn** headache; **~raam** mainframe (comp.); **~redakteur'** editor-in-chief; **~reg'ter** chief justice; **~rekenkun'de** mental arithmetic; **~rol** leading role/part; *die ~rol speel* play the lead (in a play)

hoofs -e courtly; ceremonious

hoof'saak main point, gist; ~'**lik** chiefly, mainly, principally

hoof: ~sekreta'ris general secretary; **~selflaai'= sektor** master boot sector (comp.); **~sin** principal sentence/clause; **~ske'del** skull, cra= nium; **~som** capital sum; **~stad** capital; metropolis; unicity; **~straat** main street; **~stroom** mainstream; *uit die ~stroom* a has-been; **~stuk** chapter; **~te'ma** main theme; **~trek** chief feature; headline; outline; **~vak** main/major subject; **~verdiens'te** chief merit; bulk of income

hoog (b) **hoë; hoër, -ste** high, tall, lofty; *ewe ~ en droog sit* be quite unconcerned; *dit is ~ nodig* it is absolutely necessary; **hoë bloed'= druk** high blood pressure; hypertension; **hoë leef'tyd** ripe (old) age; **~ag** (w) **-ge-** esteem highly, respect; *~agtend die uwe* yours faith= fully; **~ag'ting** respect, esteem

hoogdra'wend bombastic, pompous; highfalutin *ook* **bombas'ties, omslag'tig**

hooge'dele right honourable

hoogeerwaar'de right reverend

hoog: ~geag' highly esteemed; **~geleerd'** (very) learned; **~geplaas'** highly placed, in high authority; **~geplaas'tes** dignitaries *ook* **hoog= waar'digheidsbekleërs**

hoog'geregs'hof supreme court; high court

hooghar'tig proud, haughty *ook* **verwaand'**

hoog'heid highness; *Sy H~* His Highness

Hoog'hollands High Dutch (language)

hoogland highland, plateau

hoog'leraar -s professor *ook* **profes'sor**

Hoog'lied Song of Solomon, Canticles

hoog'moed pride, haughtiness; *~ kom voor die val* pride will have a fall; **~moe'dig** proud, haughty *ook* **trots, verwaand'**

hoog: ~no'dig essential, urgently needed; **~oond** blast furnace/foundry *ook* **smelt'oond, smel'= ter; ~seisoen'** high season; **~skat** (w) **-ge-** esteem highly; **~span'ning** high tension/vol= tage; **~staan'de** eminent; outstanding; **~ste** highest, senior; **~stens** at most, at best; not more than

hoogs' begaafd highly gifted

hoogs' waarskynlik most probably, most likely

hoog'te -s height; elevation, altitude; hill; *op die ~ bly/wees* keep(ing) track of; be clued up; *op (die) ~ hou* keep informed/posted; *die ~ inskiet* sky-rocket (prices); *tot op sekere ~* to a certain extent; **~punt** acme, zenith; pinnacle; highlight (of travels, etc.); benchmark *ook* **~merk; ~vrees** acrophobia, fear of heights

hoog'ty: *~ vier* reign supreme, be rampant

hoog: ~verraad' high treason; **~vlak'te** plateau, tableland; **~waar'digheidsbekleër** dignitary *ook* **hooggeplaas'te; ~wa'ter** high tide

hooi hay; *te veel ~ op sy vurk* too many irons in the fire; **~kis** haybox, fireless cooker *ook* **prut'pot; ~koors** hay fever; **~mied** haystack

hool (neerh.) ~s hole hovel, den; dump; unsavoury dwelling *kyk* **hol**[1]

hoon (s) scorn, mockery, derision; (w) **ge-** sneer/jeer at, deride; **~(ge)lag'** scornful laugh= ter

hoop[1] (s) hope *ook* **verwag'ting(s);** *dis te hope dat* it is to be hoped that; *~ koester* cherish hope

hoop[2] (s) hope heap, pile, dump; crowd; *'n ~ leuens* a pack of lies

hoop'vol (b) hopeful, confident; sanguine

hoor (s): *'n lawaai dat ~ en sien vergaan* a deafening noise; (w) **ge-** hear, listen, heed, learn; *horende doof wees* wilfully deaf; **~apparaat'** hearing aid; **~baar** audible; **~beeld** feature programme (radio)

hoor'sê hearsay; *iets van ~ weet* know something from hearsay/through the grapevine

hoor'spel ..ele radio play/drama

hoor'stuk receiver, handset (telephone) *ook* **hand'stuk**

hoort ge- belong; be proper, behave; ought; *dit ~ nie hierby nie* it does not belong here; *dit ~ nie so nie* it is not done; it isn't proper

hoos (s) **hose** (water) spout *kyk* **wa'terhoos, wind'hoos**

hop[1] (s) hop (climbing plant); hops (dried hop flowers used to flavour beer); **~brood** hop bread

hop[2] (w) **ge-** bounce (ball, cheque) *ook* **bons**

ho'pelik (bw) hopefully

ho'peloos hopeless, without hope; desperate

hor'de -s horde, band *ook* (**woe'ste**) **ben'de**

ho'ring -s horn; *die dorp/stad op ~s neem* paint the town red; **~ag'tig** horny, hornlike; **~droog** dry as dust; **~oud** very old; **~vlies** cornea (of eye)

ho'rinkie -s little horn; (icecream) cone

ho'rison -ne horizon; skyline *ook* **gesigs'einder**

horisontaal ..**tale** horizontal, level

horlo'sie -s watch; clock *ook* **oorlo'sie, uur'= werk; ~ket'ting** watch chain

hormoon' ..**one** hormone (regulating body func= tions)

horoskoop' (s) horoscope *ook* **ster'relesing** (vir lewensvoorspelling)

hor'relpyp -e hornpipe; *iem. die ~ laat dans* give s.o. a flogging

hor'relvoet -e clubfoot *ook* **klomp'voet**

hor'ries delirium tremens *ook* **dronkmans= waan'sin, blou'duiwel, deli'rium;** *die ~ hê* have the jumps, get the horrors

hor'te (mv) jolts, jerks; *met ~ en stote* by fits and starts

horten'sia -s hydrangea, Christmas rose (SA)

hor'tjie shutter; slat; louvre; **~blin'der/~blin'= ding** (Venetian) blind; **~ruit** louvre

hosan'na -s hosanna *ook* **juig'kreet**

hos'pies/hospi'tium (s) hospice; convalescent home *ook* **herstel'kliniek'**

hos'pita -s landlady *ook* **losies'houdster**

hospitaal' ..**tale** hospital; **~behan'deling** hospital care, hospitalisation *ook* **hospitalisa'sie**

hostel' (mine) hostel, compound

hos'tie (s) host, consecrated wafer (for Eucha= rist)

hot left (team of animals); *~ en haar stuur* send from pillar to post; **~om** to the left; anti= clockwise; **~ag'ter** left hind (in a team); *dit ~agter kry* have a rough time *ook: noustrop trek*

hotel' -s hotel; **~bedryf' en spysenie'ring** hospi= tality industry *ook* **gas'tebedryf; ~houer/~ier'** hotelkeeper; **~hou'ding** hotel keeping (school subject) *ook* **gasvry'heidstu'dies; ~jog'gie** page boy; **~re'kening** hotel bill

hot'klou southpaw (lefthander)

hou[1] (s) -e blow, punch, clout; cut, stroke, lash

hou[2] (w) **ge-** keep, hold, retain; contain; support, fulfil; *'n afspraak ~/nakom* keep an appoint= ment/engagement; *hy kon nie sy lag ~ nie* he could not help laughing; *links ~* keep left; *~ van hom* like/fancy him; *~ nie van hom nie* no love lost

hou'ding (s) -s, -e conduct, bearing, attitude, deportment, pose; *'n ~ aanneem* strike a pose; **~sleer'** deportment (school subject)

hou'er -s container *ook* **vrag'houer;** vessel; carrier; dispenser; **~diens** container service *ook* **behou'ering; ~maatskappy'** holding company; **~skip** container vessel; **~verpak'= king** containerisation; **~vrag** container freight

hout -e wood, timber; **~erig'** (b) -e wooden; stiff, clumsy; **~hak'ker** woodcutter, treefeller; *hy sal 'n ~hakker en waterdraer word* he is destined for menial/manual labour; **~han'= delaar** timber merchant; **~harmo'nika** xylo= phone

hout'jie -s bit of wood; *iets op eie ~ doen* do something off one's own bat

houtkap'per woodcutter, lumber jack *ook* **bos'= werker** (person); barbet, woodpecker (bird) *ook* **speg**

houts'kool charcoal

hout'snee (s) ..**sneë** woodcut; **~kuns/houtsny= kuns** art of wood engraving; wood carving

hout'werk woodwork

houvas' (s) hold, handle, hold fast, foothold; *~ hê op iem.* have a hold on s.o.

hou'vrou -e concubine, paramour *ook* **by'wyf**

hu (w) **ge-** marry, wed; **~baar** marriageable; *baie hubare nooiens om van te kies* many eligible girls to choose from

Hu'genoot ..**note** Huguenot (person)

huid -e hide, skin; *met ~ en haar* neck and crop

hui'dig present, current *ook* **tans;** *die ~e lewensduurte* the present cost of living *kyk* **heer'sende;** *~e waarde* current value

huid: ~kan'ker skin cancer *ook* **vel'kanker; ~ontste'king** inflammation of the skin; **~siek'= te** skin disease; **~spesialis'** skin specialist, dermatologist *ook* **dermatoloog'; ~uit'slag** eruption of the skin, rash

hui'gel ge- pretend, feign, sham; **~aar** (s) -s hypocrite; **~ag'tig** hypocritical, sanctimonious

huigelary' hypocrisy, duplicity *ook* **skynhei'= ligheid**

huil ge- cry; weep, wail *ook* **ween;** *dis om van te ~* it is enough to make one weep; **~e'balk** crybaby *ook* **tjank'balie; ~erig'** whimpering; **~ery** crying, weeping

huis -e house; home; dwelling *ook* **woon'huis, wo'ning;** household; *~ en haard* hearth and home; *die ~ op horings neem* turn the house upside down; *elke ~ het sy kruis* there is a skeleton in every cupboard; ~ *toe* home (wards); **~apteek′** medicine chest; **~arres′** house arrest; **~arts** general/family practitioner *ook* **huisdokter; ~baas** landlord; **~bedien′de** domestic servant; domestic (infml.) *ook* **huis′= hulp; ~besoek′** pastoral visit; house to house call; **~bestuur′** home management; **~braak** housebreaking, burglary *ook* **in′braak; ~bre= ker** burglar; **~dier** domestic animal; **~dok′ter** family practitioner *ook* **huis′arts; ~genoot′** house mate; inmate (of the same house); **~gerei′** household/home appliances; **~gesin′** family (sharing a home); household; **~gods= diens′** family worship/devotions

huis′hou (w) **-ge-** keep house; *vreeslik ~ met 'n ander se goed* play havoc with another's possessions

huishou′delik (b) **-e** economical; domestic; *~e aangeleentheid* domestic/internal affair

huis: **~hou′ding** household; housekeeping; family; **~houdkun′de** domestic science, home economics (school subject) *ook* **verbrui′= kerstu′dies; ~houdskool′** school for domestic science; **~houd′ster** housekeeper; **~hulp′** domestic worker/employee; domestic (infml.); homeworker *ook* **huishulp; ~huur** house rent; **~in′wyding** housewarming, roofwetting *ook* **dak′viering**

huis′lik (b) domestic, homely; *~e geluk* matrimonial bliss/happiness; **~heid** homeliness, home/fireside comforts

huis: **~le′ning** home loan; **~moe′der** mistress of the house; matron; **~plig′te/~take** household duties/chores; **~raad** furniture *ook* **meu′bels;** household effects; **~spe′letjie** indoor game; **~va′der** father of a family; housemaster, resident master

huis′ves (w) **ge-** house, lodge, board; **~ting** lodging, boarding; accommodation, housing; shelter

huis: **~vlyt** homecraft, home industry; **~vrou** housewife, mistress (of the house); **~werk** homework *kyk* **tuis′werk; ~werker** domestic worker *ook* **huis′hulp**

huit′jie: ~ *en muitjie* hook, line and sinker

hui′wer ge- shiver, tremble; shrink from; ~ *by die gedagte aan* shudder at the thought of; **~ig** (b) hesitating, timorous, afraid *ook* **skrik′= kerig; ~ing** trepidation; hesitation

hul[1] (w) **ge-** shroud, envelop *kyk* **hul′sel;** *in die duister ge~* wrapped in darkness

hul[2] (vnw) = **hul′le**

hul′de (s) homage, tribute; ~ *betuig/bring aan* pay homage to; **~blyk′** mark of respect, tribute

hul′dig (w) **ge-** do homage, honour; **~ing** homage, show of respect; acknowledgement

hul′le (pers.vnw) they, them; (bes.vnw) their *ook* **hul; Jan~~** John and his pals/chums

hulp help, aid, support; assistance *ook* **by′stand, steun;** *eerste~* first aid; ~ *verleen* render assistance; **~behoe′wend** (b) needy, indigent, destitute; **~bron′** resource; *natuurlike ~bronne* natural resources

hulp: **~diens** auxiliary service; **~eloos** (b) helpless *ook* **mag′teloos; ~lyn** helpline; **~mid′del** aid, means; makeshift; **~program′** accessory (comp.); **~troe′pe** auxiliary troops

hulpvaar′dig helpful, obliging, willing to assist *ook* **behulp′saam**

hulp′werkwoord -e auxiliary verb

hul′sel -s wrap, cover(ing) *kyk* **hul**[1]

humanitêr (b) humanitarian, altruistic *ook* **menslie′wend**

humeur′ -e temper, mood; humour; *jou ~ verloor* lose one's temper

humeu′rig (b) ill-tempered, moody, grumpy *ook* **bui′erig, nuk′kerig;** capricious

humiditeit′ humidity *ook* **vog′tigheid**

hu′mor humour; **~sin** sense of humour

humoresk′ humoresque (mus.); humorous sketch

humoris′ (s) **-te** humorist (person); **~ties** (b) **-e** humorous, humoristic *ook* **grap′pig, gees′tig**

hu′mus vegetable earth, humus

hun′ker (w) **ge-** yearn; long for, hanker for; ~ *na* crave for; **~ing** longing, hankering

hup′pel (w) **ge-** skip, hop, frolic; **~tuig** jolly jumper (children's plaything)

hups (b) lively, buoyant *ook* **le′wendig, fiks;** debonair

hup′stoot(jie) (s) helping push/shove; kickstart, boost *ook* **stu′krag**

hurk (w) **ge-** squat, crouch

hur′ke (mv) haunches; *op sy ~ sit* squat, on his haunches

hus′se: ~ *met lang ore* curiosity killed the cat (said to/about children listening to adults)

hut -te hut, cottage; cabin; shack, shanty *ook* **pondok′; ~kof′fer** cabin trunk

huts′pot (s) hodgepodge *ook* **meng′gereg; bre′= die** *kyk* **pot′jiekos**

huur (s) hure rent, hire, lease; tenancy; *die ~ opsê* give notice; (w) **ge-** hire, rent; engage; charter (aircraft); *te ~* to let; **~besit′** leasehold; **~der** tenant, lessee; **~geld** rental, rent; **~huis** hired house; **~koop** hire purchase *kyk* **bruik′= huur; ~koopstel′sel** hire purchase system; **~ling** hireling; **~moor′denaar** hitman; assassin *ook* **sluip′moordenaar; ~mo′tor** hired car, rent-a-car *kyk* **taxi′; ~pag** leasehold; occupational lease *ook* **huur′besit; ~soldaat′** mercenary; soldier of fortune; **~tol** royalty (mining) *ook* **vrug′reg; ~vlieg′tuig** chartered plane; **~vlug** chartered flight

hu′welik -e marriage, wedding, wedlock; *in die ~ tree* enter into matrimony, marry

hu′weliks: **~belof′te** promise of marriage;

~**bera'der** marriage counsellor; ~**bera'ding**
marriage counselling; ~**beves'tiging** marriage
ceremony; ~**boot'jie:** *in die ~bootjie stap* get
married; ~**fees** wedding feast; ~**gebooi'e**
banns; ~**geluk'** conjugal bliss; ~**maat** spouse
ook **eg'genoot, we'derhelf(te), gade;** ~**ont-
haal'** wedding reception; ~**reis** honeymoon
trip *ook* **wittebrood'(s)reis;** ~**voor'waarde(s)**
antenuptial contract

hy he; it; ~ **self/hyself'** he himself

hyg ge- pant, gasp for breath; ~**ing** panting
gasping; ~**roman'** (women's) erotic fiction
bodice ripper

hys ge- hoist; ~**bak** lift, elevator; skip (mining)
~**er** lift, elevator; ~**kraan** crane; ~**kraan
operateur'** crane driver/operator; ~**masjien**
crane; lift (for hoisting); ~**trap'** escalator *oo*
rol'trap; ~**vurk** frontloader

I

-'s i; *die puntjies op die i's sit* dot one's i's

bis -se ibis (bird); **bruin ~/Egip′tiese ~** hadida (bird) *ook* **ha′dida**

Ieaal′ (s) **ideale** ideal *ook* **doel′wit, stre′we;** *jou ~ verwesenlik* attain one's ideal/goal; (b) **ideale** ideal, perfect *ook* **volmaak′**

Iealis′ (s) **-te** idealist (person); **~me** idealism; **~ties** idealistic

Iee′ (s) **ideë, -s** idea, notion, concept *ook* **denk′beeld; op′vatting**

dem ditto, the same

den′ties (b) identical *ook* **een′ders/e′ners**

Ientifika′sie identification *ook* **uit′kenning**

Ientifiseer′ (w) **geïd-** identify; *die probleme ~* identify the problems

den′tikit (s) identikit *ook* **gesigsa′mestelling**

Ientiteit′ identity *ook* **individualiteit′; ~s′= dokument′** identity document; **~kri′sis** identity crisis

Ieologie′ -ë ideology (set of ideas, esp. political)

Iil′le -s idyll (poem); **idil′lies** (b) **-e** idyllic *ook* **bekoor′lik; lan′delik**

Iioma′ties (b) **-e** idiomatic (pattern of expres= sion)

Iioom′ (s) **idiome** idiom *ook* (kenmerkende) **segs′wyse, uit′drukking**

Iioot′ (s) **idiote** idiot, halfwit, imbecile *ook* **swaksin′nige, dwaas** (persoon)

Iiosinkrasie′ idiosyncrasy *ook* **heb′belikheid**

′der -e each, everyone; every; **~een** everybody, everyone *ook* **elk′een;** *in ieder/elk/alle geval* in any case

′mand anybody; someone, somebody; *~ anders* s.o. else

er (s) **-e** Irishman; **~land** Ireland; **~s** (s) Irish, Erse (language) ; **~s** (b) **-e** Irish (customs. etc.)

segrim′mig surly, irritable, grumpy *ook* **prik= kelbaar, knor′rig, befoe′terd**

termago′ -′s/ietermagô′ -′s/ietermagog′ -ge, -s pangolin, scaly anteater

ts something, anything; *~ moois/~ nuuts* some= thing beautiful/new

′t′sie morsel; slight/wee bit, very little; *'n ~ beter* just a shade/trifle better

′t′wat somewhat, a little, slightly

′wers somewhere *ook* **ê′rens**

glo -′s/i′gloe -s igloo/iglu, Eskimo hut

gnoreer′ (w) **geïg-** ignore *ook* **veron(t)ag′saam;** bypass/sideline (s.o.)

kon (s) **-e, -s/i′koon i′kone** (sacred object/por= trait; comp. symbol)

lumineer′(w) **geïl-** illuminate *ook* **verlig′**

lu′sie -s illusion *ook* **droom′beeld, waan;** *geen ~s hê nie* cherish no illusions

lustra′sie -s illustration *ook* **af′beelding**

illustreer′ (w) **geïl-** illustrate, exemplify; *geïl= lustreerde tydskrif* illustrated magazine

imbesiel′ (s) **-e** feeble-minded person *ook* **idioot′;** (b, bw) **-e** imbecile *ook* **swaksin′nig**

im′mer every, always; **~groen** evergreen

im′mers yet, but, indeed, though *ook* **mos;** *hy behoort ~/mos beter te weet* he should know better

immigrant′ -e immigrant, newcomer *ook* **in′= trekker, set′laar**

immigra′sie immigration

immigreer′ (w) **geïm-** immigrate *ook* **in′trek, ves′tig**

immobiliseer′ (w) **geïm-** immobilise, disable *ook* **stop; verlam′;** **~der** immobiliser (car security)

immoraliteit′ immorality, depravity, vice *ook* **se′deloosheid**

immoreel′ (b) **..rele** immoral, corrupt, degen= erate

immuniteit′ immunity, indemnity

immuun′ (b) immune *ook* **onvat′baar; ~ge= brek′kig** immunodeficient (syndrome)

im′pak impact; collision, shock

imperatief′ (s) imperative (gram.); (b) essential, compulsory *ook* **gebie′dend**

imperiaal′ (b) **..riale** imperial *ook* **kei′serlik**

imperialis′ imperialist (person); **~me** imperial= ism; **~ties** imperialistic, sovereign

im′petus stimulus, momentum, impetus *ook* **stu′krag, im′puls**

impi (s) **-′s /im′pie -s** impi (Zulu regiment)

implement′ (s) **-e** (farm) machinery *ook* **plaas′= gereedskap;** tools, implements *ook* **werk′tuig, gereed′skap**

implementeer′ (w) **geïm-** implement *ook* **toe′= pas, uit′voer, vervul′**

implemente′ring (s) implementation *ook* **inwer′kingstelling**

implika′sie (s) **-s** implication, significance

imponeer′ (w) impress forcibly, awe *ook* **beïndruk;** *hy was glad nie geïmponeer deur dié man se houding nie* that man's bearing did not impress him at all; **impone′rend** (b) impressive, imposing, striking *ook* **imposant′**

imposant′ imposing *ook* **indrukwek′kend**

impotent′ impotent, incapable *ook* **krag′teloos**

impressionis′ -te impressionist; **~me** impres= sionism (art style)

impromp′tu impromptu, extempore *ook* **onvoor′bereid, uit die vuis** (toespraak)

improviseer′ (w) **geïm-** improvise, contrive *ook* **versin′**

impuls′ (s) **-e** impulse *ook* **aan′drif; stu′krag; ~ief′** (b) **..siewe** impulsive, impetuous *ook* **voortva′rend**

in[1] (w) **geïn** gather, collect; *belastings* ~ collect taxes; *die geld is geïn* the money has been collected/recovered

in[2] (vs) in, into, within, during; ~ *die sestig* in his/her sixties; ~ *stukke sny* cut to pieces

in ag neem (w) **in ag ge-** consider, take into account

inag′neming/inag′name observance, cognisance; *met* ~ *van* with regard to, considering

in′asem -ge- inhale, breathe in; *rook* ~ inhale smoke; **~ing** inhalation, breathing

in′beeld -ge- imagine, fancy; **~ing** imagination, fancy; conceit

in′begrepe included *ook* **in′gesluit; altesa′me;** *alles* ~ everything included, all found/told

in′begrip: *met* ~ *van* including

in′bel (w) **-ge-** call in (to radio/TV talkshow, call centre); **~program** chatline, talkshow (radio) *ook* **gesels′program**

in′boek (w) **-ge-** book, enter; book in, register (accommodation, conference); indenture (la=bourers)

in′boesem -ge- instil *ook* **in′skerp;** inspire *ook* **besiel′ met;** fill with, strike (fear) into; *vertroue* ~ fill with trust; *vrees* ~ strike fear into

in′boet -ge- lose *ook* **kwyt′raak;** *die lewe* ~ pay with one's life

in′boks inbox (comp.)

in′boorling -e native *ook* **in′lander**

in′bors character, nature *ook* **aard, geaard′heid**

in′bou -ge- build in; **in′geboude kas** built-in wardrobe *ook* **muur′kas**

in′braak (s) **inbrake** housebreaking, break-in, burglary *ook* **huis′braak**

in′breek -ge- break into, burgle

in′breker -s burglar, housebreaker *ook* **huis′=breker** (persoon)

in′breuk (s) infringement, transgression; viola=tion; ~ *maak op* encroach/infringe upon

in′bring -ge- bring in; *wat kan jy daarteen* ~*?* what objection can you offer/raise to that?

in′burger -ge- initiate; domesticate; become current; be naturalised; accustom oneself to; *ingeburgerde uitdrukking* accepted expres=sion; **~ing** initiation, induction, adoption *ook* **ontgroe′ning, induk′sie**

in ca′mera in camera *ook: agter geslote deure*

incog′nito incognito *ook* **anoniem′**

inda′ba (s) **-s** indaba, lekgotla, talks, delibera=tions *ook* **sa′mesprekings, (bos)beraad, kou′=kus;** concern, problem; *dis jou* ~ this is your problem (to solve)

in′deel (w) **-ge-** divide, classify, group

in′deks (s) index *ook* **regis′ter, blad′wyser; ~eer** (w) **geïn-** index; **~getal′** index number

in′deling division; classification, grouping *ook* **klassifika′sie, groepe′ring**

indemniteit′ indemnity, indemnification, exemp=tion *ook* **vry′waring; ska′deloosstelling**

inderdaad′ indeed, really, in fact, undoubtedly

inderhaas′ hurriedly, in haste *ook* **gou-gou**

indertyd′ at the time; in the past, formerly *ook* **des′tyds**

Indiaan′ (s) **Indiane** Indian (America); **~s′** (b) **-e** Indian (customs, etc.)

In′dië India (country) *kyk ook* **In′diër, In′dies**

in′dien [1] (w) **-ge-** hand in, lodge, tender, present, submit; *'n klag* ~ lay/lodge a complaint

indien′ [2] (vgw) if, in case; *hy sal kom* ~ *dit nie reën nie* he will come if it isn't raining

in′diening presentation, lodging, submission *ook* **voor′legging** (van dokument)

indiens′: ~ne′mer employer *ook* **werk′gewer; ~ne′ming/~na′me** employment; **~op′leiding** in-service/in-house/on-the-job/hands-on training *ook* **praktyk′opleiding; ~pla′sing** job placement, (process of) employment; **~stel′=ling** putting into service; **~tre′de/~tre′ding** commencement of duties

In′diër (s) **-s** Indian (person from Asia; SA)

In′dies (b) **-e** Indian (customs, etc.); **~e spreeu** Indian starling, mynah (bird)

indiges′tie indigestion *ook: slegte spysvertering*

in′digo indigo (blue-violet colour)

indikatief′ ..tiewe indicative (mood) (gram.)

in-ding: *die* ~ the in-thing, the popular/trendy thing (to do)

in′dink -ge- realise, appreciate; enter into the spirit of; *'n mens kan jou* ~ it is conceivable

in′direk (b, bw) **-te** indirect *ook* **on′regstreeks**

indiskreet′ (b) indiscreet, imprudent, ill-consid=ered *ook* **onbedag′saam, onbeson′ne**

individu′/indiwidu -e individual (person) *ook* **en′keling**

individualis′/indiwidualis′ -te individualist (per=son); **~me** individualism; **~ties** individualistic

individueel′/indiwidueel′ (b) individual; (bw) singly

indoe′na -s induna, tribal head *ook* **ring′kop**

indoktrina′sie/indoktrine′ring indoctrination *ook* **brein′spoeling, propage′ring**

indoktrineer′ (w) **geïn-** indoctrinate, brainwash *ook* **brein′spoel, in′prent**

in′dommel -ge- doze off, slumber *ook* **in′dut**

in′dompel -ge- immerse, plunge into, dip; **~ing** immersion (form of baptism)

in′doop (w) **-ge-** dip into; dunk (rusk in tea/coffee)

in′draai -ge- turn in(to) (driveway); wrap up; screw into

in′dring -ge- penetrate, intrude, force in; **~er** (s) **-s** intruder; gate-crasher; **~er′plant** invasive/alien plant

in′druis -ge- run counter to, clash/conflict with; ~ *teen* be at variance with (the truth) in'druk (s) -ke impression; *onder die ~ verkeer* be under the impression; *die ~ wek* create the impression; *hy wil mense beïndruk* he wants to impress people

indrukwek'kend (b) impressive, imposing, striking *ook* tref'fend, impone'rend, impo= sant'

induk'sie induction; orientation *ook* oriënte'ring, in'burgering *kyk* ontgroe'ning

industrie' (s) -ë industry *ook* ny'werheid, bedryf'; industrieel' (b) ..riële industrial; ~skool industrial school *ook* ny'werheid= skool

in'dut = in'dommel

ineen'krimp (w) -gekrimp wince; cringe, squirm (with pain); shrink together

ineens' at once, at the same moment, suddenly *ook* skie'lik, plot'seling

ineen': ~smelt blend, fuse; melt together; ~stort fall in, collapse *ook* in'stort; ~'vloei (w) -ge= flow/run into each other

in'ent (w) ingeënt inoculate, vaccinate; ~ing vaccination, inoculation; implantation

iner'sie inertia, inertness (inactiveness) *ook* onaktiwiteit' (van mense, dinge)

infaam' (b) infamous, shameful; *infame leuen* outrageous/downright lie

infanterie' infantry *ook* voet'soldate

infanteris' -te infantryman, foot soldier

in'faseer (w) -ge- phase in *kyk* uit'faseer

infek'sie infection *ook* besmet'ting

inferioriteit' inferiority; ~s'kompleks inferiority complex *ook* minderwaar'digheidskompleks'

infinitesimaal' infinitesimal (too small to mea= sure)

infinitief' (s) infinitive (gram.) *ook* on'bepaalde wys

inflamma'sie inflammation *ook* ontste'king

infla'sie inflation; ~spiraal' inflation(ary) spiral

influen'sa influenza *ook* griep

informant' -e informer, whistle-blower *ook* verklik'ker

informa'sie information *ook* in'ligting; ~teg= nologie' information technology (IT) *ook* re'kenaarwe'tenskap

informatief' (b) informative *ook* leer'saam

informa'tika information studies

informeel' (b) ..ele informal, unceremonious; *def'tig ~* smart casual (dress); ..me'le drag informal/casual attire/dress; ..me'le han'= delaar informal trader *ook* straat'handelaar, sypaad'jiesmous; ..me'le sek'tor informal sector

informeer geïn- inform, enquire *ook: navraag doen*

infotegnologie infotech (IT) *kyk ook* informa'= tika

infrastruktuur infrastructure, basic framework

in'gaan -ge- enter; go in for; take effect; *die ewigheid ~ die*; pass away; *~ op iets* consider/ study/examine something

in'gang -e entrance, entry; doorway; *met ~ (van) 5 Junie* with effect from 5 June

in'gebeeld imagined, imaginary; fancied *ook* in'geprent

in'gebore inborn, innate *ook* aan'gebore (eien= skap; talent)

in'gebou -de: *~de vermoë/bekwaamheid* built-in capacity/ability

in'geburger (b) naturalised; adopted, inducted, initiated

ingedag'te absent-minded, absorbed in thought *ook* verstrooid'

in'gedamp: *~te melk* evaporated milk

in'gee -ge- give/hand in *ook* in'lewer; administer (medicine); give in, yield, surrender

in'gelê (b) ingelegde inlaid; canned, preserved *ook* in'gemaakte; *ingelegde perskes* canned peaches

in'geloop (b) -te cheated, conned *ook* gekul', verneuk'

in'gelyf (b) -de incorporated, embodied; *~de vereniging sonder winsoogmerk* incorporated association not for gain

in'gemaak (b) -te canned *kyk* in'gelê

ingenieur' -s engineer (person); *raadgewende ~* consulting engineer; *~s'wese* engineering (subject)

in'genome (b) pleased, charmed, taken up/happy with *ook* bly, vergenoegd'; *met jouself ~ wees* be pleased with oneself

in'geperk (b) restricted, confined; banned; ~te (s) restricted person

in'gerig -te arranged, prepared, managed, organ= ised, furnished; *hy het sy studeerkamer pragtig ~* he has furnished/equipped his study beauti= fully

in'gesetene (s) -s inhabitant, resident (of town) *ook* in'woner

ingeskakel online (comp.)

in'geskrewe enrolled; registered; *~ student* registered student; *~ klerk* articled clerk *ook* leer'klerk

in'geslote enclosed *ook* in'begrepe; in'gereken

in'getoë modest, reserved; discreet, sedate

in'geval/ingeval' in case; in the event of; *~ dit gebeur* if this should happen

ingevol'ge in terms/pursuance of (a contract); as a result of, in consequence of; in accordance with *ook* vol'gens, krag'tens

in'gewande bowels, intestines, entrails

in'gewandskoors enteric fever, typhoid fever

in'gewikkeld (b) -de complicated, complex *ook* gekompliseer(d)'; intricate; *'n ~e/netelige saak* a complicated/tricky matter

in'gewing inspiration *ook* in'val; suggestion;

skielike ~ sudden (bright) idea/hunch, brain= wave *ook: blink gedagte*

in'gewortel (b) -de ingrained, deep-rooted (hab= its)

in'gewy (b) -de initiated, inaugurated (person)

in'gooi -ge- pour in (fluid) *ook* in'tap; throw in

ingrediënt' -e ingredient *ook* bestand'deel (vir bv. 'n koek)

in'gryp -ge- intervene, step in; encroach; ~end (b) far-reaching, radical, drastic *ook* dras'ties, deurtas'tend; ~ende maatreëls drastic meas= ures; ~ing intervention

in'haak -ge- hook in; take one's arm; *ingehaak loop* walk arm-in-arm

in'haal -ge- overtake, catch up with; make up for (lost time)

inha'lig (b) greedy, covetous; mean *ook* hebsug'= tig; ~heid greed(iness) *ook* heb'sug

in'ham (s) -me inlet, creek, bay (in coastline)

in'handig (w) -ge- hand in; submit *ook* inle'wer

inheems' -e indigenous, native, home; endemic (diseases); ~e bome/bosse indigenous trees/forests; ~e taal local/community lan= guage, vernacular

inheg'tenisneming (s) arrest *ook* arresta'sie, aan'houding

inherent' (b) -e inherent *ook* in'gebore/aan'= gebore

inhibi'sie inhibition, hang-up, phobia *ook* fo'bie

in'hou -ge- restrain, check; curb; contain; *asem* ~ hold one's breath; *jou* ~ control one's temper; keep a straight face

in'houd content(s); capacity *ook* volu'me; sub= stance; purport; ~smaat cubic measure; ~s'op= gawe table of contents; register, index *ook* blad'wyser

in'huis: ~kur'sus/~op'leiding in-house/hands-on training

in'huldig (w) -ge- inaugurate; invest; install (mayor) *ook* beë'dig; ~ing (s) inauguration *ook* in'wyding, beves'tiging

inisia'sieskool (s) initiation school *ook* berg'= skool

inisiatief' (s) ..iewe initiative *ook* aan'voor= werk; onderne'mingsgees; *die* ~/*leiding neem* take the initiative

inisieer' (w) geïn- initiate *ook* aan'voor

in'ja(ag) -ge- drive into; overtake; catch up with; cause/force to take (medicine)

ink (s) -te ink; *skryf met* ~ write in ink; (w) geïnk' ink (v); write in ink

in'kalf/in'kalwe cave/calve in (sand/mud wall)

in'kamp -ge- enclose, fence in *ook* omhein'

inkarna'sie incarnation *ook* vlees'wording

in'keep -ge- notch; indent (paragraph); recess

in'keer repentance; *tot* ~ *kom* repent (feel remorse)

inken'nig shy, timid *ook* ska'merig, eenken'nig

ink: ~kassetdrukker bubble jet printer (comp.); ~kol/~vlek ink blot/stain

in'kleding wording, phrasing; presentation *ook* vormge'wing, bewoor'ding

in'klee(d) (w) -ge- express, word, phrase

in'kleur (w) -ge- colour (in); ~boek colouring book

in'klim (w) -ge- climb into; rebuke, take to task

in'klok (w) -ge- clock in (office, factory)

inkluis' included, including *ook* in'begrepe

inklusief' inclusive; BTW ~ VAT inclusive

in'kom (w) -ge- come in(to), enter

in'kome income; *bruto volks*~ gross national income

in'komste income, revenue; earnings *ook* verdien'ste; receipts; ~ *en uitgawes* revenue and expenditure; ~belas'ting income tax; ~diens(te) revenue services

inkongruent' incongruent *ook* onvere'nigbaar

in'konk (omgangst.) (w) -ge- collapse, tumble down; break down; cave in

inkonsekwent' (b) inconsistent; illogical *ook* teenstry'dig

in'koop (s) ..kope purchase(s); buying; (w) -ge- buy, purchase; ~(s)prys cost price

in'koper (s) buyer (for a firm) *ook* aan'koper

in'kopie -s small purchase; ~s doen go shopping; ~lys shopping list; ~sen'trum shopping centre; ~slaaf shopaholic

inkorpora'sie (s) incorporation *ook* in'lywing

inkorporeer' (w) geïn- incorporate *ook* in'lyf

in'korrek -te incorrect, fault(y) *ook* foutief'

in'kort -ge- shorten, diminish, curtail; ~ing shortening, curtailing; *sy uitgawes* ~ reduce/ curtail his expenses; *personeel* ~ retrench staff

inkpot'lood indelible (pencil)

in'kruip -ge- creep/crawl in(to); ~er bootlicker *ook* wit'voetjiesoeker; intruder

ink'straaldruk'ker ink jet printer (comp.)

in'kuil -ge- ensile, store in a silo; ~ing ensilage

ink'vis cuttlefish, sepia, squid

in'kwartier (w) -ge- quarter, billet (soldiers with a family)

inkwisi'sie inquisition *ook* ket'terervolging

inkwisiteur' -s inquisitor (Medieval church judge)

in'laat (s) inlate inlet, intake; (w) -ge- let in, admit

in'lae -s enclosure (document) *ook* by'lae deposit (money)

in'las -ge- insert; interpolate, inset

in'lê -ge- can (fruit); deposit, invest; *sambok* ~ apply the whip; ~pers'ke canning peach

in'leef/in'lewe -ge- penetrate (with the mind *ook* saam'voel; *jou* ~ *in die omstandighed* grasp/appreciate the circumstances

in'leg: ~geld stakes; entrance money; investmen

~stro'kie/inlêstro'kie deposit slip *ook* depo=
neer'strokie; ~werk inlaywork, marquetry

in'lei -ge- introduce, preface; initiate; usher in;
~ding introduction, preface, preamble *ook*
voor'woord; ~er introducer; opener (of de=
bate); usher

in'lewer -ge- hand in *ook* in'handig; deliver,
send in; submit, lodge; *die taak/opdrag ~* hand
in the assignment

in'lig -ge- inform, enlighten (s.o.)

in'ligting (s) information, info (infml.); particu=
lars *ook* da'ta, gege'wens, informa'sie; in=
telligence; *meer/nader(e) ~* further infor=
mation; ~(s)tegnologie/~(s)kun'de info(rma=
tion) technology (IT)

in'loop (w) -ge- walk/step in(side); cheat, bluff,
con *ook* (iem.) verneuk', kul

in'lui (w) -ge- ring/usher in; herald; inaugurate;
die nuwe eeu ~ usher in the new century

in'lyf (w) -ge- induct (as a member); incorporate;
ingelyfde vereniging sonder winsoogmerk
incorporated association not for gain

in'lynskaatse in-line skates, rollerblades *ook*
rollem'skaatse

in'lywing incorporation

in'maak -ge- can, preserve *ook* in'lê; ~bot'tel
canned-fruit bottle; ~fabriek' cannery

in'maker (s) -s canner, cannery

in'mekaar' into each other, the one in the other;
hy sit ~ he sits crumpled up

in'meng -ge- meddle, interfere; pry into another's
business *ook: jou bemoei met 'n ander se sake*;
~ing meddling, interference, intrusion

in'messel -ge- brick up; build in

in'mid'dels meanwhile, in the meantime *ook*
intus'sen

in'name/in'neming (s) capture, taking (of for=
tress)

in'neem -ge- take, take in; conquer

in'ne'mend (b) captivating, fascinating, endear=
ing; attractive *ook* aantrek'lik, sjarmant'; ~e
glimlag charming smile

in'nerlik -e inner (life); internal, intrinsic; ~e
krag moral fibre

in'nig cordial, sincere, fond; intrinsic; ~e/
opregte meegevoel/simpatie sincere sympa=
thy; ~heid sincerity, earnestness *ook* teer'=
heid, gevoe'ligheid

in'nove'rend (b) innovating; enterprising; renew=
ing, novel

in'okula'sie inoculation *ook* (in)en'ting

in'pak -ge- pack; *jou koffers ~* pack one's
suitcases/bags/luggage

in'palm -ge- haul in; grab/pocket (money,
profits) *ook* vas'lê, toe-ei'en

in'pas -ge- fit in; insert

in'perk -ge- restrict, confine, curb; ban *kyk*
in'geperkte; enclose (an area)

in'plant (w) -ge- implant (med.); ~ing (s)
implant(ation)

in'plof (w) -ge- implode; ~fing (s) -s implosion
(of old building)

in'pomp -ge- pump in; drum in; cram, swot

in'prent -ge- imprint, impress *ook* in'skerp;
inculcate; *hom allerlei bogstories ~* stuff his
head with all kinds of nonsense

in'rig -ge- arrange, organise; fit up, equip

in'rigting (s) -s, -e establishment, institution
ook in'stelling, organisa'sie; arrangement

in'rit (s) driveway (into property) *ook* op'rit;
entrance

in'roep -ge- call in; summon *ook* ontbied'

in'ruil -ge- exchange, barter; trade in; ~waar'de
trade-in value (car)

in'ry -ge- ride/drive in; ~bank drive-in bank;
~fliek drive-in flick/cinema *ook* veld'fliek

in'rye/in'ryg -ge- lace in, tack; string, thread

in'sae inspection, perusal; *ter ~* for perusal

insa'ke re(garding) *ook* betref'fende, ra'kende

in'samel -ge- gather, collect *ook* byeen'bring;
~ing collection (of money); ~ing(s)veld'tog
fundraising campaign/drive

in'seën -ge- consecrate, dedicate; bless, ordain
ook in'wy; ~ing consecration, benediction

in'sek (s) -te insect; ~do'der/~te'doder insecti=
cide, pesticide

in'sekte: ~ken'ner/kun'dige entomologist; ~=
kun'de entomology; ~poei'er insect powder

insemina'sie insemination *ook* bevrug'ting;
kunsma'tige ~ artificial insemination

in'send -ge- send in, contribute; ~ing contribu=
tion; display, exhibit

in'set -te stakes (gambling); pool; input *ook*
by'drae; *boerdery verg hoë ~te* farming
requires/demands high input; ~kos'te produc=
tion costs, capital outlay; ~sel insert

ins'gelyks likewise, similar(ly) *ook* eweneens'

insident' (s) -e incident *ook* voor'val

in'sien -ge- look into; understand, realise,
recognise; *sy fout ~* realise/admit his mistake

in'sig (s) -te insight, perception *ook* oor'deel,
vi'sie; view, opinion; *iem. met ~* a man of
discernment; ~ge'wend informative, instruc=
tive *ook* leer'saam

insig'nia (mv) insignia *ook* or'detekens; sym=
bols/emblems of authority

in'sink -ge- sink in, sag, subside; ~ing sub=
sidence, decline, collapse; slump; relapse

insinua'sie (s) -s insinuation, indirect hint *ook*
skimp, toe'speling

insinueer' (w) geïn- insinuate *ook: sinspeel (op)*

in'sit -ge- put in; strike up; begin (song); install; set
in; be inside; insit'tendes occupants (of a car)

in'skakel -ge- tune in (radio); engage; insert;
connect up, join, geared to *ook* kop'pel, aan'=
sluit

in'skeep -ge- take on board; embark

in'skep -ge- ladle into; dish up (food)

in'skerp -ge- reinforce; inculcate, impress; *die oefening* ~ repeat/drill the exercise

in'skiet -ge- shoot into; *sy lewe* ~ lose his life

inskik'lik (b) accommodating, obliging, yielding *ook* **toegeef'lik, meegaan'de** (persoon)

in'skink -ge- pour in (tea, coffee)

inskrip'sie -s inscription *ook* **in'skrywing; by'skrif**

in'skryf/in'skrywe (w) -ge- inscribe; subscribe, enrol, enlist, enter; tender; *jou laat* ~ enter, sign on; **in'skryfgeld** entrance/registration fee; **in'skryfvorm** entry form

in'skrywing (s) subscription, enrolment, registration; entry; listing (shares) *ook* **no'tering**

in'slaan -ge- drive in, smash, strike; ~ *by die publiek* catch the popular fancy

in'slag woof; *skering en* ~ warp and woof (weaving)

in'sleep -ge- drag in(to); tow; ~**diens** tow-away service; breakdown service; ~**wa/~voer'tuig** tow truck, breakdown van

in'sleper (s) towtrucker *ook* **weg'sleper** (ná 'n motorongeluk)

in'sleutel (w) -ge- feed, enter (data into comp.)

in'sluimer -ge- doze/drop off, fall asleep

in'sluip -ge- slip/sneak/steal in(to), creep in(to)

in'sluit -ge- enclose; include, shut in, contain, embrace; *hierby ingesluit* enclosed herewith

in'sluk -ge- swallow

in'smeer -ge- rub in, grease; oil, smear

in'smokkel -ge- smuggle/sneak in

in'snuif/in'snuiwe -ge- sniff up, inhale

in'sny -ge- cut in(to), engrave; incise

insolven'sie (s) insolvency, bankruptcy

insolvent' (b) insolvent, bankrupt *ook* **bankrot'**; (s) insolvent person

inson'derheid especially, particularly

in'sout -ge- salt, pickle *ook* **in'lê, preserveer'**

in'span -ge- exert; inspan (SA), harness (horses); *jou* ~ exert oneself; ~**ning** exertion, strain, stress, effort; *sonder* ~*ning* effortless(ly) *ook* **lag-lag** (iets verrig)

inspek'sie -s inspection, check(-up) *ook* **on'dersoek, kontro'le**

inspekteer' (w) geïn- inspect

inspekteur' -s inspector (person)

inspira'sie inspiration; stimulus *ook* **in'gewing, besie'ling**

inspireer' (w) geïn- inspire *ook* **besiel'**

in'spraak dictate(s) (of one's heart); joint consultation/deliberation/participation *ook* **me'deseggenskap**; *hulle wil* ~ *hê in die besluite* they want a say in the decisions

in'spring -ge- jump/leap in(to); indent (lines); *reëls laat* ~ indent lines (typing)

in'spuit -ge- inject; ~**ing** injection; **skraag'~ing** booster injection (med.)

in'staan -ge- guarantee, warrant, vouch for; *vir die waarheid* ~ vouch for the truth

installa'sie -s installation, (factory) plant *ook* **aan'leg**

installeer' (w) geïn- install *ook* **op'rig, monteer'**; inaugurate

in stand hou (w) **in stand ge-** maintain, keep up (a building)

instand'houkoste maintenance costs

instand'houding (s) maintenance, upkeep *ook* **on'derhoud**

instan'sie (s) instance, authority; body *ook* **in'rigting, organisa'sie, lig'gaam;** person (in power); *in eerste* ~ in the first place; *verwys na ander* ~*s* refer to other bodies/parties

in'stap -ge- walk/step in; board; ~**kaart** (s) boarding pass/ticket (airliner)

in'steek -ge- stick/put in; ~**slot** mortise lock

in'stel -ge- institute, establish, introduce; *ondersoek* ~ conduct an inquiry; ~**ing** institution, establishment; mindset (political)

in'stem -ge- agree, approve; tune in; ~**mer** tuner (radio); ~**ming** agreement, accord; assent; *me algemene* ~*ming* by common consent

in'stink -te instinct *ook* **natuur'drif**

instinkma'tig/instinktief' instinctive *ook* **onwillekeu'rig**

instituut' ..**tute** institute *ook* **in'stelling**

in'stort -ge- collapse, break down; tumble down relapse; ~**ing** relapse; collapse

in'stroom -ge- stream/flow in(to); flock in(to)

instruk'sie -s instruction, order, direction *ook* **op'drag, bevel', aan'wysing**

instrukteur' (s) -s instructor, trainer *ook* **leer'meester**

instruktief' (b) instructive *ook* **leer'saam**

instrument' -e instrument *ook* **apparaat', toe'stel** tool, implement; ~**paneel'** dashboard (car)

instrumentaal' ..**tale** instrumental (music)

in'studeer -ge- study; practise (songs); rehears (a play) *ook* **repeteer'**

in'suig -ge- suck in, imbibe, absorb

insulien' insulin (for treating diabetes)

insurgent' (s) -e insurgent *ook* **in'sypelaa bin'nedringer;** mutineer

in'suur -ge- prepare yeast (dough); seaso (mortar)

in'sweer -ge- swear in, inaugurate, induct *o* **in'huldig, beë'dig** (burgemeester)

in'sypel -ge- infiltrate *ook* **infiltreer'; ~a** infiltrator; insurgent; ~**ing** infiltration

intak' (b) intact *ook* **onaan'getas, ongeskon'd**

inteen'deel on the contrary; *hulle is nie arm n* ~, *hulle is skatryk* they are not poor; on t' contrary, they are very well-off *kyk* **daa enteen'**

ntegraal're'kening integral calculus

ntegra'sie integration; assimilation *ook* **in=(een)'skakeling, assimila'sie**

ntegre'rend: ~*e/wesenlike deel van* integral part of

ntegriteit' integrity, virtue *ook* **eer'baarheid**

n'teken -ge- subscribe; *op 'n tydskrif* ~ subscribe to a journal/magazine; **~aar** (s) **-s, ..are** subscriber; **~geld** subscription; **~lys** subscription list

ntellek' (s) intellect *ook* **intelligen'sie, denk'=vermoë, verstand'**

ntellektueel' (s) **..tuele** intellectual, academic (person) *ook* **boek'geleerde;** (b) **..tuele** intellectual

ntelligen'sie intelligence; **militêre** ~ military intelligence; classified information; **~diens** intelligence service; **~kwosiënt'** intelligence quotient

ntelligent' (b) **-e** intelligent, brainy, bright *ook* **skran'der, slim**

ntens' (b) **-e** intense *ook* **fel**

ntensief (b) **..siewe** intensive; *intensiewe sorg=eenheid/waakeenheid* intensive care unit

ntensiteit' intensity *ook* **he'wigheid, fel'heid**

nterdik' -te interdict *ook* **verbod'; embar'go**

nteressant' (b) interesting *ook* **boei'end, tref'=fend**

nteresseer' (w) **geïn-** interest, be interested in; *hy is geïnteresseerd in tuinmaak* he is interested in gardening *ook: hy stel belang in tuinmaak*

nterieur' (s) interior, inside (of)

n'terim interim *ook* **tus'sentyds** (dividend)

nterkerk'lik (b) interdenominational

nterkontinentaal' (b) **..tale** intercontinental

ntermediêr' (b) **-e** intermediate; *~e eksamen* intermediate examination

ntern' (b) **-e** intern, internal; *~e beheer* internal control; *~e eksamen* internal examination; *~e kontrole* internal check

nternasionaal' international; **..nale bemid'=deling** international mediation; **..nale lug'=hawe** international airport; **Internasionale Monetê're Fonds (IMF)** International Mone=tary Fund (IMF)

nterneer' (w) **geïn-** intern, confine (s.o.)

nternet'/Internet' (s) internet

nternis' -te specialist physican (for internal diseases)

ntern'skap (s) internship; housemanship (for doctor completing training)

nterplanetêr' -e interplanetary; *~e vlugte* inter=planetary flights

nterpreta'sie -s interpretation *ook* **vertol'king**

nterpreteer' (w) interpret *ook* **vertolk'**

nterprovinsiaal ..siale interprovincial

nterpunk'sie punctuation *ook* **lees'tekens**

interven'sie intervention *ook* **tus'senkoms**

in'tervlak (s) interface *ook* **kop'pelvlak, raak'=vlak**

intestaat' (b) intestate (deceased person not having made a will)

intiem' (b) intimate; *~e vriend* close/intimate friend

intimida'sie intimidation *ook* **vrees'aanjaging**

intjip' (omgangst.) (w) **-ge-** interrupt; start to take part (eg in a conversation)

in'tog -te entry, entrance; *triomfantelike* ~ triumphant entry (soldiers)

intona'sie (s) intonation *ook* **stem'buiging**

in'tranet intranet (internal internet)

in'trap: *met die ~slag* from the outset

in'trede entry, entrance; induction

in'tree (w) **-ge-** enter; step in; intervene; *hiermee het 'n nuwe tydvak ingetree* this marks a new era; **~geld** admission/entrance fee; **~preek** induction sermon; **~re'de** inaugural address; maiden speech (parliament)

in'trek[1] (s) : *sy* ~ *neem* come to live; take up residence; settle

in'trek[2] (w) **-ge-** move in(to) (a house); draw in (smoke); repeal (an act); cancel (leave); revoke (an edict); import (document on comp.); *die gord(el)* ~ tighten one's belt; **nuwe ~kers** new occupants/neighbours; **~king** repeal, revocation, withdrawal

intri'ge -s intrigue, scheme *ook* **komplot', skelm'streke;** plot (of play) *ook* **sto'rielyn**

intrinsiek' -e intrinsic *ook* **we'senlik, werk'lik;** *~e waarde* intrinsic/inherent value

introduk'sie -s introduction *ook* **bekend'=stelling; in'leiding** (tot boek, toespraak)

in'trovert (s) introvert (person); **~ief'** (b) intro=spective *ook: na binne gekeer* (persoon)

intuï'sie (s) **-s** intuition; instinct *ook* **in'gewing; intuïtief'** (b) **..tiewe** intuitive *ook* **instinktief'**

intus'sen meanwhile, in the meantime *ook* **solank'**

in'val (s) **-le** idea, brainwave; raid, invasion; (w) **-ge-** collapse *ook* **in'stort;** occur; join in; invade; *wanneer moet jy* ~? when must you start working?

invali'de (s) **-s** invalid *ook* **siek'e**

in'valparty -e surprise party

in'valtyd (s) starting time (work), clocking in *kyk* **uit'valtyd, tjai'la**

inventa'ris inventory (itemised list); *die* ~ *opmaak* take stock

inver'sie inversion *ook* **om'kering, om'setting**

investeer' (w) invest (money) *ook* **belê'** *kyk* **beleg'ging**

in'vleg -ge- intertwine, interlace, plait in

in'vlie(g) -ge- fly in(to); rebuke, fly at (s.o.)

in'vloed -e influence *ook* **effek'; gesag';** **~ryk** influential *ook* **gesagheb'bend; ~sfeer** sphere of influence; **~wer'wing** canvassing (for a job) in'vloei (s) inflow, influx; (w) -ge- flow in(to)

in'voeg -ge- put in, insert *ook* by'las, in'las; ~mo'dus insert modus (comp.)

in'voer (s) import(ation); (w) -ge- import; ~der importer; indent agent; ~han'del import trade; ~reg import duty

in'vorder -ge- collect (taxes) *ook* in'samel; demand (payment); ~baar recoverable (debts); leviable, collectable; ~ing collection; ~geld(e) collection fees; ~koste collection charges (bank)

in'vryf/in'vrywe (w) -ge- rub in (also fig.)

in'vul -ge- fill in, fill up; *'n vorm* ~ complete a form

in'weeg -ge- weigh(ing) in (of boxers)

in'wendig (b) -e internal, inner; *nie vir* ~*e gebruik nie* not to be taken

in'werk -ge- act upon, affect; work in (lost time)

inwer'kingstelling (s) implementation *ook* toe'passing, aan'wending, implemente'ring

in'willig -ge- grant, consent, agree, accede *ook* toe'stem

in'win -ge- collect, gather (information)

in'wissel -ge- exchange; cash, deposit (a cheque)

in'woner -s inhabitant (country) *ook* bur'ger; resident (city); occupant (house) *ook* huis'genoot

in'woning (board and) lodging; *kos en* ~ board and lodging *ook* losies'

in'woon -ge- board, lodge; live; stay (with)

in'wy -ge- initiate, inaugurate *ook* o'pen, in gebruik' neem; ordain, consecrate *ook* inse'ën (church); ~ding opening, inauguration, initiation; ~dingspleg'tigheid inaugural ceremony; ~dingsre'de inaugural address

in'zoem -ge- zoom in

ipekon'ders/hipokon'ders whims, caprice *oo* fie'mies; imaginary ailments

Irak' Iraq (country); ~iër/~kees (s) Iraqi (per son); ~s/~kees (b) Iraqi(an) (customs, etc.)

Iran' Iran (country); ~iër/~nees (s) Irania (person); ~s/~nees (b) Iranian (customs, etc.

i'ris -se iris *ook* bol'blom; reën'boogvlies (oog

ironie' irony; paradox; sarcasm

iro'nies (b) ironical *kyk* sarkas'ties; paradok saal'

irrasioneel' ..nele irrational *ook* re'deloos

irrelevant' (b) irrelevant, inapplicable *ook* on toepas'lik, bete'kenisloos

irriga'sie irrigation *ook* besproei'ing

irrita'sie (s) irritation *ook* er'gernis

irriteer' (w) geïr- irritate *ook* (iem.) vererg om'krap

Is'lam Islam (religion) *kyk* Mos'lem; ~ities (b) - Islamic (law, customs, etc.)

isola'sie isolation *ook* af'sondering

isoleer' (w) geïs- isolate *ook* af'sonder; insulat ~band insulation tape; ~fles thermos/vacuur flask *ook* kof'fiefles

isole'ring isolation; insulation

Is'rael Israel (present-day country); ~i (s) - Israeli (person); ~s/~ies (b) -e Israeli (cus toms, etc.)

Israeliet' -e Israelite (person – Biblical times Israeli'ties Israelite, Israelitic (customs, etc.

Italiaans' (s) Italian (language); (b) -e Italia (customs, etc.)

Italia'ner (s) -s Italian (person)

Ita'lië Italy (country)

i'tem -s item *ook* nom'mer, (agen'da)punt

ivoor' ivory; ~han'del ivory trade/trafficking

Ivoorkus Ivory Coast (country)

ivoor'to'ring ivory/secluded tower (fig.)

J

-'s j

a yes; *op alles ~ en amen sê* agree to everything; ~, *dis alte waar* that's only too true

a(ag) (w) ge- chase, pursue; race; *iem. die skrik op die lyf ~* give s.o. a terrible fright

aag: ~boot speedboat *ook* **snel′boot, krag′boot;** **~dui′wel** helldriver, speed merchant *ook* **spoed′vraat; ~strik** speed trap *ook* **snel′strik**

aar (s) jare year; *~ in en ~ uit;* year in year out; *in die ~ nul (as die hingste vul)* (idioom) when two Sundays come together; never; **~blad/~boek;** annual; yearbook; **~ein′de** year-end; **~fees** anniversary, **~gang** a year's issues (newspaper); volume (periodical/journal); **~geld** annuity; annual subscription; **~gety′** season *ook* **seisoen′; ~liks** yearly, annual(ly); **~rapport′/~verslag′** annual report; **~sy′fer** year mark (for evaluation)

aart[1] (s) -s yard (measure)

aart[2] (omgangst.) (s) -s yard (enclosed area) *ook* **erf**

aar: ~tal date; **~tel′ling** era *ook* **e′ra, tydvak; ~verga′dering** annual (general) meeting (AGM); **~verslag′** (s) **..slae** annual report

a′broer -s yes man **na′prater, (gat)kruiper**

acuz′zi (s) jacuzzi *ook* **bor′relbad**

a′fel/ja′vel (s) lout, (country) bumpkin *ook* **ghwar, gom′tor, lum′mel** (persoon)

ag[1] (s) -te yacht *ook* **seil′jag**

ag[2] (s) hunt, chase (of game); *die ~ na rykdom* the pursuit of wealth; (w) ge- hunt; **~bom′-werper** fighter bomber; **~gesel′skap** hunting party; **~geweer′** sporting rifle/gun; **~spin′-nekop** hunting spider

ags (vulg.) (b) randy, horny (vulg.); sexually aroused (person) *ook* **wulps** (persoon); ruttish, on heat (animal) *ook* **op hit′te; brons′(tig)** (dier)

ag′ter -s hunter, huntsman

a′guar -s jaguar (feline animal)

ag′vliegtuig jet fighter (plane) *ook* **straal′jagter**

akaran′da -s jacaranda (Brazilian tree)

ak′kals -e jackal; sly person; *~ prys sy eie stert* blowing his own trumpet; *~ trou met wolf se vrou* (idioom) alternating sunshine and rain; **~draai′e** clever excuses, round-about ways; **~draf** foxtrot (dance); **~stre′ke** cunning, shrewd tricks

ak′ker (w) ge- gallivant, career along *ook* **rond′flenter, pie′rewaai**

a′kob/ja′kob: *die ware ~* the real McCoy/ Mackay

akopreg′op zinnia (flower)

akope′wer jacopever (fish); **~oë** protruding eyes *ook* **uit′peuloë**

jaloers′ jealous, envious *ook* **afgun′stig, na=y′werig**

jaloers′heid/jaloesie′ jealousy, envy *ook* **af′guns**

jam′be -s iambus (metre in poetry); **jam′bies** (b) iambic

jam′mer (s) pity; misery; (w) ge- lament, wail; (b) sorry; *hoe ~!* what a pity!; *bitter ~* very sorry; **~har′tig** (b) compassionate *ook* **meele′wend**

jam′mer: ~lap′pie damp serviette/napkin; **~lik** miserable, pitiable; woeful; wretched *ook* **droe′wig; ~te** sorrow; *iets uit ~te doen* do something out of pity

Jan John; Jack, Jock; *~ Al′leman/Jan en al′leman* all and sundry; *~ Bur′ger* John Citizen; *~ Pampoen′* fool, idiot, dunce; Simple Simon; *~ Rap/janrap′ en sy maat* rag-tag and bobtail; *~ Sa′lie* a nonentity, stick-in-the-mud, wimp *ook* **lam′sak, slap′gat** (persoon); *~ Taks* Revenue Service *ook* **belas′tinggaarder;** *~ Tuis′bly: met ~ Tuisbly se karretjie* have to stay at home

ja-nee′! sure!; indeed!

janfiskaal′ butcherbird, fiscal shrike

janfre′derik Cape robin, robinchat

jangroen′tjie -s malachite sunbird

Jan′tjie/Jan′netjie Johnnie; *~ wees* be jealous

Janua′rie -s January

Japan′ Japan (country); **Japannees′** (s) **..nese** Japanese (person) *ook* **Japan′ner;** Japanese (language); **Japans′** (b) -e Japanese (customs, etc.) *ook* **Japannees′**

ja′pie (s) -s Johnny; (country) bumpkin, clod-hopper, simpleton *ook* **ghwar** *kyk* **plaas′japie**

japon′ -ne dressing gown; frock *ook* **ka′merjas; jurk**

japo′nika -s japonica, camellia (shrub)

jap′pie (s) -s yuppie (young upwardly mobile person); **~griep** yuppie flu *ook* **chro′niese uit′puttingsindroom**

japsnoet′ -e inquisitive/impertinent child *ook* **snip, snui′ter, parmant′;** wise-acre, know-all

jap′trap: *in ′n ~* in a jiffy, in no time, in two ticks *ook* **tjop-tjop**

ja′re lan′ge longlasting; *ons ~ vriendskap* our friendship of many years

jare lank for years (on end)

jar′gon gibberish, jargon *ook* **koeterwaals′**

ja′rig -e of age, mature; *hy is ~* it is his birthday *ook: hy verjaar*

jas -se coat, overcoat

jasmyn′ jasmine; **In′diese ~** frangipani (shrub)

jas′pis jasper (ornamental quartz)

ja′vel = ja′fel

ja′woord consent, permission, promise; *die ~ gee* accept (marriage proposal)

jeans (s) jeans

jeens to, towards, by; *houding ~ iem.* attitude towards s.o.

jek′ker (lumber) jacket, windbreaker, anorak *ook* **windjekker, jak′ker**

jel′lie -s jelly; **~ba′ba** jelly baby (sweet); **~boon′tjie** jellybean (sweet)

jene′wer gin; **~bos′sie** juniper bush

jeremia′de (s) jeremiad, lamentation; woeful tale

jeropi′ko jeropigo (wine)

jer′sie (omgangst.) (s) **-s** jersey, sweater *ook* **trui**

Jeru′salem Jerusalem; *'n vreemdeling in ~* quite a stranger

jesebelsakkie vanity bag/case *ook* **smuk′tas= (sie), tooitas(sie)**

Je′sus Jesus

jet′ski (s) jetski, ski-jet *ook* **wa′terponie**

jeug youth *ook* **jong′mense;** *in sy prille ~* in his early youth; at a tender age

Jeug′dag Youth Day (holiday, 16 June)

jeug′dig (b) **-e** young, youthful; **~e** (s) **-s** youth, juvenile (person); **~heid** youth(fulness)

jeug: ~her′berg youth hostel; **~klub** youth club; **~mis′daad** juvenile crime; **~misda′digheid/ ~wan′gedrag** juvenile delinquency

jeuk/juk (w) **ge-** itch; **~siek′te** eruption, scabies, rash

jig gout; **~aan′val** attack of gout

jil ge- jest, joke *ook* **gek′skeer; ~lery** playing pranks

jin′go -′s jingo *kyk* **chauvinis′** (persoon)

jis′laaik!/jis′laik! (tw) good gracious! *ook* **alle= wê′reld!, gro′te griet!**

Job Job; *so geduldig soos ~* as patient as Job; **Jobs′tyding/jobs′tyding** tiding of ill luck

Jo′dedom the Jews, Jewry; Judaism

Jo′de: ~genoot′ Jewish proselyte; **~haat** anti-Semitism

jo′del ge- yodel (falsetto singing)

Jodin′ -ne Jewess

jo′dium/jood (s) iodine (antiseptic)

joernaal′ (s) **..nale** journal, newspaper; logbook *ook* **dag′boek, log′boek; ~in′skrywing** journal entry (bookk.)

joernalis′ -te journalist, reporter

joernalistiek′ journalism (newspaper/magazine work)

jog (omgangst.) (w) **ge-** jog *ook* **draf (vir oefe= ning, plesier)**

jog′gie -s caddie (golf); lad(die)

jog′urt yoghurt (milk product)

joi′ner (s) **-s** joiner, collaborator *ook* **oor′loper (oorlog)**

jok (w) **ge-** lie, tell stories/fibs *ook* **oordryf′, lieg**

jo′ker joker *ook* **as′jas** (kaartspel)

jok′kie -s jockey (horse racing)

jol (w) **ge-** make merry/fun, spree

jo′lig (b) jolly, merry, cheerful

jolyt′ merrymaking, revelry *ook* **jollifika′sie; ~ma′ker** reveller, merrymaker

jong[1] (s) **-ens** fellow, pal, boy; *luister mooi, ~* now listen, pal

jong[2] (s) young (animal); (w) **ge-** bring forth young; litter

jong[3] (b) young; *van ~s af* from an early age; *die ~ste/laaste berigte* the latest news/intelligence

jongelie′de/jongelui (veroud.) young people

jon′geling -e youth, young man; **~skap** youth, adolescence

jon′genskool ..skole boys' school; **hoër ~** boys' high school *ook* **ho′ër seun′skool**

jon′getjie -s boy, youth; lover; **~s′kind** boy

jong′getroude -s newly married person; **~ paar** newlywed couple

jong: ~kê′rel bachelor, young man; **~klomp:** *die ~* the youngsters

jongleur′ -s juggler *ook* **wig′gelaar**

jong: ~ man young man; **~ mei′sie** young girl; **~span** the younger set *ook* **jong′klomp, jeug′diges**

jongs: *van ~ af* from an early age; **~le′de** last, ultimo (previous month)

jonk[1] (s) **-e** junk (Oriental sailing vessel)

jonk[2] (b, predicative) **jonger, jongste** young

jon′ker (s) **-s** squire; young nobleman; *hoe kale ~, hoe groter pronker* great boast, small roast

Jood (s) **Jode** Jew; *die wandelende ~* the wandering Jew

Joods (b) **-e** Jewish (customs, etc.); Judaic *ky* **Judaïsme**

jool (s) **jole** (students') rag; fun, jollification *ook* **karnaval′; ~blad** rag magazine; **~koningin** rag queen; **~op′tog** rag procession; **~sier′wa** float (rag)

joos: *die ~ weet* goodness knows; *die ~/josie* *wees* be angry

jo′ta iota, jot (letter); *geen ~ of tittel nie* not one jot or tittle

jou[1] (w) **ge-** boo *ook* **uit′jou, boe**

jou[2] (pers.vnw) you; (bes.vnw) yours

jou′e/jou′ne yours; *dis ~* it is yours

joviaal′ (b) **..viale** jovial, jolly, genial (person)

ju′bel (s) rejoicing; (w) **ge-** rejoice, cheer *oo* **juig;** exult; **~jaar** jubilee (year); **~kreet** shout of joy

jubila′ris -se person celebrating his jubilee

jubile′um -s jubilee *ook* **gedenk′dag; bestaans jaar**

Judaïs′me Judaism (religion)

Ju′das Judas, Jude; **Ju′das/ju′das -se** traitor betrayer; **~kus** traitor's kiss; **~streek** treacher

juf′fer -s young lady, spinster, miss

juf′frou -e, -ens miss, young lady; teache (woman)

juig (w) **ge-** rejoice, cheer, exult; **~ende ska** cheering crowd

juis (b) exact, correct *ook* **presies', noukeu'rig;** (bw) exactly, precisely; *dat* ~ *hy* he of all people; ~ *wat nodig is* exactly what is needed; ~*ter gesê* to be more precise

juistement' exactly, quite so; certainly

juist'heid correctness, exactitude, preciseness

juk[1] (s) **-ke** yoke; *die* ~ *afskud* throw off the yoke

juk[1] (w) = **jeuk**

juk'skei -e yokepin (ox); jukskei (game); ~ *breek* rock the boat; *'n orige* ~ a fifth wheel to the coach; ~**bre'ker** renegade (person); ~**la'er** jukskei league

jul (pers.vnw) = **jul'le**

Ju'lie -s July

jul'le (pers.vnw) you; (bes.vnw) your *ook* **jul**

Ju'nie -s June

ju'nior (s) **-s** junior; (b) junior *ook* **onder**=**geskik'te** (in rang)

jun'ta (s) junta *ook* **militê're raad**

juri'dies -e juridical *ook* **gereg'telik, regskun'**=**dig**

ju'rie -s jury; ~**diens** jury service; ~**lid** juryman

juris' -te barrister, lawyer *ook* **regs'geleerde**

jurisdik'sie jurisdiction *ook* **regs'bevoegd'heid**

jurispruden'sie jurisprudence *ook* **regs'weten**=**skap**

jurk (s) **-e** frock, gown *ook* **oor'kleed; (ka'**=**mer)japon';** gym dress

justi'sie justice, judicature *ook* **die reg**

ju'te/juut jute *ook* **goi'ing** (vir sakke)

juweel' juwele jewel; precious stone, gem(stone) *ook* **e'delsteen**

juwe'lekissie -s jewel/trinket box

juwelier' -s jeweller; ~**s'ware** jewellery

jy (pers.vnw) you; ~ *kan nooit weet nie* one never can tell

K

k -'s k

kaai (s) **-e** wharf, quay *ook* **hawe′hoof**

kaai′man (s) **-ne, -s** alligator, cayman *ook* **wa′terlikkewaan**

kaak[1] (s) **kake** jaw; mandible (insect); **~klem′** tetanus

kaak[2] (s) **kake** pillory; *aan die ~ stel* expose to public contempt; denounce

kaal (b, bw) **kale; kaler, -ste** bald; bare, naked, in the buff *ook* **na′kend;** *daar ~ van afkom* come off second best; **~baai′er** nude bather/ swimmer, skinny dipper; **~bas** (s) naked person; nudist; (b) stark-naked; **~gestroop′** cleaned out (burglary); **~kop** baldpate, bald= head *ook* **pan′kop, bles′kop;** *iem. ~kop die waarheid sê* go for s.o. baldheaded; **~kop** (w) streak; **~na′eler** streaker *ook* **(kaal)stry′ker;** **~pers′ke** nectarine *ook* **nektarien′; ~voet** barefoot(ed); **~vuis: ~vuis bydam** attack/go all-out for s.o. (eg in an argument)

Kaap[1] Cape; Cape Town; *die ~ is weer Hollands* everything in the garden is rosy once more; **~ die Goeie Hoop** the Cape of Good Hope

kaap[2] (s) **kape** cape, headland, promontory *ook* **voor′gebergte**

kaap[3] (w) **ge-** hijack *ook* **ontvoer′, skaak;** practise piracy; **~dra′ma** hijack drama

Kaaps (s) Cape Afrikaans; (b) Cape; of the Cape; *die ~e dokter* the southeaster (wind); *~e draaie maak* take sharp turns; *so oud soos die ~e wapad* as old as the hills; *~e klopse* Cape minstrels; *~e Vlakte* Cape Flats

Kaap′stad Cape Town

kaap′stander -s capstan (hoist mechanism)

kaard (w) **ge-** card, tease; comb (wool)

kaart -e map, chart; card; ticket; *'n deurgestoke ~* a pre-arranged affair; a put-up job; *~ en trans= port′* title deed *ook* **ti′telakte; ~foon** cardphone

kaar′tjie -s ticket; card; **~hou′er** ticket holder; **~kantoor′** ticket office, box office; **~swen′= delaar** ticket tout (person)

kaart: ~man′netjie jack-in-the-box; **~speel** play cards; **~spel** game of cards, card playing

kaas (s) **kase** cheese; **~-en-wynonthaal** cheese and wine reception; **~bur′ger** cheeseburger

kaas′kop[1] (skerts.) **-pe** Hollander

kaas′kop[2] **-pe** blockhead, fool (person)

kaas: ~ma′kery cheese factory; **~mark** cheese market; **~roos′terbrood** toasted cheese, Welsh rarebit

kaat′jie: *~ van die baan wees* be cock of the walk; *~ kekkelbek* chatterbox

kaats (w) **ge-** play (at) ball; bounce back; **~baan** fives court, Dutch handtennis court; **~er** reflector

kabaai′ (s) **-e** loose (night) gown, kabaya

kabaal′ noise, clamour; racket, commotion *ook* **rumoer′, her′rie, op′skudding;** *~ maak/op= skop* raise Cain/hell

kabaret′ cabaret; **~lied′jie** cabaret song/ditty

kab′bel (w) **ge-** babble, ripple *ook* **mur′mel** (stroompie)

ka′bel (s) **-s** cable; *'n kink(el) in die ~* a hitch; (w) **ge-** cable; **~gram** cablegram

kabeljou′ -e cod (fish); Cape cod

ka′bel: ~spoor cableway *ook* **sweef′spoor;** **~televi′sie** cable television; **~tou** cable; **~trein** funicular train

kabinet′[1] (s) **-te** cabinet, case; **~formaat′** cabinet size

kabinet′[2] (s) **-te** ministry, cabinet; **~minis′ter** cabinet minister; **~skom′meling** cabinet change(s)

kaboel′/kaboe′del (s) caboodle; *die hele ~* the whole lot/bunch

kaboe′mielie -s (unbroken) boiled mealies

kabou′ter -s gnome, goblin, elf, imp *ook* **aard′= mannetjie; ko′bold;** **~man′netjie** hobgoblin, elf; **~mus** pixie cap

kadans′ -e cadance *ook* **musiek′ritme**

kada′wer -s cadaver, corpse *ook* **lyk; (dooi′e) lig′gaam**

ka′der frame(work), context; skeleton; cadre (professional soldier); (struggle) fighter *ook* **kry′ger; ~personeel′** skeleton staff *ook* **ska′= dupersoneel**

kadet′ -te cadet; trainee

kadriel′ -e quadrille, square dance

kaf chaff; *pure ~* downright nonsense; trash, hogwash, tommyrot *ook* **bog, twak, strooi;** *~ van die koring skei* separate wheat from chaff; *~ verkoop* talk nonsense/rubbish

kafee′ -s café; tearoom, coffee house

kafeïen′/kafeï′ne caffeine (stimulant)

kafete′ria -s cafeteria *ook* **self′dienkafee**

kaf′loop -ge- trounce, make mincemeat of *ook* **oorrom′pel, af′ransel;** *iem. ~* knock spots off s.o.

kafoe′fel (w) **ge-** flirt; pet(ting), smooch *ook* **vlerk′sleep, lief′koos, vry**

kaf′praatjies nonsense, trash, drivel *ook* **on′sin**

kag′gel -s fireside, chimney piece; range

kai′ings (s) greaves, browsels; cracklings *kyk* **swoerd;** *sy ~ sal braai* he'll pay for it

ka′jak -s, -ke kayak (boat)

kajuit′ -e cabin (ship; aircraft); **~beman′ning** cabin crew (airliner); **~raad** (s) council of war; indaba, kgotla, bosberaad; *~raad hou* discuss, deliberate *ook* **beraad′slaag, kou′= kus; ~stem′opnemer** flight data recorder *ook*

vlug'opnemer; ~**ven'ster** porthole *ook* **pa=trys'poort**

kak (vulg.) (s, w) shit, crap (vulg.); dung; ~**kerig'** (vulg.) cowardly, weak-kneed

kaka'o cocoa (edible powder)

ka'kebeen ..bene jaw, jawbone; ~**wa** old-fashioned oxwagon

ka'kelaar -s red-billed hoopoo (bird); chatterbox (person)

kaketoe' cockatoo (crested parrot)

ka'kie -s khaki; tommy (Br. soldier in AB War); ~**bos** khaki bush; ~**kle're** khaki clothes; ~**kombers'** military blanket

kak'kerlak -ke cockroach, black beetle *ook* **kokkerot'**

kak'tus -se cactus *ook* **do'ring, distelplant**

kalan'der (grain) weevil (small insect)

kalant' -e rogue, old hand, sly fox; *ou ~, lank in die land* s.o. who knows the ropes

kalbas' -se calabash, gourd; ~**kop** skinhead (person) *ook* **been'kop, skeer'kop**

kalbas'sies orchitis (disease) *ook* **bal'ontsteking**

kaleidoskoop' kaleidoscope (colour reflector)

kalen'der -s calendar, almanac *ook* **almanak'**; ~**jaar** calendar year

kalf (s) **kalwers** calf; *met 'n ander se kalwers ploeg* steal s.o.'s thunder; *gemes'te ~* fatted calf; (w) **ge-** calve

kalfak'ter (s) handyman, jack-of-all-trades, factotum *ook* **hand'langer, fakto'tum;** idler

kalfa'ter (w) ge- caulk, repair (ship); patch up *ook* **toe'smeer**

kalfs: ~**oog ..oë** poached egg *ook* **posjeer'eier;** ~**vel** calfskin; ~**vleis** veal

kali'ber calibre *ook* **groot'te; status; kwaliteit** (persoon); bore (of gun)

kalibreer' (w) ge- calibrate (mechanical data/functions)

kalief' -s caliph (Islamic ruler)

ka'lium potassium (metal element)

kalk lime; **geblus'te ~** slaked lime

kalkeer' (w) ge- trace; ~**papier'** tracing paper

kalk: ~**hou'dend** calciferous; ~**lig** limelight; *in die* ~**lig** catching public attention

kalkoen' -e turkey; *hy is nie onder 'n ~ uitgebroei nie* he is not as green as he looks; nobody's fool; ~**tjie** small turkey; orange-throated longclaw (bird)

kalk: ~**oond** limekiln; ~**steen** limestone; ~**swa'el/~swa'wel** lime sulphur

kalligraaf' calligrapher (person) *ook* **skoon'skrywer; kalligrafie'** calligraphy *ook* **skoon'skrif**

kalm (b) calm, quiet, composed; tranquil

kalmeer' (w) ge- calm, soothe, allay *ook* **sus;** ~ *nou, Piet* cool it, Peter; ~**mid'del** sedative, tranquilliser; paregoric

kalm'pies (bw) calmly, coolly

kalm'te calm, calmness; tranquillity; *sy ~ herwin* regain his composure

kalorie' -ë calorie (heat unit) *ook* **warm'te-eenheid**

kalos'sie -s ixia *ook* **klos'sie** (bolplantjie)

kalot'jie -s skullcap *ook* **mus'sie**

kal'sium calcium (alkaline element)

kal'wer: ~**hok** kraal/pen for calves; *tot by oom Daantjie in die* ~**hok** go the whole hog; ~**lief'de** puppy love

kam (s) -**me** comb; crest (of a hill); *almal oor dieselfde ~ skeer* treat all alike; (w) ge- comb; card

kamas' -te gaiter, legging

kameel' kamele camel; ~**do'ring** camelthorn (tree); ~**perd** giraffe *ook* **giraf'**

kame'lia -s camelia, japonica (flower)

ka'mer -s room, chamber; ventricle (heart); K~ **van Koop'handel** Chamber of Commerce; K~ **van Myn'wese** Chamber of Mines

ka'mera -s camera; ~**man** cameraman (TV) *ook* **fotograaf'** (persoon); ~**span** film/TV crew

kameraad' ..rade comrade; companion; buddy, pal; mate; ~**skap** companionship

ka'mer: ~**doek** cambric muslin; ~**heer** gentleman-in-waiting; ~**jas** dressing gown *ook* **japon';** ~**musiek'** chamber music; ~**pot** chamber pot *ook* **nag'pot; koos** (skerts.); ~**wys** house-trained (pet) *ook* **sin'delik**

kam'ma/kammakas'tig quasi, so-called *ook* **skyn=;** bogus *ook* **kam'tig, kas'tig, kwansuis';** *hy het ~ geleer* he pretended to be studying

kam'ma: ~**hortjies** mock shutters; ~**kollektant'** bogus collector; ~**kreef** mock lobster; ~**poli'= sie** bogus cop(s)

kamoefla'ge (s) camouflage *ook* **vermom'ming**

kamoefleer' (w) ge- camouflage *ook* **vermom';** ~**drag** combat uniform

kamp (s) -**e** camp, encampment; ~ *(op)slaan* pitch camp; *die ~ opbreek* strike camp; (w) ge-camp *ook* **kampeer'**

kampan'je -s campaign *ook* **veld'tog** (mil.)

kamp'bed -dens stretcher *ook* **vou'katel**

kampeer' (w) ge- camp *ook* **uit'kamp;** ~**plek/ ~terrein** camping site

kampioen' -e champion *ook* **oorwin'naar;** ~**= skap** championship

kampong' (s) -**s** compound; mine camp

kam'pus -se campus *ook* **kol'lege=/tech'nikon=/ universiteits'terrein**

kamp'vegter -s fighter/champion (for a cause), protagonist *ook* **voor'vegter**

kam'rat -te cogwheel

kan¹ (s) -**ne** can, jug; tankard; *die wysheid in die ~* be tipsy

kan² (w) **kon** be able, can; *'n mens ~ nooit weet nie* you never can tell

Ka'nada Canada (country); **Kanadees'** (s, b)
..**dese** Canadian (person; customs, etc.)

kanaliseer' (w) ge- canalise, channel

kana'rie -s canary; ~**by'ter** butcherbird *ook*
laks'man (voël); ~**kou'tjie** canary cage

kan'delaar -s, ..**are** candlestick; chandelier

kandela'ber -s chandelier, candelabrum *ook*
kroon'lugter

kandidaat' ..**date** candidate, applicant; *jou ~ stel*
stand as candidate; *onbestrede ~* unopposed
candidate; **kandidatuur'** candidature, candi=
dateship

kaneel' cinnamon (spice)

kan'fer camphor; ~**bran'dewyn** spirits of camphor

kanferfoe'lie honeysuckle (creeper)

kan'ferolie camphor oil

kangaroe' kangaroo (Australian mammal)

kan'ker cancer, carcinoma *ook* **karsinoom'**,
tu'mor; ~**ag'tig** cancerous

kan'netjie -s small jug, cannikin; small boy, kid,
nipper, chappy *ook* **jap'snoet, snuiter**

kannibaal' ..**bale** cannibal *ook* **mens'vreter**

kan'nie: ~ *is dood* never say die

kan'niedood (s) diehard, persister (persoon);
variegated aloe; *hy is 'n regte ~* he is ever=
lasting/never gives up; (b) indestructible

kano' -'s canoe; ~**resies**/~**wed'vaart** canoe race;
~**vaar'der** canoeist

kanon'[1] -**ne** (big) gun; cannon *ook* **grof'geskut**;
~**voer** cannon fodder (expendable soldiers)

ka'non[2] -s canon (chain music/melody)

kanoniek' (b) -**e** canonical (according to church
law/tradition)

kanonnier' -s gunner (army)

kans: ~**perd** favourite *ook* **guns'teling**; ~**re'**=
kening theory of chances/probabilities; ~**spel**
game of chance; ~**vat'ter** chancer (person)

kant[1] (s) -**e** side, edge, brink; margin; *jou ~*
bring do one's share; ~ *kies* side with, take
sides; ~ *en klaar* quite ready; *aan ~ maak* tidy
(up); ~ *en wal* full to overflowing

kant[2] (s) lace *ook* **fyn weef'stof**

kanta'te (s) cantata *ook* **koraal'werk** (mus.)

kan'tel ge- topple, fall, capsize, tilt *ook* **oor'**=
hang, hel; ~**dem'per** anti-roll bar (motorcar)

kantien' -e, -s canteen, pub *ook* **kroeg**; tin can
ook **blik'kantien'**

kant'lyn -e sideline; margin (line); touchline
(rugby)

kan'to -'s canto (poetry) *ook* **sang, melodie'**

kanton' -s canton, district (Switzerland)

kantoor' ..**tore** office; chambers; ~**personeel'**
clerical staff; ~**ure** office hours; ~**werk'er**
clerk, white-collar worker

kant': ~**ruim'te** margin; ~**stro'kie** counterfoil;
~**te'kening** marginal note

kant'werk lacework

kap[1] (s) -**pe** hood; bonnet (of engine); truss/
principal of roof; hatch

kap[2] (s) -**pe** cut, chop (with axe); (w) ge- fell, cut
wood, chop; chip (golf); paw (horse)

kap[3] (w) ge- cut, dress, style (hair) *kyk* **kap'sel**

kapa'bel capable; in a fit state; *hy is ~ en pleeg*
moord I wouldn't put it past him (to do
something drastic/irresponsible)

kapar'rang (s) -s wooden sandal, clog

kapasiteit' -e capacity, ability *ook* **vermo'ë**
(persoon); **bak'maat** (dam); **in'houdsmaat**

kapa'ter (s) -s castrated/cut he-goat

kapel'[1] (s) -**le** chapel *ook* **be'dehuis, bid'plek**

kapel'[2] (s) -**le** cobra *ook* **koperkapel', ko'bra,**
geel'slang

kapelaan' -s chaplain; padre (mil.)

kapel'meester choirmaster; bandmaster (hist.)

Ka'penaar -s, ..**nare** Capetonian, inhabitant of
the Western Cape

ka'per -s hijacker *ook* **ska'ker, ontvoer'der;**
pirate, freebooter, raider *ook* **see'rower, boeka=**
nier' (hist.); ~**skip** pirate ship, freebooter (hist.)

kaperjol' -**le** caper(s), prank(s) *ook* **manewa'=**
le(s); ~**le maak** cut capers; frolic, gambol (v)

ka'ping -s hijacking

kapitaal' (s) capital; principal; ~ *en rente*
principal and interest; (b) ..**tale** capital,
splendid; ~**appresia'sie** capital appreciation;
~**del'ging** capital redemption

kapitalis' -**te** capitalist (person)

kapitaliseer' (w) ge- capitalise; put to advantage

kapitalis'me capitalism (economic system)

kapiteel' (s) ..**tele** capital, head (of a column)

kapit'tel[1] (s) -s chapter; *vers en ~* chapter and
verse

kapit'tel[2] (w) ge- lecture, rebuke *ook* **beris'pe,**
tereg'wys, ros'kam

kapitula'sie capitulation *ook* **oor'gawe**

kapituleer' (w) ge- capitulate, surrender *ook*
oor'gee

kap'kar -re hooded cart

kap'mes machete, panga *ook* **pan'ga**

kapoen' (s) -e capon *ook* **gesny'de haan**

kapok' (s) snow *ook* **sneeu;** wadding; wild
cotton; capoc; down; (w) ge- snow; ~**aar'=**
tappels mashed potatoes; ~**gewig'** bantam=
weight (boxer); ~**haan'tjie** bantam cock;
cheeky fellow; ~**hoen'der** bantam fowl; ~**kus'=**
sing cushion filled with capoc/down *ook*
dons'kussing; ~**vo'ël** penduline tit

kapot′ (b) broken *ook* **stuk′kend;** exhausted; lights-out *ook* **poot′uit**

kap′pertjie nasturtium (flower) *kyk* **bron′kors**

kap′pie -s sunbonnet; canopy (of a bakkie); circumflex(^); *'n ~ maak* have a drink

kap′seil -e tarpaulin *ook* **bok′seil**

kap′sel hairstyle, hairdo, coiffure *kyk* **kap³**

kap′sie: ~ *maak teen* raise objections (to)

kap: ~**stewel** top boot, jackboot; ~**stok** hall stand *ook* **hoe′destander**

kapsu′le -s capsule *ook* **omhul′sel**

kaptein′ -s captain *ook* **gesag′voerder;** chief (tain); tribal chief

kap′werf (s) ..**werwe** chop shop (stolen cars)

kar -re cart; (motor)car *ook* **mo′tor(kar)**

karaat′ carat (weight unit for gems/gold)

karak′ter -s character; nature *ook* **aard, ge-aard′heid;** *sonder eie* ~ without individuality

karakteriseer′ ge- characterise *ook* **ken′skets, ken′merk** (w)

karakteristiek′ (s) -e characteristic; feature *ook* **ken′merk, ei′enskap;** (b) -e characteristic(al) *ook* **ti′pies, tipe′rend**

karak′terloos (b) ..**lose** unprincipled, depraved (person)

karak′ter: ~**sken′ding** defamation of character; ~**skets** character sketch; ~**tipe** font (comp.); ~**trek** trait *ook* **aard, ei′enskap;** ~**(uit)beel-ding/~te′kening** portrayal of character; ~**vast′heid** strength of character

karamel′ -le, -s caramel; burnt sugar

kara′te karate (Japanese martial art)

karavaan′ caravan (of camels) *kyk* **woon′wa**

karba′ -'s wicker bottle, demijohn

karbied′/karbi′de carbide (chem. compound)

karbol′ carbolic (acid); ~**seep** carbolic soap; ~**suur** carbolic acid, phenol

karbon′kel -s carbuncle *ook* **nege′oog** (bloed-vint); garnet

kardinaal′ (s) -s, ..**nale** cardinal (RC dignitary); ~**s′hoed** (red) mitre; (b) ..**nale** cardinal, chief; vital; *van kardinale belang* of vital impor-tance

kardiograaf′ ..**grawe** cardiograph (med. instr.)

kardiogram′ -me cardiogram (recording heart movements)

kardoes′ -e paperbag; cartridge; ~**broek** knick-erbockers, plusfours *ook* **pof′broek**

karee′boom ..**bome** karee tree

karet′¹ (s) -te luggage carrier *ook* **dak′rak**

karet′² (s) -te tortoise shell

ka′rig skimpy, meagre, scanty *ook* **skraal, armoe′dig;** ~*e maaltyd* scanty/frugal meal

karika′tuur′ ..**ture** caricature, (political) cartoon *ook* **spot′prent;** ~**te′kenaar** caricaturist; car-toonist *ook* **spotprentte′kenaar**

kariljon′ (s) carillon, chimes *ook* **klok′kespel, bei′aard** *kyk* **beiaardier′**

karkas′ -se carcass, skeleton *ook* **geraam′te**

karkat′jie -s sty (on the eye)

karkiet′ -e reedwarbler (bird)

karkoer′ -e bitter melon, gourd

karmenaad′jie -s choice piece of meat, chop *ook* **tjop**

karmosyn′ crimson *ook* **hoog′rooi**

karnal′lie -s rogue, son of a gun, rascal *ook* **va′bond, platjie** (persoon)

karnaval′ carnival *ook* **ker′mis, ga′la, Mardi Gras**

karnuf′fel (w) ge- hug, cuddle; bully, manhan-dle, pommel *ook* **(op)foe′ter, af′ransel**

Karoo′ Karoo; ~**wê′reld** Karoo landscape

karos′ -se skin rug, karos

karp(er) -e carp (fish)

kar′ring (s) -s milk churn; (w) ge- churn; *aan 'n mens* ~ pester/nag at a person; ~**melk** buttermilk

karsinoom′ (s) ...**nome** cancer, carcinoma, ma-lignant tumour *ook* **kan′ker, kwaadaar′dige tu′mor**

kar′tel¹ (s) -s notch, incision; (w) ge- notch *ook* **(in)keep;** wave; mill

kartel′² (s) cartel; trust, consortium, syndicate *ook* **sindikaat′; monopolie′**

kar′teling waviness; notching; incision; *perma-nente* ~ permanent wave;· perm (infml.)

kartets′ -e grapeshot, canister shot; ~**koe′ël** grapeshot cartridge

kartografie′ cartography, mapmaking

karton′ (s) -ne cardboard, pasteboard; carton; *ook* **bord′papier;** ~**boks** cardboard box

karveel′/karaveel′ (s) ..**vele** caravel (hist. ship)

kar′wag carwatch (parking area)

karwats′ -e horsewhip, riding crop, short driving whip, quirt *ook* **peits** *kyk* **sambok′**

karwei′ ge- transport, cart, ferry *ook* **vervoer′;** ~**er** cartage/removals contractor; haulier, trucker, carrier *ook* **vragkarwei′er;** transport rider/driver (hist.)

kas¹ (s) -te box; case; cupboard, chest, cabinet

kas² (s) -se socket (eye) *ook* **oog′holte;** cash box; till, cash register *ook* **kas′register; betaal′-punt; staats′~** treasury (government)

kasarm′ -s rambling house; *die hele* ~ the whole lot/caboodle

kas′boek -e cash book (bookk.)

kaser′ne -s barracks, (army) camp

kasi′no/casi′no (s) casino, gambling house *ook* **dob′belhuis**

kasjoe′neut cashew nut

kaska′de (s) -s cascade (falling water/snow)

kas′kar (s) -re soapbox cart, go-cart *kyk* **knor′-tjor**

kaskena′de -s prank, mischievous trick, antic *ook* **kaperjol**

kas′register -s cash register, till

kassa'we cassava *ook* **brood'wortel;** manioc

kasset' (s) **-te** cassette; **~aandrywer** tape streamer (comp.); **~dek** tape deck; **~spe'ler** casette player

kassier' (s) **-s** cashier; teller (in bank)

kastai'ing -s chestnut; *vir iem. die ~s uit die vuur haal* pull the chestnuts (eg problems; dirty work) out of the fire for s.o.

kas'te -s caste *ook* **stand** (sosiale groepering)

kasteel' castle; citadel, fortress *ook* **ves'ting, burg**

kas'terolie castor oil (laxative)

kas'tig so-called *ook* **kwansuis';** *hy is ~ siek* he bluffs/feigns illness

kastreer' (w) ge- castrate, geld *ook* **ontman';** **ontkna'ter** *ook* **spei** (wyfiedier)

kastrol' -le stewpan, saucepan

kasty' (w) **ge-** castigate, chastise, rebuke *ook* **tug'tig; striem;** *'n mens ~ die een wat jy liefhet* we chastise those whom we love

kasueel' (b) casual, informal (dress); *deftig ~* smart casual *ook: deftig informeel*

kat -te cat; *die ~ uit die boom kyk* wait and see which way the cat jumps; *die ~ in die donker knyp* do things on the sly; *'n ~ in die sak koop* buy a pig in a poke; *as die ~ weg is, is die muis baas* when the cat is away, the mice will play; *g'n ~ se kans* no hope in hell

katakom'be -s catacomb *ook* **graf'kelder**

kata'logus -se catalogue *ook* **(prys)lys**

katamaran' -s catamaran *ook* **twee'romper** (boot)

kat'apult (s) **-e** catapult *ook* **(voël)rek'(ker), ket'tie;** slingshot

katar' catarrh *ook* **slymvliesontste'king**

katarak' -te cataract, pearl-eye *ook* **pêrel'oog**

katastro'fe -s catastrophe *ook* **ramp, on'heil**

katastro'fies catastrophic *ook* **rampspoe'dig**

kate'der -s small pulpit/lectern; *ook* **le'sing= staander, knapie;** catheder

katedraal' ..drale cathedral *ook* **dom'kerk**

katege'se catechesis, instruction (religion)

kategorie' -ë category *ook* **klas(sifika'sie)**

katego'ries (b, bw) categorical *ook* **onvoor= waar'delik; uitdruk'lik**

ka'tel -s bedstead *ook* **ledekant';** **~kna'pie** gigolo, toyboy

kate'ter -s catheter *ook* **urien'buis** (med.)

katjiepie'ring -s gardenia (flower)

katkisant' -e candidate for confirmation

katkisa'sie catechism; confirmation (class) *ook* **aan'neming**

katkiseer' (w) **ge-** catechise; question, probe *ook* **uit'vra, beris'pe**

kat'lagter -s babbler (bird)

katoen' cotton; calico; **~fabriek'** cotton factory; **~bedryf'** cotton industry; **~planta'sie** cotton plantation; **~we'wery** cotton mill

katoe'ter -s gadget *ook* **katot'ter, kontrep'sie**

Katoliek'[1] (s) **-e** (Roman) Catholic

katoliek'[2] (b) **-e** catholic, universal, all-embrac= ing *ook* **universeel'**

kat'oog ..oë cat's eye; reflector stud (on road); green asbestos

katools'(b) randy, ruttish; distasteful *ook* **vry'= erig, wulps** *kyk* **jags; stui'tig**

katrol' -le pulley; **~stel** block and tackle

kats (s) **-e** cat-o'-nine-tails; (w) **ge-** thrash, lash, whip (hist.)

kat'spoegie a short distance/stone's throw (from here) *ook*: *'n hanetreetjie;* wee bit

kat'stert cat's tail; willow herb; wild asparagus *ook* **kat'doring**

kat'swink dazed, in a swoon *ook* **dis'nis;** *iem. ~ slaan* knock s.o. lights out

kat'te: ~bak dickey seat, rumble seat (hist.) *kyk* **baga'siebak; ~bakverko'ping** (car)boot sale; **~getjank'** cat calls; **~kroeg** milk bar; **~kwaad** mischief, naughtiness, tricks *ook* **ondeund= heid;** **~kwaad doen/aanvang** be up to mis= chief; **~konsert'/~musiek'** caterwauling; **~rig** cattish; bitchy *ook* **kat'tig;** **~ry** cattery (cat kennels) *ook* **kiet'siesorg**

kat'voet (bw): *~ loop* tread lightly/softly *ook: lugtig wees vir*

kavalier' (s) **-s** cavalier; horseman; gallant lover

kavalka'de -s cavalcade *ook* **rui'terstoet**

kavallerie' (s) cavalry *ook* **rui'tery; kavalleris'** (s) **-te** cavalry man, horse soldier

kaviaar' caviar(e) *ook* **(gesoute) steur'eiers**

keel (s) **kele** throat; gullet; *sy eie ~ afsny* cut one's own throat; **~klank** guttural (sound); **~pyn** sore throat; **~vol** fed-up

ke'ël (s) **-s** cone; icicle; **~vor'mig** conical, cone-shaped

keep (s) **kepe** notch, indentation, nick *see* **nick'stick;** ; tally, score; (w) **ge-** notch

keer (s) **kere** turn; time; *drie ~* three times; *te kere gaan* make a fuss; rave; *~ op ~* time and again; (w) **ge-** turn; prevent; **~dag/~tyd** return day/date; **~kring** tropic (line); **~punt** turning point; **~sy** other/reverse side; **~weer** (s) cul-de-sac, blind alley *ook* **dood'loopstraat**

kees (s) **kese** monkey; *dis klaar met ~* he is a goner; **~hond** Dutch barge-dog

kef ge- yelp, yap (dog)

ke'gel (s) **-s** skittle; **~baan** tenpin bowling alley; **~bal** tenpin bowling; **~spel** skittles, ninepins

keil[1] (s) **-e** top hat; chimney pot (slang)

keil[2] (s) **-e** wedge; **~skrif** cuneiform writing

kei'ser (s) **-s** emperor; caesar; **~in'** (s) **-ne** empress; **~lik** imperial; **~ryk** empire; **~s'= kroon'** imperial crown; agapanthus (flower); **~snee** Caesarian section (childbirth)

kei'steen (s) cobblestone (for paving of street, hist.)

kek′kel (w) **ge-** cackle; **~bek** chatterbox, slan= derer; **~praat′jie** chit-chat; gossip, slander

kel′der (s) **-s** cellar; basement; vault; bottom of the sea; (w) **ge-** sink; *'n skip ~* sink a ship; **~ka′mer** basement room; **~tjie** bottle case; cellaret; **~verdie′ping** basement

kelk -e chalice, calyx; cup

kel′kie -s wineglass

kelkiewyn′ -e Namaqua sandgrouse (bird)

kel′ner -s waiter, steward; **~in′ -ne** waitress

Kelt -e Celt (person); **~ies** (s, b) Celtic, Gaelic (language; customs, etc.)

kemp′haan ..hane gamecock

ken[1] (s) **-ne** chin

ken[2] (w) **ge-** know; recognise; understand; *van buite ~* know by heart; *te ~ne gee* give to understand

ken′ketting -s chin chain, curb

ken: ~let′ter(s) designatory initials/title; **~me= kaar(aand)** get acquainted (evening)

ken′merk (s) **-e** feature, characteristic *ook* **ei′enskap; ~end** (b) **-e** characteristic; typical

ken′nebak/kin′nebak jaw(bone), mandible *ook* **on′derkaak**

ken′nelik′ recognisable, apparent

ken′ner (s) **-s** expert, authority, boffin *ook* **(des)= kun′dige, spesialis′** (persoon)

ken′netjie[1] (s) **-s** tipcat (game)

ken′netjie[2] (s) **-s** little chin

ken′nis knowledge, cognisance; intimation; acquaintance (person); *~ gee* give notice; *~ maak met* make acquaintance with; meet s.o.; *in ~ stel* notify; *geliewe ~ te neem van* notice is hereby given of; **~ge′wing** notice, an= nouncement; **~ge′wingsbord** notice board; **~na′me** for attention/information

ken′skets ge- characterise, depict, typify; **~end** typical, characteristic *ook* **ti′pies**

ken: ~skyf identification disc; **~spreuk** motto; **~stro′kie** name tag (at conferences) *ook* **naam′= plaatjie; ~te′ken** distinctive mark; badge

ken′ter (w) **ge-** change; turn down/round; **~ing** (s) (up)turn *ook* **om′keer, wen′ding;** *'n ~ing in die oorlog* a change of fortunes of war

ken: ~vermo′ë perceptive faculty; **~wy′sie** theme/signature tune *ook* **te′mawysie**

ke′per (s) twill (weaving); *op die ~ beskou* on close consideration/inspection; (w) **ge-** twill

keps -e/kep -pe cap *ook* **pet**

keramiek′ ceramics *ook* **er′dewerk**

ke′re: *te ~ gaan* make a fuss; carry on, rave

kê′rel -s guy; chap; bloke, fellow; boyfriend *ook* **vry′er;** *'n gawe ~* a decent/fine guy; *haar ~* her boyfriend; *hulle is ~ en nooi* they are going steady/are an item *ook: hulle is gekys.*

ke′rende: *per ~ pos* by return of post

kerf (s) **kerwe** notch, nick; incision *ook* **keep;** (w) **ge-** notch, carve; cut (tobacco); **~stok**

nickstick; cutting block (tobacco); *baie op jou ~stok hê* have a great deal to answer for

kerjak′ker (w) **ge-** romp, play, career *ook* **baljaar′, rinkink′**

kerk -e church, chapel; congregation; *die koeël is deur die ~* the die is cast; **~bank** pew; **~diens** divine/church service

ker′ker (s) **-s** dungeon (underground prisoner's cell)

kerk: ~genoot′skap church/religious denomina= tion; **K~hervor′ming** Reformation (of the Church); **~hof** churchyard; graveyard/ceme= tery *ook* **begraaf′plaas; ~klok** church bell; **~leer** doctrine; **~lik** ecclesiastical; **~muis** church mouse; *so arm soos 'n ~muis* as poor as a church mouse; **~plein** church square; **~raad** church council/committee, consistory; **~reg** church law/statute; **~to′ring** church tower, steeple; **~verband′** church/religious denomination

kerm ge- lament, groan, moan, whine *ook* **kreun, kla; ~kous** moaner (person)

ker′mis -se fair, fête; carnival; **~bed** shake-down (makeshift bed)

kern (s) **-e, -s** core, crux; gist; nucleus; *die ~ van die saak* the gist of the matter; **~aan′gedrewe** nuclear powered; **~af′val** nuclear waste

kernag′tig pithy, terse *ook* **pit′tig, bon′dig**

kern: ~-as nuclear fallout; **~bom** atom(ic) bomb; **~energie′** nuclear energy; **~fi′sika** nuclear physics; **~fu′sie** nuclear fusion, fusion of atom; **~gedag′te** main theme/thought *ook* **hoof′trek(ke); ~′gesond** sound to the core, hale and hearty; **~infla′sie** core inflation; **~krag** nuclear power; **~oor′skot** nuclear debris; **~personeel′** core staff *kyk* **ska′= dupersoneel; ~reak′sie** nuclear reaction; **~reak′tor** nuclear reactor; **~silla′bus** core syllabus; **~sply′ting** splitting of atom; **~tyd** core time *kyk* **skik′tyd; ~versnel′ler** nuclear accelerator; cyclotron; **~wa′pens** nuclear arms/weapons

ker′rie curry; **~-en-rys** curry and rice; **~vis** curried fish

kers -e candle; *nie ~ vir iem. kan vashou nie* not be a patch on s.o.; *~ opsteek* learn the tricks of the trade

Kers: ~aand Christmas evening/Eve *kyk* **Ou′= kersaand; ~boom** Christmas tree; **~dag** Christmas Day (holiday, 25 December); **Tweede ~dag** *nou* **Welwil′lendheidsdag** Goodwill Day *formerly* Boxing Day (holiday, 26 December); **~fees** Christmas *ook* **Kers′mis; ~geskenk′** Christmas box/present

ker′sie -s cherry (fruit)

Kers: ~lied Christmas carol; **~mis** Christmas; **~nag** Christmas Eve; **~pastei′** mince pie; **~tyd** yuletide; **~va′der** Father Christmas, Santa Claus

kers: ~op′steektyd candle-lighting time; **~pit** candle wick; **~reg′op/kiets′regop** very erect; **~snui′ter** (pair of) snuffers

kers′ten (w) **ge-** christianise

Kers′vakansie Christmas holidays/vacation

ker′we/kerf (w) **ge-** carve; notch; cut (tobacco)

ker′wel -s chervil (herb) *kyk* **knapsakker′wel**

kês boiled sour milk, curd; **~kui′ken** milksop, mere chicken *ook* **bog′kind, snui′ter**

ke′tel -s kettle; boiler (of engine); couldron; *die pot verwyt die ~ dat dit swart is* the pot calls the kettle black; **~ma′ker** boilermaker

kets (w) **ge-** misfire/misfiring

ket′ter -s heretic, unbeliever; *vloek soos ′n ~* swear like a trooper

ket′tie -s catty, catapult, slingshot *ook* **voël′rek**

ket′ting -s chain; cable; *in ~s slaan* put into chains; **~brief** chain letter; **~reak′sie** chain reaction; **~steek** chain stitch; **~ta′kel** block and chain tackle

ket′tinkie -s small chain, chainlet

keur (s) choice, selection *ook* **keu′se;** *te kus en te ~* for the choosing; (w) **ge-** test, try, judge *ook* **uit′kies;** seed (sport) *die eerste ge~de* the first seed; assay (minerals); **~aan′deel** blue-chip/gilt-edged share; **~der** (s) **-s** selector (sport); manuscript reader/judge; **~graad** choice grade (butter)

keu′rig (b) fine, exquisite, nice, dainty *ook* **smaak′vol, elegant′;** *~ afgewerk* beautifully finished

keu′ring selection *ook* **selek′sie;** screening; **~(s)toets** efficiency/aptitude test *ook* **aan′=legtoets**

keur: ~komitee′ selection committee; **~koop** bargain; **~lys** grading/seeding list (sport) *ook* **rang′lys; ~merk** hallmark; **~pakket′** hamper *ook* **smul′mandjie; ~raad** selection board; **~steen** touchstone; **~troe′pe** elite/crack troops; **~vors** electoral prince (hist.)

keu′se -s choice, selection; option; *geen ~* Hobson's choice; *sonder ~ van ′n boete* without the option of a fine; *uit vrye ~* of one's own free will; **~vak** optional subject

keu′wel (w) **ge-** prattle, babble, **~taal** baby-bab=bling

ke′wer -s beetle

kiaat′hout teak (wood)

kib′boets (s) **kib′boetsim** kibbutz (in Israel) *ook* **gemeen′skapplaas**

kib′bel ge- bicker, squabble, hassle, wrangle *ook* **ha′re kloof; (op)stry, argumenteer′**

kief′ (s) **kie′we/kieu** (s) **-e** gill (of fish); **kief′=nette** gill nets (illegal fishing)

kiek (w) **ge-** snap (photograph); **~ie** (s) **-s** snap, snapshot; photo(graph)

kiel -e keel (base/bottom of a ship); (w) **~haal** keelhaul (punishment, hist.)

kie′lie ge- tickle; titillate; **~bak** armpit *ook* **ok′sel; ~rig** (b) ticklish

kiel′water wake, slipstream, backwash *ook* **kiel′sog** (agter skip)

kiem (s) **-e** germ; embryo *ook* **em′brio;** *in die ~ smoor* nip in the bud; (w) **ge-** germinate; **~sel′** germ cell; ovule; **~vry** (b) germ free, sterilised

kie′persolboom ..bome cabbage/umbrella tree *ook* **nooi′ensboom**

kie′piemielies popcorn *ook* **spring′mielies**

kiep′-kiep′! chick! chick!; come! come! (to chickens)

kie′rang/kie′rankies (s) cheating (in games); *sy ~ het gebraai* he was caught out; (w) **ge-** cheat

kie′rie -s (walking) stick; **~be′ne/~boud′jies** spidery legs

kies[1] (s) **-te** cheek pouch; molar, grinder (tooth) *ook* **kies′tand**

kies[2] (w) **ge-** choose, select; elect; pick; *jou woorde ~* pick one's words carefully; *~ as voorsitter* elect as chairman

kies[3] (b) delicate, dainty; considerate; discreet *ook* **keu′rig, fatsoen′lik** (persoon)

kies: ~af′deling electoral division; constituency; **~baar** eligible (for election)

kie′ser -s voter, elector; **~s′lys** voters' roll

kieskeu′rig particular, fastidious, choosy *ook* **uit′soekerig, puntene(u)′rig**

kies: ~kollege (uitspr. *koleesje*) electoral college; **~reg** franchise; **~stel′sel** electoral system

kies′tand molar, grinder (tooth)

kiets quits, all square; *ons is ~* we are quits/even

kiet′sie (s) kitty, pussy; **~sorg** cattery (kennels) *ook* **kat′tery**

kieu′ = kief

kie′wiet -e lapwing, noisy plover (bird)

kik (s) scarcely audible sound; *g′n ~ nie* keep mum

kikoe′joegras kikuyu grass

kil (b) chilly, cold *ook* **tries′tig;** *~(le) ontvangs* chilly/frosty reception

ki′lo (s) **-′s** kilo; **~gram** kilogram; **~li′ter** kilolitre; **~me′ter** kilometre; **~tem′mer** (skerts.) weightwatcher (person); **~watt** kilo=watt

kim[1] (s) **-me** horizon, skyline; bilge, chime (ship)

kim[2] (s) mould, mildew *ook* **skim′mel**

kimo′no (s) **-′s** kimono *ook* (Japanse) **ka′=merjapon′**

ki′nabossie -s cinchona/quinine bush (for malaria treatment)

kind -ers child; youngster, kid; infant, baby; *′n ~ des doods* a doomed man; don't you dare!; *~ nóg kraai hê* have neither kith nor kin; *geremde ~* backward child; *gestremde ~* handicapped child; *vertraagde ~* retarded child

kinderag'tig childish, silly *ook* **laf, verspot'**

kin'der: ~**arts** paediatrician *ook* **pedia'ter;**
~**boek** children's book; **K~by'bel** children's
Bible; ~**dae** young days *ook* **klein'tyd;** ~**dief**
kidnapper; ~**diens** children's (divine) service;
~**fol'tering** child abuse/battering *ook* **kinder=
mishan'deling;** ~**hof** juvenile court; ~**huis**
children's home *ook* **kind'derhawe; wees'=
huis;** ~**ja're** childhood; ~**juf'frou/~juf'fie;**
nanny; au pair *ook* **au pair;** ~**ka'mer** nursery;
~**lik** childlike, innocent; naïve; ~**loos** childless;
~**mishan'deling** child abuse; ~**molesteer'der**
child molester, paedophile *ook* **kinderlol'ler,
pedofiel';** ~**moleste'ring** child molestation/
abuse; ~**moord** infanticide, child murder; ~**=
op'passer** child minder; ~**pok'ke/~pok'kies**
smallpox; ~**praat'jies** childish prattle, silly
talk; ~**rym'pie** nursery rhyme; ~**siek'te** chil=
dren's ailment/disease; ~**siel'kunde** child psy=
chology; ~**sorg** child welfare; ~**spe'letjies**
child's play; *dis nie* ~*speletjies nie* it is no
joking matter; ~**spro'kie** nursery tale; ~**sterf=
tesyfer** infant mortality rate; ~**taal** infant/child
speech; ~**tuin** nursery school *ook* **crèche',
kleu'terskool;** ~**verlam'ming** infantile paraly=
sis, poliomyelitis; ~**wa'entjie** pram, perambu=
lator

kinds -**e** senile *ook* **seniel';** *hy is al* ~ he is in his
second childhood; ~**been:** *van* ~*been af* since
childhood; ~**heid** senility, dotage; ~**kind**
grandchild *ook* **klein'kind**

kinien'/kini'ne quinine; ~**poei'er** quinine pow=
der

kin'kel (s) -**s** twist, knot, hitch; *daar is 'n* ~ *in die
kabel* there is a hitch somewhere

kink'hoes whooping/hooping cough

kiosk' -**e** kiosk, stall *ook* **kraam(pie), stal(letjie)**

kip'per -**s** kipper (smoked herring)

kir (w) **ge-** coo (dove) *ook* **koer**

kis[1] (s) -**te** box *ook* **boks;** case, chest, trunk;
coffer; coffin *ook* **dood(s)kis;** (w) **ge-** (place in
a) coffin, ~**hou** winning shot, ace (sport) *ook*
kol'hou (gholf); **kol'skoot;** ~**kle're/~pak** Sun=
day best (clothes)

kis[2] (b) deadbeat, exhausted *ook* **stok'flou**

kitaar' -**s,** ..**tare** guitar *ook* **ghitaar'**

kits moment, trifle; *in 'n* ~ in a jiffy; ~**bank**
autobank, automatic teller machine (ATM)
ook **OTM;** ~**gras'perk** instant lawn; ~**klaar**
ready in an instant; ~**kof'fie** instant coffee;
~**kos** fast food; ~**krie'ket** one-day (cricket)
match; ~**re'kenaar** calculator; ready reckoner

Ki'wi[1] (s) -**'s** Kiwi (infml. for New Zealander)

ki'wi[2] (s) -**'s** kiwi (fruit; flightless N.Z. bird))

kla/klae (w) **ge-** complain; *ek kan nie* ~ *nie*
things are not too bad; ~ *oor iets* complain
about something

klaag: ~**kous/kla'kous** grouser, moaner (person)

ook ~**pot, kerm'kous** (persoon); ~**lied** lamen=
tation, dirge; hard-luck story; ~**lik** plaintive,
doleful; ~**muur** wailing wall; ~**psalm** peni=
tential psalm; ~**sang** elegy, dirge; lament *ook*
treur sang; ~**toon** plaintive tone

klaar ready, finished; clear; *goedere* ~*uit*~ clear
goods (from port); *dis* ~ *met kees* his fate is
sealed; *die suiker is* ~ we are out of sugar; ~
wakker already wide awake

klaarblyk'lik obvious, evident, manifest *kyk*
blyk'baar

klaar: ~**kom** get finished; get along; *ek sal
darem* ~*kom* I'll be able to manage; ~**maak**
get ready, finish; prepare; ~**praat** finished; all
over *ook* **af'geloop;** *dis* ~*praat met hom* his
number is up; ~**produk'te** finished goods (in
manufacturing); ~**speel** manage, cope; con=
trive; ~**staan** be ready

Klaas Va'kie Willie Winkie, the dustman, the
sandman

klad[1] (s) -**de** blot, stain; blemish; slur; (w) ge=
blot, stain; *'n* ~ *op sy naam* a slur/stain on his
character

klad[2] (s) -**de** rough draft; *in* ~ in draft; ~**boek**
scrapbook, scribbling pad/book; ~**papier'**
blotting paper; ~**werk** rough work

kla'er -**s** plaintiff (in court), complainant

klag -**te/klag'te** -**s** complaint; *'n* ~ *indien/lê*
lodge/lay a complaint; ~**staat** charge sheet

klak'keloos (b, bw) without reason, off-hand;
without thinking *ook* **willekeu'rig, ondeur=
dag'**

kla'kous = klaag'kous

klam damp, moist; ~**merig'** rather damp

klamp (s) -**e** clamp; brace, bracket; (w) **ge-**
clamp

klandestien' clandestine; secret, underhand *ook*
heim'lik; ondergronds'

klandi'sie customers *ook* **klan'te;** patronage;
clientele; ~**waarde** goodwill (of a business)

klank (s) -**e** sound, tone; ~**baan** soundtrack;
~**bord** sound(ing) board; ~**dem'per** silencer
(car); damper; ~**dig** soundproof; ~**film**
sound/talking film; talkie (obs.); ~**getrou'heid**
high fidelity, hi-fi *ook* **hoë'trou;** ~**grens** sound
barrier; ~**kaart** sound card (comp.); ~**ie** soft
sound; suspicious smell (in food) *ook* **kra'kie;**
~**leer** phonetics; gamut, scale (mus.); ~**loos**
toneless, silent; ~**meto'de** phon(et)ic method;
~**na'bootsing** onomatopoeia, ~**op'name** sound
recording; ~**ryk** sonorous, rich (voice); ~**sky'=
fiereeks** tapeslide sequence; ~**troustel'** hi-fi
set *ook* **hoëtroustel';** ~**verster'ker** amplifier

klant -**e** customer; ~**e'sorg** client/customer
relations *ook* **kliën'tebetetrekkinge, klan'te=
verhoudinge**

klap (s) -**pe** slap, blow, crack; flap; *'n* ~ *van die
windmeul(e) weghê* have bats in the belfry;

(w) **ge-** smack, clap; crack; **~broek** old-fashioned flap trousers; **~loop** (w) **ge-** sponge; **~lo′per** scrounger, cadger, sponger *ook* **op′=skeploerder, nek′lêer;** **~mus** balaclava cap *ook* **balakla′wamus**

klap′per[1] **-s** cracker; explosive (sound); tattler; index

klap′per[2] **-s** coconut; **~dop** coconut shell; (bald) head; numskull, dolt, blockhead (stupid person); **~haar** coir; **~olie** coconut oil

klap′pertand ge- teeth chattering with cold

klap: ~roos corn poppy; **~soen** hearty smack, smacking kiss; **~stoel** folding chair; **~wiek** clap/flap the wings

klarinet -te clarinet (mus. instr.)

kla′ring clearing; **~(s)agent′** clearing agent (imports)

klas -se class, form; grade; category; *eerste ~* first class; **~loop** attend lectures/classes; **~geld** tuition/study fees *ook* **stu′diegeld;** **~kamer** classroom; **~kaptein′** class captain/monitor; **~onder′wyser** class teacher

klas/klasseer′ (w) **ge-** sort, grade, class (wool)

klassiek′ (b) **-e** classic(al); *~e musiek* classical music

klassie′ke (s) the classics

klassifiseer′ (w) **ge-** classify, sort, grade *ook* **in′deel**

kla′ter ge- rattle, splash; **~goud** tinsel; brass foil; imitation gold *ook* **val′se skyn**

klavesim′bel harpsichord (mus. instr.)

klavier′ -e piano *ook* **pia′no;** **~begelei′ding** piano accompaniment; **~spe′ler** pianist

kla′wer[1] **-s** key (piano); lever (lock)

kla′wer[2] **-s** clover, shamrock; **~aas** ace of clubs (cards); **~blaar** cloverleaf; **~boer** knave/Jack of clubs; **~bord** keyboard (piano); **~jas** klaberjass, jas (card game); **~s** clubs (cards)

kle′ding clothing; **~stuk** garment; atire

kleed (s) **klede** garment, garb; table cover; carpet; **~hok′kie** changing cubicle; **~jie** cloth, tablecloth; saddlecloth; doily *ook* **doi′lie;** **~ka′mer** dressing room; cloakroom; change room; **~repeti′sie** dress/full-dress rehearsal

kleef ge- cling, stick, adhere *ook* **kle′we;** **~band** adhesive/sticking tape; **~myn** limpet mine; **~pak** bodysuit; **~plastiek′** cling/glad wrap; **~stof** gluten; **~strook** sticker *ook* **plak′=ker(tjie)**

klei clay; **~duifskiet** skeeting *ook* **pie′ringskiet;** **~grond** clay soil; **~laag** layer of clay; **~lat** clay stick (for throwing clayballs)

kleim -s claim (diggings); *'n ~ afpen* peg a claim (hist.)

klein (b) small, little *ook* **gering′, nie′tig;** petty; *~ begin, aanhou win* perseverance will be rewarded; *'n ~ bietjie* a tiny/little/wee bit

klein′boer -e small-scale farmer

klein′dogter -s granddaughter

Klein Duim′pie Tom Thumb

kleineer′ (w) **~, ge-** belittle, disparage *ook* **verne′der, af′kraak; min′ag;** minimise

kleingees′tig narrow-minded *ook* **bekrom′pe, kleinsie′lig; ~heid** narrow-mindedness

klein′geld small change; *van iem. ~ maak* make mincemeat of s.o.

kleingelo′wig (b) lacking in faith

klein′goed small ones, children, kids *ook* **jong′span, klein′span**

klein′handel retail trade; **~aar** retailer; **~prys** retail price

kleinhar′tig -e faint-hearted, pusillanimous *ook* **laf′hartig**

klein: ~hoe′we smallholding, plot; **~hui′sie** loo privy, lavatory *ook* **toilet′**

klei′nigheid trifle, small thing *ook* **nie′tigheid, onbenul′ligheid**

klein: ~kas petty cash; **~kind** grandchild; **~koppie trek** shrink back *ook* **terug′deins; ~kry** understand, grasp *ook* **verstaan′, baas′raak, bemees′ter;** *ek kan dit nie ~kry nie* I cannot understand/fathom it; **~lik** petty, narrow-minded *ook* **verkramp′; ~maak** change, break up (money, into smaller amounts)

kleinmoe′dig faint-hearted, despondent

klei′nood (s) **..ode** jewel, treasure, gem *ook* **sie′raad, kos′baarheid**

kleinse′rig (b) touchy, sensitive; easily hurt *ook* **piep′erig′**

klein′seun -s grandson

kleinsie′lig narrow-minded *ook* **kleingees′tig; ~heid** narrow-mindedness

klein: ~span little ones, youngsters, kids *kyk* **klein′goed; ~tjie** small/little one; **~ton′getjie** uvula; **~vee** small livestock; **~wild** small game

klei′os -se clay ox

klei′trap (w) **ge-** flounder; be at al loss/unsure of oneself

klem[1] (s) stress, emphasis, accent *ook* **na′druk, aksent′;** *~ lê op* stress, emphasise

klem[2] (s) **-me** clamp, binding screw; *~-in-die kaak* lockjaw, tetanus *ook* **kaak′klem;** (w) **ge-** clench, clasp, jam; **~tang** clamp (pliers)

klem′toon accent, emphasis, stress; *ek wil di. be~* I want to emphasise it *ook* **bena′druk**

klep[1] (s) **-pe** flap; valve (of heart, engine)

klep[2] (w) **ge-** clapper, clang, toll

kle′pel -s tongue (of a bell)

klep′per -s rattle; castanets; (w) **ge-** rattle, chatter (teeth, with cold)

kleptomaan′ kleptomaniac (person) *ook* **steelsug′tige**

kleptomanie′ kleptomania, compulsive stealing *ook* **steel′sug**

klera′sie clothing; **~win′kel** drapery store

kle′re clothes, clothing; garments; *die ~ maak*

die man fine feathers make fine birds; *dit gaan nie in 'n mens se ~ sit nie* it touches/affects you profoundly; **~bedryf'** clothing industry; **~bor'sel** clothes brush; **~drag** dress, clothing; fashion; **~kas** wardrobe; **~ma'ker** tailor; **~werker** garment worker

klerikaal' clerical (of the clergy)

klerk -e clerk; **~lik** clerical; *~like werk* clerical/ office work

klets (w) **ge-** chatter, talk, yap, waffle *ook* **bab'bel, klets;** **~kous** gossiper, chatterbox; **~nat** dripping wet; **~praat'jies** trash, small talk; **~program** chat/talk show (radio/TV); **~rym** rap *ook* (Wes-Indiese) **praat'liedjies**

klet'ter (w) **ge-** clatter, patter, clash, clang; *die hael ~ op die dak* the hail is beating on the roof

kleur (s) **-e** colour(ing); tint; *~ beken* follow suit (cards); show your true colours/feelings; (w) **ge-** colour, stain; tone; blush; **~baad'jie** blazer; **~blind** colourblind

kleu're: ~beeld spectrum *ook* **spek'trum; ~har= monie'** colour harmony; **~prag** splendour/ feast of colours; **~spek'trum** chromatic spec= trum

kleur: ~hou'dend fast (dyed), washable; **~ig** full of colour, colourful *ook* **kleurryk'**

kleur'ryk colourful, flamboyant (person)

kleur: ~skake'ring blending of colours, colour shades; **~sky'fie** colour slide (to project); **~stof** pigment, dye; stain *ook* **kleur'sel**

kleu'ter -s pre-school child, tot, toddler; **~skool** nursery school *ook* **preprimê're skool; ~skoolonderwyseres'** nursery school teacher

kle'werig (b) sticky, tacky *ook* **taai**

klief/klie'we ge- cleave, split; slice; plough

kliek (s) **-e** clique; clan *ook* **fak'sie;** (w) **ge-** clique

kliënt' -e client (of a professional person, eg lawyer; of a shop); **~betrek'kinge** client relations; **~gerig'** user-friendly; **~(e)lok'ker** tout (person); **~vrien'delik** customer/client- friendly

klier -e gland; **~geswel'** glandular swelling

klik (s) **-ke** click (with tongue or on comp. screen with mouse); (w) **ge-** tell tales; click (also with comp. mouse); bug; **~bek(kie)/~= spaan** telltale, talebearer (person); **~ker** in= dicator; (electronic) bug; *my kantoor is ge=* my office is bugged *kyk* **luis'tervlooi; ~kersleu'tel** ratchit *ook* **sper'rat; ~lig(gie)** warning light (in car); **~toets** lie detector (polygraph) test *ook* **leu'enverklikker**

klim ge- climb, ascend, rise; *die jare ~* the years are advancing

klimaat' climate *ook* **weers'gesteldheid**

kli'maks -e climax *ook* **hoog'tepunt**

klim: ~baan climbing lane (traffic); **~op** ivy;

creeper; **~plant** climber, rambler, creeper; **~raam** jungle-gym *ook* **wou'terklou'ter** (speeltuig); **~roos** rambler; **~tol** yo-yo

klin'gel (s) **-s** jingle (advert.); ditty; wind- chime(s); (w) **ge-** tinkle

kliniek' (s) **-e** clinic (med., sport); dispensary, surgery

kli'nies clinical *ook* **kil, streng;** *~e ondersoek* clinical examination; *~e sielkundige* clinical psychologist

klink[1] (s) **-e** latch, catch; jack (for earphone)

klink[2] (w) **ge-** sound, ring; touch glasses (for a toast); *daarop ~ ons* we touch glasses (toast) on this; *~ende munt* hard cash; **~dig** (s) **-te** sonnet *ook* **sonnet'; ~er** (s) **-s** vowel; army biscuit

klink'klaar obvious; mere; *..klare onsin* unadul= terated/downright nonsense

klink'nael -s rivet; **~broek** studded jeans

klip -pe, -pers stone; rock; boulder; pebble; *'n ~ in die bos gooi* set people arguing; *hy slaap soos 'n ~* he sleeps like a log; *stadig oor die ~pe* go carefully; **~bank** reef, stone stratum; **~bok** chamois; **~chris'ten** hypocrite *ook* **hui'= gelaar, skyn'christen; ~hard** very hard/loud; **~perig'** stony, rocky; **~plaat** rock(y) face; **~plavei'sel** crazy paving; flagstone pavement; **~sprin'ger** klipspringer (antelope); **~steen= hard'** hard as stone; most difficult; **~sweet** secretion (of dassie) *ook* **das'siepis**

klits[1] (s) **-e** bur, burdock *ook* **klits'gras**

klits[2] (w) **ge-** beat (eggs); whip (cream); *iem. ~* give s.o. a spanking; *~ tot room* cream; **~er** egg beater/whisk

kloek[1] (w) **ge-** cluck, chuck (fowl)

kloek[2] (b) brave, bold *ook* **dap'per, moe'dig**

klok -ke clock, timepiece *ook* **uur'werk;** bell; *aan die groot ~ hang* shout from the rooftops; *hy het die ~ hoor lui, maar weet nie waar die bel/klepel hang nie* he has only a vague idea of what it's all about; (w) **ge-** time; *'n toespraak ~* time a speech; **~broek** bell-bot= toms (sailor); **~gelui'** pealing/booming of bells; **~ke'spel** chimes; carillon; **~reël** curfew *ook* **aand'klokreëling; ~slag** (s) striking of the clock; (bw) exactly, sharp; *~slag eenuur* one o'clock sharp; **~spoed** clock speed (comp.); **~to'ring** belltower, steeple, belfry

klomp[1] **-e** crowd, number, lot, bunch; lump; *'n hele ~ geld* a lot of money

klomp[2] **-e** wooden shoe, clog; **~voet** clubfoot *ook* **hor'relvoet**

klont -e lump (sugar); clod (earth); clot (blood); **~erig** lumpy, clotty

klon'tjie (s) small lump (sugar); (acid) drop; **~sui'ker** loaf/lump sugar

kloof (s) **klowe** ravine, gorge, canyon *ook* **berg'kloof, ravyn';** chasm; (w) **ge-** cleave, split *ook* **klo'we;** *hare ~* split hairs

kloon (s) **klone** clone (gene reproduction) *ook: genetiese duplikaat; 'n ~ van sy leermeester/ mentor* a clone/replica of his mentor; (w) ge- clone *ook* **kloneer'**

kloos'ter -s cloister, abbey; monastery (for monks); nunnery, convent (for nuns); **~or'de** monastic order; **~skool** convent school

kloot (vulg.) (s) **klote** testicle; ball(s) (vulg.)

klop (s) **-pe** knock; beat; tap, rap; throb; (w) ge- knock; beat; throb, tap; balance, tally (figures); defeat, lick; *dit ~ nie* it doesn't tally; *die syfers ~* the figures agree/tally; *die kampioen ~* beat the champion; **~dans** tap dancing; **~dis'= selboom** fine, excellent; *dit gaan ~disselboom* everything is in top gear; **~ha'mer** mallet; **~hings** ridgel; **~jag** police raid; round-up, crackdown; **~per** knocker, tapper

klop'se (mv) minstrels; coons; **Kaapse ~** Cape coons/minstrels

klos (s) **-se** bobbin, spool, reel; tassel, tuft; coil (electr.); lock (sheep); **~sie** bobbin (reel for yarn); ixia (flower) *ook* **kalos'sie**

klots (w) ge- lap, splash (water); beat, pound (waves) *ook* **beuk**

klou (s) **-e** claw, paw; talon (bird of prey); *in die ~e van die gereg val* fall into the clutches of the law; **~kop** chuck (lathe); (w) ge- stick, cling; **~seer** foot disease (cattle)

klousu'le -s clause, paragraph; *ingevolge/krag= tens ~ 6* in terms of clause 6

klou'tang -e vice grip (pliers)

klou'ter ge- clamber, scramble; **~dief** cat burglar

klou'tjie -s hoof; *die ~ by die oor bring* grasp the meaning (of something); make a tale sound plausible; **~s'olie** neat's foot oil

klub -s club; **~lid'(maat)skap** club membership

klug **-te** farce; mockery; joke, scream; bluff, charade; **~spel** farce, low comedy; **~tig** (b) farcical, comical

kluif (s) **kluiwe** bone (to pick); (w) ge- pick, gnaw

kluis -e hermitage, cell, hut; strongroom, vault *ook* **brand'kamer**; **~e'naar** hermit, recluse (person) *ook* **een'loper, hermiet'**

kluis'ter (w) ge- fetter, shackle; confine; *aan haar bed ge~* bedridden

kluit (s) **-e** clod, lump; *onder die ~e/sooie* in the grave

klui'tjie (s) **-s** dumpling; lie; *iem. met 'n ~ in die riet stuur* put s.o. off with fair words; **~s bak/verkoop** tell a fib; **~sop** dumpling soup

kluts: *die ~ kwyt raak* be at sea; lost one's bearings

knaag/kna'e (w) ge- gnaw; **~dier** rodent

knaap (s) **knape** lad, boy, guy, chap

knab'bel (w) ge- nibble, gnaw *ook* **af'knaag**

knae'end (bw) gnawing; nagging, never-ending, persistent, ceaselessly; *hy pla my ~* he nags me all the time

knak (s) **-ke** crack; injury; (w) ge- crack, break, snap; *sy gesondheid is ge~* his health is impaired; **~breuk** greenstick fracture; **~vou** (w) ge- jackknife (trailers) *ook* **knip'mes**

knal (s) **-le** report (of gun); bang, clap, crack; (w) ge- clap, crash; explode; **~dem'per** exhaust box, muffler, silencer; **~dop/~dop'pie** detona- tor; **~punt** flash point *ook* **brand'punt**

knap[1] (b, bw) clever, smart, bright, brainy *ook* **bekwaam', skran'der;** handsome, good-look- ing

knap[2] (b, bw) tight, close-fitting *ook* **skraps** (gekleed); scanty; only just; *~ van geld* short of money; *ons was ~ daar of dit begin reën* we had hardly arrived when it started raining

knap'hand (s) **-e** handyman *ook* **nuts'man, hand'langer, fakto'tum**

knaphan'dig (b) dexterous, handy, skilful *ook* **behen'dig, vernuf'tig**

knap'heid cleverness, ability, skilfulness

kna'pie[1] **-s** small fellow, little boy, nipper *ook* **kan'netjie**

kna'pie[2] **-s** small pulpit, lectern *ook* **le'sing= staander, kate'der(tjie)**

knap'kaart (s) **-e** smartcard (debit card)

knap'sak (s) **-ke** knapsack *ook* **rug'sak;** kitbag

kneg (s) **-te** manservant; **~skap** bondage, servitude

knel (s) pinch, difficulty; (w) ge- pinch; squeeze; press tightly; get jammed; **~punt** bottleneck; problem area; issue; **~verband'** tourniquet *ook* **toerniket';** **~ter** (w) ge- kneehalter *ook* **knie'= halter**

kners[1] (w) ge- gnash, grind; *die tande ~* gnash one's teeth

kners[2] (b): **~broek** ski-pants

knet'ter ge- crackle (fire)

kneu'kel (s) **-s** knuckle (finger joint)

kneus (w) ge- bruise, contuse; **~plek** bruise, contusion

kne'wel (s) **-s** exceptionally large person/animal; *'n ~ van 'n leeu* a huge lion

knib'bel (w) ge- haggle, higgle; quibble *ook* **kib'bel**

knie[1] (s) **-ë** knee; *onder die ~ kry* get on top; master a subject/problem; *sy knieë dra* hurry (away); run fast

knie[2] (w) ge- knead (dough)

knie: **~broek** knickers, knickerbockers; **~bui'= ging** genuflexion; curtsy; **~diep** knee-deep; *~diep in die moeilikheid* in real trouble; **~halter/knel'ter** (w) ge- kneehalter (a horse); hamstring (a person)

kniel ge- kneel; **~kus'sing** hassock

knies ge- fret, worry; pine, mope; sulk; **~erig** fretful *ook* **o'lik, siek'erig;** moping, sulky

knie'skyf **..skywe** kneecap, patella

knik (s) **-ke** nod; rut (in a road); (w) ge- nod

wink *ook* **knip'oog;** *vir 'n meisie* ~ wink at a girl; *toestemmend* ~ give/get the nod; **~knieë** knock-knees *ook* **aan'kapknieë**

nip (s) **-pe** bolt, clasp; clip; wink; (w) **ge-** cut; clip; wink; ~ *en plak* cut and paste (comp.); *'n uiltjie* ~/*knap* take a nap *ook* **skuins'lê**

nip'bord (s) **-e** clipboard *ook* **knyp(er)bord**

nip'mes (s) **-se** pocket knife *ook* **sak'mes;** *so gou as jy* ~ *kan sê* before you can say Jack Robinson; (w) **ge-** jackknife; *die botsing het die laslorrie se leunwaens laat* ~ the crash caused the units of the articulated vehicle to jackknife *ook* **knak'vou**

nip'oog wink, blink

nip: **~pie** pinch (of salt); **~sel** cutting, clipping; **~sel'boek** scrapbook; **~sel'diens** (press) cutting service; **~sleu'tel** latchkey; **~slot** latch (lock) *ook* **nag'slot;** **~speld** safety pin *ook* **haak'speld**

nob'bel (s) **-s** bump, knob; swelling; **~rig** bumpy, knobby; knotty (fingers)

noei **ge-** botch, blunder, bungle *ook* **verbrou';** intrigue, scheme; **~bou'er** jerrybuilder; **~er** bungler, muddler; cheat *ook* **kon'kelaar;** **~ery** muddle, mess; intrigue; **~werk** patchwork, botch-up

noes **-te** knot (in wood); **~terig'** (b) knotty

nof'fel garlic; **~hui'sie** clove of garlic

nol **-le** tuber, bulb (plant); nag, hack (horse); **~skry'wer** hackwriter; penny-a-liner *ook* **prul'skrywer, brood'skrywer**

noop (s) **knope** button; knot, tie; *die* ~ *deurhak* cut the (Gordian) knot; *daar sit die* ~ there's the rub; (w) **ge-** tie, knot; swear, curse; *iets in jou oor* ~ make a mental note of; *vaar teen 20 knope/seemyl* sailing at 20 knots; **~s'gat** buttonhole; **~trui** cardigan *kyk* **oor'trektrui**

nop (s) **-pe** knob; handle (of a door); bud; *'n* ~ *in die keel* a lump in the throat; **~kie'rie** knobkerrie, knobstick; **~ie** button (comp.); **~piesdo'ring** knob thorn (tree)

nor (s) **-re** grunt, growl; scolding; (w) **ge-** grumble, growl, grunt; **~fiets** quadbike (mountains, dunes); **~rig** grumpy, peevish *ook* **prik'kelbaar;** **~tjor** go-kart; **~tjorren'ne** karting

not (w) **ge-** prune *ook* **snoei;** top (a tree)

nots **-e** club, cudgel *ook* **knup'pel**

nou (s) **-e** gnaw, snap, bite; injury; *sy gesondheid het 'n* ~ *gekry* his health is impaired; (w) **ge-** gnaw, hurt, injure

nup'pel (s) **-s** club, cosh, cudgel; ~ *in die hoenderhok gooi* set the cat among the pigeons; **~dik** (b, bw) quite satisfied, gorged; **~storm'loop** baton charge (police)

nus (b) snug, cosy *ook* **gesel'lig, behaag'lik**

nut'sel (w) **ge-** tinker (at), trifle, potter; **~werk** pottering, trifling work

knyp (s) **-e** pinch; *in die* ~ *sit* be in a fix/tight corner; (w) **ge-** pinch, squeeze; **~bril** pince-nez; **~er** pincher, claw, clasper; clip; **~(er)bord** clipboard *ook* **knip'bord;** **~tang** (pair of) pliers/pincers

koali'sie **-s** coalition; alliance

ko'balt cobalt (chem. element)

ko'bra **-s** cobra *ook* **koperkapel'** (slang)

kod'dig (b) funny, comic; odd; quaint *ook* **potsier'lik;** *'n* ~*e figuur slaan* cut a comic figure

ko'de (s) **-s** code; cryptograph; *geheime* ~ secret code

kodeer' (w) ~, **ge-** code *ook* **enkodeer'** *kyk ook* **dekodeer'der**

ko'deks **-e** codex (manuscript book)

kodifiseer' (w) ~, **ge-** codify *ook* **klas'sifiseer**

kodisil' codicil, supplement *ook* **by'lae, klousu'le**

koebaai'/ghoebaai' (omgangst.) goodbye *ook* **tot siens/totsiens'**

koe'doe **-s** kudu (antelope)

koëd'skool/ko-ed'skool **..skole** coeducational school *ook* **gemeng'de skool**

koëduka'sie/ko-edukasie coeducation

koe'ël (s) **-s** bullet (rifle); pellet (airgun); ball; *die* ~ *is deur die kerk* the die is cast; (w) **ge-** shoot, pelt; **~laer** ball bearing *ook* **rol'laer;** **~reën** shower of bullets; **~vas** (b) bullet-proof

koei **-e** cow; *ou* ~*e uit die sloot haal* rake up old scores/disputes; **~melk** cow's milk *ook* **bees'melk;** **~stal** cowshed; **~wag'ter** cowherd (persoon)

koeja'wel **-s** guava (fruit)

koek (s) **-e** cake; (w) **ge-** knot, cluster, become entangled; **~bak'ker** confectioner *ook* **banket'bakker**

koekeloer' **ge-** peep, pry, leer, spy *ook* **skelm kyk, af'loer**

koe'kepan **-ne** cocopan, tip-truck (mining)

koe'kie (s) **-s** biscuit; small cake; ~ **seep** cake of soap

koekoek' **-e** cuckoo; **~hoen'der** Plymouth Rock (fowl); **~klok'** cuckoo clock

koek: **~pan** baking pan; **~poe'ding** cottage pudding; **~struif** trifle

koek'sister = **koe'sister**

koek: **~soda** bicarbonate of soda; **~win'kel** confectioner's shop, confectioner

koel[1] (w) **ge-** cool; vent; (b) cool, cold, chilly; frigid; fresh; ~ *af!* cool it!; **~kop** *bly* keep one's head (in danger)

koel[2] (omgangst.) (b) cool (infml. teen expression); excellent, splendid *ook* **oukei'** (omgangst.)

koelbloe'dig cold-blooded, savage, callous

koel: **~boks** cool box; **~drank** cool drink, soft/cold drink; **~ka'mer** cold storage (room);

~kas refrigerator, cooler *ook* **ys′kas;** sin bin (sport offenders); **~sak** cool bag; **~te** light breeze; shade; **~to′ring** cooling tower; **~trok/~wa** refrigerator truck

koem′kwat -te kumquat (fruit)

koepee′ -s coupé (half compartment on train)

koe′pel -s dome, cupola; **~dak** dome-shaped roof; **~sta′dion** astrodome (sport)

koeplet′ -te couplet, verse, stanza

koepon′ -s coupon

koer (w) ge- coo (dove)

koerant′ -e newspaper *ook* **nuus′blad; ~arti′kel** newspaper article; **~berig′** newspaper report; **~knipsel** press cutting; **~le′ser** newspaper reader; **~skry′wer** journalist; reporter *ook* **joernalis′, verslag′gewer; ~styl** journalese (derog.)

koera′sie courage, pluck; guts; *'n man van ~* a plucky fellow

koerier′ -s courier, messenger; **~diens** courier service

koers course, direction; exchange rate (cur= rency); *~ hou* steer a steady course; *van ~ bring* fluster s.o.; **~note′ring** market listing *ook* **beurs′notering; ~pei′ler** navigator (in= strument)

koes (w) ge- dodge, duck down

koe′sister/koeksis′ter -s cruller, koeksister (SAE)

koes′ter[1]**(tjie)** (s) -s pipit (bird)

koes′ter[2] (w) ge- cherish, pamper, nurse *ook* **verpleeg′, versorg′;** *'n wrok ~* bear a grudge

koeterwaals′ jargon, gibberish *ook* **brab′beltaal**

koets (s) -e coach, carriage; **rou=** hearse *ook* **lyk(s)wa; ~ier′** (s) -s coachman, cabman

koevert′ -e envelope; cover; **~flap** back flap of envelope

koe′voet -e crowbar; lever

kof′fer -s trunk, travelling box, suitcase; coffer; **~dam** cofferdam

kof′fie coffee; **kits~** instant coffee; **~boon** coffee bean; **~fles** vacuum flask, **~huis** café, tearoom *ook* **~ka′mer; ~kroeg** coffee bar; **~meul** coffee mill; **~moer** coffee grounds; **~pot** coffee pot

kofi′a (s) -s fez, tarboosh *ook* **fes** (keëlvormige mus)

kog′gel ge- mimic, mock; ape; **~aar** mocking bird *ook* **kwê′voël**

koggelman′der -s black agama; rock lizard

kohe′sie (s) cohesion *ook* **sa′mehang**

kok (s) **-ke, -s** cook; caterer; *te veel ~s bederwe die bry* too many cooks spoil the broth

kokaïen′/kokaï′ne cocaine *ook* **pyn′doder; verslaaf′middel**

kokar′de (s) -s cockade, rosette *ook* **roset′**

ko′ker (s) -s case, sheath; quiver (for arrows); socket; **~boom** quiver tree (large aloe)

koket′ (s) -te coquette, flirt *ook* **fler′rie, flirt;** vamp; (b) coquettish; coy

kokkaai′ (omgangst.) (b) cockeyed (infml.); abnormal; absurd; crooked, askew *'n ~ voorstel* an absurd/cockeyded proposal

kokketiel′ -e cockateel (bird)

kokkedoor′ (s) **..dore** bigwig, big shot (person) (infml.); important person

kokkewiet′ (s) -e boubou, bush shrike *ook* **bokmakie′rie** (voël)

kokon′ -s cocoon (protective covering, eg larvae)

ko′kos: ~boom coconut tree; **~neut** coconut *ook* **klap′per**

kol (s) **-le** spot, stain, blotch; star (of a horse); bull's eye (target)

ko′le (mv) (s) coals; embers *kyk ook* **kool**[2]**; steen′kool;** *op hete kole sit* be on pins and needles, be on tenterhooks; *oor die kole haal* reprimand, reproach

ko′lera = cholera

koles′terol = cholesterol

kolf (s) **kolwe** butt-(end) (rifle); bat (cricket); (w) ge- bat; **~beurt** innings *kyk* **boul′beurt; ~blad** (cricket) pitch; **~kam′pie** crease

kol′haas ..hase mountain/rock hare

kol′hou -e hole in one (golf) *ook* **fortuin′hou**

kolibrie′ -s colibri, humming bird

koliek′ colic; **~pyn** gripes

koljan′der coriander; *dis vinkel en ~* six of the one and half a dozen of the other

kolk -e abyss; whirlpool, eddy *ook* **maal′gat**

kollateraal′: ..rale sekuriteit collateral security (banking)

kolle′ga -s colleague *ook* **amps′genoot**

kol′lege -s college; *op/aan ~* at college

kollegiaal′ ..giale fraternal; as a colleague

kollektant′ -e collector (of money, eg in church)

kollek′te -s collection (church, street), offertory (church); **~bus(sie)** collection box

kollekteer′ (w) ge- collect *ook* **in′samel; ~op′roep** collect call (telephone)

kollektief′: ..tiewe bedinging collective bargain= ing (trade negotiations)

kol′lie collie *ook* **skaap′hond**

kol′lig -te spotlight *ook* **soek′lig;** *in die ~ staan* (fig.) to receive public attention

kolmerker bullet (comp.)

kolokwint′ -e bitter apple, colocynth

kolom′ -me column; pillar

ko′lon colon *ook* **dik′derm; ~skoop** colon scope (med.)

kolonel′ -s colonel (mil. rank)

koloniaal′ (b) colonial; **..niale beleid** colonial policy

kolo′nie (s) -s colony, settlement *ook* **neder= setting; kolonis′** (s) -te colonist, settle= (person); **kolonisa′sie/kolonise′ring** colonisa= tion

kolon'ne (s) **-s** (army) column; *vyfde* ~ fifth column (traitors)

oloratuur' coloratura (singing style)

olos' **-se** colossus, giant (person or structure)

olossaal' (b) **..sale** colossal, gigantic, massive, huge *ook* **enorm'**, **ys'lik**, **tamaai'**; *kolossale/ yslike flater* outrageous blunder

olporteur' (s) **-s** colporteur, vendor/hawker of (esp. religious) books

ol'skoot (hit the) bull's-eye *ook* **raak'skoot**, **vol'treffer**

ol'toets **-e** spot/random check *ook* **steek'proef**

ol'wer **-s** batsman (cricket)

om[1] (s) **-me** basin, bowl; cup, vessel; **~ven'ster** bay window *ook* **er'ker**

om[2] (w) **ge-** come, arrive; *tot homself* ~ come to his senses; *te kort* ~ be deficient, fail; *as ek te sterwe* ~ in case of my death; *voor die dag* ~ *met* come up with; ~ *wat wil* come hell or high water

o'ma **-s** coma, stupor (unconsciousness)

omaan'! come on!; buck up!

ombers' **-e** blanket; *onder een* ~ *slaap* be hand in glove *ook: kop in een mus*

ombina'sie **-s** combination *ook* **verbin'ding**

ombineer' (w) **ge-** combine

ombuis' **-e** kitchen; **~gerei'** kitchenware; **~kas** dresser; **~tee** kitchen tea *ook* **bruids'kombuis**

omediant' **-e** comedian; funny man; harlequin; actor

ome'die **-s** comedy; farce *ook* **bly'spel**; **klug**

omeet' (s) **komete** comet

omiek' (s) **-e** comic, clown; **~lik** (b) comic(al), funny *ook* **snaaks**, **kod'dig**

o'mies (b) comic(al), amusing *ook* **grap'pig**, **amusant'**, **lagwek'kend**

omitee' **-s** committee; *hy dien in/op 'n* ~ he serves on a committee; *uitvoerende* ~ executive committee *ook* **dag'bestuur**

omkom'mer **-s** cucumber; **~tyd** silly season (dull/slack time for news media)

om'ma **-s** comma

ommandant' **-e** commandant, commander (mil. rank)

ommandeer' (w) **ge-** command, commandeer; requisition; ~ *jou eie honde en blaf self* do your own dirty work

ommandeur' **-s** commander (hist.)

omman'do **-'s** commando; **~vo'ël** Cape dikkop; **~wurm** army worm

om'mapunt **-e** semicolon (;)

ommentaar' **..tare** commentary, comment *ook* **uit'leg**, **toe'ligting**; ~ *lewer op* comment on/about *ook* **kommenteer'** (w)

ommenta'tor **-s** commentator

om'mer trouble, distress, anxiety; care, sorrow; *die toestand wek* ~ the situation is causing

concern; **~kra'le** worry beads; **~nis** worry, care, anxiety

kommersieel' (b) **..siële** commercial; *..siële boer* commercial/established farmer; *..siële reg* commercial law *kyk* **han'delsreg**

kom'metjie **-s** small basin; mug, bowl, cup; **~gatmuis'hond** water mongoose

kom'min (omgangst.) (b, bw) common, vulgar, coarse *ook* **plat'vloers**

kommissa'ris **-se** commissioner; *K~ van Ede* Commissioner of Oaths

kommis'sie **-s** commission; ~ *van ondersoek* commision of inquiry

kommoditeit' **-e** commodity, consumer article

kommu'ne **-s** commune *ook* **saam'woonplek**

kommunika'sie **-s** communication *ook* **me'dedeling**; **~kun'de/~leer** communication (subject)

Kommunis' **-te** Communist; **-me** Communism

kompak'skyf (s) **..sky'we** compact disc (CD) *ook* **la'serskyf**

kompanjie' **-s** company *ook* **han'delsonderne'ming**

komparatief' **..tiewe** comparative *ook* **vergely'kend**

kompartement' **-e** compartment

kompas' (s) **-se** compass *ook* **koers'meter**; **~naald** needle of the compass

kompen'dium **-s** compendium *ook* **hand'leiding**, **werk'boek**

kompensa'sie compensation *ook* **(ska'de)vergoe'ding**; **ska'deloosstelling**

kompenseer' (w) **ge-** compensate; reimburse

kom'per (w.g.) **-s** computer *ook* **re'kenaar**

kompeteer' (w) **ge-** compete *ook* **wed'ywer**, **mee'ding**

kompeti'sie **-s** competition *ook* **wedstryd**, **krag'meting**; **me'dedinging**

kompileer' (w) **ge-** compile *ook* **saam'stel**

kompleet' **..plete** complete *ook* **voltal'lig**; just like/as; ~ *of hy kon sien* just as if he could see

kompleks'[1] (s) **-e** fixed idea, hang-up, obsession *ook* **fo'bie**, **inhibi'sie**

kompleks'[2] (s) **-e** complex (interrelated group of buildings); **winkel~** shopping complex/mall

kompleks'[3] (b) **-e** complex, complicated (eg a situation)

komplementêr' (b) **-e** complementary *ook* **aanvul'lend**; **~e** *kleure* complementary colours

komplika'sie **-s** complication; problem, snag *ook* **haak'plek**

kompliment' (s) **-e** compliment, pleasantry *ook* **pluim'pie**; *iem. 'n* ~ *gee/maak* pay s.o. a compliment

komplimenteer' (w) **ge-** compliment *ook* **prys**, **loof**

komplimentêr' **-e** complimentary; **~e** *kaartjie* complimentary ticket

komplot' -te plot, intrigue, conspiracy *ook* **sa'meswering, intri'ge;** *'n ~ smee* hatch a plot

komponeer' (w) ge- compose *ook* **toon'set**

komponis' -te composer *ook* **toon'digter**

komposi'sie -s composition *ook* **toon'setting**

kom'pos compost (fertiliser); **~hoop** compost heap

kompres' -se compress; **~sie** compression (pres= sure)

kompromie' -ë/**kompromis** -se compromise *ook* **vergelyk', skik'king, konsen'sus**

kompromitteer' (w) ge- compromise, commit oneself

koms arrival, coming, advent

kom'venster -s bay/bow window *ook* **er'ker**

komyn' cumin; **~kaas** spiced cheese

kondêm' (omgangst.) (b, bw) broken; torn; in pieces; out of order *ook* **stuk'kend**

kondensa'sie condensation *ook* **verdig'ting**

kondensa'tor -s condenser

kondenseer' (w) ge- condense, solidify

kondens'melk condensed milk *ook* **blik'= kiesmelk**

kondi'sie -s condition; state (of health); *op ~/ voorwaarde dat* on condition that

kondoneer' (w) ge- condone, overlook, disre= gard *ook* **kwyt'skeld, oor'sien**

kondoom' (s) ..**dome** condom

kon'dor -s condor (bird of prey)

kondukteur' -s conductor, guard (train)

konfedera'sie -s confederation, alliance (of states)

konferen'sie -s conference, congress; **~gan'ger** conference delegate

konfes'sie -s confession *ook* **bely'denis, bieg**

konfet'ti/confet'ti confetti; **~para'de** ticker-tape parade/welcome *ook* **snip'perpara'de, lint'= reën**

konfidensieel' ..**siële** confidential *ook* **vertrou'= lik;** *konfidensiële inligting* confidential infor= mation *ook: vertroulike inligting*

konfiskeer' (w) ge- confiscate *ook: beslag lê op*

konflik' -te conflict *ook* **stryd; bot'sing; ~ge= bied'** trouble spot; **~situa'sie** conflict situation

konfoes' (omgangst.) (b) messed up *ook* **verward';** broken; (w) ge- muddle up, turn topsy-turvy *ook* **verknoei', verbrou'**

konform' (b) -e conform; **~eer** (w) ge- conform *ook* **ooreenstem; ~is** conformist, yesman (person)

konfronta'sie (s) confrontation, showdown

konfronteer' (w) ge- confront, accost; *ge~ met iem. anders se probleme* faced/saddled with s.o. else's problems

konfyt'[1] (s) -e jam; preserve

konfyt'[2] (w): *in iets ge~ wees* be well-versed in

konglomeraat' (s) conglomerate (composed of heterogenous parts, eg a group of companies; coarse-grained rocks)

kongres' -se congress, conference

kongruent' (b) congruent, similar *ook* **ooreen= stem'mend**

ko'nies -e conical *ook* **ke'ëlvormig**

ko'ning (s) -s king, monarch *ook* **vors;** *hy verbeel hom hy is die ~ se hond se (peet)oom* he fancies himself; **~in'** (s) -ne queen *ook* **vorstin'**

ko'nings: ~blou royal blue; **~gesind'** (b) **-e** royalist (a); **~gesin'de** (s) -s royalist (n); **~huis** royal house, dynasty; **~kroon** royal crown

ko'ningskap kingship

ko'ninklik -e royal, regal, kingly; *van ~e afkoms* of royal descent

ko'ninkryk -e kingdom, monarchy

konjak' cognac (aged brandy)

konjunktief' ..**tiewe** conjunctive, subjunctive (gram.)

konjunktuur' conjuncture; trade cycle

kon'ka -s empty (petrol) tin, drum; brazier; fire drum/tin

konkaaf' concave *ook* **hol'rond**

kon'kel (w) ge- plot, scheme, botch *ook* **knoei**

konkelary'/kon'kelry plotting, scheming

kon'kelwerk muddling, botching; *donkerwerk i.* ~ a bungler works in the dark

konklu'sie -s conclusion *ook* **gevolg'trekking af'leiding, slot'som;** inference

konkordan'sie concordance *ook* **woord'regis'ter**

konkreet' (b) concrete *ook* **tas'baar, stof'lik**

konkurreer' (w) ge- compete *ook* **mee'ding**

konkurren'sie competition, rivalry *ook* **me'= dedinging**

konkurrent' -e competitor, rival *ook* **me'= dedinger**

konnek'sie -s connection *ook* **verbin'ding verbin'tenis**

konnekteer' (w) ge- connect *ook* **verbind' aan'sluit**

konnota'sie meaning, interpretation, connotation *ook* **(by)'betekenis**

konsekwent' (b, bw) -e consistent, logical *oo* **lo'gies;** *~ optree* act consistently

konsensieus' (b) -e conscientious, scrupulou *ook* **nou'geset, pligs'getrou**

konsen'sus consensus, agreement, concord (c opinion) *ook* **akkoord', ooreen'stemming**

konsentra'sie concentration; **~kamp** concentra tion camp

konsentreer' (w) ge- concentrate; focus (one' attention); pay/give attention; cluster, mas (together)

konsen'tries -e concentric (from one centre)

konsep' -te draft; blueprint; concept *ook* **denk beeld, begrip'; ~wet'gewing** draft legislatio **~wetsontwerp'** draft bill

konsert' -e concert; recital *ook* **op'voerin** (toneel); **uit'voering** (musiek) konserti'na -s concertina, squashbox *ook* **don'= kielong, kris'miswurm** (skerts.); **~hek** concertina (folding, collapsible) gate

konsert'mees'ter -s concert master (symphony orchestra)

konservato'rium -s, ..ria conservatory, conservatoire *ook* **musiek'akade'mie**

konserwatief' (b) ..tiewe conservative *ook* **behou'dend**

konses'sie (s) concession *ook* **toe'gewing, ver= gun'ning**; franchise *ook* **oktrooi; vervaar'di= gingsreg, fran'chise; ~ge'wer** franchiser; **~hou'er** franchisee; **~kaar'tjie** concession ticket; **~reg** *ook* **fran'chise**

considera'sie -s consideration; *geen ~ ken nie* be relentless

considereer' (w) **ge-** consider *ook* **oorweeg'; in ag' neem**

consisto'rie (s) -s vestry (church chamber)

conskrip'sie conscription (mil. call-up)

consolida'sie consolidation, fusion; alliance

consolideer' (w) **ge-** consolidate *ook* **verste'wig; saam'voeg**

consonant' -e consonant *ook* **me'deklinker**

conso'le (s) -s console, cabinet, shelf

consor'tium -s consortium; trust; sindicate *ook* **sindikaat'; kartel'**

onsta'bel -s constable, policeman

onstant' (b) constant, steady; uniform *ook* **bly'wend, standhou'dend**

onstateer' (w) **ge-** state, declare, pronounce

onstella'sie -s constellation; *~ van state* constellation of states

onsterna'sie consternation, turmoil, panic sta= tions *ook* **op'skudding, sensa'sie**

onstipa'sie constipation *ook* **hardly'wigheid**

onstitueer' (w) **ge-** constitute, establish, form

onstitu'sie -s constitution *ook* **grond'wet** (van 'n staat); **grond'reëls** (van 'n klub/vereniging)

constitusione'le Hof Constitutional Court

onstrueer' (w) **ge-** construe, construct *ook* **bou, op'rig**

onstruk'sie (s) construction; structure

onstruktief' (b) constructive *ook* **opbou'end**

onsuis' quasi, as if (it were) *ook* **kam'(s)tig**

on'sul consul *ook* **gesant'** (dipl.)

onsulaat' ..late consulate (dipl. office)

onsulent' -e substitute/relieving clergyman

onsult'ingenieur' -s consulting engineer *ook* **raadge'wende ingenieur'**

onsulta'sie (s) -s consultation (eg with doctor, lawyer)

onsulteer' (w) **ge-** consult *ook* **raad'pleeg**

ontak' (s) -te contact; *in ~ bly met* keep in touch with; (w) **ge-** approach; *~ hom asseblief* please approach/contact him; **~lens'** contact lens

ontamineer' (w) **ge-** contaminate, infect; pol= lute *ook* **besmet'; besoe'del**

kontant' (s) cash; *~ by aflewering* cash on delivery; (b) forward *ook* **vrypos'tig;** *baie ~* very forward (young child); **~kor'ting** cash discount; **~stro'kie** cash slip; **~vloei** cash flow

konteks' context; *in daardie ~/verband* in that connection

kontemporêr' (b) -e contemporary *ook* **tyd= genootlik**

kontensieus' (b) -e contentious *ook* **omstre'de;** *'n ~e onderwerp* a controversial matter

kontinent' -e continent *ook* **vas'teland**

kontingent' contingent *ook* **af'deling** (soldate)

kontinuïteit' continuity; succession; progression

kontoer' -e contour; outline, profile

kon'tra/con'tra contra *ook* **teenoor'gestel(d)**

kontraban'de contraband *ook* **smok'kelware**

kon'trabas -se double bass (mus. instr.)

kontradik'sie -s contradiction *ook* **teenstry= digheid**

kontrak' -te contract (legally binding agree= ment) *ook* **ooreen'koms;** *'n ~ sluit/aangaan* make (enter into) a contract/an agreement; **~breuk** breach of contract; **~moor'denaar** contract killer; **~(te)reg** law of contract

kontrakteer' (w) **ge-** contract (v); **uit~** contract out

kontrakteur' -s contractor *ook* **aan'nemer, kon= traktant'** (persoon)

kontraproduktief' counterproductive *ook* **teen'= produktief**

kon'trapunt counterpoint, harmony (mus.)

kontras' -te contrast *ook* **teen'stelling**

kontrasteer' (w) **ge-** contrast (v)

kontrei' (s) -e region, area, (platteland) district *ook* **streek, gebied';** **~kuns** regional art; **~win'kel** farmstall *ook* **pad'stal**

kontrep'sie contraption, gadget

kontro'le control *ook* **beheer';** *~ uitoefen op die uitgawes* keep a check on the expenses; *interne ~* internal check (administration)

kontroleer' (w) **ge-** control, check *ook* **na'gaan, moniteer', verifieer'**

kontroleur' -s controller, supervisor (person)

konveks' convex *ook* **bolrond**

konven'sie (s) convention; assembly, confer= ence; custom; tradition

konvensioneel' conventional, traditional

konvooi' -e convoy; *onder ~ vaar* sail under convoy/escort

konyn' -e rabbit (rodent)

kooi -e bed; cage; *~ toe gaan* go to bed; **~goed** bedclothes, bedding; **~pis'ter** gnat; *as jy eers die naam (van) ~pister het* once you have a bad name; **~vlooi** gigolo, toyboy *ook* **ka'= telknapie**

kook (w) **ge-** boil, cook; rig (an election); manipulate/fix (figures; accounts; sport matches) *ook* **dok'ter** (w); *my bloed ~* my blood is up; *die boeke/punte* ~ cook the books/marks; **~boek** cook(ery) book; **~foon** hotline *ook* **blits′lyn;** **~kuns** art of cooking, culinary art; **~pot** boiling pot (area of strife), cauldron; **~punt** boiling point

kook′sel **-s** batch; cooking, serving; *'n ~ groente* enough vegetables for one meal

kook′skerm **-s** cooking shelter; **~water:** *laas naweek se hengel was ~* last weekend's fishing was tops

kool[1] **-s** cabbage *ook* **kop′kool** *kyk* **blom′kool;** *die ~ is die sous nie werd nie* the game is not worth the candle

kool[2] **-s** kole coal *kyk ook* **ko′le, steen′kool**

kool′hidraat′ (s) **..drate** carbohydrate

kool: ~raap swede; **~saad** cabbage seed

kool: ~stof carbon; **~suurgas′** carbon dioxide; **~teer** coal tar

koop (s) purchase; bargain; *met iets te ~ loop* show off; *op die ~ toe* into the bargain; for good measure; (w) **ge-** buy, purchase; **~brief** deed of sale; **~-en-loop** cash-and-carry *ook* **haal-en-betaal′;** **~-en-loop-happies** take-aways

koöpera′sie/ko-opera′sie **-s** cooperative/co-operative society (co-op)

koöpereer′/ ko-opereer′ (w) **ge-** cooperate/co-operate *ook* **saam′werk**

koop: ~handel trade, commerce; **Kamer van K~handel** Chamber of Commerce; **~jol** spending spree; **~kontrak′** contract of sale, purchase deed; **~krag** purchasing/buying power; **~man** merchant, dealer; **~prys** cost/purchase price; **~sen′trum** shopping area/mall *ook* **win′kelsentrum**

koöpteer′/ko-opteer′ (w) **ge-** coopt/co-opt (elect/appoint additional members)

koop′vaarder **-s** merchantman (ship); **koop= vaardy′** merchant shipping

koop: ~vere′niging buy-aid society; **~wa′re** merchandise, commodities *ook* **han′delsware**

koor (s) **kore** choir (of singers); chorus (of a song)

koord (s) **-e** cord, rope; string; flex (electr.); **~ferweel′** corduroy; **~lo′per/~dan′ser** tight= rope walker; **~lo′se telefoon′** cordless tele= phone

koördina′sie/ko-ordina′sie coordination/co-or-dination *ook* **sinchronise′ring** (van onderdele)

koördineer′/ko-ordineer′ (w) **ge-** coordinate/co-ordinate *ook* **sinchroniseer′**

koor: ~kleed surplice; **~knaap** boy chorister; **~leier** choirmaster, conductor; **~les′senaar** lecture stand, lectern; **~sang** choral singing; **~san′ger** choralist; chorister (church)

koors **-e** fever; *iem. se ~ is hoog* (fig.) be in a tearing hurry; **~ag′tig** feverish; hectic; fren-zied, frantic *ook* **gejaagd′;** **~blaar** fever

blister; **~boom** fever tree; **~(er)ig** feverish; **~pen′netjie** clinical thermometer

koos (skerts.) (s) **kose** jerry (infml.); chamber pot *ook* **ka′merpot, nag′pot**

kop[1] (s) **-pe** head; headline (newspaper); moun-tain peak, summit; *sy ~ is deur* he has made it; *sy ~ draai* his head spins/reels; *~ in een mus* be hand in glove; be in cahoots (with); *op die ~ sesuur* exactly six o'clock; *met ~ en pootjies* boots and all; *~ uittrek* chicken out; **~teen-~-bot′sing** head-on collision; **~af** head-less

kop[2] (s) **-pe** cob (maize); (w) **ge-** form a cob (maize); form a head (cabbage)

ko′per[1] **-s** buyer; **aan~** buyer (for firm); **~vrien′delik** customer-friendly

ko′per[2] copper; **~draad** copper wire; **~gravu′re** copperplate; **~kapel′** yellow cobra (snake); **~myn** copper mine

kop′gee (w) **-ge-** budge *ook* **toe′gee, in′gee**

ko′pie[1] (s) **-s** bargain *ook* **wins′kopie**

kopie′[2] (s) **-ë** copy (of document), replica

kopieer′ (w) **ge-** copy; transcribe; **~masjien** (photo)copier

kopie′: ~reg copyright; **~skry′wer** copywriter (of advertisements)

kop′kool **..kole** cabbage *kyk* **blom′kool**

kop′krap (w) **-ge-** scratch one's head (fig.); **~pe** brainteaser *ook* **brein′boelie**

kop′kussing **-s** pillow (headrest on bed)

kop′pel (s) **-s** couple; band, belt; link; (w) **ge-** link; hyphenate; couple, tie, connect *ook* **verbind;** interface; **~aar** matchmaker, mariage broker; clutch (car); pimp/procurer (prostitution) *ook* **pooi′er;** **~lor′rie** articulated truck/vehicle *ook* **las′lorrie;** **~te′ken** hyphen; **~uit′sending** simul-cast; **~vlak** interface (n); **~woord** copulative

kop′penent **-e** head (of a bed)

kop′pesnel (s) scalp/head hunting; **~ler** head-hunter, scalp-hunter (person)

kop′pie **-s** cup (for beverages); hill(ock); koppie (SAE)

kop′pig headstrong, obstinate, stubborn *ook* **eiesin′nig;** **~heid** stubbornness

kop: ~seer headache *ook* **hoof′pyn;** **~sku** shy, wary, evasive *ook* **lug′tig** (vir iem.); **~speld** move the head up and down (horse); niddle-noddle; **~speld** pin; **~stuk** heading, headpiece; leader (newspaper); **~stukke gesels** discuss intensely/earnestly; **~stut** headrest

koraal′[1] (s) **..rale** choral(e) (stately hymn, chorus); **~musiek′** choral music

koraal′[2] coral; **~rif** coral reef; **~boom** coral tree

Ko′ran/Koran′ Koran, Qu'ran (holy book of Islam) *ook* **Koer′aan′, Qoer′aan′, Quran′**

kordaat′ (b) plucky, undaunted, bold *ook* **onver-skrok′ke;** **Jan K~** brave fellow; **~stuk** brave/bold deed; feat

kordiet' cordite *ook* **tou'tjieskruit** (plofstof)

kordon' **-ne, -s** cordon; *'n ~ span/trek om 'n gebied* cordon off an area *ook* **af'sper**

korent'/korint' **-e** currant (bush berry; dried grape)

korf (s) **korwe** hive; **~bal** basketball (women); **~behui'sing** cluster housing *ook* **tros'= behuising**

kor'haan bustard (bird)

ko'ring wheat; *ook groen ~ op die land hê* have fledglings (children) of one's own who can still go wrong; **~aar** ear of wheat; **~blom** cornflower, bluebottle; **~gerf** wheat sheaf; **~kor'rel** grain of wheat; **~kriek** harvester cricket; **~land** wheat field; **~oes** wheat harvest; **~vlok'kies** cornflakes *ook* **graan'vlokkies**

kornuit' **-e** comrade, mate (in mischief) *ook* **trawant'**; crony *ook* **maat, tjom'mie**

koronê're trombo'se coronary thrombosis (med.)

korporaal' **-s** corporal (mil.rank)

korporaat' (b, bw) **..rate** corporate; united; jointly

korpora'sie (s) corporation; *beslote ~ (bk)* close corporation (cc)

korps (s) **-e** corps; squad

korpulent' **-e** corpulent, stout *ook* **swaarly'wig**

korrek' (b, bw) **-te** correct, right; **~sie** (s) **-s** correction; **~t'heid** correctness; **~tie'we dienste** correctional services (prisons)

kor'rel (s) **-s** grain; sight (rifle); bead; *met 'n ~tjie sout neem* take with a pinch of salt; (w) **ge-** aim (with rifle); pick off (from bunch of grapes)

korrela'sie correlation (equal interaction); **korreleer'** (w) **ge-** correlate *ook* **saam'knoop**

kor'rel: **~konfyt'** grape jam; **~kop** grouser; touchy fellow *ook* **dwars'trekker, skoor'soeker**; **~rig** (b) granular

korrespondeer' (w) **ge-** correspond (agree; exchange letters)

korresponden'sie correspondence *ook* **brief'wisseling**; **~kol'lege** correspondence college; **~kur'sus** correspondence course (distance teaching/learning)

korrespondent' **-e** correspondent (person)

korrigeer' (w) **ge-** correct *ook* **verbe'ter, reg'stel**

korrodeer' (w) **ge-** corrode *ook* **weg'vreet** (roes)

korro'sie corrosion *ook* **weg'vreting**

korrup' (b) **-te** corrupt; **~sie** (s) corruption, graft, greed, fraud, scam *ook* **bedrog'**; **~teer'/korrumpeer'** (w) **ge-** corrupt (v)

kors (s) **-te** crust; **~bre'ker** subsoiler (farming)

korset' (s) **-te** corset, foundation garment; **~knak'ker** bodice ripper, erotic novel *ook* **hyg'roman**

kor'sie (s) **-s** crust (of bread)

kors'wel/kors'wil (s) jest, joke; (w) jest, joke, banter *ook* **gek'skeer, skerts**; *ek ~ sommer* I'm only joking

kort (w) **ge-** shorten; (b, bw) short, brief; *~ en bondig* brief; in a nutshell; *~ daarna* shortly afterwards; *te ~ doen* do out of; *te ~ kom* be lacking, lack; *~ en kragtig* short and sweet; *te ~ skiet* fail/fall short of; *~af* abrupt, blunt; **~a'sem** short of breath *ook* **uit'asem**; **~gebon'de** easily offended, touchy *ook* **opvlie'ënd, humeu'rig**; **~golfsta'sie** short-wave (radio) station; **~ing** discount, reduction *ook* **af'slag**; **~kuns** (modern) short prose; **~liks** in short, briefly; **~lys** shortlist; **~om** in a word; summarised briefly

kortsig'tig (lett., fig.) short-sighted (lit., fig.), improvident (fig.)

kort'sluiting short circuit (electr.)

kort'spekulant bear (stock exchange) *ook* **daal'spekulant**

kortston'dig (b) short, short-lived, transitory; *~e vrede* short-lived peace

kort: **~verhaal'** short story; **~weg** curtly, summarily

kort'wiek (w) **ge-** clip the wings, thwart *ook* **in'kort**

korvet' **-te** corvette (naval vessel)

kos[1] (s) **-se** food; *~ en inwoning* board and lodging

kos[2] (w) **ge-** cost; *dit ~ niks* there is no charge

kos'baar precious, dear; expensive; *..bare juwele* precious jewels

kos: **~blik** tuck box *ook* **~trom'mel**; **~gan'ger** boarder, lodger *ook* **loseer'der**; **~huis** hostel (boarding school); **~ken'ner** gourmet; connoisseur (of food) *ook* **fyn'proewer**; **~leer'ling** boarder (at school)

kosjeniel' = **cochenille**

kos'jer kosher; correct, proper *ook* **behoor'lik, fatsoen'lik**

kosmetiek' (s) cosmetic (n) *ook* **skoon'heidsmiddel**

kosme'ties (b, bw) cosmetic(al); *~e verandering* cosmetic/superficial change

kos'mies **-e** cosmic (of the universe); *~e strale* cosmic rays

kosmopoliet' (s) **-e** cosmopolitan *ook* **wê'reldburger**

kos'mos[1] (s) cosmos, universe

kosmos'[2] (s) cosmos (flower)

kos'skool boarding school

kos'te expense(s), cost(s); *ten ~ van* at the cost of; **~effektief'** cost-effective *ook* **kos'tedoeltref'fend**; **~lik** exquisite/excellent *ook* **voortref'lik**; *~like grap* priceless joke; **~loos** free, gratis *ook* **gra'tis**

kos'ter **-s** sexton, beadle, churchwarden

kos'tetreffer (s) bargain *ook* **wins'koop**

kostumeer' (w) **ge-** dress up; **ge~de bal** fancy-dress ball *ook* **kostuum'bal**

kostuum' -s costume; **~bal** fancy-dress ball

kosyn' -e frame, sill; doorpost

kot (s) -te cot, baby bed *ook* **ba'babed(jie)**

kotelet' -te cutlet, chop *ook* **tjop**

kot'huis -e cottage *ook* **cot'tage**

kots (vulg.) (w) **ge-** puke (slang); vomit *ook* **braak, op'gooi**

kot'ter -s cutter (boat)

kou[1] (s) -e cage *ook* **kou'tjie** (kanarie, ens.), **vo'ëlhok(kie)**

kou[2] (s) cold *ook* **koue**

kou[3] (w) **ge-** chew, masticate; *harde bene ~* have a tough job

kou'beitel -s cold chisel

koud [koue]; kouer, -ste cold, chilly; *sy woorde was nog nie ~ nie* he had scarcely finished speaking; **vrek~** flipping/damn cold; **~heid/koue** coldness; **~lei** lead a horse to cool down; cheat, hoodwink *ook* **kul, in'loop**

kou'e (s) cold(ness), chill; *snerpende ~* piercing cold; *~ vat* catch a chill; **~koors** ague, cold shivers; **~rig** coldish, cool; **~vuur** gangrene *ook* **gangreen'**

kou'gom chewing gum

kou'kus (s) caucus (of political party); indaba; (w) **ge-** confer, deliberate *ook* **beraad'slaag**

kou'lik (b) -e sensitive/subject to coldness (person)

kous -e stocking, sock; *die ~ op/oor die kop kry* to lose (esp. sport match)

kousatief' **..tiewe** causative; factitive (gram.)

kous'band -e garter, suspender; *Orde van die K~* Order of the Garter (Br.); **~jie** garter snake

kous'broekie -s pantihose

kou'sel -s chunk, cud, mouthful

kou'tjie (s) -s small cage (budgie, etc.)

ko'vert: *~e optrede* covert/hidden activity *ook* **verbor'ge**

kraag (s) **krae** collar (of shirt, jacket)

kraai (s) -e crow; *so maer soos 'n ~* as thin/lean as a rake; *so warm dat die ~e gaap* swelteringly hot; (w) **ge-** crow (a rooster)

kraak (s) **krake** crack; *die vleis het 'n krakie/klankie (is effens bedorwe)* the meat is high; **~been** cartilage; **~beskuit'jie** cream cracker; **~nuut/splin'ternuut** brand-new; **~skoon/sil'=werskoon** spotlessly clean; **~stem** loud creaking voice

kraal[1] (s) **krale** kraal (SAE); pen, fold; tribal village; *agteros kom ook in die ~* slow but sure; *dis so reg in sy ~* that is just his cup of tea

kraal[2] (s) **krale** bead; **kom'merkrale** worry beads

kraam[1] (s) **krame** booth, stall

kraam[2] (w) **ge-** give birth; be confined/in labour (childbirth); **~af'deling/saal** labour ward (hospital); **~bed** childbed; **~in'rigting** maternity home; **~verlof** maternity leave

kraan (s) **krane** tap, stopcock; hydrant; crane (for hoisting)

kraan'voël -s crane (bird)

krab'bel (s) -s scrawl, scribble; (w) **ge-** doodle, scratch, scrawl; scribble *ook* **skrib'bel**

krab'betjie (s) -s earring *ook* **oor'bel**

kraf'fie (s) -s water bottle; decanter (wine) *ook* **karaf'**

krag (s) -te strength, power, force, vigour *ook* **sterk'te; fors'heid; woe'ma;** *al sy ~te insp* exert one's strength; *~ opwek* generate power; *van ~ word* come into force; **~boot** power boat; **~bron** power source

kragda'dig (b, bw) vigorous, energetic, dynamic, forceful *ook* **dina'mies**

krag: **~fiets** buzz-bike, moped; **~lyn** transmission line; **~mas/~paal** pylon; **~me'ting** match; contest; encounter; test/trial of strength; **~onderbre'king** power cut/failure; **~o**wekker generator; **~prop** power plug; **~rem=me** power brakes; **~sentra'le** power station *ook* **krag'stasie;** **~stuur** power steering

krag'teloos (b) powerless; ineffective; impotent

krag'tens by virtue of, in consequence of *ook* **ingevol'ge;** *~ die regulasie* in terms of regulation

krag'tig powerful, forceful, strong, vigorous; *~ bom* powerful bomb

krag: **~toer** tour de force; **~voer** concentrate (for cattle); **~woord** expletive, strong exclamation *ook* **skel'woord**

kra'le: **~snoer** string of beads; **~tjie** single (small) bead

kram (s) -me clamp, cramp; staple; **~oor'slag** hasp and staple; (w) **ge-** staple, clamp, cramp; **~druk'ker** stapler *ook* **kram=mer; ~bin'der** stapling machine

kramat' (s) Moslem shrine, kramat

kra'mer (s) pedlar, hawker *ook* **smous;** haberdasher (shopkeeper); **~y** haberdashery

kram'metjie -s (wire) staple

kramp (s) -e cramp, spasm; convulsion; *ek wou hy kry 'n ~* may the devil take him

krampag'tig (b, bw) convulsive, spasmodic; *pogings aanwend* make desperate attempts

krank (veroud.) (b, bw) sick, ill; **~e** (s) -s sick person, patient; **~heid** illness, sickness; **~**sickly, infirm, invalid

kranksin'nig insane, mad *ook* **siel'siek;** crazy, lunatic *ook* **mal;** loony (derog.); **~e** (s) lunatic; maniac (person) *ook* **ma'niak; ~h** madness, insanity, lunacy

krans[1] (s) -e wreath, garland; (w) **ge-** festoon; **~leg'ging** wreath-laying ceremony

krans[2] (s) -e rocky ridge/cliff; krans (SAE)

ap[1] (s) **-pe** crab

ap[2] (s) **-pe** scratch: (w) ge- scratch; *in iem. se*
slaai ~ meddling with s.o. else's (esp. love)
affairs; scribble, scrawl *ook* **krab′bel, skrib′bel**

as[1] (w) ge- screech (crow); scrape; croak

as[2] (b) drastic *ook* **streng;** brisk, vigorous;
strong; *nogal ~* a bit steep/drastic

at (s) **-te** crate, container *ook* **pluk′kas**
(vrugte)

a′ter -s crater (of volcano); *hy maak 'n ~ van*
homself he makes an ass/a fool of himself

awat′ -te cravat *ook* **nek′doek, vou′das**

eatuur′ ..ture creature *ook* **skep′sel**

eatiwiteit′ creativity *ook* **skep′pingsvermoë**

ediet′ credit; *op ~ koop* buy on credit;
~balans′/~sal′do credit balance; **~buro′** credit
agency; **~gerie′we** credit facilities; **~kaart**
credit card; **~no′ta** credit note; **~waar′dig**
solvent

editeer′ (w) ge- credit; *iem. ~ met R100* credit
a person with R100

editeur′ -e, -s creditor *ook* **skuld′eiser** (per-
soon)

eef (s) **krewe** rock lobster; crayfish; kreef
(SA); crawfish (Am.)

eefs′keerkring Tropic of Cancer

eef′tegang: *die ~ gaan* show no progress

eet (s) **krete** cry, scream, shriek *ook* **(angs)gil**

emato′rium -s, ..ria crematorium

emeer′ (w) **~ , ge-** cremate *ook* **veras′** (mense-
iggaam)

emetart′ cream of tartar; **~boom** baobab tree

ng = kring[2]

enk (w) ge- offend, hurt, mortify; *iem. se*
goeie naam ~ slander s.o.'s reputation; *sy voel*
ge~ she feels hurt/offended

n′terig stingy, mean, niggardly

epeer′ (w) ge- die (animal) *ook* **swaar′kry,**
terf; *van honger ~* die of hunger

e′tie en Ple′tie ragtag and bobtail, riff-raff *ook*
an Rap/jan′rap en sy maat

eu′kel (s) **-s** crease, fold, ruck; (w) ge- crease,
old, crumple, rumple; **~traag** crease-resistant,
vash-and-wear; **~vry** noncreasing

un (s) **-e** groan; (w) ge- groan, whimper *ook*
(saggies) **kerm**

u′pel lame, crippled, limping *ook* **krup′pel;**
y is baie ~ he limps badly; **~sorg** cripple care

u′pelhout brushwood, thicket, scrub *ook*
uig′te, struik′gewas′

′wel (s) **-s** prawn *ook* **steurgarnaal**

b/krip (omgangst.) (w) -ge- crib; copy/steal
s.o.'s writings) *ook* **af′skryf**

ek (s) **-e** cricket (insect)

e′ket cricket (game); **~bal** cricket ball; **~kolf**
ricket bat; **~spe′ler** cricketer

el′haantjie -s bantam cock *ook* **ban′tam-**
aantjie, kapok′haantjie; cocky little fellow

krie′sel (s) **-s** bit, particle; *geen ~tjie waarheid*
nie not a grain of truth

krie′wel (w) ge- tickle, itch; fidget; **~krap′pers**
whims, caprices; **~rig** itchy, ticklish; fidgety,
fussy *ook* **prik′kelbaar**

krimineel′ (b)**..nele** criminal; outrageous; *krimi-*
nele aanklag criminal charge

kriminologie′ criminology *ook* **mis′daadleer**

krimp (w) ge- shrink, diminish; *~ van die pyn*
writhe with pain; **~vark(ie)** (Cape) hedgehog;
~vry shrinkproof; unshrinkable

kring[1] (s) **-e** circle; ring; circuit, cycle; orbit; *hoë*
~e high/grand society; **~fluit** feedback (radio/
sound system); **~loop** cycle; circular course;
bose ~loop vicious circle/spiral; **~televi′sie**
closed-circuit television

kring[2] (s) **-e** carrion, carcass; beast; scoundrel,
brute (person) *ook* **kreng**

krink (w) ge- turn, swing, swivel; heel (ship)

krin′kel (s, w) crinkle; **~papier′** crêpe paper

krioel′ (w) ge- swarm, abound/teem with *ook*
swerm, we′mel; *dit ~ hier van die muise* the
place is overrun with mice

krip[1] (s) **-pe** manger, crib; *aan die ~ staan* have
a plush job/occupation

krip[2] (veroud.) (s) crêpe, crape *ook* **lan′fer**

krip′ties (b) cryptic(al); obscure, hidden *ook*
misterieus′

kris (s) **-se** Oriental dagger

krisant′ -e chrysanthemum *ook* **win′teraster**
(blom)

kri′sis -se crisis *ook* **nood′toestand;** *'n ~*
deurmaak pass through a crisis/critical stage

kris′kras criss-cross, grating

Kris′mis Christmas *kyk* **Kers′fees**

kris′misboks (omgangst.) (s) **-e** Christmas
box/present *ook* **Kers′geskenk**

kristal′ -le crystal; *so helder soos ~* as clear as
crystal; **~buis** transistor; **~drui′we** crystal
grapes; **~hel′der** clear as crystal; **~ky′ker**
crystal gazer, fortune-teller *ook* **waar′sêer**

kristalliseer′ (w) **~, ge-** crystallise

krite′rium -s, ..ria criterion *ook* **maat′staf**

kritiek′ (s) criticism, critique; flak/flack; (s) **-e**
review (of book, play, etc.); *benede alle ~*
beneath contempt; *~e toestand* critical condi-
tion; *~ uitoefen* criticise; *~ kry/verduur* draw
flak/flack; (b) crucial, critical *ook* **kommer-**
wek′kend

kri′ties (b) **-e** critical; *~e bespreking* critical
discussion

kri′tikus (s) **-se, ..tici** critic (person)

kritiseer′ (w) ge- criticise; review (book, play,
etc.); slam, censure

kroeg (s) **kroeë** bar, pub, public house, tavern;
~baas barkeeper, tavernkeeper; **~juffie** bar-
maid *ook* **tap′ster; ~hap′pie** pub lunch; **~vlieg**
barfly, pub-crawler

kroek (omgangst.) (s) **-s** crook, criminal *ook* **misda'diger**; (w) **ge-** crook/con/swindle (s.o.); **~ery** cheating (n), swindle (n), deceit *ook* **kul'lery**

kroep (s) croup (throat disorder)

kroepier'/crou'pier -s croupier (roulette master)

kroes (b) curly, frizzy, crisp; ~ *voel* feel seedy; **~haar** curly hair; **~kop** curly head

krok (omgangst.) (s) **-ke, -s** crock (broken object, esp. motorcar)

krokodil' -le crocodile; **~tra'ne** crocodile tears (insincere grief)

kro'kus -se crocus *ook* **saffraan'blom**

krom (b) crooked, curved, bent; ~ *van die lag* splitting one's sides with laughter; ~ *Engels praat* speak faulty English; **~houtsap'** wine; **~me** (s) **-s** curve *ook* **kur'we** (stat.); **~ming** (s) **-s, -e,** curve; turn, bend; **~trek** (w) **ge-** warp, buckle

kroniek' (s) **-e** chronicle *ook* **verhaal', relaas'**; **~skry'wer** chronicler, annalist (person)

kro'nies = chro'nies

kro'ning (s) coronation (of king/queen)

kron'kel (s) **-s** twist, crinkle, coil, kink; (w) **ge-** wind, twist; meander; **~pad** winding path/road

kronolo'gies = chronolo'gies

kroon (s) **krone** crown; *die ~ span* topping everything; *iem. na die ~ steek* vie with a person; (w) **ge-** crown; **~getui'e** crown witness (hist.); **~juwe'le** crown jewels; **~lug'ter** chandelier *ook* **kandela'ber**; **~prins** crown prince (heir to the throne); **~prinses'** crown princess (female heir to the crown); **~slag'aar** coronary artery; **~tjie** crown (in hair); coronet (worn by nobility)

kroos offspring (children), progeny, descendants, issue; **~troos'ter** babysitter, babyminder *ook* **wie' giewagter**

krop (s) **-pe** crop, gizzard, craw; *dwars in die ~ steek* go against the grain; (w) **ge-** cram; bottle up; *sy ~ haar gevoelens op* she suppresses/ bottles up her feelings; **~duif** cropper, pouter; **~gevoel'** gut feeling *ook* **intuïtiewe gevoel, pens'persep'sie**; **~slaai** lettuce *kyk* **slaai**

krot (s) **-te** hovel, den, shanty; **~buurt'(e)** slum(s); informal settlement; squatter camp

krou'kie croquet (game)

kru (b) crude, coarse *ook* **grof; vulgêr'**; ~ *taal* crude/obscene language

krui/krui'e (w) **ge-** spice, season (with herbs); **gekruide taal** strong/pungent language

kruid (s) **kruie** herb, spice *kyk ook* **krui/ krui'e** (w); **krui'e** (s)

kruidenier' (s) **-s** grocer; **~s'wa're** groceries

kruidjie-roer'-my-nie (s) **-s** touch-me-not (sensitive plant); touchy fellow

kruie (s) (mv) herbs, spice; **~dok'ter, ~ken'ner, ~kun'dige** herbalist

krui'er -s porter (person)

kruik -e pitcher, (stone) jug, jar; urn

kruin -e top, summit; crest (of wave); crow **~roe'te** summit route

krui'naeltjie -s clove(s) *ook* **na'eltjie**

kruip (w) **ge-** creep, crawl, cringe; *voor iem.* cringe before s.o.; **~erig'** (b) fawning, servi toadying; **~pak'kie** crawler (for baby); **~pla** creeper *ook* **klimop**; **~swem** crawl; **~trek'k** caterpillar tractor

kruis (s) **-e** cross; crucifix; affliction; sha (mus.): **F ~** F sharp (mus.); crux; *elke huis k sy ~* there is a skeleton in every cupboard; ~ *munt* heads or tails; (w) **ge-** cross, interse cruise; interbreed; *ge~te tjek* crossed cheq **~bande** (pair of) braces; **~bestui'wing** cro pollination; **~blom** passion flower, star Bethlehem; **~boog** crossbow

kruisement' mint (herb)

krui'ser -s cruiser (battleship)

krui'sig (w) **ge-** crucify; **~ing** (s) crucifixion

krui'sing -s, -e crossing, intersection (traffi crossbreed(ing)

kruis: ~ondervra'ging cross-questioning; **~p** crossroad; **~tog/~vaart** crusade; **~verho** cross-examination; **~verwy'sing** cross-ref ence; **~vaar'der** crusader; **~vra** cross-exam *ook* **ondervra'; uit'vra; K~weg** Way of Cross; **~verhoor':** *onder ~verhoor* cross-amined; **K~woor'de** words spoken on Cross (by Christ)

kruit gunpowder; *sy ~ is nat* he has little hope success; **~bad ..dens** mineral baths *ook* s **~ho'ring** powder horn

krui'wa -ens wheelbarrow

kruk -ke crutch; stool; crank; **~as** cranksh **~ke'lys** casualty/injury list (sport)

kruks/crux (s) crux *ook* **kern, knoop;** *die ~* saak the crux/essence of the matter

krul (s) **-le** curl; scroll; (w) **ge-** curl; wave (ha **~ha're** curly hair; **~kop/~le'bol** curly-he **~pampoen'tjie** pattypan; **~tang/~yster** c ing tongs; **~ys'ie** softserve *ook* **draai'room**

krum'mel (s) **-s** crumb; bit; insignificant fell (w) **ge-** crumble; **~rig** crumbly

krup'pel = kreu'pel

kry (w) **ge-** get, obtain, acquire, procure, rece *ek kan dit nie kleinkry nie* I can't underst (eg why he acts this way); *woorde ~* start/p a quarrel *ook: haaks raak*

kryg (veroud.) (s) war *ook* **oor'log; ~er** war *ook* **krygs'man;** fighter (in a struggle)

krygs: ~diens military service; **~gevan'g** prisoner of war; **~heer'** warlord *ook* **str leier; ~kunde** military science; warcraft; **~** battle song; **~lis** strategy; **~raad'** court mar **~tuig'** munitions *ook* **wa'pentuig; ~verhe** military trial; **~wet** martial law

ys (w) **ge-** screech (bird); scream

yt[1] (s) ring (for boxing), arena; *in die ~ tree* enter the fray

yt[2] (s) chalk, crayon; **~blom** gypsophila; **~te'kening** crayon drawing

'ber (b) cyber; **~eeu** cyber era/age; **~kafee'** cyber café *ook* **(inter)net'kafee; ~klets** net chat; **~kra'ker** computer/cyber hack(er); **~ kuns** cyber art; **~ruimte** cyberspace *ook* **net'ruimte; ~slui'per** cyberstaller, cyberhack= er; **~staat** global village *ook* **wêreld'dorp**

biek' -e cubic (third power); **~wor'tel** cube root

bis'me cubism (art form)

'bus -se cube (geometrical shape)

d'de -s herd; flock; **~dier** gregarious animal

'er (s) visit, call; outing; (w) **ge-** visit, call (on s.o.); walk around; amble, meander; *hy het 'n maand lank by sy oom ge~* he stayed with/ visited his uncle for a month; **~~~** leisurely; **~koop** (w) window shopping *ook* **loer'koop; ~mens/~gas** visitor; guest

if (s) **kuiwe** crest, tuft; hood; **~kop** person with a forelock; bulbul (bird)

'ken -s chick, young chicken, fledgling; *nog sommer 'n ~* a mere child; **~dief** kite, harrier (hawk); cradle snatcher (elderly person marry= ng a young one)

il[1] (s) -e pool, dam; bunker (golf)

il[2] (w) **ge-** ensile, silo (maize, corn); **~to'ring** silo

il'tjie -s dimple; *met ~tjies in die wange* with dimpled cheeks

p (s) -e coop, vat, tub; pit (motor racing); **~er** (s) -s cooper (person making barrels)

s (b) chaste; pure, innocent, virtuous *ook* ein; **~heid** chastity, purity *ook* **deug, se'= delikheid**

t[1] (s) roe, spawn *ook* **vis'eiers**

t[2] -e calf (of leg); **~been** fibula

(w) **ge-** cheat, deceive, defraud, con *ook* nislei', bedrieg', flous, verneuk; **~kalant'** onman *ook* **verneu'ker; ~kuns** conjuring *ook* oorkuns, go'ëlkuns; **~kuns'tenaar** conjurer, magician *ook* **to'wenaar, go'ëlaar; ~lery** heating

inêr' culinary; *~e kuns(te)* culinary (kitchen) rts *ook* **kook'kuns**

mineer' (w) **ge-** culminate, terminate, climax v)

'tivar (s) -s cultivar *ook* **kweek'variëteit**

'toertjie (puzzling) trick *kyk* **kul'kunstenaar**

tureel' (b) ..rele cultural; refined, artistic

'tus -se cult, creed

tuur' (s) ..ture culture, civilisation; cultiva= on; **~histo'ries** socio-historical; **~vere'niging** ultural society

'dig (b) -e able, competent, skilful; **~e** (s) -s expert, authority (person) *ook* **ken'ner, deskun'dige, foen'die; ~heid** skill, ability; expertise, knowhow

kuns (s) -te art, skill; knack; trick; *die beeldende ~te* the plastic arts; *die skone ~te* the visual/fine arts; *die uitvoerende ~te* the performing arts; *die hond ~ies leer* teach the dog tricks; *die ~ verfyn* perfect the art; *~te en wetenskappe* arts and sciences; **~aas** artificial bait; **~bot'ter** margarine; **~galery'** art gallery; **~gebit'** denture(s); **~geskie'denis** history of art; **~hars** plastics; **~kri'tikus** art critic; **~le'= demaat** artificial limb; **~leer** artificial/imita= tion leather

kunsma'tig -e artificial; **~e a'semhaling** artificial respiration; **~e/invi'tro bevrug'ting** invitro fertilisation; **~e insemina'sie** artificial insemina= nation

kuns: ~mis fertiliser *ook* **mis'stof; ~rub'= ber/~gomlastiek'** artificial/synthetic rubber; **~sin** artistic taste/judgment/talent; **~skil'der** painter (art); **~skool** school of art; **~stop** invisible mending; **~stuk** work of art; clever feat; **~tande** artificial teeth, dentures *ook* **kuns'gebit; ~tenaar'** artist; **~tefees** arts festi= val; **~tig** ingenious, clever, artful

kuns: ~vlieënier' aerobatic/stunt flyer *ook* **lug'= akrobaat; ~vlieg** aerial aerobatics *ook* **lug'= toertjies; ~vlieghen'gel** fly-fishing (trout); **~vlyt** arts and crafts; **~wed'stryd** eisteddfod; **~werk** work of art

kura'tor -e, -s curator (of museum), guardian, custodian; trustee

kurk (s) -e cork; **~droog** (b) dry as a bone; **~trek'ker** corkscrew

kur'per -s kurper, bream, tilapia (fish)

kurri'kulum -s curriculum *ook* **leer'plan**

kursief' (b) ..siewe cursive, (in) italics; **~druk** italics

kursiveer' (w) **ge-** italicise; *ek ~* the italics are mine

kur'sus -se course; seminar, workshop *ook* **seminaar', werk'groep, slyp'skool;** *'n ~ loop/ volg* attend a course

kur'we[1] (s) -s curve *ook* **boog, ron'ding**

kur'we[2] (s) -s curve (stat.) *ook* **krom'me**

kus[1] (s) -te coast, seaboard; shore

kus[2] (veroud.) (s) -se kiss; (w) **ge-** kiss *ook* **soen**

kus[3] (s): *te ~/kies en te keur* for picking and choosing

kus'sing -s pillow (headrest on bed) *kyk* **kop'= kussing;** cushion (to sit on/lie against); **~band** balloon tyre; **~sloop** pillow case; **~tuig** hover= craft *ook* **skeer'tuig**

kus'streek ..streke coastal region/belt

kus: ~vaar'der coaster (ship); **~verde'diging** coastal defence

kut'tels/keu'tels (s) droppings (of small animals)

kuur (s) **kure** cure; treatment; *ook* **genees'wyse; gesig(s)~** facelift

kwaad[1] (s) evil (n); *geen ~ dink nie* think no evil; *van ~ tot erger* from bad to worse

kwaad[2] (b) **kwade; kwater, -ste** angry, cross; *ek was so ~/die hel in, ek kon ...* I was so angry/ mad that I could ...; *~ wees vir* be angry with *kyk* **smoor'kwaad**

kwaadaar'dig (b) malignant; malicious; vicious *ook* **kwaadwil'lig;** *~e groeisel/gewas/tumor* malignant growth/tumour

kwaad: ~doe'ner evildoer, perpetrator; **~geld** mischief; *vir ~geld rondloop* gad/loaf about; **~kat** (s) tough woman; sexy girl; **~spre'ker** scandalmonger, slanderer; **~stigter/~sto'ker** mischief maker

kwaai vicious, wild; hot-tempered; (very) strict *ook* **streng;** *'n ~ hond* a vicious dog; *'n ~ hoofpyn* a splitting headache; *'n ~ roker* a heavy smoker

kwaaivrien'de bad friends; enemies; **kwaai= vriend'skap** ill blood, enmity (not on speaking terms)

kwaak (w) **ge-** croak (frog); quack (duck)

kwaal (s) **kwale** ailment, disorder *ook* **ongesteld'heid;** malady *ook* **chro'niese siek'= te;** *sy ou ~* his old complaint

kwa'de: *die ~ dag uitstel* put off the day of reckoning

kwadraat' square, quadratic; **~wor'tel** square root

kwa'drupleeg ..pleë quadriplegic (person) *ook* (liggaamlik) **gestrem'de**

kwag'ga -s zebra; quagga

kwai'to kwaito (African popular mus. style)

kwa'jong -ens mischievous boy, urchin *ook* **va'bond, karnal'lie; ~streek** monkey trick, prank

kwak (skerts.) (s) **-ke** quack doctor *kyk* **kwak'= salwer**

Kwa'ker -s Quaker, Friend (member of Society of Friends)

kwak'salwer (s) **-s** quack(er) (person), medi= caster, charlatan; **~ry** quackery

kwalifika'sie (s) **-s** qualification; accomplish= ment; ability; skill

kwalifiseer' (w) **ge-** qualify *ook: bevoeg/be= kwaam word*

kwa'lik ill, amiss; hardly, scarcely *ook* **nou'liks;** *hy kon ~ loop* he could hardly walk; *~ neem* take amiss; resent *ook: iem. verkwalik*

kwaliteit' -e quality *ook* **gehal'te, kali'ber**

kwan'sel (w) **ge-** haggle, bargain *ook* **kib'bel**

kwansuis' quasi, as if (it were); so-called *ook* **kam'ma, kas'tig**

kwantifiseer' (w) **ge-** quantify (specify quantity of)

kwantiteit' quantity, volume *ook* **hoeveel'heid**

kwarantyn' quarantine; *in/onder ~ plaas* put in quarantine

kwart -e quart; quarter; *~ oor ag(t)uur* quarter past eight (time)

kwartaal' quarter (of a year), term (school)

kwar'tel -s quail (veld bird); *so doof soos 'n ~* stone-deaf

kwartet' (s) **-te** quartet

kwartier' -e quarter (of an hour, the moon); quarters (housing for soldiers); dwelling

kwarts quartz; **~horlo'sie** quartz watch

kwas[1] (s) squash (drink)

kwas[2] (s) **-te** brush (for painting); tuft; tassel

kwa'si quasi, as if; **~wetenskap'lik** quasi-scien= tific

kwa'sjiorkor kwashiorkor (disease)

kwas'terig/kwas'serig -e knotty, crusty; bad= tempered, difficult (person) *ook* **befoe'terd**

KwaZu'lu-Natal' KwaZulu-Natal (province)

kweek[1] (s) couch/quick grass

kweek[2] (w) **ge-** cultivate, train; grow *ook* **teel;** *vrugtebome ~* grow fruit trees

kweek: ~gras couch grass; **~huis** hothouse; **~huiseffek'** greenhouse effect; **~pê'rel** cul= tured/cultivated pearl; **~skool** (theological) training school; seminary

kweel (w) **ge-** warble (bird singing)

kwe'keling (s) **-e** pupil teacher; cadet; trainee

kwe'kery (s) **-e** nursery; seed plot

kwel (w) **ge-** worry *ook* **bekom'mer;** trouble, harass, torment, annoy; *ek ~ my daaroor* worry about it; *moenie jou ~/stres nie* don' worry

kwe'la (s) kwela (African popular mus. style) **~fluit** penny whistle

kwel'gees -te tormentor, teaser *ook* **las'pos, pol'tergees, paai'boelie**

kwel'ling (s) **-e, -s** vexation, trouble, care, anxiety, hang-up; *~ van die gewete* pricking of conscience

kwel'vraag vexed question; *kwelvrae stel* hackl

kwe'per -s quince; **~jel'lie** quince jelly; **~la'nin** quince hedge; **~lat** (quince) cane (for thrashing)

kwes (w) **ge-** wound, injure *kyk* **kwets;** *'n bok* wound a buck; **~baar** vulnerable

kwes'sie (s) question, matter; issue *ook* **kne= punt, vraag'stuk;** *buite die ~* out of th question; *'n netelige ~* a ticklish matter/issu

kwets (w) **ge-** wound, offend *ook* **krenk** k **kwes;** *iem. se gevoelens ~* hurt s.o.'s feeling *~ende woorde/taalgebruik* abusive/offendir words/terms

kwet'ter ge- chirp, chirrup, twitter (birds)

kwê'voël -s grey lourie, go-away bird

kwik (s) mercury, quicksilver; **~kolom'** mercu column; **~sil'wer** mercury, quicksilver; **~w= terpas** mercury level

kwik′stertjie wagtail, Willie Wagtail *ook* **kwik′= kie** (voëltjie)

kwilt (s) quilt (material); duvet; (w) **ge-** quilt

kwink′slag ..slae quip, wisecrack, witticism *ook* **spitsvon′digheid;** funny saying

kwintes′sens quintessence, pith *ook* **kern**

kwintet′ (s) **-te** quintet

kwispedoor′ (s) spittoon, cuspidor *ook* **spoeg= bakkie** (hist.)

kwis′pel (w) **ge-** wag(gle); **~stert** wag(ging) the tail (dog)

kwis′tig (b) lavish, flush *ook* **rojaal′;** prodigal; ~ *wees met lof oor* ... be lavish in one's praise of ...

kwitan′sie (s) **-s** receipt (for money paid)

kwo′rum quorum (minimum voting members); *geen* ~ *aanwesig nie* no quorum present (at a meeting)

kwosiënt′ quotient (result of division sum)

kwo′ta -s quota, share

kwota′sie -s quotation *ook* **prys′opgawe**

kwoteer′ (w) **ge-** quote (state cost/price of project/object)

kwyl (s) slobber, drivel; (w) **ge-** slobber, drivel

kwyn (w) **ge-** languish, pine away, wilt; *sy gesondheid* ~ his health deteriorates; *~ende belangstelling* dwindling interest

kwyt[1] (w) **ge-** discharge; acquit oneself; *hy het hom goed van sy taak ge~* he has acquitted himself well of his task; **~raak** get rid of; **~skeld** forgive, waive, pardon

kwyt[2] (b, bw): *ek is my beursie* ~ I have lost my purse

kyf (w) **ge-** quarrel, scold *ook* **twis, skel**

kyk (s) **-e** look, view; *'n breë* ~ *hê op* have a broad outlook on; *'n ~ie agter die skerms* a peep behind the scenes; (w) **ge-** look, see, view; pry; *op sy neus* ~ look foolish; **~er** viewer (TV); onlooker; **~gat** peephole *ook* **loer′gaatjie; ~in-die-pot** Paul Pry *ook* **nuuskie′rige a′gie; ~kas(sie)** (neerh.) goggle= box (slang); television set; **~spel** peepshow; spectacle; diorama; **~sy′fer** TV rating; **~weer′** replay (TV)

kys (omgangst.) (s) steady boyfriend/girlfriend; (w) **ge-** go steady; *ons is ge~* we are going steady

L

l 's l

la la (mus.)

laaf/la'we (w) ge- refresh; help s.o. to recover from fainting; **~nis/la'fenis** refreshment; relief

laag[1] (s) **lae** layer; coating (paint); course (bricks)

laag[2] (b) **lae; laer, -ste** low; mean; vulgar

laaghar'tig (b) **-e** base, vile, mean *ook* **gemeen', verag'telik**

laag'te (s) **-s** valley, dale, dell, dip *ook* **leeg'te; ~punt** lowest point, nadir

laag'vat (s) **-te** tackle (rugby) *ook* **duik, lak**[2] (w)

laag'water low tide *ook* **eb; ~brug** causeway

laai[1] (s) **-e** drawer, till

laai[2] (s) trick, stunt, dodge; *dis sy ou ~* that's his old trick

laai[3] (w) ge- load; charge; **~blad** tarmac (air‹ port); **~graaf** front-end loader; **~kas** chest of drawers, tallboy; **~kis** container; **~kraan** loading crane *ook* **hys'kraan; ~meester** checker (railways); loadmaster (aircraft); **~stok** ramrod (gun); cheesa/charging stick (mining)

laai'tie = lai'tie

laak (w) ge- censure, find fault with; **~baar** blam(e)able, objectionable; *~bare gedrag* reprehensible behaviour

laan (s) **lane** avenue; lane, alley; boulevard

laas last; *vir ou~* for the last time; **~genoem'de** the latter, last-named; **~le'de** last, ultimo; **~te** last; *die ~te/leste een van julle* all of you; **~ Sa'terdag** last Saturday; **ten ~te** at last *ook* **uitein'delik; ~tens** lastly

laat[1] (w) ge- let, leave; allow; refrain from (doing); make (one) do; *~ staan dit!* leave it alone!; *in die steek ~* leave in the lurch; *~ ons loop* let's go; *~ vaar* give up; *~ wag* keep waiting

laat[2] (b) late; later, laatste late;. **~lam'metjie** afterthought, late arrival (child) *ook* **hek'‹ sluiter; ~'slaper** late riser (person)

labirint' (s) **-e** labyrinth *ook* **dool'hof**

laborato'rium (s) **-s, ..ria** laboratory, lab

la'ding cargo, freight, shipment; blast (mining)

la'er[1] (s) **-s** bearing (of engine) *ook* **koeël'laer**

la'er[2] (s) **-s** wagon encampment; laager; *~ trek* draw together (in own group); mainly politi‹ cally); form a (ceremonial) camp (with wagons); (w) ge- camp

la'er[3] (b) lower, inferior; primary; *~ onderwys* primary education *ook: primêre onderwys*

La'erhuis House of Assembly (SA, hist.); House of Commons (Br.)

la'erskool/la'er skool primary school *ook: primêre skool*

La'eveld Lowveld (region in SA); **la'evel‹** lowlands, low country

laf (b) tasteless; insipid; silly, foolish *ook* **ve‹ spot', kinderag'tig;** *lawwe grap* silly joke

laf'aard (s) **-s** coward *ook* **pap'broek**

la'fenis refreshment; relief *ook* **laaf'nis, verfris‹ sing**

lafhar'tig (b) cowardly, faint-hearted *ook* **pap‹ broek'ig; ~heid** cowardice

lag (s) laugh, laughter; *ek kon my ~ nie hou nie* could not help laughing; *skater van die* shake with laughter; (w) ge- laugh; *in jou vu‹ ~* laugh up one's sleeve; **~bui** fit of laughte‹ **~gas** laughing gas; **~gend** laughing, smiling **~~lag** (bw) effortlessly *ook* **moei'teloos; u‹** daunted; *dit prikkel sy ~spiere* it tickles hi‹ (to death)

lagu'ne -s lagoon *ook* **strand'meer**

lagwek'kend (b) ludicrous; laughable, hilario‹ *ook* **ko'mies**

lai'tie/laaitie (omgangst.) (s) **-s** chappie, chun‹ my *ook* **tjok'kertjie, kan'netjie, buk'sie**

lak[1] (s) seal, sealing wax, lacquer; (w) ge- sea‹ japan; **~vernis'ser** French polisher (person)

lak[2] (w) ge- tackle (rugby) *ook* **duik, laag'vat**

lakei' (s) **-e** footman, lackey; stooge, crony o‹ **strooi'pop; trawant'**

la'ken (s) **-s** cloth; sheet (for bed); *die ~s uitde‹* rule the roost

lak'moes litmus; orchil (purple dye)

lakoniek' (b) laconic *ook* **kern'agtig, pit'tig**

laks (b) lax, indolent; slack, tardy *ook* **fut'lo‹ ongeërg'**

lakseer' (w) ge- purge, open (the bowels‹ **~mid'del** laxative, purgative *ook* **purgee‹ middel**

laks'man -ne hangman, executioner *ook* **beu‹** butcherbird, fiscal shrike

lam[1] (s) **-mers** lamb; (w) ge- lamb (v); to gi‹ birth (ewe)

lam[2] (b) lame, paralysed; *~ geskrik* scared sti‹ paralysed with fright

la'ma -s lama (Tibettan priest)

lamel'hout laminated wood *ook* **strook'hout**

lamineer'(w) ge- laminate

lamlen'dig miserable, wretched; lazy, indole‹ pathetic *ook* **rug'graatloos; lui, laks**

lam'mer: ~ooi ewe with lamb; **~van'ger** golde‹ martial eagle, African lammergeier; **~w‹** lamb's wool

lam'metjie/lam'mertjie -s little lamb

lamp (s) **-e** lamp *ook* **lantern'**

lampet': ~be'ker ewer, toilet jug; **~kom** was‹ stand basin

lampion' -s Chinese lantern

mp: ~**kap** lamp shade; ~**o'lie** paraffin (oil)

m'sak (s) **-ke** lazybones, weakling; shirker *ook* **lui'aard; slap'gat** (omgangst.)

m: ~**siek'te** lameness, paralysis; botulism; ~**slaan** (w) **-ge-** paralyse; *dit het my ~geslaan* it knocked me sideways; ~**s'tjop** lamb chop; ~**s'vleis** lamb; ~**tyd** lambing season

nd (s) **-e** land; country; field; ~ *en sand aanmekaar praat* talk the hindleg off a donkey; talk of cabbages and kings *ook: 'n hond uit 'n bos praat*; *hier te ~e* in this country; (w) **ge-** land, arrive; disembark *ook* **ontskeep'**; ~*af* offshore (wind) *ook* **see'=waarts**

nd'bou agriculture; ~**departement'** department of agriculture; ~**er** crop farmer *ook* **ak'=kerbouer;** ~**gereed'skap** agricultural imple=ments *ook* **plaas'gereedskap, implemen'te;** ~**kun'dig** (b) **-e** agricultural; ~**skool** agricul=tural school; ~**skou, ~tentoon'stelling** agricul=tural show; ~**we'tenskappe** agricultural sciences (school subject)

nd: ~**dros** magistrate *ook* **magistraat';** land=drost (hist.); ~**droshof** magistrate's court; courthouse; ~**e'lik** (b) rustic, rural; pastoral; ~*elike omgewing* rural environment; ~**engte** isthmus; ~**ery'** field, cultivated land; ~**genoot'** countryman, compatriot; ~**goed** (s) **..dere** estate, country seat; ~**goedwyn'** estate wine

n'ding landing; ~**(s)blad** helipad *ook* **he'=liblad;** ~**strook** landing strip, airstrip; runway

nd: ~**kaart** map; ~**loop** cross-country race; ~**lo'per** vagrant, tramp, vagabond; ~**merk** landmark *ook* **ba'ken; myl'paal, keerpunt;** ~**meter** (land) surveyor

ad: ~**myn** land mine; ~**mynrui'mer** land-mine disposal expert; ~**paal** boundary, limit; ~**punt** cape, promontory; ~**skap** landscape *ook* **na=tuur'toneel;** ~**skap'argitek** landscape archi=tect; ~**skapskil'der** landscape painter

ds: ~**belang'** national/public interest; ~**bur=ger** national, citizen *ook* **land'genoot;** ~**man** countryman; ~**reën** widespread rain; ~**taal** vernacular, language of the country/people

ad: ~**streek** region, district; ~**verhui'ser** emi=grant; ~**verraai'er** traitor

nd'(s)wyd nationwide, countrywide; *land(s)=wye veldtog* countrywide/national campaign

a'fer mourning crêpe/crape; ~**band** mourning

ng (attributive) **-er, -ste** long; tall (person); *op die ~e baan skuif* postpone indefinitely; ~**a'=semkriek** cricket (insect); nagger; ~**been** long legs; long shanks; ~**derm** tall/gangling chap; ~**dra'dig** long-winded, wordy *ook* **omslag'tig;** ~**du'rig** longlasting, protracted, lengthy *ook* **ly'wend, duur'saam;** ~*e droogte* prolonged drought

lange'raad (kindert.) (s) middle-finger *ook* **mid'=delvinger;** long shanks

langle'wendheid (s) longevity

langs alongside, next to, beside *ook* **nef'fens, naas;** ~ *die pad* on the way; by the wayside

lang'saam slow, tardy; lingering (death)

langs'aan next to, next door

lang'samerhand gradually *ook* **gaan'deweg**

langs'lewende (s) survivor; *die ~ erf alles* the surviving spouse inherits everything

lang: ~**speelplaat'/~spe'ler** (veroud.) long-player, LP (record) (obs.); ~**tand** unwilling *ook* **onwil'lig** (om iets te doen); ~**termyn-beleg'ging** long-term investment

langwer'pig -e oblong, rectangular

la'ning -s grove; avenue; hedge

lank (predicative) **langer, langste** long, tall; *haar lewe ~* all her life; ~ *gelede* long ago; *'n meter ~* a metre long; ~**al** for a long while already; overdue; ~**laas/~ laas** long time ago (eg that I saw him)

lankmoe'dig (b) patient *ook* **gedul'dig, ver=draag'saam**

lans (s) **-e** lance, spear; *'n ~(ie) breek vir* stick up for s.o.

lanseer' (w) **ge-** launch (torpedo, spacecraft); start; lance, pierce (tumour); ~**blad/~baan** launch(ing) pad

lanse'ring (s) launch (of spacecraft)

lanset' -te lancet *ook* **steek'messie** (med.)

lansier' (s) **-s** lancer (mounted soldier with lance)

lanterfan'ter (s) loiterer, lazybones *ook* **leeg'=loper;** (w) **ge-** idle, laze, loiter, loaf *ook* **slampam'per**

lantern' -s lantern; *groot ~, weinig lig* a big head but no brains

lap (s) **-pe** patch; cloth; rag; *op die ~pe bring* broach/bring to light; (w) **ge-** mend, patch; *ge~te broek* patched trousers

la'pa (s) **-s** lapa, thatched entertaining area *ook* **onthaal'plek**

lapel' (s) **-le** lapel; ~**wa'pen** lapel badge

lap: ~**pop** rag doll, rag-baby; ~**werk** patchwork

laringi'tis laryngitis *ook* **strottehoofontste'king**

la'rinks larynx *ook* **strot'tehoof**

lar'we (s) **-s** larva; wriggler

las[1] (s) **-se** seam, joint, weld; (w) **ge-** join; weld *ook* **saam'voeg; sweis**

las[2] (s) **-te** burden; freight, load (lit., fig.) *ook* **vrag, la'ding;** charge, order; nuisance; *bates en ~te* assets and liabilities; *op ~* by order (legal) *ook: in opdrag van; 'n ~/oorlas wees* be a nuisance *kyk* **las'pos**

las: ~**brief** warrant (of arrest, search), order, writ; ~**dier** beast of burden

la'ser laser; ~**druk'ker** laser printer; ~**skyf/~op'=name** compact disc, CD; ~**straal** laser beam; ~**tas'ter** laser scanner las'lorrie articulated truck, trailer truck *ook* kop'pellorrie, lit'lorrie

las'plek (s) -ke joint, weld

las'pos (s) -te nuisance, troublesome person, gadfly *ook* oor'las

las'so -'s lasso, lariat *ook* gooi'riem, vang'riem

las'ter (s) slander, defamation, libel; (w) ge- slander, defame; ~aar slanderer; detractor; ~ak'sie libel case/action; ~lik libellous; de= famatory; blasphemous

las'tig (b) troublesome, annoying, burdensome *ook* hin'derlik; awkward; difficult; ~ val trouble, burden; worry; pester; ~e vent trou= blesome customer; ~e vraag awkward/thorny question

lasuur' azure (deep blue); ~blou ultramarine; ~steen lapis lazuli, lazurite

las'wa (s) -ens articulated vehicle *ook* kop'= pellorrie

lat (s) -te stick, cane; lath; batten; ~ly'fie slender/ lean figure *ook* per'debylyfie

latei' (s) -e lintel *ook* draag'balk (bokant deure/vensters)

latent' (b) -e latent *ook* verbor'ge; ~e warm'te latent heat

la'ter later; *hoe ~ hoe kwater* from bad to worse; the later the merrier

lateraal' (b) ..rale lateral (to/from the side)

latri'ne (s) -s latrine, toilet, loo; plaas~ longdrop *ook* put'latrine, plons'privaat'

lat'werk lattice/lath work, trellis

Latyn' Latin (language)

laveer' (w) ge- tack (sailing against wind)

laven'tel lavender, scent *ook* reuk'water; ~haan dandy, lounge lizard (person)

la'wa lava (volcanic ash)

lawaai' (s) noise; hubbub, tumult *ook* geraas', rumoer'; *'n ~ opskop* make a terrible noise; (w) ge- be noisy; ~erig' noisy, loud; ~wa (s) bandwagon: *op die ~wa klim* jump on the bandwagon (to join a popular movement/ trend); ~water intoxicating drink

la'we (w) = laaf

lawement' -e enema, clyster *ook* ene'ma

lawi'ne -s avalanche, snowslide *ook* sneeu'= storting

law'wigheid silliness, foolishness; tommyrot

lê (w) ge- lie (in bed); lay (eggs); place, put; *dit ~ voor die hand* it goes without saying; *in staatsie ~* lie in state (deceased king, states= man); *op sterwe ~* be dying; *'n hoeksteen ~* lay a cornerstone; *lekker ~* lie snug; *skuins ~* take a nap

le'de: *'n siekte onder ~ hê* have an illness coming on

le'degeld membership fee *ook* lid'geld

ledekant' (veroud.) bedstead, fourposter *ook* he'melbed

le'delys membership list

le'demaat (s) ..mate (meesal net in mv.) lim part of the body

le'dig (b) idle, vacant *ook* niksdoen'de; (w) g empty (a bucket); ~e tyd spare time, leisu hours

le'digheid idleness; emptiness; ~ *is die duiw se oorkussing* the devil finds work for i< hands/minds to do

leed (s) pain, sorrow, grief *ook* verdriet'; iem *aandoen* cause s.o. grief; *in lief en ~* in w< and woe; ~vermaak' pleasure/delight another's misfortune; schadenfreude (Germ ~we'se sorrow, regret; ~wese betuig expre sorrow/condolences

leef (w) ge- live, exist, subsist *ook* le'we; *volge jou oortuiging ~* live up to one's convictior ~re'ël regimen, diet; ~tog victuals, provisior ~tyd lifetime; time of life, age *ook* o< derdom; *gevorderde ~tyd* advanced ag *middelbare ~tyd* middle life; ~wyse lifesty *ook* le'wenswyse

leeg (b) leë; leër, -ste empty, bare; void; vaca *leë gebaar* token, gesture; *leë belofte* i< promise; *leë boulbeurt* maiden over (cricke ~lê (w) -ge- loaf, loiter; ~lê'er/~lo'p< vagrant, loafer *ook* boe'melaar; ~loop id loaf; run out (water); become empty (ha stadium); ~te emptiness; void; valley, dale o laag'te

leek (s) leke layman; novice

leem (s) loam (kind of clay)

leem'te (s) -s defect, gap, blank, lacuna *< gebrek', ga'ping; *'n ~ (aan)vul* fill (up) a g

leen (s) fief, feudal tenure (hist.); (w) ge- le< borrow; *ek ~ van hom en hy ~ aan my* I borr< from him and he lends to me; ~ *hom* lend(s) itself to; ~heer feudal lord (his ~moe'der surrogate mother *ook* kwee< moeder, surrogaat'moeder; ~stel'sel feu system (hist.)

leep'oog (b) bleary-eye(d), droopy-eye(d)

leer[1] (s) leather; ~baadjie leather jacket; wii breaker

leer[2] (s) lere ladder; (w) ge- ladder, r (textiles); *sykouse ~ gou* silk stockings r< ladder easily

leer[3] (s) leerstellinge doctrine

leer[4] (s) apprenticeship *kyk* leer'klerk, leer'sk<

leer[5] (w) ge- learn, study; swot, swat < studeer', blok, swot; *van buite ~* learn heart; teach, instruct, train *ook* on'derwys/ gee, doseer', op'lei

le'ër (s) -s army; be~ (w) lay siege to

lê'er[1] (s) -s file (for papers; on comp.); dock< dossier *ook* dossier' (polisie); register

lê'er[2] (s) -s sleeper (railway)

lê'er[3] (s) -s leaguer (wine)

ê'er[4] (s) -s layer (hen, of eggs)

er: ~a'rea learning area; **~boek** textbook *ook* **hand'leiding; ~der** learner *ook* **leer'ling; ~gang** syllabus (subject content) *ook* **silla'bus** *kyk* **leerplan; ~geld** tuition fees; *duur ~geld betaal* pay heavily for one's experience

eergie'rig studious; curious, eager/keen to learn *ook* **weet'gierig**

er: ~jare apprenticeship; **~jong'e** apprentice *ook* **vak'leerling; ~klerk** articled clerk; **~krag** teacher; **~ling** learner, pupil *ook* **leerder; ~ling'raad** student council; **~lingry'bewys** learner driver's licence

er'looier -s tanner; **~y** tannery

'ërmag -te army *ook* **weer'mag**

er: ~mees'ter teacher, educator; tutor; mentor; **~plan** curriculum (grouping of subjects) *ook* **kurri'kulum** *kyk* **leer'gang; ~saam** instruc= tive, informative *ook* **informatief'**

er'skap (s) articles (accountant, attorney) *ook* **klerk'skap**

er'skool practice/demonstration school *ook* **slyp'skool;** *eers deur die ~ gaan* first go through the mill; gain experience

er: ~stel'ling doctrine; **~stoel** chair, *professo= rale ~stoel* professorship (university/tech= nikon);* **~stuk** dogma, tenet; **~tyd** time of learning, apprenticeship *ook* **klerkskap, leer'= skap; ~vak** subject (of study)

er'werk[1] (s) leatherwork

er'werk[2] (s) studies *ook* **stu'die;** things to be learnt

es[1] (s) -te last (of shoemaker); *op dieselfde ~ geskoei* cast in the same mould

es[2] (w) ge- read; *vlugtig ~* skim *ook* **gly'lees; ~alleengeheu'e (LAG)** read-only memory (ROM) (comp.); **~baar** legible, readable; **~boek** reader, reading book; **~gebrek'** dyslexia *ook* **dislek'sie; ~les** reading lesson; **~stof** reading matter *ook* **lektuur'; ~te'ken** punctua= tion mark *ook* **interpunk'sie**

eu -s lion; **~bek'kie** snapdragon, antirrhinum (flower); **~e'deel/~e'aan'deel** lion's share

eu'emoed great courage

eu: ~hok lion's cage; **~kuil** lions' den; **~man'= netjie** male lion *ook* **maan'haar**

eu'rik/le'werik (sky)lark (bird)

eu: ~tem'mer lion tamer; giant killer (sport); **~tier** liger; **~wyfie** lioness

gaat' (s) **legate** legacy, bequest *ook* **erf'lating**

ga'sie (s) -s legation; embassy (dipl.)

'geld dock dues, pierage (harbour); demurrage (railways)

genda'ries: *~e figuur* legendary (celebrated) figure

gen'de -s legend *ook* **oor'lewering**

g'ger = lê'er[1]

gio legion *ook* **tal'ryk**

legioen' -e legion *ook* **krygs'mag; ~soldaat'** legionnaire (soldier); **~siekte** legionnaires' disease

leg'kaart -e jigsaw puzzle

lei[1] (s) -e slate; *~ en grif'fel* slate and slate pencil (schools, hist.)

lei[2] (w) ge- lead, conduct, guide; preside; *'n armsalige lewe ~* lead a miserable life; **~band** leash, lead *ook* **lei'riem** (hond)

lei: ~dak slate roof; **~groef** slate quarry

lei'ding direction, management, guidance; *die ~ neem* take the lead; show/offer leadership *ook* **lei'erskap;** conduit, duct (electr.)

lei'draad (s) **..drade** clue, lead; guide, guideline *ook* **rig'lyn**

leids'man -ne leader, guide, mentor

lei'er (s) -s leader *ook* **aan'voerder;** guide; *gebore ~* born leader; **~s'beraad/~s'konferen'sie** sum= mit talks *ook* **spits'beraad; ~skap** leadership

lei'klip slate (stone)

lei'riem (s) -e leash, lead *ook* **lei'band** (hond)

lei'sel (s) -s (driving) rein; *die ~s neem* take charge

lek[1] (s) leak(age); puncture; (w) ge- leak; *die nuus is ge~* the news has been leaked

lek[2] (s) lick; (w) ge- lick; *iem ~/vlei* stoop/cringe before s.o.

le'keprediker -s lay preacher

lekka'sie -s leak(age) (through water; in news) *ook* **lek'plek**

lek'ker[1] (s) -s sweet(ie) *ook* **lek'kertjie**

lek'ker[2] (b) nice *ook* **genot'vol;** sweet, palatable, savoury; tipsy; *maak soos jy ~ kry* do as jou please; *hy voel nie ~ daaroor nie* he is not happy about it; **~bek** epicure, gourmet, sweet tooth *ook* **smul'paap** (persoon)

lekkerbek'kig fond of dainty dishes, sweet= toothed; choosy *ook* **kieskeu'rig**

lek'kergoed sweets *ook* **lek'kers;** dainties

lek'kerlyf tipsy, somewhat intoxicated *ook* **aan'= geklam, hoen'derkop**

lekkerny' -e titbit, delicacy

lek'kers = lek'kergoed

lek'sikon lexicon, dictionary *ook* **woor'deboek**

lek'tor (s) -e, -s lecturer *ook* **dosent'** (persoon)

lektuur' reading matter *ook* **lees'stof**

lel (s) -le lobe (of the ear); wattle (of turkey)

le'lie (s) -s lily; **~wit/~blank** lily-white

le'lik ugly, unsightly *ook* **onoog'lik;** deformed; nasty; *so ~ soos die nag* as ugly as sin; *'n ~e ongeluk* a nasty accident; *jou ~ vergis* be sorely mistaken

lem (s) **-me** blade (of a knife); **~skaats(e)** rollerblade(s), inline skates

lem'ma (s) -s headword, lemma *ook* **tref'woord**

lem'metjie[1] (s) -s lime (fruit); **~sap** lime juice

lem'metjie[2] (s) -s (razor) blade; small blade; **~s'draad** razor wire

lemoen' -e orange; ~**bloei'sel** orange blossom; ~**konfyt'** marmalade; orange jam/preserve; ~**kwas** orange squash; ~**pampoen'tjie** gem squash *ook* **skor'sie; ~sap** orange juice; ~**skil** orange peel

len'de (s) -s, -ene loin; *die* ~*ne omgord* gird one's loins; ~**doek/~vel(letjie)** loincloth

len'delam (b) decrepit, dilapidated, rickety *ook* **wan'kelrig;** ~ *tafel* rickety table

le'ner -s borrower (person receiving something, eg money, as a loan); lender (person providing something, eg money, as a loan)

leng'te -s length; height (of person); longitude; *tot in* ~ *van dae* until the end of time; for time everlasting; ~**graad** degree of longitude; ~**maat** linear measure

le'nig[1] (w) **ge-** alleviate/relieve (pain) *ook* **ver=sag', verlig';** allay

le'nig[2] (b) supple *ook* **soe'pel;** pliant, lithe; agile

le'ning (s) -s loan; *'n* ~ *aangaan* enter into a loan

lens (s) -e lens, optic glass *kyk* **kontak'lens(e)**

len'sie (s) -s lentil; ~**sop** lentil soup

len'te spring *ook* **voor'jaar;** ~**mô're/~mo're/ ~og'gend** spring morning; ~**skool** refresher course; ~**-uit'verkoping** spring sale

le'otard -s leotard *ook* **lyf'kous**

le'pel -s spoon; ladle; ~ *in die dak steek* (idioom) kick the bucket (idiom); die; expire; ~**hou** half volley (tennis)

le'pellê (w) **-ge-** lie together (like spoons); cuddle

lê'plek -ke lair (of wild animal) *ook* **bly'plek, boer'plek;** form (of hare); place for lying down

lepro'se (s) leprosy (disease) *ook* **le'pra, melaats'heid**

le'raar -s minister (of religion), parson *ook* **do'minee, predikant'**

les[1] (s) -se lesson; *lelik* ~ *opsê* have a hard time

les[2] (w) **ge-** quench, slake; *jou dors* ~ quench one's thirst

les[3] (b): ~ *bes* last but not least

les'biër (s) -s lesbian (person); **les'bies** (b) -e lesbian

le'ser -s reader

le'sing -s lecture; address, talk *ook* **voor'drag, referaat';** ~**stan'der** lectern, (small) pulpit *ook* **kna'pie**

Leso'tho Lesotho (country)

les'rooster -s timetable (for learners/students)

les'senaar -s desk, reading desk *ook* **skryf'tafel**

let (w) **ge-** heed, mind; *sonder om op die gevaar te* ~ heedless of the danger; ~ *wel* mind, note, N.B.

letargie' lethargy, drowsiness, sluggishness

let'sel -s hurt, injury; *sonder* ~ unscathed, unharmed *ook* **ongedeerd'**

let'ter (s) -s letter; character; type; *kursiewe* ~*s*

italics; *vet* ~*s* bold (heavy type); (w) **ge-** mar ~**dief** plagiarist, pirate (of another's creati writing); ~**diefstal** plagiarism *ook* **plagiaa** ~*diefstal/plagiaat pleeg* plagiarise

let'tere literature; **fakulteit'** ~ faculty of arts

let'tergreep ..grepe syllable

let'terkun'de literature *ook* **literatuur'**

letterkun'dig (b) -e literary; pertaining literature; ~**e** (s) -s man/woman of letters

let'ter: ~**lik** literal(ly); *hulle is* ~*lik afgema* they were literally decimated; ~**naam** acr nym, name compounded from initials (e. Telkom, ISCOR) *ook* **let'terwoord, akr niem';** ~**raai'sel** letter riddle, puzzle; ~**set't** typesetter; ~**skil'der** sign writer; ~**soort** fo (kind of type); ~**uit'spraak** literal pronunci tion; ~**vre'ter** avid reader, studious perso bookworm *ook* **boek'wurm;** ~**woord** acrony *ook* **akroniem', ~naam**

leu'en (s) -s lie, untruth, falsehood; *al is die nog so snel, die waarheid agterhaal hom we* lie has short wings; *'n boel/spul* ~*s* a pack lies; *infame* ~ downright lie; ~**aar** liar (perso *ook* **lieg'bek; ~(ver)klik'ker** lie detector *o* **poligraaf'**

leukemie' leukemia *ook* **bloed'kanker**

leun (w) **ge-** lean; ~**stoel** armchair; ~**stoelpat** couch potato, TV addict *ook* **sofapok'k kas'siekneg;** ~**wa** semitrailer; ~**walor'rie** a ticulated vehicle *ook* **las'lorrie**

leu'ning -s support; back of a chair/rail

leu'se -s motto, device, slogan *ook* **slag'spreu**

Leviet' -e Levite (Biblical group); *iem. leviete voorlees* rebuke s.o.; take s.o. to tas

le'we (s) -s , -ns life; *sy* ~ *lank* all his life; *die skenk aan* give birth to; (w) **ge-** live, exi subsist *ook* **leef**

le'wend (b) -e living, alive; *in* ~*e lywe* in t flesh; ~*e hawe* livestock; ~*e/regstreek* uitsending live broadcast

le'wendig quick, lively; vivacious (person) *a* **op'gewek, spran'kelend, lewenslus'tig;** viv (description); living (person); alive (anim *ook* **le'wend**

le'wens: ~**behoef'tes/~benodig(d)hede** neces ties of life, provisions; ~**beskou'ing** view life; ~**beskry'wing** biography *ook* **biografi** ~**duur** lifespan, duration of life; ~**duur'te c** of living *ook* **kos'te;** ~**geskie'denis** life sto ~**gevaar'lik** perilous, hazardous; ~**groot** li size; full length; ~**ka'ke** jaws of life (accidents)

le'wenskets pensketch (of person) *ook* **pen'sk**

le'wens: ~**krag** energy, vitality *ook* **vitalite woe'ma;** ~**kwaliteit'** quality of life *o* ~**gehal'te;** ~**lang/~lank** for life; ~*lange e lid(maat)skap* honorary life membersh ~**lange lid** life member *ook* **le'wenslid;** ~

light of life; *die eerste ~lig aanskou* be born; **~loop** career, course of life; **~lus** vitality; **~lus'tig** vivacious *ook* **bor'relend, spran'- kelend;** **~mid'dele** foodstuff, provisions; **~noodsaak'lik** vital; **~on'derhoud** mainte- nance, sustenance; **~oor'gang** menopause; **~oriëntering** life orientation (school subject); **~peil** living standard *ook* **~standaard';** **~profiel'** curriculum vitae (CV); **~red'der** life- saver *ook* **strand'wag, men'seredder**

'wenstryd struggle of life

'wensvat'baar (b) viable *ook* **haal'baar; ~heid- stu'die** feasibility study *ook* **haal'baar(heid)- studie**

'wensverse'kering life assurance; **~(s)maat- skappy'** life assurance company

'wens: **~verwag'ting** life expectancy; **~werk** life's task; **~we'tenskappe** life sciences (school subject); **~wy'se** lifestyle *ook* **leef'wyse**

'wer[1] (s) **-s** liver; *wat het oor jou ~ geloop?* what's biting you?

'wer[2] (w) **ge-** furnish, supply; deliver; *bewys ~* prove; *'n referaat ~* present a paper; give a talk; **~aar** supplier *ook* **verskaf'fer, lewe- ransier'**

'weransier' (s) **-s** supplier, purveyor *ook* **ver- skaf'fer**

'werik = leeu'rik

'wering (s) delivery; performance (politics)

'wer: **~kwaal** liver complaint; **~traan** cod- liver oil; **~wors** liver polony/sausage

'ai'son **-s** liaison *ook* **ska'keling;** illicit love affair

'asseer' (w) **ge-** file; **~kabinet'** filing cabinet

'beraal' (s, b) **..rale** liberal *ook* **vryden'kend**

'bertyn' **-e** libertine *ook* **vry'denker** (persoon)

'bi'do (s) vitality, zest for life *ook* **le'wensdrif;** sexual urge *ook* **geslags'drang**

'd (s) **lede** member; limb; *~ word van* become a member of; *opbetaalde ~* paid-up member

'd: **~do'ring** corn (hardening of skin, esp. of the toes); **~geld** membership fee(s); **~land** mem- ber state; **~kaart** membership card

'd'maat **..mate** member (of a church)

'd: **~(maat)skap** membership (of club/society)

'd'woord (s) **-e** article

'ed (s) **-ere** song; anthem; hymn; **~boek** song book; hymnal, hymn book (church)

'e'derbundel **-s** song book

'derlik (b) filthy, dirty, disgusting *ook* **sme'- rig; aanstoot'lik, skanda'lig**

'd'jie **-s** song, ballad, ditty; **~skry'wer** song writer *kyk* **liriek'skrywer;** *altyd dieselfde ~ sing* harp on the same string

'ef (s): *in ~ en leed* come rain, come shine; (b) dear, beloved, amiable; lovely, sweet; *liewe meisie* sweet girl; (bw): *ek het hom ~* I love him; *ek is ~ vir haar* I like her (very much)

liefda'dig **-e** charitable, benevolent *ook* **mede- deel'saam; ~heid** charity, benevolence; **~heidskonsert'** charity concert

lief'de (s) **-s** love; charity; *geloof, hoop en ~* faith, hope and charity; *ou ~ roes nie* true love never grows old; *ware ~* true love; **~(s)blyk** token of love; **~groe'te:** *~groete van* yours with love; **~loos** loveless; unkind, hard- hearted; **~rik** loving, affectionate *ook* **lief'devol**

lief'des: **~gedig'** love poem *ook* **min'ne(ge)dig; ~geskie'denis** love story, love affair; **~naam:** *in ~naam/~wil* for heaven's sake; **~verhaal'** love story; **~verkla'ring** declaration of love

lief'hê (w) **..gehad'** love, care for

liefheb'bend (b) loving, affectionate *ook* **lief'- devol;** *u ~e niggie* your dear/loving niece

lief'hebber (s) **-s** lover; enthusiast, fan; amateur

lief'hebbery (s) **-e** hobby, pastime *ook* **stok'- perdjie, tyd'verdryf;** fancy

lie'fie (s) **-s** dear, darling, sweetheart *ook* **skat'(tebol), har'tedief, skat'lam;** mistress

lief: **~koos** caress, stroke; fondle *ook* **kafoe'fel;** *my ge~koosde boek* my favourite book *ook my gunstelingboek;* **~ko'sing** caress; **~lik** charm- ing, lovely, sweet *ook* **prag'tig, aanlok'lik**

lief'ling (s) **-e** darling *ook* **lie'fie, liefste;** (s); pet, favourite; **~s'vak** favourite subject

liefs preferably, rather; *ek sal ~ nie gaan nie* I'd rather not go

lief'ste (s) **-s** sweetheart, dearest, darling; (b) dearest

lieftal'lig (b) sweet, lovable, winsome

lieg (w) **ge-** lie, tell lies/untruths; *~ soos tien perde skop, ~ soos 'n tandetrekker* lie like a trooper; **~bek** liar *ook* **leu'enaar; ~toets** polygraph test

lie'keriesj (omgangst.) (s) liquorice *ook* **drop, soet'wortel**

lie'maak **-ge-** whet the appetite without satisfy- ing it; sell a dummy, sidestep *ook* **kul, flous;** *iem. ~* fool s.o.

liep'lapper loafer, ne'er-do-well *ook* **leeg'lêer**

lier **-e** lyre (mus. instr.)

lies **-te** groin; **~band** athletic support; jockstrap

liet'sjie **-s** litchie (fruit)

liewe(n)heers'besie **-s** ladybird *ook* **(boom)skil'- padjie**

lie'wer(s) rather, preferably; *ek wil ~ hierdie een hê* I would prefer this one

lig[1] (s) **-te** light; *aan die ~ kom* transpire; **~te ver- dof** dim lights; **~/kers opsteek** seek information; *~ werp op* throw light on; **flik'ker~** flash(ing) light; **flits~** torch, flashlight; **kalk~** limelight; **kol~** spotlight; **soek~** searchlight; **sprei~** flood- light; (w) **ge-** give light; *~ vir my* give me a light

lig[2] (w) **ge-** lift; *~/tel op die klip!* pick up that stone!

lig³ (b) easy; mild *ook* **ma′tig**; slight; *te ~ in die broek wees* not equal to the task; *′n ~te griepaanval* a mild attack of flu

lig⁴ (b) light; fair (hair, complexion)

li′ga -s league; **~wed′stryd** league match

ligament′ (s) -e ligament

lig: **~af′breekbaar** photodegradable (plastics); **~blou** pale blue; **~effek′** light effect; **~bron** source of light

lig′gaam (s) **..game** body; corpse *ook* **lyk, oor′skot;** *met ~ en siel* with body and soul

liggaam′lik -e bodily; physical; corporeal; *~ gestrem* physically handicapped; *~ ongeskik* medically unfit

lig′gaams: **~bou** build of body, stature; **~bou′er** body builder; **~deel** limb *ook* **le′demaat;** **~oe′fening** physical exercise; **~op′voeding** physical education *ook* **mens′like bewe′= ging(s)kunde;** **~taal** body language *ook* **lyf′= taal**

lig′geel pale yellow, cream

liggelo′wig (b) -e gullible; credulous *ook* **goed′= gelowig**

liggeraak′ (b) -te touchy *ook* **oor′gevoelig;** finicky; prudish

lig′gewig (s, b) lightweight (boxer, person)

lig′ging site, position, location; situation

lig′groen pale green

lighoof′dig dizzy, light-headed *ook* **dui′selig**

lig′jaar (s) light year (astr.)

lig′koeël -s tracer bullet; light ball; fireball

lig′rooi light red, pink *ook* **pienk**

ligsin′nig (b) -e frivolous, thoughtless *ook* **onbeson′ne, ongeërg′**

lig: **~skit′tering** glare *ook* **blik′kering** (motor= hoofligte); **~sku** shy of the light; **~spoor(pa= troon)** tracer; **~straal** ray of light

lig′telaaie: *in ~* ablaze, in flames, on fire, torched

lig′ter -s hoist; lift (elevator); lighter; bouncer, bumper (cricket)

lig′ting (s) collection/clearance (of posting box); levy

likeur′ (s) -e, -s liqueur (alcoholic drink)

likied′ liquid (changeable for cash); *~e bates* liquid assets

likkewaan′ **..wane** iguana, leguan

likwida′sie liquidation; winding up (of a com= pany/business)

likwidateur′ (s) -s liquidator (person)

likwideer′ (w) **ge-** liquidate, wind up (a company, business); eliminate, kill (enemy, political opponent)

li′la lilac (pinkish-mauve colour)

lim′bier (s) shandy *ook* **lim(ona′de)bier**

limeriek′ -e limerick *ook* **bog′rympie**

limf lymph (body fluid)

limiet′ -e, limit *ook* **perk**

limona′de lemonade (soft drink)

Limpo′po *voorheen* **Noor′delike Pro′vins** Limpopo (province)

lineêr′/liniêr′ (b) linear, in lines

linguis′ -te linguist *ook* **taal′geleerde** (persoon

linguistiek′ (s) linguistics (science of language

liniaal′ (s) -e **liniale** ruler, rule

li′nie -s line of ships; fighting line

linieer′ (w) **ge-** rule (lines)

liniêr′ = **lineêr**

lin′ker left; **~arm** left arm; **~hand** left han **~kant** left side; **~stuur** left-hand drive

links left-handed; to/on the left; *~ af* to the le *iets ~ laat lê* leave something undone; *~om* the left; left turn; *nie ~ wees nie* be quick seize an opportunity; **~gesind′** left-wing (p litical)

lin′ne (s) linen; cloth; **~goed** linen

lint -e ribbon; streamer, tape; **~reën** ticker-ta parade *ook* **snip′perpara′de;** **~wurm** tap worm, taenia

lip -pe lip; *aan iem. se ~pe hang* listen ve attentively; **~lees** lipread(ing); **~let′ter** lab (letter); **~pe′diens** lip servic **~stif/~stif′fie** lipstick; **~pe′taal** lip languag idle words *ook* **hui′geltaal**

liriek′ (s) lyric poetry; -e (mv.) lyrics (text songs); **~skrywer** (s) -s lyricist, songwriter

li′ries (b) -e lyric(al) *ook* **melodieus′, sang′er**

lis¹ (s) -te trick, ruse, fraud, cunning *kyk* **lis′t**

lis² (s) -se noose, loop *ook* **lus;** frog (on unifor

lisensiaat′ (s) licentiate (qualification)

lisen′sie (s) -s licence *ook* **mag′tiging**

lis′pel (w) **ge-** lisp *ook* **(onduidelik) fluis′ter**

lis′tig cunning, sly, shrewd, crafty *ook* **s gesle′pe, agterbaks′**

lit -te joint; internode; *uit ~* out of joint; *losmaak* stretch one's legs

litanie′ -ë litany *ook* **smeek′sang, smeekgeb** (RK)

li′ter -s litre; *twee ~ melk* two litres of milk

litera′tor -e man/woman of letters *ook* **let′t kundige**

literatuur′ literature *ook* **let′terkunde;** **~gesk denis** history of literature

literêr′ (b) -e literary

litiga′sie litigation *ook* **geding′voering, prose voering** (in die hof)

litografie′ lithography (offset printing)

lit′teken -s scar, flesh mark

liturgie′ liturgy (rites of Church)

livrei′ -e livery *ook* **bedien′dedrag** (hist.)

lla′ma -s llama (S. Am. mammal)

lob (s) -be lobe *ook* **oor′lel**

lobô′la lobola, bride price (money or cattle)

loef luff, windward side; *iem. die ~ afsteek* t the wind out of s.o.'s sails; outwit s.o.

loei (w) **ge-** bellow, moo (cattle); roar (wind) **gier;** scream (siren); **~er** siren *ook* **sire′ne**

ën (w) **ge-** deny; **~straf** belie, disprove, give the lie to

ep -e magnifying glass; *onder die ~ neem* scrutinise; consider

er (w) **ge-** spy, watch, lurk; *op die ~ lê* lie in wait; **L~boet/L~broer** Big Brother (person/ organisation with control over people; TV show); **~gat** spyhole; **~gaat′jie** (in deur) doorscope/doorviewer

e′rie -s lourie, touraco (bird)

er: ~koop window shopping *ook* **win′=kelwandel**; **~ky′ker** seeing eye; **~vink** Peep= ing Tom *ook* **af′loerder** (persoon)

e′sing -s thrashing, hiding; *iem. 'n afgedankste ~ gee* give s.o. a sound thrashing/whacking

f¹ (s) **lowwe** tops, foliage *ook* **loof**

f² (s) praise, commendation; kudos *ook* **roem, eer**; *met ~ slaag* pass with honours/distinc= tion; *groot ~ toeswaai* give high praise to; **~lied** hymn of praise *ook* **prys′lied**; **~sang** song of praise; **~san′ger** praise singer, im= bongi; **~spraak** praise, eulogy *ook* **~ui′ting, aan′prysing**; **~waar′dig** praiseworthy *ook* **prysenswaar′dig**

g¹ (s) **-ge** log (of a ship/car)

g² (b) **ge-** unwieldy, cumbersome; clumsy *ook* **lomp**

garit′me logarithm; **~ta′fel** logarithmic table

g′boek -e logbook (recording travel data)

gies (b) **-e** logical, plausible

gika (s) logic (science of reasoning)

gistiek′ (s) logistics (movement of troops and supplies)

jaal′ (b, bw) **lojale** loyal *ook* **trou**; *~ teenoor sy familie* loyal to his family

jaliteit′ loyalty *ook* **getrou′heid**

k¹ (s) **-ke** curl, lock (of hair); coil

k² (w) **ge-** lure, entice; decoy; *~ hom weg* draw him away (from a place)

kaal′ (s) **lokale** hall, room *ook* **saal, vertrek′**; **~eksa′men~** examination hall/room; **toon~** showroom

k′aas (s) **..ase** bait; allurement, decoy

kaliteit′ locality *ook* **lig′ging**

ket′ -te box office, ticket window; pigeonhole; **~tref′fer** box office success

k′film/lokprent trailer (publicity preview)

kmid′del -s bait, temptation, lure

komotief′ (s) **..tiewe** locomotive, engine of train

k: ~plakkaat′ billboard; poster; **~prent** trailer *ook* **lok′film; ~val** ambush, trap *ook* **hin′=derlaag; ~vink** police trap; decoy; **~voël** (persoon) decoy; tout, pimp

 (w) **ge-** bother, trouble, nag *ook* **foe′ter**; *moenie heeldag met my ~ nie* don't pester me always; **kin′derloller** child molester *ook* **kindermolesteer′der, pedofiel′**

lo′merig (b) **-e** sleepy, drowsy *ook* **sla′perig**; sluggish

lom′mer shade, foliage; **~ryk** shady

lomp (b) clumsy *ook* **onbehol′pe**; awkward, ungainly

lom′perd (s) **-s** clumsy person, fumbler *ook* **lum′mel**

lo′nend profitable *ook* **winsge′wend**; worth= while; *~e/florerende onderneming* paying/ profitable undertaking

long (s) **-e** lung; **~kan′ker** lung cancer; **~kwaal** pulmonary disease; **~ontste′king** pneumonia; *dubbele ~ontsteking* double pneumonia; **~pes** pneumonic plague *kyk* **bui′lepes; ~te′ring** pulmonary tuberculosis; phthisis

lonk (w) **ge-** wink, ogle; give the glad eye

lont (s) **-e** fuse; igniter; *~ ruik* smell a rat

lood (s) lead (metal element); plumb (weight for measuring water depth); **~erts** lead ore; **~gie′ter** plumber (artisan); **~lyn** perpendicular (n); **~pyp** lead pipe; **~reg** perpendicular (a), vertical

loods¹ (s) **-e** shed *ook* **skuur;** hangar (for aircraft)

loods² (s) **-e** pilot (harbour/aircraft); (w) **ge-** pilot; launch (a scheme, project); **~komitee′=** steering committee

lood: ~swaar leaden, very heavy; **~vergif′ting/ ~vergif′tiging** lead poisoning; **~vrye pe′trol** unleaded petrol

loof¹ (s) foliage *ook* **lom′mer**

loof² (w) **ge-** praise, extol, glorify *ook* **prys, verheerlik**; *~ die Here* bless the Lord

Loofhut′tefees Feast of Tabernacles (Bible)

loog lye, buck; **~sout** alkaline salt, alkali

looi (w) **ge-** tan; beat, thrash *ook* **af′ransel;** *hy het hom goed ge~* he gave him a sound whacking; **~bas** tanning/wattle bark; **~ery** tannery; **~kuip** tan(ning) vat; **~suur** tannic acid

loon (s) **lone** pay, wages; reward; *karige ~* low wages; pittance; *boontjie kry sy ~tjie* chickens come home to roost; *hy kry sy verdiende ~/straf* it serves him right; *ondank is die wêreld se ~* the world pays with ingratitude; (w) **ge-** pay, reward; *dit sal die moeite ~* it will be worth the trouble; **~eis** wage demand; **~ga′ping** wage gap; **~geskil′** wage/industrial dispute; **~skik′king** wage settlement; **~trek′=ker** wage earner; labourer; **~(s)verho′ging** wage increase

loop (s) **lope** walk(ing); course; run(ning) (water); stream; barrel (gun); *twee uur se ~ van hier* two hours by foot from here; *in die ~ van die jaar* during the course of the year; (w) **ge-** walk; stroll; *ten einde ~* draw to a close; *mooi ~!* take care (of yourself); *'n draai ~* go to the toilet; powder one's nose

loop'baan career, course *ook* **beroep'**; **werk'**=
kring; **~baanuit'stalling** careers exhibition
loop'dop last drink, one for the road
loop'graaf ..grawe trench (warfare)
loop: **~maag** diarrhoea *ook* **diarree'**; **~neus**
runny nose; **~plank** gangway, footboard;
~raam walker *ook* **lo'per** (walking aid);
~radio walkie-talkie; **~ring** walker (for baby)
loops (b, bw) **-e** ruttish, on heat *ook* **op hitte,**
brons'tig, hit'sig (diere)
loop: **~tyd** duration, currency; **~vlak** catwalk
(for modelling) *ook* **stap'vlak, loop'plank**
loot[1] (s) **lote** shoot (plant); descendant, offspring
(children)
loot[2] (s) toss *kyk ook* **lo'ting**; *die ~ wen* win the
toss (sport); (w) **ge-** draw lots, raffle; **~jie**
raffle/lottery ticket
lo'pend **-e** current, present, running; *-e betaal*=
stelsel (LBS) Pay As You Earn (PAYE)
(income tax); *~e rekening* current account
lo'per[1] (s) **-s** walker *ook* **wan'delaar, stap'per**
lo'per[2] (s) **-s** master/skeleton key
lo'per[3] (s) cursor (comp.)
lo'per[4] (s) **-s** runner, staircarpet
lo'per[5] (s) **-s** (meesal mv.) buckshot, big shot
(rifle)
lo'pie (s) **-s** little stream, brook *ook* **drif'fie**; run
(cricket)
lornjet' **-te** pince-nez, lorgnette *ook* **knyp'bril**
lor'rie (s) lorry; truck; **~drywer** lorry/truck
driver, trucker *ook* **vragmotorbestuur'der**
los[1] (s) lynx (wild feline, Northern Hemisphere)
los[2] (w) **ge-** loosen; free; redeem; let go; *~ my*
uit! don't bother/pester me!; (b) loose, free;
dissolutè; *~ werker* casual labourer
losban'dig disorderly; immoral *ook* **sedeloos**
los: **~'bars** burst/break loose, explode; **~bol**
libertine, playboy; **~brand** discharge, fire
off; **~breek** break loose/away
loseer' ·(w) **ge-** board, lodge, stay at; **~der**
boarder, lodger; **~gas** paying guest
los'geld ransom money *ook* **los'prys**
los'goed movable property *ook* **roer'ende goed**
los'hande with hands free; *~ wen* win easily
lo'sie (s) **-s** (private) suite (for clients, visitors);
lodge (Freemasons)
losies' lodging, boarding; *vry ~ hê* (skerts.) be in
jail; **~huis** boarding house
los'knoop (w) **-ge-** untie, unbutton
los'kop (b) scatter-brained; changeable (person)
los'kos junk food *ook* **prul'kos**
loskruitpatroon' ..trone blank cartridge
los'laat (w) **-ge-** release, set free *ook* **vry'laat**
(gyselaars); discharge; turn loose
los'lit: L~afrikaans unfettered/informal Afri=
kaans *ook* **om'gangstaal**
los'loop (w) **-ge-** run loose, be at large; **los'**=
loperhond, los'loophond stray dog

los'lootjie **-s** bye (in a draw)
los: **~maak** loosen, undo; **~pitpers'ke** freesto
peach; **~prys** ransom; **~ruk** jerk off, bre
away; **~trek** tear loose; let fly; open fire
lot[1] (s) fate, destiny; *iem. aan sy ~ oorlaat* lea
s.o. to his fate; *die ~ laat beslis* decide
casting lots
lot[2] **-te** lot, batch (at a sale)
lo'tery **-e** lottery (game of chance); raffle
offices or at a fête)
lot'geval **-le** adventure, experience *ook* **bel**
wenis; (mis)fortune, tribulation
lo'ting draw, drawing of lots; ballot
lot'jie: *van ~ getik,* crazy, daft *ook* **gek, mal**
lotsbestem'ming destiny, fate *kyk* **lot'**[1]
lo'tus lotus (waterlily)
lou (b) lukewarm, tepid; half-hearted, indiffere
lou'ere laurels; *op jou ~ rus* rest on one's laure
die ~ wegdra take the honours
lourier' **-e** laurel *ook* **sier'boom**; **~krans** lau
wreath
lou'ter (w) **ge-** purify, cleanse; (b, bw) **-e** pu
sublime, sheer; *~ onsin* sheer nonsense; **~i**
refining; purification *ook* **rein'iging**
lo'wer (s) foliage; **~groen** bright green
lug (s) air; sky; *die blou ~* the blue sky; *~ sk*
take a breather *ook: kry/vat 'n blaaskans;* (
ge- air, ventilate; *jou gevoelens ~* vent on
feeling; **~aan'val** air attack; **~af'weer** anti-a
craft defence; **~ballon'** hot-air balloc
~bombardement' air raid; **~brug** airli
~(buite)band tubeless tyre; **~bus** monora
~diens airways, airline; **~dig** airtight; **~dra**
aerial; **~druk** atmospheric pressure; **~du**
skydiving; **~fil'ter** air filter; **~fo'to** aer
photograph; **~gie** breeze; (suspicious) sm
ook **klan'kie** (vleis, ens.); **~ha'mer** jackha
mer
lughar'tig (b) light-hearted *ook* **kom'merloos**
lug: **~ha'we** airport; **~hol'te** air pocket *c*
lug'knik; **~kasteel'** castle in the air *c*
her'senskim; **~kus'sing** air bag (motorca
~le'dig airless, void of air; **~leë ruim**
vacuum; **~maar'skalk** air marshal; **~mag**
force; **~pos** air mail; **~pyp** windpipe, trach
~redery' airline; **~reëling** air conditioning *c*
lug'versorging; **~roof** plane hi-jacking *c*
vliegtuigka'ping; **~roos'ter** ventilator, a
brick; **~ruim** aerospace; **~siek'te** air sickne
~skip airship, dirigible; **~spie'ëling** mira
ook **op'geefsel**; fata morgana *ook* **sins'bedr**
~spoor aerial railway; **~stroom** air curre
atmospheric current; **~sui'weraar** air fil
~tyd airtime (cell phone)
lug'tig (b) airy; light-hearted; afraid *ook* **skri**
kerig; *hy is maar ~ vir my* he takes no libert
with me
lug: **~vaart** aviation, aeronautics; **~verfris'**

air freshener; **~verkoe′ling** air cooling; **~versor′ging** air conditioning; aircon (infml.); *die winkel is lugversorg* these premises are air-conditioned; **~verto′ning** aerial display, air show; **~vervoermaatskappy′** air-freight com= pany; **~vrag** air cargo; **~waardin′** air hostess *ook* **kajuit′hulp; ~werktuigkun′dige** air me= chanic

i[1] (veroud.) (s) people; *die hoë* ~ the elite (society)

i[2] (w) **ge-** sound, ring, toll, peal; *hoe* ~ *die brief?* how does the letter go?

i[3] (b) **-er, -ste** lazy, idle; slothful; ~ *by die vak, fluks by die bak* a bad worker, but good eater; **~aard** sluggard, lazybones, slacker *ook* **lui′= lak; ~dier** sloth (animal)

id (b) loud; stentorian

i′dens according to

id′keels at the top of one's voice

id′lees reading aloud *ook*: *hardop lees*

id′roeper -s loudhailer; megaphone

idrug′tig (b) noisy, clamorous *ook* **ra′serig, rumoe′rig; ~heid** noisiness; rowdiness

id′spreker -s loudspeaker; **~stel′sel** public address system; sound system/equipment

′er[1] (s) **-s** napkin, nappy (baby); swaddling cloth

′er[2] (w) **ge-** be lazy, laze about; idle (engine)

i′heid laziness, indolence *ook* **le′digheid, niksdoenery′**

k (s) **-e** shutter; manhole; trapdoor; hatch (ship); louvre (window) *ook* **hort′jie, ~rug** hatchback (car)

′lak (s) **-ke** sluggard, lazybones *ook* **lui′aard, leeg′lêer**

′lekker (b) comfortable; leisurely; luxurious; *′n ~ lewe* a life of ease/leisure

lek′kerland (land of) Cocagne, fool's para= dise, happy valley

m -e whim, mood *ook* **bui, stem′ming;** caprice; *in ligter* ~ in lighter vein; **~ig** (b) witty, humorous

′perd -s leopard; panther (animal)

s -e louse; vermin; *jou lae* ~! you cad/rotter!

′slang -e python *ook* **wurg′slang**

s′ter[1] (s) lustre, splendour; glory *ook* **glans, glo′rie, praal**

s′ter[2] (w) **ge-** listen, hear; obey; *na goeie raad* ~ follow good advice; **~aar′** (s) **-s** listener (radio); **~lied′jie** light modern song; **~pos** listening post; **~ryk** (b) brilliant, glorious, lustrous *ook* **glans′ryk; ~vink** eavesdropper *ook* **verklik′ker** (persoon); **~vlooi** electronic oug *ook* **klik′apparaat, klikvlooi, klik′ker**

t -e lute (mus. instr.)

tenant′ -e lieutenant; **~-generaal′** lieutenant-general; **~skap/~s′rang** lieutenancy

′ters unaware, innocent; *jou dood~* hou maintain a pose of innocence

luk (w) **ge-** succeed; *dit het hom nie ge~ nie* he did not succeed; **~raak** (at) random *ook* **willekeu′rig;** on the off-chance, haphazard

lukwart′ -e loquat (fruit)

lumbaalpunk′sie lumbar puncture (med.)

lumier′ (digt. taal, veroud.) dawn, daybreak *ook* **da′eraad**

lum′mel (s) **-s** simpleton, lout, lubber, palooka, stupid fellow *ook* **gom′tor, tak′haar, ghwar**

luns linchpin; **~riem** axle-pin strap; dirty fellow *ook* **teer′tou;** rascal, swine *ook* **skob′bejak**

lus[1] (s) **-te** desire, inclination, liking; appetite; *vleeslike ~te* animal/carnal desires/lust; (w) **ge-** like, feel inclined

lus[2] (s) **-se** noose; *die* ~ *in die galgtou* the hangman's noose

lusern′ lucerne; **~saad** lucerne seed

lus- ~hof pleasure garden; **~oord** pleasure resort; delightful spot; **~teloos** listless, dull; **~tig** (b) cheerful, merry; (bw) heartily

luuks/luuksueus′ (b) **-e** luxurious, lavish, plush *ook* **weel′derig**

luuk′se (s) **-s** luxury; upmarket article/object; *nie gewoond aan sulke ~s nie* not used to such luxuries; **~arti′kel** luxury article/object; **~bus** luxury bus/coach; **~mo′tor** luxury/flashy car

ly (w) **ge-** suffer, bear, endure; *gebrek* ~ be in need/want; suffer starvation; *skipbreuk* ~ be shipwrecked; *dit* ~ *geen twyfel nie* there is no doubt

ly′boord lee side, leeboard (of ship)

ly′delik -e passive, submissive; **~e/burgerlike** *verset* passive resistance

ly′dend -e suffering, passive; *die ~e party* the losing side; the underdog; *~e vorm* passive voice (gram.)

Ly′densweek Passion Week

ly′densweg Via Dolorosa, Way of the Cross

ly′ding suffering *ook* **pyn, ellen′de;** *′n dier van sy* ~ *verlos* put an animal out of its pains

lyd′saam meek, patient *ook* **gela′te;** long-suffer= ing; **~heid** patience, resignation

ly′er (s) **-s** sufferer, patient

lyf (s) **lywe** body; figure; *iem. te* ~ *gaan* attack s.o.; *sy* ~ *grootman hou* boast; *iem. op die* ~ *loop* run/bump into s.o.; *iem. die skrik op die* ~ *ja* frighten s.o. out of his wits; **~arts** personal physician; court physician; **~band** waistband, belt *ook* **belt/beld;** sash; **~braai** tan *ook* **son′brand** (w); **~ie** bodice; little body; **~kneg** valet; butler; **~kous** leotard *ook* **leo′tard; ~lik** bodily; **~ren′te** annuity; **~sproei** body spray, deodorant; **~straf** corporal punishment; *~straf oplê/toedien* impose/inflict corporal punish= ment; **~taal** body language *ook* **lig′gaamstaal; ~visente′ring** body search; **~wag** bodyguard

lyk[1] (s) **-e** corpse, cadaver *ook* **dooie lig′gaam, oor′skot, kada′wer**

lyk[2] (w) ge- resemble, appear, look, seem to be; *baie na mekaar* ~ resemble each other closely, look alike

lyk: ~besor'ger funeral undertaker *ook* **begraf= nisonderne'mer;** ~**sang** dirge; ~**skou'ing** autopsy, postmortem (examination) *ook* **outop'sie, na'doodse ondersoek;** ~**stoet** funeral procession, cortège; ~**verbran'ding** cremation *ook* **veras'sing**

lyks: ~**huis** mortuary, morgue; ~**kleed** shroud, pall; ~**wa'** hearse *ook* **rou'koets**

lym (s) glue; gum, paste; (w) ge- glue; ~**erig'** gluey, sticky; ~**pot** glue/gum pot

lyn (s) -e rope, line, string; track (railway) *oo* **spoor'lyn**

lynch (w) ge- lynch (hanging by a mob)

lyn: ~**olie** linseed oil; **rou** ~**olie** raw linseed oi ~**reg** straight, perpendicular; ~**reg'ter** line man, line judge; ~**saad** linseed; ~**staan** lin out (rugby)

lys (s) -te list, catalogue; frame, rail; ledge; (w ge- list; ~ *jou vrae* list your questions

lys'ter -s thrush (bird) *ook* **klip'wagter**

ly'wig (b) corpulent, fat, thick *ook* **dik, geset** bulky, voluminous *ook* **om'vangryk;** compr hensive *ook* **uitvoe'rig** (verslag)

M

aa (s) -'s mother, mummy; ma (infml.) kyk **moe'der;** jy sal jou ~ vir 'n eendvoël aansien you will find yourself in Queer Street

aaag (s) **mae** stomach; tummy (infml.); jou oë is groter as jou ~ you ask for more than you can eat

aaagd (s) **-e** virgin; maiden; die Heilige M~ the Holy Virgin; **maag'delik** (b) maidenly, virginal ook **kuis**

aaag: ~**kan'ker** cancer of the stomach; ~**koors** gastric fever; ~**kwaal** stomach complaint; ~**pyn** stomach/tummy ache; dit gee 'n mens ~pyn it turns one's stomach; ~**sap** gastric juice

aai[1] (skeltaal) (s) loop na jou ~/moer go to blazes/the devil

aai[2] (w) **ge-** mow, reap; ~ waar jy nie gesaai het nie reap where you have not sown

aai'er (s) **-s** maggot (insect/housefly larva)

aak (s) make ook **fabrikaat';** (w) **ge-** make, do, shape; alles wil ~ en breek try to force the issue; dit ~ geen/~ nie saak nie it doesn't matter; hy ~ soos hy wil he is a law unto himself; ~**sel** handiwork; concoction

aal[1] (s) **male** time ook **keer;** drie ~ vier three times four

aal[2] (s) **male** meal ook **maal'tyd, eet'maal, e'te;** mosterd na die ~ (idioom) after meat (comes) mustard (idiom); too late, belatedly

aal[3] (w) **ge-** grind; mince; circle around; ~**gat** whirlpool; pothole; ~**stroom** whirlpool, maelstrom

aal'tyd (s) **..tye** meal ook **e'te, eet'maal**

aal'vleis (s) minced meat; mince

aan[1] (s) **mane** moon; loop/vlieg na die ~! be gone!; go to blazes!; die ~ groei the moon waxes

aan[2] (w) **ge-** urge; warn ook **waar'sku;** admonish; remind (for payment of debt); ~**brief** letter of demand ook **aan'skrywing;** reminder

aand **-e** month; al om die ander ~ every second month

aan'dag Monday; **blou** ~ blue Monday

aand: ~**blad** monthly magazine/journal; ~**e'liks** monthly; ~**geld** monthly payment/retainer; ~**stonde** menstruation

aan'haar **..hare** mane; maned lion; ~**jak'kals** maned jackal, aardwolf ook **aas'wolf**

aan: ~**lan'ding** lunar landing; ~**lig** moonlight; ~**reis** moon journey; ~**sak'kie** moonbag ook **pens'portefeul'je;** ~**siek** lunatic, moonstruck; ~**skyn** moonshine; ~**s'verduis'tering** eclipse of the moon; ~**vlug** lunar flight

aar but, merely, only, yet, just; hy staan ~ en lag he just stands laughing; toe ~! all right!; don't worry/mention it

maar'skalk **-e** marshal (mil. rank)

Maart March

maas (s) **mase** mesh, stitch

maas'kaas cottage cheese ook **dik'melkkaas**

maat[1] (s) **mate** measure; dimension, size; gauge; time, tempo; die ~ hou beat time; keep within bounds; in sekere mate to a certain extent

maat[2] (s) **-s, maters** pal, chum ook **tjom'mie** (infml.); mate, companion; comrade, partner; Jan Rap/janrap en sy ~ ragtag and bobtail

maat: ~**band/meet'band** tape measure; ~**glas/meet'glas** measuring glass/gauge

maat'reël (s) **-s** (precautionary) measure; ~s tref take steps; ~s vir bekamping van misdaad measures to combat crime

maatskap'lik (b, bw) **-e** social; ~e werk social/welfare work; ~e pensioen' social pension; ~e wer'ker social worker

maatskappy' **-e** company; society; ~**reg** company law

maat'staf **..stawwe** criterion, standard, norm ook **krite'rium, norm;** yardstick, gauge

macaro'ni (s) macaroni (pasta tubes)

mach'o (omgangst.) (b) macho ook **hi'permanlik**

Madagas'kar Madagascar (island) kyk ook **Malgas**[1]

ma'deliefie **-s** daisy ook **gous'blom**

ma'er lean, scraggy, bony, thin; meagre; so ~ soos 'n kraai as thin as a lath; ~**mer'rie** shin ook **skeen**

maf'iabaas mafia boss; godfather

mag[1] (s) **-te** power, might, force, strength; control; die ~ van die gewoonte force of habit; ~ is reg might is right

mag[2] (w) **mog** may; jy ~ nie in dié kamer kom nie you may not/are not allowed to enter this room

magasyn' **-e** warehouse ook **pak'huis;** magazine; shop; ~**mees'ter** storeman

mag: ~**brief** warrant ook **las'brief;** power of attorney; ~**dom** lot, heap(s), tons (infml.); ~**heb'ber** one in authority, ruler ook **bewind'heb'ber**

ma'gie[1] (s) **-s** small stomach, tummy

magie'[2] (s) magic art, sorcery ook **toor'kuns/to'werkuns**

ma'gies (b) **-e** magic(al), bewitching

magis'ter(graad) **-s** master's degree (university, technikon)

magistraat' **..strate** magistrate; landdros(t) (hist.) ook **landdros;** ~**skantoor'** magistrate's office

magnaat' (s) **..nate** magnate, tycoon *ook* **geld'=baas**

magneet' (s) **..ete** magnet; **~naald** magnetic needle; **~strook/~stro'kie** magnetic strip

magne'sia magnesia; **~wa'ter** milk of magnesia

magne'sium magnesium; **~lig** flashlight

magne'ties -e magnetic; **~e myn** magnetic mine *kyk* **kleef'myn**

mag(s): ~blok power block; **~de'ling** power-sharing; **~gebied'** sphere of influence; **~misbruik'** abuse of power; **~vertoon'** show of force/strength

mag'stryd (s) power struggle

mag'teloos (b) **..lose** powerless, impotent *ook* **gesag'loos**

mag'tig (w) ge- authorise, warrant, empower; (b) powerful, mighty; *my ~!* good gracious me!; **~ing** mandate, warrant, authority, authorisa=tion; *skriftelike ~ing* written authorisation

maho'niehout mahogany; jarrah (Austr.)

ma'jesteit -e majesty; royalty; splendour, magnificence; **~sken'nis** high treason, lése majesté

majestueus' (b) **-e** majestic (view) *ook* **a'semro'=wend;** august

majeur' major (mus.)

majoor' -s major (mil. rank); **~s'rang** rank of major

mak tame, docile *ook* **gedwee';** meek, gentle; *so ~ soos 'n lam(metjie)* as gentle as a lamb

maka'ber (b) macabre, gruesome, hideous *ook* **aak'lig, gril'lerig, gru'saam**

makada'mia -s macadamia (nut)

makeer' (w) **~, ge-** lack, be wanting; matter; *sy ~ nooit* she is always present; *wat ~ jou?* what's the matter/wrong with you?; *hy ~ altyd iets* there's always something wrong with him; he is always sick; *drie leerlinge ~* three pupils are missing/have not come

ma'kelaar -s broker (person) *ook* **makelary'; ~s'kommissie/~s'loon** brokerage

ma'ker -s maker; creator (person)

makie'tie -s feast, festivity, celebration, bash, spree, high jinks *ook* **fees(vie'ring), jolyt', op'skop**

mak'ker -s companion, pal, buddy *ook* **pêl** (omgangst.); comrade; crony *ook* **trawant'**

mak'lik (b) easy; comfortable

makou' -e Muscovy duck

makriel' -e mackerel (fish)

mak'rostraler -s jumbo jet

mak'si (s) **-'s** maxi (dress); **mak'si=** (b) maxi=

maksimeer'/maksimaliseer' (w) ge- maximise *kyk* **minimeer'**

mak'simum -s maximum; uttermost; ceiling

mal (b) **-ler, -ste** mad, crazy, loony; foolish, silly *ook* **gek, dwaas;** *sy is ~ oor hom* she is crazy about him

malai'se malaise (mild illness/depression (trade) depression, slump

mala'ria malaria; **~muskiet'** malaria mosquit anopheles

mal'beessiekte = dol'beessiekte

mal'by (s) **-e** solitary bee

Malei'er -s Malay (person); **Maleis'** (b) **-e** Mala (customs, etc.); **Malei'sië** Malaysia (country

Malgas'[1] (s) **-se** Malagasy, Madacascan (inhab itant of Madagascar); **~sies** (b) **-e** Malagas Madagascan (customs, etc.) *kyk ook* **Mad gas'kar**

malgas'[2] **-se** Cape gannet, malagash (seabird)

mal: ~heid madness, nonsense, foolishnes **~huis** (neerh.) lunatic asylum *ook* **sie siekegestig;** madhouse, loony bin (derog.)

mal'jan: ~ onder die hoenders a thorn among th roses (single man amongst women)

mal: ~kop (s) **-pe** madcap, tomboy; **~le'meu** merry-go-round, carousel; **~ligheid'** crazines foolishness *ook* **law'wigheid**

mall (omgangst.) (s) mall *ook* **win'kelha wandellaan**

mals (b) soft, juicy, tender *ook* **sag, sap'p** (vleis)

Malte'serpoedel -s/Maltees' -tese Maltese po dle

mal'trap (s) **-pe** madcap, tomboy; silly person

mal'va -s geranium; **~lek'ker** marshmallow

mam'ba -s mamba (snake)

mam'ma -s mamma; **mam'mie** mumn (mother)

mam'moet (s) **-e** mammoth (extinct elephant (b) huge; **~boom** sequoia

mampar'ra -s ass, clot, fool *ook* **dwaas, swa**

mampoer' peach brandy *ook* **pers'kebrand wyn; wit'blits** (van druiwe)

mams mum (mother)

man (s) **-s, -ne** man, husband; *'n ~ van aansie* man of standing; *aan die ~ bring* sell/dispo of *ook* **verkoop';** *met ~ en muis vergaan* l with all hands on board; *veg soos ~ne* fig like men/heroes; *~ en vrou* husband and wi *die ~s moet 'n bietjie wag* the men(folk) w have to wait a little; *welgestelde ~* a man means

mandaat' (s) mandate, power to act *ook* **ma tiging, vol'mag**

mandaryn' mandarin (Chinese official; citr fruit variety)

mand'jie -s basket; hamper; *met die hele patats uitkom* spill the beans; **~tjie** (verklw) little basket

mandolien' mandolin(e) (mus. instr.)

manel' -le dress coat, frock coat; *so waar s padda ~ dra* as true as faith; **~pant** coat ta

maneu'ver (s) **-s** manoeuvre (mil. tactics) *krygs'oefening**

maneuvreer' (w) ge- manoeuvre *ook* mani=
puleer'

manewa'les (s, mv) antics, capers *ook* kaskena'=
des, kaperjol'le

man'gel -s tonsil; ~ontste'king tonsillitis

man'gelwortel (s) mangel-wurzel, mangold *ook*
knol'beet

man'go -'s mango (fruit)

manhaf'tig (b) brave, courageous *ook* moe'dig,
onverskrok'ke

maniak'/ma'niak (s) -ke maniac, lunatic; crank
ook waansin'nige, bese'tene (persoon)

ma'nie (s) -s mania, rage; craze, fad *ook* be=
hept'heid, obsessie

manier' (s) -e manner, fashion, way; *op hierdie*
~ in this way; *geen* ~*e ken nie* be ill-mannered;
goeie ~*e* good manners/form; breeding; ~lik
polite, well-behaved, mannerly

manifes' (s) -te manifest(o) *ook* cre'do, be=
leid(s)'verklaring

manifesta'sie manifestation; demonstration

manikuur' (w) ge- manicure (hands, nails)

manipuleer' (w) ge- manipulate; rig (election);
cook (figures) *ook* (syfers/uitslae) kook/dok'=
ter

manjifiek' (b) magnificent, splendid *ook* groots,
luis'terryk

mank limping, lame; crippled *ook* krup'pel; ~
gaan aan suffer from (a defect)

mankolie'k(ig) ill; crocked; ramshackle, rickety
(furniture)

man'lik (b) -e manly; masculine; *alle* ~*e*
afstammelinge all male descendants; ~heid
manliness, valour, courage

manmoe'dig (b) -e brave, manly, courageous
ook manhaf'tig

man'na manna; ~wa gravy train *ook* sous'trein,
weel'detrein; millet (cereal)

man'nekrag manpower, labour force *ook* ar'=
beidskrag

mannekyn' (s) -e mannequin

man'ne: ~moed manly courage; ~tjie (verklw) -s
little fellow; twerp *ook* niks'werd; ~tjie'=
bobbejaan' male baboon; ~tjie(s)kat tomcat

man'netjies: ~fluit wolf whistle *ook* roep'fluit;
~vrou virago, battle-axe

mans'hemp ..hemde man's shirt

mansjet' (s) -te cuff; ~knoop cufflink *ook*
mou'skakel

mans: ~skap soldier; crew member; ~slag
manslaughter, homicide *ook* dood'slag

mans'mens -e man, male

man'tel -s mantle, cloak, cape; ~draai'er turn=
coat *ook* twee'gatjakkals

manuskrip' -te manuscript *ook* teks (vir publi=
kasie)

maraboe' -s marabou (stork) *ook* sprin'kaan=
vo'ël

ma'rat(h)on marathon *ook* (langafstand) wed'=
loop

Mar'di Gras (s) Mardi Gras; carnival, public
festivity *ook* karnaval'

margarien' margarine *ook* kuns'botter

mar'ge -s margin (econ.) *ook* spa'sie, spe'ling

marginaal' (b) marginal *also* bor'derline;
marginaliseer' (w) ge- marginalise, sideline
ook uitrangeer

ma(r)grie'tjie -s daisy; marigold (flower)

marie'ne (b) marine; of the sea; ~ le'we marine
life

mari'na -s marina *ook* wa'terdorp(ie)

mari'ne (s) navy; shipping; fleet; ~verse'kering
marine insurance

marineer' (w) ge- marinade, pickle (meat)

mari'neoffisier -e naval officer

marinier' -s marine(r) *ook* see'soldaat

marionet' -te puppet *ook* toneel'pop; ~mees'ter
puppeteer; ~rege'ring stooge government;
~spel puppet show *ook* pop'pekas

mark[1] (s) -e, -te market; mart; *op die* ~ *bring*
put on the market *ook* bemark' (w); ~aan'=
deel market share; ~aan'wyser market indic=
ator

mark[2] (s) -e mark (former Germ. currency)

markant' salient, conspicuous *ook* opval'lend

mark: ~berig' market report; ~gerigte ekonomie
market-orientated/free-enterprise economy

markeer' (w) ~, ge- mark; *die pas* ~ mark time

markee'tent/markies'tent marquee (tent)

mark: ~mees'ter market master; ~na'vorsing
market research; ~plein market square;
~verwant' market related; ~waar'de market
value

marlyn' -e marlin (swordfish)

marmela'de marmalade *ook* (suur)lemoen'=
konfyt

mar'mer marble; ~beeld marble statue; ~plaat
marble slab

marmot'jie -s guinea pig

maroe'la -s marula (tree)

maroen' maroon *ook* bruin'rooi

marokyn' morocco (leather)

mars (s) -e march; ~musiek' march(ing)/mili=
tary music

mar(s)'banker (s) maasbanker (SAE); horse
mackerel, bastard mackerel (fish)

marsepein' marzipan, almond paste, marchpane

marsjeer' (w) ge- march

mar'tel (w) ge- torment, torture, rack; ~aar (s)
-s, ..lare martyr (person); ~aarskap' martyr=
dom; ~dood death by torture; ~ing torture;
~ka'mer torture chamber

Marxis'me Marxism (political ideology)

mas (s) -te mast, pole; *sien om die* ~ *op te kom*
fend for oneself

ma'sels measles; *Duitse* ~ German measles

masjien' **-e** machine; engine; **~af'werking** ma= chine finish; **~geweer'** machine gun

masjinaal' **..nale** mechanical(ly)

masjineer' (w) **ge-** manufacture, engineer

masjinerie' **-ë** machinery

masjinis' **-te** machinist; engineer; engine driver *kyk* **trein'drywer**

maskeer' (w) **ge-** mask; **~band** masking tape

mas'ker (s) **-s** mask, (dis)guise; *onder die ~ van vroomheid* under the cloak of piety; (w) ge= mask, screen; **~bal** fancy-dress ball

maskera'de **-s** masquerade *ook* **vermom'ming**

masochis'me masochism *ook* **self'kastyding**

mas'sa (s) **-s** mass, multitude, crowd *ook* **me'= nigte;** bulk, lump; mass, weight; *die groot ~* the crowd, the masses; **~-aan'val** mass attack; **~geweld'** mob violence; **~me'dia** mass media; **~-op'trede/~-ak'sie** industrial action; **~pro= duk'sie** mass production; **~versen'ding** bulk posting

masseer' (w) **ge-** massage; **~der/masseur'** masseur (both sexes); **~salon** massage parlour

massief' (b, bw) **..siewe** massive; solid *ook* **enorm', kolossaal'; solied'**

mas'tig! good gracious!; (good) heavens! *ook* **gro'te genug'tig!**

masturba'sie (s) masturbation

masur'ka **-s** mazurka (Polish dance)

mat¹ (s) **-te** (door)mat; carpet; *deur die ~ val* not succeed

mat² (b) lacklustre, dull; mat (surface); **~ foto-afdruk** mat print; **~ gloei'lamp** pearl bulb; **~ glas** frosted glass; **~ verf** mat paint

mat³ (b) listless *ook* **lus'teloos** *kyk* **af'gemat**

ma'te measure, degree, extent; *in 'n groot ~* to a great extent; **~loos** measureless; excessive; *~lose vertroue* unbounded faith

matema'ties **-e** mathematical *ook* **wiskun'dig**

matema'tikus **-se** mathematician (person)

materiaal' **..riale** material; fabric(s); textile(s) *ook* **weef'stof**

materialis' **-te** materialist (person); **~me** materi= alism; **~ties** materialistic *ook* **stof'lik**

ma'ters (mv) companions, chums, friends *ook* **maats, tjom'mies;** *sy ~ is dood* he has no equal

mate'sis mathematics *ook* **wis'kunde**

ma'tig (w) **ge-** moderate, mitigate, restrain; (b, bw) **-e** moderate, temperate; sober; *iets ~ gebruik* use/consume something in modera= tion; **~heid** moderation, temperance, soberness

matinee' **-s** matinee *ook* **mid'dagverto'ning**

mat'jie (s) **-s** rug, small mat/carpet

mat'jiesgoed bulrush *ook* **bie'sies, pap'kuil**

matras' **-se** mattress

matriargaal' (b) matriarchal, motherly

matriek' matric (final school examination) *ook* **matrikula'sie**

matrikula'sie matriculation *ook* **matriek';** **~ek= sa'men** matriculation examination

matro'ne **-s** matron *ook* **huis'moeder**

matroos' **..trose** sailor; *vloek soos 'n ~* swe= like a trooper; **~broek** bell bottoms *oo* **klok'broek;** **~pak'kie** sailor's suit

matrys' **-e** matrix; mould *ook* **sjabloon', pa troon';** origin

mayonnai'se (s) mayonnaise (salad dressing)

me(.) (s) Ms (title preceding woman's name)

me'bos mebos (dried and sugared apricots **~konfyt'** mebos jam

medal'je **-s** medal; **~wen'ner** medallist

medaljon' **-s** medallion; locket

me'de= (together) with, joint; co=; **~amp'tena= colleague** (in public service); **~ar'beid= fellow** labourer; **~bur'ger** fellow citizen

mededeel'saam **..same** generous, charitable

me'de: **~de'ling** communication; **~din'ger** co= petitor, contender *ook* **teen'stander; konku= rent';** **~din'ging** competition *ook* **konku= ren'sie** (besighede); **krag'meting** (sport)

mededo'ë (s) pity, compassion *ook* **barmha= tigheid, empatie';** mercy

me'de: **~ei'enaar** joint owner; **~erf'genaa= coheir;** **~gevan'gene** fellow prisoner; **~kli= ker** consonant *ook* **konsonant'**

medely'(d)e sympathy *ook* **simpatie';** compa= sion, pity, commiseration; *~ hê met* sy pathise with

me'de: **~mens** fellowman; **~onderte'kenii= countersignature**

medeplig'tig (b, bw) **-e** accessory to *ook* **aand= dig;** concerned in; **~e** (s) **-s** accompli= accessory, perpetrator (person); *~e voor/ die daad* accessory before/after the act; **~he complicity**

me'derei'siger **-s** fellow traveller

me'dewer'ker (s) **-s** co-worker, fellow-work associate; collaborator; contributor; **~wer'ki= cooperation/co-operation;** collaboration

me'dewe'te knowledge; *sonder die ~ van* without A's knowledge

me'dia (s, mv) media (press, radio, TV **~beamp'te/~ska'kel** public relations offi= (PRO); **~gebrui'ker** media user; **~sen'tru= teek'** media centre; **~verkla'ring** press/m dia release

mediaan' (s) **mediane** median (stat., geom.)

me'dies (b) **-e** medical *ook* **geneeskun'dig; fonds** medical fund/aid; **~e keu'ring/o= dersoek** medical examination/inspection; **ordonnans'** paramedic (person) *ook* **param dikus;** **~e reg** medical jurisprudence, foren medicine

medika'sie medication, medicinal drugs; *~ hiperaktiwiteit* medication for hyperactivity

me'dikus **-se,** **..dici** physician, doctor, me

cal/family practitioner *ook* **huis'arts; genees'=
heer**

edisy'ne (s) -s medicine *ook* **genees'middels;**
medical science

edita'sie meditation *ook* **bepein'sing**

editeer' (w) **ge-** meditate *ook* **peins, my'mer**

e'dium (s) medium *ook* **hulpmid'del; tus'=
senganger**

ee with, together; also, likewise; co= *ook* **saam**

ee'bring -ge- cause, involve; bring along with

ee'deel -ge- inform, communicate, impart *ook*
vertel', verkon'dig

ee'ding -ge- compete *ook* **wed'ywer** *kyk* **me'=
dedinger**

eedo'ënloos (b) pitiless, merciless, relentless

eegaan'de (b) sympathetic, tolerant *ook* **min'=
saam, inskik'lik** (persoon) *kyk* **by'gaande**

ee'gee -ge- send (along) with; yield, give way

ee'gevoel (s) sympathy *ook* **me'delye**

eel flour; meal; ~**blom** flour; ~**dou** mildew;
~**draad** stamen; ~**sak** flour bag; ~**sif** flour/
meal sieve

ee'loper -s follower, sympathiser; crony *ook*
trawant'; collaborator (with enemy)

ee'luister -ge- listen together; monitor; tap
(telephone) *ook* **af'luister;** ~**apparaat'** bug=
ging/electronic eavesdropping device, bug *ook*
luis'tervlooi, klik'vlooi

een (w) **ge-** mean, intend, think; be of opinion;
~ *jy dit regtig?* do you really mean it?

ee'neem -ge- take with one *ook* **saam'neem**

eent (veroud.) common(age), communal grazing
area; ~**huis** townhouse *ook* **dorpshuis, tuinhuis**

eer[1] (s) **mere** lake

eer[2] (w) **ge-** moor, tie up (boat) *ook* **vas'meer**

eer[3] (b) more; *niks ~ as billik nie* only fair; *des
te ~* so much the more; *onder ~* amongst
others

eer'dere (s) -s superior (person)

eer'derheid majority, superiority; *volstrekte ~*
absolute/clear majority; ~**(s)'rege'ring** major=
ity government; ~**(s)'verslag'** majority report

eerderja'rig (b, bw) -e major, of age; ~**e** (s) -s
major (person) *ook* **volwas'sene;** ~**heid** ma=
jority (state of full legal age)

eer: ~**doel'ig** multipurpose; ~**graad** multigrade
(oil) *ook* **mul'tigraad** (olie)

eer'kat -te, ..kaaie meerkat, suricate *ook*
erd'mannetjie; mongoose

eer'maal/meer'male more than once, often,
frequently

eer'min -ne mermaid *ook* **see'vrou**

eer'skuim meerschaum (soft claylike mineral);
~**pyp** meerschaum pipe

eer'voud -e plural; ~**(s)vorm** plural form

eerwaar'dig (b) multivalent, polyvalent;
~**heidsgevoel'** feeling of superiority *ook*
meerderwaar'digheidsgevoel'

mees (b) most; (bw) mostly; *die ~ verleë mens*
the most bashful person

mees'(t)al (bw) generally, usually, as a rule,
mostly *ook* **deur'gaans, gewoon'lik**

mees'te most, greatest; *die ~ mense* most people;
~**n'deels** for the most/greater part

mees'ter -s master; teacher; *hom ~ maak van*
master (v); *hy is ~ van sy vak* he knows his
trade/profession thoroughly

mees'terbrein (s) mastermind; planner (person)

mees'ter: ~**(s)graad** master's degree; ~**lik** excel=
lent, masterly *ook* **deskun'dig, professioneel';**
hy het hom ~lik van sy taak gekwyt he made an
excellent job of it; ~**stuk** masterpiece; classic

meet[1] (s) starting point; *van ~ aan* from the be=
ginning/outset *ook: van die begin af*

meet[2] (w) **ge-** measure, gauge; *kragte met
mekaar ~* pit their strength against each other
kyk **krag'meting**

meet: ~**baar** measurable; ~**band** tape measure
ook **maat'band;** ~**kun'de** geometry

meetkun'dig (b) -e geometrical

meet: ~**lyn** plumb line; ~**lood** sounding lead,
plummet; ~**wiel** odometer *ook* **o'dometer**

meeu (s) -e (sea)gull, sea mew (bird)

mee'val (w) -**ge-** cause surprise; succeed (be=
yond expectation); ~**ler(tjie)** windfall, stroke
of luck, fluke, bonanza

meewa'rig rueful; sympathetic *ook* **mee'lewend;**
iem. ~ aankyk (bv. oor 'n terugslag) look
pitifully at s.o.

mee'werk -ge- cooperate/co-operate, collaborate
ook **saam'werk**

me'ga= mega= (combining form denoting 10^6;
often also used informally for very large,
huge, enormous, etc.); ~**bewe'ring** sweeping
statement *ook* **(grow'we) veralgeme'ning**

megafoon' -s, ..fone megaphone, loudhailer

megagreep' ..grepe megabyte (comp., approx.
1 000 000 bytes)

mega'nies (b) -e mechanical; ~**e tegnologie'**
mechanical technology (school subject) *ook*
mo'tormega'nika

mega'nikus (s) -se, ..nici mechanic *ook*
werktuigkun'dige

meganis'me (s) -s mechanism *ook* **apparaat',
toe'stel**

me'gastad megacity, metropolis; unicity *ook*
wê'reldstad, metropool'

Mei May

mei: ~**blom** mayflower; ~**boom** maypole; ~**do'=
ring** quickthorn

Mei'dag *nou* **Wer'kersdag** May Day *now*
Workers Day (holiday, 1 May)

mein'eed perjury/false oath; ~ *pleeg* commit
perjury

mei'sie -s girl; girlfriend; maiden; ~**(s)ag'tig**
girlish; effeminate *ook* **verwyf'**

mid´de(l)weg middle course/way; the golden/
  happy mean; *die gulde/goue* ~ *kies* strike the
  happy mean
mid´delvinger -s middle finger
Midde-Ooste Middle East, Mideast
mid´dernag midnight; *lank na* ~ long past
  midnight; **~son** midnight sun; **~telik** (b) **-e**
  midnight(ly)
mied (s) **-e, -ens** stack (hay); pile, heap
mie´lie -s maize; mealie (SAE); **~blaar** maize/
  mealie leaf; **~boer** maize/mealie farmer; **~kop**
  maize/mealie cob; **~kwe´ker** maize/mealie
  grower; **~meel** maize/mealie meal; **~oes**
  maize/mealie crop/harvest; **~pap** maize/meal-
  ie porridge; **~pit** maize/mealie grain, kernel;
  ~stronk maize/mealie cob/stalk
mier -e ant; *~e hê* be fidgety; **~leeu** ant lion
  (insect); **~nes´** ant nest; **~s´hoop** ant heap
miet -e meal moth; mite; tube worm
migrai´ne migraine *ook* **skeel´hoofpyn**
migra´sie migration; relocation *ook* **landverhui´-
  sing, trek**
mik (s) **-ke** forked stick *ook* **~stok;** gibbet; (w)
  ge- aim, take sight *ook* **kor´rel**
mi´ka mica (transparent silicate)
mik´punt (s) **-e** aim, target; objective, goal *ook*
  tei´ken; doel´wit
mi´kro= micro=; ~busta´xi microbus taxi; **~chi-
  rurgie´** microsurgery; **~film** microfilm; **~foon´**
  microphone; **~golf** (s, w) microwave; **~golf-
  oond´** microwave oven; **~re´kenaar** micro=
  computer *ook* **~kom´per**
mi´kroligte: ~ *vliegtuig* microlight/microlite (n)
  ook **mi´krotuig, mug´gietuig**
mi´kro-organis´me -s microorganism
mikro: ~skoop´ microscope; **~sko´pies** micro=
  scopic(al); **~sky´fie/~vlok´kie** (micro) chip
mikro-uitle´ner microlender, money lender *ook*
  geld´skieter, mikrofinansier´
mi´kroverwerker microprocessor
mik´stok -ke forked stick
mild generous, liberal, soft, mild; *~e reën* good
  downpour; *'n ~/ruimhartige skenking* a gener=
  ous donation; **~elik** (b, bw) **-e** generous(ly),
  liberal(ly)
milieu´ -'s milieu, environment *ook* **omge´wing´;
  le´wensklimaat**
mili´sie militia *ook* **land´weer** (mil.)
militant´ (b) **-e** militant *ook* **veg´lustig, aggres=
  sief´**
militaris´ (s) **-te** militarist; **~ties** (b, bw) **-e**
  militaristic
militêr´ (b) **-e** military; *~e diens* military service
  ook **diens´plig;** *~e eenheid* military unit; cadre
miljard´ -e billion (1 000 million) *kyk* **biljoen´;
  ~êr** (s) **-s** billionaire (person)
miljoen´ -e million (1 000 000); **~êr´** (s) **-s**
  millionaire (person)

millen´nium millennium (thousand years)
mil´li: ~gram milligram; **~li´ter** millilitre; **~me´-
  ter** millimetre
milt -e spleen, milt; **~siek´te** anthrax (mostly in
  cattle); splenic fever
mimiek´ mimicry; mimic art *ook* **geba´respel**
mimo´sa mimosa *ook* **soet´doring** (boom)
min[1] (s) love; (w) **ge-** love *ook* **lief´hê**
min[2] (b) little, few; (bw) minus, less; *~ of meer*
  more or less; *drie rand te* ~ three rand(s) short
  bedroef/bitter ~ precious little
min´ag (w) **ge-** disdain, despise; slight; **~ting**
  disdain, disrespect; contempt; *~ting van die
  hof* contempt of court
minaret´ -te minaret (tower of mosque)
min´der less, fewer; inferior; *van* ~ *belang* of
  secondary importance; *niemand* ~ *nie as* no
  less a person than; **~bevoor´reg** underprivi=
  leged; *~bevoorregte gemeenskap* disadvan=
  taged community *ook: agtergeblewe gemeen-
  skap*
min´dere (s) **-s** inferior (person) *ook* **onder=
  geskik´te**
min´derheid minority; inferiority; **~(s)verslag**
  minority report
min´derja´rig (b, bw) under age, minor; **~e** (s) **-**
  minor (person); **~heid** minority
minderwaar´dig (b, bw) **-e** inferior; **~heid**
  inferiority; **~heid(s)kompleks´** inferiority
  complex
mineraal´ (s) **..rale** mineral; (b) mineral; **..rale
  bad/bron** mineral baths *ook* **kruit´bad; ~reg-
  te** mineral rights
minera´leryk mineral kingdom
mineralogie´ mineralogy; **mineraloog´ ..lo=
  mineralogist (person)
mineur´ minor (mus.)
mi´ni (s) **-'s** mini (dress); **mini=** (b) mini=
miniatuur´ (b) miniature; diminutive, tiny
mi´nibusta´xi (s) **-'s** minibus taxi; **~romp** mini
  skirt
minimaal´ (b) **..male** minimal, least possible
minimeer´/minimaliseer´ (w) minimise; reduce
  kyk **maksimeer´**
mi´nimum (s) minimum; slightest
mi´nirok -ke/miniromp -e minidress; miniskirt
minis´ter -s minister; **eerste** ~ prime minister
  premier *ook* **premier´;** **~ie** (s) **-s** ministry
  cabinet
min´lik lovable, amicable *ook* **lieftal´lig**
min´naar (s) **-s** lover (man) *ook* **kê´rel, vry´er**
minnares´ (s) **-se** lover (woman) *ook* **nooi
  bemin´de;** mistress; paramour
min´ne: *in der* ~ *skik* settle amicably; **~brief** lov
  letter; **~dig** love poem; **~dig´ter** love poer
  ~drank love potion; **~poësie** love poetry *oo
  lief´desgedigte;* **~san´ger** minstrel, troubadou
min´saam kind, affable *ook* **sagsin´nig**

in'ste least, fewest; smallest; *die ~/geringste beweging* the slightest movement; *sy is ten ~ eerlik* at least she is honest

in'stens not less than, at least; *sy is ~ veertig* she is at least forty; *dit weeg ~ tien kilogram* it weighs at least ten kilograms

in'tig! goodness! *ook* **mas'tig!; genug'tig!**

i'nus minus, less; **~te'ken** minus sign *ook* **min'teken**

inuut' (s) **..nute** minute; **~wys'(t)er** minute hand

ira'kel (s) **-s** miracle, wonder *ook* **won'der-werk**

ir're myrrh (gum resin) *ook* **Spaan'se ker'wel**

ir'teboom myrtle tree (evergreen)

is[1] (s) **-se** mass (in church)

is[2] (s) **-te** mist, fog; vapour *ook* **waas, wa'sigheid**

is[3] (s) manure, dung

is[4] (w) **ge-** miss; *~ die trein* miss the train; *sy doel ~* mis his aim/goal; (b, bw) amiss, wrong; *dit ~ hê* be mistaken; *~ of raak* hit or miss

isantroop' misanthrope *ook* **men'sehater, si'nikus**

is'baksel (s) **-s** misfit, washout, flop, failure (person); monstrosity, deformity; abortion

isbre'die pigweed, goosefoot *ook* **ha'nekam** (plant)

isbruik' (s) **-e** abuse, misuse; *~ maak van* take advantage of; impose (on s.o.); (w) **~** abuse, misuse *ook* **uit'buit**

is'daad ..dade crime, offence, misdeed, felony *ook* **misdryf'; *'n ~ begaan/pleeg* commit a crime; *geen ~ word vermoed nie* foul play is not suspected; **~leer** criminology *ook* **kriminologie'; ~sy'fer** crime rate; **~voorko'-ming** crime prevention

isda'dig (b) criminal, felonious; **~er** (s) **-s** criminal; evildoer *ook* **boos'wig**

isdra' (w) **~** misbehave; *hy het hom skandelik ~* he has misbehaved grossly

is'dryf (s) **..drywe** crime, offence *ook* **mis'-daad**; wrongdoing, sin

isera'bel miserable *ook* **ellen'dig/beroerd'**

is'geboorte -s miscarriage; abortion

is'gewas -se deformity; abortion; *hy is sommer 'n ~* he is a good-for-nothing/misfit *ook* **mis'baksel**

isgis' (w) **~** err, be mistaken *ook* **vergis'; *jou lelik ~* be gravely mistaken

isgun' (w) **~** (be)grudge, envy; *hy ~ my my sukses* he begrudges my success

ishan'del (w) ill-treat, maltreat; **~ing** ill-treat-ment, maltreatment, abuse (children)

is'hê (w) **-gehad** be mistaken

is'hoop (s) **..hope** dunghill

isken' (w) **~** misjudge, disregard, fail to appreciate, undervalue, *~de genie* neglect-ed/disregarded genius; **~ning** disregard/denial

miskien' perhaps, possibly, maybe *ook* **dalk, altemit'**

mis'kol (s) **-le** fog patch

mis'kraam (s) **..krame** miscarriage; abortion; *~ hê* have a miscarriage

mis'kruier (s) **-s** dung/scavenger beetle, tumble-bug

mislei' (w) **~** deceive, mislead; **~dend** deceptive, misleading; **~er** deceiver, imposter (person)

mis'lik (b) sick, qualmish, queasy, nauseous *ook* **naar;** disgusting; **~heid** nausea; sickness

misluk' (w) **~** fail, flounder, miscarry; *~te poging* vain attempt; **~ke'ling** misfit; dropout; wash-out (person); **~king** failure *ook* **mis'oes**

mismaak' (w) **~** deform, disfigure; (b) **-te** deformed; disfigured; **~t'heid** deformity, dis-figurement

mismoe'dig (b) **-e** discouraged, dejected; down (in) the dumps *ook* **moe'deloos, mistroos'tig;** *iem. ~ maak* discourage/dishearten s.o.

misnoe''ë discontent, displeasure *ook* **ontevre'-denheid;** *sy ~ te kenne gee* express his displeasure

mis'oes (s) **-te** failure (of harvest or crops); washout (person); *dit was 'n ~* it was a flop/hopeless failure

mis'pel (s) **-s** medlar (veld fruit)

misplaas' (w) **~** misplace; (b) **-te** misplaced; inappropriate; *~te grap* ill-timed joke

mis'reken[1] (w) **-ge-** miscalculate

misre'ken[2] (w) **~** be mistaken; *hy het hom ~* he backed the wrong horse/had thought otherwise

mis'sie -s mission *ook* **sen'ding; op'drag**

missiel' -e missile (rocket projectile)

misslaan/mis slaan miss (when hitting)

mis'stap (s) **-e** false/wrong step

mis'stof ..stowwe manure; fertiliser

mis'tas (w) **-ge-** make a mistake, blunder *ook* **(jou) vergis'**

mis'tel[1] (s) **-s** mistletoe (evergreen shrub)

mistel'[2] (w) **-ge-** count wrongly, miscount, miscalculate

miste'rie (s) **-ë, -s** mystery *ook* **gehei'menis; raai'sel**

misterieus' (b) mysterious, weird *ook* **geheim-sin'nig; krip'ties**

mistiek' (s) mysticism; (b) **-e** mystic(al) *ook* **verbor'ge, mis'ties**

mis'tig (b) foggy, misty, hazy

mistroos'tig dejected, disconsolate *ook* **mis-moe'dig**

mis'verstaan (w) **~** misunderstand, misappre-hend

mis'verstand (s) **-e** misunderstanding *ook* **mis'-vatting, vergis'sing;** disagreement, discord

misvorm' (w) **~** disfigure; (b) **-de** deformed, disfigured *ook* **wanska'pe**

mis'wurm -s cutworm; caterpillar

mi'te (s) **-s** myth; legend; *~s afbreek* explode myths

mitologie' (s) mythology, folklore; **~s** (b) **-e** mythological

mits provided (that); on condition (that); *ek sal jou help ~ jy my vertrou* I shall help you if you trust me

mobiel' (b, bw) **-e** mobile, movable *ook* **be= weeg'baar**

mobiliseer' (w) ge- mobilise, activate, muster

mobiliteit' mobility *ook* **beweeg'likheid**

mod'der mud, mire, sludge; *met ~ gooi* (fig.) sling mud at (fig.); **~as** sludge, mire; **~ig** muddy; **~poel** mudhole, slough; **~skerm** mudguard, fender; **~vet** very fat

mo'de **-s** fashion, style; cult; mode (manner of doing); vogue; *in die ~* in vogue; *uit die ~ raak* go out of fashion; **~arti'kel** fancy article; **~gek** fop, dandy (male); **~gier** whim of fashion; **~huis** fashion house

model' (s) **-le** pattern, example; (fashion) model; **~leer'** (w) ge- model, fashion; shape

mo'de: ~model' fashion model; **~ontwer'per** fashion designer; **~pop** fop, dandy (male); dressy woman

modem **-s** modem (comp.)

modera'tor **-e, -s** moderator *ook* **eksa'men= kontroleur; sino'devoorsitter**

modereer' ge- moderate; **~komitee'** commit= tee/panel of moderators (of examinations)

modern' (b) modern, contemporary *ook* **ei'etyds, hedendaags'; bydertyds';** fashionable, trendy

moderniseer' ge- modernise

mode: ~skou fashion show; **~woord** buzz word *ook* **gons'woord**

modieus' **-e** fashionable, stylish; trendy *ook* **nieu'modies, sjiek**

modis'te (s) **-s** dressmaker, modiste; milliner (for women's hats)

modula'sie modulation *ook* **stem'buiging**

modu'le **-s** module

mo'dus (s) **-se, modi** mode; manner *ook* **werk'= wyse**

moed (s) courage, heart, pluck, spirit; *hou goeie ~* never say die!; be of good cheer!; *die ~ hê om ...* have the guts to ...; *~ skep* take heart/courage

moe'deloos (b) dejected; disheartened, discour= aged; **~heid** despondency

moe'der **-s** mother; **~aar'de** mother earth; *met ~aarde kennis maak* (skerts.) fall heavily (to the ground); **M~sdag** Mother's Day; **~kerk** mother church; **~kun'de** mothercraft; **~lief'de** motherly/maternal love; **~lik** motherly, ma= ternal; **M~maagd** Holy Virgin; **~maatskap= py'** holding company *ook* **hou'ermaatskap= py;** **~smelk** mother's milk; *met die ~melk indrink* imbibe with mother's milk; **~o'werste** mother superior (of community of nuns); **M~**

Natuur' Mother Nature; **~(siel)alleen'** quit alone *ook* **stok'(siel)alleen; ~skap'** mother= hood; maternity; **~skoot'** womb; mother's lap; **~sorg'** maternal care; **~stad** metropolis *oo* **wê'reldstad; ~taal'** mother tongue/language; vernacular; **~taalspre'ker** native speaker; **~vlek** birthmark, naevus, mole *ook* **geboor'= temerk**

moe'dig (b) **-e** brave, courageous, undaunted *oo* **dap'per, kordaat'**

moedswil'lig (b) **-e** wilful; on purpose *oo* **opset'lik;** (bw) on purpose, intentionally; mischievously; **~heid** wilfulness

moeg (b) **moeë; moeër, -ste** tired, weary; exhausted *ook* **vermoeid';** **~heid** fatigue

moei'lik (b) difficult, hard, arduous, tough, har= to handle *ook* **veelei'send, ingewik'keld;** *veel te ~* far too difficult; *jy soek ~heid* you ar looking for trouble

moei'saam (b) **..same** tiresome, wearisom (work); toilsome, laborious

moei'te trouble, difficulty, pains, hassle; *geen ~ ontsien nie* spare no pains; *moenie ~ doen ni* don't trouble/worry; *nie die ~ werd nie* nc worthwhile

moe'nie! don't!; *~ glo nie* don't you believe it

moer[1] (s) **-e** nut (with bolt)

moer[2] (s) **-s** dam, mother (animal); vulg. fc womb, matrix; *loop na jou ~!* (vulg.) go to th devil/to blazes

moer[3] (s) **-e** *~* seed potato; tuber

moer[4] (s) grounds, dregs; sediment

moer[5] (vulg.) (w) ge- thrash/beat s.o.

moeras' **-se** marsh, swamp; **~sig** marshy swampy; boggy

moer'bei **-e** mulberry; **~boom** mulberry tree

moe'rig (omgangst.) (b) bad-tempered, trouble some *ook* **om'gekrap, om'gesukkel**

moers (omgangst.) (b, bw) very; *~ lekker* joll nice/fine

moersleu'tel **-s** monkey wrench; shifting spanne *kyk* **skroef'sleutel**

moe'sie **-s** mole; beauty spot (on face)

moeselien' muslin (woven cotton)

Moes'liem/Mos'lem Muslim (person)

moeson' **-s** monsoon (wind system)

moestas' **-se** moustache *ook* **snor**

moet (w) **moes** must, ought, be obliged, have to **~tyd** deadline *ook* **sper'tyd**

moe'tie (s) muti *ook* **toor'medisyne; ~moor** muti murder

mof[1] (s) **mowwe** muff, mitten (open-ende glove) *ook* **mof'fie**

mof[2] (s) **mowwe** merino (sheep); Frieslan (cattle); **~bees** Friesland cow/ox; crossbre cow/ox

mof'fie (neerh.) (s) **-s** moffie (SAE), queer (n fairy (derog. for male homosexual/gay)

o'ker (w) **ge-** strike, hammer; **~hou** smash (tennis)

ol[1] (s) **-e** mole; *so blind soos 'n* ~ as blind as a bat

ol[2] flat (mus.)

oleku'le -s/**molekuul** ..**kule** molecule

oles'(te) trouble, harm; rumpus; ~ *maak* cause trouble, harm; **moles'maker** ruffian, brawler (person)

olesteer' (w) **ge-** molest (eg a child)

ol'lig (b) **-e** soft; plump, buxom; cuddlesome

olm mull, dry rot

ols'hoop ..**hope** molehill

ol'slang -e molesnake

ol'trein underground (train), metro *ook* **met'ro**

ol'vel (s) **-le** moleskin

om (s) **-me** mask; **~bak'kies** mask (false face)

oment' (s) **-e** moment *ook* **oom'blik; ruk'kie**

om'pel (w) **ge-** mutter, mumble; grumble *ook* **bin'nensmonds praat**

onarg' (s) **-e** monarch *ook* **ko'ning;** potentate *ook* **vors, mag'hebber; ~ie'** (s) **-ë** monarchy *ook* **ko'ningskap; ~is'** (s) **-te** monarchist (person)

ond -e mouth; estuary (of river); *nie op sy ~/bek geval wees nie* have a ready tongue; *gladde* ~ gift of the gab; *hou jou ~!* shut up!; *met die ~ vol tande staan* be tongue-tied

on'deling(s) (b) **-e** verbal, oral (evidence); *mondelinge eksamen* oral examination

onde'ring (s) **-e, -s** equipment; uniform, outfit, apparel *ook* **u'niform**

ond'fluitjie -s mouth organ

on'dig (b) **-e** of age, major; **~wor'ding** coming of age

on'ding -s mouth (of river), estuary

ond'stuk -ke mouthpiece; spokesperson *ook* **woord'voerder, segs'persoon**

onetêr' (b) **-e** monetary; *Internasionale M~e Fonds (IMF)* International Monetary Fund (IMF)

Iongool'[1] (s) ..**gole** Mongol(ian) (inhabitant of Mongolia)

ongool'[2] (neerh.) (s) ..**gole** mongol(oid) (n) (derog. for person, mostly child, afflicted by Down's syndrome) *ook* **Downsindroom'lyer**

oniteer' (w) **ge-** monitor *ook* **mon'itor** (w), **kontroleer'**

onitor[1] (s) **-s** monitor (also comp.); prefect (in school)

onitor[2] (w) **ge-** monitor *ook* **moniteer', dop'hou, kontroleer';** verify *ook* **verifieer'**

on'nik (s) **-e** monk, friar; **~s'klooster** monastery

onochroom' (b) monochrome *ook* **een'kleurig**

ono'kel -s monocle, eyeglass *ook* **oog'glas**

o'nokini (s) **'s** monokini (topless bikini)

onoloog' ..**loë** monologue, soliloquy *ook* **alleen'spraak**

mo'no-onversa'dig (b) **-de** monounsaturated (fats)

monopolie' **-ë** monopoly *ook* **alleen'handel; alleen'seggenskap**

mo'nosillabe -s monosyllable

monotoon' (b) ..**tone** monotonous *ook* **eento'nig**

mon'ster[1] (s) **-s** monster; brute *ook* **diera'sie**

mon'ster[2] (s) **-s** sample *ook* **proef'stuk;** *volledige stel ~s* complete range of samples; (w) **ge-** compare; muster (army)

mon'steragtig monstrous *ook* **wanstal'tig; ~heid** monstrosity; atrocity

mon'ster: ~ne'ming sampling; **~verga'dering** mass meeting/rally

monteer' (w) **ge-** mount, assemble, set up; **~aan'leg** assembly plant; **~huis** prefabricated house

monteur' **-s** fitter; mounter, stager (person)

monument' **-e** monument *ook* **gedenk'teken; ~aal'** (b) monumental, majestic

mooi pretty; handsome; nice, fine; *nogal* ~ rather pretty; *dis 'n* ~ *grap!* well, I never!; *'n ~/aantreklike man* a handsome man; *~ vergaan, maar deug bly staan* beauty is but skin-deep; ~ *broodjies bak* eat humble pie; **~heid** beauty, fineness, prettiness; **~maakgoed'** cosmetics; **~praat** (w) **-ge-** flatter, coax, beg; **~praat'jies** flattery, softsoaping; **~weer** fair (weather); **~weers'vriend** no friend in need

moond'heid (s) ..**hede** power, state; *die groot ..hede* the great powers

moont'lik -e possible *ook* **haal'baar;** *bes* ~ quite possible; **~heid** possibility, likelihood; *'n geringe* ~ a slim/slender chance

moor (w) **ge-** kill, commit murder *ook* **ver'moor;** maltreat; *jouself* ~ flog oneself

moord (s) **-e** murder; slaughter; ~ *en brand skree* cry murder; **~aan'slag** attempted murder; **~ben'de** hit squad *ook* **huur'moordenaars; ~da'dig** murderous, bloodthirsty

moor'denaar (s) **-s** murderer, killer

moord: ~kuil murderer's den; death-trap; *ek maak geen ~kuil van my hart nie* I speak my mind; **~lys** hit list; **~po'ging** attempted murder; **~toneel'** scene of a murder; **~wa'pen** murder weapon/tool

moot (s) **mote** slice, piece, cut; fillet; valley; **~tjie** little slice; fillet of fish

mop (s) **-pe** pug (dog) *ook* **mops'(hond)**

mop'per (w) **ge-** grumble, grouse *ook* **brom, murmureer'**

mop'pie (s) **-s** joke; humorous song/ditty

mor (w) **-s** mutter; grouse, complain; **~rig** surly *ook* **befoe'ter**

moraal' (moral) lesson; morality; *hierdie storie hou 'n* ~ *in* this story has a moral/lesson *kyk ook* **moreel'**

moralis′ (s) **-te** moralist *ook* **se′depreker**

moraliseer′ (w) **ge-** moralise

moraliteit′ (s) morality *ook* **se′delikheid**

morato′rium (s) **-s** moratorium, standstill; suspension *ook* **verbod′, uit′stel**

môre/more (s) **-s** morning; morrow; ~ *is ook ′n dag* tomorrow is another day; ~ *oor agt dae* tomorrow week; ~ *sê!* good morning!; (bw) tomorrow; *sy kom* ~ she's coming tomorrow; **~aand** tomorrow night

moreel′ (s) morale *ook* **gees′teskrag;** *soldate se* ~ *verstewig* improve the morale of soldiers; **~kik′ker** morale booster, peptalk *ook* **motiveer′praatjie** (sport)

moreel′ (b) **..rele** moral *ook* **se′delik;** *jou morele plig* one's moral duty *kyk ook* **moraal′**

môre/mo′re: **~gebed′** morning prayer; **~maal** breakfast *ook* **ontbyt′;** **~og′gend** tomorrow morning; **~praatjies:** *sy aand- en môre= praatjies kom nie ooreen nie* his word is unreliable; **~vroeg** early tomorrow morning; **~ster** morning star; daffodil (flower)

morfien′/morfi′ne morphine (narcotic alkaloid)

morfinis′ (s) **-te** morphinist, morphine addict

morfologie′ morphology *ook* **vorm′leer** (gram.)

morg **-e** morgen (obs. unit of area: 100 × 100 yards)

Mormoon′ (s) **..mone** Mormon (member of Church of Latterday Saints); **~s′** (b) Mormon

mo′ron (s) **-e/moroon′** (s) **morone** moron, mentally retarded person; stupid/foolish person

mors (w) **ge-** make a mess, waste, squander (money); spill; **~af** clean off; right off; **~dood** stone-dead; dead as a doornail

Morse′kode Morse/telegraphic code

mor′sery (s) mess *ook* **gemors′;** waste, wastage

mor′sig (b) dirty, filthy, grimy

mors: **~jors** litterbug *ook* **rom′melstrooier; ~jur′kie** overall (for little girl); **~pot** dirty/ messy person

mortaliteit′ mortality *ook* **sterf′likheid**

mortier′ **-e** mortar (cannon)

mos[1] (s) **-se** moss (flat plant growth)

mos[2] (s) must; new wine

mos[3] (bw) indeed, at least; *ek het* ~ *gesê hulle sal verloor* didn't I say they would lose?

mosaïek′ (s) **-e** mosaic (glass/stone inlay)

Mosambiek′ Mozambique (country); **~er** (s) **-s** Mozambican (person); **~s** (b) **-e** Mozambican (customs, etc.)

mos′beskuit/mos′bolletjie must rusk/bun

mo′ses match, superior, master; *sy* ~ *teëkom* meet his match

mo′sie (s) **-s** motion, resolution; vote; *′n* ~ *verwerp* reject a motion (at a meeting); ~ *van wantroue* motion of no confidence

moskee′ (s) **-s, ..keë** mosque (Islamic place of worship)

mos′konfyt moskonfyt (SAE), grape syrup

Mos′kou Moscow (Russian capital)

Mos′lem/Moes′liem Muslim (person)

mos′sel **-s** mussel (mollusc)

mos′sie **-s** Cape sparrow; mossie (SAE); *so dooa soos ′n* ~ as dead as a doornail; **~nes** sparrow's nest; cubbyhole/glove box (car) *ook* **paneel= kassie**

mos′terd mustard; ~ *na die maal* (idioom) after meat (comes) mustard (idiom); too late, belatedly; **~gas** mustard gas

mot (s) **-te** moth; **~bestand′** mothproof

motel′ (s) **-le, -s** motel (main road hotel)

mot(te)′gif moth killer/poison; mothball

motief′ (s) **motiewe** motive (force), inducement *ook* **dryf′veer, beweeg′rede**

motiveer′ (w) **ge-** motivate *ook* **staaf; motive= ringspraat′jie** pep talk *ook* **moreel′kikker**

mo′tocross motocross (motorbike off-road rac= ing)

mo′tor (s) **-s** (motor)car *ook* **kar;** (s) **-e** engine, motor; **~bedryf** motorcar/automobile indus= try; **~bestuur′der** (car) driver; chauffeur; **~bom** car bomb; **~boot** motorboat; **~fiets** motorcycle; **~ha′we** garage (for repairs); service station; **~huis** garage (private); **~is/motorry′er** motorist; **~ka′de** motorcade; **~ka′per** car hijacker, carjacker; **~ka′ping** car hijacking/carjacking; **~mega′nika** motor me= chanics (school subject) *ook* **mega′niese tegnologie′;** **~op′tog/~stoet** motorcade; **~= skui′ling** carport; **~voer′tuig** motor vehicle; **~woon′skuit** cabin cruiser; **~woon′wa** motor= ised caravan

mot′reën (s) drizzle; (w) **ge-** drizzle

mot′tekruid cuscus *ook* **mot′wortel; kuskus= gras** (plant)

mot′to (s) **-′s** motto, device *ook* **slag′spreuk, leu′se**

mou (s) **-e** sleeve; *die aap uit die* ~ *laat* give the show away; *die hande uit die* ~ *steek* put the shoulder to the wheel; *iets in die* ~ *voer* be up to mischief

mout malt; **~whis′ky** malt whisky

Mpumalan′ga *voorheen* **Oos-Transvaal′** Mpu= malanga (province)

muez′zin/mued′zin (s) **-s** muezzin *ook* **gebeds= roeper** (Islam)

muf (b) **muwwe** musty, mouldy; stale *ook* **on′fris**

muf′fin (omgangst.) (s) **-s** muffin *ook* **kolwyn′= tjie** (plaatkoekie)

mug′gie (s) **-s** gnat, midge; *van ′n* ~ *′n olifant maak* make a mountain of a molehill; **~mo′tor** midget car, minicar; **~sif′tery** hairsplitting *ook* **haar′klowery; ~(vlieg)′tuig** microlite

muil[1] (s) **-e** mule *kyk ook* **~esel**

muil[2] (s) **-e** mouth (animal) *ook* **bek**

muil′band (s) muzzle; (w) **ge-** muzzle *ook: die swye oplê*

muil′esel (s) **-s** hinny; mule

muis[1] (s) **-e** mouse (small rodent); ball (of thumb); fetlock (of horse); *klein ~ies het groot ore* little pitchers have long ears

muis[2] (s) **-e** mouse (comp. accessory); **~matjie** mouse pad (comp.); **~knop** mouse button (comp.)

muis: ~hond (s) **-e** skunk/polecat; mongoose; **~nes** (s) **-te** mouse nest; (mv) musings; *die kop vol ~neste hê* have a mind full of cobwebs (when in love); **~val** mousetrap; **~vo′ël** mousebird, coly

muit (w) **ge-** mutiny, revolt, rebel; **~ery′** (s) mutiny, sedition *ook* **op′stand**

mul′ti: ~dissiplinêr multidisciplinary; **~kultureel′** multicultural; **~me′dia** multimedia; **~miljoenêr** multimillionaire; **~taakverwer′king** multitasking (comp.)

num′mie (s) **-s** mummy (embalmed body)

munisipaal′ municipal; **..pale verordeninge** municipal bylaws

munisipaliteit′ (s) **-e** municipality (local council)

munt (s) **-e** coin; currency; mint; *met dieselfde ~ betaal* pay s.o. back in his own coin; tit for tat; *hy slaan daar ~ uit* he makes capital out of this; (w) **ge-** mint, coin; **~hui′sie** telephone booth; tickey box (obs.); **~kun′de** numismatics; **~leg′ging** coin-laying (ceremony); **~outomaat′** vending machine; **~reg** right of coinage; **~stem′pel** stamp, die; **~stel′sel** coinage; monetary system; **~stuk** coin; **~telefoon** coin(-operated) telephone; **~verval′sing** forging of coins; **~was′sery** launderette *ook* **wasseret′**

mura′sie (s) **-s** old walls, ruins *ook* **bou′val**

murg marrow; *deur ~ en been gaan* penetrate to the marrow; **~pampoen′tjie** squash *ook* **skor′sie**; **~pyp** marrowbone

murg-van-groen′te vegetable marrow

mur′mel (w) **ge-** murmur, babble (stream) *ook* **kab′bel**; gurgle

murmureer′ (w) **ge-** murmur, grumble *ook* **brom, mor**

mus (s) **-se** cap; nightcap; tea cosy; *kop in een ~ wees met* be hand in glove with; in cahoots with; **klap~** balaclava (cap)

nu′se (s) **-s** muse; goddess of arts

nuse′um (s) **-s** museum

nusiek′ music; *klassieke ~* classical music; **~bly′spel** musical *ook* **musiek′spel**; **~instrument′** musical instrument; **~korps** band *ook* **orkes′** (mil.); **~onderwy′ser** music teacher; **~sen′trum** music centre; **~skool** school of music, conservatoire; **~sleu′tel** clef; **~stuk** piece of music, musical composition

musikaal′ ..kale musical; *'n musikale oor hê* have an ear for music

musikant′ -e member of a band, music maker

mu′sikus -se, ..ci musician, musical expert

muskaat′ nutmeg (tropical spice)

muskadel′ muscadel (grape)

muskeljaat′kat/musseljaat′kat genet *ook* **roof′kat**

muskiet′ -e mosquito; **~net** mosquito net

mus′kus musk (animal secretion for perfume)

muta′sie (s) **-s** mutation, change *ook* **om′skepping**

muur (s) **mure** wall; *oor die ~ wees* be done for; **~kalk** distemper; **~kas** built-in wardrobe; **~papier′** wallpaper *ook* **plak′papier**; **~skildering** mural painting, fresco; **~tapyt′** tapestry *ook* **tapisserie′**

my[1] (w) **ge-** avoid, shun *ook* **vermy′**; **~ die kwaad** avoid evil things

my[2] (pers.vnw) me; *dis vir ~ te duur* I can't afford it; *ek het ~ vergis* I was mistaken; (besit.vnw) my, mine; *dis ~ pop* it's my doll

myl -e mile; **~af′stand** mileage; **~paal** milestone *ook* **hoofgebeur′tenis** (in iem. se lewe); landmark

my′mer (w) **ge-** ponder, meditate, reflect, muse *ook* **peins; fantaseer′**; **~aar** muser; **~ing** meditation, musing; daydreaming

myn[1] (s) **-e** mine; (w) **ge-** mine; delve, extract

myn[2] (vnw) **~ en dyn** (veroud., skerts.) mine and thine (obs., joc.)

my′ne mine; *dis ~!* it's mine!

myn: ~bou mining (industry); **~er** miner *ook* **myn′werker; ~gas** firedamp, methane; **~hoop** mine dump; **~huis** mining house/company; **~ingenieur′** mining engineer; **~kaptein′** mine captain; **~maatskappy′** mining company; **~magnaat′** mining magnate; **~(op)′meter** mine surveyor; **~skag** shaft; **~te′ring** miner's phthisis, pneumoconiosis; **~ve′ër** minesweeper (naval vessel); **~veld** minefield; **~wer′ker/my′ner** miner; **~werkersbond′** miners' union; **~we′se** mining, mines; **Ka′mer van Myn′wese** Chamber of Mines

myself′ myself; *ek praat net vir ~* I speak only on my own behalf

myt (s) **-e** mite, acarid *ook* **miet**

my′ter (s) **-s** mitre; bishop's hat *ook* **bis′kopsmus′**

N

'n (lw) a, an; ~ *mens* one, you

na[1] (b, bw) **nader, naaste** close, near *ook* **na'by**

na[2] (vs) after; to; according to; on; *op een ~ die beste* the runner-up *ook* **naas'beste;** *op een ~ die laaste* the last but one; ~ *my mening* in my opinion; ~ *skool* after school(hours); *tien ~/oor nege* ten past nine

na'-aap (w) -ge- ape, imitate *ook* **na'boots;** mimic *kyk ook* **na'-aper**

naaf (s) **nawe** nave, hub; **~band** nave hoop; **~dop** hubcap

naai (w) ge- sew; **~boks** workbox; **~masjien'** sewing machine; **~werk** needlework *ook* **naald'werk;** sewing

naak (b) naked, nude *ook* **na'kend, kaal;** *vertel my nou die ~te/onverbloemde waarheid* tell me the plain truth; **~danser(es')** stripteaser, stripper *ook* **ontklee'danser(es');** **~fo'to** nude photo(graph); **~lo'per** nudist; naturist; **~slak** slug *kyk* **slak**

naakt'heid nudity, nakedness

naald (s) -e needle; spire, obelisk; ~ *en garing* needle and cotton; *'n mens kan hom deur 'n ~ trek* he is spick and span; **~e'ko'ker** dragonfly *ook* **libel';** **~e'kus'sing** pincushion; **~prik'king** acupuncture *ook* **akupunk'sie;** **~werk** needle= work

naam (s) **name** name; appellation, designation; *die kind op sy ware ~ noem* call a spade a spade; *'n skrywer van ~* an author of note; **~bord** signpost; **~bord'jie** nameplate; **~ge= noot'** namesake *ook* **genant';** **~kaart'jie** business/visiting card *ook* **visi'tekaart(jie)**

naam'lik (bw) namely

naam'loos nameless, anonymous; ..*lose/ano= nieme brief* anonymous letter

naam'lys -te list of names, index, register

naam'plaatjie -s name tag *ook* **ken'strokie** (vir kongresgangers)

naam'tekening -e signature *ook* **hand'tekening; outograaf'**

naam'val case (gram.); *tweede ~* genitive

naam'woord -e nomen (noun, pronoun or adjective); **byvoeg'like ~** adjective; **selfstan'= dige ~** noun

naand! good evening! *ook* **goeienaand'!; naand'sê!**

na'-aper (s) -s imitator, copycat (person) *kyk ook* **na'-aap**

naar (b) awful, horrible; sick, bilious *ook* **mis'lik;** dreary, sad, dismal; *nare smaak* nasty taste; **~heid** (s) ..**hede** nausea; sadness, misery; sickness

naar'sakkie -s airsickness/seasickness bag

naars'tig industrious, diligent *ook* **y'werig, vly'= tig**

naas next to, beside, alongside of, besides; *ons= woon ~/langs mekaar* we live next door to each other; **~aan** next to; **~ag'ter** second from rear (in a team); **~bestaan'** coexistence; **~bestaan'de** next of kind, nearest relative; **~beste** second best; **~eer'gister** three days ago; **~geleë** adjacent *ook* **omlig'gende** (streke); **~groot'ste** second biggest; **~links** second from left; **~oor'môre/~oor'more** three days hence, the day after the day after tomorrow

naas'te (s) -s neighbour, fellow-man *ook* **me'= demens;** (b) nearest; *die ~ pad* the shortest road

naas'te(n)by approximately, more or less, roughly *ook* **ongeveer', omtrent'**

naas'teliefde charity/concern for others

naas: ~voor second from the front (in a team); **~wenner** runner-up (kompetisie, sport); **~wit** off-white (colour)

naat (s) **nate** seam; joint; suture; *op die ~ van jou rug* flat on your back; **~bou'ler** seam bowler (cricket)

na'berou repentance, remorse *ook* **berou';** ~ *is galberou* remorse is the poison of life

na'bestel (w) ~ repeat an order; **~ling** repeat order

na'betragting reflection *ook* **terug'skouing;** meditation; *by ~* on thinking it over; on reflection; ~ *hou* hold a postmortem

na'boom candelabra tree, naboom

na'boots -ge- imitate, mimic; simulate, copy; **~er** simulator (for trainee pilots) *ook* **simula'= tor;** **~ing** imitation, replica *ook* **na'maaksel**

nabu'rig (b) -e neighbouring; adjacent *ook* **omlig'gende** (dorpe)

na'by (b, bw) near, close to; *die ~e toekoms* the near future; *van ~ bekyk* inspect at close quarters; **~fo'to** close-up photograph *ook* **dig'= byfo'to**

Naby'e Ooste Near East

naby'geleë (b) adjacent, neighbouring

naby'heid proximity, vicinity

na'dat after, since, when

na'deel (s) **nadele** disadvantage, drawback; damage *ook* **ska'de**

nade'lig (b) detrimental, injurious, disadvanta= geous; **~e sal'do/balans'** debit balance

na'demaal (regstaal) whereas

naden'kend thoughtful, pensive, reflecting

na'der (w) ge- approach, come nearer; (b, bw) nearer; ~ *kennis maak* make closer acquaint= ance; **~e/meer besonderhede** further de=

tails/particulars; **~by** nearer; **~hand'** after= wards, later (on); *hy word naderhand/naand te groot vir sy skoene* he may be getting too big for his boots

na'dink -ge- reflect, consider *ook* **oorweeg'**; *ek moet eers daaroor ~* I must think about it

na'dir (s) nadir, lowest point *ook* **laag'tepunt**

na'doen (w) **-ge-** imitate, copy *ook* **na'boots;** mimic

na'doods after death; posthumous; **~e on'der= soek** postmortem examination, autopsy

na'draai aftereffects; sequel; repercussion; after= math *ook* **na'sleep**

na'druk (s) emphasis, stress *ook* **klem; ~** *lê op* emphasise *ook* **bena'druk** (w); **~'lik** emphati= c(ally), expressly *ook* **uitdruk'lik, emfa'ties**

na'el[1] (s) **-s** nail; *jou ~s byt* bite one's nails

na'el[2] (s) **-s** navel, belly button *ook* **na'eltjie**[3]

na'el[3] (w) **ge-** sprint, race; *hy het laat ~* he took to his heels

na'el: ~bor'sel nailbrush; **~by'ter** nail-biter, cliffhanger (sports match); **~knip'per** nailclip= pers; **~lak** nail polish

na'el: ~loop (s) **..lope** sprint (athl. item); **~lo'per** (s) **-s** sprinter (athl.); **~ren/~ry** cycle race/ sprint

na'elskêr'tjie -s nail scissors

na'elskraap(s) by the skin of the teeth *ook* **am'per, hit'tete; ~skraap** wen scrape home

na'elstring -e umbilical cord

na'eltjie[1] (s) **-s** clove (spice); **~o'lie** oil of cloves

na'eltjie[2] (s) **-s** small nail

na'eltjie[3] (s) **-s** navel, belly button *ook* **nael**[2]

na'eltjie[4] (s) **-s** hyacinth *ook* **hiasint'** (blom)

na'eltjies cloves

naf'ta naphtha (mixture of hydrocarbon)

naftaleen' naphthalene (crystaline hydrocarbon)

nag (s) **-te** night; *so lelik soos die ~* as ugly as sin

na'gaan -ge- trace, check *ook* **verifieer';** run over (with the eye); monitor; *die inskrywings ~* check the entries

nag: ~aap bushbaby; **~ad'der** night adder

naga'na nagana (horse/cattle disease)

na'geboorte (s) afterbirth, placenta *ook* **plasen'= ta**

na'gedagtenis memory, remembrance; *ter ~ aan* in memory of, in memoriam

na'gee -ge- *ek moet hom dit ter ere ~* I must say this to his credit

na'gemaak (b) **-te** forged, counterfeit; false

na'genoeg almost, all but *ook* **by'na, ongeveer'**

na'gereg -te dessert, sweets

na'geslag (s) descendants, offspring, issue *ook* **na'komelinge, af'stammelinge**

nag: ~e'wening equinox; **~kabaai'** (old-fash= ioned) nightshirt/nightdress; **~ket'ting** safety chain; **~kle're** pyjamas, slumber wear, night= clothes *ook* **paja'mas; ~klub** nightclub

Nag'maal Holy Communion; The Lord's Sup= per; **~brood** communion bread/wafer; **~gan'= ger** communicant; **~wyn** communion wine

nag: ~mer'rie nightmare *ook* **angs'droom; ~mus** nightcap; **~pot** chamber pot *ook* **ka'= merpot; koos** (skerts.); **~rus** night's rest; **~skof** night shift

na'graads postgraduate; **~e sakeskool** graduate school of business; **~e stu'die** postgraduate studies

nag'tegaal ..gale nightingale (bird)

nag: ~telik' nocturnal, nightly; **~uil** screech owl, nightjar; **~verpleeg'ster** night nurse; **~waak** night vigil; **~wag** night watchman; **~wan'= delaar** sleepwalker, somnambulist *ook* **slaap'= wandelaar**

naïef' (b, bw) **naïewe; naïewer, -ste** naive/naïve, simple, artless *ook* **kin'derlik; eenvou'dig**

na'jaar autumn *ook* **herfs**

na'kend (b) naked, nude, in the buff, in nature's garb *ook* **kaal**

na'klank (s) **-e** echo, resonance *ook* (fig.) **na'werking**

na'kom -ge- fulfil; carry out; perform; meet (an obligation); *beloftes ~* keep promises; *voor= waardes ~* meet/fulfil the conditions

na'komeling -e descendant, issue *ook* **af'= stammeling**

na'kyk -ge- look after; examine, revise, check, correct, mark; overhaul (car)

na'laat -ge- bequeath (an inheritance); *sy oom het hom R10 000 nagelaat* he inherited R10 000 from his uncle; leave off; neglect; omit

nala'tenskap inheritance *ook* **erf'lating;** heritage

nala'tig (b) negligent, careless *ook* **agte(r)lo'sig; ~heid** negligence

na'maak (w) **-ge-** imitate, copy; **~sel** (s) **-s** imitation; replica; counterfeit (bank notes)

nama'kwaduif ..duiwe Namaqua pigeon

Nama'kwaland Namaqualand

nama'kwapatrys -e Namaqua sand grouse/ partridge

nama'te as, in proportion to *ook* **na gelang' (van); ~** *hy aansterk, eet hy beter* as he improves/recuperates his appetite improves

na'me: *met ~* namely; **~loos** inexpressible, unspeakable *ook* **ma'teloos; ondraag'lik;** *namelose ellende* unspeakable misery/suffer= ing

na'mens in the name of, on behalf of, for

Nami'bië Namibia (country); **~r** (s) **-s** Namibian (person); **..bies** (b) **-e** Namibian (customs, etc.)

na'middag ..dae afternoon

nam'mies/njam'mies (kindert.) nummy (infml.); nice, tasty (food)

na'oorlogs (b) **-e** post-war; *~e werkloosheid* post-war unemployment

Napoleon'ties (b) **-e** Napoleonic (wars)

nar (s) **-e** (court) jester; harlequin *ook* **harlekyn′**; buffoon *ook* **hans′wors**

na′reken -ge- reckon again, verify, check *ook* **verifieer**

na′righeid dizziness; misery, distress

narko′se (s) anaesthesia, narcosis *ook* **verdo′=wing**

narko′ties (b) **-e** narcotic *ook* **verdo′wend**

narko′tikaburo narcotics bureau (police)

narko′tikum (s) **-s, ..ka** narcotic (n), drug

narkotiseur′ -s anaesthetist (med. specialist)

nar′sing -s narcissus (flower)

narsis(sis)′me/narcis(sis)me narcissism, self-admiration *ook* (sieklike) **self′liefde**

nar′tjie -s mandarin (orange), tangerine, nartjie (SAE)

nar′wal -le, -s narwal/narwhal(e) (sea mammal) *ook* **een′horingvis**

nasaal′ nasal *ook* **neus′klank**

na′saat descendant; sibling *ook* **af′stammeling**

na′sê -ge- repeat (another's words), say after

na′sie -s nation; **Vere′nigde N~s (VN)** United Nations (UN)

na′sien -ge- correct; mark *ook* **merk;** examine, revise, check; **~er** marker (of scripts)

nasionaal′ (b, bw) national; *..nale pad* national road

Nasionaal′-sosialis′me National Socialism

Nasiona′le: ~ Raad van Provin′sies National Council of Provinces; **~ Verga′dering** National Assembly; **~ Vroue′dag** National Women's Day (holiday, 9 August)

nasionalis′ (s) **-te** nationalist *ook* **va′derlander, patriot′; ~eer′** (w) ge- nationalise *ook* **ontei′en** (vir die staat); **~me** (s) nationalism

nasionaliteit′ nationality *ook* **bur′gerskap**

na′skoolse: ~ *onderwys/onderrig* tertiary educa= tion

na′skrif -te postscript

na′slaan -ge- look up, consult (a book); *maklik om na te slaan* easy to look up (in reference book); **~biblioteek′** reference library; **~boek/ ~werk/~gids** (work of) reference; reference book; guide

na′sleep (s) sequel, (negative) aftereffects *ook* **na′draai;** *die ~ van die oorlog* the aftermath of the war

na′smaak (s) aftertaste (after eating/drinking); (fig.) bitter taste

na′snuffel -ge- search, scrutinise, ferret out

na′sorg aftercare; follow-up; **~kliniek′** aftercare clinic; *voorsorg is beter as ~* prevention is better than cure

na′speur -ge- trace, investigate, probe

nas′tergal garden nightshade *ook* **nag′skadu** (plant)

na′streef/na′strewe -ge- strive after, pursue, seek

na′stuuradres (s) forwarding address

nat wet, moist; *so ~ soos 'n kat* thoroughly wet; *nog ~ agter die ore* still a greenhorn

nat: ~heid/~tigheid wetness, moistness; **~le** irrigate; **~maak** water (garden); wet; **~re′ë** (w) **-ge-** become drenched/soaked in the rain

na′trek -ge- trace *ook* **na′teken**

na′trium sodium; **~karbonaat′** bicarbonate of soda *ook* **koek′soda**

nat: ~terig slightly moist/damp

natu′ra: *in ~* in kind (payment)

naturalis′me naturalism (art/lit. movement)

naturalisa′sie naturalisation (obtaining citizen= ship)

naturis′ -te naturist; nudist

natuur′ (s) **nature** nature; disposition *ook* **aard, geaard′heid;** temperament; *van nature* by nature; **~- en skeikunde** physical science (school subject); *in die vrye ~* in the open; **~bewa′ring** nature conservation; **~bron′ne** natural resources; **~drif** instinct; **~frats** freak of nature; **~gene′ser** naturopath; **~ken′ni** natural history; **~kun′de** physics; **~le′wevere= niging** wildlife society

natuur′lik (b) natural; *~e aanleg* natural bent; (bw) of course, naturally; *hy sal ~ kom c* course he will come; **~heid** unaffectedness

natuur′: ~oord nature resort; **~ramp** natural disaster; act of God; **~reservaat′** nature reserve; **~skoon** scenic beauty; **~stig′tin** nature foundation; **~toneel′** scenic beauty *oo* **land′skap;** **~verskyn′sel** natural phenomenon; **~wet** law of nature; **~we′tenskap** natural science; **~we′tenskappe** physical science (school subject)

natuurwetenskap′lik (b) **-e** scientific, pertainin to natural science; **~e** (s) **-e** (natural) scientist

na′uurs (b) after-hours, part-time (study)

na′verkopediens after-sales service

naviga′sie (s) navigation *ook* **stuur′mankuns**

naviga′tor -s navigator *ook* **roe′tegids** (tyd renne); **koers′peiler** (lugv.)

na′volg -ge- follow, imitate; **~er** (s) **-s** imitator

na′vors -ge- research (v); investigate closely; **~er** (s) **-s** researcher; **~ing** research

na′vraag (s) **navrae** enquiry; query; *~ doen* see information; **~kantoor′** enquiry office

na′week (s) **naweke** weekend

na′wel -s navel; **~lemoen′** navel orange

na′werking aftereffect(s) (delayed influence)

na′ywer envy, jealousy *ook* **af′guns, jaloesie′; ~ig** envious, jealous *ook* **afguns′tig**

Ndebe′le Ndebele (people); isiNdebele, Ndbel (language)

nè? isn't it?; yes?; *dink 'n bietjie, ~!* just fancy

Ne′derduits -e Dutch; **~e Gereformeer′de Kerk (NG Kerk)/~e Hervorm′de Kerk (NH Kerk** Dutch Reformed Church

e'derig (b) humble, modest *ook* **beskei'e**; **~heid** (s) humility

e'derlaag = **neerlaag**

Ne'derland (s) the Netherlands; Holland; **~er** (s) **-s** Dutch(man) (person); **~s** (s) Dutch (language); **~s** (b) **-e** Dutch (customs, etc.)

e'dersetter **-s** settler *ook* **kolonis'**, **set'laar**

e'dersetting **-s, -e** settlement, colony *ook* **kolo'nie**

ee no; **~ sê** say no; refuse

eef **-s** (male) cousin (son of uncle/aunt); nephew (son of brother/sister) *kyk ook* **nig'gie**

eem ge- take, receive, accept

eer (bw) down, downwards; *op en* **~** up and down

eer'buig (w) **-ge-** bend down; **~end** (b) condescending; patronising

eer: **~buk** stoop down; **~daal** descend, land (aircraft); **~gooi** throw down; **~ha'lend** (b) disparaging, derogatory

eer'kom **-ge-** come down, fall on; *dit kom op dieselfde neer* it comes to the same thing

eer'laag/ne'derlaag (s) **..lae** defeat, reverse; *verpletterende* **~** crushing defeat

eer'lê **-ge-** lay down, abdicate, resign; *sy amp* **~** resign from office; *jou by iets* **~** acquiesce in/accept something; *rieme* **~** run like hell; *voorwaardes* **~** impose conditions

eer: **~sien** look down (upon); *minagtend* **~sien op** hold in contempt; **~sit** put down; **~skiet** shoot down (aircraft); **~skryf** write/take down; **~slaan** strike down; cast down (eyes); **~'slag** deposit (chem.); result

eerslag'tig (b) **-e** depressed, gloomy, despondent *ook* **bedruk'**, **swaarmoe'dig**; **~heid**, despondency *ook* **depres'sie**

eer: **~smyt** fling down; **~stort** fall/crash down; **~stryk** touch down, land (aircraft); **~val** fall down; **~vel** fell (tree); strike down (s.o. with club/sword)

eer'vly **-ge-** lay/lie down; *jou* **~** *op die rusbank* make (oneself) comfortable on the couch

eet (s) **nete** nit *ook* **luis'eier** (in hare)

ef'fens next to, alongside of *ook* **langs, naas**

egatief' (s) **..tiewe** negative (of photo); (b, bw) **..tiewe** negative (attitude)

e'ge nine; **~ maal ~** nine times nine; **~ keer/maal** nine times

egeer' (w) ge- disregard, ignore *ook* **veron(t)=agsaam**

e'gende **-s** ninth

e'gentien/ne'ëntien nineteen; **~de** nineteenth

e'gentig/ne'ëntig ninety; *die* **~er** *jare* the nineties *ook: die negentigs;* **~ste** ninetieth

e'geoog carbuncle, furuncle *ook* **abses'**

Ne'ger **-s** Negro; **~(ge)sang'** Negro spiritual(s)

e'ge: **~tal** nine; **~voud** ninefold

ego'sie (veroud.) trade; goods, wares; **~wa're**

merchandise *ook* **han'delsware**; **~win'kel** trading store *ook* **al'gemene han'delaar**

neig ge- bend, incline; *mense is ge~ om ...* people tend/are inclined to ...

nei'ging **-s, -e** inclination, leaning; tendency, trend *ook* **tendens'**; bent, bias; **~ tot** inclined to

nek **-ke** neck; mountain pass *ook* **pas;** *op iem. se* **~ lê** abuse s.o.'s hospitality; *deur sy* **~** *praat* talk through his hat; *deur die* **~** *betaal* pay through the nose; *ek wil graag sy/haar* **~** *omdraai* I wish I could wring his/her neck; **~slag** finishing stroke, deathblow

nek'tar nectar *ook* **go'dedrank**

nektarien' **-e, -s** nectarine *ook* **kaal'perske**

neologis'me **-s** neologism *ook* **nuut'skepping** (woord)

ne'on neon; **~buis** neon tube; **~lig** neon light

nepotis'me nepotism *ook* **fami'liebegunstiging**

nerd (omgangst.) (s) **-s** nerd/nurd (asocial bookish young man) *ook* **nof'fie/nuf'fie, slim'=kous**

nê'rens nowhere; **~** *voor deug nie* be good for nothing; serve no earthly purpose

nerf (s) **nerwe** grain (of leather); outer skin, cuticle; **~af** skin taken off

ne'ring (veroud.) trade; occupation; *die tering na die* **~** *sit* make ends meet; live within the constraints of your income

nerveus' nervous, tense, uneasy *ook* **se'nu=(wee)agtig**

nes[1] (s) **-te** nest; haunt (robbers); hotbed (of vice)

nes[2] (bw) just as, just like; **~**/*sodra hy kom, sluit ons die deur* as soon as he arrives we'll lock the door

nes: **~ei'er** nest egg; provision for the future; **~skop** (w) ge- settle/move in

nes'tel (w) ge- nestle; *jou* **~**/*vly teen* snuggle up to

net[1] (s) **-te** net; *agter die* **~** *vis* turn up too late

net/Net[2] (inter)net; **~kafee** cybercafé; **~in'=kopies** cybershopping; **~ruim'te** cyberspace; **~win'kel** cybershop *kyk ook* **in'ternet, ku'ber**

net[3] (b) tidy, clean *ook* **net'jies**

net[4] (bw) only, just; **~** *genoeg* just enough

ne'telig knotty, thorny; contentious; **~e** *probleem* vexing problem; **~e** *kwessie* tricky/thorny issue

net: **~heid** tidiness, neatness; **~jies** (b) neat, tidy, clean, trim *ook* **or'delik;** (bw) neatly, nicely; *jou werk* **~jies** *doen* produce tidy work; **~nou** in a moment; **~so/~** so like this; I agree!; **~sowel'/~** **sowel'** just as well

net'to net; **~** *gewig'/mas'sa* net weight/mass; **~ wins** net profit

net: **~vlies** retina; **~werk** network (also comp.); reticulation; **~werke'wering** networking

neuk (vulg.) (w) ge- hit *ook* **foe'ter;** bother,

trouble; **~ery′** botheration, annoyance; nui=
sance

neul (w) ge- nag, pester, bother *ook* sa′nik, seur;
~ery′ (s) nagging, pestering *ook* geneul′,
gesa′nik; **~kous** nag(ger) *ook* sa′nikpot

neuralgie′ neuralgia (nerve pain)

neu′rie ge- hum, croon; **~san′ger** crooner

neuro′se (s) neurosis *ook* se′nustoornis; **neuro′**=
ties (b) -e neurotic, maladjusted

neus (s) -e nose; *met sy ~ in die botter val* strike
oil (fig.); be in clover; *~ in die lug* conceited; *~
insteek* medle (in s.o.'s affairs); *dis ~ie verby*
it's too late now; **~gat** nostril; **~klank** nasal
sound; **~op′trekkerig** (b) offish *ook* ver=
waand′

neut (s) -e nut; *nie om dowe ~e nie* not for
nothing; **~(e)kra′ker** (pair of) nutcrackers;
~muskaat′ nutmeg

neutraal′ (b) neutral, impartial *ook* onparty′dig

neutraliteit′ neutrality, impartiality

neu′tron -e neutron; **~bom** neutron bomb

ne′we-effek -te side-effect *ook* na′gevolg

ne′wel -s mist, fog; **~ag′tig** misty, foggy; **~vlek**
nebulous spot, nebula

ne′wens next to, besides *ook* langs

ne′weproduk -te byproduct, spin-off

new′wer (omgangst.): *so nooit as te ~!* never
ever!

nie not; *so ~* if not, else, failing which; *dis ~ so ~*
it isn't true; *volstrek ~* certainly not; **~aan′**=
valsverdrag nonaggression pact; **~belas′baar**
nontaxable; **~beta′ling** nonpayment, default;
~-Chris′telik pagan; **~fik′sie** nonfiction; fac=
tual book(s); **~konkreet′** abstract *ook* abstrak′

nie′mand nobody, none, no one/no-one; *~
anders nie as* no/none other than; **~s′land**
no-man's-land

nie′amptelik (b) -e unofficial

nie-inmenging nonintervention

nie′oordraagbaar not transferable

nier (s) -e kidney; nodule; **~kwaal** kidney
disease

nierassis′ties (b) -e nonracial

nies (s) -e sneeze; (w) ge- sneeze; **~hout**
sneezewood

niet nothing, nought; do away with; *tot ~ gaan*
perish; come to nought; be lost

nie′teenstaande notwithstanding, despite *ook*
ten spy′te van, on′danks

nie′temin nonetheless *ook* nog′tans, tog

nie′tig insignificant, negligible *ook* onbedui′=
dend; *~ verklaar* declare null and void; **~heid**
insignificance; trifle, trifling matter

nieumo′dies new-fashioned, stylish, fashionable,
trendy *ook* byderwets′

Nieu′-Seeland New Zealand (country); **~er** (s) -s
New Zealander (person); **~s** (s) -e New
Zealand (customs, etc.)

Nige′rië Nigeria (country); **~r** (s) -s Nigeriaɲ
(person); **..ries** (b) -e Nigerian (customs, etc.)

nig′gie -s (female) cousin (daughter of uncle/
aunt); niece (daughter of brother/sister) *kyⱡ
ook* **neef**

nihilis′ -te nihilist (person rejecting authority/
principles); **~me** nihilism; **~ties** nihilistic

nik′kel nickle (rust-resisting metal)

nikotien′/nikoti′ne nicotine *ook* tabak′gif

niks nothing; *op ~ uitloop* peter out; **~bedui′**=
dend insignificant, meaningless *ook* **~seg′**
gend; **~nut(s)** rotter; good-for-nothing
nincompoop *ook* **deug′niet, mis′baksel; ~ver**=
moe′dend unsuspecting; **~werd** worthless; *hɥ
is 'n ~werd* he's a dud; *~werd tjek* dud/useless
cheque

nim′bus -se nimbus, large raincloud

nimf -e nymph; **~omaan′** nymphomaniac (highly
sexed woman)

nim′mer never *ook* **nooit**; *so ~ as te nooit* neveɽ
ever; **~meer** nevermore, never again

nip (omgangst.) (w) ge- to be afraid/fright=
ened/anxious; *ek het kwaai ge~ voor die toets*
I was very anxious before the test

nip′pel -s nipple; **ghries~** grease nipple

nip′pertjie: *op die ~* in the nick of time

nirwa′na nirvana *ook* heil′staat (Boeddhisme)

nis -se niche, recess (in wall for statue/vase); *sɥ
het haar ~ gevind* she has found her niche (eg
in a job that suits her)

nitraat′ (s) nitrate (salt of nitrous acid)

nitrogeen′ nitrogen *ook* stik′stof

nivelleer′ ge- level; **~der** dumpy level (used by
surveyors)

no′ag: ~kar/~motor vintage/veteran car

no′bel noble, worthy *ook* edel(moe′dig)

Nobel′prys Nobel prize

no′deloos: *~ om te sê* needless to say

no′dig necessary, required; *as jy dit ~ ag* if you
deem it fit; *met die ~e sorg* with proper care·
~heid need, necessity

noem ge- call, name, mention; designate; *haaɽ
op naam ~* address her by name

noemenswaar′dig worth mentioning; signifi=
cant; *niks ~s nie* nothing to speak of

noe′mer -s denominator (math.)

noem′naam (s) first name *ook* voor′naam

noen noon; **~byt** brunch *ook* **brunch** (om=
gangst.); **~maal** luncheon (formal); **~tyd** mid=
day (not afternoon)

nog[1] (b, bw) still, yet; *~ iets?* anything else?; *~
'n keer* once again; *~ nie* not yet

nog[2] (bw) now; *tot ~ toe* up till now; *die hoogste
telling ~/ooit* the highest score ever

nóg ... nóg (vgw) neither ... nor; *nóg die een, nóᵍ
die ander* neither the one, nor the other

no′ga nougat (a sweet)

nog: ~al rather, quite, fairly; **~ eens/~eens,**

~**maals** once more; *~maals hartlik bedank* once again many thanks; ~**tans** however, yet, nevertheless; even so

oi = **nooi'** (s)

ok (s) -**ke** ridge (of the roof); cam (of wheel); ~**as** camshaft

oma'de (s) ~, -**s** nomad *ook* **swer'wer, trek'ker; noma'dies** (s) nomadic, itinerant, roaming

ominaal' (b, bw) nominal; *..nale waarde* face/ nominal value

omina'sie -**s** nomination *ook* **benoe'ming**

ominatief' (s) nominative (gram.) *ook* **eerste naam'val**

omineer' (w) **ge-** nominate *ook* **aan'wys, benoem'**

om'mer (s) -**s** number; issue (magazine); size (shoe); item (concert); *op iem. se ~ druk* urge s.o. on; ask s.o.'s help; *'n ~ skakel* dial a number (telephone); ~**pas** (b) perfect fit; ~**plaat** numberplate; (w) **ge-** number

on -**ne** nun; sister (in religious order)

onchalant' (b, bw) nonchalant, blasé *ook* **on= geërg'**

onkonformis' (s) -**te** maverick, nonconformist (person) *ook* **af'geskeidene, dwars'trekker**

on'nekloos'ter convent; nunnery

on'sens/non'sies nonsense *ook* **bog, kaf, twak**

ood (s) **no'de** need, want; distress, danger; *in geval van ~* in case of emergency; *~ leer bid* necessity is the mother of invention; ~**baan** emergency lane; ~**berig'** emergency/distress call; ~**by'stand** backup (n); ~**deur** emergency door, fire escape; ~**gedwon'ge** from sheer necessity; ~**hulp** first aid; ~**hulp'liga** first-aid league; ~**knop(pie)** panic button; ~**klok** alarm bell; ~**kreet** cry of distress; ~**leu'en** white lie; ~**lan'ding** emergency/forced landing (aircraft) *ook* **buik'landing;** ~**le'niging(s)fonds** relief fund; ~**lot** fate, destiny *ook* **lots'bestemming**

oodlot'tig fatal, lethal *ook* **do'delik;** disastrous, catastrophic

oodly'dend destitute, impoverished, indigent

ood: ~**maat'reël** emergency measure; ~**op'roep** emergency/distress call; ~**regula'sies** emer= gency regulations

ood'saak (s) necessity; (w) **ge-** compel, neces= sitate; *genoodsaak om ...* compelled to ...; ~**lik** (b) essential *ook* **essensieel';** imperative, vital; ~**likheid** necessity

ood: ~**sindroom'** distress syndrome; ~**toe'stand** state of emergency; ~**weer** self-defence *ook* **self'verdediging**

oodwen'dig inevitable, inescapable

ood'wiel -**e** spare wheel *ook* **reser'wewiel**

ooi[1] (s) -**ens** girl(friend) *ook* **mei'sie;** sweet= heart; young lady; *by 'n ~ vlerk sleep* court a girl; *sy was 'n ~ Moore* her maiden name was Moore

nooi[2] (w) **ge-** invite *ook* **uit'nooi;** *ek ~ jou na my partytjie* I am inviting you to my party; *hy laat hom nooit ~ nie* he needs no encouragement

nooi: ~**ens'boom** cabbage/umbrella tree; ~**ens= toespraak** maiden speech (parliament); ~**ens'= uil** barn owl; ~**ens'van** maiden name; ~**en'tjie** girl(friend); sweetheart; young lady

nooit never, at no time; *so ~ as te nimmer!* never ever!

noop ge- urge, compel; *ge~ voel* feel obliged

Noor = **Noor'weër**

noord north

noor'de north; *ten ~/noord van* north of; ~**kant** north side; ~**lik** northern, northerly

Noor'delike Provin'sie *nou* **Limpo'po** (provin= sie) Northern Province *now* **Lim'popo** (prov= ince)

noor'der: ~**breed'te** northern latitude; ~**lig** aurora borealis (atmospheric phenomenon)

noor'dewind north wind

Noord-Kaap' Northern Cape (province)

noor(d)'kapper common (Greenland) bearded whale; grampus

noord'kus north coast

noordoos' northeast; ~**te** northeast; ~**telik** north= easterly, northeastern

Noord'pool North Pole; ~**rei'siger** polar/arctic explorer; ~**tog** arctic expedition

Noordwes' North-West (province)

noordwes' northwest; ~**te** northwest; ~**telik'** northwesterly, northwestern; ~**te'wind'** north= west wind

Noor'man (hist.) -**ne** Norman, Norseman, Viking *ook* **Vi'king(er)**

Noors (s, b) Norwegian (language; customs, etc.) *kyk ook* **Noor'weë**

Noor'weë Norway (country); ~**r** (s) -**s** Norwe= gian (person) *ook* **Noor;** Norseman (hist.)

noot[1] (s) **no'te** note (mus.); *'n ~(tjie) laer sing* eat humble pie; ~**vas** able to sing in tune

noot[2] (s) **no'te** bank(note); paper money; *munte vir note verruil* exchange coins for (bank)notes

nop (s) -**pe** nap (on clothes; putting green); ~**'pies:** *in sy ~* mighty pleased; bucked with; as pleased as Punch

norm -**e** rule; standard, criterion, norm *ook* **maat'staf, rig'snoer, krite'rium**

normaal' (b, bw) ..**male** normal, ordinary *ook* **gewoon', gebruiklik;** ~**weg** normally

normaliseer' (w) **ge-** normalise

nors surly, grumpy *ook* **knor'rig, nuk'kerig**

nos'sel (s) -**s** nozzle *ook* **spuit'kop** (besproeiing)

no'ta -**s** note *ook* **aan'tekening;** memorandum; account; *~ be'ne* (N.B.) please note (N.B.); ~**blok** note pad; ~**boekre'kenaar** notebook computer

notarieel': *notariële kontrak* notarial contract (legal document)

nota′ris -se notary (person) *ook* **prokureur′, regs′geleerde**

noteer′ ge- jot down; quote (prices); list (on stock exchange)

note′ring listing (company on stock exchange)

noti′sie (veroud.) **-s** notice; note *ook* **aan′= tekening;** ~ *neem van* take notice of; *geen ~ neem nie* disregard

notu′le -s minutes (of a meeting), *die ~ lees en goedkeur* read and approve the minutes; **~boek** minute book

notuleer′ ge- minute; record; take down

nou[1] (b) narrow, tight; *~e ontkoming* narrow escape

nou[2] (bw) now; *~ die dag* the other day, a few days ago; *~ en dan* now and then; once in a while *ook: af en toe;* *~ of nooit* now or never

nou′geset (b, bw) conscientious, strict, painstak= ing *ook* **stip, presies′**

nou ja/nouja (tw) well, let me see

noukeu′rig (b) exact, accurate, precise *ook* **akkuraat′;** **~heid** accuracy, exactness

noulet′tend (b) watchful, attentive *ook* **opmerk′= saam;** scrupulous, strict; demanding

nou′liks scarcely, hardly *ook* **skaars, kwa′lik**

nou′-nou just now, in a moment/jiffy *ook* **net′ nou**

nousien′de (b) particular, fastidious, watchful

nou′sluitend -e close-fitting, tight (dress) *ook* **noupas′send**

nou′strop: ~ *trek* be under pressure; struggle *ook* **swaar′kry**

nou′te -s narrowness; narrow pass; *in die ~ dryf* corner (v); **~vrees** claustrophobia *ook* **eng′= tevrees**

novel′le -s short novel, novelette, novella

Novem′ber -s November

nuan′se shade (of colour, tint), nuance *ook* **skake′ring**

nuanse′ring shading, shade; gradation

nudis′ -te nudist; naturist; **~me** nudism

nug′ter sober *ook* **so′ber;** level-headed *ook* **ewewig′tig, besa′dig;** *op sy ~ maag* on an empty stomach; ~ *wakker* wide awake; *~ weet* goodness knows

nuk -ke freak, whim, caprice *ook* **gril, gier;** **~kerig′** sulky, moody *ook* **nors, knor′rig**

nul -le nil, zero, nought *ook* **ze′ro;** duck (cricket); *van ~ en gener waarde* null and void

nul: **~punt** zero, freezing point *ook* **vries′punt;** **~tarief′** zero rate (taxation); **~toleran′sie** zero tolerance (towards crime)

numeriek′ -e numerical; *~e volgorde* numerical order

numismatiek′ numismatics *ook* **munt′kunde**

nut use, benefit; *tot ~ van* for the benefit of; *van ~ wees* be of use

nuts: **~balk** toolbar (comp.); **~korpora′sie** utility corporation; **~man** handyman, factotum *ook* **hand′langer, fakto′tum;** **~program′** util= ity program (comp.); **~diens′te** utility services

nut′teloos (b) useless *ook* **waar′deloos;** vain, futile

nut′tig[1] (w) ge- partake of, take (a meal); *ontbyt ~ have* (one's) breakfast

nut′tig[2] (b) useful, serviceable *ook* **bruik′baar**

nuus news, tidings; *die jongste ~* the latest news; *ou ~* stale news; **~berig′** (news) report; news item; **~blad** newspaper *ook* **koerant′;** **~brief** newsletter; **~dek′king** news coverage; **~dra′er** talebearer, gossip(er); **~groep** newsgroup (in= ternet)

nuuskie′rig (b) inquisitive, curious *ook* **weetgie′= rig;** *~e agie* bumptious child; nosy parker *ook* **bemoei′al** (persoon); **~heid** curiosity; *van ~heid is die tronk vol* curiosity killed the cat

nuus: **~media** news media; **~tref′fer** scoop; **~uit′sending** news broadcast, newscast (radio, TV) *ook* **nuusbulletin′/nuusboeletien′**

nuut (b, bw) **nuwe; nuwer, -ste** new, recent; *in die nuwe jaar* in the new year; **~skep′ping** neologism, coined word *ook* **neologis′me**

Nuwejaars′: **~dag** New Year's Day (holiday); **~bood′skap** New Year's message; **~voor′= neme** New Year's resolution

Nu′we Testament′ New Testament (Bible)

nu′weling (s) **-e** novice, beginner (person)

nu′werig/nu′terig -e quite new

nuwerwets′ -e modern, newfangled; trendy, with-it *ook* **byderwets′, bydertyds′**

nu′wigheid ..hede novelty; innovation *ook* **innova′sie**

nyd (s) envy, spite; jealousy; **~ig** (b) angry, cross *ook* **bit′sig, veny′nig**

ny′lon nylon; **~kou′se** nylon stockings

ny′pend nipping; *~e nood/gebrek* dire dis= tress/need; *~e tekort* crucial shortage

ny′weraar -s industrialist (person)

ny′werheid ..hede industry *ook* **bedryf′;** *'n ~ vestig* establish an industry; **~s′hof** industrial court; **~ontwik′kelingskorporasie (NOK)** In= dustrial Development Corporation (IDC); **~skool** industrial school; **~skou/~tentoon′= stelling** industrial exhibition; **~spioena′sie** industrial espionage

O

o -' o

o! (tw) oh!; ah!; ~ *land!;* oh my! ~ *so!* aha!

oa'se (s) -s oasis (lit.: fertile place in desert; fig.: retreat, sanctuary)

obelisk' (s) -e obelisk *ook* gedenk'naald

objek' (s) -te object *ook* voor'werp

objek'sie (s) -s objection *ook* beswaar'; objekteer' (w) ge- object *ook* beswaar' maak/op'per

objektief' (b) ..tiewe objective (eg opinion)

obliga'sie (s) -s debenture (of a company) *ook* skuld'brief; obligation; bond

obseen' (b, bw) obsene obscene, indecent *ook* vuil, onwelvoeg'lik

observa'sie -s observation, vantage; ~pos observation post *ook* uit'kykpos

observato'rium -s, ..ria observatory *ook* ster'rewag

obses'sie (s) obsession; hang-up (infml.) *ook* kwel'gedagte, behept'heid

obskuur' (b, bw) obskure obscure *ook* dui'ster

obstruk'sie -s obstruction *ook* versper'ring

o'de (s) -s ode *ook* lof'sang

o'dometer (s) -s odometer, afstandmeter

oeboen'toe (s) ubuntu, charity *ook* ubun'tu, mededeel'saamheid

oe'fen ge- exercise, practise; train, coach; *hy ~vir die wedstryd* he is practising/training for the match; ~baan practice court/track; ~bof practice tee; driving range (golf); ~ing exercise, training; ~lo'pie trial/practise run *ook* proef'lopie; ~park trimpark *ook* fiks'park; ~sak punchbag *ook* (fig.) slaan'sak; ~ses'sie practice session

Oe'kraïne (the) Ukraine (country); -r (s) -s Ukrainian (person); Oekraïns (b) -e Ukrainian (customs, etc.)

oem'pa(pa)orkes' oompah band (brass band)

o'ënskou: *in ~ neem* inspect; consider; survey

oënskyn'lik (b) apparent, ostensible *ook* skyn'baar; (bw) apparently, seemingly

oer: ~knal big bang (astr.); ~mens first/primeval man; ~oud primeval, primitive; ~*oue kwessie* age-old question; ~taal original language; ~tyd prehistoric times; ~woud jungle; virgin forest; *wet v.d. ~woud* law of the jungle

oes[1] (s) -te harvest, crop; ~jaar vintage year; yield *ook* op'brengs; (w) ge- harvest, reap

oes[2] (b, bw) off-colour, out of sorts; *'n ~ affêre* a feeble affair; *ek voel ~* I am feeling awful

oes'ter -s oyster; ~skulp oyster shell

oes'tyd harvest time, reaping time

o'ëverblindery make-believe; eyewash; magic; optical delusion *ook* sins'bedrog

oe'wer (s) -s riverbank; ~bewo'ner riparian (person)

oeu'vre (s) -s oeuvre (body of literary/artistic works)

of (vgw) or; but; if, whether; *min ~ meer* more or less; *'n stuk ~ drie* about three; *ek weet nie ~ dit waar is nie* I don't know whether it is true

óf ... óf either ... or; ~ *Jan ~ Piet* either John or Peter

offensief' (s) ..siewe offensive (mil.)

of'fer (s) -s sacrifice; offering; (w) ge- sacrifice; devote; ~altaar' sacrificial altar

of'ferande (s) -s offering, sacrifice

offervaar'dig (b) -e willing to sacrifice; magnanimous, generous; ~heid generosity

offisieel' (b) ..siële official *ook* amp'telik

offisier' -e (military/naval) officer; *hoë ~e* top brass (mil.)

offisieus' (b) -e officious, meddlesome, obliging *ook* oor'gedienstig

ofskoon' (veroud.) (vgw) although, though *ook* hoewel'

oftalmologie' ophthalmology *ook* oog'heelkunde

of'te: *nooit ~ nimmer* never ever

oftewel': *die leerders ~ leerlinge* the learners, that is to say, pupils

og'gend -e morning, forenoon; ~blad morning paper; ~e'te breakfast *ook* ontbyt'

o'gie -s eyelet; ~*s maak* wink, give the glad eye

o'giesdraad wire netting

oka'pi -'s okapi (animal) *ook* bos'kameelperd

o'ker ochre *ook* geel'klei

okka'sie -s occasion *ook* fees'telikheid; *swierige ~* glittering occasion *ook* glans'geleentheid

okkerneut' -e walnut; ~boom walnut tree

okkult' (b, bw) -e occult *ook* verbor'ge, bo'natuurlik

okkupa'sie -s occupation *ook* bewo'ning; betrek'king; ~huur occupational rent

ok'sel -s armpit *ook* arm'holte, kie'liebak; ~ha're under-arm hair

oks'hoof -de hogshead, large wine vat

oksideer' (w) ge- oxidise *ook* roes

oksied' -e/oksi'de -s oxide

oktaaf' ..tawe octave (8 notes in mus.; 8 lines of sonnet)

Okto'ber October; ~maand month of October

ok'topus -se octopus *ook* see'kat

oktrooi' (s) -e charter, patent *ook* konses'sie; ~brief letters patent, charter

oktrooieer' (w) ge- charter, patent; geok'trooieer'de re'kenmeester chartered accountant

olean'der -s oleander *ook* selons'roos

o'lie (s) -s oil; ~ *op die vuur gooi* add fuel to the fire; ~ *op die water gooi* pour oil on troubled

waters; (w) **ge-** oil; **~bak** sump (car); **~bol**
doughnut; **~boor′toring** oil rig; **~bron** oil
well; **~jas** oilskin; **~kan** oil can; **~kleed′jie**
oilskin cover; **~koek** oil cake; doughnut;
good-for-nothing, nincompoop (person);
~kolo′nie (veroud., skerts.) perfume *ook*
parfuum′, laven′tel, reuk′water

olien′(hout) wild olive *ook* **olie′wenhout, wil=
deolyf′**

o′lie: ~pyp′leiding oil pipeline; **~sel** extreme
unction (RC rite for the dying); **~slik** oil slick
ook **~kol**; **~stort′(ing)** oil spill(age); **~tenk′=
skip** oil tanker (ship); **~tenk′wa** oil tanker
(truck); **~to′ring** derrick; **~steen** oilstone,
whetstone; **~verbruik′** oil consumption; **~verf**
oil paint/colours; **~verfskildery′** oil painting

o′lifant -e elephant; *van 'n muggie 'n ~ maak*
make a mountain out of a molehill

o′lifant(s)tand elephant's tusk/tooth; ivory

oligargie′ -ë, -s oligarchy (government by few)

o′lik (b) unwell, seedy, out of sorts *ook* **sie′kerig;**
na vrolikheid kom ~heid after laughter come
tears

olimpia′de olympiad (period of four years)

Olim′piese Spele Olympic Games

olm -s elm (tree)

olyf′ (s) olywe olive (fruit; tree)

Olyf′berg Mount of Olives

olyf′: ~boom olive tree; **~boord** olive grove;
~o′lie olive oil; **~tak** olive branch

om (b) out; round; over, up; **~ en ~** round and
round; *die tyd is ~/verstreke* time is up; (vs) at,
about, round; *~ agtuur* at eight o'clock; *~ en
by vyftig* about fifty; *~ die hoek* round the
corner

omarm′ (w) ~ clasp; embrace *ook* **omhels′**

om′blaai -ge- turn over (leaves of a book)

om′boor -ge- hem, edge, pipe, border; **~sel**
edging, hemming, piping, bordering

om′budsman -ne ombudsman *ook* **burgerreg′=
tewaker; openba′re besker′mer** (SA)

om′dat (vgw) because, since, as *ook* **aan′gesien,
want, weens**

om′draai -ge- turn round, turn back; reverse (a
car); twist; revolve; *nie doekies ~ nie* not
mince matters; *iem. se nek ~* (fig.) twist/break
s.o.'s neck (fig.)

ome′ga -s omega *ook* **ein′de, slot**

omelet′ -te omelet(te) (egg dish)

om′gaan -ge- mix with, associate; go round; *ek
kan raai wat in sy gemoed ~* I can guess what
is passing through his mind; *by die huis ~* call
at home

om′gang (s) (social) intercourse; association;
geslagtelike ~ sexual intercourse, have sex

om′gangstaal colloquial language, vernacular
ook **los′littaal;** slang

om′gee -ge- care; give round; distribute; *nie 'n*
flenter ~ nie not care/mind a hoot; **~groep**
care/caring group

om′gekeerd (b) -e turned upside down, reversed;
in ~e verhouding in inverse proportion; (bw)
inversely, otherwise

om′gekrap (b) -te annoyed, fed-up *ook* **vererg′**

omge′we (w) ~ surround; *van gevare ~* beset
with dangers

omge′wing surroundings, environment *ook* **om′=
streke; milieu′;** vicinity, precincts; *aanpassing*
by die ~ adaptation to the environment; **~gun′=
stig/~vrien′delik** environmentally friendly;
~sake environmental affairs; **~s′bewaar′der**
environmentalist; conservationist; **~s′bewa′ring**
environmental conservation; **~(s)im′pakstudie**
environmental/ecological impact study; **~s′leer′**
ecology *ook* **ekologie′;** environmental studies;
~s′temperatuur′ ambient temperature

om′gooi -ge- tip over, overturn; upset

omgord′ (w) ~ gird on; *die lendene ~* gird the
loins (to prepare/equip oneself)

om′haal (s) fuss, bustle, ado; *sonder baie ~*
without much ado

om′hang -ge- wrap round, drape

omhein′ (w) ~ fence in; **~ing** fence; fencing;
enclosure

omhels′ (w) ~ embrace; hug; **~ing** embrace

omhul′(w) ~ envelop, enwrap, enshroud; **~sel** (s)
cover, envelope *ook* **oor′treksel**

o′mie/oom′pie (dimunitive of) uncle; mister,
fellow, guy

om′kantel -ge- topple/fall over

om′kap(naai)masjien overlocker (sewing ma=
chine)

om′keer -ge- turn (round, over, upside down,
inside out); reverse; **~baar** reversible

om′kom -ge- die, perish; visit, come round *ook*
(kom) kui′er; *toe ek die hoek ~* when I turned
the corner; *in 'n ongeluk ~* die in an accident

om′koop -ge- bribe; corrupt; *'n getuie ~* bribe a
witness; **~geld** bribe (money), hush money;
kickback

omkopery′ bribery; corruption

om′krap -ge- bring in disorder, upset; irritate
ook **vererg′, ontstel;** *omgekrap voel* be upset,
annoyed

omkring′(w) ~ (en)circle, ring; *~ daardie bedrag*
circle that amount

om′kyk -ge- look back, look around; attend to

om′leiding (s) -s bypass (heart operation)

omlig′gende surrounding, neighbouring; *~ plase*
adjacent farms *ook* **buur′plase**

om′loop¹ (s) circulation; *die gerug is in ~* the
rumour is abroad/going round; (w) walk round
(the building/block)

om′loop² (s) om′lope ringworm, cutaneous
disease

omlyn′ (w) ~ outline, sketch; define *ook* **af′baken**

mlys'(w) ~ frame (a picture)

m'mekeer (s) turn-about, sudden change *ook* **m'meswaai**

m'mesientjie: *in 'n* ~/*kits* in no time/in a jiffy

m'mesy(de): *sien* ~ please turn over *ook* **blaai om**

mnivoor' (s, b) **..vore** omnivorous animal *ook* **alles'eter**

m'pad (s) **ompaaie** detour; round-about way

m'praat -ge- persuade, dissuade *ook* **oorreed**

m'reken: ~ *in dollar* convert to dollars

mring' (w) ~ surround, encircle *ook* **omsin'gel;** ~ *deur gevare* beset with dangers/hazards

m'roep (s) broadcasting station; **~er** announcer (radio); town crier (hist.)

m'roer -ge- stir (tea with sugar)

m'ruil -ge- exchange, swap/swop

m'ry -ge- drive/ride round; knock down, run over (by a car)

m'sendbrief (s) **..briewe** circular (letter) *ook* **rond'skrywe, sirkulê're**

m'set -te turnover; *jaarlikse* ~ annual turnover (sales); **~ter** (s) converter

m'sien -ge- look around; take care of; *na iemand* ~ care for s.o.

msig'tig cautious, circumspect, prudent *ook* **versig'tig, behoed'saam**

msin'gel (w) ~ surround, enclose, encircle; *hulle het die laer* ~ they surrounded the laager

m'sit -ge- put round; convert (money); transpose

m'skakel -ge- switch/change over; convert, exchange; **~ing** conversion

m'skep[1] (w) **-ge-** change, convert; *die tennisbaan word in 'n tuin omgeskep* the tennis court is changed/turned into a garden

mskep'[2] (w) ~, **-ge-** recreate; transform; *dit het hom ~ tot 'n nuwe mens* it transformed him into a new person

mskryf' (w) ~ describe, define *ook* **definieer'**

mskry'wing (s) **-s, -e** description, definition *ook* **definisie;** paraphrase

m'slaan -ge- overthrow, topple; turn over; overturn; put round, *die weer kan skielik* ~ the weather may change suddenly

m'slag ..slae cover, wrapper; hem, border, cuff; file; brace; **~adverten'sie** blurb *ook* **flap'teks; ~boor** hand brace

mslag'tig wordy, digressive, prolix *ook* **breedvoe'rig, langdra'dig; ~heid** wordiness, verbosity

msluit' (w) ~ encircle, surround *ook* **omring';** embrace

m'soom[1] (w) **-ge-** hem (sewing)

msoom'[2] (w) ~ border, fringe; *verkeersingel met blomme* ~ traffic circle with flowers right round

m'spit -ge- dig up (soil for planting/sowing)

om'spring -ge- jump round; turn tail; double back

om'stander -s bystander, onlooker (person)

omstan'dig detailed, circumstantial, in detail; ~ *vertel* give a detailed account

omstan'digheid (s) **..hede** circumstance; *onder geen ..hede nie* in no circumstances; *versagtende/verswarende ..hede* extenuating/aggravating circumstances; **~s'getui'enis** circumstantial evidence

omstre'de controversial, contentious, tendentious *ook* **kontensieus';** disputed

om'streeks about, more or less *ook* **ongeveer', naas'tenby**

om'streke (mv) vicinity, neighbourhood

om'swerwing (s) **-s, -e** wandering/roaming about, ramble; **~e** (mv.) travels, peregrinations

om'trek -ke outline, circumference; vicinity; *in die* ~ in the neighbourhood; (w) **-ge-** pull down (eg tree); march round, outflank (the enemy)

omtrent' about, concerning; almost; nearly, more or less; *dis* ~ *tyd* it is just about time

om'val -ge- fall over/down, topple over; ~ *van die lag* split one's sides with laughter

om'vang extent, scope; circumference; size, volume, area; girth, ambit, compass

omvang'ryk/om'vangryk extensive, exhaustive, comprehensive; bulky *ook* **ly'wig**

omvat' (w) ~ embrace, enclose, include, comprise; **~tend** comprehensive; **~tende versekering** comprehensive insurance

omver' (bw) down, upside down, over; **~gooi/~werp** overturn, topple; upset; shatter

om'vlieg -ge- turn round suddenly; fly around (a building); *die tyd vlieg om* time flies

om'vorming (s) transformation *ook* **transformas'ie, herskik'king**

om'vou -ge- fold down, turn (down), back

om'waai -ge- blow down; blow over

om'weg ..weë detour, bypass, roundabout way *ook* **om'pad**

om'wenteling (s) **-e, -s** revolution *ook* **revolus'ie;** rotation; *'n* ~ *teweegbring* revolutionise; *dertig ~e/toere per minuut* thirty revolutions a minute

om'werk -ge- hem, border; dig up; recast, revise

onaan'genaam (b) unpleasant; disagreeable, distasteful; **~heid** unpleasantness

onaan'getas untouched, intact; not affected

onaantas'baar (b) unassailable, impregnable

onaantrek'lik -e unattractive *ook* **onoog'lik**

onaar'dig -e unpleasant; *nie* ~ *nie* rather attractive; not at all bad

onaf'gebroke uninterrupted, continuous *ook* **onophou'delik, aanhou'dend**

onafhank'lik (b, bw) **-e** independent *ook* **selfstan'dig;** ~ *wees van* be independent of;

~heid independence; **~verkla'ring** declaration of independence

onafrikaans' -e foreign to Afrikaans

onafskei(d)'baar/onafskei'delik inseparable

onafwend'baar ..bare inevitable, unavoidable; inescapable

onanie' onanism *ook* **masturba'sie**

onaptyt'lik (b) unappetising; loathsome (person)

onbaatsug'tig unselfish *ook* **altruïs'ties**

onbarmhar'tig merciless, pitiless *ook* **hardvog'=tig, liefde'loos**

onbeant'woord -e unanswered; unreturned (love)

onbedaar'lik unrestrainable; violent; ~ *lag* roar with laughter; ~ *huil* cry one's heart out; weep bitterly

onbedag'saam inconsiderate; thoughtless *ook* **onnadenk'end;** **~heid** inconsiderateness; indiscretion

onbedui'dend (b) insignificant, trivial, trifling *ook* **onbenul'lig**

onbegaan'baar (b) **..bare** impassable (road)

onbegrens' -de unlimited, unbounded; endless; *~de moontlikhede* unlimited possibilities

onbegryp'lik inconceivable, incomprehensible *ook* **ongeloof'lik**

onbehol'pe awkward, clumsy *ook* **lomp, lam=len'dig**

onbehoor'lik improper *ook* **onbetaam'lik;** unseemly, unbecoming; *~e gedrag* improper behaviour

onbekend' -e unknown; unacquainted; unfamiliar; *ek is hier ~* I am a stranger here; *die ~e soldaat* the unknown warrior

onbekom'merd unconcerned; uncaring *ook* **ongeërg'**

onbekwaam' (b) **..kwame** incapable, incompetent; inept, unfit *ook* **onbevoeg';** ~ *in haar werk* incompetent in her job; ~ *maak* incapacitate; **~heid** (s) incompetence

onbelang'rik unimportant; insignificant

onbeleef'(d) impolite, uncivil, uncouth *ook* **onbeskof'**

onbelem'mer unhindered, unimpeded, free; *~de uitsig* unrestricted/unobscured view

onbemind' -e unloved; *onbekend maak ~* unknown, unloved

onbenul'lig trifling, insignificant *ook* **niksbe=dui'dend**

onbepaald': *vir 'n ~e tyd* indefinitely; till further notice

onbeperk' -te unlimited, boundless; *~te energie* boundless energy

onbeplan' -de unplanned, on the spur of the moment *ook* **spontaan'**

onbereik'baar inaccessible; unattainable

onbere'kenbaar: *..bare skade* incalculable harm/damage

onberis'pelik (b) **-e** faultless, blameless; impec=cable (manners; speech); irreproachable; *~e gedrag* exemplary behaviour

onbeset' -te vacant, unoccupied

onbeskaaf' (b) **-de** uncivilised, uncouth, ill-bred *ook* **agteraf';** **~d'heid** lack of civility/refine=ment

onbeskaamd' impudent, arrogant, brazen-faced; *~e leuen* downright lie

onbeskof' -te rude, insolent, ill-mannered *ook* **ongeskik', ongepoets'; ongemanierd'; ~t'=heid** impertinence, rudeness

onbeskryf'lik: *~e ellende* unspeakable suffering/misery

onbeskut' unprotected, unsheltered *ook* **weer'loos**

onbeslis' -te undecided, uncertain; pending; sub judice (law suit); drawn (game); *die wedstryd het ~ geëindig* the match was drawn

onbeson'ne thoughtless *ook* **ondeurdag';** reckless, foolhardy; ~ *daad* rash deed

onbesorg' light-hearted, cheerful; undelivered (letter, parcel) *ook* **onaf'gelewer**

onbespro'ke irreproachable; *van ~ karakter* of high integrity

onbestel'baar: *..bare brief* dead letter

onbesten'dig unstable, fickle; erratic

onbestre'de: ~ *mosie* unopposed motion; ~ *setel* uncontested/unopposed seat (election)

onbeswaar(d)': *~de eiendom* unbonded property

onbetaal(d)': *~e rekening* unpaid/unsettled account

onbetaal'baar priceless, invaluable

onbetaam'lik unbecoming, improper, unseemly *ook* **onvanpas', onwelvoeg'lik**

onbetrou'baar unreliable, untrustworthy

onbetuig' -de unattested; *hy laat hom nie ~ nie* he gives a good account of himself

onbetwis' -te undisputed; **~baar** indisputable

onbevlek' -te undefiled, untainted

onbevoeg' -de incompetent, unqualified, unfit *ook* **onbekwaam'; ~d'heid** incompetence

onbevoor'oordeeld unprejudiced, unbiased

onbevre'digend unsatisfactory (service, etc.)

onbevrees' -de undaunted, fearless

onbewaak' -te unguarded, unprotected (property)

onbeweeg'lik -e unyielding, firm, adamant

onbewerk' -te raw (products); unworked (mine); untilled (land)

onbewo'ë unmoved *ook* **koel'kop;** undisturbed, impassive

onbewus' -te unaware; ignorant; unwitting, unconscious *kyk* **bewus'teloos;** ~ *van die gevare* unaware of the dangers; *die ~te* the unconscious

onbil'lik unfair, unjust; unreasonable

on'bruik disuse; *in ~ raak* fall in disuse; become obsolete *ook* **raak verou'derd**

onbruik′baar unserviceable, unfit for use; mis=
chievous, naughty (child)

onbuig′baar inflexible, unbending *ook* **hard,
styf**

onbuig′saam unyielding *ook* **ontoegeef′lik;** rigid
(rules)

onchris′telik -e unchristian

on′dank ingratitude, thanklessness; ~ *is wêrelds=
loon* the world pays with ingratitude

ondank′baar ungrateful, thankless; **~heid** in=
gratitude, thanklessness

on′danks in spite of, notwithstanding *ook* **nie
teenstaan′de;** ~ *al sy pogings* in spite of all his
efforts

on′der under; down; among; below; ~ *andere*
inter alia; ~ *eed bevestig* corroborate/confirm
under oath; ~ *vier oë* in private; ~ *ons* between
us; **~aan/~ aan** at the foot/bottom

onderaards′ subterranean

on′der: ~af′deling subdivision; **~baad′jie** waist=
coat; **~beklem′toning** understatement; **~belig′**
(w) ~ underexpose; **~belig′ting** underexpo=
sure; **~beman′** understaffed; **~bestuur′der**
submanager; **~bevel′hebber** second in com=
mand; **~bevoor′reg** (b) **-te** underprivileged,
disadvantaged; **~bevoorregte/benadeelde ge=
meenskap** disadvantaged/deprived community

on′derbewus (b) subconscious; *die ~te* the
subconscious; **~syn** subconscious(ness)

onderbreek′ (w) ~ interrupt *ook* **verdaag′** ('n
vergadering); **op′skort**

onderbre′king (s) **-s, -e** interruption; *sonder ~*
without a break

on′derbroek -e (pair of) underpants

onderbro′ke interrupted; ~ *reis* broken journey

on′derburgemeester -s deputy mayor

on′derdaan ..dane subject (person), national (of
a country) *ook* **bur′ger** (van 'n land)

onderdak′ (s) shelter; accommodation

onderda′nig (b) servile *ook* **gediens′tig; ~heid**
submissiveness *ook* **onderwor′penheid, ge=
dwee′heid**

on′derdeel (s) **..dele** subdivision; spare part;
mo′tor~ motor spare(s)

on′derdeur[1] (s) **-e** lower door; *sy loer al oor die
~* she is getting interested in boys

on′derdeur[2] (bw) through at the bottom

on′derdeurspring (w) **..gespring** deceive, cheat,
con *ook* **in′loop**

on′derdompel -ge- immerse; **~ing** immersion

on′derdorp (s) poorer part of town

on′derdruk[1] (w) **-ge-** press down/under

onderdruk′[2] (w) ~ suppress (feelings); oppress
ook **verdruk′, oorheers;** repress; quell (riot);
~ker oppressor *ook* **verdruk′ker, dikta′tor**

onderduims′ -e cunning, underhand, crafty *ook*
agterbaks′; ~heid cunning (n), craftiness

on′derent -e bottom/lower end

on′dergaan[1] **-ge-** go under; sink (ship); set (sun);
be ruined; perish; ~ *in die stryd* perish in the
struggle

ondergaan′[2] ~ undergo, suffer; *behandeling ~*
receive treatment

on′dergang ruin, destruction; decline; ~ *v.d.
Romeinse ryk* decline/fall of the Roman
empire

on′dergeskik (b) **-te** subordinate, subservient;
van ~te belang of minor importance; **~te** (s) **-s**
haar ~tes her subordinates/underlings

on′dergetekende -s (the) undersigned (person)

ondergronds′ -e underground, subterranean;
secret, clandestine; ~*e spoorweg* underground
railway; tube (London); subway (US, Canada)
ook **mol′trein;** ~*e/klandestiene beweging*
clandestine movement

onderhan′del (w) ~ negotiate, bargain; *~inge
aanknoop* open negotiations; *salaris ~baar/
reëlbaar* salary negotiable; **~aar** (s) **-s** nego=
tiator; **~ing** negotiation *ook* **beraad′(slaging),
oorleg′pleging**

onderhands′ -e underhand, collusive *ook* **agter=
baks′**

onderha′wig (b) in question, present; *in die ~e
geval* in the case under consideration/review

on′derhemp ..hem′de vest, undershirt (man) *ook*
frok′kie; chemise (woman)

onderhe′wig subject to *ook* **onderwor′pe;** liable
to; prone to ~ *aan twyfel* open to doubt

on′derhoof -de vice-principal (of school)

onderho′rig (b) **-e** dependent, inferior; subordi=
nate; **~e** (s) **-s** subordinate (n)

onderhou′[1] (w) ~ support, maintain; provide for

on′derhou[2] (w) **-ge-** hold down/under

on′derhoud[1] (s) maintenance, alimony (for
wife/children); support, upkeep

on′derhoud[2] (s) **-e** interview *ook* **vraag′gesprek**
(radio, TV); *'n ~voer met iem.* interview s.o.
(eg for a job); **~voe′ring** interviewing

on′derhuids subcutaneous (feeding)

on′derkant (s) **-e** bottom; (bw) below

on′derkas lower case (printing) *kyk* **bo′kas**

on′derklere underclothes, underwear

on′derkomitee -s subcommittee

on′derkoning viceroy

onderkruip′ (w) ~ swindle; undersell, undercut;
~er (s) **-s** blackleg, scab, strikebreaker

on′derlaag ..lae bottom layer, substratum; un=
dercoat (paint); base (make-up)

on′derlangs along the bottom; *iem. ~ aankyk* not
look s.o. straight in the eyes

on′derling -e mutual; *tot ~e voordeel* to mutual
advantage/gain

on′derlip (s) lower lip; *sy ~ hang* he sulks

on′derlyf (s) lower part of the body

ondermaans′ (b) earthly, mundane; sublunary;
~ *sake* mundane matters

ondermyn' (w) ~ undermine *ook* **onderkruip'**, **dwars'boom;** **~end** undermining; subversive (activities)

onderneem' (w) ~ undertake, embark (on); venture

onderne'mend (b) **-e** enterprising; daring

onderne'mer **-s** undertaker, entrepreneur; **begraf'nis~** funeral undertaker; **~skap** entre= preneurship, free enterprise

onderne'ming (s) **-s, -e** enterprise, undertaking, venture (business); organisation, firm; *vrye ~/ondernemerskap* free enterprise; **~s'gees** spirit of enterprise

on'deroffisier noncommissioned officer (mil.)

onderon'sie **-s** private affair/difference (to be settled); small social; intimate party

on'derpand **-e** pledge; *bykomende* ~ collateral security *ook* **kollatera'le sekuriteit'**

on'derpresteer (w) ~ underperform; **~der** (s) **-s** underachiever (student)

on'derrig[1] (s) instruction, tuition *ook* **on'derwys, op'leiding**

onderrig'[2] (w) ~ instruct, teach, tutor; educate *ook* **leer, voorlig, op'lei**

on'derrok **-ke** slip; petticoat; underskirt

onderskat' (w) ~ underrate *ook* **misken';** under= estimate; *daardie speler is gruwelik* ~ that player is grossly underrated

onderskei' (w) ~ distinguish, differentiate; dis= cern; **~vermo'ë** power of discernment

on'derskeid difference, distinction; ~ *maak tussen* distinguish/differentiate between

onderskei'delik respectively; severally

onderskei'ding **-e, -s** distinction; discernment; *slaag met* ~/*lof* pass with distinction; **~s' vermoë** power of distinction, own judg(e)= ment

onderskei'e various, different; respective

onderskep' (w) ~ intercept (a pass in rugby); waylay

onderskraag' (w) ~ support *ook* **by'staan, (onder)steun';** prop up

onderskryf'/onderskry'we (w) ~ endorse; ap= prove; underwrite (insurance)

on'dersoek[1] (s) **-e** examination; inquiry, inves= tigation, probe; research; ~ *instel* inquire into; *by nader* ~ on closer examination; *'n* ~ *ter plaatse* an inspection in loco; *mediese* ~ medical examination/check-up; *kommissie van* ~ *na* commission of inquiry into; **~beamp'te** investigating officer; **~raad** board of inquiry

ondersoek'[2] (w) ~ examine; scrutinise; inquire, investigate, probe; *die oë* ~ test the eyes

on'derspit: *die* ~ *delf* come off second best

on'derstaande undermentioned; following: ~ *paragraaf* the paragraph below

on'derste (s) **-s** bottom; (b) lowermost, lowest

onderstebo' upside-down, topsy-turvy; upset; *hy sit kop* ~ he feels dejected

on'derstel (s) **-le** undercarriage (railway truck); chassis (car)

ondersteun' (w) ~ support, sponsor (a project); assist; back up *ook* **aan'help, steun; ~er** (s) **-s** supporter; **~ing** support *ook* **by'stand;** relief

onderstreep' (w) ~ underline, underscore

onderstut' (w) ~ prop/buttress up; underpin (foundation)

onderte'ken (w) ~ sign *ook* **te'ken** (w); *'n brief* ~ sign a letter; **~aar** signatory (of document); **~ing** signature *ook* **hand'tekening, naam' tekening**

on'dertoe lower down, to the bottom; ~ *gaan* go down(wards)/downstairs

ondertrou' (w) ~ intermarry

ondertus'sen meanwhile, in the meantime *ook* **intus'sen, solank';** *ek gaan ~/solank stort* I'll shower meanwhile

on'derveld interior, hinterland; bundu *ook* **boen'doe**

on'derverdeel (w) ~ subdivide (a stand)

on'derverdieping (s) ground floor *ook* **grond' vloer** *kyk* **kel'derverdieping**

on'derverhuur (w) ~ sublet (a house)

ondervind' (w) ~ experience; **~ing** experience *ook* **erva'ring;** *~ing is die beste leermeester* experience is the best teacher

ondervoed' (w) ~ underfeed; (b) **-e** underfed (child); **~ing** malnutrition, underfeeding

on'dervoorsitter **-s** vice-chairman

ondervra' (w) ~ interrogate, question; query; examine; **~er** (s) **-s** questioner, interviewer, interrogator; **~ging** (s) questioning; debriefing; *aangehou vir ~ging* detained for questioning

onderweg' (bw) on the way; in transit; en route

on'derwêreld underworld (esp. criminal); nether world, Hades (world after death, mythol.); hell (infernal region)

on'derwerp[1] (s) **-e** subject, topic, theme *ook* **aan'geleentheid, saak;** *'n* ~ *te berde bring* broach/introduce a subject/topic

onderwerp'[2] (w) ~ subject; subdue; *jou aan Gods wil* ~ resign oneself to God's will; **~ing** submission; compliance; resignation

onderwor'pe subject to; submissive, servile; ~ *aan goedkeuring* subject to approval/ratification

onderwyl' meanwhile, while *ook* **intus'sen**

on'derwys[1] (s) education, teaching, tuition *ook* **on'derrig;** instruction; ~ *gee* teach; *hoër* ~ higher/tertiary education; *middelbare/sekon= dêre* ~ secondary education; ~ *vir volwassene:* adult education; *voortgesette* ~ continuing/on= going education; **~departement'** departmen of education

onderwys'[2] (w) ~ teach, instruct, inform *oo* **onderrig', op'lei**

onderwy'ser -s teacher, educator *ook* **op'voeder**

on'derwys: **~kol'lege** college of education; **~personeel'** teaching staff; **~stel'sel** educational system

on'deug[1] (s) **-de** vice, mischief, depravity

on'deug[2] (s) little bounder; imp (small child); *klein* ~ little bounder/rascal

ondeund' (b) mischievous, impish; naughty *ook* **onnut'sig, gui'tig**

ondeurdag' (b, bw) thoughtless, rash *ook* **onbeson'ne**

ondeursig'tig opaque, nontransparent; obscure *ook* **misterieus', obskuur'**

ondeursky'nend -e opaque

on'dier (s) monster, brute, beast *ook* **gedier'te, diera'sie**

ondraag'lik (b) unbearable; intolerable *ook* **onuithou'baar;** ~*e pyne* excruciating pains

ondubbelsin'nig (b) unequivocal; unambiguous

ondui'delik indistinct; not clear (meaning) *ook* **raaiselag'tig;** illegible (handwriting)

one'del -e ignoble, mean; base (metals)

on'eer dishonour, disgrace; *dit strek sy familie tot* ~ it brings discredit/shame to his family

oneerbie'dig (b) disrespectful, irreverent *ook* **verme'tel, voorba'rig**

oneer'lik (b) dishonest; fraudulent; ~*e praktyke* sharp practices; **~heid** dishonesty, bad faith

onef'fe (b) uneven, rugged; bumpy (road)

oneg' -te faked, false; illegitimate; ~*te diamant* imitation diamond

onein'dig -e endless, boundless; infinite *ook* **ewigdu'rend** (tyd); ~ *dankbaar* extremely grateful; *tot in die* ~*e* ad infinitum; **~heid** infinity

one'nig at variance, discordant; **~heid** discord *ook* **verdeeld'heid;** ~*heid kry* quarrel, be at loggerheads *ook: haaks wees met*

onerva're (b) inexperienced; unskilled

one'we unequal, uneven; ~ *getal* odd number

onewere'dig -e disproportionate

onfatsoen'lik improper, unbecoming

onfeil'baar ..bare infallible, unfailing

ongeag' unesteemed; irrespective of; ~ *die koste* regardless of cost/expense

ongeblus' (b) -te unslaked (lime); unextinguished (fire)

ongebon'de unbound; unaligned (states)

ongedaan' ..dane undone; *geen poging* ~ *laat nie* spare no effort

ongedeerd' -e unhurt, uninjured, unscathed; unharmed *ook* **heelhuids';** *daar* ~ *van afkom* escape unhurt

ongedier'te vermin, wild animals *ook* **diera'sie(s)**

on'geduld impatience; **~dig** impatient, petulant

ongedu'rig restless *ook* **rus'teloos;** fickle, fidgety; variable, erratic

ongedwon'ge unconstrained, free, easy; ~ *fout* unforced error (sport)

ongeërg' -de imperturbed, calm, casual, nonchalant *ook* **onverskil'lig;** ~*de houding* don't care attitude

ongeëwenaar'(d) unequalled, unrivalled, unprecedented, unparalleled *ook* **weer'galoos**

ongegrond' unfounded; ~*e aantygings/bewerings* unbased accusations/allegations

ongehin'derd -e unhindered, unobstructed, free

ongehoord' -e unprecedented; shocking; ~*e versoek* extraordinary request

ongehoor'saam disobedient; **~heid** disobedience

ongehuud' (b) unmarried; *ongehude moeder* unmarried mother

ongekend' -e unknown; matchless, unprecedented

on'gekeur not selected; unseeded; ~*de speler* unseeded/ungraded player

on'gekoppel off-line (comp.)

ongekuns'teld (b) -e natural, plain, unaffected, uncontrived *ook* **oop, natuur'lik**

ongel'dig -e invalid, null and void; ~ *verklaar* declare null and void *ook: nietig verklaar*

ongele'ë (b, bw) **meer ~, mees ~** inconvenient; inopportune

ongeleer(d)' (b) uneducated; illiterate

ongelet'ter(d) (b) -de illiterate *ook* **analfabe'ties;** uneducated; **~heid** illiteracy

on'gelode pet'rol unleaded petrol *ook* **lood'vrye pet'rol**

ongeloof'lik (b) incredible, unbelievable

ongelo'wig (b, bw) -e unbelieving, sceptical, incredulous; ~*e* (s) **-s** unbeliever, infidel (person)

on'geluk -ke accident, mishap, misfortune; *twaalf ambagte en dertien* ~*ke* Jack of all trades and master of none; *per* ~ by accident/mistake *ook: per abuis*

ongeluk'kig unhappy; unfortunate, unlucky; *dit* ~ *tref* have bad luck

on'geluks: **~bo'de** bringer of bad news; **~geneig'** accident-prone; **~kind/~vo'ël** unlucky person; bird of ill-omen

on'gelyk[1] (s) wrong; ~ *hê* be in the wrong

ongelyk'[2] (b) -e unequal, uneven; *gelyk en* ~ odd and even; diverse

on'gemak inconvenience, discomfort; hardship; **~in'deks/~sy'fer** discomfort index (climate)

ongemak'lik uncomfortable *ook* **ongerief'lik;** ill at ease

ongemanierd' -e rude, uncivil, ill-mannered *ook* **onbeskof', ongepoets';** **~heid** lack of manners/good breeding; rudeness

ongemerk' (bw) unnoticed; (b) unmarked (examination papers)

ongenaak'baar (b) unapproachable (person); unconcerned (about others)

ongena′dig merciless, cruel *ook* **koelbloe′dig;** violent

ongene′ë disinclined; averse to; unwilling

ongenees′lik -e incurable (illness)

on′genoeë: *sy ~ te kenne gee* express his displeasure

ongenooi′ uninvited, unbidden; *~de gaste* unin= vited/unwelcome visitors

ongeoor′loof (b) **-de** unpermitted, forbidden; unauthorised; unlawful

ongepas′ (b) **-te** unsuitable; unseemly, improper

ongepoets′ (b) **-te** uncouth, ill-mannered *ook* **onbeskof′, onmanier′lik**

ongereeld′ irregular, disorderly; erratic; *op ~e tye* at odd times *ook* **spora′dies, periodiek′**

ongerep′ (b) **-te** untouched, intact; unpolluted *ook* **onbesoe′del; ongeskon′de;** *~te woud* virgin forest

on′gerief inconvenience, discomfort; *iem. ~ ver= oorsaak* inconvenience s.o. *ook: iem. ver= ontrief*

ongerief′lik (b) inconvenient, uncomfortable

ongerus′ (b) worried about, uneasy, anxious *ook* **bekom′merd;** *~ oor iem.* anxious/worried about s.o.

ongerymd′ absurd, ridiculous *ook* **stry′dig;** *~heid* discrepancy, anomaly; absurdity

ongeseg′lik (b) disobedient; indocile, intractable *ook* **ongehoor′saam**

ongesel′lig (b) unsociable (people); dull, dreary

ongesiens′ unseen; without seeing/checking

ongeskik′ -te unsuitable, unfit; uncouth, ill-mannered, rude *ook* **onbeskof′;** *~t′heid* un= suitability, disability; unfitness; rudeness

ongeskon′de uninjured, unscathed; unharmed *ook* **ongedeerd′; heel**

ongeskool′ untrained, unskilled; *~de arbeid* unskilled labour

ongesond′ (b) unhealthy; unwholesome, un= sound; unhygienic; *~e toedrag van sake* unhealthy state of affairs

ongesteld′ -e unwell, indisposed *ook* **siek′(erig); onwel′;** *~heid* indisposition

ongesy′fer(d) innumerate *vgl.* **ongeletter(d)**

ongetroud′ -e unmarried, single

ongetwy′feld undoubtedly, doubtless, no doubt

on′geval -le accident, mishap; casualty; *~le′af= deling* casualties (section in hospital); *~le′= verse′kering* accident insurance

on′geveer roughly, approximately, about *ook* **omtrent′, naastenby′**

ongeveins′ -de sincere, genuine, unfeigned

ongevoe′lig (b) insensitive; unfeeling

ongevraag′ (b) unasked, uncalled for; *~de advies* unasked for advice

ongewa′pen(d) (b, bw) **-de** unarmed; unprepared

ongewens′ -te undesired, undesirable; *~te be= soeker* undesirable/unwelcome visitor

ongewer′wel(d) (b) **-de** invertebrate; *~de dier* invertebrates

ongewild′ -e undesired, not in demand; unpop ular *ook* **onpopulêr′**

ongewoon′ (b) unusual, uncommon, odd; *iets ~* something out of the ordinary; *~d′* unaccus tomed

ongrondwet′lik (b) **-e** unconstitutional

on′guns disfavour: *in ~ raak* fall into disfavour disgrace

onguns′tig (b) unfavourable *ook* **ska′delik; ~** *rapport* unfavourable/negative report

onguur′ (b, bw) **ongure** coarse, repulsive *oo* **kru;** *ongure vent* unsavoury/sinister guy fellow; inclement, horrible; *(on)gure wee* nasty/foul weather

onhan′dig awkward, clumsy *ook* **lomp**

onheb′belik rude, ill-mannered, unruly; spoi (child)

on′heil (s) **-e** calamity, disaster

onheilspel′lend ominous, sinister *ook* **sinis′ter**

onherberg′saam ..same inhospitable; barren

onherken′baar ..bare unrecognisable

onherroep′lik (b) irreversible, irrevocable (car not be revoked)

onherstel′baar irreparable; irretrievable; *..ba verlies* irreparable loss (death)

onheug′lik (b) **-e** immemorial; *sedert ~e ty* from time immemorial

onhoor′baar (b) **..bare** inaudible

o′niks (s) onyx (gemstone)

onin′baar irrecoverable; *..bare skuld* bad deb *ook* **dooi′eskuld**

on′juis -te incorrect, erroneous *ook* **inkorrek foutief′;** *~t′heid* incorrectness, error

on′kant offside (sport)

onkapa′bel (omgangst.) (b) incapable; incapac tated

onkies′ (b) **-e** indelicate, improper; obscene

on′klaar (b) out of order, defective *ook* **defek′;** *raak* break down (car)

on′koste (s) (enk., mv.) expenses, costs; charge *ook* **uit′gawes**

onkreuk′baar (b) **..bare** unimpeachable, inco ruptible (character; reputation)

on′kruid -e weeds; *~ vergaan nie* ill weeds gro apace; *~do′der* weedkiller, herbicide

on′kunde: *sy ~ openbaar* display his ignoranc **onkun′dig:** *~/onwetend omtrent* ignorant of

on′langs (b) recent; (bw) recently, lately

onlees′baar unreadable, illegible

on′luste (s) (mv.) disturbance(s), riot(s) *~te-een′heid* riot squad/unit; *~poli′sie* ri police

onmanier′lik (b) bad-mannered, rude

onmeet′lik -e immense, vast; limitless; *~e ska* untold treasures/wealth

onmens′lik -e inhuman, unhuman, cruel, bruta

bestial *ook* **wreedaar'dig, barbaars'**; **~heid** cruelty, brutality

onmid'dellik -e immediate(ly), direct(ly), at once *ook* **da'delik; oomblik'lik**

on'min (s) disagreement, discord *ook* **on'vrede**; *in ~ lewe* lead a cat-and-dog life

onmis'baar indispensable, essential, vital

onmisken'baar undeniable, unmistakable

onmoont'lik impossible *ook* **onuitvoer'baar**

onnatuur'lik unnatural; artificial *ook* **kunsma'tig**

onno'dig -e unnecessary; superfluous

onno'sel innocent; silly; stupid *ook* **dom, dwaas, sot**; *~e vent* simpleton, blinking fool, Simple Simon; **~heid** stupidity

onnoukeu'rig inaccurate, careless

on'nut (s) **-te** naughty boy/girl; good-for-nothing *ook* **niks'nut**; **~sig** (b) mischievous, impish *ook* **ondeund', stout'erig**

onomatopee' (s) **..peë** onomatopoeia *ook* **klank'nabootsing**

onomstoot'lik irrefutable; *~e bewys(e)* clear/irrefutable proof/evidence

onomwon'de unequivocal, without mincing matters *ook: sonder doekies omdraai*

ononderbro'ke uninterrupted, continuous *ook* **onaf'gebroke**

ontbeer'lik -e indispensable, essential

ontwik'keld -e undeveloped; illiterate

onoog'lik -e unsightly *ook* **le'lik; afsig'telik**

onoordeelkun'dig -e injudicious, ill-considered

onoorko'melik -e insuperable, insurmountable (problems)

onoorwin'lik -e unconquerable, invincible

onoorwon'ne (b) unconquered, unbeaten

onop'gevoed -e uneducated, ill-bred

onophou'delik -e incessant, continuous *ook* **ononderbro'ke**

onoplet'tend -e inattentive *ook* **nala'tig**

onopset'lik -e unintentional, inadvertent(ly)

on'paar (b) odd, unmatched; *~ kouse* odd pair of stockings

onparty'dig -e impartial, unbiased *ook* **neutraal', onsy'dig**; *~e skeidsregter* impartial/neutral referee; **~heid** impartiality

onpersoon'lik -e impersonal

onplesie'rig -e unpleasant; disagreeable

onprak'ties -e unpractical *ook* **onuitvoer'baar**

on'raad danger, trouble; *~ merk/bespeur* smell a rat, scent danger

onre'delik unreasonable, unfair *ook* **buitenspo'rig, absurd'**

onreëlma'tig -e irregular; fluctuating; **~heid** irregularity, abnormality

on'reg (s) wrong (n), injustice; *skreiende ~* glaring injustice

onregma'tig -e unlawful; wrongful; unfair, unjust

on'regstreeks -e indirect(ly) *ook* **indirek'**

onregver'dig -e unjust, unfair *ook* **onre'delik**; inequitable; **~heid** injustice

on'rein unclean; impure, unchaste

onroe'rend -e immovable; *~e goed(ere)* immovable property *ook* **vas'goed**

on'rus (s) unrest, anxiety; disquiet; disturbance, commotion; *~ stook* create unrest/alarm

onrusba'rend disquieting, disconcerting, alarming *ook* **sorgwek'kend, vreesaanja'end**

on'russtoker (s) **-s** mischief maker; agitator *ook* **op'ruier**

onrus'tig (b) restless, uneasy; turbulent *kyk* **ongerus'**; *~ slaap* sleep uneasily

ons[1] (s) **-e** ounce (weight/mass)

ons[2] (pers.vnw, mv) we, us; *dit moet onder ~ bly* this must remain a secret; *een van ~* one of our party; (besit.vnw) our; *die O~e Vader* the Lord's Prayer; *~ s'n* ours

onsamehan'gend (b) disconnected, loose; incoherent

onse'delik -e immoral, indecent; *~e aanranding* sexual assault; **~heid** immorality, vice

onse'ker -e uncertain; unsafe, insecure; unsteady; **~heid** uncertainty, doubt; *in ~heid verkeer* be in doubt/two minds

onselfsug'tig (b) unselfish; altruistic *ook* **me'dedeel'saam; ~heid** unselfishness

onsig'baar ..bare invisible, unseen; *~bare inrit/oprit* concealed entry/on-ramp

on'sin (s) nonsense; foolishness; balderdash; hogwash; garbage (infml.); bull (slang) *ook* **kaf, twak, snert**; *~ kwytraak* talk rubbish

onsin'delik (b) unclean, dirty; not house-trained (young domestic pet)

onsin'nig (b) absurd, nonsensical; fatuous; moronic

onska'delik (b) harmless, innocuous *ook* **ongevaar'lik**; *~ maak* render harmless (land mine)

onskat'baar invaluable, inestimable; *van ..bare waarde* of inestimable value

onskei(d)'baar ..bare inseparable

on'skuld innocence; *ek was my hande in ~* I wash my hands of it

onskul'dig -e harmless; innocent, guiltless; *~ pleit* plead not guilty

onsmaak'lik -e tasteless; unpalatable; unsavoury *ook* **goor**; *'n ~e affère* a distasteful/unsavoury affair

onsterf'lik -e immortal; **~heid** immortality; *~e roem* immortal/lasting fame

onstui'mig -e turbulent, wild, boisterous; rough, foul (weather); *~e vergadering* unruly meeting

on'suiwer -e impure; **~heid** (s) **..hede** impurity

onsukses'vol -le unsuccessful *ook* **tevergeefs'**

onsy'dig -e impartial; neuter (gender); neutral (country) *ook* **onparty'dig, neutraal'**

ontaard' (w) *~* degenerate, deteriorate *ook* **versleg'**

ontbeer′ (w) ~ miss, lack, do without; *iets nie kan ~ nie* unable to do without something

ontbe′ring (s) **-e, -s** hardship, privations *ook* **gebrek′, behoef′tigheid;** exposure

ontbied′ (w) ~ send for; summon (a doctor)

ontbind′ (w) ~ untie, undo; dissolve, disband; *'n vennootskap ~* dissolve a partnership

ontbloot′ (w) ~ strip; deprive; lay bare *ook* **open= baar′;** expose; (b) uncovered; *met ontblote hoof* bareheaded; *van alle waarheid ~* devoid of all truth; **ontblo′ter** (man) exposer, flasher

ontboe′sem (w) ~ unbosom, unburden, pour out one's heart

ontbon′del (w) ~ unbundle (a company) *ook* **ontknoop′**

ontbrand′ (w) ~ ignite; take fire; **~baar** inflammable *ook* **vlam′baar; ~ing** ignition

ontbreek′(w) ~ be wanting, be missing, lacking; *dit ~ hom aan geld* he needs money

ontbyt′ (s) **-e** breakfast *ook* **brek′fis** (omgangst.); *~ nuttig* have breakfast

ontdek′ (w) ~ discover; find out; detect; reveal *ook* **onthul′; ~king** discovery; **~kingsrei′siger** explorer

on(t)doen (w) ~ undo (comp.)

ontdooi′ (w) ~ thaw (snow) *ook* **smelt;** unbend, yield (a point); defrost (meat); become sociable/talkative (shy person)

ontduik′ (w) ~ shirk, evade, dodge, duck; escape; *die wet ~* evade the law; **~er** dodger (person)

onteenseg′lik (b) **-e** undeniable, unquestionable; (bw) unquestionably, undoubtedly

onteer′ (w) ~ dishonour, violate; rape; deflower (a virgin) *ook* **ontmaagd′**

ontei′en (w) ~ expropriate (a property); dispos= sess *ook* **konfiskeer′**

ontei′ening -e, -s dispossession; expropriation

ontel′baar countless; uncountable

onterf′/onter′we (w) ~ disinherit

ontevre′de (b, bw) **-ner, -nste** of **meer ~, mees ~** discontented, dissatisfied

ontferm′ (w) ~ take pity (on), have mercy (on), commiserate; *~ u oor my* have mercy on me; **~ing** pity, mercy *ook* **mee′gevoel, barmhar= tigheid**

ontfout′ (w) ~ debug (comp.)

ontgeld′ (w) **~:** *hy moes dit ~* he had to pay/ suffer for it

ontgin′ (w) ~ exploit; extract, mine; develop; investigate; prepare for cultivation (land); **~ning** exploitation, mining

ontgo′gel (b) disillusioned, disenchanted *ook* **ontnug′ter**

ontgroei′ (w) ~ outgrow

ontgroen′ (w) ~ initiate (new students); **~ing** initiation; induction

onthaal′ (s) **..hale** reception *ook* **geleent′heid;** (w) ~ treat, regale; entertain; *gaste ~* entertain guests; **~suite** hospitality room/suite; **~toe′lae** entertainment allowance

onthef′ (w) ~ exempt; exonerate (from)

onthei′lig (w) ~ desecrate, profane *ook* **skend;** *die Sabbat ~* break/violate the Sabbath

onthoof′ (w) ~ behead, decapitate (execute) *ook* **onthals′**

onthou′ (w) ~ remember, recall; bear in mind; retain; abstain/refrain (from); *help my ~* remind me, please; *jou ~ van* refrain from (doing something); **~ding** abstinence; **~er** abstainer, teetotaller (from alcohol)

onthul′ (w) ~ unveil; reveal; disclose, divulge; **~ler** whistle-blower; **~ling** disclosure, revela= tion; unveiling (of monument)

onthuts′ (w) ~ confuse, perplex; (b) upset disconcerted, shocked

ontken′ (w) ~ deny; **~nend** (b) negative; **~ning** (s) **-s, -e** denial; *dubbele ~* double negative

ontke′ten (w) ~ unchain, unfetter; unleash; *magte ~* release forces

ontkie′ser (w) ~ disfranchise *ook: stemreg ont= neem*

ontklee′ (w) ~ undress; **~dans** striptease (act); **~danser(es′)** stripper (male, female)

ontkno′ping unravelling (of a plot in a play); unbundling (of holding company)

ontlas′ (w) ~ relieve, unburden, discharge; disburden; empty; **~ting** discharge; stool movement (of the bowels) *ook* **stoel′gang**

ontle′ding (s) analysis; dissection; breakdown (of figures) *ook* **anali′se**

ontleed′ (w) ~ analyse, parse; dissect, anatomise; **~kun′de** anatomy

ontleed′mes -se dissecting knife, scalpel *oo..* **skal′pel**

ontleen′ ~ borrow/derive/take (from); *~ aa..* *Engels* borrowed from English

ontle′der (s) **-s** anatomist; analyst *ook* **analis** (persoon)

ontle′ning (s) **-e, -s** derivation (word)

ontlont′ (w) ~ defuse (a political) crisis)

ontlug′ter (s) **-s** air vent (in factories, etc.)

ontluik′ (w) ~ open, bud; unfold; *~ende talen..* budding talent; *laat ~er* late starter (child learner)

ontman′ (w) ~ castrate, emasculate

ontmas′ker (w) ~ expose, unmask; reveal *oo..* **ontbloot′**

ontmoe′dig (w) ~ discourage, dishearten *oo..* **af′skrik; ~end** disheartening

ontmoet′ (w) ~ meet (with), encounter, com.. across; **~ing** meeting, encounter

ontnug′ter (b) disillusioned, disenchanted; **~in..** disillusion, rude awakening; eye-opener

ontoegank′lik -e inaccessible (places); unap proachable (person)

ontoepas′lik -e inapplicable, irrelevant

ontoerei'kend -e insufficient, inadequate *ook* **onvoldoen'de**

ontoere'kenbaar ..bare not answerable/account=able; of unsound mind

ontplof' (w) ~ explode, detonate; pop off; **~baar** (b) explosive; **~fing** (s) **-s, -e** explosion, blast; detonation; **~fingstof'** explosive *ook* **plof'stof**

ontplooi' (w) ~ unfurl, unfold; deploy (troops)

ontred'derd (b) **-e** forlorn *ook* **verla'te, ver=ward'** (persoon)

ontrief' (w) ~ inconvenience s.o.

ontrim'peling facelift *ook* **gesig'(s)kuur, ver=jon'ging**

ontroer' (b) moved, touched *ook* **aan'gedaan; ~end** touching, poignant *ook* **aangry'pend; ~ende tonele** stirring/moving scenes

ont'rond (w) ~ unround (a vowel)

ontroos'baar ..bare inconsolable, disconsolate

ontrou' (b) disloyal, unfaithful

ontruim' (w) ~ evacuate *ook* **evakueer'**; vacate; *die gebou* ~ evacuate (the people in) the building; **~ing** evacuation

ontsag' awe, respect; ~ *inboesem* command respect; **~lik** formidable *ook* **gewel'dig;** im=posing, impressive

ontsê' (w) ~ deny, forbid; *hom alle voorregte* ~ refuse/deny him all privileges

ontse'nu (w) ~ unnerve, enervate

ontset'[1] (w) ~ relieve; *'n stad* ~ relieve/free a besieged town; **~ting** relief (of a town)

ontset'[2] (b) appalled, aghast; **~tend** terrible, awful, appalling *ook* **vrees'lik, verskrik'lik; ~ting** fright, terror, horror

ontsien' (w) ~ respect, stand in awe of; ~ *sy grys hare* have respect for his grey hair; *geen moeite* ~ *nie* spare no pains

ontsier' (w) ~ deface, disfigure

ontslaan' (w) ~ dismiss, discharge; retrench; sack, fire, axe *ook* **af'dank, af'betaal;** *iem. uit sy betrekking* ~ dismiss/sack s.o.

ontsla'e (bw) **-e** discharged; rid; ~ *raak van* get rid of

ontslag' (s) dismissal, discharge *ook* **af'danking;** marching orders; release; acquittal; resigna=tion; *dreig met* ~ threaten with dismissal; *jou* ~ *neem* resign

ontsla'pe deceased, dead *ook* **gestor'we, oorle'=de;** *die ~ne* the deceased (person)

ontsluit' (w) ~ open, unlock; develop (mine); *inligting* ~ retrieve information (database, library); *waarde* ~ unlock value (in a busi=ness); **~ing** unlocking; development; retrieval (of information)

ontsmet' (w) ~ disinfect; **~ting** disinfection; **~(tings)mid'del/~(ting)stof'** disinfectant, anti=septic; germicide

ontsnap' (w) ~ escape (also comp.); **~kuns=tenaar** contortionist *ook* **slang'persoon;**

~ping escape, getaway; jailbreak; **~sleutel/ ~toets** escape key (comp.); **~te** (s) **-s** escaped person

ontsout' (w) ~ desalinate, desalt; **~(ing)aan'leg** desalination plant

ontspan' (w) ~ relax, divert; unbend; *tyd om te* ~ time to relax; **~gerie'we** recreational facil=ities/amenities; **~ning** rest; recreation, relaxa=tion; **~(nings)lektuur'** light reading; **~(nings)= lokaal'** recreation hall/room; **~(nings)terrein'** recreation grounds

ontspoor' (w) ~ derail; **~ontspo'ring** (s) **-s, -e** derailment (train)

ontstaan' (s) origin, inception; (w) ~ originate, arise; stem from; *hoe het die rusie* ~? what started the argument?

ontste'king (s) **-s, -e** sparking, kindling; ignition; inflammation (illness)

ontstel' (w) ~ startle, upset, disconcert; *~lende gebrek aan kennis* alarming lack of knowl=edge; **~d'** (b) upset *ook* **onthuts', om'gekrap;** alarmed, dismayed

ontstel'tenis (s) alarm, dismay *ook* **misnoe'ë**

ontstem' (w) ~ upset; put out of tune; (b) displeased, cross; upset, distressed

ontsten'tenis default; nonappearance; *by* ~ *van* in default of, failing *kyk* **verstek'**

ontstig' (w) ~ annoy, offend *ook* **krenk, seer'= maak**

ontsto'ke (b) swollen, inflamed; angry, cross

ontsy'fer (w) ~ decipher; unravel

onttrek' ~ withdraw; recuse (a judge); *jou* ~ *aan* withdraw from; **~king** withdrawal; **~king= simptoom'** withdrawal symptom

on'tug immorality; vice; lewdness; prostitution

ontuis': ~/*ongemaklik voel* be ill at ease

ontvang' (w) ~ receive; conceive; *salaris* ~ draw a salary; **~e'nis** conception; **~er** recipient, receiver; taxman; *~er van inkomste* receiver of revenue *ook* **belas'tinggaarder; ~s'** receipt; reception; takings, returns; *hartlike ~s* cordial reception (when visiting/meeting others); *in ~s neem* take delivery of; **~(s)'bewys** receipt (for goods); **~s'persoon** receptionist

ontvank'lik -e receptive, susceptible

ontvlam' (w) ~ burst into flame, take fire; **~baar** (in)flammable, (easily) combustible *ook* **brand'baar, vlam'baar**

ontvlug' (w) ~ escape, flee; **~ting** escape, flight

ontvoer' (w) ~ abduct, kidnap; elope with; **~der** abductor, kidnapper *kyk* **ka'per, ska'ker; ~ing** abduction *ook* **ka'ping**

ontvolk' (w) ~ depopulate; *~ing van die platte=land* depopulation of the platteland

ontvreem' (w) ~ abstract; misappropriate, em=bezzle *ook* **verduis'ter** (geld); pilfer *ook* **vas'lê, gaps**

ontwaak' (w) ~ awake; wake up to

ontwa′pen (w) ~ disarm; **~ing** disarmament

ontwar′ (w) ~ unravel; disentangle

ontwa′semer -s demister (for windscreen)

ontwa′ter (w) ~ dehydrate; dewater (mining); (b) dehydrated; **~ing** (s) dehydration

ontwerp′ (s) **-e** draft, sketch, design; project; (w) ~ plan, design; draft; **~grond′wet** draft constitution; **~wet** draft bill *ook* **wets′ontwerp**

ontwik′kel (w) ~ develop; evolve; **~d** (b) developed; educated; **~ende lande** developing countries *ook* **ontwik′kelingslande; ~aar** developer (of property)

ontwik′keling (s) **-e, -s** development; evolution; **~s′gang** evolution, course of development

ontwil′ sake; behalf; *om my* ~ for my sake

ontwrig′ (w) ~ dislocate; disrupt; *die klas* ~ disrupt the class; **~ting** disruption; dislocation

ontwyk′ (w) ~ evade, shun; escape; *'n vraag* ~ evade a question; **~end** evasive

onty′dig untimely, ill-timed; unseasonable; premature; *tydig en* ~ timely and untimely

onuit′gemaak -te not settled, undecided, in abeyance; *nog* ~ an open question

onuitput′lik -e inexhaustible, never-failing; *~e bron van olie* inexhaustible source of oil

onuitspreek′lik -e inexpressible (misery); unutterable

onuitstaan′baar ..bare intolerable, unbearable

onuitvoer′baar ..bare impracticable; infeasible *ook* **onhaal′baar**

onuitwis′baar ..bare indelible; enduring, lasting (memories)

o′nus (s) **-se** onus, duty, obligation; burden; *die rus op hom* the onus/burden of proof rests on him

onvanpas′ -te out of place *ook* **misplaas′;** unsuitable; inopportune; inappropriate

onvas′ -te unstable, unsteady, shaky; uncertain

onvei′lig unsafe, insecure

onveran′derlik (b) **-e** invariable, constant; **~e** (s) **-s** invariable (n)

onverantwoor′delik -e irresponsible; inexcusable

onverbe′terlik -e incorrigible (child)

onverbid′delik -e relentless, grim; unwavering

onverbloem(d)′ -de plain, naked; honest; *~de waarheid* unvarnished truth

onverbo′ë undeclined, uninflected (gram.)

onverbon′de (b) nonaligned (countries)

onverdien(d)′ -de undeserved, unmerited

onverdiens′telik -e undeserving; *nie* ~ *nie* not without merit

onverdraag′saam intolerant *ook* **onbuig′saam**

onvere′nigbaar incompatible *ook* **onaanpas′= baar;** inconsistent (with)

onvergank′lik -e imperishable, undying, everlasting; *~e roem* immortal fame

onvergeef′lik -e unforgivable, unpardonable

onvergeet′lik -e memorable, unforgettable, enduring

onvergenoeg′ -de discontented, disgruntled

onverhoeds′ unexpectedly, unawares; ~ *betrap* catch unawares

onverklaar′baar ..bare inexplicable

onverkry(g)′baar ..bare unobtainable

onverkwik′lik -e disagreeable, unsavoury; *~e gekyf* unsavoury/unedifying quarrel(ling)

on′vermoë inability; impotence

onvermoeid′ -e untiring (pursuit); tireless

onvermy′delik -e unavoidable; inevitable *ook* **onafwend′baar**

onverpoos′ -de continuous, uninterrupted; incessant *ook* **deurlo′pend, voortdu′rend**

on′verrigter sa′ke/onverrigtersa′ke: ~ *tuis kom* come home without having been successful

onversaag′ -de fearless, unafraid, undaunted *ook* **onverskrok′ke, vrees′loos**

onversa′dig -de insatiated; unquenched (appetite); unsaturated (market)

onverset′lik -e firm, unyielding *ook* **onbuig′= saam;** obstinate, stubborn, immovable

onversig′tig imprudent; careless, negligent *kyk* **onverskil′lig**

onverskil′lig -e indifferent, careless; uninvolved *ook* **onbelangstel′lend;** cold(-blooded), insensitive; reckless, heedless *ook* **roekeloos, waaghal′sig;** ~ *ry* drive recklessly; **~heid** apathy; indifference

onverskrok′ke bold, undaunted; intrepid *ook* **manhaf′tig, vrees′loos**

onversoen′lik -e irreconcilable; implacable, unforgiving

onversorg′ (b) unprovided/uncared for *ook* **behoef′tig, verwaar′loos;** untidy (in appearance)

onverstaan′baar incomprehensible *ook* **onver= klaar′baar;** unintelligible

onverstan′dig unwise, foolish; stupid *ook* **dom, ondeurdag′**

onverstre′ke unexpired (period) *ook* **onver= stryk′te**

onvervang′baar ..bare irreplaceable, unreplaceable

onvervul(d)′ -de unfulfilled

onverwags′ (b, bw) **-e** unexpected(ly), sudden(ly) *ook* **skie′lik;** unawares

onverwe′senlik -te unrealised (dreams, plans)

onverwyld′ -e immediately, directly *ook* **da′= delik, terstond′**

onvoldoen′de insufficient, inadequate; *'n blote kennisgewing is* ~ a mere notice will not suffice

onvolle′dig -e incomplete *ook* **gebrek′kig**

onvolmaak′ -te imperfect, defective

onvoltooi′ -de imperfect, incomplete; *~de sim= fonie* unfinished symphony; *~de tye* imper=

fect/progressive tenses; ~de werk work in progress (in factory)

onvoor′berei -de unprepared; unrehearsed

onvoorsien′ unforeseen, unexpected; unpro‹ vided; ~e uitgawes unforeseen/contingent expenses, contingencies

onvoorsiens′ unawares; dit het heeltemal ~ gebeur it happened quite unexpectedly

onvoorwaar′delik unconditional; ~e oorgawe unconditional surrender (war)

on′vrede discord ook **on′min;** feud; in ~ lewe lead a cat-and-dog life

onvrien′delik unkind, unfriendly ook **koel, kort′af; stug**

onvrug′baar infertile; sterile, barren

onwaar′ untrue; false

onwaar′dig unworthy; undignified

onwaarskyn′lik (b) improbable; unlikely

on′weer unsettled/stormy weather; thunderstorm ook **swaar′weer;** daar is ~ in die lug there is a storm brewing

onweerleg′baar irrefutable; ..bare getuienis irrefutable/indisputable evidence

onweerstaan′baar (b) ..bare irresistible ook **verlei′delik; hof′lik, sjarmant′**

on′wel unwell, indisposed ook **siek(erig), oes**

onwelvoeg′lik -e indecent ook **aanstoot′lik;** unseemly; obscene ook **obseen′**

onwens′lik -e undesirable

onwerk′lik -e uncanny, unreal; imaginary

onwe′tend -e ignorant; unaware; ~ sondig to sin unwittingly

onwetenskap′lik -e unscientific

onwet′tig -e unlawful, illegal, under-the-counter; ~e diamanthandel illicit diamond buying; ~e immigrant illegal immigrant

on′wil: dis pure ~ it is sheer obstinacy

onwillekeu′rig (b) involuntary ook **instinktief′;** (bw) involuntarily; ek moes ~ lag I could not help laughing ook: ek kon my lag nie hou nie

onwil′lig -e unwilling, loath, reluctant

onwrik′baar ..bare unyielding, uncompromising ook **onomstoot′lik**

oog (s) **oë** eye; fountain, source; noose; dwa‹ lende ~ roving eye; doring in die ~ eyesore; met die blote ~ with the naked eye; uit die ~ uit die hart out of sight, out of mind; onder vier oë sien have s.o. in for a talking to; skelm oë shifty eyes; ~ap′pel eyeball; darling; favourite (n); ~arts eye specialist, ophthal‹ mologist; ~dok′ter oculist; ~getui′e (eye)‹ witness; ~haar eyelash; nie ~hare hê vir not fancy s.o./something; ~heelkun′de ophthal‹ mology ook **oftalmologie′;** ~kas (s) -se eye socket, orbit ook **oog′holte;** ~klap blinker; eyeflap; ~knip wink; ~kun′dige optometrist; ~lid eyelid; ~lo′pend obvious, conspicuous ook **opval′lend**

ooglui′kend stealthily, on the sly; close an eye to; ~ toelaat connive at, overlook

oog: ~merk aim, goal, object, purpose ook mik′punt, doel′(wit); ~op′slag glance; met 'n ~opslag at a glance; ~pis′ter bombardier beetle ook **grond′kewer;** ~punt viewpoint ook **gesig′(s)punt;** ~tand eyetooth; ~wenk/~wink moment; twinkling; in 'n ~wink in a moment/ jiffy; ~wim′per eyelash

ooi (s) **-e** ewe (female sheep)

ooi′evaar (s) **-s, ..vare** stork; ~s′drag ook **kraam′drag;** maternity wear; ~s′tee baby shower, stork party kyk **kombuis′tee**

ooi′lam (s) **..mers** ewelamb

ooit ever, at any time; het jy ~! well, I never!

ook also, too; wat ~ al gebeur whatever happens

oom (s) **-s** uncle

oom′blik (s) **-ke** moment, instant; net 'n ~ (as‹ seblief) just a moment (please); op die regte ~ at the right moment; in the (very) nick of time

oomblik′lik (b, bw) **-e** instantaneous(ly), im‹ mediate(ly); instantly ook **da′delik**

oond (s) **-e** oven; furnace; kiln

oop open; vacant; ~ en bloot public(ly), quite open/unconcerned; iem. met ope arms ontvang welcome s.o. with open arms; ~/ope dag open day (for visitors); ~/ope geheim open secret; 'n ~ gemoed an open mind

oop: ~breek break open; ~draai screw open; turn on (tap); ~gaan open; disclose; ~groefmyn′ opencast mine; ~hou keep open; keep vacant; ~keu′sevraag open-ended ques‹ tion; ~knoop unbutton, unfasten; ~laat leave open

oop′lê -ge- lay open; lie open; expose; run (fast); hy het oopgelê pale toe he made for the posts/goal line

oop: ~maak open, unlock; ~nekhemp′ open-necked shirt; ~ruk jerk/rip open; ~slaan open (book); beat open; ~sluit unlock; ~sny cut open

oop′spalk -ge- dilate, stretch out; met oopge‹ spalkte oë with wide/dilated eyes

oop′staan -ge- be open (door)

oop′val -ge- fall open; become vacant (post)

oop′vlekker -s whistle-blower ook **onthul′ler, informant′**

oor[1] (s) ore ear; iem. ore aansit outdo/outsmart s.o.; een en al ore wees be all ears; in die ~ knoop make sure not to forget; ore v.d. see‹ koei tip of the iceberg

oor[2] (bw) over, past; left; ~ en weer to and fro, mutually; (vs) over, via, beyond, across; ~ die geheel on the whole

oor[3] (omgangst.) (vgw) because ook **omdat′;** hy vorder ~ hy werk he makes progress because he works

oor: ~**aan'bod** oversupply; ~**bekend'** very well known; notorious; ~**beklem'toning** overstate= ment; ~**bel** earring; ear lobe; ~**bevolk'** over= populated; ~**bewei'ding** overgrazing

oorbie'tjie/oribie' -s oribi (antelope)

oorbluf' (w) ~ disconcert, strike dumb *ook* **dronk'slaan, verstom'**; *heeltemal* ~ *wees* be completely dumbfounded/mystified/perplexed

oor'bly (w) -ge- remain (over); pass/spend the night

oor'blyfsel (s) -s remains, remainder, remnant, residue, vestige *ook* **oor'skot, restant'**

oorbo'dig -e superfluous, needless, excessive; redundant *ook* **oortol'lig**

oorboord' (bw) overboard; ~ *gooi* throw over= board, jettison; scrap, discard *ook* **skrap**

oor'bring -ge- convey, deliver, transmit, carry forward, transfer, transport

oor'brug[1] (s) ..**brûe** fly-over bridge

oorbrug'[2] (w) ~ bridge (over); *probleme* ~/*uitstryk* solve problems; ~**ging(s)kapitaal'** bridging capital/finance; ~**ging(s)kur'sus** bridging course (studies)

oord (s) -e region, locality, place; resort; *herstel'*~ convalescent home (for sick people); **vakan'sie**~ holiday resort

oor'daad excess, extravagance; profusion; *in* ~ *lewe* live extravagantly/in luxury

oorda'dig excessive, extravagant *ook* **buiten= spo'rig, uitspat'tig**

oordag': *helder* ~ in broad daylight

oor'deel (s) ..**dele** judg(e)ment; opinion; verdict *ook* **uit'spraak** (hof); **beslis'sing**; ~ *vel* judg(e)ment, sentence; (w) ge- judge; *te* ~ *volgens wat jy sê* judging from what you are saying

oordeelkun'dig (b) judicious; sensible; discreet *ook* **diploma'ties**

oor'deels: ~**dag** judg(e)ment day, doomsday; ~**fout** error of judg(e)ment *ook* **misre'kening**

oordek'[1] (w) ~ cover (up) *ook* **toe'smeer;** overlap

oor'dek[2] (w) -ge- rethatch; re-lay (table)

oorden'king -s, -e meditation *ook* **bepeins'ing;** epilogue

oor'dra -ge- carry forward; assign; transfer (also comp.); convey (legal); transmit

oordraag'baar ..**bare** transferable; *nie-*~ not transferable (cheque)

oor'drag -te transfer, cession; *by registrasie van* ~ on registration of transfer; ~ *van bevoegd= hede* delegation of powers; ~**prokureur'** conveyancing attorney

oordre'we (b) exaggerated; overdone, excessive; exorbitant (price) *ook* **buitenspo'rig**

oordryf'/oordry'we (w) ~ exaggerate, overstate, overdo *ook* **vergroot, oor'beklemtoon**

oordry'wing (s) -s exaggeration, overstatement

ooreen' in agreement; *hulle kom* ~/*gaan akkoord* they agree; ~**kom** agree; correspond

ooreen'koms (s) -te agreement, accord; contract, treaty; resemblance, similarity; *'n* ~ *aangaan/ sluit/tref* enter into an agreement/deal

ooreenkoms'tig in accordance with, in terms of *ook* **ingevol'ge, krag'tens**

ooreen'stem (w) -ge- agree, concur; correspond; tally; *tot 'n* ~*ming kom* come to an agree= ment/understanding

ooreet' (w) ~ overeat, gorge

ooreis' (w) ~ work too hard, overtax; *jou oë* ~ strain one's eyes

oor'erf (w) -geërf inherit; *oorgeërfde gewoonte* hereditary trait; ~**lik:** ~*e siekte* hereditary illness

oor'gaan -ge- cross/go over; proceed; pass off; *tot dade* ~ turn to action

oor'gang[1] (s) transition, passing across; ~**s'leef= tyd** change of life, menopause (woman); ~**s'raad** transitional council; ~**s'tyd(perk)** transition(al) stage/period

oor'gang[2] (s) -e (pedestrian) crossing; passage

oorgank'lik -e transitive (verb)

oor'gawe -s surrender; transfer; cession; devo= tion, dedication *ook* **toe'wyding**

oor'gee -ge- surrender (in war) *ook* **kapituleer';** concede; yield, hand over

oor: ~**genoeg'** more than enough; ~**gerus'** over= confident; ~**gevoe'lig** oversensitive, hypersen= sitive; ~**gewig'** overweight; obese *ook* **swaarly'wig**

oor'groot too big; vast; *die oorgrote meerder= heid* a vast/substantial majority

oor'groot: ~**moe'der** great-grandmother; ~**ou'= ers** great-grandparents; ~**va'der** great-grand= father

oor'haal (w) -ge- fetch across; persuade *ook* **oorreed', om'praat;** cock (rifle); induce

oorhaas'tig (b) impetuous, reckless *ook* **im= pulsief';** ~*e besluit* headlong decision

oor'hand upperhand; supremacy; *die* ~ *kry* get the better of

oorhan'dig (w) ~ hand over, deliver; present; ~**ing** handing over, delivery; presentation (of prizes) *ook* **prys'uitdeling**

oor'hê (w) -gehad have left (to spare); be willing to sacrifice; *alles vir andere* ~ always willing to help others

oorheen'skryf -ge- overwrite (comp.) *ook* **oor'= skryf**

oorheers' (w) ~ dominate, domineer *ook* **domineer';** play the tyrant; ~*ende vraag* all-important/vital question; ~**ing** domination, oppression; ~**string** wild cards (comp.)

oor'hel -ge- incline (to), lean over, slant, tilt; list (ship) *ook* **hel** (w)

oorhoeks' -e diagonally, cornerwise; *jou* ~ *werk*

work oneself to the bone; *jou ~ skrik* take a terrible fright

oorhoofs': *~e projektor* overhead projector *ook* **tru'projektor;** *~e uitgawes* overhead ex‹ penses, overheads *ook* **bo'koste;** *~e snelweg* elevated highway/motorway

oorhoop(s)' (bw) in confusion; at variance; *met iem. oorhoop(s) lê* be at loggerheads with s.o.

oor'hou -ge- save, have left

oor'kant (s) other/opposite side; *(aan die) ~ van die straat* on the other side of the street; (bw, vs) across, on the opposite side

oor'klank -ge- dub (film, TV); **~ing** dubbing

oor'klere overall(s) *ook* **oor'pak**

oor'klim -ge- climb over; change (trains)

oorkoe'pel (w) ~ cover, vault, arch; *~ende organisasie* umbrella organisation

oor'kom[1] (w) **-ge-** happen to; *bang sy sal iets ~* afraid something will happen to her; *hy sal daar niks van ~ nie* it won't do him any harm; come over; visit *ook:* **(kom) kui'er;** *kom gerus 'n bietjie oor* please drop in (for a visit)

oorkom'[2] (w) ~ surmount, overcome, master, negotiate

oor'konkel -s slap on the ear(s) *ook* **oor'veeg**

oor'kook -ge- boil over; boil again

oor'krabbe(r)tjie -s earring *ook* **oor'bel, oor'‹ ring**

oor'krui'per -s earwig; centipede *ook* **hon'‹ derdpoot**

oorkruis' crosswise

oor'kussing pillow; *ledigheid is die duiwel se ~* Satan finds mischief for idle hands to do

oorlaai'[1] (w) ~ overload; overcharge, over‹ burden; glut; *hy is met presente ~* presents were heaped upon him; *die vragmotor was ~* the truck was overloaded

oor'laai[2] (w) **-ge-** reload; transship

oor'laat -ge- leave over, leave (to others); *iem. aan sy lot ~* leave s.o. to his fate

oorlams' (b) **-e** handy; cunning, crafty; *~ wees* be (too) shrewd

oor'las (s) nuisance, trouble *ook* **er'gernis**

oor'lê -ge- lie over; submit; save; **~geld** demurrage (railways)

oorle'de (b, bw) deceased, late; *sy is lankal ~* she died/passed away long ago; *~ mnr. Smith* the late Mr Smith

oorle'dene (s) **-s** the deceased, the departed (dead person)

oorleef' (w) ~ outlive, survive *ook* **oorle'we**

oorleg' deliberation, counsel, consideration; *in ~ met* in consultation with; *met ~ werk* plan carefully; use (one's) discretion; **~ple'ging** consultation, talks *ook* **raad'pleging**

oor'lel -le lobe of the ear

oor'lewer -ge- deliver, hand over/down; *aan die polisie ~* turn over to the police

oor'lewering (s) **-e, -s** legend; folklore; tradition (esp. oral)

oorle'wing survival *ook* **voort'bestaan;** *~ van die sterkste* survival of the fittest; **~(s)kur'sus** survival course

oor'log (s) **..loë** war; *~ verklaar* declare war; *~ voer* wage war; **~skip** warship, man-of-war; **~s'korrespondent'** war correspondent; **~s'‹ kreet** war cry; **~s'muse'um** war museum

oorlogsug'tig (b) warlike, bellicose

oor'logs: ~veld battlefield *ook* **slag'veld; ~ver‹ kla'ring** declaration of war

oorlogvoe'ring (s) warfare

oor'loop (s) overflow; **..lope** spillway; (w) **-ge-** desert (soldier); defect (politician); overflow (dam)

oor'loper (s) **-s** defector; deserter (person) *ook* **renegaat'**

oorlo'sie = horlo'sie

oorly'de/oorly'e (s) death, demise; departure

oor'maak -ge- do over again; assign, transfer, cede *ook* **oor'dra, sedeer'**

oor'maat excess; *tot ~ van ramp* to make matters worse

oor'mag superior power; greater numbers; *swig voor die ~* succumb to superior numbers (soldiers)

oorma'tig (b) excessive *ook* **oorda'dig**

oormees'ter (w) ~ overpower, subjugate; master *ook* **baas'raak, oorwin';** subdue

oor'merk[1] (w) **-ge-** mark again (examination paper)

oor'merk[2] (w) **ge-** earmark (cattle; funds); allocate, reserve (funds)

oor'môre day after tomorrow

oornag' (w) ~ stay overnight; (b, bw) overnight

oor'name (s) **-s** takeover (of a company)

oor'neem -ge- take over (management); assume; copy; borrow

oor'pak -ke overall (for heavy/dirty jobs)

oorpeins' (w) ~ meditate/reflect (on); muse; **~ing** meditation, contemplation

oor'plaas -ge- transfer (person; funds) *ook* **verplaas'** (persoon); shift; remove

oor'plant -ge- transplant; **~ing** transplant(ation)

oor'plasing (s) **-s** transfer (person; funds) *ook* **verpla'sing** (persoon)

oor'pyn (s) earache

oor'reageer (w) ~ overreact

oorreed' (w) ~ persuade, prevail on *ook* **om'‹ praat, oortuig'**

oorrom'pel (w) ~ overrun, overwhelm; fall upon

oor'saak ..sake cause, reason; *~ en gevolg* cause and effect

oorsee' (b, bw) **..sese** oversea(s), abroad; *oorsese handel* overseas/foreign trade

oor'setting -e, -s translation; transcription

oor'sien -ge- condone (an error)

oor'sig -te survey; view; digest; review, sum= mary; outline; **~jaar** year under review

oorsig'telik -e (easily) surveyable; *~e samevat= ting* comprehensive outline/synopsis

oor'sit -ge- put over; translate

oorska'du (w) ~ overshadow, eclipse; outclass, outperform

oorskat' (w) ~ overrate; overestimate

oor'skiet (s) remains; rest; remnant; (w) **-ge-** remain; be left over; **~kos** leftovers

oor'skoene (s) galoshes (usually pl.)

oor'skot -te remainder, residue; remnant; surplus *ook* **sur'plus**; *stoflike* ~ mortal remains *ook* **lyk, lig'gaam**; **~waar'de** scrap value

oorskry' (w) ~ exceed, surpass; *uitgawes ~ inkomste* expenditure exceeds income/revenue

oor'skryf/oor'skrywe (w) **-ge-** rewrite; tran= scribe, copy

oor'slaan -ge- omit, pass over *ook* **weg'laat**; pass, miss out

oorspan'ne overstrung, tense, strained, stressed; *~ senuwees* overwrought nerves

oorspan'ning overexertion; overstrain *kyk* **stres**

oor'spring -ge- jump/leap over; omit; skip

oor'sprong origin, cause; root, source *ook* **bron, her'koms**

oorspronk'lik -e original, primary, primordial; **~heid** originality

oor'stap -ge- walk/step across; change (trains)

oor'steek -ge- cross (a street, river)

oorstelp' (w) ~ overwhelm; heap upon; inundate, swamp with; *~ van vreugde/droefheid* over= come with joy/sorrow

oorstem'[1] (w) ~ outvote, overrule; *'n besluit ~* overrule/countermand a decision

oor'stem[2] (w) **-ge-** vote again (in election); tune again (piano)

oorstro'ming -s flood *ook* **vloed(e);** inundation, floodwaters; *skielike ~* flash flood(s)

oorstroom' (w) ~ overflow, inundate; *die rivier het sy walle ~* the river burst its banks

oor'stuur[1] (w) **-ge-** send over

oorstuur(s)[2] (b) upset, distressed *ook* **ontsteld', onthuts';** in disorder

oor'suising (s) tinnitus *ook* **oor'tuiting**

oor'tjie[1] (s) **-s** little ear

oor'tjie[2] (s) **-s** farthing (obs. coin)

oor'tog -te passage, crossing

oortol'lig -e superfluous, redundant (staff)

oortre'der -s trespasser; transgressor; offender, perpetrator; *~s word vervolg* trespassers will be prosecuted

oortre'ding -e, -s offence, transgression; tres= pass(ing) *ook* **betre'ding,** wrongdoing

oortree' (w) ~ contravene, violate, break (law/ rule); trespass

oortref' (w) ~ surpass; outclass, outperform; excel; **~fend** superlative

oor'trek[1] (s) cover; (pillow) case; casing *ook* **~sel**; (w) **-ge-** cover

oor'trek[2] (w) **-ge-** cross; pull over, move across; redraw

oortrek'[3] (w) ~ overdraw (bank account); **~king** overdraft

oor'treksel -s cover; casing

oor'trektrui -e pullover, sweater

oortroef' (w) ~ overtrump; outdo, outperform

oortuig' (w) ~ convince *ook* **oorreed';** *daarvan ~* satisfied with

oortui'gend convincing (sports victory; evidence)

oortui'ging (s) **-s, -e** conviction, belief; *tot die ~ kom* come to the conclusion

oor'tyd overtime; **~beta'ling** overtime pay

oorval' (w) ~ (take by) surprise; overcome; *~ met navrae* inundated with enquiries

oor'veeg ..veë slap on the ear(s) *ook* **oor'konkel**

oor'verdowend (b) deafening, resounding

oorvleu'el (w) ~ overlap; surpass, outstrip

oor'vloed (s) abundance, profusion, glut; plenty; **~dig -e** plentiful, abundant *ook* **vol'op**

oor'vol -le overfull, brimful; overcrowded

oor'vra -ge- invite *ook* **oor'nooi;** ask again

oorweeg' (w) ~ consider, reflect; deliberate; *'n voorstel ~* consider a proposal/suggestion

oor'weg[1] (s) **..weë** level crossing *ook* **spoor'= (weg)oorgang**

oorweg'[2] (bw): *hulle kom goed met mekaar ~/oor die weg* they get on well

oorwe'gend -e predominant *ook* **oorheer'send, af'doende**

oorwe'ging -e, -s consideration, deliberation; *by nadere ~* on second thoughts; *in ~/ag neem* take into consideration

oorwel'dig (w) ~ overpower, overwhelm; **~end** overwhelming (response, etc.)

oorwerk' (w) ~ overexert, flog oneself; (b, bw) *hy is totaal ~* he has been killing himself

oor'wig (s) dominance, preponderance; *die ~/oorhand kry* get the upper hand

oorwin' (w) ~ conquer, defeat; overcome; **~naar** victor, conqueror; winner

oorwin'ning (s) **-s, -e** victory, conquest *ook* **triomf'; se'ge;** *algehele ~* outright victory; *die ~ behaal* gain the victory; carry the day

oorwin'ter (w) ~ spend the winter; hibernate

oorwo'ë considered; contemplated; *~ mening* considered opinion

oos east; *~ wes, tuis bes* there is no place like home

Oos: ~-A'frika East Africa; **~-Euro'pa** Eastern Europe

Oos'grens Eastern Frontier (Cape Colony, hist.)

Oos-Kaap Eastern Cape (province)

oos: ~kus east coast; **~kuskoors'** east coast fever; **~noordoos'** east-northeast; **~passaat'** east trade wind

Oos'te Orient, the East; **die Ver're-~** the Far East

oos'te east; **~kant** east (side); **~lik** eastern, easterly

Oos'tenryk Austria (country); **~er** (s) **-s** Austrian (person); **~s** (b) **-e** Austrian (customs, etc.)

oos'terleng'te east longitude

Oos'terling (s) **-e** Oriental (person)

Oos'ters (b) **-e** Oriental (a), Eastern; **~e griep** Asian flu/influenza; **~e tale** Oriental languages

oos'tewind (s) **-e** east wind

oos'waarts (b, bw) **-e** eastward

oot'moed humility *ook* **ne'derigheid, beskei'=denheid; ~dig** (b) humble, meek, submissive

op (bw) up, on; finished; *die kos is ~* there is no more food left; (vs) on, upon; at, in; *almal ~ een na* all but/bar one; *~/aan diens* on duty; *~ heter daad* (catch) redhanded; *~ (die) hoogte hou* keep (s.o.) informed/posted; *~ las* by order (legal) *kyk* **in op'drag van;** *~ sig* on approval; at sight (bill); *~ skool/kollege/universiteit* at school/college/university; *~ tyd* on time *ook* **betyds'**

opaal' (s) opale opal (gemstone)

op'bel -ge- ring, call, phone *ook* **bel, (op)'lui, ska'kel**

op'berg -ge- store, stock *ook* **stoor, berg;** stockpile *ook* **op'pot; ~ing** storage (of grain)

op'beur -ge- cheer up, brighten *ook* **op'vrolik, op'kikker; ~end** cheering, heartening *ook* **bemoe'digend**

op'blaas -ge- inflate, blow up; **~boot'(jie)** (rubber) dinghy, rubber duck; **~matras'** lilo

op'bly -ge- remain up; sit up; *laat ~* keep late hours

op'bou -ge- construct, build up; **~end** construc=tive, edifying *ook* **verry'kend; ~ende kritiek** constructive criticism

op'breek -ge- break/tear/split up; belch; disperse (a meeting)

op'brengs/op'brings -te output; yield, return, proceeds; production *ook* **le'wering**

op'bring -ge- carry up; bring in, realise, yield; vomit *ook* **braak**

op'daag -ge- turn up, arrive *ook* **aan'kom;** *laat ~* turn/pitch up late

op'dis -ge- serve/dish up; present; spin (a yarn)

op'doem -ge- loom (up) (something menacing)

op'doen -ge- gain, acquire, obtain; overhaul, recondition; *kennis ~* acquire knowledge; *'n siekte ~* contract a disease

op'dok -ge- pay/foot the bill; cough up (money) (infml.)

op'domkrag (w) **-ge-** jack up (a car)

op'dons -ge- bungle; treat severely; knock about *ook* **op'foeter, op'neuk;** *iem. goed ~* give s.o. a sound drubbing

op'dra -ge- wear to shreds (clothes); commission, assign; dedicate (a book, poem to s.o.); carry up

op'draand (s) **-es/op'draande** (s) **-s** rise, slope;

incline *ook* **steilte;** ramp; acclivity; (b) **-e** uphill, ascending; arduous; *dit ~(e) kry* have a rough passage *ook: noustrop (trek)*

op'drag -te instruction; assignment, brief; com=mand (comp.) *ook* **instruk'sie; taak;** commis=sion; terms of reference; dedication; **~ge'wer** principal (legal); employer; *in ~ van die bestuur* by order of management; **~lêer** command file (comp.)

op'drifsel (s) **-s** debris, drift(wood); flotsam (pl)

op'dring -ge- thrust/foist/inflict (up)on; enforce on; *jou ~ aan* intrude/force yourself upon

opdrin'gerig intrusive, insistent, pushy *ook* **voorba'rig, in'kruiperig'**

op'droë/op'droog -ge- dry up

op'duik -ge- turn/pop up; surface; emerge

o'pe open; vacant; *dis nog 'n ~ vraag* it remains a moot/an open point/issue; **~ dag** open day (for visitors)

opeen'hoop -ge- accumulate, heap up

opeens' all of a sudden, suddenly *ook* **skie'lik, plot'seling**

opeen'volg -ge- follow each other; **~end** (b) **-e** successive, consecutive; *vir tien ~ende dae* for ten consecutive days/ten days running

op'eet (w) **opgeëet** eat up, finish *ook* **veror'ber, verslind';** *alles vir soetkoek ~* believe/swallow everything

o'pelug= open-air; ~muse'um open-air museum; **~tea'ter** open-air theatre

opelyf' (s) movement of the bowels *ook* **ontlas'=ting, stoel'gang**

o'pen ge- open; *~ met gebed* open with prayer; *die uitstalling ~ Vrydag* the display/exhibition opens on Friday

openbaar' (s) (in) public; *in die ~* in public; (w) ge- make public; disclose, reveal, divulge; (b) public; **~ma'king** publication, release *ook* **bekend'stelling**

openba're: ~besker'mer public protector *ook* **om'budsman; ~ betrek'kinge** public rela=tions; **~ biblioteek'** public library; **~ me'ning** public opinion; **~ onse'delikheid** public in=decency; **~ ska'kelamptenaar** public relations official/officer; **~ vakan'siedag** public holiday

openba'ring (s) **-e, -s** revelation, apocalypse *ook* **apokalips';** eye-opener

openhar'tig (b) **-e** open-hearted; straightforward; frank, candid *ook* **o'penlik, reg'uit;** ruiterlik ('n fout erken)

o'pening (s) **-e, -s** opening, aperture, gap; vacancy (for a job); **~s're'de** inaugural address

o'penlik -e openly, publicly; candidly; **~heid** transparency *ook* **deursig'tigheid**

op'-en-top out-and-out, every inch (a good teacher)

op'-en-wakker (b) enterprising, energetic (per=son); wide awake

o'pera -s opera; ~ huis/gebou' opera house; ~san'ger/~sangeres' operatic singer

opera'sie -s operation (med., mil.); 'n ~ ondergaan undergo an operation; operasionele gebied operational area (mil.); ~tea'ter/saal operating theatre

operasioneel' (b) operational ook: in werking/ bedryf

operateur' -s operator ook bedie'ner (van masjien)

opereer' (w) ge- operate (on), perform an operation; vir blindederm(ontsteking) ~ operate for appendicitis

operet'te -s operetta; light opera

op'fieks (omgangst.) -ge- repair/fix (something) ook herstel', reg'maak

op'flikker -ge- flicker/flare up; brighten up; ~ing (s) a flash in the pan

op'foeter -ge- beat/hit s.o.; let s.o. have it, fix s.o. up; spoil (something); bungle along ook op'dons

op'fris -ge- refresh, revive; iem. se geheue ~ refresh s.o.'s memory; ~ser(tjie) appetiser; pick-me-up (tonic)

op'gaan -ge- go up, ascend, rise; ~de/opkomende son rising sun

op'gaar -ge- hoard, accumulate kyk op'pot; ~battery' storage battery; ~dam/~tenk storage dam/tank, reservoir; ~der (persoon); hoarder; magpie (fig.) ook vergaar'voël

op'gang ascent, rise; success; ~ maak become popular, achieve success

op'gawe (s) -s/op'gaaf (s) ..gawes statement, return (income tax); task, assignment, brief ook verslag', voor'legging

op'geblaas -de inflated; swollen, bloated, puffy

op'geblase (b) puffed up, pompous ook verwaand' (persoon)

op'gee -ge- give up; state (reasons); record; set; abandon, drop

op'geefsel -s mirage ook lug'spieëling; hallucination

op'gehewe swollen, inflamed; puffed (face)

op'gelei -de trained kyk op'leiding; trellised (vine)

op'gemaak -te trimmed, dressed; powdered and painted; made (bed); invented (story)

op'gepot (b) hoarded/stockpiled

op'geruimd cheerful, merry; jovial ook op'gewek, spran'kelend

op'geskeep -te saddled/stuck (with); at a loss; met jouself ~ at a loose end

op'geskort -e suspended (sentence of court of law)

op'geskote half-grown; in the teens

op'gesmuk -te showy, gaudy, overdecorated

op'getoë (b) delighted, elated ook bly, verheug'

op'getof (omgangst.) (b, bw) -te dressed up ook uit'gevat

op'gevoed -e educated, cultured

op'gewasse equal (to); hy is nie ~ teen haar nie he is no match for her; sy is nie ~ vir die taak nie she is not equal to the task

op'gewek (b) lively, cheerful, upbeat; ~te musiek bright/lively music

op'gewonde excited; agitated, thrilled ook uit'gelate, eksta'ties; ~n'heid excitement

op'gooi -ge- throw/chuck up (an object, eg a ball); vomit; puke (slang); tou ~ throw in the sponge/towel

op'gradeer (w) ~ upgrade (also comp.)

op'graaf/op'grawe -ge- dig up; unearth; excavate; exhume (a corpse)

op'groei -ge- grow up ook groot'word

op'haal (w) -ge- pull/draw up; refer to; recall; die skouers ~ shrug the shoulders; herinneringe ~ recall memories

op'haalbrug ..brûe drawbridge

op'han'de approaching, at hand, near, imminent; die eksamen is ~ the exams are drawing near

op'hang -ge- hang; suspend

op'hef (s) fuss/bother ook bohaai'; 'n groot ~ maak van make a great fuss of; (w) -ge- lift, raise; abolish, waive (a regulation); ~fing abolition, repeal (of a law); raising (siege); upliftment (deprived person/community)

op'helder -ge- clear up, explain, elucidate ook uit'lê, verklaar'; ~ing/uiteen'setting clarification

op'hemel -ge- extol, sing the praises of ook prys

op'hoop -ge- pile/heap up, accumulate; opgehoopte verliese accumulated losses

op'hou -ge- keep up, support; keep on; uphold; cease, stop; die reën sal nou ~ it will stop raining now; hou op! stop it!

opi'nie -s opinion ook me'ning; ~pei'ling opinion poll ook me'ning(s)op'name

o'pium opium (narcotic drug)

op'jazz (omgangst.) -ge- jazz up (infml.); make livelier/more appealing

op'keil -ge- give s.o. a hard time; hurt s.o.; urge s.o. on; reprimand ook beris'pe, ros'kam

op'kikker (w) -ge- cheer up; pep up ook opvro'lik; ~s (s) steroids; stimulants (in sport) ook verbo'de mid'dels; ~pil/~tablet' pep pill; ~toets steroids test/check

op'kikpraatjie (s) pep talk ook motiveer'praatjie

op'klaar -ge- brighten/clear up (weather); clarify

op'klim -ge- climb, ascend; mount (a horse)

op'knap -ge- tidy/clean up; smarten up; refurbish, recondition; revamp, renovate; ~per(tjie) pick-me-up (tonic); ~ka'mer powder room; ~kur'sus refresher course

op'kom (w) -ge- come up, rise; occur; crop up; object (against); vir sy regte ~ stand up for one's rights; *opkomende boere* emerging farmers; **~s** (s) rise (of a state); attendance, turnout (of people)

op'kommandeer -ge- commandeer, conscript; requisition

op'krop -ge- repress; endure; bottle up; *opge= kropte woede* pent-up anger

op'kyk -ge- look up; *vreemd ~* look up in surprise

op'laag (s) **..lae** edition; print run (of book); circulation (of newspaper)

op'laai[1] (w) **-ge-** load (a lorry, truck); give a lift; pick up s.o.

op'laai[2] (w) **-ge-** flame/flare up *ook* **op'vlam**

oplaas'/op laas at last, finally *ook* **(uit)ein'delik**

op'lê -ge- apply, impose, charge; *boete ~* fine (v)

op'lei -ge- instruct, educate, train; *opgeleide personeel* trained/educated staff; **~er** (s) **-s** trainer

op'leiding training; education; *tersiêre ~* tertiary education/training; **~skool** training school

op'let -ge- pay attention, take notice *kyk* **op'= merk**

oplet'tend (b) attentive, observant; alert, watch= ful *ook* **opmerk'saam, nou'lettend; waak'= saam**

op'lewer -ge- yield, produce; present

op'lewing revival; boom; *~/bloeityd van die ekonomie* revival/upswing/boom in the econ= omy

op'lig -ge- raise, lift; swindle; **~ter** (s) **-s** conman, swindler, cheat

op'loop (s) crowd, tumult; (w) **-ge-** accumulate, accrue; increase; *'n rekening laat ~* run up an account; *opgeloopte rente* accrued interest

op'los -ge- dissolve; solve, resolve; puzzle out; *'n probleem ~/uitstryk* (re)solve a problem

oplos'baar (b) soluble (substance); solvable (problem)

op'losmiddel -s solvent

op'lossing -s solution *ook* **skik'king;** explana= tion; **probleem'~** problem solving

op'lugting relief *ook* **verlig'ting;** *'n hele ~!* what a relief

op'luister -ge- add lustre; illuminate; illustrate

op'maak -ge- dress; make up (bed, face); decorate; instigate; conclude

op'mars (s) (military) advance

op'meet -ge- survey; measure

op'merk -ge- notice; observe *ook* **raak'sien;** (make a) remark *kyk* **op'let**

op'merking (s) **-s, -e** remark, comment; ob= servation *kyk* **aan'merking**

opmerk'lik (b) remarkable *ook* **merkwaar'dig**

opmerk'saam attentive, observant *ook* **nou'= lettend, aandag'tig**

op'meter (s) **-s** (mine) surveyor; **op'meting** (s) **-s, -e** survey(ing); mensuration

op'mieks (omgangst.) **-ge-** mix up, confuse, muddle (up); disarrange *ook* **verwar', deur'= mekaar maak**

op'name -s admission; insertion; survey; record= ing (music); **me'ning(s)~** opinion poll

op'neem -ge- take up; record; include, shelter/ harbour (s.o.); survey; *die voorraad ~* take stock; *verkeerd ~* take amiss

op'nemer -s recorder, pick-up (sound, music); enumerator (census)

op'neuk (kragwoord) (w) **-ge-** thrash, beat (s.o.) *ook* **foe'ter;** spoil (something) *ook* **verbrou'**

op'noem -ge- name, enumerate

opnuut'/op nuut again, once more, anew

op'offer -ge- sacrifice; devote; **~ing** sacrifice; *jou ~e getroos* make sacrifices

op'onthoud delay, stoppage *ook* **vertra'ging**

op'pas -ge- be careful, beware, mind; attend to, care for, nurse; try on (hat); herd (sheep); *pas op!* be careful!; look out!

op'passer -s caretaker; (parking) attendant; warden; orderly; nanny, au pair; herdsman

op'per ge- suggest; raise, broach, moot; *besware ~* raise objections

op'per: ~bevel' high/supreme command; **~bevel'hebber** commander-in-chief; **~gesag** supreme authority; **~gesag v.d. reg** rule of law *ook* **regs'orde; ~hoof** (paramount) chief, chieftain, headman

op'perste uppermost, highest; *~ vabond* arch= scoundrel, villain

op'pervlak -ke surface; *die swemmer verdwyn onder die ~* the swimmer disappears under the surface *kyk ook* **op'pervlakte**

oppervlak'kig superficial, shallow; *~e kennis* superficial knowledge; a nodding acquaintance

op'pervlakte -s area *ook* **a'rea;** *die wandellaan beslaan 'n ~ van 3 hektaar* the mall covers an area of 3 hectares *kyk ook* **op'pervlak**

Op'perwese Supreme Being

op'pomp -ge- pump up, inflate

opponeer' ge- oppose *ook* **teen'staan**

opportunis' -te opportunist *ook* **kans'vatter; ~me** opportunism; **~ties** opportunistic, unprincipled

opposi'sie (s) opposition; antagonism *ook* **teen'= stand**

op'pot -ge- hoard (gold), stockpile

op'raap -ge- pick up, take up *ook* **op'tel**

op'rakel -ge- rake up (a matter); *moenie dit nou weer ~ nie* let bygones be bygones; poke (fire)

opreg' (b) **-te** sincere; genuine; honest *ook* **eer'lik, openhar'tig;** *~ die uwe* yours sin= cerely; **~t'heid** sincerity; *in alle ~* in all honesty

op'rig -ge- erect; raise; found; establish; *'n maatskappy ~* form a company; **~ting** erection *ook* **konstruk'sie;** founding, establishment (of a company, organisation)

op'rit -te onramp (traffic); driveway (home) *ook* **in'rit**

op'roep (s) **-e** summons; (telephone) call; (w) **-ge-** call up, commandeer; convene; **~er** convener *ook* **sa'meroeper; ~hok'kie** callbox; **~sen'trum** call centre (for information)

op'roer -e revolt, insurrection, riot; **~** *maak* (cause a) riot; **~drag** riot gear (police)

oproe'rig (b) rebellious, riotous, mutinous *ook* **opstan'dig, wanor'delik'**

op'roer: ~ma'ker agitator, rioter; insurgent; **~skild** riot shield

op'rol -ge- roll up, wind up

op'rui -ge- incite, instigate *ook* **op'stook; ~end** instigating, inciting; **~er** (s) **-s** agitator, instigator *ook* **op'stoker** (persoon)

op'ruim -ge- clear away; tidy; clear off; mop up; **~ing/~verko'ping** clearance (sale)

op'ruk -ge- advance (army); jerk up; pull up; reprimand; *jou* **~** go into a huff

op'rylaan ..lane driveway *ook* **in'rit**

op'saal -ge- saddle (up); **~** *met* burden (s.o.) with

op'sê -ge- recite *ook* **voor'dra;** repudiate; dismiss, give notice; *die huur* **~** give notice

op'set plan; framework; intent(ion); setup; purpose; *met* **~** on purpose

opset'lik -e on purpose, deliberate(ly), intentional(ly) *ook* **aspris'/aspres', doel'bewus; ~e** *versuim* wilful default

op'sie -s option *ook* **keu'se;** *'n* **~** *gee* give an option/(first) refusal

op'sien -ge- look up; *teen iets* **~** jib at a task

opsienba'rend -e sensational, spectacular *ook* **opspraakwek'kend, sensasioneel'**

op'siener -s overseer, supervisor; invigilator *ook* **toe'sighouer** (eksamen); commissioner

op'sig[1] (s) supervision; **~ter** caretaker (building)

op'sig[2] **-te** respect; *in alle* **~te** in all respects; *in dié* **~** in this respect

opsig'tig (b) showy, gaudy, flashy *ook* **opsig'-telik, opval'lend, ooglo'pend**

opsioneel' ..nele optional *ook:* **nà keuse**

op'sit[1] (w) **-ge-** put on (hat, roof); don (hat); set up; begin; *'n keel* **~** start howling/screaming

op'sit[2] (w) **-ge-** wait up (for s.o.); court (young lovers); **~kers'** courting candle (hist.)

op'skeep: *opgeskeep sit met iets* be bothered/saddled with something

op'skep -ge- serve up (a meal); boast, brag *ook* **groot'praat**

op'skiet -ge- shoot/sprout up, mushroom *ook* **uit'brei;** proliferate; hurry up!; get moving!

op'skik -ge- dress up *ook* **op'tooi**

op'skop[1] (s) **-pe** informal dance/party

op'skop[2] (w) **-ge-** kick up; *'n lawaai* **~** make a fuss; *jou werk* **~** (omgangst.) quit/chuck your job

op'skort -ge- suspend (a sentence); adjourn (meeting) *ook* **verdaag';** postpone; *opgeskorte vonnis* suspended sentence; **~ing** suspension; postponement

op'skrif -te heading, title, caption *ook* **hoof, ti'tel**

op'skroef -ge- screw up; press/urge (for payment)

op'skryf/op'skrywe -ge- write down; record *ook* **neer'skryf**

op'skud -ge- hurry up, get moving *ook* **op'skiet; ~ding** agitation, sensation *ook* **pandemo'-nium;** *'n ~ding verwek* create a commotion/uproar

op'slaan pitch (tent); lift (eyes); **~huis** prefabricated house

op'slag ..slae rise; glance; self-sown plants; storage (of goods); bounce; upstroke; **~koe'ël** ricochet bullet; **~plek** supply dump, depot; storage place *kyk* **wa'penopslagplek; ~so'mer** Indian summer (unseasonably warm weather)

op'sluit[1] (w) **-ge-** lock up, confine

opsluit'[2] (bw) absolutely, definitely; *hy wil* **~** *gaan swem* he is determined to go swimming

op'sluiting confinement, incarceration; **alleen~** solitary confinement

op'smuk (w) **-ge-** doll up *ook* **op'tooi;** decorate

op'sny -ge- cut up; brag; **~er** braggart, boaster *ook* **groot'prater, op'skepper**

op'soek -ge- search for, look for; look up, call on (a person); look up (a word) *ook* **na'slaan**

op'som -ge- summarise, sum up *ook* **saam'vat; ~ming** (s) **-s, -e** summary, prècis, résumé *ook* **sa'mevatting**

op'spoor -ge- track down, trace *kyk* **spoor** (w); **~der** tracker

op'spraak sensation, commotion; stir; **~** *wek* cause a sensation; **~wek'kend** sensational

opspring -ge- jump up, bounce, hop

op'spring(kies')lys pop-up menu (comp.) *ook* **(op)wipmenu'**

op'staan -ge- stand up; rise, wake/get up; revolt, rebel

op'stal -le homestead (and outbuildings) (farm)

op'stand -e revolt, insurrection *ook* **op'roer, on'lus(te);** *'n ~ onderdruk* quell a revolt; **~dig** (b) mutinous, rebellious

op'standing resurrection (Bible)

op'stapel -ge- pile/stack up; store *ook* **op'pot**

op'steek -ge- raise, put up; incite *ook* **op'stook;** prick up; *stem deur* **~** *van hande* vote by show of hands

op'stel (s) **-le** essay, composition; (w) **-ge-** plan; compose; draft; compile; *'n lys* **~** draw up a list; *sorgvuldig opgestel* carefully worded; **~ler** compiler, composer; drafter; **~ling** configuration (comp.); **~terrein'** marshalling yard (railways)

opstêrs (omgangst.) (b, bw) haughty; conceited; proud; snobbish; snooty (infml.); stuck-up (infml.) *ook* **hoogmoe'dig, verwaand'**

op′stoker -s instigator, agitator *ook* **aan′hitser**

op′stook -ge- stir up, incite, instigate *ook* **aan′hits, op′steek; poke/stir up (a fire)**

op′stoot (s) ..stote push-up, press-up; *begin met 20 opstote* start with 20 push-ups; (w) -ge- push up; ~**jie** scuffle; brawl

op′stop -ge- fill up; stuff, mount; ~**per** punch, smack; taxidermist (animals) *ook* **taksider= mis′**

op: ~**stry** argue with; deny; ~**stryk** twirl up, turn up; ~**stuif** fly/flare up

op′styg -ge- rise, ascend; ~**ing** ascent, rising; lift-off (spacecraft)

op′swaai (s) upsurge, upswing (economy)

op′sweep -ge- whip up, instigate, incite *ook* **op′rui, op′stook;** *die gemoedere ~* rouse the passions

op′swel -ge- swell (up), bulge

op′teken -ge- note/write down, diarise; record *ook* **aan′teken, neer′skryf, boek′staaf**

op′tel -ge- add; enumerate; lift, raise; ~**fout** adding/casting error; ~**masjien′** adding ma= chine; ~**som′** addition sum

op′ties -e optic(al); ~**e illusie** optical illusion *ook* **gesigs′bedrog;** op′tika optics *ook* **gesig′= kunde;** op′tikus -se optician *ook* **bril′maker**

optimaal′ optimum, most favourable; ..**male** *produksie* optimum production

optimeer′/optimaliseer′ ge- optimise *kyk ook* **maksimeer′**

optimis′ -te optimist (person); ~**me** optimism; ~**ties** optimistic, upbeat *ook* **po′sitief**

op′tjek (omgangst.) (w) -ge- check up; *jy moet ~ of hy nie lieg nie* you must check whether he is lying

op′tog -te procession; *historiese ~* historical pageant

optometrie′ optometry *ook* **gesig′(s)meting**

op′tooi -ge- dress up *ook* **op′smuk, op′tof** (omgangst.); decorate

op′trede step, action; proceeding; (personal) appearance, conduct *ook* **han′del(s)wyse;** *gesamentlike ~* joint action

op′tree -ge- appear, take action/steps; *as voor= sitter ~* act as chairman; ~**geld/~fooi** appear= ance fee/money

op′trek[1] (w) -ge- march/advance against (the enemy)

op′trek[2] (w) -ge- pull/draw up; *die neus ~* scorn, disapprove

op′val -ge- strike, be conspicuous; *dit het my opgeval dat ...* it struck me that ...

opval′lend conspicuous, noticeable, striking *ook* **tref′fend, opmerk′lik**

op′vang -ge- intercept; catch up; overhear; receive (radio/cellphone signal); ~**gebied′** catchment area (of a dam)

op′vat -ge- understand, take up; *iets ernstig ~*

regard/take something seriously; ~**ting** view, idea, opinion; conception; belief *ook* **denk′= beeld, beskou′ing**

op′veil -ge- sell by auction

op′vlam -ge- flare/blaze up (a fire)

op′vlieg -ge- fly up; flare up (temper) *ook* **op′vlam**

opvlie′ënd -e quick-tempered, irascible *ook* **humeu′rig, prik′kelbaar**

op′voed -ge- educate; rear, bring up; ~**baar** educable; ~**er** (van leerder) educator, teacher; educationist *ook* **opvoedkun′dige;** ~**ing** edu= cation; ~**kun′de** pedagogy; ~**kun′dig** (b) -e pedagogic, educative, educational; ~**kundige** (s) -es educationist (person)

op′voer (w) -ge- perform; act; lead up to; ~**ing** (s) -s, -e performance, production (of play) *kyk* **uit′voering** (mus.)

op′volg -ge- follow (up); succeed; ~**aan′val** hot pursuit *ook* **hak′kejag;** ~**ing** succession; ~**on′= dersoek** check-up (med.)

op′vorder -ge- exact *ook* **op′eis**

op′vou -ge- fold up; ~**stoel(tjie)** collapsible/fold= ing chair *ook* **vou′stoeltjie**

op′vra -ge- call in, demand back; withdraw (money); ~**ging** withdrawal (money); ~**stro′= kie** withdrawal slip

op′vreet -ge- devour (animal); put up with (s.o.'s nonsense/insults)

op′vrolik -ge- cheer up, comfort (s.o.); brighten up (a room)

op′vryf/op′vrywe -ge- polish, rub up

op′vul -ge- fill up, stuff; ~**sel** stuffing, padding

op′waarts -e upward(s) *ook* **boon′toe**

op′wagting ceremonious visit; *sy ~ting maak* arrive, pay his respects

op′was -ge-wash up (dishes); ~**bak** sink; ~**mid′= del** dishwashing liquid; ~**plek** scullery; ~**ser** dishwasher *ook* **skot′telgoedwasser**

op′weeg -ge- weigh up; counterbalance; *jy kan nie teen hom ~ nie* you are not equal to him

op′wek -ge- awake, stimulate, rouse; generate (electr., steam) *kyk* **krag′opwekker**

opwek′kend exciting, stimulating, stirring

op′wekking -e, -s generating/generation (electr.); resuscitation, stimulation; *die ~ van Lasarus* the raising of Lazarus

op′wel -ge- well up; bubble up; gather (tears)

op′wen -ge- wind up (watch); get excited

opwin′dend -e exciting, thrilling *ook* **span′nend;** rousing, stirring

op′winding excitement; thrill(s); agitation

(op)wipkieslys pop-up menu (comp.) *ook* **(op)wip′menu′**

ora′kel -s oracle *ook* **god′spraak** (mitol.)

o′raloor all over the place

o′ral(s) everywhere; *iets ~ soek* search/look for something everywhere

orangoe′tang -s orang-utan, pongo (great ape)

oran′je orange (colour)

Oran′jerivier Orange River *ook* **Gariep′**

Oran′je-Vry′staat *nou* **Vry′staat** Orange Free State (former province *now* Free State)

orato′rium -s oratorio (mus. composition)

or′de[1] (s) order; neatness; arrangement; sequence; *in ~ bring* create order, arrange properly; *~ hou/handhaaf* keep order; *in numeriese (volg)~* in numerical order/sequence **~hou′er** marshal *ook* **toe′sighouer** (byeenkoms); **~lik** orderly; **~loos** disorderly

or′de[2] (s) -s order (fraternity of knights; biol. classification); decoration, medal, badge (for achievements); *die O~ van die Kousband* the Order of the Garter (Br.: high honorary award)

ordelie′wend -e fond of order, orderly, tidy

or′den ge- ordain (priest, pastor); arrange, regulate; marshal (a crowd); **~ing** ordination

ordent′lik (b) decent *ook* **fatsoen′lik;** reasonable, fair; **~heid** decency, grace; fairness

or′der (s) -s order (esp. mil.), command *ook* **bevel′, op′drag;** (w) ge- order, command

or′deteken -s ribbon (of an order); badge

ordinan′sie -s ordinance (Church law/ritual)

ordinêr′ (b) -e common, ordinary *ook* **alledaags′;** vulgar, crude *ook* **kru**

ordonnans′ -e orderly (person); *mediese ~* paramedic (person) *ook* **parame′dikus**

ordonnan′sie -s ordinance (law/decree of a SA province, hist.)

orent′ upright, straight up; *~ kom* stand/perk up

orgaan′ (s) **..gane** organ; mouthpiece, spokesperson *ook* **woord′voerder; ~sken′ker** organ donor

organ′die organdie (cotton fabric)

organisa′sie -s organisation, institution *ook* **in′stelling**

organiseer′ (w) ge- organise *ook* **reël; ~der** (s) -s organiser, promoter, facilitator *ook* **re′ëlaar**

organis′me -s organism (biol.)

orgas′me (s) -s orgasm (sexual climax)

orgidee′ **..deë** orchid (flower)

orgie′ -ë orgy, debauching *ook* **fuif′party, dronk′nes**

oribie′ = **oorbiet′jie**

Oriëntaal′ (b) Oriental, Eastern

oriënta′sie/oriënte′ring orientation *ook* **ontgroe′ning;** induction (students, staff)

oriënteer′ ge- become acquainted with, find one's bearings, orientate *ook: jou plek/funksie bepaal*

o′rig (b) superfluous, redundant *ook* **oortol′lig;** meddlesome; flirtatious *ook* **vry′erig; ~ens** otherwise, for the rest; **~heid** intrusiveness *ook* **las′tigheid**

origineel′ original *ook* **oorspronk′lik**

orkaan′ (s) **..kane** hurricane *ook* **storm′wind**

orkes′ -te orchestra; band; **~lei′er** leader of the orchestra, concert master *ook* **konsert′mees′ter** (simfonie-orkes); bandleader; **~mees′ter** concert master; bandleader, bandmaster; **~treer′** (w) ge- orchestrate; organise, set up

ornament′ -e ornament *ook* **sie′raad; ~teel′** (b) **..tele** ornamental *ook* **versie′rend**

ornitologie′ ornithology, science of birds *ook* **vo′ëlkunde**

orra(a)it (omgangst.) (b, bw) all right; okay (infml.); good; acceptable, adequate, passable; up to scratch (infml.) *ook* **ou′kei** (omgangst.)

or′rel -s organ; **~draai′er** organ grinder

orrelis′ (s) -te organist, organ player

or′rel: ~konsert′/~uit′voering organ recital; **~pyp** organ pipe; **~stryk:** *alles het ~stryk gegaan* things went off without a hitch

ortodoks′ -e orthodox *ook* **dogma′ties, regsin′nig; konserwatief′**

ortodontis′ -te orthodontist (dental specialist)

ortografie′ -ë orthography, (rules of) spelling

ortopedie′ orthopaedics *ook* **been′heelkunde**

ortopeed′ **..pede/ortopedis′** -te orthopaedic surgeon

os (s) -se ox; *van die ~ op die esel/jas* switching the subject; *slaap soos 'n ~* sleep like a log/top; **~′braai** (s) -e ox braai

oseaan′ (s) **oseane** ocean

oseana′rium -s oceanarium *ook* **akwa′rium**

osmo′se osmosis *ook* **sprei′ding**

osoon′ ozone (allotropic oxygen); **~laag** ozone layer; **~vriendelike/~gunstige produk** ozone-friendly product

os′sewa -ens ox wagon

ossileer′ ge- oscillate *ook* **slin′ger, skom′mel**

osteoartri′tis osteo/bone arthritis (med. condition)

ostraseer′ ge- ostracise *ook: (sosiaal) uitsluit*

ot′jie -s young pig; grunter (fish)

ot′ter -s otter (animal)

ot′tery -e piggery, pig farm

ot′toman -s ottoman (backless sofa)

ou[1] (s) **-ens** guy, chap, fellow; *ek het nie ooghare vir daardie ~ nie* I do not fancy that guy

ou[2]: *op die ~ end* finally, in the long run; *~ liefde roes nie* old love never dies; *~ nuus* stale news; *vir die ~dag* for one's reclining years

ou′boet -e/**ou′boetie** -s eldest brother

oud[1] (b) old, aged; *~ maar nog nie koud nie* there is still a kick left in the old horse; *so ~ soos Metusalem (die berge, die Kaapse wapad)* as old as Methuselah

oud-[2] ex; former; retired *kyk* **oud′soldaat, oud′student′**

ou′dergewoonte/ou′der gewoonte as usual, according to custom

ou′derdom -me age; old age; *die ~ kom met gebreke* old age has its infirmities; **~ga′ping**

generation gap *ook* **genera′siegaping; ~s′kunde** geriatrics *ook* **geriatrie′; ~s′pensioen′** old-age pension

ou′derling (s) **-e** elder (in church)

ouderwets′ old-fashioned *ook* **ou′tyds, oudmo′dies;** precocious *ook* **vroeg′ryp** (kind)

oud′gediende veteran, ex-serviceman *ook* **oud′stryder**

oud′heidkunde (s) archeology *ook* **argeologie′**

oudheidkun′dige antiquarian (person)

oudiën′sie (s) audience (formal interview with a high dignitary, eg the Pope)

oudiovisueel′ (b) audiovisual; **..visuele hulpmiddels** audiovisual aids

oudi′sie (s) **-s** audition (for role in play)

ou′dit(ering) (s) audit(ing) (bookk.); **ouditeer′** (w) **ge-** audit (bookk.); check, verify; probe

ouditeur′ -e, -s auditor; **~s′verslag/ou′ditverslag** auditor's report (bookk.)

ou′ditkunde (science of) auditing

oud′leerling -e ex-pupil, old boy/girl (of a school)

ouds: *van ~* formerly, of yore

ouds′her: *van ~* for ages; since long ago

oud′soldaat ex-soldier, ex-serviceman; veteran *ook* **oud′gediende; oud′stryder**

oud′ste eldest/oldest, doyen, nestor *ook* **doy′en** (senior v. 'n beroepsgroep)

oud′student -e ex-student

ou′e (s) **-s** old one/person; *die ~s van dae* the aged; *goue oues* golden oldies; *haai, julle ~(n)s!* I say, guys!

ou′er (s) **-s** parent; *~s vra* ask the parents' consent (for marriage); **~huis** parental home; **~lief′de** parental/filial love; **~loos** orphan(ed); **~vere′niging** parents' association

ou′etehuis -e old-age home, home for senior citizens *ook* **tehuis′ vir bejaar′des**

Ou′jaar Old Year's Day *ook* **~s′dag; ~s′aand/~s′nag** New Year's Eve, Old Year's Night

ou′jong: ~kêrel (old) bachelor; **~nooi/~mei′sie** spinster, old maid

ou′kei (omgangst.) (b, bw) okay (infml.); all right, good; acceptable, adequate, passable; up to scratch (infml.) *ook* **or′ra(a)it** (omgangst.)

ou′kêrel (s): *die ~* the old man (usually father)

Ou′kersaand -e Christmas Eve

ou′klip gravel/pudding stone

ou′laas: *vir ~* for the last time (before parting)

ou′land unsown/fallow land: **~(s)′gras** weeping lovegrass

ou′lap -pe penny (obs. coin)

ou′lik (b) precocious (child); nice; cute *ook* **fraai;** *~e kêreltjie* smart little chap

ou′ma -s grandmother/grandma; *jy sal jou ~ vir 'n eendvoël aansien* (I'll) knock the stuffing out of you; **~groot′jie** great-grandmother

ou′menspeer ..pere Bon Chretien pear

ou′pa -s grandfather/grandpa; **~groot′jie** great-grandfather

ousan′na -s flintlock, firelock (gun, hist.)

outentiek′ (b) **-e** authentic, authenticated *ook* **eg**

Ou′ Testament′ Old Testament (Bible)

outeur′ -s author *ook* **skrywer; ~s′aan′deel/~s′geld(e)** royalty/royalties; **~s′reg** copyright *ook* **kopie′reg**

ou′tjie -s small guy; (old) fellow, chum, chap; *die klein ~s* the tiny tots

outobiografie′ -ë autobiography

outodidak′ -te self-taught/self-made man

outografeer′ ge- autograph (a book)

outokraat′ ..krate autocrat *ook* **alleen′heerser**

outokra′ties -e autocratic *ook* **eiemag′tig**

outomaat′ (s) robot; slot/vending machine; automaton

outoma′ties (b, bw) **-e** automatic; *~e tellermasjien (OTM)* automatic teller machine (ATM)

outomatisa′sie/outomatise′ring automation

outonomie′ (s) autonomy, home rule *ook* **self′regering, self′bestuur; outonoom′** (b) autonomous *ook* **onafhank′lik, soewerein′**

ou′toppie dad; old man (usually term of endearment; sometimes derog.)

outoriteit′ (s) **-e** authority *ook* **ken′ner** (persoon)

ou′tyds -e old-fashioned; old-fangled (derog.)

ou′volk spiny-tailed lizard *ook* **son′kyker, gor′delakkedis′**

ouvertu′re (s) overture *ook* **voor′spel** (mus.)

ou′vrou-onder-die-kombers toad-in-the-hole (meat dish)

ovaal′ (b) **ovale** oval (form of an ellips)

ova′rium -s ovary *ook* **ei′erstok; vrug′begin′sel**

ova′sie -s ovation *ook* **toe′juiging**

o′werheid (s) **..hede** authority *ook* **rege′ring, bewind′;** *die ~* the government, the authorities; *plaaslike ~* local authority; *van ~sweë* officially, by government authority; **~s′beste′ding** public/state expenditure/spending; **~sek′tor** public sector

o′werpriester -s high priest

o′werspel adultery *ook* **eg′breuk**

o′werste -s chief, head *ook* **aan′voerder, hoof;** superior (of religious order, RC)

P

p (s) **-'s** p

pa (s) **-'s** pa (infml.); dad(dy); father *kyk* **va'der**

paad'jie (s) **-s** footpath, small path; parting (hair)

paai (w) **ge-** appease, coax, soothe *ook* **pamperlang'**; **~beleid'** policy of appease= ment; **~boe'lie** bugbear, ogre, bogeyman *ook* **skrik'beeld**

paaiement' (s) **-e** instalment *ook* **af'betaling** (op skuld)

paal (s) **pale** pole, stake; standard; *die ~ nie haal nie* unable to make the grade; **~hei'ning/ ~skans** stockade; **~tjieshei'ning** split-pole fence; **~tjie'wag'ter** wicketkeeper (cricket)

paap[1] (s) **pape** priest; papist (derog.)

paap[2] (veroud.) (w) **ge-** be afraid/fright= ened/worried; *ek het lekker ge~ voor die toets* I was quite anxious/worried before the test

paar (s) **pare** couple, pair; a few; *die gelukkige ~/~tjie* the happy couple; **~tjiema'ker** match= maker; (w) **ge-** match; mate; copulate; pair off

paar'tyd mating season

Paas: **~bol'letjie/kruis'bolletjie** hot-cross bun; **~ei'er** Easter egg; **~fees** Easter (Christian festival); Passover (Jewish festival); **~haas/ ~ha'sie** Easter bunny; **~maan'dag** *nou* **Gesins'dag** Easter Monday *now* Family Day (holiday); **~skou** Easter show *ook* **~tentoon' stelling;** **~vakan'sie** Easter holidays

paas'blom -me primrose *ook* **sleu'telblom**

pad (s) **paaie** road; path; way; *iem. in die ~ steek* sack/fire/discharge s.o.

pad'da -s frog, toad; *so waar as ~ manel dra* truly; **~man** frogman (diver); **~slag'ter** (skerts.) blunt knife; cut-throat razor; **~stoel** toadstool; mushroom (n, v); **~vis(sie)** tadpole

pad: **~gee** (w) **-ge-** give way; leave *ook* **waai**; push-off; **~kafee'** roadhouse; **~kos** provisions (for a journey)

pad'langs straight *ook* **direk'**, **openhar'tig; ~ *loop*** steer an honest course; *~ praat* speak/ criticise straight from the shoulder

pad: **~lo'per** vagabond, tramp, vagrant; tortoise; **~skra'per** (road) grader; **~slag'ting** carnage on (holiday) roads; **~stal** farm stall *ook* **kontrei' winkel, plaas'kiosk, pad'kraam'pie; ~te'ken** road-sign *ook* **pad'wyser; ~vaar'dig** ready for the road *kyk* **padwaar'dig; ~valk** speedcop *ook* **spiet'kop** (omgangst.); **~vark** road hog (motorist) *ook* **~buf'fel; ~vei'ligheid** road safety; **~verleg'ging** detour, deviation (of road); **~versper'ring** roadblock; **~vin'der** boy scout; pathfinder; **~vragdry'wer** road- freight driver, trucker; **~waar'dig** roadworthy; **~waardig(heid)sertifikaat'** roadworthy certi= ficate; **~wedloop** road race: **~wer'ke** road=

works; **~wer'ker** roadworker; **~woe'de** road rage *ook* **ry'rasserny'**

pag (s) **-te** lease, leasehold, tenancy *ook* **huur'= pag;** quitrent; *die wysheid in ~ hê* pretend to be all-wise/know everything; (w) **ge-** lease; rent *ook* **(bruik)'huur**

pagaai' (s) **-e** paddle; (w) **ge-** paddle *ook* **kano'roei**

pa'gina -s page *ook* **blad'sy**

pa'-hulle father and close relatives; dad and co(mpany)

paja'ma -s pyjamas *ook* **nag'klere**

pak (s) **-ke** suit (of clothes); pack, bundle; thrashing, licking; *met sak en ~;* with bag and baggage; *'n ~ slae* a thrashing; (w) **ge-** pack up; seize, grasp; cuddle; **~dra'er** porter, carrier; **~e'sel** packmule, packdonkey; drudge; **~huis** warehouse

Pakistan' Pakistan (country); **~i** (s) **-'s** Pakistani (person); **~s** (b) **-e** Pakistani (customs, etc.)

pak: ~kaas' caboodle *ook* **kaboe'del, spul;** riff-raff (people) **~ka'mer** storeroom

pak'kend -e gripping, stirring, riveting, thrilling, captivating *ook* **boei'end, opwin'dend**

pakket' -te parcel, packet; package; **~akkoord'** package deal *ook* **bon'deltransak'sie; ~pos** parcel post; **uit'tree~/skei'dings~** severance package

pak'kie -s parcel; packet (to open)

pak: ~papier' packing/wrapping paper; **~perd** packhorse; **~stap'per** backpacker *ook* **rug'= saktoeris'; ~stuk** gasket (engine)

pakt -e (international) pact, agreement *ook* **ooreen'koms, verdrag'; akkoord'**

pal (bw) firm, immovable; continuously; *~ staan* stand firm; *~ tuis bly* be a stay-at-home

paladyn' -e paladin *ook* **rid'der** (hist.)

pala'wer -s palaver; fuss, commotion *ook* **op'= hef;** tedious business; conference, discussion

paleis' -e palace

paleontologie' palaeontology (study of fossils) **paleontoloog' ..loë** palaeontologist

Palesti'na Palestine (region)

Palestyn' (s) **-e** Palestinian (person); **~s'** (b) **-e** Palestinian (customs, etc.); *~se Bevrydingsor= ganisasie* *(PBO)* Palestine Liberation Organi= sation (PLO)

palet' -te palette *ook* **skil'derbord**

pa'ling -s eel; *so glad soos 'n ~* as slippery as an eel

palissa'de -s palisade, stockade *ook* **skans'pale; ~hei'ning** palisade fence/fencing

paljas'[1] (s) **-se** clown *ook* **nar, hans'wors, harlekyn'**

paljas'[2] (s) charm, spell *ook* **toor'goed, doe'pa**

~ *dra* practise magic; (w) **ge-** bewitch, cast a spell on

palm[1] **-s** palm (of the hand)

palm[2] **-s** palm (tree); *die ~ wegdra* gain the victory/laurels; **~boom** palm (tree)

palmiet' (s) **-e** bulrush *ook* **pap'kuil**

palm: **~o'lie** palm oil; **~tak** palm branch; **~wyn** palm wine

pamflet' **-te** pamphlet; brochure, handout, leaflet *ook* **blad'skrif, brosju're, traktaat'jie**

pampelmoes'/pompelmoes' **-e** shaddock *ook* **jaar'lemoen;** **~ie** gooseberry *ook* **appellie'= fie**

pamperlang' **ge-** flatter, soft-soap (s.o.) *ook* **paai, lek, flik'flooi**

pampoen' **-e** pumpkin (vegetable); dumb fellow; *vir koue ~ skrik* afraid of one's own shadow; **~koe'kie** pumpkin fritter

pampoen'tjies mumps, parotitis (children's dis= ease)

pan -ne pan; tile; small lake, pan

Pan-Af'ricanist Con'gress (PAC) Pan-African= ist Congress (PAC) (political party)

Pan'-Afrikanisme Pan-Africanism

panasee' panacea, cure-all *ook* **al'heilmiddel**

pand -e pledge, pawn; forfeit (n); *in ~ gee* give as security

pan'dak -ke tiled roof

pande'mie (s) **-s** pandemic (general/global disease); **~s** (b) **-e** pandemic (a) *ook* **globaal', wê'reldwyd** (siekte)

pandemo'nium pandemonium, bedlam, uproar *ook* **(groot) konsterna'sie, op'skudding**

pand: **~ge'wer** pledgor/pledger; **~hou'er** pledg= ee; **~jies'baas** pawnbroker; **~jieswin'kel** pawn= shop; **~reg** lien; **~speel** play forfeits; **~spel** forfeits (game)

paneel' (s) **panele** panel; *die ~ beoordelaars* the panel of adjudicators; **~kas'sie/~kis'sie** cubby= hole, glove compartment (car); **~pen** panel pin; **~wa** panel van/truck

pan'fluit (s) pan flute (mus. instr.)

pan'ga (s) **-s** panga (large knife) *ook* **kap'mes**

pan'geweer flintlock gun (hist.)

paniek' **-e** panic, stampede *ook* **wan'orde;** **~be= vang'e** panic-stricken, panicky

pan'kop (s) **-pe** bald pate *ook* **kaal'kop** (man); (b) bald (man)

pan'kreas pancreas *ook* **al'vleisklier**

pan'nekoek -e pancake; *so plat soos 'n ~* as flat as a pancake; **~weer** rainy weather

panora'ma -s panorama *ook* **ver'gesig/vêr'gesig**

pant -e tail (of a coat); width (of dress)

anteïs' **-te** pantheist (person); **~me** pantheism (phil. movement)

pan'ter -s panther, leopard

antof'fel -s slipper; *onder die ~regering staan* be henpecked (a husband)

pantomi'me **-s** pantomime, dumb show *ook* **geba'respel**

pant'ser (s) **-s** armour plating; mail; cuirass; (w) **ge-** armour; **~mo'tor/~wa** armoured car; **~trein** armoured train

pap[1] (s) **-pe** porridge; poultice (applied to sore part of body)

pap[2] (b) soft, weak; deflated; ~ **band** flat/de= flated tyre; ~ **kê'rel** milksop, wimp *ook* **bleek'siel**

paparaz'zo (s) **..razzi** paparazzo *ook* **steel= fotograaf** (van beroemde mense)

papa'ja -s papaw (fruit)

papa'wer -s poppy *ook* **klap'roos;** *Yslandse ~* Iceland poppy

pap'broek (s) **-e** milksop, coward *ook* **bang= broek;** **~kerig** (b, bw) cowardly *ook* **lafhar'tig**

pap'dronk (b, bw) intoxicated, stoned, paralytic *ook* **smoor'dronk**

papegaai' **-e** parrot; polly (bird)

papelel'lekoors fit of the blues, sham fever *ook* **kam'mastuipe**

pa'pie -s chrysalis, cocoon; pupa; *ek lag my 'n ~* I nearly killed myself laughing

papier' **-e** paper; ~ *is geduldig* pens may blot but they cannot blush; **~fabriek'** paper mill; **~lint** streamer; **~mand'jie** wastepaper basket *ook* **snip'permandjie;** **~merk** watermark *ook* **wa'= termerk;** **~spy** paper binder/fastener

papi'rus -se, ..ri papyrus (reed used for making paper; paper made from papirus; document written on such paper)

pap'kuil bulrush *ook* **palmiet'**

pap'lepel -s tablespoon; *iets met die ~ ingee* to spoon-feed (fig.)

pap'nat dripping wet *ook* **sop'nat, wa'ternat**

pap'pa -s papa; dad(dy) *ook* **pap'pie, paps**

pap'perd -s spineless/gutless fellow *ook* **lam'= sak;** softy

paraaf' (s) **parawe** paraph, initials; *u ~ moet op elke bladsy verskyn* every page should bear your initials *kyk* **parafeer'** (w)

paraat' (b) **parate** ready, prepared; alert *ook* **slag'gereed;** **~heid** preparedness (soldiers)

parabool' (s) **..bole** parabola (geom.)

para'de -s review, parade

paradeer' **ge-** parade; show off *ook* **pronk, uit'hang**

para'depas -se goose step (mil.)

paradig'ma -s paradigm, example, pattern *ook* **patroon';** **~verskui'wing** paradigm shift; new concept

paradoks' **-e** paradox *ook* **teenstry'digheid**

paradys' **-e** paradise *ook* **lus'hof;** **~vo'ël** bird of paradise

parafeer' **ge-** initial; ~ *elke bladsy* initial every page

paraffien' paraffin (oil) *ook* **lamp'olie;** **~lamp**

paraffin lamp; **~stoof** paraffin stove *ook* **pomp′stofie**; heater

parafra′se -s paraphrase (brief synopsis)

parafraseer′ ge- paraphrase

paragraaf′ ..grawe paragraph

paralim′pies: *~e spele* paralympics (for physically handicapped athletes)

parallel′ (b, bw) **-le** parallel; **~mediumskool′** parallel-medium school; **~o′gram** parallelo= gram (geom.); **~poort** parallel port (comp.)

parame′dikus -se paramedic (person)

parame′ter -s parameter *ook* **raam′werk**

parapleeg′ (s) **..pleë** paraplegic (person); **paraple′gies** (b) **-e** paraplegic *ook: liggaamlik gestrem*

parasiet′ (s) **-e** parasite; sponger *ook* **klap′loper, op′skeploerder** (persoon); **parasi′ties** (b, bw) **-e** parasitic(al)

parastataal′ (s) **..tale** parastatal (n) *ook* **semi= staats′instelling; parastaats′** (b) parastatal (a)

pardoems′! (tw) bang!; flop!

parente′se -s parenthesis (word/phrase in brack= ets)

parfuum′ -s scent, perfume *ook* **reuk′water; laven′tel**

pa′ri (s, bw) par; *onder ~* below par; *a ~/teen ~* at par

pa′ria -s pariah, untouchable *ook* **onaanraak= bare** (persoon)

pa′ring (s) mating, pairing (animals, birds) **~s′roep** mating call; **~s′vlug** nuptial flight (birds)

pariteit′ parity *ook* **gelyk′heid**

park -e park

parka′de -s parkade

parkeer′ ~, ge- park; **~boe′te** parking fine; **~me′ter** parking meter; **~plek** parking space; **~wag′ter** parking attendant

parket′vloer -e parquet floor *ook* **blok′kiesvloer**

parkiet′ -e parakeet (bird); **~tjie** budgerigar (budgie) *ook* **bud′jie**

parlement′ (s) **-e** parliament *ook* **nasiona′le verga′dering; ~êr′** (b) **-e** parliamentary; **~sit= ting -e** session of parliament; **~lid** member of parliament; **~verkie′sing** parliamentary elec= tion

parmant′ (s) **-e** insolent/impudent/cheeky per= son *ook: vrypostige persoon*

parman′tig (b, bw) **-e** impudent, impertinent, cheeky *ook* **astrant′, verme′tel;** *ewe ~/uit= dagend* quite/very cocky; **~heid** impudence, cheek

parodie′ -ë parody, satirical imitation (esp. poetry)

parogiaal′ (b, bw) **..giale** parochial *ook* **eng, bekrom′pe; kleinbur′gerlik**

paroniem′ -e paronym *ook* **verwan′te woord**

parool′ parole; password, watchword *ook* **wag′=**

woord; *onder/op ~ vrylaat* set free on parole (probation) (prisoner)

pars ge- press; **~tyd** vintage time; wine-making/ grape-harvesting season

part[1] (s) **-e** part, portion, share *ook* **(aan)deel**

part[2] (s) **-e** trick; *iem. ~e speel* play tricks on s.o.

partisaan′ ..sane partisan, resistance fighter *ook* **guerril′lavegter**

parti′sie -s partition *ook* **af′skorting**

partituur′ ..ture music score

party′[1] (s) **-e** party; faction; *~ kies* take sides

party′[2] (b) some, a few; *~ mense is maar dom* some people can't help being stupid

party′dig (b) partial, bias(s)ed; **on~** impartial

party′keer/party keer/party′maal/party maal sometimes, occasionally

Parys′ Paris (France); Parys (SA)

pas[1] (s) **-se** pass; passage, gap (in mountain); pass, permit (governing movement of s.o.); step, gait; pace; amble, rack (horse); *die ~ aangee* set the pace; **~aange′ër** pacemaker (heart); pacesetter (athl.); go-getter (person)

pas[2] (w) **ge-** fit; suit; try on, measure; be proper; *~ uitstekend* suit down to the ground; *nie bymekaar ~ nie* not matching

pas[3] (bw) just, only; hardly; *~ aangestelde hoo* newly-appointed head/principal; *~ gelede* recently *ook* **on′langs, vanef′fe**

Pa′se Easter (Christian festival) *ook* **Paas′fees**

pasel′la (omgangst.) (s) **-s** gift, pasella (infml.) *ook* **present′;** hand-out

Pas′ga Passover (Jewish festival)

pas′ganger -s ambler, pacer (horse)

pas: ~gebo′re/~ gebo′re newborn (baby) **~gebo′rene** new-born infant; **~gelê′** new-lai (eggs); **~gemaak′** (b) customised

pasiënt′ -e patient (sick person)

pasifis′ -te pacifist *ook* **vre′demaker**

pas′klaar ready for fitting on; ready-made cut-and-dried; *~ maak* fashion for

pas′lik (b, bw) fitting, suitable, becoming; *iem. ~ bedank* thank s.o. suitably

pas′lood (s) plummet, sounding lead

pasop′pens: *in sy ~ bly* mind his P's and Q's; *o sy ~ wees vir ...* to watch out for ...

pas′poort -e passport

pas′ryk (b) newly-rich, nouveau riche

passaat′ ..sate passage; **~wind** trade wind

passasier′ -s passenger; *blinde ~* stowaway *oo* **verste′keling**

passasier′(s): **~boot** passenger ship/liner; **~bu** passenger bus; **~stra′ler** jetliner; **~trein** pas senger train; **~vlieg′tuig** airliner

passeer′ (w) **~, ge-** pass (a law)

pas′send -e fitting; proper, appropriate; *by~ skoene* shoes to match

pas′ser -s pair of compasses; *~ en draai′er* fitte and turner (person)

pas'sie passion, enthusiasm *ook* **harts'tog;** craze; mania; infatuation

passief' (b, bw) **..siewe** passive; inactive

pas'sie: ~**spel** passion play; ~**vol** passionate *ook* **vu'rig**

pas'stuk -ke adaptor *ook* **aan'passer** (elektr.)

pas'ta -s paste *ook* **kleef'stof;** pasta (Italian flour-based food)

pastei' -e pie, pastry; ~**kor'sie** piecrust; ~**tjie** patty

pastel' crayon, pastel (colouring)

pasteuriseer' ge- pasteurise, sterilise *ook* **ontsmet', steriliseer'**

pastoor' -s, ..tore pastor; minister (of religion); priest (RC)

pas'tor -s pastor; minister (of religion); ~**aal'** (b) **..rale** pastoral; *pastorale sielkunde* pastoral psychology

pastora'le (s) **-s** pastorale (mus. composition)

pastorie' -ë parsonage, vicarage, rectory, manse

patat' -s sweet potato; *met die hele mandjie ~s te voorskyn kom* blurt out the whole secret *ook* **uit'blaker**

patee' (s) **-s** paté; (fish)paste

patent' (s) **-e** patent; exclusive right; (b) **-e:** ~*e medisyne* patent medicine

pa'ter -s priest, padre, father *ook* **gees'telike**

paternalis'me paternalism *ook* **va'derlike sorg; paternalis'ties** (b) paternalistic, condescending *ook* **neerbui'gend**

pate'ties (b) **-e** pathetic *ook* **aandoen'lik**

pa'tio -'s patio *ook* **(buite)stoep**

patois' dialect, jargon, patois *ook* **jar'gon, dialek'**

patologie' pathology *ook* **siek'tekunde; patoloog' ..loë** pathologist (med. specialist)

pa'tos pathos *ook* **droef'heid, deer'nis**

patriarg' -e patriarch *ook* **aarts'vader**

patriot' (s) **-te** patriot, nationalist *ook* **va'derlander;** ~**ies** (b) **-e** patriotic

patrolleer' ge- patrol, guard, cruise

patrol'lie -s patrol *ook* **verken'ningstroep**

patroon'[1] (s) **patrone** cartridge (of firearm), round of ammunition; ~**dop** cartridge case

patroon'[2] (s) **patrone** model, design, pattern

patroon'[3] (s) **patrone** patron, protector, sponsor *ook* **beskerm'heer; donateur'; beskerm'-heilige**

patrys' -e partridge (bird); ~**hond** pointer; spaniel

patrys'poort -e porthole (ship); scuttle port

paviljoen'/pawiljoen' pavilion; stand; *groot ~* grandstand

pedaal' (s) pedale pedal *ook* **trap'meganis'me**

pedago'gies (b) **-e** pedagogic(al), educational; **pedagoog'** (s) **..goë** pedagogue, educationist (persoon)

pedant' (s) **-e** pedant, know-all (person) *ook*

wys'neus; ~**ies** (b) pedantic, priggish *ook* **ei'e-wys, op'geblase**

pedia'ter -s paediatrician *ook* **kin'derarts**

pedofiel' -e child molester, paedophile *ook* **kindermolesteer'der**

peer (s) pere pear (fruit); *met die gebakte pere bly sit* be saddled with something/holding the baby

pees (s) pese tendon, sinew; ~**ter** (vulg.) penis *ook* **pe'nis**

peet (s) **pe'te** godparent; ~**jie:** *loop na jou ~jie* go to the devil; ~**kind** godchild; ~**oom** god-father *ook* ~**vader/~pa;** ~**ou'ers** godparents; ~**tan'te** godmother *ook* ~**moe'der/~ma**

peil (s) mark, gauge, standard, level; *benede ~* below the mark; *op iem. ~ trek* depend upon s.o.; (w) **ge-** sound, fathom, gauge, plum; ~**ing** poll, survey *ook* **me'ningsopname;** ~**lood** plummet; ~**loos** fathomless

peins ge- meditate, muse; ponder; ~**end** pensive *ook* **my'merend**

peits -e riding/driving whip/crop *ook* **karwats'**

pe'kel (s) brine; difficulty; *in die ~ sit* be in a pickle; cop it; (w) **ge-** salt, pickle; ~**wa'ter,** brine

pekinees' ..nese Pekinese (dog)

pel (w) **ge-** peel, shell *ook* **uit'dop** (ertjies)

pêl (omgangst.) (s) **-le, -s** pal, buddy, chum; bra (township word) *ook* **pel'lie, maat, mak'ker, tjom(mie)**

pela'gies (b) pelagic *ook* **diep'see-**

pel'grim -s pilgrim; crusader; ~**staf** pilgrim's staff; ~**s'tog** pilgrimage

pelikaan' pelican (bird)

peloton' -ne, -s squad, platoon; **vuur~** firing squad

pels -e fur *ook* **bont;** skin; ~**dier** furred animal; ~**jas** fur coat *ook* **bont'jas**

pel'ser -s pilchard *ook* **sardyn'** (vis)

pen (s) **-ne** pen; nib, quill; spike; peg (tent), pin (golf); *na die ~ gryp* rush into print/writing something; *aan die ~ ry* get into trouble; (w) **ge-** write

pena'rie (s) **-s** difficulty, predicament, fix *ook* **dilem'ma, verknor'sing**

pen'del (w) **ge-** commute *ook* **kommuteer';** ~**aar** commuter; ~**diens'** shuttle service; ~**trein'** commuter/suburban train *ook* **voor-ste'delike trein;** ~**tuig** space shuttle

pen'doring -s spike thorn

pendu'le/pen'dulum -s pendulum *ook* **slin'ger** (van muurhorlosie)

pe'nis -se penis *ook* **fal'lus**

penisillien'/penisilline' penicillin (med.)

pen'kop -pe young fellow, inexperienced youth/youngster

pen'maat -s pen friend/pal *ook* **pen'vriend**

pen'nelekker (neerh.) **-s** penpusher (derog.); clerk

pen'ne: ~**mes** penknife; ~**streep** stroke/dash (of the pen); ~**stryd** polemics, controversy; ~**vrug** writings, book, article

pen'nie -s penny (obs. coin)

pen'ning -s medal; penny (obs. coin); **e're~** medal of honour; ~**mees'ter** treasurer *ook* **tesourier'**

pen: ~**orent'** straight up, erect *ook* **kierts'regop;** ~**punt** nib; ~**reg'op** erect, upright

pens -e belly, stomach; ~ *en pootjies* boots and all

penseel' ..sele brush (artist)

pensioen' (s) -e pension; retiring pay; *met ~ aftree* retire on pension; ~**a'ris** pensioner; ~**eer' (w) ge-** pension, superannuate; ~**fonds** pension fund; ~**trek'ker** pensioner *ook* ~**a'ris**

pen'skets -e pen portrait/sketch; brief biography

pens: ~**klavier'** accordion *ook* **akkor'deon, trek'klavier;** ~**portefeul'je** moonbag *ook* **maan'sakkie;** ~**win'keltjie** pedlar's tray

Pentateug' Pentateuch (the five books of Moses)

pen: ~**te'kening** pen sketch; ~**wor'tel** taproot

pe'per (s) pepper; **(w) ge-** pepper; *met vrae* ~ fire questions at; ~**boom** pepper tree; ~**bus'sie** pepper caster/castor; ~**duur** very expensive, sinfully dear

peperment'/pipperment' -e peppermint

pe'perwortel -s pepperwort, horseradish *ook* **ramenas'**

per (vs) by, via, per; ~ *abuis/ongeluk* by mistake; ~ *adres* care of; ~ *geluk* luckily; ~ *kerende pos* by return of post

perd -e horse; *'n gegewe* ~ *moet jy nie in die bek kyk nie* don't look a gift horse in the mouth

per'de: ~**by** wasp; hornet; ~**hoef** horse's hoof; horseshoe; ~**koets** horse-drawn carriage; ~**krag** horsepower; ~**rui'ter** horseman, eques=trian; ~**siek'te** horse sickness; ~**sport/** ~**spring(byeen'koms)** show jumping; ~**stal** stable; ~**stert** horse's tail; ~**vleis** horsemeat; ~**vlieg** horsefly; stingfly; ~**wa** horse wagon; ~**(wed)ren'ne** horse racing; ~**ys'ter** horseshoe *ook* **hoef'yster**

perd: ~**fris** hale and hearty; fighting fit *ook* **top'fiks;** ~**jie** small horse, pony; *gou op sy ~jie wees* be touchy, quick to take offence; ~**ry** horseriding

pê're (s, mv) trouble(s); *netnou is daar* ~ this is going to cause trouble/problems

pê'rel -s pearl; bead; ~*s voor die swyne werp/gooi* cast pearls before swine; *gekweekte* ~ cultured pearl; ~**dui'ker** pearl diver; ~**snoer** string/neck=lace of pearls; ~**vissery'** pearl fishing

perfek' (b) -te perfect *ook* **volmaak';** ~**sie** perfection; *eksie-perfeksie* excellent; very good/nice; tops *ook* **piek'fyn**

perfeksioneer'/perfekteer' (w) ge- perfect *ook* **vervolmaak'**

perfeksionis -te perfectionist, precision (person)

perfora'sie -s perforation (series of small hole[s])

perio'de -s period *ook* **tyd'perk, tyd'va[termyn'**

periodiek' -e periodic(al), from time to time

pe'ri-pe'ri/pi'ri-pi'ri piripiri (spice)

periskoop' ..skope periscope (viewer fr[submarine)

perk -e limit; range; *binne die* ~*e bly* rem[within bounds; ~*e oorskry* exceed the boun[*gras'*~ lawn; ~**tyd** deadline *ook* **sper'tyd** streef'datum, tei'kendatum**

perkament' parchment; vellum; ~**rol** scroll

perkoleer' ge- percolate *ook* **filtreer';** ~**kof** percolated coffee

perlemoen'/perlemoer' mother of pearl; a[lone, perlemoen (SAE)

permanent' -e permanent *ook* **vas, bly'wend**

permis'sie permission, leave *ook* **toe'stemmi**

permissiwiteit' permissiveness, open-minde[ness; tolerant attitude

permit' -te permit, pass *ook* **verlof'brief**

permuta'sie -s permutation, transmutation

perron' -ne, -s platform (railway) *ook* **plat'fo[**

pers[1] **(s) -e** printing press; newspapers, med[*ter* ~*e gaan* go to press; **(w) ge-** press

pers[2] **-e** purple (colour)

perseel' ..sele lot; plot, stand, premises [**stand'plaas**

persent' percent/per cent; *'n 10* ~ *styging* a percent increase/rise

persenta'sie -s percentage; ~**punt'** percent[point

persep'sie -s perception *ook* **idee', op'vatti[begrip'**

pers: ~**fotograaf'** press photographer; ~**gespr[** interview *ook* **on'derhoud** (vir koerant)

Per'sië Persia (country, *now* Iran); **Per'sies (b** Persian (customs, etc.)

persim'mon (s) persimmon *ook* **tama'tiepru[**

pers'ke -s peach (fruit); ~**bran'dewyn** pea[brandy *ook* **mampoer';** ~**konfyt'** peach j[~**pit** peach stone; ~**pit'vloer** floor inlaid v[peach stones; ~**smeer** peach roll/spread

pers'klaar ready for the press; ~ *maak* edit [publication; sub/subedit; ~**ma'ker** subedit[

personeel' (s) staff, personnel; ~**agent'sk** employment agency; ~**ka'mer** staff ro[common room; ~**lid** staff member, staf ~**bestuur'** personnel management

personifieer' ge- personify; typify (a person[

personifika'sie personification; semblance

persoon' ..sone person; *die aangewese* ~ right/proper person; ~**lik** personal; ~**like** kenaar** personal computer (PC) *ook* **tuis're naar;** ~**likheid'** personality, individual *gesplete* ~*likheid* split personality

ersoons'kaart -e identity card *kyk* **ID-doku=
ment'**

rspektief' **..tiewe** perspective, (broad) view

rspireer' **ge-** perspire *ook* **(uit)'sweet**

ers: **~verkla'ring** press release *ook* **persberig'**;
~verslag' press report; **~vry'heid** freedom of
the press

rtinent' pertinent; categorical; *~e leuen* down=
right lie

rvers' (b) **-e** perverse, delinquent, depraved
ook **se'deloos, verdor'we**

s (s) **-te** pest, pestilence, plague *ook* **pestilen'=
sie**; *iem. soos die ~ haat* hate s.o. like poison;
(w) **ge-** pester *ook* **pla, las'tig val**

ssimis' (s) **-te** pessimist, defeatist (person);
~me pessimism; **~ties** pessimistic *ook* **neer=
slag'tig, swartgal'lig, swaarmoe'dig**

t (s) **-te** (peaked) cap *ook* **keps**

tal'je (s) **-s** affair; commotion *ook* **bohaai'**,
(vermaaklike) **gedoen'te;** prank, antic

tie'terig (b) **-e** small, tiny *ook* **nie'tig, niks'=
beduidend**

ti'sie **-s** petition *ook* **versoek'skrif, beswaar'=
skrif**

tisiona'ris **-se** petitioner (person)

'trol petrol *ook* **brand'stof;** **~jog'gie** pump/
petrol attendant; **~pomp** petrol pump

tro'leum petroleum, rock oil *ook* **aard'olie;**
~bron oil well

tu'nia **-s** petunia (flower)

ul¹ (s) **-e** pod, husk, shell; **~gewas'se** (s, mv)
legumes

ul² (w) **ge-** protrude, bulge *kyk* **uit'peul**

u'sel **ge-** nibble, peck (at food); pick; **~hap'pie**
snack; **~kroeg** snack bar; **~wer'kie** odd job;
~werkies doen potter about

u'ter¹ (s) **-s** toddler, (tiny) tot (young child);
~skool playschool, pre-nursery school; crèche

u'ter² (w) **ge-** tamper, fiddle, fumble; **~ig**
inicky/finical; piffling; **~vry/~bestand** tam=
perproof, foolproof *ook* **fla'tervry; ~werk'ie**
piffling job

nis' **-te** pianist *ook* **klavier'speler**

'no (veroud.) **-'s** piano *ook* **klavier'**

k (s) **-e** peak (n), pinnacle; (w) **ge-** peak (v)

'kel **ge-** carry with difficulty, lug

'kels pickels *ook* **at'jar**

'ker **ge-** worry, fret, brood over *ook* **tob, kwel**

k'fyn (b) spick-and-span; grand; snazzy *ook*
keu'rig; uit'gevat; spie'keries (omgangst.);
ak'gat (omgangst.)

k'niek **-s** picnic; **~oord** picnic resort

nk (b) pink (colour) *ook* **lig'roos;** *~ en
lesierig hunky-dory *ook* **piek'fyn**

p¹ (s) pip (fowl disease)

p² (w) **ge-** chirp, squeak; spoil, pamper (s.o.);
y ma ~ hom op his mother pampers/spoils
im

---

piep'erig (b) sickly, seedy; weak, thin, squeaky
ook **swak, tin'gerig**

pie'pie (w) **ge-** make water (nursery term); pee,
piddle, wee-wee *ook* **fluit, 'n draai(tjie) loop**

piep: **~'jong/piep'jonk** (b) very young; tender;
~klein tiny, teeny-weeny

pier¹ (s) **-e, -s** pier, jetty *ook* **ha'wehoof;** groyne,
breakwater

pier² (w) **ge-** cheat, swindle, con *ook* **in'loop,
kul, fop**

pie'rewaaier **-s** playboy, goodtimer *ook* **swier'=
bol, dar'teldawie**

pie'ring **-s** saucer; **~skiet** clay-pigeon shooting,
skeeting

pie'rinkie **-s** small saucer

pie'sang **-s** banana; **~boer** banana farmer; person
from KwaZulu-Natal (joc.)

piet **-e** joker (playing card)

piëteit' piety, reverence, sanctity *ook* **vere'ring**

pietersie'lie parsley (herb)

piet-my-vrou' **-e** red-chested cuckoo; piet-my-
vrou (SAE)

piets **ge-** whip lightly, flick; criticise

pietsnot' (neerh.) **-te** idiot, simpleton, pipsqueak
(derog.) *ook* **uils'kuiken, dom'kop**

pigmee' **..meë** pygmy; dwarflike person *ook*
dwerg

pigment' **-e** pigment *ook* **kleur'stof**

pik¹ (s) pitch (black, sticky resin)

pik² (s) **-ke** peck; pick, pickaxe; (w) **ge-** peck;
nag, find fault; pick; *die slang ~* the snake
strikes/bites

pikant' (b) piquant *ook* **gees'tig;** pungent, spicy,
seasoned *ook* **prik'kelend; skerp** (smaak)

pik: **~don'ker** pitch-dark; **~draad** pitch thread

pikkewyn' **-e** penguin; **~ei'er** penguin egg

pik'kie **-s** small child; midget

pik'prioriteit' (s) pecking order *ook* **gesags'orde**

pik'swart pitch-black *ook* **git'swart**

pil (s) **-le** pill; *die ~ verguld* sugar the pill

pilaar' (s) **pilare** pillar, column *ook* **kolom'**

Pila'tus Pilate; *van Pontius na ~* from pillar to
post

piloon' (s) **..lone** pylon *ook* **span'mas, krag'mas**

piment' (s) allspice, pimento

pim'pel: *~ en pers* black and blue

pin'kie **-s** little finger; *iem. om jou ~ draai* twist
s.o. round one's (little) finger

Pink'ster Pentecost; Whitsuntide

pin'nommer **-s** pin number (for safeguarding
identity)

pinset' **-te** tweezers, pincette *ook* **haar'tangetjie**

pint **-e** pint (Br., liquid measure)

pion' **-ne** pawn (chess); stooge, crony *ook*
strooi'pop, trawant'

pionier' **-s, -e** pioneer *ook* **baan'breker**

piou'ter pewter (alloy of tin and lead)

pipet' **-te** pipette (glass tube for liquids)

pirami'de -s/**piramied'** -e, -es pyramid; ~**ske=**
ma pyramid scheme (investment)

piromaan' (s) ..**mane** pyromaniac *ook* **brand'=**
stigter

pirotegniek' pyrotechnics, fireworks

pis (vulg.) (s) piss (taboo slang); urine; ~**pot**
(vulg.) chamberpot *ook* **koos** (skerts.); (w) **ge-**
piss (taboo slang); piddle (slang); urinate

pistool' ..**tole** pistol, handgun *kyk* **rewol'wer**

pit (s) -**te** kernel (nut); core (tree); stone (peach);
pip (orange); wick (lamp); vim, courage; *baie*
~*te hê* be very rich; ~**kos** grain food;
(concentrated) food for thought

pit'seer ..**sere** boil *ook* **bloed'vint**

pit'tig pithy; terse, snappy; ~*e taal* racy/spark=
ling language

pit'vrugte stone fruit

pla (w) **ge-** tease, annoy, vex, worry (s.o.) *ook*
terg, hin'der; trei'ter

plaag (s) **plae** plague, pest; scourge; affliction;
~**beheer'**/~**bestry'ding** pest control; ~**do'der**
pesticide, insecticide, herbicide; ~**gees** tease
ook **terg'gees** (persoon)

plaak plaque (teeth) *ook* **tand'aanpaksel**

plaas (s) **plase** farm; place; *in die eerste* ~/*plek*
in the first place; *in* ~ *van* instead of, in lieu of;
(w) **ge-** put, place, locate; insert; ~**ar'beider**
farm labourer; ~**gereed'skap**/~**werk'tuie**
(farm) implements; ~**ja'pie** (country) bump=
kin, yokel; ~**kiosk** farm stall *ook* **pad'=**
stal(letjie); ~**lik** (b, bw) local; ~*like bestuur*
local government; ~*like owerheid* local
authority; ~*like verdowing* local anaesthetic;
~**vervan'ger** substitute, alternate, deputy;
proxy

plaat (s) **plate** slab; plate; sheet; plateau; stake
(races); (gramophone) record (obs.); ~**koe'kie**
drop scone, flapjack; crumpet; ~**kompeti'sie**
plate event (sport); ~**ys'ter** sheet iron

plafon' -**ne** ceiling (of a room)

plagiaat' (s) plagiarism *ook* **let'terdiewery**

plak[1] (s) -**ke** slab; ferule; strap; swatter

plak[2] (w) **ge-** paste; hang (paper); stick; ~**boek**
scrapbook; book of cuttings

plak[3] (w) **ge-** squat (on land)

plakkaat' ..**kate** placard, poster, billboard

plak'ker[1] (s) -**s** paper hanger; sticker (on
window)

plak'ker[2] (s) -**s** squatter (person, on land);
~**s'kamp** squatter camp; informal settlement
ook **in'formele ves'tiging;** ~**y'** squatting

plak(k)et' -**te** plaque *ook* **muur'plaat, gedenk'=**
plaat

plak'papier' wallpaper

plak'kies (n) beach thongs, slipslops *ook* **slof'fies**

plan (s) -**ne** plan; scheme, project; intention; *van*
~ *verander* change one's mind

planeet' ..**nete** planet; ~**stel'sel** planetary system

planeta'rium -s, ..**ria** planetarium

plank -**e** board, plank, deal; *so dun soos 'n* ~
skinny, scrawny (person); ~*e saag* sn⌐
heavily; ~**e'koors**/~**e'vrees** stage fright

plank'ton plankton (biol.)

plank'vloer -**e** wooden/boarded floor

plant (s) -**e** plant; herb; (w) **ge-** plant

plantaar'dig (b) -**e** vegetable (a); ~*e voed⌐*
vegetarian food

planta'sie -**s** plantation (cluster of trees; area f⌐
growing cotton, etc.)

plant: ~**e'groei** vegetation; ~**er** planter; ~**e'r⌐**
vegetable kingdom; ~**e'tend** herbivorous; ~**j⌐**
small plant; ~**kun'de** botany *ook* **botanie'**

plantkun'dig (b) -**e** botanical; ~**e** (s) -**es** botan⌐
(person)

plas (s) -**se** pool, puddle; (w) **ge-** paddle, spla⌐
~**dam'(metjie)** paddling pool

plasen'ta -**s** plasenta

plas'ma plasm(a) (blood fluid)

plas'poel -**e** paddling pool

plas'reën (s) heavy rain, downpour *ook* **stort'b⌐**

plastiek' (s) -**e** plastic(s) (artificial materia⌐
~**be'ker** plastic mug/jug; ~**sak'kie** (mi⌐
sachet *ook* **melk'sakkie**

plas'ties (b) plastic *ook* **vorm'baar;** ~*e snyk⌐*
de/chirurgie/sjirurgie plastic/cosmetic s⌐
gery

plat (b) flat, level, even; low; slangy (langua⌐
ook **kru, banaal', vulgêr';** *so* ~ *soos⌐*
pannekoek as flat as a pancake; ~ *taal* vul⌐
language *ook* **banaal'**

plataan' ..**tane** plane tree

platan'na -**s** spur-toed frog, platanna (SAE)

plat'dak -**ke** flat roof

pla'te: ~**jog'gie** disc jockey, deejay/DJ ⌐
deun'tjiedraaier; ~**musiek'** recorded mus⌐
~**spe'ler** (veroud.) record player; ~**vers⌐**
melaar discophile *ook* **diskofiel'**

plat'form -**s** platform (at station) *ook* **perro⌐**
stage *ook* **verhoog'**

pla'tina platinum (ore)

pla'tinum platinum (element)

plat'jie -**s** rogue *ook* **va'bond;** mischiev⌐
fellow *ook* **grap'jas, poetsbakker**

plat'kopspyker tack; hobnail

plat'loop -**ge-** overrun; sweep away; *die h⌐*
plek ~ walk from one end to the other

plato' -'**s** plateau *ook* **hoog'land, hoog'vlakte**

plato'nies -**e** platonic; ~*e liefde* platonic l⌐
(without physical desire)

plato'rand -**e** escarpment *ook* **eskarp'**

plat'riem -**e** ferule, strap; *iem. die* ~ *gee* ap⌐
the strap; give s.o. a hiding/thrashing

plat'sak (b) hard up, broke, cash-strapped

plat'tegrond groundplan, map *ook* **grond'pla⌐**

plat'teland rural area; countryside; plattela⌐
(SAE)

at'vloers (b) common, vulgar *ook* banaal'

at'weg (bw) downright, bluntly *ook* rond'uit

avei' (w) ge- pave; ~sel (s) paving *ook* bestra'ting

eb/plebe'jer (s) -s pleb/plebeian; common/ lowborn person

eeg (w) ge- rear, nurse; commit, perpetrate; *selfmoord* ~ commit suicide; ~kind foster child *ook* groot'maakkind; ~ou'ers foster parents *ook* grootmaak'ouers; ~sorg foster care

egsta'tig pompous, ceremonious *ook* deftig, waar'dig, styf

eg'tig solemn, dignified; formal; ~ *beloof/ belowe* promise faithfully; ~heid ceremony; grand occasion

eidooi' -e plea, argument, defence; ~ *lewer* plead *ook* pleit, betoog'

ein -e square; piazza

eis'ter[1] (s) -s plaster, poultice (on wound)

eis'ter[2] (s) -s plaster, mortar (on wall); (w) ge- plaster, stucco; ~aar plasterer

eit (s) plea; (w) ge- plead; intercede; ~ *vir* plead in favour of; ~besor'ger counsel; advocate/champion (of a cause) *ook* verde'= diger

ek -ke place; spot; room, space; position; *dit het plek-plek gereën* it has rained in patches; *hy staan sy ~ vol* he pulls his weight; ~ *bespreek* book a seat; make a reservation; *op die ~ rus!* stand at ease!; ~aan'wyser usher; ~bespre'king booking, reservation

eks instead of; ~ *van hom te help* instead of helping him

sier' (s) -e pleasure, enjoyment, fun; *met ~!* with pleasure!; (w) ge- please

sie'rig (b) pleasant, happy, cheerful, merry; *'n ~e ou* a jolly guy/fellow; ~heid (s) merriment; happiness

sier': ~oord' pleasure resort; ~reis' pleasure trip/cruise; ~tog' excursion, pleasure trip

t ge- flatten, roll out, laminate; hammer

t'ter: *hom te ~ loop* be smashed (to pulp); ~kleur spot colour; ~toets crash test (car); ~vat crash tackle (rugby)

'tie: die Kretie en ~ Tom, Dick and Harry *ook* Jan Rap/janrap' en sy maat

g -te duty; obligation; *sy ~ versuim* neglect/ fail in his duty

g'pleging -e social courtesy/duty

gs: ~besef'/~gevoel' sense of duty; ~getrou' dutiful, conscientious; dependable; ~hal'we dutifully, duty-bound; ~versuim' dereliction of duty

nt -e plinth; skirting board *ook* vloer'lys

eg (s) ploeë plough; *die hand aan die ~ slaan* put one's hand to the plough; (w) ge- plough; ~skaar plough share

ploert -e cad, scoundrel *ook* gom'gat; flatterer, toady *ook* gat'kruiper

ploe'ter ge- drudge, toil, plod *ook* voort'sukkel; ~aar plodder, slogger, drudge (person)

plof (s) plowwe thud, thump; (w) ge- flop down, fall with a thud; ~baar (b) explosive; ~dem'= per bomb blanket *ook* bom'kombers; ~hou explosion shot (golf); ~kolwer pinch hitter (cricket); ~kop warhead (in torpedo)

plof'stof ..stowwe explosives *ook* spring'stof; ~(des)kun'dige explosives expert

ploftoe'stel -le demolition device

plomp (b) clumsy, awkward; chubby

plons (s) -e splash; (w) ge- splash; ~lan'ding splash landing (spacecraft); ~privaat long= drop, pit toilet (on farm)

plooi (s) -e fold, furl; wrinkle (face), crease (trousers), pleat, gathering (skirt); (w) ge- fold; crease; pleat; ~baar pliable, flexible; amenable *ook* meegaan'de, inskik'lik (per= soon); buig'saam (materiaal)

plot'seling (b) sudden, abrupt *ook* skie'lik; (bw) suddenly, all of a sudden

pluim -e plume, feather; ~bal badminton (game); shuttlecock (feathered cone); ~pie plumelet; compliment, kudo *ook* kompli= ment'; *'n ~pie kry* get a feather in your cap; be complimented; ~stry'ker flatterer, adulator

pluim'vee poultry; fowls

pluis[1] (s) -e piece of fluff/fuzz; nap (raised fibres in fabric)

pluis[2] (b, bw) all right, in order; *alles is nie ~ nie* there is something wrong/fishy about the affair

pluis: ~hoed/~keil (silk) top hat; ~ie plug, wad; plush

pluk[1] (w) ge- pick (fruit); pluck (feathers); gather;~ *en plak* peel and stick (labels/ stamps); ~sel; crop (of feathers)

pluk[2] (omgangst.) (w) ge- fail (test, examina= tion)

plun'der (w) ge- plunder, ransack, loot *ook* stroop; ~aar (s) -s plunderer, looter, maraud= er; ~tog' (s) -te raid; looting, plundering

plura'le: ~ *samelewing* plural society

plus plus; ~-mi'nus about, more or less, approx= imately *ook* naas'tenby; ~punt plus factor, credit point; ~te'ken plus sign

plutokraat' ..krate plutocrat *ook* geld'koning; plutokrasie' plutocracy *ook* geldheerskappy'

pneumokonio'se pneumoconiosis (disease)

podia'ter -s podiatrist *ook* voet'versor'ger (persoon) *kyk* chiro'podis'

po'dium -s podium, rostrum, platform

poe'del -s poodle *ook* ~hond; ~naak/~na'kend stark-naked, in the buff/altogether *ook* kaal'= bas; ~prys booby prize

poe'ding -s pudding; dessert, sweets *ook* na'= gereg

poef (s) **-e, -s** pouf(fe) (wadded floorseat)

poe'gaai (b) deadbeat, lights out *ook* **poot'uit, kapot'**; sozzled

poei'er (s) **-s** powder; (w) **ge-** powder; **~boks** powder box; **~kof'fie** instant coffee *ook* **kits'= koffie; ~kwas** powder puff

poel (s) **-e** pool, puddle; kitty (fund to draw from); (w) **ge-** pool (funds)

poe'ma -s puma, mountain lion *ook* **berg'leeu**

poens'kop -pe hornless animal; bishop fish

poep (vulg.) (s, w) fart (taboo slang); **~dronk** (vulg.) roaring drunk; **~hol** (vulg.) **-le** arse= (hole) (taboo slang) *ook* **rek'tum**

poes (taboewoord) **-e** cunt (taboo slang)

poësie' (s) poetry *ook* **dig'kuns**

poë'ties (b) **-e** poetic(al)

poets[1] (s) **-e** trick, prank; hoax; *iem. 'n ~ bak* play a trick/practical joke on s.o.; **~bak'ker** prankster *ook* **gek'skeerder, plat'jie**

poets[2] (w) **ge-** polish *ook* **poleer'**; rub; **~katoen'** cotton waste

pof: ~ad'der puff adder; **~broek** plusfours; **~fertjie** fritter, puff cake

po'ging (s), **-e** effort, attempt, endeavour; *'n ~ aanwend* make an attempt *kyk* **poog**

poinset'tia -s poinsettia *ook* **karlien'blom**

poin'ter pointer (hunting dog)

po'ker poker (cards game)

pok'ke/pok'kies smallpox

pok'kel -s chubby (small fat person) *ook* **buk'sie**

pol -le tuft/clump (of grass)

polarise'ring/polarisa'sie polarisation (causing opposites/extremes)

Po'le Poland (country) *kyk* **Pool**[1]

poleer' **ge-** polish, burnish *kyk* **poets**

polemiek' -e polemics, controversy *ook* **pen'= nestryd**

pole'mies (b) controversial *ook* **kontensieus', omstre'de** (boek, film)

poliep' -e polyp (animal); polyp(us) (med.: growth on mucous membrane)

poligamie' polygamy *ook* **veelwy'wery; poli= gamis' -te** polygamist *ook* **veel'wywer** (man)

poliglot' -te polyglot, multilingual person *ook* **veelta'lige** (persoon)

poligraaf' (s) polygraph, lie detector *ook* **waar'= heidtoetser; ~toets** lie test *ook* **lieg'toets**

polikliniek' polyclinic (general hospital)

po'lis -se insurance/assurance policy; **~hou'er** policyholder

poli'sie police; *die ~ ontbied* call the police; **~beamp'te** police officer; **~diens(te)** police services; **~hond** police dog; **~kantoor'/~sta'= sie** police station; **~man** policeman, constable; cop (infml.); **~on'dersoek** police investigation

polisië'ring policing; maintaining law and order

politeg'nies (b) **-e** polytechnic; *~e skool* poly= technic/multitechnical school

politiek' (s) politics *ook* **staats'leer;** policy o● **beleid';** *tot die ~ toetree* enter politics; (political; politic *ook* **poli'ties**

poli'tikus -se, ..tici politician (person)

politoer' (s) polish *ook* **waks;** (w) **ge-** polish o● **poleer', poets**

pol'ka -s polka (dance); **~masur'ka** polka-m● zurka

po'lo polo (sport); **~nek'trui** polo-neck sweate

polo'nie polony (red-skinned sausage)

pols (s) **-e** pulse; wrist; (w) **ge-** feel the puls● sound; *iem. ~* sound/consult s.o.; **~horlo's●** wristwatch; **~slag** pulse beat/rate

pol'tergeist/pol'tergees poltergeist *ook* **kwe● gees, klop'gees**

polvy' -e heel (of a shoe)

polys' **ge-** polish, burnish *ook* **politoer'** (w)

pome'lo -'s grapefruit, pomelo

pomma'de -s pomade, face cream *ook* **gesig(s● room**

pomp (s) **-e** pump; (w) **ge-** pump; **~jog'g● pump/petrol** attendant; **~klep** pump valv● **~sto'fie** pressure/parrafin stove

pond -e pound (Br. unit of weight/mas● currency unit); **~ ster'ling** pound sterli● (Br. currency unit; symbol: £)

pondok' -ke hut, shanty; shack (squatters)

po'nie -s pony (small horse breed); **~koera● tabloid** (newspaper); **~stert** ponytail

pons[1] (s) **-e** punch (tool for piercing holes); (**ge-** punch, perforate

pons[2] (s) punch, cocktail *ook* **mengel'dranki●**

pont -e ferry(boat), pontoon, pont *ook* **veer'b●**

pontifikaal' ..kale pontifical *ook* **pous'lik**

Pon'tius Pontius; *iem. van ~ na Pilatus stu● send* s.o. from pillar to post

poog (w) **ge-** try, attempt *ook* **probeer'** *kyk o● po'ging**

pook (s) **poke** poker *ook* **vuur'yster, ra'kel;** (**ge-** poke

Pool[1] (s) **Pole** Pole (inhabitant of Poland); **~s ● -e** Polish (customs, etc.) *kyk* **Po'le**

pool[2] (s) **pole** pole; terminal; *negatiewe ● cathode; positiewe ~* anode

pool[3] pile (of carpet)

pool: ~see pole sea; **P~ster**, Pole Star (astr● **~streek** polar region, frigid zone

poort -e gate, portal, doorway; gateway; narr● mountain pass/gorge, defile; **~wag'ter** ga● keeper

poos (veroud.) (s) **pose** while, pause *ook* **tu● senpose**

poot[1] (s) **pote** foot, leg, paw; *op eie pote sta● be* independent

poot[2] (omgangst., neerh.) (s) **pote** flatfoot, fu● (derog., slang); cop(per) (slang); policem●

poot'jie[1] (s) gout *ook* **jig**

poot'jie[2] (w) **ge-** trip (s.o.)

ot'uit (b), done for, deadbeat *ook* **af'gemat,
poe'gaai**

p¹ (s) -pe doll; puppet, marionette; *die ~pe is
aan die dans* the fat is in the fire; **~huis** doll's
house, toy house

p² (b) pop, popular; **~konsert'** pop concert;
-musiek' pop music; **~san'ger** pop singer

pel (w) ge- throb, quiver; *~ van onge=
duld/opwinding* very impatient/excited

pelien' poplin (cotton fabric)

p'pekas -te puppet show; Punch and Judy
how

p'pespeler -s puppeteer *ook* **marionet'=
emeester**

pulariseer' ge- popularise

pulariteit' (s) popularity *ook* **gewild'heid**

pula'sie population *ook* **bevolk'ing**

pulêr' (b, bw) -e popular *ook* **gewild';
-wetenskap'lik** (b, bw) semiscientific; (re=
garding a) popular presentation of a scientific
opic

pulier' -e poplar (tree)

 (s) prod, poke, jab; (w) ge- prod, poke, jab;
rge; *iem. aan~ (om iets te doen)* urge s.o. on
to do something)

eus' -e porous; spongy, absorbent

rie -ë pore *ook* **sweet'gaatjie**

'no: ~boek/~film porn book/film; **~graaf**
ornographer (person)

nografie' (s) pornography *ook* **vuil'skry=
wery; onwelvoeg'like lektuur'; ~s** (b) -e
ornographic, obscene *ook* **obseen'**

selein' real china, porcelain; **~goed** china=
ware *ook* **breek'goed; ~kas** china chest

'sie -s portion, share; helping/serving (of
ood)

t port (dessert wine)

taal' ..tale porch, foyer, hallway, (entrance)
all *kyk* **voor'portaal**

tefeul'je -s portfolio; wallet

tier' -s commissionaire, doorman; porter *ook*
rui'er

tret' -te portrait, picture; photo(graph)

'tugal Portugal (country); **Portugees'** (s, b)
gese Portuguese (language; person; customs,
tc.)

tuur' (s) ..ture match, equal, compeer;
groep peer group

 (s) post, mail; (w) ge- post; *'n brief ~
ost/mail a letter

² (s) -te entry (in ledger); (w) ge- enter; *in die
rootboek ~* enter in ledger (bookk.)

³ (s) -te position, post, job *ook* **betrek'king;
 ~ van vertroue* a post/position of trust

⁴ (s) -te picket, sentry, station; *op jou ~ wees*
e at one's post

⁵ (w) ge- fire, axe, relieve of position (esp. in
ort) *ook* **die trekpas kry/gee**

pos: **~bank** postbank; **~beskry'wing** job de=
scription; **~bestel'ler** postman *ook* **brie'=
webesteller, pos'man; ~bestel'(ling)firma**
mail-order firm; **~bus** post office box; letter
box (for receiving mail) *ook* **brie'webus;**
pillar box (for posting mail); **~diens** postal
service; **~duif** homing/carrier pigeon; **lug~** air
mail; **slak'ke~** snail mail; **vonk~** e-mail/email
ook **e-pos**

po'se (s) -s pose; attitude *ook* **hou'ding**

poseer' ge- pose (for photograph); show off,
swagger *ook* **aan'stel**

posevalue'ring job evaluation

pos'geld postage

posi'sie -s position; *'n hoë ~ bereik* achieve
eminence/high standing

positief' (b, bw) ..tiewe positive

positie'we (s, mv) senses; *by sy ~ kom* regain
consciousness; *nie by sy ~ nie* not in his right
mind

posjeer' ge- poach; **~ei'er** poached egg

pos: **~kaart** postcard; **~kantoor'** post office;
~kar mailcoach; **~ko'de** postcode; zip code
(US) *ook* **adres'lys; ~lo'tery** sweepstake; **~lys** mailing list
(comp.) *ook* **adres'lys; ~mees'ter** postmaster;
~or'der postal order; **~pakket'** postal parcel;
~rekla'me mailshot; **~ry'er** mailcart driver
(hist.); courier *ook* **koerier'**

pos'seël -s postage stamp; **~al'bum** stamp album;
~versa'melaar stamp collector, philatelist *ook*
filatelis'

pos: **~stem'pel** postmark; **~terye'** postal ser=
vices/system; **~tarief'** postal rates

postelein' portulaca *ook* **misbre'die** (groente)

pos'te restan'te poste restante

post mor'tem (s) -s postmortem (med. examina=
tion of dead body; analysis of event) *ook*
lyk'skouing, outopsie'; na'betragting

postuleer' ge- postulate *ook* **voorop'stel**

postuum' (b) ..tume posthumous *ook* **na'doods**

postuur' (s) ..ture posture, figure; **~drag** foun=
dation garment *ook* **vorm'drag**

pos: **~vry** post-free; **~we'se** postal ser=
vices/system *ook* **posterye'; ~wis'sel** money
order

pot -te pot; jar; chamber pot; game (tennis); *die
~ aan die kook hou* making ends meet

pot'as potash *ook* **kaliumkarbonaat'**

pot: **~braai** pot roast; **~brood** pot bread; **~dig**
perfectly closed, airtight; very reserved; **~doof**
stone-deaf

potensiaal' (s) ..siale potential *ook* **laten'te
vermo'ë; verbor'ge talent'**

potensieel' (b) ..siële potential; *hy is 'n poten=
siële kampioen* he has the makings of a
champion

potentaat' (s) ..tate potentate *ook* **mag'hebber,
heer'ser**

pot: ~**hing'sel** pot handle; ~**jie** small pot; socket; game (tennis); *met iem. 'n ~jie loop* settle a score with s.o.; ~**tjie'kos** potjiekos, potjie stew (SAE); ~**jierol'** roly-poly, chubby (child); ~**jiesin'delik** potty-trained (baby); ~**klei** pipe= clay; ~**le'pel** kitchen ladle; ~**lood** (lead) pencil; ~**loodskerp'maker** pencil sharpener

potpourri' potpourri, medley *ook* **allegaar'tjie, men'gelmoes**

potsier'lik farcical, droll, comic(al) *ook* **kod'dig**

pot'tebakker -s potter, ceramist; ~**y** pottery

pot'yster cast iron *ook* **giet'yster**

pou -e peacock (bird)

pouk' -e kettledrum *ook* **ke'teltrom**

pous -e pope, pontiff (head of RC Church); ~**dom** papacy; ~**lik** papal, pontifical

pou'se -s interval, intermission, pause, break *ook* **rus'tyd, tus'senpose;** recess

po'wer -e poor, miserable *ook* **armsa'lig;** ~**e** *verskoning* miserable excuse

praal (s) pomp, splendour, magnificence; (w) **ge-** boast, make a display of *ook* **pronk;** ~**graf** mausoleum; ~**siek** ostentatious; flamboyant

praat ge- talk, chat, converse; *aan die ~ raak* start talking; *moenie ~ nie!* you're telling me!; ~**jie** talk; rumour, gossip; ~**jies vul geen** *gaatjies nie* talk is cheap; *'n ~jie maak* have a chat; *deurmekaar ~* delirious; ~**lus'tig** loquacious *ook* **praat'siek;** ~**musiek'** rap music

prag splendour, magnificence; *~ en praal* pomp and splendour; ~**eksemplaar'** fine specimen; de luxe copy (book)

pragma'ties (b) -**e** pragmatic, practical, busi= nesslike *ook: prakties ingestel;* **pragmatis' -te** pragmatist

prag: ~**stuk** beauty; masterpiece *ook* **mees'= terstuk;** ~**tig** beautiful, magnif= icent

prakseer' ge- devise, contrive, plan, scheme *ook* **uit'dink; plan'maak**

prak'ties (b) practical; (bw) practically, vir= tually; *~ onmoontlik* practically impossible; **prak'tiese/praktyk'gerigte op'leiding** hands-on/practical training

praktiseer' ge- practise (doctor, lawyer)

praktisyn' -s practitioner; *algemene ~* general/ family practitioner *ook* **huis'arts**

praktyk' practice; procedure; *dié dokter het 'n* *goeie ~* that doctor has a paying practice

pra'ler -s showy fellow *ook* **wind'maker, pron'ker**

pra'ter -s talker; ~**ig** talkative; ~**y** talk, gossip

predestina'sie predestination *ook* **voor'beskik= king**

pre'dik ge- preach, sermonise *ook* **preek, ver= kon'dig, vermaan'**

predikaat' predicate (gram.)

predikant' -e minister (of religion), clergyma parson, pastor *ook* **le'raar, do'minee**

predika'sie sermon, homily; lecture; *Berg* Sermon on the Mount

predikatief' ..tiewe predicative (gram.)

pre'diker -s preacher (person)

preek (s) **preke** sermon; (w) **ge-** preach; ~**st** pulpit; ~**styl/**~**trant** pulpit style; ~**to** preacher's tone

prefek' -te prefect

preferent' (b) -**e** preferent; *~e aandele* pref ence shares *ook* **voorkeuraandele**

pre'fiks -e prefix *ook* **voor'voegsel** (gram.)

pre'histories (b) -**e** prehistoric(al), primeval

prei leek (vegetable)

prelaat' (s) prelate prelate (RC dignitary)

prelu'de (s) -**s/prelu'dium** (s) -**s, ..dia** prelu (mus.) *ook* **voor'spel; in'leiding**

pre'mie -s premium; bounty; bonus

premier' -s premier (of a SA province); pri minister

premiè're -s première, first performance o *eerste opvoering/vertoning*

prent -e picture; illustration; engraving; ~**tji mooi** as pretty as a picture; ~**e'boek** pict book; ~**(e)verhaal'** comic/cartoon strips o **stro'kiesverhaal'**

preprimêr' (b) -**e** preprimary: *~e skool* p primary school; nursery school *ook* **kle terskool**

prê'rie -s prairie *ook* **gras'vlakte**

prerogatief' prerogative *ook* **voor'rang, voo reg;** *~ van die koning* royal prerogative

Presbiteriaan' (s) Presbyterian (person); ~**s'** Presbyterian (church denomination)

presedent' -e precedent; *'n ~ skep* create/se precedent

presen'sie presence, attendance; ~**lys** attendan register/roll *ook* **regis'ter**

present' (s) -**e** present, gift *ook* **geskenk';** ~ g give as a present; (bw) as a present

presenta'bel (b) presentable, respectable, pro (clothes; manners)

presenteer' ge- offer, present; *~ geweer!* pres arms!

preserveer' ge- preserve; ~**mid'del** preservat (to prevent decay, esp. of food)

presiden'sie -s presidency *ook* **president woning**

president' (s) -**e** president; governor; he chairman (of an organisation); *verkose/a gewese ~* president-elect

presies' (b) exact, precise; particular; neat; pr (bw) exactly, precisely; punctual; *om ~ wees* to be exact; ~**heid** exactness, precisio

preskrip'sie -s prescription *ook* **voor'skrif** (me

presta'sie -s performance, achievement, acco plishment, feat *ook* **sukses', wel'slae;** *dis* groot ~ it is a great achievement; ~me'ting/ ~toet'sing performance appraisal/evaluation ook presteer'toets

esteer' ~, ge- achieve, perform; ~der (s) -s achiever (person) ook uit'blinker, uit'haler

esti'ge (s) prestige, influence, stature, emi= nence ook aan'sien, gesag', invloed

et pleasure, fun; cheer; *vir die* ~ for fun; ~beder'wer spoilsport, party pooper, killjoy ook spel'breker; ~draf fun run; ~draw'wer jogger

eten'sie (s) -s pretence, pretension ook skyn; aan'spraak; *sonder* ~ *op kennis van* ... without claiming knowledge of ...; *sonder* ~s unassum= ing; unpretentious

etensieus' -e assuming, pretentious ook aan= stel'lerig, waan'wys

et: ~loop fun walk/run; ~ma'ker reveller, merrymaker; ~park amusement park, fun fair

et'tig -e nice, pleasant, agreeable ook plesie'= rig, aan'genaam

euts -e coy, prudish ook skyn'vroom

'wel ge- mutter, mumble ook mom'pel

eel' (s) priële pergola, arbour, bower, trellis

em (s) -e bodkin, awl, bradawl (small tool); (w) ge- pierce, prick

em'getal -le prime number

es'ter -s priest; ~or'de priestly/monastic order; ~skap priesthood

k (s) -ke prick, sting, stab; puncture; (w) ge= prick, sting, stab; ~bord pegboard ook spy'= kerbord, gaat'jiesbord

k'kel (s) -s prick; incentive, spur, stimulus ook aan'sporing, spoor'slag; *die versene teen die* ~s *slaan* kick against the pricks; (w) ge- prick; irritate, excite, stimulate; ~baar irrita= ble ook iesegrim'mig; grumpy, prickly; ~end exciting; stimulating; ~lektuur' soft porn= ography); ~pop glamour girl, pin-up; ~prins playboy, goodtimer ook pie'rewaaier, dartel= lawie, swier'bol; ~tyd'skrif sex magazine ook seks'blad

k'vis lamprey (eel-like vertebrate)

'le early, prime; *in sy* ~ *jeug* in early youth

'ma prime, first-rate ook eersterangs', al'= erbeste; ~aan'deel blue chip/gilt-edged hare; ~ *beleggings* gilts; ~ *sekuriteit* gilt-dged security; ~ *uitleenkoers* prime lending ate

maat'¹ (s) ..ma'te primate (highest order of nammals)

maat'² (s) ..mate primate, archbishop; *die* ~ *an die Anglikaanse Kerk* the Primate of All England (the archbishop of Canterbury)

ma don'na -s diva, leading lady, prima onna ook hoofsangeres'

ma'ria -s head student (of university wom= n's residence); chief delegate (woman)

prima'rius -se head student (of university men's residence); chief delegate (man)

primêr' -e primary; prime, ultimate; ~e onder= wys primary education; ~e gesondheidsorg primary health care

primitief' .. tiewe primitive; primeval; crude

prim'ula (n) primula, primrose ook paas'blom, sleu'telblom

pri'mus(sto'fie) -s Primus (stove) ook pomp'= stofie

prins -e prince

prinses' -se princess

prins-gemaal ..male prince consort (husband of queen, if a prince himself)

prinsiep' (s) -e/prinsi'pe (s) -s principle, maxim ook begin'sel; *dit in* ~ *eens wees* agree in principle

prinsipaal' (s) ..pale principal, head(master) ook (skool)hoof; opdraggewer

prinsipieel' ..piële in principle, fundamental ook: in beginsel

prioriteit' (s) -e priority ook voor'rang, voor'= keur; top~ top priority; *prioriteit/voorkeur gee aan* give priority to; prioritise (v) ook voor'opstel, prioriseer'/prioritiseer'

pris'ma -s prism (geom.)

prisonier' -s prisoner ook gevan'gene

privaat'¹ (s) ..vate lavatory, privvy, loo ook toilet', klein'huisie

privaat'²/priva'te (b, bw) private; ~ *onderwyser* private teacher; ~ *sekretaris* private secretary; ~ *sekretaresse/sekretaris* private secretary; ~heid privacy; ~sak private bag; ~ sek'tor private sector; ~ skool private school; public school (Br.); ~ speur'der private investigator (PI)

priva'te inisiatief' private initiative, free enter= prise ook onderne'mingsvry'heid

privatiseer' ge- privatise (public enterprise)

privatise'ring (s) privatisation (public enter= prise)

privile'gie (s) -s privilege, prerogative ook bevoor'de'ling

pro pro; ~ *forma* pro forma (according to a set procedure); for the form; ~ *rata* pro rata; proportionally

pro'aktief (b, bw) ..tiewe pro-active ook dina'= mies

probeer' ~, ge- try, attempt; try out ook poog; ~ *is die beste geweer* there is nothing like trying; *moedig* ~ try valiantly; ~slag trial attempt ook po'ging

probleem' ..bleme problem ook vraag'stuk; *'n* ~ *aanroer/aanpak* address a problem; *'n* ~ *uitstryk/oplos* solve/overcome a problem; ~op'lossing problem solving

problema'ties -e problematic(al) ook ne'telig

produk' -te product; produce, commodity; out=

come; ~**sie** production, yield, output *ook*
op'**brengs;** ~**te'handelaar** produce dealer
produktief' (b) ..**tiewe** productive; creative *ook*
produse'rend
produktiwiteit' productivity *ook* **produk'sie**
vermoë
produseer' ge- produce, manufacture *ook*
voort'**bring, vervaardig**
produsent' -e producer *ook* **land'bouer; fabri‐**
kant'
proe ge- taste; sample; *hy ~ die wyn en dit smaak*
lekker he tastes the wine and it tastes fine
proef (s) **proewe** experiment, test, trial; speci‐
men, proof, sample; *op ~* on approbation; *iem.*
op die ~ stel put s.o. to the test; ~**arts**
houseman *ook* **in'tern;** ~**balans'** trial balance
(bookk.); ~**beamp'te** probation officer; ~**buis**
test tube; ~**buisba'ba** test-tube baby (invitro
fertilisation); ~**hand'tekening** specimen sig‐
nature; ~**hu'welik** trial marriage; ~**konyn'**
guinea pig; ~**le'ser** proofreader; ~**lo'pie** trial
run *ook* **oe'fenlopie;** ~**metode** trial and error;
~**mon'ster** specimen; sample; ~**ne'ming** (s) **-e,**
-s experiment *ook* **eksperiment';** ~**nom'mer**
specimen copy
proefondervin'delik experimental/empirical
proef: ~**on'derwys** practical teaching, teaching
experience (for students); ~**plaas** experimental
farm; ~**rit** trial run *ook* **proef'lopie;** ~**ske'ma**
pilot scheme; ~**skrif** dissertation, thesis *ook*
disserta'sie, te'sis; ~**tyd** probation; appren‐
ticeship; ~**vlie'ër** test pilot
proes ge- snort (horse); sneeze aloud; burst out
laughing
profaan' (b) ..**fane** profane, irreverent *ook*
oneerbie'dig
profeet' (s) ..**fete** prophet; seer (esp. in spiritual
matters) *ook* **sie'ner**
profesie' -ë prophecy *ook* **voorspel'ling**
profes'sie -s profession, vocation *ook* **beroep',**
roe'ping
professioneel' ..**nele** professional
profes'sor (s) **-e, -s** professor *ook* **hoog'leraar;**
~**aat'** (s) ..**rate** professorship
profeteer' ge- prophesy, foretell *ook* **voorspel'**
profiel' -e profile, side-view, section; character‐
isation
profiteer' ge- profit, benefit; take advantage of;
van iets ~ profit by/from something
profyt' -e profit, gain *ook* **wins;** ~**lik** profitable
ook **winsge'wend**
progno'se -s prognosis, forecast *ook* **voorspel'‐**
ling (van siekteverloop, ens.)
program' -me programme; program (comp.);
~**matuur'** (computer) software *ook* **sag'teware**
programmeer'der -s (computer) programmer
ook **programmeur'**
progressief' (b) ..**siewe** progressive *ook*

vooruitstre'wend (persoon; instansie); liberal
gradual(ly)
projek' -te project; scheme, design; ~**ingenieur**
project engineer
projek'sie projection; ~**skerm** screen (for slides
films)
projekteer' ge- project, plan; cast (images or
screen)
projektiel' -e projectile, missile; *gerigte ‐*
guided missile *kyk* **missiel'**
projek'tor -s projector (for images on screen)
proklama'sie -s proclamation
prokura'sie -s procuration, power of attorne'
ook **vol'mag;** ~**hou'er** agent, proxy
prokureur' -s solicitor, attorney; lawyer *oo*
regs'verteenwoordiger; *as ~ toegelaat wor*
be admitted as an attorney (to the side-bar)
prokureurs': ~**fir'ma** solicitor's firm; ~**kler**
articled clerk *ook* **leer'klerk**
proletariaat' proletariat (the lower/working clas
prolifereer' ge- proliferate; grow/increase rapic
ly *ook* **voort'woeker;** escalate; expand quickl
proloog' ..loë prologue, preamble *ook* **voor'red**
promena'de -s promenade *ook* **wan'delbaa**
(veral langs meer, see)
promes'se promissory note *ook* **skuld'brie**
note of hand; IOU
prominent' prominent, outstanding *ook* **opva**
lend; vooraanstaan'de (persoon)
promiskuïteit' (s) promiscuity *ook: vrye geslag*
omgang
promo'sie -s promotion *ook* **bevor'derin**
product launch; graduation; ~**pleg'tighe**
promotion/graduation ceremony *ook* **gr**
deplegtigheid
promo'tor -s promoter; presenter; sponsor *o*
borg
promoveer' ge- graduate; take/receive a (dc
tor's) degree; *met lof/cum laude ~* gradua
with honours/distinction
pronk (w) **ge-** show off, display *ook* **sp**
praal; *~ met 'n nuwe hoed* sport a new hat;
soos 'n pou swagger; ~**er** (s) **-s** dan(
popinjay *ook* **wind'gat** (infml.)
pronker'tjie (s) **-s** sweetpea (flower)
pront exact; punctual, prompt; *~ antwoc*
prompt reply; *~ ken* know off pat; ~**uit** strai
out, flatly; promptly
prooi -e prey; *ten ~ val* fall prey to
prop -pe stopper, plug, cork, gag, wad
propagan'da (s) propaganda *ook* **steun'w**
wing; *~ maak vir* campaign for; **propage**
(w) **ge-** propagate *ook* **bevor'der, bey'wer**
prop'geweer(tjie) popgun
proponent' -e candidate for the ministry
propor'sie -s proportion, ratio *ook* **verhou'di**
proporsioneel' proportional *ook* **ewere'dig,**
verhou'ding

prop′per(s) (omgangst.): *'n ~(e) gemors* a frightful/terrible mess

prop′vol (b) overfull; chock full, full to the brim *kyk* **stamp′vol**

prorogeer′ ge- dissolve, adjourn; prorogue (parliament)

pro′sa prose *ook* **skryf′kuns, roman′kuns**

prosa′ïes (b, bw) -e prosaic, banal, boring

prosaïs -te prose writer *ook* **prosateur′, pro′saskrywer**

prosedeer′ ge- litigate, sue; go to law *ook:* (iem.) **dag′vaar**

prosedu′re -s procedure *ook* **werk′(s)wyse**

proses′ -se process; *kort ~ maak* give short shrift; **~sie** procession; **~stuk** document (of a lawsuit), docket

prosodie′ prosody *ook* **vers′leer**

prospekteer′ (w) ge- prospect; search (for gold, etc.), survey; **~der** (s) -s prospector

prospek′tus prospectus (information on a company/organisation); synopsis; catalogue *ook* **kata′logus**

prostaat′ (s) prostate; **~klier** prostate gland

prostitu′sie prostitution *ook* **on′tug; hoe′rery**

prostituut′ ..tute prostitute *ook* **seks′werker**; hooker (infml.); whore *ook* **hoer**

protégé -s protégé; fosterling *ook* **beskerm′ling**

proteïen′/proteï′ne protein *ook* **ei′wit(stof)**

protektoraat′ ..rate protectorate (protected/supervised country/region)

protes′ (s) -te protest; *~ aanteken* lodge a protest *ook* **beswaar′ maak;** *onder ~* under protest; **~op′tog** (public) demonstration *ook* **beto′ging; ~op′trede** mass (industrial) action; **~verga′dering** protest meeting

protestant′ -e Protestant (adherent to a ~ church)

protesteer′ ge- protest, object (to) *ook* **kap′sie/beswaar′ maak (teen)**

protokol′ (s) protocol, diplomatic etiquette *ook* **gedrags′kode, etiket′**

pro′tospan (s) prototeam (mine emergency) *ook* **red′dingspan**

prototi′pe prototype, archetype *ook* **oer′tipe**

proviand′ (s) provisions, victuals *ook* **voed′selware; ~eer′** (w) ge- cater (food) *ook* **spyseneer′/spysenier′; ~bestuur′der** catering manager *ook* **spysenier′**

provinsiaal′ ..siale provincial; *provinsiale regering* provincial government

provinsialis′me provincialism

provin′sie -s province

provisioneel′ (b) ..nele provisional *ook* **voorlo′pig**

provoka′sie -s provocation *ook* **uit′tarting, trei′tering**

pruik -e wig; hairpiece

pruil (w) ge- pout, sulk *ook* **dik′bek wees; knies**

pruim[1] (s) -e plum (fruit); *nie ~ kan sê nie* be unable to say boo to a goose

pruim[2] (s) -e quid, chew (tobacco); (w) ge- chew (tobacco)

pruim′boom ..bome plum tree

pruimedant′ -e prune (fruit)

pruim: **~pie** quid, chew (tobacco); **~tabak′** chewing tobacco

prui′siesblou Prussian blue

prul -le trifle, trash, rubbish; **~bees′te** scrub cattle; **~dig′ter/~po′ëet** poetaster (writer of trivial/bad verse); rhymer; **~kos** junk food *ook* **los′kos; ~skry′wer** hack writer *ook* **knol′skrywer; ~werk** shoddy/shabby work

prut′kis(sie) haybox *ook* **hooi′kis, prut′pot**

prut′sel ge- tinker, fiddle, potter *ook* **peu′ter, knoei**

prut′tel ge- grumble, grouse *ook* **kla, kerm;** simmer (kettle)

pryk ge- shine; look fine; show off *ook* **pronk;** *sy naam ~ in die koerant* his name appears (prominently) in the paper; *haar naam ~ bo* her name heads the list

prys[1] (s) -e price, value; *billike ~* fair price; *tot elke ~* at all costs; *op ~ stel* esteem, value *ook* **waardeer′;** *~e vergelyk* shop around; (w) ge- price; *sy produkte is redelik ge~* his products are reasonably priced; **~beheer′** price control; **~ binding** price maintenance; price-fixing

prys[2] (s) -e prize, award

prys[3] (s) praise; (w) ge- praise; extol, laud *ook* **loof, lof toe′swaai**

prysenswaar′dig praiseworthy, commendable *ook* **verdiens′telik′**

prys: **~gee** (w) -ge- abandon, give up; **~geld** prize money; **~kontroleur′** price controller; **~lied** song of praise *ook* **lof′lied; ~lys** price list *ook* **kata′logus; ~pret** lucky dip/draw; **~skiet** bisley; **~sty′ging** price increase; **~uitde′ling** prize giving/presentation; awards ceremony; **~verho′ging** price increase/rise; **~vermin′dering** price reduction; **~vraag** competition *ook* **wed′stryd, kompeti′sie; ~wen′ner** prize winner

psalm -s psalm; **~bery′ming/~om′digting** versification of the psalms; **~boek** psalm book, psalter; **~dig′ter** psalmist *ook* **psalmis′**

pseudoniem′ -e pseudonym *ook* **skuil′naam, skry′wersnaam**

psi′ge psyche, mind, soul *ook* **gees, siel**

psigia′ter -s psychiatrist; **psigiatrie′** psychiatry

psi′gies -e psychic, mental *ook* **gees′telik;** mystic

psigologie′ psychology *ook* **siel′kunde; psigolo′gies** (b) -e psychological; **psigoloog′ ..loë** psychologist *ook* **sielkun′dige**

psigopaat′ ..pate psychopath *ook* **siel′sieke** (persoon); **psigopa′ties** (b) -e psychopathic

psigo′se psychosis, mental derangement *ook* **siel′siekte**

psigoterapeut′ -e psychotherapist (person)

puberteit' puberty, adolescence *ook* **geslags'= rypheid;** **~s'ja're** age of puberty, teens

publiek' (s) public; audience; (b) **-e** public *ook* **openbaar';** *~e leuen* deliberate lie; (bw) in public, publicly; *dit voel ~ of* it feels exactly as though; **~e aan'klaer** public prosecutor

publika'sie (s) **-s** publication *ook* **geskrif'**

publiseer' (w) **ge-** publish *ook* **uit'gee; ~der** publisher *ook* **uit'gewer** (persoon); **uitgewery'** (firma)

publisiteit' publicity; *~ gee aan* give publicity to; publicise/publicize; **~s'buro** publicity bureau

puik (b) excellent, splendid, choice *ook* **eers'= teklas, pri'ma;** *~ diens* sterling service; *~ vertoning* fine/excellent show/performance

puim'steen pumice (porous stone)

puin ruins, debris; *in ~ val* fall to pieces; **~hoop** heap of ruins *ook* **bou'val**

pui'sie -s pimple; pustule

pulp (s) pulp; **verpulp'** (w) *~ pulp* (make into soft, moist mass)

punk (s) **-s** punk (youth movement; [often] rotten/worthless person/thing); **~musiek'** punk music

punktua'sie (s) punctuation *ook* **lees'tekens, interpunk'sie**

punktueer' (w) **ge-** punctuate

punt[1] (s) **-e** point; tip; *~e aanteken/behaal* score points; *hoë ~e in die eksamen* good marks in the examination; *op die ~e van die vingers ken* have at one's fingertips

punt[2] (s) **-e** stop; fullstop, period; dot

punt: ~baard pointed beard; goatee; **~diens** point duty (traffic officer); **~dig** epigram

pun'telys -te mark sheet (examination, class position) *ook* **pun'testaat;** log, score sheet (sport) *ook* **pun'teleer, pun'testand**

puntene(u)'rig (b) touchy, easily offended *ook* **lig'geraak;** fussy, finicky/finical *ook* **kieskeu'= rig**

pun'tetelling score (total points)

pun'tig -e pointed, sharp

punt'jie -s tip, dot, point; *die ~ op die i's sit* dot one's i's and cross one's t's

punt'sweis (w) **ge-** spot-weld

pupil' **-le** pupil (of eye) *ook* **ky'ker**

puree' **-s** puree *ook* **moes**

purga'sie purgative, laxative *ook* **lakseer'middel**

puris' **-te** purist, formalist (person); **~me** purism; **~ties** puristic

puritein' **-e** puritan, pietist, prude (person) *~* **se'debewaarder**

pur'per purple *ook* **pers** (kleur); **~win'de** mo ing glory (flower)

put (s) **-te** well; pit; cesspool; *wie 'n ~ vir ander grawe, val daar self in* harm wat harm catch; (w) **ge-** draw; **~gra'wer** w digger/sinker; **~jie** hole (golf); **~latri'ne** lo drop, pit toilet (on farm) *ook* **plons'priva ~wa'ter** well water

puur (b) **pu're** pure, excellent; *pure man* ev inch a man; *pure onsin/kaf/bog/tw* sheer/absolute nonsense

py (s) **-e** cowl, monk's gown *ook* **(monniks)k**

pyl (s) **-e** (s) arrow, dart; *soos 'n ~ uit 'n boog* swift as an arrow; (w) **ge-** dart; go straight (a place) *ook* **hard'loop, hol;** *hy ~ op nageregtafel af* he makes a beeline for dessert table; **~er** pile (vertical beam); **~f** pointer (for projections on screen); **~gewe** dart gun; **~ko'ker** quiver; **~reg'uit** straight an arrow; **~skrif** cuneiform characters; **~st** the devil, satan; **~tjie** dart (game); **~tjie'b** dartboard; **~tjies'gooi** darts; **~tjie'toets** ar key (comp.) *ook* **pyl'tjiesleutel; ~vak** ho straight/stretch (athl.)

pyn (s) **-e** pain, ache; sorrow, grief; *ineenkri van ~* writhe with pain; (w) **ge-** ache, sma *my vinger ~* I have a sore finger

pyn'appel -s pineapple

pyn'bank -e rack (in torture chamber)

pyn'doder -s painkiller *ook* **pyn'stiller**

py'nig (w) **ge-** hurt; torture, torment *ook* **se maak; fol'ter, mar'tel; ~ing** torment; tort

pyn: ~lik (b, bw) sore, painful; distressing; *noukeurig* overexact; *~lik stadig* exasperating slow; **~loos** (b) painless; **~stil'lend** (b) pa killing, soothing, analgesic; **~stil'ler** analge **~verdo'wer** anaesthetic *ook* **(ver)doof'midd**

pyp (s) **-e** pipe; tube; leg (of trousers); *die ~ r* make the grade; *na iem. se ~e dans* dance s.o.'s tune; **~bom** pipebomb; **~ie** little pi watsonia (flower)

pyp'kan (w) **ge-** cheat, fool; give/sell dummy (rugby) *ook* **flous**

pyp'kaneel cinnamon (in sticks)

pyp: ~leiding/~lyn pipeline; **~olie** pipe nicotine; **~sleutel** pipe wrench/spanner; **~st** pipe stem; panhandle (access lane/stre **~tabak** pipe tobacco

Q

q -'s q
Qoer'aan/Qur'aan = **Kor'an/Koer'aan**
quaes'tor treasurer; financial administrator (ancient Rome) *ook* **kwes'tor**
Quebec' Quebec (province; city); **~aan** (s) **..ane** Quebecker/Quebecer

quid pro quo' quid pro quo; something for something; counter-performance
quiche (s) **-'e, -s** quiche; savoury tart *ook* **sout'= tert**
quis'ling (s) quisling, traitor *ook* **land(s)ver= raai'er**

R

r -'e, -'s r

raad[1] (s) **rade** council, board *ook* **bestuurs'=liggaam;** house; chamber; **~(s)ka'mer/saal** boardroom, council chamber

raad[2] (s) **-gewinge, -gewings** advice, counsel *ook* **advies';** *met ~ (be)dien* give advice; *ten einde ~ wees* be at one's wits' end; **~ gee** give advice; counsel *ook* **adviseer'; ~ge'wend** advisory; consulting (engineer); **~ge'wer** adviser, counsellor; counsel; **~op** at wits' end *ook* **moe'= deloos; ~pleeg** (w) ge- consult, take counsel with *ook: oorleg pleeg; die dokter ~pleeg* consult/see the doctor

raad'saam (b) advisable, expedient

raads: ~'besluit' decision/resolution of the council; **~'heer** alderman (senior city councillor); **~'lid** councillor; **~man** adviser, counsellor *ook* **bera'der; ~sit'ting** council meeting

raaf (s) **rawe** raven; crow (bird)

raai (w) ge- guess; advise; spot (a question)

raai'sel (s) **-s** riddle, puzzle; enigma; *'n ~ oplos* solve a puzzle, clear up a mystery; **~selag'tig** enigmatic(al), puzzling, mysterious *ook* **geheimsin'nig, duis'ter, onverklaar'baar**

raai'skoot (s): *'n ~ waag* take a guess

raak (w) ge- hit; touch; concern; *aan die brand ~* catch fire; **~ loop** come across, meet; *aan die slaap ~* fall asleep; *slaags ~* come to blows; *van sy verstand ~* go out of his mind; (bw) hit, touched; to the point; **~ skiet** hit *ook* **tref; ~lyn** tangent; **~punt/~vlak** point of contact; interface

raam[1] (s) **rame** frame (window, picture, spectacles); box (around printed text); (w) ge- frame

raam[2] (w) ge- estimate, forecast; budget *ook* **skat, vooruit'skat; begroot';** *hy ~ die koste op* he estimates the cost at; *'n ge~de R5 miljoen* an estimated R5 million

raam'werk (s) frame, framework; fuselage (aircraft); plan, outline; **verwy'sings~** frame of reference

raap[1] (s) **rape** turnip (vegetable); rape, cole (fodder)

raap[2] (w) ge- gather, pick up; *~ en skraap* collect indiscriminately; pinch and scrape

raar (b) strange, weird, odd, queer *ook* **eienaar'= dig;** *~ maar waar* believe it or not; strange but true *kyk* **seld'saam**

raas ge- make a noise; scold (naughty children); rave; **~bek** noisy fellow

raat (s) **rate** traditional/home remedy/medication *ook* **boe'reraat, volks'geneesmiddel;** means, advice

rabar'ber rhubarb (vegetable)

rabat' -te rebate, discount *ook* **kor'ting, af'sla**

rabbedoe' -s tomboy (lively, boyish girl)

rab'bi -'s/**rabbyn'** -e rabbi (Jewish minister religion)

ra'dar (s) radar; radio location

rad'braak ge- break upon the wheel (hi punishment); *ge~te taal* broken/mutila language

ra'deloos ..lose desperate, helpless *ook* **wanh pig**

radikaal' (b) radical *ook* **ingry'pend, dras'tie**

ra'dio -'s radio; wireless (obs.); broadcastin **~aktief'** radioactive; **~amateur'** radio ha (person); **~diens** broadcasting service; **~dr ma** radio drama/play *ook* **hoor'spel**

radiografie' radiography (making X-ray pho graphs)

radiogram' (s) X-ray photograph, radiogra *ook* **x-straalbeeld;** radiogram (unit containi radio and record player, obs.)

ra'dio: ~hoor'beeld radio documentary/featu **~hoor'spel** radio drama/play

radiologie' radiology (study of radioactive su stances); **radioloog' ..loë** radiologist (m specialist)

ra'dio: ~musiek' radio music; **~nuus** radio nev **~-om'roep** radio station *ook* **sen'der; ~-o roeper** broadcaster; announcer; **~progra** radio programme

ra'dius -se radius (geom.) *ook* **straal**

radys' -e radish (vegetable)

ra'fel (s) **-s** fray, thread, ravel; (w) ge- ravel, f out

raf'fia raffia (matting fibre)

raffinadery'/raffina'dery (s) **-e** refinery (sug oil) *ook* **raffineer'der(y)**

raffineer' (w) ge- refine (sugar)

ragi'tis rickets (children's disease)

rak -ke rack, shelf; carrier; web; *van die boon ~ke* the very best; *op die ~ sit* be left on shelf (finding no husband)

ra'kelings very close to *ook* **skrams/net-net** *verbygaan* brush/graze past

ra'kende (bw) regarding, re; concerning **betref'fende, aangaan'de**

raket' -te racket (tennis)

rak'ker -s little bounder, rascal (usually a sm child) *ook* **karnal'lie, va'bond, stou'te on'nut**

rak'lewe (s) shelf life (of perishable goods)

ram (s) **-me** ram; **~s'horing** ram's ho shofar/shophar

Ramada(a)n Ramadan/Rhamadhan (Islam month of fasting)

a′ming (s) **-s, -e** estimate; calculation, forecast *ook* (**vooruit**)′**skatting;** *na* ~ estimated at

m′kat (skerts.) champ(ion); stunner; top dog *ook* **bie′lie, do′ring**

m′kie/ram′kietjie -s Khoi string instrument

m′mel (s) **-s** rattle (baby's toy) *ook* **~aar, ra′tel(aar);** (w) ge- rattle, clatter, clank; **~kas** rattletrap; ramshackle/dilapidated old car

mmetjie-uit′nek (s) swaggerer (person) *ook* **wind′gat, win′tie** (infml.); (b, bw) defiant(ly), cocky

mp -e disaster, calamity, catastrophe *ook* **katastro′fe;** *tot oormaat van* ~ to make matters worse; **~gebied′** disaster area

m′party -e stag party, bachelor's party *ook* **mansmakie′tie**

mpok′ker -s gangster, racketeer *ook* **skurk, boef;** gunman; **~gebied′** gangland *ook* **ben′=debuurt**

mpsa′lig wretched, miserable *ook* **ellen′dig**

mp′spoed (s) adversity, calamity; **~ig** (b) disastrous, calamitous *ook* **katastro′fies**

nd[1] (s) rand (currency unit)

nd[2] (s) **-e** edge; brink; side (of); fringe; margin *ook* **rant;** brim (hat); verge (disaster); ledge (mine); **~apparatuur′** peripherals (comp.); **~eier** (fig.) outsider *ook* **randfiguur′** (persoon); **~fees** fringe festival *ook* **rim′pelfees;** **~skrif** legend (on coin); **~snoei′er/~sny′er** edge cutter (garden tool); **~steen** kerbstone *ook* **rant′steen**

nd′-vir-rand′-stelsel rand for rand system (of subsidies)

rig -e rank, class, grade *ook* **stand, aan′sien;** *hoër* ~*e* higher echelons

ngeer′ ge- shunt; **~der** shunter; **~terrein′/~werf** marshalling yard; **~wis′sel** shunting switch (railway)

ng′lys -te ranking, grading (sport); order of merit *ook* **merie′telys;** *derde op die* ~ ranked/seeded third

ng′skik ge- arrange, tabulate, classify *ook* **in′deel; ~king** arrangement (flowers)

ng′telwoord -e ordinal number

nk[1] (s) **-e** tendril, clasper; twig, shoot, sprout; (w) ge- sprout, trail, shoot tendrils; reach high (rugby); **~boontjie** runner bean; **~plant** creeper; **~roos** rambler

nk[2] (b) frail, slender *ook* **skraal**

non′kel -s ranunculus *ook* **(geel)bot′terblom**

n′sel (w) ge- thrash, flog; **~ing/af′ranseling** thrashing, flogging

nt[1] (s) **-e** hill, ridge; reef; *~jie se kant toe staan* run for one's life

nt[2] = **rand**[2]

ntsoen′ -e ration, (daily) food allowance *ook* **proviand′** (vir soldate, hist.)

ntsoeneer′ ge- ration (v)

rap (s) rap (pop music style) *ook* **klets′rym, rap′liedjies; ~per** rapper (musikant)

rapier′ -e rapier, foil (narrow-edged sword)

rapport′[1] (s) **-e** report, statement; dispatch *ook* **op′gawe, verslag′;** ~ *lewer* give account of

rapport′[2] (s) rapport, sympathetic connection/communication; affinity

rapporteer′ ~, ge- report *ook* **verslag′ le′wer**

rapport′ryer -s dispatch rider (hist.) *ook* **bood′=skapper**

raps (s) **-e** flick, cut; (w) ge- strike, hit, flick; chip (golf ball)

rap′sie -s a little; a wee bit; slight blow/cut; *'n* ~ *te gou* just a little too soon/quick

rapsodie′ -ë rhapsody (mus. form)

rariteit′ -e curiosity, rarity *ook* **kuriositeit′; seld′saamheid**

ras (s) **-se** race; breed; strain; *van suiwer* ~ thoroughbred (horse); **~eg** (b) pure bred, thoroughbred *ook* **vol′bloed**

ra′send -e furious, raving *ook* **brie′send;** *hy is* ~ he is furious/demented

ra′serig (b) **-e** noisy, rowdy

raserny′ -e madness, rage, fury, frenzy; *tot* ~ *bring* drive one mad

ras: ~hoen′der pedigree fowl; **~hond** pedigree dog

ra′sieleier -s cheerleader (at sport meetings) *ook* **dirigent′**

rasionaal′ (s) **..ale** rationale, logic *ook* **beweeg′=rede, grond′rede; lo′gika**

rasionalis′ -te rationalist (person); **~me** rationalism; **~ering/~a′sie** rationalisation (business) *ook* **herstrukture′ring; ~eer′** (w) ge- rationalise *ook* **herstruktureer′**

rasioneel′ ..nele rational, reasonable

ras′per (s) **-s** rasp, grater; (w) ge- rasp, grate

ras′perd -e thoroughbred/pedigree horse

ras′se: ~diskrimina′sie race discrimination *ook* **apart′heid** (hist.); **~haat** race hatred, racialism; **~ha′ter** (s) **-s** racist/racialist (person)

ras: ~sis′ (s) **-te** racist/racialist (person); **~sis′ties** (b) **-e** racist

Ras′tafariër -s Rastafarian (person) *ook* **Ras′ta** (afk.); **Ras′tafaries** (b) **-e** Rastafarian (a); **Ras′talokke** (s) dreadlocks

ras′ter -s screen (printing); raster (radio); **~werk** lattice work; screening

rasvee pedigree stock

rat (s) **-te** (cog)wheel, gear; *iem. 'n* ~ *voor die oë draai* deceive s.o.; *~te wissel* change gears (car)

ra′tel[1] (s) **-s** rattle (baby's toy); (w) ge- rattle

ra′tel[2] (s) **-s** Cape (honey) badger

ra′telslang -e rattlesnake, rattler

ratifise′ring/ratifika′sie -s ratification *ook* **bekrag′tiging**

ra′tio (s) **-'s** ratio *ook* **verhou′ding**

rat'kas -se gearbox (of engine)

rat'rol (w) ge- cartwheel (children's game) *ook* **wiel'rol**

rats (b) nimble, swift, agile *ook* **le'nig, soe'pel**

rat: ~**slot** gearlock; ~**werk** machinery, gearing; ~**wis'seling** gear change/shift (car)

rat'verhouding (s) gear ratio (car, engine)

ravot' ge- romp, gambol *ook* **baljaar'; rinkink'**

ravyn' -e gorge, ravine *kyk* **can'yon**

reageer' ge- react; respond; ~**buis** test tube

reak'sie -s reaction; ~**maatskappy'** reaction company (security)

realiseer' ge- realise *ook* **besef'; verwe'senlik;** ~**baar** feasible *ook* **haal'baar**

realis'me realism (based on facts); **realis'ties** realistic *ook* **nug'ter, prak'ties; realiteit'** reality *ook* **werk'likheid**

rebel' (s) -le rebel *ook* **op'standeling;** ~**leer'** (w) ge- rebel, revolt; ~**lie** (s) -s rebellion, insurrec= tion *ook* **op'stand;** ~**s** (b, bw) -e rebellious *ook* **oproe'rig, opstan'dig; weerbar'stig**

re'bus -se rebus, picture puzzle

rec'ce (omgangst.) (s) -e reconnaissance soldier; recce (infml.)

red (w) ge- save, rescue *ook* **verlos', vry'maak;** *iem. uit die nood* ~ help s.o. out of distress

redak'sie -s editorial staff

redakteur' -s editor (both sexes)

red: ~**deloos** past recovery; irretrievable; ~**der** rescuer, saver; ~**ding** rescue, salvation

red'dings: ~**baad'jie** life jacket; ~**boei** life buoy; ~**boot** lifeboat; ~**gor'del** life belt (in water); ~**kake** jaws of life (road accident); ~**po'ging** rescue attempt

red'dingspan -ne rescue team; prototeam (in mines)

red'dings: ~**vlot** life raft; ~**vlug** mercy flight; ~**wer'ker** relief worker (in disaster area)

re'de[1] -s speech, address, oration; *iem. in die* ~ *val* interrupt s.o.; *direkte* ~ direct speech

re'de[2] (s) -s reason, cause; sense; *die* ~ *vir sy optrede* the reason/cause of his conduct

re'de[3] (human) reasoning; judg(e)ment; intellec= tual capacity; *'n probleem met jou* ~ *oplos* solve a problem by reasoning/rational means

re'dedeel ..dele (veroud.) part of speech

re'dekawel ge- argue, bicker, squabble *ook* **argumenteer', stry**

re'delik tolerable, fair, reasonable; ~**erwys(e)** reasonably *ook* **bil'lik(heid)shalwe;** ~**heid** fairness

re'deloos ..lose devoid of reason, irrational; *redelose dier* brute animal/beast

re'denaar -s orator (person); ~**s'kuns** public speaking

redeneer' ge- reason; discuss; *ook* **diskusseer', bespreek'**

redene'ring reasoning; interpretation

re'der -s shipowner; ~**y** shipping/transport fir= airline *ook* **lug'redery, lug'diens**

re'devoering discourse *ook* **toe'spraak**

redigeer' ge- edit, subedit *ook* **pers'klaar maa=**

reduseer' ge- reduce *ook* **vermin'der, verklei=**

ree (s) reë roe, deer *ook* **hert** (Europese bo= soort)

reeds already; ~ *jare gelede* many years a= (already)

reëel (b, bw) **reële** real, genuine; *reële/werkli= groei* real growth (econ.)

reeks -e series, row, sequence; range; circu (sport); ~ *gebeurtenisse* sequence of even= ~**moor'denaar** serial killer; ~**nom'mer** ser= number *ook* **volg'nommer;** ~**verkrag'ter** s= rial rapist

re'ël (s) -s rule; regulation; line; custom; *gulde/goue* ~ a golden rule; *tussen die* ~*s le=* read between the lines; (w) ge- regula= arrange *ook* **organiseer', fasiliteer';** sett= ~**aar** governor (of engine); ~**baar** negotiab= (salary) *ook* **onderhan'delbaar**

re'ëling -s arrangement; regulation; adjustme= *'n* ~ *tref* make an arrangement; ~**s'komite=** organising/steering committee

reëlma'tig regular *ook* **konstant'; gereeld'**

re'ëlreg (b) -te perfectly straight; (bw) straig away; headless; ~ *op jou doel afstuur* ma= straight for one's goal

reëlspasië'ring line spacing (typing)

re'ën (s) -s rain; (w) ge- rain; *dit* ~ *dat dit gie=* rains torrentially; *dit* ~ *paddas en platannas* is raining cats and dogs; ~**boog** rainbo ~**boogmen'se** rainbow people (description SA population); ~**boogvo'ël** hornbill, touca ~**bui** shower (of rain); ~**drup'pel** raindr= ~**erig'** rainy; ~**jas** raincoat, mackintosh; ~**m=** ter rain gauge, udometer; ~**tyd** rainy seaso ~**wa'ter** rainwater; ~**woud** rainforest; ~**wur=** earthworm *ook* **erd'wurm**

reep (s) repe strip; shred; ~/*blok sjokolade* sh= of chocolate

ref (omgangst.) (s) -s referee (rugby) o= **skeids'regter**

referaat' ..rate lecture *ook* (**voor'**)**lesing;** pap= treatise; *'n* ~/(*voor*)*lesing hou* read/presen= paper

referen'dum -s referendum *ook* **volk'stemmi=**

referent' -e lecturer; speaker; reporter, inform= referee (for giving a testimonial)

refleks' -e reflex; ~**bewe'ging** reflex action

reflek'sie reflection *ook* **weerkaat'sing**

refleksief' ..siewe reflexive (gram.)

reflek'tor -s reflector *ook* **terug'kaatser; li=** werper

reforma'sie reformation *ook* **hervor'ming**

refrein' -e chorus, refrain (in song, poem)

reg[1] (s) -te right, title; claim; law, justice; *jou* =

laat geld assert one's rights; ~ *laat geskied aan* do justice to; *na* ~*te* by rights; *in die* ~*te studeer* study/read law

g[2] (b) **-te** right, correct; straight; ~ *deur* straight through; ~**af** straight down; *so* ~ *soos 'n roer* as fit as a fiddle

gat′ta -s regatta *ook* **roei′wedstryd**

g′bank -e court of justice; tribunal; bench (judicial)

geer′ ge- rule, govern, reign *ook* **heers**

genera′sie regeneration *ook* **herle′wing, her=skep′ping**

gent′ -e regent (acting ruler)

ge′ring -s government *ook* **o′werheid; staat;** reign; rule; regime; *onder die* ~ *van* during the reign/rule of; ~**s′amp′tenaar** government official, civil servant; ~**s′party′** governing party; ~**stel′sel** system of government; ~**s′=troe′pe** government troops; ~**s′we′ë:** *van* ~*sweë* officially

g′hoek -e rectangle; ~**ig** rectangular

gie′ production, direction (of play, film); stage management; *onder* ~ *van* produced/directed by

giment′ -e regiment (of soldiers)

gionaal′ regional *ook* **streek=, gewes′telik**

gisseur′ -s director, producer (of play, film)

gis′ter -s register, roll, record; index; stop (organ)

gistra′sie registration; ~**kantoor′** registra=tion/registrar's office, registry; ~**kos′te/~geld** registration fee

gistrateur′ -s registrar (person)

gistreer′ ge- register (v) *ook* **in′skryf, in′teken**

g′kom -ge- manage, handle, cope (with)

glement′ -e rule, regulation, bylaw; ~ *van orde* standing orders

gly′nig -e rectilinear

g′maak -ge- correct, put right; pay, settle (account); repair, mend; castrate (male ani=mal); spay (female animal); neuter, sterilise

g′maker(tjie) a pick-me-up, stiffener, tot

gma′tig -e rightful, lawful, fair; ~*e eienaar* rightful/legal owner

g′merkie (s) -s tick (when checking)

g′op erect, perpendicular, straight (up)

gs (b) right-handed; of the right; (bw) to the right; ~ *en aweregs* plain and purl (knitting); ~*om* clockwise, to the right; ~ *omkeer!* rightabout turn!

g: ~**saak** lawsuit, case *ook* **hof′saak;** ~**saal** courtroom *ook* **hof(saal)**

gs: ~**advies′** legal advice; ~**gebied′** jurisdic=tion; ~**geding′** lawsuit *ook* **(hof)′saak;** ~**geleer′de** lawyer; jurist; ~**geleerd′heid** law (as a study subject); ~**genees′kunde** medical jurisprudence

gska′pe righteous, honest *ook* **eer′baar**

reg′skikking right-sizing (in transformation process); redeployment

reg′soewereiniteit rule of law *ook* **op′pergesag′ v.d. reg; regs′orde**

regs: ~**persoon′** body corporate, incorporated society; ~**ple′ging** administration of justice

reg′spraak judg(e)ment, verdict; judicature

regs′praktyk -e legal practice

reg′stel -ge- rectify, amend, adjust; ~**lende op′trede/ak′sie** affirmative/corrective action *ook* **reg′stelaksie;** ~**ling** correction; adjustment

regs: ~**on′dersoek** forensic audit; ~**punt** point of law; ~**taal** legal language; ~**term** law/legal term

reg′streeks (b) **-e** direct; ~*e bewys* direct evidence; ~ *en onregstreeks* direct(ly) and indirect(ly); ~*e uitsending* live broadcast *ook* **le′wende uit′sending;** *in* ~*e verhouding* in direct proportion

regs: ~**weë:** *van* ~ by law, according to law; ~**we′se** judicature, justice; ~**we′tenskap** juris=prudence

reg′te[1] (s, mv) rights; law; *in die* ~ *studeer* study/read law; ~**-uit′gifte** rights issue (aan=delebeurs)

reg′te[2] (bw) truly, really; *na* ~ by right(s)

regte hoek right angle *kyk* **reg′hoek**

reg′ter[1] (s) **-s** judge; justice (person); ~**lik** legal, judicial

reg′ter[2] (b) right; ~**arm** right arm; ~**been** right leg; ~**hand** right hand; ~**kant** right side

reg′tig (b) real, true *ook* **rê′rig** (omgangst.); (bw) really, truly, indeed; ~**waar!** truly!; honestly!

reg′uit (b) straight; honest, candid; (bw) openly, candidly; ~ *praat* talk straight; speak out

regula′sie -s regulation; bylaw (local authority)

reguleer′ ge- regulate; adjust

regver′dig (w) **ge-** justify; (b) **-e** just, fair, righteous *ook* **bil′lik;** ~**heid** righteousness, justice, fairness; ~**ing** justification

rehabilita′sie -s rehabilitation *ook* **herstel′** (van naam/eer)

rehabiliteer′ ge- rehabilitate; discharge

rei (s) -e chorus (classical drama); choir, song (hist.)

rei′er -s heron, egret (bird)

rei′hout/rei′plank (s) straight-edge (builders' tool)

reik (w) ge- reach, extend to; *iem. die hand* ~ lend s.o. a helping hand; ~**af′stand** range (of missile) *ook* **tref′afstand**

reik′halsend (bw) yearningly, longingly

rein (s): *in die* ~*e bring* put right; straighten out; (b) pure, clean, chaste; *die* ~*e waarheid* the gospel truth; ~**heid** purity; chastity, virtue

rei′nig ge- purify, cleanse; ~**ing** purification, cleaning, cleansing; ~**ingsdiens′** sanitary de=partment; street cleaning services

reïnkarna'sie/re-inkarna'sie reincarnation; re=
birth

reis (s) -e journey, trip, tour, voyage; (w) ge-
travel; ~ *en verblyf* travel and subsistence;
~**agent'** travel agent; ~**agent'skap/~buro'**
travel agency; travel/tourist agent; ~**beskry'=
wing** account of a journey, travelogue; ~**de'=
ken** (travelling) rug; ~**genoot'/~gesel'** fellow
traveller; ~**gesel'skap** tour(ist) party; ~**gids**
traveller's guide *ook* **toer'gids**

re(i)'sies race; ~**baan** racecourse; ~**ja(ag)** race;
~**perd** racehorse *ook* **ren'perd**

rei'siger -s traveller; tourist; wayfarer

reis: ~**kof'fer** trunk, box *ook* **kajuit'koffer;**
~**kos'te** travelling expenses; ~**plan** itinerary;
record/timetable of journey; ~**tas** suitcase,
travel bag; ~**tjek** traveller's cheque *ook* **rei'=
siger(s)tjek**

reisvaar'dig -e ready to set out/start

reis'verhaal ..hale account of (one's) travels;
travelogue (book)

rek (s) -ke elastic *ook* **gomlastiek';** catapult,
slingshot; (w) ge- stretch, extend, protract; *jou
bene ~* stretch your legs; *jou oë ~* open your
eyes wide

rekapitula'sie recapitulation *ook* **in'skerping**
(deur herhaling)

re'ken ge- calculate, compute; reckon; do sums;
~ net! just imagine!; *~ op* depend on

re'kenaar (s) -s computer; arithmetician (per=
son); reckoner (device, table); ~**bedre'=
we/~vaar'dig** computer literate; ~**bedrog'**
computer fraud; ~**gesteun'** (b) -**de** computer-
aided/computer-supported (design; education);
~**saboteur'** computer hack(er); ~**spe'letjie**
computer game; ~**stu'die/~we'tenskap** com=
puter science *ook* **informa'sietegnologie';**
~**tegnologie'** computer technology; ~**tik** com=
pu-typing, computer applications technology
(school subject) *ook* ~**toe'passingstegnologie'**

rekenariseer' ge- computerise

re'kene *kyk* **re'kenkunde**

re'kening account; statement; bill; *buite ~ laat*
leave out of account; *iem. 'n ~ stuur* charge/
bill s.o.; *op ~ koop* buy on credit; *per slot van
~* after all *ook: op stuk van sake;* **lo'pende ~**
current account; ~**kun'de** accounting, account=
ancy (school subject); ~**kun'dige** accountant
ook **rekenmees'ter;** ~**kun'dige beleid'** ac=
counting policy *ook* **boek'houbeleid'**

re'kenkunde arithmetic

re'ken: ~**mees'ter** accountant; ~**skap** account;
~*skap gee van* account for, be accountable to
ook: rekenpligtig wees

rek'ker -s elastic; stretcher; catapult, slingshot
ook **vo'ëlrek(ker), ket'tie;** garter

rekla'me advertising *kyk ook* **adverten'sie;** *~
maak* advertise; boost; ~**agent'skap** advertis=

ing agency; ~**bord** billboard; ~**materia|**
advertising copy/material; ~**we'se** (the fie|
of) advertising

rekonsilia'sie reconciliation, compromise *o|*
versoe'ning, toe'nadering

rekonstrueer' (w) ge- reconstruct; **rekonstrul|
sie** (s) -s reconstruction *ook* **her'opbou**

re'kord[1] (s) -s record (sport, etc.); *die ~ slaa|
verbeter/breek* beat/break the record (spor|
~**om'set** record turnover/sales (shop)

re'kord[2] (s) -s record (of data, information
inventory; register; ~**hou'ding** keeping
records; ~**s** official records/documents

rek'pleister -s elastic sticking plaster

rekrea'sie (s) recreation *ook* **ontspan'nin|
tyd'verdryf**

rekruut' (s) **rekrute** recruit; *rou ~* raw recrui|

rek'spring (s) bungee/bungi(e) jump(ing) *o|*
rek'sprong; ~**er** (s) -s bungee/bungi(e) jump|

rek'stok -ke horizontal bar (gymn.)

rek'tor rector; principal (of university/college

rekwisiet' -e prop(s) (theatre)

rekwisi'sie -s requisition; indent *ook* **aan'vra|**

relaas' (s) **relase** story, tale, report *ook* **verhaa|
kroniek'**

relatief' (b) ..**tiewe** relative *ook* **betrek'li|
vergely'kend**

relatiwiteit' relativity; ~**s'teorie'** theory of rel|
tivity

relega'sie (s) relegation *ook* **af'skuiwing**

relevant' (b) relevant *ook* **ter sa'ke, toepas'li|**

reliëf': ~**kaart** relief map; ~**let'ters** raise|
embossed letters

religie' (s) ..**gieë** religion *ook* **gods'diens**

religieus'(b, bw) -e religious *ook* **godsdiens'ti|**

re'ling (s) -s railing, handrail *ook* **balk'tralie(**

rel'letjie -s brawl, row; scuffle *ook* **baklei'ery**

rem (s) -**me** brake; check; curb; (w) ge- bra|
~**pedaal'** brake pedal; ~**per'dekrag** bra|
horsepower

reme'die (s) -s remedy (in law) *ook* **regs'mi|
del;** medicine, medicament *ook* **genees'mi|
del**

remedië'rend remedial; ~**e onderwys** remedi|
corrective education

rem'skoen brake shoe, lock shoe; conservati|
person; stick-in-the-mud (person)

ren (veroud.) (s) -**ne** race *ook* **wed'ren, re(i|
sies;** (w) ge- race, run

Renaissan'ce Renaissance; revival, rebirth

ren: ~**baan** racecourse (horses); racetrack, rac|
way; speedway (cars, bikes); ~**fiets** raci|
cycle/bike

rendement' return, yield (on investment) *o|*
op'brengs

ren'dier -e reindeer, caribou *kyk* **tak'bok, he|**

renegaat' ..**gate** renegade *ook* **oor'loper, v|
raai'er**

en'jaer -s racing driver

en'motor -s racing car

enons' aversion *ook* af'keer, teësin; discard (bridge cards); *in iem. 'n ~ hê* have a dislike for s.o.

enos'ter -s rhinoceros, rhino

en'perd -e racehorse

ens (b) sour, rancid *ook* gals'terig', suur'derig' (melk)

en'stel -le dragster; ~ja'ery drag racing *ook* versnel'renne

en'te -s interest; *teen 'n lae ~* at a low rate of interest; *hy lewe van sy ~* he lives on the interest on his money/investments; ~dra'end interest-bearing (investment); ~koers rate of interest; ~loos bearing no interest; unproduc= tive/unyielding

nt'meester -s treasurer *ook* pen'ningmeester, tesourier; ~skap stewardship

organiseer' ge- reorganise *ook* her'inrig

p[1] (s) commotion; *in ~ en roer* in commotion

p[2] (w) ge- mention; *niks daarvan ~ nie* keep mum about it

para'sie -s repair; reparation(s) (compensation paid to victims of war); restitution (of rights); ~kos'te cost of repair *ook* herstel'koste

patria'sie (s) -s repatriation (of person to home country); repatrieer' (w) ge- repatriate *ook* terug'voer; verban'

perkus'sie (s) -s repercussion, backlash, re= bound *ook* na'sleep; uit'vloeisel

pertoi're (s) -s programme of plays, repertory, repertoire

peteer' ge- repeat, recur; rehearse (play) *ook* in'studeer, in'oefen; ~geweer' repeating rifle

peti'sie -s repetition; rehearsal *ook* in'= studering *kyk* kleed'repeti'sie

pliek' -e reply, counterplea, rebuttal; *die reg van ~* the right of reply (in debate)

p'lika -s replica *ook* na'bootsing, na'maaksel

'po (afk., ontleen aan Engels) repo (repurchase agreement) *ook* te'ko; ~koers (s) repo rate *ook* te'kokoers (Reserwebank)

produk'sie -s reproduction *ook* weer'gawe

produseer' ge- reproduce *ook* kopieer'

ptiel' -e reptile (snake, tortoise, etc.)

publiek' -e republic

publikein' (s) -e republican (person); ~s' (b) -e republican *ook* republiekgesind'

pudieer' ge- repudiate; renounce, reject *ook* ontken'; verloën

puta'sie -s reputation, standing *ook* aan'sien; *'n gevestigde ~* an established reputation; *'n slegte ~ hê* stand in bad repute

quiem' (s) -s requiem *ook* do'demis (vir gestorwene)

'rig (omgangst.) (bw) really, truly *ook* reg'tig, werk'lik, inderdaad'

res (s) -te rest, remainder

resenseer' (w) ge- review (book; play; film) *ook* bespreek' (boek; opvoering; rolprent); resensent' (s) -e reviewer, critic (person); resen'sie (s) -s review *ook* (boek)beoor'= deling, (boek)bespre'king

resep' -te, -pe recipe; prescription (med.) *ook* voor'skrif; ~sie reception *ook* ontvangs', onthaal; ~te'boek recipe book; ~te'rende dokter dispensing doctor

reservaat' ..vate reserve (area for nature con= servation)

reserveer' ge- reserve, book *ook* bespreek' (teater, hotel; reis)

reservis' -te reservist (part-time police assistant; member of mil. reserve force)

reservoir' -s reservoir *ook* op'gaartenk, op'= gaardam

reser'we -s reserve; ~band spare tyre *ook* nood'wiel; ~fonds reserve fund; ~kapitaal' reserve capital; ~troe'pe reserve forces, fresh troops

reses' -se recess; interval *ook* pou'se, verda'ging

reses'sie -s recession; economic slump *ook* han'delslapte, in'sinking

residen'sie -s residence *ook* wo'ning, verblyf'; residency (for high-ranking official)

re'sies = rei'sies

resiprositeit' reciprocity *ook* wederker'igheid

resita'sie -s recitation; *~ opsê* recite

resitatief' ..tiewe recitative (narrative part of opera)

resiteer' ge- recite (a poem)

resolu'sie -s resolution *ook* besluit' (van verga= dering)

respek' (s) respect, esteem, regard *ook* ag'ting; *~ afdwing* command respect; ~ta'bel (b, bw) respectable; reputable *ook* fatsoen'lik; presenta'bel (voorkoms); *~ teer'* (w) ge- respect, hold in respect *ook* eerbie'dig, hoog ag

respektief' (b) ..tiewe respective; ~lik/respek= tie'welik respectively, relatively *ook* onder= skei'delik

respira'tor -s respirator (eg oxygen mask)

respon's(ie) response, answer, feedback *ook* reak'sie, terug'voer(ing)

respyt' respite *ook* uit'stel; ~dae days of grace

ressorteer' ge- come/be within the jurisdiction of; *finansies ~ onder haar* finances are handled by her/are her responsibility

restant' (s) -e remainder, remains *ook* oor'skot

restaurant'/restourant' restaurant; eatery *ook* (uit)eetplek

restitu'sie (s) restitution, reparation *ook* repara'= sie; (skuld)vergoe'ding

restoura'sie (s) restoration; repair (n) *ook* op'= knapping

restourateur' (s) -s restorer (work of art); renovater (building); **restoureer'** (w) ge- restore *ook* **op'knap**; renovate *ook* **renoveer'**; repair *ook* **herstel'**

resultaat' ..**tate** result, outcome *ook* **gevolg'**, **af'loop**; *sonder ~* to no purpose

reten'siegeld -e retainer *ook* **bind'geld; lien**

retireer' ge- retreat, flee *ook* **aftog blaas**

retoer' -e return; **~kaar'tjie** return ticket; **~reis** return journey

retoriek' (s) rhetoric, oratory; bombast *ook* **bombas'me, woor'depraal; reto'ries** (b) -e rhetorical; *~e vraag* rhetorical question (not meant to be answered)

retort' -e retort *ook* **kolf'glas**

reuk (s) -e smell, scent, odour *ook* **ruik**; *in slegte ~ staan* be in bad repute; **~orgaan'** olfactory organ; **~wa'ter** perfume, scent *ook* **laven'tel; ~weer'der** deodorant

reun'hond -e male dog

reü'nie/re-unie -s reunion *ook* **here'niging**

reun'perd -e gelding

reus -e giant; colossus *ook* **kolos'; ~ag'tig** gigantic, enormous *ook* **ys'lik, tamaai', enorm'**

reu'se: ~ar'beid gigantic task; **~gebou'** huge building; **~gestal'te** gigantic figure; **~krag** strength of a giant

reu'sel -s lard, suet *ook* **nier'vet**

reu'se: ~skre'de giant stride; *met ~skredes vooruitgaan* progress by leaps and bounds; **~stryd** titanic struggle; **~taak** gigantic task

reveil'le reveille, morning call *ook* **wek'roep**

revi'sie -s revision *ook* **hersie'ning**

revue' -s revue (mus. comedy); review (mil.)

revolu'sie/rewolu'sie (s) -s revolution *ook* **op'stand**

revolusionêr'/rewolusionêr (s, b) -e revolutionary

rewol'wer -s revolver *ook* **pistool'; ~skoot** revolver shot

Rho'desië Rhodesia (country; *now* Zimbabwe)

rib (s) -bes rib; **~be'been** rib; **~be'kas** thorax, thoracic skeleton; *iem. op sy ~bekas gee* punch s.o. in the ribs; **~betjie'** rib, cutlet; **~bok** reebok *ook* **~stuk** rib, chop *ook* **tjop**

rid'der -s knight; chevalier; *iem. tot ~ slaan* confer knighthood on s.o. (by king/queen); **~kruis** cross of knighthood; **~lik** knightly, chivalrous, noble *ook* **hof'lik, e'delmoe'dig; ~likheid'** chivalry; **~or'de** order of knighthood; **~roman'** romance/tale of chivalry; **~skap'** knighthood; **~spoor'** larkspur, delphinium (flower); **~stand'** knighthood; **~we'se** (age of) chivalry

riel -e reel; lively, old-fashioned dance

riem¹ (s) -e oar (rowing)

riem² (s) -e ream (paper, usually 500 sheets)

riem³ (s) -e strap, thong; riem (SAE); belt; *~e*

neerlê take to one's heels; *'n ~ onder die ha...* *steek* put fresh heart into s.o.; *hy het sy ~* *styfgeloop* he has come to the end of his tether; he has met his match; **~pie'sanda'le** stra... sandals; **~spring** skip; **~telegram'** unfounde... rumour; grapevine *ook* **bos'tamboer**

riet (s) -e reed, rush; cane; wicker; thatch; **~bli...** cane spirits; **~bok** reedbuck (antelope); **~da...** thatched roof; **~rot** cane rat; **~skraal** ver... thin, as thin as a rake; **~stoel** wicker cha... **~sui'ker** cane sugar; **~vink** reedfinch, maske... weaver (bird)

rif (s) **riwwe** reef (line of rocks/ore)

rif'fel (s) -s ripple, wrinkle; corrugation (road... (w) ge- wrinkle *ook* **kar'tel;** corrugat... **~papier'** corrugated paper/board *ook* **voe... ringkarton'; ~strook** ribbing; jiggle bar (... road to slow down); **~ys'ter** corrugated ir... *ook* **sink'plaat**

rif'rug (s) ..**rûe** ridgeback (dog)

rig (w) ge- direct, address; aim; *die woord ~ t...* *die gehoor* address the audience; *die boek...* *op studente ge~* the book is aimed at studen...

rigied' (b) -e rigid, unbending, unyielding o... **onverset'lik**

rig: ~lyn guideline *ook* **rig'snoer; norm, maat... staf; ~prys** recommended price; **~skoot** tra... shot

rig'ting (s) -s, -e direction, bearings; trend; *noordelike ~* in a northerly direction; **~fl... ser/~wyser** flash indicator

rik'sja -s rickshaw (hand-drawn passenger car...

ril ge- shiver, shudder *ook* **beef/be'we; sid'de... ~ler** thriller, spine-chiller (book, film); **~lir...** shake, shiver; *koue ~lings* the creeps

rim'pel (s) -s wrinkle *ook* **plooi;** fold, creas... furrow, ruffle; (w) ge- wrinkle, ripple; ruff... *die voorhoof ~* knit the brow; **~effek'** ripp... effect *ook* **uit'kringeffek'; ~fees** fringe fes... val *ook* **rand'fees; ~ing** wrinkling; ripple/ri... pling (of water); ruffling

ring -e ring; circle; cycle; church district; *jy k... hom deur 'n ~ trek* he is as neat as a new pi... **~baard** fringe beard; **~kop** (Zulu) vetera... old-timer; **~kraak'been** cricoid cartilag... **~muur** circular wall; **~pad** ringroad; **~vin'g...** ring finger; **~vor'mig** annular, circula... **~wurm** ringworm *ook* **om'loop**

rin'kel ge- jingle, tinkle *ook* **klin'gel**

rink'hals -e ring-necked cobra, rinkhals

rinkink' ge- gambol, make merry *ook* **baljaa... ravot';** tinkle, jingle; revel

rinneweer' ge- spoil; ruin, destroy *ook* **veri... neweer'**

riole'ring (s) sewerage; drainage

riool' (s) **riole** drain, sewer; **~rei'niger** dra... cleaner; **~slyk** sewage, sludge; **~stel'sel** sew... (er)age system *ook* **riole'ring**

i′siko -′s risk *ook* **waag′stuk***;* venture; hazard; **~bestuur′** risk management (in business)

′iskant′ (b, bw) hazardous, risky; *~e belegging* dicey investment

′is′sie -s chilli *ook* **brand′rissie, papri′ka;** cayenne pepper; *sy is. 'n regte ~* she is a real shrew/vixen; **~hap′pies** chilli bites

it (s) **-te** ride, drive, spin

′it′me (s) **-s** rhythm; **rit′mies** (b, bw) **-e** rhythmic(al)

′its (s) **-e** string, series; *'n hele ~ name* a whole list/string of names; zip fastener *ook* **rits′sluiter**

it′sel ge- rustle, crackle *ook: saggies ruis;* **~ing** (s) rustling, rustle

its′sluiter -s zip fastener

it′tel ge- shake, shiver, tremble, quiver; **~dans** (s) jive session; (w) **ge-** jive

itteltit′: *die ~(s) kry* go into fits/hysterics

itueel′ (s) **..tuele** ritual *ook* **rituaal′;** *rituele moord* ritual murder

ivier′ -e river; stream; *die ~ op* up the river; *die ~ kom af/oorstroom* the river has broken its banks/is overflowing; **~bed′ding** river bed; **~mond** estuary; **~vis** freshwater fish; **~wil′ger** river bush willow *ook* **vaar′landswilg(er)**

ob -be seal (fish-eating mammal); **~jag** seal hunt; **~vangs** seal catch

ob′bies (omgangst.) (s) rubbish, junk *ook* **gemors′**

′o′bot -s, -te robot; traffic lights (SAE); mechanical device/man

obuus′ -te robust, rugged, hardy *ook* **krag′tig, ste′wig**

obyn′ -e ruby; **~brui′lof** ruby wedding anniver= sary (after 40 years)

ock (s) rock (music style)

′oe′bel -s rouble (Russian currency unit)

oe′de (veroud.) **-s** rod, birch *ook* **rot′tang;** *wie die ~ spaar, bederf die kind* spare the rod and spoil the child

oei[1] (s) **-e** tail of a comet

oei[2] (w) **ge-** row; *~ met die rieme wat jy het* manage with the tools at one's disposal; **~boot′jie** rowing boat; **~er** rower; **~mik** rowlock; **~pen** thole; **~riem/~spaan** oar; **~wed′stryd** boat race, regatta

oe′keloos (b) reckless, rash, dare-devilish; *roekelose bestuurder* reckless driver; **~heid** recklessness, rashness

oelet′ = roulette

oem (s) glory, renown, praise, fame *ook* **faam;** *onsterflike ~* undying fame; *eie ~ stink* selfpraise is no recommendation; (w) **ge-** praise, extol, laud; boast; **~ryk** glorious, famous; **~sug** vainglory; desire for fame

oeme′nië Romania/Rumania (country); **~r** (s) **-s** Romanian/Rumanian (person) *ook* **Roe=**

meen′; **Roemeens′** (b) **-e** Romanian/Ruma= nian (customs, etc.)

roep ge- call, cry, shout; *om hulp ~* cry for help; **~baar** on call (doctor)

roepee′ -s rupee (Indian currency unit)

roe′ping (s) calling, vocation; destiny

roep′radio -′s (radio) pager *ook* **roep′stel, spoor′der, blie′p(er)**

roep′soek (w) ge- page/bleep (s.o.) *ook* **spoor** (w)

roer[1] (veroud.) (s) **-s** gun, rifle *ook* **geweer′;** *so reg soos 'n ~* as right as rain

roer[2] (s) **-e, -s** rudder, helm (ship); control (aircraft)

roer[3] (w) **ge-** stir, move; *~ jou (riete)* get a move on; *in rep en ~* all hustle and bustle; **~braai** stirfry; **~domp** bittern (bird) *ook* **brul′voël;** **~ei′ers** scambled eggs

roe′rend (bw) quite; *hulle is dit ~ eens* they agree in all respects; touching *ook* **aandoen′= lik;** *~e verhaal* moving/poignant story; mov= ing; movable; *~ende goed/hawe* movables *ook* **los′goed**

roe′ring (s) **-e** stirring (leaves in wind); commo= tion; emotion

roer′loos[1] (b, bw) **..lose** rudderless (ship)

roer′loos[2] (b, bw) **..lose** motionless *ook* **bot′stil**

roes[1] (s) rust; blight; (w) **ge-** rust; *ou liefde ~ nie* first love never dies

roes[2] (s) drunken fit; ecstasy, frenzy; *sy ~ uitslaap* sleep off his dissipation/hangover

roe′semoes (s) confusion, disorder *ook* **deurmekaar′spul; gegons′** (stemme, musiek)

roes: ~vlek rust stain; **~vry** rustproof, stainless; **~weer′der** rust inhibitor; **~we′rend** (b) rust-resistant

roet (s) soot *ook* **skoor′steenstof**

roe′te -s route; road, path; **~ba′ken** waymark(er)

roeti′ne routine; **~toets** checkup (med.; car); **~taak** chore(s) *ook* **sleur′werk, huis′take**

roet: ~kleur sooty colour; **~swart** black as soot

rof′fel ge- beat the ruffle (drum)

ro′fie -s scab (crust of dried blood)

rof′kas (s) roughcast (wall plastering technique); (w) **-ge-** roughcast (v)

rof′stoei (s) all-in wrestling; (w) **ge-** wrestle (professionally); **~er** all-in wrestler

rog rye; **~brood** rye bread

rog′gel (s) **-s** ruckle, rattle; **doods′~** death rattle; phlegm; (w) **ge-** rattle (in the throat); ruckle

rog′meel rye meal/flour

rojaal′ (b, bw) **..jale** generous, lavish; *~ lewe* live extravagantly

rojalis′ -te royalist (person supporting royalty)

rojeer′ ~, ge- cancel, delete; stamp; annul

rok (s) **-ke** skirt; dress; costume; *die hemp is nader as die ~* charity begins at home; **~band** waistband; apron strings; **~jag′ter** womaniser (man)

ro´ker (s) **-s** smoker; **~ig** smoky; **~y** smoking

ro´kie: *waar 'n ~ is, is 'n vuurtjie* no smoke without fire/trouble

rol (s) **-le** roll, list; roller; part, role (in play); scroll; *van die ~ skrap* strike off the roll (attorney); *'n ~ speel* play/act a part; (w) **ge-roll**

rol: ~baan runway (airport) *ook* **styg´baan; ~bal** bowls (sport); **~beset´ting/~verde´ling** cast (of a play); **~gordyn´** roller blind; **~laer/koeëllaer** ball-bearing; **~lem´skaatse** Rollerblades (trade name), inline skates; **~ler** roller; **~letjie´** reel, roll; castor; **~lie´pron´ker** (skerts.) gunslinger; **~loper** travelator, moving walkway (airport); **~luik** blind *ook* **blin´ding; ~model´** role model; **~poe´ding** roly-poly; **~prent** film, motion picture, movie; **~prent´ster** film star; **~punt(pen)** ballpoint pen *ook* **bal´punt(pen); ~saag** circular saw; **~skaats** roller skate; **~spe´ler** role player; **~staaf** scroll bar (comp.); **~stoel** wheelchair *ook* **ry´stoel; ~tabak´** rolled tobacco; **~trap** escalator; **~verde´ling** cast *ook* **~beset´ting**

roman´[1] (s) **-s** novel (book)

ro´man[2] (s) **-ne, -s** (red) roman (fish)

roman´se romance *ook* **lief´desverhouding**

roman´skry´wer -s novelist

roman´ties (b, bw) **-e** romantic; glamorous *ook* **idealis´ties, onwerk´lik**

roman´tikus -se, ..tici romantic composer/novel= ist; romanticist

Ro´me Rome (city); *~ is nie in een dag gebou nie* Rome was not built in a day; *so oud soos die pad/weg na ~* as old as the hills

Romein´ (s) **-e** Roman (person); **~s** (b) **-e** Roman; *Romeins-Hollandse Reg* Roman-Dutch Law; *~se Ryk* Roman Empire; *~se syfers* Roman numerals

ro´mery -e creamery

rom´mel[1] (s) rubbish, junk, litter *ook* **uit´skot, gemors´; ~pos** junk mail; **~rui´mer** street cleaner; **~sol´der** junk/lumber loft; **~strooi´er** litterbug *ook* **mors´jors; ~veld´tog** anti-litter= ing campaign; **~verko´ping** junk/jumble sale; **~werf** scrapyard *ook* **wrak´werf**

rom´mel[2] (w) **ge-** rumble (thunder)

romp -e trunk, torso; hull, fuselage; skirt; *bloes(e) en ~* blouse and skirt; *~ en stomp* lock, stock and barrel

romp´slomp fuss, bother; red tape (bureaucracy)

rond (b, bw) round; *~e jaar* full year

ronda´wel -s round hut, rondavel

rond´basuin -ge- trumpet forth *ook* **uit´blaker**

rond´blaai -ge- browse (in book; on internet)

rondbors´tig (b) candid, frank, forthright *ook* **openhar´tig; ~heid** candour, frankness

rond: ~dans dance/jump about; **~dool** wander about, amble, meander, rove *ook* **swerf,**

slampam´per; ~dra carry about; **~draa** rotate, turn round, gyrate

ron´de (s) **-s** round (boxing); *in die derde ~* in th third round (boxing); *die gerug doen die ~* there is a rumour abroad; *saal~s* ward round (med.) *kyk ook* **rond´te**

ron´desom (s) lump sum; round figure

rond´fladder -ge- flutter about

rond´gaan -ge- go about; *~de hof* circuit court

rond: ~gang perambulation, circuit; **~hei** roundness, rotundity; **~hol** run about, romp about

ron´ding -e, -s rounding; camber

rond´jakker -ge- gad about, gallivant *oo* **rond´rits, lan´terfan´ter**

rond´jie -s round; *'n ~ trakteer* stand a round (o drinks)

rond: ~kui´er stroll about; visit friends; **~kyl** look about; **~lei´ding** conducted/guided tou (museum); **~loop** stroll, loaf, gad about **~lo´per** tramp, gadabout; vagrant *ook* **leeg´ lêer; ~loperhond´** stray dog

rond´om all round, on every side; *~ draai* tur around quickly/completely; *~ toe* ring-fence

rondomta´lie round about; merry-go-roun (amusement park); round robin (sport)

rond´reis (s) **-e** tour; (w) **-ge-** travel abou tour(ing)

rond: ~rits = rond´jakker; ~ry ride/drive abou **~slen´ter** lounge/loaf about; stroll; meande **~snuffel** (op internet) surf the Net

rond´spring -ge- jump about, romp; *hy het leli rondgespring* he looked for all kinds o excuses

rond: ~strooi scatter/strew about; **~swer** roam/wander about

rond´tas -ge- feel/grope about; fumble; *in d donker ~* grope about in the dark

rond´te (s) **-s** roundness; round; circuit; circum ference; lap (motor sport); *'n ~ gholf* a gam of golf; *in die ~* in a circle; *die ~ van Vade Cloete doen* do the rounds *kyk ook* **ron´de**

rond´trek -ge- move/wander about; perambulat

rond´uit (bw) outspoken, frankly *ook* **rond´weg openhar´tig;** *~ weier* give a flat refusal

rondvaar (w) **-ge-** cruise; **~t** (s) **-e** cruise

rond: ~vent hawk about; **~vra** ask around

rond´weg (bw) roundly, frankly, outspoken *oo* **rond´uit; openhar´tig**

rönt´genstrale röntgen rays, X-rays

roof[1] (s) **rowe** scab (dried blood); scurf

roof[2] (s) robbery *ook* **roof´tog;** heist (bank booty; (w) **ge-** rob, loot; plunder; **~bo** overcropping; **~dier** predator, beast of prey **~kopiëring** piracy (books/software); **~ky** pirate viewing (TV); **~ky´ker** pirate viewe **~luis´teraar** pirate/unlawful listener; **~on** derdeel** pirate part (motor trade); **~rid´de**

robber knight/baron (hist.); **~tog** (s) **-te** heist (bank); marauding/looting expedition; **~vo'ël** bird of prey

rooi (b) red; *so ~ soos 'n kalkoen* as red as a turkey cock/lobster; **~aas** red bait; **~baad'jie** redcoat (English soldier in SA War); hopper (locust); **~bek'kie** waxbill (bird); **~bok** impala (antelope); **~bont** red-speckled; skewbald (horse); **~bor'sie** robin redbreast; Cape robin (bird); **~bostee'** rooibos tea (SAE) *ook* **rooi= tee;** **~bruin** reddish-brown; bright bay; **~dag** daybreak, dawn

rooi'els red alder (tree)

rooi'erig -e reddish

rooi: **~haas** rock hare; **~grein'hout** redwood; **~hond** scarlatina (mild scarlet fever) *ook* **~vonk**

Rooi'kappie Little Red Riding Hood

rooi: **~kat** lynx, caracal; **~kleu'rig** ruddy, red= coloured; **~kool** red cabbage (vegetable); **~ko'per** copper; **~meer'kat** bushy-tailed meercat/mongoose; **~mier** red ant

Rooi'nek -ke Redcoat, Englishman (nickname from SA War) *kyk* **rooi'baadjie**

rooi: **~tee** rooibos tea (SAE) *ook* **rooibostee';** **~valk'(ie)** kestrel; **~vink** red bishopbird; **~vlerkspreeu'** red-winged starling; **~vonk** scarlatina *ook* **~hond;** **~wa'ter** red-water (cattle/fish disease); bilharziasis/bilharziosis (human disease) *kyk* **bilhar'zia**

rook (s) smoke; fume; *in ~ opgaan* go up in smoke; (w) **ge-** smoke; *~ verbode/belet* no smoking; **~loos** smokeless; **~mis** smog; **~skerm/~gordyn'** smokescreen; **~tabak'** smoking tobacco; **~(ver)klik'ker** smoke de= tector; **~verbod** prohibition of smoking (by law); **~vleis** smoked beef; **~vrye gebou'** smoke-free building; **~wolk** cloud of smoke; **~wors** smoked sausage

room (s) cream; *die ~ afskep* skim the cream (lit; fig.); **~afskei'er** (cream) separator *ook* **ro'mer;** **~kaas** cream cheese, junket; **~kan** cream can

Rooms'-Katoliek' (s, b) **-e** Roman Catholic; **~ Kerk** Roman Catholic Church

room: **~soes(ie)** cream puff; **~vraat** fat cat *ook* **geil'kat;** **~ys** ice-cream

roos¹ (s) erysipelas, eczema (skin disorder)

roos² (s) **rose** rose (flower); *'n ~ tussen die dorings* a rose among thorns; *onder die ~* in confidence; **~boom** rose tree; **~hout** briar; **~kleu'rig** rose-coloured; *~kleurige/blink toe= koms* bright future; **~knop** rosebud; **~kwe'ker** rose grower; **~la'ning** rose hedge

roosmaryn' rosemary (shrub)

roos: **~o'lie** oil of roses; **~steg'gie/~stig'gie** rose cutting, rose slip

roos'ter -s gridiron, grate, grid, griller; time= table; **~brood** toast; *~brood met kaassous*

rarebit *ook* **roosterkaas;** **~koek** griddle/girdle cake

roos'tuin -e rose garden

ro'sekrans (s) rosary (RC) *ook* **bid'snoer**

roset' -te rosette *ook* **kokar'de, strik'kie** (op lapel)

ros'kam (s) **-me** currycomb (horse); (w) **ge-** rebuke/criticise severely; *iem. ~* take s.o. to task; currycomb (horse)

ros'trum (s) **-s** rostrum, platform *ook* **po'dium**

rosyn' -e raisin; **~tjiebrood'** raisin bread

rot¹ (s) **-te** rat (rodent)

rot² (veroud.) (w) **ge-** rot *ook* **vrot** (w); *iem ~ en kaal steel* strip s.o. bare (by stealing)

rota'sie -s rotation; **~gewys'** by/in rotation

roteer' **ge-** rotate *ook* **wen'tel**

rot'gif/rot'tegif rat poison

roton'de -s rotunda *ook* **koe'pelgebou**

rot'ren/rot'resies (s) rat race, hectic rush, frantic scramble *ook* **sukses'jag, hap en hol**

rots -e rock, cliff; *so vas soos 'n ~* firm as a rock *ook* **onwrik'baar; standvas'tig**

rotsag'tig (b) rocky, petrous *ook* **rot'sig**

rots: **~gravu're** rock engraving; **~kuns** rock art; **~spelonk'** rocky cave, grotto; **~stor'ting** rock= fall, rockburst (mines); **~te'kening** rock paint= ing; **~tuin** rockery; **~vas** firm as a rock

rot'tang -s cane, rattan, wicker; **~mand'jie** wicker basket

rot'te: **~koors** putrid fever; **~kruid** arsenic, ratsbane; **~plaag** rat pest; **~val/rot'val** rat-trap *ook* **muis'val**

rot(te)vanger rat catcher; rodent eradicator; *die R~/Fluitspeler van Hameln* the Pied Piper of Hameln

rou¹ (s) mourning; *in die ~ wees* be in mourning; (w) **ge-** mourn, grieve *ook* **treur**

rou² (b) raw; hoarse; *hy is heeltemal ~* he is quite inexperienced

rou: **~band** mourning band; **~brief** death notice; mourning letter; **~diens** memorial service *ook* **gedenk'diens;** **~dig** elegy *ook* **klaag'sang;** **~floers** crêpe; **~kla'er** mourner; **~klag** lamen= tation; **~kleed** mourning dress; **~koets** hearse *ook* **lyks'wa**

rou'koop forfeit-money (legal); rue bargain

roulette'/roelet' roulette *ook* **dob'belwiel**

rou'riem -e rawhide thong; uncouth person

ro'wer (s) **-s** robber; burglar, thief; mugger; gangster; pirate; highwayman; **~ben'de** band/gang of robbers; **~skip** pirate ship *ook* see'rowerskip; **~y** robbery

ru (b) **ru'we** rough, rude, crude *ook* **grof;** rugged *ook* **onbeskaaf'** (persoon)

rub'ber rubber; **~boot'jie** dinghy *kyk* **op'= blaasbootjie**

rubriek' -e column (in journal, newspaper); rubric, category; **~skry'wer** columnist

rug[1] (s) **rûe** back; *iem. die ~ toekeer* turn one's back on s.o.

rug[2] (s) **rûens** ridge (on hill)

rug'baar (well-)known; ~ *word* become known/exposed; leak out

rug'by rugby; ~**spe'ler** rugby player; ~**voet'bal** rugby football; ~**wed'stryd** rugby match

rug: ~**graat** backbone, spine; ~**leu'ning** backrest; ~**murg** spinal cord/marrow; ~**murgont-ste'king** myelitis, meningitis; ~**pyn** backache; ~**sak** rucksack; ~**steun** (s, w) backup (n); back up (v) (comp.); support, backing *ook* **stut;** ~**string** spinal cord; vertebral column *ook* **rug'kolom;** ~**wer'wel** dorsal vertebra

ruig (b) **ruie** bushy, shrubby, dense; shaggy, hairy; ~**ryp** hoarfrost; ~**te** undergrowth, copse

ruik (s) = **reuk;** (w) **ge-** smell; scent; ~ *na drank* smell of liquor; *lont* ~ smell a rat

rui'ker (s) **-s** bouquet; garland; nosegay; ~**tjie** posy, buttonhole

ruil (s) exchange, swop/swap; barter; *in ~ vir* in exchange for; (w) **ge-** barter; exchange, swop/swap; ~**han'del** barter

ruim (s) **-e** hold (of ship) *ook* **vrag'ruim;** (w) make room; *uit die weg* ~ clear out of the way; (b, bw) ample *ook* **oorvloe'dig;** wide, spacious; *'n ~ keuse* a wide choice; ~ *van opvatting* broad-minded; ~**skoots** (bw) plentifully, copiously, amply; *hy is ~skoots vergoed* he was amply/adequately reimbursed

ruim'te -s space; room; scope; interval; distance; *gebrek aan* ~ cramped for room/space; ~**rom'-mel** space debris; ~**tuig** spacecraft; ~**vaar'der** astronaut, cosmonaut, spaceman *ook* **as'-tronout;** ~**vaart** space travel

ruï'ne -s ruins *ook* **bou'val(le), mura'sie**

ruïneer' ge- ruin, destroy *ook* **vernie'tig, verrin-neweer'**

ruis ge- rustle, murmur (soft wind in trees)

ruit -e (window) pane; rhombus (geom.)

rui'te(n): ~**aas** ace of diamonds (cards); ~**heer** king of diamonds (cards)

rui'te(ns) diamonds (cards); ~ *is troef* diamonds are trumps

rui'ter -s horseman, horserider, equestrian; ~**bal** horseback rounders; ~**lik** honest(ly), chivalrous(ly); ~*lik erken* admit frankly/openly; ~**sport** showjumping, (horse) riding competition *ook* **rui'terkuns;** ~**(stand)'beeld** equestrian statue; ~**stoet** cavalcade; ~**y** cavalry (army)

rui'tjies: ~**goed/materiaal'** checked fabric/material; ~**papier'** squared/graph paper *ook* **blok'kiespapier**

ruit: ~**koevert'** window envelope *ook* **ven'-sterkoevert;** ~**plakker** window/windscreen sticker; ~**veër** windscreen wiper; ~**verwy'sing** grid reference

ruk (s) **-ke** pull, tug, jerk; while, time; *'n ~ lank* for a time; *met ~ke en stote* by fits and starts; (w) **ge-** pull, tug, yank, jerk; *hand-uit* ~ get out of hand; ~ *en pluk* pull and tug; rock-'n-roll ~**kie** moment, little time/while; ~**stopgor'del** inertia reel; safety/seat belt *ook* **sit'-plekgordel;** ~**wind** squall, gust

rum rum (liquor)

rumatiek' rheumatism; ~**koors** rheumatic fever

rumoer' (s) **-e** uproar; noise *ook* **lawaai'** turmoil; (w) **ge-** make a loud noise; be rowdy ~**ig** noisy, rowdy

run'derpes rinderpest (cattle disease)

ru'ne rune (ancient Germ. letter); ~**skrif** rune (writing)

run'nik ge- neigh, whinny (horse)

ru'olie -s crude oil

Rus (s) **-se** Russian (person) *kyk* **Rus'land, Rus'sies**

rus (s) rest, repose; calm; pause, rest (music); ~ *roes* to rest is to rust; *ter ~te lê* bury; *wel te ~te!* good night!; (w) **ge-** rest, repose; ~**bank** couch, sofa, divan; ~**dag** day of rest, sabbath

ru'sie (s) **-s** quarrel, dispute; brawl; ~ *maak* quarrel, squabble *ook* **stry;** ~**ma'ker/~soe'ker** troublemaker, meddler *ook* **twis'soeker**

rus: ~**kamp** rest camp; ~**kuur** rest cure; ~**oord** place of rest *ook* **sanato'rium**

Rus'land Russia (country) *kyk* **Rus, Rus'sies**

rus'pe(r) -s caterpillar (larva of butterfly)

Rus'sies (s) Russian (language); (b) **-e** Russian (customs, etc.) *kyk* **Rus, Rus'land**

rus'teloos (b) restless *ook* **ongedu'rig** (persoon)

rus'tend: ~*e vennoot* retired/inactive partner

rus: ~**tig** calm, placid; ~**tyd** time of rest interval, halftime *ook* **reses', verpo'sing** ~**versteur'der/~verstoor'der** disturber of the peace; rioter; ~**versteu'ring/~versto'ring** disturbance/breach of the peace

ru'veld (s) rough (golf) *ook* **suk'kelveld**

ru'yster crude iron, pig iron

ry[1] (s) **-e** row, line; series; *staan in 'n ~* form line/file

ry[2] (w) **ge-** ride, drive; *iets holrug* ~ flog to death; ~**bewys'** driver's licence *ook* **bestuur'-derslisen'sie;** ~**broek** (pair of) riding breeches, jodhpurs; ~**dier** mount

ryg (w) **ge-** lace (shoes), string, tack; ~**skoen-~ste'wel** lace-up shoe/boot

ryk[1] (s) **-e** empire, kingdom, realm; *die ~ van die verbeelding* the realm of fancy; *die duisend-jarige* ~ the millennium

ryk[2] (b) rich, wealthy *ook* **wel'gesteld, wel'a vermo'ënd;** ~**dom** wealth, riches; profusion ~**lik** abundant, plentiful; ~*lik beloon* rewar handsomely; ~*lik geseënd* richly blessed endowed; ~**mans'buurt** upmarket area/subur

ry'kostuum -s riding habit, riding dress

ryks: ~dag diet (parliament, esp. Germ.); **~kan=
selier'** imperial chancellor

ry: ~kuns horsemanship; **~laan** drive (wide
thoroughfare); **~loop** hitchhike *ook* **duim'gooi;
~lo'per** hitchhiker *ook* **duim'gooier, duim'ryer**

rym (s) **-e** rhyme; (w) ge- rhyme; tally, agree; *dit
~ nie met die feite nie* this does not tally with
the facts; **~dwang** forcing the rhyme; **~e'laar**
poetaster, versemonger *ook* **prul'digter**

rymelary' doggerel *ook* **kreu'pelrym**

rym: ~loos blank (verse); **~pie** (short) rhyme;
~woord rhyming word

ryp[1] (s) (hoar)frost; (w) **ge-** frost

ryp[2] (b) ripe, mature *ook* **volgroei'; volwas'se;**
na ~ beraad after mature consideration; *vroeg
~ vroeg vrot* soon ripe, soon rotten

ry'perd -e riding/saddle horse; (tw) splendid!

ryp'heid ripeness; maturity; adulthood

ry'plank -e scooter; surfboard *ook* **bran'der=
plank; ~er/~ry'er** surfer *ook* **bran'derplank'=
ry'er**

rys[1] (s) rice (tropical grain)

rys[2] (w) **ge-** rise; ferment

rys'kluitjie -s rice dumpling

ry'skool ..skole riding school

rys'korrel -s grain of rice

rys'mier (s) **-e** white flying ant; termite; (w) **ge-**
undermine, subvert *ook* **ondermyn';** infiltrate

ry'stoel -e wheelchair *ook* **rol'stoel**

ry: ~sweep riding whip, horsewhip *ook* **peits;
~tuig** (railway) coach; vehicle *ook* **voer'tuig;
~wiel** (veroud.) bike, bicycle *ook* **(trap)'fiets**

S

s -'e s

sa! (tw) catch him!; tally-ho!

saad[1] (s) sa'de seed *ook* **saat;** inflorescence (plant); **~ak'kertjie, ~bed'ding** seedbed; **~han'delaar** seed merchant; **~hui'sie** seed pod; **~kor'rel** grain of seed; **~skiet** (w) **-ge-** run to seed

saad[2] (s) semen (human); sperm (animals); progeny, offspring

saag (s) sae saw; (w) ge- saw, cut; *balke ~* snore loudly; **~kuil** saw-pit; **~meul(e)** sawmill; **~sel** sawdust; **~vis** sawfish

saai[1] (w) ge- sow, scatter; *wat jy ~, sal jy maai* as you sow, so shall you reap

saai[2] (b) dull, tedious, drab *ook* **eento'nig, verve'lig**

saai: ~boer grain/crop farmer; **~er** sower; **~ling** seedling; **~tyd** sowing season

saak (s) sake affair, thing, matter *ook* **on'= derwerp;** business, (business) undertaking *ook* **fir'ma, be'sigheid;** suit, action, case (in court of law); *bemoei jou met jou eie sake* mind your own business; *dit maak geen ~ nie* it does not matter; *ter sake* to the point *ook* **toepas'lik; ~gelas'tigde** commissioned agent, representative; chargé d'affaires (dipl.); **meu'= bel~** furniture shop

saak'lik matter-of-fact, businesslike, precise; succinct, relevant; concise *ook* **bon'dig, essen= sieel'; ~heid** succinctness, essence (of matter), relevancy; efficiency

saak'waarnemer -s agent, representative *ook* **saakgelas'tigde**

saal[1] (s) **sale** hall; *vol sale trek* draw full houses; **~rond(t)e** ward round (med.)

saal[2] (s) **-s** saddle; *iem. uit die ~ lig* oust s.o. (from a position); **~boom** saddle tree; **~klap** saddle flap; **~ma'ker** saddler; **~perd** (Ameri= can) saddle horse; **~sak** saddle bag

saam together, (con)jointly, between them/us *ook* **tesa'me, byeen'**

saam: ~bly'ers (s, mv) live-in friends/couple; **~bring** bring (together/with); **~eet** eat to= gether, eat with, join in (meal); **~flans** patch up, piece together, concoct

saam'gaan -ge- go together, go with, accom= pany; agree; *gaan jy saam kerk toe?* are you coming with me/us to church?

saam'gestel(d)/sa'megestel(d) -e compound; complex; *~e rente* compound interest

saam: ~hang related to; be united; hang together; *dit hang saam met ander faktore* it hinges/depends on other factors; **~hoort** belong together

saamho'righeid/sameho'righeid solidarity, co= herence *ook* **eensgesind'heid; ~s'gevoel'** feel= ing of coherence, solidarity

saam: ~kom come together, accompany, meet; **~leef/~lewe** live together, cohabit; **~loop** walk/go together, accompany

saam'pers -ge- press together, compress; *saam= geperste lug* compressed air

saam'praat -ge- join in the conversation

saam'ryklub -s lift club (passengers in same car)

saam: ~sleep drag along; schlepp (infml.) *ook* **~pie'kel; ~smelt** unite, fuse, merge, amalga= mate *ook* **amalgameer'; ~span** combine with; conspire, plot together *ook* **saam'sweer; ~stel** put together, compose, compile; **~stem** agree, concur *ook* **akkordeer'; harmonise; ~sweer** conspire, plot (v) *kyk* **sa'meswering**

saam'trek (s) **-ke** rally; gathering *ook* **byeen'= koms;** (w) **-ge-** contract; constrict; concen= trate, assemble

saam: ~val coincide; synchronise; **~vat** take with/ together; sum up, summarise, recap(itulate) *ook* **op'som;** encapsulate; **~vatfonds** wrap fund (investments); **~voeg** join, merge; **~werk** co= operate/co-operate, join hands; **~woon** cohabit, live together *ook* **saam'bly**

saans in the evening, at night

saat = **saad**[1]

Sab'bat -te Sabbath; *die ~ ontheilig* desecrate the Sabbath

sab'bats: ~reis short trip; sabbath day's journey (according to ancient Jewish law); **~verlof** sabbatical leave (for study/research)

sa'bel[1] (s) **-s** sabre; sword *ook* **swaard; ~geklet'= ter** sabre rattling

sa'bel[2] (s) sable (kind of weasel); **~bont** sabeline (fur)

sabota'sie (s) sabotage *ook* **ondermy'ning; saboteer'** (w) ge- commit sabotage *ook* **ondermyn'; saboteur'** (s) **-s** saboteur, revolu= tionist, conspirator (person)

sadis' -te sadist (person) *ook* **wellus'teling; wreed'aard; ~me** sadism *ook* **pyn'wellus**

saf (b) **-te** soft, soggy *kyk* **sag**

safa'ri (s) **-'s** safari (journey through the wilds); hunting trip; **~pak** safari suit

saffier' (s) **-e** sapphire (gemstone); **~blou** sap= phire blue

saffraan' (s) saffron (spice; orange-yellow colour); *soveel van iets weet as 'n kat van ~* know as much about the matter as the man in the moon

sag (b) **-te** soft; low; mild; sweet; gentle; *~ soos 'n lam* gentle as a lamb; *~te teiken* soft/easy target/victim

sa′ga -s saga (Scandinavian epic tale; novel about several generations of same family) *kyk* **sa′ge**

sagaar′dig (b) sweet, gentle, amiable *ook* **sag′geaard**

sa′ge -s legend, myth; fairy tale; romantic folk tale *kyk* **sa′ga**

sag′geaard gentle, kind, meek *ook* **sagaar′dig, sagmoe′dig**

sag′gies gently, softly; quietly

sagmoe′dig sweet, mild *ook* **sagaar′dig, sag′geaard**

sa′go sago (starchy cereal); **~meel** sago flour; **~poe′ding** sago pudding

sagsin′nig gentle, friendly *ook* **min′saam**

sag′te: ~bal softball (game); **~band(uit′gawe)** paperback (edition); **~wa′re** software (comp.) *ook* **programmatuur′**

sagt′heid softness, smoothness; gentleness

sak¹ (s) -ke bag, sack; pocket; pouch; *sy hand in sy ~ steek* bear the expense; *'n kat in die ~ koop* buy a pig in a poke; *met ~ en pak* with bag and baggage; *~ Sarel!* less exaggeration, please!

sak² (w) ge- sink, subside; fail (in examination) *ook* **druip, dop**

sak: ~almanak′ pocket calendar; **~boek** pocket book; **~doek** handkerchief/hanky

sa′ke: *ter ~* to the point, relevant *ook* **aktueel′**; **~brief** business letter; **~ka′mer** chamber of commerce; **~ken′nis** business knowledge/know-how; business acquaintance (person); **~kern** central business district (CBD); downtown; **~lui** (mv) business people (pl); **~lys** agenda *ook* **agen′da**; **~man** businessman; **~onderne′ming** business, business concern *ook* **be′sigheid, fir′ma, saak; ~skool** business school (at university); **~transak′sie** business deal; **~vernuf′** business expertise/know-how *ook* **~kun′digheid; ~vertrou′e** business confidence

sak: ~formaat pocket-size; **~horlo′sie** pocket watch

sak′kie-sak′kie (s) informal dance *ook* **sok′kiejol**

sak: ~ke′roller pickpocket; **~mes** pocket knife *ook* **knip′mes;** penknife; **~portefeul′je** wallet *ook* **no′tebeurs(ie); ~pas** (b) pocket-size; affordable *ook* **bekos′tigbaar, billik**

sakrament′ -e sacrament; **die heil′ige ~e** the holy sacraments

sak′rekenaar -s pocket calculator

sak′resies/sak′reisies sack race

saksofoon′ = saxofoon′

sak: ~vol bagful, pocketful; **~woor′deboek** pocket dictionary

sal (w) sou shall, will; *hy sou dit vir my gegee het* he was (supposed) to have given it to me

sal(a)man′der -s salamander (amphibian; mythol. creature)

sala′ris -se salary, pay; emolument *ook* **besol′diging; ~kerf** salary notch; **~pakket′** salary package; **~skaal** salary scale; **~verho′ging** increment

sal′do -'s balance (of an account) *ook* **balans′;** *batige ~* credit balance; *nadelige ~* debit balance

salf (s) salwe ointment, salve, balm; *daar is geen ~ aan hom te smeer nie* he is past redemption; (w) **ge-** anoint, salve; **~o′lie** unction oil, chrism

sa′lie salvia, sage (plant)

sa′lig (b) blessed, blissful *ook* **verruk′lik;** *dis ~er om te gee as om te ontvang* it is more blessed to give than to receive; *~maak/spreek* beatify (by Pope)

sa′liger late; blessed; *~ nagedagtenis* blessed memory (of s.o. who has died)

sa′lig: ~heid salvation, bliss; **~ma′kend** sanctifying, beatific

Sa′ligmaker Saviour, Redeemer (Christ) *ook* **Hei′land, Verlos′ser**

salm -s salmon (fish); **~vangs** salmon catch

salon′ -s, -ne drawing room; saloon; **skoon′heid~** beauty parlour

salot′ -te/salot′ui -e shallot (onion)

salpe′ter saltpetre; **~suur** nitric acid

salueer′ ge- salute; greet, hail

saluta′sie salutation *ook* **aan′hef** (van brief)

saluut′ (s) salute salute

sal′vo -'s salvo, volley (of shots)

sal′we (w) ge- anoint *ook* **salf; ~nd** (b) unctuous; soothing *ook* **troos′tend; vlei′end**

Samaritaan′: *barmhartige ~* good Samaritan

sambal′ sambal (condiment); grated quince

sambok′ -ke sjambok; whip

sambreel′ -s, ..brele umbrella; **~boom** cabbage tree *ook* **kie′persol(boom); ~op′drag** blanket brief/instruction

sa′me: ~gesteld′ compound *ook* **saamgesteld; ~hang** connection, coherence, relevance *ook* **konteks′, verband′; ~koms** gathering, meeting; **~le′wing** society; community *kyk* **gemeen′skap; ~loop** concourse (of people), confluence (of rivers); junction; *'n ongelukkige ~ van omstandighede* an unfortunate coincidence

sa′me: ~raap′sel rabble (people), medley, hotch-potch *ook* **men′gelmoes; ~roe′per** convener (of meeting/conference); **~smelt′ing** fusion; union, amalgamation, merger *ook* **amalgama′sie; ~span′ning** collusion, conspiracy, plot *ook* **komplot′; ~spraak** dialogue *ook* **dialoog′; ~spreking** talk(s), conference, discussion *ook* **beraad′(slaging); ~spreking(s) voer** hold talks; confer, deliberate, discuss

sa′me: ~stel′ler compiler; composer; collector; ~stel′ling composition, collage; combination

sa′mesweer′der -s conspirator, plotter

sa′meswering -s conspiracy, plot *ook* intri′ge, komplot′; *'n* ~ *smee* conspire

sa′me: ~trek′king contraction; concentration (of people); ~vat′ting resumé, summary *ook* op′= somming; ~vloei′ing confluence (of rivers); ~voe′ging union, junction, synthesis, bond *ook* ~stel′ling/~kop′peling (gram.); ~wer′king co= operation/co-operation, collaboration; *in* ~ *met* in conjunction/tandem with

sampioen′ -e champignon; mushroom *ook* pad′= dastoel

sanato′rium -s, ..ria sanatorium *ook* herstel′= oord; hospi′tium/hos′pies

sand sand; grit; *land en* ~ *aanmekaar praat* talk the hind leg off a donkey *ook: 'n hond uit 'n bos praat*

sandaal′ ..dale sandal *kyk* slof′fie, plak′kie

sandbank -e sandbank, sand bar; shoal

sand′blaas (w) ge- sandblast

san′delhout sandal wood

sand: ~grond sandy soil; ~hoop heap of sand; dump (mine) *ook* myn′hoop; ~klip sandstone; ~kor′rel grain of sand; ~laag layer of sand; ~lo′per(tjie) eggtimer, hourglass *ook* uur′= glas; ~plank(ry) sandboard(ing); ~steen sand= stone; gritstone; ~sui′ker crystallised sugar; ~veld sandy country; ~vlak′te sandy plain; ~woestyn′ sandy desert

saneer′ ge- reform, regulate *ook* hervorm′, reguleer′; purify

sang(e) song *ook* ~stuk; tune, singing; canto

san′ger -s singer; vocalist (both sexes)

sang: ~erig (w) melodious; ~fees eisteddfod; ~godin′ muse *ook* mu′se; ~kuns art of sing= ing; ~les singing lesson; ~on′derwys instruc= tion in singing; ~onderwy′ser singing teacher; ~spel operetta *ook* operet′te; ~spe′letjie ac= tion song (primary school); ~vere′niging choral society; ~vo′ël song bird, songster; ~wed′stryd singing competition, eisteddfod

sa′nik ge- worry, bother; nag *ook* neul, tor′ring

sanita′sie (s) sanitation *ook* higië′ne

sanitêr′ (b, bw) -e sanitary *ook* higië′nies

sank′sie -s sanction; approval, permission; (mv) punitive measure(s)

sap -pe juice, sap; ver~per liquidiser, juicer

sap′perig/sap′pig juicy, succulent

sar (w) ge- incite, provoke *ook* trei′ter, tart; vex, nag

sardien′ -s sardine (fish); ~tjie sardine *kyk* sardyn′

sardo′nies (b) sardonic, sarcastic *ook* si′nies

sar′dyn -e pilchard (fish) *ook* pel′ser *kyk* sardien′

sarkas′me (s) sarcasm (cruel humour)

sarkas′ties (b) sarcastic *ook* byt′end, spot′tend *kyk* sardo′nies

sarkofaag′ ..fae sarcophagus *ook* mar′mer= dood(s)kis

sar′sie -s volley (of shots)

sat (b) sick (of); satiated; *ek is* ~ *daarvan* I am fed up with it; *tot* ~*wordens (toe)* ad nauseam

Sa′tan Satan; devil; serpent

sata′nies -e satanic(al), diabolical *ook* dui′wels, diabo′lies

satanis′me (s) satanism (worship of Satan)

sa′tans (b, bw) -e satanic; ~diens black mass; ~kind devilish fellow, wicked person

satelliet′ -e satellite (spacecraft); dependent state; servile person; ~-TV satellite TV

sa′ter -s satyr *ook* faun, bos′god

Sa′terdag ..dae Saturday

sati′re -s satire *ook* he′kelskrif; sati′ries -e satirical *ook* byt′end, spot′tend; sati′rikus -se satirist (author/poet)

satisfak′sie (s) satisfaction *ook* bevre′diging

satraap′ (s) ..trape satrap, subordinate ruler

satyn′ satin; *geblomde* ~ figured satin; ~ag′tig satiny, satin; ~hout satinwood

savan′na/savan′ne -s savannah *ook* gras′vlakte

saksofoon′/saksofoon (s) ..fone saxophone (mus. instr.)

scena′rio -'s scenario; storyline *ook* draai′boek, film′teks; sequence of events *ook* toe′= komsbeeld

s′-draai -e hairpin bend (on road)

scoop (omgangst.) (s) -s scoop *ook* nuus′tref′fer

se (vnw) of; *pa* ~ *hoed* father's hat; *Swellendam* ~ *wêreld* the region around Swellendam

sê (s) say (n) *ook* seg′genskap; (w) ge- say, speak, tell, order, state; *so ge~, so gedaan/ gedoen* no sooner said than done; *dis nie te* ~ *nie* it does not necessarily follow; ~ *nou* supposing

se′ance -s seance (spiritualist meeting)

se′bra -s zebra; ~oor′gang zebra crossing

se′de -s morals, manners; habit; custom

sedeer′ ge- cede *ook* oor′maak (aan) (bv. 'n polis)

se′de: ~leer ethics; morality; ~les moral (lesson); ~lik moral, ethical; ~likheid′ morality; ~loos immoral; ~loosheid immorality, profligacy; ~mees′ter moraliser, moralist; ~preek′ (mor= al) lecture/sermon, reprimand

se′der -s cedar; ~boom cedar (tree)

se′dert since; ~ *verlede maand* since last month

se′dig demure, prim, coy *ook* skug′ter; preuts; *so* ~ *soos 'n predikant* as pious as a priest

sedi′sie sedition; rebellion *ook* op′roer, op′stand

see (s) seë sea, ocean; *oor*~ *gaan* go abroad

see: ~assuran′sie marine insurance *ook* mari′= neverse′kering; ~dier marine animal; ~-eend sea duck; yellowbill; ~-eng′te sound; strait *ook*

see′straat; ~**gesig′** seascape; sea view; ~**geveg′** naval battle; ~**gras** seaweed; ~**groen** sea-green; ~**hond** seal *ook* **rob;** ~**hoof** pier, jetty *ook* **ha′wehoof;** ~**kant** seaside; ~**kat** octopus *ook* **ok′topus**

see′koei -e hippopotamus; *die oortjies van die* ~ the tip of the iceberg; ~**gat/see′koegat** hippo pool; ~**koei** hippopotamus cow

see: ~**krap** sea crab; ~**kreef** lobster; ~**kus** coast, seashore; ~**kwal** jellyfish

seel -s certificate (of birth) *kyk* **doop′seel**

se′ël (s) **-s** seal, stamp; postage stamp; *sy* ~ *op iets sit/druk* set his seal to/sanction something; (w) **ge-** seal; ~**belas′ting** stamp duty; ~**bewaar′der** keeper of the seal (hist.)

see′leeu -s sea lion (kind of seal)

se′ël: ~**lak** sealing wax; ~**reg** stamp duty; ~**ring** signet ring

see: ~**lug** sea air; ~**mag** sea/naval power (country); ~**man** seaman, sailor, marine(r); ~**meeu** seagull; ~**moond′heid** naval power

seems′leer shammy, chamois leather

see′myl -e nautical mile (1 852 m)

se′ën (s) **-ings, -inge** blessing, benediction *ook* **heil′wens;** *bedekte* ~ blessing in disguise; *die* ~ *uitspreek* pronounce the benediction; (w) **ge-** bless; ~**be′de** blessing; fervent wish; ~**ing** (s) **-s, -e** blessing, benediction; ~**wens** (s) **-e** blessing, good wishes

seep (s) **se′pe** soap; *so glad soos* ~ as slippery as an eel; *'n steen* ~ a bar of soap; ~**bakkie** soap dish; ~**bel** soap bubble; ~**pot** soap cauldron; ~**skuim** lather, froth; ~**so′da** caustic soda *ook* **byt′soda;** ~**sop** soapsuds; ~**steen** soapstone

seer (s) **sere** sore, wound; ulcer; (b, bw) painful, sore; ~**maak** hurt, injure; aggrieve *ook* **kwets**

see: ~**reg** maritime/marine law; ~**reis** voyage

seer′keel sore throat

see: ~**rob** seal, seadog; ~**ro′wer** pirate, buccaneer *ook* **ka′per;** ~**sand** sea sand; ~**siek** seasick; ~**skil′pad** sea turtle; ~**skulp** seashell; ~**slag** naval battle; ~**slang** sea serpent; ~**soldaat′** marine *ook* **marinier′;** ~**spie′ël** sea level *ook* **see′vlak;** ~**strand** beach, seashore

seë′tog/se′getog (s) **-te** triumphal march/entry *ook* **triomf′tog**

see: ~**vaarder** seafarer; ~**vaart** shipping; navigation; ~**vark′** sea hog, porpoise *ook* **tonyn′/ tornyn′;** ~**verse′kering** marine insurance

se′ëvier (w) **ge-** triumph *ook* **oorwin′, triomfeer′**

see: ~**vlak** sea level *ook* **see′spieël;** ~**vo′ël** sea bird; ~**wier** seaweed

se′ge -s victory, triumph *ook* **oorwin′ning**

seg′genskap (s) say, authority; ~ *hê in die saak* have a say in the matter *ook* **in′spraak**

seg′gingskrag expressiveness, power of expression

segment′ -e segment (separable part/section)

segrega′sie segregation *ook* **skei′ding**

segs′man -ne, ..lui, ..liede spokesperson *ook* **woord′voerder**

segs′wyse -s standing phrase, set expression, saying *ook* **fra′se, (vas′te) uit′drukking**

seil (s) **-e** sail, canvas; tarpaulin; ~*e hys* hoist sails; *'n oog in die* ~ *hou* keep under close observation; ~*e stryk* strike sails; (w) **ge-** sail; ~**boot** sailing boat; ~**ga′re/**~**ga′ring** sail yarn; sewing twine; ~**jag** (sailing) yacht; ~**jagvaar′= der** yachtsman; ~**jag′vaart** yacht racing; ~**naald** sail needle; ~**plankry′** windsurfing; boardsailing; ~**skip** sailing vessel; windjammer; ~**skoen** tackie, canvas shoe *ook* **tek′kie;** ~**sport** yachting

sein (s) **-e** signal; (w) **ge-** signal, telegraph, wire; ~**fak′kel** flare; ~**sta′sie** signalling station

seintuur′ ..ture (lady's) draped belt

sein: ~**vuur′pyl** rocket, flare; Very light *ook* **lig′koeël;** ~**wag′ter** signalman, signaller (railway)

seismograaf′ ..grawe seismograph (for measuring earthquakes)

seismoloog′ ..oë seismologist (person)

seisoen′ -e season *ook* **jaar′gety;** *buite die* ~ out of season; ~**aal** (b) seasonal; ~**kaar′tjie** season ticket

se′kel -s sickle, reaping hook; ~**maan** crescent moon

se′ker (b) certain; sure, positive; *'n* ~*e mnr. X* a certain Mr X; (bw) certainly, surely; probably; *so* ~ *as twee maal twee vier is* as sure as death; *wis en* ~ without a doubt; (w) **ge-** make safe; ~ *die pistool* put the pistol on safety

se′kerheid certainty, surety; security; *vir alle* ~ to make doubly sure; ~**s′halwe** for safety's sake; ~**s′kla′ring** security clearance; ~**s′per= soneel′** security personnel/staff *ook* **seku= riteit(s)′beamptes;** ~**stro′kie** thread mark (in banknote)

se′kering (s) safety/cut-out fuse (electr.); *die* ~ *het gesmelt* the fuse has blown

se′kerlik certainly, decidedly *ook* **beslis′**

sekondant′ -e seconder (supporter of a proposal at a meeting)

sekon′de -s second; **na′no~** nano second (one thousand millionth of a second)

sekondeer′ ge- second (support a proposal at meeting)

sekondêr′ -e secondary; ~*e* **skool** secondary school

sekon′dewyser second hand (watch)

sekretares′se secretary (female)

sekretariaat′ ..riate secretaryship, secretariate

sekretarieel ..iële secretarial (clerical work)

sekreta′ris -se secretary; **priva′te ~/privaat ~** private secretary

sekreta′risvoël -s secretary bird

seks (s) sex; sexuality, sensuality; *hulle het ~ gehad* they had sex; *orale ~* oral sex; (w) ge- sex; **~behep'** sexually promiscuous *ook* **wulps; ~drang** sex drive/urge, libido; **~op'kikker** sex stimulant; **~is'me** sexism; **~is'ties** sexist(ic); **~ka'tjie** sex kitten; **~op'voeding** sex education *ook* **geslags'voorligting; ~trek** sex appeal *kyk* **sexy; ~uit'buiting** sexploitation; **~wer'ker** sex worker, prostitute; hooker (slang)

sek'sie -s section *ook* **af'deling**

sekstant' sextant (navigation instr.)

sekstet' -te sextet(te) (mus.); sestet (part of sonnet)

seksoloog' ..loë sexologist (person)

seksueel' (b, bw) **..ele** sexual; *seksuele mishan= deling* sexual abuse; *seksuele teistering/inti= midasie* sexual harassment/intimidation *ook* **seks'teistering**

sek'te -s sect *ook* (godsdienstige) **splin'tergroep**

sek'tor -s sector *ook* **gebieds'afdeling**

sekulêr' (b) **-e** secular, worldly, mundane *ook* **wê'reldlik, stof'lik**

sekun'dus -se second deputy, secundus (person)

sekuriteit' -e security; **kollatera'le/aan'vul= lende ~** collateral security; **~s'kla'ring** secur= ity clearance; **~stel'sel** security system; **~s'wag** security guard *ook* **sekerheid(s)beamp'te, vei'ligheidswag**

sekuriteite'beurs securities exchange; *die JSE Sekuriteitebeurs Suid-Afrika* the JSE Securi= ties Exchange South Africa *kyk ook* **aan'= delebeurs**

sekuur' (b) **-e** secure, accurate; *'n ding ~ weet* know something positively

sekwestra'sie -s sequestration *ook* **beslag'= legging** (ná hofbevel)

sekwestreer' ge- sequestrate *ook* **geregtelik onteien**

sel -le cell; booth

selakant' -e coelacanth (rare kind of fish)

sel'de (bw) seldom, rarely; *~ of (n)ooit* hardly ever

sel(d)ery' celery (vegetable)

seld'saam (b, bw) rare, scarce, uncommon *ook* **skaars; son'derling;** *seldsame versameling* rare collection; **~heid** rarity, peculiarity

selek'sie -s selection *ook* **op'sie, keu'se; keu'= ring**

selektief' selective; *selektiewe beriggewing* se= lective reporting

self self; *sy doen dit ~* she does it in person; **~aan'sitter** self-starter; **~aktualise'ring** self-= assertion

self'bediening (s) self-service; **self(be)dienwin'= kel** (s) **-s** self-service shop, supermarket

self: ~bedrog' self-deception, self-deceit; **~bedwang'** restraint, self-control; **~beeld** self-esteem; **~behep'** self-absorbed; **~beheer'=**

sing self-control; **~behoud'** self-preservation **~beskik'king** self-determination; **~bestuu** self-government, home rule; **~bewus'** self- conscious; self-assuring; **~bewust'heid** self- consciousness

self'de same, identical *kyk* **dieself'de**

self'dien/self'help self-service; **~win'kel** self service shop

self: ~doen do-it-yourself (DIY); **~doenop leiding** hands-on training

self'kant selvedge/selvage (of woven fabric *alkant ~* it is immaterial

self'kasty'ding/~pyn'iging (s) self-chastisemen masochism *ook* **masochis'me**

self'laai (w) ge- boot (comp.); **~sek'tor** boo sector (comp.)

self: ~medika'sie self-medication; **~moord** su cide; **~** *pleeg* commit suicide *ook* **selfdo'din** (by genadedood); **~on'dersoek** self-examina tion; **~slui'ter** self-timer (camera); **~op offering** self-sacrifice; **~pyn'iger** masochis **~respek'** self-respect *ook* **ei'ewaarde; ~sor** self-catering (on holiday)

sel'foon ..fone cellphone, cellular telephone

selfs even; *~ as dit waar was* even if it were true *~ Piet het geslaag* even Peter passed

selfstan'dig (b) independent, self-supporting unaided; **-e naam'woord** noun, substantive **~heid** independence *ook* **onafhank'likheid**

self'sug ego(t)ism, selfishness; greed

selfsug'tig selfish, ego(t)istic; greedy *ook* **self behep**

self: ~verde'diging self-defence *ook* **nood'weer ~verheer'liking** self-glorification; **~verhef fing** self-exaltation; **~verlo'ëning** self-denia **~verne'dering** self-abasement; **~verry'ken** self-enriching; **~versor'gend** self-supporting self-sufficient; *~versorgende boer* subsistenc farmer; **~vertrou'e** self-confidence, poise **~verwyt'** self-reproach

self'voldaan self-satisfied; self-complacent *oo* **selfin'genome**

self'voldoening self-satisfaction

selibaat' celibacy *ook* **on'gehude staat** (R geestelike)

sellulê're telefoon' = **sel'foon**

selluloïed' celluloid

sellulo'se cellulose *ook* **sel'stof**

selons': ~pampoen' hook-necked pumpkir **~roos** oleander

seloot' ..lote zealot, extremist *ook* **dwe'pel fana'tikus**

sel: ~stof cellulose; **~vor'mig** cellular; **~wan** cell wall; **~weef'sel** cellular tissue

semafoor' ..fore semaphore, signalpost *oo* **sein'paal**

semantiek' (s) semantics *ook* **bete'kenislee** (van woorde); **seman'ties** (b) **-e** semantic

se'mel: ~meel pollard; ~s bran; *meng jou met ~s, dan vreet die varke jou* touch pitch and you will be defiled; ~wa'ter bran gruel

sement' cement; ~fabriek' cement factory

semes'ter -s semester, half-year; ~kur'sus semester course; ~punt semester/half-yearly mark

semifinaal' semifinal *ook* half'eindronde (sport)

seminaar' ..are seminar, course, workshop *ook* werk'sessie; slyp'skool

semina'rie -e seminary *ook* kweek'skool (teologies)

Senaat' (s) Senate (previous upper house of SA parliament)

senaat' (s) senate (council of university professors; senior legislative body)

send ge- send; ~brief letter, epistle; ~e'ling missionary; ~er sender; transmitter (person; radio)

sen'ding (s) assignment *ook* op'drag; mission *ook* mis'sie; fei'te~ fact-finding trip/mission; ~genoot'skap missionary society; ~skool mission(ary) school; ~sta'sie mission station

send'stasie -s transmitting station (radio/TV)

seng (veroud.) ge- singe, scorch *ook* skroei *kyk* verseng'

seniel' (b) -e senile; doting *ook* af'geleef, kinds

se'ning -s sinew; ~ga're/~ga'ring sinewy cords along the spine

se'nior (s) -s senior, superior (person); (b) ~ bur'ger senior citizen

senotaaf' ..tawe cenotaph *ook* gedenk'suil

sens -e scythe (for cutting grass, wheat, etc.)

sensa'sie -s sensation *ook* op'spraak; ~pers yellow press; ~roman', ~verhaal' penny horrible, thriller *ook* ril'ler; ~wek'kend sensational *ook* opspraakwek'kend, sensasioneel'

sensasioneel' (b) ..nele sensational, spectacular

sensitief' ..tiewe sensitive *ook* gevoe'lig

sen'sor (s) -s censor (person); (w) ge- censor (a letter or publication); ban (a book or film) *ook* sensoreer', verbied', (af)keur

sensueel' ..suele sensual *ook* sin'lik, vlees'lik

sen'sus -se census *ook* volks'telling

sensuur' censorship; censure; *onder ~ sit/plaas* forbid the use of sacraments (in church); ~raad censureship board

sent -e cent (coin); *wed jou laaste ~* bet your bottom dollar

sen'tenaar -s hundredweight/centiweight

sentiment' -e sentiment *ook* gevoel'; me'ning; ~eel' (b) sentimental, soppy *ook* oor'gevoelig; stro'perig

sen'timeter -s centimetre

sent'meester -s treasurer *ook* pen'ningmeester; tesourier'

sentraal' (b) ..trale central; focal

sentra'le[1] (s) -s power station, generating plant; (telephone) exchange *ook* ska'kelbord

sentra'le[2] (b): ~ sa'kegebied central business district (CBD), downtown (n) *ook* sa'kekern; ~ sluit'ing central locking (car); ~ verwer'-kingseenheid (SVE) central processing unit (CPU) (comp.)

sentraliseer' ge- centralise

sentrifugaal' ..gale centrifugal *ook* middelpunt-vlie'dend

sentripetaal' ..tale centripetal *ook* middelpunt-soe'kend

sen'trum (s) -s, -a centre; complex (of buildings)

se'nuaanval -le nervous attack

senuag'tig = senuweeag'tig

se'nu: ~arts nerve specialist; neurosurgeon; ~-in'storting nervous collapse/breakdown; ~ly'er neuropath; ~pyn nerve pain, neuralgia; ~siek'te neurosis; ~span'ning stress *ook* stres; ~stel'sel nervous system; ~ter'gend nerve-(w)racking, nailbiting *ook* angswek'kend; ~toe'val hysterics

se'nuwee (s) -s nerve; *dit op jou ~s kry* be all nerves/jittery

senuweeag'tig (b) -e nervous; ~heid nervousness

se'nu(wee)stelsel nervous system

separatis' -te separatist (person) *ook* af'skeier

se'pie (s) -s soapie, soap opera (TV) *ook* strooi'sage

Septem'ber September

sep'ter -s sceptre; *die ~/koningstaf swaai* rule (in imperial manner)

septet' -te septet(te) (mus.)

sep'ties (b) septic (wound) *ook* et'terig, besmet'

serafyn' -e seraph (high-ranking angel)

serebraal' cerebral *ook* verstan'delik; ..bra'le gestremd'heid cerebral palsy; ~gestrem' cerebral palsied

seremo'nie -s ceremony *ook* pleg'tigheid

seremonieel' ..niële ceremonial, formal, solemn

seremo'niemeester -s master of ceremonies

serena'de -s serenade (mus. composition)

serfyn' -e harmonium *ook* huis'orrel, trap'orrel

ser'ge/sers'je serge (fabric) *ook* kam'stof

se'rie -s series; ~nom'mer serial number *ook* volg'nommer; ~poort serial port (comp.)

sering' -e lilac (shrub, tree); ~bloei'sel lilac blossom

sermein'peer ..pere (Saint) Germain pear

seroet' -e cheroot, cigar

serp -e scarf, muffler *ook* hals'doek; sash *kyk* tja'lie

sersant' -e sergeant; ~-majoor' sergeant-major (mil. rank)

sertifikaat' ..kate certificate

sertifiseer' ge- certify *ook* waar'merk

se'rum -s serum *ook* ent'stof

servet' -te serviette, napkin; ~ring serviette ring

servies' set; eet~ dinner service (crockery)

serwituut' ..tute claim, servitude *ook* voor'-behoud; *'n ~ lê op* impose a servitude on ses -se six; ~'de -s sixth

ses'sie secession *ook* **af'skeiding, weg'breek**

ses: ~**hoek** hexagon; ~**hoe'kig** hexagonal; ~**kan'=tig** six sided; ~**maan'deliks** half-yearly *ook* **half'jaarliks**

Seso'tho Sesotho, Southern Sotho (language); **Noord-So'tho/Seso'tho sa Leboa** Northern Sotho/Sesotho, Sepedi (language) *ook* **Sepe'=di**

ses'sie -s cession (in law); sitting, session *ook* **sit'ting** (vergadering)

ses'tien -e sixteen; ~**de** sixteenth

ses'tig -s sixty; ~**ste** sixtieth; *op sy* ~**ste** *verjaar(s)dag* on his sixtieth birthday

ses: ~**uur** six o'clock; ~**voud** multiple of six

set (s) -te trick; move; push; putt (golf); *'n slim* ~ a clever move; (w) **ge-** set up (in type); putt (golf)

se'tel (s) -s seat (government); chair; (w) **ge-** reside

set'fout -e printer's error, misprint, literal, (printer's) gremlin *ook* **druk'fout; setsa'tan** (skerts.)

seties' -e schottische (dance)

set'laar -s settler *ook* **ne'dersetter**

set: ~**meel** starch, farina; ~**perk'** (putting) green (golf); ~**pil'** suppository; ~-**set** putt-putt (game) *ook* **tuk-tuk;** ~**ter** compositor (type); putter (golf)

seun -s son, boy; ~**s'agtig** tomboyish (girl); *die verlore* ~ the prodigal son

seur (w) **ge-** nag, worry, bother *ook* **sa'nik;** .~**kous** (s) nagger *ook* **sa'nikpot, kerm'kous**

se'we seven; ~**jaar'tjie** everlasting (flower)

se'wende -s seventh; *die* ~ *hemel* seventh heaven; cloud nine

se'wentien -e seventeen; ~**de** seventeenth

se'wentig -s seventy

sex'y (omgangst.) (b) sexy (infml.)

sfeer (s) **sfere** sphere *ook* **bol; gebied'**

sfe'ries -e spherical *ook* **bol'vormig**

sfinks -e sphinx (Egyptian statue)

shan'dy ..dies (beer) shandy *ook* **lim'bier**

sianied' cyanide (chem.)

sid'der (w) **ge-** shudder, tremble; ~**ing** (s) thrill, shudder

siedaar'! see!; behold!

siek (b) ill, sick, diseased *ook* **ongesteld';** *so* ~ *soos 'n hond* as sick as a dog; ~**bed** sickbed; illness; ~**bed'sjarme** bedside manners (of doctor)

sie'ke -s sick person; patient; invalid; ~**boeg** sickbay; ~**fonds** medical aid fund; ~**rig** unwell, sickly; ~**troos'ter** sick comforter (hist.)

siek'lik (b) ailing, sickly; infirm *ook* **onwel';** ~**heid** sickliness; infirmity *ook* **swak'heid**

siek'te -s illness, sickness; disease; malady;

aansteeklike ~ infectious disease; *besmetlike* ~ contagious disease; *'n* ~ *kry/opdoen* contract a disease; *op* ~*pensioen plaas* board a worker/employee; *slepende* ~ lingering illness; ~**verlof'** sick leave; ~**verskyn'sel** symptom, syndrome *ook* **simptoom', sindroom'**

siel -e soul; mind, spirit; psyche; ~ *en liggaam aanmekaar hou* keep body and soul together; *iem. se* ~ *uittrek* tease the life out of s.o.; *hoe meer* ~*e hoe meer vreugde* the more the merrier; ~**do'dend** stultifying

sie'le: ~**leed** mental suffering, grief; ~**le'we** spiritual life; ~**stryd** mental/emotional strug-gle; ~**tal** number of members (congregation); number of inhabitants (town)

sie'lig (b) -e pitiful *ook* **bejammerenswaar'dig**

siel'kunde (s) psychology *ook* **psigologie'**

sielkun'dig (b, bw) -e psychological; ~ *oorlog=voering* psychological warfare; ~e (s) -s psychologist (person) *ook* **psigoloog'**

siel'loos ..lose soulless, lifeless

siels: ~**angs** (mental) agony; ~**begeer'te** fervent desire; ~**genoot'** soul mate *ook* **gees'genoot**

siel'siek (b) mentally deranged, psychopathic; ~e (s) -s mental patient; psychopath; ~**e'gestig'** mental asylum; ~**e'hospitaal'** mental hospital

siels: ~**verlan'ge** fervent desire; ~**vervoe'ring** ecstasy, trance; ~**vriend(in)** soul mate *ook* ~**genoot';** ~**wroe'ging** soul-searching

siem'bamba (kindert.) (a word denoting a) rocking movement (eg in a lullaby)

sien **ge-** see, look, view, observe; interview; *oor die hoof* ~ overlook (mistakes); pass s.o. over (for promotion); *dis laaste* ~ *van die blikkan=tien* that's the last we'll see of him; *deur die vingers* ~ overlook; connive at

sien'deroë (bw) visibly; *hy word* ~ *maerder* he is growing visibly thinner

sie'ner -s seer; prophet; ~**s'blik/**~**s'oog** prophetic eye

siens'wyse -s opinion, view *ook* **stand'punt, gesig'(s)punt**

sier (w) **ge-** adorn, decorate *kyk* **versier'**

sie'raad ..rade ornament trinket; jewel

sier: ~**adverten'sie** display ad; ~**boom/**~**struik** ornamental tree/shrub; ~**duik** display diving

sier'-er'tjie -s sweetpea *ook* **pronker'tjie**

sier'lik ornamental; elegant, neat, graceful *ook* **swie'rig, fraai;** ~**heid** elegance *ook* **gra'sie**

sier: ~**kus'sing** scatter cushion; ~**rooster** (orna-mental) grid (car); ~**steen** facebrick; ~**struik** ornamental shrub; ~**sui'ker** icing sugar *ook* **versiersuiker;** ~**wa** float (rag) *ook* **vlot;** ~**wa're** fancy goods

sies! (tw) bah!; pooh!; **sies tog!/siestog!** shame!; what a pity! *ook* **foei tog**

siës'ta -s siesta, nap *ook* **mid'dagslapie**

sif (s) **siwwe** sieve; colander *ook* **vergiet';**

filtreer'der; (w) **ge-** sift; **~draad** wire netting, gauze

si'filis syphilis (disease)

sifon' **-s** siphon/syphon *ook* **he'wel** (s, w)

sig (s) sight, visibility; *in* ~ in sight; *op* ~ *stuur* send on appro(val)

sigaar' **..gare** cigar; **~bandversa'melaar** vitolphilist; **~doos** cigar box; **~ko'ker** cigar case

sigaret' **-te** cigarette; **~aan'steker** cigarette lighter; **~as** cigarette ash; **~stom'pie** cigarette butt/end

sig'baar visible *ook* **opval'lend**; **~heid** visibility

sig'blad **..blaaie** spreadsheet (comp.) *ook* **sprei'-blad, werk'blad**

sigeu'ner **-s** gipsy *ook* **swer'wer**

sigorei' chicory (coffee substitute)

sig'rit (s) scenic/sight-seeing drive/trip *ook* **besigtiging(s)toer**

sig'sag zig-zag (turning sharply left and right)

sigself' itself, oneself; *op* ~ *beskou* judge(d) by itself/on its own

sig: **~waar'de** face value *ook* **nomina'le waarde**; **~wis'sel** sight draft/bill

sikadee' **..deë** cycad *ook* **brood'boom**

sik'kel **-s** shekel (Israeli coin; hist. unit of weight)

si'klies **-e** cyclic *ook* **herha'lend**

sikloon' (s) **siklone** cyclone *ook* **wer'welstorm, torna'do**

sikloop' (s) **siklope** cyclop(s) *ook* **een'oogreus** (mitol.)

si'klus **-se** cycle *ook* **kring'loop**

siks'pens **-e** sixpence (obs. SA coin)

silhoeët' (s) **-te** silhouette *ook* **ska'dubeeld**

silikon silicon, silicium; **~vlok'kie** computer chip

siliko'se silicosis (disease) *ook* **myn'tering**

silin'der (s) **-s** cylinder; **silin'dries** (b, bw.) cylindrical *ook* **rond'vormig**

silla'be **-s** syllable *ook* **let'tergreep**

silla'bus **-se** syllabus *ook* **leer'plan**

si'lo **-'s** silo *ook* **kuil'toring; graan'suier**

sil'wer silver; **~boom** silver tree; **~brui'lof** silver wedding; **~doek** (cinema) screen; **~erts** silver ore; **~geld** silver money; **~kollek'te** silver collection; **~myn** silver mine; **~servies'** silver service (tea; table); **~skoon** spotlessly clean *ook* **kraak'netjies; piek'fyn; ~smid** silversmith

simbaal' cymbal (mus. instr.)

simbo'lies **-e** symbolic(al) *ook* **allego'ries**

simboliseer' **ge-** symbolise *ook* **uit'beeld**

simbool' **..bole** symbol, emblem, token *ook* **sin'nebeeld**

simfonie' **-ë** symphony (mus. composition)

sim'kaart **-e** sim card (cellphone)

simmetrie' (s) symmetry *ook* **ewere'digheid**; **~s** (b, bw) **-e** symmetric(al)

simpatie' (s) **-ë** sympathy *ook* **mee'gevoel; empatie';** ~ *met jou verlies* sincere sympathy; **~k** (b, bw) **-e** sympathetic; **simpatiseer'** (w) **ge-** sympathise; condole *ook: meegevoel betuig*

sim'pel (b) simple, silly; plain *ook* **eenvou'dig**

simpo'sium **-s, ..sia** symposium *ook* **seminaar'**

simptoom' **..tome** symptom *ook* **siek'-teverskyn'sel**

simuleer' **ge-** simulate, copy *ook* **na'boots;** pretend, bluff

sin[1] (s) **-ne** sentence

sin[2] (s) **-ne** sense, mind; inclination, meaning; taste, fancy; *in figuurlike* ~ in a figurative sense; ~ *vir humor* sense of humour *ook* **hu'morsin;** *sonder* ~ without rhyme or reason; *sy* ~ *kry* get his way; *teen sy* ~ against his will

sin[3] (w) **ge-** ponder, muse, brood *kyk* **besin'**

sinago'ge **-s** synagogue; s(c)hul (Jewish house of worship)

sinchroniseer'/sinkroniseer' **ge-** synchronise

sin'delik (b) clean, tidy; potty-trained (child); house-trained (domestic animal) *ook* **ka'-merwys; ~heid** cleanliness, tidiness *ook* **net'heid**

sindikaat' **..kate** syndicate *ook* **kartel'; han'-delsgroep**

sindroom' **..drome** syndrome, group of disease symptoms *ook* **siek'tebeeld**

sinds (veroud.) since *ook* **se'dert; ~dien'**(ever) since

sing **ge-** sing; twitter, warble; *'n toon laer* ~ change one's tune; *vals* ~ sing out of tune

sin'gel **-s** crescent; *Brinksingel 15* 15 Brink Crescent

sin'ger **-s** warbler (bird); singer

sing'-sing singing all the while *kyk* **speel-speel, lag-lag**

si'nies **-e** cynic(al) *ook* **sma'lend, sarkas'ties**

si'nikus **-se** cynic (negative person)

sinis'ter (b) **-e** sinister, ominous *ook* **onheilspel'-lend**

sinjaal' **..jale** signal *ook* **sein** (op spoorlyn)

sink[1] (s) zinc; sheet iron, galvanised/corrugated iron

sink[2] (w) **ge-** sink; *sy moed* ~ his courage ebbs; **~dal** rift valley *ook* **slenk'dal; ~gat** sinkhole

sin'kings rheumatic pains, neuralgia (med. condition); **~koors** rheumatic fever

sinkopeer' **ge-** syncopate (mus.: shifting of rhythm)

sink: **~plaat** sheet of galvanised iron; **~salf** zinc ointment

sinkroon'swem synchronised swimming

sin'lik = sin'(ne)lik

sin'loos (b, bw) **..lose** meaningless; senseless; nonsensical; pointless, futile *kyk ook* **sin'-neloos**

sin'nebeeld **-e** symbol, emblem *ook* **simbool';**
~dig **-e** symbolic(al), allegorical

sin(ne)lik (b, bw) sensual, carnal, sensuous *ook*
wellus'tig

sin'neloos (b, bw) senseless, foolish *ook* **dwaas**
kyk ook **sin'loos;** demented, mad

sin'nigheid liking, inclination; *ek het daar geen
~ in nie* I have no inclination (to do this)

sino'de **-s** synod *ook* **kerkverga'dering**

sinoniem' (s) **-e** synonym; (b, bw) **-e** synony=
mous *ook* **een'ders**

sinop'ties synoptic; ~*e (weer)kaart* synoptic
(weather) chart

sin'ryk (b) meaningful *ook* **sin'vol, bete'=
kenisvol**

sinsbedrog (s) delusion; illusion

sins'bou (s) syntax *ook* **sintak'sis**

sin'snede **-s** clause, phrase (from a text) *ook*
fra'se

sins'ontleding analysis (of sentence)

sin: ~speel (w) ge- allude, hint (at); ~spreuk (s)
-e motto, device *ook* **slag'spreuk, leu'se**

sins: ~verband' context; ~wen'ding turn (of
phrase), phrasing, phraseology

sint **-e** saint (holy figure)

sintak'sis (s) syntax *ook* **sins'bou; sintak'ties** (b,
bw) **-e** syntactic(al)

sinterklaas' **..klase** Santa Claus; Father Christ=
mas

sinte'se **-s** synthesis *ook* **sa'mehang**

sinte'ties synthetic(al); ~*e brandstof* synthetic
fuel, synfuel (infml.)

sin'tuig **..tuie** sense organ (smell, taste, etc.);
~lik **-e** sensory

Sint Vi'tusdans St. Vitus' dance, chorea (dis=
ease)

si'nus[1] **-se** sine (math.)

si'nus[2] **-se** sinus (bone cavity)

sin'vol meaningful, significant *ook* **sin'ryk**

Sionis' **-te** Zionist; ~me Zionism (Jewish polit=
ical movement)

sipier' **-e, -s** jailer *ook* **tronk'bewaarder;** turn=
key

sipres' **-se** cypress; ~boom cypress tree

sir **-s** sir (Br. title of honour)

sire'ne **-s** siren; *loeiende ~* screaming siren
(ambulance) ~sang siren's song (of mythol.
temptress)

sir'kel **-s** circle; ~gang circular course; circuit;
~saag circular saw; ~vor'mig circular

sirkoon' zircon (gemstone)

sirkula'sie (s) circulation *ook* **om'loop;** number
of copies printed/sold (newspaper, magazine);
in ~ bring bring/put into circulation;
sirkuleer' (w) ge- circulate *ook* **versprei',
rond'stuur**

sirkulê're (s) **-s** circular *ook* **om'sendbrief**

sir'kumfleks **-e** circumflex *ook* **kap'pie** (^)

sir'kus **-se** circus

sirok'ko **-'s** sirocco (hot North African wind)

sis[1] (s) chintz; print (cotton fabric); ~rok pri
dress

sis[2] (w) ge- hiss; ~klank sizzle; hissing soun
sibilant

sis'sie (omgangst.) **-s** sissy (derog. for wea
man/boy)

sisteem' **..teme** system *ook* **stel'sel**

sistema'ties **-e** systematic *ook* **stelselma'tig**

sit (s) sitting down; *kry jou ~!* do sit down now
(w) **ge-** sit; put, place; *dit ~ in sy bloed* it ru
in his blood; *daar goed in ~* be well-to-do; *
loop ~* chase away; ~ *dit daar neer, assebli*
please put it (down) there

sitaat' (s) **sitate** citation; quotation *ook* **aan=
haling; uit'treksel**

sit: ~bad hip bath; ~bank bench, settee; ~beto=
ging sit-down strike; sit-in

siteer' ~, ge- cite, quote *ook* **aan'haal**

si'ter **-s** zither (mus. instr.)

sit: ~ka'mer lounge *ook* **voor'huis;** drawir
room, sitting room, parlour; ~kie'rie shootir
stick; ~kom (omgangst.) sitcom (infml.
situation comedy

si'to-si'to quickly, hurriedly, in the twinkling (
an eye

sit'plek **-ke** seat, place; ~gor'del seatbelt *o*
rukstopgor'del

sitroen' **-e** citron (kind of lemon); ~suur citr
acid

si'trus citrus (oranges, etc.)

sit'sak **-ke** beanbag

sit-'sit' sitting; sitting for a while; ~ *slaap* slee
in a sitting posture

sit'staking = **sitbeto'ging**

sit'tend (b) **-e** sitting; ~*e lewe* sedentary life

sit'ting **-e, -s** session, sitting *ook* **sessie;** sea
geheime ~ secret session; ~ *hê in 'n kommiss*
be a member of a commission; *volle ~* plenar
session *ook* **vol'sessie**

situasie **-s** situation *ook* **omstan'digheid**
~kome'die situation comedy; sitcom (infml.)

siviel' **-e** civil; *in ~* in mufti; ~*e ingenieur* civ
engineer

sjaal **-s** shawl, wrap *ook* **tja'lie** *kyk* **serp**

sjabloon' **..blone** stencil *ook* **patroon'plaa**
template (comp.)

sjaddap'/sjarrap' (omgangst.) (w) ge- shut u
(infml.); stop talking

sjah **-s** shah (former sovereign of Iran/Persia)

sjampan'je champagne *ook* **bruis'wyn, von**
kelwyn

sjampoe' (s) shampoo (n); (w) ge- shampoo (v

sjarmant' (b) charming *ook* **inne'mend**
bekoor'lik

sjar'me (s) charm; ~skool charm/finishin
school.

ebien'/sjebeen' (s) **-s** shebeen *ook* **taver'ne; ~moles'** tavern brawl

ef -s chef; principal cook (in restaurant) *ook* **mees'terkok**

eik -s sheik (Islamic leader)

er'rie -s sherry (wine)

ibbolet' -te shibboleth *ook* **wag'woord** (Bybel)

iek (b) chic, smart, classy *ook* **spog'gerig, uit'gevat, swie'rig**

ie'ling -s shilling (obs. coin)

impansee' -s chimpanzee (ape species)

ji'na = Chi'na; Sjinees' = Chinees

irurg' = chirurg'

oe'broekie -s scanty-pants; hot pants, mini= pants *ook* **am'perbroekie, ei'nabroekie**

ok'kie (kindert.) **-s** choc(olate) bar

okola'de chocolate *kyk* **sjok'kie;** *blok ~* slab of chocolate

t!/sjuut! hush!; be quiet!

:aad (w) **ge-** damage; harm (one's reputation)

:aaf (s) **skawe** plane (carpenter's tool); (w) plane; chafe; scrape; **~bank** carpenter's bench; **~plek** gall (on horse); abrasion; **~sel(s)** shav= ings

:aai (w) **ge-** pilfer, pinch *ook* **vas'lê, gaps**

:aak[1] (s) chess; *'n potjie ~* a game of chess; **~bord** chessboard; **~mat** checkmate; **~spel** (game of) chess; **~toernooi'/~wed'stryd** chess tournament

:aak[2] (w) **ge-** kidnap, carry off; hijack *ook* **kaap**

:aal (s) **skale** scale, balance; *op groot ~* on a large scale; **~model'** scale model; **~mo'= tortjie/~vlieg'tuigie** remote-controlled model car/aeroplane

:aam (w) **ge-** be ashamed; *~ jy jou nie?* are you not ashamed of yourself?; *die oë uit die kop ~* be terribly ashamed; (b) shy, bashful, timid; **~de'le** genitals, private parts *ook* **geslags'= orga'ne; ~ha're** pubic hair; **~heid** shyness; **~kwaad** (b) self-reproach(ing)

:aam'te shame; shyness, modesty; **~gevoel'** sense of shame; **~loos** shameless; immodest *ook* **blatant'**

:aap (s) **skape** sheep; *'n regte ~* a real idiot; *sy skapies op die droë hê* to be well-provid= ed/well-to-do; **~boer** sheep farmer; **~boer= dery'** sheep farming; **~boud** leg of lamb/ mutton; **~kraal** sheep kraal; **~lam** lamb (sheep); **~luis** sheep tick, ked; **~ooi** ewe; **~ram** ram; **~skêr'** (pair of) shears

:aaps'klere: *(wolf) in ~* (a wolf) in sheep's clothing

:aap: ~stert sheep's tail; **~vel** sheepskin; **~vleis** mutton; **~vrug** Mexican hawthorn; **~wag'ter** shepherd; herdsman; **~wag'tertjie** capped wheatear (bird)

:kaar[1] (s) **skare** (plough) share

skaar[2] (w) **ge-** range, put in array; *hom aan iem. se kant ~* rally round (to s.o.); take s.o.'s part

skaars (b) scarce; scanty; tight (money); (bw) hardly, scarcely; *~ soos hoendertande* very scarce/rare; *hy hou sy lyf ~* he seldom comes; **~te** scarcity, want, dearth *ook* **gebrek'**

skaats (s) **-e** skate; (w) **ge-** skate; **~baan** skating rink; ice rink; **~bord/~plank** skateboard; **~ryer** skater

ska'de[1] (s) shade, shadow *ook* **ska'du(wee)**

ska'de[2] (s) **-s** damage, loss, detriment; *~ aanrig/berokken* cause damage; *ver van jou goed naby jou ~* the master's eye makes the horse fat; *~ ly* suffer a loss; *deur ~ en skande wys word* experience makes fools wise; **~bere'kenaar** assessor *ook* **asses'sor; ~lik** harmful, injurious, noxious; **~loos** without damage(s); *~loos stel* indemnify, reimburse; **~loosstel'ling** compensation, indemnification; **~vergoe'ding** compensation *ook* **kompensa'= sie;** reparation (after war)

ska'du -'s shade, shadow; **~beeld** silhouette; **~boks** shadow boxing; **~net** shadeport; **~ryk** shady; **~sy** dark/shady side, unpleasant part *ook* **ska'dukant, keer'sy**

ska'duwee -s shade, shadow *ook* **ska'de**[1], **ska'= du; ~kant** shady side

skaf'lik (b) reasonable, acceptable; tolerable *ook* **gang'baar, aanvaar'baar**

skag[1] **-te** quill (of feather) *ook* **slag'veer, pen'= veer;** shaft (of arrow)

skag[2] **-te** shaft (in mine); **~del'wing** shaft sinking; **~gra'wer** shaft sinker

skakeer' (w) **~, ge-** tint, shade, variegate

ska'kel (s) **-s** link; shackle; interface (comp.); (w) **ge-** dial (telephone) *ook* **bel;** link; connect; liaise; switch (electr.); **~aar** switch; **~amp'= tenaar** public relations officer, **me'dia liaison** *ook* **me'diaska'kel, pers'beampte; ~bord** switchboard; **~diens/~werk** public relations; **~huis** semi-detached house; **~komitee'** liaison committee; **~toon'** dialling tone

ska'ker[1] **-s** kidnapper; hijacker *kyk* **ka'per** (persoon)

ska'ker[2] **-s** chess player (person)

skake'ring -s, -e tint, shade, variegation *ook* **kleurskik'king**

ska'king (s) kidnapping; hijacking; **~(s)dra'ma** kidnapping/hijacking drama

skalks (b) roguish, waggish *ook* **gui'tig, onnut'sig**

ska'mel[1] (s) **-s** turntable (of bogie, wagon, cart)

ska'mel[2] (b) **-e** meagre, humble, poor; shabby *ook* **arm(oe'dig); ~/karig gekleed** scantily dressed

ska'merig bashful, timid, coy; sheepish

skandaal' (s) **..dale** (public) scandal, disgrace, outrage

skanda'lig (b, bw) disgraceful, outrageous *kyk* **skan'delik**

skan'de (s) **-s** shame, disgrace, dishonour; *skreiende* ~ downright shame; *iem. in die* ~ *steek* put s.o. to shame

skandeer' (w) **ge-** scan (till items; images; poetry) **~der** scanner *ook* **tas'ter**

skan'delik (b, bw) shameful, disgraceful; outrageous *ook* **skanda'lig, aanstoot'lik**

skande'ring (s) scanning *ook* **(af)tas'ting;** scansion (poetry)

Skandina'wië Scandinavia (region); **~r** (s) **-s** Scandinavian (person); **..wies** (b) **-e** Scandinavian (customs, etc.)

skand: **~lys** hall of shame; **~vlek** disgrace, dishonour, stigma; *die ~vlek van die familie* the black sheep of the family

skans -e rampart, bulwark; trench (warfare)

ska're (s) crowd, multitude, host; mob *ook* **me'nigte;** **~versper'ring** crush barrier (during riots)

skarla'ken scarlet; **~koors** scarlatina, scarlet fever; **~rooi** scarlet

skarmin'kel -s scrawny/bony person/animal; unpleasant/untrustworthy person

skarnier' (s) **-e** hinge; joint; (w) **ge-** hinge

skar'rel (w) **ge-** rummage, search, ransack; scatter; **~tyd** panic stations

skat[1] (s) **-te** treasure; wealth; darling, dearest

skat[2] (w) **ge-** estimate *ook* **takseer';** **raam** (w); assess, appraise; *die waarde te hoog/laag* ~ overestimate/underestimate the value

ska'ter (w) **ge-** burst out laughing; roar with laughter; **~lag** (s) roaring laughter

skat: **~kis** treasury, exchequer; **~mees'ter** treasurer *ook* **pen'ningmeester, tesourier';** **~ryk** very/stinking rich

skat'tebol: *my* ~ my darling/sweetie(pie)

skat'tejag (s) treasure hunt

skat'tig (b) dear, lovely, sweet *ook* **dier'baar, lieftal'lig**

skat'ting (s) estimate, assessment *ook* **(be)ra'ming;** tax; *volgens* ~ approximately; *globale* ~ global estimate

skavot' -te scaffold (for executions)

ske'de -s sheath, scabbard (for sword); vagina (anat.)

ske'del -s skull, cranium *ook* **hars'pan;** **~breuk** fracture of the skull; **~hol'te** cranial cavity

skedu'le (s) **-s** schedule; **skeduleer'** (w) **ge-** schedule, enter

skeef crooked, wry, slanting; distorted; *iem.* ~ *aankyk* give s.o. a black look; *sake loop* ~ matters are going wrong; ~ *voorstel* misrepresent, slant

skeel[1] (w) **ge-** matter, lack, ail, be wanting; *wat kan dit my* ~*?* what does it matter to me?

skeel[2] (b) squinting; **~hoof'pyn** migraine *ook* **mig'raine;** **~oog'** squint-eyed person, squinter

skeen (s) **skene** shin *ook* **ma'ermerrie;** *'n blou kry* be refused; **~hou** shank (golf)

skeeps: **~beman'ning** crew; **~bou** shipbuilding; **~joernaal'** daily journal (on ship), logbook *ook* **log'boek;** **~kaptein'** ship's captain, skipper; **~la'ding** cargo; **~redery'** shipping line; **~reg** maritime law; *drie maal is* ~*reg* third time successful; **~ruim** ship's hold; **~werf** dockyard, shipyard

skeep'vaart (s) shipping; navigation

skeer[1] (w) **ge-** graze; skim (over water); **~boot** hydrofoil, jetfoil craft; **~tuig** hovercraft *ook* **kus'singtuig**

skeer[2] (w) **ge-** shave; shear; trim, cut; *die gek met iem.* ~ make fun of s.o.; **~bekmuis'** dwarf shrew; **~der** shaver (person, machine); **~hok** shearing pen; **~kwas** shaving brush; **~lem** razor blade; **~mes** razor; *'n tong soos 'n* ~*mes* a tongue like a razor; **~riem** strop; **~seep** shaving soap

skeet (s) **skete** imaginary ailment; whim, caprice; *vol skete* have all kinds of ailments

skei[1] (s) **-e** yoke pin; skey (SAE) *kyk* **juk'skei**

skei[2] (w) **ge-** part, separate; divide, sever, disconnect; divorce *kyk* **eg'skeiding;** *van tafel en bed ge~* be separated/divorced from bed and board

skei'ding -s, -e parting, separation; partition; boundary; division; **~s'pakket'** severance package; redundancy payment *ook* **uit'treepakket'**

skeids: **~lyn** boundary, dividing line *ook* **grens;** **~muur** partition wall; barrier; **~reg'ter** referee, umpire; arbitrator

skei'kunde chemistry *ook* **chemie'**

skeikun'dig (b) chemical; **~e** (s) **-s** chemist, analyst (person)

skel[1] (w) scold, rebuke *ook* **uit'skel, slegsê**

skel[2] (b) shrill; harsh; **~klin'kend** (b) shrill (sound); harsh (tone of voice); **~pienk** shocking pink

skeld'woord -e invective, abusive word *ook* **vloek'woord**

skelet' -te skeleton *ook* **geraam'te, gebeen'te**

skel'lak shellac *ook* **gom'lak**

skelm (s) **-s** crook, rogue; rascal; (b) sly, sneaky *ook* **lis'tig, slu;** knavish; *so* ~ *soos die houtjie van die galg* very cunning/wily

skelm'pies/skelm'-skelm' unobserved, furtively, stealthily

skelm: **~streek/~stuk** scam, mischievous/underhand trick *ook* **bedrog(spul)**

skel'taal (s) cursing, swearing

skel'vis haddock, whitefish

ske'ma -s scheme; sketch, outline *ook* **skets, plan**

ske'mer (s) twilight, dusk; (w) **ge-** grow dusky

glimmer; **~aand** twilight; **~don′ker** dusk; **~kel′kie** sundowner, cocktail; **~kroeg** cocktail bar; **~onthaal′** cocktail reception; **~party′** cocktail party

kend (w) **ge-** violate, desecrate *ook* **skaad, aan′tas;** mutilate, disfigure; *sy goeie naam ~* blot/tarnish his good name; **~er** (s) **-s** violator, transgressor (person); **~ing** breach, violation (of privacy); infringement; desecration (of graves)

kenk (w) **ge-** give, endow, present, grant

ken′kel/skin′kel -s shank; thigh; femur

kenk: ~er donor *ook* **donateur′;** sponsor; **~ing** donation, grant, contribution; endowment *ook* **na′latenskap**

kep[1] (s) **-pe** scoop; spoonful; spadeful; (w) **ge-** scoop; ladle/dish up (into a plate); draw, dip out (water); *sy het gaan water ~* she has gone to fetch water (from a stream/dam); *behae ~ in* take pleasure/delight in; *moed ~* take courage

kep[2] (w) **ge-, geskape** create; *~pende werk* creative work; creativity; *God het hemel en aarde geskape* God created the heavens and the earth (Bible); *die kunstenaar het 'n nuwe werk geskep* the artist has created a new work

kep′doel -e drop goal (rugby)

ke′pie -s small boat/vessel/ship

kep′per (the) Creator, (the) Almighty (God)

kep′ping creation *ook* **begin′, oor′sprong**

kep′pings: ~drang creative urge; **~krag** creative energy; **~vermoë** creative power/ability

kep′rat -te paddle (wheel) *ook* **skep′wiel**

kep′sel -s creature, human being, man

kep′skop -pe drop (kick) (rugby)

kep′ties -e sceptical, dubious *ook* **ongelo′wig;** cynical *ook* **si′nies**

kep′tikus -se, ..tici sceptic *ook* **twy′felaar** (persoon)

kêr -e (pair of) scissors; (pair of) shears

kerf (s) **skerwe** shard, morsel, bit; *die vaas lê in skerwe* the vase is in pieces/smithereens

ke′ring warp; *~ en inslag* warp and woof (weaving)

kerm[1] (s) **-s** protection; curtain, screen; *agter die ~s* behind the scenes; **~spaar′der** screen saver (comp.)

kerm[2] (w) **ge-** fence, spar, parry; *hy ~ vir homself* he is defending his own interests; **~drag** protective clothing *ook* **glim′drag, ~kuns** (art of) fencing; **~maat** sparring partner (boxing)

kermut′seling -e, -s skirmish (brief battle); brush, encounter

kerp (b) sharp; keen, acute, poignant, caustic; *'n ~ antwoord* a cutting reply; *~ van gehoor wees* have a quick ear; *'n ~ verstand* a keen intellect

kerpioen′ -e scorpion (arachnid with poisonous tail)

skerp: ~puntammuni′sie live ammunition *ook* **skerppuntkoe′ëls; ~reg′ter** (veroud.) executioner, hangman *ook* **beul; ~sien′de** sharp-sighted, eagle-eyed

skerpsin′nig (b, bw) sharp-witted, canny (person); **~heid** acumen, mental alertness

skerp′skutter -s sniper, sharpshooter

skerp′te sharpness; acerbity, harshness

skerts (s) fun, joke; legpulling *ook* **gek′skeerdery;** (w) **ge-** jest, joke *ook* **kors′wel/kors′wil, gek′skeer; ~end** joking, jesting; jocular

skets (s) **-e** sketch, (rough) draft; (w) **ge-** sketch; draw roughly; depict, portray *ook* **uit′beeld;** *in breë trekke ~* sketch in broad outline; **~boek** sketchbook

sket′ter (w) **ge-** blare, trumpet; bluster, brag

skeur (s) **-e** tear, rent; crack, fissure; (w) **ge-** tear, rent, rip; *die wêreld ~* run like blazes; **~buik** scurvy (disease, hist.); **~ing** division; rupture; split; **~kalen′der** tear-off calendar; **~stro′kie** tear-off slip

skeut -e shoot (of tree); sprig; dash (of brandy)

ske′webek wry face; *~ trek* pull faces

ski -'s ski; (w) **ge-** ski; *gaan ~* go skiing; **~boot** skiboat; **ski′ër** (s) **-s** skier (person)

skie′lik sudden(ly), quick(ly), unexpected(ly) *ook* **plot′seling; ~eba′basterfte-sindroom′ (SBSS)** sudden infant death syndrome (SIDS)

skiem (omgangst.) (w) **ge-:** *ek ~ dis die beste* I think it's the best

skier′eiland -e peninsula

skiet[1] (s): *~ gee* give more rope

skiet[2] (w) **ge-** shoot, fire; snipe; dart; blast; bag (game, during hunt); *geld ~* lend/advance money; *te kort ~* left wanting; *met spek ~* tell tall stories

skiet[3] (omgangst.) (w) **ge-** invite/ask (a partner to a party); shoot (ball to goal posts soccer); shoot/capture (on film); apply (for a job)

skiet: ~baan rifle/shooting range; **~ery** shoot-out (n) *ook* **skiet′geveg; ~gebed′** hurried prayer; **~geveg′** shoot-out; **~katoen′** guncotton; **~lood** plummet (for measuring vertical drop); **~lus′tig** trigger-happy, gun-toting *ook* **snel′lermal**

skiet: ~oe′fening target shooting, bisley, rifle practice; **~sertifikaat′** blasting certificate (mining); **~sta′king/~stil′stand** cease-fire; **~stoel** ejection seat (fighter plane); **~terrein′** shooting range, rifle range; **~tog** shooting expedition *ook* **jag′tog; ~vere′niging** rifle club; **~wed′stryd** bisley

skif ge- curdle (milk); sift, divide

ski′spring ski jumping

skik[1] (s) liking, pleasure; *in jou ~/noppies wees* be delighted; pleased as Punch

skik[2] (w) **ge-** arrange, order; settle; yield; *jou ~*

na omstandighede adapt oneself to circum‹ stances; *die saak is (in der minne) ge~* the matter has been settled/solved (amicably)

skik: **~king** arrangement; agreement, settlement *ook* **ooreen'koms, akkoord'**; **~plan** settlement plan; **~lik** accommodating *ook* **inskik'lik, meegaan'de** (persoon); **~tyd** flexitime/flex‹ time, staggered (working) hours

skil (s) **-le** peel, skin, shell, rind; (w) **ge-** peel; skin; *'n appeltjie met iem. ~* pick a bone with s.o.

skild -e shield; buckler; aegis; *iets in die ~ voer* have something up one's sleeve

skil'der (s) **-s** painter (artist) *kyk* **ver'wer**; (w) **ge-** paint

skilderag'tig (b, bw) picturesque *ook* **kleur'ryk**

skil'der: **~doek** canvas; **~kuns** (art of) painting; **~kwas** paint brush; **~(s)e'sel** painter's easel; **~skool** school of painting; school/group of painters; **~stuk** picture, painting

skildery' -e painting, canvas; picture

skild: **~klier** thyroid gland; **~knaap** shieldbearer (hist.); **~vel** rawhide shield; **~wag** sentry, guard *ook* **brand'wag**

skil'fer (s) **-s** dandruff; flake; scab, scale; (w) **ge-** flake, give off scales

skil'pad (s) **..paaie** tortoise (on land); turtle (in water); **~dop** tortoise shell; **~trek** tug-of-war *ook* **tou'trek**

skim -me shadow; apparition, phantom; *'n ~ najaag* chase shadows

skim'mel[1] (s) **-s** grey/dappled horse

skim'mel[2] (s) mould, mildew; fungus; (w) **ge-** mould, grow musty; **~ag'tig** mouldy, musty; **~plant** filamentous fungus

skim'me: **~ryk** realm of shades, Hades; **~spel** phantasmagoria

skim'patrollie -s ghost squad (police)

skimp (s) **-e** taunt *ook* **belas'tering;** mockery, gibe, jeer, scoff; *~e gooi* throw hints; *met ~e oorlaai* heap abuse on; (w) **ge-** mock, gibe, jeer, scoff, revile; **~dig** satire; **~dig'ter** satirist; **~skoot** gibe, taunt, quip

skim'skrywer -s ghost writer/author

skin'der (w) **ge-** gossip, slander, backbite *ook* **sleg'sê; kwaad'stook; ~bek** (s) **-ke** gossiper, slanderer; **~praa'tjies** gossip, slanderous talk

skink ge- pour, serve; *koffie ~* pour coffee; **~bord** tray, salver; **~juf'fie** (omgangst.) bar‹ maid *ook* **tap'ster; ~ta'fel** sideboard

skin'kel = sken'kel

ski-oord -e ski resort

skip (s) **skepe** ship, vessel, boat; skip (mining); **~breuk** shipwreck; **~breuk ly** be wrecked; **~breu'keling** shipwrecked person; castaway

skip'per -s captain, skipper; skip (bowls)

skippie -s small boat/vessel/ship

ski'roei paddle skiing; **~er** paddle skier (person)

skisofrenie' (s) schizophrenia (mental illness)

skit'ter ge- glitter, shine, sparkle; *~ deur jo afwesigheid* be conspicuous by one's absence **~end** brilliant, sparkling, radiant; splendid *oo* **stra'lend; uitmun'tend, voortref'lik** (presta sie); **~ing** radiance, sparkle; **~we'rend** antr dazzle

skittery' (vulg.) diarrhoea (animal); **woord** verbal diarrhoea *ook* **woor'depraal**

skob'bejak -ke rascal, scoundrel, rogue, lou son of a bitch *ook* **gom'tor, swer'noot vrek'sel, blik'sem**

skoei ge- shoe; tread (tyre); *op dieselfde lees* cast in the same mould; **~sel** footwear

skoen -e shoe; boot; (mv) footwear; *wie die pas, kan dit aantrek* if the cap fits, you ma wear it; *die stoute ~e aantrek* pluck up courag (to do something)

skoe'ner -s schooner (sailing ship)

skoe(n)'lapper -s butterfly (insect) *ook* **vlin'de**

skoen: **~lees** (boot) last; **~ma'ker** cobble shoemaker; *~maker, hou jou by jou lee* cobbler, stick to your last; **~poet'ser** shoe shine(r); **~riem** (leather) shoelace; **~smee** boot polish; **~ve'ter** shoelace; **~waks** bo polish

skof[1] (s) **skowwe** hump, shoulder (ox) *ook* **rug** deel

skof[2] (s) **-te** shift *ook* **werk'beurt;** lap, stage

skof'fel (s) **-s** hoe; (w) **ge-** clear (weeds), hoe dance; **~pik** hoe, tiller; **~ploeg** cultivator

skok (s) **-ke** shock; fright; (w) **ge-** shock **~beton'** reinforced concrete; **~bre'ker/~dem per** shock absorber; **~granaat'** stun grenade percussion bomb

skokiaan' skokiaan (potent drink)

skok'kend shocking, appalling, outrageous *oo* **aak'lig, afgrys'lik**

skol[1] **-le** plaice (fish)

skol[2] **-le** floe (ice layer) *ook* **ys'skots**

skolas'ties -e scholastic *ook* **akade'mies**

skolier' -e scholar, pupil *ook* **leer'ling, leerder** student; **~patrol'lie** scholar patrol (traffic)

skol'lie -s hooligan, thug; skollie

skom'mel ge- rock, shake, swing, wobble fluctuate; **~diens** shuttle service *ook* **pen' deldiens; ~ing** fluctuation, variation; **~stoe** rocking chair *ook* **wieg'stoel**

skon -s scone *ook* **bot'terbroodjie**

skool[1] (s) **skole** school; *die ~ sluit* the schoo breaks up; *op ~* at school; (w) **ge-** train; *ge~d arbeid* skilled labour

skool[2] (s) **skole** shoal; *~ visse* shoal of fish

skool: **~bank** desk, form (classroom); **~besoek** attendance (at school); **~biblioteek'** schoo library *ook* **me'diasentrum; ~blad** schoo magazine/journal

skool: **~gaan** (w) **-ge-** go to school; *sy het o*

Klerksdorp skool gegaan she went to school/ was educated at Klerksdorp

skool: ~geld (s) **-e** school fees; **~gereed'/~ryp** ready/ripe for school; **~hoof** school principal, headmaster *ook* **prinsipaal'; ~hou** (w) **-ge-** teach; **~inspekteur'** school inspector *ook* **superintendent'; ~ker'mis** school bazaar; **~kind** schoolchild, pupil, learner; **~mees'ter** schoolmaster, teacher

skoolmeesterag'tig (neerh.) (b) pedantic, conceited *ook* **pedan'ties**

skool'plig compulsory schooling/education; **~tig** (b) of schoolgoing age

skool: ~sok'kie (s) casual school dance; **~tug** school discipline; **~verla'ter** school leaver; **~woor'deboek** school dictionary

skoon[1] (b) clean, *ook* **sin'delik, sui'wer;** tidy *ook* **net'jies;** beautiful; *die skone geslag* the fair(er) sex; *~ gewete* clear conscience; *~ stelle* straight sets (tennis)

skoon[2] (bw) quite, altogether; neat (drink); *~ vergeet* forget/forgot completely

skoon'dogter -s daughter-in-law

skoon'heid[1] (s) **..hede** a beauty *ook: mooi/ aanvallige meisie;* **~salon'** beauty parlour

skoon'heid[2] (s) cleanliness *ook* **net'heid**

skoon'heids: ~(des)kun'dige beautician; **~koningin'** beauty queen

skoon: ~maak (s) cleaning; (w) **-ge-** clean; **~ma'ker** cleaner; **~moe'der** mother-in-law; **~ou'ers** parents-in-law; **~seun** son-in-law; **~skip:** *~ maak* make a clean sweep; **~skrif** calligraphy, copybook writing *ook* **kalligrafie';** **~sus'ter** sister-in-law; **~va'der** father- in-law

skoon'vang (s, w) mark (rugby)

skoon'veld (s) fairway (golf); (b) clean gone, out of sight

koor (s): *~ soek* look for trouble; **~soe'ker** troublemaker, rabble-rouser *ook* **ru'siemaker, aan'hitser**

koor'steen ..stene chimney (house), smoke stack (factory); funnel (ship), flue; *soos 'n ~ rook* smoke like a chimney (said of a smoker); **~man'tel** mantelpiece; **~ve'ër** chimney sweep

koor'voetend (bw) reluctantly, hesitatingly *ook* **aar'selend; halfhar'tig**

koot[1] (s) **skote** shot, report (of gunshot); *die ~ hoog deur hê* be intoxicated; *mooi ~!* well done!; *skote Petoors!* well done!

koot[2] (s) **skote** lap, bosom; fold; sheet (ship); *met die hande in die ~* with folded arms; **~hondjie** lapdog; **~re'kenaar** laptop (comp.)

kop (s) **-pe** kick; (w) **ge-** kick; recoil (rifle); **~boks** kickboxing; **~graaf** shovel

koppelmaai'(er) -s swing *ook* **swaai**

kop'pe(n)aas ace of spades (cards)

kop'pens spades (cards)

kor (b) hoarse, husky (voice) *ook* **hees**

skorriemor'rie -s rabble, riff-raff, hooligans *ook* **gespuis', hoi'polloi**

skors[1] (s) **-e** bark *ook* **bas** (van boom)

skors[2] (w) **ge-** suspend (from school, membership); **~ing** suspension

skor'sie (s) gemsquash *ook* **lemoen'pampoentjie**

skort (w) **ge-** postpone *kyk* **op'skort;** hinder; ail, lack, be wanting/missing *ook* **makeer';** *wat ~ daar?* what is the matter there?

Skot (s) **-te** Scotsman, Scot; **~land** Scotland; **~s** (b) **-e** Scottish, Scots (customs, etc.)

skot'tel[1] (s) **-s** dish; basin; **~goed** dishes, crockery; **~goedwas'ser** dishwasher *ook* **op'-wasser; ~goedwa'ter** slops; dishwater; pigwash; **~ploeg** disc plough

skot'tel[2] (s) **-s** satellite dish (TV); (w) **ge-:** *hy ~ na Japan* he switches (by satellite TV) to Japan

skot'vry scotfree, unpunished; untouched

skou -e show, exhibition; (w) **ge-** exhibit; view, inspect; *hy ~ sy hoenders* he puts his chickens on show

skou'burg -e theatre, playhouse; **stad~** civic theatre

skou'er -s shoulder; *die ~s ophaal* shrug the shoulders; **~been** collarbone *ook* **sleu'telbeen; ~breuk** fracture of the shoulder

skou: ~huis show house *ook* **toon'huis, kyk'-woning; ~put** manhole *ook* **inspek'sieput**

skou'spel (s) spectacle; display *ook* **verto'ning, tafereel'; ~ag'tig** (b) spectacular, sensational *ook* **asemro'wend**

skou'spring (s) show jumping *ook* **rui'tersport**

skraag (w) **ge-** prop, support, buttress up *ook* **stut, steun; ~do'sis** booster dose (med.); **~in'spuiting** booster injection (med.)

skraal (b) meagre, thin, scanty; bleak; *~ oes* poor harvest; *~ wind(jie)* bleak/cutting wind

skraap (s) **skrape** scratch; (w) **ge-** scrape, scratch; *raap en ~* pinch and scrape; **~sel** scrapings; **~sug** avarice, greed *ook* **heb'sug**

skram (s) **-me** scratch, scar; (w) **ge-** skim, graze; **~s** (b, bw) grazing(ly); *hy is ~ geraak* he received a glancing wound; **~skoot** (s) **..skote** grazing shot; graze

skran'der (b) bright, brainy; ingenious, clever *ook* **knap, slim;** *~ leerder* bright learner

skrap ge- erase; delete; strike off; *van die lys ~* remove/delete from the list; *~ waar nodig* delete which is not applicable; **~nel'** shrapnel; **~ping** deletion, cancellation

skra'per -s grader (road)

skraps (b) poorly, scarcely, skimpy *ook* **ka'rig, onvoldoen'de;** *~ gekleed* scantily dressed

skre'de -s step, tread, stride, pace; *met rasse ~* with rapid strides

skreef (s) **skrewe/skre'fie -s** little opening, jar; chink; *die deur staan op 'n ~* the door stands ajar

skre′ëry/skreeu′ery screaming, shouting

skree(u) (s) **skreeue** shout, scream, cry; (w) **ge-** scream, cry, shout; *moord en brand* ~ cry blue murder; ~ *soos 'n maer vark* squeal like a pig; **~ba′lie** crybaby *ook* **huil′balie, tjank′balie; ~le′lik** (b, bw) very ugly; **~snaaks** hilariously funny

skrei′end: ~*ende onreg* glaring injustice; ~*ende skande* downright shame

skri′ba -s secretary of church council; copyist of Medieval texts; scribe

Skrif: *die Heilige* ~ the Scriptures, Holy Writ *ook* **By′bel;** **~le′sing** prayers; reading of the lesson (from the Bible)

skrif (s) handwriting; **-te** exercise book *ook* **skryf′boek;** **~geleerd′** educated; cunning, crafty, foxy; ~*geleerd wees* be a sly fox; **~geleer′de** learned person; scribe; **~telik′** written, in writing; ~*telike eksamen* written examination

skrik (s) fright, terror; *iem. die ~ op die lyf jaag* give s.o. a fright; (w) **ge-** be startled, be frightened; *hy het groot ge~* he got a big fright; **~beeld** scarecrow, bogey/bogy, bugbear *ook* **paai′boelie; ~bewind′** reign of terror

skrik′keljaar ..jare leap year; *so elke* ~ once in a blue moon

skrik: ~kerig nervous, jumpy; skittish; **~maak** (w) **-ge-** frighten, startle, scare; **~wek′kend** frightening; alarming, terrifying *ook* **ontstel′= lend, angswek′kend**

skril (b, bw) shrill, piercing *ook* **skel;** glaring

skrobbeer′ ~, **ge-** rebuke, reprimand *ook* **beris′= pe, tereg′wys; skrobbe′ring** (s) **-s, -e** scolding, reprimand; lecture *ook* **preek;** dressing down

skroef (s) **skroewe** screw, vice; propeller (aircraft); (w) **ge-** screw; **~bank** vice bench; **~bout** screw-bolt; **~draad** (screw) thread; **~sleu′tel** shifting spanner

skroei (w) **ge-** scorch, burn, singe, sear; *ge~de/ver~de aarde* scorched earth

skroe′wedraaier -s screwdriver

skroom (s) timidity, modesty; (w) **ge-** hesitate, be shy; **~lik/skro′melik** terribly, sorely; *jou ~lik vergis* be sorely mistaken

skroot grapeshot; scrap, scrap iron; **~han′delaar** scrap dealer; **~werf** scrapyard *ook* **wrak′werf**

skrop (s) **-pe** (dam) scraper; (w) **ge-** scrub; scrape (dam); **~be′sem** hard broom; **~bor′sel** scrubbing brush; **~hoen′der** free-range chicken *ook* **werf′hoender; ~vrou** char, house cleaner

skrum (s) **-s** scrum (rugby); (w) **ge-** scrum; **~ska′kel** scrumhalf

skryf **ge-** write *ook* **skry′we;** *met ink* ~ write in ink; **~behoef′tes** (mv) stationery, writing materials *ook* **~ware, ~goed; ~blok** writing pad; **~boek** exercise book; writing pad; **~fou** mistake in writing, slip of the pen; **~goed** stationery; **~naam** penname *kyk* **skuil′naam; ~papier′** writing paper; **~skool** school o (creative) writing; **~taal** written language **~ta′fel** writing table, desk *ook* **les′senaar ~wa′re** stationery

skry′nend: ~ *pyn* smarting/excruciating pain

skryn′werk joinery; carpentry; **~er** (s) **-s** joiner carpenter

skry′we[1] (s) **-s** letter; official communication

skry′we[2] (w) **ge-** write *ook* **skryf**

skry′wer -s writer, author *ook* **outeur′**

sku (b) **-(w)er, -uste** shy, timid

sku′ba scuba *ook* **wa′terlong; ~dui′ker** scuba diver

skub (s) **-be** scale; (b) **~ag′tig** scaly

skud ge- shake; shuffle; *hy ~ soos hy lag* he i convulsed with laughter; *kaarte* ~ shuffle the cards; **~ding** shaking; tremor *kyk* **aard′skud ding; brein~ding** concussion

skug′ter (b) shy, bashful, timid *ook* **skroomval′ lig, ska′merig, bedees′**

skuif (s) **skuiwe** slide, bolt; move; puff (pipe) (w) **ge-** shove, move, push *ook* **skui′we;** *di skuld op 'n ander* ~ lay the blame on s.o. else **~deur** sliding door

skui′fel ge- shuffle (when walking); slide

skuif: ~klep slide valve; **~leer** extension ladder **~meul(e)** noughts and crosses (game); pre text, excuse; *hy het altyd 'n ~meul(e)* he always has an excuse; **~raam** sash window **~speld** paperclip; **~trompet′** trombone, slide trumpet

skuil ge- hide, take shelter; *daar* ~ *iets agte* there is more to it than meets the eye; ~ *teen (die vyand)* take cover; **~gaan** hide, lurk; **~ho** (w) **-ge-** lie low; **~ing** shelter, cover *ky* **motorskui′ling;** **~kel′der** air-raid shelter **~naam** pseudonym, nom de plume *oo* **skryf′naam; ~plek** hideaway, hide-out, retrea

skuim (s) foam, scum, froth; *die ~ staan op s mond* he is foaming at the mouth; *die ~ va die volk* the rabble; (w) **ge-** foam; **~rub′be** foam rubber; **~spaan** skimmer; **~wyn** spark ling wine *ook* **von′kelwyn**

skuins (b, bw) sloping, slanting, oblique askance; ~ *lê* take a nap; ~ *oorsteek* cros diagonally; **~oor** (b) diagonally/obliquel opposite; **~streep** slash (/) (printer) *oo* **solidus, balk**

skuit -e (small) boat *ook* **boot(jie)**

skui′wergat -e drainhole, weephole (for water) loophole (gaps/flaws in laws and regulations

skuld -e debt; fault; guilt; *agterstallige* ~ arrears ~ *beken* admit/confess guilt; *dis jou eie* ~ yo have only yourself to blame; *oninbare/dooie* ~ bad debts; (w) **ge-** owe; **~beken′tenis** confes sion of guilt; **~besef'** sense of guilt; **~bewus'** conscious of guilt; **~bewys'** note of hand; IOU; **~brief** debenture *ook* **obliga'sie**; **~del'ging** debt redemption; **~ei'ser** creditor *ook* **krediteur'**; **~e'naar** debtor *ook* **debiteur'**; **~erken'ning** admission of guilt

skul'dig -e guilty; convicted *ook* **gevon'nis**; culpable; *hy is ~ bevind aan ...* he was found guilty of ...; *~ aan 'n misdaad* guilty/convicted of a crime; **~e** guilty/convicted person; culprit, offender

skuld: ~in'vordering debt collection; **~vergif'nis** remission, pardon (of debt, sin); **~vergely'king/~verre'kening** set-off; **~wis'sel** bill payable *ook* **betaal'wissel**

skulp -e shell, conch; *in sy ~ kruip* sing small; **~slak** snail; **~vis/~dier** shellfish

skun'nig (b) **-e** shabby *ook* **toiingrig, versle'te**; mean; obscene (joke)

skurf (b) scabby; rough; chapped (hands); dirty, smutty (joke)

skurf'te (s) scabies (human skin infection); mange (animal disease)

skurk -e rascal, rogue, villain, scoundrel, thug

skut[1] (s) **-s** marksman, rifleman, shot *ook* **skut'ter**

skut[2] (s) **-te** protection; guard; pad (cricket); (w) ge- protect, shield

skut[3] (s) **-te** (animal) pound; (w) ge- impound

skut'blad ..blaaie flyleaf, endpaper (of book)

skut: ~geld poundage; **~kraal** pound; **~mees'ter** poundkeeper

skut'ter -s = **skut**

kuur[1] (s) **skure** barn, shed *ook* **pak'huis**; hangar (aircraft)

kuur[2] (w) ge- rub, scour; **~papier'** sandpaper, emery paper

kyf (s) **skywe** slice; disk/disc (comp.); quoit; target; quarter (of an orange); **~(aan)dry'wer** disk drive (comp.); **~bedryf'stel'sel** disk operating system (DOS) (comp.); **~ie** film slide; disk/disc (sticker); **~ie'verto'ning** slide show; **~lêer** disk file (comp.); **~let'sel** slipped disc *ook* **verskuif'de wer'wel**; **~spa'sie** disk space (comp.); **~skiet** shoot at targets; rifle practice

kyn (s) light, glow; appearance; pretence *ook* **voor'wendsel, dek'mantel**; *~ bedrieg* appearances are deceptive; *onder die ~ van* under the guise of ...; (w) ge- shine; seem, appear; *soos dit ~* it would seem; **~aan'val** mock attack

kyn'baar (b, bw) apparent(ly) *ook* **oënskyn'lik**; seemingly *kyk ook* **blyk'baar** (bw)

kyn: ~beeld phantom; **~dood** (s) apparent death, suspended animation; (b) seemingly dead; **~geveg'** mock/sham fight

kynhei'lig sanctimonious; hypocritical *ook* **vals, huigelag'tig**; **~heid** hypocrisy, bigotry, sanctimony *ook* **huigelary'**

skyn: ~hof'saak mock trial; **~hoof** figurehead; **~sel** light glow, shine; **~we'tenskap** pseudoscience

slaaf (s) **slawe** slave; (w) ge- slave, drudge, toil *ook* **sla'we** (w)

slaafs (b) slavish, servile *ook* **onderwor'pe, gedwee'**

slaag ge- succeed; pass; **~punt** passmark

slaags fighting; *~/handgemeen raak* come to blows

slaai -e salad; lettuce *kyk* **blaar'slaai**; *in iem. se ~ krap* meddle with s.o. else's girl; **~o'lie** salad oil; **vrug'te~** fruit salad; **~sous** salad dressing

slaak ge- heave, breathe; *'n sug (van verligting) ~* heave a sigh (of relief)

slaan ge- beat, strike; *'n slag ~* make a killing, strike a bargain (in a business transaction); *uit die veld ~* disconcert, embarrass; *op die vlug ~* take to flight; **~ding** cane, something to hit with; **~krag** punch, punching power; **~sak** punchbag (also fig.)

slaap[1] (s) slape temple (anat.: area between ear and forehead)

slaap[2] (s) sleep; *aan die ~ raak* fall asleep; (w) ge- sleep; slumber; *~ soos 'n bees/os* sleep like a log; *jy kan maar gaan ~* forget about it; **~bank** bunk (railway); **~deun'tjie** lullaby *ook* **wie'geliedjie**; **~dop** nightcap (drink); **~drank** sleeping draught; sopofic; **~ka'mer** bedroom; **~kle're** pyjamas *ook* **paja'mas**; **~mid'del** sleeping pill; sopofic; **~mus** nightcap (obs.); **~plek** sleeping place/accommodation; **~saal** dormitory; **~sak** sleeping bag; **~siek'te** sleeping sickness; lethargy; **~tyd/sla'penstyd** bedtime; **~wan'delaar** somnambulist, sleepwalker

sla'e thrashing, hiding; *pak ~* thrashing

slag[1] (s) **slae** battle *ook* **veld'~**; loss; box (on the ears), lash; beat (pulse); clap (thunder); trick (cards); blow, stroke; time; *~ bied* face the bowling (cricket); *'n ~ hê* have the knack/know-how of doing something; *op ~ dood* killed instantly; *'n ~ slaan* make a killing, strike a bargain (in a business transaction); *sonder ~ of stoot* without striking a blow; *'n swaar ~* a severe blow

slag[2] (s) kind, sort, ilk *ook* **soort**

slag[3] (w) ge- slaughter, kill

slag: ~aar artery; **~boom** barrier; boom *ook* **sper'boom**; **~gat** pothole; **~huis** butchery; **~kreet** slogan *ook* **~spreuk, leu'se**; **~kus'sing** headrest (car); **~of'fer** victim; **~or'de** battle array; **~orkes'** percussion band; **~os** slaughter ox; **~pa'le** (rural) slaughtering place *kyk* **slagplaas', abattoir**; **~plaas** abattoir; **~room** whipped cream; **~skip** battleship; **~spreuk** slogan, motto; buzz word *ook* **~kreet, leu'se**; **~tand** tusk (elephant); fang; eyetooth; **~ter**

butcher; **~ting** slaughter, butchery, carnage; *~ting op die paaie* carnage on the roads

slagvaar'dig ready for battle; quickwitted

slag: ~vee slaughter animals; **~werk** percussion instruments (mus.); **~veld** battlefield; **~ys'ter** spring trap *ook* **strik, val** (vir roofdiere)

slak -ke snail (with shell); slug (without shell); slag (ore-smelting waste); **~huisie** snail's shell; **~ke'gang** snail's pace; *op 'n ~kegang* at a snail's pace; **~pil'le** snail/slug pellets; **~pos** snail mail (infml.); **~sement'** slag cement

slampam'per (s) **-s** stroller; vagrant; reveller; (w) **ge-** stroll; amble, meander; revel; **~lied'jie** vagrant/drinking song

slang -e snake, serpent; hosepipe; **~besweer'der** snake charmer; **~byt** snakebite; **~gif** snake poison; **~kos** mushroom, toadstool; **~muis= hond** African weasel; **~park** snake park; **~vel** snakeskin, slough

slank (b) slim; slender; slight *ook* **dun, fyn;** *die ~e lyn* the slim line/figure

slap loose; slack, dull; supple; *nie laat ~ hang nie* not to slacken off; *jou ~ lag* kill yourself laughing; **~band(boek)** paperback

sla'peloos/slaap'loos ..lose sleepless; **~heid** sleeplessness, insomnia

sla'penstyd bedtime

sla'per -s sleeper; dreamer; **~ig** (b) sleepy *ook* **vaak**

slapgat (omgangst.) (s) **-te** spineless guy *ook* **niks'doener, leeglêer;** (b) spineless

slap: ~perig' rather slack/loose, flabby; **~skyf** floppy disk (comp.) *ook* **disket';** **~te** dullness; slump, depression; **~tjips** potato chips *ook* **sky'fies, ~verkeer'** off-peak traffic *kyk* **spits= verkeer**

sla'we (w) **ge-** slave, drudge, toil *ook* **slaaf** (w); **~ar'beid** slavery; drudgery; **~han'del** slave trade; **~rny'** slavery

slee (s) **sleë** sledge, sleigh (animal-drawn)

sleep (s) **slepe** retinue, train; boyfriend/girl= friend; (w) **ge-** tow; drag, trail; *~ en los* drag and drop (comp.); *slepende siekte* lingering disease; **~boot** tug; **~haak** towbar *ook* **trek= stang; ~hel'ling** slipway (boating); **~ren** drag racing *ook* **versnel'renne;** **~sel** trail; **~tou/ ~ka'bel** towing rope/cable; *op ~tou neem* take in tow; influence s.o.; **~voe'tend** shuffling/lag= ging; **~wa** trailer *ook* **trei'ler**

sleg (b, bw) bad, evil, foul, wicked, base; ill; *hy is sommer 'n ~* he is a useless fellow; *~te tye beleef* fall on evil days; *~te humeur* bad/frayed temper

slegs only, merely *ook* **net**[5]; *~ volwassenes* adults only

sleg: ~sê (w) **-ge-** scold, reprimand, rebuke *ook* **beris'pe, in'klim; ~tigheid'** feebleness, care= lessness *ook* **vrot'sigheid**

sleng/slang (s) slang; jargon *ook* **jar'gon bargoens', koeterwaals'**

slenk'dal rift valley *ook* **skeur'dal; ~koors** ri valley fever

slen'ter (s) **-s** trick, bluff, ploy *ook* **streek, blu** (w) **ge-** saunter, meander, amble *ook* (doelloo**s rond'dwaal, lanterfan'ter;** *geen ~y* no loite ing; **~broek** slacks; **~drag** casual dress/ wear

slen'tergang sauntering gait *ook* **slampam'pe** *die ou ~ gaan* carry on in the same old way

slet -te slut, bitch (woman) *ook* **sloe'rie, snol**

sleur (s) habit, groove, rut; routine; *daaglikse* daily chores; (w) **ge-** drag; **~fak'tor/~sy'fe** drag factor (aerodynamics); **~werk** routir work, chores *ook* **don'kiewerk**

sleu'tel -s key (door); wrench, spanner; *die ~ te sukses/welslae* the key to success; **~bee** collarbone; **~blom** primula; **~bord** key boar (for keys) *kyk* **toets'bord** (tikmasjien/reke naar); **~figuur'** kingpin *ook* **spil** (persoon **~gat** keyhole; **~ny'werheid** key industry; **~p** key position (work); **~ring** key ring

sliert (s) **-e** string, streak; **~te** *toiletpapier* string of (twisted) toilet paper

slik silt, sludge, slime *kyk* **toe'slik** (w) *ook* **sli** (s)

slim clever, intelligent; crafty, sly; *~ het sy ba gevang* (he was) too smart/clever for his ow good; **~heid** cleverness; **~jan** know-all, wis acre, smart aleck *ook* **be'terwe'ter, wys'neu ~kop** bright/clever student; **~merd** cunnir person, slyboots; **~migheid'** cuteness; praat'jies/~sto'ries** claptrap, glib/evasive ta

slin'ger (s) **-s** pendulum (clock); sling; cran (car); (w) **ge-** sling; oscillate, reel, swin lurch; hurl; *dronk deur die strate ~* sta ger/lurch drunk through the streets; **~plar** creeper *ook* **rank'plant, klimop'; ~vel** sling (shot) *kyk* **kata'pult**

slinks sly, cunning, underhand, crafty *ook* **sl lis'tig, gesle'pe**

slip (s) **-pe** slit (earmark of cattle); tail (of shirt flap, placket (shirt); **~dra'er** pallbearer (f neral)

slob'ber ge- sip audibly, slobber

slob'trui -e sloppy joe (loose jersey)

slod'der: ~ig slovenly; ill-fitting; **~kous** un dy/slovenly (person)

sloep[1] (s) **-e** sloop, barge (boat)

sloep[2] (s) **-e** creek, gully (on coastline)

sloer ge- loiter, linger, dawdle *ook* **talm; dra** (on); *lank ~* keep on postponing

sloe'rie -s untidy woman *ook* **slons;** tart, slut o **slet**

sloer'staking -s go-slow strike

slof (s) **slowwe** worn out shoe; slovenly/untic person; (w) **ge-** shuffle along; **~fie** (s) (beach) thong, slip-slop *ook* **plak'kie**

slons -e untidy woman; slut; ~**(er)ig** slovenly

sloof ge- drudge, toil

sloop¹ (s) **slope** pillowcase

sloop² (w) ge- demolish; undermine (health), drain; dismantle, break up (a ship); *'n gebou ~* demolish a building

sloot (s) **slote** ditch, furrow, trench *ook* (**wa′= ter)voor, don′ga**

slop′emmer -s slop pail/basin

slo′per -s demolisher (person)

slor′dig careless, untidy, sleazy *ook* **on′net**; dowdy, shabby (person); ~**heid** slovenliness

slot¹ (s) -**te** lock; clasp; *agter ~ en grendel* under lock and key

slot² (s) end(ing), conclusion; *ten ~te* in conclu= sion; *per ~ van rekening* after all

slot³ (s) -**te** castle, citadel *ook* **kasteel′, ves′ting, burg**

slot: ~**knip′per** bolt cutter *ook* **bout′knipper**; ~**ma′ker** locksmith; ~**masjien′** one-armed bandit, slot machine *ook* **dob′beloutomaat**; ~**sang** final song/hymn; ~**som** conclusion *ook* **uit′einde**; bottom line; ~**voorspeler** lock forward (rugby); ~**woord** concluding/last word (of address)

slu (b) -**we**; -**(w)er**, -**uste** sly, cunning, artful, wily *ook* **lis′tig, slinks**

slui′er (s) -**s** veil, mask; *onder die ~ van die nag* under cover of night; *die ~ (op)lig* lift the veil *ook: die geheim openbaar*; (w) ge- veil, cover, conceal

sluik: ~**han′del** black market *ook* **swart′mark**; ~**werk** moonlighting, double-jobbing

slui′mer ge- slumber; ~**ing** doze, slumber

sluip ge- steal along, sneak away; ~**kik′ker** secret pep pill (sport) *kyk* **op′kikker, anabo′= liese steroïed**; ~**moord** assassination; ~**moor′= denaar** assassin

sluis -e sluice, lock, floodgate (in river/dam); ~**deur** lockgate, floodgate

sluit ge- lock, close, shut; conclude; *die skole ~* the schools are breaking up; *vrede ~* make/ conclude peace; *vriendskap ~* form a friend= ship; ~**boom** swing gate *ook* ~**paal**; ~**da′tum** closing date; ~**er** shutter (camera); ~**ing** closing, shutting, closure; ~**kas** locker; ~**moer** locknut; ~**steen** keystone; ~**tyd** closing time

sluk (s) -**ke** epiglottis; gulp; (w) ge- swallow, gulp; ~**derm** gullet, oesophagus *ook* **esofa′gus**

slum -s slum *ook* **krot′buurt**

slurp (s) -e trunk (elephant); proboscis; (w) ge- lap, gobble *ook: slordig drink*

slyk (s) mire, silt, sludge *ook* **slik, slib**

slym slime, phlegm, mucus; ~**erig** slimy; mucous, phlegmatic; ~**klier′** pituitary gland; ~**vlies** mucous membrane

slyp ge- sharpen, whet, grind; polish; teach, train, coach; groom (s.o. for a position); *jou*

tande vir iets ~ enjoy in anticipation; lick one's chops; *jou talente ~* develop your talents; ~**pas′ta** grinding paste; ~**plank** knife board; ~**riem** razor strop; ~**skool** workshop, refresher course *ook* **slyp′kursus, werk′sessie**; ~**steen** whetstone, grindstone; hone; *so bang soos die duiwel vir 'n ~steen* fear s.o. like the very devil; ~**wiel** emery wheel

slyt ge- wear away, diminish

slyta′sie wear, wastage; *billike ~* fair wear and tear

smaad (s) insult, scorn, disdain *ook* **hoon**; (w) ge- insult, scorn; ~**skrif** libel *ook* **las′ter**; lampoon

smaak (s) **smake** taste, relish, flavour; liking; *na my ~* to my liking; *in die ~ val* be to one's taste; (w) ge- taste, savour; *ek proe dit en dit ~ goed* I taste it and it tastes nice

smaak′lik (b) tasty, palatable, savoury *ook* **lek′ker, aptyt′lik**; ~ *eet* enjoy one's food; ~*e ete!* enjoy your meal!

smaak′loos (b) ..**lose** tasteless, insipid *ook* **laf**

smaak′vol in good taste, tasteful, elegant; *sy is ~/keurig/sjiek aangetrek* she is dressed ele= gantly/smartly

smaal ge- sneer, rail at *kyk* **sma′lend**

smag ge- long for, languish, pine for; ~ *na* crave for; ~**tend** pining, longing

smak -ke thud, crash; smack (of lips)

smal narrow, thin; ~**spoor** narrow gauge (rail= way)

sma′lend (bw) -e sneering, contemptuous(ly) *ook* **si′nies, sarkas′ties**

smarag′ -de emerald (gemstone); ~**groen** emer= ald green

smart (s) -e pain; grief, sorrow *ook* **verdriet′, droef′heid**; *gedeelde ~ is halwe ~* company in distress makes sorrow less; ~**vraat** glutton for punishment, agoniser *ook* **self′pyniger, masogis′**; ~**lik** grievous, painful; ~*like verlies* grievous loss (through death)

sme′dery -e forge; smithy, blacksmith's shop *ook* **smids′winkel**

smee(d) ge- weld, forge, coin, devise; *'n komplot ~* hatch a plot

smeek ge- beg, beseech, entreat, pray, implore; *om genade ~* plead for mercy; ~**bede** prayer/appeal (for help); ~**gebed′** humble prayer, supplication; ~**sang** litany; ~**skrif** petition *ook* **versoek′skrif**

smeer ge- grease, smear, spread; oil, lubricate; ~**geld** kickback, bribe (money or favour) *ook* **guns′loon, teen′guns**; ~**goed** liniment, oint= ment; ~**kaas** cheese spread; ~**lap** oilrag; dirty person, skunk *ook* **luns′riem**; ~**mid′del** grease, lubricant; liniment; ~**o′lie** lubricating oil; ~**veld′tog** smear campaign (usually politics)

smee′yster wrought iron

smelt ge- melt, dissolve; fuse (wire); **~ery′** smelter; foundry *ook* **smel′ter, (metaal′)gie′=tery;** **~kroes** melting pot, crucible; **~oond** forge; **~punt** melting point

sme′rig greasy; squalid, dirty, filthy *ook* **mor′sig, vies′lik;** ~ *behandel* treat meanly; **~heid** dirt(iness), filth(iness)

smet -te blot, stain, blemish *ook* **skand′vlek; ~stof** virus; **~loos/smet′teloos** blameless, spot=less, immaculate *ook* **kuis, se′delik**

smeul ge- smoulder; **~end** smouldering; **~stoof** slow-combustion stove

smid (s) **smede** (black)smith

smid′dags in the afternoon (midday)

smidswin′kel smithy, blacksmith's shop *ook* **sme′dery**

smoel -e mouth, mug (vulg.) *ook* **bek;** *hou jou* ~*!* shut up!; **~pleen** smoothing plane (woodwork)

smok ge- smock; **~werk** smocking (stitch) *ook* **wa′felwerk**

smok′kel (w) smuggle; **~aar** (s) -s smuggler; bootlegger; **~ary′/~han′del** smuggling (illegal trade); black market; **~ring** smuggling ring; **~ware** contraband

smoor (w) ge- suffocate, smother; choke; braise; *in die kiem* ~ nip in the bud; **~dronk** dead drunk, stoned *ook* **poe′gaai;** **~klep** choke (engine); **~kwaad** very angry; **~verlief′** madly in love

smo′rens/smô′rens in the morning

smous (s) -e hawker, pedlar *ook* **ven′ter;** (w) ge-barter; hawk; peddle; **~goed/~vrag′gie** mixed merchandise; hawker's ware; **~pos** junk mail *ook* **strooi′pos; straat~** street hawker/pedlar, informal trader

smout grease, lard, fat; **~druk′ker** jobber (printing); **~werk** tabular work, jobbing

smuk: ~kas′sie cubbyhole (car) *ook* **paneel=kassie;** **~spie′ëltjie** vanity mirror; **~tas′sie** vanity case *ook* **tooi′tassie**

smul ge- feast, junket; **~hap′pie** snack; **~paap** gourmet, gourmand; belly worshipper (joc.); foodie (infml.); **~party′** tuck-in *ook* **(vr)eet=party′**

smyt ge- throw, fling, hurl *ook* **rond′smyt**

s′n of; **hulle** ~ theirs; **pa** ~ father's

snaaks (b) funny, queer, strange, comical; *nie* ~ *nie* no laughing matter; *hy probeer hom* ~ *hou* he tries to be nasty/clever/funny; **~heid** funny part; freak

snaar[1] (s) **snare** string; gut, cord; *die regte* ~ *aanraak* strike the right note; **~instrument′** stringed instrument

snaar[2] (s) **snare** guy, fellow, (funny) chap *ook* **(snaak′se) vent;** lover (male) *ook* **ou** (s), **kê′rel**

snags during the night, by night

snak ge- gasp, long for, pine for; *na asem* ~ gasp for breath

snap ge- understand, comprehend; catch; pra tle; *hy* ~ *dit* he grasps/twigs it, he gets th hang of it; **~haan** flintlock musket, blunde buss (hist.)

snaps -e appetiser; drink, tot *ook* **so′pie, dop**

snars whit, atom, bit; *hy verstaan/begryp geen daarvan nie* he understands nothing of this

sna′ter (s) -s mouth; mug, snout (derog.) o **smoel** (neerh.); beak; *hou jou* ~*!* shut up!; (v ge- chatter, jibber; **~bek** chatterbox o **klets′kous**

sna′wel -s beak, bill; **~vor′mig** beak-shaped

sne′dig (b, bw) cutting, sharp; shrewd; ~*e o merking* snide remark

snees′doekie = **sne′sie**

sneeu (s) snow *kyk* **kapok′;** (w) ge- snow; **~b** snowball; **~storm** snow storm, blizzar **~stor′ting** avalanche; **~vlok′kie** snowflak **~wit** snow-white; **Sneeuwit′jie** Snow Whi (fairy tale character)

snel (w) ge- rush, hurry; *te hulp* ~ rush to th assistance; (b) rapid, fleet, swift; **~boot** spee boat; **~bou′ler** fast bowler (cricket)

snel′heid (s) **..hede** speed (of vehicle) *kyk* **spoe** velocity (of light, bullet); quickness; *d maksimum ~heid oorskry* exceed the spe limit; **~heid(s) me′ter** speedometer

snel′ler -s trigger (gun)

snel: ~perk speed limit; **~rat** overdrive; **~sê** tongue twister *ook* **tong′knoper**

snel′skrif shorthand, stenography; **~tik′st** shorthand typist

snel: ~skry′wer stenographer; **~strik** speed tr *ook* **jaag′strik; ~toets** hot key (comp.); **~tre** express/fast train; **~vuur** rapid fire; **~w** freeway; highway; motorway

sner′pend -e painful, biting, smarting *ook* **y′si** ~ *koud* icily/bitterly cold; ~*e koue* biting co

snert (s) trash, tripe *ook* **kaf, bog;** small talk

sne′sie -s tissue (paper) *ook* **snees′doeki tis′sue/tie′sjoe** (omgangst.)

sneu′wel ge- perish, be slain, fall (in battle)

snik (s) -ke sob; (w) ge- sob, sniffle, gasp; **~he** sweltering, scorching (heat); **~kend** sobbin **~san′ger** crooner, sobsinger

snip (s) -pe snipe (bird); pert/perky girl; upstar *'n* ~ *van 'n meisie* a sharp-tongued/pert girl; *regte* ~ an upstart *kyk* **snip′perig**

snip′per (s) -s chip, snippet, shred, cutting; (v ge-. cut into small pieces, shred; **~aar** (pape shredder *ook* **ker′wer** (masjien)

snip′perig perky; snappish, sharp-tongue (usually girl) *ook* **astrant′, vrypos′tig**

snip′per: ~jag paperchase; **~mand′jie** wast paper/litter basket; **~para′de** ticker-tape p rade *ook* **lint′reën**

snit -te cut, fashion (clothes); track (on CD); *a jongste* ~ the latest fashion

nob **-s** snob *ook* **neus′optrekker, in′kruiper** (persoon)

nobis′me snobbery *ook* **hoog′moed**

noei ge- prune, trim; clip, lop *ook* **uit′knip; ~mes** pruning knife; **~skêr** garden shears; pruner

noek snoek (SA); barracuda; sea pike (Europe)

noe′ker snooker (pool game)

noep (w) ge- eat dainties secretly; (b) greedy; tight-fisted, stingy, miserly; unwilling to share; **~erye** snacks, dainties *ook* **peu′= selhappies, versna′perings; ~goed** dainties; sweets; **~hoe′kie** snackbar; **~mandjie** (picnic) hamper; **~win′kel(tjie)** tuckshop *ook* **snoe′pie**

noer (s) -e string, cord; *string pêrels* string of pearls *kyk* **hals~;** (w) ge- silence; *iem. die mond ~* silence s.o.

noe′sig (b) -e comfortable, comfy (infml.), cosy; cuddly *ook* **behaag′lik, gesel′lig; lief, skat′tig**

noet -e snout (pig); muzzle, nose (dog)

nol (s) -le prostitute, whore *ook* **hoer**

nood evil, base, mean, vile *ook* **gemeen′, verfoei′lik;** *snode misdaad* heinous crime

nor[1] (s) -re moustache, whisker; **~baard** moustache

nor[2] (w) ge- whizz; drone; purr (cat) *ook* **spin**

nor′kel -s snorkel

nor′tjor -re go-kart

nork (s) -e snore; (w) ge- snore, snort

not (vulg.) (s) nasal mucus, snot (vulg.); brat, little minx *ook* **jap′snoet; ~neus** (vulg.) running nose (child)

nou (w) ge- snarl, rebuke *kyk* **af~**

nuf smell, wind; *'n ~ in die neus kry* get the wind/knowledge of something

nuf′fel ge- sniffle, smell (out), ferret (out); search, investigate; **~aar** noser, snooper, Paul Pry; browser (internet); **~gids** smalls, small ads (newspaper); **~hond** sniffer dog *kyk* **spoor′snyhond; ~mark** browsers′ market; fleamarket *ook* **vlooi′mark**

nuif (s) snuff; (w) ge- take snuff; sniff *ook* **snui′we; ~doos** snuff box; **~ie** pinch (of snuff); **~tabak′** snuff tobacco

nuis′tery -e novelty, bric-a-brac, knick-knack

nuit -e snout, nose, nozzle; proboscis; (w) ge- blow the nose; snuff (a candle); **~er** little fellow, youngster; brat *ook* **rak′ker; ~ke′wer** snout beetle

nui′we ge- take snuff; snort, sniff *ook* **snuif** (w); **~r** snuff taker

ny (s) -e slice; cut, gash; (w) ge- cut; castrate, geld; spay *ook* **spei;** *spoor~* track; **~boon** French bean, haricot; **~dok′ter** surgeon *ook* **chirurg′/sjirurg′; ~er** tailor; mower; **~ers′= pak′** tailor-made/bespoke suit; **~kun′de** sur= gery; *plastiese ~kunde* plastic/cosmetic surgery; **~lyn** secant, intersecting line;

~masjien′ reaper; mower; cutting machine; **~sel** cutting; **~seltjies′** home-made noodles, dough cuttings; **~tand** incisor

so so, thus, like this; *wees ~ goed om* be so kind (as) to; please; *~ is die lewe* such is life; *~ pas* recently

so′ber (b) -e sober, temperate *ook* **nug′ter;** austere, frugal; scanty (meal) *ook* **ka′rig**

so′da soda; **~wa′ter** soda water

soda′nig -e such, such like; *as ~* as such; *die toestand is ~ dat* the position is such that

so′dat so that; in order that

so′diak zodiac *ook* **die′reriem** (sterrebeeld)

so′doende thus, in that manner; consequently

sodomie′ sodomy; (male) homosexual inter= course

sodra′ as soon as; the moment that *ook* **nes**[2]; *~/nes hy terug is* as soon as he is back

soe′bat ge- beg, entreat, plead, implore *ook* **smeek, pleit**

soek (s): *op ~ na* in search of; (w) ge- seek, look for, search; *~ na* look for; *rusie/skoor ~* out to pick a quarrel; (bw) lost; *~ raak* go astray; **~gesel′skap** search party *ook* **soek′span; ~hoe′kie** lonely hearts column; **~lig** search= light, spotlight; **~pren′tjie** picture puzzle; **~program′/~enjin** search engin(e) (internet, comp.); **~tog** search, hunt

soel[1] sultry (weather/climate); balmy (breeze)

soel[2] dark-skinned; sallow (of complexion)

soen (s) -e kiss; (w) ge- kiss *ook* **kus**

soen: ~dood redeeming death; **~of′fer** atonement (for sins); peace offering

soe′pel (b) supple *ook* **loslit′tig, le′nig;** flexible; **~heid** suppleness; flexibility

soet (s) the sweet; *die ~ en suur van die lewe* the ups and downs of life; (b) sweet; well-behaved, good; fresh; *~ broodjies bak* use honeyed words; *'n ~ kind* a good/well-be= haved child

soetama′ling/soetema′ling tuberose

soet: ~e′rig sweetish; **~heid** sweetness; **~igheid′** sweetness, sweets; **~jies** gently, noiselessly, pussyfoot *ook* **soetjies-soetjies, suut′jies; ~koek:** *alles vir ~koek opeet* swallow/believe readily (everything you are told); **~koe′kie** biscuit; **~lemoen′** orange; **~lief** sweetheart *ook* **har′tedief; ~melk** fresh milk; **~melk′kaas** sweet-milk cheese; **~o′lie** salad oil; **~riet** amber cane; **~ris′sie** green pepper

soetsap′pig (b) goody-goody, mealy-mouthed, honeyed *ook* **stro′perig, sentimenteel′**

soet′water fresh water; **~vis** freshwater fish

so-e′we (bw) just now, a moment ago

soewenier′ -s souvenir, keepsake *ook* **aan′= denking, gedag′tenis; gedenkstuk**

soewerein′ (s) -e sovereign (ruler; king/queen) *ook* **heer′ser; vors, ko′ning(in);** (b) sover=

eign; supreme; **~iteit′** sovereignty; **reg~** rule of law *ook* **regs′orde**

so′fa -s sofa *ook* **rus′bank; ~pok′kel** (neerh.) couch potato (TV) (derog.) *ook* **stoelpatat′, kas′siekneg** (neerh.)

sofistika′sie (s) sophistication *kyk* **gesofisti= keer(d)′**

sog[1] (s) **sôe, -ge** sow (pig)

sog[2] (s) wake (of ship) *ook* **sog′water, kiel′sog**

so′genaamd (b) so-called, so named; *'n ~e opstel* an apology for an essay; (bw) in name, ostensibly

sog′gens in the morning *ook* **smô′rens**

so′jaboon(tjie) -s soybean

sok′ker: soccer, (association) football *ook* **voet= bal; ~boef** soccer hooligan

sok′kie -s sock; *trek op jou ~s* pull up your socks; **~jol** informal dance party *ook* **op′skop, sak′kie-sak′kie**

sol sol (mus.)

solank′ for the time being, meanwhile; *ek sal ~ gaan* I shall go in the meantime; *~ ek leef* as long as I live

soldaat′ ..date soldier; warrior; **solda′te-een′= heid** cadre, (core) unit *ook* **ka′der**

soldeer′ ~, ge- solder; **~bout** soldering iron; **~sel** flux

sol′der -s attic, loft; garret; **~trap** loft stairs/ staircase; **~ven′ster** loft window

soldy′ soldier's pay/wages

sol′fameto′de′ tonic sol-fa (mus.)

solidariteit′ solidarity *ook* **een′drag, saamho′= righeid**

sol′idus slash (/) (typing) *ook* **skuins′streep**

solied′ solid; reliable; *~e firma* reliable/estab= lished firm

solis′ -te soloist, solo vocalist

solitêr (n) patience, solitaire (card game)

so′lo -'s solo; **~san′ger** soloist *ook* **solis′**

solvent′ (b) **-e** solvent, able to pay all debts *ook* **kredietwaar′dig**

som -me sum, amount; *'n aardige ~(metjie)* a tidy sum; *goed in ~me* good at sums/arith= metic

som′ber (b) sombre, gloomy, glum *ook* **tries′tig**

sombre′ro -'s sombrero *ook* **breërandhoed′**

so′mer -s summer; *in die ~* in/during summer; **~dag** summer's day; **~huis** arbour, bower, gazebo; summerhouse; **~mô′re/~mo′re/~og′= gend** summer morning; **~vakan′sie** summer holidays/vacation; **~verblyf′** summer residence

som′mer just, for no reason; *ag ~!* oh, just because; *~ huil* cry for no reason; *~ het geen rede nie* because Y is a crooked letter and you can't make it straight

sommerso′ nothing particular, in a way; without more/further ado; *ek laat my nie ~ fop/kul nie* I am not to be fooled that easily

som′mige some; *~/party mense* some people

soms/som′tyds sometimes *ook* **party′keer party′keer**

son -ne sun; *die ~ kom op/gaan onder* the sun rises/sets; *die opkomende/ondergaande ~* the rising/setting sun; **~aanbid′der** sun worship= per

sona′te -s sonata (mus. composition)

son: ~bad sunbath; **~be′sie** cicada *ook* **sika′d boom′singertjie; ~bruin** (w) ge- tan *oo* **son′brand;** *ons gaan heerlik sonbruin/son brand* we're going to tan properly

son′daar -s sinner; offender, perpetrator, trans gressor

Son′dag ..dae Sunday; *~ oor agt dae* ne Sunday week; **~blad** Sunday paper; **~s:** *in s ~se klere/kisklere* in his Sunday best

Son′dagskool Sunday school; **~onderwy′se** Sunday school teacher

son′de[1] (s) **-s** sin, trespass; trouble; *vir sy ~ bo* atone for his sins; **~bok** scapegoat; whippin boy

sonde[2] (s) **-s** probe (for sounding/measuring **son′deer** (w) ge- probe, sound, plumb

son′der without; *dis ~ twyfel waar* it's definite true; *~ winsoogmerk* not for gain/profit (a organisation); **~ling** singular, peculiar, quee odd *ook* **buitengewoon′**

son′dig (w) **-ge** sin; trespass, transgress; (b sinful, wicked *ook* **on′heilig, goddeloos′**

sond′vloed deluge, great flood; *ná die ~* pos diluvian; *voor die ~* antediluvian

so′ne (s) **-s** zone; sector; **soneer′** (w) ge- zone (a area)

son: ~energie′ solar energy; **~gloed** glare/blaz of the sun; **~god** sun-god; **~ko′ker** sol cooker; **~krag** solar power/energy; **~ky′k giant** girdle-tailed lizard; **~lig** sunlight; **~n blom** sunflower; **~ne′blomo′lie** sunflowe cooking oil

sonnet′ -te sonnet *ook* **klink′dig**

son′nig -e sunny, bright *ook* **son′ryk; optimis ties**

son′onder (s) sunset; (bw) at sunset

sonoor′ (b, bw) **sonore** sonorous *ook* **klank′ry vol′klinkend**

son′op (s) sunrise; (bw) at sunrise

son: ~skerm awning, sunshade; **~skyn** sunshi

sons: ~on′dergang sunset; **~op′koms** sunrise

son: ~steek sunstroke *ook* **hitte′slag; ~stra** sunbeam

sons′verduis′tering (s) solar eclipse

son: ~verhit′ting solar heating; **~verwar′m** solar heater; **~vlek** sunspot, solar spot; **~w s′er** sundial

soog ge- suckle; nurse, nourish; **~dier** mamma ~**vrou** (veroud.) wet nurse; foster mother *o* **voed′ster**

ooi (s) **-e** sod; divot (golf); **~brand** heartburn; **~merk** divot (golf)

ool (s) **sole** sole; **~leer** sole leather

oölogie' zoology *ook* **dier'kunde; soöloog' ..loë** zoologist *ook* **dierkun'dige** (persoon)

oom (s) **some** seam, hem; edge, border; (w) **ge-** hem, border; **~steek** hemstitch

oon'toe that way; in that direction *ook* **daarheen'**

oort -e kind, sort; species; *enig in sy* ~ the only one of its kind; ~ *soek* ~ birds of a feather flock together; **~gelyk'** similar *ook* **e'ners/ een'ders;** **~like ge'wig** specific gravity; **~naam** common/generic name

oos as, like; *so siek* ~ *'n hond* very ill/miser= able; ~ *volg* as follows

op -pe soup; **~bord** soup plate; **~kom** tureen, soup bowl; **~kombuis'** soup kitchen; **~le'pel** soup spoon/ladle

o pas/sopas' a minute/a very short while ago *ook* **vanef'fe**

o'pie -s drink, tot *ook* **dop; ~maat** tot measure *ook* **dop'maat**

op'nat (b) dripping wet, drenched *ook* **pap'nat**

opraan' (s) **soprane** soprano (singer)

org (s) **-e** care, charge *ook* **versor'ging; sorgvul'digheid;** trouble, anxiety; ~ *dra* take care; *geldelike ~e* financial worries; (w) **ge-** care for, look after, provide for; be careful of; ~ *dat jy daar is* see that you are there; **~een'heid** intensive care unit *ook* **intensie'we ~eenheid;** frail-care unit

or'ghum (grain) sorghum

org'saam (b, bw) attentive, painstaking; caring; provident *ook* **op'passend; ~heid** considera= tion

org'sentrum -s frail-care centre

orgvul'dig (b, bw) careful, thorough, painstak= ing *ook* **noukeu'rig, deeg'lik**

orgwek'kend (b, bw) alarming *ook* **kom'= merwekkend; bedenk'lik** (siekte)

orteer' (w) **~, ge-** sort, assort; select, grade; **~der** sorter; **~ka'mer** sorting room

orte'ring (s) sorting, grading; assortment

osa'tie -s sosatie; kebab, grilled curried meat

oseer' so much, to such an extent

osiaal' (b) **sosia'le** social *ook* **maatskap'lik; gesel'lig;** *sosiale wetenskappe* social sciences; *sosiale vlinder* social climber, socialite *ook* **sosialiet'**

osialis' -te socialist; **~me** socialism (political theory)

osiologie' sociology (subject); **sosioloog' ..loë** sociologist

o-so', so'-so tolerably; only middling

osys' -e small sausage; **~brood'jie** sausage roll

ot (s) **-te** fool *ook* **idioot', gek** (persoon); (b) foolish *ook* **gek, dwaas; ~heid/sotterny'** folly, stupidity *ook* **mal'ligheid**

So'tho Sotho (language) *kyk ook* **Seso'tho**

souffleer' (w) **~, ge-** prompt (stage production) *ook* **voor'sê; souffleur'** (s) **-s** prompter *ook* **voor'sêer** (toneel)

soul soul (music style)

sous (s) **-e** sauce, gravy; *die hele* ~ the whole caboodle; (w) **ge-** pour (heavy rainshower) *ook* **stort'reën; ~klui'tjies** stew dumplings; **~trein** gravy train *ook* **stroop'trein, man'nawa**

sout (s) **-e** salt; *'n sak ~ saam opeet* know s.o. intimately/for a long time; (w) **ge-** salt, cure; initiate; *'n knypie/knippie* ~ a pinch of salt; (b) briny, salt; *gesoute perd* immune horse; *gesoute/deurwinterde reisiger* experienced traveller; **~-en-pe'perstel** cruet stand; **~gehal'= te** salinity, salt content; **~hap'pies** savouries; **~kor'rel** grain of salt; **~loos** saltless; insipid; **~pan** salt pan/lake; **~pilaar'** pillar of salt; **~suur** hydrochloric acid

sout'vaatjie[1] (s) **-s** salt box, salter

sout'vaatjie[2] (s) **-s** stonechat (bird)

so'veel so much/many; ~ *te meer* all the more; **~ste** umpteenth; *dis nou vir die ~ste maal/keer* this is now for the umpteenth time

so ver'/so vêr so far; thus far; ~ *ek weet* as far as I know, to the best of my knowledge; *tot* ~ thus far

so'ver so/as far; ~ *dit my aangaan* in so far as I am concerned with this

sowaar' truly; indeed; really *ook* **reg'tig, rê'rig**

so'wat about *ook* **ongeveer';** ~ *vyftig rand* fifty rands odd

so'wel both ... and; as well (as); ~ *hy as sy* both he and she

spa -'s spa, mineral baths *ook* **kruit'bad**

spaan (s) **spane** skimmer; scoop, ladle; oar *kyk* **roei'spaan**

spaan'der (s) **-s** chip of wood; **~bord** chipboard; (w) **ge-** scoot, cut and run *ook* **weghol**

Spaans (s) Spanish (language); (b) **-e** Spanish (customs, etc.) *kyk* **Spanjaard'**

spaansriet' -e (common) reed; ratten

spaansvlieg' ..vlieë blister beetle, smeller (in= sect)

spaar (w) **ge-** save, economise; spare; *geld* ~ save money; *jou kragte* ~ save your strength; **~band** spare tyre *ook* **nood'band; ~bank** savings bank; **~pot** money box *ook* **spaar'bus, geld'trommel; ~re'kening** savings account

spaar'saam thrifty, economical *ook* **sorg'saam, ekono'mies;** frugal; **~heid** thrift, economy

spaar'varkie -s piggybank *ook* **ot'pot**

spaar'wiel -e spare wheel/tyre

spalk (s) **-e** splint; (w) **ge-** splint; set (leg or arm)

span (s) **-ne** team; span (oxen; of the hand); (w) **ge-** stretch; brace; hobble; cock (gun); *'n strik* ~ lay a snare; **~bou** team building; **~broek** pair of tights

spanda'bel(rig) (b) wasteful, spendthrift, extrav‐ agant *ook* **verkwis'tend, deur'bringerig, uitspat'tig;** prodigal

spandeer' ge- spend *ook* **bestee', uit'gee** (geld)

span: ~**doek** wide banner/streamer; ~**gees** team spirit, esprit de corps

Spanjaard' (s) -e Spaniard (person); **Span'je** Spain (country) *kyk* **Spaans**

span: ~**maat** team-mate; ~**mas** pylon *ook* **krag'= mas** (elektr.)

span'nend tight; exciting, thrilling, absorbing *ook* **opwin'dend, boei'end;** ~*e oomblikke* tense moments

span'ning (s) -e, -s tension, suspense; stress, strain *ook* **stres;** voltage (electr.); *in* ~ on tenterhooks

span'saag ..sae frame saw, bow saw

spanspek' -ke sweet melon; muskmelon; canta‐ loup(e)

span'tou -e knee strap, milking strap

spar -re pole; rafter; strut, brace; dropper (in wire fence); spruce fir (tree)

spar'tel ge- struggle; sprawl, twitch; ~/*swoeg om te bestaan* struggle to make a living

spa'sie -s space, opening *ook* **ruim'te; spasieer'** (w) ~, ge- space (between paragraphs); **spasië'ring** -s spacing

spasmo'dies -e spasmodic *ook* **ruk'kerig**

spat ge- splash, spatter; *laat* ~/*spaander* take to one's heels; ~**aar** varicose vein; ~**sel** splash, spatter

spea'ker -s speaker (of parliament)

speek (s) **speke** spoke (of wheel); ~**be'ne** spindleshanks

speek'sel spittle, saliva; ~**klier** salivary gland

speel ge- play; trifle with; perform, act; *ek* ~ *maar* I am only joking

speel'bal (fig.) puppet; *'n politieke* ~ a political football (matter from which politician expects advantage); (lit.) playing-ball (for child)

speel: ~**ding** toy; ~**boks** musical box (to wind up); ~**goed'** toys; ~**grond** playground *ook* **speel'terrein;** ~**hol/dob'belhol** gambling den; ~**maat** playmate, playfellow; ~**munt** chip, counter; ~**pop** doll; puppet; ~**ruim'te** playground; scope, range, elbow room

speels playful, merry *ook* **dar'telend, balda'dig**

speel: ~**terrein'**/~**grond** playground; ~**tuin** chil‐ dren's park; ~**tyd** playtime; recess, interval; ~**vak** season, run (theatre); ~**veld:** *die* ~ *gelyk maak* level the playing field (politics, econ‐ omy)

speen (s) **spene** teat, nipple (of animal) *ook* **te'pel;** (w) ge- wean; thin out; *ge~ wees van* be weaned from; ~**salf** milking salve *ook* **melk'= salf;** ~**vark(ie)** sucking pig

speer (s) **spere** spear *ook* **spies;** ~**punt** spearhead

speg -te woodpecker (bird) *ook* **hout'kapper**

spei (w) **ge-** spay (a bitch), neuter (a cat) *ook* **reg'maak, steriliseer'**

spek (smoked) bacon; pork; *vir* ~ *en boontjie* for no rhyme or reason; *met* ~ *skiet* tell tal stories; ~**boom** elephant's food (plant); ~**skie** (w) **ge-** tell a lie; exaggerate *ook* **oordryf**

spekta'kel -s scene; spectacle; sight *ook* **skou' spel, op'skudding**

spek'trum -s spectrum *ook* **kleu'rebeeld**

spekulant' (s) -e speculator; **spekuleer'** (w) ge speculate (take commercial risks; make as sumptions without knowing all the facts) *ky* **bespie'gel**

spek: ~**vark** baconer, porker; ~**vet** (b) very fa ~**vre'ter** familiar chat (bird)

spel[1] (s) -le game (tennis); play (theatre); *daar i baie op die* ~ there is much at stake *oneerlike*/*vuil* ~ foul play

spel[2] (w) **ge-** spell (a word)

spel: ~**beder'wer**/~**bre'ker** killjoy, spoilspor *ook* **pret'beder'wer**

speld (s) -e pin; *soos 'n groot* ~ *verdwyn* vanis into thin air; *op* ~*e sit* be on tenterhooks

spel'de: ~**kus'sing** pincushion; ~**prik** pinprick

spe'le (s, mv) games (eg Olympic Games)

spe'ler -s player; actor; ~**ig** playful *ook* **gui'tig verspot'**

spe'letjie -s game, fun *ook* **party'tjiepret**

spel'fout -e spelling error

spe'ling (s) play, scope; clearance; tolerance *oo* **mar'ge; speel'ruimte; toleran'sie**

spel'letjie -s game; ~ *kaart* game of cards

spel'ling (s) -e, -s spelling (of word); orthogra phy

spelonk' -e cave, cavern *ook* **grot**

spel'toetser -s spellchecker (comp.)

spens (s) -e pantry; larder

sper: ~**da'tum** closing date *ook* **sluit'datum** ~**hek** = **slag'boom;** ~**paal** boom *ook* **val' boom;** ~**re'ling** guard rail, barrier railing *oo* ~**tra'lies;** ~**streep** solid white line (on road ~**tyd** deadline *ook* **perk'tyd;** ~**vuur** curtai fire, barrage (shots, questions)

sperm (s) -a, -e, -s sperm, semen *ook* **saad sper'ma** (manlik); ~**bank** sperm bank *oo* **saad'bank**

sper'wel/sper'wer sparrow hawk

spesery' -e spice *ook* (geurige) **krui'e**

spesiaal' ..siale special *ook* **beson'der, buiten gewoon'**

spesialis' -te specialist (medicine, etc.)

spesialiseer' ge- specialise

spesialiteit' -e speciality/specialty; *brei is haar* she excels in knitting

spe'sie[1] (n) -s species; kind, type (of anima plant)

spe'sie[2] (s) -s specie (coin money, ready money

spesifiek' -e specific, precise *ook* **kenmer'ken**

pesifika′sie specification *ook* **de′tailop′gawe**
pesifiseer′ ge- specify, detail *ook* **detailleer′**
pesmaas′ hunch, notion, feeling, inkling; *ek het 'n ~ dat ...* I have an idea/hunch that ...
peur (w) ge- track, trace, spy, ferret out; **~der′** (s) -s detective; **~hond** tracker dog; **~skry′wer** detective novelist, writer of whodunits; **~verhaal′** detective story, whodunit
pie′ël (s) -s mirror, looking glass; (w) ge- mirror; **~beeld** image, reflection; **~geveg′** sham fight; **~glas** plate glass; **~kas** wardrobe with mirrors; **~ta′fel** dressing table
pie′keries (omgangst.) (b) flashy, grand *ook* **spog′gerig, wind′maker; piek′fyn**
pier -e muscle; *geen ~ vertrek nie* without batting an eyelid; *jou ~e bult* flex one's muscles; **~bou′er** bodybuilder *ook* **lig′= gaamsbouer; ~krag** muscular force; **~pyn** muscular pain; **~verslap′per** muscle relaxant; **~verster′ker** anabolic steroid; **~wit** snow-white, lily-white
pies -e spear, lance; **~geweer′** speargun; **~hen′= gel** spearfishing
piet′kop (omgangst.) (s) -pe speedcop, traffic cop *ook* **verkeers′beampte, pad′valk**
piets (omgangst.) (s) -e speech; *dit sal 'n mooi ~ wees* that will be a fine how-do-you-do *ook* **toe′spraak;** (w) ge- make a speech
pik′kel -s spot, speck, **~kat** leopard *ook* **lui′= perd**
pik′splinternuut (b) **..nuwe** brand-new
pil¹ (s) -le pivot, linchpin; axis; swivel; spindle; *die ~ waarom alles draai* the pivot; the hub; **~deur** (s) -e revolving door *ook* **wen′teldeur**
pil² (w) ge- waste, spill; **~siek** prodigal, lavish, extravagant *ook* **spanda′bel** *kyk* **verspil′**
pin ge- spin (textiles); purr (cat)
pina′sie spinach (vegetable)
pin′nekop -pe spider (arachnid)
pin′ner -s spinner (person)
pin′nerak -ke cobweb (of spider)
pin: ~rok distaff; **~wiel** spinning wheel
pioen′ (s) -e spy; scout, secret agent; (w) ge- spy *ook* **spioeneer′, bespied**
pioena′sie espionage, spying
pioeneer′ ge- spy, pry, scout *ook* **bespied′**
piraal′ (s) **..rale** spiral (n); **~boor** auger bit, spiral drill; **~veer** coil spring; **~vor′mig** spiral (a)
piritis′ -te spiritualist (persoon) *ook* **geeste′= klopper; ~me** spiritualism
piritua′lieë (s, mv) spirits (alcoholic); alcoholic liquor
pi′ritus spirit(s) *ook* **al′koholbrand′stof**
pit¹ (s) lumbago (med. condition) *ook* **len′dejig**
pit² (s) -te spit (for roasting) *ook* **braai′vurk;** *die ~ afbyt* bear the brunt
pit³ (w) ge- dig (in soil)

spits (s) -e point, top, tip, peak, spire, pinnacle; *iets tot op die ~ dryf* bring to a head; (w) ge- point; *die ore ~* perk one's ears; (b) pointed, sharp; **~beraad′** summit (talks), toplevel talks *ook* **lei′ersberaad; ~kop** conical hill; **~tyd** peak period; **~uur** peak hour/period, rush hour; **~verkeer′** peak traffic
spitsvon′dig (b) witty, subtle *ook* **gui′tig; vernuf′tig** (met woorde)
spit′vurk -e digging fork, garden fork
spleet (s) **splete** crevice, slit, chink; **~hoe′wig** cloven-footed
splin′ter (s) -s splinter; chip *ook* **splint;** *die ~ in 'n ander se oog sien en nie die balk in jou eie nie* see the mote in another's eye and not the beam in one's own; (w) ge- splinter; **~groep** splinter/break-away group; **~nuut** brand-new; **~vry** shatterproof
split (s) -te slit, vent; placket hole (dressmaking); (w) ge- split, divide; **~pen** (s) splitpin
split(s) (w) ge- split, divide; splice; **~ing** splitting (up); splicing
splyt ge- cleave; split; **~baar** cleavable, fissible; **~ing** splitting (atom)
spoed (s) speed, haste *kyk* **snel′heid;** celerity, urgency; progress, *hoe meer haas hoe minder ~* the more haste the less speed; *~ maak dood* arrive alive; (w) ge- speed, hasten; **~bestel′= ling** express order; express delivery; **~ei′send** urgent *ook* **drin′gend; ~hob′bel** speedhump *ook* **~bog′gel, ~bult′; ~ig** soon, speedy/speedily
spoed: ~pos express mail; **~program′** crash programme; **~rat** overdrive (car); **~verga′= dering** emergency meeting; **~vraat** helldriver, speed merchant *ook* **jaag′duiwel; ~wag′gel** speedwobble
spoeg/spuug/spu (s) spittle, saliva; (w) ge- spit, expectorate; *vuur ~* be in a violent temper; **~bak(kie)** spittoon *ook* **kwispedoor′**
spoel¹ (s) -e shuttle *ook* **klos(sie); spool**
spoel² (w) ge- rinse, wash; flow; **~bak** washtub; cistern (in toilet); **~del′wery** alluvial diggings; **~diamant′** alluvial diamond; **~ing** rinsing, washing; pig's wash, swill; **~kloset′/~gemak′** water closet; toilet
spoet′nik (s) -s sputnik (first satellite in orbit)
spog (w) ge- boast, show off, brag *ook* **groot′= praat, af′wys; ~buurt** upmarket area; **~gerig** (b) showy, flashy, grand *ook* **uit′gevat, spie′= keries** (omgangst.)
spons (s) -e sponge; (w) ge- sponge; **~ag′tig** spongy; **~rub′ber** foam rubber
spontaan′ spontaneous *ook* **ongedwon′ge, in= stinktief′**
spook (s) **spoke** ghost, apparition, phantom, spectre; (w) ge- haunt; be very active; struggle, fight; *dit ~ daar* that place is haunted;

hy ~ om hierdie vak baas te raak he is battling/struggling to master this subject; **~ag'tig** spooky, eerie *ook* **grie'selrig;** mysterious; **~a'sem** candyfloss; **~skip** phantom ship; **~sto'rie** ghost story; **~versky'ning** apparition, phantom, ogre *ook* **skrik'beeld**

spoor[1] (s) **spore** track, trace, footprint; trail; scent; rail(way); spore; *die ~ kwyt/byster raak* be on the wrong track; *per ~* by rail; *twee rye spore loop* be intoxicated/tipsy; *diep spore trap* make one's mark; (w) **ge-** despatch by rail; align (wheels) *kyk* **wiel'sporing**

spoor[2] (s) **spore** spur (fixed to horseman's boot); (w) **ge-** spur; *gestewel en ge~* booted and spurred

spoor[3] (w) **ge-** page; trace; *~ mnr. Kok, asseblief* please page Mr Kok; **~apparaat'** tracking devise

spoor: ~breed'te gauge (rails); tread; **~brug** railway bridge; **~hou** keep to the trail; **~lê'er** platelayer; railway sleeper *kyk* **dwars'lêer; ~loos** (b) trackless; (bw) completely; *~loos verdwyn* vanish into space; **~lyn** railway line/track; **~oor'weg** level crossing; **~slag** incentive, stimulus *ook* **aan'sporing, dryf'-veer; ~sny'er** tracker; **~snyhond** tracker dog; **~wa** railway carriage *ook* **ry'tuig**

spoor'weg ..weë railway, railroad, **~diens** railway service; **~kaar'tjie** railway ticket; **~mate-riaal'** rolling stock; **~on'geluk** railway accident; **~ry'tuig** railway carriage; **~sta'sie** railway station; **~tarief'** railway tariff

spora'dies (b, bw) **-e** sporadic *ook* **af en toe; periodiek'**

spo'ring (s) wheel alignment *ook* **wiel'sporing**

sport[1] **-e** step, rung, rundle (ladder); *sy het die hoogste ~ bereik* she reached the top of the ladder

sport[2] **-e, ..soorte** sport(s); **~baad'jie** sports jacket; blazer; **~beurs** sports scholarship; **~grond** recreation/sports ground *ook* **sport'terrein**

sportief' ..tiewe sportsman-like

sport: ~klub sports club; **~man** sportsman; **~manskap'** sportsmanship *ook* **sport'gees; ~mo'tor** sports car; **~vere'niging** sports/athletic association

spot[1] (s) ridicule, derision, scorn, mockery; *die ~ dryf met* mock at, ridicule; *die ~ van* the laughing-stock of; (w) **ge-** deride, mock, jeer; **~goed'koop** dirt-cheap; **~lag** derisive laughter, sneer; **~lus** love of making jokes/mocking s.o.; **~naam** nickname, byword; **~prent** caricature *ook* **karikatuur'**; cartoon; **~prentte'-kenaar** caricaturist; cartoonist; **~prys** bargain price; booby prize; **~tenderwys'(e)** jokingly, mockingly

spot[2] (omgangst.) (w) **ge-** guess/spot examination question

spot'voël -s joker, mocker; mocking bird *kyk* **kwê'voël**

spraak (s) speech, language, tongue; **~aktive'-ring** voice activation; **~ en drama** speech and drama (school subject) *ook* **drama'tiese kunste** (skoolvak); **~gebrek'** speech impediment; **~gebruik'** (language) usage; idiom, parlance; **~herken'ning** voice recognition; **~kuns** grammar *ook* **gramma'tika; ~loos** without speech, dumb *ook* **spra'keloos; ~orgaan'** organ of speech; **~saam** talkative, chatty; **~verwar'ring** confusion of tongues

spra'ke: *ter ~ bring* broach a subject; *geen ~ van* no question about it; **~loos** speechless, dumb *ook* **stom'geslaan;** *~loos van verbasing* at a loss for words (due to astonishment)

spran'kel ge- spark(le), twinkle; scintillate; **~end** lewenslustig, (aansteeklik) opgewek (persoon)

spran'kie: *geen ~ hoop nie* beyond any hope

spreek ge- speak, talk, converse; *kan ek die hoof ~/sien?* may I see the principal? *dit ~ vanself* it stands to reason; **~buis** spokesperson; mouth-piece *ook* **segs'man, woord'voerder; ~fout** slip of the tongue; **~ka'mer** consulting room; rooms (doctor); **~taal** spoken language, vernacular *ook* **om'gangstaal; ~uur** consulting hour (doctor)

spreek'woord -e proverb, saying, adage *ook* **geseg'de; ~delik -e** proverbial

spreek'wyse -s phrase, expression, locution *ook* **fra'se, segs'wyse**

spreeu -s starling (bird); **In'diese ~** (Indian) mynah (bird)

sprei[1] (s) **-e** bedspread, quilt *ook* **bed'sprei;** counterpane

sprei[2] (w) **ge-** scatter, spread out; **~blad** spreadsheet (comp.); **~lig** floodlight *kyk* **soek'-lig**

spre'kend -e speaking; lifelike; *~e gelykenis* exact/striking likeness; *~e voorbeeld* fitting example, object lesson

spre'ker -s speaker; orator (person)

spreuk -e proverb, aphorism, maxim *ook* **spreek'woord; S~e van Sa'lomo** Book of Proverbs (Bible)

spriet -e blade (grass); feeler (insect)

spring (s) jump, leap, hop *ook* **sprong;** (w) **ge-** jump, leap; *van vreugde ~* leap with joy; **S~bok** (s) **-e** Springbok (rugby player); **~bok** (s) **-e** springbok (antelope); **~haas** springhare; Cape kangaroo; **~jurk** gym, gymnastic costume; tunic; **~ka'bel** jumper lead/cable *ook* **aan'sitka'bel; ~kasteel'** jumping/bouncy castle (play equipment); **~le'wendig** lively, sprightly, sparkling; sprightly; **~mat** trampoline *ook* **wip'mat; ~mes** flick knife; **~mie'lies** popcorn *ook* **kie'piemielies; ~plank** springboard; **~rui'ter** show jumper; **~stof** explosive(s) *ook* **plof'stof; ~teu'el** martingale; **~tou** skipping rope; **~ty/~vloed** springtide; **~veer** snapspring; **~wer'ke** blasting operations

sprin'kaan ..**kane** locust, grasshopper; **~vo'ël** locust bird; stork (large); pratincole

sprin'kel ge- sprinkle; **~besproei'ing** spray/ sprinkler irrigation

sproei[1] (s) thrush, sprue (in throat) *ook* **spru**

sproei[2] (w) **ge-** spray, irrigate; **~er** (s) **-s** sprinkler; sprayer; jet; **~kop** nozzle *ook* **nos'sel**

sproet -e freckle; **~gesig'** freckled face

spro'kie -s fairytale, fable *ook* **feë'verhaal; ~s'wê'reld** fairyland, dreamworld

sprong (s) **-e** jump, leap; hop; *op stel en ~* then and there

sprot -te sprat (herring)

spru = sproei[1]

spruit[1] (s) **-e** shoot, sprout, sprig; brook, stream(let); watercourse; (w) **ge-** sprout; arise; *dit ~ (voort) uit* it arises from; **~kool** broccoli *ook* **broc'coli;** *Brusselse ~kool* Brussels sprouts (vegetable)

spruit[2] (s) **-e** offspring, issue; child (of parents) *ook* **af'stammeling, telg**

spu = spuug = spoeg (w)

spui'gat -e scupper; *dit loop die ~e uit* it exceeds all bounds/limits

spuit (s) **-e** syringe; squirt; spout (fire engine); sprayer; (w) **ge-** inject; spout, spray, squirt; *~ die tuin nat* water the garden; **~fontein'** leaping fountain; **~kan'(netjie)** spray/aerosol can; **~kop** sprinkler head; **~naald** hypodermic needle; **~stof** vaccine; spraying mixture; **~verf** spraypaint, aerosol paint; **~vlieg'tuig** jet plane *ook* **stra'ler; ~wa'ter** soda(water); aerated water; **~waterfles'** siphon bottle *kyk* **sifon'**

spul (s) lot, caboodle; case; *die hele ~/swetterjoel* the whole lot; **~letjie'** affair

spy (s) **-e** (key)pin, wedge, peg

spy'ker -s nail; brad, tack; *'n ~ in sy dood(s)kis* a nail in his coffin (idiom); **~geweer'** nail gun (builder's tool); **~ha're** spiked/spiky hair; **~skoene** (mv) spikes (athl.); **~skrif** cuneiform characters; **~ta'fel** pintable

spys (s) **-e** food, viands, victuals; *~ en drank* meat and drink; **~e'nier'** (s) **-s** caterer; **~e'neer/~e'nier** (w) **ge-** cater; **~e'ne'ring** catering; **~kaart** menu *ook* **menu'; ~verte'ring** digestion; *slegte ~vertering* indigestion

spyt (s) regret *ook* **berou';** repentance; sorrow; *~ kom altyd te laat* remorse comes too late; *ten ~e van* in spite of; (w) **ge-** regret, be sorry; *dit ~ my* I am sorry *ook: ek is jammer*

staaf[1] (s) **stawe** bar, rod, stave; **~grafiek'** bar graph; **~kode** bar code *ook* **stre'piesko'de**

staaf[2] (w) **ge-** confirm; ratify; prove, support *ook*

beves'tig, beaam'; *~ jou antwoord asb. met feite* please support your answer with facts

staaf'goud bullion, bar gold

staak ge- strike, cease work; discontinue, quit; suspend; stall (car) *ook* **stol;** abort (comp. programme); *die arbeiders ~* the labourers down tools; *sy besoeke ~* discontinue his visits; **~wag** picket (person) *ook* **sta'kerswag**

staal (s) steel; *jou ~ toon* show one's mettle; (w) **ge-** prepare/steel yourself (for a difficult task); **~bor'sel** wire brush; **~fabriek'** steelworks; **~gravu're** steel engraving; **~wol** steel wool (for dishwashing)

staal'tjie short (funny) story; yarn, joke; anecdote *ook* **anekdo'te, episo'de**

staan ge- stand; *duur te ~ kom* pay dearly for; *~ jou man* hold your own; *op ~de voet* forthwith; *~de ovasie/toejuiging* standing ovation; **~de** standing; upright; **~de mag** permanent force *ook* **weer'mag**

staan'der -s stand (eg for hats)

staan: ~geld demurrage (railways); **~horlo'sie** grandfather clock; **~plek** standing room; parking area/bay

staan'spoor start, take-off; *uit die ~/van die ~ af* from the word go

staan'-staan' loitering; in an upright position

staar (s) sty(e), cataract (eye); (w) **ge-** stare; look with a fixed gaze; *jou blind ~ op* concentrate on one thing only and ignore the rest

staat[1] (s) **state** statement; account, bill *ook* **re'kening;** return *ook* **op'gaaf**

staat[2] (s) condition; *in ~ wees* be able; *tot alles in ~* capable of anything

staat[3] (s) **state** state; government; **~kunde** (s) politics, statecraft *ook* **rege'ring, lands'bestuur;** political science; **~kun'dig** (b, bw) **-e** political

staat: ~maak (w) **-ge-** rely/depend (up)on; **~ma'ker** (s) **-s** mainstay, stalwart, reliable person, staunch supporter *ook* **steun'pilaar**

staats: ~aan'klaer public prosecutor; **~amp'tenaar** civil servant; **~diens** public/civil service; **~geheim'** classified (government) information; **~getui'e** state witness; **~gevan'gene** prisoner of state; **~greep** coup (d'etat); **~hoof** head of state; **~hulp** government help, state aid

staat'sie pomp, ceremony, state; *in ~ lê* lie in state (deceased statesman)

staats: ~koerant' government gazette; **~skool** government school; **~skuld** national debt; **~leer** political science *ook* **regeer'kunde; ~lotery'** state lottery; **~man/~vrou** statesman/stateswoman; **~reg** constitutional law; **~reg'telik** constitutional *ook* **grondwet'lik; ~we'ë:** *van ~weë* authorised by government

stabiel' -e solid, firm, stable *ook* **kredietwaar'dig** (firma); **ste'wig**

stabiliseer' ge- stabilise (a situation; a patient)

stabiliteit' stability *ook* **besten'digheid**

stad (s) **stede** town, city; **~genoot'** fellow citizen; **~huis** town/city hall *kyk* **stads'huis**

sta'dig (b) slow; ~ *maar seker* slow but sure; *~e aksie* slow motion, slomo (infml.) *ook* **stak'= sie;** ~ *oor die klippe* steady now!; **~aan** gradually, by degrees *ook* **gelei'delik, gaan'= deweg**

sta'dion -s stadium

sta'dium -s, ..ia stage, phase; *in hierdie* ~ at this stage *kyk* **tyd'stip**

stad'saal (s) ..sale town/city hall

stads'bewoner -s city dweller, citizen

stads: **~huis** house in town *kyk* **stad'huis;** **~kalant'/~koeja'wel** city slicker; **~klerk** town clerk *ook* **stadsekreta'ris**

stad'skouburg -e civic theatre

stads: **~raad** town/city council; metropolitan council *ook* **me'troraad;** **~raad(s)lid'** town councillor; **~vernu'wing** urban renewal; **~wa'= pen** coat-of-arms (of a town); **~wyk** munici= pal/metropolitan ward

staf (s) **stawe** staff; mace (parliament); baton (marshal); crozier (bishop); **~dra'er** mace= bearer, macer, sergeant-at-arms; **~offisier'** staff officer; **~rym** alliteration *ook* **allitera'= sie**

stagna'sie (s) stagnation *ook* **stil'stand; stagneer'** (w) ge- stagnate *ook* **verstar', stil'staan**

sta'ker -s striker; **~(s)wag** picket

sta'king -s, -e strike; industrial action *ook* **ar'beidsonrus;** suspension, cessation; *die* ~ *afgelas* call off the strike; *wilde* ~ wild-cat strike; ~ *van stemme* equality of votes (at a meeting)

stak'sie slomo (infml.), slow motion *ook* **sta'dige ak'sie**

stal (s) **-le** stable (animals); stall; (w) ge- stable; ~ *jou motor onder die gebou* park your car under the building; *op* ~ *sit* put in the stable (horse); **pad~** farm stall

stalagmiet' -e stalagmite *ook* **staan'druipsteen**

stalaktiet' -e stalactite *ook* **hang'druipsteen**

stal'letjie -s (display) stall *ook* **loket';** booth

stam (s) -me trunk, stem; tribe, clan; race; *uit dieselfde* ~ from the same stock; (w) ge= descend/come from; **~boekvee'** stud/pedigree cattle; **~boom** genealogical tree, pedigree

sta'mel (w) ge- falter; stammer (in speaking)

stam: **~geveg** tribal/faction fight *ook* **fak'= siegeveg;** **~groep** clan; **~hoof** tribal chief; **~hou'er** son and heir; **~land** mother country; country of origin (of a person); **~oor'log** tribal war

stam'ina (s) stamina *ook* **uit'houvermoë**

stamp (s) -e knock; stamp (with feet); bump; *met*

~*e en stote* by fits and starts; (w) ge- pound, bump, knock; **~blok** pounding block, wooden mortar; **~er** pounder, crusher; pestle; pistil (of flower); bumper (car) *ook* **buf'fer;** **~mie'lies** pounded mealies, samp; **~mo'tor** stock car; **~voet** (w) ge- stamp with the feet; **~vol** (b) chockful, packed (hall)

stam: **~va'der** ancestor; **~verwant'** kinsman; **~vrug** wild plum

stand (s) -e standing, position; rank; height; phase; stance; *iets tot* ~ *bring* bring about/ accomplish something; *die* ~ *van sake* the state of affairs

standaard' (s) -e standard, criterion, norm, level *ook* **maat'staf, peil, norm;** **S~afrikaans'** stan= dard Afrikaans; **~iseer'** (w) ge- standardise; **~werk** standard/authoritative work (book)

stand'beeld -e statue *kyk* **bors'beeld, rui'= terbeeld**

stan'derd -s standard (in school) *kyk* **graad**

standhou'dend -e continuous, permanent; *~e stroom* perennial stream/river

stand'plaas (s) ..plase stand, erf; station, post

stand'punt -e point of view, viewpoint *ook* **siens'wyse, gesig'punt;** standpoint

standvas'tig (b) firm, constant, steadfast *ook* **ste'wig, ferm;** **~heid** steadfastness, firmness

stang -e bit (of bridle); bar; *die* ~ *vasbyt* take the bit between the teeth

stank -e stench, bad smell, stink; ~ *vir dank kry* get more kicks than halfpence; ~ *vir dank gee* bite the hand that feeds one

stan'sa -s stanza *ook* **stro'fe** (poësie)

stap (s) -pe step, pace, stride; move; *~pe doen* take action; (w) ge- walk; step, stroll, stride; hike; *'n entjie gaan* ~ go for a walk/stroll

sta'pel (s) -s pile, heap, stack; *die skema van* ~ *laat loop/stuur* launch the scheme; (w) ge- heap up, pile, stack; **~gek** insane, raving/stark mad; **~ing** stacking; hoarding (supplies); **~kos/~voed'sel** staple food; **~kur'sus** sand= wich/crash course

stap: **~per** walker, hiker; *met dapper en ~per* on foot; **~roe'te** hiking trail *ook* **voet'slaanpad;** **~toer** hiking trip; **~vlak** catwalk (at fashion show)

star (b) -re rigid, fixed *ook* **verstok';** glassy (stare)

sta'sie -s station; **~mees'ter** station master; **~wa** station wagon (car)

sta'tebond commonwealth; federation of states; *die (Britse) Statebond* the Commonwealth (of Nations)

Sta'tebybel Authorised Dutch Version of the Bible

sta'ties -e static *ook* **stil'staande**

sta'tig (b) stately, elegant, dignified *ook* **def'tig, pleg'tig, formeel'**

statistiek' -e statistics; **statis'tikus** -se statistician (person)

sta'tus status, position; **~simbool'** status symbol; **~soe'ker** social climber *ook* **sosialiet'**

statutêr' (b) -e statutory *ook* **wet'lik**

statuur' (s) **..ture** stature; status (person)

statuut' (s) **..tute** statute *ook* **(lands)wet**

steak -s steak *ook* **bief'stuk; ~huis** *ook* **braai'= huis, braairestaurant'**

ste'de: *in ~/plaas van* instead of

ste'delik -e urban; *~like bevolking* urban population; *~like terreur* urban terrorism; **~ling** townsman, city dweller, citizen *ook* **stads'bewoner**

steeds (bw) constantly, always *ook* **al'tyd(deur)**

steeg (s) **stege, steë** lane, alley; *blinde ~* blind alley

steek (s) **steke** prick (pin); stitch (needle) *kyk* **heg'steek;** sting (bee); bite; stab, thrust; *g'n ~ gedoen nie* not a stroke of work done; *in die ~ laat* leave in the lurch; (w) **ge-** prick; sting; stab; *daar ~ iets agter* there is a catch in it; **~hou'dend** sound, consistent *ook* **gel'dig, konsekwent'; ~pil** suppository *ook* **set'pil; ~proef** random sample, spot check; **~proef= fout'** sampling error

steeks (b) obstinate *ook* **kop'pig', ei'ewil'lig;** *so ~ soos 'n donkie/muil* very obstinate

steel[1] (s) **stele** handle, shaft; stalk (flower); stem (pipe)

steel[2] (w) **ge-** steal; thieve; **~fotograaf'** paparazzo *ook* **paparaz'zo**

steel'kant blind side (rugby)

steen (s) **stene** brick; stone; bar (soap); *'n ~ des aanstoots* a thorn in one's flesh; *~ en been kla* complain bitterly; **~bakkery'** brick(making) yard; **~bok** steenbok (antelope)

Steen'bokskeerkring Tropic of Capricorn

steen: ~bras steenbras (fish); **~druk** lithography *ook* **litografie'; ~groef** quarry; **~kool** coal; **~koolmyn'** coal mine, colliery; **~oond** kiln; **~pui'sie** boil; **~tyd'perk** stone age; **~uil** spotted eagle owl

steggie (s) -s cutting *ook* **stig'gie**

stei'er[1] (s) -s scaffold(ing) *ook* **boustella'sie;** gantry

stei'er[2] (w) **ge-** stagger, prance/rear (horse); *ons ~ onder die nuwe belastings* we are reeling under the new taxes

steil steep, precipitous, sheer, bluff; **~te** steepness, precipice

stel[1] (s) **-le** set (tennis); (dinner) service; suite (of rooms); *'n ~ aftrap* have a rude surprise

stel[2] (w) **ge-** fix; draw up; adjust; put, set; compose; *gestel dat* supposing that; *'n wekker ~* set an alarm clock; **~arm** lever

stel'kunde (veroud.) algebra *kyk* **al'gebra**

stella'sie -s scaffolding; reed platform (for the drying of fruit)

stel'lig certain, sure *ook* **se'kerlik, beslis'**

stel'ling (s) **-e, -s** statement *ook* **bewe'ring;** doctrine; thesis, theorem; *'n sterk ~ inneem* take a firm stand; *bespreek hierdie ~* discuss this statement/assertion; *wilde ~* sweeping statement *ook* **grow'we veralgeme'ning**

stelp (w) **ge-** sta(u)nch, dab, stop, stem (blood); **~mid'del** (s) dabber *ook* **dep'per;** styptic

stel: ~punt set point (tennis); **~re'ël** maxim, precept; **~roer** gun trap; **~werk** essay, composition

stel'sel -s system *ook* **sisteem'; ~in'dringer** (s) -s hacker (comp.); *metrieke/tiendelige ~* metric system

stelselma'tig -e systematic(al) *ook* **sistema'ties**

stel'skop -pe place kick (rugby)

stelt -e stilt; *alles op ~(e) sit* turn everything topsy-turvy; **~lo'per** stilt walker (person)

stem (s) **-me** voice; vote; *~me uitbring* cast votes; poll; *die ~ verhef* raise the voice; *beslissende ~* casting vote (at a meeting); *staking van ~me* equality of votes; (w) **ge-** tune; vote; **~band** vocal chord; **~brief** ballot paper; **~bui'ging** modulation, intonation; **~bus** ballot box; **~gereg'tig** entitled to vote, enfranchised; **~gereg'tigde** registered voter; **~heb'bend** voiced, aspirate; **~hok'kie** polling booth; **~lokaal'** polling station; **~loos** voiceless; mute, dumb; disenfranchised (without right to vote); **~mig** sedate, sober; tranquil *ook* **in'getoë, kalm**

stem'ming[1] (s) **-e, -s** mood; *in 'n goeie ~ bring* put in a good mood; *die ~ bederf* damp the spirits (eg at a party)

stem'ming[2] (s) ballot, election, voting, poll *ook* **stem'mery;** *tot ~ oorgaan/bring* proceed/put to the vote; *twee lede buite ~* two abstentions

stem'opnemer -s polling officer, scrutineer; flight recorder (black box)

stem'pel (s) -s seal, stamp, postmark *ook* **tjap** (omgangst.); *sy ~ op iets druk* put one's stamp on something; (w) **ge-** stamp, seal; hallmark (v); **~kus'sing** stamp pad

stem: ~pos voicemail (telephone); **~reg** franchise, suffrage, voting right *ook* **kies'reg; ~vurk** tuning fork

ste'nig (w) **ge-** stone (to death)

stenograaf' **..grawe** stenographer *ook* **snel'= skrywer**

step'pe -s steppe *ook* **gras'vlakte**

ster -re star; luminary; *jou ~re dank* thank one's lucky stars

ste'reo stereo; (b) **~fo'nies** stereophonic; **~skoop'** stereoscope; **~tiep'** stereotype *ook* **onoor= spronk'lik; onveran'derlik**

sterf ge- die, expire *ook* **ster'we, dood'gaan; ~bed** deathbed; **~geval'** death; **~lik** mortal; **~ling'** (s) -e mortal (being); *geen ~ling nie* not a living soul; **~te** mortality, death/dying; **~te'syfer** death rate; **~te'voor'deel** death benefit

steriel' (b) sterile *ook* **kiem'vry; onvrug'baar**

steriliseer' ge- sterilise; castrate, spey (animals) *ook* **spei** (wyfiedier)

sterk (b) strong, powerful; robust; numerous; (w) **ge-** strengthen; *iem. in sy kwaad ~* encourage s.o. in wrongdoing; **~ drank** strong drink (alcoholic); **~te** strength, vigour; fortress, stronghold; **~te!** good luck to you!

ster'ling sterling (Br. currency unit; symbol: £); *een pond ~* one pound sterling

steroïed' (s) -e steroid *ook* **(verbo'de) op'kikker** *kyk* **stimulant'**

ster're: ~beeld constellation; galaxy; **~kun'de** astronomy; **~kun'dig** (b) -e astronomical; **~e** (s) -s astronomer (person) *ook* **astronoom'; ~ky'ker** stargazer; astrologer *ook* **sterrewig=gelaar; ~reën** meteoric shower; **~tjie** little star; asterisk; **~wag** observatory; **~wig'gelaar** astrologer *ook* **astroloog', voorspel'ler**

stert -e tail; *iets by die ~ beethê* have hold of the wrong end of the stick; *met die ~ kwispel* wag the tail (dog); **~riem** loin cloth; G-string; crupper (harness)

ster'we ge- die, expire *ook* **sterf, dood'gaan;** *van honger ~* die of hunger; *te ~ kom* die; *op ~ lê* be dying

ster'wens: ~nood death struggle; **~uur** hour of death

stetoskoop' ..skope stethoscope *ook* **gehoor'pyp**

steun[1] (s) -e groan; moan; (w) **ge-** groan; moan

steun[2] (s) -e support, aid; *volgehoue ~* continued support; *~ werf* solicit support; lobby; (w) **ge-** support, aid, back *ook* **ondersteun'**; *geldelik ~* support financially; **~pilaar'** pillar of support *ook* **staat'maker;** pivot; **~sool** arch support (shoe)

steur[1] (s) -e sturgeon (fish); **~garnaal'** prawn *ook* **(swem)kre'wel**

steur[2] (w) **ge-** disturb, trouble *ook* **stoor**; care for, mind; *moenie jou daaraan ~ nie* don't mind that; **~end** disturbing *ook* **sto'rend; hin'derlik; ontstem'mend; ~ing** inconvenience, intrusion; *atmosferiese ~ings* atmospherics; **~nis** disturbance, disorder, confusion *ook* **stoor'nis**

ste'wel -s boot; *vier ~s in die lug* sprawling on one's back

ste'wig (b) firm; solid; thorough; sound; *~ vashou* grip firmly; *~ verpak* strongly packed

stie'beuel -s stirrup (horseriding)

stief (b) hard-hearted *ook* **lief'deloos; ~broer** stepbrother; **~kind** stepchild; **~moe'der** stepmother; **~moe'derlik** -e stepmotherly, niggardly; *ons is maar altyd ~/stief behandel* we have always been treated like poor relations;

~ou'er stepparent *kyk* **pleeg'ouer, groot=maakouer; ~seun** stepson; **~sus'ter** stepsister; **~va'der** stepfather

stier -e bull *ook* **bul;** steer; **~geveg'** bullfight *ook* **bul'geveg**

stif -te stiletto, pen; pin; tack *kyk* **lip'stiffie**

stif'fie -s diskette (comp.), stiffy (SAE) *ook* **(re'kenaar)disket'**

stig ge- found, establish *ook* **ves'tig;** raise; float (a company); edify (by a sermon); *brand ~* raise a fire; *'n fonds ~* establish a fund

stig'gie = steg'gie

stig'ma -s stigma (social disgrace) *ook* **smet, skand'vlek**

stig'telik -e edifying, ennobling; *~e boeke* (religious) inspirational books *kyk* **stig'ting**[2]

stigter (s) -s founder; **~lid'** founder member

stig'ting[1] (s) -s, -e foundation; home, institution

stig'ting[2] (s) moral uplift; inspiration (esp. religious) *kyk* **stig'telik**

Stig'tingsdag Founders' Day (former holiday)

stik[1] (w) **ge-** embroider, stitch (by machine)

stik[2] (w) **ge-** choke, suffocate; *~ van woede* choke with rage; **~sie'nig** short-sighted, myopic; **~stof** nitrogen (chem. element)

stil (w) **ge-** calm, soothe, allay, satisfy; *honger ~* appease hunger; (b, bw) quiet, peaceful, tranquil; *~ hou* keep quiet; *so ~ soos 'n muis/die nag* very quiet; **~bly** keep quiet; keep mum about

stil'hou -ge- stop, pull up (when driving/moving)

stilis' -te stylist (writer with good style)

stil: ~letjies quietly, on the quiet, secretly *ook* **heim'lik; ~le'we** still life (painting); **~ligheid'** quiet, secrecy; *in die ~ligheid* on the quiet; **~staan** stand still *kyk* **stok'stil; ~stand** truce *kyk* **wa'penstilstand;** cessation, standstill; *tot ~stand kom* come to a stop; **~swye'** silence; *die ~swye bewaar* keep silent/mum

stilswy'end (b) quiet, silent; passive (consent)

stil'te quietness, calm, silence; *die ~ voor die storm* the lull before the storm

stimulant'/stimulans' -e stimulant *ook* **op=wekmiddel, op'kikker;** *verbode ~* banned substance (sport) *kyk* **steroïed'**

stimuleer' ge- stimulate *ook* **aan'spoor, prik'kel**

sti'mulus -se, ..li stimulus *ook* **aan'sporing**

stin'gel -s stalk, stem (of a plant)

stink (w) **ge-** stink, reek; (b) stinking; fetid; **~blaar/~'olieboom** thorn apple (plant); **~end** stinking; **~erd** scoundrel, rogue; stinker; **~hout** stinkwood, **~muishond** Cape polecat; **~ryk** stinking rich

stip[1] (s) -pe spot, dot, speck; (w) plot *ook* **uit~**

stip[2] (b, bw) strict; punctual *ook* **sekuur', presies';** *~te betaling* prompt payment; *~ op tyd wees* be punctual

stip′pel (s) -s spot, dot, speck; (w) ge- spot, dot; **~druk′ker** dot matrix printer; **~streep** dotted/ broken line (traffic) *kyk* **sper′streep**

stip′telik (bw) punctually, promptly

stoei ge- wrestle; romp; **~er** wrestler; **~ery** wrestling; romping; scuffle; **~geveg′** wrestling bout/match; **~kryt** wrestling ring; **~promo′tor** wrestling promoter

stoel (s) -e chair, seat, stool; *vir ~e en banke preek* preach to an empty church; (w) ge- stool, form a stool (plant); **~gang** motion of the bowels, stool *ook* **ontlas′ting; ~kus′sing** chair cushion

stoep -e stoep (SAE); patio; veranda(h); *voor sy eie ~/drumpel vee* mind one's own business; **~sit′ter** lazybones (person) *ook* **lui′aard, niks′doener**

stoer (b) powerful, brave, sturdy, hardy *ook* **fors, ste′wig, krag′tig**

stoet[1] (s) -e procession (often formal); retinue, train

stoet[2] (s) -e stud; **~bees′te** stud/pedigree cattle; **~ery′** stud farm

stof[1] (s) **stowwe** material, matter, stuff; *~ tot nadenke* food for thought; **byt~** corrosive; **gif~** poison; **plof′~** explosive(s)

stof[2] (s) **stowwe** dust, powder; *loop dat die ~ staan/trek* run like the wind; **~deel′tjie** atom, particle of dust

stoffa′sie materials, stuff; calibre, mettle (of person)

stoffeer′ (w) ge- upholster; **~der** (s) -s upholsterer

stof′fer -s duster *ook* **stof′lap**

stof: ~lik mortal; material; *~like oorskot* mortal remains; **~nat** wet on top (soil, after a light drizzle); **~re′ën** drizzle; **~sui′er** vacuum cleaner; **~wolk** cloud of dust

stok -ke stick, cane, staff; **~blind** stone-blind; **~doof** stone-deaf

sto′ker -s stoker, fireman; distiller; **~y** distillery

stok: ~flou deadbeat; **~kerig** stringy, woody, fibrous; wooden, stilted (speech); **~kie** little stick; *~kies draai* play truant; *'n ~kie voor iets steek* put an end to something; *staan ~stil/roerloos* stand motionless; **~kie′lekker** lollipop; **~kiesdraai′er** truant; stay-away (person); **~oud** very old, hoary with age; **~perd′jie** hobby *ook* **tyd′verdryf; ~roos** hollyhock; **~sielalleen′** all alone; **~styf** stiff as a poker/ ramrod; **~vel** stokvel (burial/savings society) *ook* **spaar′klub, begraf′nisklub; ~vis** hake (fish)

stol ge- congeal, coagulate; freeze (TV image); stall (engine) *ook* **staak**

stolp/stulp -e bell glass; glass cover; lampshade

stom -me dumb, mute; stupid, dense; *die ~me diere* the poor animals; *~ van verbasing* in

blank amazement; **~dronk** very drunk *ook* **smoor′dronk; ~merik′** stupid fool, blockhead, simpleton *ook* **dom′kop, e′sel**

stommiteit′ (s) -e blunder, stupidity; howler

stomp[1] (s) -e stump, stem, trunk (wood)

stomp[2] (b) blunt (knife); dull; obtuse (angle)

stom′pie -s cigarette end, fag end, stub

stomp′neus -e flat/snub nose; stumpnose (fish)

stomp′stert (b, bw) bobtailed; without tail (eg cat)

stonk (w) ge- stump (cricket)

stoof (s) **stowe** stove, range; (w) ge- stew, braise, simmer *ook* **sto′we; ~vleis** stew *ook* **bre′die**

stook ge- stoke, fire; distil (spirits); *kwaad ~* create discord; stir up strife; **~ke′tel** still; **~ys′ter** poker

stoom (s) steam; *~ afblaas* blow off steam; (w) ge- steam; **~boot** steamship; **~fluit** steam whistle; **~ke′tel** boiler; **~masjien′** steam engine; **~pot** pressure cooker; **~rol′ler** (s) -s steamroller; (w) ge- steamroller; override; **~skip** steamship

stoor[1] (s) store storeroom *ook* **skuur, pak′huis;** (w) ge- store (away) *ook* **op′berg**

stoor[2] = **steur**[2]

stoot (s) **stote** stab; gore, poke; push; thrust; (w) ge- poke, butt; push; thrust, jostle; **~kar′= retjie/~waentjie** handcart, pushcart; **~kus′= sing** buffer; **~skra′per** bulldozer

stop[1] (s) -pe darn (on garment); plug (for hole); pipe-fill; (w) ge- darn; fill; *iem. 'n fooitjie in die hand ~* slip a tip into s.o.'s hand; **~ei′er** darning egg

stop[2] (w) ge- stop, halt

stop′horlosie -s stopwatch

stop: ~kontak′ power plug; **~lap** stopgap; expletive; **~naald** darning needle

stop′pel (s) -s stubble; **~baard** stubbly beard; **~land** stubble field

stop′sel -s filling (tooth; pipe with tobacco)

stop: ~straat stop street; **~verf** putty; **~woord** expletive *ook* **krag′woord**

sto′rend = **steu′rend**

sto′rie -s story, tale; *~s vertel* tell stories; gossip, spin a yarn; lie

storm (s) -s storm, tempest; (w) ge- attack, assault; storm; **~ag′tig** stormy, tempestuous; tumultuous; **~bui** squall; **~ender′hand′** by storm; **~ja(ag)** storm, attack; **~ja′er** dumpling, doughnut; assailant; **~lamp/~lantern′** hurricane lamp; **~loop** (s) rush, stampede *ook* **vertrapping**; onslaught; **~troe′pe** assault troops; **~ska′de** storm damage; **~waar′= skuwing** storm/gale warning; **~weer** stormy weather; **~wind** gale, hurricane

stort ge- pour, spill; deposit (money) *ook* **deponeer′;** (take a) shower; *trane ~* shed tears; *in die verderf ~* dash to ruin; **~bad**

shower (bath); **~bui** heavy downpour (rain); **~ing** payment, deposit; **~terrein'** dumping/ refuse site *ook* **as'hoop; geen ~ing** no dumping

stort're'ën (s) rainstorm, downpour; (w) **ge-** come down in torrents (rain)

stort'vloed -e flood, deluge; ~ *(van) woorde* torrent of words

stort'wa ..waens tip(per) truck

stot'ter ge- stutter *kyk* **hak'kel**

stout (b) naughty; bold, brave; *die ~e skoene aantrek* take a bold step; **~erd'** naughty child; rascal *ook* **rak'ker, (klein) va'bond; ~igheid'** naughtiness, mischievousness

stoutmoe'dig (b) bold, daring, undaunted *ook* **dap'per, onverskrok'ke**

sto'we (w) **ge-** stew, braise, simmer *ook* **stoof**

stow'werig (b, bw) dusty

straal (s) **strale** beam, ray; radius (circle); jet, spurt (water); *~tjie hoop* ray of hope; (w) **ge-** beam, radiate; ~ *van geluk* beam with happiness; **~band = straal'laag(band); ~bre'king** refraction; **~bun'del** bundle/pencil of rays; **~draal** jetlag *ook* **vlieg'voos; ~ja'er/~veg'ter** jet fighter; **~laag(band)** radial ply (tyre); **~mo'tor** jet engine; **~tam** (suffering from) jetlag; **~vlieg'tuig** jet (plane) *ook* **stra'ler**

straat (s) **strate** street; strait; (w) **ge-** pave; **~boef** hooligan, lout; **~boe'wery** hooliganism; **~brak** mongrel, cur (dog); **~gespuis'** mob, rabble, hooligans *ook* **gepeu'pel; ~geveg'** brawl, street fight; **~geweld'** (street) violence; **~han'delaar** informal trader; **~hof** kangaroo court (mob justice) *ook* **boen'doehof; ~lied'jie** street song; vulgar ditty; **~naam** street name; **~roof** mugging; **~ro'wer** mugger *ook* **wurg'rower; ~sto'rie(s)** urban legend *ook* **stads' legen'de; ~ve'ër** street cleaner/sweeper *ook* **rom'melruimer; ~ven'ter/~smous** hawker; **~verlig'ting** street lighting; **~vlin'der** street-walker; stroller (infml. for prostitute); **~vrou** prostitute *ook* **prostituut', hoer**

straf[1] (s) **strawwe** punishment, penalty; ~ *uit-dien* serve time (in prison); (w) **ge-** punish *ook* **tug'tig; von'nis** (deur hof)

straf[2] (b) severe; demanding; rigid, stern; *strawwe droogte* severe drought

straf: ~baar punishable; *~bare manslag* culp-able homicide, manslaughter; **~ekspedi'sie** punitive expedition; **~hof** criminal court; **~kolo'nie** penal settlement; **~maat'reël** puni-tive measure; **~puntstel'sel** demerit points system (traffic offences); **~reg** criminal law; **~sit'ting** criminal session (court); *iem. ter ~sitting verwys* commit a person for trial; **~skop** penalty kick; free kick (rugby, soccer); **~werk** detention work; **~wet'boek** penal code

strak tight, taut; tense; stiff, set; *met 'n ~ gesig* with a poker face/stony expression

strak'kies in a minute *ook* **nou'-nou**

straks perhaps, possibly *ook* **moont'lik;** pre-sently

stra'lend -e beaming, radiant; ~ *van vreugde* beaming with delight

stra'ler -s jet (plane), jetliner; jet (of engine); **~jak'ker** jetsetter; **~kliek** jet set

stra'ling radiation; beaming

stram stiff, rigid *ook* **styf, onbuig'saam** (lyf); **~heid/~migheid'** stiffness; *die aandelebeurs is ~* the stock exchange is lifeless

strand (s) **-e** beach; shore, seaside; (w) **ge-** strand, run ashore/aground (ship); **~gebied'** foreshore; **~hoof** beachhead; **~huis** beach cottage

strandjut' -te brown hyena *ook* **strand'wolf** (dier); beachcomber *ook* **strandsnuf'felaar** (persoon)

strand: ~lo'pertjie sandplover (bird); **~meer** lagoon *ook* **lagu'ne; ~oord** seaside resort; **~roof** beachcombing; **~wag** lifesaver, life-guard *ook* **men'seredder**

strategie' (s) **-ë** strategy *ook* **taktiek'; krygs'-kuns; strate'gies** (b) **-e** strategic(al), tactical

stra'tosfeer stratosphere *ook* **hoog'ste lug'laag**

streef/stre'we (w) **ge-** strive, endeavour, aspire to

streek[1] (s) **streke** district, region; area; line; tract; **~(s)bou** zoning; **~komitee'** regional/area committee; **~nuus** regional news; **~spraak** dialect *ook* **dialek'**

streek[2] (s) **streke** trick; prank; dodge; *'n ~ uithaal* play a trick (on s.o.)

streel (w) **ge-** caress, stroke; fondle *ook* **betas';** flatter

streep (s) **strepe** line, stroke, dash, streak; *iem. 'n ~ trek* play a trick on s.o.; (w) **ge-** line; hit; streak; **~broek** striped trousers; **~kop'pie** Cape bunting (bird); **~muis** striped fieldmouse; **~sak** grainbag; **~sui'ker** (omgangst.) thrashing *ook* **loe'sing, pak sla'e**

strek ge- stretch, extend, reach; *dit ~ jou tot eer* it does you credit

strek'king (s) **-e, -s** tendency, tenor, drift *ook* **tendens'**

stre'lend (b) **-e** pleasant, soothing *ook* **behaag'-lik;** flattering; *~e musiek* soothing music

strem ge- congeal, curdle; inhibit *ook* **kort'-wiek;** retard; **~ming** stress, tension *ook* **stres, span'ning;** coagulation, curdling; **~sel** rennet, curds

stre'pieskode (s) bar code *ook* **staaf'kode**

streng austere, strict, stern, dour *ook* **stip; rigied';** ~ *vertroulik* strictly confidential; *'n reël ~ toepas* enforce/apply a rule rigorously

stres (s) stress, anxiety, tension; **~protes'** (temper) tantrum *ook* **woe'debui;** (w) **ge-:** *moenie ~ nie* don't worry; *sy ~ haar oor alles* she gets worked up about everything; **~hante′= ring** stress management; **~vol** stressful

stre′we = **streef**

striem (w) **ge-** flog, lash *ook* **ge′sel**; (fig.) slam, condemn; blast, castigate *ook* **sleg′sê, uit′= vreet;** *~ende ironie* biting/scathing irony

strignien′ strychnine *ook* **wol′wegif**

strik[1] (s) **-ke** bow, slip-knot

strik[2] (s) **-ke** trap, snare (for game) *ook* **wip, vang′stok**

strik′das -se bow tie *ook* **vlin′derdas**

strik′vraag ..vrae tricky question, twister, poser *ook* **kop′krapper**

string -e string (of pearls) *ook* **snoer**; trace, skein, strand

stroef (b) gruff, harsh *ook* **stug** (persoon)

stro′fe -s stanza, verse; strophe

stro′kies: ~film strip film; **~prent/~verhaal′** comic (strip)

stro′ming (s) **-e, -s** stream, current; movement, trend

strom′pel ge- hobble, limp, stumble along; totter *ook* **wag′gel**

stronk -e stalk; stump (tree); cob (mealie)

stront (vulg.) shit (vulg.) *ook* **kak** (vulg.); dung; rotter (person)

strooi[1] (s) straw; *so droog soos* ~ as dry as dust; *pure* ~ all nonsense

strooi[2] (w) **ge-** distribute, scatter; strew; **~biljet** (s) handbill, handout; pamphlet

strooi: ~dakhuis′ house with thatched roof; **~hoed** straw hat; **~huis = stroois; ~jon′ker** best man (at wedding); **~koerant′** knock and drop; **~lektuur′** light reading; **~mei′sie** brides= maid; **~pop** puppet; stooge, pawn, henchman *ook* **lakei′, pion′; ~pos** junk mail *ook* **smous′= pos; rom′melpos**

stroois -e straw hut *ook* **struis**

strooi: ~sa′ge soap opera, soapie *ook* **sepie** (TV); **~sui′ker** castor sugar; **~woord** buzz word *ook* **mo′dewoord, gons′woord**

strook (s) **stroke** strip; flounce, fillet; band; (w) **ge-** agree, tally; *dit* ~ *met my belange* this agrees with/suits my interests

stroom (s) **strome** stream, current; ~ *opwek* generate electricity; (w) **ge-** flow, stream; **~af** (b) downstream; **~gebied′** river basin; **~lyn** (w) **ge-** streamline; **~op** (b) upstream; con= trary, perverse; **~pie** streamlet *ook* **spruit′jie; ~versnel′ling** rapid(s); *~versnellings ry* white water rafting, river rafting *ook* **(klip)rivier′= bons; ~ys** (s) softserve *ook* **krul-ysie**

stroop[1] (s) **strope** syrup; treacle, molasses; *iem. ~/heuning om die mond smeer* softsoap s.o.

stroop[2] (s) love (in tennis); **~pot** love game

stroop[3] (w) **ge-** pillage, plunder, loot; rustle (cattle), poach (game); strip (of title); **~tog** (s) **-te** raid, marauding expedition *ook* **roof′tog**

strop (s) **-pe** strap, halter, rope; strop (for oxen); **~das** stock tie/cravat

stro′per -s poacher (of game); plunderer; harvester combine (farm); **~y** poaching

stro′perig syrupy; sickly-sweet, sentimental (person; writing)

strot -te throat; **~te′hoof** larynx

struggle (omgangst.) (s) (the) struggle *ook* **(vry′heid)stryd**

struif (s) **struiwe** omelet(te) *ook* **ei′erstruif, omelet′**

struik (s) **-e** bush, shrub

strui′kel ge- stumble; **~blok** stumbling block, obstacle *ook* **hin′dernis, obstruk′sie**

struik: ~gewas′ undergrowth; brush; **~ro′wer** highwayman; **~tuin** shrubbery

struktureer′ (w) **ge-** structure, construct

struktuur′ (s) **..ture** structure *ook* **sa′mestelling, forma′sie**

stru′weling -e, -s dispute, argument, wrangle, *ook* **ru′sie, twis**

stry ge- argue, dispute; contradict; battle, combat

stryd (s) strife, struggle, conflict, combat; *in* ~ *met* contrary to; **~byl** hatchet; *die ~byl begrawe* bury the hatchet, make peace

stry′der -s warrior, fighter, combatant *ook* **veg′ter, kry′ger**; advocate (for a cause)

stry′dig -e conflicting *ook* **bot′send**; contrary; ~ *met* contrary to/in breach of *ook: in stryd met*

stryd: ~kreet war/battle cry *ook* **oorlogs′kreet; ~leu′se** slogan; **~perk** arena *ook* **are′na, kryt; ~punt** issue *ook* **kwes′sie, dispuut′; ~vraag** question at issue, point in dispute, moot point *kyk* **stryd′punt**

stryd′wa -ens (Roman) chariot

stryk (s) stroke; pace (of horse); *op* ~ *kom* get into form/shape; *van* ~ *wees* be out of form; off one's game; (w) **ge-** stroke; iron (clothes); strike (flag); stride; **~er** (s) **-s** fiddler; string player (violin); streaker *ook* **kaal′naeler; ~orkes′** string orchestra; **~stok** fiddle stick; bow; **~ys′ter** flat iron

stu (w) **ge-** push, propel; prop, stow; **~dam/~wal** weir, barrage; **~wing** propulsion, surge

studeer′ (w) **~, ge-** study; read (for examination); ~ *vir onderwyser* study to become a teacher; **~ka′mer** study (room)

student′ -e student (both sexes)

studen′te: ~blad students' magazine; **~le′we** varsity/college life; **~raad** students' (repre= sentative) council

studentikoos′ (b, bw) student-like (behaviour)

stu′die -s study; ~ *maak van* make a study of; **~beurs** scholarship, bursary; **~fonds** scholar= ship fund; **~kring** study circle; **~verlof′** study leave

stu′dio -′s studio *ook* **ateljee′**

stug (b, bw) dour, stubborn, surly, unfriendly, stony-faced *ook* **nors, stroef, bot** (persoon)

stuif (w) **ge-** make dust; drizzle; **~meel** pollen; **~re′ën** (light) drizzle; **~sand** drift sand

stui′pe (s, mv) convulsions; *die ~ kry* be violently upset; become livid with anger

stuip′trekking -s, -e convulsion, twitching; *die laaste ~s* the last agonies

stuit (w) **ge-** stop, check *ook* **stop, keer**; offend, be repugnant; *dit ~ my teen die bors* it goes against the grain with me; **~ig/~lik** offensive, obnoxious; foolish, silly *ook* **laf**; **~bed′ding** arrestor bed (for heavy vehicles travelling down-hill)

stui′tjie -s rump, tailbone; pope's nose (chicken)

stui′wer -s halfpenny (obs. coin); *'n ~ in die armbeurs gooi* also have a word to say; add one's opinion

stuk -ke piece, fragment, oddment; document; play, part; *twintig ~s vee* twenty head of cattle; *voet by ~ hou* stick to one's guns

stuk′kend broken, torn; drunk *ook* **dronk, geko′ring, getier′**; *~ breek* smash, break to pieces

stuk′kie -s small piece, bit, morsel

stu′krag drive, thrust; kickstart *ook* **dryf′krag, hup′stoot**

stuks′gewys(e) bit by bit, piecemeal

stuk′werk piece work, jobbing; patchwork

stulp = **stolp**

stum′per(d) -s bungler; wretched fellow

stun′ning (omgangst.) (b, bw) striking, gorgeous, ravishing, stunning (girl) *ook* **prag′tig, lief′lik**; excellent, wonderful *ook* **uitste′kend, won′derlik**

stut (s) **-te** support, prop; shore; sprag, truss; (w) **ge-** support, prop; **~muur** retaining wall; **~paal/~paal′tjie** dropper *ook* **spar** (in draad= heining)**; ~prys** support price

stuur (s) **sture** steering wheel/gear, rudder, helm (ship); handle; (w) **ge-** send; steer; *in die war ~/bring* throw into confusion; **~boord** star= board; **~kajuit′** cockpit; **~man** helmsman, chief mate; pilot; *die beste stuurlui staan aan wal* it's easier to criticise than to create; **~outomaat′** automatic pilot; **~stang/~stok** joystick (aircraft; computer game)

stuurs (b) surly, sulky, sullen, sour *ook* **knor′rig, stug**

stuur′wiel -e (steering) wheel (of car)

stuwadoor′ -s, ..dore stevedore, docker *ook* **dok′werker**

styf/stywe (w) **ge-** starch, stiffen; (b) stiff, tight; rigid, formal; *stywe dop* stiff drink; **~heid** stiffness; rigidity

styg (w) **ge-** ascend, mount, climb, rise; *misdaad ~* crime is mounting; *~ende koste* rising costs; **~baan** runway *ook* **aan′loopbaan** (vir vlieg=

tuie); **~ing** rise; increase *ook* **toe′name; ~mark** bull market; **~spekulant′** bull (stock exchange)

styl[1] (s) style, manner; *in verhewe ~* in elevated style; **~figuur′** figure of speech; **~leer** art of composition, stylistics; **~vol** (b) stylish, classy

styl[2] (s) **-e** bedpost; doorpost

sty′sel starch *ook* **set′meel; ~stook** carbon loading (to perform better in sport)

sty′we (w) = **styf** (w)

sub′artikel -s subleader (in a paper); subsection (law)

subekono′mies (b) **-e** subeconomic (housing)

subgids′-e subdirectory (comp.)

subiet′ suddenly, immediately *ook* **da′delik**

subjek′ -te subject *ook* **on′derwerp**

subjektief′ (b) **..tiewe** subjective *ook* **party′dig, willekeu′rig**

subjunktief′ (b) **..tiewe** subjunctive (verbal mood)

sub′komitee -s subcommittee *ook* **on′der= komitee**

subliem′ (b) **-e** sublime *ook* **verhe′we**

submis′sie -s submission *ook* **voor′legging**

sub′redakteur′ -s subeditor; sub

subsi′die -s subsidy, grant-in-aid *ook* **toe′lae, skenking; borgskap**

subsidieer′ ge- subsidise (aid with public money)

subskrip′sie -s subscription *ook* **in′tekengeld; lid′geld**

substitu′sie -s substitution *ook* **vervang′ing**

substituut′ ..tute deputy, substitute *ook* **plaas= vervanger, adjunk′**

sub′struktuur ..ture substructure (supporting structure)

subtiel′ (b, bw) subtle *ook* **fynsin′nig; verslui′er**

sub′tropies -e subtropical (climatic zone)

suèdeskoen -e suède shoe *ook* **sweeds′leerskoen**

suf (b) **suwwe** dull, beef-witted

sug[1] (s) **-te** sigh; craving, desire; passion, lust; *'n ~ slaak (van verligting)* heave a sigh (of relief); (w) **ge-** sigh

sug[2] (s) pus (fluid from wound); (w) **ge-** ooze *ook* **et′ter**

suggereer′ ge- suggest *ook* **voor′stel**

sugges′tie -s suggestion *ook* **voor′stel**

suggestief′ suggestive *ook* **veelseg′gend**

sug′sloot ..slote drainage ditch

suid south

Suid-A′frika South Africa; **Suid-Afrikaans′** (b) **-e** South African (customs, etc.); **Suid-Afrika′ner** (s) **-s** South African (person)

Suid-Ame′rika South America

sui′de south; *na die ~* to(wards) the south; *ten ~ van* south of; **~kant** south side; **~lik** southern, southernly; *S~like Halfrond* Southern Hemisphere

Sui'der-A'frika Southern Africa

sui'derbreedte south latitude

Sui'derkruis Southern Cross (astr.)

suid'kus -te south coast

suidoos'(te) southeast

suidoos': ~**telik** southeasterly; ~**te'wind** southeaster (wind) *ook* **suidoos'(ter), Kaap'se dok'ter** (wind a.d. Kaap)

Suid'pool South Pole

suid: ~**punt** southern point; ~**waarts** southward; ~**wes'** southwest; ~**wes'(te)** southwest; ~**wes'=telik** southwesterly

sui'er (s) **-s** piston; sucker; off-shoot, sprout; ~**ring** piston ring

suig/sui'e ge- suck, suckle; absorb; ~**(e)ling'** infant; suckling; ~**ing** suction; ~**pomp** suction pump; ~**sand** quicksand *ook* **welsand/wil=sand;** ~**stok'kie** sugarstick, lollipop

sui'ker (s) **-s** sugar; (w) ge- sugar, sweeten; ~**bedryf'** sugar industry; ~**bek'kie** sugar bird, sunbird *ook* **jangroen'tjie;** ~**bos** protea, sugar bush; ~**brood** sugar loaf; ~**gehal'te** sugar content; ~**klon'tjie** lump of sugar; ~**le'peltjie** sugar spoon; ~**meu'le** sugar mill; ~**oom'pie** sugar daddy *ook* **paai'pappie, vroe'telvader;** ~**pop** sugardoll; lollipop; ~**pot** sugar basin; ~**raffina'dery/~raffineer'dery** sugar refinery; ~**riet** sugar cane; ~**siek'te** diabetes; ~**skil** candied peel; ~**soet** sweet as sugar; ~**vrug'te** crystallised fruit

suil -e column, pillar; obelisk *ook* **gedenk'naald**

sui'nig stingy, mean; sparing, frugal *ook* **spaar'=saam;** economical; ~ *met iets werk* economise; ~**heid** stinginess; thrift

suip ge- drink (animals); booze, drink heavily (alcoholic drinks); ~**ing** drinking place (for animals); ~**lap** toper, tippler, boozer *ook* **dronk'lap;** ~**party'** drinking/booze party, spree, binge

suis ge- rustle, buzz; tingle (in ears); ~**ing** buzzing, rustling, singing; ~*ing in die ore* tinnitus (med. condition)

sui'te (s) suite (rooms, offices) *ook* **stel**

sui'wel: ~**fa briek'** creamery, butter-and-cheese factory; ~**produk'** dairy product

sui'wer (w) ge- purify, refine, cleanse; purge; (b) pure (gold) *ook* **puur;** clean (hands); sheer (nonsense); clear (conscience); *'n ~/skoon gewete* a clear conscience; *die ~ waarheid* the plain truth; ~ *water* pure water; ~**heid** purity, cleanness; correctness; ~**ing** purification; purge (fig.) *ook* **rei'nig(ing)**

suka'de candied orange/lemon peel

suk'kel ge- progress poorly; cope with difficulty; languish; trudge along; *hy ~ met sy gesondheid* he is in indifferent health; *moenie met my ~ nie* don't bother/annoy me; ~~~ struggling all along; ~**aar** bungler, stick-in-the-mud *ook*

ploe'teraar; ~**draf'fie** jog trot, slow trot; ~**veld** rough (golf) *ook* **ru'veld**

sukses' **-se** success *ook* **wel'slae;** *met ~* successfully; *ek wens jou ~!* good luck to you!; ~**boek** bestseller *ook* **tref'ferboek;** ~**jag** rat race *ook* **rot'ren**

sukses'sie -s succession *ook* **op'volging**

sukses'vol (b, bw) successful *ook* **geslaag(d)**

sulfaat' sulphate *ook* **swael'suursout**

sul'ke such; ~ *domkoppe!* such fools!

sult brawn (meat dish) *ook* **hoof'kaas**

sul'tan -s sultan (Islamic ruler)

sulta'na(druiwe) sultana grapes

summier' (b, bw) **-e** summary, without formal=ities; ~*e ontslag* summary/instant dismissal

su'perbelas'ting supertax

superintendent' -e superintendent *ook* **hoof**

superioriteit' (s) superiority *ook* **hoër rang/gesag'**

superlatief' superlative *ook* **oortref'fende trap** (gram.)

su'permark -te supermarket *ook* **self'dienwinkel**

superso'nies (b, bw) **-e** supersonic; ~**e knal** sonic boom/bang

supplement' -e supplement *ook* **by'lae/by'laag, by'voegsel**

su'ring -s sorrel (plant)

sur'plus (s) **-se** surplus, excess *ook* **oor'skot**

surrogaat' (s) **..gate** substitute *ook* **plaas'=vervanger, substituut';** makeshift; ~**moe'der** surrogate mother *ook* **leen'moeder, kweek'=moeder**

sus[1] = **sus'ter**

sus[2] (w) ge- hush, quiet (a child); pacify; soothe; *sy gewete ~* silence/salve his conscience; ~**mid'del** tranquilliser *ook* **kalmeer'middel, bedaar'middel**

suspen'sie -s suspension *ook* **ve'ring** (motorkar)

suspi'sie -s suspicion *ook* **ag'terdog**

suspisieus' (b) **-e** suspicious; distrustful

sus'sie -s little sister

sus'ter -s sister *ook* **sus;** ~**s'kind'** nephew, niece

suur (s) **sure** acid; (b) sour, acid, tart; *dit sal jou ~ bekom* you wil rue it; ~**deeg** yeast, leaven; ~**klon'tjie** acid drop; ~**knol/~pruim** sourpuss (person); ~**lemoen'** lemon; ~**lemoensap** lemon juice; *daar loop ~lemoensap deur* there is something fishy about it; ~**re'ën** acid rain; ~**stof** oxygen; ~**tjie** pickle(s) *ook* **at'jar**

suu'tjies = **soet'jies**

swaai (s) **-e** swing *ook* **skoppelmaai';** (w) ge-swing; wave; sway; flourish, brandish; wield; *die septer ~* sway the sceptre, rule the roost

swaan (s) **swane** swan

swaap (s) **swape** blockhead, fool, clot; idiot; plonker *ook* **dom'kop, idioot'**

swaar heavy, ponderous; difficult, arduous; ~ *verkoue wees* have a bad cold; *te ~ wees* be overweight; **~diensban'de** heavy duty tyres (truck)

swaard -e sword, rapier; *met ~e en stokke* armed to the teeth; **~le'lie** gladiolus (flower)

swaar'gewig -te heavyweight (boxer); (fig.) influential/important person

swaar'kry/swaar kry (w) **-ge-** suffer hardships

swaarly'wig (b) obese, overweight *ook* **geset', vet, oor'gewig; ~heid** corpulence, obesity

swaarmoe'dig despondent, dejected, depressed *ook* **neerslag'tig, tries'tig**

swaar'te weight, heaviness; **~krag** gravitation, gravity; **~punt** centre of gravity

swaarvragmotorbestuur'der -s trucker, (long distance) haulier

swaarwig'tig (b) ponderous, selfimportant (person)

swa'el¹/swa'wel (s) sulphur

swa'el² (s) **-s** swallow (bird)

swa'el³ (w) **ge-:** *hy was lekker ge~* he had one too many

swa'el: ~nes'sie swallow's nest; **~stert** swallow's tail; dovetail (joint) (woodwork)

swa'elsuur/swa'welsuur sulphuric acid

swa'eltjie -s swallow (bird)

swa'er -s brother-in-law

swak (s) weakness; failing; (b) weak, infirm, delicate, feeble; faint; *~ geheue* poor memory; *~ poging* feeble attempt; **~heid** weakness; **~ke'ling** weakling *ook* **lam'sak**

swaksin'nig (b) **-e** mentally handicapped; feebleminded *ook: geestelik gestrem;* **~e** (s) **-s** mentally handicapped person

swak'te weakness, feebleness

swam -me fungus, agaric *ook* **skim'mel, fun'gus**

swa'nesang -e swan song, death song

swang: *in ~ wees* be in fashion/vogue

swan'ger (b) pregnant; with child; expecting *ook* **verwag'tend; ~skap** pregnancy

swa'righeid objection, difficulty *ook* **moei'likheid;** hitch; *ek sien ~* I see lots of problems

swart (s) black; *~ op wit hê* have it down in black and white; (b) black; **~skaap** black sheep; washout *ook* **mis'baksel** (persoon); **~bont** black and white; piebald (horse); **~druk** black/bold type

swartgal'lig pessimistic, morose *ook* **neerslag'tig**

swart: ~kuns black magic *ook* **toor'kuns; ~lys** blacklist (n); **~mark** black market *ook* **sluik'handel; ~smeer** (w) **-ge-** slander, insult *ook* **bele'dig, beswad'der; ~wil'debees** black wildebees, white-tailed gnu; **~wit'pens** sable antelope

swas'tika -s swastika *ook* **ha'kekruis**

swa'wel = swa'el¹

swa'welsuur = swa'elsuur

Swa'zi Swazi (person); **~land** Swaziland

Sweed (s) **Swe'de** Swede (person); **Swe'de** (s) Sweden (country); **~s** (s) Swedish (language); **~s** (b) **-e** Swedish (customs, etc.)

sweef (w) **ge-** hover, float, soar, glide; **~arties'** aerial/trapeze artiste *kyk* **waag'arties; ~stok** (flying) trapeze; **~spoor** cableway *ook* **ka'belspoor; ~tuig** glider *kyk* **hang'sweef, vlerk'sweef**

sweem semblance, trace; *geen ~ van waarheid* not a shadow of truth

sweep (s) **swepe** whip, lash *kyk* **karwats', peits; ~slag** whiplash; **~stok** whipstick

sweer¹ (s) **swere** abscess, sore, boil; ulcer *kyk* **maag'seer;** (w) **ge-** fester, ulcerate

sweer² (w) **ge-** vow; swear, take an oath; *hoog en laag ~* swear by all that is holy

sweet (s) perspiration; *in die ~ van jou aanskyn* in die sweat of one's brow; (w) **ge-** perspire, sweat; **~bad** sudatory/sweating bath; **~drup'pel** bead of perspiration; **~mid'del** sudorific; **~pak** tracksuit; **~vos** sorrel, (dark) chestnut horse

sweis ge- weld; **~er** welder; **~soldeer'** braze *ook* **braseer'**

swel ge- swell, expand; rise (river); grow (population)

swelg ge- swill (drink), guzzle (food); **~party** booze party; orgy; revelry *ook* **dronk'party, dronk'nes**

swel'sel -s swelling; tumour *ook* **groei'sel, tu'mor**

swem ge- swim; *gaan ~* go for a swim; **~bad** (swimming) pool; **~duik** skin diving, fin diving; **~ga'la** gala; swimming competition; **~mer** swimmer (both sexes); **~pak** bathing/ swimming costume

swen'del (s) gross fraud, scam; (w) **ge-** swindle; **~aar** swindler, racketeer; conman; **~ary'** fraud, swindling, skulduggery, scam *ook* **bedrog'(spul), verneu'kery**

swenk ge- swerve; side-step (rugby)

swerf/swerwe ge- roam, wander, rove; **~ling** wanderer; outcast; **~tog** roaming/roving expedition, peregrination

swerm (s) **-s** swarm (birds, bees); flock, throng; (w) **ge-** swarm, cluster

swer'noot (s) **..note** rascal, rogue *ook* **blik'skottel, swerka'ter** (persoon)

swer'wer -s wanderer, vagabond, rover, tramp; **~s'drang'** wanderlust, roaming spirit

swets ge- swear, curse *ook* **vloek, uit'skel**

swetterjoel' crowd, caboodle, lots (of people)

swiep ge- swish (with a cane)

swier (s) elegance, grace; flourish; (w) **ge-** loaf, be on the spree; **~bol** rake, wild spark; playboy *ook* **pie'rewaaier, dar'teldawie; ~ig** (b) elegant, stylish

swig ge- yield, give in *ook* **toe'gee, in'gee;** *voor die versoeking ~* yield to the temptation

swik ge- sprain (ankle), twist; stumble

swin'gel -s swingle (of cart); handle (of pump)

swink ge- wheel aside, swing round

swoeg ge- drudge, toil; labour *ook* **ar'bei;** (jou) **af'sloof**

swoel (b) sultry, close, oppressive (climate)

swoerd crackling, bacon rind *ook* **vark'= vel(letjie)**

swot (omgangst.) (w) ge- swot (infml.); study (for examination/test)

swy'e (s) silence; *iem. die ~ oplê* gag s.o. (fig.); forbid s.o. to speak

swyg (w) ge- be silent, keep quiet/mum; keep secret; *~ soos die graf* remain silent as the grave; **~geld** hush money; **~saam** silent *ook* **in'getoë**

swym (s) swoon, trance *ook* **flou'te, beswy'= ming; ~el** (w) ge- swoon, faint

swyn -e hog, pig, swine *ook* **vark;** *pêrels voor die ~e werp/gooi* cast pearls before (the) swine; **~e'boel** dirty mess

sy[1] (s) silk; *sy dra ~* she wears silk

sy[2] (s) -e side; margin; *met die hande in die ~e* with arms akimbo; *sy ~ is seer* his side is aching

sy[3] (pers.vnm) she; (besit.vnw) its, his

sy'aanval -le flank attack

sy'bok -ke Angora (goat)

sy'fer[1] (s) -s figure, digit, number; (w) ge- calculate; rate; **~horlo'sie/~kam'era** digital watch/camera *ook* **digita'le horlo'sie/ka'me= ra; ~vaar'digheid** numeracy

sy'fer[2] (w) ge- ooze (through), seep *ook* **sy'pel; ~put** French drain *ook* **sy'pelput; ~wa'ter** seepage

syg ge- strain, percolate, filter; **~doek** strainer

sy'gebou wing (of a building) *ook* **vleu'el**

sy'ingang -e side entrance

syn being; *~de die volgende* being the following

sy'ne his; *dis ~* that is his

syns in'siens in his opinion

sy: ~paad'jie sidewalk, pavement; **~papier'** silk paper

sy'pel ge- seep, drain *ook* **sy'fer; ~aar** filter; percolator; **~laai'er** trickle charger (of a battery); **~put/~riool/~tenk** French drain

sy: ~rok silk dress; **~sak'doek** silk hanky

sy'sie -s seed-eater, siskin (bird)

sy: ~span sidecar (of motorcycle); **~sprong** sideleap, sidestep; **~stap** (w) ge- avoid; **~stow'we** silks; **~tak** tributary (of river); **~wurm** silkworm

T

t¹ -'s t

't²: *aan ~ speel* playing; *as ~ ware* as it were

taai (b) tough, wiry, stringy; sticky; *iem. 'n ~ klap gee* give s.o. a resounding smack; *so ~ soos 'n ratel* as tough as nails; **~erig** sticky; rather tough; **~igheid** stickiness; **~pitpers'ke** clingstone peach *kyk* **los'pitperske**

taak (s) **take** task; job; duty; assignment; brief; **~beskry'wing** job description *ook* **pos'= beskrywing; ~groep** task group/team; **~mag** task force

taal (s) **tale** language; speech; *eenvoudige ~* plain language; *~ nóg tyding ontvang, geen ~ of tyding nie* have no news whatever; *wel ter tale wees* be a fluent/articulate speaker; **~beleid'** language policy; **~boek** (school) grammar *ook* **gramma'tikaboek; ~fout** grammatical error; **~geleer'de** philologist; **~gids** phrase book (for tourists); **~kun'de** grammar; linguistics

taalkun'dig (b, bw) **-e** grammatical, linguistic; **~e** (s) **-s** linguist, philologist (person)

taal: ~laborato'rium language laboratory; **~on'derwys** language teaching; **~praktisyn'** language practitioner; **~ontwik'keling** development of a language; **~skat** vocabulary (of a language) *ook* **woor'deskat; ~we'tenskap** philology, science of language; **~wetenskap'= like** (s) **-s** philologist (person)

taam'lik (b) fair, tolerable; (bw) rather, fairly *ook* **heel'wat, re'delik;** *~ goed* passable

taan¹ (s) tan (colour) *ook* **geel'bruin**

taan² (w) **ge-** grow dim, fade; weaken; wane

T-aan'sluiting T-junction

tabak' tobacco *ook* **twak;** *~ kerf* cut/carve tobacco; **~boetiek'** tobacconist's ship, smoker's emporium; **~oes** tobacco crop; **~rol** tobacco roll; **~sak** tobacco pouch; **~win'kel** tobacconist *ook* **tabak'boetiek**

tab'berd -s smart dress/frock *ook* **(aand)'rok**

tabel' -le table; list, schedule; index

taberna'kel -s tabernacle; *iem. op sy ~ gee* give s.o. a spanking/thrashing

tablet' -te tablet, lozenge

tablo' -'s tableau *ook* **le'wende beeld**

taboe' (s) **-s** taboo (forbidden/disapproved/ banned object/act); *'n ~ skend* disregard a taboo; (b) taboo *ook* **verbo'de, ontoelaat'= baar; ~woord** taboo/disapproved word; **~te'= ma** forbidden/banned topic

tabuleer'/tabelleer' (w) **ge-** tabulate

taf (s) (silk) taffeta (fabric)

ta'fel -s table; index; desktop (comp.); *~ afdek* clear the table; *~ dek* lay the table; *aan ~ sit* sit at table

Ta'felbaai Table Bay

ta'felbediende -s steward, waiter

Ta'felberg Table Mountain

ta'fel: ~doek tablecloth; **~gebed'** grace (a meals); *die ~gebed doen* say grace; **~gereed'= skap** cutlery *ook* **mes'seware, eet'gerei; ~heer** master of ceremonies *ook* **seremo'= niemeester; ~kleed'jie** tablecloth; **~laai** table drawer; **~lin'ne** napery, table linen; **~mes** table knife; **~poot** table leg; **~re'de** after-dinne speech; **~publise'ring** desktop publishing (comp.); **~re'kenaar** desktop computer; **T~= ron'de** Round Table; **~ron'de** (formal) discussion *ook* **sa'mespreking; ~ten'nis** table tennis (sport); ping-pong (game)

tafereel' ..rele scene, picture *ook* **skou'spel, tablo'**

tag'tig eighty; *die jare ~* the eighties; *in di ~erjare* in/during the eighties; **~jarige** (s) = octogenarian (person); **~ste -s** eightieth

tak (s) **-ke** branch (tree, river, business); bough limb (tree, shrub); tributary (river); tine (deer's antler); *van die hak op die ~ spring* jump from one subject to another; *hoog in di ~ke wees* be three sheets in the wind; be drunk/intoxicated; *met wortel en ~ uitroei* root out

tak'bok -ke stag, deer *ook* **hert**

ta'kel (s) **-s** tackle; system of pulleys; (w) **ge-** rig tackle; maul, knock about; confront; *die hon het die inbreker deeglik ge~* the dog severely mauled the burglar; *iem. oor sy swak gedrag* confront s.o. about his bad behaviour; **~aa** rigger (person)

tak'haar (s) **..hare** backvelder, hillbilly *oo* **(gom)tor, liep'lapper, willewrag'tig**

tak'kantoor (s) **..tore** branch office

taks estimate, rate, share; **Jan Taks** Receiver c Revenue (SARS)

taksateur' (s) **-s** appraiser, valuator *oo* **waardeer'der; takseer'** (w) **ge-** appraise assess; estimate, value *ook* **evalueer', bere ken**

taksidermis' -te taxidermist *ook* **die'reop'stop per**

takt tact *ook* **bedag'saamheid, diskre'sie**

taktiek' (n) **-e** tactics *ook* **strategie'; tak'ties (I bw) -e** tactical, strategic

takt: ~loos (b, bw) tactless, clumsy, indiscreet *ook* **ondiplomaties'; ~vol** (b, bw) tactfu judicious, discreet *ook* **bedag'saam**

tal (s) **-le** number; *talle voorbeelde* many numerous examples *kyk* **getal'**

talent' (s) **-e** talent, natural gift *ook* **aan'le vermo'ë, ga'we;** ability; *met jou ~e woeke* make the most of one's talents; **~jag'ter** talent scout; **~vol** talented, gifted *ook* **begaafd'**

a'lisman -s talisman, charm, mascot *ook* **geluk'=bringer; toor'middel**

alk[1] (s) tallow *ook* **kers'vet**

alk[2] (s) talc, talcum

al'loos (b) ..**lose** innumerable *ook* **ontel'baar**

alm (w) **ge-** linger; loiter, tarry; dawdle *ook* **sloer, draal, drel; ~lont** delayed-action fuse

Tal'moed Talmud (Jewish religious law)

al'ryk (b, bw) numerous, plentiful *ook* **menig=vul'dig**

am (b) tired, exhausted *ook* **uit'geput, gedaan'; vlug~** jetlagged

amaai' (b) huge, colossal, enormous *ook* **ys'lik, enorm';** *'n ~ groot stuk* a large piece indeed

amaryn' -e tamarind *ook* **suur'dadel(boom)**

ama'tie -s tomato; **~pruim** persimmon; **~sous** tomato sauce

amboe'kiegras tambookie grass *ook* **lemoen'=gras**

amboer' -e drum, tambour; ~ *slaan* beat the drum; **~nooi** drum majorette *ook* **trom'=poppie; ~sla'ner** drummer

amboeryn' -e tambourine (mus. instr.)

ambo'tie -s tamboti (tree)

amelet'jie -s toffee *ook* **tof'fie;** tricky matter *ook: netelige saak; ~s kry/gee* receive/give (s.o.) a dressing down/hiding

amp ge- toll (of bell); **~ende klok** tolling bell

am'pan -s tampan(-tick) (insect)

ampon' -s tampon, (cotton) plug/wad *ook* **(wat'te)prop**

and -e tooth; fang; cog; *die ~ v.d. tyd* the ravages of time; *hare op die ~e hê* have plenty of grit/guts; *hy kners op sy ~e* he gnashes his teeth; *met lang ~e eet* eat without relish; *met 'n mond vol ~e sit* be tongue-tied; *'n ~ uittrek* extract/pull a tooth; **~aan'paksel** plaque *ook* **plaak; ~arts** (s) **-e** dentist, dental surgeon

an'de: ~bor'sel toothbrush; **~loos** toothless; **~pas'ta** toothpaste; **~poei'er** dental powder; **~trek'ker** (skerts.): *lieg soos 'n ~trekker* lie like a trooper; **~vlos** dental floss *ook* **tan'=d(e)gare**

an'dem (s) **-s** tandem (cycle) *ook* **twee'lingfiets; in ~** moving together

and: ~heelkun'de dentistry; **~pyn** toothache; **~rat** (s) **-te** cogwheel; **~terapeut'** (s) **-e** dental therapist; **~vleis** gum; **~vul'ling** stopping, filling, plugging *ook* **stop'sel**

ang -e (pair of) pliers, tongs; pincers; forceps; low-class/vulgar fellow

an'gens -e, ..gente tangent (math.)

an'go -'s tango (dance)

an'gelo -'s tangelo *ook* **pome'lonartjie**

an'nie -s auntie

annien' tannin *ook* **looi'suur**

tans (bw) now, at present *ook* **nou, teenswoor'=dig;** ~ *van Oos-Londen* presently living in East London

tant (s) aunt (when followed by proper name); *Liewe ~ Hester* Dear Aunt Hester

tan'te (s) **-s** aunt

tantie'me/tantiè'me (s) **-s** royalties *ook* **outeurs'aandeel** (boek); **vrug'reg** (myn)

Tanza'nië Tanzania (country); **~r** (s) **-s** Tanza= nian (person); **Tanzanies** (b) **-e** Tanzanian (customs, etc.)

tap (s) **-pe** tap (barrel); tenon (mortise); bung, spigot, plug (hole); (w) **ge-** tap, draw; **~huis** beerhall, pub *ook* **tappery', kantien', kroeg**

taps (b, bw) tapered; **~(e)** *groef* tapered groove

tap'toe -s tattoo (mil.); last post

tapyt' -e carpet *ook* **mat;** tapestry

tarantu'la -s tarantula (large spider)

tar'bot -te turbot (fish)

tarentaal' ..tale guinea fowl

tarief' (s) **tariewe** tariff; scale, rate

tar'ra tare (weight of container/vehicle without contents)

tart ge- taunt, provoke; challenge, defy *ook* **uit'lok, trei'ter; ~end** provocative *ook* **uit'=dagend**

tar'tanbaan ..bane tartan track (athl.)

tas[1] (s) **-se** bag; pouch

tas[2] (w) **ge-** feel, touch, grope; scan *ook* **af'tas;** *in die duister ~* grope in the dark

tas'baar tangible, palpable *ook* **konkreet', stof=lik;** *tasbare bewys* tangible token/proof

tas'ter (s) **-s** scanner *ook* **skandeer'der, af=taster; la'ser~** laser scanner; **tas'ting** (s) scanning *ook* **skande'ring**

tatoeëer' ge- tattoo (v)

tat'ta (kindert.) tata, bye-bye *ook* **tot siens/totsiens'**

taver'ne -s tavern, inn; shebeen *ook* **herberg; tap'hu'is**

ta'xi -'s taxi *kyk* **huur'motor; ~staan'plek** taxi rank

te (bw) too; ~/*ter geleëner/gelegener tyd* in due course, at the right time; ~ *sleg* too bad; (vs) to, at, on, in; ~ *goeder trou* in good faith, bona fide; ~ *berde bring* raise (a topic); ~ *kus en te keur* just for the choosing; ~ *huur* to let; ~ *alle tye* at all times; ~ *voet* on foot

teak teak (wood) *ook* **kiaat'(hout)**

tea'ter -s theatre *ook* **skou'burg; ~bedryf'** show business *ook* **verhoog'kuns**

teatraal' (b) theatrical, histrionic

tech'nikon/teg'nikon (s) **-s** technikon

ted'diebeer ..bere teddy bear *ook* **speel'beertjie**

te'der (b) tender, delicate *ook* **teer**[3]; **~heid** tenderness, care, compassion

tee tea

te′ë against *kyk* **teen;** *hy is* ~ *vir vis* he is tired of fish; *niks op* ~ *nie* no objection to

teef (s) **tewe** bitch (female dog)

teë: ~**gaan** oppose, prevent, check; ~**han′ger** contrast, match, counterpart, opposite number *ook* **e′weknie, amp(s)′genoot;** ~**hou** check, hinder; arrest; ~**kom** meet, come across *ook* **raak′loop**

tee′koppie -s teacup

te′ël -s tile (for floor, wall, roof)

teel ge- breed, rear, raise (animals) *kyk* **kweek;** ~**aar′de** vegetable earth/humus; breeding ground; ~**bal** testicle *ook* **tes′tikel, tes′tes**

teelt cultivation; breeding; **vee~** stock breeding, animal husbandry

teem ge- drawl; whine, cant *ook* **sa′nik, seur** *kyk* **te′merig**

tee: ~**maal′tyd** high tea (English custom); ~**mus** tea cosy

teen against, to, towards, versus; ~ *sesuur* by six o'clock; *tien* ~ *een* ten to one

teen′: ~**aan′val** counterattack; ~**blad** opposite page; ~**deel** contrary; *die* ~ *is waar* the opposite is true; ~**gif** antidote; ~**guns** kickback (for a favour, usually illegal); ~**insurgen′sie** counterinsurgence; ~**kan′ting** opposition; ~**kom = teë′kom;** ~**lig′gaam/~stof** antibody; ~**maat′reël** countermeasure; ~**mid′del** anti= dote, remedy; ~**offensief′** counteroffensive; ~**oor** over/as against; compared with, oppo= site to; *sy gedrag* ~*oor my* his behaviour towards me

teenoor′gestel(d) -de opposite, contrary; *presies die* ~*e* exactly the opposite

teen: ~**party′** opponent, opposite number *ook* **opponent′, teen′stander;** ~**presta′sie** consid= eration (price reduction); counterperformance; kickback (for a favour, usually illegal); ~**produktief′** counterproductive; ~**re′aksie** backlash; ~**sin** aversion, antipathy *ook* **af′keer** (van); ~**sin′nig** (b) reluctant, loath *ook* **lang′= tand;** *met* ~*sin* unwillingly; ~**slag** reverse, setback; ~**spoed/teëspoed** adversity, ill-for= tune, mishap *ook* **terug′slag;** breakdown; ~**spoedwa** breakdown van *ook* **in′sleepwa;** ~**spraak** contradiction; ~**spreek** contradict, gainsay, deny; ~**staan** resist, withstand; ~**stand** resistance, opposition; ~*stand bied* offer resistance; ~**stan′der** adversary, oppo= nent *ook* **opponent′**

teen′stelling -e, -s contrast, set-off; *in* ~ *met sy broer* unlike his brother

teen′stem (s) **-me** dissenting/negative vote

teen′strib′bel (w) **ge-** demur; kick against the pricks, be recalcitrant; resent

teenstry′dig (b) **-e** contradictory, conflicting *ook* **bot′send;** ~**heid** contradiction

teenswoor′dig (b, bw) **-e** nowadays, at present,

current *ook* **tans;** *kos is* ~ *baie duur* food these days is most expensive

teen: ~**verkeer′** approaching/oncoming traffic ~**voe′ter** opposite (of); counterpart; antipode ~**voor′stel** counterproposal; ~**wer′king** oppo sition *ook* **teen′kanting**

teenwoor′dig (b) **-e** present; *veertien lede i* ~/*aanwesig* there are fourteen members pre sent; ~**e tyd** present tense; ~**heid** presence ~*heid van gees* presence of mind

tee: ~**party** tea party; ~**pot** teapot

teer[1] (s) tar; (w) **ge-** tar; *iem.* ~ *en veer* tar an feather s.o.

teer[2] (w) **ge-** consume; live on, sponge on; *op s roem* ~ rest on his laurels; ~ *op andere* mak use of/sponge on others

teer[3] (b, bw) **te′re** tender *ook* **te′der;** slender delicate, frail; *dis 'n* ~ *punt* this is a sore poin (sensitive matter); ~**har′tig** (b) tender-hearted sensitive, susceptible *ook* **jammerhar′tig** ~**heid** (s) tenderness *ook* **lief′de, sagt′heid**

teer: ~**paal** gumpole; ~**pad** tarred road; ~**puts** ta bucket (lit.); dirty fellow (fig.) *ook* **teer′tou luns′riem;** ~**straat** tarred/asphalt street

tee: ~**servies′** tea service; ~**sif′fie** tea strainer

teë: ~**sin** aversion, antipathy; dislike *ook* **af′kee** (van); ~*sin kry in* develop a dislike to; ~**sla** reverse, setback; ~**spoed = teen′spoed;** ~**stan = teen′stand**

tee: ~**sui′ker** sugar candy; ~**ta′fel** tea table

te′ëwind (s) adverse wind, headwind

tef teff (grass)

tegelyk′ together, at the same time; *almal* ~ a together; ~**ertyd′** simultaneously, concurrentl *ook* **gelyk′tydig**

tegemoet′gaan -ge- go to meet

tegemoet′kom -ge- meet halfway; ~**ing** partia compensation; willingness to accommodate

tegniek′ -e technique; method; approach *oo* **bena′dering**

teg′nies -e technical; ~*e benaminge/terme* tech nical terms; ~*e uitklophou* technical knocko (boxing); ~*e te′kene* technical drawing (scho subject)

teg′nikon = tech′nikon

teg′nikus -se, ..nici technician (person)

tegnologie′ technology; ~**s** (b) **-e** technologic(al ~*e ontwikkeling* technological development progress

tehuis′ -e hostel, home; ~ *vir bejaardes* old-ag home, home for senior citizens *ook* **ou′etehu**

tei′ken -s target *ook* **doel′wit;** *sagte* ~ soft targe ~**da′tum** target date *ook* **streef′datum** *k* **sper′datum;** ~**skiet** rifle practice

teis′ter ge- afflict, ravage, scourge; *ge-~ gebiede* the stricken/devastated areas

te′ken (s) **-s** sign; token; signal; mark; sympto *'n* ~ *van lewe* evidence/sign of life; (w) **g**

sign; draw; **~aar** draftsman, designer *ook*
(skets)te′kenaar, ontwer′per; ~**boek** drawing
book, sketchbook; ~**haak** T-square, drawing
square; ~**ing** drawing, sketch; ~**kryt** crayon;
~**les** drawing lesson; ~**papier′** drawing paper;
~**prent** comic(s) *ook* **prent′verhaal, stro=
kie(s)**

ek′kie (omgangst.) (s) **-s** (pair of) tackies (SAE);
tennis shoe; plimsoll/plimsole *ook* **seil′skoen**

ekort′ -e deficit, shortage *ook* **gebrek′, skaars′=
te;** *'n ~ aan mielies* a shortage of maize;
~**ko′ming** shortcoming, imperfection; ~**skiet**
(w) **-ge-** lack(ing)

eks -te text; copy; reading matter; ~**boek**
textbook, handbook; manual; ~**bood′skap**
(short) text message (SMS) (cellphone)

ekstiel′(s) **-e** textile(s); ~**goe′dere** soft goods;
~**ny′werheid/~bedryf′** textile industry

ekstuur′ ..ture texture *ook* **weef′sel**

eks′verwerker -s word processor *ook* **woord′=
verwerker**

ekto′nies -e tectonic, structural *ook* **boukun′dig,
struktureel′**

el (s) count(ing); *die ~ van stemme* the counting
of votes; *in die ~ wees* be popular; (w) **ge-**
count; (keep) score; ~**bord** scoreboard; leader
board *ook* **pun′teleer**

elefoneer′ ge- telephone *ook* **(op)bel, ska′kel**

elefonie′ (s) telephony (business of); ~**s** (b, bw)
-e telephonic, over the phone

elefonis′ (s) **-te** telephone/switchboard operator
(man or woman) *ook* **telefoon′operateur/
telefoon′operatri′se;** ~**te** (s) **-s** telephone/
switchboard operator (woman)

elefoon′/tel′efoon ..fone telephone *ook* **foon;**
iem. aan die ~ s.o. on the line/phone; *per ~* by
phone; ~**gids** telephone directory; ~**hok′kie**
telephone booth, call box; ~**nom′mer** tele-
phone number; ~**op′roep** telephone call;
~**sentra′le** telephone exchange *kyk* **ska′=
kelbord**

elegraaf′ ..grawe telegraph; ~**paal** telegraph
pole

elegrafis′ -te telegraphist (person)

elegram′ -me telegram; wire

elekommunika′sie telecommunication

′leks (s) **-e** telex; ticker (share prices); (w) **ge-**
teleks

lepatie′ telepathy *ook* **gedag′teoor′drag**

leskoop′ (s) **..skope** telescope *kyk* **ver′kyker/
vêr′kyker; telesko′pies** (b, bw) **-e** telescopic

leur′gestel(d) -de disappointed, disgruntled;
disenchanted *kyk* **bek′af**

leur′stel -ge- disappoint, baffle; ~**ling** disap=
pointment

levi′sie (TV) television (TV) *ook* **kyk′kas(sie),
beeld′radio** (veroud.)

lg -e (own) child *ook* **spruit;** (mv) **kroos;**

offspring, sibling/issue, descendant *ook* **na′=
saat, af′stammeling**

tel′kaart scorecard (sport); marksheet (examina=
tion)

tel′kens every time *ook* **tel′kemaal/tel′kemale,
dik′wels, baie′maal;** *~ as* whenever

tel′ler -s counter; scorer; teller (bank) *ook*
kassier′; numerator

tel′ling (s) **-s** score (games); census; numeration,
counting

tel′raam ..rame abacus, ballframe *ook* **ab′akus**

tel′woord -e numeral

tem (w) **ge-** tame, break in (a horse); subdue *ook*
mak′maak

te′ma -s theme, subject; ~**toe′spraak** keynote
address; ~**tolo′gies** according to theme

te′merig (b) **-e** whining; drawling (way of
speaking) *ook* **langdra′dig** *kyk* **teem**

tem′mer -s tamer, trainer (of wild animals);
breaker (of horses)

tem′pel -s temple; shrine (for worship)

tempelier′ -e, -s templar; total abstainer (person)

tem′per (w) **ge-** temper (steel); moderate *ook*
demp, dissiplineer′; allay; *ge~de lig* subdued
light

temperament′ (s) **-e** temperament, temper; (b)
~**eel** temperamental *ook* **emosioneel′, oor′=
gevoelig**

temperatuur′ ..ture temperature *ook* **hit′te=
graad; aan′voelbare ~** wind-chill factor

tem′po -'s tempo, pace, rate *ook* **koers, pas;** *die
~ versnel* quicken the pace

tempteer′ ge- vex, tempt *ook* **tart, uit′lok**

ten at, in; *~ behoewe van* in aid of; *~ einde
(aflewering te bespoedig)* in order to (expedite
delivery); *~ gevolge van* as a result of *ook*
weens; *hy het my ~ minste/tenminste in kennis
gestel* he at least notified me (eg of his
intentions); *~ opsigte van* in/with regard to; *~
spyte van* in spite of *ook: in weerwil van; ~
tye/tyde van* at the time of

tendens′ -e trend, tendency *ook* **nei′ging**

tendensieus′ (b) tendentious, controversial *ook*
omstre′de (boek, film)

ten′der (s) **-s** tender; offer; (w) **ge-** tender; *~s
inwag* invite tenders

ten′ger = tin′ger

tenk[1] (s) **-e, -s** tank; cistern

tenk[2] (s) **-s** tank (armoured mil. vehicle);
~**afweerkanon′** antitank gun; ~**divi′sie** tank
division

tenk: ~**skip** tanker (ship carrying oil); ~**wa**
(road) tanker (truck)

ten′nis tennis; ~**baan** tennis court; ~**bal** tennis
ball; ~**spe′ler** tennis player; ~**toernooi′** tennis
tournament; ~**wed′stryd** tennis match

tenniset′ tennisette *ook* **dwerg′tennis**

tenoor′ (s) **tenore** tenor (singer, male)

tensy' unless; ~ *anders bepaal* unless otherwise provided

tent -e tent; hood; ~ *opslaan* pitch tent; ~ *afslaan/afbreek* strike tent

tenta'kel -s tentacle; claw(s) *ook* **voelhoring'/voel'draad; klou(e)**

tentatief' tentative *ook* **voorlo'pig;** experimental

tentoon'stelling -s show, exhibition *ook* **skou; ~(s)terrein'/skou'grond** showgrounds

tent: ~ma'ker part-time minister (of religion); **~paal** tent pole; **~wa** hooded/covered wagon

teodoliet' -e theodolite (surveying instr.)

teologie' theology *ook* **god'geleerd'heid; ~s** (b, bw) **-e** theological; *~e skool* theological seminary; **teoloog'** (s) **..loë** theologian *ook* **god'geleerde**

teore'ties -e theoretical, in theory *ook* **veronderstel'lend**

teorie' (s) **-ë** theory *ook* **hipote'se, veronderstel'ling**

te'pel -s nipple (person); teat (animal) *ook* **tiet, speen** (dier)

ter at, to, in; ~ *ruste lê* bury (a person) *ook: ter aarde bestel;* ~ *dood veroordeel* sentence to death; ~ *sake* to the point; ~ *wille/terwille van* for the sake of

teraar'debestelling (s) **-s** burial, funeral; interment

terapeu'ties (b, bw) **-e** therapeutic(al) *ook* **gene'send**

terapie' (s) **-ë** therapy *ook* **remedie', kuur, geneeswyse; terapeut'** (s) **-e** therapist (person) *kyk* **fi'sioterapeut**

terde'ë (bw) thoroughly, soundly *ook* **deeg'lik, deurtas'tend;** duly

tereg' rightly, justly, in good reason; **~help** (w) **-ge-** set right; **~kom** arrive at; come right; **~staan** (w) **-ge-** stand trial; **~stel** (w) **-ge-** execute, put to death *ook* **(op)hang, fusilleer'; ~stel'ling** (s) **-e, -s** execution; **~wys** (w) **-ge-** show the right way; admonish, reprimand *ook* **beris'pe, vermaan'; ~wy'sing** (s) **-e, -s** admonition, reprimand, ticking-off

terg (w) **ge-** tease, annoy, nag; pester *ook* **trei'ter**

terg: ~gees nagging fellow, tormentor, tease *ook* **plaag'gees; ~siek** fond of teasing

te'ring consumption (phthisis, tuberculosis, pneumoconiosis, silicosis); **~ly'er** consumptive (patient)

terloops' (b) **-e** casual, incidental; (bw) by the way, incidentally; ~, *wat doen ons môre?* by the way, what are our plans for tomorrow?

term -e term; expression *ook* **bena'ming**

termiet' -e termite, white ant *kyk* **rys'mier**

terminaal'[1] (s) **..nale** terminal (comp.)

terminaal'[2] (b) terminal; near-fatal; *..nale pasiënt* terminal patient; *..nale siekte* terminal illness

termineer' **ge-** terminate *ook* **beëin'dig**

terminologie'-ë terminology, nomenclature

ter'minus -se terminus *ook* **eind'halte**

ter'mometer -s thermometer *ook* **warm'temeter** *kyk* **koors'pennetjie**

ter'mosfles -se vacuum flask, Thermos flask *ook* **kof'fiefles**

termyn' **-e** term, time, period; *binne die vasgestelde* ~ within the appointed time; **~mark** futures market (stock exchange); **~reses'** midterm break (school); **~valu't** forward exchange

terneer'gedruk (b) **-te** depressed, downhearted *ook* **neerslag'tig**

ternou'ernood scarcely, hardly; *hy het* ~ (*aan die dood*) *ontkom* he had a very narrow escape (from death)

terpentyn' turpentine, oil of terebinth; **~boom** turpentine tree, mopane

terras' **-se** terrace

terrein' **-e** building site; sphere, domain; ground area *ook* **gebied', a'rea, sek'tor; ~op'sigter** groundsman; **~parke'ring** off-street parking; **~voor'man** site foreman

terreur' terrorism *ook* **terroris'me; skrik'bewind;** *stedelike* ~ urban terror

ter'riër -s terrier (dog)

terroris' **-te** terrorist (person); **~me** terrorism *kyk* **terreur'**

tersaak'lik applicable, relevant *ook* **toepas'lik, relevant'**

terset' **-te** terzetto (mus.)

tersiêr' **-e** tertiary *ook* **na'skools;** *~e onderwys/onderrig* tertiary education

tersi'ne -s tercet, terzina (poetry)

tersluiks' on the sly, stealthily

terstond' at once, immediately, forthwith *ook* **da'delik, oomblik'lik**

tert (s) **-e** tart; **~pan** pastry pan, pie plate

terts -e third (mus.)

terug' back, backwards; *staan terug!* stand move back!; *'n paar jaar* ~/*gelede* some years back

terug: ~betaal' pay back, repay; **~betaal'baar** refundable; **~blik** retrospective view; **~deins** shrink from; **~dryf/~dry'we** drive back, repel repulse; **~eis** demand back, reclaim; **~flits** flashback; **~gaan** go back, retrace; **~ga'we** restitution, retribution; return; **~gee** return restore, give back; **~getrok'ke** reserved, sh *ook* **skug'ter, inken'nig; ~hou** keep back retain, hold back

terughou'dend (b) **-e** reserved, guarded (perso

terug: ~kaats reflect, throw back; **~keer** return; (w) **-ge-** return; **~kom** come bac return; *op 'n saak* ~ revert to a matter; **~kon** (s) return; **~koopkoers'** repo rate (Reser Bank) *ook* **te'kokoers; ~kry** get back o

herwin'; **~kyk** look back; **~loop** walk back;
flow back (water); **~neem** take back, retract;
~plof backfire (engine) *ook* **tru'plof; ~rap=
porteer'** report back (at a meeting); **~reis** (s)
return journey; **~roep** call back, recall; **~ry**
ride back, drive back; **~skiet** shoot back;
return fire; **~skryf/~skry'we** reply to/answer
a letter; **~slaan** repulse, repel, beat back

erug'slag (s) **..slae** recoil; setback, reverse *ook*
teen'spoed, ramp; relapse; *hy sal hierdie ~
moeilik te bowe kom* it will take him long to
recover from this setback

erug: ~spoel rewind (film, tape); **~stuur** send
back; **~tog** (s) retreat; return journey; **~trek**
retreat, withdraw, retract, pull back; **~trek=
king** withdrawal, retreat; **~val** fall back, drop
back, relapse; **~verlang'** wish/long back;
~vind find back, recover; **~voer** (w) carry
back; lead back; **~voer'(ing)** (s) feedback; *u
~voer(ing) sal waardeer word* your feedback
will be appreciated; **~vor'der** recoup; claim
back; **~wen** win back; regain; **~werk** work
back; retroact; **~wer'kend: ~werkend van**
retrospective from

rwil'le/ter wil'le: ~ *van* for the sake
rwyl' while, as *ook* **omdat'**
s (s) **-se** earthern firepot; chafing dish
saam'/tesa'me together
'sis -se thesis *ook* **proef'skrif, disserta'sie**
sourie' (s) **-ë** treasury; **~r'** (s) **-s** treasurer *ook*
pen'ningmeester (van klub)
sou'rus -se thesaurus *ook* **sinonie'meboek**
stament' -e will, testament; *jou ~ maak/opstel*
make one's will; *iem. in jou ~ noem* remember
s.o. in your will; *sonder ~* intestate; *die Ou en
die Nuwe T~* the Old and the New Testament
(Bible)
stateur' -e, -s testator *ook* **erf'later; testatri'se**
-s testatrix *ook* **erf'laatster**
s'tikel -s testicle *ook* **teel'bal, tes'tes** (mv)
t (vulg.) (s) **-te** woman's breast; teat (vulg. if
referring to a woman) *ook* **tiet**
t'anus tetanus (med. condition) *ook* **klem-in-
die-kaak, kaak'klem**
u'el -s bridle, rein; *die vrye ~ gee* allow a free
hand; **~loos** unrestrained, unbridled *ook* **ban'=
deloos**
ug (s) **teue** draught, mouthful, sip *ook* **sluk;
in'aseming**
vergeefs' in vain, futile *ook* **vergeefs', verniet'**
vo're before, previously *ook* **vantevo're**
vre'de -ner, -nste; **meer ~, mees ~** satisfied,
content(ed); *~ stel* satisfy; please; **~n'heid'**
satisfaction
wa'terlating launching (of ship) *ook:* *van sta=
pel laat loop*
weeg'bring -ge- effect, bring about, cause *ook*
veroor'saak, bewerkstel'lig

---

te'wens besides, at the same time *ook* **bowen=
dien'; saam, tegelyk**
T-hemp (s) **T-hemde** T-shirt
Thai'land Thailand (country) *formerly* Siam;
Thai'(lander) (s) **-s** Thai (person); **Thai=
(land)s** (b) **-e** Thai (customs, etc.)
Ti'bet Tibet (region in China); **~taan** (s) **..tane**
Tibetan (person); **~taans** (b) **-e** Tibetan
(customs, etc.)
tie'kets (omgangst.): *dit is ~ met hom* he is
finished/done for (has lost his power/influ=
ence)
tie'kie -s tickey (SAE); threepenny piece (obs.
coin) *ook* **trip'pens; ~boks** (tele)phone booth,
call box; **~draai** traditional dance, picnic
dance; *net twee kan ~draai* it takes two to
tango
tie'mie thyme (herb)
tien -e ten; **~de** tenth; *~des betaal* pay tithes (to
the church); **~de'lig** decimal
tie'ner -s teenager, teen *ook* **tien'derja'rige;** *in
haar ~jare* in her teens; **~drag** teenage(r)
clothing
tien: ~kamp decathlon (athl.); **~ke'gelbaan**
tenpin (bowling) alley; **~tal** ten; decade;
~uur ten o'clock; **~voud** tenfold
tier[1] (s) **-e, -s** tiger (Asian beast of prey;
sometimes incorrectly used in Afr. for **lui=
perd** leopard)
tier[2] (w) ge- thrive, flourish (plants); rage
(person) *ook* **te ke're gaan**
tier'boskat -te serval
tierelier' ge- warble, twitter (of bird)
tierlantyn'tjie (s) **-s** trifle *ook* **fieterja'sie;**
knick-knack, bric-a-brac *ook* **snuistery'**
tier: ~leeu liger; **~melk** strong drink, liquor; *hy
het ~melk gedrink, hy is ge~* he is drunk/
intoxicated; **~oog** tiger's eye (gemstone);
~wy'fie tigress; hellcat (woman); *so kwaai
soos 'n ~wyfie* a veritable shrew
tiet (s) **-e** teat (animal)
tifoon' (s) **tifone** typhoon (violent cyclone)
ti'fus typhus fever (disease)
tik (s) **-ke** pat, touch, rap; (w) ge- tap, rap; type;
van lotjie ge~ have a screw loose; *op die
vingers ~* reprimand; **~fout** typing error; **~kie**
little bit; slight touch; **~masjien'** (veroud.)
typewriter (obs.); **~lak** correction fluid; **~poel**
typing pool; **~skrif** typing, typewriting; **~ster**
typist (woman); **~tak** tick-tack, pitapat; **~werk**
typing
til'de (s) **-s** tilde, swung dash *ook* **slang'etjie** (~)
tim'mer ge- build/construct by carpentry; **~hout**
timber; **~man** carpenter *ook* **skryn'werker**
tin (s) tin, pewter *ook* **piou'ter; ~erts** tin ore
tin'foelie (s) tinfoil *ook* **blad'tin**
tin'gel (w) ge- tinkle, jingle *ook* **klin'gel**
tin'ger/tenger slender, frail, delicate (person);

~ig puny; weak, slight; slender, frail, fragile *ook* **broos**

tinktin'kie **-s** (Cape) wren (bird)

tinktuur' **..ture** tincture (med. solution; colour= ing)

tint **-e** tinge, hue, tint *ook* **kleur'(ing)**

tin'tel (w) **ge-** twinkle, sparkle *ook* **spran'kel;** **~end** (b) vibrant; **~ing** (s) twinkling, sparkling

tip (s) **-pe** tip; extreme end; point (of leaf) *ook* **tip'pie**

ti'pe **-s** type, sort; character

tipeer' **~, ge-** typify *ook* **karakteriseer'**

ti'pies (b, bw) typical, characteristic *ook* **kenmer'kend**

tipograaf' **..grawe** typographer (designer of print); **tipografie'** typography (art of printing design)

tip'pie **-s** tip; last moment; point (of leaf) *ook* **tip;** *op die ~* in the very nick of time

tip'tol bulbul (bird)

tira'de **-s** tirade; vehement speech, harangue, invective

tiran' (s) **-ne** tyrant *ook* **despoot'** (persoon); **~nie'** (s) **-ë** tyranny, despotism; **~niseer'** (w) **ge-** tyrannise; bully *ook* **boe'lie, trei'ter**

tita'nies **-e** titanic *ook* **reusag'tig, tamaai'**

ti'tel **-s** title (official; book); heading (essay, newspaper) *ook* **op'skrif; ~akte** title deed (for property) *kyk* **transport'akte; ~blad** title page; **~plaat** frontispiece; **~rol** title role, name part (acting)

tit'tel **-s** tittle, dot, iota; *g'n jota of ~ nie* not one jot or tittle

tjai'la (omgangst.) (w) **ge-** tjaila (SAE); stop working; **~tyd/uit'valtyd** knock-off time

tja'lie **-s** shawl, wrap *ook* **serp**

tjank **ge-** yelp, whine, howl *ook* **grens; ~ba'lie** crybaby

tjap (s) **-pe** stamp; (w) **ge-** stamp (a letter) *ook* **stem'pel**

tjek[1] (n) **-s** cheque; *stop 'n ~* stop a cheque; **gekruiste ~** crossed cheque; **~boek** cheque book; **~re'kening** cheque/current account

tjek[2] (omgangst.) (w) **ge-** check, verify *ook* **op'tjek; ~lys** checklist

tjellis' **-te** (violin)cellist

tjel'lo **-'s** (violin)cello

tjienkerientjee' **-s** chinkerinchee *ook* **veldviool'= tjie** (blom)

tjilp **ge-** chirp (birds)

tjip (omgangst.) (s) **-s** chip (comp.) *ook* **(rekenaar)vlok'kie**

tjips (omgangst.) (s, mv) crisps (in packet); chips (with fish) *ook* **slap'tjips, sky'fies**

tjoe'kie (omgangst.) **-s** cooler (slang); prison, jail *kyk* **tronk**

tjoep'stil (b, bw) very quiet, absolutely silent *ook* **dood'stil**

tjok'ker(tjie) **-s** youngster, little guy *ook* **snui= ter, kan'netjie**

tjok'vol (b, bw) chock-full *ook* **prop'vo stamp'vol** (saal met mense)

tjom/tjommie (omgangst.) (s) **-s** buddy, pa chum

tjop **-s** chop (meat) *ook* **karmenaad'jie**

tjop'per (omgangst.) (s) **-s** chopper (infml. helicopter *ook* **helikop'ter**

tjop-tjop (omgangst.) (bw) in no time, in a jif

tjor (s) **-re** jalopy, old motorcar *ook* **tjor'rie ~lapper** (s) **-s** backyard mechanic

tob (w) **ge-** fret, mope, brood over; plod, toil

toe[1] (b) closed; *die winkels is ~* the shops a closed

toe[2] (omgangst.) (b) dumb, stupid, fuzzy brained; *hy is darem ~* isn't he stupid

toe[3] (bw) then; in those days *ook* **des'tyds;** *van af* since then

toe[4] (bw) to, towards; *sleg daaraan ~ wees* badly off

toe[5] (vgw) when; while; *~ ek daar kom, was in die bed* when I got there he was in bed

toe[6] (tw) do!; please! *~ maar!/toemaar!* nev mind!; *~, help my* please help me; *nou ~ no* well, I never!

toe'behore (s, mv) belongings; accessories o **by'behore** (motorhandel); adjuncts, fittings

toe'berei (w) **~** prepare (food) *ook* **bere** season; dispense; *'n voorskrif ~* make up prescription; **~ding** preparation; seasoning

toe: **~bid** pray for, invoke for; **~brood'j** sandwich; **~deel** allot; apportion; **~dek** cov up; tuck in; **~dien** administer to; **~dig** ascrib impute; **~doen** assistance, aid *ook* **hul by'stand;** *buite my toedoen* through no fa of mine; **~draai** wrap up; turn off (ta **~draaipapier'** wrapping paper *kyk* **geskenl papier**

toe'drag (s) particulars, circumstances; *die ~ v sake* the state of affairs

toe'druk **-ge-** shut, close; throttle, choke (throa

toe'ëien **-ge-** appropriate, usurp (powers)

toegang (s) entrance, admission, access; *verbode* no admittance; *~ tot* access to

toe'gangs: ~bewys', ~kaar'tjie admission tick **~ko'de** access code (comp.); **~poort** acce port (comp.)

toegank'lik (b) accessible, approachable *o* **genaak'baar** (persoon)

toe'gedaan (b) attached to; *die mening ~ we* hold the opinion

toe'gee **-ge-** admit; allow in addition; yie concede (traffic); *niks ~ nie* not budge/yie an inch

toegeef'lik (b) indulgent, compliant *ook* **me gaan'de, inskik'lik** (persoon)

toe'geeteken **-s** yield sign (traffic)

e'geneë (b) kindly disposed, affectionate; *jou ~ vriend* yours sincerely/affectionately

e'geneentheid (s) inclination, affection

e'gepas (b) -te applied; *~te wiskunde* applied mathematics

e: ~ges'pe buckle up *ook* vas'gespe, vas'gord; ~ge'wing concession *ook* konses'sie, vergun'= ning; ~gif extra, bonus; encore; ~gooi slam (door), fill up (hole); ~groei close, heal (a wound); overgrow (garden)

e'hoorder -s listener, hearer; *die ~s* the audience *ook* die gehoor'

e'juig -ge- cheer, applaud; approve; ~ing applause; acclamation *ook* by'val, akklama'= sie; *staande ~ing* standing ovation

e'ka long ago; of old; very remote; *van ~ se dae (af)* from time immemorial; ~mo'tor/ ~kar vintage/veteran car

e: ~keer turn to; *iem. die rug ~keer* turn one's back upon s.o.; ~ken award, allot; ~ken'ning (s) award, prize *ook* prys; grant, allotment; ~knik nod at; give the nod (agree); ~knoop button up; ~kom have a right to; *gee die duiwel wat hom ~kom* give the devil his due

eko'mend -e next, future; *~e tyd* future tense

e'koms future; *in die ~* in future; ~beeld/~blik scenario; ~kun'dige futurist; ~musiek' dreams of the future

ekoms'tig (b) -e prospective; intended

e'kos -se garnish (savoury sidedish) *ook* by'= kos, toe'spys

e'kring-TV closed-circuit TV *kyk* kring'= televisie

e: ~kurk cork up; ~laag/~lae (s) gratification, subsidy; bonus, grant; allowance; ~laat admit; permit, allow; *oogluikend ~laat* turn a blind eye; ~laatvereis'tes admission requirements; ~lag smile upon

e'lating (s) admission, admittance; permission; ~(s)eksa'men entrance examination

e'lê -ge- devote/apply oneself to *ook* toespits (op)

e'lig -ge- illustrate, elucidate, explain; *iets nader ~* explain something more fully; ~ting explanation, clarification; illustration

e'loop (s) crowd, throng (of people)

e'maak -ge- shut; close; lock up

e'nadering (s) friendly advance/approach(es); reconciliation, compromise *ook* versoe'ning; *~ soek* make friendly overtures

e'name (s) -s increase *ook* sty'ging, vermeer'= dering

e'n'dra (s) tundra *ook* mos'steppe

e'neem -ge- increase, extend; progress; be= come worse; *toenemende belangstelling* grow= ng interest

e'n'malig (b) -e then *ook* des'tyds, indertyd'; *die ~e voorsitter* the then chairman/chairperson

toen'tertyd (bw) then, at that time *ook* des'tyds, in'dertyd

toe'pas -ge- apply to, put into practice, imple= ment *ook* aan'wend, uit'voer

toepas'lik (b) -e suitable, appropriate, fitting, applicable; relevant

toe'passing (s) -s, -e application, implementation

toer (s) -e tour, excursion; walk; revolution *ook* om'wenteling (per minuut); trick *kyk* toer'= tjie; *~e uithaal* perform stunts; (w) ge- tour, travel; ~bus tour bus

toerei'kend (b) -e sufficient, adequate *ook* vol= doen'de

toe'reken -ge- ascribe to; ~baar accountable; imputable, responsible *ook* verantwoor'delik (vir)

toe'reteller -s rev(olutions) counter (engine)

toe'ring -s pointed (Malay) headgear

toeris' -te tourist; ~me tourism; ~te'verkeer' tourist traffic

toe'rits -ge- zip up

toer'leier -s tour guide *ook* toer'gids

toerniket' -te tourniquet *ook* klem'verband

toernooi' -e tournament *ook* wed'strydreeks

toer'operateur -s tour operator; travel agent *ook* reis'agent

toer'tjie (s) -s trick, stunt *kyk* toer; short tour/trip

toe'rus -ge- equip, fit out; ~rus'ting equipment, outfit *ook* uit'rusting

toe: ~sê promise (v); ~seg'ging promise (n), commitment; ~sen'ding consignment *ook* besen'ding

toe'sig supervision *ook* kontro'le; surveillance; care *ook* sorg; custody (of child); *~ hou* supervise; monitor; invigilate (examination); ~hou'er invigilator (examination), supervisor (factory); marshal (political rallies) *ook* or'= dehouer

toeskiet'lik -e affable, accommodating *ook* meegaan'de, inskik'lik (persoon)

toeskou'er -s spectator, onlooker

toe: ~skryf/~skry'we ascribe to, attribute; ~slaan shut, slam, bang (door); knock down; attack/confront unexpectedly (esp. police looking for criminals); ~slag extra allowance; surcharge; ~sluit lock up, close; ~smeer cover up (a scandal) *ook* verdoe'sel; ~snel rush up

toe'speling s, -e allusion, insinuation, hint *ook* skimp, insinua'sie

toe'spits: *~ op* concentrate on, apply to, direct (one's efforts) to *ook* toe'lê (op)

toe'spraak ..sprake address, speech; talk; *'n ~ lewer/hou* make/deliver a speech; *'n ~ klok* time s.o.'s speech

toe: ~spoel silt up; ~spreek address; ~spys sidedish *ook* toe'kos; ~staan allow, permit, approve; grant

toe′stand -e state, condition, circumstances; *benarde* ~ sorry plight; *sy* ~ *is ernstig/bedenklik* his condition is serious (health)

toe′stel -le appliance; device; apparatus *ook* **instrument′, apparaat′**

toe′stem -ge- grant, assent, consent, agree; **~ming** (n) consent, permission; approval *ook* **goed′keuring, verlof′**

toe′stroming: ~ *van mense* people crowding/pouring in

toe′swaai -ge- swing to; *iem. lof* ~ praise/extol s.o.

toet[1] (s): *'n man van* ~ a nincompoop/dud

toet[2] (w) **ge-** hoot; blow a horn *ook* **toe′ter** (w)

toe′takel -ge- knock about, manhandle, maul

toe′ter (s) **-s** horn, hooter; (w) **ge-** hoot, blow a horn *ook* **toet**[2]

toe′trek -ge- become overcast (weather); close; *die lug gaan* ~ the clouds are gathering **~baad′jie** lumberjacket *ook* **(wind)jek′ker**

toets (s) **-e** key (piano *ook* **kla′wer**; comp. keyboard); test; trial; assay (minerals); *strawwe* ~ stiff test; (w) **ge-** test, try

toets: **~bord** keyboard (typewriter, comp.); keypad (alarm); **~rit** trial/test run; **~saak** test case (court); **~steen** touchstone; **~vlieënier′** test pilot; **~vlug** test flight; **~wed′stryd** test match (sport)

toe′val[1] (s) **-le** chance, coincidence, accident; *blote* ~ sheer coincidence; *by/per* ~ by chance

toe′val[2] (s) **-le** fainting fit *kyk* **beroer′te;** *aan ~le ly* be subject to fits

toe′val[3] (w) **-ge-** cave in (soil); become closed (by falling); *my oë wil* ~ I can't keep my eyes open; I feel sleepy

toe′val[4] (w) **-ge-** accrue to (interest, dividends)

toeval′lig (b) **-e** casual, accidental; (bw) acci= dentally, by chance *ook* **onvoorsiens′**

toe′vertrou (w) ~ entrust; *iem. 'n geheim* ~ confide a secret to s.o.

toe′vlug (s) **-te** refuge, shelter *ook* **asiel′;** recourse; ~ *tot 'n vriend neem* seek a friend's aid; **~(s)oord** refuge, sanctuary

toe′voeg (w) **-ge-** add, join to; **~ing** addition; **~sel** appendix, annexure, supplement *ook* **by′lae**

toe′voer (s) supply; (w) **-ge-** supply; **~diens** feeder service; **~een′heid** input unit (comp.); **~pad** access road

toe′wuif/toe′wuiwe -ge- wave to (s.o.)

toe′wy -ge- dedicate, devote; consecrate; **~ding** (s) devotion, application

toffie -s toffee; **~ap′pel** toffee apple

tog[1] (s) **-te** draught, current of air *ook* **trek**

tog[2] (s) **-te** expedition, journey, trip; **skiet~** hunting trip *ook* **jag′tog**

tog[3] (bw) yet, still, in spite of; all the same; *as ons* ~ *maar tuis was* if only we had been at home (when it happened); *as jy* ~ *daarheen*

gaan since you are anyway going there; *ek s dit* ~ *maar doen* I will do it after all; *laat ho* ~ *staan* do leave him alone

to′ga -s gown (academic); robe, toga

tog′ganger -s transport rider (hist.)

tog′snelheid ..hede cruising speed

toi′ingrig (b, bw) ragged, tattered *ook* **verfle ter** (bv. boemelaar)

toi′ings (s, mv) rags, tatters

toilet′ -te toilet; **~arti′kel** toiletry; **~bril** lavato seat; **~papier′** toilet paper; **~ta′fel** dressi table

toi-toi (w) **ge-** toyi-toyi(ng); *die werkers het g* the workers toyi-toyed

tok′kel ge- strum, pluck, twang (strings of a m instr.); **~klavier′** honky-tonk piano

tokkelok′ (omgangst.) **-ke** theological student

tokkelos′ (s) **-se/tokkelos′sie** (s) **-s** tokolosh (gremlin, goblin)

tok′sak (omgangst.) (s) **-ke** togbag

tok′sies (b) toxic; *~e/giftige afval* toxic waste

toksikologie′ toxicology *ook* **gif′kunde; tok koloog′ ..loë** toxicologist *ook* **gifkun′dige**

toktok′kie -s tapping beetle; ticktock (bo prank)

tol[1] (s) **-le** top (spinning toy); (w) **ge-** spin, tu *so dronk soos 'n* ~ very dizzy; **~dans** brea dancing; **~dro′ër** spindrier

tol[2] (s) **-le** toll (eg on road); tribute; custom **~geld** toll; customs; **~hek** tollgate *ook* **tolpl za**

tolk (s) **-e** interpreter; mouthpiece; (w) **g** interpret

tol′lenaar (s) **-s** publican, tax collector (Bible

tol′letjie -s top (spinning toy); reel, bobbin

tol′lie -s tolly/tollie (SAE), young ox

tol: **~pad** tollroad; **~u′nie, ~verbond′** custo union; **~vry** tollfree (telephone call); free duty

tom′be -s tomb *ook* **graf′(kelder); sarkofaag**

tombo′la -s tombola (lottery, mostly for chari

tom′mie -s tommy, British soldier (in Angle Boer War)

ton -ne ton (measure of weight)

toneel′ (s) **tonele** scene, stage; theatre; *van die verdwyn* make one's exit, disappear from scene; **~aan′wysing** stage direction; **~ge skap** (travelling) theatrical group; thea company; **~inkle′ding** decor *ook* **de′ke ~ky′ker** binocle, opera glasses; **~op′voeri** theatre performance/production; **~rekwisie** stage properties; **~skry′wer** playwright, dra atist *ook* **dramaturg′;** **~spe′ler** actor, play **~stuk** play *ook* **verhoog′stuk**

tong -e tongue; *'n gladde* ~ *hê* have the gift the gab; *'n* ~ *soos 'n skeermes* a tongue lik razor; **~kno′per** tongue twister *ook* **snel′s ~val** dialect, accent; **~vis** sole (fish)

'nikum -s, ..ka tonic (medication) *ook*
versterk'middel, op'wekmiddel

n'nel (s) -s tunnel; subway; (w) ge- tunnel; dig
(a hole/passage)

n'nemaat tonnage (of ship)

nsilli'tis tonsillitis (med. condition) *ook* man'=
gelontste'king

n'tel tinder (combustible material); ~doos
(veroud.) tinderbox; lighter *ook* vuur'slag

yn' -e toothed whale; porpoise

bi (w) ge- adorn, decorate, array, trim; ~sel (s)
-s ornament, finery *ook* ornament', versie'=
ring; ~tas'sie vanity case *ook* smuk'tassie

om (s) tome, -s bridle; *in ~ hou* keep in check

n¹ (s) tone toe; *van kop tot ~* from head to foot;
op iem. se tone trap tread on s.o.'s toes/corns

n² (s) tone tone; note; sound; pitch (of voice);
die ~ aangee set the tone/trend

n³ (s): *ten ~ stel* exhibit *ook* uit'stal; show,
indicate *ook* aan'toon; demonstrate

n: ~aangeër trendsetter *ook* pas'ge'ër (per=
soon); ~aange'wend prominent (person) *ook*
hoog'geplaaste; ~aard tonality (mus.)

n'bank -e counter (in shop)

n'beeld -e model, example; *'n ~ van deug* a
paragon of virtue

ndem'per -s sordine, mute

n'der -s bearer (of cheque); ~tjek bearer
cheque

n: ~dig'ter -s composer (mus.) *ook*
komponis'; ~hoog'te pitch (of tone)

n: ~huis -e show house *ook* skou'huis; ~kas
-te/~kabinet' -te display case/cabinet

n'kuns music; ~tenaar' musician

n: ~leer (s) scale, gamut (mus.) *ook* toon'=
skaal; ~lokaal' showroom; ~loos toneless,
mute; ~set (w) ge- put to music, compose;
-set'ting (musical) composition; ~val ca=
lence; ~ven'ster display window *kyk* toon'=
lokaal

r ge- conjure, juggle; practise witchcraft;
ewitch; ~dok'ter (s) -s witch doctor; sango=
ma; ~goed objects used for magic; ~kuns
sorcery, magic, witchcraft; ~kunstenaar' ma=
gician *ook* kul'kunstenaar; ~medisy'ne/
~mid'dels muti *ook* moe'tie, doe'pa; ~mid'del
charm, talisman

rn anger, rage; wrath; ~ig angry, wrathful *ook*
oos, brie'send

¹ (s) -pe summit, peak; top; tip

² (w) ge- top, trim (a tree)

!³ (tw) game!; agreed!

aas' (s) topase topaz (gemstone)

: ~bestuur' top management; ~fiks fighting
it *ook* perd'fris; ~gehal'te (b) top quality;
pie (s) -s top (woman's upper garment) *ook*
o'stuk; ~loos (b) topless (woman); ~maat=
kappy' top/blue-chip company

topografie' topography *ook* plek'beskrywing

top: ~presteer'der top achiever; ~punt summit,
peak; zenith; apex; pinnacle *ook* spits, kruin;
kli'maks; *die ~punt van volmaaktheid* the
acme of perfection; ~reeks top-of-the-range;
~swaar top-heavy; ~verko'per (s) bestseller
ook blits'verkoper; treffer(boek)

tor (s) -re beetle; clodhopper (person) *ook*
gom'tor

toreador' -s toreador *ook* (bere'de) stier'vegter

to'ring -s tower, steeple, spire, belfry; ~klok
tower bell; ~spits spire, pinnacle

torna'do -s tornado *ook* wer'welstorm

torpedeer' ge- torpedo; shoot down (fig.)

torpe'do -'s torpedo; ~boot torpedo boat; ~jaer
torpedo destroyer

tor'ring ge- rip up, unpick; pester, bother;
moenie daaraan ~ nie don't meddle with it;
~mes ripper knife

tor'sie torsion *ook* wring'krag (enjin)

tor'so (s) -s torso *ook* romp, bo'lyf

tor'telduif ..duiwe turtle dove *ook* ring'=
nek(duif)

tos'sel -s tassel *ook* kwas'sie, klos'sie

tot to, until, till; ~ *die dood veroordeel* sentence
to death; ~ *dusver/dusvêr, ~ nog toe* up till
now; ~ *elke prys* at all costs; ~ *en met* up to
and including; ~ *siens!/totsiens* so long!; ~
stand bring bring about; ~ *wederom/weer=
siens* till we meet again

totaal' (s) *totale* total amount, aggregate; (bw)
altogether, totally; ~in'druk general/global
impression

totalisa'tor -s totalisator (horse racing)

tot'dat until, till; ~ *hy terugkom* pending his
return

to'tem -s totem *ook* beskerm'gees; simbool'; ~
paal totem pole *ook* embleem' paal

tou¹ (s) -e string, twine, cord; rope; ~ *opgooi*
throw up the sponge, abandon, give in, quit
ook staak; *oor die ~ trap* overstep the mark;
misconduct oneself; get pregnant

tou² (s) -e queue; *by die ~ indruk* jump the
queue; *lang ~e mense wag om te stem* long
queues (of people) are waiting to vote; (w) ge-
straggle after; walk in tandem; queue (up) *ook*
tou'staan

tou: ~leer rope ladder; ~lei (w) -ge- lead (a team
of oxen); ~lei'er leader (of oxen); ~spring
skip; ~staan (form a) queue

toutologie' tautology *ook* woordherha'ling; ~s
(b) -e tautological, repeating/doubling of
meaning

tou'trek (s) tug-of-war (game, sport); (w) -ge-
pull at tug-of-war; wrangle, squabble

tou'wys: *iem. ~ maak* show s.o. the ropes

to'wenaar -s sorcerer, wizard; magician *ook*
kul'kunstenaar, go'ëlaar

to'wer ge- enchant, charm; **~godin'** fairy queen; **~goed** = **toorgoed**; **~heks** witch; **~kuns** = **toor'kuns**; **~lantern'** magic lantern (obs. slide projector); **~staf** magic wand; **~y** witchcraft *ook* **toor'kuns, hek'sery**

town'ship (omgangst.) (s) **-s** township, woon= buurt

traag (b) slow, indolent, inert; **~heid** sluggish= ness, indolence, inertia; **~tem'po** slow motion, slomo (infml.) *ook* **sta'dige aksie**

traak ge- touch, concern; *dit ~ jou nie* it's none of your business; *dit ~ my nie* I couldn't care less

traan[1] (s) fish oil, whale oil

traan[2] (s) **trane** tear; *trane stort* shed tears; *trane met tuite huil* weep bitterly; (w) ge= water (eyes)

traan: ~klier lachrymal gland; **~oog** watery eye; **~rook** tear gas *ook* **traan'gas; ~tro'sie** tissue *ook* **sne'sie**

tradi'sie -s tradition *ook* **oor'lewering**

tradisioneel' (b, bw) traditional *ook* **konven= sioneel', ortodoks';** time-honoured; *tradisio= nele geneser* traditional (herbal) healer *ook* **sangom'a;** *tradisionele leier* traditional leader

trage'die -s tragedy *ook* **treur'spel**

tra'gies (b, bw) tragic *ook* **hartverskeu'rend**

tragikome'die -s tragicomedy

tragoom' trachoma (med. condition of eyes)

trajek' -te trajectory, track (railway); stage

trak'sie traction, pulling force

traktaat' ..tate treaty; tract; **~jie** (religious) tract; hand-out; pamphlet, leaflet *ook* **blaad'jie**

trakteer' ge- treat, entertain, regale *ook* **vergas', vermaak';** *iem. op 'n drankie ~* stand s.o. a drink

tra'lie -s bar; trellis, lattice; *agter die ~s sit* be behind bars (in jail)

trampolien' -s, -e trampoline *ook* **wip'mat**

tra'ne: ~dal vale of tears; **~relaas'** sob story; **~rig** tearful; sentimental; **~trek'ker** tearjerker, weepie/weepy (film, book); **~vloed** torrent of tears

transak'sie -s transaction, deal *ook* **ooreen= koms;** *'n ~ sluit/beklink* clinch/close/strike a deal

transatlan'ties -e transatlantic

transforma'sie -s transformation *ook* **vorm= verandering, om'vorming**

transformeer' ge- transform, convert

transfu'sie -s transfusion *ook* **(bloed)'oortap= ping**

transitief' ..tiewe transitive (gram.)

transi'toroof(tog) (cash-in-)transit heist

transkrip'sie -s transcription (of text)

transmis'siere'kening transmission account (bank)

transparant' -e transparency (phot.)

transpireer' ~, ge- perspire (plant)

transplantaat' ..tate transplanta'tion *ook* **oor= planting**

transponeer' ge- transpose (change position)

transport' (s) **-e** transport *ook* **vervoer'; ~ak** deed of transfer, title deed *kyk* **ti'telakt; ~teer'** (w) ge- transport; transfer; convey *o* **oor'dra;** bring forward; **~ry** (hist.) transpo goods (esp. by wagon) *kyk* **karwei'; ~** (hist.) transport wagon

Transvaal' Transvaal (former province)

Transva'ler -s Transvaaler (person)

transvestiet' -e transvestite, cross-dresser (pe son) *ook* **fop'dosser**

trant manner, way *ook* **manier', wy'se;** *dieselfde ~* in the same vein

trap[1] (s) **-pe** staircase, flight of steps; ste degree (of development); pedal, treadle (machine); *stellende, vergrotende en oortre fende ~* positive, comparative and superlati degree (gram.); *~pe van vergelyking* degre of comparison (gram.)

trap[2] (s) **-pe** trample, kick; (w) ge- kick, trea flee; go away!, scoot!; thresh (wheat)

trap'balie -s winepress

trapees' ..pese trapeze *ook* **sweef'stok**

trape'sium -s trapezium (geom.)

trap: ~fiets bicycle, bike *ook* **fiets; ~kar** pe car; **~leer** stepladder; **~masjien'** treadle se ing machine; threshing machine; **~meul** trea mill

trap'pel ge- stamp the feet, trample

trapportaal' ..tale landing (of staircase)

traps'gewys(e) gradually, by degrees *ook* **gaa deweg**

trapsoe'tjies/trapsuut'jies -e chameleon *o* **verkleur'mannetjie;** slowcoach (person)

trap'vloer -e threshing floor (farm)

trau'ma/trou'ma trauma; *~tiese ondervind* traumatic experience; *die slagoffers is getra matiseer* the victims are traumatised

trawant' -e hanger-on, lackey, henchman, cro *ook* **kornuit'; hand'langer**

tred (s) **-e** pace, tread, step; *~ hou met* keep step with; keep abreast of

tree (s) **treë** pace, step; (w) ge- pace, tread, st *in diens ~* enter service; *in die huwelik* marry; **~plank** running board (car)

tref (w) ge- hit, strike; fall in with; come acro *maatreëls ~* take steps; **~af'stand** range *reik'afstand; binne ~afstand* within rang striking distance; **~en-trapon'geluk** hit a run accident; **~fend** striking, stirring, tou ing; **~fer(boek)** bestseller *ook* **blits'verkope ~fer'parade** hit parade (radio); **~reël** pun line (speech); **~woord** key word, lemma

treg'ter -s funnel

treil ge- trawl; tow; **~er** trawler (fishing boat

in -e train; *die ~ haal* catch the train; *die ~ nis/verpas* miss the train; **~dry'wer** train driver *ook* **masjinis'**; **~kaar'tjie** railway ticket

i'ter ge- taunt; torment, pester *ook* **tart, sar, kog'gel**; **~ing/ge~** bashing, taunting *ook* **teis'- tering**

k¹ (s) appetite, inclination, desire; *ek het daar geen ~ aan nie* I do not like it

k² (s) -ke feature *ook* **ken'merk**; *in breë ~ke* n broad outline; *sy het baie ~ke van haar pa* she looks very much like her dad

k³ (s) -ke pulling; drawing (money); migra- ion (hist.); relocation; stage (bus); draught (air); (w) ge- pull, draw, haul; move *ook* **verhuis'**; migrate, relocate; be draughty; *'n and ~* draw/pull a tooth; *in twyfel ~* doubt; **-ar'beid** migrant labour; **~dier** draught animal; **(die) Groot T~** (hist.) (the) Great Trek

k'ker -s tractor (vehicle for pulling heavy loads); trekker, emigrant (hist.); trigger (rifle); uller; **~kerig** draughty

k'king -s drawing (money); pulling; traction; -s convulsions, twitchings, St. Vitus' dance

k: **~klavier'** (piano) accordion *ook* **akkor'- leon**; **~koord** ripcord (parachute); **~pas** dis- nissal/marching orders; *die ~pas kry* be lischarged/fired *ook* **afsê** (nooi/kêrel); **-pleis'ter** drawing plaster; vesicant/vesica- ory; drawcard (fig.); sweetheart, lover (fig.); **-saag** jacksaw; **~sel** brew; **~skaal(tjie)** spring alance; **~skuit** barge, hackney boat; **~slui'ter** ip fastener *ook* **rit(s)'sluiter**; **~stang** towbar; **-vo'ël** bird of passage, migratory bird

m tram; streetcar; **~bus** trolleybus; **~kaar'tjie** ram ticket; **~spoor** tram line

ur ge- mourn, grieve for; **~ig** sad, mournful, orrowful *ook* **bedroef'**; *~ige vertoning* mis- rable/dismal performance; **~igheid'** sadness; **lied/~sang** elegy, dirge; **~ma're** sad news/ dings; **~mars** funeral march; **~spel** tragedy; **-wilg(er)** weeping willow *ook* **wilg'(er), wil'- erboom**

'sel ge- loiter, dawdle *ook* **talm, draal, drel 'kel** treacle *ook* **swart'stroop, melas'se u'ne** -s platform, stand

s'tig (b) gloomy; dismal, dreary (weather)

t'serig (b) weak, feeble, frail (person) *ook* **eteu'terd**

onometrie' trigonometry *ook* **drie'hoeksme'- ing**

(w) ge- tremble, shiver, vibrate *ook* **vibreer' joen'** -e trillion *ook* **miljoen'miljoen'miljoen' ler** -s trill; shake (mus.)

ling -s, -e vibration *ook* **vibra'sie**; tremor *ook* **aard)skud'ding**

ogie' -ë trilogy *ook* **drie'luik** (letterkunde, kilderkuns)

trimes'ter -s term; (period of) three months; quarter

trim: **~gim** trim gym; **~park** trimpark *ook* **trim'baan**

tri'o -'s trio *ook* **drie'tal**

triomf' (s) -e triumph, victory *ook* **oorwin'ning, se'ge**; **~fant'(e)lik** (b, bw) -e triumphant; **~boog** (s) ..boë triumphal arch; **~eer'** (w) ~, ge- triumph *ook* **seë'vier**; **~'tog** (s) -te triumphal procession

triplikaat'/tri'plo triplicate *ook* **drie'voud**

trip'pel (w) ge- pitter-patter (of children's feet); trip along; tripple (horse); **~aar** (s) -s trippler, ambler (horse); **~ag(t)** tripple eight (888)

trip'pens -e, tickey (SAE); threepenny piece (obs. coin) *ook* **tie'kie**

triptiek' -e triptych (set of three paintings)

troebadoer' -e, -s troubadour *ook* **min'nesanger** (hist.)

troe'bel (b) muddy, turbid *ook* **mod'derig; ondui'delik**; **~rig** muddy, unclear

troef (s) troewe trump (card); (w) ge- trump; *iem. ~* checkmate s.o.; *sy ~kaart speel* play his trump card

troep (s) -e troop; troupe (actors); bevy (show- girls)

troe'pe (s, mv) troops, forces; **~dra'er** troop carrier (ship); **~mag** military force/unit; **~vlieg'tuig** troop carrier (plane)

troe'tel ge- pet, caress; fondle, cuddle *ook* **lief'koos, streel**; pamper; **~dier** pet (animal); **~dierwin'kel** pet shop *ook* **ark'mark**; **~kind** spoiled child; darling, favourite

trofee' ..feë trophy *ook* **be'ker** *kyk* **wis'seltrofee**; **~jag'ter** trophy (big game) hunter

trof'fel -s trowel (for bricklaying)

trog (s) trôe trough; manger

troglodiet' -e troglodyte, cave dweller *ook* **grot'bewoner**

trok (s) -ke truck

trol'lie (s) -s trolley/trolly *ook* **dien'wa(entjie), win'kelwaentjie**; *van sy ~ af* he's gone bats

trom (s) -me drum (mus. instr.) *ook* **tamboer'**; *die groot ~ roer* beat the big drum

trombo'ne -s trombone (mus. instr.) *ook* **skuif'- trompet**

trombo'se thrombosis (med. condition) *ook* **aar'verstopping**

trom'mel -s drum *kyk* **trom**; (cabin) trunk; container; canister; tympanum, eardrum (anat.); **~dik** quite filled *ook* **vol geëet, versa'dig**; **~vlies** tympanum, eardrum (anat.)

tromp -e muzzle (of firearm); toy trumpet

trompet' -te trumpet (mus. instr.); **~bla'ser** trumpeter *ook* **trompet'ter** -s trumpeter; **~blom** convolvulus

trom'pie -s mouth harp, jew's-harp *ook* **mond'- harp**

tromp′op (bw) point-blank; close; *iem. ~ loop* let fly at s.o.; **~ bot′sing** head-on collision *ook* **front′botsing, kop-aan-kop-bot′sing**

trom′poppie -s drum majorette *ook* **tamboer′= nooientjie**

trom′speler -s drummer (in band) *ook* **trom′mer**

tro′nie (neerh.) (s) **-s** mug, dial (slang for face) *ook* **bak′kies, gevreet′** (vir gesig)

tronk -e prison, jail/goal *ook* **gevang′enis; tjoe′kie** (omgangst.); *van nuuskierigheid is die ~ vol* curiosity killed the cat; **~bewaar′der** prison warder; jailer; **~braak** jailbreak; **~vo′ël** gaolbird; habitual criminal

troon (s) **trone** throne; *van die ~ afstand doen* abdicate; (w) **ge-** be on the throne; reign; *hy ~ bo almal uit* he surpasses everybody else; *die berge ~ hoog oor die vlakte* the mountains rise high above the plain; **~opvol′ger** heir to the throne; **~re′de** king's/queen's annual speech/ address (to parliament)

troos (s) comfort, consolation *ook* **me′delye, deer′nis;** solace, relief; *skrale ~* cold comfort, Job's comfort; (w) **ge-** console, comfort *ook* **op′beur, moed gee; ~medisy′ne** placebo *ook* **plase′bo; ~prys** (s) consolation/booby prize; **~teloos′** disconsolate, forlorn; **~ter** comforter; **~woord** word of comfort/sympathy

trop (s) **-pe** flock, fold (sheep); troop (baboons); covey (partridges); herd (cattle); pride (lions); pack (dogs); crowd, mass, mob (people)

tro′pe (s) tropics (climatic zone); **tro′pies** (b) **-e** tropic(al)

trop′sluitertjie -s youngest child, Benjamin *ook* **laat′lammetjie, hek′sluiter(tjie)**

tros (s) **-se** bunch, cluster; batch; (w) **ge-** cluster; **~behui′sing** cluster housing *ook* **korf′= behuising; ~bom** cluster bomb

trots (s) pride, haughtiness; *~ wees op* be proud of; (b) proud; haughty *ook* **hoogmoe′dig**

trotseer′ ge- defy, withstand; challenge, brave; *hulle ~ alle aanslae* they withstand all onslaughts

trou[1] (s) fidelity, faith; *te goeder ~* in good faith; *~ sweer aan* swear allegiance to; (b) faithful, true, loyal; **~breuk** breach of faith, betrayal

trou[2] (w) **ge-** marry, wed; *met die handskoen ~* marry by proxy; *die pasgetroude paartjie* the newlywed couple; **~dag** wedding day; anniversary

trou′ens besides, indeed, really; *hy is slim, ~ hy is geniaal* he is not only clever, he's a genius; *dit was ~ die heel eerste keer dat ...* it was indeed/in fact the very first time that ...

trou′ma = trau′ma

trou: ~mars wedding march *ook* **hu′= weliksmars; ~pand** wedding ring; marriage pledge; **~pant** lilac-breasted roller (bird);

~pleg′tigheid wedding ceremony; **~ring** we ding ring; **~rok/~tab′berd** wedding dress

trous′seau -s trousseau *ook* **bruids′uitset**

tru! back! (used as an order); *staàn ~!* sta back!

tru′beeld -e replay (TV)

truf′fel -s truffle *ook* **knol′swam** (sampioen)

trui -e jersey, sweater

tru: ~kaat′ser reflector; **~plof** (w) backfire (ca ~projek′tor** overhead projector *ook* **oorho se projek′tor; ~rat/~versnel′ling** reve gear; **~spie′ël(tjie)** rear-view mirror; **~stree ~balk** backslash (comp. keyboard)

trust (s) **-e** trust; **~ee** (s) **-s** trustee (member c trust)

tru′tol backspin (of a ball)

truuk -s trick, gimmick, contrivance *ook* **k lery, kuns′greep, foe′fie; slen′ter**

tsaar (s) **tsare** tsar (Russian emperor, his **tsari′na** (s) **-s** tsarina (Russian empress, hi

tset′sevlieg ..vlieë tsetse/bloodsucking fly tropics)

Tsjad Chad (country); **~iër** (s) **-s** Chad (person); **~ies** (b) **-e** Chadian (customs, etc

Tsjeg′ (s) **-e** Czech (person); **~gië/Tsjeg′gi Republiek** Czech Republic (country); **~** (b) Czech (customs, etc.)

tsoe′nami/tsu′nami (s) **-s** tsunami (large wave)

Tson′ga (s) **-s** Tsonga (person); Tsonga (l guage) *ook* **Xitson′ga**

tsot′si -s tsotsi, hooligan, ruffian *ook* **boef**

Tswa′na (s) **-s** Tswana (person); Tswana (l guage) *ook* **Setswa′na**

tuberkulo′se turberculosis *ook* **te′ring**

tug (s) discipline, punishment; *die ~ handh* maintain discipline; *vaderlike ~* pater discipline; (w) **ge-** punish *ook* **tug′t ~komitee′** disciplinary committee; **~maat′r** disciplinary step/measure; **~mees′ter** (str disciplinarian; **~on′dersoek** (disciplina hearing; **~roe′de** scourge; **~tig** (w) **ge-** ch tise, punish, discipline; whip

tuig (s) **tuie** harness; rigging; trapping; *die neerlê* retire; resign; *in die ~ sterf* die harness (while working); **~perd** carthorse

tui′mel ge- tumble, topple over; **~aar** tumb (pigeon); **~dro′ër** tumbledrier; **~kies′** drop-down menu (comp.) *ook* **~menu′; ~sl kelaar** tumbler switch; **~trein(tjie)** rollerco er (fun fair) *ook* **wip′waentjies**

tuin -e garden; **~argitek′/~beplan′ner** la scape gardener, landscaper; **~boon** broadbe **~bou** horticulture; **~hulp** gardener (work *ook* **tuin′man**

tuinier′ -s, -e gardener

tuin: ~maak (w) (work in the) garden; **~** gardener (worker) *ook* **tuin′hulp; ~paad**

garden path; ~**slang**/~**spuit** garden hose;
~**woon′stel** granny flat *ook* **herfs′huis(ie)**

is at home; *hande* ~*!* hands off!; ~*hoort*
belong; ~ *kom* arrive home; *iem.* ~ *maak*/
~*maak* make s.o. feel at home; *oos, wes* ~ *bes*
there is no place like home; ~**blad** homepage
(internet); ~**gebak′** (s) home bakes; ~**huis**
town house (of a farmer) *ook* **dorps′huis**;
~**koms** return, homecoming; ~**land** homeland;
~**ny′werheid** home industry; handicrafts; ~**re′**
kenaar personal computer (PC) *ook* **persoon′**
like re′kenaar; ~**stu′die** home study/studies;
~**te** home; ~**verple′ging** home nursing; ~**werk**
(school) homework

it[1] (s) **-e** spout, nozzle *ook* **spuit′kop**

it[2] (w) **ge-** tingle; *my ore* ~ my ears are tingling

l′band (s) turban (headdress of some Asian
men)

lp -e tulip (flower); ~**bol** tulip bulb

′na (s) ~, **-s** tuna, tunny (fish)

′mor -s tumour, malignant growth (disease)
ook **kwaadaar′dige gewas′**

niek′ -e tunic (garment)

rbi′ne -s turbine (engine); ~**straalvlieg′tuig**
turbojet (plane)

r′bo: ~aangejaag (b) turbocharged (engine);
~**genera′tor** turbogenerator

rf (s) peat, turf; *sy* ~ *sit* he is in a jam

urk (s) **-e** Turk (person); ~**s** (b) **-e** Turkish
(customs, etc.); **Turkye** Turkey (country)

rkoois′ (s) turquoise (gemstone; blue colour)

rksvy′ -e prickly pear; tricky problem

s′sen among, between; ~ *die reëls lees* read
between the lines

ssenbei′(de): ~ *kom/tree* interfere; intervene

s′senganger -s (inter)mediary, go-between *ook*
mid′delaar, mid′delman

ssenin′ in between, in among

s′sen: ~koms intervention; ~**persoon′** agent,
intermediary, middleman; ~**po′se** (s) **-s** inter=
val *ook* **in′terval**; ~**spel** interlude; ~**ste′delik**
intercity (train); ~**tyd** meanwhile; interval,
interim; ~**tyds** meantime, interim; ~*tydse*
dividend interim dividend *ook* **tus′sen=**
dividend; ~**verkie′sing** by-election; ~**vlak**/
~**vloer** mezzanine (floor); ~**voeg′sel** insertion;
interpolation; ~**werp′sel** interjection

aalf twelve; *hy is ouer as* ~ he is nobody's
fool; ~**de** twelfth; ~**uur** twelve o'clock; dinner
time; ~**voud(ig)** twelvefold

ak (omgangst.) (s) tobacco *ook* **tabak′**;
nonsense; trash, balderdash; *jou* ~ *is nat* your
plans have fallen flat; *hy is ′n ou* ~ he is a
nincompoop; ~ *praat* drivel; *pure* ~ unadul=
terated nonsense

ee two; ~ *maal/keer* twice; ~**daags** of two
days

ee′de second: **T~ Kersdag** Boxing Day *nou*

Welwil′lendheidsdag Day of Goodwill (holi=
day, 26 December); ~ **verdieping**/**vlak** sec=
ond floor; ~**hands** secondhand; ~**ns** secondly,
in the second place; ~**rangs** second-rate

twee: ~door double-yolked egg; ~**drag** discord
ook **on′min, vy′andskap**; ~*drag saai* sow the
seeds of discord; ~**gatjak′kals** turncoat, hyp=
ocrite *ook* **hui′gelaar, man′teldraaier**; ~**ge=**
veg′ duel; ~**ja′rig** of two years, biennial *kyk*
half′jaarliks; ~**klank** diphthong

tweele′dig -e double, binary, binomial

twee: ~lettergre′pig disyllabic; ~**ling** (s) **-e**
twin(s); ~**loop** (s) double-barrel gun/rifle

tweemaan′deliks -e once in two months

twe′ërlei of two kinds

twee: ~rom′per catamaran (sailing boat);
~**slagen′jin** two-stroke engine; ~**slag′tig** (b)
bisexual *ook* **dub′belslagtig, biseksueel′**; am=
bivalent; ~**sna′rig** two-stringed; ~**sny′dend**
two-edged, double-edged; ~**spalt** discord;
~**sprong** crossroad, fork; ~**stryd** indecision;
inward conflict; ~**tal** two, pair

tweeta′lig -e bilingual; ~**heid** bilingualism

twee: ~uur two o'clock; ~**vlakwoon′stel** duplex
flat; ~**voud** multiple of two; *in* ~*voud* in
duplicate

twin′tig twenty; ~**ste** twentieth; *in die twintiger=*
jare in the twenties

twis (s) **-te** quarrel, dispute, row *ook* **ru′sie,**
one′nigheid; ~ *soek* pick a quarrel; (w) **ge-**
dispute, quarrel; ~**ap′pel** bone of contention;
apple of discord *ook* **twis′punt**; ~**siek** (b)
quarrelsome *ook* **skoor′soekerig**

twy′fel (s) doubt; *dit ly geen* ~ *nie* there is no
doubt about it; *sonder* ~ without doubt; *in* ~
trek call in question; doubt; (w) **ge-** doubt *ook*
wei′fel; ~**aar** (s) **-s** sceptic (person); ~**ag′tig**
dubious, doubtful

twyn (s) twine, yarn (fabric) *ook* **seil′garing**

tyd (s) **tye** time; tense; *in die ander* ~ in the
family way; *te eniger* ~ at any time; *ten*
tye/tyde van at the time of; *vry(e)* ~ spare
time; ~**bespa′rend** time-saving (gadget);
~**-en-bewe′gingstudie** time and motion
study; ~**(s)bere′kening** timing; ~**bom** time
bomb

tyd′deel timeshare/timesharing *ook* **bly′beurt**

ty′delik -e temporary *ook* **voorlo′pig;** temporal

ty′dens during *ook* **gedu′rende**

tyd: ~gees spirit of the age; ~**genoot′** (s)
contemporary (person); ~**genoot′lik** (b) con=
temporary *ook* **kontemporêr′**; ~**gleuf** time
slot; ~**grens** time limit

ty′dig (b) seasonable; timely, betimes; ~ *en*
ontydig in season and out (of season)

ty′ding (s) news, tidings *ook* **berig′, bood′skap**

tyd: ~loos (b) timeless; ~*lose treffer* all-time
favourite; ~**perk** period; era; ~**ren** rally

(cars); **~ro′wend** (b) **-e** time-consuming; **~saam** slow, leisurely *ook* **traag;** **~s′bestek** space of time; **~sein** time signal; **~ska′kelaar** time switch

tyd′skrif -te magazine, periodical; journal

tyds: ~omstan′digheid circumstance (of the time); **~orde** chronological order

tyd′stip point (of time); period, epoch; *hierdie ~stip* now

tyds′verloop′ course/passage of time

tyd: ~ta′fel timetable *ook* **roos′ter;** chronological table; **~vak** era, period; epoch; **~verdr** pastime *ook* **stok′perdjie**

ty′e: *te/ten alle ~* at all times

U

(s) -'s u

(pers.vnw) you; (bes.vnw) your (sing and pl); *ek waardeer* ~ *hulp* I appreciate your help *kyk* **u'we**

~un'tu (n) ubuntu; charity *ook* **mededeel'saam= heid**

gan'da Uganda (country); **Ugan'dees** (s, b) Ugandan (person; customs, etc.)

-e onion (vegetable)

'er (s) -s udder (of cow)

(s) -e owl; *soos 'n* ~ *op 'n kluit* alone and perplexed; *'n* ~*tjie knyp/knip* take a nap; ~s'kui'ken dunce, numskull *ook* **dom'kop; skaap** (fig.)

'spieël (s) -s clown, wag; rogue

n'tjie (s) -s nut grass, nutsedge, uintjie (weed)

¹ (w) ge- utter, voice *ook* **ui'ter** (w); *sy mening* ~ voice his opinion

² (b, bw) over, out; off; extinguished (flame); finished; ~ *die bloute* out of the blue; ~ *en tuis* there and back; *hy is daarop* ~ *om ...* he is bent on ...; (vs) out, out of, from; ~ *beginsel* on principle; ~ *lit* out of joint; ~ *die oog* ~ *die hart* out of sight

'adem/uit'asem -ge- exhale

ta'sem (b, bw) out of breath, breathless

'bars -ge- burst out; explode; erupt (volcano); ~ting explosion; eruption; outcry, outrage (by public)

'basuin -ge- trumpet forth, broadcast *ook* **uit'blaker**

'beeld -ge- sketch, draw, depict, portray *ook* **af'beeld, skets; beskryf'**; delineate

'betaal (w) ~ pay out, disburse; *'n dividend* ~ pay a dividend (to shareholders)

: ~beta'ling payment, settlement, disburse= ment; ~blaas blow out; *die laaste asem* ~*blaas* breathe one's last breath

'blaker -ge- blurt out *ook* **uitbasuin'**; *alles* ~ broadcast a story

'blink (w) -ge- outshine, excel, surpass *ook* **uitmunt', oortref', presteer'**; ~er (s) -s ace, crack, topdog *ook* **uit'haler, bo'baas, pres= teer'der**

: ~boen'der chuck/throw out, expel; ~boks out box (e-mail); ~bou (w) -ge- build out, extend by building; expand, promote

'braak (s) outbreak (of epidemic) *ook* **uit'= breking**

'brand (w) -ge- burn out, cauterise; ~er (s) scolding, reprimand *ook* **tereg'wysing**

'breek -ge- break/burst out, erupt

'brei -ge- extend, expand, enlarge *ook* **vergroot'**; spread; ~ding extension

'bring -ge- bring out; reveal, disclose (a secret); cast, record (a vote); *'n verslag* ~ submit/publish a report

uit'broei -ge- hatch (eggs)

uit'buit -ge- exploit; take advantage of; ~ing/~ery' exploitation, rip-off *ook* **bedrog'= spul, swendelary'**

uitbun'dig (b) enthusiastic, clamorous *ook* **uit'= gelate;** ~*e vreugde* boisterous joy

uit'daag -ge- challenge, defy; provoke; ~be'ker challenge cup

uit'daging (s) challenge; provocation, dare

uit'deel -ge- distribute, mete/portion out; *klappe* ~ deal out·blows; *die lakens* ~ boss the show; *pryse* ~ award/present prizes

uit: ~delg exterminate *ook* **af'maai, uitmoor'**; ~del'ging extermination; ~dien serve (a jail term); ~diensstel'ling retrenchment, dismis= sal; ~diens'tre'de leaving/resigning a job; go on pension; ~dink contrive, devise, invent; ~doof extinguish *ook* **blus;** ~dop peel, shell *ook* **pel** (w); ~dor dry up; ~dos trim out, deck out

uit'draai -ge- turn aside; evade; turn out; ~pad turn-off road, side road

uit'droë/uit'droog -ge- dry up, become parched

uit'druk (w) -ge- express, put into words *ook* **bewoord', uit'(er);** squeeze out; *as ek dit so mag* ~ if I may put it that way/in these words; ~king (s) -s, -e expression *ook* **geseg'de, segs'wyse;** ~lik (b) -e emphatic, explicit *ook* **nadruk'lik;** (bw) emphatically, explicitly; ~*e waarskuwing* express warning

uit'dryf/uit'drywe -ge- exorcise (evil spirit) *ook* **besweer';** expel

uit'dun -ge- thin out; eliminate; cull (surplus animals); ~ron'de elimination round/bout; ~wed'loop heat (athl.)

uiteen' asunder, apart; ~dryf/~drywe disperse, scatter; ~lo'pend divergent, different; ~set= ting explanation, clarification *ook* **verdui'= deliking, verkla'ring, uit'leg;** ~sit explain, expound *ook* **verdui'delik, verklaar'**

uit'einde (s) -s end; extremity; death (knell); upshot ook **slot'som;** *die* ~/*afloop van die saak* the outcome of the matter; ~lik (bw) finally, ultimately; eventually

ui'ter (w) ge- utter, voice *ook* **uit**

uiteraard' (bw) by the nature of *ook: uit die aard van*

ui'terlike (s) outward appearance, exterior; *vir die* ~ for show; (b, bw) outward(ly), exter= nal(ly)

uiterma'te (bw) exceedingly, excessively *ook* **oorda'dig**

ui'ters (b, bw) exceedingly, extremely; *dis* ~

jammer it is a great pity; ~ *dertig mense* thirty people at the most

ui′terste (s) **-s** death; extreme limit; *tot die ~ veg* fight to the last gasp; (b) extreme, utmost, last; *jou ~ bes doen* do one's utmost

uit′faseer (w) **-ge-** phase out *kyk* **in′faseer**

uit′gaan -ge- go out; exit (comp. program); end in; emanate from; *op 'n klinker ~* end in a vowel; *~ van 'n standpunt* based on the view

uit′gang -e exit, way out; ending; **~s′punt** starting point; premise *ook* **begin′punt; veronderstel′ling**

uit′gawe[1] (s) **-s** expenditure, expenses, cost; *inkomste en ~s* revenue and expenditure; *onvoorsiene ~s* unforeseen/unbudgeted expenses, contingencies

uit′gawe[2] (s) **-s** edition, issue, impression (of journal/book); *derde ~* third edition

uit′gebak (b) **-te** rejected, outcast *ook* **verstoot′** (persoon)

uit′gebrei (b, bw) **-de** extensive, comprehensive; *~de geheue* extended memory (comp.); *~de ondervinding* wide/extensive experience

uit: ~gee spend *ook* **bestee′;** publish, issue; **~gedien′** (b) worn out, outmoded; **~gedien′de** (s) **-s** a has-been (person); **~gehon′ger** famished

uit′geknip -te cut out; *hy is ~/kompleet sy pa* he is the exact image of his dad

uit′gelate (b, bw) elated, exuberant *ook* **op′getoë, uitbun′dig;** boisterous

uit′gelese (b) choice, picked; *~ geselskap* select/ distinguished company

uit′geput (b) exhausted, deadbeat *ook* **af′gemat**

uit: ~gesla′pe sly, cunning, canny *ook* **lis′tig, skelm; ~geson′der** except, excluding/excluded, save; **~gespro′ke** outspoken *ook* **reg′uit, pad′langs; ~gevat′** (b) **-te** smartly dressed; **~gevrete** (neerh.) (b) well-fed, overfed, large, fat (guy)

uit′gewe′kene -s refugee, fugitive; expatriate

uit′gewer -s publisher; **~s′fir′ma/~y** publishing firm/house, publishers

uit′gewerk extinct; *~te myn* uneconomic mine

uit′gewis (b) erased, deleted

uit′geworpe (b) cast out; **~ne** (s) **-s** outcast; ostracised person *ook* **versto′teling**

uit′gif -te hand-out; **aan′dele-uit′gifte** shares issue

uit: ~gly slip, skid; **~gooi** eject, throw out

uit′graaf/uit′grawe -ge- dig up, excavate; exhume (a corpse)

uit′grawing -s excavation; dug-out; cutting

uit′haal -ge- take out, pull/draw out; exert oneself; *alles ~* do your utmost

uit′haler (s) **-s** ace *ook* **uit′blinker** (persoon); showy person; (b) smart, first-rate; showy; *~ speler* crack player

uit′hang -ge- hang out; show off; *die gro meneer ~* swagger about; **~bord** signboar **~geleent′heid** grand/posh/glittering functio occasion *ook* **glans′geleentheid; ~plek** f vourite/swanky restaurant

uitheems′ (b) **-e** foreign, exotic

uit′help -ge- help out

uit′hoek -e out-of-the-way place, remote corne outskirts; *die ~hoeke v.d. wêreld* the fo corners of the earth

uit′hou -ge- bear, stand, endure; keep ou **~vermo′ë** endurance *ook* **deur′settingsve mo′ë; ~(wed)′ren** endurance race

ui′ting (s) **-e, -s** saying, utterance; *~ gee aan* gi expression to; *tot ~ kom* find expression

uit: ~jaag drive out, expel; **~jou** hoot, boo, hi at *ook* **uit′skel; boe; ~kal′we** hollow out, wa out (dirt road); **~kamp** camp (out), o **kampeer′**

uit′keer -ge- pay out, pay back, pay (dividen drive aside; **~po′lis** endowment policy (insu ance)

uit′ken -ge- recognise, identify *ook* (iem.) **ei′e ~para′de** identification/identity parade o **uit′kenningsparade**

uit′kies -ge- select, pick; single out

uit′klaar -ge- clear (up), clarify (a matte exchange (a cheque); clear (goods fro customs); check out (of army)

uit′klop -ge- beat out; knock out; **~hou** knocko blow (boxing); **~pot** tie-breaker (tennis) o **val′bylpot**

uit′knip -ge- cut out (from newspaper, mag zine); **~sel** cutting, clipping *ook* **knip′sel**

uit′koggel -ge- mock, deride *ook* **terg, trei′te**

uit′kom -ge- come out, appear; suffice; con right (with money); *~ vir sy opinie* speak one mind; *ek sal met R100 ~* I'll manage wi R100

uit′koms relief; result, product; **~gebaseer′ on′derwys (UGO)** outcomes-based educati (OBE)

uit: ~kontrakteer′ outsource (work, task); co tract out (med. practitioner from med. func **~koop** buy out (a partner in business); **~kr** erase, delete, scratch out *ook* **skrap**

uit′kringeffek′ (s) ripple effect

uit′kyk (s) lookout (for keeping watch); *op die* on the lookout

uit′laat (s) **..late** outlet; exhaust (engine); (**v -ge-** omit, skip, leave out; let out; *ho ongunstig ~* express an unfavourable opinio **~pyp** exhaust pipe

uit: ~lag laugh at, make a fool of; **~lan′d** outlander, foreigner, alien; **~lands** foreig exotic; **~lap** blurt out *ook* **uit′blaker; ~la′ti** remark, statement; omission

uit′lê[1] (w) **-ge-** explain, elucidate *ook* **verklaa**

it'lê[2] (w) **-ge-** lay/set out

it'leen -ge- lend (out); **~koers'** lending rate; **pri'ma ~koers'** prime lending rate

it'leg[1] (s) layout (of printed page)

it'leg[2] (s) explanation *ook* **verkla'ring;** interpretation; **~kun'de** exegesis, hermeneutics

it'lek[1] (w) **-ge-** leak out, trickle out

it'lek[2] (w) **-ge-** lick clean, lick out (a bowl)

it'lewer -ge- extradite; deliver, hand over, surrender; **~ing** extradition; surrender, delivery; **~(ings)ooreen'koms** extradition agreement/treaty

it'lig[1] (w) **-ge-** lift out

it'lig[2] (w) **-ge-** single out, highlight *ook* **beklem'toon; glim** (met glimpen); **~ter** (s) highlighter *ook* **glim'pen, glim'stafie**

it'lok -ge- tempt, provoke; solicit; decoy; elicit; *baie kritiek ~* arouse a great deal of criticism; **~kend** (b) tempting *ook* **verlei'delik;** provocative

it'loof -ge- offer a reward; institute/promise/ sponsor a prize

it'loop (s) **..lope** drain pipe; overflow; spillway (dam); (w) **-ge-** walk out; leave; drain, run out (water); bud (plant); tread out (shoes); result in; *op 'n mislukking ~* end in failure

it'loot -ge- raffle; draw

it'lo'per -s sucker, offshoot; foothill (of mountain)

it'los -ge- leave out/alone; *los my uit* leave me (alone); count me out

it'maak -ge- make out; decipher; settle; break off (an engagement); *dis 'n uitgemaakte saak* it is a foregone conclusion; *'n verlowing ~/verbreek* break off an engagement

it: ~meet measure off; **~mer'gel** exhaust, grind down *ook* **af'sloof; ~mond** flow; *~mond in die oseaan* flow/discharge into the ocean (a river); **~moor** massacre, butcher

it'munt -ge- excel, surpass *ook* **uit'blink, oortref'; ~end** (b) excellent, brilliant *ook* **skit'terend, voortref'lik;** eminent

t'neem -ge- take out; withdraw

tne'mend (b) excellent, outstanding *ook* **uitste'kend, uitmun'tend; ~heid** excellence; *by ~heid* par excellence

t'nodiging -e, -s invitation

t'nooi -ge- invite *ook* **nooi**[2] (w)

t'oefen -ge- practise, exercise; discharge (duties); exert; follow (calling) *kyk* **beoe'fen;** *druk ~* exert pressure; *kritiek ~* criticise; evaluate, assess

t'oorlê (w) **~** outmanoeuvre, get the better of, outwit *ook* **flous, fnuik, troef**

t'pak -ge- unpack; *alles ~* tell everything

t'peul[1] (w) **-ge-** protrude, bulge (eyes)

t'peul[2] (w) **-ge-** peel, shell (nuts) *ook* **uitdop, pel**

uit: ~plant bed out, plant out; transplant; **~pluis** pick (out); sift, probe, ferret out; unravel; **~probeer'** try out

uit'put -ge- exhaust, deplete; **~ting** exhaustion; **~(tings)oor'log** war of attrition

uit: ~ra'fel fray, ravel out; **~rangeer'** sideline, marginalise (s.o.) *ook* (iem.) **marginaliseer'**

uit'red -ge- help out, save; **~ding** deliverance

uit'reik -ge- hand out; reach out; issue; *'n sertifikaat ~* issue a certificate; **~program'** outreach programme

uit: ~rek stretch out; protract; **~re'ken** calculate; **~rig** manage to do, accomplish, achieve

uit'roei -ge- uproot; exterminate *ook* **dood'- maak, uit'delg;** *met wortel en tak ~* destroy altogether; **~ing** extermination, eradication

uit'roep (s) **-e** exclamation, shout; cry; (w) **-ge-** call out, exclaim; *'n staking ~* call a strike; **~te'ken** exclamation mark

uit: ~ruil exchange, swop; **~ruilstudent'** exchange student; **~ruk** snatch/rip out

uit'rus[1] (w) **-ge-** rest, repose

uit'rus[2] (w) **-ge-** equip, fit out; **~ter** outfitter (clothing); fitter; **~ting** outfit; equipment *ook* **toe'rusting**

uit'saai -ge- broadcast; **~diens** broadcasting service; **~sta'sie** broadcasting/radio station

uit'sak -ge- bulge out; fall (rain); lag behind *ook* **ag'terbly; ~ker** dropout (student) *ook* **skool'- staker**

uit'sending -s broadcast; *lewende/regstreekse ~* live broadcast

uit'set -te trousseau, marriage outfit; output, production, yield *kyk* **inset; ~ting** expulsion; eviction; expansion; **~tingsbevel'** eviction order

uit'sien -ge- look out for, look forward to; appear; *na die vakansie ~* look forward to the holidays; *hy sien daar goed uit* he looks well/healthy

uit'sig -te view; prospect; *onbelemmerde ~* unobstructed view; *met ~ op die see* facing the sea; **~erf'** view site/stand; **~pad** scenic road

uit'sit -ge- expand; dilate; evict (from house); expel (from school); put down (old/sick animal); not taking part (at dance)

uit'skakel -ge- eliminate; cut out, disconnect

uit'skater -ge- burst out laughing

uit'skei[1] (w) **-ge-** cease, stop; *met/teen ~tyd* at the close of play (cricket); *skei uit!* stop it!

uit'skei[2] (w) **-ge-** separate; excrete, discharge

uit: ~skel call names, scold, rebuke angrily *ook* **~vloek; ~skep** bale out, scoop out; **~skeur** tear out; **~skiet** shoot out; **~skietstoel'** ejection seat (aircraft); **~skop** kick out; trip (main switch); **~skopska'kelaar** trip switch

uit'skot (s) rejects; rabble, riff-raff

uit′skree(u) **-ge-** cry out, scream out

uit′skryf/uit′skry′we **-ge-** offer (prize, award); issue (loan); write out (cheque); make out (account); copy (text)

uit′skud **-ge-** rob; hijack; shake out

uit′slaan **-ge-** beat out; knock out (teeth; boxer); sprout; break/come out (in a rash); arrive, show up; *hy het onverwags daar uitgeslaan* he arrived unexpectedly

uit′slaap **-ge-** sleep long enough; sleep at a friend; *sy roes/babelas* ~ sleep off his hang= over

uit′slag[1] (s) rash (on skin) *ook* **roos**

uit′slag[2] (s) **..slae** result, outcome *ook* **resultaat′, af′loop;** issue; *die ~ van die eksamen* the examination results

uit′sluit **-ge-** exclude, shut out; expel, bar

uitslui′tend/uitsluit′lik exclusive(ly), solely

uit′sluitsel: ~ *gee* give a definite answer

uit′smyt **-ge-** eject, chuck out *ook* **uit′boender;** ~**er** bouncer, chucker-out (bar, nightclub) *ook* **uit′gooier**

uit: ~**snuf′fel** snoop, ferret out, probe *ook* **uit′vis;** ~**sny** cut/carve out; ~**soek** select, choose; ~**son′der** exclude, exempt

uit′soek **-ge-** select, pick, choose; cull; sort, classify

uit′sondering -e, -s exception; *'n ~ op die reël* an exception to the rule

uitson′derlik (b) exceptional, unusual *ook* **buitengewoon′, spesiaal′**

uit′spaar **-ge-** save, economise *ook* **bespaar′**

uit′span **-ge-** unharness (horses); outspan, un= yoke (oxen); rest; take a break/holiday; ~**plek** outspan (for oxen); holiday resort

uit′spansel (s) firmament, heavens, sky *ook* **firmament′, he′mel(ruim)**

uitspat′tend/uitspat′tig extravagant; flamboy= ant; self-indulgent; *-e kleure* gaudy colours

uit: ~**speel(wed′stryd)** play-off; ~**spit** dig out/ up, unearth; ~**spoeg/~spuug** spit out; ~**spoel** wash away; rinse; ~**spoel′ing/~spuit′ing** douche (bidet); ~**spook** fight out

uit′spraak **..sprake** pronunciation; sentence; verdict; award; ~ *voorbehou* reserve judg(e)= ment (court of law)

uit: ~**spreek** pronounce, express; ~**sprei** spread out; ~**spring** jump out; project; bale/bail out (from aircraft); tackle a (new) job

uit′staan **-ge-** endure, bear, withstand; excel; stand out; bulge out; *ek kan hom nie* ~ *nie* I cannot bear him; ~**de** outstanding (debt; achievement); projecting (rock)

uit′stal **-ge-** display, exhibit; ~**ling** (s) **-s, -e** display, exhibit *ook* **ven′ster** show window *ook* **toon′venster;** ~**sen′trum** exhibition centre

uit′stap **-ge-** alight, step out; ~**pery′** walkout (at a meeting); ~**pie** trip, outing; ramble, walk (n)

uit′steek **-ge-** jut out, protrude; project; pop out (head); stick out (one's neck, fig.); stand out; gouge (eyes)

uitste′dig out of town (not at office)

uit′stek: *by* ~ in particular, notably, pre-emi= nently; *by* ~ *geskik vir* particularly/ideally suited to

uitste′kend (b) **-e** excellent, superb *ook* **uitmun′= tend; voortref′lik; puik**

uit′stel (s) delay; postponement, deferment; *van* ~ *kom afstel* procrastination is the thief of time; ~ *gee* grant an extension of time; (w) **-ge-** delay, postpone, defer

uit: ~**stem** oust (s.o. by voting); outvote; ~**sterf/~sterwe** become extinct, die out; ~**stip′pel** sketch/plot out, outline; ~**stoot** push out, thrust out; ejaculate; *die bors ~stoot* throw a chest; ~**stort** pour out, shed; unbosom; ~**storting** outpouring; ejaculation (semen)

uit: ~**straal** emit, radiate, beam forth; ~**stra′ling** radiation, emission; vibe *ook* **aan′voeling;** ~**strek** extend, expand, stretch out; ~**strooi** strew, scatter; ~**stroom** stream out, gush forth; ~**stryk** iron out; solve a problem; ~**stuur** send out; ~**styg** rise/tower above; ~**suig** suck out; impoverish; ~**suip** suck dry; waste on drink; ~**sweet** sweat out, exude; ~**tart** provoke, defy *ook* ~**daag, trei′ter;** ~**tar′ting** provocation; ~**teer** pine away, emaciate; ~**te′ken** delineate; draw

uit′tel[1] (w) **-ge-** count out; ~**rym′pie** counting-out rhyme

uit′tel[2] (w) **-ge-** lift out *ook* **uit′lig**

uit′tog departure, flight; exodus (Israel from Egypt)

uit′trap **-ge-** admonish, reprove, tell off *ook* **in′klim, slegsê**

uit′trede/uit′treding retirement (from a board, committee) *kyk* **af′trede**

uit′tree **-ge-** retire (as chairman) *kyk* **af′tree** withdraw; ~**-annuïteit′** retirement annuity ~**pakket′** severance package *ook* **skei′= dingspakket**

uit′trek **-ge-** undress; march out (soldiers); extract/pull out (tooth); *iem. se siel* ~ drive s.o. to exasperation

uit′treksel -s excerpt, extract *ook* **aan′haling, sitaat′**

uit′vaagsel -s scum, riff-raff *ook* **skuim** (mense)

uit′vaar[1] (w) **-ge-** put to sea; sail out

uit′vaar[2] (w) **-ge-** rail (at s.o.); inveigh (against) denounce; *teen iem.* ~ fulminate/rail against s.o

uit′vaardig **-ge-** issue, proclaim; promulgate (regulation, law)

uit′val[1] (s) **-le** sally; sortie; clash, quarre outburst; ~**grond** overlap; odd piece of land

uit′val[2] (w) **-ge-** tjaila (SAE), stop working; ~**ty** knock(ing) off time *ook* **tjai′la, uit′klok**

uit'vang (omgangst.) (w) **-ge-** catch out (infml.); trap (s.o. making an error/doing something forbidden)

uit: ~**vee(g)** sweep; erase; ~**ve'ër** eraser, rubber; ~**verkie'sing** predestination

uit'verkoop (s) **..kope** clearance sale; (w) ~ sell out; *dit is* ~ it is sold out

uit'verkoping -s, -e (clearance) sale

uit'verkore elect, select; *die* ~ *volk* the chosen race/people; ~**ne** favourite (person)

uit'vind -ge- invent; find out; ~**er** (s) **-s** inventor; boffin; ~**ing** invention; ~**sel** contrivance; con= traption *ook* **kontrep'sie**

uit' vis (w) = **uit'snuffel**

uit'vloei -ge- flow out; ~**sel** result, outcome *ook* **resultaat'**

uit'vloek -ge- scold, rebuke angrily *ook* **uit'skel**

uit'vlug (s) **-te** excuse; evasion; pretext; loop= hole; ~*te soek* look for loopholes/excuses

uit'voer (s, geen mv) export; *ten* ~ *bring* carry into effect; (w) **-ge-** export; execute; imple= ment; perform; ~**produk'** export product

uitvoer'baar feasible, practicable; ~**heidstu'die** feasibility study *ook* **haal'baarstudie**

uit'voerend -e executive; ~**e hoof** chief execu= tive officer (CEO) ook **bestuurs'hoof;** ~**e komitee'** executive committee *ook* **dag'= bestuur;** ~**e kunste** performing arts

uit'voerhandel export trade

uitvoe'rig (b, bw) detailed, circumstantial *ook* **noukeu'rig, in detail'**

uit'voering -s (musical) performance *kyk* **op'= voering** (toneel); execution; ~ *gee aan* give effect to

uit'voerreg -te export duty

uit'vra -ge- sound, question, brief, interrogate *ook* **ondervra;** invite *ook* **(uit)nooi**

uit'vreet -ge- corrode (metal); reprimand/rebuke severely; *ek het hom goed uitgevreet* I told him his fortune

uit'vryf/uit'vrywe -ge- rub out

uit'waai -ge- blow out; *ek het niks met hom uit te waai(e) nie* I have no truck with him

uit'waarts (b, bw) outward; ~*e beleid* outward policy

uit'was (s) morbid growth; protuberance; out= growth

uit'weg (s) **..weë** way out; escape; outlet; loop= hole; *die enigste* ~ the only alternative/solu= tion

uit'wei -ge- elaborate, expand

uitwen'dig -e external, outward; *vir* ~*e gebruik* not to be taken (medicine)

uit'werk -ge- work out, calculate; ~**ing** effect, impact, result *ook* **resultaat'**

uit'werpsel (s) **-s** excrement

uit'wis -ge- delete, erase, expunge; wipe out *ook* **vernie'tig; af'maai**

uit'woed -ge- spend itself, cease raging, subside (storm)

uit'wyk -ge- turn aside, dodge; go into exile; ~**spoor** loop (railway)

ukele'le ukulele (mus. instr.)

ultima'tum -s ultimatum *ook* **laas'te/fina'le eis**

ul'tra ultra, beyond; ~**so'nies** ultrasonic

ultramaryn' ultramarine, sky blue *ook* **lasuur'= blou**

ultraviolet' ultraviolet (rays)

ululeer' ge- ululate (chanting to lament, rejoice or incite) *ook* **dreun'sing**

u'nie -s union *ook* **een'heid, verbond'**

uniek' (b) **-e** unique *ook* **e'nig**

u'niform (s) **-s** uniform, military dress; (b) **-e** uniform *ook* **eenvor'mig**

u'nistad (s) **..stede** unicity, metropole

universeel' (b, bw) **-e** universal, global, general, catholic, all-embracing *ook* **al'gemeen**

universiteit' -e university; *op/aan* ~ at univer= sity; ~**s'graad** university/academic degree; ~**s'kur'sus** university course

universitêr' (b) **-e** university (a), academic; ~*e opleiding* university training

uraan uranium; ~**verry'king** uranium enrichment

urinaal' ..na'le urinal, pissoir *ook* **fluit'plek**

uri'ne/urien' (s) urine; ~**suur** uric acid; **urineer'** (w) **geürineer** urinate, pass urine/water *ook* **wa'ter af'slaan; pis** (vulg.); **pie'pie** (kindert.)

urn -s urn *ook* **kook'kan, kook'tenk; kruik**

u self/uself' you, yourself

u'terus -se, ..ri uterus, womb *ook* **baar'moeder**

utiliteit' utility *ook* **nut;** ~**(s)maatskappy** utility company

utopie' -ë utopia *ook* **heil'staat, paradys';** ~**s** (b) utopian *ook* **waan'geluk(kig)**

uur (s) **ure** hour; *om vyf*~ at five o'clock; *ter elfder ure* at the eleventh hour/last minute; ~**loon** hourly wage/pay; ~**werk** timepiece, clock; ~**wy'ser/wys'ter** hour hand

u'we yours; *(hoog)agtend/opreg die* ~ yours faithfully/sincerely

V

v -'s v

vaag (b) **vae** vague *ook* **ondui'delik; onse'ker**

vaak (b) sleepy, drowsy; ~ *word* be sleepy; **Klaas Va'kie** Willie Winkie, sandman

vaal (b) pale, sallow; drab, dull; grey; tawny; *jou (as)~ skrik* be pale with fright; **~blou** blue dun (horse); **~bruin** straw-coloured, mealy-bay (horse); fawn; **~muis'hond** grey mongoose

vaal'japie cheap/rough wine

Vaal'pens -e nickname for Transvaaler (person coming from/living in previous Transvaal); Valie (Cape nickname for Transvaaler)

Vaal'rivier Vaal River

vaal'vink -e golden bishop bird

vaam (s) **vame/va'dem** (s) **-s** fathom (depth measure in water 1,829 m)

vaan'del -s standard, flag, banner *ook* **banier'**; *met vlieënde vaandels die eksamen slaag* pass the examinations with flying colours; **~draer** standard bearer *kyk* **staf'draer**

vaar[1] (s) **-s** sire (male parent of horse, etc.) *ook* **va'derdier**

vaar[2] (w) **ge-** sail, navigate; *goed* ~ be successful (in examination); *laat* ~ abandon; **~baar** navigable

vaar'dig (b) skilful, handy, dexterous *ook* **bedre'we, behen'dig; ~heid** dexterity, skilfulness, proficiency, expertise

vaart -e voyage, cruise; speed *ook* **snel'heid;** *in dolle* ~ at breakneck speed; *in volle* ~ at full speed; **~belyn'** streamlined *ook* **stroom'belyn**

vaar'tjie: *('n) aardjie na sy* ~ like father like son

vaar'tuig ..tuie vessel, boat, ship; (mv) watercraft

vaar'water waterway *ook* **wa'terweg;** shipping lane; fairway; wake *ook* **kiel'sog, volg'= stroom;** *in iem. se* ~ *kom* thwart/impede/obstruct s.o.

vaarwel' farewell, goodbye; ~ *sê/toeroep/wuif* say/wave goodbye

vaas (s) **-e** vase, flowerpot

vaat'jie -s barrel, tub, vat, cask; fatty (person)

va'bond -e rogue; (little) rascal *ook* **rak'ker, stou'terd;** vagabond

va'dem = **vaam**

va'der -s father; sire (animal)

va'derland native country, fatherland; **~er** patriot *ook* **patriot'; ~s'liefde** patriotism *ook* **patriotis'me; ~s'lie'wend** (b) patriotic

va'der: ~liefde paternal love; **~lik** paternal, fatherly; **~moord** patricide; **~skap** fatherhood, paternity; *in ~snaam* for heaven's sake

va'doek -e dishcloth

va'evuur (s) purgatory *ook: plek van lyding*

vag -te fleece, pelt; fell; clipping (wool)

vagi'na -s vagina *ook* **ske'de** (van vrou)

vak -ke subject *kyk* **leer'area;** compartme… partition, pigeonhole; trade; profession

vakan'sie -s holiday(s), vacation; ~ *hou* be holiday; *in die* ~ during the holidays; *hy op/met* ~ he is on holiday; **~gan'ger** holida… maker, vacationer; **~kur'sus** vacation cours… **~oord** holiday resort *ook* **plesier'oor… ~verlof'** vacation leave

vakant' vacant, empty; ~*e pos* vacancy (on … staff)

vak'arbeider -s craftsman *ook* **am'bagsman**

vakatu're -s vacancy; **~lys** list of vacancies

vak'bond -e trade union *ook* **vak'unie, va… verbond**

vak: ~geleer'de expert, specialist *ook* **desku… dige, vak'man; ~ken'nis** professional/tec… nical knowledge; expertise; **~kun'dige** expe… **~leerling** apprentice *kyk* **leer'klerk; ~ma… skap'** workmanship; **~on'derwys** technic… vocational education/instruction; **~praat'j… shop talk

vaksi'ne -s vaccine *ook* **ent'stof**

vak'term -e technical term; **~inologie'** techni… terminology

vak'unie -s trade union *ook* **vak'bond**

vakuum' (s) **-s** vacuum *ook* **lug'leegte; ~… vacuum flask *ook* **kof'fiefles, ter'mosfl… ~verpak'** vacuum-packed

vak'vereniging -s business/professional as… ciation/society

val[1] (s) **-le** trap; *in die* ~ *sit* be caught in a tr…

val[2] (s) **-le** flounce, frill (clothes)

val[3] (s) **-le** fall; downfall; gradient; (w) **ge-** f… drop; *in die oog* ~ catch one's eye; *in die re… ~* interrupt; *skote* ~ shots are fired; **~bo… boom** *ook* **sper'paal; ~brug** drawbridge; **~… guillotine *ook* **guillotine'; ~bylpot** tie-brea… game (tennis); **~duik/vry'duik** skydiving

Valentyns'dag Valentine's Day

val: ~hek boom *ook* **~boom, sper'paal; ~h… ling** slope (down); **~helm** crash helmet … **plet'terpet; ~hou** drop shot (tennis)

valies' (veroud.) (s) **-e** portmanteau, handb… suitcase, travelling bag *ook* **(reis)tas, (rei… kof'fer**

valk (s) **-e** falcon, hawk (bird of prey); **~e'jag** falconry, hawking; **~e'nier'** (s) **-s** falcon… hawker (trainer of birds of prey); **~oog** haw… eye, falcon's eye

vallei' -e valley, dale, vale *kyk* **vlei, laag'te**

vall'end: ~*e siekte* epilepsy *ook* **epilep'sie**

val'letjie -s frill, ruffle; furbelow (on woma… dress)

val'luik -e trapdoor; drop (gallows)

ls (b) false, treacherous; faked, forged, artifi=
cial; ~ *sing* sing flat; ~ *alarm* false alarm,
hoax; ~ *diamant* imitation/fake diamond;
~mun′ter counterfeiter (person); **~tan′de** den=
ture(s), false/artificial teeth *ook* **win′keltande**
(skerts.)

l′skerm -s (para)chute; **~sprin′ger** parachu=
tist; **~sweef** (s) paragliding; **~troe′pe** para=
(chute) troops, parabats

ls: ~lik falsely; **~spe′ler** cardsharp(er)

l′strik -ke trap, snare, pitfall *ook* **wip, vang′**=
gat

lueer′ ge- evaluate, value, assess *ook* **waar=
deer′, waar′de bepaal′**

lu′ta (foreign) currency *ook* **betaal′middel;
~beheer′** exchange control; **buitelandse ~**
foreign exchange

mpier′ (s) **-e, -s** vampire, bloodsucker *ook*
bloed′suier

n[1] (s) **-ne** surname, family name

n[2] (vs, b) of, from, with, by, for; ~ *daar* from
here *ook* **daar′vandaan;** *huil ~ vreugde* weep
for joy; ~ *jongs af* since/from childhood; ~
ouds from olden times; ~ *pas/vanpas* come in
useful; fitting; *sterf ~ honger* die of hunger;
perish; ~ *tyd tot tyd* from time to time,
occasionally

naand′ this evening, tonight

naf′ (vs) from; ~ *1 Maart* as from 1 March; ~
verlede jaar since last year; *Zeus donder ~*
Olimpus Zeus thunders from Olympus

ndaal′ ..dale vandal *ook* **vernie′ler, verwoes′**=
er

ndaan′ from; *waar kom jy ~?* where do you
come from?

ndaar′ hence, that is why *ook* **daar′om, dus,**
derhal′we

ndag′ today; *nie ~ se kind nie* an experienced
person (not a greenhorn); ~ *oor agt dae* today
week

ndalis′me (s) vandalism *ook* **verniel′sug;**
vandaliseer′ (w) **ge-** vandalise

ndees: ~jaar this year; **~maand** this month;
-week this week

ndi′sie/vendu′sie -s auction *ook* **vei′ling** (of
cattle) sale; mart

nef′fe a moment ago, just now

ng (w) **ge-** catch, seize, capture, trap; **~dam**
catch(ment) dam *ook* **op′vangdam; ~s** (s) **-te**
catch, haul; **~stok** lasso pole

nil′la (s) vanilla *ook* **vaniel′je**

njaar′ this year

nmekaar′ (bw) separated; to pieces

nmele′we/vansle′we in earlier times, in days
of yore *ook* **toe′ka se dae/tyd, des′tyds**

nmô′re/vanmo′re this morning

nnag′ tonight; last night; *dit was ~ koud* it was
cold last night

vanself′ of its own accord; *dit spreek ~* it goes
without saying; **~spre′kend** obvious, self-
evident, implied, taken for granted *ook: voor*
die hand liggend

vantevo′re previous(ly), before *ook* **voor′heen**

vanwaar′ whence; ~ *die skielike belangstelling?*
whence/why this sudden interest?

vanwe′ë on account of, because of, owing to *ook*
weens

va′ria (s, mv) miscellany; **~konsert′** variety
concert

varia′bel variable *ook* **veran′derlik**

variant′ -e variant, different reading

varia′sie -s variation *ook* **wis′seling, skom′me=
ling**

varieer′ ge- vary, change *ook* **af′wissel, af**=
wyk

variëteit′ -e variety *ook* **verskei′denheid**

va′ring -s fern

vark -e pig, hog, swine; *sy bont ~ie makeer* he is
dotty; *skree soos 'n maer ~* squeal like a pig;
hy kan g'n ~ vang nie he is bow-legged/
bandy-legged; **~blom** arum lily *ook* **a′rons=
kelk; ~e′rig** dirty, piggish; **~hok** pigsty;
~karmenaad′jie pork chop *ook* **vark′tjop;
~oor** pig's ear; arum lily *ook* **a′ronskelk; ~sog**
sow; **~spek** bacon; **~vet** pork fat, lard; **~vleis**
pork

vars (b) fresh; ~ *eiers* new-laid eggs

vas[1] (w) **ge-** fast, abstain from food

vas[2] (b) firm, fixed; engaged; stationary; perma=
nent; compact; *my ~te oortuiging* my firm
conviction; **~te betrekking** permanent post; **~te**
eiendom real estate; immovable property *ook*
vas′goed; *~te klant* regular customer; *~te*
kleure fast colours; (bw) firmly; soundly; ~
slaap sleep soundly

vasal′ -le vassal *ook* **leen′man** (hist.); **afhank′=
like**

vas′berade resolute, strong-minded *kyk* **vas′=
beslote; ~n′heid** resoluteness

vas′beslote determined (to do something)

vas′brand -ge- run dry, seize (engine); get into
difficulty

vas′druk -ge- press firmly/tightly

vasek′tomie -ë vasectomy

vaselien′/vaseli′ne Vaseline (registered trade=
mark)

vasgepen′ (b) trapped (in a crashed car)

vas′gespe -ge- buckle (up) *kyk* **gord** (w)

vas′goed (s) immovable/fixed property *ook* **on′=
roerende goed**

vas: ~genael glued to (fig.); *~genael voor die TV*
glued to the TV ; **~groei** grow together; **~gryp**
catch hold of, grip; **~hou** hold fast (onto); hold
in possession, keep; **~keer** corner, drive into a
corner; **~kleef/~klewe** cling to; stick; adhere
to; **~klem** jam; clip; grip; **~klou** cling to, stick;

~knoop tie, button up; **~kop'pel** link together, couple; **~lê** chain up, moor (boat); pinch, pilfer *ook* **gaps;** capture (comp. data); **~loop** get into trouble; **~lym** glue together; **~maak** fasten, tie, secure

vas'pen -ge- control, peg; *pryse* ~ peg prices *kyk* **vasgepen'**

vas'plak -ge- paste together, stick

vas: **~sit** stick, cling; sit tightly, get stuck; disagree, quarrel *ook* **twis, kyf;** **~speld** pin on/up; **~spy'ker** nail down

vas'staan -ge- stand firm(ly); be sure; hold on

vas'steek -ge- fasten/pin together; hesitate; stop dead

vas'stel -ge- fix, establish, ascertain, determine, stipulate; *die skade* ~ assess the damage

vas'teland -e continent *ook* **kontinent'**

vas'trap (s) popular folk dance *ook* **boe'redans;** (w) **-ge-** tread down firmly (eg garden soil); stand firm, persevere; punish; **~plek** footing, foothold

vas'val -ge- get stuck (in the mud); get bogged down; founder

vas'vat -ge- grip; **~ter** go-getter

vas'vra -ge- corner (with a question); quiz (v); **~wed'stryd** quiz (n)

vas'werk -ge- sew together *ook* **vas'naai**

vat[1] (s) **-e** tub, barrel *ook* **vaat'jie;** vessel; vat; cask; **~bier** draught beer/ale

vat[2] (s) grip, hold; (w) **ge-** grip, take; seize *ook* **neem;** grasp, understand; *koue* ~ catch a chill; *laat* ~ take to one's heels; *vlam* ~ catch fire; ~ *vyf!* (tw) (give the) high-five (slang); **~baar** capable of, subject/open to; viable; **~baar= (heid)stu'die** viability/feasibility study *ook* **haal'baarstudie**

Vatikaan' Vatican (the pope's palace in Rome; the Papal State)

vat'terig (b) fond of touching/fondling (a woman against her wish)

vee[1] (s) livestock; cattle; sheep

vee[2] (w) **ge-** sweep, wipe *kyk* **veeg**

vee'arts -e veterinary surgeon *ook* **diere'arts**

veeartseny'(kunde) veterinary science

vee'boer -e (live)stock farmer *kyk* **saai'boer; ~dery'** stock farming

vee'dief ..diewe cattle thief, stock thief; **~stal** cattle/stock theft, rustling, raid(ing)

veeg (s) **veë** wipe, whisk, flick; (w) **ge-** sweep, wipe, whisk *kyk* **vee**[2]

vee: **~ko'per** cattle/livestock dealer; **~kraal** cattle pen, stockyard; feedlot *ook* **voer'kraal**

veel[1] (w) **ge-** bear, endure; *ek kan hom nie* ~/*verdra nie* I cannot bear/stand him

veel[2] (b, bw) **meer, meeste** much, many *ook* **baie;** often, frequently; *te* ~ too much; ~ *eerder* much sooner

veel: **~belo'wend** promising, hopeful; **~bete'=**

kenend significant, meaningful *ook* **veelseg= gend;** **~bewo'ë** eventful, chequered (life ~ei'send** demanding, exacting; **~go'dery** pol theism; **~heid** multiplicity, abundance; **~ho polygon

veelkeu'sig (b) **-e** multiple choice; *~e vr* multiple choice questions (MCQ) *ook* **vee keusevrae (VKV)**

veelkleu'rig (b) **-e** variegated, multicoloured

veel'partykonferensie -s multiparty conference

veelras'sig (b) **-e** multiracial

veels: ~ *geluk* hearty congratulations; ~ *gel met u/jou verjaardag* many happy returns; ~ *veel* altogether too much

veel: **~seg'gend** significant, meaningful; **~soor tig** manifold, multifarious; **~stem'mig** pol phonous, many-voiced; **~sy'dig** many-side all-round, versatile; *veelsydige sportma sportvrou* allrounder

veelta'lig (b) **-e** multilingual *ook* **meer'talig k poliglot'**

veelvol'kig (b) **-e** multinational, multiracial

veel'voud (s) **-e** multiple; *kleinste gemene* ~ lea common multiple; **~dig** (b) **-e** multip manifold

veel'vraat ..vrate glutton; wolverine (animal)

veelvul'dig (b) **-e** numerous, manifold, often; *beserings* multiple injuries

veel'wywery (s) polygamy (having more th one wife)

vee: **~mark** cattle/livestock market; **~pla** stock farm; ranch

veer[1] (s) **vere** spring; (w) **ge-** spring

veer[2] (s) **vere** feather; *voëls van eenderse ve* birds of a feather (in a bad sense); (w) **g** feather

veer'boot ..bote ferry (boat/ship)

veer: **~gewig** featherweight (boxing); **~ko bers'** eiderdown, quilt *ook* **ve'rekombe dons'kombers**

veer'krag (s) elasticity, resilience, buoyanc **~tig** (b) **-e** elastic, resilient

veer'pyltjie -s dart(s) (game)

veer'tien fourteen; ~ *dae* a fortnight; **~** fourteenth

veer'tig -s forty; **~ste** fortieth; **~tal** forty

vee: **~ry'er** tick-bird *ook* **bos'luisvoël;** **~siek** cattle/stock disease; **~sta'pel** stock; livestoc **~teelt** stock breeding; **~vei'ling** cattle auctic **~wag'ter** herdsman

veg -ge- fight; contend *ook* **baklei'; ~bulter'ri** pitbull terrier

vegeta'riër -s vegetarian; veg(gie) (infml.)

vegeta'ries (b) **-e** vegetarian

veg: **~gees** fighting spirit/morale *ook* **more« ~kno'per** promoter (boxing, wrestling matchmaker (sport); **~lus'tig** pugnacio« fighting fit *ook* **aggressief'; ~party** scr«

brawl, scuffle *ook* **baklei'ery; ~vliegtuig** fighter plane *ook* **straal'vegter; ~ter** fighter, combatant; **~tery** fight, scuffle, scrap, brawl; **~tuig** combat vehicle; **~ven'ter** promoter (boxing, wrestling) *ook* **~kno'per**

il[1] (w) **ge-** sell by auction *ook* **op'veil**

il[2] (b, bw) ready to sacrifice; venal, mercenary; *sy lewe ~ hê* be ready to lay down his life (for a cause)

i'lig (b, bw) safe, secure; ~ *aankom/tuiskom* arrive safely/alive; ~ *wees* be safe, be out of harm's way; *~e seks* safe sex

i'ligheid safety, security; *die openbare ~* public safety; **~skeer'mes** safety razor

i'ligheids: ~gor'del safety belt *ook* **sit'= plekgordel; red'gordel; ~hal'we** for safety's sake; **~klep** safety valve; **~knip** safety catch; **V~raad** Security Council (UN); **~wag** security guard *ook* **sekuriteits'wag**

i'ling -s auction *ook* **vandi'sie/vendu'sie**

ins ge- feign, sham, pretend *ook* **voor'wend, hui'gel**

l[1] (s) **-le** skin, hide; sheet (of paper); *net ~ en been* just skin and bone; *hy het 'n dik ~* he is not easily offended

l[2] (w) **ge-** pass (sentence); fell, cut down; *vonnis ~* pass sentence

l'-af: ~ *gaan* lose the skin; peel; ~ *val* be grazed (in falling)

l'broek -e (pair of) skin trousers

ld -e field, plain; *uit die ~ geslaan* taken aback; **~beamp'te** extension officer; **~blom** wild flower; **~fiets** scrambler, dirt/trail bike *ook* **berg'fiets; ~fliek** drive-in cinema *ook* **in'= ryteater; ~fuif** bundu bash(ing) *ook* **boen'= doebaljaar'; ~kornet'** field-cornet (mil. rank); **~maarskalk'** fieldmarshal (mil. rank); **~party'** picnic *ook* **piekniek; ~pot** dixy; **~pre'diker** army chaplain, padre; **~ren'ne** scrambling; off-road racing, motocross; **~skoen'/vel'skoen** home-made shoe, velskoen (SAE) *ook* **vel'lies** (infml.); **~slag** (pitched) battle; **~stoel(tjie)** folding stool, campstool; **~tog** campaign *ook* **kampan'je, offensief'; promo'sie** (advert.); **~wag'ter** field ranger; **~toilet'** field toilet; thunderbox (mil. slang); **~voer'tuig** all-terrain vehicle *ook* **vier'trek**

'lerlei various, multifarious

l: ~han'delaar dealer in hides and skins; **~karos'** skin kaross (SAE); **~kombers'** skin rug

l'ling -s felloe/felly, rim (of a (wagon) wheel)

l'skoen = veld'skoen

l'spesialis -te dermatologist, skin specialist *ook* **dermatoloog'**

t = vilt

lyn' vellum, satin paper

ndet'ta -s vendetta, blood feud *ook* **bloed'vete, bloed'wraak**

vendu'sie = vandi'sie, vei'ling

vene'ries venereal; *~e siekte* venereal disease (VD) *ook* **geslag'siekte**

vennoot' ..note partner *ook* **deel'genoot; stille ~** sleeping partner; **~skap** partnership; *die ~skap ontbind* dissolve the partnership

ven'ster (s) **-s** window; **~bank** window sill; **~koevert'** window envelope *ook* **ruit'koevert; ~ky'kery** window shopping *ook* **loer'koop; ~luik** shutter; **~ruit** window pane

vent[1] (s) **-e** guy, bloke; fellow, chap; *'n gawe ~* a decent guy; *'n snaakse ~* a funny guy/bloke; *stomme ~* poor devil/beggar

vent[2] (w) **ge-** hawk, vend, peddle *ook* **smous** (w); **~er** (s) **-s** pedlar, hawker, informal vendor *ook* **(straat)smous**

ventiel' (s) **-e** valve *ook* **klep**

ventila'sie ventilation *ook* **lug'versorging**

ventila'tor -s ventilator *ook* **lug'rooster**

vent'masjien -e vending machine

ve'nushaarvaring -s maidenhair fern

venyn' (s) venom, poison (fig.); **~ig** (b) venomous, vicious *ook* **bit'sig, ha'tig**

ver/vêr far, remote, distant; ~ *agter* far behind; ~ *van hier* far from here; ~ *langs familie* distantly related; *op ~re na nie* not in the least

vera'deming breathing spell, relief, respite *ook* **verpo'sing, blaas'kans**

ver'af/vêr'af far away; ~ *geleë* remote, distant

veraf'go(o)d (w) ~ idolise, adore, worship

verafrikaans' (w) ~ Afrikaansify, Afrikanerise; (b) **-te** Afrikaansified; **~ing** Afrikaansification

veraf'sku ~ abhor, loathe, detest *ook* **verfoei'**

verag' ~ despise, disdain; **~telik'** despicable, contemptible *ook* **gemeen', laak'baar**

veral' especially; ~ *hy* he of all people

veralgemeen' ~ generalise

veral'gemening -s, -e generalisation, loose/ sweeping statement

veran'da -s veranda, patio, porch *ook* **(oordek'= te) stoep, pat'io**

veran'der ~ change, alter, modify; **~ing** change, alteration; **~lik** variable, changeable, unsteady, fickle; *~like wind* variable wind

verant'woord ~ answer for; *baie te ~ hê* have a great deal to answer/account for

verantwoor'delik responsible, accountable; *~e posisie* position of trust/responsibility; **~heid** responsibility

verant'woording justification; *tot ~ roep* call to account; ~ *doen* account/answer for

verarm' ~ become poor; impoverish; **~ing** impoverishment

veras' ~ cremate *ook* **kremeer'**; incinerate; **~sing** cremation

verassureer' ~ insure *ook* **verse'ker**

verbaal' (b, bw) **..bale** verbal *ook* **mon'deling**; *verbale kommunikasie* verbal communication

verbaas' (w) ~ astonish, amaze; *hom* ~ *oor* be astonished at; (b) astonished, amazed; sur= prised

verban' ~ banish, exile, expel (a person) *ook* **verbied'** ('n boek)

verband' [1] (s) **-e** bandage; sling (for an arm) *ook* **hang'verband;** dressing (med.); bond (bricks); *die arm in 'n* ~ *dra* carry one's arm in a sling

verband' [2] (s) **-e** bond, mortgage *ook* **huis'= lening;** *eerste* ~ first mortgage; (w) ~ bond; (b) bond; ~*e eiendom* bonded property *ook: beswaarde eiendom;* ~**ge'wer** mortgagor/ mortgager (owner); ~**hou'er** mortgagee (bank) *ook* **verband'nemer**

verband' [3] (s) **-e** relation(ship); context; connec= tion *ook* **konnek'sie;** *in* ~ *bring* connect/ associate with; *in* ~ *met* in connection with, relating to; ~*e lê tussen verskillende sake* show the relationship/connection between different matters

verba'send (b) **-e** astonishing *ook* **verstom'= mend, verbys'terend;** marvellous *ook* **won'= derlik**

verba'sing (s) astonishment, amazement; *een en al* ~ lost in wonderment; *tot my* ~*/verrassing* to my surprise

verbas'ter ~ degenerate; hybridise; ~**ing** degen= eration; hybridisation

verbeel' ~ imagine; be proud; fancy; *hy* ~ *hom* he is conceited; he thinks he's the cat's whiskers; ~ *jou!* just fancy!

verbeel'ding (s) imagination, fantasy; fancy; conceit; *pure* ~ nothing but imagination; ~**loos** lacking imagination; ~**ryk** imaginative, innova= tive; ~**s'krag** imaginative/innovative power/ ability

verbe'na -s verbena *ook* **ys'terkruid** (blom)

verberg' ~ conceal, hide *ook* **weg'steek**

verbe'te pent-up; ~ *teenstand* obstinate/fierce resistance

verbe'ter ~ correct, mend, rectify; improve

verbe'tering -e, -s improvement, correction *ook* **reg'stelling;** ~**gestig/~skool** reformatory

verbeur' ~ forfeit; *jy sal punte* ~ you will lose marks

verbeurd' -e confiscated, forfeited; ~ *verklaar* confiscate, seize *ook* **ontei'en;** ~**verkla'ring** seizure, confiscation (of possessions/property)

verbied' ~ prohibit, forbid; *'n boek* ~ ban a book; *rook* ~/*verbode* no smoking; *ten strengste* ~ strictly forbidden

verbind' ~ join; connect; combine; commit; bandage; link (up); *in die huwelik* ~/*bevestig* unite in marriage; ~ *tot verandering* com= mitted to change

verbin'ding -s, -e connection; junction; commu= nication; bandaging; *in* ~ *staan met* be in communication/touch with; ~**s'linie** line of communication; ~**s'teken** hyphen *ook* **kop= pelteken** (-)

verbin'tenis (s) alliance; contract, agreemen᷂ commitment

verbit'ter(d) (b) **-e** embittered; exasperated

verbleek' ~ turn/grow pale *ook* **verkleur'**

verbleik' ~ bleach, discolour, fade

verblind' (w) ~ dazzle, blind; (b, bw) dazzle◄ blinded; ~**end** (b) glaring, blinding (hea᷂ lights) *ook* **blik'ker(end)**

verbloem' ~ disguise, hide, conceal *ook* **toe᷂ smeer, verslui'er**

verbluf' ~ dumbfound, nonplus, baffle, stagge᷂ ~*fende prestasie* amazing/startling achieve᷂ ment/feat

verbly' ~ gladden, please, delight; ~**dend** joyou᷂ pleasing, gladdening *ook* **bemoe'digen᷂ belo'wend;** ~*dende teken* hopeful sign

verblyf' **..blywe** residence, abode *ook* **bly'ple᷂ tuis'te;** *reis en* ~*(koste)* transport and su᷂ sistence (allowance); ~**huur** occupational ren᷂ ~**koste** board(ing); cost of accommodatio᷂ ~**permit'** resident's permit

verbod' (s) **verbie'dinge** prohibition *ook* **taboe᷂** ban (on books); embargo (on imports); ba᷂ ning

verbo'de prohibited, forbidden; *toegang* ~ ᷂ admittance; ~ **mid'dels** banned stimulant᷂ substances (in sport)

verbo'ë declined, inflected (gram.)

verbond' **-e** treaty, alliance; league, covenant

verbon'de connected, linked, allied; ~ *aan* ᷂ *skool* on the staff of a school; *daar is* ᷂ *voorwaarde aan* ~ there is a conditi᷂ attached

Verbonds'ark Ark of the Covenant (Bible)

verbor'ge hidden, concealed; covert; later᷂ ~**n'heid** mystery, secrecy

verbou' ~ cultivate (crops); rebuild, change, a᷂ on to (an old house)

verbouereerd' -e perplexed, confused, flabbe᷂ gasted *ook* **onthuts', verward'**

verbrand' (w) ~ burn; cremate (corpse) o᷂ *veras';* *sy mond* ~ put his foot into it; (b)᷂ burnt, charred; sunburnt, tanned *ook* **geso᷂ bruin, geson'brand**

verbran'ding -e, -s combustion; cremati᷂ (corpse) *ook* **veras'sing;** ~**s'oond** incinerato᷂ crematorium

verbrands'! (tw) hang it all!; confound it!; *dis᷂ swaar* it is beastly difficult

verbreed' ~ broaden; *sy horison* ~ broade᷂ widen his horizon

verbreek' ~ break, burst; violate; *'n verlowing᷂* break off an engagement; *die stilte* ~ break t᷂ silence

verbroe'der ~ fraternise; ~**ing** fraternisation

verbrok'kel ~ crumble (to pieces) *ook* **versplin᷂**

ter; disintegrate; *hulle huwelik het* ~ their marriage has broken down; **~ing** crumbling, disruption

verbrou' ~ bungle, muddle, botch, make a mess/ hash (of it) *ook* **verknoei'; op'neuk** (omgangst.)

verbruik' (s) consumption; (w) ~ consume

verbrui'ker -s consumer (person); **~beste'ding/ verbruiks'beste'ding** consumer spending; **~isme** consumerism; **~s'goe'dere/ gebruiks'= goedere** consumer goods; **~prysin'deks** con= sumer price index; **~stu'dies** consumer studies (school subject) *ook* **huis'houdkunde; ~= vrien'delik** consumer/user friendly; **~(s)we'= tenskap** consumer science(s)

verbruiks'artikel -s consumer item, commodity

verbry'sel ~ smash, shatter *ook* **verplet'ter**

verbuig' ~ distort, bend; inflect, decline (gram.) *kyk* **verboë**

verbui'ging -e, -s declension, flexion (gram.)

verby' past, at an end; beyond; *dis alles* ~ it is all over

verby': **~gaan** pass, go past; neglect; *'n geleent= heid laat ~gaan* let an opportunity slip; **~gaan'de** (b) passing, fleeting, transitory; **~ganger -s** passerby (person); **~kom** come past, pass by; **~pad** bypass; **~praat:** *sy mond ~praat* put his foot in it

verby'ry-skiet'ery (s) drive-by shooting

verby'steek -ge- overtake (a car); (by)pass

verby'ster (w) ~ perplex, bewilder; **~end** (b) **-e** perplexing, embarrassing, mind-boggling; staggering *ook* **verstom'mend, ongeloof'lik; ~ing** (s) bewilderment

verby'trek -ge- march/move past; blow over (clouds)

verdaag' ~ adjourn (a meeting); prorogue (parliament)

verdag' (b, bw) **-te** suspicious, suspected; *die ~te persoon* the suspect; *die ~te* the suspect (person)

verda'ging adjournment (meeting); prorogation (parliament)

verdag'makery/verdag'making rousing of sus= picion; insinuation

verdamp' ~ evaporate; **~ing** evaporation

verde'dig (w) ~ defend, stand up for; **~end** (b, bw) defensive; **~er** (s) **-s** defender; counsel for the defence

verde'diging defence; **~s'mag** defence force *ook* **weer'mag**

verdeel' ~ divide, distribute; apportion; ~ *en heers* divide and rule; **~bord** distribution board (electr.)

verdeeld' **-e** divided; **~heid** discord, strife *ook* **one'nigheid, twee'drag**

verdelg' ~ exterminate *ook* **uit'roei, uit'delg;** destroy; massacre; **~ing** destruction, extermi= nation; **~ingsoor'log** war of attrition

verde'ling division, partition; distribution *ook* **versprei'ding**

verden'king suspicion, mistrust; *bo* ~ above suspicion, beyond reproach; *onder* ~ under suspicion

ver'der/vêr'der farther, further; again; *so kom ons nie* ~ *nie* this won't get us any further

verderf' (s) ruin, destruction; *iem. in die* ~ *stort* ruin a person; (w) ~ ruin; corrupt; **~lik** pernicious, injurious; **~(e)nis** doom, perdition

verdien' ~ earn; deserve, merit; *'n goeie salaris* ~ earn/draw a good salary

verdien(d)' **-de** deserved; *dis jou ~de loon* it serves you right

verdien'ste (s) merit; wages, earnings; *iem. van groot* ~ a most deserving person; *na* ~ according to one's deserts; *sertifikaat van* ~ certificate of merit; **~lik** meritorious, deserv= ing, creditable *ook* **lofwaar'dig**

verdiep' ~ deepen; *in 'n boek* ~ absorbed/ engrossed in a book; **~ing** floor, storey *ook* **vloer, vlak;** deepening; *onderste ~ing* ground floor *ook* **grond'vloer;** *tweede ~ing* second floor *ook* **twee'de vloer/vlak**

verdig'[1] (w) ~ condense; **~ting** (s) compression, compaction

verdig'[2] (w) ~ invent (a story); **~sel** (s) **-s** fiction, fable, figment (of the imagination); *waarheid en ~sel* truth and fiction

verdink' ~ suspect; distrust, mistrust

verdiskonteer' ~ discount/negotiate a bill (of exchange)

verdoel' ~ convert a try (rugby)

verdoem' ~ damn, slam; reject; curse; **~ende** *verslag* scathing/damning report; **~enis'** doom, perdition, damnation; *aan die ewige ~enis prysgee* consign to eternal perdition

verdof' ~ dim *ook* **domp;** *die ligte* ~ dim the lights (of a car)

verdon'ker ~ darken, obscure; **~ing** black-out (of city during war)

verdoof' ~ drug (anaesthethics); stun, benumb; deafen; **~mid'del** anaesthetic *ook* **narko'se;** drug *ook* **dwelm'middel, doof'middel; dwelms**

verdor' (w) ~ wither; (b) **-de** shrivelled up, parched, withered

verdo'wing stupor, numbness; anaesthesia; **~s'= middel** narcotic, drug; anaesthetic (med.) *ook* **doof'middel;** *afhanklik van ~smiddels/dwelms* dependent on drugs

verdra' ~ bear, endure, tolerate, suffer; *ek kan hom nie* ~ *nie* I can't stand him

verdraag'saam (b) tolerant, patient, meek *ook* **toeskiet'lik, meegaan'de; ~heid** tolerance, forbearance; *geen ~heid* zero tolerance (to= wards crime)

verdraai' (w) ~ twist, distort, contort; misinter= pret; misstate (facts); **~d** (b) **-e** distorted,

twisted; **~ing** (s) **-s, -e** distortion; misrepre=
sentation

verdrag' ..drae treaty, convention, pact; *met ~*
gradually *ook* **gaan'deweg;** *'n ~ sluit* sign/
conclude a treaty

verdrie'dubbel ~ treble, triple

verdriet' (s) grief, sadness; affliction; *tot my ~* to
my sorrow; **~ig** (b) sad, grievous *ook* **bedroef'**

verdring' ~ push aside; supplant, oust; suppress;
crowd out *ook* **vertrap'**

verdrink' ~ drown; be drowned; **~ing** (case of)
drowning *kyk* **dren'keling'**

verdroom' ~ dream away (one's time)

verdruk' ~ oppress; jostle, trample upon *ook*
vertrap'; **~ker** oppressor *ook* **onderdruk'ker;**
~king oppression

verdryf'/verdry'we ~ drive away; expel; disperse
(crowd); while away (time) *kyk* **tyd'verdryf**

verdub'bel ~ double; redouble; *jou winste ~*
double your profits; **~ing** doubling

verdui'delik ~ explain, elucidate, clarify *ook*
verklaar', verhel'der; ~ing explanation, clar=
ification *ook* **verkla'ring, uit'leg**

verduis'ter (w) ~ eclipse (sun, moon); obscure;
dim; embezzle, misappropriate (money); **~ing**
(s) **-s, -e** eclipse (sun, moon); embezzlement,
misappropriation (money)

verdui'weld!/verdui'wels! (tw) confounded!;
darned! *ook* **dek'sels!; verbrands!**

verdun' ~ thin, attenuate; dilute, adulterate
(milk); rarefy (air)

verduur' ~ bear, suffer, endure; *baie pyn ~*
endure great pain; **~saam** (w) ~ condense
(milk); can, preserve (fruit); cure (meat)

verdwaal' ~ lose the way, get lost; go astray; *ek
het skoon ~* I got lost completely; *~de koeël*
stray bullet

verdwyn' ~ disappear, vanish; *alle vrees laat ~*
dispel all fear(s); **~ing** disappearance

vere'del ~ elevate, ennoble (person); grade up
(cattle); refine (metals); improve; **~ing** refine=
ment; improvement; beneficiation (of miner=
als, animals)

vereensel'wig ~ identify (with) *ook* **identifiseer'**
(met); **~ing** identification

vereenvou'dig ~ simplify; *~de teks* simplified
text/version; **~ing** simplification

vereer' ~ honour; respect, revere (a person) *ook*
(iem.) **hul'dig, loof**

vereers'/vir eers for the time being; to begin
with; *~ nog nie* not as yet

veref'fen ~ settle (a debt, an account); adjust;
pay; **~ing** settlement; adjustment

vereis' (w) ~ require, demand; expect; **~te** (s) **-s**
requirement, requisite; *aan alle ~tes voldoen*
satisfy all the requirements

ve'rekombers' -e eiderdown quilt *ook* **dons'=**
kombers'

veren'gels ~ Anglicise

vere'nig ~ unite; reconcile; merge, amalgamat
join *ook* **saam'voeg;** **V~de Na'sies (VN**
United Nations (UN); **V~de Sta'te van Ame**
rika (VSA) United States of America (USA
~baar compatible; reconcilable; **~ing** society
association; union

vererg' (w) ~ grow angry, get cross; *ek ~ my v*
hom he annoys me; (b) angry, peeved

verer'ger ~ grow/make worse, aggravate *oo*
erger maak

vere'ring (s) reverence, veneration *ook* **bewon**
dering

vere'wig ~ immortalise; perpetuate

verf (s) **verwe** paint; dye; (w) **ge-** paint; dye
~han'delaar dealer in paints; paint sho
~kwas paint brush; **~laag** coat of paint

verflen'ter (w) ~ tear; become torn; (b) in rag
torn, tattered *kyk* **toi'ings**

verfoei' ~ abhor, detest *ook* **veraf'sku; ~li**
abominable, detestable

verfoes' ~ mess up, bedevil; bungle, muddle *o*
befoe'ter, verfom'faai

verfom'faai ~ crumple, ruffle; mess up; bugg
up (slang)

verfraai' ~ embellish, decorate; beautify; ador
~ing embellishment, adornment

verfris' ~ refresh; exhilarate; **~send** refreshin
~sing refreshment *ook* **laaf'nis**

verfrom'mel ~ crumple (piece of paper), crus

verf'stof ..stowwe paints *ook* **ver'we** (s); colour
dyes

verfstro'per -s paint remover/stripper

verfyn' (w) ~ refine; **~d** (b) **-e** refined, culture
(person); **~ing** refinement; sophistication

verg ge- require, demand; *dit ~ nadere onde*
soek this requires closer examination

vergaan'[1] (w) ~ perish, decay; *van kou(e) ~ d*
of cold; **~baar** perishable; biodegradable

vergaan'[2] (w) ~ be wrecked (ship) *ook* **stran**
(w)

vergaap' ~: *hom ~ aan* stare/gape in wonde
ment

vergaar' ~ collect, gather *ook* **versa'mel; in**
samel (geld)

verga'der ~ meet, gather; assemble *ook* **byeen**
kom

verga'dering -s, -e meeting, assembly; gathe
ing; *'n ~ (af)sluit* close a meeting; *'n ~ be*
convene/call a meeting; *openbare ~* publ
meeting; *'n ~ verdaag* adjourn a meeting;
voorstel uit die ~ a motion from the floor

verga'dersaal assembly hall; committee/boar
room

vergal' ~ embitter (one's life); spoil, mar

vergan'ge (s): *in ~/toeka (se) dae* in bygon
days; (b) past, bygone; (bw) lately

vergank'lik transitory, transient; fleeting, mo

tal; ephemeral *ook* **vlug'tig, kortston'dig;** perishable; *skoonheid is* ~ beauty is not everlasting

vergas'[1] (w) ~ gasify; gas (kill by gassing)

vergas'[2] (w) ~ treat, regale *ook* **trakteer';** ~ *op musiek* entertain with music

vergas'ser -s carburettor (car)

vergeef' (w) = **verge'we**[1] (w); **~lik** pardonable, excusable

vergeefs' (b) **-e** futile, fruitless *ook* **tevergeefs';** idle; ~*e poging* abortive attempt; (bw) in vain

vergeet' ~ forget; *ek het skoon* ~ I completely forgot; **~ag'tig** forgetful

vergeet'-my-nietjie -s forget-me-not (flower)

vergeld' ~ requite, repay; reward; *goed met kwaad* ~ return evil for good

vergel'ding (s) reprisal, retaliation, retribution *ook* **weer'wraak;** **~(s)oor'log** war of retribution

vergele'ke compared; ~ *met* in comparison with *ook: in vergelyking met*

vergelyk' (s) **-e** compromise; agreement; *'n* ~ *tref* come to terms; (w) ~ compare; **~end** comparative

vergely'king **-e, -s** comparison, equation; *'n* ~ *maak tussen* draw a comparison between; *in* ~ *met* in comparison with; *trappe van* ~ degrees of comparison (gram.)

vergemak'lik ~ facilitate, expedite, make easier

vergenoeg' (w) ~ satisfy, content; (b) satisfied, contented; **~d'heid** contentment, satisfaction

vergesel' ~ accompany (a person); *'n vriend huis toe* ~ see a friend home

ver'gesig/vêr'gesig **-te** view, vista *ook* **uit'sig**

vergesog'/vêrgesog' (b, bw) far-fetched, unconvincing *ook* **onwaarskyn'lik**

verge'telheid (s) oblivion; *aan die* ~ *ontruk* save from oblivion

verge'we[1] (w) ~ forgive, pardon; ~ *en vergeet* forgive and forget

verge'we[2] (w) ~ poison (v) *ook* **vergif'tig, vergif'**

verge'wing (s) pardon, forgiveness; remission (of sins); indulgence

vergewis' ~ ascertain, establish; satisfy oneself; *jou* ~ *van* make sure of

vergiet'[1] (s) **-e** strainer, colander *ook* **sif'(fie), filtreer'der, syg'doek**

vergiet'[2] (w) ~ shed (blood, tears)

vergif' (s) **-te, ..giwwe** poison, venom *ook* **gif, gif'stof; ~leer** toxicology; (w) ~ poison (s.o.)

vergif'nis (s) = **verge'wing** (s)

vergif'(tig) (w) ~ poison

vergift(ig)ing (s) poisoning *kyk* **voed'sel-vergift(ig)ing**

vergis' ~ mistake, be mistaken; **~sing** mistake, error, slip-up *ook* **blaps, fla'ter;** *by* ~*sing* by mistake, in error *ook: per ongeluk/abuis*

verglaas' ~ glaze (window frames); vitrify; **~sel** glazing, enamel

vergod'delik ~ deify; **~ing** deification

vergoed' (w) ~ make good; make amends for; defray, compensate; remunerate; indemnify; reimburse, refund; *skade* ~ compensate; **~ing** (s) compensation, reimbursement *ook* **kompensa'sie;** indemnification; amends

vergoe'(i)lik (w) ~ excuse, condone (behaviour) *ook* **goed'praat, verontskul'dig**

vergroei' ~ outgrow; grow crooked

vergroot' ~ enlarge, magnify, increase; exaggerate; *vergrote geheue* expanded memory (comp.); *vergrotende trap* comparative degree (gram.); **~glas** magnifying glass

vergro'ting (s) **-s** enlargement; magnification

vergruis' ~ pound, crush; **~(ings)aan'leg** crusher plant

vergryp' (s) **-e** transgression, offence, infringement *ook* **oortre'ding, misdryf';** (w) ~ infringe; *jou* ~ *aan drank* yield/succumb to drink

verguis' ~ vilify, libel, denigrate *ook* **denigreer';** abuse; **~ing** abuse, revilement, libel

verguld' (w) ~ gild; (b) gilt, gilded, gold-plated; ~*e ketting* gold-plated chain; ~*e lys* gilt frame; **~sel** gilding, gilt; tinsel

vergun' (w) ~ allow, permit, grant *ook* **veroor'loof;** **~ning** (s) **-s** permission *ook* **toe'stemming,** allowance; concession *ook* **konses'sie;** licence; *met vriendelike* ~ *van* by courtesy of; by/with kind permission of

verhaal'[1] (s) **..hale** story, tale; account; narrative; (w) ~ tell, relate; narrate; recount

verhaal'[2] (s) recovery (of consciousness; debts, costs); redress; recourse; *tot* ~ *kom* recover (consciousness, strength); (w) ~ recover (debts, costs)

verhaar' ~ lose hair, change coat, moult

verhaas' ~ accelerate, hasten, expedite; precipitate (crisis)

verha'ling (s) recovery (of debts, costs) *kyk* **verhaal'**[2]

verhan'del ~ trade; deal, negotiate; barter; transact; *die aandele word teen R4,90* ~ the shares are trading at R4,90 (stock exchange)

verhan'deling **-s, -e** treatise, thesis *ook* **te'sis, proef'skrif;** transaction; settlement

verhard' (w) ~ harden; (b) hardened; obdurate

verheer'lik ~ glorify, extol; exalt *ook* **prys, hul'dig;** **~ing** glorification

verhef' ~ raise, elevate; pride oneself; extol; *hy is tot die adelstand* ~ he was raised to the peerage; *jou stem* ~ raise your voice; **~fend** ennobling, elevating *ook* **vere'delend, besie'lend**

verhel'der ~ brighten, clear up (weather); elucidate, clarify *ook* **op'klaar**

verhelp' ~ remedy, redress; *nie meer te* ~ *nie* past mending

verhe′melte -s palate *ook* **gehe′melte;** *gesplete ~* cleft palate; *harde/sagte ~* hard/soft palate

verheug′ (w) ~ rejoice, please, delight; *hom ~ oor* rejoice at; (b) delighted *ook* **op′getoë, verruk′**

verhe′we exalted, sublime; *daar bo ~ wees* be above/superior to that

verhin′der ~ prevent, hinder *kyk* **verhoed′**

verhit′ (w) ~ heat (up); (b) **-te** heated, hot; **~ting** heating

verhoed′ ~ prevent (evil) *ook* **voorkom′;** avert, ward off

verho′ging elevation, promotion; hike (prices; wages); increment, increase, rise (in salary)

verhon′ger (w) ~ starve; famish; die of hunger *ook* **uit′honger;** *laat ~* starve; **~ing** starvation

verhoog′ (s) **..hoë** stage; platform; (w) ~ heighten, make higher; raise, hike, increase (prices); elevate; promote, enhance; *die prys ~ môre met R5* the price will increase by R5 tomorrow; **~kuns** show business; showbiz (infml.); **~kuns′tenaar** entertainer; stage performer; actor, actress

verhoor′ (s) **..hore** examination; hearing, trial; (w) ~ interrogate, examine; *sy gebed is ~* his prayers were answered; **~afwag′tend** (b) awaiting trial (accused person); **~afwag′tende** (s) **-s** person awaiting trial

verhou′ding -s, -e relation, proportion, ratio; (love) affair; *buite ~* out of proportion; *gespanne ~* strained relations; *in ~ met/tot* in proportion to

verhuis′ (w) ~ move, relocate; pass away, die; **~ing** (s) moving, migration; **~wa** pantechnicon, removal van

verhuur′ ~ let, hire out; **~der** landlord, lessor

verifieer′ ge- verify, check; audit (v) *ook* **toets, kontroleer′**

verja(ag)′ ~ drive/chase/scare away *ook* **verwil′der;** disperse, dispel, expel

verjaar′[1] (w) ~ celebrate one's birthday; enjoy oneself, have a good time; **~(s)dag** birthday; *twaalfde ~(s)dag* twelfth birthday; **~(s)′geskenk′, ~(s)′present** birthday present; **~party′** birthday party

verjaar′[2] (w) ~ become superannuated/obsolete; *~de skuld* prescribed debt; *~de tjek* stale cheque; *~de vonnis* superannuated judg(e)ment (of a court)

verja′ring (s) anniversary; superannuation; prescription (of a debt)

verjong′ ~ rejuvenate; **~ing(s)kuur′** facelift *ook* **ontrim′peling**

verkalk′ ~ calcify; **~ing** calcification; *~ing van die are* arteriosclerosis

verkas′ ~ depart; push off; make a move *ook* **pad′gee, spo′re maak**

verkeer′ (s) traffic; communication; intercourse

ook **om′gang;** *deurgaande ~* through traffic (w) ~ have intercourse; keep company with; *in welstand ~* be in good health; **~beheer′** traffic control; **~sir′kel** traffic circle (SAE); roundabout (Br.)

verkeerd′ wrong, incorrect; mistaken; erroneous; improper, evil; *~ verstaan* misunderstand; **~elik′** wrongly; **~heid** wrongness

verkeers′: ~beamp′te traffic officer; **~boe′te** traffic fine; **~dem′ping** traffic calming; **~diens** point duty *ook* **punt′diens;** **~druk(te)** traffic volume; **~ei′land** traffic island; median strip; **~gevaar′** traffic hazard; **~knoop** traffic jam; bottleneck; **~lig** traffic light; robot (SAE); **~te′ken** traffic sign/signal; **~wis′selaar** traffic interchange

verken′ (w) ~ reconnoitre, spy; *die terrein ~* spy out the land; **~ner** (s) **-s** scout; spy; pathfinder

verken′ning reconnoitring, scouting; **~s′tog** reconnaissance expedition; **~s′vlug** reconnaissance flight

verkies′ ~ elect; choose; prefer; *tot voorsitter ~* elected as chairman; **~baar** eligible; **~ing** (s) **-s** election; **~ingsveld′tog** election campaign

verkies′lik (b) preferable; desirable

verkla′ ~ accuse; lay a charge (against s.o.); report (s.o.); inform (on/against s.o.)

verklaar′ ~ explain, clarify *ook* **op′klaar, op′helder;** state, declare; *oorlog ~* declare war; *skuldig ~/bevind* find guilty; **~baar** explicable; *om ~bare redes* for obvious reasons

verklap′ (w) ~ tell tales; divulge a secret; blow the whistle; *'n geheim ~* give away a secret; **~per** (s) **-s** informer (of a secret) *ook* **verklik′ker, informant′;** whistle-blower (of office/government wrongdoing)

verkla′rend -e explanatory (dictionary)

verkla′ring -s, -e explanation; statement; declaration; evidence; *'n ~ aflê* make a statement; *beëdigde ~* (sworn) affidavit

verklee′ ~ change (clothes); disguise, mask

verklein′ ~ lessen, diminish; make smaller, minimise *ook* **minimeer′;** belittle; **~vorm** diminutive form (gram.)

verkleineer′ ~ belittle, disparage; play down; humiliate

verklei′ningsuit′gang -e diminutive ending (gram.)

verklein′woord -e diminutive (gram.)

verkleur′ ~ fade, lose colour; change colour; discolour; **~man′netjie** chameleon *ook* **trapsuut′jies;** turncoat *ook* **twee′gatjakkals**

verklik′ ~ disclose, give away, let out (secret); **~ker** detector (metal, smoke); electronic bug *kyk* **klik′toestel** *ook* **luis′tervlooi** (afluisterapparaat) *kyk* **verklap′per** (persoon)

verkluim′ ~ grow stiff/numb with cold

verkneu′kel ~ chuckle with delight, chortle; take

delight in *ook* **verlus'tig, lek'kerkry, ver=
kneu'ter** *kyk* **leed'vermaak**

verknies': *jou* ~ fret, mope

verknoei' ~ make a mess/muddle, bungle *ook*
verbrou'; **-er** bungler, muddler *ook* **knoei'er**

verknog' (b) **-te** attached/devoted to; **~t'heid**
great affection, attachment

verknor'sing -s, -e fix, quandary, dilemma; sorry
plight *ook* **pena'rie, dilem'ma;** *in die ~/*
penarie in a predicament

verkoel' ~ cool, refrigerate; **~end** cooling,
refreshing; **~er** radiator; **~ling** cooling, chilling

verkon'dig ~ announce, proclaim; propound;
preach; *die nuus* ~ spread the news; **~ing**
proclamation; preaching (of the Gospel)

verkool' ~ carbonise, char; be carbonised; *~de*
lyke charred bodies

verkoop' (s) sale; *geregtelike* ~ judicial sale; (w)
~ sell, dispose of; tell (tales); *uit die hand* ~
sell by private treaty; *liegstories* ~ *verkoop*
tell/spread lies; **Al'gemene V~(s)belas'ting**
(AVB) General Sales Tax (GST) (in SA
vervang deur **Belas'ting op Toe'gevoegde**
Waar'de, BTW); ~(s)'bestuur'der sales man-
ager; **~s'dame** saleslady; **~kuns** salesmanship;
~lokaal' sales room; auction mart; **~s'man**
salesman; **~s'persoon** sales person; **~(s)prys**
selling price; **~punt** outlet *ook* **af'setpunt**

verko'per -s seller; vendor; hawker; salesperson,
salesman, saleslady

verko'ping -s, -e sale; auction *kyk* **uit'verkoping**

verkort' (w) ~ shorten, abridge, abbreviate; (b)
-e abridged; *'n ~e uitgawe van die boek* an
abridged edition of the book

verkor'ting curtailment, abridgement, shorten-
ing; **~(s)te'ken** apostrophe *ook* **af'kapteken**

verko'se elected, returned; ~ *president* president-
elect

verkou'e -s cold, chill; *'n* ~ *kry* catch a cold; *hy*
is ~ he has a cold; *gewone* ~ common cold

verkrag' ~ rape (a woman); infringe, violate;
~ter rapist; **~ting** rape; violation; **~tingsaak**
rape case

verkramp' (b) **-te** unenlightened, ultra-conser=
vative; verkramp (SAE) (person) *ook* **be=
krom'pe; ~te** (s) **-s** ultra-conservative/
narrow-minded person

verkry' ~ obtain, acquire; **~(g)'baar** obtainable

verkwa'lik ~ take amiss; resent; *iem. se optrede*
~ take exception to s.o.'s actions

verkwan'sel ~ sell (too) cheaply; fritter/barter
away (money); waste, squander *ook* **verkwis'**

verkwik' (w) ~ refresh; **~kend/~lik** (b) refresh=
ing, invigorating

verkwis' ~ waste, squander; *hy* ~ *'n fortuin* he's
wasting a fortune; **~tend** prodigal, wasteful;
~ter spendthrift, squanderer (person); **~ting**
waste, wastage

verkwyn' ~ pine away *ook* **weg'kwyn**

verkyk' ~ stare in amazement

ver'kyker/vêr'kyker -s (pair of) field glasses,
binoculars; (basic) telescope *ook* **teleskoop'**

verlaag' ~ lower, reduce (prices); debase;
degrade; abase (morals)

verlaat' ~ leave; abandon *ook* **ag'terlaat;** quit;
forsake; *die skool* ~ leave school

verlam' (w) ~ paralyse; (b) lame, cripple; **~ming**
(s) paralysis; crippling, lameness

verlang' (w) ~ desire, long/pine for; want,
demand; *vurig* ~ *na* yearn for; **~e** (s) **-ns**
desire, wish, longing, craving; **~end** (b, bw)
desirous, anxious, long(ing); **~lys(ie)** wish list

ver langs/vêr langs: ~ *familie* distant relative(s)

verla'te (b, bw) abandoned, lonely, forsaken;
~n'heid loneliness; desolateness

verla'ting abandonment, desertion; *kwaadwillige*
~ wilful/malicious desertion

verlê' ~ misplace, mislay (something); remove,
put in another place, shift (something); divert
(river); strain (neck)

verle'de (s) past; *die grys(e)* ~ the distant past;
die ~, hede en toekoms the past, present and
future; (b) past; last; ~ **deel'woord** past
participle (gram.); ~ **maand** last month *ook*
laas'maand

verle'ë timid, bashful, self-conscious *ook* **ska=
merig, bedees(d)';** perplexed; embarrassed; at
a loss; ~ *om geld* in want of money

verleen' ~ grant, give, confer, bestow, render;
hulp ~ render assistance

verleent'heid embarrassment *ook* **pena'rie, ver=
knor'sing;** quandary, distress

verleg'ging -s, -e deviation, diversion; detour
ook **om'pad;** ~ *van die pad* deviation of the
road

verlei' ~ seduce, tempt; mislead; **~delik'** tempt=
ing; glamorous; sexy; **~ding** temptation,
seduction; **~er** tempter, seducer; charmer

verleng' ~ lengthen *ook* **aan'las;** prolong,
extend, elongate; **~ing** lengthening, extension
(of time, street); **~koord** extension cord/cable;
~stuk extension

verlep' (w) ~ fade, wilt, wither *ook* **verwelk';**
shrivel (plant); (b) **-te** withered, shriveled,
faded

verle'wendig ~ revive, rejuvenate; freshen

verlief' (b) **-de** in love, fond of, sweet on;
amorous; ~ *raak op* fall in love with; **~de** (s) **-s**
person in love; **~d'heid** (s) fondness; amo=
rousness; infatuation

verlies' -e loss; defeat; bereavement; *swaar ~e ly*
sustain heavy losses; *droewige/onherstelbare*
~ sad/irreparable loss/bereavement

verlig[1] (w) ~ relieve; (b) **-te** relieved

verlig[2] (w) ~ illuminate; highlight (text on comp.
screen) *ook* **glim;** (b) **-te** lit up (building);

enlightened; verlig (SAE) (person); *die ~te eeu* the enlightened age; **~te** (s) **-s** enlight= ened/broad-minded person

verligting'[1] (s) alleviation, relief, palliation, lightening (of suffering)

verligting'[2] (s) lighting; illumination; enlight= enment; **straat~** street lighting

verlo'ën ~ deny *ook* **versaak'**; disavow; repudi= ate; renounce, forsake; **~ing** renunciation

verlof' (s) leave; permission, sanction *ook* **toe'= stemming; met ~ wees** be on leave; *met u ~* with your permission; **~tyd** leave, furlough

verloof' ~ become engaged; ~ *raak aan* become engaged to; **~de** fiancé (man), fiancée (wom= an); **~ring** engagement ring

verloop' (s) course, lapse (of time); expiry (of period); progress, passage (of time); *met ~ van tyd* in due course; ~ *van sake* course of events; (w) ~ elapse, go by; *'n maand het ~* a month passed by

verloor' ~ lose (object, battle, match, life, etc.); shed (leaves); mislay (object); **~kant** losing side

verlo're (b, bw) lost, forlorn; ~ *raak* get lost; ~ *geslag* lost generation; ~ *seun* prodigal son

verlos' ~ deliver; save, redeem; release, liberate; give birth (to a child); **~kun'de** obstetrics *ook* **obstetrie'**; midwifery

Verlos'ser Redeemer, Saviour (Christ)

verlos'sing deliverance, delivery; redemption

verlo'wing (s) **-s** engagement; *die ~ aankondig* announce the engagement; *die ~ (ver)breek* break off the engagement

verlus'tig ~ enjoy, delight in *ook* **geniet'**; revel in

vermaak' (s) **..make** pleasure, delight; amuse= ment, entertainment; (w) ~ enjoy, amuse; tantalise, mock, ridicule (s.o.) *ook* **bespot'**; *tot ~ van* to the delight/amusement of; *ek laat my nie ~ nie* you won't/can't spite me; **~lik** (b) enjoyable, amusing, entertaining; **~heid** (s) **..hede** amusement, entertainment

vermaan' ~ admonish *ook* **beris'pe**; exhort; caution, warn (s.o.)

vermaard' **-e** celebrated; famous *ook* **beroemd'**

verma'kerig (b) tantalising, mocking, ridiculing (s.o.)

verma'ning **-e, -s** admonition, reprimand, warn= ing

vermeen'de alleged, supposed; reputed; *die ~ inbreker* the suspected/alleged burglar

vermeer'der ~ increase, enlarge, augment; **~ing** increase; increment; multiplication

vermeld' ~ mention, record; specify; *eervol ~* mentioned in dispatches (army); **~ing** mention

vermeng' ~ mix, blend *ook* **roer, klits** (kos); mingle *ook* **meng** (met mense)

vermenigvul'dig ~ multiply; ~ *met* multiply by; **~ing** multiplication

verme'tel (b) impudent, rash *ook* **astrant'**; **~heid** audacity, impudence

vermin'der ~ decrease; lessen, diminish; cut down (expenses); slacken (speed); abate; *die pryse ~* reduce the prices; **~ing** decrease, rebate, reduction

vermink' (w) ~ mutilate, maim; deface; **~ing** (s) mutilation; **~te** (s) **-s** mutilated/maimed per= son, cripple

vermis' (w) ~ miss, be missing; *drie stappers word ~* three hikers are missing; *as ~ aan= gegee* reported missing

vermo'ë (s) **-ns** ability; capacity; fortune, wealth; output *ook* **uit'set, le'wering** (masjien); *na sy beste ~* to the best of his ability; *verstandelike ~ns* intellectual capacity/ability

vermoed' ~ suspect, presume, suppose, surmise; *geen kwaad ~ nie* suspect no evil

vermoe'de (s) **-ns** suspicion, presumption, hunch *ook* **suspi'sie, ag'terdog**; *'n sterk ~ hê* suspect strongly; *nare ~* sneaking suspicion; **~lik** (b) probable, presumable; (bw) probably, presum= ably; *~lik dood* presumed/presumably dead; believed killed

vermoei' (w) ~ tire; **~(d')** (b) tired, fatigued; **~d'heid** (s) weariness, fatigue *ook* **uit'putting**; **~end** (b) tiring, tiresome, wearisome *ook* **uit'puttend, af'mattend**

vermo'ënd (b) wealthy, rich *ook* **bemid'deld, gegoed'**

vermolm' ~ moulder/rot away, decay (wood)

vermom' ~ disguise, mask; **~ming'** disguise, mask *kyk* **mom'bakkies**

vermoor' (w) ~ murder; **~de** (s) **-s** murdered person

vermors' ~ squander, spend, spill, waste, fritter away *ook* **verkwis'**

vermor'sel ~ smash, crush to pieces

vermurf'/vermur'we ~ appease, soften, mollify (a person)

vermy' ~ avoid, shun, steer clear of, evade

vernaam' (b) **..name** important, prominent, distinguished; (bw) especially; **~lik** especially, mainly *ook* **hoofsaak'lik**

verne'der ~ humiliate, degrade, humble *ook* **kleineer', krenk**; *hom ~ voor* humble oneself before; **~end** humiliating, degrading

verneem' ~ understand, learn; enquire; ~ *na* enquire after (s.o.)

verneuk' (w) ~ cheat, defraud, swindle *ook* **kul, bedrieg'**; **~ker** (s) **-s** cheat(er), deceiver *ook* **kul'ler**; fraudster, swindler *ook* **bedrie'ër**; impostor; **~ery'** cheating, fraud, swindle; skulduggery; **~myn** booby trap *ook* **fop'myn**

verniel' (w) ~ destroy, wreck; **~ing** (s) destruc= tion; **~sug** (s) vandalism

verniet' (bw) in vain; free (of charge), gratis; unnecessarily; *jy probeer ~* no use trying

vernie′tig ~ annihilate, crush, annul, destroy *ook* **verwoes′**; *alle hoop* ~ dash all hope; **~end** destructive, crushing; **~ing** destruction, annihilation

vernieu′ = **vernu′(we)**

vernis′ (s) **-se** varnish; veneer; (w) ~ varnish

vernoem′ ~ name after *kyk* **naam′genoot**; rename

vernou′ ~ grow narrower; narrow (v); *die loongaping* ~ narrow the wage gap; **~ing** narrowing, constriction; bottleneck (in street)

vernuf′ talent, expertise *ook* **talent′, aan′leg**; intelligence, genius, intellect; **~tig** ingenious, innovative, resourceful *ook* **vin′dingryk, skerpsin′nig, innove′rend**

vernu′(we) ~ renew, renovate; freshen

vernu′wing -e, -s renewal; renovation

veron(t)ag′saam ~ ignore, disregard; sideline, marginalise *ook* **marginaliseer′**; neglect, slight

veronderstel′ (w) ~ suppose, assume *ook* **gestel′**; **~ling** (s) **-e, -s** assumption, pretence

veron′geluk ~ fail, miscarry; lose one's life in an accident; jeopardise (one's chances); *jy sal alles* ~ you will mess up everything

veron′(t)reg ~ wrong, do injustice to, victimise

veronthei′lig ~ desecrate, profane, violate *ook* **onthei′lig** (die Sabbat)

verontrei′nig ~ soil, pollute, defile; contaminate; **~ing** pollution, contamination

verontrus′ ~ alarm, perturb, disquiet; **~tend** disturbing, alarming *ook* **angs′wekkend**

verontskul′dig ~ excuse; **~ing** excuse, apology; justification; *~inge/verskoning aanbied* offer/ tender apologies

verontwaar′dig (b) indignant, grieved; **~ing** (s) indignation; outrage

veroor′deel ~ condemn; sentence; *ter dood/tot die dood* ~ condemn to death; *openlik* ~ denounce

veroor′loof ~ permit, give leave; *hom vryhede* ~ take liberties

veroor′saak (w) ~ cause, bring about; trigger (v); *moeite* ~ give trouble

verootmoe′dig ~ humble, humiliate; **~ing** humiliation; *dag van ~ing* day of humiliation/ prayer

veror′ber ~ eat up, consume, polish off (food)

veror′den ~ order, enact, decree; **~ing** (municipal) bylaw; decree, ordinance, statute

verou′der (w) ~ grow old, become obsolete; **~d** (b, bw) **-e** obsolete, archaic, antiquitated; *~e idees/opvattinge* outdated views/notions

verou′dering (s) ageing (of person); *beplande* ~ planned obsolescence (of a product)

vero′wer ~ conquer, capture; **~aar** conqueror, victor *ook* **oorwin′naar**; **~ing** conquest

verpak′ ~ pack up; repack; **~king** packing, packaging

verpand′ ~ pawn; pledge, mortgage *kyk* **verband′**

verpas′ ~ miss (train) *ook: die trein mis*

verpersoon′lik ~ personify; **~ing** personification

verpes′ (w) ~ pester, harass; hate; infect, contaminate; **~tend/~telik′** (b) **-e** infested, contaminated (house); pernicious, destructive; hateful

verplaas′ ~ remove, displace, relocate; transfer (to another post/town)

verplant′ ~ transplant (tree, shrub); **~ing** transplanting *kyk* **oor′planting**

verpla′sing (s) transfer, displacement, removal; relocation

verpleeg′ (w) ~ nurse, tend; **~diens** nursing service; **~diensbestuur′der** matron (of hospital); **~in′rigting** nursing home; **~kun′de** nursing; **~kun′dige** qualified nurse (male or female); **~personeel′** nursing staff; **~ster** (s) **-s** nurse; **~sus′ter** nursing sister

verple′ër -s male nurse

verple′ging/verpleegkunde nursing

verplet′ter ~ crush, smash *ook* **verbry′sel**; **~end** crushing, smashing; *~ende neerlaag/nederlaag* crushing defeat

verplig′ (w) ~ oblige, compel; (b, bw) **-te** obliged, bound; compulsory; *~te onderwys* compulsory education; *wetlik/sedelik* ~ *wees om* be legally/morally bound to; **~tend** compulsory, obligatory; **~ting** obligation, commitment; liability; *sonder ~ting* without obligation

verpo′sing -s rest, repose *ook* **pou′se; blaas′kans**

verpot′ (b) **-te** stunted, scraggy *ook* **verdwerg′** (plant)

verpulp′ ~ pulp (v) (make into a soft, moist mass)

verraad′ (s) treason, treachery

verraai′ (w) ~ betray *ook* **verlo′ën**; disclose; **~er** (s) **-s** traitor, betrayer

verras′ ~ surprise, startle; **~send** surprising; **~sing** surprise; eye-opener

ver′regaande (b, bw) outrageous, scandalous *ook* **buitenspo′rig, skanda′lig**

ver′reikend/vêr′reikend (b) far-reaching; *~e gevolge* far-reaching consequences

verrek′ ~ strain (muscle); dislocate, twist (ankle)

verre′ken ~ settle; set off (debt) *ook* **aan′suiwer**; miscalculate; **~ingsbank′** clearing bank

Ver′re-Oos′te Far East

ver′reweg by far; ~ *die beste plan* by far the better plan

verrig′ (w) ~ do, execute, perform; **~ting′** (s) execution, performance, function; **~ting′e** (s, mv) proceedings (at a meeting)

verrim′pel(d) (b) wrinkled

verroer′ ~ stir, move, budge; *nie 'n vinger* ~ *nie* not lift a finger

verroes' ~ rust (away), corrode *ook* **weg'roes**

verrot' (w) ~ decay, putrefy, decompose; (b) rotten, decayed *kyk* **vrot**; putrid; corrupt; **~ting** putrefaction, decay

verruil' ~ exchange, barter, swop *ook* **om'ruil, verwis'sel**

verruim' ~ enlarge, widen; *jou blik* ~ broaden one's view/horizon

verruk' (w) ~ delight, ravish, enchant; (b) delighted, enraptured, in raptures; **~king** rapture, ecstasy; **~lik** charming, delightful *ook* **heer'lik, genot'vol**

verryk' ~ enrich; *jou kennis* ~ increase one's knowledge; *homself* ~ lining his pockets *kyk* **self'verry'king; ~te uraan'** enriched uranium; **~ing** enrichment

verrys' ~ rise (from death); **~enis'** resurrection *ook* **wederop'standing**

vers[1] (s) **-e** heifer (young cow)

vers[2] (s) **-e** stanza, verse; *met* ~ *en kapittel bewys* quote chapter and verse

versaak' ~ forsake (friend) *ook: in die steek laat;* renounce, neglect (duty)

versa'dig (w) ~ satisfy (appetite); saturate (chem. solution); (b) **-de** satisfied, replete (after eating); saturated (chem. solution); glutted (market); **~ing** satisfaction, saturation; **~ing(s)punt'** saturation point

versag' ~ soften, relieve, mollify, mitigate; *~tende omstandighede* extenuating/mitigating circumstances; **~ting** alleviation, mitigation, relief

versa'mel ~ collect, gather *ook* **in'samel;** assemble; amass; *moed* ~ muster up courage; **~ing** collection, selection, compilation; **~stuk** collector's item

versap'per -s liquidiser, juicer; blender

verse'ël ~ seal; **~ing** sealing

verseg' ~ refuse point blank/flatly (to do some= thing) *ook: weier botweg*

verseil': ~ *raak onder* get mixed up with

verse'ker (w) ~ insure (goods); assure (life) *ook* **verassureer';** affirm; *wees daarvan* ~ rest assured about that; *ek kan jou* ~ *dat* I can assure you that; (bw) for sure, certainly *ook* **vir se'ker, son'der twy'fel; ~aar** (s) **-s** insurer, underwriter; **~de** (s) **-s** assured/insured (per= son)

verse'kering assurance (of life); insurance (of goods) *ook* **assuran'sie;** *ek gee julle die* ~ I give you the assurance; **~s'dek'king** insurance cover; **~s'maatskappy'** insurance company; **~s'po'lis** insurance policy

versend' ~ dispatch/despatch, consign; **~er** consignor, sender; **~ing** dispatch; consignment *ook* **besen'ding;** shipment

verseng' ~ singe, scorch; *~ende hitte* scorching heat

verset' (s) resistance *ook* **weer'stand;** *lydelike* ~ passive resistance; **~figuur'** resistance leader, fighter; (w) ~ resist

ver'sie -s short poem/verse

ver'siende/vêrsiende far-seeing, far-sighted, long-sighted

versier' ~ adorn, decorate, embellish; **~ing** decoration, ornament; **~sui'ker** icing suga= *ook* **sier'suiker**

versig'tig (b) careful, cautious; prudent; wary, guarded *ook* **behoed'saam; ~heid** caution, prudence, wariness

versil'wer (w) ~ silver, silver-plate

versin' (w) ~ invent, devise, fabricate; **~de, verson'ne** (b) invented, fabricated *ook* **op' gemaak**

versink' ~ sink away, be absorbed; *in gedagte* ~/versonke absorbed in thought

versin'sel -s invention, fabrication, figment (o the imagination) *ook* **verdig'sel, duim'suiery** *pure ~s/fabrikasie* pure inventions

versit' ~ displace, move, shift; resist

verskaf' (w) ~ supply, furnish, provide; **~er** (s) **-** supplier *ook* **leweransier'**

vers'kalf ..kalwers heifer

verskans ~ entrench, fortify; hedge; **~beleg'ging** hedged (risk-reducing) investment; **~ing** en= trenchment, fortification; hedging (invest= ments)

verskei'denheid (s) variety, assortment, diver= sity; choice, selection, range; **~s'konser** variety concert *ook* **va'riakonsert**

verskei'e several, sundry, various

verskerp' ~ sharpen, intensify; **~te aanval,** *aanslag* intensified attack/assault

verskeur' ~ tear up/apart/to pieces *ook* **verflen'= ter;** lacerate; savage

verskiet' (s) future; distance; perspective; *in die (verre)* ~ in the (far) future/distance

verskil' (s) **-le** difference, disparity, discrepancy ~ *van mening* difference of opinion; *hemels= breed* ~ be poles/worlds apart; (w) ~ differ, vary; **~lend** different; sundry, miscellaneous

versko'ning -s excuse, apology *ook* **ekskuus';** exemption, pardon; ~ *vra vir* beg pardon, apologise

verskoon'[1] (w) ~ excuse, pardon *ook* **veront= skul'dig;** condone; ~ *my* pardon/excuse me

verskoon'[2] (w) ~ put on clean linen/clothes

verskop'peling -e outcast, pariah *ook* **versto'= teling; ban'neling**

verskrik' (w) ~ terrify, horrify; **~grot** chamber of horrors *ook* **gru'welgrot; ~king** (s) **-e,** ~ horror, terror; **~lik** (b) terrible, horrible, dreadful *ook* **aak' lig, afsku'welik;** (bw) exceedingly, awfully

verskroei' ~ scorch, singe; **~de aar'de** scorched earth

verskuif'/verskui'we ~ shift, move; postpone (meeting)

verskuil' ~ hide, conceal; **~de/verbor'ge agen'= da** hidden agenda

verskul'dig due, indebted, owing *ook* **betaal'= baar;** *ek is baie aan hom* ~ I am greatly indebted to him; *~de bedrag* amount owing

verskyn' ~ appear, put in an appearance; be published; **~ing** appearance; publication; **~sel** occurrence; manifestation; phenomenon *ook* **fenomeen'**

verslaaf' (w) ~ enslave; ~ *aan* addicted to; (b) enslaved, addicted; **~mid'del** habit-forming/ dependence-forming drug

verslaan' ~ defeat, conquer (in war); beat (in sport) *ook* **klop, wen;** go flat (beer)

verslaap' ~ oversleep (oneself); *ek het (my)* ~ I overslept

versla'e (b) dismayed, dejected; disconcerted; down (in) the dumps *ook* **mismoe'dig**

verslag' **..slae** report, account, statement; cover= age (in media); ~ *doen/lewer* give an account; (submit a) report; **~ge'wer** reporter *ook* **joernalis'**

verslank' ~ slim; **~ing** slimming; **~ings'dieet** slimming diet

verslap' ~ relax; slacken, flag

versleg' ~ deteriorate, grow worse

versle'te = verslyt' (b)

verslind' ~ devour (food; books)

verslons' ~ wear slovenly; spoil (clothes)

verslyt' (w) ~ wear out; spend; while away (time); (b) worn; threadbare (clothes); *~e/verslete klere* tatty/frayed clothes

versmaai' ~ scorn, snub *ook* **min'ag;** disregard; *dis nie te* ~ *nie* it is not to be scorned/sneezed at

versmelt' ~ melt, liquefy, dissolve; blend, fuse

versmoor' ~ smother, suffocate *ook* **(ver)stik;** stifle

versna'pering (s) snack, delicacy, dainty, titbit, light refreshment; **~s/~e** (s, mv) snacks *ook* **peu'selhappies, snoep'goedjies**

versnel' ~ accelerate, quicken; *die pas* ~ quicken the pace; **~klep** throttle valve; **versnel'= (lings)vermo'ë** accelerating power (car)

versnel'ling -s, -e, acceleration; speed; gear (of car); **hoog'ste** ~ top gear *kyk* **snel'rat; laagste** ~ low gear; **twee'de** ~ second gear

versnel'renne drag racing

versnip'per ~ cut up, shred; fritter/waste away

versoek' (s) **-e** request, petition; *'n* ~ *toestaan/ weier* grant/refuse a request; *op* ~ by request; (w) request, ask, invite; tempt

versoe'king -e, -s temptation; *swig voor die* ~ yield/succumb to the temptation

versoek'skrif -te petition *ook* **peti'sie;** *'n* ~ *rig aan* petition, present a petition to

versoen' ~ reconcile, conciliate; placate; **~baar**

compatible *ook* **vere'nigbaar;** reconcilable (mense); **~baarheid** compatibility; **V~dag** Day of Atonement (Jewish festival); **~ing** reconciliation; atonement; **V~ings'dag** Day of Reconciliation (holiday, 16 December); **~ings'dood/~soen'dood** redeeming death

versoet' (w) ~ sweeten; **~er** (s) sweetener; sugar substitute

verson'dig ~ annoy, bother, pester; *jou (in jou) siel* ~ be extremely annoyed

versool' ~ resole (shoe); retread, recap (tyre); **~band** (s) retread/retreaded tyre

versorg' ~ care for, attend to, provide for, take care of; **~een'heid** (frail-)care unit; **~ing** care; maintenance, upkeep

versot' (b, bw) besotted; ~ *op* keen on; ~ *raak op* become hooked on/infatuated with

verspeel' ~ gamble/trifle away; *die kans* ~ miss the opportunity

versper' ~ block, obstruct, bar, barricade; *die weg* ~ bar the way; ~ *die uitsig* obscure the view; **~ring** barricade, obstruction; roadblock *ook* **pad'versper'ring** *kyk* **sper'tyd; sper'= streep**

verspied' ~ reconnoitre, spy, scout *ook* **verken';** **~er** scout, spy *ook* **verken'ner, spioen'**

verspil' ~ squander, waste *ook* **(ver)mors', ver= kwan'sel;** **~de/verkwiste geleentheid** wasted opportunity; **~ling** waste, squandering *ook* **verkwis'ting**

verspoel' ~ wash away; **~ing** washaway; flash flood *kyk* **oorstro'ming**

verspot' (b) **-te** ridiculous, silly *ook* **laf, belag'lik**

verspreek' ~: *jou* ~ make a slip of the tongue

versprei' ~ spread, disperse, scatter; *~de kan= toorure* staggered office hours *ook* **skik'tyd;** **~ding** spreading, distribution; ~ *van inligting* dissemination of information

ver'spring/vêr'spring[1] (s) long jump (athl.); (w) **-ge-** do the long jump

verspring'[2] (w) ~ leap out of position; **~end** staggered; alternating

vers'reël -s line of poetry

verstaan' ~ understand, comprehend; *rede* ~ listen to reason; **~baar** intelligible, compre= hensible; distinct; **~der** one who understands; *'n goeie ~der/begryper het 'n halwe woord nodig* a word to the wise is enough

verstand' (s) sense; intellect, intelligence; under= standing; *nie by sy volle* ~ *wees nie* not to have all his wits about him; *gesonde* ~ common sense

verstan'de: *met dien* ~ on the (distinct) under= standing that, provided that *ook* **mits**

verstan'delik -e intellectual, mental; **~lik ge= strem** mentally retarded

verstand'houding -e, -s understanding; footing; *goeie* ~ good relationship

verstan'dig -e intelligent; sensible *ook* **realis'=
ties;** wise

verstand'(s)kies -te wisdom tooth

verstands'ouderdom mental age

verste'delik (w) ~ urbanise (people, birds);
citify; **~ing** (s) urbanisation

versteek' ~ hide (away), stow away; **~te ry'baan**
concealed driveway

versteen' (w) ~ petrify, return to stone; (b) **-de**
petrified, fossilised

verstek' default; *by ~ veroordeel* condemn by
default; *wen by ~* win by default (sport)·

verste'keling -e stowaway (on a ship, plane)

verstek'waarde default (comp.)

verstel' ~ mend; readjust, alter; change gears;
~baar adjustable

versteld' (b, bw) dumbfounded, disconcerted;
~/verstom staan stand aghast at; be taken
aback

versterk' ~ invigorate, fortify, strengthen, re=
inforce; *~te beton* reinforced concrete; *~te
stad* fortified town; **~end** strenghtening, in=
vigorating; **~ing** support, reinforcement; re=
inforcing, fortification; **~mid'del** tonic *ook*
to'nikum; invigorator; pick-me-up

versteur'/verstoor' (w) ~ disturb, upset; *die
(openbare) rus ~* disturb the peace; **~d'** (b)
vexed, annoyed, cross *ook* **vererg', om'=
gekrap**

verstik' ~ suffocate, choke, smother; strangle;
aan 'n krummel ~ choke on a crumb

verstok' (b) obdurate, callous, hardened; *~te
oujongkêrel* confirmed bachelor; *~te sondaar*
hardened sinner

verstom' (w) ~ strike dumb (suddenly); dis=
concert; (b) **-de** speechless, dum(b)founded
ook **dronk'geslaan, oorbluf';** ~ *staan* be
struck dumb; *~mende vertoning* amazing/
unbelievable feat/display

verstoot' ~ disown; cast out, repudiate; *verstote
kinders* rejected/abandoned children

verstop' (w) ~ plug, choke up, clog; constipate
(bowels); (b) **-te** clogged, blocked (drain);
~ping obstruction; constipation (bowels)

versto'teling -e outcast, pariah *ook* **uit'gewor=
pene**

verstout' ~ make bold, take courage; *jou ~ om*
make bold to

verstrek' ~ furnish, supply, provide; *besonder=
hede ~* give details

verstre'ke elapsed, expired; *die tyd is ~* time is up

verstrik' ~ ensnare, entrap, entangle

verstrooi' (w) ~ scatter, disperse; **~(d)'** (b)
scattered; absent-minded; *~de professor* ab=
sent-minded professor; **~d'heid** absent-mind=
edness; **~ing** dispersion; diversion; distraction

verstryk' ~ elapse, expire; terminate; **~da'tum**
expiry date *ook* **verval'datum**

verstuit' ~ dislocate, sprain, twist (wrist, ankle
ook **verswik'**

verstyf'/versty'we ~ stiffen, grow stiff; conge=

versug'ting -e sigh, wish; prayer

versui'ker ~ sugar (v); *~de lemoenskil* candie
peel; **~ing** icing (cake)

versuim' (s) omission, negligence *ook* **nala'
tigheid;** default; (w) ~ neglect; omit; *sy plig·
neglect his duty

versuip' ~ drown (animal) *ook* **verdrink';** floo
(carburettor)

versuk'keld (b, bw) worn out, decrepit

versuur' ~ make/turn sour; embitter; *sy ~ m,
lewe* she is the bane of my life

verswaar' ~ make heavier; aggravate; encumber
verswarende omstandighede aggravating cir
cumstances (in court case)

verswak' ~ weaken, enervate; *~te bejaarde* frai
aged person; **~te'sorg** frail care

verswelg' ~ swallow (up); gorge

verswik' ~ sprain (ankle) *ook* **verstuit'**

verswyg' ~ suppress, conceal, keep silent; *di
feite ~* withhold the facts, keep mum about

vertaal' ~ translate; *letterlik ~* translate literally
uit Duits in Afrikaans ~ translate from Germar
into Afrikaans; **~werk** translation (work)

vertak' ~ branch off; ramify; **~king** ramificatio
ook **uit'vloeisel;** branch(ing)

verta'ler -s translator; *beëdigde ~* sworn translato

verta'ling -s translation

ver'te/vêr'te (s) distance *ook* **verskiet'**

verteenwoor'dig ~ represent; **~end** representing
~er representative (person); **~ing** representa
tion; **~ende raad** representative council

verteer' ~ digest; spend (wastefully); consume
~baar digestible; consumable

vertel' ~ tell, relate, narrate; **~ler** narrator
storyteller; **~ling** narration, narrative, tale
ook **verhaal', sto'rie**

verte'ring digestion *kyk* **spys'verte'ring**

vertikaal' vertical; perpendicular; plumb

verto'ë: ~ *rig tot* make representation(s) to
(government, etc.)

vertoef' ~ stay, linger, tarry, abide *ook* **aan'bly,
oor'bly**

vertolk' ~ interpret *ook* **interpreteer';** explain;
voice; **~ing** interpretation *ook* **interpreta'sie;**
rendering, rendition

verto'ning -s, -e show, display; demonstration;
performance

vertoon' (s) show, display; ~ *van geleerdheid*
parade/show-off of learning; *uiterlike ~* out
ward show; (w) ~ show; exhibit, display;
expose; perform; **~kas** display cabinet *ook*
toon'kas, toonkabinet'; **~wed'stryd** exhibi
tion match (sport)

vertoorn'/verto'ring (w) ~ incense, infuriate
ook: (iem) *woedend/briesend/rasend maak*

vertraag' ~ delay, slacken; hold up (in traffic); retard; decelerate; **~de ak'sie/tem'po** slow motion *ook* **sta'dige ak'sie; ~de ontwik'keling** retarded/arrested development

vertra'ging -s delay, slow-down

vertrap' ~ trample on/upon; crush, crowd out; jostle; *die mense ~/verdruk mekaar* people are crushed/jampacked/squashed; **~ping** (s) stam=pede

vertrek'[1] (s) **-ke** room, chamber *ook* **ka'mer, lokaal'**

vertrek'[2] (s) departure; *dag van* ~ day of departure; (w) ~ leave, depart; **~saal** depar=tures lounge (airport)

vertrek'[3] (w) ~ distort; *sy gesig is* ~ *van die pyn* his face/features are twisted with pain

vertroe'tel ~ spoil, pamper; (over)indulge, coddle; **~de kindjie** pampered child

vertroos' ~ console, comfort (s.o.); **~ting** con=solation, solace, comfort

vertrou' ~ trust, confide in, rely upon; ~ *op* rely on; **~baar** reliable *ook* **betrou'baar**

vertroud' (b) trusted, well-acquainted, conver=sant, familiar; ~ *met die feite* familiar/conversant with the facts; ~ *maak met* familiarise with

vertrou'e (s) confidence, trust; *in* ~ confiden=tially; *die volste* ~ *geniet* enjoy the fullest confidence; **~ling** confidant, close/bosom friend *ook* **boe'semvriend**

vertrou'ensgaping -s credibility gap

vertrou'lik (b, bw) confidential; private; *streng* ~ strictly confidential

vertwy'feling despair; desperation *ook* **wan'=hoop**

vervaard' (b) **-e** alarmed, fearful, frightened *ook* **bevrees', beangs'**

vervaar'dig (w) ~ manufacture, produce, make *ook* **produseer', maak;** ~ *deur* manufactured by; **~er** (s) **-s** manufacturer *ook* **fabrikant'; ~ing** manufacture

verval' (s) decay, decline; maturity; *in 'n toestand van* ~ in a state of decay/collapse; (w) ~ decline, decay; fall due, expire, mature; *in sonde* ~ lapse into sin; *die wissel* ~ *21 Maart* the bill (of exchange) matures on 21 March; **~dag** day of maturity, due/expiry date *ook* **verstryk'dag, sper'datum**

verval'le (b) dilapidated, decrepit, ramshackle (house); decayed, worn-out (person); haggard (face); matured, overdue (bill)

vervals' ~ falsify, fake; forge; adulterate; **~te tjek** forged cheque; **~er** falsifier, forger; **~ing** fake; falsification, forging, forgery

vervang' ~ replace, substitute, exchange *ook* **verplaas', omruil;** supersede; ~ *hom deur/met 'n jonger man* replace him with a younger man; **~baar** replaceable, interchangeable

vervat' ~ resume; change one's grip; begin/start again/anew; ~ *in* included in (a document)

verveel' ~ bore, weary; *jou* ~ be bored; *dodelik* ~*(d)* bored stiff

verveer' ~ moult (bird)

vervel' ~ cast the skin, slough (snake)

verve'lend boring, tedious, tiresome *ook* **verve'=lig;** *~e vent* regular bore (person)

verve'lens: *tot* ~ *toe* ad nauseam

verve'lig boring, wearisome *ook* **verve'lend, saai;** *~e werk* monotonous work *ook* **sleur'=werk**

verver'sing -s, -e refreshment; **~s'bedryf** cater=ing trade; **~s'lokaal** cafeteria *ook* **kafete'ria;** canteen *ook* **kantien'**

vervlaks'!/vervloeks'! (tw) confound it!; darn it!; dash it!

vervlieg' ~ vanish (hope); fly (time); evaporate

vervlo'ë: ~ *dae* bygone days

vervloek' ~ curse, damn; **~ing** curse, malediction

vervloeks! = **vervlaks!**

vervloek'ste (b) damned, cursed, confounded

vervlug'tig ~ evaporate, volatilise *ook* **verdamp'**

vervoeg' ~ conjugate (verb); **~ing** conjugation (verb)

vervoer' (s) transport, transportation; convey=ance; traffic; (w) ~ convey, carry; **~diens'te** transport services; **~kos'te** transport costs/charges; **~mid'del** vehicle, means of convey=ance; **~onderne'mer** (public) carrier, haulier; trucker *ook* **karwei'er; ~toe'lae** transport allowance

vervoe'ring (s) enthusiasm, rapture, ecstasy; *in* ~ *raak* go into raptures; be carried away

vervolg' (s) continuation, sequel; future; *in die* ~ in future; (w) ~ continue; pursue; prosecute, proceed against; *word* ~ to be continued (serial); *oortreders word* ~ trespassers will be prosecuted; **~ens** further, thereupon; **~er** pursuer; persecutor; (public) prosecutor *ook* (publieke) **aan'klaer; ~ing** pursuit; prosecu=tion; persecution; **~ingswaan'** persecution mania; **~verhaal'** serial (in magazine)

vervolmaak' ~ perfect *ook* **perfeksioneer';** *hy het die proses* ~ he perfected the process

vervorm' ~ remodel, transform; distort; **~ing** transformation; distortion

vervreem' ~ alienate; estrange (person); dispose of (property); ~*(d) raak* become estranged

vervreem'ding (s) alienation, estrangement; disposal, sale (of assets)

vervroeg' ~ fix at an earlier date, advance a date/time; antedate (cheque); expedite (deliv=ery)

vervuil' ~ grow foul; soil; spread, grow rankly (weeds)

vervul' ~ fulfil *ook* **na'kom;** *met skrik* ~ *wees* be terrified; *sy pligte* ~ carry out his duties; **~ling**

fulfilment; *in ~ling gaan* be realised, accom=
plished

vervyf' ~ convert (a try in rugby); **~skop**
conversion

verwaand' conceited; stuck up; overweening
ook **eie'wys, aanma'tigend**

verwaar'loos (w) ~ neglect; (b) **-de** neglected
ook **af'geskeep**

verwaar'losing (s) neglect, indifference; derelic=
tion (of duty)

verwag' ~ expect; look forward to; *~tende/swan=*
ger moeder expectant mother

verwag'ting -e, -s expectation, hope; *bo ~*
beyond expectation; *die ~ koester* cherish the
hope; *alle ~e oortref* exceed all expectations

verwant' (b) **-e**; related; kindred; akin, allied;
~skap relationship; kinship; affinity

verwar' (w) ~ confuse; mix/muddle/tangle up;
disorientate; **~(d)** (b) confused, disordered;
entangled

verwarm' (w) ~ warm, heat; **~er** heater; **~ing**
heating, warming *ook* **verhit'ting**

verwar'ring confusion, disorder, turmoil; entan=
glement; *in ~ bring* throw into confusion

verwa'ter ~ dilute, water down *ook* **af'water;**
verdun'

verwed' ~ bet, gamble away

verweer'[1] (s) defence; resistance; (w) ~ defend,
resist

verweer'[2] (w) ~ weather, decay; disintegrate
(rocks)

verweer': **~der** defender; defendant (in court);
~kuns martial arts (eg karate, judo); **~skrif**
written defence/plea

verwek' ~ father (a child); procreate, breed;
generate

verwelf' **..welwe** vault; arch, dome *ook* **verwulf'**

verwelk' ~ wither, fade (flowers) *ook* **verlep'**

verwel'kom (w) ~ welcome (s.o.); **~ing** (s)
welcoming, welcome *ook* **ontvangs'**

verwen' ~ spoil, pamper (child) *ook* **bederf',**
piep

verwens' (w) ~ curse, execrate *ook* **vervloek';**
~ing (s) **-e, -s** curse, malediction; damnation

ver'wer -s painter (by trade) *kyk* **skil'der**

verwer'dig ~ condescend, deign; *hy ~ hom*
darem 'n antwoord surprisingly he conde=
scends to reply

verwerf' ~ acquire, achieve, obtain, gain; *'n*
graad ~/behaal obtain a degree

verwerk' (w) ~ process *ook* **om'werk, proses=**
seer'; cope, come to terms (with a situation);
digest; revise; **~er** processor (data, words);
~ing processing; adaptation (of play, etc.) *ook*
aan'passing; **~lik** (w) materialise, realise;
~liking' (s) realisation, fulfilment

verwerp' ~ reject, discard; decline; refuse; *'n*
voorstel ~ reject a proposal; **~ing** rejection;

veto; exclusion; **~lik** objectionable *ook*
aanstoot'lik; unacceptable *ook* **onaanvaar'-**
baar

verwe'se (b) dazed, stunned *ook* **bene'weld**
verdwaas'; bewildered

verwe'sen(t)lik ~ realise, materialise; substanti=
ate; *ambisies ~* realise ambitions; **~ing** realisa=
tion, fulfilment

verwes'ter: ~d (b) **-e** Westernised (person); **~s**
(w) ~ Westernise

verwik'keling -e, -s complication, trouble *ook*
intri'ge, probleem'; development

verwil'der ~ grow wild; chase away (animal)
ook **weg'jaag**

verwis'sel ~ exchange; alternate; commute; *die*
tydelike met die ewige ~ pass away, die; **~ing**
conversion; change; exchange; alternation

verwit'tig ~ notify, inform, acquaint *ook* **mee'-**
deel, in ken'nis stel

verwoed' (b) furious, frantic, fierce

verwoes' (w) ~ destroy, ruin, devastate, lay
waste *ook* **vernie'tig;** (b) **-te** destroyed,
devastated; **~tend** destructive, disastrous;
~ting destruction, devastation, havoc; *~ting*
aanrig cause great destruction; play havoc

verwon'der ~ astonish, amaze, surprise; *jou ~*
oor be surprised/astonished at; **~(d)** (b)
astonished, surprised; **~ing** amazement, aston=
ishment *ook* **verba'sing**

verwor'ding (s) decadence *ook* **verval** (s);
perversion; decomposition; degeneration

verwor'peling -e outcast, pariah *ook* **versto'-**
teling

verwring' ~ distort; twist, wrench

verwurg' ~ strangle, throttle; **~er** strangler; **~ing**
strangulation; garrotting (execution)

verwy'der ~ remove, withdraw; alienate, es=
trange; **~d** remote, distant; **~ing** alienation,
estrangement; removal

verwyf' (b) **-de** womanish, effeminate *ook*
mei'sieagtig

verwyl' ~ stay; sojourn, linger (longer) *ook*
vertoef'; delay

verwys' ~ refer; *iem. ter strafsitting ~* commit/
remand s.o. for trial; *~ na die fabrikant* contact
the manufacturer; **~ing** reference; *met ~ing na*
with reference to *ook: met betrekking tot;*
~(ings)nom'mer reference number

verwyt' (s) **-e** reproach; reproof; (w) ~ reproach,
blame (s.o.); *mekaar ~* exchange reproaches

very'del ~ foil, thwart, nullify *ook* **fnuik ('n**
plan)

ve'sel -s fibre, thread; filament; **~glas/glasve'sel**
fibreglass; **~ig** fibrous

ves'per (s) **-s** evensong, vesper (church) *ook*
aand'diens

ves'tig ge- establish, found, institute; settle; *die*
aandag op iets ~ draw/direct attention to

something; *nywerhede* ~ establish industries; *vrye ~ing* free settlement; *gevestigde belange* vested interests; **~ing** establishment, formation

ves'ting **-s** fortress, bastion, stronghold *ook* **burg, kasteel'; bol'werk; ~werke** fortifica=tions

vet (s) **-te** fat, lard, grease, suet; *jou lyf maar ~ smeer* prepare for a good thrashing; *so waar soos ~* upon my word; *gee ~* drive fast; (b) fat, corpulent *ook* **korpulent';** rich, fertile; *so ~ soos 'n vark* as fat as a pig

ve'te **-s** feud, vendetta *ook* **bloed'vete**

ve'ter **-s** lace, bootlace *ook* **skoen'riem**

veteraan' **..rane** veteran; old-timer (person); **~mo'tor/no'agmo'tor** vintage car

vet: ~heid fatness; obesity; **~ kat** fat cat (person) *ook* **geil'jan; ~kers'** tallow candle; **~koek** doughnut, vetkoek (SAE); **~kryt** crayon *ook* **te'kenkryt**

ve'to (s) **-'s** veto, refusal, prohibition; (w) **ge-**veto; prohibit; turn down; blackball; **~reg'** right of veto

vet: ~plant succulent *ook* **sukkulent'; ~pui'sie** acne *ook* **ak'nee; ~sug** obesity

vet'terig (b) greasy, fatty; **~heid** greasiness

vet'vry (b) fat-free; greaseproof

vi'a (vs) via, per

vi'aduk **-te** viaduct, elevated roadway *ook* **lug'=pad, boog'brug**

vibra'sie **-s** vibration *ook* **tril'ling**

vibreer' **~, ge-** vibrate *ook* **tril**

vice ver'sa vice versa *ook* **andersom'**

vi'deo (s) **-'s** video; **~band** video tape; **~kasset'= opnemer** video cassette recorder; **~konferen'= sie** video conference; **~-op'name** video recording; **~teek'** video library

vier[1] (telw) **-e** four

vier[2] (w) **ge-** celebrate (birthday, anniversary); observe, keep (the Sabbath)

vier: ~de fourth; **~dens** in the fourth place; **~dub'bel(d)** quadruple, fourfold; **~en'deel** (w) **ge-** quarter (hist. manner of execution); **~hoek'** quadrangle

vie'ring (s) **-e, -s** celebration; festival

vier'kant **-e** square; **~ig** square; **~s'wor'tel** square root

vier'kleur flag of former Transvaal Republic

vier: ~per'dewa (hist.) bridal coach; **~rigting= stop'(straat)** four-way stop

vierstem'mig **-e** arranged for four voices (mus.)

vier'tal **-le** four; foursome (golf) *ook* **vier'spel**

vier'trek (s) **-ke** four-wheel drive (vehicle), all-terrain vehicle, 4 × 4

vier: ~uur four o'clock; **~voe'tig** quadruped; **~vors** tetrarch *ook* **tetrarg'** (heerser); **~voud** quadruple; **~voudig** fourfold

vierwielaan'gedrewe (b) four-wheel drive (ve=hicle)

vies (b) angry, annoyed; fed-up; disgusted, displeased; nasty, offensive; dirty, filthy *ook* **sme'rig; ~** *maak* annoy, vex *ook* **om'krap**

vies'lik (b) **-e** dirty, filthy, loathsome; smutty (joke) *ook* **skurf, obseen'; ~heid'** filthiness

viets (b) **-e** spruce, smart *ook* **elegant', fyn, sjiek;** *'n ~e meisie* a smart-looking girl

vigilan'te (s) **-s** vigilante (member of vigilance group) *kyk* **waak'groep, buurt'wag**

vigs/VIGS (s) Aids/AIDS; **~ly'er** Aids sufferer

Vi'king(er) **-s** Viking *ook* **Noor'man**

viktimiseer' **ge-** victimise, discriminate against, persecute (a person)

vilet' **-te** stock, gillyflower (plant)

vil'la **-s** villa *ook* **land'huis, he'rehuis**

vilt/velt felt; **~hoed** felt hat

vin **-e** fin (of fish); flapper (of whale)

vind **ge-** find, locate; come across, meet; *hoe ~ jy dit?* how do you like it?; *~ en vervang* find and replace (comp.)

vin'ding **-e, -s** invention, discovery *ook* **uit'= vinding; ~ryk** (b) resourceful, ingenious, inventive, innovative *ook* **vernuf'tig, behen'= dig**

vin'duik fin diving, skin diving (sport)

vin'ger **-s** finger; *op die punte van die ~s ken* have something at one's fingertips; *iets deur die ~s sien* overlook/condone a mistake; *iem. op die ~s tik* rap s.o. over the knuckles; **~af'druk** fingerprint; **~alleen'** all alone *ook* **stok'sielalleen; ~e'te** finger buffet *ook* **peu'= selete; ~hoed'** thimble; **~ling** fingerling (small young fish); **~spraak'** sign language; **~top** fingertip; **~wy'sing** hint, pointer; warning *ook* **tereg'wysing**

vinjet' **-te** vignette, flourished illustration *ook* **krul'versiering**

vink **-e** finch, weaverbird

vin'kel fennel; *dis ~ en koljander* it is six of the one and half a dozen of the other

vin'nig (b) quick, fast, speedy *ook* **gou, blit'sig;** sharp

violet' (s) **-te** violet (flower) *ook* **viool'tjie;** (b) mauve, violet (colour)

viool' (s) **viole** violin, fiddle; *tweede ~ speel* play second fiddle; **~kam** bridge (violin); **~kis** violin case; **~snaar** violin string; **~spe'ler** violinist *ook* **violis'**

viool'tjie (s) **-s** violet (flower); *groen ~* wild hyacinth; *wit ~* chinkerinchee *ook* **tjienke= rientjie'**

vir for, to; *~ goed* permanently, for good; *~ lief neem* have to make do/put up with; *~ (ou)laas* for the last time; *sê ~ my* tell me; *~ sover/sovêr ek weet* as far as I know; *~ seker/verseker* for sure, no doubt *ook* **beslis';** *~ wat* what for?; *~ wat dit werd is* for what it's worth

vir eers = vereers'

viriel′ (b, bw) **-e** virile *ook* **krag′tig, man′lik**

virtue′le: ~ **werk′likheid** virtual reality (comp.) *ook* **skyn′werklikheid**

vi′rus -se virus (causing disease/computer breakdown); **~griep** virus flu; **~op′spoorder** virus checker (comp.)

virtuoos′ (s) **..tuose** virtuoso (highly skilled musician)

vis (s) **-se** fish; ~ *nóg vlees* neither fish nor flesh; (w) **ge-** fish; **~ag′tig** fish-like, fishy

vi′seadmiraal -s vice admiral (naval rank)

vi′sekanselier -s vice chancellor *ook* **rek′tor** (universiteit, technikon)

visenteer′ ge- search, inspect *ook* **deursoek′** (vir verbode items)

vi′seprinsipaal ..pale vice principal *ook* **on′-derhoof**

vi′sevoorsitter -s vice-chairman *ook* **on′-dervoorsitter**

vis: **~gerei′** fishing tackle *ook* **hen′gelgerei′;** **~graat** fish bone; **~hoek** fish hook

vi′sie (s) vision; imaginative foresight *ook* **vi′sie, in′sig;** scenario (for future)

visier′ -e, -s visor (of helmet); elevating sight (rifle)

visioen′ -e vision; dream; phantasy

visi′tekaar′tjie -s visiting card; business card

viskositeit′ (s) viscosity *ook* **taaivloei′baarheid**

vis: **~lyn** fishing line; **~smeer** fish paste; **~net** fishing net

vis′ser -s fisher, fisherman *ook* **vis′serman; vis′terman** (omgangst.); **~skuit** fishing boat; **~y** fishery

vis′teelt (s) fish breeding, pisciculture

vis′treiler -s (fishing) trawler

visueel′ (b) **visuele** visual *ook* **sig′baar, aanskou′lik; visue′le kuns′te** visual arts (school subject)

vi′sum -s visa (for foreign travel) *ook* **reisvergun′ning**

vis′vang (w) **-ge-** catch fish; nod, doze; **~er** fisherman (person); kingfisher (bird); **~s** fish-ing haul/catch

vis′wyftaal (s) crude/lowclass language

vit (w) **ge-** find fault with, carp, cavil *ook* **fout′vind, kritiseer′;** **~terig** (b, bw) fault-find-ing, niggling

vitaliteit′ vitality *ook* **le′wenskrag**

vitamien′ -e vitamin

vitolfilis′ -te cigar band collector, vitolphilist

vitrioel′ vitriol (metallic sulphate) *ook* **swa′-elsuur**

vivisek′sie vivisection (surgery on living ani-mals)

vla -'s custard *ook* **na′geregsous**

vlaag (s) **vlae** sudden squall, gust (wind); shower (rain); *'n* ~ *van woede* a fit of anger

Vlaams (s, b) Flemish (language, customs, etc.);

Vlaan′dere (s) Flanders (region) *kyk* **Vla′-ming**

vlag (s) **vlae** flag; ensign, banner; standard; vane; *die* ~ *hys* hoist the flag; *die* ~ *stryk* lower/haul down the flag; strike one's colours (idiom); *die* ~ *hang halfstok* the flag is flying at half-mast (signifying death of dignitary); **~hy′sing** flag hoisting (ceremony) *ook* **vlaghysseremo′nie;** **~skip** flagship; **~stok** flagstaff

vlak (s) **-ke** plane; level, floor; tier; surface; **boon′ste** ~ upper level/floor; (b, bw) shallow (water); flat; ~ *by* close by; ~ *in sy gesig* bang in his face; ~ *digby opname* close-up photo; **~haas** (Cape) hare

vlak′te -s plain, flats; *op die* ~ *sit* be destitute; **~kwag′ga** Burchell zebra; **~maat** surface/ square measure

vlak: **~vark** warthog; **~vo′ël** spike-heeled lark (bird)

vlam (s) **-me** flame; blaze; ~ *vat* catch fire; become enthusiastic; *ene vuur en* ~ very enthusiastic; (w) **ge-** blaze, burn; **~baar/ont-vlam′baar** flammable *ook* **brand′baar**

Vla′ming (s) **-e** Fleming (inhabitant of Flanders) *kyk* **Vlaams**

vlam′werper -s flame-thrower (used in war)

vlas flax; **~ag′tig** flaxen; **~saad** flaxseed; linseed

vlees flesh; meat; pulp (of fruit) *kyk* **vleis;** *die weg van alle* ~ the way of all flesh; *die* ~ *is swak* the flesh is weak; carnal, sexual; sensual *ook* **sensueel′, sin′lik, wellus′tig**

vleg (s) **-te** braid, plait, tress; (w) **ge-** plait, wreathe, twine; **~sel** (s) **-s** string, tress, braid; *'n* ~*sel hare* a plait of hair

vlei[1] (s) **-e** valley, vale; marsh, swamp; vlei (SAE)

vlei[2] (w) **ge-** flatter, coax; cringe *ook* **flik′flooi, pamperlang′;** **~end** flattering, complimentary

vlei′er -s flatterer; charmer (person)

vlei′ery flattery, adulation *ook* **vlei′taal**

vlei: **~land** wetland *ook* **moeras′land; ~loe′rie** coucal, rainbird; **~rot** marsh rat

vleis meat; flesh; pulp (of fruit) *kyk* **vlees;** **~braai′(ery)** (s) braai (SAE), barbecue; *ons is genooi vir 'n braaivleis* we have been invited to a braai; **~e′tend** carnivorous; **~etende diere** carnivora; **~meul** mincing machine; **~pastei′** meat pie; **~pot** fleshpot; *verlang na die* ~*potte van Egipte* hanker after the fleshpots of Egypt; **~wond** flesh wound

vlek (s) **-ke** blot, spot, stain, smut, blemish; (w) **ge-** soil, blot, stain; **~loos** spotless; **~ke′loos** immaculate *ook* **kuis, rein; ~ti′fus** typhus fever, spotted typhus; **~verwy′deraar** stain remover; **~vry′(e)** stainless; nonstaining; **~vrystaal′/roes′vrystaal** stainless steel *ook* **~vrye/roes′vrye staal**

vlerk (s) **-e** wing; **~sleep** (w) **-ge-** court a girl

~**sweef** (s) hang-gliding (sport); ~**swe'wer** (s) -s hang-glider (person); ~**wydte** (s) wingspan

vler'muis -e bat (flying mouselike animal)

vleu'el -s wing (bird); vane, blade (windmill); grand/concert piano *ook* ~**klavier'**; wing (threequarter) (rugby); limb, wing (building); ~**moer'** wing nut

vlie = **vlieg**²

vlie'ëklap -pe fly swatter *ook* **vlie'ëplak**

vlie'ënde: ~ **pie'ring** flying saucer

vlieënier' -s pilot, airman; aviator

vlie'ër -s kite; pilot, aviator, airman *ook* **vlieënier'**

vlieg¹ (s) **vlieë** fly (insect); *twee vlieë met/in een klap slaan/vang* kill two birds with one stone; *hy vang vlieë* his mouth hangs open; ~**hen'gel** (s) flyfishing (trout, etc.)

vlieg² (w) **ge-** fly; travel by air; ~**dekskip'** aircraft carrier; ~**kuns** aeronautics; ~**masjien'** (aero)plane *kyk* **vliegtuig'**; ~**on'geluk** flying accident; plane crash

vlieg'tuig ..**tuie** aircraft; (aero)plane; airliner (for passengers); ~**loods/~skuur** hangar

vlieg: ~**veld** airfield, aerodrome *kyk* **lug'hawe**; ~**voos** (b) suffering from jetlag *ook* **vlug'tam**

vlier'boom ..**bome** (wild) elder tree

vlies -e fleece (sheep); membrane (body) *ook* **membraan'**; cuticle; film (over eye); *die Goue V~* the Golden Fleece (mythol.); ~**wolk** fleece cloud

vlietend (b) -e fleeting (moment)

vlin'der -s butterfly *ook* **skoe(n)'lapper**; ~**das** bowtie *ook* **strik'das**

vloed -e flood, inundation; *die rivier is in* ~ the river is in flood/overflowing; ~**geteis'ter** flood-stricken; ~**golf** tidal wave; ~**ramp** flood disaster

vloei **ge-** flow, stream; ~**baar** fluid, liquid; ~**ba're brand'stof/gas** liquid fuel/gas; ~**end** flowing; fluent; smooth; ~*end Engels praat* be fluent in English; ~**kaart** flow chart; ~**papier'** blotting paper; ~**seep** liquid soap; ~**spaat** fluorspar; ~**stof** liquid, fluid

vloek (s) -e curse, oath; villain, bastard *ook* **vrek'sel** (persoon); (w) **ge-** swear, curse *ook* **swets**; ~ *soos 'n matroos/ketter* swear like a trooper; ~**woord** swearword; curse, expletive

vloer -e floor; *der'de* ~ third floor *ook* **der'de vlak/verdie'ping;** *'n mens kan daar van die* ~ *eet* the place is scrupulously clean; ~**stuipe** *gooi* throw a tantrum; ~**lei'er** shop steward (factory) *ook* **wer'kerska'kel;** ~**lys** skirting board; ~**plank** flooring board

vlok -ke flock, flake (snow); tuft; ~**ie** chip (comp.)

vlooi -e flea; ~**byt** fleabite; ~**e'spel** tiddlywinks; ~**mark** flea market *ook* **snuf'felmark;** ~**poei'= er** insect powder

vloot (s) **vlo'te** fleet; navy; ~**blou** navy blue *ook* **mari'neblou;** ~**ei'enaar** fleet owner (cars); ~**soldaat'** marine *ook* **marinier'**

vlos floss (silk); ~**sig** flossy, fluffy; ~**sy** floss silk; *(tande)~* dental floss

vlot (s) -**te** raft (buoyant platform); float (cash); (w) **ge-** succeed, move easily, go smoothly; (b, bw) fluent, smooth; facile; afloat; ~ *praat* speak fluently; ~ *verloop* proceed smoothly/ without a hitch; ~**heid** fluency (of speech); ~**tend'** drifting, floating; ~**ter** float; ~**vaart** river-rafting (sport)

vlug¹ (s) covey, bevy (of birds); *'n* ~ *patryse* a covey of partridges

vlug² (s) flight; escape; *op die* ~ *slaan* take to flight; (w) **ge-** flee

vlug³ (s) flight (aircraft); *sy vertrek met* ~ *BA 743* she departs/leaves on flight BA 743; **huur~** chartered flight

vlug⁴ (b) quick; nimble; agile *ook* **rats; skran'= der;** ~ *van begrip* quick-witted

vlug: ~**bal** volleyball; ~**heu'wel** traffic island; ~**hou** volley (tennis); ~**kel'ner** flight attendant; ~**kommandeur'** flight commander; ~**op'= nemer** flight recorder (black box); ~**perso= neel'** air/cabin crew; ~**roos'ter** flight plan; ~**skop** punt(ing) (sport); ~**skop'per** punter; ~**skrif** leaflet; ~**sout** volatile salts; ~**te'ling** fugitive, refugee *ook* **voortvlug'tige;** ~**voos/= tam,** suffering from flying/jetlag *ook* **vlieg'= voos;** ~**woe'de** flight rage (in plane)

vlug'tig (b) volatile; superficial, cursory, fleeting *ook* **haas'tig; onverskil'lig;** ~*e besoek* brief/ flying visit

vly (w) **ge-** nestle, snuggle against (s.o.) *ook* **neer'vly**

vlym (s) -e lancet; fleam; ~**end** very sharp, poignant, acute; ~**skerp'** (b) razor-edged

vlyt (s) diligence, industry; ~**ig** industrious, hard-working, diligent *ook* **y'werig, arbeid'= saam**

vod (s) -**de, -de(n)s** rag, tatter *ook* **toi'ings**

vod'ka/wod'ka vodka (Russian alcoholic spirits)

voed (w) **ge-** feed, nourish (humans) *kyk* **voer**¹ (w)

voe'ding feeding; nourishment, nutrition; ~**s'= bo'dem** breeding ground; ~**kun'dige** dietician *ook* **dieetkun'dige;** ~**s'leer** nutrition (subject); ~**s'waarde** nutritive value

voedoeïs'me (s) voodooism (form of magic)

voed'saam (b) nutritious, nourishing

voed'sel food; nutriment; ~**vergif't(ig)ing** food poisoning

voed'ster -s (wet)nurse *ook* **soog'vrou;** foster mother

voeg (s) **voeë** joint; seam; *in dier* ~*e* in that manner; accordingly; (w) **ge-** join; fit in; seam; weld; point (bricks); ~**lik** becoming, suitable, proper *ook* **betaam'lik; ~woord** conjunction (gram.)

voel ge- feel, touch, grope; *tuis* ~ feel at home

vo'ël -s bird; *'n ~tjie hoor fluit* heard something (as a rumour); *~s van eenderse vere* birds of a feather

voel'baar (b) tangible *ook* **tas'baar;** palpable, tactile

vo'ëlent -e birdlime *ook* **vo'ëllym;** mistletoe

voel'horing -s feeler, tentacle; tenter *ook* **voel= spriet**

voe'ling touch, feeling; *in ~/verbinding met* in touch with

vo'ël: ~kooi/~kou birdcage, aviary; **~ky'ker** birder, birdwatcher; twitcher (infml.); **~lym** birdlime; **~nes** bird's nest; **~rek'(ker)** catapult, slingshot *ook* **ket'tie; ~verskrik'ker** scarecrow; **~vlug** bird's-eye view

vo'ëlvry (b) outlawed; free as a bird; *~ verklaar* outlaw a person; **~verklaar'de** outlaw (person)

voer¹ (s) fodder, forage; (w) ge- feed *kyk* **voed**

voer² (w) ge- conduct, carry on (correspondence, conversation); wage (war); transport; *samesprekings ~* have talks; *die woord ~* address, speak; **~band** conveyor belt

voe'ring -s lining; liner (techn.)

voer: ~kraal feedlot; **~kuil** (pit) silo; **~sis** printed calico

voer'taal medium of instruction *ook* **me'dium**

voert'sek! (tw) be off!; voetsak! (SAE); scram! *ook* **skoert!; trap!**

voer'tuig ..tuie vehicle; carriage *ook* **ry'tuig**

voet -e foot; base, bottom; *~e kry* vanish into thin air; *~ by stuk hou* stick to one's guns; *~ in die hoek* accelerate, drive fast (car); *te ~* on foot; *~ in die wind slaan* take to one's heels; *op gelyke ~* on equal terms; *op vrye ~* on the run (convict, criminal)

voet: ~an'gel mantrap; crow's foot; **~bal** football (soccer; rugby); **~balklub'** football club (usually soccer); **~balwed'stryd** football/rugby match; **~boei'e/~ket'tings** leg irons, shackles; **~brug** footbridge

voe'tenent -e lower end (of bed)

voet'ganger -s pedestrian; hopper (wingless locust)

voetgeboei' (b) shackled (prisoner)

voet'(heel)kun'de chiropody, podiatry; **voet'= (heel)kun'dige** podiatrist *ook* **podiatris**

voet'heu'wel -s foothill (of mountain)

voe'tjie-voe'tjie: ~ *loop/sluip* move slowly/ cautiously *ook* **kat'voet, soet'jies/suut'jies**

voet: ~kus'sing hassock; **~noot** (s) **..note** footnote; **~pad** footpath; **~skim'mel** athlete's foot; **~slaan** (w) -ge- walk; hike; slog; **~slaanpad'** hiking trail *ook* **stap'roete; ~solda'te** infantry; **~sool** sole of the foot;

~soolvlak' grassroot(s) level *ook* **grond'vlak; ~spoor** footprint; *iem. se ~spore volg* follow in s.o.'s footsteps; **~sla'ner** hiker; backpacker *ook* **pak'stapper; ~stoots** voetstoots (SAE), as it stands (legal); **~stuk** pedestal; **~val** prostration (act of kneeling before an altar/a person); **~versor'ger** pedicure

vog (s) **-te** liquid, moisture; juice; **~dig'ting** damp-proofing; **~tig** damp, moist; **~tigheid'** dampness, moisture; **~vry'** dampproof

vokaal' (s) **voka'le** vowel *ook* **klin'ker**

vokatief' ..tiewe vocative (gram.)

vol (b) full, filled; *uit ~le bors sing* sing at the top of one's voice; *ten ~le* completely, fully; **~bloed** thoroughbred (horse) *ook* **ras'eg**

volbring' (w) ~ achieve, fulfil, accomplish *ook* **voltooi', vervul'**

voldoen' ~ satisfy; comply with; *aan 'n versoek ~* comply with a request; **~de** satisfactory, adequate, enough; *~de punte* adequate/sufficient marks; **~ing** satisfaction; atonement

voldon'ge: ~ *feit* accomplished fact

volein'dig (w) ~ finish, complete, end

vol: ~filiaal' wholly-owned subsidiary; **~gepak'** jampacked, filled to capacity *ook* **stamp'vol**

volg ge- follow, succeed; shadow; *klasse ~/loop* attend classes; *slot ~* to be concluded (in the next issue); **~af'stand** following distance (cars); **~e'ling** adherent, follower; **~end** (b) **-e** following, next; *~ Dinsdag* Tuesday next week; **~ens** according to; *~ens artikel 137* under section 137; **~nom'mer** serial number; **~or'de** sequence; consecutive order; **~saam** docile, tractable *ook* **meegaan'de; ~stroom** slipstream (behind aircraft)

vol'graan/vol'koring whole-wheat

volhard' (w) ~ persevere, persist; **~ing** (s) perseverance *ook* **deur'settingsvermo'ë**

vol'hou (w) -ge- persevere, maintain *ook* **aan'= hou;** *volgehoue belangstelling* continued interest; *volgehoue ondersteuning/steun* continued support

volk -e, -ere people, nation; *die uitverkore ~* the chosen people

Vol'ke(re)bond' League of Nations (predecessor of United Nations)

vol'kekunde anthropology, ethnology (subject)

vol'kereg international law

volko'me (b, bw) complete, quite, perfect, absolute *ook* **heel'temal;** *jy het ~ gelyk* you are quite right

volks: ~aard'/~karak'ter national character; **~dan'se** folk dancing *ook* **volkspe'le** (veroud.); **~dig'ter** national/popular poet; people's poet; **~drag'** national/traditional dress; **~etimologie** folk/popular etymology (gram.); **~gesond'= heid** public health; **~groep'** population group *ook* **bevol'kingsgroep; ~huis'houding** domes

tic economy; **~kun'de** (study of) folklore;
~lei'er leader of the people; **~lied** national
anthem; **~me'nigte** crowd; mob *ook* **gepeu'=
pel; ~mond:** *in die ~mond* in the vernacular/
idiom of the people; **~moord** genocide *ook*
men'seslagting; ~oor'lewering popular tradi=
tion; folklore

volk'spele (veroud.) folk dancing *ook* **volks'=
danse**

volks'planting (s) settlement, colony, colonisa=
tion (esp. the Dutch settlement at the Cape)

Volks'raad House of Assembly (previous lower
house of SA parliament; legislative assembly
of old Transvaal and Orange Free State
republics)

volks: ~rege'ring democracy *ook* **demokrasie';
~vertel'ling** folk tale *ook* **~oor'lewering,
folk'lore; ~tel'ling** census *ook* **sen'sus**

volk'stemming (s) referendum, plebiscite *ook*
referen'dum

volks: ~verhui'sing large-scale migration of
people; **~wel'syn** social welfare; (department
of) social services

volle'dig (b, bw) complete, entire; **~heid** com=
pleteness

vol'maak[1] (w) **-ge-** fill (up) (with petrol); fill to
the brim (with liquid)

volmaak'[2] (b) perfect *ook* **volko'me; ~te geluk=
skoot** perfect fluke (golf) *ook* **kol'hou; ~t'heid**
perfection

vol'maan full moon

vol'mag -te power of attorney *ook* **prokura'sie;**
warrant, proxy; *by ~* by proxy; *~ gee*
authorise, empower

volmon'dig -e frank, candid; wholehearted(ly);
~/ruiterlik beken admit frankly

vol'op (b, bw) abundant, plentiful *ook* **oorvloe'=
dig**

vol: ~sin complete sentence; **~skaals** (b, bw)
full-scale *kyk* **groot'skeeps; ~sla'e** (b, bw)
complete, entire, utter, absolute; *volslae mis=
lukking* complete/dismal failure

volstaan' *~* suffice; *ek kan ~ deur te sê* suffice it
for me to say; *~ met* content/satisfied with

volstrek' (b, bw) **-te** absolute; *~ nie* by no means,
definitely not; *~te meerderheid* overall/out=
right majority

vol'struis -e ostrich; **~skop** flying kick; mule
kick (wrestling)

volt -s volt (unit of electromotive force)

voltal'lig (b) **-e** complete, plenary; **-e ses'sie/sit'=
ting** plenary session *ook* **vol'sessie**

voltooi' *~* complete, finish; **~d teenwoor'dige
tyd** perfect tense (gram.); **~ing** completion

vol: ~tref'fer direct hit; **~trek'** (w) *~* execute,
carry out, perform; solemnise; **~trek'king** (s)
execution; solemnisation; **~tyds** (bw) full-time
ook **heel'tyds; ~uit** in full

volu'me -s volume *ook* **hoeveel'heid, in'houd;**
bulk

vol'vloertapyt/vol'vloermat wall-to-wall car=
pet(ing)

volwas'se (b) adult, full-grown, mature; **~ne** (s)
-s grown-up person, adult *ook* **groot'mens,
meerderja'rige;** *onderwys vir ~nes* adult
education

vomeer' ge- vomit *ook* **op'gooi, braak; kots**
(vulg.); **~sak'kie** sickbag *ook* **naar'sakkie**

von'deling -e foundling (baby)

vonds (s) **-te** find, discovery

vonk -e spark; **~pos** email/e-mail *ook* **e-pos;
~prop** spark plug

von'kel ge- sparkle *ook* **spran'kel;** *met 'n ~(ing)
in die oog* with a twinkle in the eye; **~ontbyt'**
champagne breakfast; **~wyn** sparkling wine,
champagne *ook* **bruis'wyn, sjampan'je**

von'nis (s) **-se** sentence, judg(e)ment; convic=
tion; (w) ge- sentence, pass judgment; *'n ~ vel*
pronounce/pass a sentence

voog -de guardian; warden; curator

voogdy' -e guardianship; **~skap** guardianship,
tutelage; trusteeship

voor[1] (s) **vore** furrow *ook* **sloot, don'ga;** trench

voor[2] (bw, vgw, vs) before; in front of; previous
to; *jou horlosie is ~* your watch is fast; *~ die
hand liggend* very evident/obvious; *~ en teen*
pro and con; **~aan** foremost; in front; **~aand**
eve; run-up (to); early evening; **~af** previously,
beforehand; *~af waarsku* warn beforehand

vooraf'gaan -ge- precede; **-de** preceding

voor'arm forehand (tennis); **~dryf'hou** forehand
drive (tennis)

voor'baat advance; *by ~ dank* thank(ing) you in
anticipation

voorba'rig (b) **-e** presumptuous, arrogant (per=
son) *ook* **vrypos'tig;** untimely, premature

voor'bedag (b) **-te** premeditated; *met ~te rade*
premeditated

voor'bede = **voor'bidding**

voor'beeld -e example, instance *kyk* **by'=
voorbeeld;** *'n ~ navolg* follow an example

voorbeel'dig (b) **-e** exemplary, commendable
(conduct) *ook* **navolgenswaar'dig**

voor'behoed: ~middel -s contraceptive; prophy=
lactic; precautionary measure; **~pil -le** contra=
ceptive pill

voor'behou (w) *~* reserve; *alle regte ~* all rights
reserved; **~d** (s) **-e** reservation; condition;
sonder ~d without reserve, unconditionally

voor'belaste: *~ inkomste* pretax income

voor'berei (w) *~* prepare; coach; **~d** (b) prepared
ook **gereed', paraat'; ~dend** preparatory;
~ding preparation; **~dingskool'** preparatory
school

voor'bereidsels (s, mv) arrangements; prelimin=
aries

voor: **~berig'** preface, foreword; **~besig'tiging** preview, private view(ing)

voor'beskik ~ predestine *ook* **voorbestem';** **~king'** predestination *ook* **predestina'sie**

voor'bid'ding (s) intercession (by prayer)

voor'blad ..blaaie cover (magazine, book) *ook* **bui'teblad;** **~nooi** cover girl (magazine)

voor: **~bly** keep ahead of, maintain the lead; **~bo'de** forerunner; omen, foreboding *ook* **voor'teken;** **~bok** bellwether; ringleader; **~brand** firebreak; *~brand maak* prepare/pave the way; **~dans** lead the dance; **~dans'er** dance leader, leading dancer

voor'dat before *ook* **alvo'orens;** *~ ek hom betaal* before I pay him

voor'deel ..dele advantage, benefit; profit, gain; *~ trek uit* benefit/profit by/from; derive advantage from; *~ van die twyfel* benefit of the doubt; **~pot** advantage game (tennis); **~trek'ker** beneficiary *ook* **beguns'tigde** (person)

voorde'lig (b, bw) advantageous, beneficial; profitable *ook* **winsge'wend, lo'nend**

voor'deur -e front door

voor'doen -ge- show, pretend, pose; *sy kan haar goed ~* she knows how to make a good impression

voor'dra -ge- recite; present an item; **~er** reciter (person)

voor'drag -te lecture, address; delivery; recital; declamation; **~kuns** art of reciting; elocution *ook* **eloku'sie;** **~kuns'tenaar** reciter, elocutionist

voor'eergister three days ago

voor'gaan -ge- precede, go before; lead; *~ in gebed* lead in prayer; **~de** previous

voor: **~gan'ger** predecessor; leader (minister); **~geberg'te** promontory, headland *ook* **kaap;** **~gee** pretend, profess to be; give odds; give a start/handicap; **~gee'wed'loop** handicap race

voor'(ge)meld -e/voor'(ge)noem(d) -de above-mentioned

voor'genome intended, contemplated; projected, proposed; *~ projek* planned/proposed project

voor'gereg -te first course, entrée

voor'geskrewe prescribed, set; *~ boeke* prescribed books

voor'gestel -de proposed; introduced; *~de plan van aksie* proposed plan of action; *~ word* be introduced; be confirmed (in church)

voor: **~geveg'** preliminary bout (boxing, wrestling); **~geslag'** ancestors, forefathers; **~gestoel'te** prominent seat/position; **~gevoel'** premonition, presentiment, foreboding; **~ge'wel** front gable, facade (of house); **~graads'** (b) **-e** undergraduate (student)

voor'grond foreground; *op die ~* in the foreground/limelight

voor'haker -s mechanical horse; *~ met leun=*

waens articulated truck *ook* **kop'pellorrie; las'lorrie**

voor'hamer -s sledgehammer

voorhan'de (b, bw) on hand; in stock; *nie ~ nie* not in stock

voor'hangsel -s curtain, veil (of temple in Bible

voor'heen (bw) formerly, late *ook* **vantevo're;** *~ benadeeldes* previously disadvantaged person (PDP); *~ onderwyser aan die Hoërskoo Greytown* formerly teacher at Greytown Hig (School)

voor: **~histo'ries** prehistoric; **~hoe'de** vanguard advance guard; forward line (football); **~ho** forecourt; **~hoof** forehead; **~hou** (w) **-ge-** hol before; hold up to, present; exhort; **~hui** foreskin, prepuce; **~huis** lounge *ook* **sit' kamer;** drawing room; *~huwelikse seks* pre marital sex; **~in'genome** prejudiced, partial bias(s)ed *ook* **party'dig**

voor'jaar spring; **~s'reën** spring rain

voor'kant -e front; face (of building)

voor'keer -ge- prevent; bar, block; intercept

voor'keur -e preference *ook* **voor'rang;** favo(u)r ite (internet); *by ~* preferably; *die ~ geniet* have preference; *die besoeker se ~e in ag neem* take the visitor's preferences into account; **~aan' deel** preference share *ook* **preferen'te aan' deel;** **~tarief** preferential tariff

voor'kom[1] (w) **-ge-** appear; exist; happen; *h kom môre voor* he is to be tried (in court tomorrow; *selde ~* occur rarely

voorkom'[2] (w) **~** forestall, prevent *ook* **verhin der, verhoed';** *'n ongeluk ~* prevent a accident; *~ende maatreëls* preventive/pre emptive measures

voorko'ming prevention; *ter ~ van* in order t prevent; **~(s)aan'val** pre-emptive attack/strik *ook* **voor'springaanval** (in oorlog)

voor'koms (s) appearance, look(s), bearing; *di nuwe ~* the new look/fashion

voor: **~kry** (w) **-ge-** rebuke, reprimand; cross examine; **~laai'er** muzzleloader (rifle, hist.) front-end loader (machine); **~laas'te** last b one, penultimate

voor'land (s) fate, destiny; *dis jou ~* that is/lie in store for you

voor'lê[1] (w) **-ge-** submit, lay before (eg a report *ook* **in'dien**

voor'lê[2] (w) **-ge-** await; lie in ambush

voor'lees -ge- read to; *iem. die leviete ~* reprimand s.o. *ook* **beris'pe, uit'trap**

voor'legging -s submission (of report, memo randum)

voor: **~leser** reader; **~le'sing** (public) lecture address; **~letter** initial (letter) *kyk* **paraaf'**

voor'liefde special liking, preference; *'n groot ~ hê vir* have a special preference/liking for

voor'lig -ge- enlighten; give information *oo*

in'lig, adviseer'; **~ting'** information, guidance; **~ting(s)beamp'te** extension officer

voor: **~loop** (w) **-ge-** lead, walk in front; **~lo'per** (s) **-s** forerunner; precursor, herald; leader

voorlo'pig (b) **-e** provisional, preliminary; (bw) for the present/the time being, provisionally

voor'lyf ..lywe front part of the body

voorma'lig (b) **-e** former, sometime; **~e Pre=sident** former President

voor'man -ne foreman, leader

voor'middag ..dae forenoon, morning

voor'naam ..name first name, forename; **~woord'** pronoun (gram.)

voor'nag -te first half of the night

voor'neem -ge- resolve, plan, aim; make up one's mind

voor'neme -ns intention; resolve; *vaste ~* firm resolution; *van ~/~ns wees* intend, plan (v); *verklaring van ~* declaration of intent

voor'oor bending/leaning forward, head first

voor'oordeel ..dele prejudice, bias *ook* **party=digheid**

voor: **~op** in front; **~os** front ox; leader (person); **~ou'ers** ancestors, forbears *ook* **~sa'te**; **~perd** front horse; ringleader *ook* **voor'bok**; **~poot** front leg, foreleg (animal); **~portaal'** foyer, porch, hall, lobby; **~pos** outpost

voor'praat -ge- prompt; talk into the belief

voor'raad ..rade stock, provisions, supply; **~opneem** take stock *ook* **inventariseer'**; **~skuur** warehouse, store(house) *ook* **pak'huis**; **~op=name** stocktaking *ook* **inventa'ris(asie)**; **~skip** supply ship/vessel; **~sta'pel** (s) stockpile; **~sta'peling** stockpiling (of arms)

voorra'dig (b) in stock, on hand

voor'rang (s) precedence; priority; **~lys** table of precedence (protocol); **~te'ken** yield sign *ook* **toe'geeteken** (verkeer)

voor: **~re'de** preface, foreword; **~reg** privilege *ook* **privile'gie** (in parlement); prerogative; **~ruit** windscreen (car)

voor'ry (s) **-e** front row (forwards, rugby); (v) **-ge-** ride in front

voor'saat .. sate ancestor, forbear *ook* **voor'=ouer, voor'geslag**

voor'sê¹ (w) **-ge-** prompt, whisper to *ook* **in'fluister**; **~vraag** leading question (in court)

voor'sê² **~** (w) foretell, predict, prophesy *ook* **voorspel', profeteer'**; **~er** (s) **-s** predictor; prompter (in a play)

voor'setsel -s preposition (gram.)

voorsien' **~** provide, furnish *ook* **verskaf'**; foresee, anticipate; *in 'n behoefte ~* meet a need; *~ van* provide/supply with: **~er** provi=der, supplier *ook* **verskaffer**

voorsie'nigheid Providence; God's will

voorsie'ning: **~ maak vir** make provision/pro=vide for

voor'sing -ge- lead in singing; **~er** leader (in singing); precentor

voor'sit¹ (w) **-ge-** place before, put in front; serve (food)

voor'sit² (w) **-ge-** preside, take the chair, chair the meeting; **~ter** (s) **-s** chairman, chairperson, chair (man); madam chair, chairperson, chair (woman) *ook* **~ster**; *Agbare V~ter* Madam Chair; Mr Chairman; **~ters'rede** chairperson's address

voor'skiet -ge- advance, lend (money)

voor'skools -e pre-primary *ook* **pre-primêr'**

voor'skoot . .skote apron, pinafore

voor'skot -te advance, loan; accommodation; *'n ~ gee* advance money

voor'skou (s) **-e** preview *ook* **voorbesig'tiging**

voor'skrif -te prescription (for chemist) *ook* **preskrip'sie**; direction; regulation

voor'skryf/voor'skrywe -ge- prescribe, lay down

voor'skyn: *te ~ bring* produce; bring to light; *te ~ kom* appear

voor'slag ..slae thong, whiplash; live wire (person)

voor'smaak (s) foretaste (usually fig.)

voor'snybuffet' carvery (in restaurant); **~mes** carving knife

voor'sorg precaution, provision; *~ keer nasorg* prevention is better than cure; *~ maak* provide for; **~fonds** provident fund; **~maat'reëls** pre=cautions *ook* **voor'sorge**

voor'spel¹ (s) **-e** prelude, overture (mus.)

voor'spel² (s) forward play (rugby)

voorspel'³ (w) **~** predict, prophesy, foretell (the future), forecast (financial figures, weather) *ook* **vooruit'skat**

voor'speler -s forward (rugby, soccer)

voorspel'ler -s diviner *ook* **waar'sêer**; prophet *ook* **profeet'**

voorspel'ling -s prophecy, prediction *ook* **profesie'**

voor'spoed (s) prosperity *ook* **wel'vaart, voor=uit'gang**; *in ~ en teenspoed* for better or for worse; in storm or shine

voorspoe'dig (b) prosperous, thriving, flourish=ing *ook* **flore'rend, welva'rend**

voor'spooksel -s ill/bad omen, foreboding; premonition *ook* **voor'gevoel**

voor'spraak (s) intercession; mediator *ook* **(be)mid'delaar**; *~ vir iem. wees* put in a good word for s.o.

voor'spring -ge- forestall, pre-empt *ook* **vooruit'loop**; **~aan'val** pre-emptive strike/attack

voor'sprong (s) advantage, lead; *sy ~ behou* retain his lead

voor'staan -ge- advocate, champion (a cause); await, lie in ambush (for s.o.)

voor'stad ..stede suburb; township

voor'stander -s proponent, advocate, champion; stakeholder

voor'ste (b) foremost; leading (person)

voorste'delik (b) suburban; *~e trein* subur=ban/commuter train *ook* **pen'deltrein**

voor'stel[1] (s) **-le** forecarriage, forebody (of vehicle); limber (of gun carriage)

voor'stel[2] (s) **-le** proposal, suggestion; proposi=tion; motion (meeting); *'n ~ aanneem* adopt/accept a proposal; *'n ~ verwerp* reject a proposal; (w) **-ge-** propose, suggest *ook* **aan'beveel**; move, introduce; represent; imag=ine; **~ler'** proposer, mover; **~ling'** presentation; performance; confirmation (church); **~lings=para'de** passing out parade (mil.)

voor'stewe -ns prow, stem (ship)

voor'stuk -ke front piece; curtain-raiser

voort (bw) onwards, along, forth

voor'taan (bw) in future, henceforth

voor'tand -e front tooth

voort: **~bestaan'** (s) survival *ook* **oorle'wing**; continued existence; **~breng'sel** (s) **-s** product *ook* **op'brengs, uit'set**; **~bring'** (w) **-ge-** create; produce, yield *ook* **produseer', op'=lewer**; father (a child)

voortdu'rend -e continuous, forever, incessant, continual *ook* **aanhou'dend, deurlo'pend**

voor'teken -s omen, augury, foretoken, portent

voort'gaan -ge- continue, proceed; go on *ook* **aan'gaan**

voort'gang (s) progress *ook* **vor'dering**

voort'gesette (b) continued; *~ onderwys* con=tinuing/ongoing education

voor'tou (s) leading thong (oxen); lead (usually fig.); *die ~ neem* take the lead

voort'plant -ge- spread, multiply *ook* **vermeer'=der**; propagate *ook* **aan'teel; kweek**; transmit; **~ing** propagation, spread

voortreflik (b) excellent, outstanding, exemplary *ook* **uitmun'tend**; exquisite *ook* **keur'ig**; *~e diens* meritorious service; **~heid** excellence

voor'trek -ge- treat with favour, be partial to *ook* **begun'stig**; pull into the front position

Voor'trekker -s Voortrekker; South African/Boer pioneer (hist.)

voorts (bw) moreover, furthermore, besides

voort'setting -e, -s continuation *kyk* **voort'=gesette**

voort'sit -ge- continue, carry on

voortsle'pende: *~ geweld* continuing/unrelent=ing violence

voort'spruit -ge- arise, issue, spring from; *~ uit* arise from

voortva'rend (b) impetuous, impulsive *ook* **oor'haastig, halsoorkop'**

voort: **~vloei** result/arise from; **~woe'ker** eat into, spread, fester

voor'tyds -e former *ook* **eer'tyds, vanmele'we**

vooruit beforehand, in advance; in front of, before; *~gedateerde tjek* postdated cheque; **~betaal'** pay in advance; **~betaal'baar** pay=able in advance; **~gaan** prosper; proceed, get on; **~gang** progress, advancement; **~loop** anticipate; pre-empt (a decision); walk on in front (of s.o.); **~sien** foresee, look far ahead *kyk* **uit'sien**

vooruit'sig -te prospect, outlook; *in die ~ stel* envisage

vooruit'skat -ge- forecast; **~ting** forecast *ook* **projek'sie**

vooruit'skou -ge- preview; **~ing** preview *ook* **voor'skou**

vooruit'streef/vooruit'strewe -ge- forge ahead, push forward, strive forward

vooruitstre'wend (b) progressive, ambitious *ook* **ambisieus'**

voor'vader (s) **-s** ancestor, forbear *ook* **stam'=vader**; **~lik** (b) **-e** ancestral; *~e geeste* ancestral spirits

voor'val (s) **-le** incident, event; (w) **-ge-** take place, occur

voor: **~veg'ter** champion *ook* **kamp'vegter**; **~vereis'te** prerequisite; **~verto'ning** preview (of show); **~vin'ger** index finger

voor'voegsel -s prefix (gram.)

voorwaar' (bw) indeed, truly, surely *ook* **stel'lig, inderdaad'**

voor'waarde (s) **-s** condition *ook* **kondi'sie**; stipulation *ook* **bepa'ling**; *op ~ dat* on condition that; *onder daardie ~* on that condition; **~lik** (b, bw) **-e** conditional

voor'waarts -e forward; *~ mars!* quick march!

voor'wedstryd -e curtain-raiser (sport)

voor'wend (w) **-ge-** pretend, profess, sham, make believe; *siekte ~* sham sickness; **~sel** (s) **-s** pretext, pretence, subterfuge; *onde=~sel/skyn van* under the pretext of

voor'wêreldlik -e prehistoric, primeval

voor'werp -e object, thing; *~ van spot* subject o ridicule

voor'wiel -e front wheel; **~(aan)'drywing** front wheel drive (vehicle)

voor'woord -e foreword, preface

voos (b) spongy, pulpy; sickly, weakish; *ons is a ~/gaar/gedaan van al die kritiek* we have ha our fill of criticism; *~ slaan* beat to pulp

vor'der ge- make progress; demand, claim *ky* **in'vorder**; **~ing** progress *ook* **vooruit'gang ~ing'(s)verslag** progress report

vorendag': *~ kom* appear (suddenly); *~ kom m* reveal; advance (an argument)

vo'rentoe (b, bw) to the fore, forward; *~ boe* forge ahead; *dit smaak ~* it tastes good; *sterk ~!* good wishes for the future; **~aange** forward pass (rugby)

vo′rige former, past, last; *die ~/voorafgaande dag* the day before

vorm (s) **-e, -s** form, mould, shape; (w) ge-shape, form, mould; *lydende en bedrywende ~* passive and active voice (gram.); *verskillende ~e van* different versions of; **~brief** standard/ stock letter; **~drag** foundation garments; **~ing** forming, shaping, moulding; cultivation (mind) *ook* **op′voeding; ~lik** formal *kyk* **formeel′; ~loos** shapeless

vors[1] (s) **-te** ruler; king, emperor *ook* **heer′ser, ko′ning, kei′ser**

vors[2] (s) **-te** ridge (of roof)

vors[3] (w) **ge-** investigate, search, probe *kyk* **na′vors**

vors′te: ~dom (s) **-me** principality, princedom; **lik** (b) princely; *~e beloning* generous reward; *~e inkomste* huge income; *~e ontvangs* red-carpet welcome/reception

vorstin′ -ne queen, empress *ook* **ko′ningin, kei′serin**

vort (bw) away, gone; *hy is ~* he has gone/ pushed off

vos (s) **-se** fox *ook* **jak′kals**

vosperd -e chestnut/bay horse *ook* **vos**

vou (s) **-e** crease, fold, ruck, pleat; (w) ge-fold, pleat; **~biljet′/~blad′** folder, leaflet, pamphlet; **~ka′tel** stretcher; **~stoel** camp-chair, folding chair/stool

vra (w) ge- ask, question, enquire; *(om) raad ~* ask/seek advice; *~ is vry en weier daarby* there is no harm in asking

vraag (s) **vrae** question, query, request, demand; *~ en aanbod* supply and demand; *'n groot ~ na* a big demand for; *'n ~ opper* raise a question; **~bank** question bank; **~gesprek′** interview (radio/TV) *ook* **on′derhoud; ~stuk** problem, question, issue *ook* **probleem′, kwes′sie; ~te=ken** question mark; query *kyk* **bevraag′ (teken)**

vraat (s) **vrate** glutton (person); **~sug′tig** glut-tonous *ook* **gul′sig**

vra′e: ~boek catechism; **~lys** questionnaire; **~stel** (examination) paper, set of questions

vrag -te load, cargo, freight; carriage; **~boot =** **vrag′skip; ~brief** consignment note (rail); bill of lading (ship); **~geld** cartage; freight; **~hou=** **er** container (transport); **~karwei′er** haulier, trucker, (common) carrier; **~mo′tor** lorry, van, truck *ook* **lor′rie; ~motorbestuur′der** truck driver, trucker *ook* **lor′riedrywer; ~ruim** hold (of ship/aircraft); **~skip** freighter, cargo ves-sel/ship; **~soe′ker** ocean tramp (ship); **~trein** goods train *ook* **goe′deretrein; ~vry** carriage paid; **~wa** truck, lorry

vrank (b) acrid, sour, astringent *ook* **suur′derig, wrang**

vrat -te wart; pustule; verruca; **~jie** (verklw) *kyk* **vrat**

vre′de (s) peace, calm; *met ~ laat* leave alone; *rus in ~* rest in peace; *~ sluit* make peace; **~lie′wend** (b) peace-loving *ook* **vreed′saam**

vre′dereg′ter -s justice of the peace

vre′des: ~konferen′sie peace conference: *~* **naam:** *in ~naam* for heaven′s **sake** *ook:* om hemelswil; **~onderhan′delinge** peace negotia-tions: **~tyd** time/period of peace; **~verdrag′** peace treaty; **~voor′waardes** peace terms/ conditions

vreed′saam (b, bw) peaceful, calm *ook* **vredig;** *vreedsame naasbestaan* peaceful coexistence

vreemd (b, bw) strange, queer; foreign, alien; *~e taal* foreign language

vreem′de (s) **-s** stranger; foreigner *kyk* **vreem′= deling;** *in die ~e* in foreign parts, abroad

vreem′deling (s) **-e** stranger; foreigner *ook* **bui′telander, uit′lander; ~e′haat** xenophobia *ook* **xenofobie′**

vrees (s) **vrese** fear, apprehension; *~ koester vir* be afraid of; *uit ~* for fear of; (w) ge- fear, dread; apprehend; *ek ~ dat* I am afraid that; **~aanja′(g)end** terrifying *ook* **skrik′wekkend, angswekkend; ~aanja′ging** intimidation *ook* **intimida′sie; ~bevan′ge** scared (stiff), petri-fied

vrees′lik (b) terrible, horrible, dreadful; (bw) terribly, horribly, awfully: *~ stadig* dead/ terribly slow

vrees′loos undaunted, daring, brave *ook* **dap′per, kordaat′**

vreet ge- eat (animal), gorge *ook* **eet, veror′ber**

vrek[1] (s) **-ke** miser (person) *ook* **gie′rigaard**

vrek[2] (w) ge- die (animal) *ook* **dood′gaan**

vrek[3] (bw) extremely; *jou ~ werk* work oneself to death; **~bang** scared stiff; cowardly

vrek′kerig/vrek′kig (b, bw) miserly, stingy, penny-pinching *ook* **gie′rig, inha′lig**

vrek′sel (s) **-s** scoundrel

vrek′te (s) mortality (animals)

vreug′de -s joy, gladness *ook* **blyd′skap; ~fees** festivity *ook* **makie′tie; ~vuur** bonfire

vriend -e friend (man); *dik ~e wees* be insepa-rable friends; *'n ~ in nood* a friend in need

vrien′dekring (s) circle of friends

vrien′delik (b, bw) kind, friendly; *~e persoon* friendly/amiable person; **~heid** kindness, friendliness; *oorloop van ~heid* ooze charm

vriendin′ -ne friend (woman)

vriend′skap (s) friendship, favour

vriendskap′lik friendly, amicable *ook* **be= vriend′;** *~e brief* friendly letter; *~e wedstryd* friendly match

vries (w) ge- freeze; **~brand** (s, w) frostbite; *hy het ge~brand* he was frostbitten; **~kas** freezer, deep freeze; **~punt** freezing point; **~weer′der** antifreeze

vroed′vrou -e midwife *ook* **kraam′verpleegster**

vroe'ër (b) earlier; former; late; (bw) formerly; ~ *of later* sooner or later

vroeg (b, bw) **vroeë; vroeër, -ste** early, timely; *'n vroeë/ontydige dood* an untimely death; *smôrens* ~ early in the morning, at dawn

vroeg'ryp (b, bw) precocious, premature (child)

vroegty'dig (b, bw) **-e** early, in good time *kyk* **betyds', op tyd**

vroeg'-vroeg' (b, bw) very early, in the small hours

vroe'tel ge- wallow, scratch up soil, burrow *ook* **snuffel; (rond)woel; ~va'der** sugardaddy *ook* **paai'pappie, sui'keroompie**

vro'lik (b) merry, cheerful, happy *ook* **op'gewek, plesie'rig**

vro'likheid (s) gaiety, merriment; mirth; *na ~ kom olikheid* after laughter come tears

vroom (b) **vrome** pious, devout; saintly; reli= gious; **~heid** piety, devotion

vrot (w) ge- rot, putrefy; decay; (b) rotten, decayed, putrid; **~poot'jie** (s) blackleg, potato rot; eelworm; **~sig** (b, bw) lousy, beastly; hopeless, inefficient *ook* **pate'ties;** rotten (idea)

vrou -e, -ens woman; wife; *man en ~* husband and wife

vrou'e: ~dok'ter gynaecologist *ook* **ginekoloog';** female doctor; **~haarva'ring** maidenhair fern; **~ha'ter** womanhater, misogynist; **~jag'ter** womaniser (person) *ook* **rok'jagter; ~krag** woman power; **~sla'ner** wife beater/batterer; **~spesialis'** gynaecologist; **~vere'niging** women's association/club; **~vry'heid** wom= en's lib(erty)

vrou: ~lik womanly, female; feminine; *die ewig ~like* the eternal woman; **~mens** (meesal neerh.) **-e** woman, female

vrug (s) **-te** fruit; result, effect; ~ *dra* bear fruit; *die ~te pluk* pluck/reap the fruits; benefit (from something)

vrug'afdrywing abortion *ook* **abor'sie** *kyk* **mis= kraam**

vrug'baar fertile; fruitful, prolific, rich; **~heid** fruitfulness, fertility

vrugdra'end -e fruit-bearing, fruitful

vrug'gebruik (s) usufruct *ook* **le'wensreg**

vrug'reg -te royalty (mining) *kyk* **outeurs'= aandeel** (boek); **tantie'me**

vrug'te: ~bot'tel/~fles (fruit) jar; **~boord** or= chard; **~drank** fruit drink; **~loos** ineffectual, vain, futile *ook* **vergeefs', futiel'; ~sap** fruit juice; **~slaai** fruit salad; **~vlieg** fruit fly; **~win'kel** fruit shop

vry[1] (w) ge- woo, court, flirt; *hy ~ na die nooi* he is courting the girl; **~a'sie** (love) affair

vry[2] (b) free, bold, unconstrained; off duty; *dit staan jou ~* you have the option; ~ *soos 'n voël* free as a bird; **~bel** (w) ge- call/phone tollfree

ook **tol'vry bel; ~belnom'mer** tollfree numbe

vry'brief[1] (s) **..briewe** love letter *ook* **min nebrief**

vry'brief[2] (s) **..briewe** charter, permit, passpo *ook* **oktrooi', permit'**

vry'buiter -s privateer, freebooter, buccanee *ook* **boekanier'** (hist.)

vry'burger -s free burgher (hist.)

Vry'dag Friday; **Goeie ~** Good Friday (religiou holiday)

vry: ~den'ker freethinker, libertine; **~draai** id (engine) *ook* **lui'er** (w); **~dra'(er)balk** cant lever (beam); **~duik/valduik** skydiving **~(e)lik** freely

vry'e: ~mark'stelsel free enterprise system *o* **onderne'mingsvryheid; ~ toe'gang** admissio free: **~ tyd** spare/leisure time: **~tyd'studie** recreational studies; **~ ves'tiging** free settle ment

vry'er -s lover *ook* **min'naar;** boyfriend *o* **kê'rel;** suitor; **~klong** suitor, wooer; **~y** cour ship; lovemaking

vry'etydbeste'ding recreational/leisure activitie

vryf/vry'we (w) ge- rub; massage; polish

vry'gee -ge- give a holiday, give leave/off

vry: ~gelei'de safe conduct; **~gesel'** bachelo **~gewes'** (British) dominion

vryge'wig (b) generous, openhanded, charitabl *ook* **gul, ruim'har'tig**

vry'handel free trade; **~aar** free-trader

vry'heid ..hede liberty, freedom, independence scope; ~ *van beweging* freedom of movemen *digterlike ~* poetic licence; *hom vryhe veroorloof* take liberties (with)

vry'heids: V~dag Freedom Day (holiday, 2 April); **~hand'ves** freedom charter; **~lief'd** love of liberty/independence; **~oor'log** war independence; **~veg'ter** freedom/struggl fighter

vry: ~hoog'te clearance (vehicle); **~kaar'tj** complimentary ticket; free pass; **~ka'me** best/guest room; **~koop** redeem; ranso *ook: losgeld betaal;* **~laat** release; liberat set at liberty; **~la'ting** release, emancipatio liberation: *~lating van gyselaars* release hostages; **~loop** run free; freewheel; id (engine) *ook* **lui'er; ~maak** liberate, free

Vrymes'selaar -s Freemason; **~s'lo'sie** Fre mason's lodge

vrymoe'dig (b) candid, frank *ook* **openhar'tig; ~heid** frankness, candour; *ek neem die ~he om* I take the liberty of

vry'pag freehold; **~eien'dom** freehold property

vry'pos freepost

vrypos'tig (b) forward, presumptuous *o* **voorba'rig;** impudent *ook* **verme'tel**

vrysin'nig (b) liberal-minded; progressive

vry'skut (s) **-s** freelance(r) (person); **~werk** do

freelance (v); (w) **ge-** freelancing; **~joernalis'** freelance/independent journalist

vry: **~spraak** (s) acquittal, discharge; **~spreek** (w) **-ge-** acquit, discharge

Vry'staat[1] Free State (province) *voorheen* **Oran'je-Vrys'staat**

Vrystaat![2] (tw) come on!; well done!

vry'stad **..stede** free city (hist.)

vry'stel -ge- exempt, let off; *~ van 'n vak* exempt from a subject; **~ling** exemption

vry-uit (bw) frankly, freely

vry'waar ge- indemnify; guard, guarantee *ook* **waar'borg;** *iem. vrywaar van/teen verliese* protect/safeguard s.o. against losses *kyk* **vry'= waring**

vry'ware (s) freeware (comp.)

vry'waring (s) protection; safeguarding; guarantee; amnesty *ook* **amnes'tie, kwyt'skelding**

vry'we = **vryf**

vry'wel (bw) fairly well, pretty much; *dis ~ onmoontlik* it is practically impossible

vrywil'lig (b, bw) voluntary; **~er** (s) **-s** volunteer (person)

vuig (b, bw) mean, sordid *ook* **laag, afstoot'lik**

vuil (b, bw) dirty, smutty, nasty; obscene; *~ spel* foul/dirty play; *~ taalgebruik* dirty/obscene language; **~goed** dirt; rubbish; dirty/nasty person; weeds; **~goedblik'** dustbin *ook* **vul'= lisblik;** **~heid/~igheid** grime, smut, trash, filth; **~is** rubbish, trash, dirt *ook* **vul'lis;** **~siek'te** venereal disease *ook* **geslag'siekte**

vuis -te fist; *in sy ~ lag* laugh up one's sleeve; *uit die ~ praat* speak extempore; *gebalde ~* clenched fist; **~geveg'** boxing match; fisticuffs; **~slag** punch, blow of the fist; **~veg'ter** boxer, pugilist; **~voos** punch drunk *kyk* **voos;** **~ys'ter** knuckle-duster

vul[1] (s) **-lens** foal; colt (male); filly (female); (w) **ge-** foal

vul[2] (w) **ge-** fill, stuff

vulgêr' (b, bw) **-e** vulgar *ook* **grof, plat, kru**

vulkaan' **..kane** volcano; **uitgedoofde/uitge= werkte ~** extinct volcano

vulka'nies (b) **-e** volcanic *ook* **vuur'spuwend**

vul: **~ling** filling; stopping; refill; **~lis'** rubbish, trash, refuse, garbage *ook* **af'val;** **~lis'blik** dustbin, trash can; **~lis'verwy'dering** garbage/rubbish removal; **~pen'** fountain pen; **~sel'** stuffing; padding, filling *ook* **stop'sel;** **~sta'sie** filling station, garage

vu'rig (b) fiery, spirited, glowing, fervent, ardent *ook* **bran'dend; pas'sievol;** *~ bid* pray fervently; **~heid'** ardour, fervour, passion

vurk -e fork; *hy weet hoe die ~ in die steel sit/hef steek* he knows the ins and outs of a thing; **~hy'ser** forklift

vuur (s) **vure** fire, flame *ook* **brand;** ardour;

gangrene; *nie langs een ~ sit nie* unable to hit it off with s.o.; *~ en vlam wees* be bursting with enthusiasm; (w) **ge-** fire, shoot (with a gun)

vuur: **~dood** death by fire; **~doop** baptism of fire; crucial test; **~e'ter** fire-eater (entertainer) *kyk* **vuurvre'ter;** **~(h)erd** hearth, grate; **~hout'jie** match; **~kon'ka** fire drum, brazier; **~koe'ël** fireball; **~li'nie** firing line; **~maak** (w) **-ge-** light a fire; *onder iem. ~ maak* prod s.o. into action; **~maakplek'** fireplace; comprehen= sion; *dis bo(kant) my ~maakplek* it is above/ beyond me; **~peloton'** firing squad; **~proef** crucial test, acid test, ordeal; *die ~proef deurstaan* stand the test; **~pyl** rocket; **~pylaan'drywing** rocket propulsion; **~pyl'= aan'jaer** rocket booster; **~pylrig'ter** rocket launcher; **~rooi** red as fire; **~skerm** fire screen; **~slag** flint, steel and tinder; (cigarette) lighter *ook* **aan'steker;** **~spu'(w)end** belching fire; volcanic; **~spu'(w)ende berg** volcano *ook* **vulkaan';** **~tes'sie** chafing dish *ook* **konfoor';** **~to'ring** lighthouse *ook* **lig'baken**

vuur'vas -te fireproof *ook* **vuur'bestand;** re= fractory; *~te klei* fireclay; *~te skottel* fireproof dish

vuur: **~vlieg(ie)** firefly; **~vre'ter** hothead, fire= brand (person) *ook* **heethoof, dwe'per** *kyk* **vuure'ter;** **~wa** (fast) motorcar; **~wa'pen** firearm; **~warm** red-hot; *hy was ~warm* he was stone-drunk; **~werk** fireworks, pyrotech= nics

vy (s) **-e** fig (fruit)

vy'and -e enemy, foe *ook* **antagonis', teen'= stander;** *geswore ~* sworn enemy/foe; *vriend en ~* friend and foe

vyan'delik (b) hostile; *~e gebied* enemy terri= tory; **~heid** hostility

vyan'dig (b) antagonistic, ill-disposed; *~e hou= ding* antagonistic attitude; *~e oorname (van 'n maatskappy)* hostile takeover (of a company); **~heid** enmity, animosity

vy'andskap (s) antagonism, hostility

vy'e: **~blaar** fig leaf; **~boom** fig tree

vyf (telw) **vywe** five; **~daewerk'week** five-day working week; **~de** fifth; **~de kolon'ne** fifth column (traitors); **~dens** fifthly, in the fifth place; **~gange'te** five-course meal; **~hoek** pentagon; **~kamp** pentathlon (sport) *ook* **pen'= tatlon;** **~tien** fifteen; **~tien'de** fifteenth; **~tig** fifty; **~tig'ste** fiftieth; **~uur** five o'clock; **~voud** (s) quintuple; (b) fivefold; **~vou'dig** (b) fivefold, quintuple

vy'gie -s several species of *Mesembryanthemum,* vygie

vyl (s) **-e** file (tool); (w) **ge-** file (one's nails)

vy'sel -s mortar; *~ en stamper* mortar and pestle

vy'wer -s pond, ornamental lake *ook* **poel**

W

wa (s) **-ens** wagon; carriage; truck *ook* **voer'tuig, ry'tuig;** *voor op die* ~ *wees* be forward/pushy *ook:* vrypostig wees

waag (w) **ge-** venture, risk; dare; hazard; *'n kans* ~/*vat* take a chance; *wie nie* ~ *nie, sal nie wen nie* nothing ventured nothing gained; **~arties'** stuntman *kyk* **sweef'arties; ~hals** daredevil *ook* **kans'vatter**

waaghal'sig (b, bw) reckless, foolhardy *ook* **roe'keloos, onverskil'lig**

waag: ~hans chancer; **~moed** valour; pluck, guts, grit, daring *ook* **durf; ~politiek'** brinkmanship; **~stuk** hazardous undertaking, daring feat *ook:* riskante onder= neming

waai[1] (s) **-e** bend (of knee); crook (of arm)

waai[2] (w) **ge-** blow, flutter; fan; *die vlae* ~ *halfstok* the flags are flying at half-mast; *tot siens* ~/*wuif* wave goodbye; **~er** fan; **~er'= band'** fan belt; **~er'stertmeer'kat** fan-tailed meercat, ground squirrel

waai[3] (w) **ge-** leave, push-off *ook* **pad'gee, loop, trap;** relocate *ook* **verhuis'**

waak ge- watch, be awake; ~ *teen* be on one's guard against; **~een'heid** intensive care unit *ook* **intensie'we sorg'eenheid; ~saam** vigi= lant, watchful; **~sorg** intensive care

waan (s) delusion, illusion, fancy *ook* **illu'sie;** *in die* ~ under the impression; **~beeld** phantasm; pipe dream; **~sin** insanity, lunacy *ook* **kranksin'nigheid**

waansin'nig (b, bw) **-e** insane, deranged, de= mented *ook* **bese'te; ~e** (s) **-s** lunatic, madman, maniac

waar[1] (veroud.) (s) *kyk* **ware**[1] (s, mv)

waar[2] (b, bw) **ware** true, real, genuine; *die ware Jakob/jakob* the real McCoy; *so* ~ *soos padda manel dra* as true as faith

waar[3] (bw) where; **~aan?**/ **waar aan?** by what?; to which?; ~*aan dink jy?* what are you thinking about?; **~agter**/~ **agter** behind what/which

waar[4] (vgw) since, seeing that, whereas; ~ *die pryse nou styg* since things are getting more expensive

waarag'tig (b) **-e** true, real genuine; (bw) really, truly, veritably

waar'bo?/**waar bo?** (vnw) above which?; be= yond which?

waar'borg (s) **-e** guarantee, warranty *ook* **garan'sie;** (w) **ge-** warrant, guarantee; *dit kan ek jou* ~ I can vouch for/warrant it

waar'by/waar by whereby

waard (veroud.) **-e** innkeeper *ook* **herbergier';** hotel proprietor; landlord

waarda'sie -s assessment, valuation *ook* **waar= debepa'ling**

waar'de (s) **-s** worth, value; *van nul en gener* ~ null and void (legal); worthless; *ter* ~ *van* t͟o the value of; (b) worthy; **W~/Geag'te Heer** Dear Sir; **~bepa'ling** assessment, evaluation *ook* **evalue'ring**

waardeer' (w) **~, ge-** esteem, appreciate *ook:* op prys stel; value, estimate; assess, appraise *ook* **evalueer';** *ek* ~ *jou hulp* thanks for helping me; **~der** valuator, assessor

waar'deloos (b) **..lose** worthless, valueless

waarde'ring (s) regard, appreciation, esteem; valuation, assessment; *hy betuig sy* ~ h͟e expresses his appreciation; *blyk van* ~ token of appreciation

waar'deur/waar deur by what, whereby

waar'devermin'dering (s) depreciation *ook* **depresia'sie;** devaluation (money)

waar'devol (b) **-le** valuable; precious

waar'dig (b) **-e** worthy, dignified *ook* **verhe'we;** **~heid** dignity; *benede sy* ~*heid* beneath hi͟s dignity

waar'heen/waar heen whither, where to *ook* **waarnatoe'**

waar'heid ..hede truth; reality; truism; *van alle* ~ *ontbloot* devoid of all truth; **~lie'wend** truth loving, veracious; **~se'rum** truth drug/serum; **~toet'ser** polygraph *ook* **poligraaf'**

Waar'heids-en-Versoe'ningskommis'sie (WVK) Truth and Reconciliation Commission (TRC) *ook* **Kommis'sie vir Waar'heid en Versoe'= ning**

waar'in?/waar in? (vnw) wherein?; in what which?

waar'langs/waar langs (vnw) along which, pas͟ which

waar'lik (bw) indeed, truly *ook* **werk'lik,** inderdaad'

waar'mee?/waar mee? (vnw) with what/which

waar'merk (s) **-e** stamp, hallmark; (w) **ge-** hallmark, authenticate, validate; certify

waarna'/waar na (vnw) after what/which; whereafter

waar'naas/waar naas (vnw) beside which

waar'natoe? (vnw) where to?; whither? *oo͟* **waar'heen?**

waar'neem -ge- observe, perceive, notice; mak͟e use of; deputise, act in temporary capacity *oo͟* **ageer';** *die kans* ~ seize/grasp the opportunit͟

waarneem'baar (b) **..bare** perceptible, cogni͟ sable

waar'nemend -e acting; deputising; *~e direkteu͟* acting/deputy director *ook* **adjunk'direkteur**

waar'neming -e, -s observation, perception͟

~s'vermo'ë power of observation; perceptive faculty *ook* **waar'neemvermoë**

waar: ~om? (vnw) why?; wherefore? *ook* **hoe'= kom?**, **~omtrent** about which; **~onder?/~onder?** among which/whom?; under which?

waar'oor?/waar oor?[1] (vnw) about what?; why?

waar'oor[2] (vnw) over which; *die sloot ~ ons gespring het* the ditch we jumped across

waar'op?[1] (vnw) on what?; *~ staan jy?* what are you standing on?

waarop'[2] (vnw) on which, whereupon; *die stoel ~ hy sit* the chair he is sitting on

waar'sê (w) **-ge-** tell fortunes, foretell; **~er** (s) **-s** fortune teller, soothsayer; clairvoyant *ook* **fortuin'verteller**

waar'sku (w) **ge-** warn, caution; alert; **~wing** (s) **-s, -ë** warning, admonition

waarskyn'lik (b, bw) probable, likely *ook* **vermoe'delik**; *hy sal ~ wen* he has a good chance of winning; **~heid'** probability; *na/in alle ~heid* in all probability

waarson'der/waar son'der without which

waar'teen/waar teen' against what/which

waar'toe? whereto?; wherefore?; *~ dien dit?* what is the use of this?

waar'uit?/waar uit? out of which/what?

waar'van?/waar van?[1] (vnw) from where?; of/about what?; *~ het jy gepraat?* what were you talking about?

waarvan'[2] (vnw) of which, whose; *die motor ~ die band pap is* the car with a flat tyre

waar'vandaan?/waar vandaan?[1] (vnw) from where?; wherefrom?; whence?; *~ af?* from where?

waarvandaan'[2] (vnw) from which

waar'voor?/waar voor? wherefore?; why?; for which?

waas (s) **wase** haze, flush, film, mist *ook* **ne'wel**, **mis'tigheid**

wa'-as (s) **-se** wagon axle

waat'lemoen -e watermelon

wa'enhuis -e wagon house, coach house

wa'entjie -s little wagon

wa'fel -s waffle, wafer

waf'fers: *nie te ~ danig nie* nothing to write home about

wag (s) **-te** watch; guard, sentry; (the) waiting; *die ~ aflos* relieve the guard; *(op) ~ staan* stand guard *ook* **wag'hou/wag hou;** *die ~ was lank* it took a long time; we had to wait long; (w) **ge-** wait, stay; **~boet** monitor, watchdog *ook* **dop'houer**

wag'gel ge- waddle (duck); totter; reel; stagger *ook* **stei'er**

wag: ~geld retaining fee *ook* **bind'geld;** **~hond** watchdog; **~ka'mer** waiting room *kyk* **spreek'= kamer**

wag-'n-bietjie-boom' thorn tree (several species)

wag: ~lys waiting list; **~ter** watchman, keeper; herd; **~tery/~gery** (tedious) waiting; **~to'ring** watchtower; **~tyd** standing time *ook* **by'= standtyd, steun'tyd;** **~woord** watchword; password (also comp.); parole

wa'kend -e wakeful, vigilant; *'n ~e oog hou op/oor* keep a watchful eye on

wa'kis -te wagon chest; coach box

wak'ker (b, bw) awake; alive; vigilant, alert; *~ word/skrik* wake up; *sy is wawyd ~* there are no flies on her

waks (s) **-e** (boot) polish *ook* **politoer';** (w) **ge-** polish *ook* **(op)'vryf, poets**

wal (s) **-le** bank (of river); shore, embankment; *van die ~ in die sloot* from the frying pan into the fire

walg ge- loathe, disgust, nauseate; **~lik** disgusting, loathsome *ook* **weer'sinwek'kend**

wal'labie -s wallaby (small kangaroo); Australian (person, esp. rugby player)

Wal'lies (b) **-e** Welsh (customs, etc.); **Wal'lieser** (s) **-s** Welshman; **Wal'lis** (s) Wales (region)

walm (s) **-s** (dense) smoke; fume, vapour; (w) **ge-** emit smoke; give off vapour/fumes

wal'rus (s) **-se** walrus (seal-like mammal)

wals[1] (s) **-e** waltz (dance); (w) **ge-** waltz, dance

wals[2] (s) **-e** roller (steel plant/mill); (w) **ge-** roll (steel); **~meu'le** rolling mill

wal'vis -se whale; **~sta'sie** whaling station; **~vaar'der/~van'ger** whaler (ship)

wan[1] (s) **-ne** winnowing fan (grain); (w) **ge-** winnow, fan

wan-[2] (voorvoegsel met die betekenis:) bad; wrong, false; missing, lacking; criminal; **~aan'gepas** maladjusted; **~administra'sie** maladministration *kyk* **~bestuur';** **~begrip'/~op'vatting** fallacy, false notion; **~bestee'** (w) **~** misappropriate; embezzle; **~beste'ding** misappropriation; embezzlement; **~bestuur'** mismanagement, misgovernment; **~beta'ling** nonpayment *ook* **nie'betaling**

wand -e partition (eg screen to divide room) *ook* **af'skorting;** wall; side-wall (of tyre); **~tapyt'** tapestry *ook* **muur'tapyt**

wan'daad (s) **..dade** misdeed, wrongdoing; atrocity, outrage; **wan'dader** (s) **-s** perpetrator *ook* **misdry'wer**

wan'del (w) walk; conduct, behaviour; *in sy handel en ~* in his (general) conduct of life; (w) **ge-** walk; take a walk; *gaan ~* go for a walk/stroll; **~aar** walker, pedestrian; hiker; **~gang** lobby (parliament); **~ing** walk, stroll, meander; **~laan** (pedestrian) mall *ook* **win'= kelgang;** **~pad** hiking trail *ook* **stap'roete;** **~stok** walking stick/cane

wan'funksie (s) dysfunction *ook* **dis'funksie**

wang -e cheek; **~kuiltjie** dimple (in cheeck)

wan′gedrag (s) misconduct, misbehaviour

wan′geluid (s) -e dissonance, cacophony *kyk* **wan′klank**

wan′hoop (s) despair *ook* **ra′deloosheid;** (w) **ge-** despair; **wan′hopig** desperate; forlorn

wan′inligting (s) disinformation *ook* **disin= forma′sie**

wan′kel (w) **ge-** totter, waver, stagger; **~rig** (b) uncertain, tottering, unsteady; **~moe′dig** (b) irresolute, vacillating, fickle

wan′klank -e dissonance, disharmony; jar= ring/false note

wan′neer when; if

wan′opvatting -e, -s misconception, misappre= hension *ook* **mis′verstand, dwa′ling**

wan′orde (s) disorder, disarray, confusion; shambles *ook* **war′boel; ~lik** disorderly; chaotic

wan′persepsie -s misconception *ook* **wan′= opvatting;** fallacy

wan′praktyk -e malpractice *ook* **korrup′sie**

wans: *uit ~ uit* from the start; then and there

wanska′pe (b) monstrous, deformed *ook* **wanstal′tig; ~n′heid** (s) deformity, monstrosity

wanstal′tig (b) deformed, disproportionate (phys= ically)

want[1] (s) rigging (sailing vessel) *ook* **skeepsta′= kelwerk**

want[2] (vgw) for, because *ook* **omdat′, aan′= gesien**

wan′trou (w) **ge-** distrust, suspect; **~e** (s) distrust, mistrust, suspicion *ook* **ag′terdog;** *mosie van ~e* motion of no confidence (at a meeting); **~end/~ig** (b, bw) suspicious, dis= trustful

wan′verhouding (s) disparity, imbalance

wan′voeding (s) malnutrition *ook* **ondervoe′= ding**

wa′pad (s) **..paaie** wagon road

wa′pen (s) -s weapon, arm(s); coat of arms, crest, badge; *die ~s opneem* take up arms; (w) **ge-** arm; **~dra′er** armour bearer; **~fabriek′** muni= tions factory; **~feit** feat of arms, martial exploit; **~geklet′ter** sabre rattling *ook* **sabelgeklet′ter; ~huis** armoury; **~ing** reinfor= cing (building); arming; **~kunde** heraldry *ook* **heraldiek′; ~kun′dige** heraldist *ook* **heral′= dikus;** firearm expert; **~op′slagplek** arms cache; arsenal; **~rus′ting** armour; **~skou** military review; **~smok′kelaar** illegal arms trader; gunrunner (hist.) ; **~smok′kel(ary′)** illegal arms trade; gunrunning (hist.); **~stil′= stand** armistice, truce *kyk* **skiet′stilstand; ~tuig** arms, armament; munitions *ook* **krygs′= tuig; ~wed′loop** armament race

wap′per **ge-** flutter, wave (flag in wind) *ook* **flad′der**

war: *in die ~ bring* confuse; **~boel** confusion, muddle, mix-up *ook* **deurmekaar′spul; ~= bood′skap** garbled message; **~kop** scatterbrain (person)

wa′re[1] (s, mv) wares, goods, commodities *ook* **kommoditeit′e**

wa′re[2]: *as ′t/as ′t ~* as it were

warem′pel (omgangst.) (bw) truly, surely, really *ook* **sowaar′**

warm (b) warm, hot; *~/sterk aanbeveel* recom= mend warmly; *so ~ dat die kraaie gaap* sweltering(ly) hot; **~as′sie** midge (insect); **~bad** hot/thermal springs *ook* **kruit′bad; ~fles** vacuum flask ook **kof′fiefles; ~lugballon′** hot-air balloon; **~pies** cosily, warmly; *daar ~pies in sit* be comfortably off; **~wa′tersak** hot-water bottle/bag

warm′te (s) heat, warmth; ardour; **~-een′heid** thermal unit; **~graad** degree of temperature *ook* **temperatuur′;** heat

warm′water: ~kraan hot-water tap; **~kruik** hot-water bottle

war′rel **ge-** whirl, swirl; reel; **~ing** whirl, swirl; **~wind** whirlwind *ook* **dwar′rel(wind)**

wars (b) averse (to); *~ van* averse to, dislike of

war′taal gibberish, jargon, abracadabra *ook* **brab′beltaal, koeterwaals′**

was[1] (s) washing; (w) **ge-** wash; *iem. se kop ~* give s.o. a bit of one's mind

was[2] (s) -se wax (fatty substance)

was[3] (w) **ge-** grow, wax; *~sende maan* waxing/ growing moon

was[4] (w, verl. tyd) was *kyk* **wees**

was: **~bak** sink, washbasin; **~ba′lie** washtub

was′dom (s) growth, increase

wa′sem -s vapour, steam; breath *kyk* **ontwa′= semer**

was′goed washing; **~mand′jie** laundry basket; **~pen′netjie** clothes peg *ook* **was′pennetjie**

was: **~kamer** laundry; **~kers** wax candle; **~masjien′** washing machine; **~muse′um** wax museum, chamber of horrors *ook* **gru′welgrot; ~poei′er** washing powder; **~pop** wax doll

was′ser (s) = **was′ter**

wasseret′ -te launderette, laundromat

was′sery -e laundry *kyk* **wasseret′**

was′ter/was′ser -s washer (ring)

wat (vraende vnw) what; *alles en nog ~* all sorts of things; (betreklike vnw) who, that, which, what; (onbepaalde vnw.) whatever, some= thing; *~ ′n pragtige dag!* what a beautiful/fine day!

wa′ter (s) -s water; *te ~ laat* launch (a ship); *~ op sy meul* grist to his mill; *stille ~s, diepe grond onder draai die duiwel rond* still waters run deep; *die son trek ~* the sun is setting; *~ aanwys* divine water; (w) **ge-** water; make water, urinate

wa'ter: ~**aan'leg** irrigation/reticulation plant/ scheme; ~**bestand'** water-resistant; ~**blaas** water blister; ~**blom'metjie** waterblommetjie (Cape pondweed); ~**bok** waterbuck; ~**boor** water drill; ~**bot'tel** water bottle; ~**damp** vapour; ~**dig** waterproof, watertight; ~**dra'er** drone (bee) *ook* **hom'melbye;** water carrier (person); ~**drup'pel** drop of water; ~**em'mer** water bucket/pail; ~**fiskaal'** water bailiff; ~**fo'kus** water feature (garden); ~**hiasint'** water hyacinth; ~**hin'dernis** water hazard (golf); ~**hoof** hydrocephalus (person with this med. condition); ~**hoos** waterspout/column (in ocean); ~**kraan** (water) tap; ~**krag** hydro power; ~**kuur** water cure, hydropathy; ~**lei** (w) irrigate; ~**loot** water shoot, sucker (of plant); ~**lyn** water line; ~**merk** watermark; ~**me'ter** water meter; hydrometer; ~**meul/ ~meu'le** water mill; ~**nat** dripping wet *ook* **sop'nat, druip'nat;** ~**nood** need/shortage of water *kyk* **waters'nood**

wa'terpas (s) -**se** spirit level (building tool); (b) level

wa'ter: ~**plas** pool; ~**pok'kies** chicken pox; ~**po'nie** wetbike; jetski; ~**proef** waterproof; ~**pyp** water pipe; ~**ryk** abounding in water; ~**sak** water bag (for cooling); ~**skei'ding** watershed, divide; ~**skil'pad** turtle; ~**slang** water snake; hose *ook* **tuin'slang**

wa'tersnood (s) deluge, inundation, floods, flooding *ook* **oorstro'ming**

wa'ter: ~**sop'nat** dripping wet; ~**spie'ël** sea level *ook* **see'spieël, see'vlak,** ~**ste'wel** gumboot, rubber boot; ~**stof** hydrogen; ~**stofbom'** hy= drogen bomb; ~**straal** jet of water; ~**sug** (hy)dropsy; ~**tand** (w) ge- make the mouth water; ~**tandlek'ker** temptingly delicious *ook* **aptyt'lik, (smul)smaaklik;** ~**trap** (w) -ge- swim upright; tread water; ~**val** (s) -**le** water= fall, cascade

wa'terverf (s) watercolour (for painting); ~**skil= dery'/~te'kening** (s) -**e** watercolour painting/ drawing; aquarelle *ook* **akwarel'**

wa'ter: ~**vloed** flood *ook* **oorstro'ming;** deluge, inundation; ~**voor** water furrow; ~**voorsie'ning** water supply; ~**vrees** hydrophobia, aquaphobia; ~**weg** waterway; ~**we'rend** water-resistant; ~**wer'ke** waterworks; ~**we'se** water affairs; ~**wy'ser** water diviner, dowser (person)

wat'se: ~ *ding is dit dié?* what kind/sort of thing is this?

wat'senaam what-you-me-call-it *ook* **hoe'= senaam**

wat'te (s) wadding; cotton wool

wat'tel: ~**bas** wattle bark; ~**boom** wattle tree *ook* **looi'basboom**

wat'ter which; ~ *een?* which (one)?; ~ *onsin/kaf!* what nonsense/tripe/trash!

watwon'ders -**e** startling, extraordinary; *nie 'n ~e boek nie* not such a wonderful book

wa'wiel -**e** wagon wheel

wa'wyd ..**wye** very wide; ~ *oop* wide open; ~ **wak'ker** wide-awake; sharp, quick-witted

web -**be** web *ook* **weef'sel; spin'nerak; inter= net';** ~**blaai'er/~snuf'felaar** web browser (internet); ~**blad** web page (internet); ~**werf** website (internet) *ook* **webtuiste**

wed ge- wager, bet; *ek ~ jou* I bet you; *op 'n perd ~* back a horse (racing); ~**denskap'** wager, bet; *'n ~denskap aangaan* lay a wager; ~**der** punter (horse racing)

wederdo'per -**s** anabaptist (person)

we'dergeboorte/weer'geboorte (s) rebirth, new birth; regeneration; **we'dergebore** (b) reborn, born again *ook* **weer'gebore, her'bore** (Chris= ten)

we'derhelf/we'derhelfte (s) spouse; better half, other half (husband/wife)

wederke'rig -**e** mutual; reciprocal; ~**heid** reci= procity *ook* **resiprositeit'**

we'derkoms (s) return, second coming (Christ)

wederom'! (groetwoord) so long!; see you again!

we'(d)eropstanding (s) resurrection

wederreg'telik -**e** unlawful, illegal

wederstre'wig -**e** recalcitrant, obstinate *ook* **(hard)kop'pig, eiesin'nig**

we'(d)ersyds -**e** mutual, reciprocal; ~*e respek/ agting* mutual respect

wedervaar' ~ befall, meet with, occur; *reg laat ~* do justice to

wederva'ring -**e,** -**s** occurrence, experience *ook* **ondervin'ding(e), bele'wenis**

wed'loop ..**lope** race (athl.)

wed'ren -**ne** race (cars, horses); ~**klub** turf/ra= cing club

wed'stryd -**e** match; contest, competition *ook* **kompeti'sie,** ~**knoei'ery** match fixing; ~**punt** match point (tennis)

we'duwee -**s** widow *ook* **we'duvrou**

wed'vaart -**e** boat race (yachts, canoes)

wed'vlug -**te** air race (aircraft, gliders)

wed'ywer (w) ge- compete, contest, vie; ~**ing** (s) competition, rivalry

wee (s) **weë** woe, throe, pang; pain; *O ~!* oh goodness!; *wel en ~* weal and woe

weef ge- weave; ~**kuns** textile art; ~**masjien'** (power) loom

weef'sel[1] (s) -**s** fabric, textile; texture

weef'sel[2] (s) -**s** tissue (body cells); ~**bank** tissue bank (med.); ~**sel'kultuur'** tissue culture (laboratory); ~**leer** histology; ~**ontste'king** cellulitis; ~**vog** lymph

weef: ~**skool** weaving school; ~**stof** fabric *ook* **kle'dingstof**

weeg ge- weigh, balance; *ge~ en te lig bevind*

weighed and found wanting; **~skaal** balance, (pair of) scales

week[1] (s) **weke** week; *oor 'n ~* this day week

week[2] (w) **ge-** soak, seep in; *laat ~* leave soaking

week[3] (b) soft-hearted, tender *ook* **sag(moe′dig), teer**

week′blad ..blaaie weekly (newspaper) *kyk* **dag′blad**

week′(s)dag -e weekday

week′dier -e mollusc *ook* **skulp′dier**

wee′klaag ge- wail, lament *ook* **ween, kerm**

week: ~liks weekly; **~loon** weekly wages

weel′de luxury; affluence; profusion; *in ~ lewe* live in (the lap of) luxury; **~arti′kel** luxury article; **~mo′tor** luxury car *ook* **luuk′se mo′≈ tor; ~rig** luxurious, plush *ook* **luuks**

wee′luis -e (bed) bug

wee′moed (s) grief, sadness; **~dig** (b) melan≈ choly, sad *ook* **droe′wig, treu′rig**

ween ge- weep, cry; **~sing** wail, ululate *ook* **ululeer′**

Weens[1] (b) **-e** Viennese; *~e worsies* Vienna sausages, Viennas

weens[2] (vs) owing to, due to; on account of *ook* **ten gevol′ge van; vanwe′ë;** *~ gebrek aan geld* for want of money; *~ sy koppigheid* due/owing to his stubbornness

weer[1] (s) weather; *bedompige ~* sultry weather; *swaar ~* thunder and lightning

weer[2] (w) **ge-** defend *kyk* **nood′weer;** exert oneself, strain every nerve

weer[3] (bw) again; a second time; *~ eens/weer≈ eens* (once) again; *heen en ~* to and fro

weer′baar ..bare able-bodied, fit *ook* **paraat′; ~heid** preparedness

weerbars′tig (b) **-e** unruly, refractory *ook* **ban′deloos, hardnek′kig**

weer: ~berig′ weather report; **~diens′** weather service

weer′ga: *sonder ~* without equal/peer/rival; matchless

weer′galm (s) echo, resonance *ook* **eg′go, weer≈ klank;** (w) *~* echo, resound *ook* **weerklink′**

weer′galoos ..lose unparalleled, matchless *ook* **ongeëwenaar′(d), uniek′**

weer′gawe -s reproduction, rendering; version; portrayal

weer′geboorte = we′dergeboorte

weer: ~glas barometer *ook* **ba′rometer; ~haak′** barb(ed) hook; **~haan′** weathercock *ook* **wind′wyser**

weerhou′ *~* keep back, refrain from, restrain; *~ van kommentaar* refrain from comment

weerkaats′ (w) *~* reflect, re-echo *ook* **weerklink′** (geluid); **~ing** (s) **-s** reflection (of sound)

weer′klank (s) echo, resonance

weerklink′ (w) *~* resound, echo

weer′kunde meteorology *ook* **meteorologie′;**

weerkun′dig (b) **-e** meteorological; *~e dien≈* weather service; **~e** (s) **-s** meteorologis (person)

weerlê′ (w) *~* refute, disprove, contradict *ook* **ontken′, weerspreek′; weerleg′ging** (s) **~≈** contradiction, denial *ook* **ontken′ning**

weer′lig (s) **-te** lightning *ook* **blik′sem(straal)≈** *deur die ~ getref* struck by lightning; (w) **ge≈** flash (lightning); **~af′leier** lightning conducto

weer′loos ..lose defenceless

weer: ~mag armed forces; defence force **~magste′wels** army boots; **~man** serviceman private (soldier); **~plig** compulsory military service *ook* **diens′plig**

weer′profeet ..fete weather prophet

weers′gesteldheid (s) state of the weather weather forecast *ook* **weer′voorspelling**

weer′satelliet -e weather satellite

weer′sien -ge- meet again; **~s:** *tot ~s!* so long! till we meet again!

weer′sin (s) repugnance, antipathy, dislike *ook* **teen′sin, wal′ging;** *met ~* reluctantly; **~wek′≈ kend** (b, bw) repulsive, revolting *ook* **walg′lik**

weers′kant(e) both sides; *aan ~* on both sides

weer′skyn (s) reflection; **~sel** reflection *ook* **weerspie′ëling, weerkaat′sing**

weer: ~span′nig (b) unruly, obstreperous, re≈ bellious *ook* **weerbars′tig, opstan′dig; ~≈ spie′ël** (w) *~* mirror, reflect; **~spie′ëling** (s) **-s, -e** reflection (in water); **~spreek′** contradict. gainsay, belie; **~staan′** withstand, resist

weer′stand resistance, opposition; *~ bied* offer resistance; *die weg van die geringste ~* the line of least resistance; **~(s)bewe′ging** resistance movement; **~bie′dend** resistant (to); **~(s)ver≈ mo′ë** power of resistance; stamina

weers′verandering -e, -s change of weather

weer′sye: *aan ~* on both sides *ook* **weers′kante**

weer′vas (b) **-te** all-weather; *~te baan* all-weather court (tennis)

weer′voorspelling -s weather forecast

weer′wil: *in ~ van* in spite of, despite, notwith≈ standing *ook: ten spyte van*

weer′wolf ..wolwe werewolf; scarecrow, bug≈ bear

weer′wraak (s) retribution, retaliation, veng≈ eance, reprisal(s) *ook* **vergel′ding**

wees[1] (s) **wese** orphan *ook* **wees′kind;** (b, bw) without parents; *~ grootword* grow up as an orphan

wees[2] (w) **was, ge-** to be; *dit sal moeilik ~* it will be difficult

wees′heer (veroud.) (s) Master of the Supreme Court

wees: ~huis orphanage *ook* **kin′der(te)huis; ~ka′mer** (veroud.) orphan chamber; **~kind** orphan

weet (w) **wis, ge-** know, be conscious of, have

knowledge of; ~ *jy?* do you know?; *'n mens
kan nooit ~ nie* you can never tell; *nugter ~*
goodness knows; *te wete* namely, to wit; **~al**
(s) wiseacre *ook* **be'terweter; ~gie'rig** (b)
eager/keen to learn; inquisitive

veg[1] (s) weë way, road *ook* **pad;** *goed met iem.
oor die ~ kom* get on well with s.o.; *onder~
verlore geraak* lost in transit; *'n ~ inslaan*
adopt a course

veg[2] (b, bw) away, off, gone; *~ is jy!* be off!; run
along!

veg: ~bê're put away; **~berei'der** herald;
trailblazer, pioneer *ook* **baan'breker; ~blaas**
blow away; **~bly** stay away; **~breek** break
away (eg from a political party); **~bring** take
away/home

veg'doen -ge- dispose (of) *ook* **af'skaf, ontsla'e
raak van; ~baar** (b) disposable (eg syringe)
ook **weg'gooibaar**

veg: ~dra carry away; **~dryf/~dry'we** drive
away; float away; **~gaan** go away, depart *ook*
vertrek'; ~gee give away, part with

veg'gooi -ge- lose, throw away; **~baar'** dispo=
sable *ook* **weg'doenbaar**

veg: ~hard'loop/~hol run away, flee; **~holoor=
win'ning** walkover (sport); landslide victory
(election); **~holveld'brand** runaway veldfire;
~ja(ag)' chase away; race away

veg'kom -ge- get away; *maak dat jy ~!* be gone!;
~mo'tor getaway car *ook* **weg'jaagmotor**

veg'kruip -ge- hide oneself; **~ertjie'** (s) hide-
and-seek (children's game); bo-peep, I-spy

veg: ~kwyn pine away, languish; **~laat** leave
out, omit; **~la'ting** omission; **~loop** walk
away; desert, run away, abscond; **~lo'per**
deserter, runaway; **~mof'fel** hide/spirit away
ook **~steek**

veg'neem -ge- take away; *stilletjies ~* remove on
the sly; steal; **~e'te** takeaway (food); **~e'tery**
takeaway (shop)

veg: ~raak get lost, vanish; **~roep** call away

veg'ruk -ge- snatch away; *in die bloei van sy
jare weggeruk* cut off in the prime of life

veg: ~sak sink away; subside; **~sien** see s.o. off
ook **af'sien; ~sink** sink away; **~sit** put away;
save; **~skeur** tear away; **~skram** dodge, flinch
away; evade; **~slaan** strike/beat away; swal=
low (a drink); **~sleep** drag/tow away; **~sleep'=
sone** towaway zone; **~sluip** sneak away;
~smelt melt away; **~smyt** fling/chuck away
ook **~gooi**

veg'spring -ge- jump away; start (off); *ongelyke
~* false start; **~blok** starting block (athl.)

veg: ~stap walk away; **~steek** hide, conceal;
~stoot push away; **~stuur** send away

veg'syfer/weg'sypel -ge- seep/ooze away

veg: ~trek pull away; depart, leave, relocate;
~val drop away, be omitted; start off; die;

~vlie(g)' fly away; **~vlug** flee, escape; **~voer**
lead away, carry off, abduct, kidnap; **~vreet**
eat away, corrode *ook* **roes** (w), **korrodeer';
~werk** clear away

weg'wyser -s signpost, road sign *ook* **pad'wyser,
naam'bord; predikant'** (skerts.)

wei[1] (s) whey (of milk)

wei[2] (veroud.) (s) **-e** meadow; (w) **ge-** feed,
graze; eat; *jou oë laat ~ oor* cast one's eyes
over something; **~ding** (s) pasture, meadow,
grazing *ook* **wei'veld**

wei'er ge- refuse; decline *ook* **verseg', verwerp'**

wei'fel ge- waver, vacillate, dither *ook* **aar'sel**

wei'nig -e; minder, minste little, few *ook* **min**

wei'veld -e pasture land, meadow; grazing *ook*
wei'ding

wek ge- wake, rouse, stir; **~ker** alarm (clock);
~roep clarion call, reveille; slogan

wel[1] (s): *die ~ en wee* the weal and woe; (bw)
beter, bes(te) well, all right; *~ te ruste!* good
night!; sleep well!; *sy is ~ ter tale* she is a
fluent/articulate speaker

wel[2] (w) **ge-** well (up) *kyk* **op'wel;** simmer,
bubble

wel[3] (tw) well! (often expressing surprise)

wel'af (b) well-to-do, affluent *ook* **wel'gesteld,
vermo'ënd**

wel'bedag -te well-considered (suggestion) *ook*
wel'oorwo'ë

wel'behae (s) feeling of comfort/contentment;
pleasure; *in mense 'n ~* goodwill to men

wel'bekend -e well-known, noted, familiar

wel'daad ..dade kindness, kind action/deed

welda'dig (b, bw) charitable, beneficent, be=
nevolent, salutary; **~heid** benevolence, charity
kyk **liefda'digheid**

wel'deurdag -te well-considered (plan, propo=
sal)

wel'doen -ge- do good, support; **-er** benefactor,
welldoer; donor, sponsor

wel'dra (bw) presently, soon *ook* **net'nou, straks**

wele'del -e honourable; *W~e Heer* (formeel) dear
sir

weleer' formerly; *rytuie van ~* carriages of
yesteryear

weleerwaar'de (right) reverend

wel'geleë beautifully situated (farm; mansion)

wel(geluk)sa'lig -e blessed

welgemanierd' -e well-mannered; well-bred

wel: ~gemoed' cheerful, in good cheer; **~gesind'**
well-disposed *ook* **goed'gesind; ~gesteld'**
wealthy, rich, well-to-do, affluent (person)
ook **vermo'ënd, wel'af; ~geval'le** pleasure,
liking; *na sy ~gevalle* to his liking; **~ge=
vorm'(d)** well-formed; shapely (girl) *ook*
~ska'pe

we'lig luxuriant, lush, fertile *ook* **geil; ~e klimop**
rampant/fast creeper

wel'iswaar/weliswaar' (bw) indeed, in truth, admittedly

wel'ke (vraende vnw) which, what *ook* **wat'ter**

wel'kom (b) **-e** welcome, acceptable; ~ *heet* extend/bid a (hearty) welcome; ~ *in Welkom* welcome in/to (the town of) Welkom; ~ *tuis!* welcome home!

welle'wend (b, bw) courteous, well-mannered, well-bred *ook* **beskaaf'(d), fatsoen'lik;** **~heid** courtesy, good breeding; observing (rules of) etiquette

wel'lig (deftige taal) (bw) perhaps, maybe *ook* **waarskyn'lik**

wellui'dend melodious; **~heid** harmony, euphony

wel'lus (s) **-te** lust; sensual pleasure; delight, bliss; **~tig** (b) voluptuous, sensual *ook* **sensueel'**

welme'nend **-e** well-meaning *ook* **hart'lik, opreg'**

wel'opgevoed **-e** well-bred, polite *ook* **ordent'lik**

welp **-e** cub, whelp (animal)

welrie'kend **-e** fragrant, sweet-scented *ook* **geu'= rig;** redolent

wel'sand (s) quicksand *ook* **wil'sand, dryf'sand**

wel'slae success *ook* **sukses';** *met* ~ *voltooi* completed successfully

welspre'kend **-e** eloquent, articulate; **~heid'** eloquence

wel'stand (s) health, wellbeing; *in* ~ *lewe* live in comfort; *na sy* ~ *verneem* enquire after his wellbeing

wel'syn (s) welfare *ook* **wel'stand;** **~s'beamp'te** welfare officer

wel'tergewig (s, b) welterweight (boxing)

wel'vaart (s) prosperity, affluence *ook* **voor'= spoed**

welva'rend **-e** prosperous, thriving; affluent

wel'verdiend **-e** well-deserved; *~e oorwinning* well-earned victory

welvoeg'lik **-e** proper, seemly, becoming; de= cent; **~heid** decency, propriety

welwil'lend **-e** kindly disposed, gracious *ook* **hulpvaar'dig;** **~/goedgunstig geleen deur** by courtesy of; **~heid'** goodwill; **~heids'besoek'** courtesy visit *ook* **hof'likheidsbesoek**

Welwil'lendheidsdag Day of Goodwill (holiday, 26 December)

we'mel ge- swarm, teem with, abound in *ook* **krioel;** *dit* ~ *van foute* it bristles with mistakes

wen[1] (w) **ge-** accustom, familiarise; *ek is daar= aan gewend/gewoond* I am accustomed to that

wen[2] (w) **ge-** win; gain; outdistance; *naelskraap* ~ scrape home (in a sport match)

wen: **~akker** headland; **~as = wind'as;** **~dam** catch(ment) dam

wend ge- turn; *jou tot iem.* ~ *om raad* turn to s.o. for advice

wen'ding (s) **-e, -s** turn; *'n gunstige* ~ *neem* take a turn for the better

wenk (s) **-e** hint, sign, nod, tip; *duidelike* ~ broad hint; *iem.* *'n* ~ *gee* drop s.o. a hint; **~brou** (s) **-e** eyebrow

wen'ner **-s** winner; *algehele* ~ overall winner

wen'paal (s) finishing post (athl.)

wen'pad: *op die ~pad wees* be on the way to victory

wens (s) **-e** wish, desire; *na* ~ as desired; *veel te ~e oorlaat* leave much to be desired; (w) ge= wish, desire; **~denkery'** wishful thinking *ook* **self'bedrog**

wens'lik (b) **-e** desirable; **~heid** desirability

wens'put **-te** wishing well *ook* **wensfontein'tjie**

wen'streep (s) finish(ing) line (in a race) *kyk* **wen'paal**

wen'tel ge- roll over; welter, wallow; revolve, rotate; orbit; **~baan** orbit; **~ing** rotation, revolution; **~krediet'** revolving credit; **~trap** spiral/winding staircase; **~tuig** orbiter

werd (b) worth; *nie die moeite* ~ *nie* not worthwhile

wê'reld **-e** world; *die* ~ *skeur* run for dear life; *vir niks ter* ~ *nie* not for all the world; **~beroemd'** renowned, world-famous; **~bur'ger** cosmo= politan; **~deel** continent *ook* **vas'teland, kontinent';** **~han'del** international trade; **~kaart** map of the world; **~kampioen'** world champion; **~lik** (b) secular; mundane *ook* **sekulêr; stof'lik;** **~moond'heid** global power; **~rek'ord** world record

wê'relds **-e** worldly, secular; **~gesind'** worldly (-minded); **~goed** worldly/mundane things *ook: aardse goed*

wê'reld: **~rang'lys** world ranking (sport); **~stad** metropolis; **~swer'wer/~wan'delaar** globe= trotter; **~taal** universal/global language; **~vraag'stuk** global problem; **~vre'de** univer= sal peace; **~wyd** worldwide *ook* **glo'baal;** **~werf/~tuis'te** global village; ~ **wye web** worldwide web (internet)

werf[1] (s) **werwe** (farm)yard; shipyard; premises; **~hoen'der** free-range chicken *ook* **skrop'= hoender**

werf[2] (w) **ge-** enlist, enrol, recruit *kyk* **wer'wing;** *stemme* ~ canvass votes

werk (s) **-e** work, labour; employment; *met* ~ *oorlaai* snowed under (by work); *geen steek* ~ *nie* not do a stroke of work; *te* ~ *gaan* set to work; ~ *maak sterk* labour warms, sloth harms; *~gedrewe/~gebonde opleiding* hands -on training; (w) **ge-** work, labour; operate, function; ~ *soos 'n esel* work like a slave; *die kind se maag* ~ the child is suffering from diarrhoea; **~af'bakening** (hist.) job reserva= tion; **~agent'skap** employment agency; **~(s)bevre'diging** job satisfaction; **~blad** spreadsheet (comp.); **~by** worker bee

werkda'dig **-e** active, effective, efficacious *ook* **prak'ties, pragma'ties**

werk′dag ..**dae** working day; weekday

wer′ker -s worker; ~**s′bond′** workers' union, trade union *ook* **vak′bond, vak′unie**

Wer′kersdag Workers' Day (holiday, 1 May)

werk: ~**e′sel** drudge, slave; ~**geleent′heid** job/ employment opportunity; ~**gereed′skap** tools; ~**ge′wer** employer; ~**groep** work group, work= shop *ook* ~**ses′sie; slyp′skool**

wer′king (s) action *ook* **ak′sie, funk′sie;** effi= cacy, working, operation; *buite* ~ out of order; *buite* ~ *stel* put out of action; *in volle* ~ in full swing/production; *in* ~ *tree* come into force

werk: ~**krag** (s) capacity for work; ~**krag** (s) -**te** worker; ~**kring** field of activity, occupation, profession; ~**la′ding** workload

werk′lik -**e** real, true, actual; ~**e waarde** true/ intrinsic value; ~**waar** truly

werk′likheid ..**hede** reality *ook* **realiteit′;** actu= ality; *in* ~ in reality, in point of fact

werk′loos (b, bw) ..**lose** unemployed, out of work; idle, inactive; ~**heid** unemployment

werk(s)′man (s) -**ne,** ..**mense,** ..**lui,** ..**liede** workman, labourer; artisan *ook* **am′bagsman**

werk′nemer (s) -**s** employee

wer′ko(ho)lis′ (s) -**te** workaholic (person) *ook* **werk′slaaf**

werk(s)′onderhoud (s) -**e** job/employment inter= view

werk′saam (b) active, industrious *ook* **y′werig, fluks**

werk: ~**ses′sie** workshop, seminar, working group *ook* **werk′groep, slyp′skool;** ~**skep′=** **ping** job creation; ~**sku** lazy, workshy; ~**sku′=** **heid** laziness, dodging of work; ~**sku′we** won't-work, shirker (person); ~**soe′ker** job seeker

werks′opsigter -**s** clerk of works

werk: ~**sta′king** strike; ~**sta′sie** workstation (comp.); ~**ster** worker (female); charwoman

werk′tuig ..**tuie** tool, implement; ~**kun′de** me= chanics

werktuigkun′dig (b) -**e** mechanical; ~**e** (s) -**s** mechanic(ian) (person) *ook* **vak′man**

werktuig′lik (b, bw) mechanical; involuntary; spontaneous

werk: ~**uur** working hour; ~**verrig′ting** perfor= mance (worker; machine); ~**verskaf′fing** job creation *ook* **werkskep′ping;** ~**verslaaf′de** work addict, workaholic *ook* **werko(ho)lis′**

werk′woord -**e** verb (gram.); ~**delik** verbal

werk(s)′wyse (s) procedure, method/manner of operation *ook* **handel′(s)wyse**

werp ge- cast; throw; *anker* ~ cast anchor; ~**sel** litter (of new-born pups, etc.); ~**skyf** discus (athl.); quoit; ~**spies** javelin (athl.); dart

wer′skaf ge- do, make, be busy; potter (about); *wat* ~ *jy?* what are you busy on?

wer′wel -**s** latch *ook* **skuif;** window fastener;

swivel; vertebra (in backbone); ~**dier** verte= brate animal; ~**storm** cyclone, tornado *ook* **sikloon′;** ~**wind** whirlwind *ook* **war′relwind, dwar′rel; wind′hoos** (op land)

wer′wing (s) recruiting/recruitment; canvassing *kyk* **werf²**

wes west

we′se (s) -**ns** creature, being; nature, essence; *in* ~ in essence; *geen lewende* ~ *nie* not a living soul

we′sel -**s** weasel, mink (animal)

we′sen(t)lik essential, real, actual; fundamental

we′senloos ..**lose** senseless, blank, vacant; *iem.* ~ *aanstaar* staring expressionless at s.o.

we′sensverdien′ste (s) headline earnings (com= pany)

Wes′-Europa Western Europe

we′sie -**s** little orphan *ook* **wees′kindjie**

Wes-Kaap Western Cape (province)

wes′kus -**te** west coast

wes′noordwes west-northwest

wesp -**e** wasp *ook* **per′deby;** ~**e′nes** wasp's nest; hornets' nest (fig.)

weste west; *buite* ~ unconscious *ook* **bewus′= teloos; kats′wink** (geslaan); ~**kant** west side; ~**lik** westerly, western

wes′tergrens -**e** western boundary

wes′terlengte west longitude

Wes′terling Westerner, Occidental (person)

wes′tewind -**e** west wind

wes′waarts -**e** westward

wet (s) law; act; decree; regulation; *'n* ~ *oortree* contravene/violate a law; ~ *en orde* law and order; *die* ~ *toepas/handhaaf* enforce the law

wet′boek -**e** statute book; code of law

we′te (s) knowing, knowledge; *na my beste* ~ to the best of my knowledge *ook: sover ek weet; teen jou beterwete in* against one's better judg(e)ment; *te* ~ *kom* get to know

we′tens (bw) knowingly; *willens en* ~ deliber= ately, intentionally, wittingly

we′tenskap -**pe** science, knowledge; ~**fik′sie** science fiction, sci-fi

wetenskap′lik (b) -**e** scientific; ~**e** (s) -**s** scientist (person)

wetenswaar′dig (b) -**e** worth knowing; informa= tive

wet: ~**ge′wend** legislative; ~**gewende liggaam** legislature; ~**ge′wing** legislation

wet′lik (b, bw) -**e** legal; *hulle is* ~ *geskei* they are legally divorced; ~**e voorskrif** legal prescrip= tion/requirement

wets: ~**arti′kel** clause of a law; ~**bepa′ling** provision of the law; ~**gehoor′saam** law-abid= ing; ~**geleer′de** lawyer, jurist *ook* **regs′geleer= de;** ~**ontwerp′** bill, draft act; ~**oortre′ding** breach of law, offence *ook* **mis′daad, mis=**

dryf'; **~taal** legal language *ook* **regs'taal;** legalese (derog.); **~toepas'sing** law enforcement

wet'teloos (b, bw) lawless; **~heid** lawlessness; anarchy

wet'tig (w) ge- legalise; validate; justify; (b) lawful, legitimate; *~e betaalmiddel* legal tender/currency; *~e eggenoot* lawful spouse; *~e erfgenaam* heir-at-law

we'wenaar -s widower; blackjack (weed)

we'wer -s weaver; **~y** weaving/textile mill, cotton factory

whis'k(e)y whisky (Scotch); whiskey (Irish, American)

wie (vnw) who; whom; *~ se hoed?* whose hat?

wieg (s) **wieë** cradle, cot; *vir iets in die ~ gelê wees* be destined for; (w) ge- rock, wobble; *aan die slaap ~* rock to sleep

wie'gelied -ere lullaby, cradle song

wie'g(ie): ~dood/~sterfte (s) cot death, sudden infant death syndrome (SIDS) *ook: skielike-babasterftesindroom (SBSS);* **~wag'ter** (s) **-s** babysitter *ook* **ba'basitter, kroos'trooster**

wiek (digterl. taal) **-e** wing (of bird) *ook* **vlerk, vleu'el;** vane, wing, sail (of windmill)

wiel -e wheel; *iem. in die ~e ry* put a spoke in s.o.'s wheel (fig.); *die ~e spoor nie* the wheels (of the car) are out of alignment; **~dop** hubcap

wieliewa'lie merry-go-round (game)

wiel'fluit: *dit gaan ~* things are going fine *ook* **klop'disselboom**

wiel'sporing (s) wheel alignment (car)

wier (s) **-e** alga(e); seaweed

wie'rook (s) incense; **~of'fer** incense offering; **~vat** censer, thurible

wig (s) **wîe** wedge; quoin, key (archit.); spearhead; *'n ~ indryf tussen vriende* drive a wedge between friends (fig.)

wig'gelaar -s diviner; dowser (water); soothsayer *kyk* **dol'osgooier;** astrologer (stars) *ook* **ster'rekyker**

wig'gelroede -s divining rod; dowsing rod

wig'skrif (s) cuneiform writing

wig'wam -s wigwam (American Indian hut)

wik ge- reflect, weigh, poise; *die mens ~, maar God beskik* man proposes, God disposes

wik'kel ge- wrap, wind round; wobble, move from side to side; get involved; get a move on; *in 'n twis ge~ raak* get involved in a quarrel; **~rig** wobbly *ook* **len'delam**

wiks ge- slap, smack *ook* **klap;** hit, clout *ook* **slaan, mo'ker**

wil[1] (s) will, wish, desire; *teen ~ en dank* in spite of oneself; *ter ~le van* for the sake of; *uit vrye ~* of one's own choice/volition

wil[2] (w) **wou,** ge- wish, want to

wild (s) game; venison *ook* **wild(s)'vleis;** (b) **-e** wild, untamed; savage, fierce, ferocious;

unruly (child); **~bewa'ring** game conservation; **~bedryf'** game farming; **~bewaar'der** game ranger; **~braad** game, grilled venison **~dief** game poacher *ook* **(wild)stro'per**

wil'de (s) **-s** savage (n); **~als'** wormwood; **~bees** wildebees(t), gnu; **~gans'** wild goose; **~hond** (Cape) hunting dog; **~kat** wild cat; **~makou** spur-winged goose; **~olyf'** wild olive *ook* **olien'(hout)**

wil'dernis (s) wilderness; bundu; jungle; wasteland

wildewrag'tig (s) wild-looking/scary person. bugaboo

wild: ~plaas game ranch; **~s'bok** antelope, buck. **~stro'per** game poacher; **~(s)'vleis** venison game; **~tuin** game reserve; **~vreemd** quite strange; totally unknown

wilg -e/wil'ger -s willow tree, weeping willow *ook* **wil'gerboom**

wil'le: *ter ~ van/terwille van* for the sake of

wil'lekeur (s) arbitrariness; *na ~* at will; **~rig** arbitrary; random *ook* **luk'raak**

wil'lens on purpose; *~ en wetens* knowing full well

wil'loos (b) **..lose** without having a will of one's own; irresolute

wil'sand = wel'sand

wils'beskikking last will, testament *ook* **testament';** *sy uiterste ~* his last will and testament

wils'krag (s) willpower; determination *ook* **deur'settingsvermo'ë**

wim'pel -s pennant, pennon, streamer

wim'per -s eyelash

win (w) **= wen**[2] (w); *klein begin, aanhou ~* perseverance wins the day

wind -e wind, breeze; flatulence; *deur die ~ wees* talk airy nonsense; *voet in die ~ slaan* take to one's heels; *die ~ van voor kry* run into difficulties; *vir ~ en weer laat grootword* neglect a child's upbringing; **~af** downwind; **~as** windlass; winch; **~buks** airgun, pellet gun; **~droog** almost dry; air-dried; **~ei'er** soft-shelled egg; farce; bubble; **~erig'** windy; **~gat** (omgangst.) braggart (person); **~hond** greyhound, whippet; **~hoos** windspout, whirl-wind column; **~jak'ker** windbreaker, anorak *ook* **jek'ker; ~kling'el** wind chimes; **~kous** windsock (airfield); **~laai'er** wind charger; **~lawaai'** braggart, gasbag (person)

wind'maker (s) **-s** boaster, braggart, show-off, swaggerer *ook* **groot'prater; win'tie** (omgangst.); (b) smart, posh, flashy; ostentatious; *hul nuwe huis is ~* their new house is posh/smart; **~ig** (b, bw) **-e** boastful, showing off, flashy, showy *ook* **pronk'erig, spog'gerig**

wind: ~me'ter wind gauge; **~meul/~meu'le** windmill; *'n klap van die ~meul weg hê* have bats in the belfry; **~or'rel** empty-headed person, gasbag; ~**roos** wind rose; rhumb card (diagram of winds)

wind'sel -s bandage, dressing *ook* **verband'**

wind: ~**skeef** skew, lopsided; wry; ~**skerm** windbreak; windscreen (car) *ook* **voor'ruit;** ~**stil'te** calm; *streek van* ~*stilte* doldrums; ~**swa'(w)el** cliff swallow (bird); ~**verkoe= lingsfak'tor** wind-chill factor; ~**vlaag** squall; ~**weer'stand** wind resistance; ~**wys'er** weath= ercock *ook* **weer'haan;** vane

win'gerd -s vineyard; ~**griep** (skerts.) hangover *ook* **bab(b)elas, wyn'pyn;** ~**stok** grapevine

wink (s) -e wink; (w) ge- wink, beckon; ogle

win'kel -s shop, store; ~**assistent'** shop assistant; ~**dief'stal** shoplifting *ook* **win'kelskaai, win'= kelgaps;** ~**dief** shoplifter *ook* **pik'dief, gap'ser**

win'kelhaak ..hake set square, try square (T-square); three-cornered tear (in pants)

winkelier' -s shop owner, shopkeeper; dealer

win'kel: ~**kom'pleks/~sen'trum** shopping centre; ~**promena'de** shopping mall; ~**sak** shopping bag; ~**tan'de** (skerts.) dentures, false teeth; ~**ven'ster** shop window *ook* **toon'venster;** ~**wa'entjie** (shopping) trolley *ook* **trol'lie**

wins -te profit, gain *ook* **profyt';** ~ *afwerp/ oplewer* yield a profit; ~**drem'pel** break-even point *ook* **gelyk'breekpunt**

wins-en-verlies'-rekening profit and loss ac= count

wins: ~**ge'wend** lucrative, profitable *ook* **lo'= nend;** ~**ge'wendheid** profitability; ~**grens** mark-up; profit margin; ~**ko'pie** bargain *ook* ~**koop;** ~**oog'merk** profit motive ~**bejag':** *vereniging sonder* ~*bejag/~oogmerk* associa= tion not for gain; ~**verde'ling** distribution of profits; ~**verdeling(s)re'kening** appropriation account

win'ter -s winter; *in die* ~ in winter; ~**jas** greatcoat; ~**kou'(e)** cold of winter; ~**kur'sus** vacation course; ~**land'skap** winter landscape; ~**nag** winter night; ~**o're** chilblained ears; ~**s'han'de** chilblained hands; ~**slaap** hiberna= tion; ~**vakan'sie** winter holidays/vacation; ~**vermaak'** winter sports/amusement; ~**s'voete** chilblained feet *kyk* **vries'brand**

wip (s) -pe seesaw; snare, trap; (w) ge- hop; seesaw; tilt; turn cheeky; be annoyed; *hy* ~ *hom skielik* he suddenly got annoyed/aggres= sive; ~**mat** trampoline *ook* **trampolien';** ~**neus** pug/snub nose; ~**plank** seesaw; ~**roos'= ter** pop-up toaster; ~**stert** wagtail, scrub robin, willy wagtail (bird) *ook* **kwik'stertjie, kwik'= kie;** ~**tuig** jolly-jumper *ook* **hup'peltuig;** ~**kies'lys** pop-up menu (comp.) *ook* **wip'= menu'**

wis[1] (w, verl. tyd) knew *ook* **het geweet'**

wis[2] (b) -se certain, sure; *dis* ~ *en seker* there's no doubt about it

wis'kunde mathematics *ook* **mate'sis** (veroud.)

wiskun'dig (b) -e mathematical; ~**e** (s) -s mathematician (person)

wispeltu'rig (b) fickle, inconsistent *ook* **ongedu'= rig, onvoorspel'baar;** ~**heid** fickleness

wis'sel (s) -s bill, draft (money); points, switch (railway); *'n* ~ *aksepteer* accept a bill; *'n* ~ *honoreer* honour a bill; (w) ge- exchange, change; shed (teeth); *'n paar woorde* ~ exchange a few words (with s.o.); ~**aar** interchange (traffic); ~**baar** negotiable *kyk* **nie-oordraagbaar** (op tjeks); ~**bou** crop rotation (farming); ~**fonds** cash float *ook* **kontant'vlot;** ~**ing** (inter)change; turn (of century); ~**koers** rate of exchange (money); ~**krui'sing** traffic interchange *ook* **wis'selaar;** ~**stroom** alternating current (electr.); ~**trofee'** floating trophy; ~**vorm** variant

wisselval'lig -e uncertain, variable; erratic, volatile; ~**heid** inconsistency; *die* ~*hede van die lewe* the vicissitudes of life

wis'selwerking (s) interaction, interplay (of forces)

wis'ser -s wiper (on windscreen); sponge; eraser (rubber)

wit (w) ge- whitewash (a wall); (b) white; blank; ~**blits** home-distilled brandy *kyk* **mampoer';** ~**bont** piebald; ~**boordjiemis'daad** white-collar crime, financial fraud; ~**borskraai'** parson crow; ~**brood** white bread; ~**broodjie** favourite, blue-eyed boy/girl; ~**doek** (s) -e vigilante (in township); ~**gepleis'ter** white= washed; ~*gepleisterde grafte* whited sep= ulchres; ~*voetjie soek* curry favour; ~**heid** whiteness; ~**kalk** whitewash; distemper; ~**lood** white lead, putty; ~ **man/vrou** white man/ woman

wit: ~**seerkeel'** diphtheria; ~**skrif** white paper (government report); ~**stertspreeu'** pied star= ling; ~**tebroods'dae** honeymoon; ~**waterry'** white-water rafting; ~**wor'tel** parsnip

wod'ka/vod'ka vodka (Russian alcoholic spirits)

woed (w) ge- rage, wreak havoc, storm *kyk* **woe'dend**

woe'de (s) rage, fury; wrath; *magtelose* ~*e* im= potent rage; ~**aan'val/~e'bui** (temper) tantrum

woe'dend (b, bw) furious, infuriated; ~ *aankyk* look daggers at

woe'fie -s (pet name for) dog; ~**boetiek'** pooch parlour; ~**kardoes'/woef'kardoes'** doggybag *ook* **brak'kiesakkie;** ~**tuis'te** (boarding) ken= nels *ook* **hon'deherberg**

woe'ker (s) usury (lending money at an exorbi= tant rate of interest); (w) ge- practise usury; make the most of something; exploit your talents; ~ *met haar talente* turn her talents/ abilities to best advantage; ~**aar** usurer, profiteer *ook* **uit'buiter;** ~**plant** parasitic plant;

~pot jackpot (casino); **~wins** exorbitant profit, usurious gain

woel ge- bustle; fidget; work hard; toss about; ~ *hom!* make it hot for him!; **~ig** restless, fidgety; riotous; turbulent; **~ing** (s) **-e** agitation, disturbance, turbulence; (mv) unrest, riots; **~wa'ter** restless person, bustler; overactive child

woe'ma (s) vigour, spirit, vim *ook* **oemf, fut, dryf'krag**

Woens'dag ..dae Wednesday

woerwoer' **-e** whirr-whirr (whirling toy); whirligig

woes (b) **-te** desolate, wild; furious, savage, fierce, ferocious, rabid; *~te ryer* reckless driver; helldriver *ook* **jaag'duiwel**

woest'aard **-s** savage, barbarian, ruffian *ook* **vuur'vreter, barbaar'**

woesteny' **-e** wasteland *kyk* **woestyn'**

woestyn' **-e** desert, wilderness; *skip van die ~* ship of the desert (camel)

wol (s) wool; *meer lawaai as ~* much ado about nothing; **~baal'** wool bale, wool pack; **~beurs'** wool exchange

wolf (s) **wolwe** wolf; *soos 'n ~ eet* wolf down one's food; *vir ~ skaapwagter maak* give the wolf the wether to keep; set the fox to keep the geese

wol'fabriek **-e** wool factory, wool/textile mill

wolf'ram wolfram(ite), tungsten

wolf(s)hond **-e** wolfhound, wolfdog; Alsatian (dog)

wol: **~haarhond'** shaggy/woolly dog; **~haarsto'rie** shaggy-dog story (infml.); idle gossip; tall story, urban legend *ook* **kaf'praatjie**; **~han'del** wool trade; **~han'delaar** wool merchant

wolk **-e** cloud; *uit die ~e val* drop from the clouds (fig.); **~breuk'** cloudburst

wol'kekrabber **-s** skyscraper

wol'kerig **-e** cloudy; vague, muddled (fig.)

wol: **~kombers'** woollen blanket; **~kwe'ker** woolgrower; **~lerig** woolly; muddled *ook* **deurmekaar'**; **~mark'** wool market; **~trui** pullover; **~ve'sel** wool fibre

wol'we: **~fluit** wolf call (whistled approval of girl); **~gat** wolf's lair; **~gif** strychnine *ook* **strignien'**

wond (s) **-e** wound; *diep ~e slaan* hurt deeply; (w) **ge-** wound; injure; hurt (s.o.)

won'der (s) **-s** wonder; *~ bo ~* for a wonder; (w) **ge-** wonder; *ek ~ of* I am wondering if; **~baar'(lik)** strange, wonderful

won'der: **~dok'ter** quack; medicine man; witchdoctor; **~kind** infant/child prodigy; **~land** wonderland, fairyland; **~lik** marvellous, wonderful; strange, curious; **~mooi** exceedingly beautiful, exquisite; **~mid'del** miracle drug; **~werk** miracle

wo'ning **-s** dwelling, house, residence *ook* **huis, tuis'te**; **~nood** housing need/shortage

woonag'tig (b) resident; *in George* ~ living/residing in George

woon ge- live, stay, dwell, reside; be domiciled; *hy ~ by sy tante* he lives/stays with his aunt; **~gebied'/~buurt** residential area; township; suburb (of city); **~huis** residence, dwelling, house *ook* **wo'ning**; **~ka'mer** living room; **~plek** residence, abode; **~stel** flat, apartment; **~stelblok'** block of flats *ook* **woon'blok**; **~stelverhuur'der** landlord *ook* **huis'baas**; **~vertrek'** living room; **~wa** caravan *ook* **karavaan'**

woord **-e** word; term; message; *met ~ en daad* by word and deed; *op my ~ van eer* on my word of honour; *jou ~ hou/gestand doen* keep one's word/a promise; *die ~ voer* speak; **~af'leiding** derivation, etymology; **~breuk'** breach of promise

woor'de: **~boek'** dictionary; *'n ~boek raadpleeg* consult a dictionary; **~lik(s)** literal, verbatim; **~lys** list of words, vocabulary; **~praal** verbosity, bombast *ook* **bombas'me**; florid/flowery language *ook* **retoriek'**; **~skat** vocabulary, lexis; **~stryd** (verbal) dispute, altercation; **~wis'seling** (heated) exchange of words, altercation *ook* **twis'gesprek**

woord: **~kuns** art of writing; **~skik'king** order/sequence of words; **~skit'tery** verbal diarrhoea *ook* **bab'belsug**; **~spe'ling** word play, pun; **~tel'ling** word count (comp.); **~verkla'ring** etymology *ook* **etimologie'**; **~verwer'ker** word processor *ook* **teks'verwerker**; **~voer'der** spokesperson, spokesman, spokeswoman, mouthpiece *ook* **segs'persoon, spreek'buis**; **~vor'ming** morphology

word ge- become, take place; *dronk ~* get drunk, *siek ~* take ill

wor'ding (s) genesis, origin, beginning; *in ~* in the making; in embryo

wors **-e** sausage; *~ in 'n hondestal soek* look for a needle in a haystack; **~brood'jie** hot dog *ook* **warm'brak** (infml.) ; **~rol'letjie** sausage roll *ook* **sosys'broodjie**; **~wa'entjie** hotdog stand

wor'stel ge- struggle; wrestle *kyk* **stoei** (w); *met die dood ~* grapple with death *ook: op sterwe lê*; **~aar** wrestler (fig.); **~ing** struggle; fight, scuffle; **~stryd'** struggle (for existence), vital contest

wor'tel **-s** root; carrot *ook* **geel'wortel**; *met ~ en tak uitroei* destroy, eradicate; (w) **ge-** take root; **~haar** fibril; **~skiet** take root; become established

woud **-e** forest, wood *ook* (groot) **bos**

wou'terklouter (s) jungle-gym (play apparatus) *ook* **klim'raam**

wraak[1] (s) revenge, vengeance; retribution *ook*

weer'wraak, vergel'ding; ~ *neem* retaliate, avenge oneself; *uit* ~ vindictively; in retaliation; **~aan'val** reprisal attack

wraak[2] (w) **ge-** object to, censure, disapprove (of); reject; declare unworthy; *die ge~te bewering* the allegation/statement disapproved of/objected to

wraakgie'rig -e revengeful, vindictive *ook* **wraaklus'tig, wraaksug'tig**

wraak'neming (s) revenge, retaliation, retribution, reprisal *ook* **vergel'ding**

wrag'tie (bw) indeed, surely, truly; *hy is ~/ wraggies weg sonder om ons daarvan te sê* he had the nerve to leave without telling us; *~/wragtig waar* as true as Bob

wrak -ke wreck; wreckage; derelict; *liggaamlike ~* physical wreck; *die motor is 'n totale ~* the car is a complete write-off; **~stuk'(ke)** wreckage; debris; **~werf** scrapyard *ook* **skroot'werf** *kyk* **kap'werf**

wrang (b, bw) wry, bitter; acrid, astringent; *~e humor* grim humour

wreed (b, bw) **wrede** cruel, barbarous; **~aard'** brute, barbarian *ook* **mon'ster, woest'aard;** **~aar'dig** (b, bw) cruel, inhuman, barbarous *ook* **barbaars', onmens'lik; ~heid** (s) **..hede** cruelty *ook* **gru'weldaad**

wreef (s) **wrewe** instep, arch (of foot) *ook* **brug** (van voet)

wreek ge- take revenge, avenge; *jou ~ op* avenge oneself on

wre'ker -s avenger; revenger

wre'wel (s) resentment, rancour, spite; **~(r)ig** resentful, rancorous, spiteful

wrie'mel ge- wriggle; swarm, teem *ook* **krioel'**

wring ge- wring, wrench, writhe; **~krag** torque (of engine)

wrin'tiewaar/wrin'tigwaar really, surely, truly *ook* **werk'likwaar, rêrig**

wroe'ging (s) remorse, self-reproach *ook* **na'-berou;** compunction; *~ van die gewete* pricks of conscience

wrok -ke grudge; hatred, rancour; animosity; *'n ~ koester* bear a grudge

wry'wing (s) friction; rubbing; **~s'vlak** friction plane/surface

wuif/wui'we ge- wave, beckon; *vriende tot siens ~/waai* wave goodbye to friends; **wui'wend** (b) **-e** undulating (grasslands)

wulps (b) **-e** lecherous, lewd; randy *ook* **loops, katools', jags**

wurg ge- strangle, throttle, choke; **~baan** single-lane choker (traffic); **~greep** stranglehold; **~ket'ting** choke chain *ook* **gly'ketting** (vir dier); **~roof** mug(ging) *ook* **straat'roof;** **~ro'wer** mugger *ook* **straat'rower; ~siek'te** croup

wurm -s worm; maggot, grub

wy (w) **ge-** devote, dedicate; consecrate, ordain; *~ jou aandag aan jou werk* apply yourself to your work; *gewyde musiek* sacred music

wyd (b) **wye** wide, broad, spacious, ample; *~ en syd* far and wide

wyds'been/wyds'bene (bw) astride, astraddle (standing; riding a horse)

wyd'te -s width, breadth *kyk* **breed'te**

wyf (s) **wywe** mean woman, vixen, shrew

wy'fie -s female (animal); hen (bird); **~-eend** duck

wyk[1] (s) **-e** ward, quarter; area; district

wyk[2] (w) **ge-** withdraw, yield, retire, give way; *geen duimbreed ~ nie* not budge an inch; *die ~ neem* flee, seek refuge

wyl(e) (s) a moment; a short while; *by ~e* at times; *tot tyd en ~* until such time

wy'le late, deceased; *~ doktor Hill* the late Doctor Hill

wyn -e wine; *~ in die man, wysheid in die kan* when wine is in, wit is out; **~boer** wine grower *ook* **wyn'maker; ~bou** viticulture, viniculture; vine growing; **~droe'sem** wine dregs; **~gees** spirit of wine; **~glas** wineglass; **~han'del** wine trade; **~huis** tavern, bar *ook* **tap'huis** (hist.); **~kel'der** winery; wine cellar; **~kel'kie** wineglass; **~koek** tipsy cake; **~kraf'fie** wine decanter; **~oes** vintage *kyk* **oes'jaar; ~pers** wine press; **~proeëry** wine tasting; **~pyn** (skerts.) hangover *ook* **win'gerdgriep, ba(b)belas'**

wyn'ruit rue, herb of grace

wyn'sous wine sauce

wyn'steen tartar; **~suur** tartaric acid

wyn: ~stok vine; **~vaat'jie/~vat** wine barrel, wine cask; **~vat'maker** cooper *ook* **kui'per** (person); **~vlek** wine stain

wys[1] (w) **ge-** show, demonstrate, indicate; direct; *iem. ~ waar Dawid die wortels gegrawe het* teach s.o. a thing or two

wys[2] (b) wise; prudent; sage; obstinate, impertinent; *ek kan hier niks uit ~ word nie* I cannot make head or tail of this; it makes no sense to me

wys'begeerte philosophy *ook* **filosofie'**

wy'se[1] (s) **-s** wise man, sage; *die W~s uit die Ooste* the Wise Men of the East, the Magi (Bible)

wy'se[2] (s) **-s** way; mood (gram.); *by ~ van spreke* so to say/speak; in a manner of speaking

wy'ser/wys'ter -s index hand (of a clock); pointer *kyk* **pyl'flits;** cursor (comp.); *groot ~* minute hand; *klein ~* hour hand

wys'geer (s) **..gere** philosopher *ook* **filosoof'** (persoon); **wysge'rig** (b) **-e** philosophical

wys'heid (s) wisdom *ook* **oor'deel, in'sig; ken'-nis;** *meer geluk as ~* more by accident than by design

wy'sie -s melody, tune, air; *van sy* ~ *af* out of his mind/senses; gone bats/nuts; ~ *hou* sing in tune

wy'sig ge- modify, amend, alter; **~ing** amendment, modification; *die konstitusie* ~ amend the constitution

wys'lik (bw) wisely; ~ *handel* act wisely

wys'maak -ge- hoodwink, bluff *ook* **in'prent;** impose on; *iem. iets* ~ spin s.o. a yarn

wys'neus (s) **-e** wiseacre, know-all, pedant *ook* **slim'jan, slim'prater, be'terweter**

wys'ter = wyser

wys'vinger -s index finger, forefinger

wyt (w) **ge-** impute, accuse, blame; *te* ~*e aan* owing to (negatively); *jy het dit aan jouself te* ~*e* you have only yourself to blame

wy'water holy/lustral water; **~bak'** holy water font/basin, aspersorium

X

x -'e x

Xant(h)ip'pe Xanthippe; (proverbial) she-devil *ook* **hel'leveeg**

X'-bene knock-knees *ook* **aan'kapknieë**

xenofobie' (s) xenophobia, dislike/fear of foreigners *ook* **vreem'delingehaat**

Xho'sa Xhosa (people, language); iziXhosa (official language)

xilofoon' ..fone xylophone (mus. instr.)

xilograaf' ..grawe xylographer *ook* **hout'snyer**

Xitson'ga Xitsonga (official language) *ook* **Tson'ga**

X'-strale X-rays, Röntgen rays

Y

y -'s y

Yank′(ee) -s Yankee, American (person)

y′del (b) idle, useless, futile; vain, conceited; **~heid** (s) vanity; futility; *alles is ~heid* all is vanity; *die Here se naam ~lik gebruik* use/take the name of God in vain; **~tuit** fop, coquette, vain woman *ook* **pron′ker**

yk (w) **ge-** gauge, assize, verify, stamp; calibrate; *geykte uitdrukking* standing phrase; **~maat** standard measure; **~mees′ter** (chief) assizer

yl[1] (s) haste; *in aller ~* at top speed; (w) **ge-** hurry, hasten *ook* **jaag**

yl[2] (w) **ge-** be delirious *ook* **y′lend**

yl[3] (b) thin; sparse; rarefied (atmosphere); *die mielies staan ~* the maize is growing scat= tered/patchy

ylhoof′dig (b) **-e** delirious, light-headed *ook* **y′lend, deli′ries**

y′lings (bw) hastily

young′bessie -s youngberry (fruit)

ys[1] (s) ice; *op gladde ~ staan* be in danger; *die ~ breek* break the ice (to start a conversation); (w) **ge-** freeze, ice

ys[2] (w) **ge-** shudder, shiver; *ek ~/bewe van angs as ek dink ...* I shudder to think ...

ys: **~baan** (ice-)skating rink; **~beer** polar bear; **~berg** iceberg; **~bre′ker** icebreaker (ship)

y′sere (b): *~ volharding/moed* unflinching per= severance/courage

y′sig (b, bw) icy cold, freezing *ook* **ys′koud**

ysingwek′kend -e horrifying, ghastly *ook* **skrik= wek′kend**

ys: **~kas** refrigerator *ook* **koel′kas**; icebox; **~kor** crust of ice; **~koud** cold as ice *ook* **y′sig**; *di laat my ~koud* it leaves me cold

ys′lik (b) **-e** enormous, huge, tremendous *ook* **tamaai′, enorm′**; horrible, ghastly

ys: **~perio′de** ice age, glacial period *ook* **ys′tyd ~reën** sleet; **~sak** coolbag

Ys′see Arctic Ocean

ys: **~skaats** ice-skating; **~skaatsbaan′** (ice-)skat ing rink; **~skots** (s) ice floe *ook* **dryf′ys**

ys′ter -s iron; *ses jaar in die ~s* six years behin bars; *smee die ~ terwyl dit heet is* make ha while the sun shines; **~draad** iron/steel wire **~erts** iron ore; **~gie′tery** iron foundry; **~hou dend** ferrous, ferruginous; **~hout** ironwood

ys′terklou: *~ in die grond slaan* take to one' heels; stand firm

ys′ter: **~lees** (shoemaker's) last; **~paal** iro standard/pole; **~perd** (skerts.) bicycle; loco motive, train; **~plaat** iron plate; **~saag** hack saw; **~suur** ferric acid; **~vark** porcupine **~wa′re** hardware, ironmongery *ook* **har′ deware**

ys: **~tyd(perk)** ice age, glacial period; **~veld** ic field, ice sheet

y′wer (s) diligence; zeal, keenness *ook* **vlyt gees′drif**; *blinde ~* fanaticism; (w) **ge-** devote oneself to, be zealous; *hy ~/beywer hom vir h* is striving/campaigning for; **~aar** enthusias fanatic (person), zealot *ook* **seloot′**; **~i** diligent, industrious, zealous *ook* **vly′tig geesdrif′tig**

Z

z -'s z; *van A tot* ~ from A to Z

Zam′bië (s) Zambia (country); **~r** (s) **-s** Zambian (person); **Zam′bies** (b) **-e** Zambian (customs, etc.)

zep′pelin -s zeppelin, airship

ze′ro zero, naught; cipher/cypher *ook* **nul, nul′punt; niks; ~skaal BTW** zero-rated VAT; **~-uur** zero hour; **~verdraagsaamheid** zero tolerance (towards crime)

Zimbab′we (s) Zimbabwe (country); **Zimbab′= wiër** (s) **-s** Zimbabwean (person); **Zimbab′= wies** (b) **-e** Zimbabwean (customs, etc.)

zits ge- whizz; hit all of a sudden; sting (like a bee)

Zoe′loe/Zulu Zulu (people, language); isiZulu (official language)

zoem (s) buzz(ing), drone; (w) **ge-** buzz, zoom, whizz, drone *ook* **gons′;** ~ *in* zoom in (phot.); ~ *weg* zoom away (phot.); **~er** buzzer, zoom, buzz apparatus *ook* **gon′ser; ~lens′** zoom lens (phot.)

zoem′pie -s blue duiker (antelope)

zol (omgangst.) (s) **-le** zol (SAE), cigarette; *dagga*~ dagga (marijuana) zol/cigarette

zom′bie -s zombi, halfdead/tranced person *ook* **le′wende lyk**

Zu′lu = Zoe′loe (mense, taal)

AFKORTINGS/AKRONIEME

A

@ teen □ at **@**

AA aftree-annuïteit □ retirement annuity **RA**

AA Alkoholiste Anoniem □ Alcoholics Anonymous **AA**

AA Automobiel-Assosiasie □ Automobile Association **AA**

a.a. afskrif(te) aan □ (carbon) copy to **cc**

aanget. aangetekende □ registered **regd.**

aanh. aanhangsel □ appendix **app.**

aank. aankoms □ arrival **arr.**

aant. aantekening □ note —

aardr. aardrykskunde □ geography **geog.**

a. asb. antwoord asseblief □ *repondez s'il vous plaît* (please reply) **RSVP**

AB Afrikanerbond □ — **AB**

ab. afgebring □ carried down **c/d**

a.b. aan boord □ on board **o.b.**

ABET/Abet Basiese Onderwys en Opleiding vir Volwassenes □ Adult Basic Education and Training **ABET/Abet**

ABM antiballistiese missiel □ antiballistic missile **ABM**

ABO Anglo-Boereoorlog □ Anglo-Boer War **ABW**

ACDP — □ African Christian Democratic Party **ACDP**

AD *Anno Domini* (in die jaar van ons Here) □ in the Year of our Lord **AD**

ADC aide-de-campe □ aide-de-camp **ADC**

ad inf. *ad infinitum* (tot die oneindige) □ to infinity **ad inf.**

adj.off. adjudantoffisier □ Warrant Officer **WO**

adjt. adjudant □ adjudant **adj.**

ad lib. *ad libitum* (na keuse) □ at pleasure **ad lib.**

adm. admiraal □ Admiral **Adm.**

admin. administrateur; administrasie □ administrator; administration **admin.**

adv. advokaat □ Advocate **Adv.**

ad val. *ad valorem* (volgens waarde) □ according to value **ad val.**

advt. advertensie □ advertisement **advt./ad.**

AE (die) Algemene Era *ook* huidige jaartelling **HJ** □ (the) Common Era **CE**

AEB Afrikaner-Eenheidsbeweging □ — **AEB**

afb. afbeelding □ illustration **ill(us).**

afd. afdeling □ division **div.**

afk. afkorting □ abbreviation **abbr.**

Afr. Afrika; Afrikaan; Afrikaans; Afrikaner [Africa; African; Afrikaans; Afrikaner **Afr.**

agb. agbare □ Honourable **Hon.**

AGS Apostoliese Geloofsending □ — Aposto ic Faith Mission **AFM**

a(gter)v. agtervoegsel □ suffix **suff.**

a.g.v. as gevolg van □ due to; because of —

AHI Afrikaanse Handelsinstituut □ — **AHI**

AJV algemene jaarvergadering □ annual ge eral meeting **AGM**

akk. akkusatief □ accusative (case) **acc.**

alg. algebra □ algebra **alg.**

alg. algemeen □ general —

AM amplitude-modulasie (radio) □ amplitu modulation **AM**

anat. anatomie; anatomies(e) □ anatomy; an tomical **anat.**

ANC — □ African National Congress **ANC**

Angl. Anglisisme □ Anglicism **Angl.**

anon. *anonimus* (onbekende) □ anonymou unknown **anon.**

antw. antwoord □ answer **ans.**

antw.bet. antwoord betaal □ reply paid **reply p**

AOTH Algemene Ooreenkoms oor Tariewe Handel □ General Agreement on Tariffs a Trade **GATT**

APLA/Apla — □ African People's Liberati Army **APLA/Apla**

appl. applous □ applause **appl.**

Apr. April □ April **Apr.**

Arab. Arabië; Arabies(e) □ Arabia; Arabia Arabic **Arab.**

arg. argaïes □ archaic **arch.**

art. artikel □ article **art.**

as. aanstaande □ *proximo* (next) **prox.**

ASA Atletiek Suid-Afrika □ Athletics Sou Africa **ASA**

asb. asseblief □ *s'il vous plaît* (if you pleas **s.v.p.**

ASCII Amerikaanse Standaardkode vir Inl tingsuitruiling (rek.) □ American Standa Code for Information Exchange **ASCII**

asst. assistent □ assistant **asst.**

ASV afwesig sonder (amptelike) verlof absent without official leave **AWOL**

ATKV Afrikaanse Taal- en Kultuurverenigi □ — **ATKV**

AU Afrika-Unie □ African Union **AU**

Aug. Augustus □ August **Aug.**

AVF Afrikaner-Volksfront □ — **AVF**

a.w. in die aangehaalde werk □ *opere citato* (in the work quoted/cited) **op. cit.**

AWB Afrikaner-Weerstandbeweging □ — **AWB**

AWS Afrikaanse Woordelys en Spelreëls □ — **AWS**

Azapo — □ Azanian People's Organisation **Azapo**

B

B.A./BA *Baccalaureus Artium* □ Bachelor of Arts **BA**

bal. balans; saldo □ balance **bal.**

BASIC/Basic — (rek.) □ Beginner's All-purpose Symbolic Instruction Code **BASIC/Basic**

bat. bataljon □ battalion **bn**

BBE batebeslagleggingseenheid □ asset forfeiture unit **AFU**

BBP baie belangrike persoon □ very important person **VIP**

BBP bruto binnelandse produk □ gross domestic product **GDP**

B.Com./BCom *Baccalaureus Commercii* □ Bachelor of Commerce **BCom**

BD besturende direkteur □ managing director **MD**

B.D./BD *Baccalaureus Divinitatis* □ Bachelor of Divinity **BD**

B.Ed./BEd *Baccalaureus Educationis* □ Bachelor of Education **BEd**

bet. betaal(d) □ paid **pd.**

betr.vnw. betreklike voornaamwoord □ relative pronoun **rel. pron.**

BFW behoudens foute en weglatings □ errors and omissions excepted **E & OE**

bg. bogenoemd(e) □ above-mentioned —

bibl. biblioteek □ library **lib.**

biol. biologie; biologies(e) □ biology; biological **biol.**

BK beslote korporasie □ close(d) corporation **CC**

bk. bokas (hoofletters) □ upper case (capital letters) **u.c.**

BKW belasting op kapitaalwinste □ capital gains tax **CGT**

BLO Burgerlike Lugvaartowerheid □ Civil Aviation Authority **CAA**

blvd. boulevard □ boulevard **Blvd**

B.Mus./BMus *Baccalaureus Musicae* □ Bachelor of Music **BMus**

bnw. byvoeglike naamwoord □ adjective **adj.**

BO bevelvoerende offisier □ Commanding Officer **CO/OC**

blaai om blaai om □ please turn over (a page) **PTO**

bot. botanie; botanies(e) □ botany; botanical **bot.**

Bpk. Beperk □ Limited **Ltd**

Br(it). Brittanje; Brits(e) □ Britain; British **Br.**

BSA Besigheid Suid-Afrika □ Business South Africa **BSA**

B.Sc./BSc *Baccalaureus Scientiae* □ Bachelor of Science **BSc**

BSW buitesintuiglike waarneming □ extrasensory perception **ESP**

BTW belasting op toegevoegde waarde □ value added tax **VAT**

bv. byvoorbeeld □ *exempli gratia* (for example/instance) **eg/eg./e.g.**

b.v.p./bvp been voor paaltjie (krieket) □ leg before wicket **lbw**

BW betaalbare wissel □ bill payable **B/P**

bw. bywoord *ook* **byw.** □ adverb **adv.**

byg. bygaande □ accompanying; attached/annexed —

byl. bylae/bylaag □ enclosure **encl.;** annexure **annex.**

b(y)w. bywoord □ adverb **adv.**

C

C Celsius □ Celsius; centigrade **C**

c sent □ cent(s) **c**

ca. *circa* (ongeveer; omstreeks) *ook* **c.** □ *circa* (about) **ca/c**

cc kubieke sentimeter □ cubic centimetre(s) **cc**

CD laserskyf; kompakskyf □ compact disk **CD**

CD-ROM kompakskyf-leesalleengeheue □ compact disk read-only memory **CD-ROM**

cf. *confer* (vergelyk) *ook* **vgl.** □ compare **cf./cp.**

cg sentigram □ centigram(s) **cg**

Ch.B./ChB *Chirurgiae Baccalaureus* □ Bachelor of Surgery **ChB**

chem. chemie; chemies(e) *ook* **skeik.** □ chemistry; chemical **chem.**

Chr. Christus; Christelik(e) □ Christ; Christian **Chr.**

CIA Amerikaanse Intelligensiediens □ Central Intelligence Agency (USA) **CIA**

CITES Konvensie oor Internasionale Handel in Bedreigde Spesies □ Convention on International Trade in Endangered Species **CITES**

CJMV Christelike Jongmannevereniging □ Young Men's Christian Association **YMCA**

cl sentiliter □ centilitre(s) **cl**

cm sentimeter □ centimetre(s) **cm**

COBOL/Cobol algemene besigheidstaal (rek.) □ common business-oriented language **COBOL/Cobol**

Cosas — □ Congress of South African Students **Cosas**

Cosatu — □ Congress of South African Trade Unions **Cosatu**

CSV Christenstudentevereniging □ Students' Christian Association **SCA**

CV *curriculum vitae* (lewensprofiel) *ook* **cur. vit.** □ *curriculum vitae* **CV/cur. vit.**

cwt sentenaar □ hundredweight **cwt**

D

D Romeinse 500 □ Roman numeral 500 **D**

d. *denarius* (pennie) □ *denarius* (penny) **d.**

DA Demokratiese Alliansie □ Democratic Alliance **DA**

Dalro Dramatiese, Artistieke en Letterkundige Regte-Organisasie □ Dramatic, Artistic and Literary Rights Organisation **Dalro**

DAT digitale oudioband □ digital audio tape **DAT**

dat. datief □ dative (case) **dat.**

dB desibel □ decibel(s) **dB**

DBV Dierebeskermingvereniging □ Society for the Prevention of Cruelty to Animals **SPCA**

d.d. *de date* (gedateer) □ dated —

DDS doen dit self □ do it yourself **DIY**

deelw. deelwoord □ participle **part.**

def. definisie □ definition **def.**

dept. departement □ department **dept.**

Des. Desember □ December **Dec.**

des. deser □ instant (this month) **inst.**

DG direkteur-generaal □ Director-General **DG**

D.G. *Dei Gratia* (deur Gods genade); *Deo Gratias* (God sy dank) □ by the grace of God; thanks to God **D.G.**

Dg dekagram □ decagram(s) **Dg**

dg desigram □ decigram(s) **dg**

dgl. dergelike □ such —

Di. Dinsdag □ Tuesday **Tu(es).**

di. *domini* (predikante) □ (the) Reverends **Revs.**

d.i. dit is *ook* **d.w.s.** □ *id est* (that is to say) **i.e./ie**

diensw. dienswillig □ obedient **obdt**

dierk. dierkunde □ zoology **zool.**

disk. diskonto; afslag □ discount **disc.**

dist. distrik □ district (of) **dist.**

div. dividend(e) □ dividend(s) **div.**

D*l* dekaliter □ Decalitre(s) **D***l*

dl. deel □ volume (of book) **vol.**

d*l* desiliter □ decilitre(s) **d***l*

Dm dekameter □ decametre(s) **Dm**

dm desimeter □ decimetre(s) **dm**

dm. duim (meeteenheid) □ inch(es) **in.**

DMA direkte geheuetoegang (rek.) □ direct memory access **DMA**

DNS deoksiribonukleïensuur □ deoxyribonucleic acid **DNA**

Do. Donderdag □ Thursday **Thurs.**

do. *ditto* (dieselfde) □ the same **do.**

DOS skyfbedryfstelsel (rek.) *ook* **SBS** □ disk operating system **DOS**

dos. dosyn □ dozen **doz.**

DP Demokratiese Party □ Democratic Party

D. Phil./DPhil *Doctor Philosophiae* □ Doctor of Philosophy **DPhil**

dr. debiteur □ debtor **dr**

dr. doktor; dokter □ doctor **Dr**

dr. druk □ edition; printing **ed.**

drr. doktore; dokters □ doctors **Drs**

ds. *dominus* (dominee) □ Reverend **Rev.**

DStv digitale satelliettelevisie (skottel-TV) □ digital satellite television **DStv**

dt. debiet □ debit **dt**

DTP lessenaarsetwerk; lessenaarpublisering; publisering *ook* **TP** □ desktop publishing

DV *Deo Volente* (as God wil) □ God willing

d.w.s. dit wil sê □ *id est* (that is to say) **i.e.**

dwt pennyweight □ pennyweight **dwt**

E

e.a. en ander(e) □ *et alii* (and others) **et al**

EARS ernstige akute respiratoriese sind(med.) □ serious acute respiratory synd **SARS**

Ed. Edele □ Honourable **Hon.**

ed. edisie; uitgawe □ edition **ed.**

Ed.Agb. Edelagbare (in hof) □ Your Ho **Hon./Yr. Hon.**

e.d.m. en dergelike/dies meer □ *et cetera* so forth) **etc.**

Edms. Bpk. Eiendoms Beperk (firma Proprietary Limited **Pty Ltd**

EDV elektroniese dataverwerking (rek. electronic data processing **EDP**

EEG elektroënkefalogram □ electroencep gram **EEG**

eerw. eerwaarde □ Reverend **Rev.**

EFTPOS elektroniese fondsoorplasing by koopspunt □ electronic funds transfer at of sale **EFTPOS**

e.g. eersgenoemde □ the former —

ek. eerskomende □ *proximo* (next) **prox.**

EKG elektrokardiogram □ electrocardio **ECG**

ekon. ekonomie; ekonomies(e) □ econom economical **econ.**

Eks. Ekssellensie □ Excellency **Exc.**

eks. eksemplaar □ copy —

ekv. enkelvoud □ singular **sing.**

elektr. elektrisiteit; elektries(e) □ electr electric(al) **electr.**

Eng. Engeland; Engels □ England; E **Eng.**

ens. ensovoorts □ *et cetera* (and so forth)

EPOS elektroniese verkoopspunt □ elec point of sale **EPOS**

e-pos elektroniese pos □ electronic email/e-mail

resekr. eresekretaris □ honorary secretary **Hon. Sec.**

skom Elektrisiteitvoorsieningskommissie □ Electricity Supply Commission **Eskom**

s.m. en so meer *ook* **ens.** □ *et cetera* (and so forth) **etc.**

U Europese Unie □ European Union **EU**

v. en volgende □ *et sequens* (and the following) **et seq.**

x off. *ex officio* (ampshalwe) □ by virtue of his/her office

F

Fahrenheit □ Fahrenheit **F**

forte (luid) (mus.) □ *forte* (loud) **f**

AK Federasie van Afrikaanse Kultuurvereni= gings □ — **FAK**

ks faksimilee □ facsimile **fax**

kt. faktuur □ invoice **inv.**

BI Amerikaanse Federale Speurdiens □ Fed= eral Bureau of Investigation (USA) **FBI**

eb(r). Februarie □ February **Feb.**

dhasa Federasie van Gastebedrywe van Suid-Afrika □ Federated Hotel Association of South Africa **Fedhasa**

en WU foute en weglatings uitgesonder □ errors and omissions excepted **E & OE**

fortissimo (baie luid) (mus.) □ *fortissimo* (very loud) **ff**

fa Internasionale Voetbalfederasie *(Fédération Internationale de Football Association)* (sok= ker) □ International Football Federation **Fifa**

. figuur; figuurlik □ figure; figurative **fig.**

. fisika □ physics **phys.**

M frekwensiemodulasie □ frequency modula= tion **FM**

elimo Front vir die Bevryding van Mosambiek *(Frente de Libertação de Moçambique)* □ Front for the Liberation of Mozambique **Frelimo**

G

gram □ gram(s) **g**

ll./gell./g. gallon/gelling □ gallon(s) **gal.**

BO gemeenskapsgebaseerde organisasie □ community-based organisation **CBO**

EAR — □ growth, employment and redis= tribution **GEAR**

b. gebore □ born, née; *natus* **b./n.**

)b. geb. geboul (krieket) □ bowled **b.**

ors. gebroeders (firma) □ Brothers **Bros**

ll. geïllustreer □ illustrated **illus.**

l./gall./g. gelling/gallon □ gallon(s) **gal.**

. genitief □ genitive **gen.**

genl. generaal □ General **Gen.**

geogr. geografie □ geography **geog.**

geol. geologie □ geology **geol.**

Geref. Gereformeerd(e) □ Reformed **Ref.**

gest. gestig; opgerig □ established **est.**

get. geteken □ signed **sgd.**

(ge)v. gevang (krieket) □ caught **c.**

GGD grootste gemene deler □ highest common factor **HCF**

GGP geneties gemodifiseerde produk □ geneti= cally modified product **GMP**

GIGU gemors in, gemors uit (rek.) □ garbage in, garbage out **GIGO**

gimn. gimnastiek; gimnasium □ gymnastics; gymnasium **gym.**

GIS Geografiese Inligtingstelsel □ Geographic Information System **GIS**

GM genetiese modifisering □ genetic(al) mod= ification **GM**

goew. goewerneur □ governor **gov.**

GOS Gemenebes van Onafhanklike State (Rus= land) □ Commonwealth of Independent States (Russia) **CIS**

GR Geoktrooieerde Rekenmeester □ Chartered Accountant **CA**

gr. grein □ grain(s) **gr.**

GRS Gesagvereniging vir Reklamestandaarde □ Advertising Standards Authority **ASA**

GS/gs. gelykstroom (elektr.) □ direct current **DC**

GT Greenwichtyd □ Greenwich Mean Time **GMT**

GV Grondwetlike Vergadering □ Constitutional Assembly **CA**

H

ha hektaar □ hectare(s) **ha**

h.b.s. hoogte bo seespiëel/seevlak □ altitude (height above sea level) **alt.**

H.d.L. heil die leser □ *Lectori Salutem* (hail the reader) **L.S.**

H.Ed. Hoogedele; Haar Edele □ Right Honour= able **Rt. Hon.**

H.Eerw. Hoogeerwaarde □ Right Reverend **Rt. Rev.**

Herv. Hervormd(e) □ Reformed **Ref.**

HF hoë frekwensie □ high frequency **HF**

hfl. hoofletter □ capital (letter) **cap.**

hfst. hoofstuk □ chapter **ch(ap).**

hg hektogram □ hectogram(s) **hg**

HH Haar Hoogheid □ Her Highness **HH**

HIV = **MIV**

HJ Huidige Jaartelling *ook* (die) Algemene Era □ (the) Common Era **CE**

HK hoofkwartier □ headquarters **HQ**

HKH Haar Koninklike Hoogheid □ Her Royal Highness **HRH**

h*ℓ* hektoliter □ hectolitre(s) **h*ℓ***

HM Haar Majesteit □ Her Majesty **HM**

hm hektometer □ hectometre(s) **hm**

HOD Hoër Onderwysdiploma □ Higher Diploma in Education **HDE**

Hons. Honneurs (universiteitsgraad) □ Honours **Hons.**

hoogl. hoogleraar *ook* **prof.** professor □ Professor **Prof.**

HOP Heropbou- en Ontwikkelingsprogram □ Reconstruction and Development Programme **RDP**

HPK Hoofposkantoor □ General Post Office **GPO**

hs. handskrif *ook* **ms.** manuskrip □ manuscript **MS**

HTML hiperteks-opmaaktaal (rek.) □ Hypertext Markup Language **HTML**

HUB hoof(-) uitvoerende beampte; bestuurshoof □ chief executive officer **CEO**

h.v. hoek van □ corner **cor./cnr.**

HVT hormoonvervangingsterapie (med.) □ hormone replacement therapy **HRT**

I

IAO Internasionale Arbeidsorganisasie □ International Labour Organisation **ILO**

ib(id). *ibidem* (aldaar) □ in the same place **ib(id).**

ID identiteitsdokument □ identity document **ID**

id. *idem* (dieselfde) □ the same **id.**

Idasa Instituut vir Demokrasie in Suid-Afrika □ Institute for Democracy in South Africa **Idasa**

i.e. *id est* (dit is) □ *id est* (that is to say) **i.e.**

iem. iemand □ someone **s.o.**

IK intelligensiekwosiënt □ intelligence quotient **IQ**

IKBM interkontinentale ballistiese missiel □ intercontinental ballistic missile **ICBM**

IKR Internasionale Krieketraad □ International Cricket Council **ICC**

ill. illustrasie □ illustration **ill./illus.**

IMF Internasionale Monetêre Fonds □ International Monetary Fund **IMF**

imp. imperatief; gebiedende wys □ imperative **imp.**

incog. *incognito* (onbekend) □ unknown **incog.**

ind. indikatief; aantonend □ indicative (mood) **ind.**

inf. infinitief □ infinitive **inf.**

infra dig. *infra dignitatem* (benede sy waardigheid) □ beneath his dignity **infra dig.**

inkl. inklusief □ including; inclusive **incl.**

inl. inleiding □ introduction **intro.**

insl. insluitend □ including; inclusive **incl.**

Intelsat Internasionale Telekommunikasie-satellietkonsortium □ International Telecommunications Satellite Consortium **Intelsat**

Interpol Internasionale Misdaadpolisie-organisasie □ International Criminal Police Organisation **Interpol**

IOK Internasionale Olimpiese Komitee □ International Olympic Committee **IOC**

i.p.v. in plaas van □ instead of —

IRK Internasionale Rooi Kruis □ International Red Cross **IRC**

IRL Ierse Republikeinse Leër □ Irish Republican Army **IRA**

IRR Internasionale Rugbyraad □ International Rugby Board **IRB**

IRS Internasionale Ruimtestasie □ International Space Station **ISS**

is. in sake/insake □ regarding **re**

ISBN Internasionale Standaardboeknommer □ International Standard Book Number **ISBN**

Iscor Suid-Afrikaanse Yster en Staal Industriële Korporasie (*voorheen* **Yskor**) □ South African Iron and Steel Industrial Corporation **Iscor**

ISO Internasionale Standaarde-Organisasie □ International Standards Organisation

ISP internetdiensverskaffer □ internet service provider **ISP**

IT inligtingstegnologie □ information technology **IT**

IVB in vitro-bevrugting □ in vitro fertilisation **IVF**

i.v.m. in verband met □ regarding **re**

IVP Inkatha-vryheidsparty □ Inkatha Freedom Party **IFP**

J

Jan. Januarie □ January **Jan.**

Jappie jong opkomende professionele persoon □ young upwardly mobile professional person **Yuppie**

jg. jaargang □ volume **vol.**

jl. jongslede □ *ultimo* (last) **ult.**

jr. junior (die jongere/jongste) □ junior **Jun.**

JSE JSE Sekuriteitebeurs (*voorheen* Johannesburgse Aandelebeurs) □ JSE Securities Exchange **JSE**

jt. jaart (lengte-eenheid) □ yard(s) **yd.**

juf. juffrou □ Miss —

Jul. Julie □ July **Jul.**

Jun. Junie □ June **Jun.**

K

KAF Konfederasie van Afrika-voetbal (sokker) □ Confederation of African Football **CAF**

kal. kalorie(ë) □ calorie(s) **cal.**

kap. kapitaal (letter) □ capital (letter) **cap.**

kapt. kaptein □ Captain **Capt.**

kar. karaat □ carat(s) **car./ct.**

k.a.v. koste, assuransie, vrag □ cost, insurance, freight **c.i.f.**

KB kredietbrief □ letter of credit **L/C**

KBA/k.b.a. kontant by aflewering □ cash on delivery **COD**

KBE kinderbeskermingseenheid (polisie) □ Child Protection Unit **CPU**

KEEM/Keem Kantoor vir Ernstige Ekonomiese Misdrywe (intussen ontbind *sien* **Odeem**) □ Office for Serious Economic Offences **OSEO** (since disbanded *see* **IDSEO**)

KG/Kg/kgreep kilogreep (rek.) □ kilobyte **K/KB/Kb/kbyte**

kg kilogram □ kilogram(s) **kg**

KGB *Komitet Gosoedarstwennoj Bezopasnosti* (Russiese geheimpolisie – hist.) □ Russian Secret Police **KGB**

KGV kleinste gemene veelvoud □ lowest common multiple **LCM**

KI kunsmatige inseminasie □ artificial insemination **AI**

KI kunsmatige intelligensie (rek.) □ artificial intelligence **AI**

Kie. kompanjie □ company **Co.**

k.k. kerskrag □ candlepower **cp**

KKNK Klein Karoo Nasionale Kunstefees □ — **KKNK**

kℓ kiloliter □ kilolitre(s) **kℓ**

km kilometer □ kilometre(s) **km**

KMB/k.m.b. kontant met bestelling □ cash with order **CWO**

kmdt. kommandant □ Commandant **Comdt.**

km/h kilometer per uur □ kilometres per hour **km/h**

kol. kolonel □ Colonel **Col.**

koöp./ko-op koöperasie/ko-operasie □ cooperative (society) **co-op**

KP Konserwatiewe Party □ Conservative Party **CP**

kPa kilopascal □ kilopascal(s) **kPa**

kpl. korporaal □ Corporal **Cpl.**

KN kredietnota □ credit note **C/N**

kr. krediteer; krediteur □ credit; creditor **Cr.**

ks. kredietsaldo □ credit balance **C/B**

kt. krediet □ credit **Cr.**

kub. kubiek(e) □ cubic **cu(b).**

kurs. kursief; kursiveer; kursivering □ italics; italicise; italisation **ital.**

kW kilowatt (elektr.) □ kilowatt(s) **kW**

kw. kwartaal □ quarter **qt.**

kwit. kwitansie □ receipt **rec.**

KWV Koöperatiewe Wynbouersvereniging □ — **KWV**

L

£ pond (geld) □ pound (money) **£**

L leerlingbestuurder (motor) □ learner driver **L**

L Romeinse 50 □ Roman numeral 50 **L**

ℓ liter □ litre(s) **ℓ**

ℓ/100 km liter per 100 km □ litres per 100 km **ℓ/100 km**

lab. laboratorium □ laboratory **lab.**

LAG leesalleengeheue (rek.) □ read-only memory **ROM**

LAN lokale-areanetwerk (rek.) □ local area network **LAN**

Lat. Latyn □ Latin **Lat.**

LAW ligte afleweringswa □ light delivery van **LDV**

LB ladingsbrief; laaibrief □ bill of lading **B/L**

lb. pond (gewig) □ pound (weight) **lb(.)**

LBS lopende betaalstelsel (belasting) □ pay-as-you-earn **PAYE**

lett. letterlik(e) □ literal(ly) **lit.**

lettk. letterkunde □ literature **lit.**

lg. laasgenoemde □ the latter —

ll. laaslede □ *ultimo* (last) **ult.**

LL.B./LLB *Legum Baccalaureus* □ Bachelor of Laws **LLB**

ln. laan □ avenue **Ave**

l.n.r. (van) links na regs □ (from) left to right **l. to r.**

loc. cit. *loco citato* (op die aangehaalde plek) *ook* **t.a.p.** ter aangehaalde plaatse □ in the place cited **loc. cit.**

log. logaritme □ logarithm **log.**

LOP lêeroordragprotokol (rek.) □ file transfer protocol **FTP**

LP Lid van die Parlement □ Member of Parliament **MP**

LR/l.r. lopende rekening (bank) □ current account **C/A**

LS langspeler (plaat) (veroud.) □ long-playing record **LP**

L.S. *Lectori Salutem* (heil die leser) *ook* **H.d.L.** □ hail the reader **L.S.**

LSD lisergiensuurdiëtielamied □ lysergic acid diethylamide **LSD**

£.s.d. *librae* (ponde), *solidi* (sjielings), *denarii* (pennies) □ pounds, shillings, pence/pennies **£.s.d.**

lt. luitenant □ Lieutenant **Lt.**

lt.kol. luitenant-kolonel □ Lieutenant-Colonel **Lt. Col.**

LUK Lid van die Uitvoerende Komitee □ Member of the Executive Committee **MEC**

LUR Lid van die Uitvoerende Raad □ Member of the Executive Council **MEC**

LW let wel *ook* **NB** □ *nota bene* (mark well) **NB**

lw. lidwoord □ article (gram) **art.**

M

m meter; myl □ metre(s); mile(s) **m**

m. miljoen □ million **M**

m./ml. manlik □ masculine **m./masc.**

M.A./MA *Magister Artium* □ Master of Arts **MA**

Ma. Maandag □ Monday **Mon.**

maj. majoor □ Major **Maj.**

m.a.w. met ander woorde □ in other words —

MBA/MBL Magister (meestersgraad) in Besig=
heidsadministrasie/Bedryfsleiding □ Mas=
ter's degree in Business Administration/
Leadership **MBA/MBL**

m.b.t. met betrekking tot □ with reference to —

MDC Beweging vir Demokratiese Verandering
(Zimbabwe) □ Movement for Democratic
Change **MDC**

MDM — □ Mass Democratic Movement **MDM**

MDV meerdoelvoertuig □ multi-purpose vehi=
cle **MPV**

ME mialgiese enkefalomiëlitis (med. "jappie=
griep") □ myalgic encephalomyelitis **ME**

me(.) (mv.: **mee(.)/mes(.)**) titel vir vrou om
onderskeid tussen getroude/ongetroude vroue
te vermy □ **Ms**

Medunsa Mediese Universiteit van Suider-Afri=
ka □ Medical University of Southern Africa
Medunsa

meetk. meetkunde □ geometry **geom.**

mej(.) mejuffrou (titel vir ongetroude vrou) □
Miss —

memo. memorandum □ memorandum **memo.**

mev. mevrou (titel vir getroude vrou) □ **Mrs**

MG masjiengeweer □ machine gun **MG**

MG mediumgolf (radio) □ medium wave **MW**

MG/Mg/mgreep megagreep (rek.) □ megabyte
MB/Mb/mbyte

mg milligram □ milligram(s) **mg**

MI militêre inligting(sdiens) □ military intelli=
gence **MI**

m.i. myns insiens □ in my view —

mil. militêr(e) □ military **mil.**

min. minuut □ minute **min.**

Mintek Raad vir Mineraaltegnologie □ Council
for Mineral Technology **Mintek**

MIV menslike immuniteitsgebrekvirus □ hu=
man immunosuppressive virus **HIV**

m.i.v. met inbegrip van □ including **incl.**

MJR Moslem(-) Juridiese Raad □ Muslim
Judicial Council **MJC**

MK Umkhonto weSizwe □ — **MK**

ml milliliter □ millilitre(s) **ml**

mm millimeter □ millimetre(s) **mm**

MNR Mediese Navorsingsraad □ Medical
Research Council **MRC**

mnr. meneer □ Mister **Mr**

mnre. menere; (die) firma □ *Messieurs* (gentle=
men) **Messrs**

m.p.g. myl per gelling □ miles per gallon **mpg**

MPLA Volksbeweging vir die Bevryding van
Angola *(Movimento Popular de Libertação de
Angola)* □ People's Movement for the
Liberation of Angola **MPLA**

m.p.u. myl per uur □ miles per hour **mph**

M(p)y. maatskappy □ company **Co.**

MR Metropolitaanse Raad □ Metropolitan
Council **MC**

MRK Menseregtekommissie □ Human Rights
Commission **HRC**

Mrt. Maart □ March **Mar.**

MS multipele/verspreide sklerose □ multiple
sclerosis **MS**

ms. manuskrip □ manuscript **MS**

mus. musiek; musikaal □ music; musical
mus.

m.u.v. met uitsondering van □ excluding **excl.**

mv. meervoud □ plural **pl.**

MVSA Mediese Vereniging van Suid-Afrika □
Medical Association of South Africa **MASA**

MWU Mynwerkersunie □ Mineworkers' Union
MWU

My. = **Mpy.**

N

N. noord(e) □ North

Nafcoc — □ National African Federated
Chamber of Commerce and Industry **Nafcoc**

Nam. Namibië □ Namibia **Nam.**

NASA Nasionale Ruimtevaart- en Ruimteadmi=
nistrasie (VSA) □ National Aeronautics and
Space Administration **NASA**

Naspers Nasionale Pers □ — **Naspers**

Nasrec Nasionale Sport-, Ontspan- en Uitstal=
sentrum □ National Sport, Recreation and
Exhibition Centre **Nasrec**

nat. natuurkunde *ook* **fis.** fisika □ physics **phys**

n.a.v. na aanleiding van □ with reference to
w.r.t./re

Navo Noord-Atlantiese Verdragsorganisasie □
North Atlantic Treaty Organisation **Nato**

NB *nota bene* (let wel) □ mark well **NB**

NBSL Nasionale Beroepsokkerliga (hist.) □
National Professional Soccer League **NPSL**

n.C. na Christus □ *Anno Domini* (in the Year of
our Lord) **AD**

N(ed). G(eref). Kerk Nederduitse Gerefor=
meerde Kerk □ Dutch Reformed Church
DRC

N(ed). Herv. Kerk Nederduits-Hervormde Kerk
□ —

Nedlac Nasionale Ekonomiese, Ontwikkelings-
en Arbeidsraad □ National Economic, Deve=
opment and Labour Council **Nedlac**

neg. negatief; ontkennend □ negative **neg.**

Nehawu — ☐ National Education, Health and Allied Workers' Union **Nehawu**

N & O navorsing en ontwikkeling ☐ research and development **R & D**

Nepad Nuwe Vennootskap vir Afrika-ontwikkeling ☐ New Partnership for Africa's Development **Nepad**

NGK = N(ed). G(eref). Kerk

NHK = N(ed). Herv. Kerk

nl. naamlik ☐ *videlicet* (namely) **viz.**

nm. namiddag ☐ *post meridiem* (in the afternoon) **pm/p.m.**

NNP Nuwe Nasionale Party ☐ New National Party **NNP**

NO noordoos ☐ North East **NE**

no./nr. *numero* (nommer) ☐ number **No.**

NOIK Nederlandse Oos-Indiese Kompanjie *ook* **VOC** ☐ Dutch East India Company **DEIC**

Noksa Nasionale Olimpiese Komitee van Suid-Afrika ☐ National Olympic Committee of South Africa **Nocsa**

nom. nominatief ☐ nominative (case) **nom.**

Nov. November ☐ November **Nov.**

NP Nasionale Party ☐ National Party **NP**

nr./no. nommer ☐ number **No.**

NRO nieregeringsorganisasie ☐ nongovernmental organisation **NGO**

NRP Nasionale Raad van Provinsies ☐ National Council of Provinces **NCOP**

ns./NS naskrif ☐ *post scriptum* (postscript) **PS**

NSL Nasionale Sokkerliga ☐ National Soccer League **NSL**

NSRI Nasionale Seereddingsinstituut ☐ National Sea Rescue Institute **NSRI**

NT Nuwe Testament ☐ New Testament **NT**

NTS/N.T.S. Nasionale Tegniese Sertifikaat ☐ National Technical Certificate **NTC**

NUM Nasionale Unie van Mynwerkers ☐ National Union of Mineworkers **NUM**

Numsa Nasionale Unie van Metaalwerkers van Suid-Afrika ☐ National Union of Metalworkers of South Africa **Numsa**

n.u.n. nie uit nie (krieket) ☐ not out **n.o.**

NV Nasionale Vergadering ☐ National Assembly **NA**

NVT/n.v.t. nie van toepassing ☐ not applicable **NA/n.a.**

NW noordwes ☐ North West **NW**

obj. objek *ook* **voorw.** voorwerp; objektief ☐ object(ive) **obj.**

OBSA Ontwikkelingsbank van Suider-Afrika ☐ Development Bank of Southern Africa **DBSA**

Odeem Ondersoekdirektoraat: Ernstige Ekonomiese Misdrywe ☐ Investigating Directorate: Serious Economic Offences **IDSEO**

oef. oefening ☐ exercise —

OG ouditeur-generaal *ook* **oudit.genl.** ☐ Auditor-General **AG**

o.i. onses insiens ☐ in our view —

ok. onderkas (letter) ☐ lower case (letter) **l.c/lc**

Okt. Oktober ☐ October **Oct.**

okt. oktavo (papierformaat) ☐ octavo **8vo**

o.l.v. onder leiding van ☐ under direction of —

o.m. onder meer ☐ *inter alia* —

o.n.a. of naaste aanbod ☐ or nearest offer **o.n.o.**

ong. ongeveer ☐ approximately **approx.;** circa (time) **c/ca**

oorl. oorlede ☐ died; late **d.**

op. *opus* (werk) (mus.) ☐ work **op.**

op. cit. *opere citato* (in die aangehaalde werk) *ook* **a.w.** ☐ in the work quoted/cited **op. cit.**

opm. opmerking(s) ☐ remark(s) **rem.**

o.p.m. omwentelings per minuut *ook* **r.p.m.** ☐ revolutions per minute **rpm; r/min**

Opul Organisasie van Petroleumuitvoerlande ☐ Organisation of Petroleum-Exporting Countries **Opec**

o.r. op rekening ☐ on account **o/a**

ord. ordonnansie (van provinsie) (hist.) ☐ ordinance **ord.**

ost. onderstaande ☐ following **fol.**

OT Ou Testament ☐ Old Testament **OT**

OTM outomatiese tellermasjien ☐ automatic teller machine **ATM**

oudl. ouderling ☐ elder —

OUO Onafhanklike Uitsaai-owerheid ☐ Independent Broadcasting Authority **IBA**

OVK Onafhanklike Verkiesingskommissie ☐ Independent Electoral Commission **IEC**

OVS Oranje-Vrystaat *nou* Vrystaat (provinsie) ☐ Orange Free State *now* Free State **OFS**

OW ontvangwissel ☐ Bill Receivable **B/R**

o.w. onder wie ☐ amongst whom —

oz ons (massa-eenheid) ☐ ounce **oz**

O

o oos(te) ☐ East **E**

o.a. onder ander(e) ☐ *inter alia* —

OAE Organisasie vir Afrika-Eenheid (hist.) *kyk* **AU** ☐ Organisation for African Unity **OAU**

OB openbare beskermer ☐ public protector **PP**

o. oorgebring (boekh.) ☐ brought forward **b/f**

P

p *piano* (sag) (mus.) ☐ *piano* (softly) **p**

p. paaltjie (krieket) ☐ wicket **w.**

p. *pagina* (bladsy) *ook* **bl.** ☐ page **p.**

p.a. per adres ☐ care of **c/o**

p.a./p.j. *per annum* (per jaar) ☐ per year **p.a.**

PAC — ☐ Pan Africanist Congress **PAC**

Pagad — ☐ People against Gangsterism and Drugs **Pagad**

PANSAT Pan-Suid-Afrikaanse Taalraad □ Pan South African Language Board **PANSALB**

par. paragraaf □ paragraph **par.**

past. pasto(o)r □ pastor —

PBO Palestynse Bevrydingsorganisasie □ Palestine Liberation Organisation **PLO**

pd. pond (gewig; geld) □ pound (weight; money) **lb(.); £**

p.d. per dag □ per day **p.d.**

pers.asst. persoonlike assistent □ personal assistant **PA**

PG/prok.genl. prokureur-generaal □ Attorney-General **AG/Att.-Gen.**

Ph.D./PhD *Philosophiae Doctor* □ Doctor of Philosophy **PhD**

PIN persoonlike identifikasienommer □ personal identification number **PIN**

p.j./p.a. per jaar □ yearly **p.a.**

PK polities/politiek korrek □ politically correct **PC**

Pk. Poskantoor □ Post Office **PO**

pk. perdekrag □ horse power **h.p.**

p.m. per maand; per minuut □ per month/monthly; per minute **p.m.**

PMS premenstruele sindroom □ premenstrual syndrome **PMS**

PMS premenstruele spanning □ premenstrual tension **PMT**

Popcru — □ Police and Prisons Civil Rights Union **Popcru**

pp *pianissimo* (baie sag) (mus.) □ *pianissimo* (very softly) **pp**

p.p./per pro. *per procurationem* (by volmag) □ by procuration/proxy **p.p./per pro.**

PPI produksieprysindeks; produsenteprysindeks □ production price index **PPI**

PR persoonlike rekenaar □ personal computer **PC**

pres. president □ president **pres.**

pro. beroepspeler; professioneel □ professional (n, a) **pro(.)**

prof. professor □ Professor **Prof.**

prok. prokurasie □ power of attorney **PA**

prov. provinsie; provinsiaal □ province; provincial **prov.**

PS *post scriptum* (naskrif) □ postscript **PS**

PS privaatspeurder □ private investigator **PI**

Ps. Psalm □ Psalm **Ps.**

ps. persent □ per cent **p.c.**

ps. pseudoniem; skuilnaam □ pseudonym **pseud.**

p.s. privaat(pos)sak □ private/postal bag **P/B**

PSL Premier Sokkerliga □ Premier Soccer League **PSL**

pt. pint; punt □ pint; point **pt.**

PU(CHO) Potchefstroomse Universiteit (vir Christelike Hoër Onderwys) □ Potchefstroom University **PU**

PVC polivinielchloried □ polyvinyl chloride **PVC**

PW poswissel □ money order **M/O**

p.w. per week □ weekly, per week —

Q

q.e.d. *quod erat demonstrandum* (wat bewy moes word) □ which was to be shown o proved **QED**

q.e.f. *quod erat faciendum* (wat gedoen moe word) □ which was to be done **QEF**

q.q. *qualitate qua* (in die hoedanigheid van) □ in his capacity as **q.q.**

R

R rand (geldeenheid) □ Rand(s) **R**

r. radius; straal (meetk.) □ radius **R./r./rad.**

r. reël □ line **l.**

RAM ewetoeganklike geheue; lees-en-skryf-ge heue (rek.) *ook* **LSG** □ random-acces memory **RAM**

RAU Randse Afrikaanse Universiteit □ Ran Afrikaans University **RAU**

rdh. raadsheer □ alderman **ald.**

rdl. raadslid □ councillor **clr.**

red. redakteur; redaksie □ Editor **Ed.**

reg. regering □ government **gov.**

rek. rekening □ account **a/c; acc.**

rekenk. rekenkunde □ arithmetic **arithm.**

rek. van rekening van □ account of **a/o**

R & B — □ Rhythm and Blues **R & B**

RGN Raad vir Geesteswetenskaplike Navo sing □ Human Sciences Research Counc **HSRC**

RGO/RO rekenaargesteunde onderrig □ com puter-aided instruction **CAI**

RIP *requiescat in pace* (rus in vrede) *ook* **RI** □ may he/she rest in peace **RIP**

RK Rooms-Katoliek(e) □ Roman Catholic **R**

RKK Rooms-Katolieke Kerk □ Roman Cath lic Church **RCC**

rln. rylaan □ drive **Dr.**

r/min omwentelings per minuut *ook* **o.p.m.** □ revolutions per minute **rpm; r/min**

ROM leesalleengeheue (rek.) *ook* **LAG** □ read-only memory **ROM**

RSA Republiek (van) Suid-Afrika □ Republ of South Africa **RSA**

RSVP *rèpondez s'il vous plaît* (antwoo asseblief) *ook* **a.asb.** □ please reply **RSVP**

RU Rhodes-Universiteit □ Rhodes Universi **RU**

S

. suid(e) □ South **S**

A Senior Advokaat □ Senior Advocate **SA**

A Suid-Afrika □ South Africa **SA**

a. Saterdag □ Saturday **Sat.**

abek Suid-Afrikaanse Besigheidskamer □ South African Chamber of Business **Sacob**

ABS Suid-Afrikaanse Buro vir Standaarde □ South African Bureau of Standards **SABS**

adou Suid-Afrikaanse Demokratiese Onderwysersunie □ South African Democratic Teachers' Union **Sadtu**

AEG Suider-Afrikaanse Ekonomiese Gemeenskap □ Economic Community of Southern Africa **ECOSA**

AID Suid-Afrikaanse Inkomstediens □ South African Revenue Services **SARS**

ako Suid-Afrikaanse Kwalifikasieowerheid □ South African Qualifications Authority **Saqa**

AKP Suid-Afrikaanse Kommunisteparty □ South African Communist Party **SACP**

AL Suid-Afrikaanse Lugdiens □ South African Airways **SAA**

ALM Suid-Afrikaanse Lugmag □ South African Air Force **SAAF**

amro Suid-Afrikaanse Musiekregte-Organisasie □ South African Music Rights Organisation **Samro**

ANW Suid-Afrikaanse Nasionale Weermag □ South African National Defence Force **SANDF**

AOG Suider-Afrikaanse Ontwikkelingsgemeenskap □ Southern African Development Community **SADC**

apa Suid-Afrikaanse Pers-Assosiasie □ South African Press Association **Sapa**

APD Suid-Afrikaanse Polisiediens □ South African Police Service **SAPS**

ARB Suid-Afrikaanse Reserwebank □ South African Reserve Bank **SARB**

ARG Suid-Afrikaanse Raad vir Gesondheidsberoepe □ Health Professions Council of South Africa **HPCSA**

ARK Suid-Afrikaanse Raad van Kerke □ South African Council of Churches **SACC**

ARVU Suid-Afrikaanse Rugbyvoetbalunie □ South African Rugby Football Union **SARFU**

sol Suid-Afrikaanse Steenkool-, Olie- en Gaskorporasie □ South African Coal, Oil and Gas Corporation **Sasol**

UK Suid-Afrikaanse Uitsaaikorporasie □ South African Broadcasting Corporation **SABC**

V Suid-Afrikaanse Vloot □ South African Navy **SAN**

W Suid-Afrikaanse Weermag (hist.) □ South African Defence Force **SADF**

SBE sponsagtige bees-enkefalopatie □ bovine spongiform encephalopathy **BSE**

SEB Swart Ekonomiese Bemagtiging □ Black Economic Empowerment **BEE**

S.Ed. Sy Edele □ the Honourable **the Hon.**

S.Ed.Agb. Sy Edelagbare □ the Honourable **the Hon.**

sekr. sekretaris □ secretary **Sec.**

S.Eks. Sy Eksellensie □ His Excellency **HE**

sek./s. sekonde □ second(s) **sec.**

Sep(t). September □ September **Sep(t).**

sers. sersant □ Sergeant **Sgt.**

sert. sertifikaat □ certificate **cert.**

s.g. soortlike gewig □ specific gravity **sp. gr./SG**

sg. sogenaamd(e); sogenoemd(e) □ so-called —

SGML — (rek.) □ Standard Generalised Markup Language **SGML**

SH Sy Heiligheid; Sy Hoogheid □ His Holiness; His Highness **HH**

S.H.Ed. Sy Hoogedele □ the Right Honourable **the Rt. Hon.**

SIBW standaard-inkomstebelasting op werknemers □ standard imcome tax on employees **SITE**

SIM intekenaar-identiteitsmodule (selfoon) □ subscriber identity module **SIM**

skeik. skeikunde; skeikundig(e) *ook* **chem.** □ chemistry; chemical **chem.**

SKH Sy Koninklike Hoogheid □ His Royal Highness **HRH**

sktr. skutter □ gunner **gnr.**; rifleman **rfn.**

SM Sy Majesteit □ His Majesty **HM**

SMS kortboodskapdiens (selfoon) □ Short Message Service **SMS**

s.nw. selfstandige naamwoord □ noun **n.**

SO suidoos □ South-East **SE**

So. Sondag □ Sunday **Sun.**

soöl. soölogie □ zoology **zool.**

SOS internasionale noodsein □ international distress signal **SOS**

SOS sien ommesy *ook* blaai om **b.o.** □ please turn over (a page) **PTO**

SR Studenteraad □ Students' Representative Council **SRC**

sr. senior (die ouere/oudste) □ senior **Sen.**

SSG/SSB sentrale sakegebied/sakebuurt □ central business district **CBD**

SSSS Skielike Suigelingsterftesindroom □ Sudden Infant Death Syndrome **SIDS**

St. Sint; Heilige □ Saint **St.**

st. standerd (voorheen in skool) □ Standard **Std.**

str. straat □ street **St.**

subj. subjek; subjunktief □ subject; subjunctive **subj.**

supt. superintendent □ Superintendent **Supt.**

SVE sentrale verwerk(ings)eenheid (rek.) *ook* **CPU** □ central processing unit **CPU**

Swapo — ☐ South West African People's Organisation **Swapo**

T

t ton (metriek) ☐ ton **t**

t. *tarra* (eiegewig) ☐ *tare* (own weight) **t.**

t.a.p. ter aangehaalde plaatse ☐ *loco citato* (in the place cited) **loc. cit.**

TB tuberkulose ☐ tuberculosis **TB**

tegn. tegnies(e) ☐ technical **tech.**

tel. telefoon ☐ telephone **tel.**

Telkom Telekommunikasiedienste ☐ Telecommunication Services **Telkom**

telw. telwoord ☐ numeral **num.**

temp. temperatuur ☐ temperature **temp.**

TM transendentale meditasie ☐ transcendental meditation **TM**

TNT trinitrotolueen (plofstof) ☐ trinitrotoluene **TNT**

TO telegrafiese oorplasing (geld) ☐ telegraphic transfer **TT**

t.o. teenoor☐ opposite **opp.**

toej. toejuiging ☐ applause **appl.**

t.o.v. ten opsigte van ☐ with regard to —

TP tafelpublisering; lessenaarsetwerk; lessenaar‑publisering *ook* **DTP** ☐ desktop publishing **DTP**

TSA Technikon Suid-Afrika ☐ Technikon South Africa **TSA**

t.t. *totus tuus* (geheel die uwe) ☐ wholly/faith‑fully yours **t.t.**

TV televisie ☐ television **TV**

Tvl. Transvaal (hist.) ☐ Transvaal **Tvl.**

tw. tussenwerpsel ☐ interjection **interj.**

t.w. te wete ☐ *videlicet* (namely) **viz.**

U

UDF — ☐ United Democratic Front **UDF**

U Ed. U Edele/Edelagbare (in die hof) ☐ Your Honour **Yr. Hon.**

UFH Universiteit (van) Fort Hare ☐ University of Fort Hare **UFH**

UGO uitkomsgebaseerde/uitkomsgerigte onder‑wys ☐ outcomes-based education **OBE**

uitbr. uitbreiding (van straat/woonbuurt) ☐ extension **ext.**

uitdr. uitdrukking ☐ expression **expr.**

uitg. uitgawe ☐ edition **ed.**

uitverk. uitverkoop ☐ out of stock **OS, O/S, o.s.**

UK Universiteit (van) Kaapstad ☐ University of Cape Town **UCT**

UN Universiteit (van) Natal ☐ University of Natal **UN**

Unesco — ☐ United Nations Educational, Scientific and Cultural Organisation **Unesco**

UNISA/Unisa Universiteit van Suid-Afrika ☐ University of South Africa **UNISA/Unisa**

Unitra Universiteit (van) Transkei ☐ University of the Transkei **Unitra**

UP Universiteit (van) Pretoria ☐ University of Pretoria **UP**

UPE Universiteit (van) Port Elizabeth ☐ University of Port Elizabeth **UPE**

US Universiteit (van) Stellenbosch ☐ University of Stellenbosch **US**

UVS ultravioletstraling; ultravioletsyfer ☐ ultra‑violet beta factor **UVB**

UVS Universiteit Vrystaat ☐ University of the Free State **UFS**

UW Universiteit van die Witwatersrand *ook* **Wits** ☐ University of the Witwatersrand **UW/Wits**

UWK Universiteit Wes-Kaap ☐ University of the Western Cape **UWC**

V

V Romeinse 5 ☐ Roman numeral 5 **V**

V volt (elektr.) ☐ volt **V**

v.a.b. vry aan boord ☐ free on board **f.o.b.**

v.AE voor (die) Algemene Era; voor die Huidige Jaartelling *ook* **VHJ** ☐ Before (the) Common Era **BCE**

vb. voorbeeld ☐ example **ex.**

VBP voorheen benadeelde persoon ☐ pre‑viously disadvantaged individual **PDI**

v.C. voor Christus ☐ before Christ **BC**

v.d. van die; van der; van den ☐ of the —

veldm. veldmaarskalk ☐ Field Marshal **FM**

verkl. verklaar (krieket) ☐ declare **dec.**

verklw. verkleinwoord ☐ diminutive (wor) **dim.**

ver. vereniging ☐ association **assoc.**

verl. verlede ☐ past —

verl.dw. verlede deelwoord ☐ past particip **p.p.**

veroud. verouderd; verouderend (woord/begri ☐ obsolete; becoming obsolete **obs.**

verv. vervolg ☐ continued **contd.**

verw. verwysing *ook* **ref.** referensie ☐ referen **ref.**

VF Vryheidsfront ☐ Freedom Front **FF**

VGK Verenigende Gereformeerde Kerk ☐ Uniting Reformed Church **URC**

vgl. vergelyk ☐ *confer(atur)* (compare) **cf./c**

vgw. voegwoord ☐ conjunction **conj.**

vh. voorheen ☐ late/former(ly) —

VIGS/vigs verworwe immuniteitgebreks‑droom ☐ acquired immunodeficiency sy drome **AIDS/aids**

K Verenigde Koninkryk □ United Kingdom **UK**

. vierkant(e) □ square **sq.**

KO videokassetopnemer □ video cassette recorder **VCR**

KRSA Verenigde Krieketraad van Suid-Afrika □ United Cricket Board of South Africa **UCBSA**

KV veelkeusevraag □ multiple choice ques= tion **MCQ**

KV vloeibare kristalvertoon □ liquid-crystal display **LCD**

g. volgende □ following **seq./fol.**

.) l.n.r. (van) links na regs □ from left to right **l. to r.**

n. voormiddag □ *ante meridiem* (before noon) **am/a.m.**

N Verenigde Nasies □ United Nations **UN**

w. voornaamwoord □ pronoun **pron.**

OC Vereenigde Oost-Indische Compagnie *ook* **NOIK** □ Dutch East India Company **DEIC**

e)gw. voegwoord □ conjunction **conj.**

l. volume □ volume **vol.**

or)s. voorsetsel □ preposition **prep.**

ors. voorsitter (albei geslagte) □ chairman/= chairwoman/chairperson —

or)v. voorvoegsel □ prefix **pref.**

orw. voorwerp □ object **obj.**

.s. vry op skip □ free on board **f.o.b.**

.s. vry op spoor □ free on rail **f.o.r.**

PI verbruikersprysindeks □ consumer price index **CPI**

R vrederegter □ Justice of the Peace **JP**

. Vrydag □ Friday **Fri.**

). vroulik □ feminine **f(em).**

S Vrystaat □ Free State **FS**

versus (teen) □ against **v.**

A Verenigde State van Amerika □ United States of America **USA**

A Vereniging van Staatsamptenare □ Public Servants Association **PSA**

R Verteenwoordigende Studenteraad □ Stu= dents' Representative Council **SRC**

verwys na trekker (bankwese) □ refer to drawer **R/D**

voet (meeteenheid) □ foot, feet **ft.**

g. vulgêr(e) (bv. taal) □ vulgar **vulg.**

V vreemde vlieënde voorwerp □ unidenti= ied flying object **UFO**

W

watt (elektr.) □ watt **W**

wes(te) □ West **W**

week □ week **w.**

AN wyeareanetwerk (rek.) □ wide area etwork **WAN**

WAP draadlose-applikasie-protokol (selfoon) *ook* **DAP** □ wireless application protocol **WAP**

WAT *Woordeboek van die Afrikaanse Taal* □ — **WAT**

WB Wêreldbank □ World Bank **WB**

wdb. woordeboek □ dictionary **dict.**

wed. weduwee □ widow —

WEG Wêreld-Erfenisgebied □ World Heritage Site **WHS**

w.g./get. was geteken/geteken □ signed **sgd.**

WGO Wêreldgesondheidsorganisasie □ World Health Organisation **WHO**

WHO Wêreldhandelsorganisasie □ World Trade Organisation **WTO**

wisk. wiskunde □ mathematics **maths.**

wnd./wrn. waarnemend(e); tydelik(e) □ acting (deputy) **actg.**; temporary **temp.**

WNNR Wetenskaplike en Nywerheidnavor= singsraad □ Council for Scientific and Industrial Research **CSIR**

Wo. Woensdag □ Wednesday **W(ed).**

w.p.m./wpm woorde per minuut □ words per minute **wpm**

WRK Wêreldraad van Kerke □ World Council of Churches **WCC**

WS/ws. wisselstroom (elektr.) □ alternating current **AC**

WV Wetgewende Vergadering □ Legislative Assembly **LA**

WV woordverwerker □ word processor **WP**

WVF Werkloosheidsversekeringsfonds □ Un= employment Insurance Fund **UIF**

WVK Waarheids-en-Versoeningskommissie □ Truth and Reconciliation Commission **TRC**

ww. werkwoord □ verb **v(b).**

WWF Wêreldnatuurfonds □ Worldwide Fund for Nature **WWF**

WWW/www wêreldwye web (internet) □ world-wide web **WWW/www**

X

X Romeinse 10 □ Roman numeral 10 **X**

XL ekstra groot (klere) □ extra large **XL**

Y

Yskor = Iscor

Z

Zam. Zambië □ Zambia **Zam.**

ZAR Zuid-Afrikaansche Republiek (Transvaalse Republiek tot 1902) □ South African Repub= lic —

ZCC — □ Zion Christian Church **ZCC**

Zim. Zimbabwe □ Zimbabwe **Zim.**

English – Afrikaans

A

a, an 'n

aard'wolf (n) **..wolves** maanhaarjakkals, erdwolf *also* **maned' jack'al**

aback' terug, agteruit; *taken* ~ oorbluf, verstom, verras

ab'acus (n) **..ci** telraam, rekenbord, abakus

ab'alone perlemoen/perlemoer *also* **perlemoen'** (SAE)

aban'don (n) oorgawe; losbandigheid; onver=skilligheid; (v) opgee; verlaat (sinkende skip); in die steek laat *also* **desert'**; ~**ed** verlate, oorgegee; losbandig

abash' (v) beskaam, uit die veld slaan; ~**ed** verleë, skaam, oorbluf, verbluf

abate' (v) uitwoed, bedaar (storm); afneem, beter word (siekte); verminder (prys) *also* **reduce'**; matig; ~**ment** vermindering, kor=ting, afslag

ab'attoir -s abattoir, publieke slagplaas; slagpale

ab'bey abdy; klooster(kerk) *see* **mon'astery**, **con'vent**

ab'bot ab, kloostervoog

abbre'viate (v) verkort *also* **abridge'**; afkort

abbrevia'tion afkorting; verkorting

abc abc, alfabet; eerste beginsel

ab'dicate afstand doen (van die troon); neerlê; **abdica'tion** (troon)afstand

ab'domen buik, onderbuik, abdomen

abduct' ontvoer, skaak ('n persoon) *also* **kid=nap**; kaap ('n motor/vliegtuig) *also* **hi'jack**; ~**ion** ontvoering, skaking, kaping; ~**or** ont=voerder *also* **kid'napper**

aberra'tion afwyking, (af)dwaling

abet' (v) aanhits, opstook *also* **incite'**; ~**ment** aanhitsing, aansporing; ~**tor** opstoker

abey'ance (n) opskorting; *in* ~ opgeskort, agterweë; oorgestaan *also* **pen'ding**

abhor' (v) verfoei, verafsku *also* **detest'**; ~**rent** verfoeilik, weersinwekkend, afskuwelik *also* **repul'sive, detes'table**

abide' (v) **-ed, abode** woon; vertoef; uithou, verdra *also* **endure', tol'erate**; afwag

abi'ding duursaam, ewig; ~ *love* ewige/durende liefde

abil'ity (n) **..ties** bekwaamheid, vermoë *also* **ap'titude**; kundigheid *also* **expertise'**; (pl) geestesgawes, talente; *to the best of my* ~ na my beste vermoë

ab'ject (a) veragtelik, laag, gemeen *also* **base, contemp'tible**

abjure' (v) afsweer; herroep, verloën

ab'lative ablatief (gram.)

ablaze' aan die brand, in ligte laaie *also* **afire'**; *set* ~ aan die brand steek

a'ble (a) bekwaam, knap; bevoeg *also* **ca'pable**,

com'petent; ~**bod'ied** kragtig, sterk, frisge=bou; paraat; ~ **sea'man** bevare matroos

ablu'tion (af)wassing, reiniging; loutering, sui=wering; ~ **block** ablusieblok

abnor'mal abnormaal; onreëlmatig; teen di=reël; gebreklik, gestrem *see* **han'dicappe=disa'bled**

abnormal'ity ..ties onreëlmatigheid *als=* **aberra'tion**; mismaaktheid (liggaamlik)

aboard' aan boord

abode' woning, woonplek, tuiste

abol'ish (v) afskaf, ophef, herroep, intrek *als=* **annul', can'cel**

aboli'tion afskaffing, opheffing; ~**ist** afskaffer

A'-bomb A-bom, atoombom *also* **at'om/atom'i= bomb**

abom'inable afskuwelik, afgryslik, gruweli= verfoeilik *also* **foul, detes'table**; ~ *snowm=* afskuwelike/verskriklike sneeumens

abom'inate (v) verfoei, verafsku *also* **detes=** haat

abomina'tion gruwel, afskuwelikheid *also* **mo=strosity**

aborig'inal (n) **-s, ..gines,** inboorling, oeri= woner; (a) oorspronklik, inheems

abort' (v) miskraam hê, aborteer; staak (rek= naarprogram); ~**ion** (n) vrugafdrywing, abo= sie *see* **miscar'riage**; misgewas, misbaks= (person); ~**ive** (a) ontydig gebore; vrugteloo ('n poging)

abound' (a) oorvloei van; oorvloedig, vol= (wees) *also* **plen'tiful**

about' (adv, prep) ongeveer, omtrent; aan= gaande, rakende, met betrekking tot; on= streeks, in; *be* ~ van plan wees; *bring* ~ veroorsaak; *come* ~ gebeur; ~ *town* in die sta=

above' (adv, prep) bo, meer; bokant; bo; ~ *=* bowenal, veral; *from* ~ van bo; ~~**av'era=** bogemiddeld; ~ **board** eerlik; billik; ~**=me= tioned** bogenoemde, voor(ge)noemd= ~~**named** bostaande, bogemelde, bogenoem=

abracada'bra abrakadabra, wartaal, koeterwaa=

abra'sive (n) skuurmiddel, skaafmiddel; (skurend, skawend; kwetsend (houding)

abreast' langs mekaar, in gelid *also* **along'sid=** *keep* ~ *of* op (die) hoogte bly van

abridge' verkort, beperk; inkort *also* **abbr=** **viate'**; ~*d edition* verkorte uitgawe (van boe=

abroad' buitelands, oorsee; *from* ~ van = buiteland

ab'rogate herroep ('n wet, regulasie); afsk= ophef, intrek

abrupt' afgebroke; plotseling, onverwags, sk= lik; kortaf *also* **blunt**; ~**ness** kortheid

ab'scess (n) **-es** ettergeswel, ettersweer, abses

abscond′ wegloop, dros; **~er** droster *also* **desert-er**

ab′seil (v) abseil (met 'n tou teen 'n rotswand afgly); **~er** abseiler (persoon)

ab′sence afwesigheid; gebrek; ~ *of mind* afge-trokkenheid *see* **absent-min′ded**

absent′[1] (v) (jou) verwyder, wegbly; afwesig wees

ab′sent[2] (a) afwesig; verstrooid; **~ee′** afwesige (persoon); **~eeism′** absentisme, afwesigheid-syfer; **~-min′ded** afgetrokke, verstrooid; *~-minded professor* verstrooide professor

ab′solute volstrek, beslis, volkome; absoluut *also* **complete′;** ~ *proof* onweerlegbare bewys; *~/clear/overall majority* volstrekte meerder-heid; **~ly** volkome, heeltemal, absoluut

absolu′tion (v) vryspraak, kwytskelding, vergif-nis; absolusie

absolve′ vryspreek, vrylaat *also* **acquit′, exon′-erate**

absorb′ (v) opsuig, absorbeer *also* **digest′;** verdiep in (iets); **~ing** boeiend, spannend (boek, film); absorberend

abstain′ (v) (jou) onthou van; (jou) onttrek aan; wegbly van; **~er** (n) onthouer, afskaffer; *total ~er* geheelonthouer (van drank) *see* **absten′-tion**

absten′tion onthouding; onttrekking; *two ~s from voting* twee buite stemming

ab′stinence afskaffing, onthouding; matigheid; *total ~* geheelonthouding

ab′stract[1] (n) uittreksel (uit teks); afkooksel; opsomming; (a) diepsinnig; afgetrokke; ab-strak; ~ *number* onbenoemde getal

abstract′[2] (v) aftrek, abstraheer, afskei; ontleen; **~ion** aftrekking; onttrekking; afgetrokkenheid *also* **ab′sent-mind′edness**

abstruse′ duister *also* **obscu′re, enigmat′ic;** verborge; diepsinnig

absurd′ (a) belaglik, verspot; dwaas; ongerymd; absurd *also* **cra′zy, far′cical, ridic′ulous;** *theatre of the ~* absurde teater; **~ity** ongerymd-heid, dwaasheid, belaglikheid, absurditeit

abun′dance (n) oorvloed *also* **am′pleness, profu′sion**

abun′dant (a) oorvloedig, baie, volop *also* **am′ple, plen′tiful;** ryk; ~ *evidence* volop/oorvloedige getuienis

abuse′ (n) mishandeling; misbruik; belediging; geskel, skeldtaal; *term of ~* skeldwoord; (v) mishandel *also* **maltreat′;** misbruik; mislei; uitskel, beledig; ~ *your privileges* jou voor-regte misbruik

abu′sive (a) misbruikend; beledigend, kwetsend, smalend, lasterend *also* **offen′ding, defam′-atory;** ~ *words/terms* kwetsende/krenkende woorde

abut′ (v) grens (aan); **~ment** grens, begrensing; steunpunt

abys′mal (a) treurig, power, vrotsig (vertoning van 'n span)

abyss′ (n) **-es** afgrond; bodemlose poel/kolk

aca′cia akasia (tree)

acade′mia akademiese wêreld/omgewing

academ′ic(al) akademies *also* **lear′ned, schol′-arly;** teoreties

acad′emy (n) **..mies** akademie; studie; geleerd-heid; (geleerde) genootskap

a cappel′la: ~ *choir* a cappella-koor (onbegelei)

accede′ toestem, toestaan, instem, toegee, in-willig; ~ *to* gehoor gee aan, inwillig

accel′erate versnel; verhaas, bespoedig; ver-vroeg; **accel′erating po′wer** versnelvermoë

accelera′tion versnelling; bespoediging

accel′erator versneller; dryfspier

ac′cent (n) nadruk, klem(toon); stembuiging *also* **intona′tion;** tongval; aksent, klemteken; (v) beklemtoon, nadruk lê op; **~uate** (v) nadruk lê op, benadruk, beklemtoon *also* **stress; ~ua′-tion** beklemtoning; betoning

accept′ aanneem, aanvaar, goedkeur; aksepteer (wissel); **~abil′ity** aanneemlikheid; **~able** aan-neemlik, aanvaarbaar; aangenaam; welkom; **~ance** aanname, ontvangs; aanvaarding; aksep-tasie (van wissel); aanvaarding; **~ed** gangbaar *also* **rec′ognised;** *~ed standards* aanvaarde standaarde; **~or** ontvanger; akseptant

ac′cess toegang *also* **admis′sion;** *have ~ to* toegang hê tot; ~ *code* toegangskode (rek.); ~ *control′* toegangsbeheer

ac′cessible toeganklik, genaakbaar; bereikbaar *also* **avai′lable**

acces′sion toetrede/toetreding; aanwins; amps-aanvaarding; troonbestyging; uitbreiding

ac′cess: ~ *port* toegangspoort (rek.); ~ *road* toevoerpad

acces′sory (n) **..ries** medepligtige (persoon) *also* **accom′plice;** hulpprogram (rek.); bykomstig-heid; (pl) bybehore, toebehore (masjinerie); (a) bykomend, bykomstig

ac′cident ongeluk, ongeval; toeval; ~ *insurance* ongevalleversekering; ~ *prone* ongeluksvat-baar, ongeluksgeneig

acciden′tal toevallig; bykomend; ondergeskik; **~ly** per ongeluk *also* **by mistake′**

acclaim′ (n) toejuiging, goedkeuring, byval; (v) toejuig *also* **applaud′;** uitroep

acclama′tion toejuiging *also* **ova′tion;** byval, instemming; akklamasie

accli′matise (v) aanpas *also* **adapt′;** akklimatiseer

accliv′ity (n) **..ties** helling, steilte, opdraand

ac′colade (n) eerbetuiging *also* **ku′dos, praise**

accom′modate skik; akkommodeer; huisves, herberg *also* **board;** voorsien

accom′modating toeskietlik, inskiklik; tege-moetkomend, meegaande (persoon) *also* **oblig-ing**

accommoda'tion skikking; losies, huisvesting *also* **hou'sing;** blyplek; akkommodasie

accom'paniment begeleiding (op klavier); **accom'panist** begeleier

accom'pany (v) vergesel, begelei *also* **escort';** saamgaan; ~**ing** bygaande, meegaande

accom'plice medepligtige (in misdaad) *also* **acces'sory;** handlanger *also* **hench'man**

accom'plish tot stand bring, volbring, vervul, presteer *also* **achieve', attain';** ~**ed** voltooid; bedrewe; begaaf; welopgevoed; ~**ment** vol= tooiing, vervulling; begaafdheid; handigheid *also* **achieve'ment**

accord' (n) ooreenstemming; verdrag; akkoord; (v) ooreenstem; toestaan, vergun; akkordeer; ~ *a welcome* verwelkom; ~*ing to* volgens, ingevolge; ~**ance** ooreenstemming; *in* ~*ance with* ooreenkomstig; ~**ant** ooreenstemmend; harmoniërend; ~**ingly** ooreenkomstig, gevolg= lik, dus

accor'dion (n) akkordeon; trekklavier, pensklavier

accost' (v) aanspreek; aanklamp, bydam

accouche'ment bevalling; ~ **leave** bevalling(s)= verlof, kraamverlof *also* **mater'nity leave**

account' (n) rekening; berig, verslag; rekenskap, verklaring; belang, betekenis; ~ *for* rekenskap gee (van) *also* **clar'ify;** aanspreeklik wees (vir); *call to* ~ tot verantwoording roep; *on* ~ *of* weens, vanweë; ~ *rendered* gelewerde rekening; *take into* ~ in aanmerking neem; (v) reken, beskou as; rekenskap gee, verklaar; verantwoord; afreken met

accountabil'ity (n) aanspreeklikheid; rekenplig= tigheid

accoun'table toerekenbaar; aanspreeklik

accoun'tancy rekeningkunde (vak); rekenmees= terskap, boekhoukunde

accoun'tant rekenmeester

accoun'ting rekeningkunde (vak); ~ **pol'icy** reken(ing)kundige beleid, boekhoubeleid

accounts' exec'utive (n) kliënteskakel (sake= wese)

accred'it (v) erken, erkenning gee; toeskryf (aan persoon) *also* **ascribe', attrib'ute;** magtig *also* **empo'wer;** akkrediteer; ~**ed** toegelaat; alge= meen erken; ~**ed a'gent** (ge)akkrediteerde agent

accre'tion (n) aanwas; vermeerdering

accrue' aangroei, toeneem; oploop; ~**d in'terest** opgeloopte/opgelope rente

accu'mulate ophoop, opstapel, opgaar, versamel *also* **amass', gather;** oploop; vermenigvuldig; ~**d leave** opgehoopte/opgegaarde verlof; ~**d los'ses** opgehoopte verliese

accumula'tion ophoping; opstapeling

accu'mulative kumulatief, opgeloop

accu'mulator akkumulator, opgaarbattery

ac'curacy noukeurigheid, stiptheid, juistheid, presiesheid, akkuraatheid *also* **preci'sion**

ac'curate (a) akkuraat, noukeurig; nougeset, stip, presies *also* **correct', exact', precise'**

accurse' (v) vervloek, verwens; ~**d'** vervloek, gedoem tot ondergang, verwens

accusa'tion beskuldiging, aantyging, aanklag *also* **allega'tion**

accu'sative akkusatief (gram.)

accuse' (v) beskuldig, aankla; verkla; ~**d'** (n) beskuldigde, aangeklaagde; verdagte (per= soon); ~**r** (n) aanklaer *also* **(pub'lic) pros'= ecutor;** beskuldiger

accus'tom gewoon(d) maak; ~**ed** gewoon(d), ~*ed to* gewoond aan *also: used to*

ace aas; bobaas *also* **champ(ion);** uithaler, uitblinker; kishou (tennis); *within an* ~ op 'n haar na

a'cerbate versuur; verbitter *see* **exa'cerbate**

acer'bity suurheid; bitterheid; bits(ig)heid, skerpheid

a'cetate asynsuursout, asetaat

ace'tic (a) suur, soos asyn; ~ **a'cid** asynsuur

acetyle'ne asetileen (kleurlose gas)

a'char atjar *also* **(mixed) pick'les**

ache (n) pyn; (v) pyn; seer wees; pyn ly; ~*s and pains* kwinte en kwale; skete

achieve' behaal, verrig, presteer; volbring, uit= voer; bereik *also* **accom'plish;** ~**r** presteerder, uitblinker (persoon); ~**ment** prestasie *also* **accom'plishment**

a'ching seer; ~ **pain** knaagpyn

achromat'ic achromaties, kleurloos

a'cid (n) suur; (a) suur; skerp, bits; ~ **drop** suurklontjie (lekkers)

acidity suurheid; suurgehalte; skerpheid

a'cid: ~ **rain** suurreën; ~ **test** vuurproef

acknow'ledge erken; beken; beantwoord; ~ *receipt of* ontvangs erken van

acknow'ledg(e)ment erkenning; dankbetuiging *also* **apprecia'tion, grat'itude;** berig

ac'me toppunt *also* **peak, sum'mit, zen'ith** krisis; keerpunt

ac'ne (vet)puisie, aknee; puisiesiekte

ac'olyte (n) altaardienaar; aanhanger, trawant, beginner; akoliet

a'corn akker; ~*s on the oak tree* akkers aan die eikeboom; ~ **cup** akkerdoppie

acous'tics (n) geluidsleer, akoestiek

acquaint' bekend maak, berig, meedeel *also* **disclose', divul'ge;** ~**ance** bekendheid; kennis (persoon); *a casual* ~*ance of mine* 'n toeval= lige kennis van my; ~**ed** bekend; ~*ed with* vertroud/bekend met *also: conversant with*

acquiesce' (v) berus; toestem, inwillig *also* **agree', consent', accede'**

acquies'cence (n) berusting, instemming *also* **compli'ance, submis'sion**

acquire' (v) verkry, verwerf *also* **attain';** aan= leer; aankoop; ~**d** aangeleer; verworwe; ~ ·

taste aangeleerde/verworwe smaak; **~ment** verkryging; bekwaamheid; kennis; aanwins

acquisi′tion verkryging, verwerwing, aanskaf= fing; aanwins (boek in biblioteek)

acqui′sitive hebsugtig; **~ness** begeerte/vermoë om te verwerf; hebsug *also* **greed**

acquit′ (v) ontslaan, vryspreek, kwytskeld *also* **absolve′; *she ~s herself well (of a task)*** sy kwyt haar goed (van 'n taak); sy presteer goed; **~tal** vryspraak, ontslag; **~tance** kwytskelding; ontslag *also* **exonera′tion;** kwitansie

a′cre acre (± 4000 m²); **~age** oppervlakte; grootte in acre

ac′rid (a) skerp, bytend, bits; bitter, vrank *also* **astrin′gent** (taste)

acrimo′nious skerp, bits, bitsig *also* **snap′pish, cut′ting** (attitude)

ac′rimony bitterheid; bitsigheid; skerpheid

ac′robat akrobaat; **~ic/stunt flier** kunsvlieënier

ac′ronym (n) letterwoord (bv. Telkom), akroniem

acropho′bia hoogtevrees

acrop′olis (n) burg, vesting, akropolis *also* **strong′hold**

across′ (adv) dwars, oorkruis; (prep) oor; dwars; oorkruis; deur; anderkant; *come ~ s.o.* iem. teëkom, raakloop

act (n) daad; handeling; akte; wet; bedryf (toneelstuk); *caught in the ~/caught red- handed* op heter daad betrap; *~ of dedication* diensgelofte, toewyding(s)formulier; *~ of God* natuurramp; (v) handel, doen, te werk gaan; optree; opvoer; *~ a part* 'n rol speel/vertolk

ac′ting (n) toneelspel; voordrag; valsheid, onop= regtheid *also* **pretence′;** (a) waarnemend, agerend; diensdoende; **~ su′pervisor** waarne= mende/agerende toesighouer

ac′tion handeling; daad; werking; verrigting; aanklag; hofsaak; geveg; beweging; *course of ~* handel(s)wyse, gedragslyn; *killed in ~* gesneuwel; *take ~* optree; **~ song** sangspeletjie

ac′tive (a) werksaam, bedrywig, besig, aktief *also* **busy, oc′cupied;** woelig; bedrywend (gram.); **~ drive** aktiewe aandrywer (rek.); **~ ser′vice** oorlogsdiens; **~ voice** bedrywende vorm (gram.)

ac′tivist (n) aktivis (persoon)

activ′ity (n) **..ties** werksaamheid, bedrywigheid; doenigheid, aktiwiteit; vlugheid

ac′tor (toneel)speler, akteur; dader, bewerker

ac′tual (a) werklik, wesenlik, feitlik *also* **fac′= tual, gen′uine**

ac′tually regtig/rêrig, inderdaad, werklik waar

actua′rial aktuarieel; **~ mathemat′ics** verseke= ring(s)wiskunde

ac′tuary (n) **..ries** aktuaris (risikospesialis v. versekeringsmaatskappy)

ac′tuate in werking stel, aansit; **~d traf′fic lights** aktiveerverkeersligte; **~r** drywer

ac′umen skerpsinnigheid, vernuf *also* **ingenu′ity**

acupunc′ture akupunktuur, akupunksie, naald= prikking (med.)

acute′ (a) skerp; gevat, skerpsinnig *also* **inge′= nious;** hewig; akuut; **~ an′gle** skerp hoek; **~ness** skerpsinnigheid; hewigheid

ad′age spreekwoord, spreuk, gesegde *also* **say′= ing, max′im**

ada′gio adagio, stadig (mus.)

Ad′am Adam; **~'s apple** adamsappel, keelknob= bel; **~'s fig** adamsvy

a′damant onwrikbaar *also* **firm;** uiters hard

adapt′ aanpas; bewerk (boek); geskik maak; **~abil′ity** aanpasbaarheid, aanwendbaarheid; aanpas(sings)vermoë; **~able** plooibaar *also* **compli′ant;** aanpasbaar; **~a′tion** aanpassing; **~er** aftakker, passtuk (elektr.)

add byvoeg, optel, vermeerder; *~ together* optel; **value ~ed tax (VAT)** belasting op toege= voegde waarde (BTW)

adden′dum **..denda** bylaag/bylae, toevoegsel *also* **an′nexure, appen′dix**

ad′der (pof)adder; **~'s tongue** slangtong (varing)

ad′dict (n) verslaafde (persoon)

addict′ (v) verslaaf aan; oorgee aan; *~ed to drink* aan drank verslaaf; **~ion** verslaafdheid *also* **depen′dence;** neiging (tot) *also* **cra′ving, obses′sion**

addi′tion byvoeging, optelling; byvoegsel; *in ~ to* boonop, benewens; **~al** bykomend, ekstra, addisioneel; **~ sum** optelsom

add-on (n) byvoegsel; toevoeging (tot bv. rekenaarprogram); (a) byvoeg= (rek.)

address′ (n) **-es** adres; toespraak, rede *also* **speech, talk, ora′tion;** spreekwyse; (v) adres= seer; wend/rig (tot); aanspreek; *~ a letter* 'n brief adresseer; *~ a problem* 'n probleem/ kwessie aanroer/aanpak; op 'n probleem ingaan *also* **tack′le, face, go into; ~ book** adresboek (rek.); **~ee′** geadresseerde; **~ field** adresveld (rek.)

ad′enoid adenoïed, keelpoliep

adept′ (n) ingewyde, deskundige *also* **ex′pert, fun′di** (person); (a) ervare, geoefen, touwys *also* **skil′ful**

ad′equate voldoende *also* **suffi′cient;** toerei= kend, afdoende; eweredig, gelyk; geskik

adhere′ (vas)kleef; aanhang; bly by; *~ to the rules* die reëls nakom/eerbiedig

adhe′rent (n) aanhanger, volgeling *also* **disci′= ple, fan;** (a) vasklewend; verbonde

adhe′sion vasklewing; gehegtheid; adhesie

adhe′sive vasklewend *also: sticking together;* klewerig; **~ plas′ter** hegpleister; **~ tape** kleefband

adieu′ **-s, -x** vaarwel, tot siens/totsiens; goeie= dag

adja′cent aangrensend, naasgeleë *also* **adjoin=**

ing; naby; ~ **inte'rior** aangrensende binne=
land

adjecti'val byvoeglik, adjektiwies (gram.)

ad'jective (n) byvoeglike naamwoord (gram.);
(a) byvoeglik; ondergeskik

adjourn' (v) verdaag; uitstel *also* **postpone'**;
opskort *also* **defer'**; ~ *a meeting* 'n vergade=
ring verdaag; **~ment** verdaging; uitstel *also*
postpone'ment

adju'dicate oordeel, beoordeel, beslis, uitspraak
gee *also* **judge'** (v); toewys

adju'dicator beoordelaar (by [kuns]wedstryde)

ad'junct (n) byvoegsel; hoedanigheid; (a) by=
gevoeg, toegevoeg; adjunk=, onder=, hulp=

adjust' (v) in orde bring; reël *also* **reg'ulate**;
vereffen, aansuiwer ('n rekening); verstel
aanpas; **~able** verstelbaar; **~ment** reëling;
skikking; afrekening; aanpassing; aansuiwe=
ring (boekh.)

admin'ister (v) bestuur, beheer *also* **man'age**,
su'pervise; handhaaf; toedien (medisyne,
sorg); ~ *to* toedien; sorg vir; bydra tot

administra'tion administrasie *also* **ad'min**
(infml.); bediening; toepassing; beheer

admin'istrative besturend, administratief; ~
staff klerklike personeel

admin'istrator bestuurder; administrateur; ad=
ministreerder, administrator; boedelberedde=
raar

ad'mirable (a) bewonderenswaardig *also* **com=
men'dable, exem'plary, praise'worthy**

ad'miral admiraal (vlootrang); **rear ~** skout=
by-nag, skoutadmiraal (vlootrang); **~ty** admi=
raliteit; kusspergebied; admiraalskap

admira'tion bewondering, verering *also* **adora'=
tion, esteem', venera'tion**

admire' bewonder, vereer *also* **adore'**; **~r**
bewonderaar, aanhanger, aanbidder *also* **fan**

admis'sible anneemlik, toelaatbaar (getuienis);
geldig *also* **val'id**; geoorloof

admis'sion toelating, aanneming; toegang; er=
kenning (van skuld); ~ *free* vry(e) toegang; ~
of guilt skulderkenning; ~ **tick'et** toegangs=
kaartjie

admit' (v) erken; toelaat, toegang verleen;
toestaan; opneem (hospitaal); aanneem;
~tance toegang; *no* ~ toegang verbode/belet

admix' (ver)meng, bymeng; **~ture** mengsel

admon'ish (v) vermaan, berispe, betig, teregwys
also **reprimand'**; **~ment/admoni'tion** ver=
maning, teregwysing; skrobbering

ado' ophef, gedoente; rompslomp; *much* ~ *about
nothing* veel geskree(u) en weinig wol

adoles'cence adolessensie, puberteitsjare, ryp=
wordjare

adoles'cent (n) adolessent; jeugdige; puber; (a)
adolessent; jeugdig; opgroeiend, halfwas *also*
ju'venile

adopt' aanneem; aanwend; kies; in besit nee
aanvaar; **~ed** *child* aangenome kind *a*
fos'ter child; **~ion** aanneming; opname

ador'able (a) beminlik *also* **lov'able; appeal'**

adora'tion (n) aanbidding, verering

adore' aanbid, vereer; **~r** aanbidder, vereerde

adorn' versier, verfraai *also* **dec'orate, be=
tify; ~ment** versiering, sieraad

adren'alin(e) adrenalien, bynierstof

adrift' drywend, los; *turn* ~ aan sy lot oorla=
A'-drive A-aandrywer (rek.)

adroit' handig, vlug, knap *also* **han'dy, skil'**

ad'ulate (v) vlei, flikflooi, lek, pamperlang

adula'tion vleiery, flikflooiery *also* (**serv=
flat'tery**

ad'ult (n) grootmens, volwassene; (a) volwa=

adul'terate verdun; vervals *also* **contam'in=
~d milk** verwaterde melk

adul'terer/adul'teress egbreker, owerspeler

adul'tery owerspel, egbreuk; ontug, hoerery

advance' (n) vooruitgang; voorskot (ge=
bevordering; styging; aantog; *in* ~ voo=
(v) bevorder, verhoog; verhaas; opper (=
ning); voorskiet (geld); vorder; ~ *money*
voorskiet; ~ *the date* die datum vervroeg;
gevorder(d); ver; **~d** *course* gevorde=
kursus; ~ **guard** voorhoede; **~ment** bevo=
ring

advan'tage (n) voordeel *also* **ben'efit**; voor=
nut, wins; baat; *to the best* ~ so voord=
moontlik; *take* ~ *of* voordeel trek uit;
bevoordeel; ~ **game** voordeelpot (tennis)

advanta'geous voordelig, nuttig, bevorde=
also **benefi'cial**

Ad'vent[1] (n) Advent(tyd)

ad'vent[2] (n) koms; wederkoms; nadering;
spring koms van die lente

adven'ture (n) avontuur; voorval; waags
kans; toeval; (v) waag, onderneem; **~r** w=
hals *also* **dare'devil**; avonturier; geluksoe
~some waaghalsig *also* **da'ring, fool'hard**

adven'turous avontuurlik; ondernemend; w=
halsig

ad'verb bywoord (gram.); **~bial** bywoord
(gram.)

ad'versary (n) ..ries teenstander, teenp=
opponent *also* **oppo'nent, antag'onist**

ad'verse teenstrydig; teenspoedig; vyandig;
gunstig; ~ *comment* ongunstige kommen
~ **wind** teenwind

adver'sity teenspoed, ongeluk *also* **misfor't**
disa'ster, set'back, hard'ship

ad'vertise adverteer; bekend stel

adver'tisement advertensie, reklame *also*
(infml.); aankondiging, berig

ad'vertiser adverteerder; aankondiger

ad'vertising (n) reklamewese; ~ **a'gency** r=
meagentskap, reklameburo

ice' (n) raad, advies *also* **coun'sel, gui'dance;**
erig, mededeling

i'sable raadsaam, gerade *also* **appro'priate,**
rop'er

ise' (v) aanraai, van raad (be)dien, adviseer
lso **coun'sel** (v); kennis gee, berig, meedeel;
~ *with* raadpleeg; **~dly** na rype oorleg; **~r**
aadsman, raadgewer; berader

i'sory raadgewend, adviserend; ~ **commit'tee**
dvieskomitee; ~ **coun'cil** adviesraad

vocaat (n) advokaat, eierbrandewyn *also*
gg'flip

ocate (n) advokaat *also* **bar'rister;** voor=
oraak, voorstander, pleitbesorger; (v) bepleit,
erdedig; voorstaan; aanbeveel
e dissel, dwarsbyl

is (n): *under the ~ of* onder beskerming van
ate belug, met koolsuur(lug) versadig; **~d**
ater mineraalwater, spuitwater

ial (n) lugdraad, antenne/antenna; (a) lug=;
erhewe, eteries; ~ **acrobat'ics** kunsvlieg; ~
isplay' lugvertoning *also* **air'show;** ~ **pho'**=
graph lugfoto; ~ **rail'way** lugspoor

ie/ae'ry hoë roofvoëlnes; arendsnes

obat kunsvlieënier, fratsvlieër; **~ic stunt/**
ying kunsvlieg, lugtoertjies

'bic (a) aërobies; ~ **dan'cing** aërobiese dans

odrome vliegveld, vliegbaan *see* **air'port**

onaut lugvaarder; ruimtevaarder *also* **as'tro=**
aut

nau'tics lugvaart; vliegkuns

oplane (obs.) vliegmasjien (veroud.) *see*
r'craft

osol aërosol; ~ **can/contai'ner** spuitkan(net=
); ~ **paint** spuitverf

ospace (n) lugruim

het'ic(al) esteties, skoonheids=

het'ics (n) skoonheidsleer, estetika

' ver/vêr, in die verte; *from* ~ van ver/vêr af;
off ver/vêr weg

ble minsaam, meegaande, inskiklik, toe=
ietlik *also* **a'miable**

ir' saak, aangeleentheid *also* **mat'ter;** affère;
efdes)verhouding, affair

t' (v) aantas; raak, affekteer

ta'tion aanstellery, gemaaktheid, fiemies,
kunsteldheid *also* **sham, pretence**

ted aangedaan, geroer; gemaak, aanstelle=
; aangetas

'tion toegeneentheid, liefde *also* **love,**
nd'ness; aandoening

'tionate (a) toegeneë, liefhebbend *also*
v'ing; hartlik, beminlik *also* **devo'ted**

a'vit beëdigde verklaring *also* **sworn**
clara'tion

iate (n) geaffilieerde lid (v. organisasie);
stermaatskappy; (v) aanneem; verbind, af=
eer; amalgameer *also* **amal'gamate**

affilia'tion aansluiting; affiliasie; erkenning

affin'ity verwantskap, affiniteit; aantrekking *also*
alli'ance; attrac'tion

affirm' bevestig; bekragtig *also* **cer'tify, tes'tify;**
verklaar; **~a'tion** bevestiging; verklaring;
~ative bevestigend; *answer in the ~ative*
bevestigend antwoord; **~ative ac'tion** regstel=
aksie, regstellende/herstellende optrede/aksie
also **correc'tive ac'tion**

af'fix[1] (n) toevoeging, aanhegsel; byvoegsel;
voorvoegsel; agtervoegsel

affix'[2] (v) aanheg; byvoeg; verbind

afflict' bedroef, kwel; **~ion** droefheid, leed *also*
grief; gebreklikheid, gestremdheid

af'fluence rykdom, weelde *also* **wealth, riches,**
op'ulence; oorvloed

af'fluent[1] (n) tak (van 'n rivier); spruit

af'fluent[2] (a) oorvloedig; ryk, welgesteld; ~
soci'ety welvarende/gegoede gemeenskap

afford' (v) verskaf, gee, oplewer; bekostig,
bybring; *he can ~ to* hy kan dit bekostig om;
~able (a) bekostigbaar, billik, sakpas

affor'est bebos, met bome beplant; **~a'tion**
bosaanplanting, bebossing

affray' (n) vegparty, bakleiery *also* **scrap,**
scuf'fle, brawl

affront' (n) affront, belediging *also* **in'sult** (n);
(v) affronteer, beledig

afield' (a, adv) weg van jou gewone omgewing;
te velde (in oorlog); *far ~* ver/vêr v.d. huis

afire' aan die brand, in ligte laaie *also* **aflame'**

afloat' drywend; aan die gang, in omloop

afoot' te voet; op die been *also* **going, astir**

afore' (obs.) (adv, prep) voor; vantevore; eerder,
liewers *see* **be'fore;** **~cited** voorgenoemd;
~going voorgaande; **~men'tioned/~said** voor=
genoemd, voormeld; *malice ~thought* bose
opset

afraid' bang, bangerig, bevrees *also* **sca'red,**
frigh'tened; *I am ~ that I'll be late* ek vrees ek
sal laat wees; ~ *of* bang vir; ~ *to* bang om (iets
te doen)

afresh' opnuut, van voor af, weer *also* **(once)**
again'

Af'rica Afrika

Af'rican (n) **-s** Afrikaan (bewoner van Afrika);
(a) van Afrika; Afrikaans (van Afrika); ~
lan'guages Afrikatale

Africa'na Africana

Af'rican Na'tional Con'gress (ANC) African
National Congress (ANC) (politieke party)

Afrikaans' (n) Afrikaans (taal); (a) Afrikaans
(gebruike, ens.)

Afrika'ner[1] (n) **-s** Afrikaner (persoon); (a)
Afrikaans (gebruike, ens.)

Afrika'ner[2] (n) **-s** afrikanerbees

Af'ro-A'sian Afro-Asiaties

Af'rocentric Afrosentries

af´ter[1] (a) later; (prep) agter; naderhand; na, daarna, later; nadat; ~ *all* tog, ten slotte, darem, per slot van rekening, op stuk van sake; *hanker/crave* ~ hunker na; *enquire* ~ vra na; *look* ~ kyk na, sorg vir

af´ter[2] (conj) nadat

af´ter: ~**birth** nageboorte; ~**care** nasorg; ~**din´ner speech** tafelrede; ~ **effect´** nawerking, newe-effek, gevolg; ~**glow** naskynsel, na= gloed; ~**math** nasleep, nadraai; naweë, (na)= gevolg(e) *also* **con´sequences;** ~**most** agterste; ~**noon** namiddag, agtermiddag; ~**sales ser´= vice** naverkopediens; ~**thought** nagedagte; uitvlug; laatlammetjie, heksluiter (kind); ~**wards** naderhand, daarna, later; ~**world** hiernamaals

again´ weer, opnuut, nog; verder; aan die ander kant; vir die tweede maal; ~ *and* ~ keer op keer, telkens weer; *now and* ~ af en toe; *time and* ~ herhaaldelik

against´ teen, strydig met, jeens; ~ *it* daarteen; *run* ~ (iem.) raakloop

agapan´thus -es keiserkroon (lelie), agapant, kandelaar, bloulelie

agape´ (a) met oop mond, verwar(d), dronkge= slaan *also* **nonplus´sed**

ag´ate agaat (halfedelsteen)

agave´ garingboom, agave

age (n) ouderdom, leeftyd; eeu; tydperk, era; *advanced* ~ gevorderde leeftyd; *Middle A~s* Middeleeue; *coming of* ~ mondigwording; *of* ~ mondig; *old* ~ ouderdom; *under* ~ minder= jarig; (v) oud word, verouder; ~**d** oud, bejaard; afgeleef; ~ **gap/genera´tion gap** leeftydver= skil, generasiegaping; ~ **lim´it** ouderdomsperk

a´gency (n) **..cies** agentskap; bemiddeling, tus= senkoms; **ad´vertising** ~ reklameagentskap *see* **ad´vertising; employ´ment** ~ personeel= agentskap; **trav´el** ~ reisburo, reisagentskap

agen´da agenda, sakelys; ter tafel; *hidden* ~ verskuilde agenda; *put on the* ~ op die agenda/ sakelys plaas

a´gent agent; tussenganger, onderhandelaar *also* **nego´tiator;** middel *also* **means**

agglomera´tion (n) opeenhoping, agglomerasie

agglu´tinate (v) saamkleef; verbind

ag´gravate (v) verswaar; vererger *also* **inten´= sify;** verbitter; terg, treiter; **ag´gravating cir´= cumstances** verswarende omstandighede *see* **exten´uating/mit´igating cir´cumstances** (in law)

aggrava´tion verergering; oordrywing; getreiter *also* **annoy´ance, provoca´tion**

ag´gregate (n) totaal, geheel; aggregaat; versa= meling; (v) versamel *also* **amass´;** beloop; (a) gesamentlik

aggression aggressie; aanranding; aanval; **ag= gressive** aanvallend, strydlustig, aggressief;

aggressor aanvaller, aggressor

aggrieve´ (w) grief; veron(t)reg; benadeel; kre

aghast´ ontsteld, ontset *also* **hor´rified;** *stan= at* verslae staan

a´gile rats, lenig *also* **nim´ble, swift, sup´ple**

agil´ity ratsheid, vlugheid

ag´itate (v) beroer; agiteer; verontrus; bewe skud

agita´tion opskudding, onrus; opgewondenhe agitasie

ag´itator opruier, oproermaker, agitator, onr stoker *also* **in´stigator**

aglow´ gloeiend

agnos´tic (n) agnostikus, vrydenker (persoo (a) agnosties; ~**ism** agnostisisme

ago´ gelede, terug; *a week* ~ ’n week gelede

agog´ opgewonde; nuuskierig *also* **cu´rio** entoesiasties *also* **ea´ger;** ~ *with* vol van

ag´onise (v) folter, kwel; met die dood wors ~**r** smartvraat *also: glutton for punishment*

ag´ony (n) **agonies** doodstryd, doodsangs; kv ling; sielsmart *also* **an´guish;** ~ **aunt/un** troostannie, troosoompie; ~ **column** hartse hoekie (in tydskrif)

agra´rian (n) landbouer; (a) landelik, agrarie

agree´ (v) saamstem, ooreenstem, toestem; kordeer; ~ *with* akkoord gaan, akkordeer n saamstem; ~**able** aangenaam, welgeval behaaglik, lief; ~**d´!** (interj) top!; afgespre akkoord!; ~**ment** ooreenkoms, kontrak; \ drag; akkoord *also* **accord´, deal**

agricul´tural (a) landboukundig, landbou= **day** boeredag; ~ **jour´nal** landboutydsl landboublad; ~ **sciences** landbouwetenska (skoolvak)

agricul´ture (n) landbou; akkerbou, saaiboerd *also* **crop far´ming**

agron´omy agronomie, akkerbou

aground´ gestrand; teen die grond

a´gue koors, kouekoors; rilling

ahead´ vooruit, vooraan, voorop; voorwaarts

ai (n) ai, luidier *also* **sloth**

aid (n) hulp, bystand *also* **help, assis´ta support´;** subsidie; hulpmiddel; helper; *in* ten bate van, ten behoewe van; **hearin** hoortoestel; (v) help, steun *also* **assist´;** by ~ *and abet* medepligtig wees (by misdaad

aide´-de-camp (n) **aides-de-camp** (persoonl adjudant (v. senior amptenaar/offisier)

Aids/AIDS vigs/VIGS; ~ **suf´ferer** vigslyer

ail (v) makeer, skeel; sukkel; siek wees; *wha you?* wat makeer/skeel jou? ~**ment** sie kwaal; skeet *also* **dis´order, disea´se, mal´**

aim (n) doelwit, oogmerk, mikpunt; doelstel *also* **goal, objec´tive;** (v) mik; aanlê, ko (met vuurwapen); *take* ~ korrelvat, ko mik; ~ *at* mik op; beoog *also* **plan** (v); ~ doelloos

~ (n) lug, windjie; lied, melodie, aria; houding; *give oneself* ~*s* jou aanstel; *on the* ~ oor die radio; (v) lug; ~ *one's views* jou mening/opinie lug; ~ **alarm'** lugalarm; ~ **appren'tice** lugvak= leerling; ~ **bag** lugkussing (motor); ~ **battle** luggeveg; ~**brick** lugrooster; ~ **bubble** lugbel, lugblasie; ~ **car'go** lugvrag; ~-**condi'tioned** lugversorg; *these premises are air-conditioned* hierdie gebou is lugversorg; ~ **condi'tioning** lugversorging *also* **air'con;** ~ **co'ver/support'** lugdekking, lugsteun

~**craft** vliegtuig; ~ **car'rier** vliegdekskip; ~ **crash** lugramp

~: ~**crew** kajuitbemanning; vlugbemanning; ~ **defence'** lugverdediging; ~ **fil'ter** lugsuiwe= raar, lugfilter; ~ **fleet** lugvloot; ~ **force** lugmag; ~-**freight company** lugvragmaat= skappy; ~ **fresh'ener** lugverfrisser (in toilet)

~: ~ **gun** windbuks; ~ **hole** luggat *also* **ventilator;** ~ **hos'tess** lugwaardin; kajuithulp *also* **cab'in/flight atten'dant;** ~**ily** vrolik *also* **gai'ly;** ~**lift** lugbrug; ~**line/airways** lugdiens; ~**li'ner** passasiersstraler; ~ **mail** lugpos; ~**man** vlieënier *also* **pi'lot;** ~ **mar'shal** lugmaarskalk (mil. rang); ~ **mechan'ic** lugwerktuigkundige; ~ **pi'lot** vlieënier; ~ **pock'et** lugholte, lugknik; ~**port** lughawe; ~ **race** wedvlug; ~ **raid** lugaanval; ~ **ser'vice** lugdiens, vliegdiens; ~ **shel'ter** skuilkelder; ~**ship** lugskip *also* **dir'= igible;** ~**sick** lugsiek; ~-**sick'ness bag** naar= sakkie, vomeersakkie; ~**space** lugruimte; ~**strip** landingstrook; ~**tight** lugdig; ~**time** lugtyd; ~ **traf'fic** lugverkeer; ~-**traf'fic control'** lugverkeerbeheer; ~ **valve** lugklep, lugklappie; ~ **vent** ontlugter; ~**way** lugweg; ~**ways** lugdiens *also* **air'line;** ~**y** lugtig *also* **bree'zy;** vrolik; yl *also* **flim'sy**

~**le** vlerk, vleuel (van 'n gebou); paadjie (tussen stoele of banke) *also* **cor'ridor**

~**ch'bone** stuitjiestuk; ysbeen

~**r'** halfoop, op 'n skreef/skrefie (deur, ven= ster)

K47 (assault rifle) AK47

~m'bo: *with arms* ~ met die hande in die sye; kieliebak in die wind (omgangst.)

~**n'** (a) verwant *also* **rela'ted**

~**bas'ter** (n) albaster, albas (gipssoort, dikwels gebruik vir beeldhouwerk); (a) albaster, albas

~**ck'!** (interj) helaas! *also* **alas'!**

~**c'rity** (n) graagte, gretigheid; lewendigheid

~**rm'** (n) alarm, alarmsein; *give the* ~ alarm maak; *take* ~ lont ruik; (v) verskrik; waarsku; ~ **bell** alarmklok; ~ **clock** wekker; ~**ing** verontrustend, onrusbarend, skrikwekkend *also* **ter'rifying;** ~**ist** skrikaanjaer, alarmis (persoon)

~**s'!** (interj) helaas! *also* **alack'!**

~**atross** albatros, stormvoël

albe'it alhoewel, hoewel

albi'no (n) **-s** albino

al'bum album; gedenkboek

albu'men albumien, eiwit

al'chemist alchemis; goudmaker

al'chemy alchemie

al'cohol alkohol, wyngees

alcohol'ic (n) alkoholis; (a) alkoholies, bedwel= mend; dranksugtig; ~ **blues** dronkverdriet; wingerdgriep; blues; ~ **drink** sterk drank

al'colmeter alkometer, asemtoetser *also* **breath'alyser** (traffic/speed control)

al'cove alkoof; somerhuisie; prieel

al'derman (n) **..men** raadsheer (in stads- en metrorade)

ale Engelse bier; ~ **house** taphuis, tappery

alert' (n) alarm(sein); (v) aansê, waarsku; (a) waaksaam, wakker *also* **obser'vant;** *on* ~ op gereedheidsgrondslag

alexan'drine (n) aleksandryn (versreël van 6 jambes)

al'ga -e seegras, seewier; alge

al'gebra algebra; stelkunde (veroud.)

a'lias (n) **-es** alias *also: assumed name;* (adv) anders gesê

al'ibi alibi; uitvlug *also* **pre'text**

a'lien (n) vreemdeling, uitlander; (a) vreemd, uitlands; ~ *trees* uitheemse bome, indringer= bome; ~**ate** (v) vervreem; afkonkel; ontvreem; ~**ation** vervreemding, aliënasie

alight'[1] (v) neerkom; afspring; uitklim

alight'[2] (a) aangesteek; aan die brand *also* **ablaze'**

align' rig, op een lyn bring; spoor (wiel); ~**ment** linie, riglyn; sporing (van wiele)

alike' gelyk, eenders/eners *also* **sim'ilar, iden'= tical**

alimen'tary: ~ **canal'** spys(verterings)kanaal

alimenta'tion voeding; alimentasie, (lewens)on= derhoud

al'imony (n) onderhoud (vir vrou/kinders); versorging *see* **main'tenance**

alive' lewend(ig); bewus; gevoelig; wakker; ~ *to* bewus van; ~ *with* wemel/krioel van

al'kali (n) **-s, -es** loogsout, alkali; ~**ne** (a) alkalies

all (pron) almal; ~ *of them* hulle almal; *not at* ~ glad nie, geensins; *one and* ~ almal; ~ *told* almal ingesluit/inbegrepe; (a) die hele; ~ *day* heeldag; (adv) heeltemal, totaal; ampertjies, amper, bykans; *after* ~ op die ou end; darem, tog; ~ *alone* vingeralleen; ~ *along* die hele tyd; ~ *the better* des te beter; *for* ~ *I know* sover ek weet; *once (and) for* ~ vir altyd; ~ *at once* plotseling, skielik, meteens; ~ *the more/better* des te meer/beter; ~ *the same* darem, tog; almiskie; ~**-see'ing eye** alsiende oog

Al'lah Allah (opperwese – Islam)

allay' (v) verlig, verminder; matig

all′-bran volsemel⁼

all′-comers almal; iedereen

allega′tion aanklag, aantyging; beskuldiging *also* **accusa′tion**

allege′ aanvoer, beweer *also* **assert′;** *~d mur⁼ derer* beweerde/vermeende moordenaar

alle′giance getrouheid; onderdanigheid

allegor′ic(al) sinnebeeldig, allegories *also* **symbol′ic**

al′legory (n) **..ries** sinnebeeld, allegorie

all′-embracing alomvattend

allelu′ia halleluja, lofsang *also* **hallelu′ia**

aller′gic allergies *also* **suscep′tible;** *~ to* aller⁼ gies vir

al′lergy (n) allergie *also* **hypersensitiv′ity** (med.)

alle′viate (v) verlig, versag *also* **ease, relieve′**

al′ley steeg; laning, gang *also* **pas′sageway**

alli′ance verbond, bondgenootskap, alliansie *also* **u′nion, pact, coali′tion**

al′ligator alligator, waterlikkewaan

all′-in: *~* **wrest′ling** rofstoei

al′literate (v) allitereer; **allitera′tion** (n) allite-rasie, stafrym

al′locate (v) aanwys, toewys, toedeel *also* **assign′; appro′priate; award′**

alloca′tion toewysing; vasstelling; plekaanwy⁼ sing

allot′ (v) toemeet, toeken; **~ment** aandeel; toekenning, toewysing (van perseel/erf)

all′-out uit alle mag; *~* **attack′** hewige aanval

allow′ (v) toelaat; bewillig; gee; *~ for* rekening hou met; **~able** geoorloof; **~ance** toelae/ toelaag; toegewendheid; *make ~ance(s) for* in aanmerking neem; rekening hou met

alloy′ (n) **-s** allooi; legering; kwaliteit; (v) meng; temper; legeer

all′right goed, reg, in orde; *I am ~* ek is orraait (omgangst.)

all′-round (a) veelsydig *also* **ver′satile;** (adv) oor die algemeen; **~er** (n) veelsydige sport⁼ man/sportvrou

all′spice wonderpeper, piment *also* **pimen′to, Jamai′ca pep′per**

all-terrain′: **~bike** bergfiets; *~* **ve′hicle** veld⁼ voertuig; 4 × 4, viertrek *also* **all-wheel drive**

all-time fa′vourite tydlose treffer

allude′ (v) sinspeel/toespeel op

allu′ring (a) aanloklik, verleidelik *also* **attrac′⁼ tive, enti′cing, temp′ting**

allu′sion sinspeling, toespeling *also* **insinua′tion**

allu′vial uitgespoel, alluviaal; *~* **di′amonds** spoeldiamante

all′weather weervas; *~* **ten′nis court** weervaste tennisbaan

al′ly¹ (n) **allies** bondgenoot, geallieerde *also* **asso′ciate, affil′iate;** medestryder; (v) verbind, verenig

al′ly² (n) **allies** albaster, ellie (omgangst.)

al′manac almanak, kalender *also* **cal′ender**

Almigh′ty¹ (n): **the** *~* die Almagtige (God)

almigh′ty² (a) almagtig, vrymagtig *also* **po′werful;** kolossaal

al′mond amandel; *~* **es′sence** amandelgeursel

al′moner aalmoesenier *see* **alms**

al′most amper, byna, bykans *also* **near′ly**

alms aalmoes; liefdegawe; **~box** armbuss offerbussie

al′oe -s aalwyn; garingboom *see* **agave**

alone′ (a) alleen; *all ~* vingeralleen, moedersi alleen; eensaam *also* **lone′ly, i′solated;** d olate; (adv) net, enkel, alleen

along′ langs, deur; met; *all ~* die hele tyd; *ge* vooruitkom; **~side** naas, langsaan

aloof′ (a) afsydig *also* **detach′ed;** van ver; op afstand; *stand ~* jou afsydig/eenkant h **~ness** afsydigheid, ongenaakbaarheid

aloud′ hardop; *read ~* hardop lees, luidlees

alpac′a alpakka (dier); alpakkawol

al′pha alfa; **~(nu)mer′ic** alfa(nu)meries (lias ring)

al′phabet alfabet, abc

alphabet′ical (a) alfabeties

Al′pine Alpe⁼, Alpyns; *~* **glow** Alpegloed

Al′pinist alpinis; bergklimmer

Alps, the die Alpe (bergreeks)

alrea′dy al, reeds, alreeds

Alsa′tian (n) Elsasser (persoon); wolf(s)hond

al′so ook, eweneens *also: as well as;* **~⁼** agterblyer; flou perd; swak mededinger

alt = **al′to**

al′tar altaar; *lead to the ~* trou, na die alta kansel lei

al′ter (v) verander, wysig *also* **change, adju ~a′tion** verandering, wysiging *also* **amen ment;** aanbouing (aan huis)

alterca′tion (n) woordewisseling, twisgespr stryery

alter′nate (n) plaasvervanger, sekundus (p soon); (a) (af)wisselend; alternatief; (v) (a wissel, verwissel *also* **interchange′**

alter′nately beurtelings, om die beurt

al′ternating (af)wisselend; *~* **cur′rent** wiss stroom

altern′ative (n) alternatief; keuse; teenstell *also* **choice, op′tion; op′posite;** *I had no ~* het geen keuse gehad nie; (a) alterna afwisselend; ander; tweede; *~* **socie′ty** te kultuur

although′ hoewel *also* **while**

alti′meter hoogtemeter, altimeter

al′titude hoogte (bo seevlak) *also* **eleva′ti high-~** **ten′nis balls** hoëvlaktennisballe

al′to alt (sangstem tussen sopraan en tenoor)

altogeth′er almal; heeltemal, tesame *also* **fu ut′terly;** *in the ~/buff* poedelnakend, Adamsgewaad/Evasgewaad

'truism (n) onbaatsugtigheid, naastesorg, al=
truïsme

'truist altruïs (persoon); ~ic onselfsugtig,
hulpvaardig, altruïsties

'um aluin (dubbelsout)

umi'nium aluminium (metaal)

um'nus (n) ..ni alumnus, oudstudent

'ways altyd, gedurig also ever'more, forever'
n see be

nal'gamate (v) saamsmelt, amalgameer also
merge, combine', in'tegrate

nalgama'tion samesmelting, amalgamasie also
mer'ger; menging also fu'sion

n'aranth amarant, hanekam (blom)

naryll'is amarillis, goudlelie (blom)

nass' (v) ophoop, versamel also assem'ble,
accu'mulate

n'ateur (n) amateur; liefhebber; beginner;
dilettant also lay'man; ~ stat'us amateurstatus
see profes'sional; ~ish (a) amateuragtig,
dilettanties also unaccom'plished

naze' (v) verbaas; ~d' (a) verbaas, verwonder
also stun'ned, astoun'ded, aston'ished;
~ment verbasing, verwondering

na'zing verbasend, wonderlik also aston'=
ishing, surpri'sing, astoun'ding

n'azon[1] (n) Amasone (rivier)

n'azon[2] (n) amasone, manhaftige/sterk vrou

nbass'ador ambassadeur, gesant

n'ber (n) amber, barnsteen; (a) amberkleurig;
~ traf'fic light geel verkeerslig

n'bercane soetriet

nbidex'trous (a) dubbelhandig, ewehandig,
gelykhandig

n'bience (n) atmosfeer (van 'n plek); ambience

n'bient (a): ~ (wind-chill) fac'tor aanvoelbare
temperatuur, windverkoeling(s)faktor

nbigu'ity dubbelsinnigheid also va'gueness

nbig'uous dubbelsinnig; duister, onduidelik
also cryp'tic; du'bious; va'gue

n'bit (n) trefwydte (van 'n wet)

nbi'tion (n) eersug, ambisie also drive, ea'ger=
ness, en'terprise

nbi'tious (a) eersugtig, eergierig, ambisieus
also en'terprising, aspi'ring, indus'trious

nbiv'alent (a) ambivalent, dubbelsinnig; twee=
slagtig

n'ble[1] (n) pasgang (perd); (v) op 'n pasgang
loop, trippel (perd); ~r trippelaar, pasganger
(perd)

n'ble[2] (v) loslit/rustig wandel, rondkyk, slam=
pamper also mean'der, stroll

n'bulance ambulans

n'bush (n) hinderlaag; lokval, strik; lie in ~
voorlê; (v) in 'n hinderlaag lei

ne'liorate (v) versag, verlig; lenig, beter maak

nen'/a'men amen

ne'nable geseglik, vatbaar; plooibaar; verant=

woordelik; ~ to reason bereid om te luister

amend' (v) verbeter, aanpas; ~ment wysiging
(van wet); amendement (op 'n mosie)

amends' vergoeding, vergelding; make ~ ver=
goed, goedmaak

ame'nity minsaamheid, innemendheid, beleefd=
heid; (pl) ..ties geriewe, fasiliteite also facil=
ities; com'forts

Amer'ica Amerika (land en vasteland); ~n
Amerikaner (persoon); Amerikaans (gebruike,
ens.)

am'ethyst ametis (edelsteen); amatiskleur, pur=
per, violet

a'miable innemend, gaaf; beminlik, lief, lieftal=
lig also agree'able, pleas'ant

am'icable vriendelik, vrienskaplik; settled ami=
cably goedgesind geskik

amiss' verkeerd; kwalik; onvanpas; not ~ vanpas/
van pas; take ~ kwalik neem

ammo'nia ammoniak (chem. verbinding)

ammuni'tion ammunisie, skietgoed also am'mo
(infml.); ~ dump ammunisieopslagplek

am'nesty kwytskelding, vrywaring, amnestie
also gen'eral par'don; grant ~ amnestie
verleen

amok'/amuck' amok; raserny; run ~ amok
maak; handuit ruk

among' onder, tussen, by; one ~ many een van
baie; ~ ourselves onder ons

am'orous verlief; minsiek; liefdes=, minne= also
ar'dent, pas'sionate

amor'phous vormloos, amorf

amortisa'tion (skuld)delging, amortisasie

amount' (n) bedrag; opbrengs; hoeveelheid;
expenses ~ing to uitgawes ten bedrae van;
(v) bedra

am'pere ampère (elektr. eenheid)

am'persand ampersand (&)

amphib'ia (n, pl) tweeslagtige diere, amfibieë

amphib'ious (a) amfibies (op land en water);
tweeslagtig

am'phitheatre amfiteater; strydperk

am'ple breed, ruim; oorvloedig also plen'tiful

amplifica'tion uitbreiding; vergroting; verster=
king (van geluid); verduideliking

am'plifier (n) klankversterker; vergroter

am'plify versterk, uitbrei; toelig; vergroot also
augment'

am'putate (v) afsit (been), amputeer

amuck' = amok'

am'ulet amulet, geluksteentjie; talisman; toor=
middel also charm, mas'cot

amuse' (v) vermaak, amuseer also entertain',
charm; ~ oneself die tyd verdryf, jou besig
hou; ~ment vermaak, tydverdryf; ~ment park
pretpark also funfair

amu'sing vermaaklik, onderhoudend, snaaks,
amusant also entertai'ning, fun'ny

an 'n

anabol'ic: ~ **ste'roid** anaboliese steroïed, opkik= ker *also* **pep pill**

anach'ronism tydteenstrydigheid; tydverskui= wing; anachronisme

anae'mia (n) bloedarmoede, anemie

anae'mic bloedloos, bloedarm *also* **blood'less; fee'ble**

anaesthet'ic (n) narkose; (ver)doofmiddel; (a) verdowend

anaes'thetist narkotiseur (med. spesialis)

an'agram anagram, palindroom, letterkeer (bv. lepel)

analges'ic (a) pynstillend; (n) pynstiller, pyndo= der

anal'ogous ooreenkomstig, analoog

anal'ogy gelykvormigheid, analogie *also* **correla'tion;** *on the* ~ *of* na analogie/voor= beeld van

analphabete' ongeletterde, analfabeet (persoon) *also* **illit'erate** (person)

an'alyse (v) ontleed, oplos, analiseer

anal'ysis (n) **..lyses** ontleding, analise; oorsig

an'alyst ontleder; analis (van aandele, politiek); skeikundige, chemikus

an'archist anargis, oproermaker *also* **reb'el, revolu'tionary**

an'archy regeringloosheid; anargie; bandeloos= heid *also* **law'lessness**

anath'ema ban(vloek), anatema *also* **condem= na'tion, curse, taboo**

anatom'ical ontleedkundig, anatomies

anat'omy ontleedkunde, anatomie

an'cestor voorvader, stamvader *also* **fore'bear, predeces'sor**

ances'tral voorvaderlik, voorouerlik

an'cestry voorouers *also* **fore'fathers;** afkoms, afstamming

anc'hor (n) anker (skip); steun; *at* ~ voor anker; *drop/cast* ~ die anker laat sak; *weigh* ~ die anker lig; (v) anker; vasmaak; ~**age** aanlêplek, ankerplek; ankergeld

ancho'vy ansjovis (sardiensoort)

an'cient oud, outyds; antiek *also* **old, archa'ic**

ancill'ary ondergeskik; diensbaar; ~ **sub'jects** byvakke

and en

an'ecdote (s) staaltjie, anekdote *also* **yarn**

anem'one anemoon, windblom *also* **wind'flower**

an'eurism (n) aneurisme, slagaargeswel

anew' opnuut, weer

an'gel (n) engel, serafyn *also* **cher'ub**

angel'ic (a) engelagtig, engel(e)= *also* **hea'venly, celes'tial**

an'ger (n) toorn, gramskap *also* **fu'ry, ra'ge;** (v) vererg, vertoorn, kwaad maak

an'gle[1] (n) hoek; vishoek; haak; (v) visvang; (vlieg)hengel *also* **fish(ing)**

an'gle[2] (n) hoek (meetk.); gesig(s)punt, oogpu siening (van 'n saak); **acu'te** ~ skerp hoek; **brack'et** punthakie; **obli'que** ~ skewe hoe **obtu'se** ~ stomp hoek; **right** ~ regte hoek; **iron** hoekyster

an'gler hengelaar (visvanger met stok en lyn)

An'glican (n) Anglikaan (persoon); (a) Ang kaans; ~ **Church** Anglikaanse Kerk

an'glicise (v) verengels, angliseer

An'glicism Anglisisme, Engelse uitdrukking

An'glo- Engels, Anglo-; **A~-Boer War** Ang Boereoorlog, Tweede Vryheidsoorlog *a* **South Af'rican War**

Anglo-Sax'on (n) Angel-Sakser (persoon); Angel-Saksies

Ango'la Angola (land); ~**n** (n, a) Angole (persoon; taal; gebruike, ens.)

angor'a: ~ **goat** angorabok, sybok; ~ **wc** angorahaar, bokhaar

an'gry (a) kwaad, boos, vies, vererg *a* **annoyed', cross;** *I was so* ~/*mad I could* ek was smoorkwaad; ek kon slange vang; *with* kwaad vir

an'guish angs, foltering *also* **ag'ony, anxie'ty**

an'gular hoekig, puntig

an'imal (n) dier; bees; (a) dierlik; sinlik; **hus'bandry** veeteelt; ~ **king'dom** die die ryk; ~ **lo'ver** diereliefhebber; ~ **train** dieretemmer

an'imate (v) verlewendig; besiel; (a) lewend(i besield; ~**d** opgewek, vurig *also* **ar'de viv'id;** ~*d film/cartoon* animasiefilm, teke film, tekenprent

animos'ity (n) vyandigheid; wrok *also* **en'mi** grudge

an'iseed anyssaad

anisette' anyslikeur

an'kle enkel; ~**-deep** tot aan die enkels; ~ **gua** enkelskut, enkelskerm

an'nals annale, kronieke; jaarboeke *also* **chro** icles

an'nex[1] (n) aanhangsel; bylae/bylaag; bygeb anneks

annex[2] (v) inlyf, annekseer; aanheg, byvo ~**a'tion** aanhegting; inlywing, anneksasie

an'nexure bylae/bylaag, byvoegsel, aanhang *also* **appen'dix, sup'plement**

anni'hilate vernietig, verdelg, uitdelg *a* **exter'minate, destroy'**

annihila'tion vernietiging, uitdelging *a* **extermina'tion, liquida'tion**

anniver'sary (n) **..ries** verjaar(s)dag *also* **birt day;** jaarfees; gedenkdag, herdenking jare); bestaansjaar (organisasie); *wedding* huweliksherdenking

an'notate aanteken, annoteer; van aantekenin voorsien *also* **com'ment** (v)

annota'tion aantekening, annotasie

nnounce' (v) aankondig, bekend maak, aan= meld *also* **proclaim', pub'lish; ~ment** aan= kondiging; bekendmaking, **~r** omroeper (radio); aankondiger

nnoy' (v) lastig val, erger, hinder, pla *also* **harass', pes'ter, ir'ritate; ~ance** las, ergernis, hindernis; **~ed** omgekrap, vererg, ontstig; **~ing** ergerlik; lastig, vervelig; hinderlik

n'nual (n) jaarboek; eenjarige plant; (a) jaarliks *also* **year'ly;** jaar=; eenjarig; **~ address'** jaarrede; **~ event'** jaarlikse gebeurtenis; **~ gen'eral meeting** (algemene) jaarvergadering; **~ report'** jaarverslag

nnu'ity jaargeld, annuïteit; lyfrente; **retire'-ment ~** uittree-annuïteit, aftree-annuïteit

nnul' (v) nietig verklaar, afskaf, ophef *also* **rescind'**

n'nular ringvormig, ring=

nnuncia'tion aankondiging (aan Maria); bood= skap

n'ode anode (positiewe elektrode)

n'odyne pynstillende middel, pynstiller

noint' (v) salf (w), smeer; **~ed** (n) gesalfde (persoon)

nom'aly (n) ongerymdheid, afwyking, anomalie

non' (obs.) dadelik; strakkies, straks; netnou; *ever and* **~** van tyd tot tyd

non'ymous naamloos, anoniem *also* **name'less**

n'orak (n) (wind)jekker, anorak *also* **wind'-breaker**

norex'ia nervo'sa aptytverlies, anoreksie (dieetsiekte)

noth'er 'n ander; nog een; **~** *year* nog 'n jaar; *one* **~** mekaar

n'swer (n) antwoord; oplossing; (v) antwoord, beantwoord; instaan vir; boet vir; **~** *back* teëpraat; **~** *the bell* die deur oopmaak; **~** *the telephone* die telefoon antwoord; **~able** ver= antwoordelik, aanspreeklik *also* **accoun'table; ~ing machine'** antwoordmasjien

nt mier; *have* **~s** *in one's pants* miere hê; ongedurig wees

ntag'onism vyandskap *also* **en'mity;** antago= nisme; stryd

ntag'onist teenstander, teenparty *also* **ad'-versary, oppo'nent**

ntagonis'tic vyandig *also* **ill-dispo'sed**

ntag'onise teëwerk; in die harnas ja(ag)

ntarc'tic Suidpool=; suidelik; **~ cir'cle** Suid= poolsirkel; **~ O'cean** Suidelike Yssee

ntarc'tica Antarktika; Suidpoolstreek

nt: ~bear/~ea'ter erdvark, miervreter

n'techamber (n) voorvertrek, wagkamer

n'tedate vroeër dagteken; terugdateer; ver= vroeg, verhaas

n'tediluvian (a) van voor die sondvloed, antediluviaans *also* **primor'dial**

n'telope wildsbok, antiloop

an'temeridian voormiddag=

antena'tal voorgeboortelik

anten'na -e voelhoring, voelspriet; antenne/ antenna, lugdraad (radio, TV)

antenup'tial van voor die huwelik, huweliks=; **~ con'tract** voorhuwelikse kontrak, huwe= liksvoorwaardes

ant'heap mier(s)hoop

an'them gesang, (gewyde) lied; koorsang; **na= tional ~** volkslied

ant'hill mier(s)hoop

anthol'ogy (n) **..gies** bloemlesing *also* **compila'-tion, selec'tion** (of poetry, prose)

an'thracite antrasiet (steenkool)

an'thrax bloedpuisie; miltvuur, miltsiekte (by beeste); antraks

an'thropoid mens=, menslik; **~ ape** mensaap

anthropol'ogist antropoloog

anthropomor'phism vermensliking, antropo= morfisme (diere wat soos mense optree)

an'ti/an'ti- teen=, anti=, strydig met

an'ti-aircraft gun lugafweergeskut

antibiot'ic (n) antibiotikum; (a) antibioties

an'tibody teenliggaam; teenstof

antic'ipate (v) verwag; voorsien *also* **expect'; foresee';** vooruitloop, voorspring *also* **pre= empt'**

anticipa'tion voorgevoel, verwagting; voor= smaak; voorkoming; *thanking you in* **~** met dank by voorbaat; *in* **~** *of* in afwagting van

anticli'max antiklimaks

anticlock'wise linksom, antikloksgewys; hotom

an'tics (n, pl) kaskenades, kaperjolle, manewales *also* **clown'ing, pranks, frol'ics**

antidazzle' (a) skitterwerend (motorspieëltjie)

an'tidote teengif/teëgif, antidoot *see* **an'tibody**

an'tifreeze: ~ a'gent vriesweerder

an'ti-infectious infeksiewerend

an'tilittering: ~ campaign' rommelveldtog

antimacas'sar antimakassar, stoelkleedjie

an'timony antimoon, spiesglans

antip'athy (n) **..thies** natuurlike afkeer, teensin, renons, antipatie *also* **dis'like, animos'ity**

antipersonnel: ~ bomb personeelbom, kwes= bom

antiqua'rian (n) oudheidkundige; (a) oudheid= kundig, antikwaries

an'tiquate (v) laat verouder; **~d** verouder(d), ouderwets *also* **da'ted, obsolete**

anti'que (n) antieke kunswerk; antiek; (a) ouderwets, antiek *also* **an'cient, obsolete'; ~ dealer/shop** antiekwinkel

antiq'uity die oudheid; ouderdom; **..ties** sedes en gewoontes v.d. oudheid

antiretrovi'ral: ~ drugs antiretrovirale middels (med.)

anti-roll bar kanteldemper (motor)

anti-Semi'tic anti-Semities

antisep'tic (n) ontsmetmiddel, kiemdoder *also* **ger'micide;** (a) antisepties, ontsmettend

antith'esis (n) **..theses** teenstelling, antitese

antitox'in teengif, antitoksien

antivirus: ~**soft'ware** antivirusprogram (rek.)

ant'ler horing, tak; **-s** gewei; horings (van takbok)

antonoma'sia antonomasia, naam(s)verwisseling (gram.)

ant poi'son miergif

ant'sy (infml.) (a) rusteloos, kriewelrig; seksbe= hep; jags (vulg.)

a'nus anus, fondament; aars; agterent

an'vil aambeeld

anxi'ety angs, kommer, besorgdheid, onrus, stres *also* **stress', ten'sion**

an'xious (a) besorg, bekommerd *also* **unea'sy, wor'ried;** verlangend, gretig; ~/*keen to help* wil graag help

any elke, enige; iedereen, elkeen, enigiemand; *applicants for the post, if* ~ aansoekers om/vir die pos, as daar is; *in* ~ *case/at* ~ *rate* in alle geval; ~ *of us* enigeen van ons; ~ *person who* elkeen/enigeen/enigiemand wat; *at* ~ *time* te eniger tyd

any'body enigeen, elkeen, iedereen

any'how (adv) in elk geval; hoe dan ook; (conj) hoe dit ook mag wees; in elk geval

any'one enigeen, iedereen *also* **any'body**

any'thing enigiets, alles; ~ *but* alles behalwe

any'where oral, op enige plek

aor'ta groot slagaar, aorta; ~ **valve** hartklep

apart' afsonderlik, apart; ~ *from* afgesien van; *jesting* ~ alle gekheid op 'n stokkie; *set* ~ afsonder; ~**heid** apartheid (politieke beleid van rasseskeiding)

apart'ment woonstel; kamersuite; vertrek; ~ **house** deelhuis

ap'athy (n) traagheid, lusteloosheid, apatie; onverskilligheid *also* **indif'ference**

ape (n) aap; na-aper, koggelaar; (v) na-aap, (uit)koggel

aperitif' eetluswekker(tjie), aptytsnapsie; lusma= kertjie

ap'erture opening; gleuf, spleet

a'pex (n) **-es, a'pices** punt, top (van driehoek)

apha'sia (n) spraakverlies, afasie

aph'id (n) **-s/aph'is** (n) **aphides** plantluis, bladluis

aph'orism (leer)spreuk, stelling, aforisme *also* **say'ing, max'im**

aphrodi'siac (n) geslagsprikkel, welluswekker; minnedrank *also* **love po'tion**

a'piarist byeboer, byeteler *also* **bee far'mer**

a'piary (n) **..ries** byeboerdery, byery *also* **beefarm**

ap'iculture byeteelt

apiece' per stuk, vir een, elk

a'pish (a) aapagtig; na-aperig

aplomb' (n) selfvertroue, aplomb *also* **compo' sure, poise**

apoc'alypse (n) openbaring, apokalips

Apo'crypha Apokriewe Boeke (nie in Bybe opgeneem)

a'pocryphal twyfelagtig, apokrief *also* **du'bious unver'ified**

apologet'ic apologeties *also* **sor'ry, regret'ful**

apol'ogise verskoning maak vir; ekskuus/ver= skoning vra; verontskuldig; apologie aante= ken

apol'ogy (n) **..gies** verskoning, apologie *als* **excu'se;** verontskuldiging

apoplec'tic beroerte=; ~ **fit** beroerte(aanval)

ap'oplexy beroerte *also* **stroke** (n)

apos'tate (n) afvallige (veral van geloof); (a afvallig

apos'tle apostel, godsgesant *also* **evan'gelist prea'cher**

apostol'ic apostolies

apos'trophe afkap(pings)teken, weglaatteken apostroof

apoth'ecary apteker *also* **chem'ist** (dispenser o medicine)

appal' verskrik, ontstel; ~**ling** vreeslik, verskrik lik, ontsettend *also* **frigh'tening, hor'rifying alar'ming**

appara'tus toestel, gereedskap, apparaat *als* **equip'ment, appli'ance**

appar'el (n) kleding, klere; uitrusting

appar'ent blykbaar, duidelik; skynbaar; ~**ly** klaarblyklik, oënskynlik, vermoedelik

appari'tion (n) skrikbeeld, paaiboelie, skim *als* **phan'tom, spec'tre, o'gre**

appeal' (n) appèl, hoër beroep; bede; *enter an* ~ appèl aanteken; (v) appelleer *also* **implo're plead;** ~ *to the country* 'n beroep op die kiesers doen; ~ *to our supporters* op on= ondersteuners 'n beroep doen

appear' (v) verskyn; optree; vorendag kom; lyk blyk

appear'ance (n) verskyning; skyn, voorkoms optrede; *put in an* ~ opdaag; ~ **mon'ey/fe** optreegeld, optreefooi (sport, sosiaal)

appease' (v) bevredig; kalmeer; paai; bedaar laat bedaar *also* **pa'cify, placate';** ~**men** versoening; bedaring; bevrediging; *policy o* ~*ment* paaibeleid

appell'ant appellant (persoon)

append' (w) aanheg, byvoeg; ~**age** byvoegsel bylae/bylaag *also* **adden'dum, sup'plement**

appendici'tis (n) blindedermontsteking, appen= disitis

appen'dix[1] (n) **-es** bylae/bylaag; aanhangsel *als* **an'nexure, sup'plement**

appen'dix[2] (n) **..dices** blindederm, appendik (anat.)

ppertain' behoort, toebehoort; betrekking hê op

pp'etiser aptytwekker(tjie), opfrisser(tjie)

pp'etising smaaklik, eetluswekkend, aptytlik; aantreklik

pp'etite eetlus, aptyt; begeerte, lus; *a roaring ~* rasend honger

pplaud' (v) toejuig; prys, loof; approudisseer (hande klap) *also* **cheer; acclaim'**

pplause' (n) toejuiging, applous

p'ple appel; *an ~ a day keeps the doctor away* 'n appel 'n dag laat die dokter wag; *~ of discord* twisappel; *upset s.o.'s ~cart* iem. se planne omvergooi; *~* **mousse/sauce** appel= moes; *~* **pie/~ tart** appeltert; *~* **tree** appel= boom

ppli'ance toestel; apparaat; gerei *also* **device', gad'get;** aanwending, toepassing; **house'hold ~s** huisbehore, huisgerei

pplic'able toepaslik, tersaaklik

p'plicant aansoeker, applikant *also* **can'didate;** aanvraer

pplica'tion aanwending, toepassing; applikasie; aansoek; toewyding; *~* **form** aansoekvorm

pplica'tor (n) toediener (apparaat)

pplied' toegepas; *~* **mathemat'ics** toegepaste wiskunde

pplique' applikee(werk), appliek(werk)

pply' (v) aanwend; oplê; toepas; aansoek doen; jou beywer vir/toespits op; *~ for* aanvra; *~ for a post* aansoek doen om/vir 'n betrekking; *~ to* navraag doen by; aansoek rig aan

ppoint' (v) bepaal, vasstel; aanstel (in 'n pos); benoem *also* **nom'inate**

ppoint'ment bepaling; afspraak (met tandarts) *also* **engage'ment;** aanstelling, benoeming; uitrusting; *by ~* volgens afspraak; *keep an ~* 'n afspraak hou/nakom; **~s reg'ister** aanstel= lingregister, vakaturelys

ppor'tion verdeel; afmeet; **~ment** verdeling, toedeling

pprai'sal waardering, evaluering *also* **assess'= ment;** skatting

ppraise' skat, takseer, waardeer

pprai'ser waardeerder; **sworn ~** beëdigde taksateur

ppre'ciable waardeerbaar, skatbaar; merkbaar, aanmerklik; opmerklik; aansienlik; *an ~ increase of members* 'n aanmerklike toename in die ledetal

ppre'ciate (v) waardeer, op prys stel; verstaan; in waarde toeneem; appresieer, styg (aandele)

pprecia'tion waardering *also* **grati'tude;** waar= devermeerdering, appresiasie (boekh.); *token of ~* blyk van waardering; **cap'ital ~** kapitaal= styging, kapitaalgroei

pprehend' (aan)vat; vrees; ('n verdagte) aan= hou, gevange neem *also* **detain', arrest'**

pprehen'sion vrees, besorgdheid *also* **alarm',**

anxie'ty; aanhouding, gevangeneming *also* **deten'tion;** bevatting, begrip; *quick of ~/to grasp* vlug van begrip; snap dadelik

apprehen'sive bevrees *also* **fear'ful, unea'sy**

appren'tice (n) vakleerling *also* **ap'py** (infml.); leerklerk (by prokureur); (v) inboek; **~ship** leerskap, leertyd

approach' (n) (be)nadering; (pl) **-es** toegange; (v) nader, naderkom; **~able** toeganklik, ge= naakbaar *also* **access'ible** (e.g. manager)

approba'tion goedkeuring, byval *see* **proba'= tion;** *on ~/appro* op sig

appro'priate¹ (v) toe-eien (onregmatig); toewys, toedeel *also* **al'locate, assign'**

appro'priate² (a) gepas, (toe)paslik; betrokke; geskik *also* **befit'ting, prop'er**

appropria'tion toe-eiening; toewysing; aan= wending; bestemming; *~* **account'** (wins)ver= delingsrekening (boekh.)

appro'val goedkeuring, byval; *on ~* op sig

approve' goedkeur, instem *also* **au'thorise, endorse';** bevestig; bekragtig; *~ of* goedkeur; **~d'** goedgekeur; erken; gangbaar; beproef

approx'imate (v) nader, naby kom, benader; (a) by benadering, ongeveer, naaste(n)by; **~ly** omtrent, naaste(n)by *also* **rough'ly; ~ fig'ures** benaderde syfers

ap'py (infml.) (n) vakleerling *also* **appren'tice**

a'pricot appelkoos; **~ tree** appelkoosboom

A'pril April, Aprilmaand

A'pril fool¹ (n) Aprilgek

a'pril fool² (n) velskoenblare (plant)

a'pron voorskoot; deklaag; dekstuk (foto); aansitblad (vliegveld); voorverhoog (teater); *~* **string** voorskootband; rokband; *tied to the ~ strings of* onder die plak van

apropos' apropos, aangaande; betreffende, ra= kende *also* **regar'ding;** toepaslik

apt (a) geskik, paslik; onderhewig aan; be= kwaam; *he is ~ to* hy is geneig om

ap'titude geskiktheid; bekwaamheid, aanleg *also* **abili'ty, profi'ciency; ~ test** aanlegtoets

apt'ly gepas, passend, paslik

apt'ness gepastheid; geskiktheid

aq'uaculture akwakultuur, water(aan)kweking

aq'ualung duiklong

aquamarine' (n) akwamaryn (edelsteen); (a) blougroen

aquapho'bia (n) watervrees

aq'uaplane skiplank, branderplank

aquarelle' akwarel, waterverftekening

aqua'rium akwarium (vir waterdiere en -plante)

aquat'ic (n) waterplant; waterdier; (a) water=; *~ sport* watersport

aqueduct (n) (oop) waterleiding; akwaduk

Ar'ab Arabier (persoon); Arabiese perd

arabesque' (n) arabesk, grillerige versiering; (a) grillerig, arabesk

Ara'bia Arabië (streek); **~n** (a) Arabies (ge=
bruike, ens.)

Ar'abic (n, a) Arabies (taal; gebruike, ens.)

ar'able beboubaar, ploegbaar (grond)

ar'bitrary willekeurig, arbitrêr *also* **inconsis'=
tent;** eiemagtig

ar'bitrate (v) beslis, uitspraak gee, besleg

arbitra'tion arbitrasie *also* **adjudica'tion**

ar'bitrator arbiter; skeidsregter

ar'bor: ~ **city** lowerstad; ~ **day** boomplantdag

ar'boriculture boomkwekery, boomteelt

ar'bour prieel; somerhuisie *also* **pergo'la**

arc boog; ~ **eye** sweisoog

arcade' deurloop, winkelgang, arkade

arch[1] (n) boog, gewelf, verwelf; wreef (v. voet);
(v) welf, buig, krom (rug); ~ **support'** steun-
sool

arch[2] (a) aarts=, opperste (vyand, skelm)

archaeol'ogist argeoloog, oudheidkundige

archaeol'ogy argeologie, oudheidkunde

archa'ic oud, verouder(d), argaïes *also* **an'cient,
antiqua'ted, outmo'ded**

arch'angel aartsengel

arch'bishop aartsbiskop

arch'enemy aartsvyand

arch'er boogskutter; **~y** boogskiet

arch'etype grondvorm *also* **orig'inal;** standaard;
argetipe

archipel'ago eilandgroep, argipel; eilandsee

ar'chitect argitek, boumeester

architec'ture argitektuur, boukunde; boustyl
also **design', construc'tion**

ar'chive (n) argief (*ook* rek.); bewaarplek; (v)
argiveer (*ook* rek.)

ar'chives (n, pl) argief (bewaarplek vir doku=
mente)

ar'chivist argivaris

arch'way boog, gewelfde gang/poort

arc'lamp booglamp

Arc'tic Noordpool=; noordelik; **A~ cir'cle** Noord=
poolsirkel; **A~ O'cean** Noordelike Yssee; **A~
pole** Noordpool

ard'ent gloeiend; ywerig; hartstogtelik *also*
ea'ger

ard'our hitte; ywer, gloed

ard'uous steil; moeilik, opdraand, swaar; ~ **task**
kwaai/veeleisende taak/opdrag

are *see* **be**

ar'ea oppervlakte; streek, wyk, gebied; area; ~
committee streekkomitee; *grey* ~ tussengebied

are'na strydperk, arena *also* **sta'dium; battle'=
ground**

areom'eter vogmeter

ar'gent (n) silwer; (a) wit, silwerwit

Argenti'na Argentinië (land); **Ar'gentine** (n)
Argentyn (persoon); (b) Argentyns (gebruike,
ens.) *also* **Argenti'nian**

ar'gil (sagte) klei, potklei

ar'got diewetaal, boewetaal; kliektaal, groeptaal
geheimtaal

ar'gue (v) redeneer, redekawel, stry; betoog
argumenteer; bespreek; ~ *a case* 'n saak bere
deneer/bepleit

ar'gument beweegrede, bewysgrond; diskussie
debat; stelling; argument *also* **quar'rel, con
troversy**

argumenta'tion argumentasie, redenering

argumen'tative twissiek; stryerig, stroomop, re
dekawelend

a'ria (s) aria, lied; melodie

ar'id dor, droog *also* **bar'ren, parched**

arise' (v) (op)rys; ontstaan; opstaan; opgaa
(son); herrys; ~ *from* (voort)spruit uit

aristoc'racy aristokrasie, adelstand

ar'istocrat aristokraat (persoon) *also* **no'ble
patri'cian**

aristocrat'ic (a) aristokraties, adellik *also* **noble
well-born; blue-blood'ed**

arith'metic rekenkunde, rekene; **~al** rekenkundig

ark ark; *A~ of the Covenant* Verbondsar
(Bybel); **Noah's** ~ Noag se ark

arm[1] (n) (usually pl.) wapens, wapentuig; *tak
up* **~s** die wapen(s) opneem; (v) bewapen; **~e
rob'bery** gewapende roof; **~s cache** wapenop
slagplek

arm[2] (n) arm (liggaam); mou (kledingstuk); ta
(rivier); inham, golf (aan kus); ~ *in*
ingehaak; *infant/babe in* ~s suig(e)ling;
twisting armdraai, oorreding; ~ *wrestlin
armdruk(wedstryd) *also: Indian wrestling*

arma'da armada, vloot oorlogskepe (hist.)

armadil'lo pantserdier, armadil

ar'mament (n) (usually pl.) wapens, wapentui
also **arms, wea'ponry;** bewapening, krygs
toerusting; swaargeskut; **~s race** wapenwed
loop

ar'mature bewapening, pantser; spoel, anke
(dinamo)

arm'chair leunstoel

armed gewapen; gepantser; ~ **response'** gewa
pende reaksie; ~ **rob'bery** gewapende roof

ar'mistice wapenstilstand *also* **truce**

arm'let armband *also* **ban'gle, brace'let**

arm'our wapenrusting; pantser

arm'oured gepantser, pantser=; ~ **car** pantser
motor; ~ **divi'sion** pantserdivisie; ~ **train
pantsertrein; ~ **ve'hicle** pantserwa

arm'oury arsenaal, wapenhuis; magasyn

arm'pit (n) armholte; oksel; kieliebak

arms[1] (n, pl) wapens, wapentuig *see* **arm
ament;** ~ **cache** wapenopslagplek *also* **ar'
senal**

arms[2] (n, pl) wapen(skild) (bv. familiewapen)

arm'y (n) **armies** leër; ~ **pay** soldy; ~ **worn
kommandowurm

arn'ica valkruid, wondkruid

o'ma (n) geur, aroma *also* fra'grance; ~tic (a) geurig, welriekend *also* fra'grant

ound' om, om en om, rondom; in die rondte

ouse' (v) opwek, aanpor *also* ag'itate; ~ *suspicion* agterdog/argwaan wek

range' skik, rangskik; orden; afspreek; reël, inrig; ~ment reëling; (rang)skikking *also* display'; ooreenkoms, akkoord; *flower/floral* ~ment blommerangskikking

'rant (a) deurtrapte; berug; aarts=; ~ li'ar aartsleuenaar; ~ non'sense klinkklare onsin

ray' (n) slagorde; troepe; *in battle* ~ in slag= orde

rear(s)' agterstallige gelde; *in* ~ agter, agter= stallig; *arrear instalments* agterstallige paaie= mente

rest' (n) inhegtenisneming, aanhouding, arres(tasie); ~ed in aanhouding; onder arres; (v) in hegtenis neem, arresteer *also* appre= hend'; aanhou; stuit, teenhou; car'diac ~ hartarres, hartstaking; ~or bed stuitbedding (vir swaar voertuie op afdraande)

ri'val aankoms; aangekomene; ~s aankomste (treine, vliegtuie)

rive' aankom, arriveer, land; bereik; gebeur; tref; naam maak; ~ *alive* kom veilig tuis; spoed maak dood; *he has* ~d *(e.g. as pop star)* hy het gewild geraak/naam gemaak (bv. as popsanger)

'rogance verwaandheid, hoogmoed *also* in'= solence, conceit'

'rogant aanmatigend, parmantig, arrogant *also* chee'ky, im'pudent, in'solent

'row pyl; ~ key pyltjietoets (rek.)

'rowroot pylwortel; pylwortelmeel

se (vulg.) (n) gat, poephol (vulg.)

's'enal magasyn, arsenaal *also* ammuni'tion dump; (arms) cache'

's'enic (n) arseen, rottekruid, rotgif *also* rats'= bane

's'on brandstigting; ~ist brandstigter

t kuns; lis, bedrog; (pl) lettere; kunste; ~ dealer kunshandelaar; ~s and crafts kunsvlyt; black ~/mag'ic toordery/towery, negroman= sie; commercial ~ handelskuns; fine ~s skone kunste; plastic ~s beeldende kunste

'tefact/ar'tifact artefak (prehistoriese werktui= g(ie))

te'riosclerosis aarverkalking (med.)

t'ery slagaar, arterie

rte'sian artesies; ~ well artesiese put/waterbron

rt: ~ful kunstig; listig, geslepe, deurtrap *also* craf'ty, cun'ning; ~ gallery kunsgalery, kuns= saal

rthri'tis gewrigsontsteking, artritis (med.)

rt'ichoke artisjok (groente)

rt'icle (n) lidwoord; artikel; voorwaarde; klou= sule; *serve one's* ~s jou leerskap/klerkskap

uitdien; ~d clerk leerklerk, ingeskrewe klerk; ~s leerskap, klerkskap; (v) indeel; ooreenkom; inskrywe, inboek

artic'ulate (v) duidelik uitspreek; artikuleer; verbind; van litte voorsien; (a) duidelik; welsprekend; gelit; ~d truck leunwalorrie, laslorrie, voorhaker met leunwaens *also* trail= er truck

articula'tion (n) stembuiging; uitspraak, artiku= lasie; geleding (met litte)

art'ifice streek, truuk, lis *also* hoax, trick

artifi'cial kunsmatig; vals, oneg; ~ insemina'= tion kunsmatige inseminasie/bevrugting; ~ intel'ligence kunsmatige intelligensie (rek.); ~ limb kunsledemaat; ~ respira'tion kunsma= tige asemhaling; ~ rub'ber kunsrubber; ~ teeth kunstande, kunsgebit; winkeltande (skerts.)

artill'ery geskut, artillerie

art'isan ambagsman; vakman *also* crafts'man

art'ist kunstenaar; kunsskilder

artiste' (n) -s arties *also* perfor'ming ar'tist; trapeze' ~ sweef(stok)arties

artis'tic artistiek, kunssinnig *also* crea'tive

art' muse'um kunsmuseum, kunssaal

arts fes'tival kunstefees

art'y-craf'ty (a) gekunsteld/pretensieus in kuns= beoefening *also* art'y-fart'y

ar'um lily aronskelk, varkoor (leliesoort)

as (adv, conj) as, soos; net soos; aangesien; namate; na gelang van; terwyl; ~ *follows* as/soos volg; ~ *for/to* wat betref; ~ *if* asof; ~ *it were* as 't/as't ware; ~ *the population increases* namate die bevolking aangroei; ~ *soon* ~ *he is back* sodra/nes hy terug is; ~ *though* asof; *just* ~ *well* net so goed

asafoet'ida duiwelsdrek (gomhars as medisyne/ kruie)

asbes'tos asbes; gareklip/garingklip; ~is asbes= tose (siekte); ~ cement' asbessement

ascend' klim, opstyg, opvaar; ~ant (a) opgaand, opdraand; ~ency oorwig, gesag, meerderheid; ~ing order stygende (volg)orde

Ascen'sion Day Hemelvaartdag (Christenfees= dag; voorheen vakansiedag)

ascent' steilte, opdraand *also* in'cline

ascertain' verseker, bepaal, vasstel, verneem *also* deter'mine, estab'lish

ascet'ic (n) kluisenaar *also* her'mit; askeet; (a) asketies; vroom, ingetoë; ~ism askese, strenge onthouding

ascribe' toeskryf (aan)

asep'tic (n) ontsmetmiddel; (a) ontsmettend, asepties, kiemvry

a'sexual geslagloos, aseksueel

ashamed' beskaamd, skaam *also* hum'bled; *are you not* ~ *of yourself?* skaam jy jou nie?; *be* ~ skaam wees; ~ *of* skaam oor

ash'¹ (n) -es as; sintels
ash'² (n) -es essehout (boom)
ash'tray asbakkie
A'sia Asië; ~ Mi'nor Klein-Asië; ~n flu Oosterse/Asiatiese griep
Asiat'ic (n) Asiaat (persoon) also A'sian (SA); (a) Asiaties
aside' (n) syspraak (tussen twee persone); (adv) opsy, tersyde; *joking* ~ grappies opsy; *lay* ~ wegbêre, spaar
ask vra; versoek *also* **request'**; eis *also* **demand'**; ~ *about* vra na; ~ *around* rondvra; ~/*look for trouble* moeilikheid/skoor soek; *no harm in ~king* vra is vry
askance'/askew' skuins, skeef; *look* ~ *at s.o.* iem. skuins aankyk
asleep' aan die slaap; *fall* ~ aan die slaap raak
aspar'agus aspersie; **wild** ~ katdoring
as'pect aspek; gesig, voorkoms; uitsig; opsig; kant; gesig(s)punt *also* **an'gle, fea'ture;** *several* ~*s* verskeie aspekte
as'pen trilpopulier, esp (boom)
asper'sion (verskuilde) laster, beswaddering (van iem.)
as'phalt (n) asfalt; (v) teer; asfalt lê; ~ **road** teerpad, asfaltpad
asphyx'ia versmoring, verstikking; ~te (v) versmoor, verstik
as'pirant aspirant, kandidaat, aanspraakmaker (op kampioenskap) *also* **can'didate; conten'-der**
as'pirate (n) stemhebbende klank; (v) aspireer; (a) aangeblaas; stemhebbend
aspire' streef/strewe, verlang, begeer; aspireer (na) *also* **pursue', seek, crave**
ass (n) -es esel, donkie; domkop, dwaas; *make an* ~ *of* 'n gek maak van
assail' aanrand; aanval; ~ant aanrander; aanvaller *also* **attack'er**
assass'in sluipmoordenaar, sluipskutter *also* **hit'-man;** ~ate (v) vermoor; ~a'tion (sluip)moord
assault' (n) aanranding; aanval; ~ *with intent* voorbedagte aanranding; ~ **troops** stormtroepe; (v) aanrand; bestorm, aanval *also* **attack'**
assay' (n) toets, essai; (v) toets, essaieer; beproef, probeer
ass'egai as(se)gaai
assem'ble versamel; vergader, saamkom *also* **con'gregate, convene';** inmekaarsit, monteer
assem'bly (n) byeenkoms, vergadering *also* **gath'ering;** montering (masjien); **Leg'islative A~** Wetgewende Vergadering; ~ **line** monteerlyn; ~ **plant** monteeraanleg
assent' (n) toestemming, goedkeuring *also* **appro'val;** (v) toestem, instem
assert' laat geld; handhaaf; beweer; bevestig; ~ion bewering, aantyging; ~ive (a) bevesti-

gend; aanmatigend *also* **overbea'ring, domi neer'ing**
assess' (v) belas, aanslaan; takseer; bepaal beoordeel, evalueer *also* **ap'praise, eval uate;** ~ment evaluering, skatting; belasting **year of** ~**ment** aanslagjaar; ~**ment rate(s** eiendomsbelasting, erfbelasting; ~**or** asses sor; aanslaer; taksateur, waardeerder; skade berekenaar
ass'et (n) besit(ting); bate; aanwins; ~ **man' agement** batebestuur; ~s bate(s); boedel nalatenskap; ~**s and liabil'ities** bates en laste ~**s sei'zure** batesbeslaglegging
assid'uous volhardend, ywerig *also* **dil'igent**
assign' (n) regverkryger; sessionaris; (v) aanwys bepaal; aanstel
assignee' gevolmagtigde; prokurasiehouer; kura tor
assign'ment (n) opdrag *also* **task;** werkstuk studiestuk, taak; opgaaf/opgawe; oordrag oormaking
assim'ilate assimileer; gelyk maak; verwerk
assimila'tion assimilasie; gelykmaking; opname inname
assist' help, bystaan, steun; bevorder; ~anc hulp, bystand *also* **help, aid** (n); ~ant (n helper; assistent *also* **aide, hel'per**
assise' (v) skat; vasstel; yk (mate, gewigte) *se* **assay'**
asso'ciate (n) vennoot; assosiaat (van 'n vereni ging); (v) verenig; assosieer; vereenselwig; (a verenig, verbonde; hulp-, mede-; ~d bybeho rende, gepaardgaande *also* **affil'iated;** **mem'ber** assosiaatlid
associa'tion vereniging *also* **socie'ty;** assosiasie verbinding, omgang; *in* ~ *with* in deelge nootskap met; ~ **foot'ball** sokker(voetbal)
ass'onance gelykluidendheid; klinkerrym
assort' (v) uitsoek, sorteer; saamvoeg; ~**men** verskeidenheid *also* **selec'tion, varie'ty**
assume' aanvaar; veronderstel; aanmatig; ~ *innocense* as onskuldig beskou; ~ *responsi bility* verantwoordelikheid aanvaar; ~*d nam* skuilnaam
assu'ming aanmatigend (iem. se houding) *als* **concei'ted;** ~ *that* gestel dat
assump'tion aanname, veronderstelling; ver moede; aanvaarding; toe-eiening *also* **appro pria'tion**
assu'rance versekering; sekerheid; assuransi *see* **insu'rance**
assure' (v) verseker; ~d (n) versekerde (per soon); ~r (n) versekeraar, onderskrywer *als* **un'derwriter**
as'ter aster (blom) *also* **chrysan'themum**
as'terisk (*) sterretjie, asterisk
astern' agteruit; agter; agterskeeps
as'teroid (n) asteroïed

sth'ma asma, benoudebors; aamborstigheid; **~tic** asmaties; aamborstig

stig'matism astigmatisme, beeldvervorming (weens gepunte oogbol)

stir' op die been; aan die gang

ston'ish (v) verbaas (w), verwonder; **~ed** (a) verbaas (b, bw) *also* **ama'zed; ~ing** verba= send; **~ment** verbasing, verwondering *also* **ama'zement**

stound' (v) verbaas (w), dronkslaan; **~ing** (a) verbasend *also* **ama'zing, breath'taking**

strad'dle wydsbeen, wydsbene *also* **astride'**

strakhan' astrakan, karakoelwol

s'tral astraal, ster=; **~** *body* eteriese liggaam (spiritisme)

stray' verdwaal; *go ~* verdwaal; *lead ~* verlei; op 'n dwaalspoor bring

stride' wydsbeen, wydsbene

strin'gent saamtrekkend; wrang, vrank *also* **ac'rid** (flavour; taste)

s'trodome (n) koepelstadion (sport)

strol'oger sterrewiggelaar, sterrekyker, astro= loog

strol'ogy sterrewiggelary, astrologie

s'tronaut ruimtevaarder, ruimtereisiger, astro= nout *also* **space'man, cos'monaut**

stron'omer sterrekundige, astronoom

stronom'ical sterrekundig, astronomies; **~** *cost* enorme koste

stron'omy sterrekunde, astronomie

stute' (a) skerpsinnig *also* **keen, sharp;** geslepe, slu *also* **cun'ning, craf'ty**

sun'der vanmekaar, uitmekaar; afsonderlik; *tear ~* stukkend skeur

sy'lum toevlugsoord *also* **sanc'tuary, retreat';** gestig; asiel; *seek ~* asiel soek; **~ seek'er** asielsoeker (vlugteling); **men'tal ~** sielsieke= gestig

sym'metry (n) oneweredigheid

t tot; te, op, in; aan, by; teen, met; na; oor; *aim ~ mik na; ~ all times* te/ten alle tye; *not ~ all* glad nie; *~ break of day* met dagbreek; *~ last* (uit)eindelik; *~ least* ten minste/tenminste; minstens (getal mense); *~ once* dadelik, onmiddellik, oombliklik; *~ present* teenswoor= dig, tans, nou *also* **pres'ently;** *~ school/col= lege/ university* op skool, op/aan kollege/uni= versiteit

t'avism atavisme (herlewing van primitiewe instinkte)

theism (n) godloëning, ateïsme

theist godloënaar, ateïs

th'lete atleet, sportman; **~'s foot** voetskimmel

thlet'ic frisgebou(d), sterk, atleties *also* **able-bo'died**

tlan'tic (Ocean) (n) Atlantiese Oseaan; (a) Atlanties

t'las atlas

at'mosphere atmosfeer, dampkring

atmospher'ic (n, pl) lugsteuring; (a) atmosferies

at'om atoom; greintjie *also* **frag'ment; ~/atom'= ic bomb** atoombom

atom'ic atomies, atoom=; **~ age** atoomeeu; **~ fis'sion** atoomsplitsing, atoomsplyting; **~ fu'= sion** atoomfusie; **~ the'ory** atoomteorie

atone' boet, versoen; **~ment** boetedoening; vergoeding; versoening

atop' bo-op

atro'cious (a) gruwelik, afgryslik *also* **hor'rible, repul'sive, bru'tal**

atroc'ity (n) gruweldaad, afgryslikheid *also* **sav'agery, brutal'ity**

at'rophy (n) uittering, atrofie; wegkwyning

attach' vasmaak, aanheg; in beslag neem, beslag lê op; *~ blame to* skuld gee aan

attach'e (gesantskaps)attaché (dipl.); **~ case** briewetas, aktetas *also* **brief'case**

attach'ment band; verbinding; geneentheid; verknogtheid; beslag(legging); aanhangsel (e-pos)

attack' (n) aanval *also* **assault';** aantasting; (v) aanval, aanrand; *mock ~* skynaanval; **~er** aanvaller *also* **assai'lant, aggres'sor;** *repel an ~* 'n aanval afslaan

attain' bereik; verkry; **~able** bereikbaar, haal= baar; **~ment** bereiking, verkryging *also* **accom'plishment**

attempt' (n) probeerslag, poging; onderneming; (v) probeer, poog *also* **try** (v)

attend' ag/aandag gee, oppas; bywoon; vergesel; bedien; *~ classes* klasloop; klasse bywoon; *~ school* skoolgaan; *~ to* aandag gee aan; oppas, versorg, verpleeg

attend'ance bywoning, teenwoordigheid; sorg, opmerksaamheid; geleide, gevolg *also* **es'cort;** opkoms; *be in ~* bedien, oppas; *dance ~ on* oral naloop; *in ~* ampshalwe teenwoordig (by vergadering); **~ fig'ure** bywoonsyfer; **~ reg'= ister** presensielys

attend'ant (n) oppasser; bediende; bediener; volgeling

atten'tion aandag, oplettenheid, sorg; (pl) be= leefdhede; *for ~ Mr X* vir aandag/kennisname mnr. X; *pay ~ to* aandag gee aan; **~ span** aandaggreep (tydsduur)

atten'tive (a) sorgsaam, bedagsaam, oplettend *also* **alert', watch'ful**

attest' (n) getuienis, verklaring; (v) getuig, bevestig; beëdig; attesteer; *~ to* getuig van; **~a'tion** getuigskrif; attestaat; eedafneming

at'tic solderkamer; dakkamer

attire' (n) drag, kleding; klere(drag) (v) optooi, uitdos; aantrek

att'itude gesindheid; houding; *~ of mind* siens= wyse, standpunt *also* **view'point**

attor'ney prokureur; regsverteenwoordiger *also*

law'yer; *power of* ~ volmag, prokurasie
attract' aantrek; aanlok *also* **cap'tivate;** boei
attrac'tion aantreklikheid; aantrekking(skrag);
~/*force of gravity* swaartekrag; *next* ~ vol=
gende vertoning/aanbieding (in fliek)
attrac'tive (a) aantreklik; bekoorlik *also*
charm'ing; aanskoulik; boeiend
at'tribute[1] (n) eienskap, kenmerk *also* **fea'ture;**
hoedanigheid, attribuut
attrib'ute[2] (v) toeskryf; wyt; *attributable to*
toeskryfbaar aan; **attrib'utable pro'fit** toe=
deelbare/toeskryfbare wins
attrib'utive attributief, byvoeglik (gram.)
attri'tion berou; wrywing, afslyting; *war of* ~
uitput(tings)oorlog
attune' stem; welluidend maak; ~*d to* ingestem
op
aubade' môrehulde, môregroet, aubade/oubade
(mus.)
au'burn donkerbruin, goudbruin, kastanjebruin
(veral iem. se hare)
auc'tion vandisie/vendusie, veiling; openbare
verkoping *also* **(public) sale;** *sell by* ~ opveil;
~ **bridge** (opjaag)brug (spel)
auctioneer' afslaer (by vandisie)
auc'tion: ~ **mart** vendusiesaal; ~ **sale** vandi=
sie/vendusie; veiling
auda'cious (a) moedig *also* **da'ring, bold;**
vermetel, astrant; **audac'ity** vermetelheid,
astrantheid *also* **cheek, ar'rogance**
aud'ible hoorbaar
aud'ience gehoor; toehoorders; *captive* ~ ak=
koordgehoor; ~ **ra'ting** gehoormeting (radio/
TV)
aud'iovis'ual (a) audiovisueel; ~ *education*
oudiovisuele onderwys/onderrig
aud'it (n) oudit, ouditering; verifikasie; nasien
van boeke; (v) oudit, ouditeer; nasien *also*
ver'ify; rekeninge nasien; ~**ed sta'tement**
ouditstaat; ~**ing** ouditkunde (vak); ouditering
(algemeen)
audi'tion (n) oudisie; proefvoordrag
aud'itive gehoor(s)=, ouditief
aud'itor ouditeur; ~**-gen'eral (auditors-general)**
ouditeur-generaal; `~'s report` oudit(eurs)ver=
slag
audito'rium gehoorsaal, ouditorium
au fait': *be* ~ *with* op die hoogte wees van;
vertroud wees met
aug'er skroefboor
augment' (v) vermeerder, vergroot, aanvul *also*
expand', sup'plement
aug'ur (n) waarsêer, voëlwiggelaar; (v) voor=
spel; *it* ~*s well/ill* dit beloof veel/weinig
aug'ury voorspelling; voorteken
Aug'ust[1] Augustus, Augustusmaand
august'[2] (a) verhewe, groots, vernaam *also*
dig'nified, grand, impres'sive

aunt tante, tannie; tant (voor eienaam)
au pair' (n) au pair, kinderhulp *also* **nan'ny**
aur'a uitstraling (van die gees/atmosfeer van 'n
plek of persoon); aura
aur'al oor=, gehoors=
aur'eole stralekrans, ligkrans *also* **ha'lo**
auric'ular oor=; ~ *confession* oorbieg (RK Kerk)
auror'a daeraad, dagbreek; ~ **austra'lis** suider=
lig; ~ **borea'lis** noorderlig
aus'pices bystand, beskerming *also* **ae'gis;** *under
the* ~ *of* onder beskerming van
auspi'cious gunstig, gelukkig *also* **bright, hope'=
ful**
austere' (a) streng, straf *also* **rig'orous, sol'emn**
auster'ity strengheid, eenvoud, soberheid
Australa'sia Australasië
Austra'lia Australië (land) *also* **Down Un'der;
Oz** (infml.); ~**n** (n, a) Australiër (persoon);
Australies (gebruike, ens.)
Aus'tria Oostenryk (land); ~**n** (n) Oostenryker
(persoon); (a) Oostenryks (gebruike, ens.)
authen'tic eg, opreg, outentiek *also* **gen'uine;**
geloofwaardig; betroubaar
authen'ticate (v) bekragtig, waarmerk, staaf *also*
val'idate
auth'or (male/female) skrywer, outeur *also*
wri'ter; bewerker
authorisa'tion (n) magtiging, mandaat; volmag
auth'orise (v) magtig *also* **empo'wer** (v); wettig;
~*d capital* gemagtigde kapitaal
author'ity gesag, mag; mandaat; vergunning;
bestuur, owerheid; outoriteit; *on good* ~ uit
goeie/betroubare bron
auth'orship outeurskap
autis'tic (a) outisties; **au'tism** outisme (sielk
afwyking)
au'tobank (n) kitsbank; outomatiese tellerma=
sjien (OTM)
autobiog'raphy outobiografie
autoc'racy alleenheerskappy, outokrasie
aut'ocrat alleenheerser, outokraat *also* **dicta'tor**
aut'ograph (n) handtekening, naamtekening
outograaf; eie handskrif; (v) outografeer; ~
hun'ter handtekeningjagter
automat'ic (n) outomatiese pistool; (a) outo
maties; werktuiglik; selfbewegend; ~ **pi'lot**
stuuroutomaat; ~ **tel'ler machine'** (ATM
outomatiese tellermasjien (OTM), outoteller
kitsbank *also* **au'tobank;** ~ **wash'ing ma
chine'** wasoutomaat
automobile' (Am.) motor, (motor)kar *also* **(mo'
tor)car**
auton'omous selfbesturend, selfregerend, outo
noom *also* **indepen'dent, sov'ereign**
auton'omy selfbestuur, selfregering, outonomie
autop'sy lykskouing; outopsie *also* **postmor'tem
examina'tion**
aut'umn herfs, najaar *also* **fall** (Am.)

auxil'iary (n) helper, bondgenoot; (pl) **..ries** hulptroepe; (a) hulp-; ~ **ser'vice** hulpdiens; ~ **verb** hulpwerkwoord (gram.)

avail' (n) baat, nut; *to little* ~ met min sukses, tevergeefs; *of no* ~ vrugteloos; (v) baat, benut; ~ *oneself of* benut, gebruik; **~able** verkry(g)= baar, bekombaar *also* **acces'sible**

av'alanche sneeustorting, lawine; grondstorting

av'arice (n) gierigheid, hebsug *also* **greed**

avari'cious (a) gierig, hebsugtig, inhalig *also* **gree'dy**

avenge' (v) wreek, (weer)wraak neem *also* **retal'iate;** *be ~d* gewreek wees; **~r** wreker

av'enue laning, laan; toegang; *pursue one more* ~ ondersoek nog een moontlikheid

av'erage (n) gemiddelde; awery (skeepv.); eweredigheid; (pl) gemiddeldes; *on* ~ gemid= deld; (v) die gemiddelde bereken; (a) gemid= deld, deursnee=

averse' afkerig, onwillig; ~ *to* afkerig van

aver'sion afkeer (van); teensin, hekel (aan); renons (in); *my pet* ~/*hate* my doodsteek; daaraan het ek 'n broertjie dood

avert' afwend; verhoed, voorkom *also* **avoid'**

a'viary (n) **..ies** voëlhok, voëlkou

avia'tion lugvaart; vliegkuns

av'id begerig, gretig *also* **ea'ger, keen;** ~ **read'er** boekwurm, lettervreter

a'viopho'bia vliegvrees

avoca'do (n) **-s** avokado

avoid' vermy *also* **avert', by'pass;** ontwyk; systap; *I could not* ~ *saying* ek kon nie nalaat om te sê nie; **~able** vermybaar

avoirdupois' avoirdupois, gewone Engelse ge= wig/massa

avow' bely, erken; **~al** erkenning, bekentenis; **~ed** *enemy* verklaarde vyand

await' verwag, (af)wag; ~ *developments* ontwik= kelinge afwag; ~*ing trial* verhoorafwagtende (persoon)

awake' (v) wek; ontwaak, wakker word; tot die besef kom; (a) wakker *also* **alert';** opgewek, lewendig; *be* ~ *to* besef; op jou hoede wees teen

award' (n) toekenning; uitspraak, beslissing; prys, bekroning *also* **prize, tro'phy;** beloning; ~*-winning novel* bekroonde roman; ~**'s day** prysuitdeling (op skool); (v) toeken, bekroon *also* **confer', bestow' (on);** beloon; beslis

aware' bewus; versigtig; bedag; *be* ~ *of* bewus wees van

away' weg; vo(o)rt; verwyderd; uit (tennis); *do* ~ *with* van kant maak; *out and* ~ ver/vêr weg; *right* ~ dadelik, onmiddellik, oombliklik, terstond *also* **imme'diately, in'stantly, on the spot**

awe (n) ontsag, eerbied; vrees; *stand in* ~ *of* bang wees vir; ontsag hê vir; (v) ontstel; ontsag inboesem; **~some** ontsagwekkend; skrikwek= kend; fantasties, asemrowend; **~struck** bang, verskrik

aw'ful ontsettend, vreeslik; verskriklik, skrik= wekkend *also* **ter'rible, hor'rible, ghast'ly**

awhile' 'n tydjie, 'n tyd lank

awk'ward (a) onhandig, lomp *also* **clum'sy;** hinderlik *also* **thorn'y, trouble'some;** naar, olik; ~ *situation* lastige/netelige situasie

awl els (gereedskap)

awn'ing sonskerm, seilkap; agterdek

awry' skeef, krom; *go* ~ verkeerd loop

axe (n) byl *also* **hatch'et;** *have an* ~ *to grind* bybedoelings/'n grief hê; eiebelang soek; (v) besuinig, besnoei (uitgawes); pos (veral uit sportspan) *also* **dismiss', fire, sack;** uitkap

ax'iom grondwaarheid, aksioma *also* **ad'age, max'im;** **~at'ic** (a) onomstootlik, aksiomaties *also* **self-ev'ident, ob'vious**

ax'is (n) **axes** as(lyn); spil

ax'le as; ~ **box** naaf(bus); ~ **pin** luns, lunspen

aza'lea asalea, bergroos

az'ure hemel(s)blou, asuur

B

baa (n) geblêr; (v) blêr *also* **bleat**

bab′ble (n) gebabbel, geklets; (v) babbel, klets; stamel; kabbel, murmel (water); verklap; ~**r** babbelaar; verklikker

babe kindjie, babatjie *also* **ba′by**

ba′bel verwarring; ~ *of tongues* spraakverwarring

baboon′ bobbejaan

ba′by baba(tjie), kleinding; *be left holding the* ~ met die gebakte pere bly sit; ~/*babe in arms* suig(e)ling; ~ **bat′tering** babafoltering; kin= dermishandeling *see* **child abu′se;** ~ **boom** geboortegolf, babaontploffing (na oorlog); ~ **boom′er** naoorlogse baba/kind; ~**hood** klein= tyd; ~**ish** kinderagtig; kleinserig; ~ **sho′wer** ooievaarstee *also* **stork par′ty;** ~**sit′ter** babawagter, babasitter, wiegiewagter, kroos= trooster *also* ~**min′der;** *she will be* ~*-sitting tonight* sy gaan vanaand kroostroos, kin= ders/baba oppas; ~**wal′ker** loopring

Bacchana′lian (n) suiplap, drinkebroer; wel= lusteling; (a) bacchanalies, swelgend

bach′elor jongman; vrygesel; oujongkêrel; ~**'s degree′** baccalaureusgraad; ~ **flat** eenpersoon= woonstel

back (n) rug, agterkant; agterspeler (rugby, sokker); *behind one's* ~ agteraf, agterbaks, onderduims; ~ *to* ~ rug aan rug; (v) wed op (perde); ondersteun, rugsteun *also* **support′** (v); ~ *a horse* op 'n perd wed; ~ *out* kop uittrek, terugtrek; ~ *to basics* terug na die handboek/grondbeginsels; ~ *up* ondersteun, rugsteun; (a) agterste; agterstallig; (adv) terug, agteruit; gelede; (interj) tru!; ~**ache** rugpyn; ~**bite** (v) belaster, skinder; ~**bone** ruggraat; ~**chat** terugpraat; ~ **door** (n) agterdeur; ~**fire** (v) tru-knor; truplof/terugplof (enjin); boe= merang; ~**ground** agtergrond; ~**hand** handrug (tennis); dwarshand; ~**ing** steun, ondersteu= ning; weddenskap; ~**lash** teenreaksie; ~**line** agterlyn (rugby); ~**log** agterstand, ophoping; ~**num ber** ou aflewering (tydskrif); takhaar (man); ~**pack′er** pakstapper; rugsaktoeris; ~**pack′ing** pakstap, voetslaan; ~ **pay** agterskot; ~**ped′al** terugtrap; ~ **rest** rugleuning; ~ **room** agterkamer; ~**scratching** flikflooiery; ~**seat driver** bekdrywer, skouervlieg; ~**side** agtersy, rug, agterkant; ~ **slash** trubalk, trusolidus (\); ~**spin** trutol (bal); ~**track** (v) terugkrabbel; ~**up** (n) (nood)bystand; rugsteun (rek.); ~ **up** (v) rugsteun (rek.); ~**veld** agterveld, boen= doe; ~**velder** takhaar, teertou; ~**ward** agter= lik, lui, dom; ~**wards** agteruit, terug, agteroor; ~**wash** terugspoeling; kielsog (agter skip); nasleep; ~ **yard** agterplaas; ~**yard mechan′ic** tjorlapper

ba′con (vark)spek; ontbytspek; *save one's* ~ daar heelhuids van afkom

bacteriol′ogist bakterioloog

bacteriol′ogy bakteriologie (wetenskap)

bad (a) **worse, worst** sleg; nadelig; siek; vrot; ongunstig; *from* ~ *to worse* hoe later, hoe kwater; *in* ~ *faith* te kwader trou; ~ *taste* slegte/swak smaak; ~ **blood** haatgevoel; ~ **cold** swaar verkoue; ~ **debts** dooieskuld, slegte skuld; ~ **luck** ongeluk, teenspoed; ~ **tem′per** kwaai humeur; ~**-tem′pered** (a) befoeter; moerig, beneuk (omgangst.)

badge (n) kenteken; wapen; kleurteken

badg′er[1] (n) ratel (dier)

badg′er[2] (v) treiter; kwel, pla, sar *also* **tease, torment′; nag**

bad′ly erg, sleg; gevaarlik

bad′minton pluimbal

baf′fle (v) oorbluf *also* **ama′ze, astound′;** verydel; beskaam

bag (n) sak, tas; *in the* ~ 'n uitgemaakte saak; (v) skiet; vang; inpalm; knieë maak (broek)

bagatelle′ (n) kleinigheid, onbenulligheid, baka= tel *also* **tri′fle**

bag′gage bagasie, reisgoed *also* **lug′gage**

bag′pipe doedelsak; *play the* ~ doedel

bag snat′cher handsakrower

bail[1] (n) hingsel (pot); hoepel; dwarsbalkie (krieket)

bail[2] (n) borg, borgstelling, borgtog; *allow* ~ borgtog toestaan; *released on* ~ op borgtog uit/vrygelaat; (v) borg staan; onder borg vrystel; ~ *out* uitborg; uithelp (uit penarie); uitskep (water uit lekkende bootjie); uitspring (uit vallende vliegtuig)

bai′liff balju; geregsbode; *water* ~ waterfiskaal

bait (n) aas, lokaas; (v) aanlê; aanhits; terg; **artifi′cial** ~ kunsaas

baize baai (dik wolmateriaal)

bake (v) bak; ~**r** bakker; ~**r's doz′en** dertien; ~**ry** bakkery

ba′king baksel; ~ **pow′der** bakpoeier

bak′kie (SAE) bakkie, bestelwa, ligte aflewe= ringsvoertuig (LAV) *also* **light deli′very van (LDV)**

balacla′va: ~ **cap** klapmus, balaklawamus

bal′ance (n) balans, ewewig; saldo, balans (v. rekening); (weeg)skaal; *hold the* ~ die ewewig bewaar; ~ *of payments* betalingsbalans; ~ *of power* magsewewig; ~ *of trade* handelsbalans; (v) weeg; vereffen; balanseer, laat klop (syfers); balanseer (boekh.); weifel, skommel

bal′cony balkon; galery (in teater)

bald (a) kaal(kop); reguit, onomwonde; kaal, verlate (vlakte); ~ **facts** naakte feite

bal'derdash geklets, onsin, kaf(praatjies) *also* **non'sense, trash, bun'kum**

bale (n) baal (s); (v) in bale pak, baal (w)

balk (v) hinder, verydel; vermy; vassteek (perd)

ball[1] (n) dansparty, bal

ball[2] (n) bal, bol; koeël, kluit

bal'lad ballade, (romantiese verhalende) gedig/ lied

bal'last (n) ballas; (v) ballas (ekstra gewig) inlaai

ball bearing (n) (koeël)laer (in enjin)

ball'boy balknapie, baljoggie (tennis)

ballet ballet; ~ **dan'cer** balletdanser(es); ~ **skirt** balletrompie

ballis'tic: *go* ~ (infml.) woedend/briesend raak; ~**s** (n) ballistiek (wetenskap van beweging van koeëls/projektiele)

balloon' ballon; lugballon; ~ **tyre** kussingband

bal'lot (n) stembrief; stemming; *vote by* ~ per/met geslote stembrief stem; ~ **box** stem= bus; ~ **pa'per** stembrief

ball'point pen balpunt(pen), rolpunt(pen)

ball'room danssaal, balsaal; ~ **dan'cing** baldans

balls (n, pl) (taboo word) ballas, knaters (vulg.); (b) twak, kaf; *holy* ~-*up* (helse) gemors

ballyhoo' (n) bohaai, moles, kabaal *also* **fuss, commo'tion**

balm (n) balsem; ~**iness** balsemagtigheid; sagt= heid; ~**y** (a) balsemagtig; balsemiek; simpel, getik *also* **bar'my, cra'zy, daft, loo'ny**

balustrade' reling, borswering, balustrade

bamboo' (n) -**s** bamboes

bamboo'zle (v) bedrieg, kul, fop *also* **decei've, swin'dle, con**

ban (n) vervloeking, ban; verbod; (v) verban, inperk (persoon); verbied (boek); vervloek; ~*ned stimulants/substances* verbode middels (in sport)

ba'nal (a) banaal, afgesaag, alledaags *also* **hack'neyed, com'monplace**

bana'na piesang; *go* ~*s* (infml.) van jou trollie/wysie af raak

band (n) orkes (ligte musiek); militêre orkes, musiekkorps; bende; band; (v) verbind, ver= enig; ~**box** hoedeboks

ban'dage (n) verband (om pols); windsel; (v) verbind; blinddoek *also* **blind'fold**

ban'dit voëlvryverklaarde, struikrower; **one-ar'med** ~ (hand)dobbelmasjien, eenarmrower

band'master kapelmeester, dirigent

bandoleer'/bandolier' bandelier (vir patrone)

band'saw bandsaag, lintsaag, rolsaag

band'wagon: *jump on the* ~ oorloop na die wenparty; op die lawaaiwa spring

band'width (n) bandwydte (internet; selfoon)

ban'dy (v) wissel *also* **exchange', bar'ter;** wedywer; (a) gestreep; hoepelbeen; ~ *words* redekawel; ~-**leg'ged** hoepelbeen; ~ **legs** bakbene

bane verderf, vergif; vloek, pes; ~**ful** verderflik, giftig, skadelik *also* **nox'ious**

bang (n) slag, knal, bons; (v) toeslaan, toegooi; (interj) boems!; *go* ~ ontplof

ban'gle armband *also* **bra'celet**

ban'ish verban, verdryf; ~**ment** verbanning; ballingskap *also* **ex'ile**

ban'ister pilaartjie; ~**s** trapleuning

ban'jo banjo (musiekinstrument)

bank[1] (n) wal, oewer (rivier); wal (dam); (v) opdam

bank[2] (n) bank (finansiële instelling; speelbank; pot [casino]); (v) geld in die bank deponeer; banksake doen; bank (omgangst.) ~ *on* staatmaak op; **commer'cial** ~ handelsbank; **merchant** ~ aksepbank; ~ **bal'ance** bank= balans, banksaldo; ~**book** bankboekie; ~**er** bank; bankier; ~ **hol'iday** beursvakansie; openbare vakansiedag (Engeland); ~**ing** ban= kiersake, bankwese; ~**note** banknoot; ~ **rate** bankkoers; ~ **rob'bery** bankroof *also* **heist;** ~ **sta'tement** bankstaat; ~ **tel'ler** kassier, teller

bank'rupt (n) bankrotspeler; insolvent (per= soon); (a) bankrot, insolvent; *go* ~ bankrot speel; ~**cy** bankrotskap

ban'ner banier, vaandel; spandoek; ~ **cap'tion/ head'ing** banieropskrif

banns (n) (huweliks)gebooie (veroud.)

ban'quet (n) feesmaal, banket; (v) feestelik onthaal; feesvier

ban'tam kapokhoendertjie, krielkiepie; ~**weight** kapokgewig (boks)

ban'ter (n) skertsery, gekskeerdery; (v) skerts, korswel, gekskeer; terg, pla

ban'weed dubbeltjie(s) *also* **dev'il's thorn(s)**

ba'obab kremetartboom, baobab

bap'tise doop; onderdompel *also* **immerse'**

bap'tism doop; ~ *of fire* vuurdoop

bap'tismal font doopvont

Bap'tist (n) Baptis (lid v. Baptistekerk); doper; wederdoper; (a) doopsgesind

bar (n) hinderpaal; tralie; regbank; balie (ad= vokate-organisasie); kantien, kroeg; sandbank; maatstreep (mus.); balk (rek.); staaf (rek.); sluitboom (oorgang); hoekie; (pl) balkies (onder voetbalskoene); *be called to the* ~ as advokaat toegelaat word; *read for the* ~ in die regte studeer; *horizontal* ~ rekstok; (v) uitsluit, belet *also* **exclu'de;** teenhou, belemmer; stuit; voorkom; (prep) behalwe, uitgesonder(d); ~ *one* op een na

barb (n) weerhaak; (v) weerhake aansit; ~**ed wire** doringdraad

barba'rian (n) barbaar *also* **sav'age;** wreedaard

barbar'ic (a) barbaars *also* **bar'barous, prim'= itive**

bar'barism onbeskaafdheid, barbaarsheid; bar= barisme (in taalgebruik)

bar'barous wreedaardig, barbaars *also* **bru'tal, vul'gar**

bar'becue vleisbraai(ery); braaihoek, braaiplek; braaistel

barb'el baber (vis)

barb'er haarkapper, haarsnyer, haarknipper, barbier *also* **hair'dresser**

Bar'berton dai'sy Barbertonse madeliefie

bar'bet speg, houtkapper *also* **wood'pecker** (bird)

bar'carole gondellied

bar: ~ **chart** (n) staafgrafiek *also* **bar graph**; ~ **code** (n) staafkode, strepieskode; ~ **coded** (a) staafgekodeerd(e)

bard (n) digter (bv. Shakespeare), sanger

bare (v) ontbloot *also* **expo'se;** aan die lig bring; (a) bloot, kaal; oop en bloot; leeg; haarloos; *the* ~ *truth* die naakte waarheid; ~**back** bloots; ~**breas'ted** kaalbors, toploos *also* **top'less;** ~**fa'ced lie** skaamtelose leuen; ~**foot(ed)** kaalvoet; ~**head'ed** kaalkop

bare'ly ternouernood; net-net; skaars

bar'fly (n) wynvlieg (persoon)

bar'gain (n) winskoop, (wins)kopie; kostetreffer; keurkoop; *into the* ~ op die koop toe; *strike a* ~ 'n slag slaan; (v) 'n koop beding; afding, kwansel, knibbel; ~ **coun'ter** uitgooitafel; ~**ing po'wer** bedingingsmag, bedingvermoë

barge (n) trekskuit, barg, sloep *also* **canal' boat;** (v) bons, stamp

ba'ritone bariton (ligte basstem)

bar graph = bar chart

bark[1] (n) bas; (v) bas afmaak; 'n kors vorm

bark[2] (n) bark, skuit *also* **barque** (three-masted)

bark[3] (n) geblaf *also* ~**ing;** (v) blaf *also* **bay, yelp** (dog)

bar'keeper kroegbaas, kroeghouer *also* **bar'man**

bar'ley gars; ~ **corn** garskorrel; ~ **wa'ter** gortwater; ~ **wheat** kaalgars, barlewiet

bar'maid kroegmeisie, skinkjuffie

bar'man/bar'tender kroegman, kroegbaas

Bar Mitz'vah (n) barmitswa (Joodse godsdiensplegtigheid)

barn skuur, loods *also* **shed**

bar'nacle[1] (n) eendmossel; brandgans

bar'nacle[2] (n, pl) neusknyper; knypbril

barom'eter (n) weerglas, barometer

ba'ron baron, vryheer; ~**ess** barones; ~**et** baronet

baroque (a) barok (kunsstyl); oordadig; grillig *also* **orna'te; bizarre'** (style)

bar'rack (n) barak; leërkamp; (pl) kaserne, barakke; (v) in kaserne hou; uitjou, koggel

bar'rage studam, stuwal, afsluitdam; spervuur (oorlog) *also* **cur'tain fire**

bar'rel (n) vat, vaatjie; geweerloop; trommel (horlosie); buis; *scrape the* ~ boomskraap/platsak wees; (v) inkuip; ~ **or'gan** draaiorrel

bar'ren dor; onvrugbaar; kaal; skraal *also* **a'rid; des'olate**

barricade' (n) versperring, verskansing; barrikade; (v) versper, verskans

bar'rier (n) slagboom, sluitboom; hinderpaal; verskansing, versperring, sperreling; (pl) grense; (v) afsluit; ~ **line** sperstreep (op pad); ~ **reef** koraalrif

bar'rister advokaat; pleitbesorger; ~-**at-law** advokaat

bar'row[1] (n) kruiwa *see* **wheel'barrow; stootkar**

bar'row[2] (n) grafheuwel (prehist.)

bar'row[3] (n) burg (vark)

bar'ter (n) ruilhandel; (v) ruil, verruil; kwansel; ~ *away* verkwansel

ba'sal (a) basaal=; onderste; grond=; voet=

basalt' ystermarmer, basalt

base[1] (n) grondslag, basis; voetstuk; *back to (military)* ~ terug na die (militêre) basis; (v) baseer, grond; ~ *their opinion on* grond hulle mening op

base[2] (a) sleg, laag *also* **depraved'; contemptible;** onedel; ~ **met'al** onedele metaal

base'ball bofbal

base'born van lae afkoms, agterklas *also* **low'-class**

base'less ongegrond

base'ment kelder(verdieping)

base: ~-**min'ded** laaghartig; ~**ness** laagheid

bash (n) groot viering, makietie, opskop; (v) moker, (iem.) foeter

bash'ful skaam; verleë *also* **tim'id, shy**

ba'sic basies, grond=; ~ **English** basiese Engels; ~ **prin'ciples** grondbeginsels; ~ **rea'sons** grondliggende redes; ~ **slag** slakmeel

bas'ilisk basilisk, boomakkedis *also* **lizard**

ba'sin kom, skottel, wasbak; hawekom; vallei

ba'sis (n) **bases** grondslag; fondament; basis

bask (v) koester, bak (in die son)

bas'ket mandjie, korf; ~**ball** korfbal (vroue); basketbal (mans)

bass[1] (n) (sing and pl) baars (vis)

bass[2] (n) basstem, bas; basviool

bassoon' fagot, baspyp (blaasinstrument)

bass'viol basviool

bast'ard (derog.) (n) baster *also* **hy'brid;** vuilgoed, bliksem (vulg.) (persoon); (a) baster=; buite-egtelik; ~**ise** verbaster; uitbaster (mielies)

ba'stion (n) vesting, burg, bastion *also* **strong'-hold, for'tress, bul'wark**

Basu'toland Basoetoland *nou* **Leso'tho**

bat[1] (n) vlermuis; ~*s in the belfry* van lotjie getik (van iem. gesê)

bat[2] (n) (krieket)kolf; spaan; *off his own* ~ op eie houtjie; (v) kolf, slaan, moker

bat[3] (v) knip(oog); *not* ~ *an eye (lid)* geen ooglid verroer nie

batch klomp; baksel (brood); broeisel (eiers);

besending (goed); lot (veiling); bondel (rek.);
~ **command′** bondelopdrag (rek.); ~ **pro′gram**
bondelprogram (rek.)

bate (v) afkort; verminder; inhou (asem); *with ~d
breath* met ingehoue asem/gespanne aandag

bateleur′ (**ea′gle**) berghaan, bergarend, dassie=
vanger

bath (n) bad; (v) bad

bathe (v) bad, baai; besproei

ba′thing: ~ **cap** swempet; ~ **cos′tume** baaikos=
tuum; ~ **suit** swemklere, baaiklere; ~ **trunks**
swembroek(ie)

ba′thos antiklimaks, batos

bath′room bad(s)kamer

batiste′ batis (fyn weefsel)

bat′man lyfkneg (van offisier)

bat′on dirigeerstok; knuppel; ~ **charge** knuppel=
stormloop (onluspolisie)

bats′man kolwer (krieket) *also* **batt′er**

battal′ion bataljon (soldate-eenheid)

batt′er (n) kolwer (krieket) *also* **bats′man;** (v)
beuk; beskiet *also* **assault′, bash; ~ed** geha=
wend, stukkend; **~ing ram** stormram, muur=
breker (hist.)

batt′ery battery; ~ **chick′ens** batteryhoenders

batt′le (n) veldslag, stryd; *join* ~ die stryd
aanknoop; (v) veg, 'n (veld)slag lewer; **~-axe**
strydbyl; kwaai vroumens, feeks, tierwyfie; ~
crui′ser slagkruiser; **~dress** gevegsuniform,
vegklere; **~field** slagveld; **~ment** kanteel;
~song krygslied; ~ **zone** gevegsgebied

baulk *see* **balk**

Bava′ria Beiere (staat); **~n** (n, a) Beier (per=
soon); Beiers (gebruike, ens.)

bawdy (a) ontugtig, liederlik, onkuis *also* **lewd,
lust′ful**

bawl hard skree(u); tjank, grens; bulk

bay[1] (n) baai; inham (see)

bay[2] (n) lourier (boom)

bay[3] (n) blaf (hond) *also* **bark;** *keep at* ~ op 'n
afstand hou; (v) blaf, aanblaf

bay[4] (n) nis *also* **ni′che, recess′;** uitbousel; ~
win′dow boogvenster, komvenster; erker *also*
bow win′dow

bay[5] (n) bruin perd; (a) bruin; ~ *brown*
donkerbruin; *mealy* ~ vaalbruin

bay′onet (n) bajonet; *fixed* ~ gevelde bajonet; (v)
met 'n bajonet deursteek *also* **impa′le**

bazaar′ basaar; markwinkel *also* **mart**

B-drive B-aandrywer (rek.)

be wees; bestaan; ~ *gone!* trap!; kry jou loop!;
don′t ~ *long* moenie lank wegbly nie; *the
powers that* ~ die owerheid *see* **be′ing**

beach kus; strand; wal; ~ **bug′gy** duinebesie
(motor); **~com′ber** strandsnuffelaar (vir
wrakgoed); strandjut, aaswolf (dier); lang golf;
~ **cot′tage** strandhuis; **~head** strandhoof; ~
thongs plakkies *also* **slip-slops**

bea′con (n) (lig)baken; vuurtoring; seinvuur; (v)
afbaken; voorlig

bead (n) kraal; pêrel; blasie; korrel (geweer); (pl)
rosekrans; **~s** *of perspiration* sweetdruppels;
(v) inryg; druppels vorm

bea′dle (onder)koster; stafdraer (Br.)

bea′gle jaghond; speurhond; spioen

beak bek, snawel (van voël); kromneus; tuit
(ketel); **~ed** gebek; krom

beak′er (n) (drink)beker

be′-all einddoel; alles; wese; *the ~ and end-all*
die begin en die einde

beam (n) balk; juk (skaal); disselboom (wa);
straal (lig); bundel (ligstrale); (v) straal; skyn;
~ing (a) stralend (van geluk)

bean boon(tjie); (pl., infml.) pitte (omgangst.),
geld; *full of ~s* op sy stukke; *spill the ~s*
agterbaksheid blootlê; *also:* blow the whistle;
~bag sitsak; **~pod** boontjiepeul; **~stalk** boon=
tjierank

bear[1] (n) beer (dier); brombeer (nukkerige man)

bear[2] (n) daalspekulant (aandelebeurs); ~ **mar′=
ket** daalmark, beermark

bear[3] (v) dra; verdra, duld; besit; rus op;
voortbring; baar (kinders); ~ *in mind* onthou;
moenie vergeet nie; ~ *out* bevestig; ~ *with*
verdra; **~able** draaglik, redelik *also* **tol′erable**

beard baard; weerhaak; **~ed wheat** baardkoring;
~less baardloos, kaal

bea′rer draer, bringer; toonder (tjek); pilaar;
draer (by begrafnis) *also* **pall′bearer; ~
certif′icate** toondersertifikaat

bear′garden beertuin; lawaaispul

bea′ring[1] (n) gedrag; houding; strekking; pei=
ling; **~s** rigting; ~ **rein** springteuels (perdry)

bea′ring[2] (n) (koeël)laer *see* **ball bea′ring**

bear′skin beervel; beermus

beast bees; dier; dierasie; onbeskofte mens *also*
brute; ~ly dierlik, walglik

beat (n) patrollie; rondte; rondgang; roete; ritme;
slag; tik; (v) klop, slaan; beuk; kneus;
(uit)klop; uitstof, oortref, wen; klits; ~ *about
the bush* uitvlugte soek; *that ~s me* dit slaan
my dronk; ~ *your opponent* jou teenstander
klop; *dead* ~ pootuit, stokflou

beatif′ic geluksalig; saligmakend; **~a′tion** salig=
making, saligspreking (deur pous)

beat′ify (v) salig spreek (deur pous)

beat′ing slanery, kloppery; pak slae, loesing *also*
hi′ding

beat′itude saligheid *also* **bless′edness; salig=
spreking**

beau (n) **-s, -x** vryerklong *also* **boy′friend;**
pronker, modegek *also* **dan′dy**

beauti′cian (n) skoonheid(s)kundige

beaut′iful mooi, pragtig, fraai, sierlik, (beeld)=
skoon (meisie) *also* **pret′ty, attrac′tive**

beaut′ify versier, mooi maak, verfraai

beaut'y skoonheid; aanvalligheid; mooiheid; ~ *is but skindeep* mooi(heid) vergaan, maar deug bly staan; ~ **cul'ture** skoonheid(s)kunde; ~ **par'lour** skoonheidsalon; ~ **queen** skoon= heidskoningin; ~ **sleep** voornagslaap; ~ **spot** moesie; pronkpleistertjie; mooi plekkie (in die natuur)

beav'er bewer (dier)

because' omdat, want, daar (vgw)

Bechua'naland Betsjoeanaland *nou* **Botswa'na**

beck (n) wink, knik; *be at s.o.'s* ~ *and call* altyd vir iem. moet klaarstaan; (v) wink

beck'on (v) wink, knik; roep (om te kom); wuif

become' (v) word; betaam; pas; ~ *engaged* verloof raak

becom'ing (a) betaamlik; netjies *also* **neat;** passend *also* **fit'ting;** aantreklik *also* **charm'ing**

bed (n) bed; kooi (omgangst.); bedding (rivier); *go to* ~ inkruip; gaan lê/slaap

bedaz'zle (v) verblind (deur sterk ligte; deur uiterlike skyn)

bed: ~ **and break'fast** bed en ontbyt; ~**bug** weeluis; ~**ding** beddegoed; ~**fel'low** bedmaat, bedgenoot; ~**hop(ping)** rondslaap

bed'lam deurmekaarspul, wanorde *also* **cha'os, confu'sion;** malhuis (fig.); *it was sheer* ~ dit was 'n totale deurmekaarspul/chaos

bed: ~**pan** bedpan, steekpan; ~**post** bedstyl

bedrag'gle (v) besmeer, betakel

bed: ~**rid'den** bedlêend; ~**rock** (n) rotsbedding; grondlaag; (a) allerlaagste; ~**room** slaapka= mer; ~**side man'ners** siekbedsjarme (dokter); ~**side test** sykameronders oek (med.); ~**spread** bedsprei *also* **coun'terpane;** ~**stead** katel, ledekant; ~**time** slaaptyd, slapenstyd

bee[1] (n) by (insek); ~**bread** broodkoek, bye= brood; ~ **sting** by(e)steek

bee[2] (n) byeenkoms (om 'n gesamentlike taak te verrig)

beech beukeboom; beukehout

bee' culture byeteelt *also* **ap'iculture**

beef beesvleis; ~ *up* versterk, verstewig *also* **improve', strengthen;** ~**bur'ger** biefburger; ~**eater** hellebaardier (Br.); ~**steak** biefstuk, steak; ~ **tea** boeljon, vleisekstrak; ~**y** gespierd *also* **braw'ny;** vleisagtig

bee: ~**farm(ing)** byeboerdery *also* ~**kee'ping;** byery *also* **a'piary;** ~**hive** byekorf, by(e)nes; ~**line** reguit lyn; *make a* ~*line for* afpyl op; ~**kee'per** byeboer *also* **bee'farmer, a'piarist**

beep (v) biep; ~**er** (n) bieper

beer bier; ~**hall** biersaal; taphuis, tappery

bees'tings bies(melk) *also* **colos'trum**

bees wax (n) by(e)was; (v) smeer, polys

beet (w) beet (groente)

beet'le[1] (n) kewer (insek; motor); tor

beet'le[2] (n) (straat)stamper; heiblok; materiaal= klopper

beet'le[3] (v) oorhang *also* **pro'ject;** vooruitsteek; ~~**browed** nors, stug; suur *also* **sul'len**

beet'root beet(wortel); ~ **su'gar** beetsuiker

befit' (v) pas, betaam *also* **become';** ~**ting** (a) paslik, betaamlik *also* **prop'er**

before' voor, vooruit, vantevore; vooraf, voor= dat, alvorens; ~ *long* binnekort; kort daarna

before'hand vantevore, vooruit, vooraf

befoul' (v) besoedel, bevuil *also* **bedrag'gle**

befriend' (v) tot vriend wees; begunstig; help, bystaan *also* **pat'ronise**

beg (v) bedel; smeek, soebat, mooipraat; pleit

beget' voortbring; teel

begg'ar (n) bedelaar *also* **cad'ger, scroun'ger;** ~*s can't be choosers* wie verleë is, kan nie kieskeurig wees nie; *little* ~ klein vabond/ stouterd/onnut; (v) verarm; ~**ly** armoedig; armsalig

begg'ing (n) bedelary; (a) smekend; ~ **bowl** bedelbak

begin' begin, 'n aanvang neem; aangaan; toepas; ~ *at* begin by; *to* ~ *with* in die eerste plek; ~**ner** beginner; leek *also* **nov'ice;** groentjie

begin'ning begin, aanvang; aanhef; *from the* ~ uit die staanspoor, van voor af; ~ *1 May* met ingang 1 Mei

begone'! (interj) voort!; trap!; voert!; skoert! *also* **be off!**

bego'nia begonia (blom)

begrudge' beny, misgun

beguile' (v) bedrieg, mislei; ~ *the time* die tyd verdryf

begui'ling (a) verleidelik, bekoorlik; bedrieglik

behalf' ontwil; namens; *in/on* ~ *of* namens; ten behoewe/bate van

behave' gedra; ~ *yourself* gedra jou

beha'viour gedrag, houding; ~**al** **psychol'ogy** gedragsielkunde

behead' onthoof *also* **decap'itate**

behind' agter; van agter, agteraan; ~ *one's back* agter iem. se rug; agterbaks; *fall* ~ agterbly; ~ *the times* ouderwets; ~ *with payments/instal= ments* agterstallig (met betaling)

behold' (archaic) (v) aanskou (Bybels); sien; beskou; (interj) kyk!

beho(o)ve': *it* ~*s you* dit pas/betaam jou *also:* *befits you*

beige beige, geelgrys

being (n) wese; skepsel; aansyn, bestaan; *come into* ~ ontstaan *also* **orig'inate, emerge';** *for the time* ~ tydelik, voorlopig; vir eers

bela'ted (onderweg) opgehou; vertraag

belch (v) wind opbreek *also* **burp;** uitbraak

beleag'uer beleër *also* **besiege';** omsingel

bel'fry (n) ..fries kloktoring

Bel'gian (n) Belg (persoon); (a) Belgies (ge= bruike, ens.); **Bel'gium** België (land)

belie' (v) loënstraf; belieg, belaster; weerspreek

belief' geloof *also* **faith;** oortuiging, opvatting; *beyond* ~ ongelooflik; *to the best of my* ~/*knowledge* na my beste wete

belie'vable geloofbaar

believe' glo; vertrou; meen; ~ *in ghosts* glo aan spoke; ~ *it or not* raar maar waar; **make-~** (n) skyn, wysmakery

belie'ver gelowige

belit'tle (v) verklein, verkleineer *also* **dispar'= age;** gering ag

bell klok, bel; blomkelk; *answer the* ~ (die deur) oopmaak; **~bot'toms** klokbroek, matroosbroek

belladon'na belladonna, giflelie, Maartlelie, nagskade (blom)

bell'buoy klokboei, belboei (in hawe)

belle mooi vrou; mooiste van 'n groep vroue

belles-lett'res bellettrie (letterkunde)

bell'icose (a) oorlugsugtig; strydlustig, aggres= sief

bellig'erent (n) strydende party; (a) oorlogvoe= rend; strydlustig, aggressief

bell: ~ **glass** stolp/stulp; ~ **met'al** klokmetaal

bell'ow (n) geblêr; gebulk; geloei; (v) blêr; bulk; loei (diere)

bell'ows (n, pl) blaasbalk; **pair of** ~ blaasbalk

bell: **~rin'ger** klokluier; **~-sha'ped** klokvormig; **~weth'er** belhamel, voorbok

bell'y (n) buik, maag *also* **abdo'men; tum'my;** holte; klankkas (viool); *do a* ~ 'n buiklanding doen *also* **crash landing; ~a'che** maagpyn; **~but'ton** naeltjie (op maag); ~ **dan'cer** buikdanseres, naeltjiedanseres *also* **exot'ic dancer**

belong' behoort; *he* ~s *to a church* hy behoort tot/aan 'n kerk; **~ings** besittings, goed *also* **per'sonal prop'erty/posses'sions**

beloved' (n) beminde, geliefde; (a) bemind; ~ **ones** (pl) geliefdes, dierbares

below' onder, benede *also* **infe'rior, subor'= dinate;** omlaag

belt (n) gordel, lyfband, belt/beld; gord, sein= tuur; dryfband (masjien); (v) omgord; ~ *up!* gord/gespe vas!; ~ **clip** gordelknip; **convey'or** ~ (ver)voerband; **fan** ~ waaierband; **seat** ~ sitplekgordel, redgordel, rukstopgordel

bel'vedere uitkyktoring

bemu'se'(d) (a) ingedagte; benewel(d), verbys= ter(d), verwar(d) *also* **da'zed, perplexed'**

bench sitbank; regbank; draaibank; *appoint to the* ~ tot regter benoem; **~mark** aanvaarde maatstaf/riglyn *also* **estab'lished crite'rion;** hoogtepunt; hoogtemerk (vir landmeters); waarmerk (van gehalte); ~ **rest** dooierus (geweerskiet)

bend (n) swaai, draai (in pad); kromming, buiging; (v) buig; buk; draai; oorhang; **~able** buigbaar

bends (n) borrelsiekte (by duikers)

beneath' onder, benede, onderaan

benedic'tion seëning; seënbede

benefac'tion weldaad; weldadigheid

benefac'tor weldoener *also* **do'nor, spon'sor**

benefi'cial (a) voordelig; weldadig; heilsaam *also* **gain'ful**

benefi'ciary (n) bevoordeelde, begunstigde (in 'n erflating)

beneficia'tion veredeling (minerale; diererasse)

ben'efit (n) voordeel; baat; voorreg; ~ *of the doubt* voordeel van die twyfel; **fringe** ~ byvoordeel *also* **perk;** (v) bevoordeel; voor= deel trek; ~ **socie'ty** bystand(s)vereniging

benev'olence (n) liefdadigheid, welsyn; welwil= lendheid, weldadigheid

benev'olent welwillend; goedgunstig; weldadig; ~ **fund** bystand(s)fonds, hulpfonds

benign' (a) minsaam, goedaardig; ~ **growth/ tu'mour** goedaardige gewas/tumor

bent (n) aanleg *also* **ap'titude, abil'ity;** neiging; strekking

benzine' bensien (brandstof)

bequeath' (v) bemaak, nalaat (in testament) *also* **endow'**

bequest' bemaking; erfporsie, erflating, legaat

bereave' berowe/beroof, ontneem; **~d pa'rents** bedroefde ouers; **~ment** sterfgeval

bereft' beroof (van), ontneem; ~ *of one's senses* van jou sinne beroof

ber'et (n) baret (slap/plat mus)

berg berg; ysberg; **~ie** bergie (leeglêer, Kaap); ~ **wind** bergwind

ber'iberi berrie-berrie, skeurbuik (siekte) *also* **scur'vy**

ber'ry (n) bessie; eier van vis, krap, kreef

ber'serk/berserk' rasend; berserk *also* **ra'ving mad, fran'tic;** *go* ~ amok maak *also: run amok;* **~er** beserker, maniak, waansinnige

berth (n) kajuit; slaapbank; lêplek; ankerplek; passasie, oortog; *give s.o. a wide* ~ uit iem. se pad bly; (v) aanlê, vasmeer (skip)

beseech' versoek; smeek *also* **beg, plead;** pleit

beset' insluit, omring; **~ting sin** boesemsonde

besi'de langs, naas, neffens; behalwe, buiten; *be* ~ *oneself* buite jouself wees (van woede); ~ *the point/question* nie ter sake nie

besi'des bowendien, buiten(dien), behalwe

besiege' (v) beleër ('n stad/dorp, fort)

besmirch' (v) beklad

bespang'le (met blinkertjies) versier; besaai

bespeak' bespreek, bestel; in beslag neem; **bespo'ke suit** snyerspak *also: tailor-made suit;* **bespo'ke tail'oring** kleremakery op maat, maatsnyery

best beste; *to the* ~ *of my ability* na my beste vermoë; *do your* ~ jou bes doen/lewer; *the next* ~ op een na die beste, die naasbeste; *the very* ~ die allerbeste

bes'tial (a) dierlik, beesagtig *also* **beastly, bru= tal; sinlik**

best'man strooijonker (by troue)

bestow' skenk, bestee, verleen *also* **allot', appor'tion**

bestride' opklim, bestyg; wydsbeen sit/staan

best sel'ler topverkoper, blitsverkoper (meesal boek); trefferboek

bet (n) weddenskap; (v) wed, verwed *also* **gam'ble;** *you ~!* dit kan jy glo!

betide' oorkom, wedervaar; *woe ~ him!* wee hom!; die hemel bewaar hom!

betimes' vroegtydig, betyds *also* **on time**

betray' verraai; mislei, bedrieg; dui op; **~al** verraad, troubreuk

betroth' (archaic) (v) verloof; toesê; **~al** (archa= ic) (n) verlowing *also* **enga'gement; ~ed'** (ar= chaic) verloofde (persoon)

bet'ter[1] (n) wedder (persoon) *also* **gam'bler**

bet'ter[2] (n) voordeel; oorhand; meerdere; *get the ~ of* uitoorlê *also* **outperform'; outsmart';** *so much the ~* des te beter; *for ~, for worse* in lief en leed; *a shade ~* 'n rapsie beter; (v) verbeter; (a) beter; **~ half** wederhelf (eggenoot); **~ part** leeueaandeel, grootste gedeelte; (adv) beter; liewer; *you had ~ go* jy moet liewer gaan; **~ment** verbetering

bet'ting weddery, weddenskappe sluit

between' tussen, tussenin, onder; *~ ourselves* onder/tussen ons

betwixt' (archaic) tussen; *~ and between* tussen die boom en die bas

bev'el (n) winkelhaak; (v) skerphoekig maak; (a) hoekig; skuins

bev'erage (n) drank; drinkgoed

bev'y (n) **..ies** swerm (voëls); trop (bokke); vlug (patryse); troep (veral meisies op verhoog)

beware' oppas, op jou hoede wees, waak teen

bewil'der verwar, verbyster; **~ed** oorstuur, deurmekaar *also* **baff'led, perplex'ed**

bewitch' betower; bekoor; **~ing** betowerend

beyond' (n) oorkant; *the back of ~* die verste uithoek; *the ~* die hiernamaals; (adv, prep) bo; oor; buite; verder/vêrder; verby; oorkant, anderkant; *that is ~ me* dis bo my vuurmaak= plek; *~ him* buite sy vermoë

bian'nual (a) halfjaarliks *see* **bien'nial**

bi'as (n) oorhelling, skuinste; neiging; vooroor= deel *also* **partial'ity;** (v) partydig maak; bevoordeel; **~sed** (a) bevooroordeel(d), party= dig *also* **slan'ted**

bib (n) borslap(pie) (vir baba/peuter); beffie

Bi'ble Bybel *also* **(the) Scrip'tures; ~ read'ing** skriflesing; **~ scho'lar** Bybelkenner, Bybelge= leerde; **~ Soci'ety** Bybelgenootskap; **~ thump= er** oordeelsdagprediker, Bybelbeuker

bib'lical Bybels, Bybel=

bibliog'raphy bronnelys, bibliografie

biblioma'nia boekekoors, boekmanie

bib'liophile bibliofiel, boekliefhebber

bicar'bonate bikarbonaat; **~ of so'da** koeksoda

bicente'nary (n) tweehonderdjarige fees/be= staan; (a) tweehonderdjarig

bi'ceps boarmspier, biseps

bick'er (n) rusie, harwar; (v) kibbel, kyf *also* **quar'rel, ar'gue;** klater; glinster, flikker (lig)

bi'cycle (n) fiets; (v) fiets, fietsry; **~ pump** fietspomp; **~ tyre** fietsband

bid (n) bod/bot; (v) aanbied; beveel; nooi; heet; bie; *~ fair* beloof; **~der** bieër (persoon); **~ding** gebod, bevel; bieëry (vandisie, veiling)

bide afwag, verdra; *~ one's time* die beste kans afwag

bi'det (n) bidet, bekkenbad (in badkamer)

bien'nial tweejarig, elke twee jaar *see* **bian'nual**

bier (n) baar, lykbaar (raam waarop doodskis lê)

bifo'cal bifokaal; **~ spec'tacles/bifo'cals** bifo= kale bril

big groot, swaar, dik; *~ with young* dragtig (dier); **~ bang** oerknal (sterrek.); **B~ Brother** Loerbroer, Loerboet (persoon/instelling wat ander beheer; TV-program); **~ shot** groot kokkedoor, donderdaan (persoon) *also* **notabil'ity; ~ stick** magsvertoon

big'amist bigamis, tweewywer/tweemanner (persoon)

big'amy bigamie, tweewywery/tweemannery

bight bog, baai, inham (aan kus); lissie, oog (van 'n tou)

big'ness grootheid, grootte, dikte, swaarte

big'ot yweraar; dweper *also* **dog'matist, fanat'= ic;** skynheilige; **~ed** skynheilig, dweperig; **~ry** skynheiligheid; dwepery *also* **fanat'icism**

bi'ker fietser, fietsryer; motorfietsryer *also* **(motor)cy'clist**

bilat'eral tweesydig, bilateraal, van albei kante

bil'berry (n) bloubosbessie

bile gal; humeurigheid *also* **nas'tiness**

bilge buik (van 'n vat)

bilhar'zia bilharzia-parasiet, slakwurm

bilharzias'is bilharziase, rooiwater (siekte)

bil'iary gal=; **~ fever** galkoors

bilin'gual tweetalig; **~ism** tweetaligheid

bil'ious galagtig; mislik, naar; **~ head'ache** skeelhoofpyn *also* **mi'graine**

bilk bedrieg, fop; **hotel ~er** glyjakkals (sonder om te betaal)

bill[1] (n) wetsontwerp

bill[2] (n) bek; snawel (van voël); (v) met die bek streel; *~ and coo* liefkoos

bill[3] (n) rekening *also* **account';** bewys; plakkaat; (v) debiteer *also* **charge** (v); **~board** reklame= bord, (lok)plakkaat *also* **pos'ter, plac'ard hoar'ding; ~ of divorce'** skeibrief; **~ of exchange'** wissel; **~ of la'ding** vragbrief; **~ pay'able** betaalwissel, skuldwissel; **~ receiv**

able ontvangwissel; ~ **book** wisselboek; ~
bro'ker wisselmakelaar

ill'et (n) biljet; briefie; baantjie, betrekking; (v)
inkwartier (soldate)

ill'iard: ~ **cue** biljartstok; ~**s** biljart(spel); ~
table biljarttafel

ill'ion biljoen (SA, Br. = miljoen miljoen);
miljard (VSA = duisend miljoen); ~**aire**
miljardêr (persoon) *vgl.* **miljoenêr'**

illy goat bokram

il'tong biltong

imbette' (n) klein flerrie; sekska(a)tjie

i'monthly tweemaandeliks *also: every second
month*

in meelkas, kis, bak, blikhouer

in'ary dubbel, tweeledig, binêr; ~ **dig'it** binêre
syfer

ind verbind (wond); bind; verplig; inbind
(boek); bekragtig; *I'll be bound* ek wed; ~**er**
binder; verband, nawelband; bindmasjien;
~**ery** boekbindery; ~**ing** slytband; bindwerk;
bindend (op iem.)

in'ge (n) fuifparty, dronknes *also* **drink'ing
spree, wild party**

inoc'ulars (n, pl) verkyker/vêrkyker *also* **field'
glasses**

iochem'istry biochemie (wetenskap)

ioda'ta (n) biodata, lewensprofiel, loopbaan=
geskiedenis, curriculum vitae *also* **CV**

iodegra'dable (a) bio-afbreekbaar, vergaanbaar

iog'rapher biograaf, lewensbeskrywer

iog'raphy biografie, lewensbeskrywing

iolog'ical biologies; **biol'ogist** bioloog (persoon);
biol'ogy biologie (wetenskap v. plante/diere)

ion'ic (a) bionies; ~ **man** bioniese/masjienge=
drewe mens

iop'sy (n) biopsie (ontleding van weefsel, selle,
– med.)

i'oscope (obs.) bioskoop (veroud.); fliek *see*
cin'ema, mo'vie (theatre); *going to* ~ bioskoop
toe gaan, gaan fliek

i'ped tweevoetige dier; ~**al** tweevoetig

i'plane tweedekker (vliegtuig)

irch berk(eboom); (kweper)lat; (v) loesing
gee; tugtig

ird voël; ~**s** *of a feather flock together* soort
soek soort; ~ *of passage* trekvoël; ~ *of prey*
roofvoël; ~**ca'ge** voëlhok, voëlkou; ~**er** voël=
kyker; afmerker *also* **bird'wat'cher; twit'cher**
(infml.); ~ **fan'cier** voëlliefhebber; voëlboer;
voëlhandelaar; ~**ie** voëltjie (ook gholf); ~**ing
expedition** voëlkykekspedisie, voëlkyksen=
ding; ~**lime** voëllym, voëlent; ~**'s-eye view**
wye uitsig; geheelbeeld; ~**wat'cher** voëlkyker
also **bir'der; twit'cher** (infml.); ~**watch'ing**
voëls kyk/waarneem *also* **bir'ding**

irth geboorte; oorsaak; ontstaan; *give* ~ *to* die
lewe skenk aan; ~ **certif'icate** geboortesertifi=

kaat; ~ **control'** geboortebeperking *also* **fam'ily
plan'ning, birth spa'cing;** ~**day** verjaar(s)dag;
in one's birthday suit poedelkaal *also* **stark-
naked;** ~**day par'ty** verjaar(s)dagparty; ~**mark**
moedervlek, geboortemerk; ~ **rate** geboortesy=
fer; ~**right** eersgeboortereg

bis'cuit soetkoekie, droëkoekie; ~ **box** koek=
trommel, koekieblik

bisect' (v) middeldeur sny, bisekteer

bisex'ual (a) dubbelslagtig, biseksueel *see*
herma'phrodite

bish'op biskop (kerklike ampsdraer); raadsheer,
loper (skaak); ~**ric** bisdom

bis'ley (n) skietwedstryd, prysskiet, bisley

bis'muth bismut (metaalelement)

bi'son bison, Amerikaanse buffel *see* **buf'falo**

bit[1] (n) bietjie, stukkie; bis (rek.); ~ *by* ~ stappie
vir stappie, bietjie-bietjie; *not a* ~ glad nie,
volstrek nie

bit[2] (n) stang; (v) 'n perd 'n toom aansit

bitch (n) teef (wyfiehond); feeks (vrou); ~**y** (a)
katterig, venynig *also* **spi'teful**

bite (n) byt; hap; stukkie ete; (v) byt; wond;
kwes; bedrieg; ~ *the dust* om te misluk/sterf

bi'ting bytend, bitsig, striemend; invretend

bit'ter bitter, skerp; ~**en'der** bittereinder (in
oorlog); ekstremis *also* **die'hard, hard'liner;**
~**ness** bitterheid, verdriet; ~**s** bitterbier; bitters

bit'umen (n) aardpik, asfalt, bitumen

bi'weekly tweeweekliks, veertiendaags; twee
maal weekliks

bizarre' ongewoon, grillig, grotesk, bisar *also*
weird, freak'ish

blab (n) verklikker; kletser; (v) uitflap, verklik
also **blurt (out)**

black (n) swart; (v) swart smeer, swart maak
(lett.); (a) swart; donker; somber; ~ *man/
woman* swart man/vrou; *in* ~ *and white* swart
op wit; ~ *out* onleesbaar maak; ~ *and blue*
pimpel en pers; ~**ball** (v) uitstem, veto;
~**berry** braam; ~**board** skryfbord, skoolbord;
~ **belt** swart gordel (judo, karate); ~ **box**
vlugopnemer *also* **flight recor'der;** ~ **death**
pes; ~**en** (v) swart smeer, swart maak (lett.);
slegmaak, uitskel; swartsmeer (fig.); ~ **eye** (in
a scrap) blou oog; ~**guard** (n) skobbejak,
gemene vent *also* **scoun'drel;** ~**head** swart=
koppie; kuifkop; ~ **hole** gravitasiekolk (ster=
rek.); ~**ing** swartsel; ~**jack** knapsekerwel/
knapsekêrel *also* **beg'gar tick;** ~**list** (n, v)
swartlys; ~**mail** (n) afdreiging, afpersing; (v)
afdreig, afpers; ~ **mar'ket** swartmark, sluik=
handel; ~ **mass** satansdiens; ~ **mon'key-thorn**
haakdoring; ~**ness** swartheid; duisternis; ~**out**
breinfloute; verdonkering; ~**smith** (grof)smid;
~ **type** vet letter (in drukwerk); ~**wa'ter
(fever)** swartwaterkoors; ~**wat'tle** wattel=
boom, looibasboom

blad'der blaas (in liggaam); windsak; binnebal (van voetbal)

blade lem; skeerlemmetjie; halm; blaadjie; grasspriet; blad; **~bone** skouerblad

blame (n) blaam, skuld; berisping; (v) blameer, verkwalik; afkeur; beskuldig; berispe; *I really cannot ~ you* ek kan jou nie eintlik verkwalik nie; *you must ~ yourself* jy het dit aan jouself te wyte; **~bea'rer** sondebok; **~less** onberispelik

blanch bleik, wit maak *see* **bleach** (v); skil (neute)

blancmange' blancmange, blamaans (nagereg)

bland (a) laf, smaakloos (kos) *also* **taste'less;** niksseggend, ontwykend (verklaring, houding); neutraal (med.)

blan'dish (v) vlei, streel; **~ment** vleiery, streling

blank (n) oop ruimte; leegte; leemte; teleurstelling; nul; *draw a ~* 'n nul trek; *his mind was a ~* sy geheue was skoon weg; sy gedagte het stilgestaan; (a) wit; blanko (papier); bleek; onbeskrewe; rein; leeg *also* **void;** rymloos (verse); **~ car'tridge** loskruitpatroon

blan'ket (n) kombers; **~ instruction** sambreelopdrag, oorkoepelende opdrag; *wet ~* pretbederwer, spelbederwer (persoon); (v) toemaak, bedek; stil hou

blare (n) geblêr; lawaai; gesketter; (v) blêr, sketter

blaspheme' (v) laster, vloek *also* **curse** (v)

blas'phemous godslasterlik *also* **profa'ne**

blas'phemy (n) godslastering; heiligskennis

blast (n) wind, rukwind; geskal; (bom)ontploffing *also* **explo'sion;** skoot; (v) verdor; laat ontplof/uitbars; verydel; skiet (dinamiet); slegsê, uitvreet, striem *also* **cas'tigate; rebuke;** (tw) vervlaks, vervloeks, deksels; *~ed fellow* vervloekste vent *also: confounded chap/bloke;* **~er** (dinamiet)skieter; **~fur'nace** smeltoond, hoogoond; **~ing** wegskiet; dinamietskietery; **~ing certi'ficate** skietsertifikaat; **~ing opera'tions** springwerke

bla'tant skreiend, verregaande *also* **outra'geous;** blatant; luidrugtig; *~ lie* infame/onbeskaamde leuen

blaze[1] (n) bles (van perd); (v) 'n wit streep maak; *~ a trail* die weg baan/berei

blaze[2] (n) vlam, vuurgloed; gerug; *in a ~* in ligte laaie; *go to ~s!* loop na die duiwel!; gaan bars!; (v) vlam, brand; skitter

blaze[3] (v) rondvertel, uitbasuin; *~ forth* rondbasuin

bla'zer (n) kleurbaadjie, sportbaadjie, blazer

bla'zing gloeiend, brandend (son)

bla'zon (n) blasoen, wapenskild; praal; (v) 'n wapenskild skilder; versier

bleach (v) bleik, verbleik; **~ing pow'der** bleikpoeier

bleak (a) kaal, verlate, bar *also* **des'olate, bar'ren;** guur (die weer) *also* **chil'ly;** *~ future* skraal toekoms, droewe vooruitsig

bleat (n) geblêr, gebulk; (v) blêr; bulk; tjank

bleed (v) bloei; bloedlaat; huil (druiwestok); **~er** bloeier (persoon) *also* **haemophil'iac**

bleed'ing (n) bloeding; bloedlating; (a) bloedend, bloeiend

bleep (v) bliep; **~er** blieper, roepradio

blem'ish (n) vlek, smet *also* **blot, smud'ge;** skande *also* **disgra'ce** (n); (v) beklad; ontsier; skend

blend (n) mengsel; (v) meng; saamvloei

bles'bok blesbok

bless (v) seën; loof; wy; *God ~ you* die Here seën jou

bles'sed geseën; gelukkig; saliger; *of ~ memory* saliger nagedagtenis; **~ness** (geluk)saligheid

bles'sing seën, seëning; (tafel)gebed; *~ in disguise* bedekte seën

blight (n) heuningdou, roes; brand (koring) plaag; (v) bederwe/bederf, vernietig

blimp (n) (kleinerige) ballonskip, advertensieballon

blind[1] (n) blinding/blinder, (rol)gordyn; skerm

blind[2] (v) verblind, blind maak; bedrieg; (a) blind; donker; verborge; *turn a ~ eye* iets oogluikend toelaat, maak of jy dit nie sien nie; *~ date* blinde afspraak/ontmoeting; *~ spot* blinde kol; *~ man's buff* blindemannetjie, blindemolletjie (kinderspel); *~ alley* blinde steeg, keerweer; doodloopstraat; *~ drunk* smoordronk; **~fly** blindevlieg; **~fold** (v) blinddoek; (a) geblinddoek; blindelings; **~ly** blindelings; **~ness** blindheid; *~ rise* blinde hoogte; **~side** skeelkant; steelkant (rugby)

blink (n) flikkering, flits; lonk; (v) knipoog gluur; ontwyk

blink'ers oogklappe

bliss (n) saligheid, geluk, heil; **~ful** salig, gelukkig *also* **enchan'ted**

blis'ter (n) (koors)blaar; blaas (aan voete hande); trekpleister; (v) blaar trek; afblaar afdop (verf); **fe'ver** ~ koorsblaar; *~ pack (aging)* stolpverpakking (bv. pille)

blithe bly, vrolik, opgeruimd *also* **hap'py joy'ful;** **~some** vrolik, opgeruimd

bliz'zard sneeustorm *also* **snow'storm;** sneeujag

bloat[1] (v) opswel; laat opswel; *~ed/inflated pride* opgeblase trots

bloat[2] (v) sout en rook (van haring); **~er** gerookte haring, bokkem

blob (n) druppel; klont; blaas

block (n) blok; vleisblok; hysblok; hindernis versperring (pad); (v) afsluit, versper; toespy ker; belemmer; dwarsboom; *~ up* versper; **and (chain) tack'le** katrolstel, (ketting)takel **road~** padversperring

blockade' (n) blokkade; insluiting; (v) blokkeer

block: ~ **boo'king** groepbespreking; **~bus'ter** megatreffer, bieliefliek, lokettreffer; **~head** domkop, uilskuiken *also* **clot, dunce, fat'= head;** **~house** blokhuis (oorlogsfort); **~man** blokman (in slaghuis); **~watch** blokwag

bloke kêrel, vent, ou *also* **guy, chap**

blond (a) blond, lig

blonde (n) blondine, witkop (vrou) *see* **brunette';** **dumb** ~ (derog.) dom blondine, dowwe dolla (neerh.)

blood (n) bloed; verwantskap; humeur; *set bad* ~ slegte gevoelens veroorsaak; *blue* ~ aristokra= tiese bloed; *in cold* ~ koelbloedig; (v) bloedlaat; **~bath** bloedbad; **~bay** rooibruin; ~ **clot** bloedklont; ~ **do'nor** bloedskenker; ~ **feud/grudge** bloedvete, bloedwraak *also* **ven= det'ta;** ~ **heat** bloedwarmte; liggaamstempe= ratuur; **~horse** volbloedperd; **~hound** bloed= hond, speurhond; **~less** bloedloos; *~less coup* geweldlose staatsgreep; ~ **mon'ey** bloedgeld; ~ **poi'soning** bloedvergiftiging; ~ **pres'sure** bloeddruk *see* **hyperten'sion;** **~shed** (n) bloedvergieting; moord; **~stain'ed** met bloed bevlek; **~suck'er** bloedsuier; **~thirsty** bloed= dorstig; ~ **transfu'sion** bloedoortapping; ~ **ves'sel** bloedvat, aar

bloo'dy (a) bloeddorstig; bloederig; (interj, slang) vervloekte, vervlakste (persoon); blêrrie (vulg.)

bloom (n) bloeisel, blom; fleur, bloei; blos; *in full* ~ in volle bloei; (v) bloei, blom; voorspoedig wees *also* **flou'rish**

bloom'ers (outydse) kniebroek, rokbroek (vroue= drag)

bloom'ing (interj, slang) vervloekte, vervlakste (persoon; ding; saak)

blos'som (n) blom, bloeisel; (v) bloei, blom; ~ *out into* ontwikkel/ontpop tot

blot (n) klad, vlek *also* **smudge';** skandvlek; (v) beklad; vlek; ~ *out* uitdelg; uitwis

blotch vlek, klad; puisie

blott'er kladblok; skryfblok

blot'ting paper kladpapier; vloeipapier

blouse bloes(e)

blow[1] (n) slag, klap; stoot; ramp; *come to ~s* handgemeen raak; *at one* ~ in een slag

blow[2] (v) blaas, waai; klink; openbaar maak; spuit (walvis); sketter (trompet); ~ *off steam* stoom afblaas; ~ *out* bars (band); uitwaai (kers); uitbrand (gloeilampie); ~ *over* oorwaai; verbytrek; ~ *up* in die lug laat spring (laat ontplof); vergroot (foto); **~fly** brommer; **~gun** blaaspyp *also* **blow'pipe;** **~ing** (n) geblaas, gestorm; (a) blasend; **~n** uitasem; bederf; opgeswel; **~out** (n) barslek, bandbars; **~pipe** blaaspyp; ~ **torch** blaasvlam *also* **~lamp**

blub'ber[1] (n) walvisspek

blub'ber[2] (v) grens, tjank; huil; uitsnik

blud'geon (n) knuppel, knopkierie; (v) met 'n kierie/knuppel (dood)slaan

blue (n) blou; blousel; (a) blou; neerslagtig, depressief; ~ *blood* hoë afkoms; *out of the* ~ uit die bloute; ewe skielik; *true* ~ volbloed; *having the ~s* die blues hê, neerslagtig/swart= gallig voel; **~bell** grasklokkie, pypie (blom); **~bottle** blou koringblom; brommer; kaster= olie; **~chip com'pany** topmaatskappy; **~chip share** prima aandeel, keuraandeel *also* **gilt'= edged share;** **~col'lar worker** handwerker; **~eyed boy/girl** witbroodjie *also* **fa'vourite;** **~gum** bloekom(boom); **~print** bloudruk, pro= totipe; ligdruk; **~s** blues (gevoel); **~stock'ing** bloukous (neerh.) (geleerde vrou)

bluff[1] (n) grootpratery, bluf; (v) (oor)bluf, uitoorlê, wysmaak, flous; grootpraat

bluff[2] (n) steil kaap/oewer; (a) grof; steil

blun'der (n) flater, blaps; fout *also* **slip-up, glitch;** (v) flaters maak, 'n bok skiet; ~ *upon* by toeval afkom op; **~buss** donderbus; **~er** knoeier, sukkelaar, ploeteraar (persoon)

blunt (v) stomp maak; ongevoelig maak; afstomp; (a) stomp; bot, nors, kortaf; **~ly** botweg *also* **tact'less;** reguit

blur (n) vlek, smet; wasige/dowwe voorkoms; (v) wasig/dof/onduidelik maak; verduister

blurb flapteks, blakerteks (van boek); reklame= teks

blurred wasig; dof *also* **fog'gy;** onduidelik

blurt: ~ *out* uitblaker, uitbasuin

blush (n) blos; gloed; *without a* ~ sonder blik (of bloos); (v) bloos; **~ing** (n) bloos; blos; (a) blosend (blakend); gesond

bo'a boa; ~ **constric'tor** luislang, piton (S.Am.)

boar (vark)beer; **~ish** (a) onbeskof; **wild boar** wildevark (Europa)

board (n) plank; tafel; kas; boord (skip); raad, bestuur; kommissie; kosgeld; verblyf, losies; (bord)karton; *above* ~ eerlik, betroubaar; ~ *a worker/employee* op ongeskiktheidspensioen plaas; *free on* ~ vry aan boord; *go by the* ~ oorboord val; oortref word; *sweep the* ~ alles wen; ~ *and lodging* kos en inwoning; (v) aan boord gaan; aanklamp; inwoon, loseer; op mediese pensioen plaas; **~ed** met siektepen= sioen; **~er** kosganger, loseerder; **~ing** losies, kos; losiesgeld; **~ing house** losieshuis, koshuis; **~ing ken'nels** diereherberg; woefie= tuiste; kietsiesorg; **~ing pass** instapkaart (vliegtuig); **~ing school** kosskool; ~ **meet'ing** direksievergadering; ~ *of in'quiry* ondersoek= raad; **~room** raad(s)kamer, raadsaal; **~sail'ing** seilplankry

boast (n) grootpratery; (v) spog, windmaak *also* **brag, swag'ger;** ~ *of* spog met; **~er** grootpra= ter, windmaker

boat (n) boot, skuit; skip; souspotjie; *rock the ~* jukskei breek, dwarstrek; **~house** boothuis; **~ race** roeiwedstryd, wedvaart

boatswain (*pron.* bos'n) bootsman (hist.)

bob[1] (n) pruik; bolla (hare); stompstert (dier); (v) kort knip (hare)

bob[2] (n) buiging; (v) op en neer gaan; buig

bob[3] (n) slingergewig; lood (van dieplood)

bob[4] (v) ruk; dobber *also* **jerk; wobble**

bob'bin spoel, klos(sie)

bob'by (n) **bobbies** konstabel (polisieman, veral Br.); **~ socks** enkelsokkies, kniekruipers (veral VSA in 1940's); **~sox'er** bakvissie; opgeskote meisie

bob'tail (n) stompstert (dier); *ragtag and ~* Jan Rap/janrap en sy maat

bode (v) voorspel; vooruit voel

bod'ice (n) lyfie, keurslyf; **~ rip'per** hygroman, korsetknakker

bod'ily liggaamlik; *~ presence* aanwesigheid in lewende lywe

bod'kin haarspeld; els; dolk; rygnaald

bod'y (n) liggaam, lyf; persoon; lyk, stoflike oorskot *also* **corpse**; kern, hoofdeel (brief); massa; stof; volheid (wyn); bak(werk) (motor); *heavenly ~* hemelliggaam; **~buil'der** liggaam(s)bouer, spierbouer; **~ cor'porate** regspersoon(likheid), beheerliggaam, bestuursraad; **~guard** lyfwag; **~ lan'guage** lyftaal, liggaamstaal; **~ search/~check** lyfvisentering; **~ snat'cher** lykdief; **~suit** kleefpak

Boer (n) -s Boer (Afrikaner); **b~ goat** boerbok; **b~ or'chestra** boereorkes

boff'in kenner, kundige *also* **ex'pert**; uitvinder, navorser

bog (n) moeras, vlei; *~ged down* vasgeval

bo'gey een oor syfer vir 'n putjie (gholf) *see* **par; bo'gy**

bog'gle (v): *it ~s the mind* dit slaan my skoon dronk

bo'gie onderstel, skamelwa *also* **swiv'elling truck**

bo'gus vals, kamma, oneg *also* **false, fake**; **~ collec'tor** kammakollektant; **~ com'pany** swendelmaatskappy; **~ cops** kammapolisie, skynpolisie

bo'gy/bo'gey paaiboelie, skrikbeeld; **~man** *also* **bug'bear, o'gre, spec'tre**

bohe'mian (a) boheems, onkonvensioneel, eksentriek; *~ life(style)* boheemse leefwyse

boil[1] (n) bloedvint, pitseer *also* **furun'cle**

boil[2] (v) kook; *it ~s down to* dit kom neer op; *~ over* oorkook; **~er** stoomketel; **~erma'ker** ketelmaker; **~ing point** kookpunt

bois'terous onstuimig, wild *also* **noi'sy, unru'ly**; *~ play* speelse, ruwe gestoei *also* **horse'play**

bo'la (n) pons (vrugtedrankie)

bold dapper, stoutmoedig *also* **da'ring, daunt'**less; vermetel; sterk; vrypostig, astrant; *I make ~ to say* ek verstout my om te sê; **~-faced** onbeskaamd, domastrant; *~ type* vetdruk

bol'ster (n) stut; kompres; kussing; (v) ondersteun, rugsteun; opvul; *~ up* steun, stut

bolt[1] (n) pyl; bout; skuif, grendel *also* **latch;** bliksemstraal; sprong; *a ~ from the blue* 'n donderslag uit die (helder) hemel; (v) bout; grendel; **~cut'ter** boutknipper, slotknipper

bolt[2] (v) weghol, op loop sit (perd) *also* **dash, sprint**

bo'ma (n) boma, kraalheining

bomb (n) bom, granaat; **atom(ic) ~** atoombom; **high-explosive ~** brisantbom; (v) bom; bombardeer, beskiet; *the station has been ~ed* die stasie is gebom

bombard' (v) bombardeer; met grofgeskut beskiet *also* **pound;** *~ with questions* met vrae bestook/peper; **~ment** bombardement

bombas'tic bombasties, hoogdrawend *also* **swol'len, preten'tious** (language)

bomb: *~ attack* bomaanval; **~ blan'ket** bomkombers, plofdemper *also* **~ suppres'sor/ inhib'itor;** *~ blast* bomontploffing; **~ dispo'sal expert** bom(ont)ruimer (persoon); **~er** bomwerper (vliegtuig); **~ planter** bomplanter (terroris); **~ shel'ter** bomskuiling

bo'na fi'de te goeder trou, bona fide

bonan'za (n) meevaller(tjie); gelukslag *also* **wind'fall**

bond (n) band; verband *also* **mort'gage;** verbintenis; verpligting; verbond, ooreenkoms; skuldbewys, obligasie; (v) verpand; verband, verband neem op, beswaar; *~ed property* verbande/beswaarde eiendom; **~age** gebondenheid; slawerny; **~hol'der** verbandhouer; **~s** skuldbriewe, obligasies

bone (n) been; graat (vis); (pl) beendere, gebeente; dobbelstene; *~ of contention* twisappel; *pick a ~* 'n appeltjie skil; **~den'sity** beendigtheid; **~meal** beenmeel; **ra'dial ~** spaakbeen

bon'fire vreugdevuur

bon'kers (slang) (a): *stark staring ~* stapelgek

bon'net mus, kappie, hoedjie; kap (motor)

bon'ny lief, aanvallig, fraai *also* **co'mely, fair**

bo'nus beloning; bonus, premie *also* **gratuity'**

bo'ny benerig, beenagtig; vol grate (vis)

boo (v) uitjou, boe *also* **bar'rack;** *can't say ~ to a goose* kan nie boe of ba sê nie

boo-boo' (n) blaps, flater, stommiteit

boobs (slang) (pl) borste, buuste *also* **(women's)** **breasts**

boo'by lummel, domoor *also* **fat'head, numb'skull, ass;** *~ prize* tergprys, poedelprys: boebieprys; *~ trap* fopmyn; vangstrik

boohoo' (v) huil, grens, tjank *also* **howl**

book (n) boek; geskrif; Bybel; *bring to ~* tot

verantwoording roep; *kiss the B~* op die Bybel sweer; *~ of reference* naslaanboek; bewys= boek; (v) inboek; bespreek; opskryf; *~ in* inboek; registreer (vir kongres); bespreek (huisvesting); *~ out* uitboek; **~bin'der** boek= binder; **~case** boekrak; **~ cov'er** boekband; boekomslag; **~ie** (infml.) boekie (infml.); beroepswedder; **~ing office** loket, kaartjies= kantoor; **~ish** geleerd; pedant; **~-keep'er** boekhouer; **~-keep'ing** boekhou; **~ lan'guage** boektaal; **~-learn'ed** belese *also* er'udite; **~let** brosjure, pamflet; **~ma'ker** (horse racing) beroepswedder, boekie (infml.); **~mark** blad= wyser; boekmerk (ook internet); **~sel'ler** boekhandelaar; **~shelf** boekrak; **~store** boek= winkel; **~ token** boekbewys; **~worm** boek= wurm (persoon)

boom[1] (n) valboom, sperpaal, valhek

boom[2] (n) gedreun; gebulder (kanon); (v) bulder, dreun

boom[3] (n) welvaart; oplewing, boom (in die ekonomie); hoogkonjunktuur; (v) opleef, op= gaan (pryse)

boo'merang (n) boemerang, werphout; (v) boemerang *also* back'fire (fig.)

boon (n) geskenk; guns; genade; uitkoms; (a) vrolik, vriendelik; weldadig; *~ companion* vrolike kêrel/metgesel

boor lummel, lomperd (persoon); **~ish** onbeskof

boost (n) ophemeling; hupstootjie; (v) ophe= mel; aanjaag; versterk; *~ one's ego* jou ego streel; *~ one's image* jou (self)beeld ver= beter; **~er** aanjaer; versterker; **~er ca'ble** aansitkabel (motor) *also* jum'per lead; **~er dose** skraagdosis; **~er injec'tion** skraagin= spuiting; **~er rock'et** aanjaagvuurpyl

boot[1] (n) stewel; bagasiebak (motor); *get the ~* uitgeskop word; die trekpas kry; (v) uitskop

boot[2] (n) wins, voordeel; *to ~* op die koop toe; (v) help, baat; selflaai (rek.)

booth kraampie, stalletjie; afskorting; kleedhok= kie; hut, tent

boot: **~lace** skoenveter, skoenriem; **~leg'ger** (drank)smokkelaar (hist.); **~ma'ker** skoen= maker; **~ pol'ish** waks, skoenpolitoer; **~ spoi'ler** drukvlerk, drukvin, remvlerk (motor); *~ tree* skoenlees

boot'y (n) buit, roof *also* loot

booze (n) drinkparty, fuiwery; drinkgoed; *on the ~* aan die fuif; (v) suip (sterk drank); **~r** suiplap *also* tippler (person)

bo-peep' wegkruipertjie (kinderspel)

borac'ic boor=, boraks=; *~ ac'id* boorsuur

bor'der (n) rand; kant; grens (land); soom; (v) omsoom; grens aan; begrens; *~ on* grens aan; **~line case** grensgeval

bore[1] (n) boor; boorgat; kaliber (geweer); wydte; (v) boor, uitboor

bore[2] (n) vervelende persoon/saak; (v) verveel *also* weary (v); **~dom** verveling

bo'rer boor; boorwurm; boorder

bo'ring[1] (n) boorgat; (pl) boorsel (uit boorgat)

bo'ring[2] (a) vervelend, vervelig; saai *also* te'= dious

born gebore; *~ again* herbore, weergebore *also* re'born; *~ and bred/raised* gebore en getoë; *~ in the Karoo* 'n boorling v.d. Karoo; *not ~ yesterday* ouer as tien

borne (v, past tense) gedra *see* bear'

bor'ough stad, dorp; munisipaliteit

bor'row leen (van iem.); ontleen (aan); **~er** lener

bos'beraad (SAE) bosberaad, samesprekings *also* bun'du con'ference, inda'ba; brain'= storm(ing)

bosh onsin, dwaasheid, kletspraatjies, kaf, twak *also* non'sense, trash

bo'som (n) boesem, bors; (v) verberg, geheim hou; *~ friend* boesemvriend

boss (n) baas; meester; (v) baasspeel; bestuur; **~y** (a) baasspelerig, dominerend

bot (n) maaier, papie; **~s** papies (perdesiekte)

botan'ic(al) plantkundig, botanies

bot'anist plantkundige, botanis

bot'any plantkunde, botanie

botch knoeiwerk *also* botch-up; (v) knoei; **~ed** (a) verbrou, verknoei; drooggemaak (omgangst.)

both beide, albei, altwee; sowel as; *~ Ann and Mary* sowel Ann as Mary; *~ of us* ons albei

both'er (n) las, kwelling; (v) neul, lastig val, lol; moeite maak; bodder (omgangst.); *don't ~* moenie moeite doen nie; moenie bodder nie (omgangst.); **~some** lastig, steurend

Botswa'na Botswana (land)

bot'tle (n) bottel, fles; (v) bottel; inlê; *~ up* opkrop; vaskeer; **~neck** knelpunt, bottelnek, verkeersknoop *also* jam, conges'tion; **~nose** knopneus; **~rea'ring** hans grootmaak (dier); **~store** drankwinkel; **~wash'er** handlanger, kalfakter

bot'tom (n) boom (van vaatjie); grond(slag); onderkant; kiel (skip); agterste; *be at the ~ of* die oorsaak wees van; (a) onderste; **~less** bodemloos, boomloos; grondeloos; *~less pit* bodemlose put; **~line** die onderste inskrywing (boekh.); slotsom; uiteinde; kern *also* gist, es'sence

bough (n) tak

boul'der rotsblok, groot klip

bounce (n) slag, opslag, wip; hou; bluf, wind= maak, grootpraat; (v) huppel, spring, opspring; bons, hop (bal, tjek); **~r** uitsmyter *also* chucker-out' (person); opslagbal (krieket)

boun'cing (a) gesond, stewig, robuus

bound[1] (n) grens; *out of ~s* buite perk(e); op verbode grond

bound[2] (n) sprong, opslag; (v) spring; huppel

bound[3] (a) verbonde, verplig; bestem; ~/ *committed to* verbind tot

boun'dary grens, skeiding *also* **bar'rier;** grenshou (krieket)

bound'less onbeperk, onbegrens; grensloos (ellende)

boun'teous (a) mild, weldadig, oorvloedig *also* **lav'ish**

bou'quet ruiker, bos blomme *also* **gar'land;** boeket (van wyn)

bourgeoisie' middelstand, burgery

bourse (n) aandelebeurs *also* **stock exchange'**

bout geveg (veral boks, stoei), wedstryd; keer, beurt; aanval (v. siekte)

bouti'que boetiek, modewinkel(tjie)

bo'vine (n) bees; (a) osagtig; dom

bow[1] (n) (knie)buiging *also* **curt'sy;** (v) buig; buk; kniebuig; jou onderwerp

bow[2] (n) boeg (van skip)

bow[3] (n) strykstok; strik; boog

bo'wels ingewande *also* **intes'tines;** *movement of the* ~ opelyf

bo'wer somerhuisie; prieel; lushof *also* **sum'=merhouse, gaze'bo;** damesvertrek (veroud.)

bow'ie knife lang jagmes

bowl[1] (n) kom, bak, skaal; beker

bowl[2] (rol)bal; kegelbal; (v) boul (krieket); rolbal speel *see* **bowls**

bow'-legged hoepelbeen= *also* **ban'dy-legged**

bow'ler[1] (n) bouler (krieket); rolbalspeler

bow'ler[2] (n) hardebolkeil (hoed) *also* **top'hat**

bow'ling: ~ **al'ley** kegelbaan *also* **tenpin** ~; ~ **club** rolbalklub; kegelklub; ~ **green** rolbal=baan

bowls rolbal (sport)

bow'man boogskutter *also* **ar'cher**

bow'string boogsnaar, boogpees

bow'tie strikdas, vlinderdas

bow win'dow boogvenster, komvenster; erker *also* **bay win'dow**

box[1] (n) boks (sport); opstopper, klap; (v) boks; klap; ~**er** bokser, vuisvegter *also* **pu'gilist**

box[2] (n) boks, doos; kas, kis; raam(pie) (rek.); afskorting; koffer; houer; spaarpot; (pos)bus, briewebus; (v) wegbêre; afskort; **B~ing Day** Tweede Kersdag *also* **Day of Good'will** (holiday); ~ **office** loket *also* **tick'et office;** ~ *office success* lokettreffer

box'ing boks; vuisslaan; ~ **glov'es** bokshand=skoene; ~ **ring** bokskryt

boy seun, jongetjie, knaap *also* **lad;** *blue-eyed* ~ witbroodjie; (interj) haai!; hene!; sjoe!

boy'cott (n) boikot; strafmaatreël; (v) boikot *also* **ban, bar**

boy: ~**friend** (mans)vriend; kêrel, vryer; ~**hood** seunsjare; ~**s' high school** hoër seunskool; **B~ Scout** Padvinder

bra[1] (n) bra *also* **brassiè're;** buustelyfie; bostuk; bolyf; toppie,

bra[2] (n) (my ou) broer/tjom (township-taal)

braai/braaivleis (SAE) (n) braaivleis (s); *we are having a braai tonight* ons hou vanaand braaivleis/'n braai

brace (n) koppeling, klamp; band, haak; omslag; ~ *and bit* omslag en boor; (v) vasbind

brace'let armband *also* **ban'gle**

bra'ces kruisbande; krulhakies (tik)

bra'cing (a) versterkend; verfrissend (klimaat)

brack'en (n) adelaarsvaring

brack'et (n) klamp, stut; (blok)hakie (tik); (v) klamp; saamvoeg; *in* ~*s/parenthesis* tussen hakies

brack(ish) brak, souterig (water)

brad vloerspyker; kleinkopspyker

brag (n) gespog, windmakery; (v) spog, groot=praat, windmaak *also* **show off, boast, swag'=ger;** ~**gart** grootprater, grootbek, windgat (omgangst.) *also* **boas'ter, swank;** ~**ging** (n) grootpraat; (a) spoggerig, windmakerig

braid (n) vlegsel, haarvleg; koord, omboorsel; (v) vleg; omboor

braille braille(skrif); puntskrif, blindeskrif

brain brein; harsings; verstand; oordeel; *pick s.o.'s* ~*s by* iem. kers opsteek; ~**child** skeppende gedagte, breinkind *see* ~**wave';** uitvindsel; ~**dam'age** breinskade; ~ **drain** breinkwyn, brein=erosie, breinuittog; ~ **fe'ver** harsingkoors; ~**gym** breingim; ~**less** harsingloos, onnosel; ~**rack'ing** hoofbrekend; ~ **scan** breintasting, breinskande=ring; ~**stor'ming** breingimnastiek, dinkskrum, *also* **think'tank;** ~**teaser** breinboelie, kopkrap=per; ~**wash'ing** breinspoeling; ~ **wave** blink gedagte, skielike ingewing; ~**y** skrander, knap, slim *also* **bright, clev'er, smart**

brake[1] (n) ruigte, boskasie, kreupelhout *also* **thick'et**

brake[2] (n) rem, briek; (v) rem, briek; ~ **li'ning** remvoering

bram'ble braambos

bran semels

branch (n) tak; vertakking; sytak; filiaal (saak); takkantoor; vak(rigting); (v) vertak; ~ *off* vertak; ~ *out* vertak, uitsprei; ~ **meet'ing** takvergadering; ~ **office** takkantoor

brand (n) merk; brandmerk (beeste); skandvlek; brandende hout; handelsmerk *also* **brand name;** (v) brandmerk (beeste; mense *also* **stig'matise);** kenmerk; ~**ed goods** merkarti=kels; ~**ing iron** brandyster; drievoet

bran'dish (v) swaai, slinger *also* **display';** **flour=ish** (a weapon)

brand'-new (spik)splinternuut, kraaknuut

bran'dy brandewyn; hardehout (omgangst.)

brash (a) parmantig; onbeskof; vermetel *also* **im'pudent, indiscreet';** **cocky**

brass geelkoper; geld; ~ **band** blaasorkes; ~ **foun′dry** kopergietery

brass′ière buustelyfie, toppie, bra *also* **bra**

brat (n) snuiter, rakker, stout kind

brava′do grootpratery, bluf, bravade

brave (a) dapper, moedig, vreesloos, onver= skrokke; braaf *also* **swash′buckling;** (v) uitdaag; tart; **~ry** dapperheid, moed *also* **cou′rage, val′our**

bravo′[1] (n) **-s, -oes** sluipmoordenaar, huurmoor= denaar *also* **hit′man**

bravo′[2] (interj) **-s** bravo!; mooi skoot!; skote P(r)etoors! *also* **well done!**

brawl (n) rusie, bakleiery; **tav′ern ~** sjebien= moles; (v) twis, rusie maak; **~er** molesmaker

brawn sult, hoofkaas (vleisgereg); spier; **~y** gespier(d), sterk *also* **bee′fy, mus′cular**

bray (n) gebalk; gerunnik; (v) balk (donkie); runnik (perd)

braze (v) braseer, sweissoldeer; hard maak

bra′zen (a) koper=; brons=; metaalagtig; astrant, dikvellig *also* **ar′rogant**

braz′en-faced onbeskaamd, skaamteloos

bra′zier[1] (n) kopersmid

bra′zier[2] (n) konfoor; (vuur)konka *also* **fire′= drum, mbo′la, mpu′la**

Bra′zil Brasilië (land); **~ian** (n) Brasiliaan (persoon); (a) Brasiliaans (gebruike, ens.); ~ **nut** Brasiliaanse neut, paraneut

breach (n) breuk; verbreking; bres; skeur *also* **rift;** oortreding; deurbraak; ~ *of contract* kontrakbreuk; ~ *of the peace* vredebreuk; rusverstoring; ~ *of promise* troubreuk; ver= breking van troubelofte; (v) deurbreek; op= spring

bread brood; *live under the ~line/poverty line* op/onder die broodlyn leef/lewe; **~bas′ket** broodmandjie

breadth breedte, wydte

bread′winner broodwinner (persoon)

break (n) breuk; steuring; pouse; blaaskans; afskeiding; serie (spel); (v) breek, verbreek; versteur; vernietig; ophou, staak (gewoonte); ~ *in* mak maak; leer, afrig, inbreek (perd); inbreek (inbreker); ~ *the news (to s.o.)* die nuus meedeel (aan iem.); **~ing** news die jongste nuus; ~ *off an engagement* ’n verlo= wing verbreek; ~ *a rand* ’n rand kleinmaak; ~ *a record* ’n rekord slaan/oortref/breek; ~ *on the wheel* radbraak (hist.); ~ *with* die vriend= skap beëindig; **~away′** wegbreek (op vakan= sie); **~dan′cing** toldans, briekdans; **~down** instorting; onklaarraking (motor); teenspoed; ongeluk; ontleding (van syfers); bedryfsteu= ring (fabriek); **~down lor′ry/van** insleepwa, noodwa, katroltjor; **~down ser′vice** insleep= diens

break′er[1] (n) breker, wreker (persoon)

brea′ker[2] (n) brander (see)

break-even point winsdrempel, gelykbreekpunt (bedryfsresultaat)

break′fast ontbyt, oggendete; brekfis (om= gangst.); **champagne′ ~** vonkelontbyt; sjam= panje-ontbyt

break: ~neck lewensgevaarlik; **~out** ontsnap= ping, tronkbraak; **~through** deurbraak; **~up** opbreking, ontbinding; **~wa′ter** hawehoof *also* **groyne, jet′ty;** golfbreker

bream brasem (vis)

breast (n) bors; buuste (vrou) *also* **bust;** boesem; skoot; *make a clean ~ of* oor alles bieg; **~bone** borsbeen; **~feed′ing** borsvoeding (van baba); **~pin** dasspeld; **~stroke** borsslag (swem); **~work** borswering, skans (mil.)

breath (n) asem; luggie, windjie; *out of ~* uitasem; *take a ~* asemhaal; inasem; **~aly′ser** alkotoetser, asemtoetser

breathe (v) asem, asemhaal; adem (fig.); lug gee; **~r** blaaskans, ruskans

brea′thing (n) asemhaling; **~ space** blaaskans

breath′less uitasem *also* **gas′ping, pan′ting;** leweloos

breath′taking: ~ *view* asemrowende uitsig

breech (n) agterste; agterstuk; ~ **bolt** grendel; **~es (pair of)** broek

breed (n) geslag, ras, soort; (v) (aan)teel; (uit)broei; voortbring *also* **produce′, gen′= erate; ~er** teler; **~ing** teelt; beskawing, verfyndheid *also* **class; ~ing ground** teel= aarde; voedingsbodem; **~ing sea′son** paartyd (van diere)

breeze luggie, windjie, bries

bree′zy lugtig, winderig *also* **gus′ty;** opgewek, sprankelend *also* **cheer′ful, spark′ling** (person)

breth′ren (n, pl) gebroeders, broeders (in dieselfde kerk)

brev′ity (n) kortheid, beknoptheid, bondigheid *also* **concise′ness**

brew (n) brousel; (v) brou; gis; ~ *mischief* kwaad stig/stook; **~age** brousel, treksel; **~ery** brouery

bri′ar/brier wilde roos; rooshout

bribe (n) omkoop(geld), smeergeld *also* **kick′= back;** (v) omkoop; **~ry** omkoop, omkopery

bric′-a-brac (n) snuisterye, rariteite

brick (n) baksteen; staatmaker (persoon); *drop a ~* ’n flater/blaps begaan/maak; (v) toemessel; (a) baksteen=; **~field** steengroef, steenbakkery; ~ **kiln** steenoond; **~lay′er** messelaar; **~work** messelwerk

bri′dal (a) bruids=; ~ *couple* bruidspaar; ~ *wreath* bruidsruiker

bride bruid; **~groom** bruidegom; **~s′maid** strooi= meisie; **~s′man** strooijonker *also* **best′man**

bridge[1] (n) brug (kaartspel); (v) brugspeel

bridge[2] (n) brug; vioolkam; rug (neus); (v) oorbrug; **~head** brughoof (mil.)

brid'ging: ~ **cap'ital/finance'** oorbruggingskapi=
taal, brugfinansiering; ~ **course** oorbruggings=
kursus

bri'dle (n) toom, teuel; (v) beteuel; optoom;
inhou; ~ **path** rypad, voetpad; ~ **rein** teuel

brief[1] (n) **-s** samevatting; opdrag, voorskrif;
volmag, mandaat; *hold a ~ for* as verdediger
optree; (v) as advokaat aanstel; ~**case** aktetas,
briewetas *also* **atta'chè case**

brief[2] (a) kort, beknop; ~**ness** kortheid, beknopt=
heid, bondigheid

briga'de brigade, afdeling *also* **contin'gent,
corps** (mil.)

brigadier' brigadier (mil. rang)

brig'and rower, struikrower *also* **high'wayman**

bright (a) helder, stralend, skitterend; vernuftig;
slim, skrander; verstandig; lig; skoon; ~ **bay**
rooibruin; ~ **fu'ture** blink toekoms; ~ **idea**
blink gedagte *also* **brain'wave;** ~ **pu'pil**
skrander leerling/leerder; slimkop; ~**en** ver=
helder, opvrolik

bril'liance/bril'liancy glans, skittering *also* **glit'=
ter;** luister *also* **lus'tre;** knapheid

bril'liant (a) glinsterend, skitterend; briljant,
uitmuntend

brim (n) rand, kant; (v) tot die rand vol maak;
oorloop; ~ *with* oorloop/oorvloei van

brim'stone swawel *also* **hell'fire;** *fire and ~*
donder en bliksem

brin'dle(d) geelbruin, gestreep; ~**d gnu** blouwil=
debees

brine (n) pekel; (v) insout

bring bring, saambring; veroorsaak; ~ *about*
teweegbring; ~ *forth* voortbring; ~ *forward*
oordra, oorplaas; indien; voortbring; ~ *a
fact/idea home* iem. oortuig van 'n feit/idee;
~ *to light* aan die lig bring; ~ *up* opbring,
vomeer; ~ *round* iem. weer bybring (tot
bewussyn)

brin'jal eiervrug, brinjal

brink rand; waterkant; *on the* ~ aan die rand;
~**manship'** waagpolitiek

bri'ny pekelagtig, souterig

briquette' (n) briket (vir vleisbraai)

brisk (a) lewendig, wakker, vlug *also* **ag'ile,
alert;** kragtig

bris'ket bors, borsstuk (vleis)

bris'tle (n) varkhaar; stywe haar; borsel (met
stywe hare); (v) kwaad/vererg raak; regop
staan; ~ *with* krioel/wemel van

Brit'ain Brittanje (land)

Brit'ish (a) Brits (gebruike, ens.)

Brit' on (n) Brit (persoon)

brit'tle bros, breekbaar *also* **frail; fra'gile**

broach (v) ter sprake bring; opper; oopmaak
(vat); ~ *a subject* 'n saak aanroer/opper

broad breed, wyd *also* **am'ple, roo'my;** helder;
dialekties, plat (spraak); onomwonde; alge=

meen; ~ *daylight* helder oordag; *a ~ hint* 'n
duidelike wenk; *in ~ outline* in breë trekke; *a
~/beaming smile* 'n stralende glimlag; ~ **bean**
tuinboon, boerboon(tjie)

broad'cast (v) uitsaai

broad'casting uitsaaiwese; ~ **corpora'tion** uit=
saaikorporasie; ~ **ser'vice** radiodiens, uitsaai=
diens; ~ **sta'tion** radio-omroep, uitsaaistasie
also see **ra'dio, tel'evision**

broad: ~**en** verbreed; ~**-min'ded** onbekrompe,
verlig *also* **flex'ible, tol'erant;** ruimhartig;
~**ness** breedte, wydte; ~**-rim'med** breërand=
(hoed)

brocade' brokaat, goudlaken (van sy)

broc'coli broccoli, spruitkool, winterblomkool

bro'chure brosjure, pamflet *also* **leaf'let**

broil (n) braaivleis; (v) braai, rooster; bak

broi'ler[1] (n) rusverstoorder, straatboef, moles=
maker *also* **hoo'ligan**

broi'ler[2] (n) braaikuiken, braaihoender, jong
slaghoender *kyk* **werf'hoender**

broke gebreek; platsak, boomskraap, bankrot

bro'ken gebreek, stukkend; verslae, moedeloos;
gebroke (hart); ~ *down* ingestort; gebroke;
~**-heart'ed** hartseer, droewig, treurig; ~ **home**
gebroke gesin/huis; ~ **line** stippelstreep (pad)

bro'ker makelaar (persoon; firma)

bro'kerage (s) makelaarskommissie

brol'ly (infml.) sambreel *also* **umbrel'la**

bro'mide bromied (metaalverbinding)

bronchi'tis lugpypontsteking, brongitis

bronze (n) brons; bronsfiguur; (v) verbrons; (a)
bronskleurig, brons=

brooch (n) borsspeld; doekspeld (ornamenteel)

brood (n) broeisel; gespuis; (v) broei, uitbroei;
bepeins, tob (oor 'n probleem); ~**er** tobber
(persoon); broeikas (kuikens); ~ **hen** broeihen;
~**y** broeis, kloeks (hen)

brook[1] (n) spruit(jie), lopie, driffie *also* **stream,
riv'ulet**

brook[2] (v) verdra, uitstaan, duld; *it ~s no delay*
dit duld geen uitstel nie

broom besem; brem (plant); **hard** ~ skropbesem;
~**stick** besemstok

broth dun vleissop, kragsop; *too many cooks
spoil the* ~ baie koks bederf die bry

broth'el bordeel, hoerhuis

bro'ther (n) **-s,** broer; boet; (pl.) **brethren**
broeder (in dieselfde kerk); ~**hood** broe(de)r=
skap; ~**-in-law (brothers-in-law)** swaer;
~**liness** broederlikheid

brow winkbrou; oogbank; ~**beat** oorbluf; oor=
donder; kwaai aankyk

brown bruin; donker; ~ *bread* bruinbrood,
growwebrood

brow'nie bruintjie (koekie); kaboutertjie; **B~
(Guide)** padvindster(tjie)

browse wei, afvreet; afknabbel; rondkyk, rond=

blaai (in boeke); (rond)snuffel (ook op inter=
net)

brow'ser blaarvreter (wildsbok); snuffelaar (per=
soon); blaaier, snuffelaar (internet); ~ **mar'ket**
snuffelmark; vlooimark

bruise (n) kneusplek, stamp; (v) kneus; wond

brunch (n) noenbyt, laat ontbyt, laatbyt, brunch

brunette' brunet, donkerkop (vrou) *see* **blonde'**

brunt skok, heftigheid, skerpte *also* **bur'den,
im'pact;** *bear the* ~ *of* die spit afbyt

brush (n) borsel, kwas; besem; (v) borsel; verf; ~
up afborsel; opfris, opknap (kennis); **~wood**
(fyn)ruigte, kreupelhout, struikgewas *also*
un'dergrowth

brusque kortaf, bot; bruusk (houding)

bru'tal onmenslik; beesagtig *also* **mer'ciless;
beast'ly;** ~ *assault* wrede/wreedaardige aan=
randing; **~ise** verdierlik; verlaag

brute (n) redelose dier; onbeskofte mens; (a)
dierlik, ru, onbeskof; redeloos

bub'ble (n) lugbel, borrel, blaas; hersenskim; (v)
borrel, blaas, opborrel; ~ **gum** borrelgom; **~jet
printer** inkkassetdrukker

bubon'ic = **pla'gue** builepes *see* **pneumon'ic
pla'gue**

buccaneer' seerower, vrybuiter, boekanier *also*
pi'rate; ~ing vrybuitery, seerowery

buch'u boegoe (plant); ~ **bran'dy** boegoebran=
dewyn

buck[1] (n) bokram; wildsbok

buck[2] (v) bokspring; steeks wees

buck'et emmer; bak; koker; *kick the* ~ (slang)
doodgaan; bokveld toe; lepel in die dak steek
(omgangst.); ~ **pump** bakkiespomp; ~ **shop**
swendelsaak

buc'kle (n) gespe *also* **clip, hasp;** (v) vasgespe;
~ *up!* gord vas!; **~d** (a) kromgetrek (fietswiel);
~r skild, beukelaar (vegskild met knop in die
middel) (hist.)

buck'ram (n) stywe linne; (a) styf

buck'shot bokhael, lopers

buck'wheat bokwiet (veevoer)

bucol'ic (a) herderlik, landelik; rustiek

bud (n) knop; bot(sel); ent; *nip in the* ~ in die
kiem smoor; (v) bot, uitloop, ent, okuleer

Budd'ha (n) Boeddha

Buddh'ism Boeddhisme; **Buddh'istic** Boeddhis=
ties

bud'dy boet(ie), tjommie, pêl *also* **chum; cro'ny**

budge wyk, verroer, beweeg; *not* ~ voet by stuk
hou

bud'geri'gar budjie; parkietjie

bud'get (n) begroting; (v) begroot; ~ **speech**
begrotingsrede

bud'gie = **bud'geri'gar**

buff (n) sagte, dik leer; buffelleer; *in the* ~ kaal
(sonder klere); (poedel)nakend, in adamsge=
waad; (a) liggeel

buf'falo buffel (groot wildebees) *see* **bi'son**

buf'fer buffer; stootkussing; ~ **strip** bufferstrook

buf'fet[1] (n) stamp, stoot (deur bv. golf) *also*
thump; (v) stamp *also* **bump, smack**

buffet'[2] (n) buffet, skinktafel *also* **side'board,
refresh'ment bar;** ~ **lunch/dinner** buffetete

buffoon' grapmaker, hanswors, harlekyn, nar
also **jes'ter**

bug[1] (n) luis, weeluis

bug[2] (n) (elektroniese) klikker, luistervlooi,
klikvlooi, meeluisterapparaat *also* **electron'ic
ea'vesdropping de'vice;** (v) meeluister, afluis=
ter; *his office was bugged* sy kantoor was
geklik

bug[3] (w) (iem.) irriteer, ontstig, treiter

bug'bear skrikbeeld, paaiboelie; wildewragtig
(persoon) *also* **bugaboo', o'gre**

bug'ger (slang) (n) boggher, bokker, swernoot
(omgangst.)

bug'ging device' = **bug**[2] (n)

bug'gy bokkie, verewaentjie (rytuig)

bu'gle beuel; horing; **~r** trompetter, beuelblaser

build (n) bou, vorm; liggaamsbou; (v) bou; stig;
oprig; ~ *in* inbou, toebou, inmessel; ~ *up*
opbou; ~/*depend upon* staatmaak op

buil'der bouer, boumeester

buil'ding gebou; bou, bouery; ~ **contrac'tor**
bouaannemer, boukontrakteur; ~ **in'dustry**
boubedryf; ~ **site/plot** bouperseel; ~ **socie'ty**
bouvereniging

built-in ingebou; ~ **resis'tance** ingeboude weer=
stand; ~ **ward'robe** ingeboude kas, muurkas

built-up a'rea beboude gebied

bulb bol; gloeilamp(ie); blombol; peer (termo=
meter)

bul'bul tiptol, geelgat, kluitjiekorrel (voël)

bulge (n) bult, knop; buik (vat); ruim (skip); (v)
swel, uitsit; uitpeul (oë) *also* **protrude'**

buli'mia (n) geeuhonger, bulimie *see* **anorex'ia**

bulk (n) omvang, grootte; klomp; massa,
grootmaat; gevaarte; meerderheid; *buy in* ~
by die grootmaat koop; ~ **pos'ting** massa=
versending, massapos; (v) groot vertoon/lyk;
~head (waterdigte) afskorting; **~y** groot,
swaar, lywig

bull[1] (n) bul; *take the* ~ *by the horns* die bul by
die horings pak

bull[2] (n) kolskoot (in teiken)

bull[3] (n) stygspekulant (aandelebeurs); ~ **mar'=
ket** bulmark, stygmark

bull[4] (n) bul (pouslike brief/dekreet) *also* **pa'pal
decree'**

bull'bar bosbreker, bosbuffer (vooraan bakkie)

bull'dog bulhond, boel(hond)

bull'dozer stootskraper

bull'et koeël; kolmerker (rek.); **~-proof
vest/jack'et** koeëlvaste baadjie; **~train** blits=
trein, flitstrein

bull'etin daaglikse verslag, bulletin; ~ **board** bulletinbord (ook by rek.)

bull'fighter stiervegter, bulvegter

bull'frog brulpadda

bull'ion staafgoud; staafsilwer

bull'ock jong os *also* **ox, steer**

bull's'-eye kol, kolskoot; lensvormige glas; handlantern; toorballetjie (lekkers); ~ **lamp** springhaaslamp

bull'terrier bulterriër (hond)

bull'y (n) **bullies** afknouer, boelie, baasspeler, bullebak *also* **tormen'tor, ruf'fian;** (v) boelie, treiter, baasspeel; afknou

bull'y beef blikkiesvleis, boeliebief *also* **corn'ed beef**

bul'rush biesie, matjiesgoed; papkuil, palmiet

bul'wark bolwerk, skans *also* **bas'tion, strong'= hold;** golfbreker

bum (slang) agterent *also* **back'side, but'tocks;** skobbejak, leeglêer *also* **lout** (person); ~**bag** heupsak(kie) *see* **moon'bag**

bump (n) slag, stamp; (v) stamp; ~ *off* (slang) van die gras maak

bum'per (n) buffer *also* **fen'der;** stamper; opslagbal (krieket); (a) oorvloedig; ~ **crop** rekordoes

bump'kin lummel, lomperd

bump'tuous (a) verwaand, aanmatigend, opgeblase

bun[1] (n) bolletjie; **must** ~ mosbolletjie

bun[2] (n) bolla (hare)

bunch bos, bondel *also* **batch, assort'ment;** tros

bun'dle (n) bondel, gerf; (v) saambind; ~ *out* uitboender

bun'du (SAE) gramadoelas, boendoe *also* **back'= veld;** ~ **bash(ing)** boendoebaljaar; boendoemakietie, veldfuif; ~ **con'ference/sum'mit** bosberaad

bung'alow bungalow; buitehuis; **seaside** ~ strandhuis

bungle' (n) knoeiwerk; (v) knoei *also* **blun'der;** ~**r** knoeier, sukkelaar

bun'gee/bun'gi: ~ **jump** (n) reksprong; ~ **jump=** **er** rekspringer; ~ **jump(ing)** rekspring

bun'ion (n) (knokkel)eelt, toonknokkel

bunk[1] (n) slaapplek, slaapbank, kooi

bunk[2] (n) kaf, twak, onsin *also* **non'sense, trash, bal'derdash, bunk'um**

bunk[3] (v) stokkies draai, wegbly (van skool)

bun'ker (n) bunker; kolehok; (sand)kuil (gholf); (v) kole laai, bunker

bunk'um onsin, bog, kafpraatjies *see* **bunk** *also* **bal'derdash, poppy'cock**

bun'ny (n) hasie, konyntjie; ~ **ae'rial** haasore (op TV)

bun'ting vlagdoek; versiersel

buoy (n) baken (in see); boei; (v) dryf/drywe; ~**ant** (a) drywend; veerkragtig; opgeruimd, lewendig *also* **cheer'ful**

bur klitsgras; steeksaad

bur'den (n) las, vrag, pak; *beast of* ~ lasdier; (v belaai, belas; ~**some** lastig, beswarend

bureau' (n) **-s, -x** kantoor, buro

bu'reaucrat burokraat (eiemagtige amptenaar)

burg'er (infml.) = **hamburger**

bur'glar inbreker, huisbreker *also* **house'break= er;** ~ **alarm'** diefalarm; ~ **bars** diewetralies; **guard/~ proof'ing** diefwering; ~**y** huisbraak inbraak

bu'rial begrafnis; ~/**memo'rial ser'vice** roudiens ~ **socie'ty** begrafnisklub; stokvel (township)

burlesque' (n) klug; parodie; (v) bespotlik voorstel, parodieer; (a) koddig, burlesk

bur'ly dik, swaarlywig

Bur'ma Birma (land); **Bur'mese** (n) Birmaan (persoon); (a) Birmaans (gebruike, ens.) ~ **ca** Birmese kat

burn (n) brand; brandplek; (v) brand; gloei blaak; sterk verlang; ~ *one's boats* (fig.) die terugtog onmoontlik maak; ~ *down* afbrand; *out* uitbrand (motor); ~*t out* afgemat, ooreis ~**er** brander, lamp

burn'ing (n) verbranding; (a) brandend; verlangend; ~ **glass** brandglas; ~/**fo'cal point** brandpunt

burn'ish glansend maak; poleer, poets

burnt verbrand; ~ **sac'rifice** brandoffer

burp (infml.) (v) wind opbreek *also* **belch**

bur'row (n) gat, lêplek, uitgegraafde blyplek (van bv. konyne); (v) omvroetel; grawe, grou

bur'sar penningmeester; tesourier; ~**y** studiebeurs *also* **schol'arship**

burst (n) bars, skeur; (v) bars, skeur *also* **rup'ture;** ~ *into* binnestorm; ~ *open* oopbars ~ *out* losbreek, losbars; ~ *upon* oorval oorrompel

bur'weed boetebossie (onkruid)

bu'ry begrawe; ~ *a person* iem. ter ruste lê; iem. ter aarde bestel; ~ *the hatchet* die strydby! begrawe; vrede maak

bus (n) **-es** bus; *catch the* ~ die bus haal; *miss the* ~ die bus mis; ~*ed to school* skool toe aangery/aangebus; ~ **dri'ver** busdrywer

bush[1] (n) (naaf)bus

bush[2] (n) bos; bosveld; *beat about the* ~ doekies omdraai; ~**ba'by** nagapie; ~**buck** bosbok

bush'el skepel, boesel (inhoudsmaat); *hide one's light under a* ~ jou lamp/lig onder 'n maatemmer wegsteek

bush'hog bosvark

Bush'man Boesman *see* **San**

bush: ~**ran'ger** boswagter; ~ **shrike** bokmakierie (voël); ~ **tick** bosluis

bus'iness besigheid, sakeonderneming; bedryf, beroep, werk; (handel)saak, winkel; *flourishing* ~ florerende besigheid/onderneming; *there being no further* ~ aangesien geen verdere

sake geopper word nie (op 'n vergadering); *mean* ~ erns maak (met iets); *mind your own* ~ bemoei jou met jou eie sake; *on* ~ met/vir sake; ~ **acquain'tance** sakekennis (persoon); ~ **administra'tion** sakeadministrasie; bedryfs= leiding; ~ **card** naamkaart, besigheidskaartjie; ~ **col'lege** handelskool; ~ **con'fidence** sakever= troue; ~ **econom'ics** bedryfsekonomie (skool= vak); ~ **lea'dership** bedryfsleiding; ~ **let'ter** sakebrief; ~**like** prakties, metodies; ~**man** sakeman; ~**wo'man** sakevrou; ~ **tycoon'** sakemagnaat
bus ser'vice busdiens
bust borsbeeld *see* **stat'ue;** buuste (van vrou), bors *also* **breast;** ~ **bod'ice** buustelyfie, bostuk; bolyf; toppie; bra *also* **bra**
bus'tle (n) gewoel, lewe, rumoer *also* **flur'ry, fuss, commo'tion;** (v) bedrywig wees
bus'tling (a) woelig, bedrywig
bus'y (v) jou besig hou/bemoei (met); (a) besig, bedrywig; ~**body** bemoeial, bemoeisieke mens
but (prep) maar, dog, egter; behalwe; *all* ~ alles behalwe; ~ *for* was dit nie; *the last* ~ *one* op een na die laaste; die voorlaaste
butch'er (n) slagter; wreedaard; (v) slag; uit= moor; ~**bird** laksman, janfiskaal; ~**'s block** kapblok; ~**y** slaghuis; slagting *also* **car'nage**
but'ler hoofbediende *also* **foot'man;** huiskon= troleur, hofmeester; bottelier (veroud.)
butt[1] (n) skyf, kol; mikpunt; (pl) skietbaan
butt[2] (geweer)kolf; stompie (sigaret); muis (van hand)
butt[3] (infml.) (n) sitvlak, agterent; *get up/off your* ~ lig jou bas
butt[4] (v) stamp, stoot; ~/*chip in* in die rede val; intjip (omgangst.)
but'ter (n) botter; (v) botter; ~ **boat** souskom= metjie; ~**cup** botterblom; ~ **dish** botterpot(jie)
but'terfly skoenlapper, vlinder; (pl) maagvlin= ders; *have butterflies in one's stomach* dit (vooraf) op die/jou senuwees hê

but'ter: ~milk karringmelk; ~**nut** botterskors(ie) (groente); ~ **pat** botterspaantjie; ~**scotch** botterkaramel, bottertoffie
butt'ock boud, agterste, agterstewe
but'ton (n) knoop; knop(pie) (ook rek.); (v) toeknoop; knope aansit; ~**hole** (n) knoopsgat; ruikertjie *also* **po'sy, nose'gay;** (v) aanklamp *also* **accost'** (an unwilling listener)
butt'ress (n) stutmuur *also* **retain'ing wall;** (v) steun, ondersteun *also* **brace, bol'ster**
bux'om frisgebou; goedbedeeld (meisie)
buy koop, inkoop; ~ *off* loskoop, afkoop; ~ *out* uitkoop; ~ *a pig in a poke* 'n kat in die sak koop; ~**-aid socie'ty** koopvereniging; ~**er** koper; aankoper (vir firma)
buzz (n) gegons, gebrom; (v) gons, brom, zoem, suisel; ~ *off!* trap!; ~**bike** kragfiets; ~**er** gonser; zoemer; ~ **group** gonsgroep, diskussiegroep; ~ **word** gonswoord, mode= woord
by (prep) deur; tot, met; na; by, op; langs, naby; verby, opsy; ~ *far the best dictionary* verreweg die beste woordeboek; ~ *no means* glad nie; ~ *night* snags; ~ *oneself* alleen; ~ *rail* per spoor
bye loslopie (krieket); *draw a* ~ 'n loslootjie trek (in sport)
bye-bye'! wederom!; tot siens!; goedgaan!
by'-election tussenverkiesing
by'-law verordening (munisipaliteit); reglement
by'gone (n, pl) gedane sake; *let* ~*s be* ~*s* moenie ou koeie uit die sloot haal nie; (a) verby, vergange, vervloë
by'pass (n) verbypad; omleiding (hart) *also* **car'diac** ~**;** (v) verbysteek; oorslaan, uitran= geer, marginaliseer *also* **side'line, mar'= ginalise**
by: ~path sypad, uitdraaipaadjie; ~**-pro'duct** neweproduk; ~**stan'der** omstander, toeskouer; ~**word** spreekwoord *also* **prov'erb, expres'= sion;** spotnaam
byte (n) greep (rek.)

C

cab taxi; kajuit (lorrie, lokomotief); huurrytuig (veroud.)

cabal′ (n) samespanning, sameswering, intrige *also* **plot, intrigue;** kliek

cab′aret kabaret, sang- en dansvertoning; nag= klub

cab′bage (kop)kool; ~ **tree** kiepersol(boom), sambreelboom, nooiensboom *also* **umbrel′la tree**

cab′in (n) kajuit; hut; (v) insluit; ~ **crew/staff** kajuitpersoneel (passasierstraler); ~ **voice recor′der** kajuitstemopnemer *see* **flight recor′der** (black box)

cab′inet kabinet, ministerie; kamertjie; (toon)= kas; kantoor; ~ **change** kabinetskommeling; ~ **ma′ker** skrynwerker; ~ **min′ister** kabinetmi= nister

ca′ble (n) kabel; kabeltou; (v) kabel; vasmaak; ~**gram** kabelgram; ~ **TV** kabeltelevisie; ~**way** kabelspoor

cacao′ kakao; kakaoboontjie

cache geheime (wapen)opslagplek

cachet′ stempel, cachet/kasjet *also: mark of distinction/quality*

cac′kle (n) gekekkel; (v) kekkel; ~**r** kekkelbek, babbelkous *also* **chat′terbox**

cack′ling gekekkel; gebabbel

cac′tus kaktus; **joined** ~ litjieskaktus; **spine′less** ~ kaalbladturksvy

cad gemene vent, ploert, skobbejak *also* **ras′cal, lout, bum**

cadav′er (n) kadawer, lyk *also* **hu′man corpse**

cad′die/cad′dy joggie (gholfsakdraer)

ca′dence (n) kadens; kadans; toonval (klankmo= dulasie); ritme, maat

cadet′ kadet, leerlingoffisier

ca′dre kader; raam(werk); kryger, vegter; kern= eenheid *also* **co′re u′nit** (mil.)

Caesa′rean sec′tion/opera′tion keisersnee

caesu′ra/cesu′ra sesuur, verssnede (poësie)

caf′é kafee; koffiehuis

cafete′ria kafeteria *also* **coffee/snack bar**

caff′eine kafeïen

caf′tan/kaf′tan (n) kaftan (lang Oosterse kleed)

cage (n) koutjie, voëlhok; hysbak, hyshok; *rattle s.o.'s* ~ iemand ontstel/kwaad maak; (v) opsluit (in hok); in 'n hok/kou(tjie) sit; ~ **bird** kouvoël(tjie)

cahoots′: *in* ~ *with* kop in een mus met

cairn klipstapel, baken *also* **stone′heap** (as landmark/memorial)

cajole′ (v) vlei, flikflooi, ompraat *also* **coax, soft′soap, persuade′**

cake (n) koek; gebak; *this takes the* ~ dis die toppunt/laagtepunt, dit span die kroon; *selling* *like hot* ~*s* verkoop soos soetkoek; *it's a piece of* ~ dis doodmaklik

cal′abash kalbas (pampoenagtige klimplant)

calam′ity ramp, onheil *also* **disa′ster**

cal′cify/cal′cinate (v) verkalk

cal′cium kalsium (wit, sagte metaal)

cal′culate bereken, reken; ~**d** voorbedag; koel= bloedig; ~**d insult** berekende affront/beledi= ging

calcula′tion berekening

cal′culator sakrekenaar, sakkomper(tjie); bere= kenaar; rekentafel

cal′culus[1] (n) rekenmetode; rekening; **differen′= tial** ~ differensiaalrekening; **in′tegral** ~ inte= graalrekening

cal′culus[2] (n) niersteen, blaassteen

cal′endar kalender, almanak; rol

calen′dula gousblom

calf[1] (n) kuit (van been)

calf[2] (n) kalf; *the fatted* ~ die gemeste kalf; ~ **love** eerste liefde, kalwerliefde *also* **pup′py love;** ~**skin** kalfsleer

cal′iber deursnee; gewig; gehalte, kaliber, for= maat *also* **capa′city; qua′lity; sta′ture** (of a person)

cal′ico katoen, kaliko

cal′if/cal′iph kalief (Islam-gesaghebber)

call (n) beroep; kuier; bevel; gefluit; oproep (foon); vraag; lokstem; bod (kaarte); *within* ~ byderhand *also* **on call** (doctor); (v) roep; noem; beroep (predikant); besoek, kuier; afkondig; belê (vergadering); uitlees (naam); bel, lui, skakel (foon); bie (kaartspel); ~ *to account* tot verantwoording roep; ~ *at* aan= loop; kuier; ~ *attention to* aandag vestig op; ~ *back* terugroep; herroep; voor die gees roep; ~ *names* uitskel; ~ *off* afgelas; aflei; ~ *off the search* die soektog afgelas; **on** ~ op by= stand/roep (dokter); ~ *out* oproep; komman= deer; uitroep; uitdaag; ~ *in question* in twyfel trek; ~ **box** oproephokkie; ~ **centre** oproep= sentrum, inbelsentrum (vir inligting, bv. oor vlugte); ~**er** roeper; besoeker; ~**girl** foonsnol; loknooi, foonflerrie

cal′ibrate (v) kalibreer (maat/kalibertoets)

callig′raphy (n) skoonskrif, kalligrafie

call′ing (n) roeping; beroep, professie; geroep

call money daggeld, opvorderbare geld (in bank)

cal′lous (a) gevoelloos, koelbloedig; vereelt

cal′lus (n) eelt, vereelting

calm (n) kalmte, windstilte; (v) kalmeer, bedaar; stilmaak; (a) kalm, rustig *also* **plac′id, tran= quil**

cal′orie warmte-eenheid, kalorie

cal′ummy laster, skindertaal, beswaddering

Cal'vary Kruisberg, Kalvarie *also* Gol'gotha
calve (v) kalf, kalwe *also: give birth to a calf*
Cal'vinist Calvinis (aanhanger v.d. Calvinisme)
cam nok (van enjin)
camara'derie (n) kameraadskap(likheid)
cam'ber ronding, kromming; wielvlug
cam'el kameel; ~ hair kameelhaar
camel'lia japonika, kamelia (blom)
cam'el thorn kameeldoringboom
ca'meo kamee (siersteen in reliëf)
cam'era kamera; fototoestel; kamer; *in* ~ in kamera (hofsaak), agter geslote deure; ~man kameraman (media) *also* photog'rapher
cam'ouflage (n) kamoeflage, kamoefleerdrag; vermomming, maskering; (v) vermom, masker, kamoefleer; ~ u'niform kamoefleerdrag
camp (n) laer, kamp; (v) kampeer, uitkamp
campaign' (n) veldtog, kampanje; ad'vertising ~ reklameveldtog
campanile' kloktoring (wat klokkespel speel)
camp: ~ bed veldbed, voukatel; kampbedjie; ~fire kampvuur
cam'phor kanfer; ~ated kanfer=; ~ tree kanferboom
cam'p(ing) site kampeerterrein
cam'pus kampus, (universiteits)terrein
cam'shaft nokas (van enjin)
cam'wheel kamrat (van enjin)
can[1] (n) kan; blik; (v) inmaak (in bottels); inlê, verduursaam; *open a ~ of worms* 'n miernes oopkrap; ~ned fruit ingemaakte/ingelegde vrugte; ~ned goods blikkieskos; ~ned mu'sic blikmusiek
can[2] (v) could kan
Can'ada Kanada (land); Cana'dian (n, a) Kanadees (persoon; gebruike, ens.)
canal' kanaal; grag; buis; ~ise kanaliseer
canar'y kanarie (voëltjie)
can'cel (v) kanselleer; herroep; vernietig; rojeer (posseël); deurhaal, skrap; ~ *an appointment* 'n afspraak afstel/kanselleer; ~la'tion kanselasie; herroeping, intrekking
can'cer kanker, karsinoom *also* carcino'ma; ~ous kankeragtig; Trop'ic of C~ Kreefskeerkring
candela'brum kandelaar, kandelaber, kroonlugter *also* chandelier'
can'did eerlik, opreg, openhartig, padlangs *also* straight(for'ward), o'pen, frank; ~ cam'era koekeloerkamera
can'didate kandidaat; aansoeker, applikant
can'died versuiker; soet; ~ peel suikerskil, sukade
can'dle kers; ~grease kersvet; ~light kerslig; ~po'wer kerskrag, ligeenheid; ~stick blaker, kandelaar; ~wick kerspit
can'dour opregtheid, openhartigheid, rondborstigheid *see* can'did

can'dy (n) suikerklontjies; kandy, sukade; (v) versuiker; ~floss spookasem; ~su'gar teesuiker, kandysuiker
cane (n) riet; rottang; suikerriet; kierie, wandelstok; (v) loesing gee; ~ chair rottangstoel; ~ spirits rietblits, rietsnaps; ~ su'gar rietsuiker
ca'nine (n) hond; hoektand, oogtand; (a) honds=, hondagtig
can'ister (n) trommel, blik(boks)
can'ker (n) (mond)sweer; hoefkanker; (v) invreet, wegvreet; verpes
can'nabis (n) hennep *also* hemp; dagga
can'ner inmaker (persoon); ~y inmaakfabriek
can'nibal mensvreter, kannibaal
can'non kanon, geskut *see* gun; ~ade' beskieting, kannonnade; ~eer' kanonnier
can'not kan nie
can'ny slim, uitgeslape *also* cle'ver, wi'ly, shrewd
canoe' kano; ~ist kanovaarder; ~ race kano(wed)vaart
ca'non[1] (n) kanon *also* contrapun'tal/chain mu'sic
ca'non[2] (n) kerkwet; kanon (geloofsvoorskrif; die erkende Bybelboeke); ~ise (v) kanoniseer; heilig verklaar
can'opy kap(pie) (van bakkie), tent (van woonwa); sonskerm *also* aw'ning, sun'shade; (troon)hemel
cant[1] (n) wartaal; skynheiligheid *also* hum'bug, hypoc'risy; (v) teem; huigel
cant[2] (n) skuinste, helling; (v) kantel; skuins maak *also* slant, slope
can't = cannot
cantan'kerous (a) vitterig, prikkelbaar, befoeter(d), suur *also* fickle, ill-tem'pered
can'taloup(e) spanspek *also* musk mel'on
canta'ta kantate (mus.)
canteen' kantien, kroeg; verversingslokaal; veldkombuis; ~ of cutlery stel tafelgerei, messestel
can'ter (n) galop, draf, handgalop *also* am'ble; *win at a* ~ fluit-fluit wen
can'tharis spaansvlieg *also* blis'ter beetle
can'ticle lofsang (kort himne)
can'tilever (n) vrydraende balk/stut; (a) vrydraend (balk/stut)
can'to sang, melodie (mus.); kanto (poësie)
can'ton (n) kanton; (v) inkwartier (troepe); in wyke verdeel; ~ment troepekwartier
can'tor kantor, voorsanger
can'vas seil(doek); skilderdoek; *under* ~ in tente (kampeer/uitkamp)
can'vass (n) ondersoek; stemmewerwery; (v) (stemme) werf *also* campaign', solic'it; ondersoek, uitpluis; kolporteer (godsdiensboeke); ~er (stemme)werwer; ~ing werwing (klante, stemme); invloedwerwing (vir 'n betrekking)

can'yon (n) bergkloof, canyon *see* **gorge, ravine'**; **~ing** kloof afduik/afspring *also* **kloof'ing**

cap[1] (n) pet, keps; mus, baret; dekking, dekplaat; *a feather in his* ~ 'n pluimpie; *if the* ~ *fits* as die skoen pas; (v) oortref, troef *also* **out'= perform**; doppie opsit; 'n akademiese graad toeken; in 'n span opgeneem word

cap[2] (n) hoofletter *also* **cap'ital let'ter**

capabil'ity bekwaamheid, bevoegdheid, vermoë *also* **abil'ity**

ca'pable bekwaam, geskik; kapabel (om iets te doen) (omgangst.)

capac'ity bekwaamheid, bevoegdheid; vermoë, lewering; hoedanigheid; inhoud, bakmaat (van dam); kapasiteit; *in the* ~ *of* in die hoedanigheid van; *filled to* ~ (hall) volgepakte/stampvol saal

cape[1] (n) skouermantel *also* **sleave'less gar'= ment**

cape[2] (n) kaap

Cape[3] (n) (die) Kaap; Kaapland (hist.); (a) Kaaps; ~ **Min'strels** Kaapse Klopse; **Wes'tern** ~ Wes-Kaap (provinsie)

ca'per (n) manewales, kaperjolle (mv) *also* **prank;** *cut* ~*s* flikkers gooi; (v) rondspring, bokspring *also: leap/jump playfully*

Cape rob'in janfrederik (voël)

Cape Town Kaapstad

capil'lary (n) haarbuis; (a) haarvormig, haarfyn

cap'ita: *per* ~ per hoof/kop/capita

cap'ital (n) hoofstad; kapitaal; hoofletter; kapiteel (bouk.); *make* ~ *out of* munt slaan uit; (a) belangrik; hoof=; ~ *crime/offence* halsmisdaad; ~ *employed* kapitaal aangewend; *employment of* ~ aanwending van kapitaal; ~ **fund** hoofsom; ~ **gains tax** belasting op kapitaalwins; ~ **let'ter** hoofletter *also* **cap;** ~ **out'lay** insetkoste; ~ **pun'ishment** doodstraf

cap'italism kapitalisme (ekon. stelsel)

cap'italist kapitalis, geldbaas, geldbaron

cap'italise (v) kapitaliseer, in geld omsit; munt slaan uit; profyt maak; met 'n hoofletter tik/skryf

capit'ulate (v) oorgee, kapituleer *also* **surren'= der**

ca'pon (n) kapoen, ontmande hoenderhaan

caprice' luim, gril, gier, nuk, kapries/caprice *also* **whim, fan'cy, freak**

Cap'ricorn Steenbok (diereriemteken); **Trop'ic of** ~ Steenbokskeerkring

cap'riole (n) bokkesprong, kaperjol, flikker *see* **ca'per;** (v) bokspring, kaperjolle maak

capsize' omval, omslaan (boot)

caps lock hoofletterslot, bokasslot (toetsbord van rek.)

cap'stan kaapstaander, draaispil

cap'sule saadhuisie; kapsule; kappie; omhulsel

cap'tain (n) kaptein; gesagvoerder, aanvoerder; (v) aanvoer

cap'tion byskrif; onderskrif, opskrif, titel

cap'tivate (v) bekoor, boei *also* **enchant', attract';** **entice'**

cap'tivating (a) bekorend, betowerend *also* **char'ming, enchan'ting;** boeiend, pakkend

cap'tive (n) gevangene; (a) gevang, geboei; *take* ~ gevange neem; ~ **au'dience** instemmende gehoor/akkoordgehoor

captiv'ity (n) gevangenskap

cap'ture (n) vangs; inname; gevangeneming; buit; (v) vang; buitmaak; vaslê (data op rek.)

car (motor)kar, motor; vuurwa (omgangst.) *also* **mo'torcar;** *by* ~ per motor, met die kar; ~ **bomb** motorbom; **com'pany** ~ firmamotor; ~ **hi'jacker** motorkaper *also* **car'jacker;** ~ **jacking** motorkaping

carafe' kraf(fie), karaf; waterfles

ca'ramel karamel, (taai)lekkers

ca'rat karaat (gewigseenheid vir goud/edelstene)

ca'ravan karavaan (kamele); woonwa, kampeer= wa

ca'ravel (n) karveel/karaveel (skip, hist.)

ca'raway karwy; ~ **seed** koeksaad, karwysaad

car'bide (n) karbied (vir brandbare gas)

car'bine karabyn, buks (kort geweer)

carbol'ic karbol=, karbolies; ~ **ac'id** karbolsuur; ~ **soap** karbolseep

car'bo-load'ing styselstook (vir sportprestasies)

car'bon koolstof; ~ **co'py** deurslag; ~ **diox'ide** koolsuurgas, kooldioksied; ~ **pa'per** deurslag= papier, koolpapier

car'bonate karbonaat; ~*d soft drink* gaskoel= drank

car-boot sale kattebakverkoping

carbun'cle karbonkel (edelsteen; steenpuis)

car'burettor vergasser (enjin)

car'cass **-es** karkas *also* **cadaver'** (med.); romp; wrak; (dooie) liggaam

carcino'ma (n) kanker, karsinoom *also* **can'cer** (growth, tumour)

card[1] (n) kaart; program; *house of* ~*s* kaartehuis; *show one's* ~ jou plan openbaar; *have a* ~ *up one's sleeve* iets in die mou voer; geheime planne hê; *a real* ~ 'n grapmaker; ~**board** karton, bordpapier; ~**board box** kartonboks

card[2] (n) kaardwol; (v) uitkam

car'diac kardiaal, hart=; ~ **by'pass** hartomleiding; ~ **fai'lure** hartversaking; ~ **pa'tient** hartpasiënt

car'diogram kardiogram (lesing)

car'diograph kardiograaf (apparaat)

car'dinal (n) kardinaal (hoë RK geestelike); (a) kardinaal, vernaamste, hoof=; ~ **num'ber** hoofgetal; ~ **point** hoofpunt; ~ **sin** doodsonde

card: ~**phone** kaartfoon; ~**sharp** valsspeler; beroepskuller; ~ **wool** kaardwol

care (n) sorg; oplettendheid; sorgvuldigheid; bekommernis; *in the* ~ *of* onder die sorg van; ~ *of the aged* bejaardesorg; ~ *of the poor* armesorg; ~ *of* per adres; *take* ~ mooi loop; (v) sorgdra, omgee; besorg wees; ~ *for* oppas; omgee vir

careen′ (v) oorhel, kenter; kielhaal

career′ (n) loopbaan; beroep; voortgang; (v) rondhardloop, kerjakker; **~s advi′ser** beroeps= voorligter; **~s exhibi′tion** loopbaanuitstalling; ~ **gui′dance/coun′selling** beroepsleiding, loopbaanvoorligting; ~ **path** beroepsbaan

care: **~free** onbesorg, sorgvry; **~ful** sorgvuldig, versigtig; oppassend; **health** ~ gesondheid= sorg; **~less** sorgeloos, nalatig, agte(r)losig, nonchalant

caress′ (n) liefkosing, omhelsing; (v) liefkoos, streel *also* **embra′ce, cud′dle, fon′dle**

care: **~taker** opsigter, oppasser; **~worn** uitgeput, afgesloof

car′go skeepslading, vrag *also* **freight, ship′= ment**

car′ibou kariboe, rendier

car′icature (n) karikatuur, spotprent *also* **cartoon′; par′ody, sat′ire**

car′icaturist spotprenttekenaar *also* **cartoon′ist**

ca′ries (n) beenbederf; **den′tal** ~ tandbederf

ca′rillon kariljon, klokkespel *see* **campanile′;** ~ **player** beiaardier

car′jacker (n) motorkaper *also* **hi′jacker**

car′mine karmyn, karmosyn

car′nage (n) slagting, bloedbad, dodetol *also* **blood′bath, mas′sacre;** ~ *on holiday roads* vakansiepadslagting

car′nal vleeslik, wellustig; ~ **desi′res** vleeslike luste

carna′tion angelier (blom)

car′nival (n) karnaval, kermis, makietie *also* **fair, fes′tival**

carniv′ora vleisetende diere

carniv′orous vleisetend

car′ol (n) lofsang, lied *also* **hymn; Christ′mas ~s** Kersliedere

carous′al suipparty, dronknes *also* **booze/binge par′ty, drin′king bout**

carousel′ mallemeule *also* **merry-go-round**

carp[1] (n) karp (vis)

carp[2] (v) vit, brom, knor, kritiseer *also* **quibble′**

car′penter timmerman; **~′s bench** skaafbank

car′pentry timmer(mans)werk, houtwerk

car′pet (n) tapyt; mat; (v) met tapyte belê; voor stok kry; *wall-to-wall* ~ volvloertapyt

car′port motorskuiling, motorafdak

car′riage rytuig; voertuig; perdekoets; passa= sierswa; vrag, vervoerkoste; houding *also* **deport′ment;** ~ **for′ward** vraggeld verskuldig; ~ **free** vragvry; ~ **paid** vragvry

car′rier (vrag)karweier *also* **car′tage con′=**

tractor, haulier; truck′er; transportryer (hist.); draer; bagasierak; kiemdraer (siekte); tassie, drasak(kie); moederskip; ~ **pig′eon** posduif

car′rion (n) aas *also: decaying flesh*

car′rot (geel)wortel

car′ry (v) dra; vervoer *also* **convey′, trans′port;** bring; gedra; leen; ~ *forward/over* oorbring; ~ *on* voortgaan; *don't* ~ *on like this* moenie so te kere/tekere gaan nie; ~ *weight* gesag hê; **~cot** drawieg(ie); ~ **bag** drasak *see* **shop′ping bag**

cart (n) kar; voertuig; (v) vervoer, ry; **~age** vraggeld, karweidiens; vervoer (met 'n kar); **~age con′tractor** vervoerkontrakteur, kar= weier *also* **truck′er, (com′mon) car′rier**

car′tel kartel (monopolie)

cart′horse karperd

car′tilage kraakbeen, knarsbeen

carto′grapher kartograaf, kaarttekenaar

carto′graphy kartografie

car′ton (n) karton, bordpapier; ~ *of milk* karton(netjie) melk *see* **sach′et**

cartoon′ spotprent *see* **car′icature; tekenprent; ~ist** spotprenttekenaar

car′tridge patroon *also* **round of ammuni′tion;** *blank* ~ loskruitpatroon; ~ **belt** patroonband, bandelier

cart′wheel (n) karwiel; (v) ratrol, wielrol (kinderspel)

ca′runcle kam (van hoender); bel (van kalkoen)

carve (v) uitsny, houtsny, graveer; voorsny (vleisgereg); **~ry** voorsnybuffet

car′ving: ~ **fork** vleisvurk, voorsnyvurk; ~ **knife** vleismes, voorsnymes

car′watch karwag (parkeerterrein)

cascade′ waterval, kaskade

case[1] (n) kis, kas; boks; oortreksel; dop; hand= koffer; sloop; boeksak; (v) oortrek, toedraai

case[2] (n) geval, saak; naamval; *in any* ~ in alle geval; *in every* ~ in elke geval; *in* ~ ingeval; *in* ~ *of* in geval van; ~ **his′tory** siekteverslag (med.); ~ **stu′dy** geval(le)studie (wetenskap= lik)

case′ment swaairaam; ~ **cloth** gordyndoek; ~ **win′dow** swaaivenster

cash (n) kontant(geld); kasgeld; ~ *on delivery* kontant by aflewering; ~ *down* kontant; *hard* ~ kontant; (v) (in)wissel, kleinmaak; trek; **~book** kasboek; ~ **box** geldkissie, spaarpot, spaarbus *also* **mon′ey box;** ~ **dis′count** kontantkorting; **~and-car′ry** koop-en-loop, haal-en-betaal; ~ **dispen′ser** geldoutomaat; **~float** wisselfonds, kontantvlot; ~ **flow** kon= tantvloei

cash′ew nut kasjoeneut

cash′ier[1] (n) kassier; teller (bank)

cash′ier[2] (v) afdank, ontslaan *also* **discharge′, dismiss′, fire**

cash: ~**-in tran'sit heist/rob'bery** transitoroof=
(tog);~ **reg'ister** kasregister *also* **till** (shop); ~
slip kontantstrokie; ~~**strap'ped** skraps van
geld; amper platsak; ~ **till** kasregister
ca'sing oortreksel; voering (boorgat); worsderm
casi'no casino/kasino, dobbelhuis *also* **gam'=
bling house**
cask (n) vat, vaatjie, kuip
cask'et kissie (juwele); urn; doodskis
cassa'va kassawe, broodwortel
cas'serole oondkastrol, stoofskottel
cassette' kasset; ~ **play'er** kassetspeler
cas'sock priesterkleed, soetane
cast (n) gooi; vorm; rolverdeling, rolbesetting
(drama); gietvorm *also* **mould**; (v) gooi, werp;
veroordeel; uitwerp; neergooi; optel (syfers)
also: add up; uitbring (stem); giet (metaal); ~
figures syfers optel; ~*ing error* optelfout; ~
lots (uit)loot; ~ *off* verwerp; ~ *one's vote* jou
stem uitbring; ~ *a spell on* betower, bekoor;
(a) gegote
castanet' kastanjet, dansklepper (mus.)
cast'away (n) skipbreukeling; verworpeling
caste klas, kaste *also* **so'cial or'der**
cas'tigate (v) kwaai berispe, tugtig, striem *also*
bera'te, rep'rimand, rebuke'
cas'ting vote beslissende stem (op vergadering)
cast' iron gietyster, potyster
castle kasteel; burg, slot; ~ *in the air* lugkasteel
cast'-off onbruikbaar; uitskot; afgeheg (brei=
werk)
cast'or/cast'er rolwieletjie; bussie, strooier
cast'or: ~ *oil* kasterolie; ~ **sugar** strooisuiker
castrate' sny, ontman, regmaak, kastreer; ~**d
goat** bokkapater *see* **spay**
cas'ual toevallig *also* **inciden'tal;** terloops, los,
kasueel; *smart* ~ deftig informeel (gekleed);
very ~*ly* doodluiters; ~ **la'bour** los arbeid/werk;
~ **la'bourer** dagloner; ~ **wear** slenterdrag
cas'ualty ongeval, ongeluk; voorval, toeval;
gewonde, gesneuwelde (in oorlog); (pl) ver=
liese, gesneuweldes; noodgevalle (hospitaal);
~ **list** ongevallelys; krukkelys (sport)
cat kat; kats (strafsweep); *let the* ~ *out of the bag*
die aap uit die mou laat; *raining* ~*s and dogs*
ou vroue met knopkieries reën; ou tannies met
hekelpenne reën; paddas en platannas reën; **fat**
~ dikvreter, geldvraat, geiljan *see* **gra'vy train**
cat'aclysm omwenteling; groot ramp
cat'acomb katakombe, grafkelder
cat'alogue (n) katalogus, pryslys; inventaris
catamaran' katamaran, tweeromper (seilboot)
cat'apult katapult (klipwerper in antieke oorlog);
slinger; voëlrek, kettie *also* **cat'ty, sling'(shot)**
cat'aract[1] (n) waterval, kaskade, katarak *also*
casca'de
cat'aract[2] (n) oogvlek, oogpêrel, katarak
catarrh' katar, slymvliesontsteking

catas'trophe (n) ramp *also* **disas'ter;** onheil,
katastrofe
catastro'phic (a, adv) katastrofies, rampspoedig
cataw'ba catawba/katôba (druif)
cat: ~ **bur'glar** klouterdief, ~~**call** kattegetjank;
fluitroep (na 'n meisie)
catch (n) vangs, buit; vanghou; voordeel,
strikvraag; (v) vang, gryp; tref; vat; inhaal;
haal (trein); betrap (dief); ~ *a chill* koue vat; ~
a cold verkoue kry; ~ *fire* aan die brand raak; ~
on populêr word; inslaan; ~ *up (with)* inhaal; ~
a train 'n trein haal; ~*-22 situation* (para=
doksaal) tussen twee vure sit; ~~**dam** wendam;
~~**ing** aansteeklik; aantreklik
catch'ment a'rea opvanggebied (water)
catch'y aantreklik; aansteeklik; koel (omgangst.)
also **cap'tivating** (book, film); ~ **ques'tion**
strikvraag
cat'echise (v) katkiseer (vir aanneming in kerk);
kruisvra, uitvra *also* **cross-exam'ine**
cat'echism (n) kategismus (boek met vrae en
antwoorde oor kerkleer); katkisasie
catechu'men katkisant (persoon)
categor'ical (a) kategories, uitdruklik
cat'egory kategorie, klas *also* **class, grou'ping**
ca'ter (w) verskaf, voorsien; proviandeer; spy=
seneer/spysenier; ~**er** spysenier, leweransier;
~**ing** spysenering/spyseniering, voedselver=
skaffing; ~**ing depart'ment** versversingsdepar=
tement; ~**ing man'ager** hoofspysenier
cat'erpillar ruspe(r); ~ **tank** ruspetenk (oorlog);
~ **trac'tor** kruiptrekker
ca'terwauling kattegekerm, kattegetjank
cat'gut dermsnaar
cathar'sis reiniging, loutering, katarsis
cathe'dral katedraal, domkerk
cath'eter (n) kateter, urienbuis (med.)
cath'olic algemeen, universeel, katoliek *also*
univer'sal, all-embra'cing; ~ *taste* veelsydi=
ge/omvattende smaak; **C~ Church = Ro'man
C~ Church**
cat'napping indommel, 'n uiltjie knip
cat-o'-nine'-tails kats (strafsweep)
CAT scan/CT scan (n) rekenaartomogram,
CT-skandeerbeeld
cat'tery kattery, kietsiesorg; diereherberg
cat'tish (a) katterig, geniepsig; ~ *woman* snip
cat'tle vee, grootvee, beeste; *one head of* ~ een
bees; ~ **bree'ding** veeteelt; ~ **disea'se** vee=
siekte; ~ **pen** veekraal; ~ **prod** porstok *also*
prod'der, stun bat'on; ~ **ranch** veeplaas,
groot beesplaas; ~ **truck** veetrok
cat'walk (n) loopvlak; stapvlak (vir modemo=
delle)
cau'cus (n) koukus, partyvergadering; (v) kou=
kus
caul net; helm; agterstuk; *born with a* ~ met die
helm gebore

caul'dron groot ketel, kookpot

cau'liflower blomkool; ~ **ears** (boxer) frommel=ore

caulk (v) (toe)stop, dig (maak), kalfater

cause (n) oorsaak; beweegrede; saak; (v) ver=oorsaak, teweegbring; ~ *damage* skade aanrig; *for a good* ~ vir 'n goeie saak (insameling)

cau'serie causerie, gedagtewisseling; geselsie; onderonsie

cause'way laagwaterbrug, spoelbrug

caus'tic bytend, skerp, brandend; ~ **so'da** bytsoda, seepsoda

cau'terise uitbrand, toeskroei (med.)

cau'tion (n) omsigtigheid; versigtigheid; waar=borg; sekerheid; waarskuwing; (v) waarsku; berispe *also* **reprimand'**, **admo'nish**

cau'tious versigtig, behoedsaam, lugtig (vir iem.), skrikkerig *also* **care'ful**

cavalcade' ruiterstoet, kavalkade

cavalier' (n) ruiter; kavalier; (a) hooghartig, trots *also* **lof'ty, haughty'**; ~**ly** (adv) hooghartig, uit die hoogte (optree)

cav'alry ruitery, kavallerie *also* **moun'ted troops**

cave (n) grot; spelonk; (v) uithol, uitkalwe; ~ *in* instort; ~ **dwel'ler** grotbewoner, troglodiet; ~**man** grotbewoner; oermens

cav'ernous spelonkagtig, hol *also* **yawning**

cavia're kaviaar

cav'ity holte; ~ **wall** holmuur, spoumuur

caw (n) (rawe)gekras; (v) kras, krys

cayenne' rooipeper, cayennepeper

cay'man/cai'man kaaiman, waterlikkewaan, al=ligator

CD-ROM' CD-ROM (rek.); ~ **drive** CD-ROM-aandrywer

cease ophou, laat staan, staak; ~**fire** (n) skietstil=stand, vuurstaking; ~**less** onophoudelik

ce'dar seder(boom)

cede (v) afstaan; sedeer *also* **surren'der**; afstand doen; oordra *also* **trans'fer** (an investment, funds)

ceil'ing plafon; solder(ing); hoogtegrens

cel'ebrate (v) vier, besing; herdenk

celebra'tion (n) (fees)viering; makietie *also* **festiv'ity**

celeb'rity beroemde persoon

cel'ery seldery/selery (groente)

celes'tial (n) hemelbewoner; (a) hemels; ~ **bod'=ies** hemelliggame

cel'ibacy seksuele onthouding, selibaat

cell (n) sel; hokkie; vakkie; kluis; *condemned* ~ dodesel; *dry* ~ droë sel (battery)

cel'lar kelder, wynkelder; ~**age** kelderruimte

cel'list tjellis (persoon)

cel'lo -s tjello, violonsel (musiekinstrument)

cell'phone selfoon *also* **cel'lular tel'ephone**

cel'lular selvormig, sel=; ~ **tel'ephone** sellulêre telefoon, selfoon *also* **cell'phone**

cel'luloid selluloïed (vir kamme, hewwe, ens.)

cel'lulose selstof, sellulose

cement' (n) sement; lym; (v) verbind, saamvoeg; met sement messel; ~ *relations* versterk betrekkinge

cem'etery begraafplaas, kerkhof *also* **grave=yard, church'yard**

cen'otaph gedenksuil, senotaaf (vir gestorwenes, veral soldate)

cen'ser wierookvat, reukvat

cen'sor (n) sensor; keurmeester, sedemeester; (v) onder sensuur stel, sensoreer/sensureer

cen'sure (n) sensuur; berisping, bestraffing; (v) sensureer, bestraf; afkeur *also* **crit'icise, condemn'; cas'tigate**

cen'sus volkstelling, sensus

cent sent; *per* ~ persent, per honderd

cen'taur sentour/kentour, perdmens (mitol. dier)

centena'rian (n) honderdjarige (persoon)

cente'nary eeufees, honderdste bestaansjaar

cen'tigrade honderdgradig; *4 degrees* ~ 4 grade Celcius

cen'timetre sentimeter

cen'tipede duisendpoot (reënwurm)

cen'tral sentraal, middelste; vernaamste; ~ **bus'i=ness dis'trict (CBD)** sentrale sakedeel, sake=kern; ~ **lock'ing** sentrale sluiting; ~ **pro'cessing unit (CPU)** sentrale verwerkingseenheid (SVE) (rek.)

cen'tralise (v) sentraliseer; sentreer

cen'tre (n) middel(punt); sentrum; senter (rug=by); kern; ~ *of gravity* swaartepunt; (v) verenig, op een punt saamtrek; ~ **punch** kornael, senterpons (gereedskapstuk)

centrif'ugal middelpuntvliedend, sentrifugaal; ~ *force* sentrifugale krag

centrip'etal middelpuntsoekend, sentripetaal

cen'tury (n) eeu, honderd jaar; honderdtal (krieket); *turn of the* ~ eeuwenteling, eeuwis=seling

ceram'ics pottebakkerskuns, keramiek, erdeware

ce'real (n) graan; (pl) graan(soorte); (a) graan=

cerebel'lum (n) kleinharsings

ce'rebral harsing=, serebraal=; verstandelik; ~-*palsied children* serebraalgestremde kinders

ce'rebrum (n) grootharsings

ceremo'nial (n) seremonie; seremonieel (s) *also* **rit'ual;** (a) seremonieel, plegstatig, vormlik

ceremo'nious (a) plegtig, plegstatig, deftig

ce'remony (n) seremonie, plegtigheid; *without* ~ sonder pligpleginge; *master of ceremonies* seremoniemeester

cer'tain seker, gewis *also* **sure, pos'itive;** *for* ~ sekerlik; ~**ly** sekerlik, beslis; ~**ty** sekerheid

certif'icate (n) sertifikaat; verklaring; diploma

cer'tify (v) sertifiseer; verklaar; betuig; attesteer *also* **tes'tify, vouch, val'idate**

ceruse' loodwit, witlood

cer′vical (a) hals=, nek=, servikaal

ces′sion afstanddoening, oordrag, sessie (regs= term)

chafe (n) skaafplek; wrok; (v) vryf; skuur, skaaf; kwaad maak, irriteer; aankap (perd)

chaff (n) kaf; skerts; ~**er** plaer, spotter; (v) liggies terg/pla; *separate wheat from* ~ die kaf van die koring skei

chain (n) ketting; reeks; (pl) boeie; (v) bind, boei, in kettings slaan; ~ **of of′fice** ampsketting (burgemeester); ~ **letter** kettingbrief; ~ **reac′= tion** kettingreaksie

chair (n) stoel; setel; voorsitter; professoraat, leerstoel (universiteit, technikon); *please take a* ~ sit asseblief; *take the* ~ die voorsitterstoel inneem; (v) voorsit; ~**man** voorsitter *also* ~**person;** ~*man's/*~*person's address* voorsit= tersrede; *Mr C~man* Meneer die Voorsitter; Agbare Voorsitter; ~**wo′man** voorsitter; voor= sitster (vrou); *Madam C~* Agbare Voorsit= ter/Voorsitster

cha′let (n) berghut, chalet

chal′ice kelk, altaarkelk; Nagmaalsbeker

chalk (n) kryt; *by a long* ~ verreweg; (v) met kryt teken; ~ *up* opskryf; ~**pit** krytgroef

chal′lenge (n) uitdaging; protes, uittarting; aansporing; (v) uitdaag; ~ **cup** uitdaagbeker; ~**r** uitdager *also* **conten′der** (for a sports title)

cham′ber vertrek; kamer; ~ *of commerce* kamer van koophandel, sakekamer; ~ *of horrors* gruwelgrot; ~ *of industries* kamer van nywer= hede; ~ *of mines* kamer van mynwese; ~**lain** kamerheer, kamerdienaar (hist.); ~ **mu′sic** kamermusiek; ~ **pot** kamerpot, nagpot; koos (skerts.)

chame′leon trapsoetjies/trapsuutjies, verkleur= mannetjie

cham′ois gems(bok) (in Alpe); (**African**) ~ klipspringer; ~ **lea′ther** seemsleer

champagne′ sjampanje, bruiswyn, vonkelwyn; ~ **break′fast** vonkelontbyt, sjampanje-ontbyt

cham′pion (n) kampioen; oorwinnaar; voorstan= der; kampvegter, voorvegter (vir 'n saak); (v) verdedig; bepleit; ~ **play′er** baasspeler *also* **champ** (infml.); ~**ship** kampioenskap

chance (n) kans; toeval; waarskynlikheid; *by* ~ toevallig; *not a snowball's* ~*/hope* nie 'n kat se kans nie; *take a* ~ 'n kans waag; (v) waag; (a) toevallig

chan′cellor (n) kanselier (van universiteit)

chan′cer (n) waaghals, kansvatter; opportunis

chandelier′ kandelaber, kandelaar, kroonlugter *also* **candela′brum**

change (n) verandering; kentering; ruil; klein= geld; (v) verander; ruil; verwissel (klere); wissel, kleinmaak (geld); ~ *colour* bloos *also* **blush;** ~ *one's mind* van plan verander; ~ *places* plekke omruil; ~ *one's tune* 'n ander

deuntjie sing (fig.); *small* ~ kleingeld; ~**able** veranderlik, onbestendig *also* **va′riable**

change′room kleedkamer *also* **cloak′room**

chang′ing cu′bicle kleedhokkie; aantrekhokkie, aanpashokkie

chan′nel (n) kanaal, seestraat; geut; bedding; groef; (v) uitgrawe; vore maak; kanaliseer

chant (n) (koraal)sang; gegalm; (v) sing ('n psalmmelodie); galmsing; ~ *the praises of* die lof sing van

cha′os chaos, baaierd, warboel *also* **may′hem**

chaot′ic (a) chaoties, wanordelik, deurmekaar= (spul) *also* **confu′sed, disor′ganised**

chap[1] (n) bars, skeur; (v) bars, skeur

chap[2] (n) kêrel, vent, ou *also* **guy, fel′low, bloke;** *a decent* ~ 'n gawe vent/kêrel/ou

chap′el kapel; kerkie, bidhuisie

chap′eron(e) (n) beskermer (hist.); begeleier, chaperone (vrou, hist.)

chap′lain kapelaan, veldprediker

chap′pie kannetjie, tjokkertjie, tjommie, laitie (infml.)

chap′ter hoofstuk; kapittel; ~ *and verse* vers en kapittel

char (v) verkool; brand, skroei

char′acter (n) karakter; aard; kenmerk, eien= skap; letter; naam, reputasie; rol (toneel)

char′acterise (v) karakteriseer; kenmerk *also* **distin′guish, iden′tify**

characteris′tic (n) karaktertrek; kenmerk, eien= skap; (a) karakteristiek; kenmerkend, kensket= send *also* **typ′ical**

charade′ (n) klug, bedrogspul, charade *also* **fa′ke, preten′ce, par′ody**

char′coal houtskool

charge (n) opdrag *also* **command′, man′date;** bewering, beskuldiging; aanklag; aanval, stormloop; vrag, lading; koste; *be in* ~ in beheer wees; *give in* ~ toevertrou; *in* ~ *of* onder toesig van; *lay a* ~ 'n klag indien/lê; ~**d** (a) gelade (atmosfeer); gelaai (battery); ~ **of′fice** aanklagkantoor (polisie); ~ **sheet** klag= staat; (v) opdra; aanval; beskuldig; hef; bereken, in berekening bring; ~ *to an account* 'n rekening debiteer *also: bill an account/a person*

chargé d'affaires′ saakgelastigde (dipl.)

char′ger perd, strydros; laaier; laaiplaatjie

cha′riot strydwa, triomfwa (hist.)

charis′ma (n) charisma, persoonlike sjarme/ gewildheid; geestelike gawe

cha′ritable liefdadig *also* **benev′olent;** barmhar= tig

cha′rity liefdadigheid; (naaste)liefde; deernis, empatie, barmhartigheid *also* **compas′sion, ubun′tu;** ~ *begins at home* die hemp is nader as die rok; *live on* ~ genadebrood eet; ~ **con′cert** liefdadigheidskonsert

char'latan kwaksalwer, boerebedrieër

charm (n) betowering; sjarme; sieraad, snuis=
tery; toormiddel; gelukbringer *also* **mas'cot;**
(v) betower, bekoor; verruk *also* **enchant',
captivate;** toor; **~er** bekoorder *also* **plea'ser**
(person); **~ing** betowerend, bekoorlik; sjar=
mant; **~ school** afrond(ing)skool, sjarmeskool

chart (see)kaart, tabel

char'ter (n) oktrooi, handves; oorkonde; (v)
oktrooieer; huur; **~ed flight** huurvlug; **~ed
sec'retary** geoktrooieerde sekretaris, oktrooi=
sekretaris

char'(woman) skoonmaakster (huis); skropvrou

chase (n) jag; agtervolging; wild; jagveld; (v)
jag, agtervolg; jaag; **~** *away* wegjaag

chasm afgrond, kloof, ravyn; diepte

chass'is (sing and pl) onderstel; raamwerk *also*
frame'work

chaste kuis, rein *also* **vir'tuous; mor'al;** vlek=
keloos

chastise' (v) kasty, tugtig; **~ment** kastyding

chas'tity kuisheid, reinheid; eerbaarheid

chat (n) praatjie, geselsie; (v) gesels, klets; **~line**
inbelprogram; **~ pro'gramme/show** kletspro=
gram; **~ room** kletskamer (internet); **~ show**
geselsradio(program); inbelprogram (radio)

chat'ter (n) geklets, gebabbel; (v) babbel, klets,
snater; **~box** (derog.) babbelkous, babbelbek,
snaterbek; **~ing** gesnater, gebabbel

chauffeur' motorbestuurder; chauffeur *also*
per'sonal dri'ver

chau'vinism nasionale eiewaan, chauvinisme

chau'vinist chauvinis; jingo; **male ~** manlike
chauvinis

cheap goedkoop; *dirt* **~** spotgoedkoop; *hold* **~**
geringskat; *on the* **~** goedkoop

cheat (n) bedrog; verneukery, kullery *also*
cheat'ing; (v) bedrieg, kul, mislei, inloop *also*
deceive', defraud', con

check[1] (n) geruite materiaal; ruitgoed

check[2] (n) kontrole, verifikasie; teenspoed;
beperking; *internal* **~** interne kontrole; *keep
in* **~** in toom hou; (v) nagaan, kontroleer,
verifieer; tjek, optjek (omgangst.); stuit; **~** *out*
uitklaar (uit weermag); **~** *in* inklaar; **~** *up*
optel, vergelyk; (medies) ondersoek, kontro=
leer; optjek (omgangst.); **~er** laaimeester;
kontroleur *also* **load'master** (aircraft); **~list**
kontrolelys; tjeklys (omgangst.); **~s and bal'=
ances** wigte/remme en teenwigte (fig.)

check'mate (n) skaakmat; (v) skaakmat sit;
uitoorlê

checkup (n) roetinetoets; optjek (omgangst., ook
med.)

hed'dar cheddar(kaas)

heek[1] (n) vermetelheid, parmantigheid *also*
audac'ity

heek[2] (n) wang; **~bone** wangbeen; kakebeen

cheek'y (a) parmantig, astrant, vermetel *also*
ar'rogant, in'solent, imper'tinent

cheer (n) toejuiging; vrolikheid, blydskap;
onthaal; *be of good* **~** opgeruimd wees; *make*
~ vrolik wees; feesvier; (v) opvrolik, moed
inpraat; toejuig; **~** *up* opfleur, opvrolik; **~ful**
vrolik, opgeruimd; **~io!** (interj) mooi loop!;
goedgaan!; **~lea'der** rasieleier (intervarsity);
dirigent; **~less** neerslagtig, moedeloos; **~s!**
(interj) gesondheid!

cheese kaas; **~** *and wine reception* kaas-en-wyn-
onthaal; **~bur'ger** kaasburger; **~ spread**
smeerkaas

chee'tah jagluiperd, cheetah

chef hoofkok, sjef

Chelsea bun korentebol(letjie)

chem'ical (n) chemikalie; (a) skeikundig, che=
mies; **~** *warfare* chemiese oorlogvoering; **~**
weed control chemiese onkruidbeheer

chemise' vrouehemp, onderhemp, chemise

chem'ist apteker *also* **phar'macist** (person);
phar'macy (shop); skeikundige, chemikus
(wetenskaplike)

chem'istry skeikunde, chemie

cheq'ue tjek, wissel; *blank* **~** blanko tjek; *the* **~**
bounced die tjek het gebons/gehop; **~book**
tjekboek; **~ coun'terfoil** tjekteenblad

cheq'uer (n) ruit; skakering; dambord; (v)
skakeer; ruit; **~ed** geruit; geskakeer; *~ed life/
career* veelbewoë lewe/loopbaan

cher'ish (v) koester, liefkoos, liefhê *also* **adore'**

cheroot' seroet, (klein) sigaar

cher'ry (n) kersie; kersieboom; *the* **~** *on the cake*
die toppunt/voleinding

cher'ub gerub(yn), engel(tjie) *also* **an'gel**

chess skaakspel; *play at* **~** skaakspeel; **~board**
skaakbord; **~man** skaakstuk

chest[1] (n) bors(kas); *get it off your* **~** praat dit uit

chest[2] (n) kis, kas; koffer; **~** *of drawers* laaikas,
spieëlkas

chest'nut (n) kastaiing; sweetvos (perd); (a) vos=;
dark ~ sweetvos; **light ~** ligvos; **~ roan**
vosskimmel

chevalier' ruiter, galant, ridder *also* **knight**

chev'ron sign chevronteken/sjevronteken (ver=
keersteken)

chew (n) koutjie; pruimpie; (v) kou; pruim;
nadink, oordink; **~** *the cud* herkou; bepeins;
~ing gum kougom

chic sjiek, elegant *also* **smart, sty'lish, tren'dy**

chicane' (n) foppery, jakkalsdraaie; (v) fop,
uitoorlê; **~ry** slim streke, jakkalsdraaie, skelm=
stuk

chick (n) kuiken(tjie); kindjie

chick'en hoender; hoendervleis; snuiter, kind;
count one's **~***s before they are hatched* die vel
verkoop voordat die beer geskiet is; *a mere* **~**
'n piepjong ventjie; **~** *out* kop uittrek (uit

vrees); ~ **feed** hoenderkos; kleinigheidjie,
onbenulligheidjie; ~-**hear'ted** lafhartig; ~
mash kuikenmeel; ~**pox** waterpokkies; ~ **run**
(blanke) uittog (uit SA)

chic'ory sigorei (plantpoeier by koffie)

chief (n) hoof; kaptein; leier, aanvoerder; (a)
vernaamste, hoogste, senior, opperste; ~ **exec**=
utive of'ficer (CEO) (senior) bestuurshoof,
uitvoerende hoof (administrasie); bedryfshoof
(produksie); ~ **gen'eral man'ager** senior
hoofbestuurder; ~ **jus'tice** hoofregter; ~ **stew**=
ard hoofkelner, hooftafelbediende; ~**ly** hoof=
saaklik, vernaamlik; ~**tain** hoofman, opper=
hoof

chif'fon dun gaas, chiffon

chil'blain winterhande, wintervoete

child kind; telg, spruit (eie); (mv) kinders, kroos;
backward ~ geremde kind; *handicapped* ~
gestremde kind; *retarded* ~ vertraagde kind; ~
abuse' kindermolestering, kindermishande=
ling; ~**birth** bevalling *also* **confi'nement**;
~**care** kindersorg; ~**hood** kinderjare; *from*
~*hood* van kindsbeen af; ~**ish** kinderagtig *also*
friv'olous; ~**like** kinderlik *also* **art'less**; ~
min'der kinderoppasser, au pair; kroostroos=
ter; ~ **moles'ter** kindermolesteerder, kinderlol=
ler *also* **pae'dophile**; ~ **prod'igy** wonderkind;
~**ren's book** kinderboek; ~**ren's home** kin=
derhuis *see* **or'phanage**; ~ **sex'ual abuse'**
seksuele kindermishandeling/kinderteistering;
~ **wel'fare** kindersorg

Chi'le Chili (land); ~**an** (n) Chileen (persoon);
~**an** (a) Chileens (gebruike, ens.)

chil'iad (n) duisend; duisend jaar, millennium

chill (n) koue, koudheid; kilheid; *catch a* ~
kou(e) vat; (v) koud maak, verkoel; ontmoe=
dig; ~*out* ontspan, uitspan, 'n blaaskansie vat;
(a) koel, koud; ongevoelig; ~/*frigid reception*
kil(le) ontvangs, koel ontvangs

chil'li (n) (brand)rissie, paprika; ~ **bi'tes** rissie=
happies, brandhappies

chil'ly (a) koel, natterig, kil, kouerig

chime (n) klokkespel; melodie, deuntjie; **wind** ~
windklingel; (v) speel (klokke); harmonieer;
klokke bespeel; ~/*chip in* in die rede val; intjip
(omgangst.)

chim'ney skoorsteen; lampglas; ~ **piece** skoor=
steenmantel; kaggel; ~ **stack** fabriekskoor=
steen; ~ **sweep** skoorsteenveër (hist.)

chimpanzee' sjimpansee *also* **chimp** (infml.)

chin ken; *take it on the* ~ 'n mokerhou kry (fig.);
up to the ~ tot oor die ore (besig wees)

Chi'na China/Sjina (land); **Chinese'** (n, a)
Chinees/Sjinees (taal; gebruike, ens.)

chi'na porselein, breekgoed *also* **por'celain**

chink (n) spleet, bars; (v) splits

chinkerinchee' tjienkerientjee (veldblom)

chip[1] (n) spaander, splinter, skyfie; speelmunt;

tjip, pit (vir dobbel); bikmerkie (aan motor,
ens.); *a* ~ *of the old block* 'n aardjie na sy
vaartjie; *he has had his* ~s sy doppie het
geklap; ~ *in* in die rede val; intjip (omgangst.);
fish and ~**s** vis en (slap)skyfies/tjips/slappies;
(v) afsplinter; in spaanders kap; blerts; *the*
saucer is chipped die piering is gehap/ge=
blerts; ~ *to the green* raps (die bal) na die
setperk (gholf); ~**board** spaanderbord

chip[2] (n) (silikon)vlokkie, mikroskyfie

chirop'odist voetheelkundige *also* **po'diatrist**

chi'ropractor chiropraktisyn

chirp (n) gepiep; (v) tjilp, piep (voël, kuiken)

chis'el (n) beitel; **cold** ~ koubeitel; (v) uitbeitel

chit briefie; strokie (vir betaling)

chiv'alrous (a) ridderlik, ruiterlik *also* **gal'lant,**
val'iant

chiv'alry ridderskap, ridderlikheid; *age of* ~ die
riddertyd

chlo'ride chloried

chlo'rine chloor (gifgas)

chlo'roform (n) chloroform; (v) narkotiseer *also*
anaes'thetise

chlo'rophyll (a) bladgroen, chlorofil

chock'-full stampvol; propvol *also* **packed'**
(hall)

choc'olate sjokolade; ~ **bar** blok/plak sjokolade,
sjokkie; **choc'oholic** sjokolis (persoon)

choice (n) keuse; keur; verkiesing; fynste; *have*
no ~ *but* geen ander uitweg hê nie as;
Hobson's ~ geen ander keuse/alternatief nie;
~ **grade** keurgraad

choir koor; sanggeselskap

choke (n) smoor(klep); demper; (v) stik, wurg,
verstik; onderdruk, belemmer; oorgroei; ~ *off*
afsnou; ~ **chain** wurgketting, glyketting

chol'era cholera/kolera (siekte)

choles'terol cholesterol/kolesterol, gal(steen)vet

choose (v) kies, verkies; *for choosing* te kus/kies
en te keur

chop (n) hou, kap, slag; tjop, kotelet; karme=
naadjie, ribstuk (vleis); *get the* ~ afge=
dank/ontslaan word; (v) kap, slaan; ~**-chop**
gou, vinnig; tjop-tjop (omgangst.); ~**house**
goedkoop eetplek; braaihuis; ~ **shop** kapwerf
(gesteelde motors)

chop'per (infml.) helikopter *also* **he'licopter;**
tjopper (omgangst.)

chor'al (a) koraal=, koor=

chord snaar; lyn, tou, koord; akkoord; **spi'nal** ~
rugstring, rugmurg; **vo'cal** ~ stemband

chore werkie; ~**s** huistake; sleurwerk

choreog'rapher choreograaf, dansontwerper

chor'ister koorlid, koorsanger

chor'tle (v) kekkellag; stilletjies lag *also*
chuckle

chor'us koor, refrein; rei; ~ **girl** koormeisie; dan=
seres/sangeres in 'n opvoering *also* **show'girl**

:hos'e(n) uitverkore *see* **choose**

:how'-chow'[1] (n) tjou-tjou

:how'-chow'[2] (n) Chinese keeshond *also* **chow**

:hrist Christus; *after ~ (AD)* ná Christus (n.C.); *before ~ (BC)* voor Christus (v.C.)

:hris'ten (v) doop, naam gee

:hris'tendom/**Christian'ity** Christendom

:hris'tening (n) doop

:hris'tian (n) Christen; (a) Christelik; **~ e'ra** Christelike jaartelling; **~ name** voornaam *also* **first name**

:hris'tmas Kersfees, Kersmis; **~ greetings and good wishes for the New Year** Kers- en Nuwejaarsgroete; **~ box** Kersgeskenk; **~ card** Kerskaart(jie); **~ Day** Kersdag (Christenfees-dag); **~ Eve** Oukersaand; **Father ~** Kersvader; **~ holiday** Kersvakansie; **~ night** Kersaand; **~ par'ty** Kersparty(tjie); **~ sea'son** Kerstyd, Kersgety; **~ tree** Kersboom

:hromat'ic kleur-, chromaties

:hro'mium chroom (vir allooie soos roesvry-staal)

:hron'ic chronies/kronies, langdurig (siekte); **~ fati'gue syn'drome** chroniese/kroniese uitput-tingsindroom; jappiegriep

:hron'icle (n) jaarboek, kroniek *also* **an'nals**; (v) te boek stel, opteken *also: to record/set down*

:hron'icles Kronieke (Bybel)

:hronolog'ical chronologies/kronologies, in tyds-orde

:hronol'ogy tydrekening, chronologie/kronologie

:hronom'eter tydmeter, chronometer

:hrysan'themum krisant (blom)

:hry'solite chrisoliet, goudsteen

:huck[1] (n) bladstuk, dikrib (bees)

:huck[2] (n) gooi; worp (w.g.); (v) gooi; opgee, uitlos; **~ away** wegsmyt; **~ out** uitgooi, uitsmyt; **~ up** in wanhoop opgee; uitskei

:huck[3] (n) skroef; klembus (van omslag); kloukop (draaibank)

:huck[4] (v) streel; klap (tong); aanspoor (dier); kloek (van hoender)

:huck'er-out uitsmyter, uitgooier *also* **boun'cer** (person)

:huckle' (n) onderdrukte lag; (v) grinniklag; in jou vuis lag; kloek; **~ with delight** jou verkneukel

:hum maat, vriend, tjom *also* **pal, bra;** *very ~my/pally* dik vriende

:hunk stuk; brok, homp; klomp

:hurch kerk; *enter the ~* predikant word; **~ coun'cil/commit'tee** kerkraad; **~man** kerk-man; geestelike; **~ square** kerkplein; **~ ves'try** konsistorie(kamer); **~war'den** kerkraadslid; koster; **~yard** kerkhof *also* **cem'etery, grave'-yard**

:hurn (v, n) karring; *~ out ideas* idees vinnig die lig laat sien

chute waterval; glybaan; glygeut (vliegtuig)

chut'ney blatjang (kruiesous)

cica'da (n) sonbesie, boomsingertjie *also* **scis'sor grin'der** (insect)

ci'der appelwyn

cigar' sigaar; *~ band collector* vitolfilis; **~ case** sigaarkoker

cigarette' sigaret; **~ light'er** sigaretaansteker

cin'der sintel; kool, as

cin'der track asbaan

Cinderel'la Aspoester(tjie) (sprokiefiguur)

cin'ema bioskoop (veroud.); fliek *also* **bi'oscope** (obs.); **~ fan** fliekvlooi; **~-goer** bioskoop-ganger, fliekganger

cinematograph'ic' kinematografies, filmies

cin'namon kaneel (spesery); **~ sticks** pypkaneel

ci'pher/**cy'pher** (n) syfer; monogram; nul; *a mere ~* 'n nul op 'n kontrak; (v) bereken

cir'ca circa, ongeveer, omstreeks ('n datum)

cir'cle (n) sirkel; ring; kring; galery (teater); geselskap; (v) ronddraai; omsluit; *vicious ~* bose kringloop

cir'cuit (n) kringloop; reeks (sport); stroombaan (elektr.); omloop, omtrek; ompad; rondgang; **short ~** kortsluiting (elektr.)

cir'cular (n) omsendbrief, sirkulêre; (a) sirkel-vormig; rondgaande; sirkel-

cir'cularise omsendbriewe/sirkulêres rond-stuur/uitstuur

cir'culate in omloop bring; omstuur, sirkuleer

circula'tion omloop; sirkulasie *also* **distribu'-tion;** oplaag (koerant)

cir'cumcise besny (die voorhuid v. man verwy-der; die klitoris v. vrou verwyder); **circum-ci'sion** besnyding, besnydenis

circum'ference omtrek; omvang

cir'cumflex (^) kappie, sirkumfleks

circumnav'igate omvaar; rondom die wêreld vaar

cir'cumscribe omskryf; begrens, afbaken

cir'cumspect (a) omsigtig; behoedsaam *also* **wa'ry, discreet'**

cir'cumstance omstandigheid; feit, besonder-heid; *in the ~s* onder/in die omstandighede

circumstan'tial: **~ ev'idence** omstandigheidsge-tuienis

circumvent' ontduik, omseil; mislei, bedrieg *also* **out'wit**

cir'cus sirkus

cis'sy (n) **cissies** verwyfde man/seun; papbroek; *not for cissies* nie vir sissies nie

cis'tern vergaarbak, spoelbak (toilet); dam; kuip

cit'adel burg, vesting *also* **strong'hold**

cita'tion aanhaling, sitaat *also* **quota'tion;** dag-vaarding

cite siteer, aanhaal *also* **quote;** dagvaar

ci'tizen burger; stadsbewoner; **John C~** Jan Burger; **~'s arrest'** burgerlike inhegtenisne-ming; **~ship** burgerskap

ci´tric sitroen; ~ **ac´id** sitroensuur

ci´tron sitroen, siter (dunskilsuurlemoen)

ci´trus sitrus; lemoenvrug

ci´ty stad; ~ **coun´cil** stadsraad, metroraad; ~ **hall** stadhuis (ampsgebou); stadsaal; ~ **man´ager** stadsbestuurder *see* **town´clerk;** ~ **sec´retary** stadsekretaris; stadsklerk; ~ **slick´er** stadska= lant, stadskoejawel; gladdejan

ci´vet (cat) muskeljaatkat

ci´vic (a) burgerlik, burger=; ~ *reception* burger= like onthaal; ~ **cen´tre** burgersentrum; ~ **guard** burgerwag; ~ **thea´tre** stadskouburg *also* **play´house**

ci´vics burgerkunde *also: rights/duties of citizens*

ci´vil burgerlik; siviel; beleef; ~ **avia´tion** burger= lugvaart; ~ **defence´** burgerlike beskerming; ~ **disobe´dience** burgerlike ongehoorsaamheid; ~ **enginee´ring** siviele ingenieurswese; ~ **law** privaatreg; ~ **ser´vant** staatsamptenaar; ~ **ser´=vice** staatsdiens *also* **pub´lic service;** ~ **war** burgeroorlog

civil´ian (n) burgerlike (persoon); burger (van stad of staat) *also* **cit´izen;** (a) burgerlik, burger=; ~ **blind** burgerblindes

civilisa´tion beskawing; kultuurstelsel

ci´vilise (v) beskaaf (maak), opvoed

civi´lity wellewendheid, beleefdheid, hoflikheid *also* **poli´teness**

clack (n) gebabbel; geklap; (v) klets; klepper

claim (n) eis, vordering; reg; bewering *also* **asser´tion;** kleim (afgeperkte terrein, bv. op delwery); *lay* ~ *to* aanspraak maak op; (v) eis, aanspraak maak; opvorder; ~ *back* terugeis; ~**ant** eiser

clairvoy´ant heldersiende (persoon); waarsêer, fortuinleser, fortuinverteller *also* **for´tune tel´=ler**

clam´ber klouter *also* **climb, claw**

clam´my klam, vogtig *also* **moist**

clam´our (n) geskree(u), kabaal *also* **hulla= baloo´;** (v) skreeu, roep; ~ *for* roep om, aandring op

clamp (n) kram, klem; (v) klamp, vasklem, las

clan (n) stamgroep, familiestam, clan; ~**ship** familieband, kliek

clan´destine heimlik, bedek; klandestien; onder= gronds (in oorlog)

clang (n) geratel, gekletter; ~ *of arms* wapen= gekletter; ~ *of trumpets* trompetgeskal; (v) lui, kletter; galm

clap (n) klap, slag; donderslag; knal; (v) klap, hande klap; ~ *into prison* in die tronk smyt; ~**per** klepel; klapper; ~**trap** twak, slim= praatjies *also* **driv´el**

clar´et klaret (wyn)

clarifica´tion verklaring, verduideliking, ophel= dering *also* **explana´tion;** suiwering

clar´ify ophelder, opklaar; verklaar, uiteensit

also **explain´, elu´cidate;** suiwer; uitklaar; i= die reine bring

clar´inet klarinet (musiekinstrument)

clar´ion klaroen, trompet (musiekinstrument)

clar´ity duidelikheid, helderheid; beeldskerpte

clash (n) stamp, skok; botsing *also* **con´flict** gekletter; ~ *of dates* datumbotsing; (v) stamp bons; kletter; bots, stry

clasp (n) haak, gespe, kram; omhelsing; (v vashaak, toegespe; omhels, omarm; ~**er** buikpote (by insekte)

class (n) klas; orde *also* **cat´egory;** stand *als* **sta´tus;** *attend* ~*es* klas bywoon; *the lower* ~*e* die laagste klas(se) (v.d. samelewing); *th upper* ~*es* die hoër stand; *working* ~ werke= stand, arbeider(s)klas; (v) rangskik, order klassifiseer; klasseer (wol); ~ **cap´tain** klas kaptein; ~**mate** klasmaat

clas´sic (n) klassieke werk/skrywer; (pl) ~ klassieke; klassieke tale; (a) klassiek; ~= klassiek (musiek, kuns)

classifica´tion klassifikasie, indeling

clas´sify (v) klassifiseer, indeel; in klasse ve= deel; **clas´sified informa´tion** geheime inlig ting, staatsgeheim *also* **se´cret informa´tion**

clas´sy (a) deftig, stylvol, swierig, sjiek

clat´ter (n) lawaai, gerammel; getrappel; (= klater, rammel

clause sinsdeel; bysin; klousule; artikel

claustropho´bia (n) engtevrees, noutevrees

clav´icle sleutelbeen *also* **collar´bone**

claw (n) klou; knyper; poot; haak; (v) vasklo= krap; ~~**and-ball leg** klou-en-balpoot/ba= en-kloupoot (meubels); ~ **ham´mer** klouham=

clay (n) klei; (a) klei=; ~ **ov´en** bakoond; ~= kleierig; ~**more** slagswaard (hist.); ~~**pig´e** shoo´ting pieringskiet, kleiduifskiet *al.* **skeet´ting;** ~ **pipe** kleipyp; erdepyp

clean (v) skoonmaak, reinig; ~ *up* opruim; (skoon; sindelik; ~ *forgot(ten)* skoon verge= *make a* ~ *breast of* eerlik beken; *make a sweep* skoonskip maak; ~**ed out** kaalgestro= (huisbraak); *spotlessly* ~ kraakskoon; (a= heeltemal, geheel en al; ~**cut** fynbesnede; ~= skoonmaker *see* **dry´ cleaner;** ~**liness** sind likheid

cleanse (v) suiwer, reinig, skoonmaak *al* **pu´rify**

clear (v) reinig; ophelder; klaarmaak; ooptr (weer); klaar, uitklaar (goedere); afdek (taf= (a) helder, duidelik, suiwer; (adv) skoon; op= vry; ~ *majority* volstrekte meerderheid *al* **ab´solute majo´rity;** ~ *up (a differenc* verduidelik, opklaar *also* **resol´ve;** *keep* ~ afbly/wegbly van; *stand* ~ staan weg/verd= *steer* ~ *of* vermy, ligloop (vir iem.); ~**an** opruiming, uitverkoop/uitverkoping; ligti (van briewebus); klaring; vryhoogte, vn=

ruimte; **~-hea′ded** slim, knap; **~ing** oop plek; verkoping; verwydering; **~ing a′gent** kla= ring(s)agent; **~ing bank** klaringsbank; **~ing house** verrekenkantoor; **~ly** duidelik, onom= wonde

lea′vage (n) skeiding; buustekeep, buustespleet (van vrou); (lae) halslyn

leave (v) kloof/klowe, splits

lef sleutel (mus.)

left (n, a) kloof, skeur, bars; **~ lip** gesplete lip, haaslip *also* **hare′lip;** **~ pal′ate** gesplete verhemelte/gehemelte

lem′ency (n) begenadiging; goedertierenheid; sagtheid (die weer)

lench (v) (vuiste) bal; omklink; vasbyt; *~ed fist* gebalde vuis

ler′gy (pl) predikante; geestelikes; die geeste= like stand; **~man** predikant, leraar; dominee; geestelike *also* **cler′ic, minister, par′son**

er′ical geestelik, klerikaal; klerklik; **~ er′ror** skryffout; **~ work** klerklike (kantoor)werk

erk klerk; opsigter; koster; geleerde; **~ of works** bouopsigter; klerk van werke; **~ship** klerkskap *also* **art′icles** (aspiring accoun= tant/attorney); **appren′ticeship**

ev′er slim *also* **bright; brai′ny; intel′ligent** (pupil); handig; knap, oulik; uitgeslape *also* **cun′ning, shrewd**

ich′é (n) afgesaagde/holrug geryde uitdruk= king, cliché *also* **plat′itude;** metaalafdruk (drukkerswese)

ick (n) tik, klik; klapklank; (v) tik; klik (ook met rekenaarmuis); aankap (perd); geluk hê; bevriend raak; akkordeer (met iem.); *~ heels* hakke aanslaan; *they ~ed immediately* hulle het dadelik goed oor die weg gekom met mekaar

ient kliënt (van geleerde beroep, bv. proku= reur); klant (van winkel); **~ele** klandisie, klante; praktyk; **~/cus′tomer friendly** (a) klant=/kopervriendelik; **~ rela′tions** kliëntbe= trekkinge *also* **cus′tomer rela′tions; ~ ser′= vice(s)** kliëntesteun, kliëntediens

iff krans, rotswand; **~han′ger** naelkouer (bv. 'n wedstryd wat baie gelykop verloop); **~ swal′= low** windswa(w)el

i′mate klimaat, weersgesteldheid

imatol′ogy klimaatkunde, klimatologie

i′max toppunt, hoogtepunt, klimaks *also* **zen′= ith, culmina′tion**

imb (n) klim; klimvermoë; (v) klim, klouter; bestyg; *~ down* erken jy was verkeerd; **~ing lane** klimbaan (pad); **~ing plant** klimop, slingerplant, klimplant *also* **cree′per**

inch (n) kram, haak; (v) vasklem, vasklou; omklink; *~ a deal* 'n transaksie beklink/beseël

ing (v) vashou, vaskleef; vasklem; *~ together* aanmekaarklou, vasklou

cling: **~stone** taaipit (perske); **~wrap** kleefplas= tiek *also* **glad′wrap** (n)

clin′ic (n) kliniek; (a) klinies

clin′ical (a) klinies; **~ examina′tion** kliniese ondersoek; **~ psychol′ogist** kliniese sielkun= dige; **~ thermom′eter** koorspennetjie

clink[1] (n) geklink, gerinkel; (v) klink, rinkel, tinkel

clink[2] (n) (slang) tjoekie (omgangst.); tronk

clip[1] (n) knipsel, skeersel; (v) knip, snoei, skeer, kortwiek; *~ the wings* kortwiek

clip[2] (n) tang; knyper; knip; (v) vasklou

clip: **~ board** knipbord (ook rek.); knyp(er)bord; **~-on cov′er** foonhuls (selfoon); **~per** knipper; skeermasjien; skêr; klipper (tipe seilskip); **~ping** (n) (uit)knipsel (uit koerant); skeersel (wol)

clique kliek (groep wat mekaar ondersteun of dieselfde belange het; meesal in ongunstige sin)

cloak (n) mantel; dekmantel (fig.); (v) bedek; bemantel; **~room** bagasiekamer, bewaarka= mer; kleedkamer, toilet

clock klok; horlosie; **~ speed** klokspoed (rek.); **~wise** klok(s)gewys, haarom, regsom; **~work** uurwerk

clod kluit, klont; domkop *also* **fathead; ~hop′= per** gomtor, lummel, gaip (persoon)

clog (n) blok, hindernis; klomp (houtskoen); (v) verstop; hinder, belemmer

clois′ter klooster *see* **mo′nastery, con′vent;** suilegang

clone (n) kloon (genetiese duplikaat); *a ~/replica of his teacher/mentor* 'n kloon/re= plika van sy leermeester/mentor; (v) kloon/ kloneer; **clo′ning** kloning (embriosplyting)

close (n) end, sluiting; slot; *at the ~ of play* met/teen uitskeityd (krieket); (v) (toe)sluit (deur); toemaak (ook van rekenaarlêer); afsluit (rekening); toegaan; afsper (pad); *~ up please* sluit asseblief toe (kantoor); (a) dig, beslote; bedompig, broeierig (klimaat); innig; diep (geheim); byna gelyk (uitslag van wedstryd); *behind ~d doors* agter geslote deure; *a ~ friend* 'n intieme/getroue vriend; *it was a ~ shave* dit was so hittete; *it was a ~ call* dit was so ampertjies/byna-byna; **~d-cir′cuit TV** geslo= tekringtelevisie; **~d shop** geslote geledere (vakbonde); **~ corpora′tion** beslote korpo= rasie; **~-fis′ted** inhalig; hebsugtig; **~ness** digt= heid; bedompigheid

clos′et (n) klein kamertjie, kabinet; kleinhuisie, toilet; (v) opsluit, afsonder; verberg

close′-up (n) digbyopname, vlakbyopname (fo= tografie); (a) vlakby=

clo′sing sluiting; **~ date** sluit(ings)datum, sper= datum; **~ hour** sluitingsuur; **~ stage** eindsta= dium; **~ time** sluittyd

clo'sure sluiting, slot; debatsluiting

clot (n) (bloed)klont *also* **blood clot;** kluit; (v) stol, klont; vaskoek

cloth kledingstof; laken; ampsgewaad (priester); *lay the ~/table* die tafel dek

clothe (v) klee *also* **dress;** bedek; inklee; beklee

clothes klere; ~ **brush** klereborsel; **~line** was= goeddraad; ~ **peg** was(goed)pennetjie, was= goedknypertjie

clo'thing kleding, klere; inkleding; ~ **in'dustry** die klerebedryf

cloud (n) wolk; *be in the ~s* in vervoering wees; *on ~ nine* in die sewende hemel; *be under a ~* onder verdenking wees; (v) bewolk; donker maak; **~burst** wolkbreuk; **~y** bewolk, dynse= rig, newelagtig; troebel

clout (n) hou, slag, klap; **poli'tical ~** politieke mag/slaankrag; (v) iem. klap/moker

clove (n) naeltjie (spesery)

clo'ven gesplits, verdeel; gesplete (hoef)

clo'ver klawer; *live in ~/luxury* lekker/weelderig lewe; **~leaf** klawerblad

clown grapmaker, hanswors, harlekyn, nar *also* **jo'ker, jes'ter, har'lequin**

club (n) knuppel, knopkierie; klub; klawer (kaart= spel); (v) doodslaan; ~ *together* saamwerk; (on)koste deel *also:* **go Dutch;** ~ **foot** klomp= voet, horrelvoet; **~house** klubhuis; ~ **mem'= bership** klublidmaatskap; **~s** klawers (kaartspel)

cluck (v) kloek; *~ing hen* broeishen

clue (n) leidraad, spoor, aanduiding; *no ~ of* geen benul van; *~d up* goed op hoogte wees van; gekonfyt in

clum'sy onhandig, lomp; onbeholpe; onhanteer= baar

clus'ter tros; trop, swerm; ~ **bomb** trosbom; ~ **hou'sing** meentbehuising, korfbehuising, tros= behuising; **~hou'sing com'plex** meenthuiskom= pleks, korfhuiskompleks

clutch[1] (n) greep, klou; koppeling; koppelaar (motor); (v) gryp, vashou

clutch[2] (n) broeisel (eiers)

coach[1] (n) toerbus; koets; rytuig; passasierswa (trein); **~ma'ker** wamaker; **~man** koetsier; drywer; ~ **tour** bustoer

coach[2] (n) afrigter, breier (sport); drilmeester; (v) oefen, dril, afrig, brei

coag'ulate (v) stol, strem, verdik *also* **thick'en, soli'dify**

coal (n) steenkool; *haul over the ~s* berispe, teregwys; ~ **bed** steenkoollaag, koolbedding; ~ **dust** steenkoolgruis

coali'tion verbond, vereniging, samesmelting, koalisie *also* **alli'ance, u'nion**

coal: ~ **mine** steenkoolmyn; ~ **pit** steenkoolmyn; ~ **scuttle** kolebak; ~ **tar** koolteer

coarse (a) kru, ru; grof *also* **ru'de;** lomp *also* **unci'vil**

coast (n) kus, strand; *the ~ is clear* alles veili, (v) langs die kus vaar; luier, vryloop (moto *also* **i'dle; ~er** kusboot; kusvaarder (skip drupmatjie, biermatjie; **~guard** kuswag

coat (n) baadjie; jas; laag (verf); ~ *of armour/ma* harnas; ~ *of arms* wapenskild; familiewape *cut your ~ according to your cloth* sny j rieme na die vel; ~ *and skirt* mantelpak; (beklee, bedek; verf; **~ing** laag (verf); aanpakse materiaal; **~tail** pant (van 'n manel)

coax (v) vlei, pamperlang, mooipraat, paai *al.* **flat'ter, soothe', soft'-soap**

cob mieliekop; ponie; mannetjieswaan

co'balt kobalt (magnetiese metaal)

cob'ble (n) kei(steen), straatsteen; stuk stee kool; (v) lap; saamflans; **~r** skoenmaker

co'bra koperkapel, geelslang, kobra; **brown** bruinkapel; **Cape ~** geelslang; **ringed** bakkopslang

cob'web spinnerak

cocaine' kokaïen

cochineal' cochenille/kosjeniel (karmynkleu stof)

cock[1] (n) haan *also* **roos'ter;** mannetjie; dorir uithaler; *that ~ won't fight* daardie vlieër s nie opgaan nie; *the ~ of the walk* haantjie c voorste, klein parmant

cock[2] (n) haan (geweer); (v) oorhaal (geweer); *the ears* die ore spits; ~ *the hat* die ho opslaan

cockade' kokarde; roset *also* **roset'te**

cockateel' kokketiel (voël)

cockatoo' kaketoe(a) (voël)

cock'erel haantjie, jong haan

cock: **~er spaniel** sniphond; **~eyed** ske dwaas; dwars; ~ **fight** hanegeveg; **~ho** hobbelperd, houtperd; **~ish** hanerig *also* **a** **rogant, concei'ted**

Cock'ney Londenaar, Cockney (meesal lid v werkersklas)

cock'pit stuurkajuit (vliegtuig); vegkamp (hane); ~ **voice recor'der** kajuitstemopnem vlugopnemer *also* **flight recor'der** (black b

cock'roach kakkerlak, kokkerot (huisplaag)

cocks'comb hanekam; dwaas

cock'sure (a) doodseker *also* **over-con'fide** verwaand

cock'tail mengeldrankie, mengelsopie; ~ **t** kelkiekroeg; ~ **func'tion/recep'tion** skem onthaal; ~ **par'ty** skemerparty; ~ **stick** peus stokkie

cock'y verwaand, eiewys, hanerig *also* **rogant, concei'ted**

co'coa kakao

co'conut kokosneut; klapper; ~ **oil** klapperol

cocoon' papie, kokon

co'copan koekepan (mynkarretjie) *also* **truck**

od[1] (n) kabeljou (vis)

od[2] (n) (saad)peul

od'dle (v) vertroetel; verwen, bederf, piep *also* **pam'per**

de wetboek, kode; ~ *of ethics/conduct* ge= dragskode; ~ *of honour* erekode; (v) (en)= kodeer

'dex (n) **co'dices** kodeks; wetboek

d'fish kabeljou (vis) *also* **cod**

'dicil kodisil, toevoeging/toevoegsel (regsterm)

d'ling moth appelmot

d'-liver oil lewertraan, visolie *see* **cod**

educa'tion koëdukasie; ~*al school* koëdskool (leerders van albei geslagte)

effi'cient koëffisiënt (wisk.)

el'acanth selakant (oervis)

erce' (v) (af)dwing, forseer

er'cion (n) dwang

exist' gelyktydig bestaan; *peaceful* ~*ence* vreedsame naasbestaan

ff'ee koffie; boeretroos (omgangst.); ~ **bar** koffiekroeg; ~ **pot** koffiekan, koffieketel; ~ **strai'ner** koffiesakkie, koffiesif

ff'er kis, kas, (hut)koffer *also* **ca'bin trunk;** skatkis; ~**dam** kofferdam, afsluitdam

ff'in (n) dood(s)kis; *a nail in one's* ~ 'n spyker in iem. se dood(s)kis; (v) kis (in 'n dood(s)kis plaas); ~ **spots** (n) begrafnisblommetjies (kolle op oumenshande)

g (kam)rat, tand (van 'n wiel)

gent kragtig, oortuigend *also* **convin'cing, compel'ling** (view, argument)

gn'ac konjak, fransbrandewyn

g'nate verwant *also* **akin', al'lied**

g'nisance kennis, kennisname; *take* ~ *of* kennis neem (daar)van; kenteken; kenmerk

g'nitive bewussyns=, ken=, kognitief; ~ **devel'= opment** verstandelike ontwikkeling

g'wheel kamrat, tandrat

hab'it (v) saamwoon; ~**a'tion** (n) saamwoon (s); saambly(ery)

her'ent (a) samehangend, duidelik *also* **lu'cid, lo'gical**

he'sion (n) samehang, verband, kohesie; *lack of* ~ geen samehang/eensgesindheid nie

hort krygsbende, kohort (deel v. Romeinse legioen)

ffeur' haarkapper *also* **hair sty'list**

ffure' kapsel, haartooisel *also* **hair'do**

l (n) kronkeling; klos; rank (plant); (v) slinger; inmekaarkronkel; opdraai

n (n) muntstuk; (v) (aan)munt; versin; baie geld verdien; ~ *new words* nuwe woorde skep; ~**ed word** nuutskepping, neologisme *also* **neol'ogism;** ~**age** muntstelsel; kleingeld; ver= sinsel

ncide' ooreenkom; ooreenstem; saamval *also* **oncur'rent**

coin'cidence (n) toeval; *sheer* ~ blote toeval; ooreenstemming; sameloop

coin'er munter; valsmunter, (munt)swendelaar; uitvinder; skepper (van nuwe woord)

coin-laying cer'emony muntlegging (vir liefda= digheid)

coir klapperhaar *also* **co'conut fi'bre**

coke kooks (ontgaste steenkool)

colan'der vergiettes; melkdoek, sif(fie), gaatjies= bak *also* **strai'ner**

cold (n) koue; verkoue; *catch* ~ koue vat; (a) koud, koel; onverskillig; *in* ~ *blood* koelbloe= dig; ~ *comfort* skrale troos; *give the* ~ *shoulder* iem. die rug toekeer *also* **snub;** *get* ~ *feet* bang word; kleinkoppie trek; *throw* ~ *water on* iem. ontmoedig; ~~**bloo'ded** koudbloedig; koel= bloedig; ~~**hear'ted** onverskillig, ongevoelig; ~**ness** koudheid, koelheid; onverskilligheid; ~ **sweat** angssweet

col'ic koliek (maagkrampe)

collab'orate (v) saamwerk; heul (met vyand) *also* **conspire'**

collab'orator medewerker; medepligtige (by misdaad); meeloper, joiner (met vyand) *also* **trai'tor, turn'coat**

collage' (n) plakskildery, collage

collapse' (n) instorting; mislukking; (v) instort, inval; verslap; misluk; kollabeer (med.)

collap'sible opvoubaar

col'lar (n) boordjie; kraag; halsband; (v) vang; neertrek; ~**bone** sleutelbeen

collate' vergaar, rangskik, sorteer (velle papier); byeenbring

colla'teral sydelings; indirek; ewewydig; byko= mend, bykomstig; ~ **secu'rity** aanvullende sekuriteit (vir lening)

col'league kollega, ampsgenoot

collect' bymekaarmaak, versamel, vergaar; kol= lekteer; in; afhaal (briewe); ~ *money* geld insamel; ~ *oneself* jou beheers; ~ **call** kollekteeroproep; ~**ion** versameling; bloem= lesing (verse); kollekte; ~**ion box** kollekte= bus(sie); ~**ive** versamelend; versamel=, gemeenskaplik; ~*ive bargaining* kollektiewe bedinging; medebedinging; ~**or** versamelaar; ~**tor's item** versamelstuk, versamelitem

col'lege kollege; raad; ~ *of educa'tion* onder= wyskollege; **elec'toral** ~ kieskollege

collide' bots, teen mekaar stamp *also* **crash**

col'lie skaaphond, kollie

col'liery steenkoolmyn

colli'sion botsing; **head-on** ~ trompopbotsing, frontbotsing, kop-aan-kop-botsing

collo'quial alledaags, familiêr; ~ **lan'guage** gebruikstaal, omgangstaal *also* **vernac'ular**

collude' (v) heul, saamspan

collu'sion (n) saamspanning *also* **complic'ity**

co'lon[1] (:) dubbelpunt

co'lon[2] (n) dikderm, kolon

colonel (*pron.* **ker'nl**) kolonel

colo'nial (n) kolonis; kolonialer (persoon); (a) koloniaal

col'onise (v) koloniseer ('n kolonie ontwikkel)

col'onist nedersetter, kolonis

colonnade' suilery, suilegang (bouk.)

col'ony kolonie; nedersetting; wingewes; trop (wilde diere)

col'orature koloratuur (sangeres)

colos'sal (a) kolossaal, reusagtig, tamaai *also* **huge, immen'se, vast**

co'lour (n) kleur, tint; voorkoms; skyn; verf; aard; *change* ~ bleek word; *fast* ~*s* vaste kleure; *nail one's* ~*s to the mast* voet by stuk hou; *primary* ~*s* grondkleure; *show one's* ~ kleur beken; (v) verf; kleur; inkleur; bloos; bewimpel; **~-blind** kleurblind; **~ed** gekleur; ~*ed people* kleurlinge, kleurlingmense, bruin mense; **~ful** kleurryk; **~ing** kleur, kleursel; valse skyn; **~ing book** inkleurboek; **~ printing** kleurdruk(werk); **~ scheme** kleurskema; **~ slide** kleurskyfie

col'porteur kolporteur, verkoper van (godsdienstige) boeke

colt jong hings; jong perd; groentjie

col'umn kolom; kolonne; suil; ry; rubriek (koerant); *fifth* ~ vyfde kolonne (heimlike rebellegroep)

colos'trum (n) bies(melk) *also* **bees'tings**

co'ly muisvoël

co'ma koma; bedwelming; diep slaap

comb (n) kam; haarkam; top (golf); heuningkoek; (v) kam; kaard (wol)

com'bat (n) stryd, geveg *also* **bat'tle; ac'tion;** **~ jack'et** kamoefleerdrag; **single ~** tweegeveg; **~ troops** vegtroepe; **~ u'nit** gevegseenheid, taakmag; **~ ve'hicle** vegtuig; (v) beveg, opponeer

combina'tion verbinding, kombinasie, vereniging; (pl) hempbroek; **~ har'vester** stroper (graan)

combine' (n) vereniging; trust, sindikaat; stroper (graan); (v) verbind, verenig, kombineer *also* **amal'gamate, merge**

combus'tible (n) brandstof; (a) (ver)brandbaar; (ont)vlambaar *see* **(in)flam'mable**

combus'tion verbranding; *spontaneous* ~ self= verbranding; **slow ~ stove** smeulstoof

come kom, aankom; saamkom; ~ *of age* mondig word; ~ *along* saamgaan; ~ *to blows* handgemeen raak; ~ *to grief* verongeluk; ~ *in handy* te pas kom; ~ *inside* kom in/binne; ~ *to know* te wete kom; ~ *off* plaasvind; ~ *out with* voor die dag kom met; ~ *round* besoek; bewussyn herwin; ~ *true* waar word; ~ *in useful* te pas kom; *if the worst* ~*s to the worst* as die ergste gebeur

come'dian komediant, grapmaker *also* **clown, jes'ter, jo'ker**

com'edy (n) komedie, blyspel

come'ly (a) aanvallig, aantreklik (meisie); knap; gepas *also* **attrac'tive, hand'some**

com'et komeet, stertster

com'fort (n) troos; aanmoediging, bemoediging, gerief; steun, opbeuring; (v) troos, opvrolik, opbeur; **~able** gemaklik, gerieflik; aangenaam, behaaglik *also* **co'sy, snug; ~er** (ver)trooster fopspeen; **~ zone** gemaksone (bv. in vaste betrekking)

com'fy (infml.) (a) snoesig, knus; gesellig *also* **cudd'ly**

com'ic(al) grapperig, komieklik; komies; snaaks *also* **fun'ny, amu'sing**

com'ics/com'ic strips prent(e)verhaal, strokies prent, (lag)strokies

com'ing koms, aankoms; verskyning; **~ of age** mondigwording

com'ma (,) komma

command' (n) bevel, opdrag *also* **instruc'tion, brief;** *be in* ~ die bevel voer; (v) beveel gebied; beheers; aanvoer; beskik oor

commandant' kommandant, bevelvoerder

commandeer' (v) kommandeer *also* **requisi'tion** (army); oproep

comman'der bevelhebber; gesagvoerder; **~-in-chief (commanders-in-chief)** opperbevelhebber

command': **~ file** opdraglêer (rek.); **~ing** gebiedend; bevelvoerend; imposant, indrukwekkend beheersend; **~ing officer** bevelvoerende offisier; **~ line** opdragreël (rek.); **~ment** gebod bevel; *the Ten Commandments* die Tien Gebooie

comman'do kommando; kommandosoldaat

commem'orate (v) herdenk, gedenk, vier **commem'orative stamp** gedenkseël

commence' (v) begin, aanvang *also* **start, initiate; ~ment** (n) begin, aanvang

commend' aanbeveel; prys; opdra; **~able** loflik aanbevelenswaardig, prysenswaardig *also* **exem'plary, praisewor'thy; ~a'tio** huldigingswoord, commendatio *also* **cita'tion** ~**a'tion** aanprysing, eervolle vermelding

commen'surate eweredig, in dieselfde verhouding *also* **compar'able, compat'ible; ~ wi** eweredig/gelykmatig met/aan

com'ment (n) aanmerking, kritiek; kommentaar uitleg(ging); (v) uitlê, verklaar *also* **explain** ~ *on* kommentaar lewer oor/op; kommente oor; **~ary** kommentaar; **~a'tor** kommentator (veral sport); uitlêer, verklaarder

com'merce handel; verkeer; **cham'ber of** kamer van koophandel, sakekamer

commer'cial (n) handelsflits (radio, TV); adve tensie; (a) handels=, kommersieel; **~ ar'ti**

handelskunstenaar; ~ **bank** handelsbank; ~ **far'mer** gevestigde/kommersiële boer *see* **emer'ging far'mer**; ~ **law** handelsreg; kommersiële reg; ~ **trav'eller** handelsreisiger

commisera'tion roubeklag, medelye, bejammering, deernis

commis'sion (n) kommissie; opdrag *also* **man'date, mis'sion**; offisierspos; kommissieloon; (v) opdra, magtig; aanstel; ~**aire'** deurwagter, portier (hotel, teater); opsigter; ~**er** kommissaris, kommissielid; opsiener; ~**er of oaths** kommissaris van ede; **C~ for Administra'tion** Kommissie vir Administrasie; **High C~er** Hoë Kommissaris (dipl.)

commit' (v) bedryf, uitvoer; toevertrou, betrokke wees by; toewys; verbind/verbonde tot; ~ *to the care of* aan die sorg toevertrou van; ~*ted to change* verbind tot verandering; ~ *oneself to* jou verbind tot/toespits op; ~ *to memory* uit die hoof leer; ~ *murder* moord pleeg; ~ *for trial* ter strafsitting verwys; ~**ment** (n) verpligting; betrokkenheid; toewyding; verbondenheid (tot), verbintenis *also* **obliga'tion**

commit'tee komitee; *he serves on this* ~ hy dien in/op hierdie komitee

commode' laaitafel, laaikas; kommode (langs siekbed), steuntoilet

commo'dious (a) ruim, gerieflik *also* **spa'cious**

commod'ity gebruiksartikel, handelsartikel, kommoditeit; gerief; (pl) koopware, kommoditeite

com'mon (n) dorpsgrond, dorpsveld, meent; *have much in* ~ baie (in) gemeen hê (met mekaar); (a) gemeenskaplik; algemeen; gewoon; openbaar; gemeenslagtig; ordinêr, plat; platvloers, agterklas; ~**age** dorpsgrond, dorpsveld, meent; ~ **cold** gewone verkoue; ~ **law** gemene reg/gemenereg; ~**ly** gewoonlik, in die reël; ~**place** (n) gemeenplaas *also* **plat'itude**; (a) alledaags, gewoon; ~ **room** personeelkamer; ~ **sense** gesonde verstand; begrip *also* **sav'vy**; ~**wealth** statebond, gemenebes (van nasies)

commo'tion (n) beroering, opskudding, petalje, herrie, kabaal *also* **tumult', cla'mour**

m'mune[1] (n) gemeenskap; kommune

mmune'[2] (v) raadpleeg, bepraat; Nagmaal gebruik/vier

mmu'nicate (v) meedeel, kommunikeer; gemeenskap hou

mmunica'tion mededeling; verbinding; kommunikasiekunde, kommunikasieleer (as vak); *line of* ~ verbindingslinie, verbindingslyn; ~**s** verbindingsmiddele, mededelinge

mmu'nicative (a) spraaksaam *also* **artic'ulate**; kommunikatief, me(d)edeelsaam

mmu'nion (n) gemeenskap; omgang; kommunie; **Holy C~** Nagmaal

commu'niqué amptelike mededeling/berig, communique' *also* **(news) bul'letin**

Com'munism Kommunisme (politieke beleid); **Com'munist** Kommunis (partylid)

commu'nity gemeenskap *also* **socie'ty;** maatskappy; gemeente; ~ **cen'tre** gemeenskapsentrum; ~ **devel'opment** gemeenskapsbou, gemeenskapsontwikkeling; ~ **health** gemeenskapsgesondheid; ~ **ser'vice** gemeenskapsdiens

commute' pendel; kommuteer; verander, verwissel, verruil; afkoop; versag (vonnis); ~**r** pendelaar; ~**r train** pendeltrein, voorstedelike trein

com'pact[1] (n) verdrag, ooreenkoms *also* **treaty, agree'ment;** verbond *also* **alli'ance**

compact'[2] (v) saamdring, kompakteer *also* **condense';** aaneensluit; verkort *also* **abridge', shor'ten;** (a) dig; beknop; gedronge; stewig; kompak; ~ **disc** laserskyf, laserplaat, kompakskyf, CD; ~ **disc play'er** laserskyfspeler, CD-speler

compan'ion maat, metgesel; ~**ship** geselskap *also* **fel'lowship, com'radeship**

com'pany geselskap; maatskappy, kompanjie; firma; organisasie; bemanning; *keep* ~ *with* omgaan met; ~ **car** maatskappymotor, firmamotor; **hol'ding** ~ houermaatskappy; **subsi'diary** ~ filiaal(maatskappy); **the'atre** ~ toneelgeselskap

compar'ative vergelykend; betreklik; ~ **degree'** vergrotende trap

compare' (v) vergelyk; trappe van vergelyking gee; wedywer; *beyond* ~ onvergelyklik, sonder weerga; ~ *notes* bevindings vergelyk

compar'ison (n) vergelyking; *in* ~ *with* vergeleke met, in vergelyking met, teenoor

compart'ment afdeling *also* **sec'tion;** vak; koepee, kompartement (trein)

com'pass (n) omtrek; omvang; kompas; *pair of* ~*es* passer; *points of the* ~ windstreke; (v) omvat, omsluit; begryp; beraam

compas'sion (n) deernis, empatie, erbarming *also* **em'pathy;** ~**ate** (a) liefdevol *also* **char'itable, understan'ding;** ~*ate leave* deernisverlof

compat'ible (a) versoenbaar, verenigbaar; ruilbaar; ~ *with* versoenbaar met; **compatibi'lity** versoenbaarheid (rek.)

compat'riot landgenoot, volksgenoot

compeer' (n) gelyke, eweknie, portuur *also* **e'qual, match** (person); maat

compel' (v) dwing, verplig, forseer; noodsaak, noop

compen'dium uittreksel, kortbegrip, samevatting

com'pensate (v)vergoed, goed maak, kompenseer *also* **indem'nify, reimburse'**

compensa'tion (skade)vergoeding, kompensasie; skadeloosstelling

compete' (v) wedywer, meeding; kragte meet; kompeteer, konkurreer (in besigheid)

com'petence bevoegdheid, bekwaamheid, geskiktheid; regsbevoegdheid

com'petent (a) bevoeg, bekwaam; bedrewe, vaardig; geskik, gepas; regsbevoeg

competi'tion wedstryd, kragmeting, kompetisie; mededinging, wedywer(ing); prysvraag; konkurrensie (besighede)

compet'itive (a) mededingend *also* **ri'val, aggress'ive**

compet'itor mededinger *also* **ri'val** (person); deelnemer (aan wedstryd/wedloop)

compila'tion samestelling, kompilasie

compile' (v) saamstel, bymekaarmaak, kompileer; ~r samesteller, kompilator

compla'cent (a) (self)voldaan, selftevrede; vergenoeg *also* **conten'ted;** tevrede; inskiklik

complain' kla; beklaag; ~ant klaer *see* **plain'tiff;** eiser; ~er klaer

complaint' klag, klagte, aanklag; beskuldiging; kwaal, ongesteldheid; *lay/lodge a* ~ 'n klag indien; ~s box griewebussie, grommeltrommel

com'plement (n) aanvulling, byvoegsel, komplement; volle getal; (v) aanvul, byvoeg

complemen'tary aanvullend, aanvullings= *see* **complimen'tary**

complete' (v) voltooi, voltallig maak; invul, voltooi ('n vorm); aanvul; (a) volkome; volledig, kompleet

comple'tion voltooiing *also* **conclu'sion;** af= werking

com'plex (n) kompleks; obsessie; geheel, samestel; (a) saamgestel, ingewikkeld; *a* ~ *of houses/shops* 'n kompleks huise/winkels; ~ **sen'tence** saamgestelde sin

complex'ion gelaatskleur; voorkoms; aard

complex'ity ingewikkeldheid, kompleksiteit

compli'ance inskiklikheid, toegeeflikheid; ooreenstemming; *in ~ with* ooreenkomstig

compli'ant (a) inskiklik, toegewend, meegaande

com'plicate (v) ingewikkeld maak; verwikkel, kompliseer; ~d (a) ingewikkeld, gekompliseer(d)

complica'tion verwikkeling; komplikasie *also* **pro'blem, snag;** verwarring

compli'city medepligtigheid (by misdaad) *also* **collabora'tion**

com'pliment (n) kompliment, pluimpie; pligpleging; (pl) groete; *pay one's* ~s jou opwagting maak; *the* ~s *of the season* geseënde Kersfees en voorspoedige nuwe jaar; *with* ~s *of* (met) komplimente van; (v) komplimenteer, prys, loof; gelukwens

complimen'tary gratis, vry=; gelukwensend; wellewend, vleiend; ~ **ticket** komplimentêre/gratis kaartjie

comply' nakom; inwillig, toestem *also* **conform to;** ~ *with* voldoen aan

compo'nent (n) bestanddeel, ingrediënt; onde= deel; komponent; (a) samestellend

comport' (n) gedrag, houding; (v) gedra; oo= eenstem; ~**ment** handel(s)wyse, gedrag

compose' (v) saamstel; opstel; komponee= toonset (mus.); bylê; *tot rus bring;* ~d' kaln bedaard, ewewigtig *also* **calm, seda'te;** ~ komponis, toondigter (mus.); samestelle opsteller

com'posite saamgestel(d) *also* **combi'ned;** g meng

composi'tion opstel; komposisie; toonsettin (mus.); samestelling; skikking; collage

compos'itor vormopmaker; lettersetter (drul werk)

com'post (n) kompos, mengmis

compo'sure kalmte, besadigdheid; houding *al* **poise**

com'pote ingelegde/gestoofde vrugte

com'pound (n) samestelling; mengsel; mynho tel, kampong (hist.); (v) meng; verbind; ski 'n vergelyk tref; (a) samegestel(d); ~ **in'tere** saamgestelde rente; ~ **sen'tence** veelvoudig saamgestelde sin

comprehen'sion verstand, begrip *also* **concep tion, grasp;** bevatlikheid; omvang; ~ **te** begripstoets

comprehen'sive (veel)omvattend, uitgebrei bevatlik; ~ **insu'rance/pol'icy** omvatten versekering/polis

com'press[1] (n) kompres (vir pynverligting omslag, nat doek

compress'[2] (v) saamdruk, saampers; verdig; ~ **air** druklug, saamgeperste lug; ~**or** (n) kor pressor (masjien)

compres'sion samedrukking, kompressie

comprise' bevat, omvat, behels *also* **consist** insluit

com'promise (n) ooreenkoms; skikking, kor promis/kompromie; (v) skik, ooreenkor akkordeer; bylê

compul'sion dwang, geweld *also* **coer'cic pres'sure;** *under* ~ gedwonge

compul'sory gedwonge, verpligtend; ~ **educa tion** skoolplig, verpligte onderwys

compunc'tion (n) wroeging, gewetensknagir spyt, berou; *he cheats without* ~ hy kul/v neuk gewetenloos

computa'tion berekening

compute' bereken; uitreken; skat, (be)raam

compu'ter rekenaar; blikbrein (skerts.); ~**-aid design** rekenaargesteunde ontwerp; ~**-a ed/-assis'ted instruc'tion** rekenaargesteur onderrig; ~ **applica'tions technol'ogy** rel naartoepassingstegnologie (skoolvak) *a* **compu'-typing;** ~ **fraud** rekenaarbedrog;

game rekenaarspeletjie; **~ hard'ware** appara=
tuur, hardeware; **~ise** rekenariseer; **~ lit'erate**
rekenaarbedrewe, rekenaarvaardig; **~ print-
out** rekenaardrukstuk; **~ science** rekenaarwe=
tenskap(pe) *also* **informa'tion technol'ogy; ~
soft'ware** programmatuur, sagteware; **~
technol'ogy** rekenaartegnologie; **~ ter'minal**
rekenaarterminaal; **~ vi'rus** rekenaarvirus
om'rade maat, kameraad; comrade (SA) *also*
compat'riot; bud'dy, cro'ny; ~-in-arms wa=
penbroer
on[1] (n): *pros and ~s* voor- en nadele
on[2] (v) bedrieg, inloop; verneuk *see* **con'man**
on[3] (prep) teen, met; **~** *amore* met liefde
oncave' (a) konkaaf, hol *see* **convex'**
onceal' wegsteek, verberg; **~ed exit** verbor=
ge/versteekte uitgang (bordjie); bewimpel;
verswyg, geheim hou; **~ment** geheimhouding;
verberging; skuilplek *also* **hi'deaway'**
oncede' (v) toestem, toegee, inwillig; bes gee
onceit' (n) eiewaan, verwaandheid, trots; **~ed**
verwaand, eiewys, waanwys
oncei'vable (a) denkbaar, begryplik
onceive' (v) begryp, 'n denkbeeld vorm;
uitdink, opvat; swanger raak/word
on'centrate (n) kragvoer, pitkos (vir vee); (v)
konsentreer, saamtrek; **~** *on* konsentreer/
toespits op
oncentra'tion sametrekking, konsentrasie *also*
consolida'tion; ~ camp konsentrasiekamp
oncen'tric (a) konsentries, gelykpuntig
on'cept (n) denkbeeld, begrip; persepsie; kon=
sep, ontwerp
oncep'tion voorstelling, persepsie, begrip; be=
vrugting; ontvangenis; *the Immaculate C~* die
Onbevlekte Ontvangenis
oncern' (n) besigheid; (sake)onderneming;
organisasie; belang; deelneming, besorgdheid;
saak, aangeleentheid; *of no ~* van min belang;
(of) no ~ of yours dit gaan jou nie aan nie, dit
traak jou nie; *it is his own ~* dis sy (eie) saak;
(v) betref, aangaan, geld; raak; **~ed** besorg;
betrokke; **~ing** aangaande, betreffende, ra=
kende, met betrekking tot *also* **regar'ding,
with ref'erence to**
n'cert[1] (n) konsert; ooreenstemming *also*
agree'ment
ncert[2] (v) beraadslaag; ooreenkom, skik; **~ed**
gesamentlik; beraam; geskik; **~ed action**
gesamentlike optrede
ncerti'na (n) konsertina; donkielong, krismis=
wurm (skerts.)
n'cert mas'ter konsertmeester; leier van
(simfonie)orkes
nces'sion (n) toegewing, inwilliging *also*
assent'; grant (n), **per'mit** (n); konsessie;
oktrooi *also* **char'ter;** franchise; **~aire'** kon=
sessionaris; **~ tick'et** konsessiekaartjie

concilia'tion versoening, konsiliasie *also*
pacifica'tion; ~ policy paaibeleid (politiek)
conci'liator bemiddelaar *also* **me'diator** (per=
son)
concise' kort, bondig, beknop, saaklik *also* **brief,
succint'; ~ dic'tionary** beknopte woordeboek
conclave' geheime vergadering, konklaaf; *in
secret* **~** in geheime sitting
conclude' besluit, beslis; aflei; sluit; **~d** geëindig;
beslis; *to be ~d* slot volg
conclu'sion besluit; gevolgtrekking, afleiding
also **deduc'tion;** afloop, end; *in* **~** ten slotte;
jump to ~s oorhaastige/voorbarige gevolgtrek=
kings maak
conclu'sive (a) oortuigend, beslissend *also*
convin'cing; ~ *evidence/proof* afdoende ge=
tuienis/bewys
concoct' beraam; smee (planne); knutsel; versin;
brou; saamkook; **~ion** fabrikasie, maaksel;
versinsel, verdigsel; brousel, konkoksie
con'cord (n) eendrag; ooreenstemming, harmo=
nie; (v) ooreenkom
concor'dance ooreenstemming; konkordansie
(van Bybel)
con'course (n) versamelplek; wandelgang; saal;
sameloop; menigte
con'crete (n) beton; **reinfor'ced ~** gewapende
beton; (a) konkreet, vas; kompak; **~ num'ber**
benoemde getal
con'cubine (n) bywyf, houvrou *also* **par'amour**
concur' (v) saamkom; ooreenkom *also*
coincide'; ooreenstem, instem; **~rence** instem=
ming; ooreenkoms; **~rent** (a) samevallend;
gelyktydig, gelyklopend *also* **simulta'neous;**
saamlopend (meetk.)
concus'sion skok, botsing, skudding; **~** *of the
brain* harsingskudding
condemn' (v) veroordeel, afkeur; berispe; **~a'=
tion** veroordeling; verwerping, afkeuring; **~ed'**
(n) veroordeelde (persoon); (a) skuldig, ver=
oordeel
condensa'tion kondensasie; verdigting; verdik=
king; saampersing
condense' kondenseer, verdik; saampers; saam=
vat (los data); **~d milk** blikkiesmelk, kondens=
melk
condescend' (v) verwerdig, inlaat met, neerbuig;
~ing (a) neerbuigend; *~ing attitude* meerder=
waardige houding; vermakerig wees (teenoor
iem.)
con'diment (n) kruiery/kruidery, spesery
condi'tion (n) voorwaarde; bepaling; toestand;
kondisie (fisies); (v) bepaal; voorwaardes
stel/maak; vet maak (slagbees); *on terms and
~s* onder bepalings en voorwaardes; *~s of
service* diensvoorwaardes; **~al** voorwaardelik,
kondisioneel
condole' (v) saamtreur, beklaag, kondoleer; **~nce**

roubeklag, deelneming; *letter of* ~*nce* brief van deelneming/roubeklag

con'dom (n) kondoom

condona'tion kwytskelding (van druip in eksa= men); vergifnis

condone' vergewe/vergeef, kwytskeld *also* **par'= don, overlook'**; kondoneer, begenadig

con'dor kondor (Andes-roofvoël)

conduce' lei, strek (tot); bydra tot

condu'cive bevorderlik, dienstig; ~ *to* bevorder= lik vir/tot

con'duct (n) gedrag; houding; handel(s)wyse; geleide; *safe* ~ vrygeleide

conduct' (v) lei, aanvoer; bestuur; gedra; afneem (eksamen); ~ *an interview* 'n onderhoud lei/voer; ~*ed tour* (be)geleide toer, gidstoer; rondleiding; ~**ion** geleiding (elektr.); ~**or** geleier, geleidraad (elektr.); kondukteur (trein); weerligafleier; bestuurder; orkesleier, dirigent (orkes)

con'duit geleibuis (vir elektr. bedrading); water= leiding

cone keël, kegel, konus; dennebol; ~**-sha'ped** keëlvormig, kegelvormig

confec'tion suikergoed, lekkergoed; banket; klaar= gemaakte kledingstuk; ~**er** banketbakker, koek= bakker; ~**ery** soetgebak, suikergoed; banket

confed'erate (n) bondgenoot *also* **al'ly, accom'= plice;** (a) verbonde

confedera'tion (n) konfederasie, verbond

confer' (v) beraadslaag, oorleg pleeg, same= spreking(s) voer *also* **deli'berate;** verleen, toeken; vergelyk; ~ *a degree* 'n graad toeken (universiteit, technikon)

con'ference konferensie, kongres, byeenkoms; beraadslaging, samespreking(s); onderhoud

confess' (v) bely, bieg; erken *also* **admit', own up;** ~ *sins* sonde bely; ~**ion** belydenis; erkentenis; ~*ional poetry* biegpoësie, belyde= nisverse; ~*ion of faith* geloofsbelydenis; ~**or** biegvader

confet'ti confetti/konfetti; (bruid)strooisel

confidant' vertroueling, vertroude (persoon)

confide' vertrou, toevertrou; (op)bieg *also* **reveal', divulge'**

con'fidence vertroue; geloof, sekerheid; oormoe= digheid; *told in* ~ in vertroue gesê; ~ **trick'ster** vertroueswendelaar, kulkalant *also* **con'man** *see* **con** (v)

con'fident (a) vol vertroue, hoopvol, seker, oortuig *also* **convin'ced;** *I am* ~ *that* ek is oortuig dat; hoopvol

confiden'tial vertroulik, konfidensieel; geheim; *strictly* ~ streng vertroulik

configura'tion opstelling (rek.)

con'fine (n) grens; oorgang; (pl) grense; (v) begrens, beperk; opsluit; ~ *oneself to* be= paal/beperk jou tot

confined' beperk, beknop; eng; aangehou (deu polisie) *also* **detai'ned;** *be* ~ 'n bevalling h (kraam); ~ *to one's house* onder huisarres

confine'ment (n) beperking; bevalling, kraan (kindergeboorte); aanhouding, arres(tasie) gevangenskap

confirm' (v) bevestig, bekragtig; versterk; aan neem (kerklidmaat); ~**a'tion** bevestiging, be kragtiging; aanneming (in kerk), boerematrie (skerts.); ~**ative** bevestigend

confirmed' beslis; verstok; ~ *bachelor* verstokt oujongkêrel; ~ *drunkard* ewige suiplap

con'fiscate (v) beslag lê op, verbeurd verklaa *also* **attach, seize** (legal)

conflagra'tion groot brand; ontbranding

con'flict (n) konflik, geskil *also* **discord';** bot sing, stryd; (v) bots, stry, worstel; ~**ing** (a teenstrydig; ~*ing interests* strydige/botsend belange

con'fluence sameloop, samevloeiing (van riviere

conform' (v) vorm/skik na *also* **comply'** (with har'monise;** aanpas by; instem met; konfor meer; ~**a'tion** vorm, bou, aard; ooreenstem ming, aanpassing; ~**ist** konformis *als* **yes-man; tradi'tionalist**

confor'mity gelykvormigheid, gelykheid; oo eenkoms; *in* ~/*agreement with* ooreenkomsti

confound' (v) verwar; verleë maak; beskaan skaam maak; ~ *it!* verbrands!; ~**ed** (a verward, vervloek; (interj) deksels!; verdom (vulg.)

confront' teenoor staan, die hoof bied; konfro teer; vergelyk; ~**a'tion** konfrontasie *als* **show'down**

confuse' (v) verwar, verbyster, verleë maak; ~ verwar(d); in 'n dwaal; deurmekaar

confu'sion verwarring *also* **bewil'derment;** *tot* ~ deurmekaarspul, volslae warboel

congeal' stol; (be)vries

conge'nial verwant; simpatiek; passend *als* **agree'able;** ~ *spirit* geesverwant

congen'ital aangebore, van nature, erflik, oo geërf *also* **in'born, inher'ent**

con'ger (eel) seepaling

congest' (v) ophoop; saamdring; ~**ion** (ophoping, kongestie; goor (maag); **traff** ~**ion** verkeersdrukte, verkeersknoop

conglom'erate (n) konglomeraat (van besi hede); (v) konglomereer; versamel, opee hoop; (a) saamgepak *also* **clus'tered**

conglomera'tion samepakking, ophoping, ko glomerasie, massa

congrat'ulate (v) gelukwens, felisiteer *al* **feli'citate**

congratula'tion gelukwensing; ~**s!** veels gelu *also: many happy returns* (on birthday)

con'gregate (v) vergader, bymekaarkom, b eenkom; versamel

ngrega'tion gemeente (v. kerk); vergadering; versameling; **~al** gemeentelik *also* **paro'chial**

n'gress kongres, konferensie; byeenkoms *also* **con'ference, conven'tion**

n'gruent/con'gruous ooreenstemmend, kongruent, passend, gepas

n'ic(al) keëlvormig/kegelvormig, konies; **~ section** keëlsnee/kegelsnee

n'ifer naaldboom (denneboom)

ni'ferous boldraend, keëldraend; **~ for'est** naaldbos, dennebos

njec'ture (n) vermoede, veronderstelling, gissing *also* **assump'tion; hypoth'esis;** (v) vernoed, veronderstel, gis

njoin' saamvoeg; verbind; aaneensluit; **~tly** gesamentlik, tesame

n'jugal (a) egtelik, huweliks= *also* **bri'dal; ~ bliss/hap'piness** huweliksgeluk; **~ rights** huweliksregte

n'jugate (v) vervoeg (gram.), saamvloei; (a) verwant

njuga'tion vervoeging; verbinding; sameloeiing

njunc'tion verbinding, vereniging; voegwoord (gram.), sameloop; *in ~ with* in oorleg/samewerking met

njunc'tive (n) aanvoegende wys (gram.); (a) verbindend; aanvoegend, konjunktief (gram.)

njunc'ture sameloop (omstandighede); krisis; tydsgewrig

n'jure besweer; toor, goël; *~ away* wegtoor; *a name to ~ with* 'n naam wat wonders kan verrig; *~ up* oproep *also* **evoke', contrive'**

n'jurer kulkunstenaar, goëlaar *also* **magi'cian**

n'juring (n) toorkuns, goëlkuns, kulkuns

n'man swendelaar, kulkalant, skelmverneuker *also* **swind'ler, con'fidence trick'ster**

nnect' verbind, konnekteer (ook rek.); aansluit; skakel; **~ed'** verbonde; aaneengeskakel; *well ~ed person* iem. van goeie familie/met waardevolle verbintenisse; **~ing flight** aansluitvlug

nnec'tion verbinding; verbintenis; aansluiting; samehang, verband; konneksie (ook rek.); familieband(e); *in ~ with* in verband met; *in this ~* in hierdie verband; **~ charge/fee** aansluitgeld (elektr.)

ni'vance (n) oogluikende toelating *also* **tac'it onsent; collu'sion**

nive' (v) oogluikend toelaat, deur die vingers sien *also: turn a blind eye*

nnoisseur' kenner (bv. van kos, wyn); fynroewer, connoisseur

nnota'tion (n) bybetekenis, konnotasie; geoelswaarde (van woord)

'quer (v) oorwin, seëvier; verower *also* **efeat';** seize

'queror oorwinnaar, veroweraar

con'quest oorwinning *also* **vic'tory;** verowering *also* **annexa'tion;** onderwerping

con'science (n) gewete; *clear ~* skoon gewete; *guilty ~* skuldige gewete; *speak one's ~* jou hart uitpraat; **~ clause** gewetensklousule; **~ money** gewetensgeld

conscien'tious nougeset, konsensieus, pligsgetrou *also* **di'ligent, meti'culous; ~ objec'tor** diensweieraar, gewetensbeswaarde, godsdiensbeswaarde (teen mil. diensplig)

con'scious bewus; *~ of* bewus van; **~ness** bewustheid, bewussyn; *regain ~ness* bykom, bewussyn herwin

con'script (v) opkommandeer; (a) ingeskrewe; dienspligtig (mil.)

conscrip'tion konskripsie, diensplig (mil.); inskrywing

con'secrate (v) wy, inseën *also* **ordain';** heilig *also* **sanc'tify;** (a) geheilig

consecra'tion wyding, inseëning

consec'utive opeenvolgend, gereeld, volgend; **~ly** agtereenvolgend, opeenvolgend; **~ num'ber** volgnommer

consen'sus eenstemmigheid; ooreenstemming, akkoord, konsensus; meerderheidstandpunt

consent' (n) toestemming, inwilliging; *by common ~* eenparig; *give ~* toestem; (v) toestem, inwillig *also* **agree', approve'**

con'sequence (n) gevolg, uitwerking; belang; gewig; gevolgtrekking; *in ~ of* as gevolg van, ten gevolge van; weens; *of little ~* van min betekenis; *take the ~s* die gevolge dra

con'sequent (n) gevolg; sluitterm (wisk.); (a) logies; gevolglik; (adv) gevolglik

conser'vancy (n) bewarea/bewaararea; natuurreservaat

conserva'tion behoud, bewaring; **na'ture ~** natuurbewaring; **~ist** natuurbewaarder, bewaringskundige

conser'vatism (n) konserwatisme, behoudendheid

conser'vative (n) konserwatiewe persoon; preserveermiddel; (a) konserwatief, behoudend

conser'vatoire musiekskool, konservatorium

conser'vatory konservatorium, musiekskool; broeikas, kweekhuis; glashuis

conserve' (n, pl) ingelegde vrugte; (v) bewaar

consi'der (v) oorweeg, beredeneer; beskou, in aanmerking neem *also* **con'template, reflect';** beloon, vergoed

consi'derable (a) aanmerklik, aansienlik *also* **am'ple;** beduidend; *~ efforts* groot moeite

consi'derate (a) bedagsaam; sorgvuldig; omsigtig; oorwoë *also* **mind'ful, atten'tive**

considera'tion oorweging; bedenking; teenprestasie; vergoeding, beloning *also* **gratu'ity** (for services, e.g. by waiter); sorgsaamheid, bedagsaamheid; *in ~ of* as vergoeding/teenprestasie; *take into ~* in aanmerking neem

consi'dering: ~ *the consequences* met inagne=
ming van die gevolge

consign' oordra; toestuur; oorstuur; versend; **~ee'**
geadresseerde; agent; **~ment** besending; la=
ding; **~ment note** vragbrief; **~or** versender,
afsender *also* **sen'der**

consist' bestaan; bestaanbaar wees met, saam=
gaan; ~ *of* bestaan uit; **~ence/~ency** stewig=
heid; ooreenstemming; volharding

consist'ent (a) duursaam, bestendig, koersvas,
konsekwent *also* **depen'dable, compat'ible;**
vastheid, ~ *with* verenigbaar met; *she plays a*
~ *game* sy speel bestendig

consola'tion troos, vertroosting; **~/boo'by prize**
troosprys, boebieprys

console'[1] (n) konsole; kommode; steuntoilet;
steunstuk, konsool(motor); draagarm

console'[2] (v) troos, vertroos, bemoedig

consol'idate (v) konsolideer; verenig; verstewig,
versterk

consolida'tion konsolidasie; samesmelting *also*
amal'gamation; verdigting; versterking

con'sonant (n) medeklinker, konsonant; (a)
ooreenkomstig; gelykluidend; welluidend

con'sort[1] (n) gemaal/gemalin (van koning/
koningin); gade *also* **part'ner;** metgesel

consort'[2] (v) omgaan met; saamlewe; klaarkom
met; ooreenstem

consor'tium konsortium; sindikaat *also* **bus'i=
ness group**

conspi'cuous opsigtig; ooglopend *also* **ob'vious;**
be ~ *by one's absence* skitter deur jou
afwesigheid; *make oneself* ~ jou belaglik
maak

conspi'racy sameswering, komplot *also* **plot;** ~
of silence doodswygkomplot

conspi'rator samesweerder, kuiper

conspire' (v) saamsweer, saamspan, 'n komplot
smee *also* **plot, scheme, manoeu'vre**

con'stable konstabel, polisiebeampte; polies=
(man) (omgangst.); geregsdienaar

con'stancy standvastigheid, volharding; trou;
bestendigheid

con'stant (n) konstante (s); (a) standvastig;
konstant; onveranderlik; getrou; aanhoudend

con'stantly voortdurend, onafgebroke *also*
inces'santly, end'lessly

constella'tion sterrebeeld; konstellasie; ~ *of
states* konstellasie van state

consterna'tion ontsteltenis, verslaen(t)heid, kon=
sternasie *also* **pan'ic, trepida'tion**

con'stipate (v) verstop, hardlywig maak; **~d** (a)
hardlywig *also* **cos'tive**

constipa'tion (n) hardlywigheid, konstipasie

consti'tuency kiesafdeling; kiesers

consti'tuent (n) kieser; wesenlike bestanddeel;
komponent; lasgewer; (a) samestellend; ~ **part**
bestanddeel, onderdeel *also* **ingre'dient**

con'stitute (v) saamstel; vorm, konstitueer *al*
estab'lish; benoem

constitu'tion samestelling; grondwet, konstitus
(van 'n land), grondreëls (van 'n klub/veren
ging); gestel, liggaamsgesteldheid

constitu'tional grondwetlik, konstitusioneel; **C**
Assem'bly (CA) Grondwetgewende Verg
dering (GV); **C~ Court** Konstitusionele
Grondwetlike Hof; ~ **devel'opment** gron
wetlike ontwikkeling

constrain' dwing; afdwing; noodsaak; beper
druk *also* **urge, pres'surise**

constraint' dwang; beperking *also* **restric'tion**

constrict' (v) saamtrek, saamdruk; inperk; ~i
sametrekking; beklemming; engheid; ~
sluitspier; luislang

construct' (v) bou, oprig, konstrueer, aanl
saamstel; **~ion** samestelling; bou; inrigtin
konstruksie; uitleg; sinsbou (gram.); **~ion**
konstruksie=; **~ive** opbouend (kritiek)

construe' (v) verklaar, uitlê, ontleed *also* **inte**
pret, an'alyse; vertaal

con'sul konsul; **~ar** konsulêr; **~ate** konsulaat

consult' (v) beraadslaging, raadpleging; (
raadpleeg; beraadslaag, oorleg pleeg; **~a'ti**
raadpleging, konsultasie *see* **coun'celling;** ~
raadgewer; **~ing** (n) raadpleging; (a) raadp
gend; raadgewend; **~ing engineer'** raadg
wende ingenieur, konsultingenieur; **~i**
hours spreekure; **~ing room(s)** spreekkame

consume' (v) verteer, verbruik, opgebrui
deurbring; uitput

consu'mer verbruiker, konsument; **~ism** verbr
kerisme; ~ **friend'ly** verbruikersvriendelik;
goods verbruiksgoedere; ~ **price in'dex** v
bruikersprysindeks; ~ **spen'ding** verbruiker(
besteding, verbruiksbesteding; ~ **stu'di**
verbruikerstudies (skoolvak) *also* **hor**
econom'ics

con'summate (v) voltrek, volvoer (huweli
vervolmaak, vervul *also* **achieve', conclu'e**
perfect'; (a) volkome, voltrek, voltooid *al*
accom'plished

consumma'tion (n) voltooiing; vervulling, v
trekking, volvoering (van huwelik); eine
einddoel, toppunt

consump'tion (n) verbruik; tering, uitteri
(siekte)

consump'tive (n) teringlyer, longlyer; (a) terin
agtig; verterend

con'tact (n) aanraking, voeling, kontak; *in ~ w*
in aanraking/kontak met; *make* ~ kont
maak; ontmoet; ~ *the manufacturer* verw
na/kontak die vervaardiger/fabrikant; ~ **le**
ses kontaklense; (v) ~ *s.o.* iem. nader/konta

conta'gious besmetlik (deur aanraking) *a*
transmis'sible; aansteeklik *also* **infec'tious**

contain' bevat, insluit, behels; inhou; bedwi

in toom hou; **~er** houer; krat; blik, boks; fles;
laaikis; vraghouer (vervoer); **~er freight**
houervragvervoer; **~er ves'sel** houerskip;
~erisa'tion behouering, houerverpakking;
houervrag; **~erise** (v) behouer

ntam'inate besoedel, bevlek, besmet, konta=
mineer *also* **pollute', befoul'**

ntamina'tion besoedeling, bevlekking, be=
smetting, kontaminasie *also* **pollu'tion**

n'template beskou; bepeins; aanskou; dink
oor; verwag; van plan wees *also* **plan, consi'=
der, pon'der**

ntempla'tion beskouing; bespiegeling, nabe=
tragting; oorweging *also* **considera'tion;** oor=
denking *also* **medita'tion**

ntem'porary (n) tydgenoot (persoon); (a)
gelyktydig; hedendaags; tydgenootlik; eietyds,
bydertyds, kontemporêr; byderwets

ntempt' (n) veragting, minagting; *beneath ~*
benede kritiek; *~ of court* minagting v. d. hof;
hold in ~ verag, minag; **~ible** veragtelik;
~uous minagtend, smalend *also* **deris'ive**

ntend' (v) betwis, bestry; beweer *also* **claim,
dispute';** **~er** aanspraakmaker (op 'n titel)

a'tent[1] (n) inhoud; inhoudsmaat (dam)

atent'[2] (n) voldaanheid, tevredenheid; *to one's
heart's ~* na hartelus; (v) bevredig, tevrede
stel; **~(ed)** (a) tevrede, voldaan, vergenoeg
also **sat'isfied, grat'ified**

aten'tion stryd, twis; naywer *also* **dis'cord,**
bewering, kontensie

aten'tious (a) omstrede ('n boek, film), kon=
ensieus, betwisbaar *also* **controver'sial**

a'tents inhoud; omvang; **ta'ble of ~** inhoud(s=
opgawe)

a'test (n) wedstryd, kragmeting *also* **match,
est, fight** (boxing), **tri'al;** twis; stryd; (v)
betwis, bestry; wedywer; kragte meet *also*
compe'te; *~ a seat* 'n setel betwis; **~ant**
deelnemer, mededinger; **~ed** bestrede

a'text (n) samehang; verband, konteks *also*
connec'tion, frame'work;** **~ual** kontekstueel

a'tinence/con'tinency matigheid, onthouding
van drank); kuisheid

a'tinent[1] (n) vasteland, kontinent

a'tinent[2] (a) matig, onthoudend; kuis

atinen'tal kontinentaal, vastelands=; **~ break'=**
ast kontinentale/ligte ontbyt; **~ shelf** vaste=
andsplat

atin'gency (n) gebeurlikheid, toevalligheid;
nvoorsiene uitgawe; **~ fund** gebeurlikheids=
onds; **~ plan** gebeurlikheidsplan

tin'gent (n) gebeurlikheid; toevallige gebeur=
enis; afdeling, kontingent (soldate); (a) ge=
eurlik, toevallig; voorwaardelik; **~ liabi'lity**
oorwaardelike aanspreeklikheid

ti'nual (a) aanhoudend, onafgebroke, onop=
oudelik *also* **ever'lasting, end'less**

continua'tion voortsetting; vervolg; voortduring;
verlenging *also* **exten'sion**

continue' voortsit; aanhou; volhard; vervolg;
verleng, verdaag; *to be ~d* word vervolg; *~d
interest* volgehoue belangstelling; *~d support*
volgehoue steun

conti'nuing: *~/ongoing education* voortgesette
onderwys/onderrig; *~ violence* voortslepende
geweld; *the faction fights are ~* die faksiege=
vegte duur voort

continu'ity (n) samehang, bestendigheid, konti=
nuïteit, onafgebrokenheid

conti'nuous (a) onverpoos, deurlopend, voort=
durend

contort' verdraai, verwring; **~ion** verwringing;
~ionist' ontsnapkunstenaar

con'tour omtrek; hoogtelyn; kontoer; **~ lines**
hoogtelyne, grenslyne; **~ map** hoogte(lyn)=
kaart, kontoerkaart

con'tra teen, teenoorgestel(d), kontra/contra

con'traband smokkelware, kontraband(e);
smokkelhandel *also* **boot'legging, traf'ficking**

con'trabass kontrabas (strykinstrument)

contracep'tive voorbehoedmiddel; **~ pill** voor=
behoedpil

con'tract[1] (n) ooreenkoms, kontrak; verdrag;
verbintenis; **breach/violation of ~** kontrak=
breuk

contract'[2] (v) inkrimp, saamtrek; aanneem;
verkort; *~ a disease* 'n siekte kry/opdoen; *~
a marriage* 'n huwelik aangaan; *~ out*
uitkontrakteer *also* **out'source** (v); **~ile** saam=
trekkend; krimpbaar; **~ion** sametrekking *also*
shrink'age; sluiting; verkorting; **~or** kontrak=
teur, kontraktant; aannemer; leweransier

contradict' (v) weerspreek, weerlê *also* **coun'=
ter, dispu'te;** **~ion** teenspraak, teëpratery;
teenstrydigheid; weerspreking; **~ory** teenstry=
dig, ontkennend

contral'to alt, contralto (sangeres)

contrap'tion toestel, uitvindsel; kontrepsie, ka=
toeter (omgangst.) *also* **contri'vance, gad'get**

contrar'iwise (a) daarteenoor, inteendeel; eie=
wys, dwarstrekkerig (persoon)

con'trary (n) teendeel, teenstelling; (a) moeilik,
dwarstrekkerig *also* **cantan'kerous** (person);
on the ~ inteendeel; *~ to* in stryd met; strydig
met; (a) teenoorgesteld, strydig; koppig,
eiesinnig, dwars (persoon); **~ wind** teenwind

con'trast (n) teenstelling, kontras *also* **dispar'=
ity;** (v) teenstel; afsteek by; kontrasteer,
teenoor stel; verskil; **~ing col'our** kontraskleur

contravene' (v) oortree (die wet) *also* **tres'pass;**
teëwerk, indruis teen

contraven'tion oortreding; teenstand; *in ~ of*
strydig met, in stryd met

contrib'ute bydra *also* **dona'te; spon'sor;** be=
vorder; meewerk

contribu'tion bydrae, inset; kontribusie

contrib'utor medewerker (aan 'n projek); by= draer, skenker *also* **do'nor, pa'tron;** insender

contri'vance uitvindsel; lis; versinsel, kunsgreep *also* **ar'tifice; gim'mick**

contrive' (v) bedink, beraam; versin; prakseer; **~d** bedag, gesog *also* **plot'ted, fab'ricated**

control' (n) bestuur; beheer, kontrole; mag; be= perking; *out of* ~ buite beheer, handuit; *under* ~ onder beheer; in bedwang; (v) in bedwang hou; beheer, beteuel; kontroleer, monitor/moniteer; nagaan; tjek (omgangst.); **~lable** bedwingbaar; bestuurbaar; **~ler** beheervoerder, kontroleur; opsigter, **~ling** beherend; **~ling bo'dy** bestuurs= raad, beheerliggaam; **~ling com'pany** beheer= maatskappy ~ **pan'el** beheerpaneel

controver'sial (a) omstrede, tendensieus, kon= troversieel; polemies, aanvegbaar *also* **con= ten'tious;** ~ *book* omstrede boek

con'troversy (n) geskil, dispuut; twispunt, stryd= punt; polemiek

contu'sion kneusing, kneusplek

conun'drum (n) raaisel, strikvraag

convalesce' (v) herstel, aansterk, beter word (na siekte)

convales'cent (n) herstellende sieke (persoon); (a) genesend *also* **recu'perating;** ~ **home'** hersteloord; ~ **leave'** aansterkverlof

convene' (v) saamroep, oproep, belê; *notice convening the meeting* byeenroepende kennis= gewing; **~r** sameroeper

conve'nience gemak, gerieflikheid; geskiktheid; *at your earliest* ~ sodra dit u pas; *for the sake of* ~ geriefshalwe

conve'nient (a) gemaklik; geskik; gerieflik *also* **com'fortable, sui'table;** geleë (tyd); byder= hand

con'vent klooster; nonneklooster *also* **nun'nery**

conven'tion byeenkoms, kongres, konvensie *also* **con'gress, con'ference;** gebruik *also* **cus'tom, tradi'tion;** ~**al** gebruiklik, konven= sioneel *also* **cus'tomary**

converge' (v) ineenloop; mekaar nader (lyne); **~nce** sameloping; samevloeiing

conver'sant bekend/vertroud met *also* **fami'liar** (with); bedrewe *also* **skil'led, profi'cient**

conversa'tion gesprek; samespreking *also* **talk(s);** ~**al** onderhoudend, spraaksaam, ge= sellig

converse'[1] (v) gesels; omgaan met, verkeer

con'verse[2] (a) teenoorgestelde, omgekeerde *also* **con'trary;** ~**ly** omgekeerd, daarteenoor

conver'sion omkering *also* **transforma'tion;** bekering; omsetting; herleiding; omrekening; omskakeling; doelskop (rugby)

con'vert (n) bekeerling, bekeerde (persoon)

convert' (v) bekeer (godsdiens); omkeer; ~ *a try* 'n drie verdoel (rugby); **~er** (n) omsetter

convex' (a) konveks, bolrond *see* **concave'**

convey' (v) vervoer, oordra, oorbring; meede= transporteer; **~ance** vervoer; rytuig; oordr (van regsdokumente); transport; **~ancer** ak vervaardiger, transportbesorger (prokureu **~er belt** (ver)voerband

con'vict (n) gevangene, prisonier; (v) vonn veroordeel *also* **sen'tence** (in court); *a* ~ *rapist* 'n veroordeelde verkragter

convic'tion skuldigbevinding; skuldigverklari oortuiging; *the courage of your* ~*s* die mo van jou oortuiging

convince' (v) oortuig *also* **persuade';** ~ *s.o.* ie oortuig/oorreed

convin'cing oortuigend; ~ *arguments/reasoni* oortuigende redenasie/beredenering

convi'vial vrolik; (a) feestelik, gesellig

convivial'ity (n) feestelikheid; vrolikheid *a* **mer'rymaking, festi'vity**

convoca'tion sameroeping; konvokasie (univ siteit, technikon); byeenkoms

con'voy (n) konvooi, geleide *also* (**arme es'cort;** (v) begelei *also* **accom'pany, esco**

convulse' (v) krampagtig saamtrek; stuiptrek

convul'sion (n) struiptrekking; (pl) stuipe

con'y (n) **conies** das(sie); konyn (as pels)

coo (v) koer, kir (duif)

cook (n) kok; (v) kook; ~ *the books* die boel syfers kook/vervals/manipuleer; **~ed flo** meelbol; **~er hood** dampkas *also* **va'po extrac'tor; ~ery** kookkuns, kokery; **~ery b** kookboek; resepteboek; **~ing shel'ter** ko skerm; **cook'ware/~ing uten'sils** kookgerei

coo'kie (n) koekie (internet); beskuitjie, koek

cool[1] (n) koelte; (v) afkoel; bedaar; ~ *it, Jo* koel af, Jan!; bedaar asseblief, Jan!; ~ *a ho* 'n perd koudlei; (a) koel; kalm, bedaa onverskillig; onbeskaam, astrant; ~ **bag** kc sak; ~ **box** koelboks; **~drink** koeldrank *a* **soft/cold drink; ~-headed** nugter, bedaa **~ing to'wer** koeltoring; **~er** (n) koell (sportoortreders) *also* **sin bin**

cool[2] (a) lekker, gaaf, bak(gat), piekfyn, ko water *also* **smart, tops;** *she spent a* ~ *R1* (*on those designer jeans* sy het doodluit R1 000 op daardie ontwerpersjeans gespa deer

coon car'nival Kaapse klopse *also* **Cape mi strels**

coop (n) fuik; hoenderhok; (v) opsluit; ~ kuiper, vatmaker (vir wyn)

coop'erate/co-op'erate (v) saamwerk, koö reer/ko-opereer

coopera'tion/co-opera'tion (n) samewerki koöperasie/ko-operasie

coop'erative/co-op'erative (n): ~ **socie'ty** koö rasie/ko-operasie; (a) samewerkend, koöpe tief/ko-operatief

opt′/co-opt′ byvoeg, koöpteer/ko-opteer (tot medelid verkies)

or′dinate/co-or′dinate (n) koördinaat; (v) in ooreenstemming bring; koördineer/ko-ordineer; (a) van dieselfde orde of mag, newegeskik

ordina′tion/co-ordina′tion koördinasie/ko-ordinasie; neweskikking

p (slang) (n) polisieman, polisiebeampte *also* **police′ of′ficer**

pe[1] (n) bedekking; priestermantel; kap; gewelf

pe[2] (v) meeding, wedywer; hanteer, verwerk *also* **han′dle, ma′nage;** ~ *with* regkom (met); opgewasse teen/vir; die saak kan hanteer/behartig/verwerk

p′ier (n) kopieermasjien (vir fotostate)

′ping (n) kap (gebou); deksteen; deklaag

′pious oorvloedig; ruim *also* **abun′dant, profuse′;** ~*ly illustrated* ryk(lik) geïllustreer (boek)

p′per (n) (rooi)koper; kopergeld; (a) koper=; koperkleurig; ~ **ore** kopererts; ~**plate′** kopergravure; ~**smith** kopersmid

p′ra kopra, gedroogde klapper

produc′tion (n) koproduksie (van toneelstuk, boek, ens.)

pse ruigte, fynruigte, kreupelhout

p′ula koppelwoord (gram.); band, verbinding, koppeling

p′ulate (v) kopuleer; paar; koppel, verbind

p′y (n) kopie, afskrif; eksemplaar (boek); nommer, aflewering (tydskrif); nabootsing; (advertensie)kopie; *clear* ~ netskrif; *rough* ~ klad; (v) afskryf, kopieer; naboots, na-aap; afkyk; ~**book** skoonskrifboek; ~ **book landing** volmaakte/foutlose landing; ~**capturing** datavaslegging (rek.); ~**cat** na-aper; afskrywer; ~**ist** kopiïs, afskrywer; ~ **pa′per** kopieerpapier; ~**right** kopiereg, outeursreg, ~**wri′ter** kopieskrywer (advertensies)

quette′ koket, behaagsieke vrou/meisie

r′al koraal; ~ **is′land** koraaleiland; ~ **reef** koraalrif; ~ **tree** koraalboom

rd (n) band; tou, lyn; koord; ferweel; (v) (vas)bind; ~**less tel′ephone** koordlose telefoon; **spi′nal** ~ rugmurg; **umbi′lical** ~ naelstring

r′dial (n) hartversterking; versterkmiddel; likeur; (a) hartlik *also* **ge′nial, warm;** hartsterkend; ~ *relations* hartlike betrekkinge/samewerking

r′dite kordiet (plofstof)

r′don kordon; afsperring; ~ *off* 'n kordon span/trek; ~ *off an area* 'n gebied afsper

r′duroy (koord)ferweel; (pl) ferweelbroek

re kern, hart, pit, binne(n)ste; aar (elektr.) *also* **crux, nu′cleus;** ~ **infla′tion** kerninflasie; ~ **know′ledge** kernkennis; ~ **syl′labus** kernsillabus; ~ **time** kerntyd *see* **flexi′-time/flex′time**

corian′der koljander (spesery)

cork (n) kurk; prop; (v) toekurk; (a) kronkelend, spiraalvormig; ~**screw** (n) kurktrekker

cor′morant (n) seeraaf, duiker, visduiker (voël)

corn[1] (n) graan; koring; mielies (Am.); korrel; ~ *on the cob* groenmielies

corn[2] (n) liddoring; *tread on s.o.'s* ~*s* iem. op die tone trap

corn[3] (v) pekel, insout

corn: ~ **chan′dler** graanhandelaar *also* **grain mer′chant;** ~**cob** mieliekop

cor′nea horingvlies, kornea (oog)

cor′ned beef soutvleis; blikkiesvleis

cor′ner (n) hoek, hoekpunt; *drive s.o. into a* ~ iem. (in 'n hoek) vaskeer; *turned the* ~ die ergste is verby; (v) in 'n hoek ja(ag); vaskeer; vasvra; vaspraat; opkoop; ~**stone′** hoeksteen

cor′net kornet, blaashoring (musiekinstrument); ~ **play′er** kornetblaser

corn: ~**field** koringland; mielieland (Am.); ~**fla′kes** graanvlokkies; ~**flour** mielieblom; ~ **sheaf** koringgerf; ~ **wee′vil** kalander

coro′na ligkroon, stralekrans, korona

cor′onary koronêr, hart=; ~ **ar′tery** kroonaar; ~ **thrombo′sis** koronêre trombose, kroonaarverstopping

corona′tion kroning (van koning(in), keiser(in))

cor′oner: ~**'s in′quest** geregtelike lykskouing *also* **postmor′tem, autop′sy**

cor′onet kroontjie

cor′poral[1] (n) korporaal (mil.)

cor′poral[2] (a) liggaamlik, lyflik; persoonlik; ~ **pun′ishment** lyfstraf

cor′porate (a) verenig, verbonde; korporatief; **body** ~ regspersoon, bestuursraad; ~ **self-determina′tion** korporatiewe/gesamentlike selfbeskikking; ~ **strategy** korporatiewe strategie

corpora′tion korporasie; liggaam; stadsbestuur; **close** ~ beslote korporasie; **C~ for Econom′ic Devel′opment (CED)** Ekonomiese Ontwikkelingskorporasie (EOK)

corps (sing and pl) korps, afdeling

corpse lyk, (dooie) liggaam

cor′pulence swaarlywigheid, gesetheid, korpulensie

cor′pulent geset, vet, swaarlywig, korpulent *also* **o′verweight**

cor′puscle liggaampie; atoom; bloedliggaampie

corral′ (n) kraal; vangkamp; (v) beeste in 'n kraal dryf (Am.)

correct′ (v) verbeter; herstel, regstel; nasien; (a) presies, juis, noukeurig, korrek

correc′tion verbetering; korreksie; regstelling; berisping; *I speak under* ~ as ek dit nie mis het nie; ~ **fluid** (for typescripts) tiklak, flaterwater; ~**al ser′vices** korrektiewe dienste (gevangeniswese)

correc'tive (n) verbetermiddel; korrektief; (a) verbeterend, korrektief

cor'relate (v) korreleer; saamknoop

correla'tion (n) korrelasie, verband *also* **in'= terdepen'dence**

correspond' briefwisseling voer, korrespondeer; ooreenstem, ooreenkom; klop (syfers); **~ence** briefwisseling, korrespondensie; **~ence col= lege** korrespondensiekollege; **~ent** (n) brief= skrywer, korrespondent; medewerker (van blad); beriggewer; (a) ooreenkomstig

cor'ridor breë gang, korridor

corrob'orate (v) bevestig, bekragtig, staaf *also* **confirm', substan'tiate, rat'ify**

corrode' wegvreet, inbyt, korrodeer (roes)

corro'sion wegvreting, korrosie

corro'sive (n) bytmiddel; (a) invretend, bytend

cor'rugate rimpel, golf; frons; **~d i'ron** (ge= golfde) sinkplaat, golfyster; **~d pa'per/board** riffelpapier, voeringkarton; **~d road** sinkplaat= pad, riffelpad

corruga'tion rimpeling, golwing; sinkplaat

corrupt' (v) bederf; omkoop *also* **bribe**; verlei; verontreinig; (a) bedorwe; korrup; **~ible** om= koopbaar; **~ion** bederf *also* **mor'al decay'**; korrupsie *also* **graft**

cor'set korset, borsrok *also* **bod'ice**; **~ry** pos= tuurdrag, vormdrag

cortège' stoet, gevolg; lykstoet *also* **fu'neral proces'sion**

cor'tex kors; bas; buitelaag

cor'tisone kortisoon/kortisone (geneesmiddel)

corun'dum korund (harde edelsteen)

corvette' korvet (vlootvaartuig)

cosh (n) knuppel *also* **cud'gel, bat'on**

co'sine kosinus (wisk.)

cosmet'ic(s) (n) kosmetiek, skoonheidsmiddel; (pl) mooimaakgoed; (a) oppervlakkig, bolangs *also* **superfi'cial**; **~ change** kosmetiese/op= pervlakkige/bolangs(e) verandering; **~ sur'= gery** plastiese snykunde

cos'mic kosmies, heelal, wêreld= *also* **in'finite, univer'sal**

cosmol'ogy kosmologie, heelalstudie

cos'monaut ruimtevaarder, ruimteman *also* **space'man**

cosmopol'itan (n) wêreldburger; kosmopoliet; (a) kosmopolities

cos'mos[1] (n) wêreldorde, kosmos, heelal

cos'mos[2] (n) nooientjie-in-die-groen, kosmos (blom)

Cos'sack Kosak (Russiese kryger, hist.); **~ choir** Kosakkekoor

cos'set (n) hanslam; liefling; (v) liefkoos, vertroetel; bederf, piep

cost (n) prys; (on)koste; verlies; uitgawe; (pl) (on)koste; *at all* **~s** tot elke prys; *at* **~** teen (in)koopprys; **~** *of living* lewensduurte, le=

wenskoste; *to my* **~** tot my skade; **~ effec'ti** (koste)lonend; koste-effektief; ekonomies; **effec'tiveness** kostevoordeel; (v) die pr vasstel; die koste bereken; **~ing** koste(be) kening; **~ly** kosbaar; duur; **~ price** kospr (in)koopprys

cos'tume kleredrag, kostuum; mantelpak; **c tu'mier** kostumier

co'sy (n) cosies teemus; (a) gesellig, behaagl knus *also* **com'fy** (infml.); **snug**

cot bababed(jie); hangmat; hut; **~ death** wieg dood, wiegiesterfte *also: Sudden Infant De Syndrome (SIDS)*

co'terie kliek, koterie, groep

cotil'lion kotiljon(s) (dans)

cot'tage cottage, kothuis; strandhuis; **~ che maaskaas; ~ loaf** toringbrood; **~ pie** herde pastei, aartappelpastei

cot'ton katoen; garing; **~ crop** katoenoes; **~ katoenpluismeul; ~ mill** katoenfabriek; **waste** poetskatoen; **~ wool** watte

couch (n) rusbank, sofa; (v) lê; neerdruk; inkl uitdruk (in woorde)

couch: ~ grass kweekgras; **~ pota'to** (jc stoelpatat, sofapokkel, kassiekneg (skert= TV-slaaf *also* **TV ad'dict**

cough (n, v) hoes, kug; **~ loz'enge** hoesklontj **~ rem'edy** hoesmiddel

coun'cil raad; raad(s)vergadering; **~ cham'l raadsaal; ~lor** raadslid

coun'sel (n) beraadslaging; raad, plan; ra gewer; advokaat; **~** *for the defence* regsv teenwoordiger, advokaat vir die verdedigi take **~** raadpleeg; oorlog pleeg; (v) raad g aanraai; **~lee** raadnemer, beradeling; **~l berading; ~lor** berader; raadgewer

count[1] (n) graaf (adelstitel)

count[2] (n) telling; rekening; getal, som; aankl (v) tel; aftel; reken; beskou; **~** *on* reken op out uittel; **~down** aftelling (ruimtelansering

coun'tenance (n) gesig, gelaat; gesigsuitdr king *also* **expres'sion**; *keep one's* **~** erns bly; (v) steun, aanmoedig; beskerm *a* **consi'der, support'**

coun'ter[1] (n) toonbank (winkel); teller (perso wat tel)

coun'ter[2] (v) teenwerk; weerlê; teenspre teenbevel gee; (a) teen=

counteract' teenwerk *also* **oppo'se**; verydel *a* **annul'**; neutraliseer

coun'terattack teenaanval

counterbal'ance (n) teenwig; ewewig; (v) weeg teen *also* **off'set**

coun'ter: ~claim teeneis; **~-clock'wise** teen wysers in; linksom; agteruit

coun'terfeit (n) namaaksel, vervalsing *also* **fa for'gery**; bedrog; (v) namaak; vervals; nagemaak, oneg; **~er** valsmunter; vervalse oun'terfoil teenblad, kantstrokie

ountermand' (n) teenbevel; (v) teenbeveel; herroep, intrek also revoke (a decision, command); afskryf, afsê

oun'ter: ~mea'sures teenmaatreëls; ~offen'sive teenoffensief; ~pane deken, sprei; ~part (n) eweknie also peer; official ~part ampsgenoot; ~point kontrapunt (mus.); ~poise (n) teenwig; ewewig; (v) opweeg teen, balanseer; ~produc'tive teenproduktief; ~ propo'sal teenvoorstel; ~sign (n) medeonderteken; goedkeur, bekragtig; ~sig'nature medeondertekening

oun'tess gravin (adelstitel)

ount'less talloos, ontelbaar also innu'merable

oun'try land; platteland; buitedistrik; vaderland; country (musiekstyl); ~ club buiteklub; ~ cou'sin buitemens; takhaar, plaasjapie, gomtor; ~ gen'try landadel; ~ life buitelewe, boerelewe; ~ lodge lodge, buiteherberg; ~ mu'sic country; ~ peo'ple plaasmense, buitemense; ~ seat buiteverblyf, landgoed; ~wide land(s)wyd

oun'ty graafskap (Engeland)

up (d'état) staatsgreep, bewindoorname, coup d'état

up de grâce' genadeslag, doodsteek

upé koepee (halwe kompartement in trein)

uple' (n) tweetal, paar; egpaar; (v) saamvoeg; koppel; paar

up'let koeplet, tweereëlige vers

up'ling koppeling, verbinding

u'pon koepon, betaalbewys, invulstrokie also slip, voucher'

ur'age moed, waagmoed; dapperheid also bra'very, val'our; lose ~ moed verloor; take ~ moed skep/vat

ura'geous (man)moedig, dapper, heldhaftig also brave, pluc'ky, bold, fear'less

u'rier koerier; ~ com'pany koerierfirma; ~ ser'vice koerierdiens

urse (n) loop; loopbaan; koers; werksessie, kursus, slypskool also sem'inar, work'shop; leergang; reeks; gang (ete); (perde)renbaan; (gholf)baan; ~ of action gedragslyn, handel(s)wyse; in due ~ op sy tyd; te(r) geleëner/gelegener tyd; ~ of events loop van sake; a matter of ~ vanselfsprekend; of ~ natuurlik; in ~ of time mettertyd, met verloop van tyd; (v) vervolg; loop, vloei (water)

urt[1] (n) (geregs)hof; landdroshof, magistraatshof; hofsaal; speelveld, baan; appear in ~ in die hof/voor die regbank verskyn; go to ~ 'n hofsaak maak, prosedeer; settle out of ~ buite die hof skik; high ~ hoë(r) hof; ~ of hon'our ereraad; ~ of jus'tice geregshof; supreme' ~ hooggeregshof

urt[2] (v) vry, opsit, kafoefel also flirt; ~ a girl

by 'n meisie vlerksleep/aanlê; ~ trouble moeilikheid soek

court' case hofsaak, regsgeding

court'eous (a) hoflik, beleefd, beskaafd also polite', ci'vil

court'esy hoflikheid, beleefdheid also civi'lity; buiging; by ~ of met vriendelike vergunning/ samewerking van; met erkenning aan; goedgunstig geleen/verskaf deur; ~ bus diensbus(sie), klantebus; ~ car gunsmotor; ~ stand selfdienstal(letjie); ~ vi'sit/call welwillendheidsbesoek, hoflikheidsbesoek

court: ~ly hoofs; ~ mar'tial krygsraad; krygsverhoor (militêre hof); mes'senger of the ~ balju, geregsbode; ~room hofsaal

court'ship vryery, hofmakery also cour'ting, roman'ce

court'yard binneplaas also enclo'sure, quad

cous'in neef, niggie; first ~ volle neef/niggie; second ~ kleinneef, kleinniggie

cove (n) inham, baai (in kus); gewelf; (v) welf

co'venant (n) verdrag, verbond; handves; Day of the C~/Vow Geloftedag (voorheen vakansiedag, 16 Desember nou Versoeningsdag); (v) ooreenkom, 'n verdrag sluit also agree', pledge

co'ver (n) deksel; bedekking; dekking (assuransie); omslag (van boek); koevert; buiteblad (boek); sitplek (aan tafel); oortreksel (kussing); voorwendsel; skuilplek; skerm; ~ up bedek; verswyg; toesmeer, verdoesel; seek ~ skuiling soek; (v) bedek, oordek; dek; oortrek (kussing); rapporteer (koerant); toegooi; aflê (afstand); bestryk (kanon); ~age dekking (nuus); ~ charge tafelgeld, diensgeld; ~ girl voorbladnooi (tydskrif); ~ing bedekking, omhulsel; ~ing bond dekverband (huiskoop); ~ing let'ter begeleidende brief, dekbrief

co'vert (n) skuilplek; ruigte; (a) verborge, geheim; ~ activities koverte/verborge bedrywighede

co'vey broeisel; swerm also batch (of birds)

cow[1] (n) koei; ~boy cowboy also bron'co'bus'ter; mad ~ disea'se dolbeessiekte, malbeessiekte

cow[2] (v) bang maak; vrees inboesem

co'ward (n) lafaard, bangbroek also funk, yellowbel'ly; ~ice lafhartigheid; ~ly lafhartig

cow'hide beesvel; karwats, sambok

cowl monnikskap, monnikspy also monk's hood

cow: ~pea akkerboon(tjie); ~shed koeistal

cox'comb windmaker, pronker, darteldawie also wind'bag, brag'gart, dan'dy

coy (a) sedig, skugter, bedees also tim'id; kamma sedig, koketterig also flirta'tious; ~ness; skugterheid; bedeesdheid; preutsheid

crab[1] (n) krap; kreef

crab[2] (n) wilde appel also crab apple; suurpruim; nors mens

crack (n) kraak, knak, bars; uithaler/bobaas (speler); knal; dwelmkristal, dwelmkokaïen *also* **free′base cocai′ne** (drug); **~down′** in=gryping; klopjag (polisie); (v) kraak; knak; bars, skeur; ~ *jokes* grappe verkoop; ~ *up* ineenstort (fisies, geestelik) *also* **collap′se; he is ~ers** hy's van lotjie getik; (a) uitstekend, uithaler=; knap; **~er** klapper

crac′kle knetter, kraak

crack′ling gekraak; geknetter; swoerd (ge=braaide varkvel); **~s** kaiings

crack′nel krakeling (koekie)

crack′y gekraak; getik, gek

cra′dle (n) wieg; bakermat; ~ *of humankind* wieg v.d. mensdom; (v) wieg; ~ **snat′cher** kuiken=dief (ou man/vrou wat met jong persoon trou); ~ **song** wiegelied *also* **lul′laby**

craft lis, sluheid; kunsvaardigheid; ambag, vak; ambagkunste; vaartuig; *the gentle* ~ hengel=kuns; **~s** ambagkunste; **~s′man** ambagsman; vakarbeider; **~y** behendig; slu, slinks, geslepe *also* **sly, cun′ning**

crag krans, rots, steilte

cram (v) volprop, opvul, vasdruk; blok, inpomp (studie); ~ *down s.o.'s throat in* iem. se keel afdruk; **~med** (hall) volgepakte/stampvol saal; ~ **college** drilkollege

cramp[1] (n) kram, klamp, plaatklem

cramp[2] (n) kramp; (v) kramp veroorsaak; beperk; **~ed** nou; beperk, vasgedruk

crane (n) kraanvoël; hyskraan; (v) uitrek (nek); krom buig; hys; ~ **op′erator** hys(kraan)opera=teur

cra′nial (a) skedel=

cra′nium (n) skedel; kopbeen

crank[1] (n) slinger, handvatsel; krukas; (v) draai, slinger (motor; trekker)

crank[2] (n) eksentrieke persoon; rare vent; (a) gek (idee, plan) *also* **sil′ly, cra′zy**

crank: ~case krukkas/krukhulsel; ~ **han′dle** aansitslinger; **~shaft** krukas

crap (vulg.) kaf, twak; stront (vulg.) *also* **sheer non′sense; shit** (vulg.)

crape krip, floers, rouband, lanfer

crash (n) **-es** gekraak, geraas; botsing; instorting; ramp; (v) bots (motor); kraak; verbrysel; neerstort; bankrot raak; ~ **course** snelkursus; stapelkursus; ~ **hel′met** valhelm, pletterpet; **~-lan′ding** buiklanding *see* **emer′gency land′ing;** ~ **tackle** plettervat (rugby); ~ **test** plettertoets (motors)

crate krat; hok; plukkas (vir vrugte) *also* **contain′er**

crat′er krater (van vulkaan)

cravat′ nekdoek; voudas, krawat

crave (v) smeek; hunker *also* **yearn, han′ker**

cra′ving vurige wens, sterk verlange, hunkering, begeerte *also* **long′ing**

crawl (n) gekruip; gekriewel; kruipslag (in swem); (v) kruip; sluip; krioel; aansukkel; ~ *with* wemel/krioel van; **~er** kruippakkie, kruiper (vir baba)

cray′fish varswaterkreef, rivierkreef; (see)krap

cra′yon (n) tekenkryt, vetkryt

craze (n) manie, hartstog; modegier *also* **fad, fash′ion**

cra′ziness gekheid, malheid; waansin, kranksin=nigheid

cra′zy gek, mal *also* **loo′ny, crank;** kranksinnig ~ **pa′ving** (klip)plaveisel, lapbestrating

creak (n) gekraak, geknars; (v) kraak, knars, kras

cream (n) room; *the* ~ *of society* die elite; ~ **cra′cker** kraakbeskuitjie; **~er** (koffie)verro=mer; ~ **of tar′tar** kremetart; (v) afroom; (a) liggeel; **~ery** melkkamer; botterfabriek, sui=welfabriek; ~ **puff** roomsoesie; ~ **sep′arator** roomafskeier, romer

crease (n) plooi, kreukel; streep; kolfkampie (krieket); (v) kreukel; **~-resis′tant** kreukel=traag

create′ (v) skep; vorm; voortbring; (ver)wek; ~ *the impression* die indruk wek

crea′tion skepping, heelal; voortbrengsel *also* **concep′tion, gen′esis;** instelling; kunswerk

crea′tive (a) skeppend, kreatief; vindingryk

crea′tor skepper, maker; **the C~** die Skepper

creat′ure skepsel; kreatuur; bees; ~ **com′forts** menslike behoeftes/gerief

crèche bewaarskool, kinderhawe, crèche

cre′dence geloof, vertroue; *give* ~ *to* geloof heg aan

creden′tials (n) geloofsbrief; kwalifisering *also* **attesta′tion, ti′tle**

credibi′lity (n) geloofwaardigheid, aanneemlik=heid, geloofbaarheid; ~ **gap** vertrouensgaping

cred′ible geloofwaardig *also* **plau′sible**

cred′it (n) krediet; vertroue; aansien, agting; *ge=~ for* erkenning kry vir; *letter of* ~ kredietbrief (v) krediteer; vertrou; ~ *to* krediteer op; ~ *with* krediteer met; **~able** betroubaar, geloofwaar=dig, verdienstelik, lofwaardig; ~ **a′gency** kredietburo; ~ **bal′ance** kredietsaldo; ~ **bu′reau** kredietburo; ~ **card** kredietkaart; **facil′ities** kredietgeriewe, kredietvoorsiening; ~ **i′tem** kredietpos; ~ **li′mit** kredietperk; ~ **note** kredietnota; **~or** krediteur, skuldeiser; ~ **or′der** kredietorder; **~worthy** kredietwaardig

cre′do (n) geloofsbelydenis, credo

cred′ulous liggelowig, goedgelowig *also* **gul′lible, o′vertrusting**

creed (n) geloof, geloofsbelydenis *also* **faith′ belief′, dog′ma**

creek (n) inham, baaitjie (in kuslyn); spruitjie

creep (v) **crept** kruip, sluip; seil (op maag) aansukkel

cree′per klimop, slingerplant, ranker

cree′py (a) grieselig, grillerig; *it gives me the creeps* dit gee my hoendervel/koue rillings

cremate′ (v) veras, kremeer; *I want to be ~d* ek wil veras word (by afsterwe)

crema′tion (n) verassing; lykverbranding

cremato′rium (n) krematorium, verassingoond

Cre′ole/cre′ole (n) Kreool/kreool (persoon); Kreools/kreools (mengeltaal)

cre′osote kreosoot, koolteer

crêpe crêpe/kreip (rokmateriaal); lanfer; ~ **pa′-per** krinkelpapier; ~ **suzette′** vlampannekoek

crescen′do crescendo (mus.)

cres′cent (n) halfmaan; Turkse/Islamitiese half= maan (simbool); singel (halfmaanstraat); (a) toenemend, wassend (maan); ~ **moon** sekel= maan

cress bronkors (waterplant)

crest kuif; kam; kruin; maanhaar; wapen; *riding the ~ of the wave* op die kruin van die golf ry; *'n bloeityd beleef*; ~**fal′len** verslae, bekaf, moedeloos *also* **dejec′ted**

crev′ice (n) skeur, bars, spleet, keep

crew skeepsbemanning; trop; bemanning (geskut); *a ~ of fifteen on the island* vyftien man op die eiland; **cab′in** ~ kajuitpersoneel (vliegtuig)

crib[1] (n) krip; kinderbedjie; stal

crib[2] (n) plagiaat; afkykery (in toets, eksamen); (v) afkyk, afloer; krib/krip (omgangst.); be= drieg; steel, skaai, gaps

crick spierkramp (veral in nek); styfheid

crick′et[1] (n) kriek; **ground/har′vester** ~ koring= kriek *also* **Parktown prawn** (joc.)

crick′et[2] (n) krieket; *not* ~ nie eerlik/sportief nie; ~ **enthu′siast** krieketgeesdriftige; ~ **bat** kolf; ~ **match** krieketwedstryd

cri′me misdaad, misdryf; *~ does not pay* misdaad loon nie; **ca′pital** ~ halsmisdaad; ~ **bust/blitz** misdaadbestryding *also* **crackdown′**; ~ **chief/boss** misdaadbaas, boewebaas; ~ **preven′tion** misdaadvoorkoming; ~ **rate** misdaadsyfer, kriminaliteit; ~ **wave** misdaadvlaag; misdaad= golf

cri′men inju′ria persoonlikheidskending, crimen injuria

crim′inal (n) misdadiger *also* **law′breaker; transgres′sor, per′petrator;** booswig, boef; **habi′tual** ~ gewoontemisdadiger; (a) misda= dig, krimineel; ~ **case** strafsaak; ~ **court** strafhof; ~ **law** strafreg; ~ **proce′dure** straf= prosesreg

crim′inate (v) beskuldig, aantyg *also* **incrim= inate**

criminol′ogy misdaadleer, kriminologie

crimp (v) rimpel, plooi; friseer, krul

crim′ping i′ron krulyster

crim′son karmosyn, dieprooi

cringe ineenkrimp; kruip *also* **sneak; stoop;** ~**r** witvoetjiesoeker, kruiper

crin′oline hoepelrok; krinolien

crip′ple (n) kreupele (persoon); (v) kruppel maak; (a) kruppel, mank *also* **lame**

cris′is (n) **crises** krisis, keerpunt

crisp (n) kroes, krul; (a) kroes; bros, krakerig; ~**bread** brosbrood; ~**ness** brosheid; frisheid; ~**s** tjips (in pakkie); ~**y** krullerig, kroeserig (haarstyl); bros

criss′-cross (n) kruising (van lyne); (v) kruis; (a) deurmekaar, gekruis

crite′rion (n) **..teria** maatstaf, norm; toetssteen, kriterium *also* **norm, stan′dard;** kenmerk

crit′ic beoordelaar, kritikus; kritikaster (swak/ onbevoegde kritikus); ~**al** (a) benard, kritiek, haglik (toestand); krities; vitterig; *of ~al/cru= cial importance* van deurslaggewende/kardi= nale belang; ~**al condi′tion** bedenklike toestand (pasiënt); ~**ise** kritiseer; beoordeel *also* **cen′sure; assess′;** ~**ism** kritiek, beoorde= ling, evaluering

croak (n) gekwaak; gekras; (v) kwaak (padda); kras (kraai); ongeluk/naarheid voorspel; ~**ing** gekras

cro′chet (n) hekelwerk; (v) hekel; ~ **hook** hekelpen; ~ **nee′dle** hekelnaald

crock (n) krok (omgangst.); sukkelaar; knol; **old** ~**s** ou krokke; (v) krok (omgangst.), breek, stukkend raak/maak

crock′ery breekgoed, erdewerk, porseleinware *see* **cut′lery**

croc′odile krokodil; ~ **tears** krokodiltrane, lang trane, bobbejaanhartseer

cro′ny (n) **..ies** trawant; meeloper, makker, kornuit; ~**ism** baantjies vir boeties; nepotisme

crook (n) boef, skurk; kroek (omgangst.); swendelaar; haak, herderstaf; *by hook or by ~* buig of bars; (v) buig; bedrieg; kroek (omgangst.) *also* **con;** ~**ed′** slinks, skelm; krom, gebuig

croon (n) geneurie; (v) neuriesing, neurie; ~**er** neuriesanger, sniksanger

crop (n) oes; gewas, gesaaide; steel (karwats); krop (voël); (pl) gewasse, aanplantings; (v) oes; kort sny; snoei; top; skeer *also* **shear;** ~ **up** voor die dag kom *also* **occur′;** ~**ear′ed** stompoor=; ~ **far′mer** saaiboer *see* **stock far′mer;** ~ **far′ming** akkerbou; ~**per** knipper; kropduif; mislukking; val; *come a ~per* deur die mat val; sy rieme styfloop; ~ **rota′tion** wisselbou

cro′quet kroukie (spel)

croquette′ kroket(jie) (pasteitjie)

cro′sier biskopstaf; herderstaf *also* **crook**

cross (n) kruis; kruising; baster (van diere); kruis, moeite, las; *he has to bear a heavy ~* hy dra 'n swaar kruis/las; (v) dwarsoor loop; deurkruis; kruis; oorbring; mekaar kruis; ~ *a cheque* 'n tjek kruis; *a ~ed cheque* 'n gekruiste tjek; ~ *one's mind* te binne val/skiet; ~ *out* skrap *also* dele′te; ~ *my heart* mag ek dood neerslaan (as dit nie waar is nie); (a) kwaad, boos *also* an′gry; ~bar dwarshout; draaghout; ~bow kruisboog; ~bred gekruis; ~-coun′try deur die veld, reguit; ~-*country race* landloop, veldwedloop; ~-dres′ser fopdosser, transvestiet *also* transves′tite; drag queen (male); ~-examina′tion kruisverhoor; ~-exam′ine kruisvra, onder/in kruisverhoor neem; ~-eyed skeel; ~-fertilisa′tion kruisbestuiwing *also* ~-pollina′tion; ~ing kruising *also* bridge (v); oorweg; ~kick dwarsskop (rugby); ~-over oorgang *also* intersec′tion; kruispunt; ~-ques′= tion (n) kruisvraag; (v) kruisvra; ~-ques′= tioning kruisondervraging; ~-ref′erence kruisverwys(ing); ~road kruispad, dwarspad, tweesprong; *at the* ~roads op die keerpunt (fig.); ~ sec′tion deursnee/deursnit; ~ street dwarsstraat; ~word (puzzle) blok(kies)raaisel

crot′chet kwartnoot (mus.); gril; hakie

crouch (v) hurk *also* squat; koe(t)s; kruip; laag buk

croup (n) kroep, wurgsiekte (kinders)

crou′pier kroepier/croupier, roeletmeester

crow (n) kraai (voël); *as the* ~ *flies* reguit; (v) kraai; pronk *also* swag′ger; spog; ~bar koevoet, breekyster

crowd (n) menigte, klomp; gepeupel; gedrang; (v) volprop; saamdring; ~ *with* volprop met; ~ *together* saamdrom; ~ed (a) stampvol ('n saal mense); propvol

crown (n) kroon; kruin; (v) kroon; bekroon; voltooi; *to* ~ *all* tot oormaat van ramp; ~ing glory hoogtepunt, toppunt; ~ *of thorns* doring= kroon; ~ col′ony kroonkolonie (hist.)

crow's-foot oogrimpel, lagplooitjie

cru′cial (a) kritiek, beslissend, deurslaggewend *also* crit′ical, deci′sive; ~/acid test vuurproef

cru′cible smeltkroes; vuurproef

cru′cifix kruis; kruisbeeld

crucifi′xion kruisiging, kruisdood

cru′cify (v) kruisig *also* torment′

crude ru, kru *also* rude, uncouth′; onafgewerk; ongesuiwer; rou; ~ *language* kru taal; ~ oil ruolie

crude′ness/cru′dity ruheid, kruheid *also* rude′= ness, coarse′ness; onbekooktheid

cru′el wreed, wreedaardig, hardvogtig *also* bru′= tal, ruth′less; ~ty wreedheid, wreedaardig= heid, onmenslikheid

cru′et stand sout-en-peperstel, kruiestel(letjie)

cruise (n) bootvaart, (rond)vaart; (v) kruis, (rond)vaar; ry; ronddrentel; ~ mis′sile krui= s(er)missiel; ~r kruiser (vlootvaartuig); ple= sierboot; ~r′weight ligswaargewig (bokser)

cruis′ing speed togsnelheid

crul′ler koe(k)sister

crumb krummel, brokkie; ~le (v) krummel, brokkel

crum′pet plaatkoekie, flappertjie; crumpet (om= gangst.)

crum′ple (v) kreukel, verfrommel, verfomfaai; ~-zone frommelsone (motor)

crunch (n) krisis; verknorsing; (v) kraak; knars, kners; *that's the* ~ dáár lê die knoop; ~ie (n) broskoekie; ~y (a) korrelrig, bros

crusade′ kruistog, kruisvaart; ~r kruisvaarder, stryder (vir die geloof)

crush (n) gedrang; drukgang; vrugtedrank; (v) verpletter, saampers; onderdruk; ~ bar′rier skareversperring; ~ing verpletterend, vernieti= gend (neerlaag)

crust (n) kors, korsie; roof (van seer); aanpakse (in pot); (v) 'n kors vorm; aanbrand

crutch (n) kruk (loopsteun); stut

crux crux/kruks, kern; knoop, probleem

cry (n) cries skree(u), gil; kreet; gehuil; bede roepstem; *a far* ~ 'n groot verskil; (v) skree(u) uitroep; huil, ween; smeek; ~ *for joy* var vreugde huil; ~ing shame skreiende skande ~ba′by skreeubalie, tjankbalie

crypt grafkelder; ~ic(al) geheim, verborge kripties; ~ogram geheimskrif, kriptogram

crys′tal kristal; ~-clear glashelder; ~line kristal= kristalhelder; kristalagtig; ~lise kristalliseer versuiker; ~lised fruit suikervrugte

CT scan/cat′scan (n) rekenaartomogram, skan deerbeelding, (af)tasbeelding

cub (n) welp; jong dier(tjie; klein padvinder(tjie

cubby′hole paneelkassie, paneelkissie (motor *also* glo′ve box, glo′ve compart′ment

cube (n) kubus; derdemag; ~ root derdemags wortel

cu′bic kubiek, van die derde mag

cu′bicle (kleed)hokkie; afskortinkie

cu′biform kubusvormig

cu′bism kubisme (kunsstyl)

cu′ckoo koekoek (voël); idioot, uilskuiken (per soon); ~ clock koekoekklok, koekoekhorlosi

cu′cumber komkommer (groente)

cud herkoutjie (van bees)

cud′dle (v) liefkoos; troetel, streel *also* hug snuggle, fon′dle

cudd′ly (a) snoesig, behaaglik, gesellig *also* com′fy (infml.)

cud′gel (n) (knop)kierie, knots; *take up the* ~ die stryd aanknoop; (v) afransel

cue[1] (n) biljartstok; pruikstert

cue[2] (n) wenk, rigsnoer; aanwysing; wagwoor (toneel)

cuff (n) mouboordjie, mansjet; vuisslag; omslag *off the* ~ uit die vuis (praat); (pl) boeie; (v) ' klap gee; ~ link mouskakel, mansjetknoop

cuisine′ (n) kookkuns, kookwyse; kookaange leenthede

ul-de-sac' (n) culs-de-sac doodloopstraat *also* **dead-end; keerweer**

ul'inary kombuis=, kook=, kulinêr; ~ art kook= kuns, kulinêre kuns(te)

ull (n) uitskot; uitgooidier; (v) uitdun (diere); uitvang, uitsoek; uitgooi; ~ing uitdun (van oortollige wild)

ul'minate 'n toppunt bereik, kulmineer *also: come to a climax*

ul'pable strafbaar, toerekenbaar *also* blame'= able; ~ hom'icide strafbare manslag

ul'prit verdagte, oortreder, kwaaddoener *also* evil'doer, per'petrator

ul'tivar kultivar, kweekvariëteit

ul'tivate verbou, kweek, aanplant (gewasse); teel (diere en gewasse); kultiveer

ultiva'tion verbouing; aankweking; teling

ul'tivator (n) kweker, verbouer; skoffelploeg

ul'tural kultureel, beskawings=; ~ i'con kul= turele iko(o)n; ~ socie'ty kultuurvereniging

ul'ture (n) kultuur; beskawing; ontwikkeling; kweking, verbouing; ~ vul'ture kultuurkraai; phy'sical ~ liggaamsopvoeding, menslike beweegkunde; (v) bebou; aankweek; aansuur (karringmelk); ~d milk aangesuurde melk; ~d pearls gekweekte pêrels, kweekpêrels

ul'vert riool; stormsloot, duiker; deurlaat

um: ~ *laude* met lof, cum laude

um'ber (v) kwel, bemoeilik, belemmer; ~some (a) lastig, hinderlik *also* awk'ward, incon= ve'nient; swaar, log, lomp

u'min komyn (spesery); ~ liqueur' kummel; ~-seed cheese komynkaas

um'quat koemkwat (vrug)

u'mulate ophoop, opstapel, kumuleer

umula'tion ophoping, opstapeling

u'mulative ophopend, toenemend; kumulatief, oplopend *also* accru'ing

u'mulus (n) ..li stapelwolk, cumulus

u'neiform (n) spykerskrif; (a) spyker=, wigvor= mig

unn'ing (n) lis, sluheid; bedrewenheid; behen= digheid; (a) listig, geslepe; uitgeslape, slu, slinks *also* sly, cun'ning, craf'ty

up (n) koppie; beker (sport) *also* tro'phy; drinkbeker, bokaal *also* gob'let; kelk (blom)

up'board (kos)kas, breekgoedkas; built-in ~ muurkas

up'ful -s koppie (vol)

u'pid Cupido; liefdegod(jie); ~'s dart liefdes= pyl

up match bekerwedstryd

u'pola koepel (bouk.); ~ fur'nace vlamoond

ur skobbejak, smeerlap *also* ro'gue, scoun'drel; (kwaai) hond/brak

u'rable geneesbaar, geneeslik, heelbaar

u'rate hulpprediker; hulppriester

u'rative genesend

cura'tor voog; kurator (museum); opsigter

curb (n) kenketting (aan toom); bedwang *also* restraint'; (v) inperk, beperk, beteuel *also* restrict'; tem; bedwing

curd (n) dikmelk; stremsel; (v) strem, stol; dik word (melk)

cur'dle (v) skif, klonter; ~d milk dik melk

cure (n) geneesmiddel, kuur; genesing; (v) genees, heel; gesond maak; insout; droog= maak, verduursaam; rook (vis); brei (velle); ryp maak (kaas); droogmaak (tabak); berei (spek)

cur'few (n) klokreël, aandklokreël(ing); ~ bell aandklok

cu'rio kuriositeit, rariteit; ongewone kunsvoor= werp

curios'ity (n) ..ties nuuskierigheid, weetgierig= heid; sonderlingheid; seldsaamheid *also* ra'= rity, nov'elty; ~ *killed the cat* van uitvra is die tronk vol

cu'rious nuuskierig, weetgierig *also* inqui'sitive; sonderling, seldsaam; snaaks, koddig; *I am ~ to know* ek wil graag weet

curl (n) krul, haarlok; kronkeling; (v) krul; kartel (hare); ~ing iron/~ing tongs krulyster, krul= tang; ~y krullerig, gekrul; ~y head krulkop

cur'rant korent/korint; black~ swartbessie

cur'rency (n) betaalmiddel, geldeenheid; valuta; muntwese *also* coi'nage; looptyd (van 'n verband); koers (geld)

cur'rent (n) loop; stroom; stroming; elektriese stroom; al'ternating ~ wisselstroom (elektr.); di'rect ~ gelykstroom (elektr.); (a) lopend; gangbaar; ~ as'sets bedryfsbates; ~ events' sake v.d. dag; ~ liabil'ities bedryfslaste; ~ price heersende/huidige prys; ~ trends heden= daagse/huidige tendense

curri'culum leerplan; studiekursus; kurrikulum *see* syl'labus; ~ vit'ae (CV) lewensprofiel, curriculum vitae

cur'ry[1] (n) kerrie; ~ *and rice* kerrie-en-rys; ~ bun'ny kerrievetkoek

cur'ry[2] (v) roskam; brei; afransel; ~ *favour* witvoetjie soek; ~comb roskam (vir perd)

curse (n) vloek, verwensing, lastering; (v) ver= vloek, verwens; ~d with opgeskeep/gestraf met

cur'sor loper, merker, wyser (rek.)

cur'sory vlugtig, oppervlakkig; terloops *also* flee'ting, brief, superfi'cial

curt (a) kortaf, bitsig; stug, stroef *also* blunt

curtail' besnoei; inkort *also* retrench' (staff); verkort; verminder; ~ment besnoeiing, (in)= korting

cur'tain (n) gordyn; skerm; *drop the* ~ die gordyn laat sak (in teater); *lift the* ~ die sluier lig (fig.); ~ call buiging (voor die gehoor); ~ fire spervuur *also* barr'age; ~ lec'ture (joc.) bedsermoen, bedpredikasie (skerts.); ~-rai'ser voorstuk, voorspel; voorwedstryd; ~ **rod** gordynstok, gordynstaaf

curt'sy (n) kniebuiging, knieknik *also* **for'mal/ respect'ful greeting;** *drop a* ~ 'n buiging maak; (v) 'n buiging maak

curva'ceous welgevorm(d), volrond *also* **cur'vy, shape'ly** (girl)

curve (n) boog; ronding, kurwe; draai (in pad); kromme/kurwe (stat.); (v) buig, krom, draai

cu'shion (n) kussing (om op/teen te sit); biljartband; (v) versag, demp

cushy (a): ~ **job** minvergende, goedbetaalde pos

cusp horing (v.d. maan); knobbel; keerpunt

cus'tard vla (op poeding)

custo'dian voog, bewaarder; kurator (museum); versorger (kinders); beskermheer *also* **pa'tron**

cus'tody bewaring, voogdy *also* **guar'dianship;** gevangenskap; *in* ~ in aanhouding, in/onder arres; *safe* ~ veilige bewaring

cus'tom (n) gewoonte, gebruik *also* **u'sage;** tol; klandisie; (pl) doeane; invoerregte; **~ary** gewoon, gebruiklik; **~-built** pas(ge)bou; **~er** klant, koper; (pl) klandisie; **~er-friend'ly** kopervriendelik, klantvriendelik; **~er rela'= tions** klantesorg, kliëntebetrekkinge *see* **client rela'tions;** **~ise** pasmaak; aanpas; **~ised/ ~-made** pasgemaak, doelgebou; **~-made gun** pas(maak)geweer; **~(s) dues/duties** doeane= regte; **~-tailored suit** snyerspak

cut (n) sny; hou, raps; keep; fatsoen; kortpad; vermindering; *short* ~ kortpaadjie; (v) sny; afsny; kap; kerf; raps; knip (hare); besnoei (salaris); verlaag (pryse); afneem (kaarte); slyp (glas); ~ *and paste* knip en plak (rek.); ~ *back* besnoei, inkort; ~ *a corner* kort om 'n hoek ry; ~ *and dried* kant en klaar; ~ *out* uitsny; iem. se hand in die as slaan; ~ *short* in die rede val; ~ *short a visit* 'n besoek kortknip

cute oulik (kindjie) *also* **cu'tie-pie;** skerpsinnig, fyn; ~ *(young) lass* oulike meisie(tjie)

cu'ticle opperhuid; vlies

cut'lass kort sabel, hartsvanger *also* **sho** **curving sword**

cut'lery messeware; **set of** ~ messestel

cut'let (n) kotelet; **lamb** ~ skaapkotelet

cut-off (n) afvalstuk

cut'ter snyer; snymasjien; kapper; kotter (w sersboot)

cut: **~-throat** (n) moordenaar *also* **assas's** **~-throat razor** outydse skeermes, barb (skeer)mes; paddaslagter (skerts.); **~thr competi'tion** genadelose mededinging (sighede)

cut'ting uitgrawing; deurgrawing (spoorly (uit)knipsel (uit koerant); stiggie/steggie (* struik); ~ **torch** blaasvlam *also* **blow'lamp**

cy'ber (a) kuber=; ~ **art** kuberkuns; **~ca** netkafee, kuberkafee; ~ **conversa'tion** kub klets *also* **net chat;** ~ **junk'mail** kubermo pos *also* **spam; ~shop** netwinkel, e-win **cybershop'ping** netinkopies; **~space** kub ruimte, netruimte

cy'cad sikadee, broodboom

cica'da sonbesie, boomsingertjie, sikade (ins

cy'anide sianied (giftige chem. verbinding)

cy'cle (n) kringloop, sirkelgang, (ry)sikl sirkel; fiets; reeks; periode (elektr.); (v) fi fiets ry; ~ **ra'cing** naelry, naelren

cy'clist fietsryer, fietser *also* **bi'ker** (w racing)

cy'clone werwelstorm, tornado, sikloon

cy'clop (n) eenoog, sikloop (mitol. reus)

cy'clotron siklotron, kernsplitser

cyl'inder silinder

cylin'dric(al) silindries, silindervormig

cym'bal simbaal (slaginstrument)

cyn'ic (n) sinikus (persoon); **~al** (a) smale bytend, sinies *also* **scep'tical, scorn'ful**

cy'pher syfer; nul *see* **ci'ph'er**

cy'press sipres (boom)

D

hs'hund dachshund, worshond(jie)

(n) tikkie; vlekkie; (v) aanraak; dep; **~ber**
n) depper *also* **swab**

'ble (v) sprinkel *also* **sprin'kle, splash;** plas,
.emors, natmaak; jou oppervlakkig (as ama=
.eur) besig hou met iets (bv. skilder, liedjies
.kryf); **~r** liefhebber, amateur; knoeier;
.nutselaar (persoon)

l/dad'dy pa, pappie, paps

'fodil affodil, geel narsing, môresterretjie
.blom)

t (a) dwaas, onnosel, simpel, mal *also* **sil'ly,**
.oolish, cra'zy**

'ga (n) dagga *also* **wild hemp, marijua'na,**
.an'nabis**

'ger (n) dolk; kris (Oosters); kruisie; *look ~s*
.t s.o.* iem. woedend aankyk

'lia dahlia (blom)

ly (n) dagblad (koerant); (a) daagliks; dag=; ~
.elivery* daaglikse aflewering

n'ty (n) lekkerny; (a) lekker; kieskeurig; fyn,
.ierlik; netjies *also* **del'icate; e'legant**

ry melkkamer; melkery; **~ prod'uce** suiwel=
.rodukte; **~ produ'cer** suiwelprodusent

s (n) verhoog, platform, podium

sy madeliefie; ma(r)griet (blom); *pushing up*
.he daisies* ses voet onder die grond (d.w.s.
.ood en begrawe)

e dal, laagte, kom *see* **dell, glen**

ly (v) stoei; speel; talm, sloer *also* **loi'ter**

n[1] (n) moer, moeder (dier)

n[2] (n) dam, opgaardam; (v) opdam

n'age (n) skade, nadeel; awery (versekering);
.ol) skadevergoeding; *cause ~* skade aan=
.g/berokken; (v) beskadig

ask' (n) damas; damaskusrooi; (v) damas=
.eer; (a) rooi

ie (adellike) dame *also* **baroness'; lady;** vrou

n'mit (interj) dêmmit/demmit, vervlaks, ver=
.omp (omgangst.)

n (n) vloek; *not worth a ~* geen flenter werd
.ie *also not worth a brass farthing/hoot;* (v)
.eroordeel, verdoem; **~ it!** (interj) vervlaks!;
.ervloeks!; **~a'tion** verdoeming, verdoemenis;
.fkeuring; *~ed nuisance* vervlakste erger=
.is/oorlas

ip (n) damp; klammigheid, vogtigheid;
.oedeloosheid, neerslagtigheid; (v) klam/
.ogtig maak; laat afkoel; damp; (a) klam,
.ogtig; **~ness** klamheid, vogtigheid; **~ squib**
.n) sisser (klapper); mislukking, misoes

ce (n) dans(party), bal; (v) dans; **infor'mal ~**
.akkie-sakkie, sokkiejol, opskop; boeredisko
.kerts.); **~ mu'sic** dansmusiek; **~r** danser(es);
.**stud'ies** dansstudies (skoolvak)

dan'delion perdeblom; molslaai (eetbare jong
blare)

dan'druff skilfers

dan'dy (n) laventelhaan, pronker, ydeltuit; wind=
gat (omgangst.); fat, dandy; (a) windmakerig,
spoggerig

Dane (n) Deen (persoon); **Da'nish** (n, a) Deens
(taal; gebruike, ens.) *see* **Den'mark**

dan'ger gevaar, onraad; **~ous** gevaarlik; **~ sig'=**
nal gevaarteken

dang'le (v) slinger, swaai; agterna loop *also*
tan'talise

dap'per (a) agtermekaar (persoon); lewendig,
fiks, viets *also* **brisk, chic, smart, nimble'**

dap'ple (v) spikkel, bont maak; (a) bont,
gespikkeld; **~-grey** appelblouskimmel (perd)

dare (n) uitdaging; (v) aandurf, waag; (uit)daag,
tart *also* **chal'lenge;** *I ~ say* ek verstout
my/waag om te sê; *how ~ you?* hoe durf jy?;
~de'vil waaghals *also* **mad'cap**

da'ring (n) durf, waagmoed; vermetelheid,
astrantheid; (a) onverskrokke, waaghalsig

dark (n) duisterheid, duisternis; *keep in the ~*
geheim hou; *a leap in the ~* 'n sprong in die
onbekende; (a) donker; somber; onwetend;
onverlig; *D~ Ages* Middeleeue; *a ~ horse*
buiteperd, 'n onbekende mededinger; *keep ~*
geheim hou *also: keep mum;* **~en** verdonker;
~ness duisternis, donkerte; **~room** donkerka=
mer (fot.)

dar'ling (n) liefling, liefie, liefste, hartlam; skat,
skattebol; (a) geliefde, liewe; **mo'ther's ~**
mamma se (soet) seuntjie, witbroodjie

darn (n) stop; stopplek; (v) stop; **~ed!** (interj)
verduiwels!; verbrands! *also* **damn(ed)!;** **~ing**
egg stopeier; **~ing nee'dle** stopnaald

dart (n) pyl(tjie); veerpyltjie; sprong; (v) skiet;
gooi; wegspring, pyl; *play ~s* (veer)pyltjie
speel; **~board** pyltjiebord

dash (n) slag; nael (vinnig hardloop); storm,
aanval; aksent; (gedagte)streep; fut, pit; skeut
(drank); swier, bevalligheid; *make a ~*
jaag/hardloop na; *~ of the pen* penstreep; (v)
stoot, slaan; bespat; wegspring, verleë maak;
onderstreep; vernietig; **~ it!** (interj) vervlaks!;
~ off haastig wegkom; weghol; **~board**
spatbord; instrumentpaneel, paneelbord; **~ing**
haastig, voortvarend; swierig, vurig *also* **bold,**
flamboy'ant

das'tardly lafhartig; gemeen

da'ta (n) data, gegewens; gegewe *also* **de'tails,**
info(rma'tion); **~ bank** databank (rek.); **~base**
databasis (rek.); **~ cap'turing** (v) datavasleg=
ging; **~ pro'cessing** dataverwerking; **~ ware'=**
housing databerging

date[1] (n) dadel; ~ **palm** dadelpalm(boom)

date[2] (n) datum, afspraak; jaartal; *a blind* ~ 'n onbeplande/blinde afspraak, molafspraak; *keep (up) to* ~ byhou; bywerk; *out of* ~ ouderwets; *up to* ~ nuwerwets, bydertyds; bygewerk; *what is the* ~? die hoeveelste is dit?; (v) dateer; dagteken; *it* ~*s from the 12th century* dit dateer van die 12de eeu; *back*~ terugdateer; *up*~ opdateer, bywerk; ~ **rape** afspraakverkragting, geselverkragting

da'tive (n, a) datief (gram.)

daub (n) smeer, bepleistering; klad(werk), knoeiwerk; (v) besmeer, bepleister

daugh'ter dogter; ~**-in-law (daughters-in-law)** skoondogter

daunt (v) verskrik, afskrik, ontmoedig; *nothing* ~*ed* onvervaard; ~**ing** afskrikkend; yslik, enorm (taak); ~**less/undaun'ted** onver= skrokke, onbevrees *also* **bold, fear'less**

daw'dle (v) tyd vermors; draal, talm, sloer *also* **dal'ly, procras'tinate;** lanterfanter

dawn (n) dagbreek, daeraad; lumier; (v) lig word, daag; *it* ~*ed upon me* dit het my getref

day dag; daglig; *all* ~ *long* die hele dag; *by* ~ oordag, bedags; ~ *off* dag af (vakansie); ~*s of grace* uitsteldae, respytdae; ~ *of the mutt* Brakdag; *every other* ~ al om die ander dag; *some* ~ eendag; *that will be the* ~! dank jou die duiwel!; *the* ~ *after tomorrow* oormôre; *the* ~ *before yesterday* eergister; *by the* ~ by die dag; ~**book** dagboek; ~**break** dagbreek, rooidag *also* **dawn;** ~**care** dagsorg; ~**dream** dag= droom; ~ **la'bourer** dagloner; ~**light** daglig; *in broad* ~*light* helder oordag; ~**light sa'ving** dagligbesparing; ~ **scho'lar** dagskolier, buite= leerder; ~ **shift** dagskof; ~**time** dag; ~**work** dagwerk

Day of Good'will Welwillendheidsdag (vakan= sie) *also* **Good'will Day**

Day of Reconcilia'tion Versoeningsdag (vakan= sie)

Day of the Vow/Co'venant Geloftedag (voor= heen vakansiedag, 16 Desember *nou* Versoe= ningsdag)

daze (n) verbystering, bedwelming; (v) verbys= ter; bedwelm, verblind

daz'zle (n) blikkering, ligskittering (hoofligte van motor); (v) blikker, verblind *also* **glare**

dea'con diaken; armeversorger

dead (n) gesneuwelde (in oorlog); dooie (per= soon); *in the* ~ *of night* in die holte v.d. nag; (a) dood; dooierig; uitgebrand (vulkaan) *also* **extinct';** ~ *as a doornail* so dood soos 'n mossie; *a* ~ *heat* gelykop; ~ *letter* onbestelbare brief; *quite* ~ morsdood; *the* ~ *season* die slap tyd; komkommertyd (koerante); (adv) in ergste graad, erg; ~ **beat** doodmoeg, stokflou, pootuit, poegaai; ~ **drunk** smoordronk; stom=

dronk; ~**en** verdoof; verswak, kragtelo= maak; ~ **end** doodloopspoor; ~**-end stre** doodloopstraat; keerweer *also* **cul-de-sac;** **lev'el** waterpas; ~**line** spertyd, perktyd; b kendatum, streefdatum; ~**lock** (op die) doo punt *also* **stale'mate** (in negotiations); ~ dodelik *also* **fa'tal, le'thal;** ~ **march** do mars; ~ **sure** doodseker; ~**wood** dooie h (ook fig.)

deaf doof; ~ *and blind* doofblind; ~ *and bl person* doofblinde; ~*ening silence* dawerer stilte; ~**en** verdoof; ~**-mu'te** doofstom

deal[1] (n) dennehout; greinhout; plank, balk

deal[2] (n) transaksie *also* **transac'tion;** akko *also* **arrange'ment;** kopie; hoeveelheid; b deling; **fair** ~ billike behandeling; *a grea* baie; *clinch/strike a* ~ 'n transaksie slu beklink; *make a* ~ akkoord sluit; *new* ~ nu bedeling; *raw* ~ slegte behandeling; (v) de ronddeel; handel dryf, sake doen; onderha del; ~ *in* handel dryf in; ~**er** winkeli handelaar; koopman (veroud.) *also* **tra'd** uitgeër (kaarte); ~**ing** handel(s)wyse

dean deken (ampsdraer in party kerke); deka (fakulteitshoof aan universiteit/technikon)

dear (n) hartjie; liefling, skattebol; (a) lief, di baar; geagte; duur; skaars; **D~ Sir/Mad'** Geagte Heer/Dame

dearth skaarste, gebrek *also* **shor'tage;** duur

death dood, uiteinde; sterfgeval; oorlye, sterwe *also* **berea'vement;** *condemn/senten to* ~ ter dood veroordeel; *sure as* ~ doodsek ~**bed** sterfbed; ~ **ben'efit** sterftevoorde (pensioen, versekering); ~ **certif'icate** do sertifikaat; ~ **du'ties** boedelbelasting *a* **esta'te du'ty;** ~ **knell** doodsklok; ~ **no't** doodsberig; ~**ra'te** sterftesyfer *also* **mortal rate;** ~ **rat'tle** doodsroggel; ~ **sen'ten** doodsvonnis, doodstraf; ~ **squad** moordber *also* **hit squad;** ~**toll** dodetol; dodetal (aan dood, bv. in ongeluk); ~ **war'rant** doodvon (dokument)

deba'cle fiasko, debakel *also* **fias'co, crack'-** losbreking (van ys); in(een)storting

debar' (v) verhinder, uitsluit, belet

debase' (v) verneder; verlaag; vervals *a* **chea'pen, degrade'**

deba'table aanvegbaar, betwisbaar *also* **qu tionable;** onbeslis

debate' (n) debat; woordestryd; (v) debatte betwis; beraadslaag; ~**r** debatteerder, deb voerder

deba'ting society debatsvereniging

debauch' (n) losbandigheid; brassery; (v) ver losbandig maak; verlaag; ~**ee'** deurbring dronklap, brasser

deben'ture skuldbrief, obligasie

debi'lity swakte/swakheid, kragteloosheid

b'it (n) debiet; (v) debiteer; belas; ~ *against/to* debiteer teen; ~ **balance** debietsaldo; ~ **card** debietkaart; ~ **en'try** debietinskrywing; skuld= pos; ~ **note** debietnota; ~ **or'der** debietorder *see* **stop or'der**

'brief (v) (iem.) ondervra; terugrapporteer (ná opdrag of sending) *also* **report' back, feed'= back;** ~**ing** (n) ondervraging

b'ris puin; opdrifsels; oorskot; **nu'clear** ~ kernoorskot, kernafval (in ruimte)

bt skuld; ~ *of honour* ereskuld; *run into* ~ skuld maak; ~ **collec'tion** skuldinvordering; ~ **collec'tor** skuldinvorderaar; ~**or** skuldenaar, debiteur *see* **cred'itor**

bug' (v) ontfout (rek.)

bunk' (v) ontmasker, aan die kaak stel *also* **expose'; deflate'**

'but debuut, eerste optrede; *she made her* ~ sy het haar debuut/buiging gemaak

butante' debutante (jong vrou)

c'ade tiental, dekade

c'adence (n) verval, agteruitgang, dekadensie

c'adent (a) dekadent; in (morele) verval *also* **degen'erate, decli'ning**

c'agon tienhoek

c'agram dekagram

camp' (v) kamp opbreek; skielik/haastig verkas; dros

cant' (v) oorskink, afgooi (vloeistof); afklaar; ~**er** karaf, kraffie

cap'itate onthoof *also* **behead';** dwarsboom, kortwiek

car'bonise ontkool (enjin)

cath'lon tienkamp, dekatlon (atl.)

cay' (n) verval; aftakeling *also* **decline';** *fall into* ~ verval; (v) verswak; verrot

cease' (n) dood, oorlye; (v) sterf, doodgaan *also* **die;** ~**d'** (n) oorledene; afgestorwene; (a) oorlede; ~**d estate'** bestorwe boedel

ceit' (n) bedrog, kullery *also* **decep'tion, trea'chery;** ~**ful** bedrieglik, misleidend, vals

ceive' (v) bedrieg, kul, flous, mislei *also* **mislead', con**

cel'erate (v) vertraag, stadiger gaan/ry

cem'ber Desember

cency fatsoenlikheid, ordentlikheid

cen'nial tienjarig

cent (a) fatsoenlik, ordentlik, betaamlik *also* **prop'er, presen'table**

cen'tralise desentraliseer

cep'tion bedrog, misleiding *see* **deceive'**

cep'tive (a) misleidend *also* **delu'sive, mislea'ding**

c'ibel desibel (geluideenheid)

cide' (v) besluit; beslis; bepaal, vasstel; oordeel; ~ *on* besluit oor/op; *deciding game* beslissende spel (tennis); ~**d'** beslis, nadruklik; ~**dly** beslis, opsluit

deci'duous bladwisselend (boom)

dec'imal (n) tiendelige breuk, desimaal; (a) tientallig; desimaal; ~ **com'ma** desimaalkom= ma; ~ **frac'tion** tiendelige breuk

dec'imate (v) uitdun; afmaai

dec'imetre desimeter

deci'pher (v) ontsyfer *also* **unrav'el, decode';** ~**able** ontsyferbaar, leesbaar, oplosbaar

deci'sion beslissing, besluit; uitspraak; ~ **ma'ker** besluitvormer, beleid(s)bepaler; ~ **ma'king** besluitneming

deci'sive beslissend; afdoende; deurslaggewend *also* **def'inite, cru'cial**

deck (n) dek (skip); pak (kaarte); (v) oortrek; bedek; versier; tooi, uitdos; ~ **chair** dekstoel, seilstoel; ~ **quoits** skyfgooi; ~ **ten'nis** ring= tennis

declaim' opsê, voordra, deklameer *also* **recite';** uitvaar, uitroep

declama'tion (n) redevoering, vurige rede

declara'tion verklaring; deklarasie; aankondi= ging; ~ *of intent* verklaring van voorneme

declare' verklaar; aankondig; aangee (doeane); roep (kaarte); ~ *war* oorlog verklaar

declen'sion verval; afdraand; verbuiging (gram.)

decline' (n) afname; afdraand; daling (pryse); verval *also* **decay';** (v) afwys (versoek); verwerp (voorstel) *also* **reject';** daal (pryse); verval, afwyk; weier ('n uitnodiging); verbuig (gram.); buig

decli'vity helling, steil afdraand *also* **decline', descent', slope**

declutch' ontkoppel, loskoppel *also* **disengage'** (the clutch); uitskakel

deco'der (n) dekodeerder (satelliet-TV)

decompose' ontbind; oplos; splits; vergaan; ontleed; ~**d bo'dy** ontbinde lyk/liggaam

decompres'sion dekompressie, drukverligting; ~ **sick'ness** borrelsiekte *also* **bends**

dé'cor dekor, toneelinkleding

dec'orate (v) versier, optooi, dekoreer, *also* **adorn', beau'tify**

decora'tion (n) versiering; ereteken; dekorasie (toekenning)

dec'orative versierend, dekoratief

deco'rous welvoeglik, fatsoenlik *also* **refi'ned, dig'nified**

deco'rum fatsoenlikheid, betaamlikheid, deko= rum *also* **dig'nity, deport'ment**

de'coy (n) lokaas, lokmiddel *also* **bait;** lokvink (polisie) *also* **trap;** (v) aanlok; mislei

de'crease (n) vermindering, afname; (v) vermin= der, minder maak; afneem *also* **reduce', curtail'**

decree' (n) dekreet, bepaling, gebod; (v) ver= orden, bepaal

decrep'it (a) afgeleef, oud; gebreklik *also* **infirm', disa'bled;** vervalle, lendelam

ded'icate toewy; opdra; **~d** *student* toegewy=de/konsensieuse student

dedica'tion inwyding; toewyding; opdrag; inseë=ning; toegewydheid; *act of* ~ diensgelofte, toewyding(s)formulier (nuwelinge in 'n beroep)

deduce' (v) aflei; opmaak; nagaan; herlei

deduct' (v) aftrek, verminder; **~ion** aftrekking; gevolgtrekking, afleiding; korting; verminde=ring

deed daad; akte, dokument; **~s' of'fice** aktekan=toor

deem (v) ag, beskou, oordeel, dink; ~ *fit* goeddink; na goeddunke handel

deep (n) diepte; see; (a, adv) diep; diepsinnig; grondig; ~ *insight* grondige kennis; *a* ~ *sigh* 'n swaar sug; **~en** dieper maak; **~free'ze(r)** vrieskas; **~ly** diep; innig; **~-sea'ted** diepge=wortel; vas *also* **entren'ched**

deer takbok, hert; ~ **stal'king** jag op takbokke

deface' (v) skend, ontsier *also* **blem'ish, disfi'=gure;** uitwis; **~ment** ontsiering

de'falcate verduister *also* **embez'zle** (money) *see* **mon'ey laun'dering**

defalca'tion (geld)verduistering

defama'tion belastering, laster, eerskennis *also* **slan'der, denigra'tion;** ~ *of character* karak=terskending

defame' (v) (be)laster, kwaadspreek; onteer

default' (n) versuim; gebrek; nalatigheid; afwe=sigheid; niebetaling; standaardwaarde; ver=stekwaarde (rek.); ~ *of payment* niebetaling *also* **nonpay'ment;** *win by* ~ wen by verstek (sport); (v) in gebreke bly; faal; nie verskyn/betaal nie

defeat' (n) neerlaag; vernietiging; (v) verslaan; verydel; klop (sport); **~ism** défaitisme; oor=logsmoegheid

de'fect[1] (n) gebrek; fout; defek; tekort; **~ive** gebrekkig, onvolkome; onklaar, defek; **~ive** *speech* spraakgebrek

defect'[2] (v) oorloop (na vyand); afvallig word; **~or** (n) oorloper, afvallige (persoon)

defence' verdediging; noodweer, verweer; be=skerming; (pl) verskansings, verdedigings=werke; *in* ~ *of* ter verdediging van; ~ **force** weermag; **~less** weerloos, onbeskerm *also* **unprotec'ted, po'werless**

defend' verdedig, beskerm; **~ant** verdediger; verweerder; beskuldigde, aangeklaagde (in hof); **~er** verdediger; beskermer

defen'sive verdedigend, defensief; *be on the* ~ 'n verdedigende houding aanneem

defer' (v) uitstel *also* **adjourn', suspend';** verskuif; **~ment** (n) uitstel; verdaging; **~red pay'ment** agterskot; **~red shares** uitgestelde aandele

def'erence eerbied, agting, onderwerping; *in* ~ *to* uit agting vir

defi'ance uitdaging, tarting; *in* ~ *of* ten spyte va in weerwil van, ondanks, ongeag

defi'ant (a) uitdagend, tartend *also* **provoc'ativ**

defi'ciency gebrek *also* **imperfec'tion;** tekor leemte

defi'cient gebrekkig; ontoereikend; **men'tal** **~/han'dicapped** geestelik gestrem; swaksinni

def'icit tekort; agterstand

defile' (v) besmet, bevuil, besoedel *als* **besmirch';** onteer

define' (v) bepaal, omskryf, definieer *also* **spec** **ify, itemise;** omlyn

def'inite bepaald, definitief; **~ly** beslis, bepaal stellig; opsluit; **~ly** *not!* volstrek nie!

defini'tion bepaling, omskrywing, definisie

deflate' afblaas, wind uitlaat; deflasie veroo saak; **~d/flat tyre** pap band

defla'tion prysdaling, deflasie; uitlating van lu

deflect' (v) afwyk; wegbuig; wegskram; **deflel** teer

deflo'wer (v) onteer, ontmaagd, verkrag (' meisie); ontwy

deforesta'tion ontbossing

deform' (v) mismaak, lelik maak, skend, ve vorm; **~ed'** mismaak, lelik, wanskape; **~i** mismaaktheid, wanstaltigheid, gebrek

defraud' (v) bedrieg, kul *also* **cheat, con**

defray' (v) betaal (koste); regmaak, vergoed

defrost' (v) ontys, ontvries (van koelkas ontdooi (van voedsel)

deft handig, slim, vaardig, netjies *also* **skil'fu** **han'dy**

defunct' (a) verouder, tot niet, afgeskaf; oorled dood; ~ **com'pany** ontbinde maatskappy

defuse' (v) ontlont (krisis)

defy' (v) uitdaag, tart, trotseer *also* **chal'leng** **confront'**

degen'erate (n) ontaarde persoon; (v) ontaar versleg *also* **dete'riorate, decay';** verbaste (a) ontaard, versleg

degenera'tion ontaarding, verval, degenerasie

degrade' (v) verneder, verlaag; degradeer

degrad'ing verlagend, vernederend *also* **humi** **iating, undig'nified**

degree' graad; rang; *by* ~s trapsgewyse; *hono* *ary* ~ eregraad; ~ **course** graadkursus; ~ **d** gradedag *also* **hon'ours/gradua'tion day**

dehydrate' (v) ontwater, dehidreer; (a) ontwate gedehidreer

deifica'tion vergoddeliking, vergoding

de'ify (v) vergoddelik, verheerlik, aanbid

deign (v) verwerdig, toelaat *also* **condescend** *to* ~ *no answer* g'n antwoord werd nie

de'ity godheid *also* **divine'/supreme'** being

deject' (v) neerslagtig maak, ontmoedig; **~** mismoedig, neerslagtig, bedruk, verslae *al* **despon'dent, depres'sed, gloo'my**

delay' (n) uitstel, oponthoud; *without* ~ onmidde

lik; oombliklik; sonder versuim; (v) uitstel; vertraag; talm; weifel; *~ed-action fuse* talmlont

delec′table (a) genoeglik, verruklik *also* **deli′= cious**

del′egate (n) afgevaardigde, ge(vol)magtigde; kursusganger; kongresganger; deputaat (kerk); (v) afvaardig; delegeer (pligte); volmag gee; oordra

delega′tion afvaardiging, deputasie; *~ of powers* delegering van gesag/magte/bevoegdhede

delete′ (v) skrap, uitkrap, uitwis; *~ which is not applicable* skrap waar nodig

deli′berate (v) oorweeg; beraadslaag; (a) (wel)= oorwoë *also* **cau′tious, pru′dent;** besadig, bedaard; opsetlik, met voorbedagte rade; aspris/aspres/ekspres *also* **inten′tional, wil′= ful; ~ly** (adv) opsetlik

delibera′tion oorweging; oorlegpleging, same= spreking, beraadslaging; bedagsaamheid

del′icacy (n) lekkerny, versnapering; keurigheid; tingerigheid; fyngevoeligheid

del′icate (a) fyn; broos; delikaat *also* **dainty;** swak; tenger, tinger(ig) *also* **frail, ai′ling**

delicates′sen delikatesse, fynkos

deli′cious heerlik, smaaklik, watertandlekker *also* **tas′ty;** verruklik, kostelik *also* **lov′ely; ~ mon′ster** geraamteplant, gaatjiesblaarplant

delight′ (n) genoeë, genot, behae; *take ~ in* behae skep in; jou verlustig/verkneukel; (v) verheug, ingenome; verruk; **~ed** verruk, bly, opgetoë; *~ed with* ingenome met; *I will be ~ed to accept your invitation* ek aanvaar graag jou/u uitnodiging; **~ful** genotvol, genoeglik

eli′mit (v) afbaken, delimiteer; **~a′tion** afba= kening, delimitasie

eli′neate (v) skets, uitteken, ontwerp *also* **out′line** (drawing, words)

elinea′tion afbeelding, tekening, uitbeelding; afskildering

elin′quency oortreding, misdaad, vergryp; pligversuim; **ju′venile ~** jeugmisdadigheid, jeugmisdaad; jeugwangedrag

elin′quent (n) kwaaddoener, oortreder, skul= dige *also* **per′petrator;** stokkiesdraaier; **ju′= venile ~** jeugmisdadiger, jeugoortreder; (a) skuldig, strafbaar

eli′rious (a) ylhoofdig, deliries *also* **deran′ged;** *be ~* yl; deurmekaarpraat

eli′rium (n) ylhoofdigheid; delirium; *~ tre′= mens* dronkmanswaansin; delirium tremens; blouduiwel, horries (omgangst.)

eli′ver verlos, bevry; oorlewer; oorhandig, inhandig; aflewer, afgee; besorg; verlos (vrou by kindergeboorte); *~ the goods* resultate kry; *~ judg(e)ment* uitspraak gee (in die hof); **~ance** bevryding; uitredding; verlossing; oor= lewering; uitspraak (regter)

eli′very aflewering; lewering; verlossing, be=

valling (by kindergeboorte); voordrag; afslaan (tennis); *cash on ~* kontant by aflewering; *take ~ of* in ontvangs neem; **~ man** bestelbode; **~ van** bestelwa, bakkie

dell dal, laagte, valleitjie; holte in grasland

del′ta -s delta (driehoekige riviermonding)

delude′ (v) mislei, bedrieg, inloop

del′uge (n) sondvloed; oorstroming *also* **floods**

delu′sion (self)bedrog; sinsbedrog; dwaling; waan *also* **decep′tion**

delu′sive misleidend; bedrieglik

delve (v) delf; grawe/grou *also* **dig into, probe′** (fig.)

dem′agogue demagoog; opsweper *also* **rabble′= rou′ser**

demand′ (n) vraag; aanvraag; eis, vereiste; *~ for* vraag na; *be much in ~* baie gesog wees; *meet the local ~* in die plaaslike vraag voorsien; die plaaslike vraag bevredig; *on ~* op aanvraag; *supply and ~* vraag en aanbod; (v) eis; opvorder; verlang; vra

demarca′tion (n) afbakening *also* **delimita′tion;** zo′ning

demea′nour (n) gedrag, houding *also* **con′duct, bea′ring**

demen′ted kranksinnig, waansinnig, mal

demer′it gebrek; wangedrag; fout; *~ points sys′tem* strafpuntstelsel (verkeersoortredings)

dem′i= half=; **~john** karba, mandjiefles *also* **wick′er bot′tle**

demise′ (n) dood, (af)sterwe, heengaan; onder= gang (firma, maatskappy); oordrag, bemaking; (v) oordra, bemaak (van bates, boedel)

demis′sion ontslag, afsetting; aftreding, aftrede

demis′ter ontwasemer (motorvensters)

demobilisa′tion demobilisasie, ontbinding (van ′n leër)

democ′racy demokrasie, volksregering, volks= heerskappy

dem′ocrat demokraat (persoon)

democra′tic demokraties

demol′ish (v) afbreek, sloop (gebou) *see* **implode′;** verniel, vernietig; **~er** sloper

demoli′tion sloping (gebou); vernieling, ver= woesting; *~ device′* ploftoestel

de′mon (n) bose gees, duiwel, demon/demoon *also* **dev′il, fiend′**

dem′onstrate bewys, aantoon; uitlê; betoog; demonstreer, wys

demonstra′tion betoging, protesoptog (publiek) *also* **dem′o;** demonstrasie; verklaring; mani= festasie *also* **man′ifestation**

demon′strative aanwysend; betogend; *~ pro′= noun* aanwysende voornaamwoord (gram.)

dem′onstrator betoger *also* **dem′o;** demonstra= teur; bewysvoerder

demor′alise (v) demoraliseer; ontmoedig *also* **discou′rage, dishear′ten**

demote' in rang verlaag, degradeer, demoveer

demo'tion degradering, verlaging (in rang)

demur' (n) aarseling, weifeling; beswaar, be= denking; (v) aarsel, weifel; beswaar maak, teenstribbel

demure' (a) stemmig, sedig *also* **coy**; preuts *also* **pru'dish**

demur'rage lêgeld, staangeld (spoorweg)

den nes, lêplek; hol, hool *also* **haunt; hide-out**

denial' ontkenning, verloëning *see* **deny'** (v)

den'igrate (v) verneder, afkraak, denigreer, slegmaak *also* **malign', belit'tle** (a person)

den'im denim; **~s** denims, slenterdrag

Den'mark Denemarke (land) *see* **Dane**

denomina'tion kerkverband; denominasie; be= naming; klas, soort; gesindheid; **~al** kerklik

denom'inator noemer (van breuk); deler

denote' (v) aandui, aanwys, beteken

denoue'ment ontknoping *also* **unravel'ling** (of plot in a play)

denounce' veroordeel, afkeur; betig; aankla; uitvaar (teen); opsê (verdrag); **~ment** veroor= deling; aanklag; **~r** aanklaer, beskuldiger

dense dig, dik; suf, dom, toe (persoon); **~ly** *populated* dig bevolk

den'sity digtheid; stomheid, domheid *also* **stupi'dity** (of person)

dent (n) duik; kerf, kepie; (v) duik; inkeep

den'tal tand=; **~ floss** tand(e)gare, tand(e)vlos; **~ sur'geon** tandarts

den'tist tandarts

den'tistry tandheelkunde

den'ture(s) (kuns)gebit, kunstande; winkeltande (skerts.)

denude' (v) kaal maak *also* **strip, lay bare;** ontbloot, uittrap (veld)

denuncia'tion aanklag, beskuldiging; veroorde= ling; opsegging (kontrak)

deny' (v) ontken; weerspreek *also* **contradict';** misgun (iem. iets); ontsê

deo'dorant reukweerder, deodorant *also* **air fresh'ener**

deo'dorise (v) reukloos maak; ontsmet

depart' (v) vertrek, verlaat; verhuis *also* **relocate';** verkas (omgangst.); sterf; **~** *from* afwyk van; vertrek van; **~** *from life* sterf

depart'ment departement, afdeling; werkkring; **~ment of educa'tion** departement (van) on= derwys; onderwysdepartement; **~al** departe= menteel, afdelings=

depar'ture vertrek; verhuising *also* **reloca'tion** (settling elsewhere); afsterwe; afwyking; op= styging (vliegtuig); afmars; **~ lounge** vertrek= saal

depend' (v) afhang; vertrou; reken op *also* **rely'/count on;** *it* **~s** *on* dit hang af van; **~** *upon* reken op (iem. of iets); **~able** vertrou= baar, betroubaar; **~ant** (n) afhanklike; onder=

geskikte (persoon); **~ence** afhanklikheid vertroue; samehang; onderhorigheid; **~ent** (a afhanklik; onderhorig; **~ent** *on* afhanklik van **~ing** afhanklik; **~ing** *on* afhangende van; na gelang van

depict' (v) uitbeeld, afskilder, skets, beskryf *also* **portray', pic'ture, describe'**

deplete' leegmaak; uitput; **~d** leeg; uitgedun klaar, gedaan; **~d ura'nium** verswakte uraan

deplo'rable (a) beklaenswaardig, betreurens waardig, jammerlik *also* **pi'tiable, lamen' table; disgrace'ful** (conduct)

deplore' betreur; bejammer; afkeur *also* **con demn'**

deploy' ontplooi, versprei; **~** *troops* troepe ontplooi

depop'ulate ontvolk; **depopula'tion** ontvolking

deport' deporteer; oor die grens sit; **~a'tion** deportasie; uitsetting; verbanning; **~ee'** gede porteerde; **~ment** houding, gedrag *also* **bear ing;** houdingsleer (vak)

depose' (v) afsit *also* **displace';** onttroon ontslaan (uit 'n amp); getuienis aflê

depos'it (n) deposito; pand; besinksel, afsetting (v) deponeer (geld); neerlê; laat besink

depos'it book depositoboek(ie); bankboek(ie)

depos'itor deponeerder (van geld); belegger

depo'sitory bewaarplek *also* **store'house**

depos'it slip depositostrokie

dep'ot opslagplek; depot; bêreplek *also* **ware' house;** kwartiere

deprava'tion (n) bederf, verdorwenheid

deprave' (v) versleg, bederwe *also* **bru'talise ~d'** (a) ontaard, versleg, sedeloos

dep'recate (v) afkeur, neerhaal *also* **disap pro've, condemn';** waarsku

depre'ciate (v) depresieer; in waarde verminde *also* **deval'ue;** minag, kleineer

deprecia'tion depresiasie (boekh.); waardever mindering; geringskatting

depress' (v) laat daal; (ter)neerdruk; neerslagti maak; verneder; verlaag; **~ed'** neerslagti bedruk *also* **despon'dent, dejec'ted, down' cast;** **~ion** depressie (gemoedsiekte; ekono mie); neerslagtigheid; terneergedruktheid slapte (ekonomie); insinking; duik, holte daling (barometer)

depriva'tion (n) ontbering; verwaarlosing; ver arming *also* **hard'ship, want** (n)

deprive' (v) ontneem; ontroof; **~d** *of* verstok van; **~d child** verwaarloosde kind; **~d/disad van'taged commu'nity** agtergeblewe gemeen skap

depth diepte; diepsinnigheid; afgrond; *I am ou of my* **~** ek verstaan/begryp dit nie; dis bokan my vuurmaakplek; *a study in* **~** dieptestudie; **charge** dieptebom

deputa'tion afvaardiging, deputasie

dep'uty afgevaardigde; plaasvervanger; adjunk=; ~ **ma'yor** onderburgemeester; ~ **min'ister** adjunkminister; ~ **pres'ident** adjunkpresident; ~ **prin'cipal** adjunkhoof

derail' ontspoor; **~ment** ontsporing

derange' (v) verwar; versteur; **~d** (a) geestelik versteur(d); **~ment** (n) verwarring; versteurd= heid; kranksinnigheid

der'by perde(wed)ren (Engeland); derby; wed= stryd (veral rugby) tussen twee spanne van dieselfde dorp/streek

deregula'tion deregulering

der'elict (n) verlate skip; (a) verlate, prysgegee *also* **aban'doned, deser'ted**

derelic'tion versaking, verlating; pligsversuim; ~ *of duty* plig(s)versuim, plig(s)versaking

deride' (v) uitlag, bespot

deri'sion bespotting, hoon *also* **mock'ery, scorn**; *bring into* ~ bespotlik maak

deri'sive spottend, honend

deriva'tion afleiding; afkoms, herkoms *also* **o'rigin, source**

derive' (v) aflei; afstam; ontstaan, voortkom uit; ontleen aan

dermatol'ogist velspesialis, huidarts, dermato= loog

der'ogate afbreuk doen, benadeel; ontaard

derog'atory (a) kleinerend, neerhalend, verne= derend; ~ *remarks* kwetsende aanmerkings

der'rick boortoring (vir olie); hyskraan, hysbalk

der'vish derwisj, bedelmonnik

desal'inate (v) ontsout; **desalina'tion** ontsout= (ings)aanleg

des'cant'² (v) breedvoerig praat/uitwei/kom= mentaar lewer

descend' (v) afklim; (af)daal; afstam; afkom; neerkom; neerstryk (voël); land (vliegtuig); ~ *to* (jou) verlaag tot; **~ant** afstammeling, telg, nasaat *also* **off'spring**; **~ing or'der** dalende (volg)orde

descent' (n) (neer)daling; afkoms

describe' beskryf, omskryf; aandui *also* **portray'**

descrip'tion beskrywing; aard, klas

descrip'tive beskrywend, tekenend *also* **expres'= sive**

des'ecrate (v) ontheilig, ontwy; skend (grafte)

desegrega'tion (n) desegregasie, integrasie

des'ert¹ (n) woestyn; woesteny; (a) woes, onbewoon, verlate

desert'² (n) verdienste; (pl) verdiende loon; *get one's* ~*s* jou verdiende loon/straf kry

desert'³ (v) verlaat; wegloop, (weg)dros *also* **defect'**; **~er** droster *also* **abscon'der**; **~ion** verlatenheid; versaking; dros(tery); afvallig= heid

deserve' (v) verdien; **~d'ly** na verdienste

deser'ving verdienstelik *also* **commen'dable**

design' (n) ontwerp; plan; voorneme; *by* ~ met opset; ~ **and graph'ic art** ontwerp en grafiese kuns (skoolvak); (v) ontwerp, skets; beoog

des'ignate aanwys; bestem; noem; **designa'tory ti'tle/ini'tials** kenletters

designa'tion naam; betiteling; ampsbenaming; benoeming; aanwysing; bestemming; doel

design': **~edly** opsetlik; **~er** ontwerper; ontwerp= tekenaar, sketstekenaar; **~ing** (n) ontwerp (kuns), tekenkuns; (a) arglistig, slu *also* **cun'= ning, sly, wi'ly**

desirabi'lity wenslikheid; begeerlikheid

desi'rable (a) wenslik; begeerlik

desire' (n) begeerte, verlange, wens; (v) begeer, verlang, wens; *leave much to be* ~*d* veel te wense oorlaat

desi'rous begerig, gretig, verlangend *also* **keen, longing** (for)

desist' laat staan, ophou, aflaat; ~ *from* uitskei met; staak

desk lessenaar, skryftafel; skoolbank; **~top compu'ter (PC)** tafelrekenaar (PR); **~top pub'lishing (DTP)** rekenaarpublisering, tafel= publisering

des'olate (a) verlate, eensaam; troosteloos *also* **bar'ren; dis'mal**

desola'tion verlatenheid; verwoesting; ontvolking

despair' (n) wanhoop; vertwyfeling *also* **gloom**; (v) wanhoop, moed opgee/verloor

despatch' *see* **dispatch'**

des'perate wanhopig; radeloos, desperaat *also* **despai'ring**

despera'tion (n) wanhoop, vertwyfeling, rade= loosheid *also* **despair'**; *in* ~ uit wanhoop

despi'cable veragtelik, laag, gemeen

despise' (v) verag, minag, verfoei

despite' (adv) ~ *his efforts* in weerwil van (sy pogings), ten spyte van *also: in spite of;* (prep) nieteenstaande, ondanks, ongeag

despond' (v) wanhoop, moed verloor; **~ency** (n) moedeloosheid, wanhopigheid, neerslagtig= heid; **~ent** (a) wanhopig, moedeloos *also* **dejec'ted, gloo'my**

des'pot (n) despoot, alleenheerser; dwingeland, tiran (persoon)

despot'ic (a) despoties, heerssugtig

des'potism despotisme, dwingelandy

dessert' nagereg; ~ **fork** dessertvurk; ~ **spoon** dessertlepel

desta'bilise (v) destabiliseer, onbestendig maak

destina'tion bestemming *see* **des'tiny**

des'tine bestem, bepaal, bedoel; **~d** voorbe= stem(d), voorbeskik

des'tiny lot, noodlot; bestemming, voorland; *man of* ~ man met 'n roeping, geroepene

des'titute (a) behoeftig, arm *also* **poor, in'= digent;** verlate, verstoke van; ~ **fam'ily** hawelose gesin

destroy' (v) verniel, vernietig, verdelg; ~ *oneself* jouself ruïneer; **~er** vernieler; torpedojaer (vlootvaartuig)

destruc'tion vernietiging, verwoesting; verdel= ging; verderf

destruc'tive (a) vernielend, afbrekend; ~ *crit'= icism* afbrekende/neerhalende kritiek

detach' losmaak, afsonder; **~able** afneembaar, afhaalbaar, los; **~ed** afsydig; afgetrokke (stem= ming); onbevange; los; **~ment** losmaking; afskeiding; afdeling (soldate)

de'tail (n) besonderheid, gegewe, detail; om= standigheid; uiteensetting; *full ~s of* volledige besonderhede oor/omtrent; *further ~s* meer/verdere besonderhede; *tell/relate in ~* breedvoerig/haarfyn vertel; (v) omstandig vertel; detailleer; opsom; aansê *also* **assign'**; **~ed** breedvoerig, uitvoerig; **~ed report'** uit= voerige verslag

detain' terughou; aanhou, gevange hou; ophou; weerhou; *~ed without trial* aangehou sonder verhoor; **~ee'** aangehoudene

detect' uitvind, betrap, ontdek *also* **no'tice, spot;** **~ion** ontdekking; opsporing; **~ive** speurder; **~or** ontdekker; opspoorder; verklikker; klik= apparaat, luistervlooi

détente' détente, ontspan(nings)politiek

deten'tion aanhouding; detensie; skoolbly; ~ *without trial* aanhouding sonder verhoor; ~ **bar'racks** detensiekaserne

deter' (v) afskrik, terughou, weerhou

deter'gent (n) suiweringsmiddel, detergent; (a) suiwerend

dete'riorate slegter word, bederf, bederwe; ont= aard; agteruitgaan, versleg *also* **degen'erate**

deteriora'tion (n) verval, verslegting; agteruit= gang; ontaarding *also* **degenera'tion**

determina'tion vasberadenheid, beslistheid, wilskrag *also* **will'power;** bepaling, beslis= sing; beëindiging; vasstelling (lone)

deter'mine (v) bepaal, besluit; beslis; vasstel

deter'mined (a) vasberade (van aard) *also* **res'olute;** vasbeslote (om iets te doen)

deter'rent (n) afskrikmiddel; (a) afskrikkend, terugdeinsend

detest' (v) verfoei, verafsku; **~able** verfoeilik *also* **abhor'rent, repug'nant**

dethrone' onttroon, afsit; **~ment** onttroning

det'onate ontplof; laat ontplof

det'onator knaldop(pie); dinamietpatroon

de'tour ompad, (pad)verlegging, omweg *also* **devia'tion**

detract' (v) te kort doen; belaster, beskinder; ~ *from* afbreuk doen aan; **~ion** benadeling; belastering *also* **slan'der, denigra'tion**

det'riment nadeel, skade *also* **disadvan'tage;** *to his ~* tot sy nadeel/skade

detrimen'tal (a) nadelig, skadelik

deuce[1] (n) twee; gelykop (tennis)

deuce[2] (n) joos, duiwel; drommel; *what the ~?* wat die/de drommel?

deval'uate devalueer, in waarde verminder (geld)

devalua'tion devaluasie, waardevermindering (geld)

dev'astate (v) verwoes, verniel *also* **rav'age, demol'ish**

dev'astating (w) rampspoedig, noodlottig; asem= rowend (modewoord vir iets moois/aantrek= liks, bv. in die frase *~ly beautiful*)

devel'op ontwikkel, ontvou, ontplooi; **~ed coun'= tries** ontwikkelde lande; **~er** ontwikkelaar (van eiendomme); ontginner, ontsluiter (van myn); ontwikkelaar (fot.); **~ing coun'tries** ontwikkelende lande, ontwikkelingslande; **~ment** ontwikkeling; ontplooiing

de'viate afwyk, afdwaal; verlê (pad)

devia'tion afwyking; syspoor; verlegging (pad); koersafwyking (lugv.); afleiding (water)

device' (n) toestel, apparaat *also* **in'strument, appli'ance;** oogmerk; sinspreuk, leuse; ont= werp; uitvindsel, lis; (uit)vinding; *left to one's own ~s* aan jouself oorgelaat

dev'il duiwel; *give the ~ his due* gee die duiwel wat hom toekom; *the ~ finds work for idle hands/minds to do* ledigheid is die duiwel se oorkussing; *like the ~* soos 'n besetene; *between the ~ and the deep (blue) sea* tussen twee vure; **~'s do'zen** dertien; **~ish** duiwels; **~ry** duiwelskunste, duiwelary; slegtheid; terg= lus; **~'s bo'nes** dobbelstene; ~ **wor'ship** duiwel(s)aanbidding *also* **sa'tanism**

de'vious afwykend *also* **diver'gent;** kronkelend; omslagtig; afgeleë; **~ly** skelm, agterbaks, slu

devise' (v) versin, prakseer, uitdink *also* **conceive', contrive'**

devoid' leeg, ontdaan *also* **bar'ren, denu'ded;** ~ *of shame* skaamteloos

devolu'tion afwenteling; devolusie (van gesag) *also* **delega'tion;** oorgang; teruggang

devote' (toe)wy; oorlewer; ~ *attention to* aandag wy/skenk/gee aan; **~d** toegewy(d), toegeneë, geheg; verslaaf; verknog; ~*d husband* toege= wyde eggenoot/man; **~e'** toegewyde (per= soon); aanhanger *also* **adhe'rent, fan**

devo'tion toewyding *also* **alle'giance;** vroom= heid, godsvrug *also* **pi'ety, god'liness;** (pl) godsdiensoefening, gebede

devour' (v) verslind, verteer; ~*ing passion* verterende hartstog

devout' vroom, godsdienstig, godvresend *also* **pi'ous, devo'tional**

dew (n) dou; (v) dou; **~drop** doudruppel; **~lap** keelvel, kalwervel; ~ **point** doupunt

dexte'rity handigheid, vaardigheid *also* **exper= tise', han'diness, skill**

dex't(e)rous behendig, handig, vaardig; rats; regshandig

diabe'tes suikersiekte, diabetes

diabet'ic (n) suikersiektelyer, diabeet

diabol'ical duiwels, diabolies, satanies *also* **fien'dish, outra'geous**

di'adem (n) kroon, diadeem

diae'resis deelteken (¨)

di'agnose (v) diagnoseer, vasstel *also* **pin'point**

diagno'sis (n) **diagnoses** diagnose, siektebepaling *also* **anal'ysis; progno'sis** (med.)

diag'onal (n) oorhoekse lyn, diagonaal; (a) oorhoeks, diagonaal

di'agram figuur, skets, tekening, diagram

di'al (n) wyserplaat; sonwyser *see* **sun'dial;** (v) skakel, bel (foon) *also* **call;** meet

di'alect dialek, tongval, streekspraak *also* **re'gional lan'guage**

dialec'tics redeneerkunde, logika, dialektiek

di'al(ling) tone skakeltoon (telefoon)

di'alogue, dialoog, gesprekvoering; samespraak, tweegesprek; **~ box** dialoogblokkie (rek.)

diam'eter middellyn, deursnee

di'amond diamant; **rough** ~ ongeslypte diamant; **~ cut'ter** diamantslyper (persoon); **~ dig'ger** diamantdelwer; **~s** ruitens (kaartspel); **~shaped'** ruitvormig; **~ wed'ding** diamantbruilof

di'aper (n) babaluier *also* **nap'py;** damas, geblomde linne; banddoek; (v) skakeer, figure inweef

di'aphragm (n) middelrif, mantelvlies, diafragma; lensopening (kamera)

di'arise (v) dagteken, (in dagboek) aanteken/opteken

diarrhoe'a buikloop, diarree; loopmaag, maagwerking; appelkoossiekte; *verbal* ~ woordskittery (vulg.)

di'ary dagboek *also* **dai'ly rec'ord**

dias'pora verstrooiing, diaspora *also* **(Jew'ish) disper'sion**

di'atribe spotrede, smaadrede *also* **abuse', ti'rade, ver'bal on'slaught**

dice (n, pl) dobbelstene; (v) dobbel; uitdaag; ~ *with death* met jou lewe dobbel/speel

di'cey (infml.) (a) onseker, riskant *also* **ris'ky**

dick'ey borslap, beffie *also* **bib; ~ seat** kattebak (motor); bok (rytuig)

dic'taphone (obs.) diktafoon (veroud.)

dic'tate (n) voorskrif, gebod, bevel; ~*s of conscience* stem van die gewete; (v) dikteer; beveel, gebied; voorskryf

dicta'tion diktaat, diktee; voorskrif

dicta'tor diktator; despoot; **~ship** diktatuur *also* **des'potism, tyr'anny**

dic'tion voordrag; styl, diksie

dic'tionary woordeboek, leksikon; **~ ma'ker/compi'ler** woordeboeksamesteller, leksikograaf

didac'tic (a) didakties, lerend; **~s** (n) pedagogie(k), onderwyskunde

did'dle kul, flous, inloop *also* **swin'dle**

die[1] (n) **dice** dobbelsteen; teerling; *the ~ is cast* die besluit is (onherroeplik) geneem

die[2] (n) matrys; snymoer; muntstempel

die[3] (v) sterf, doodgaan; sneuwel (soldaat); vrek, doodgaan (dier); krepeer (van ellende); *never say ~* aanhou wen; ~ *off* afsterf; ~ *out* uitsterf; **~hard** bittereinder (in oorlog); kanniedood (persoon)

die sinker stempelsnyer (persoon)

diet[1] (n) dieet; leefreël; **slim'ming ~** verslankingsdieet; (v) dieet; 'n dieet volg

diet[2] (n) ryksdag, landdag (parlement in party lande)

dietet'ics voedingsleer, dieetkunde

dieti'cian dieetkundige, voedingkundige

dif'fer (v) verskil; *I beg to ~* jammer, maar ek dink anders

dif'ference verskil, onderskeid; *split the ~* die verskil deel

dif'ferent (a) verskillend, anders *also* **diver'gent;** onderskeie; **~ial** ewenaar (motor)

differen'tiate (v) onderskeid maak, onderskei, differensieer *also* **distin'guish**

dif'ficult moeilik, swaar *also* **stren'uous; ~y** moeilikheid, moeite, haakplek; beswaar

dif'fident (a) bedees, beskeie, skamerig *also* **tim'id, shy, mod'est**

diffrac'tion straalbreking, diffraksie

diffuse' (v) versprei; uitstraal; sprei; (a) omslagtig, langdradig; versprei

diffu'sion (n) uitstraling; verspreiding

dig (n) stoot, slag, stamp; graafwerk, spitwerk; argeologiese uitgrawing; *have a ~ at s.o.* iem. 'n steek gee; (v) graaf/grawe, grou; delf, spit; ~ *in one's heels* viervoet vassteek; ~ *out* uitgrawe

di'gest[1] (n) opsomming, oorsig; keurblad

digest'[2] (v) verteer; oordink; verwerk; duld; rangskik; opsom; **~ion** spysvertering

dig'ger delwer (vir diamante)

dig'gings (diamant)delwery

dig'it vinger; toon; syfer

dig'ital (a) vinger~, toon~; syfer~; digitaal; ~ **cam'era** digitale kamera; ~ **di'ary** digitale dagboek; ~ **watch** syferhorlosie, digitale horlosie

dig'nified (a) waardig, deftig; verhewe *also* **state'ly, distin'guished**

dig'nify (v) met eer beklee, verhef; deftig maak

dig'nitary (n) hoogwaardigheidsbekleër, hooggeplaaste, dignitaris (mens), BBP

dig'nity waardigheid, deftigheid, statigheid; *beneath one's ~* benede jou waardigheid; *human ~* menswaardigheid

digress' (v) afwyk, uitwei, afdwaal

digs (infml.) (n, pl) blyplek, losiesplek *also* **board, lod′ging**

dike damwal; dyk; gang (geol.)

dilap′idated (a) vervalle; bouvallig, gehawend *also* **decayed′, decrep′it, ram′shackle**

dilate′ (v) uitsit, swel; uitwei (oor 'n saak); vergroot *also* **am′plify, dwell on**

dila′tory (a) traag, talmend, uitstellerig

dilem′ma verknorsing, verleentheid, penarie, dilemma *also* **fix, predic′ament**

dilettante′ (n) **-s, ..tanti** dilettant, leek, amateur *also* **dab′bler, tri′fler** (person); **dilettan′tism** dilettantisme, liefhebbery

dil′igence (n) vlyt, ywer, fluksheid; **dil′igent** (a) ywerig, fluks, vlytig, werksaam *also* **indus′-trious, stu′dious, pain′staking**

dill dille (kruieplant)

dil′ly-dally (v) talm, draai, sloer, treusel

dilute′ (v) verdun, verslap, verwater

dim (v) donker maak; verdof, verdonker; ~ *lights* ligte verdof/demp; ligte domp (motor); (a) donker, dof, skemerig; suf; wasig; **~ly** dof-(weg), flouerig

dimen′sion afmeting, dimensie, grootte, om-vang; *the three* ~*s* die drie afmetings

dimin′ish verminder, verklein *also* **curtail′, reduce′**

dimin′utive (n) verkleinwoord; (a) klein; ver-kleinings-; ~ **form** verkleinvorm (gram.)

dim′ple (wang)kuiltjie

din (n) geraas, lawaai *also* **commo′tion, hullabaloo′;** (v) raas, lawaai maak, baljaar

dine (v) eet; uiteet; *we will ~ with them tonight* vanaand gaan eet ons by hulle

ding-dong kling-klang

dinghy′ (n) **dinghies** rubberbootjie, opblaasboot-jie

din′gy (a) morsig, vuil, rokerig *also* **fil′thy, gri′my, foul**

di′ning: ~ **car** eetsalon, eetwa (trein); ~ **room** eetkamer

din′ner (n) dinee (formeel) *also* **ban′quet;** aandete (by die huis) *also* **sup′per;** middagete (soms, veral Sondag) *also* **lunch;** ~ **jack′et** aandbaadjie; dineepak; ~ **par′ty** dinee; ~ **ser′vice/**~ **set** eetservies

di′nosaur (n) dinosouriër, dinosourus

di′ocese bisdom (gebied van 'n biskop)

diora′ma kykspel, diorama *also* **sce′nic mod′el**

dip (n) dip; indompeling; helling, diepgang; skuinste; laagte; *take a* ~ in die water spring; gaan swem; (v) dip (vee); indompel; insteek; stryk (vlag); domp (hoofligte); ~ *into a book* 'n boek deurblaai; ~ *into the future* 'n blik in die toekoms werp; 'n scenario maak; **lucky** ~ gelukspakkie, gelukpluk

diphthe′ria witseerkeel, difterie (siekte)

diph′thong tweeklank, diftong

diplo′ma diploma; sertifikaat; getuigskrif

diplom′acy diplomasie *also* **internat′ional rela′-tions;** behendigheid, takt

dip′lomat diplomaat (persoon)

diplomat′ic (a) diplomaties; taktvol *also* **tact′-ful; art′ful;** oulik, behendig (in omgang met mense); ~ **immu′nity** diplomatieke onskend-baarheid/immuniteit

dip′ping dip-; ~ **tank** dipbak, dip

dire vreeslik, yslik, ontsettend; ~ *need* uiter-ste/nypende nood

direct′[1] (v) rig; bestuur; adresseer; die aandag vestig op; beveel; aanstuur

di′rect[2] (a) regstreeks, direk; dadelik; ~ *hit* voltreffer; ~ *speech* direkte rede (gram.)

direc′tion rigting; leiding; direksie, bestuur *also* **manage′ment**

direct′ly direk, dadelik, onmiddellik *also* **forth′-with;** reguit

direc′tor direkteur; ~**-gen′eral** direkteur-gene-raal; hoofdirekteur; ~**y** adresboek; lêergids (rek.)

dirge klaagsang, treursang, elegie *also* **el′egy, req′uiem**

dir′igible (n) bestuurbare lugballon, lugskip *also* **air′ship;** (a) bestuurbaar

dirt (n) vuilgoed, vuilis; slyk; *fling* ~ met modder gooi (fig.); ~**box** vullisbak *also* **trash can** (Am.); ~**-cheap** spotgoedkoop; ~ **track** asbaan

dir′ty (v) bevuil, bemors, besmeer; (a) vuil; vieslik; morsig, smerig; gemeen, laag; ~ *trick* lelike/vuil streep; ~ *work* vuil werk

disabi′lity gebrek, gestremdheid *also* **afflic′tion;** ongeskiktheid (vir werk)

disa′ble (v) onbekwaam maak; buite geveg stel; vermink; onbruikbaar maak; ~**d** gestrem, gebreklik; ongeskik; gekwes; ~*d/handicapped person* (liggaamlik) gestremde; ~*d soldier* invalide, gewonde soldaat

disadvan′tage nadeel, skade; verlies; ~**d** (a) underprivileged; ~*d/deprived community* on-derbevoorregte/agtergeblewe gemeenskap

disagree′ verskil; nie ooreenstem nie; vassit (oor iets); *it* ~*s with me* dit akkordeer nie met my nie (kos); ~**able** onaangenaam *also* **unpleas-ant, nas′ty;** ~**ment** verskil; geskil; onenig-heid

disallow′ nie toelaat nie, afkeur *also* **refuse′, reject′**

disappear′ verdwyn, wegraak; ~*ing trick* stille-tjies/spoorloos verdwyn; skielik verkas; ~**ance** verdwyning

disappoint′ teleurstel; verydel; ~**ed** teleurge-stel(d); ~**ment** teleurstelling *also* **disenchant′-ment; misfor′tune**

disappro′val (n) afkeuring; *express his* ~ sy afkeuring uitspreek

disapprove' (v) afkeur, verwerp *also* **reject'**

disarm' (v) ontwapen; paai; **~ament** ontwape=
ning; **~ing** (a) gerusstellend *also* **persua'sive**

disarrange' (v) deurmekaarmaak; in wanorde
bring; verwar; **~ment** verwarring, wanorde

disarray' (n) wanorde, verwarring

disas'ter (n) ramp; fiasko; ongeluk, onheil *also*
calam'ity; **~ a'rea** rampgebied; **~ fund** ramp=
fonds, noodleniging(s)fonds

disas'trous (a) noodlottig, rampspoedig *also*
catastro'phic

disband' ontbind (groep of organisasie)

dis'belief (n) ongeloof, twyfel

disbelieve' (v) twyfel, nie glo nie

disburse' voorskiet; uitbetaal; opdok; **~ment**
voorskot, uitbetaling; uitgawe, onkoste

disc skyf; werpskyf; plaat *also* **disk** (Am., comp.);
~ brakes skyfremme; **~ jock'ey** platejoggie, also
dee'jay; ~ plough skottelploeg

discard' (v) weggooi *also* **aban'don, dump;**
afdank; verwyder; verwerp *also* **reject'**

discern' (v) onderskei; opmerk, waarneem,
uitmaak; **~ing** skrander, skerpsiende; oor=
deelkundig *also* **acute';** **~ment** oordeel, insig,
skranderheid

discharge' (n) ontslag; kwytskelding; afskiet
(geweer); ontlading (elektr.); ettering (wond);
uitmonding (rivier); betaling; uitoefening; (v)
ontslaan (pasiënt uit hospitaal); loslaat (ge=
vangene); vrylaat, vryspreek (beskuldigde in
hof); afskiet, afvuur (geweer); ontplof; afdank,
ontslaan *also* **dismiss, retrench';** aflaai, ont=
skeep; vervul (plig); betaal, delg (skuld); loop
(wond); uitmond (rivier); ontlaai (elektr.); **~**
one's duties jou pligte vervul; **~** *a prisoner* 'n
gevangene ontslaan/vrystel

disci'ple dissipel; leerling, volgeling

disciplina'rian tugmeester, ordehouer

dis'ciplinary tug=, dissiplinêr; **~ commit'tee**
tugkomitee

dis'cipline (n) tug, dissipline *also* **or'derliness,
control';** (v) tugtig; kasty *also* **pe'nalise**

disclose' (v) ontdek; onthul, openbaar (maak),
meedeel, blootlê *also* **divulge', reveal'**

disclo'sure onthulling, openbaarmaking *also*
revela'tion, expo'sure, leak

dis'co disko(teek); **~ dan'cing** diskodans;
~phil(e) diskofiel, plateversamelaar

discol'our (v) verkleur; vlek

discom'fort (n) ongemak; pyn; ongerief; las;
onaangenaamheid; **~ in'dex** ongemak(s)vlak,
ongemaksyfer *also* **hu'miture** (climate); (v)
ongemaklik maak, ongerief veroorsaak

disconcert' (v) verwar, ontstel; **~ed** (a) verwar,
verbouereer(d)

disconnect' (v) diskonnekteer; loskoppel; skei;
~ion loskoppeling *also* **cut-off, suspen'sion;**
skeiding

discon'solate (a) troosteloos, bedroef *also*
inconso'lable, cheer'less

discontent' (v) ontevrede maak; (a) ontevrede;
~ment (n) ontevredenheid, misnoeë *also*
dissatisfac'tion

disconti'nue eindig, beëindig, staak; afbreek;
opsê; **~** *the training program(me)* die oplei=
(dings)program staak

dis'cord[1] (n) wanklank; tweedrag, onvrede *also*
disagree'ment; *apple of* **~** twisappel

discord'[2] (v) verskil, rusie maak; bots; **~ant**
valsklinkend *also* **dis'sonant;** onenig

dis'cothèque diskoteek

dis'count[1] (n) korting, afslag *also* **re'bate,
reduc'tion;** diskonto (by wissel); *at a* **~** teen
afslag; **~ store** afslagwinkel

discount'[2] (v) afslaan, aftrek; inwissel; met voor=
behoud aanneem; weerspreek *also* **disbelieve'**

discou'rage ontmoedig, bang maak; afskrik;
afraai *also* **dissua'de**

dis'course (n) gesprek; samespreking *also*
discus'sion; redevoering; diskoers

discour'teous (a) onbeleef *also* **ru'de, bad-
man'nered;** onmanierlik; onwellewend

discour'tesy onbeleefdheid, ongemanierdheid
also **impoli'teness**

disco'ver (v) ontdek; openbaar maak; uitvind;
onthul; **~y** ontdekking; vonds

discred'it (n) oneer, skande; diskrediet; (v) in
minagting bring; in diskrediet bring; **~able**
oneervol *also* **dishon'ourable**

discreet' (a) oordeelkundig, taktvol, verstandig
also **circumspect';** beskeie

discrep'ancy (n) ongerymdheid, teenstrydigheid,
wanverhouding, diskrepansie

discre'tion diskresie; goeddunke; begrip; oorleg;
beskeidenheid; *at* **~** na/volgens goeddunke;
use one's own **~** na goeddunke handel

discrim'inate (v) onderskei, diskrimineer *also*
differen'tiate

discrim'inating (a) skerpsinnig, oordeelkundig;
onderskeidend *also* **discer'ning, selec'tive**

discrimina'tion (n) diskriminasie, benadeling
also **pre'judice, bi'as**

dis'cus (n) -es, disci werpskyf, diskus

discuss' bespreek; bepraat; beraadslaag; **~ion**
bespreking, diskussie; samespreking(s); **~ion
group** besprekingsgroep, diskussiegroep;
gonsgroep *also* **buzz group**

disease' siekte, kwaal *also* **ill'ness, disor'der,
ail'ment**

disembark' ontskeep, land; **~a'tion** ontskeping,
landing

disembow'el die ingewande uithaal

disenchan'ted (a) ontnugter, onvergenoeg (d)
also **disillu'sioned**

disengage' bevry, ontslaan; ontkoppel; losmaak
also **loo'sen, release';** **~d** onbeset

disentan'gle ontwar, losmaak *also* **ex'tricate**

disfa'vour (n) onguns; ongenade; nadeel

disfi'gure (v) mismaak, ontsier *also* **deface, mar; ~ment** mismaaktheid, verminking

disfran'chise die stemreg ontneem, ontkieser *see* **enfran'chise**

disgorge' (v) uitbraak; opbring

disgrace' (n) skande, oneer *also* **disrepute';** *be* **~d** in onguns wees; **~ful** skandelik, skandalig *also* **contemp'tible**

disguise' (n) vermomming, masker; voorwend=sel; dekmantel; *blessing in* ~ bedekte seën; *in* ~ vermom; (v) vermom; verbloem *also* **co'ver up, conceal'**

disgust' (n) afkeer, walging, teensin; (v) walg; *be* **~ed with** walg van; **~ingly rich** stinkryk; **~ing** walglik; smerig, liederlik, vieslik *also* **detest= able, repul'sive**

dish (n) skottel; gereg; (pl) skottelgoed; **~cloth** vadoek; ~ **up** (v) opdis (kos; ou grappe), opskep

dishar'mony (n) disharmonie, wanklank

dishear'ten (v) ontmoedig, afskrik *also* **dampen, deject'**

dishev'el (v) deurmekaarmaak; verpluk, verfoes; **~led** (a) verwaai(d), verfomfaai

dishon'est oneerlik, skelm *also* **frau'dulent, croo'ked; ~y** oneerlikheid; bedrog

dishon'our (n) oneer, skande; (v) onteer; ~ *a cheque* 'n tjek dishonoreer

dish'washer opwasser, skottelgoedwasser (ma=sjien)

disillu'sion (v) ontnugter, ontgogel; **~ed** (a) ont=nugter *also* **disenchan'ted**

disincline' (a) ongeneig, teensinnig *also* **reluc'= tant**

disinfect' ontsmet; **~ant** ontsmet(tings)middel; **~ion** ontsmetting

disinforma'tion (n) disinformasie, waninligting, fopinligting

disin'tegrate ontbind; verval; disintegreer; ver=brokkel

disin'terested belangeloos; onpartydig, onbe=trokke *also* **indiff'erent**

disinvest' (v) disinvesteer; **~ment** disinvestering

disjoin'ted onsamehangend *also* **disconnec'ted, disloca'ted**

disk skyf; diskus, werpskyf; plaat *also* **disc;** ~ **drive** skyf(aan)drywer (rek.); ~ **file** skyflêer (rek.); **floppy** ~ (rekenaar)skyf, disket; ~ **op'erating sys'tem** skyfbedryfstelsel (rek.); ~ **space** skyfspasie (rek.)

diskette' (rekenaar)skyf *also* **flop'py (disk); stiff'y** (only in SAE)

dislike' (n) afkeer, teensin, renons; (v) 'n afkeer hê van; *I* ~ *him* ek het nie ooghare vir hom nie; *take a* ~ *to* 'n hekel kry aan

dis'locate (v) ontwrig; verswik, verstuit

disloca'tion verskuiwing, verplasing *also* **dis= array'**

dislodge' uitdryf, verdryf, verjaag; losmaak

disloy'al ontrou, onbetroubaar, dislojaal; **~t** dislojaliteit *also* **infidel'ity**

dis'mal somber; treurig; droewig *also* **gloo'my drea'ry;** ~ **perfor'mance** swak/vrot/beroerde spel/vertoning

disman'tle afbreek (stellasie); sloop (huis) *also* **demol'ish**

dismay' (n) skrik, ontmoediging; ontsteltenis; (v) ontmoedig; onthuts; **~ed'** verslae, versteld *also* **disillu'sioned, disenchan'ted**

dismiss' (v) ontslaan, afdank *also* **dischar'ge sack, fire, axe; retrench';** afset; ontbin=(vergadering); wegstuur; laat vaar (idee) uithaal (krieket); verdaag (mil.); **~al** ontslag afdanking

dismount' afklim, afstyg (van perd)

disobe'dience ongehoorsaamheid

disobe'dient (a) ongehoorsaam, stout *also* **obstrep'erous**

disor'der (n) wanorde, verwarring; oproer ongesteldheid; (v) in die war maak; **~ly** wanordelik

disown' verloën, ontken *also* **repu'diate**

dispar'age (v) verkleineer; beskinder; neerhaal **~ment** verkleinering, verlaging

dispar'ity ongelykheid, wanbalans, dispariteit

dispas'sionate bedaard, kalm, besadig, nugter *view it* **~ly** oordeel nugter

dispatch'/despatch' (n) versending; berig, ver=slag (amptelik); militêre/diplomatieke rapport teregstelling; (v) afstuur, versend; afhandel; ~ **ri'der** rapportryer (hist.)

dispel' wegja(ag), verban; ~ *any fears* moenie jou bekommer nie, moenie stres nie

dispen'sable (a) weggooibaar, wegdoenbaar *also* **dispo'sable**

dispen'sary (n) reseptering; (meng)apteek

dispensa'tion bedeling; uitdeling; vrystelling, beheer; stelsel; *new* ~ nuwe bedeling

dispense' toeberei; uitdeel; uitoefen; ~ *with* daarsonder klaarkom

dispen'sing: ~ **chem'ist** (resep)apteker; ~ **doc'= tor** resepterende dokter

disper'sal (n) verstrooiing; verspreiding

disperse' (v) verstrooi; versprei *also* **distri'bute, scat'ter;** verdryf, uiteenjaag; opbreek (verga=dering); rondstrooi

disper'sion verspreiding; verstrooiing (van die Jode)

dispi'rited (a) neerslagtig, moedeloos *also* **deject'ed, down'cast**

displace' verplaas *also* **re'deploy;** vervang; afsit (uit betrekking); **~d** *person* ontwortelde=ontheemde persoon; **~ment** verskuiwing; ver=plasing; vervanging

display' (n) uitstalling *also* **ex'po(sition); exhibi=
tion;** vertoning; pragvertoon; (v) tentoonstel;
vertoon; **~ adver'tisement** sieradvertensie; **~
cab'inet/case** (ver)toonkas; **~ di'ving** sierduik;
~ i'tem (ver)toonstuk; **~ room** toonlokaal *also*
show'room; ~ win'dow toonvenster

displease' mishaag, misnoeg

displea'sure (n) mishae, misnoeë, ongenoeë *also*
pi'que

disport' jou vermaak, jou verlustig; baljaar,
dartel; **~ment** tydverdryf, ontspanning

dispo'sable (a) wegdoenbaar *also* **dispen'sable;
~ syringe'** wegdoenspuit

dispo'sal beskikking, skikking; reëling; toewy=
sing; *at your* **~** tot jou beskikking

dispose' (v) beskik; reël, orden, inrig; **~** *of*
verkoop; vervreem; **~d** geneig, gestem

disposi'tion skikking; gesteldheid; neiging, aard,
gesindheid *also* **at'titude; compo'sure**

dispossess' (v) onteien, ontneem, ontvreem *also*
sei'zure (of assets)

dispropor'tioned' (a) oneweredig, ongelyk;
wanstaltig

disprove' (v) weerlê

dispu'table betwisbaar, aanvegbaar *also* **ques'=
tionable**

dispute' (n) twis; geskil, dispuut; *beyond all* **~**
onbetwisbaar; *the matter in* **~** die geskilpunt;
settle the **~** die geskil besleg/bylê; *without* **~**
ongetwyfeld; (v) twis, betwis; **~d mat'ter**
betwiste/omstrede saak

disqualifica'tion (n) diskwalifikasie; ongeskikt=
heid; uitsluiting

disqual'ify (v) diskwalifiseer; ongeskik maak;
uitsluit; ongeskik verklaar *also* **invali'date**

disquiet' (n) onrus; (v) verontrus, ongerus maak;
(a) ongerus; **~ing** verontrustend

disregard' (n) veron(t)agsaming, minagting; (v)
veron(t)agsaam *also* **ignore'**; minag; gering=
skat

disrepair' (n) verval; vervalle staat (gebou) *also:
in disrepair;* lendelam

disrep'utable (a) berug, skandelik; met 'n
swak/slegte reputasie; **~** *character* ongure
vent

disrepute' (n) slegte naam, berugtheid; diskre=
diet, oneer; *fall into* **~** 'n slegte naam kry

disrespect' (n) oneerbiedigheid, disrespek; min=
agting

disrobe' (v) ontklee

disrupt' (v) ontwrig; verbrokkel; **~** *the class* die
klas ontwrig

dissatisfac'tion (n) ontevredenheid

dissat'isfied (a) ontevrede (met), onvergenoeg(d)
also **displeased'**

dissect' (v) dissekteer; ontleed; **~ing knife**
ontleedmes; **~ing room** ontleedkamer; **~ion**
disseksie

dissem'inate (v) versprei (inligting), dissemi=
neer; uitstrooi *also* **distri'bute, spread**

dissemina'tion (n) verspreiding (van inligting)

dissen'sion (n) verdeeldheid, tweedrag, onenig=
heid, onmin

dissent' (v) verskil van opinie; **~er** afgeskeidene,
andersgesinde, dissident; **~ing vote** teenstem

disserta'tion verhandeling, dissertasie, proef=
skrif, tesis *also* **the'sis, trea'tise**

disser'vice ondiens; *do a* **~** 'n ondiens bewys;
iem. benadeel

dis'sident (n) andersdenkende; afvallige, dissi=
dent; (a) andersdenkend

disso'ciate ontbind, skei; distansieer, dissosieer

dissolu'tion smelting; ontbinding (van 'n ven=
nootskap); oplossing; dood

dissolve' oplos; ontbind; **~** *a partnership* 'n
vennootskap ontbind

dis'sonance wanklank; dissonansie; onenigheid

dissuade' afraai, ontmoedig, afskrik *also*
discou'rage *see* **persuade'**

dis'taff spinrok; vrouewerk; die vroue; *the* **~** *side*
van moederskant, van die vroulike kant

dis'tance (n) afstand, distansie; *at a* **~** op 'n
afstand; *in the* **~** in die verte/vêrte; **~ educa'=
tion/lear'ning** afstand(s)onderrig *also* **tele=
tui'tion;** (v) ver uitstof; distansieer

dis'tant ver/vêr weg; afgeleë; uit die hoogte,
koel; **~ly related** verlangs/vêrlangs verwant; **~
rel'ative(s)** verlangs/vêrlangs familie

distaste' teensin, teësin, walging; **~ful** onsmaak=
lik, aanstootlik, afstootlik *also* **loath'some**

distem'per[1] (n) hondesiekte; siekte, kwaal;
slegte humeur

distem'per[2] (n) muurkalk, witsel, kalkverf; (v)
wit

distil' (v) distilleer; stook (brandewyn); neer=
drup; **~la'tion** distillasie; **~lery** stokery; distil=
leerdery

distinct' duidelik, onderskeie; beslis; bepaald; eie;
as **~** *from* in teenstelling met; **~** *improvement*
besliste verbetering; *keep* **~** uitmekaar hou

distinc'tion onderskeiding (in eksamen); met lof;
aansien; eerbetoon; verskil; *a person of* **~**
iemand van betekenis/aansien; *pass with* **~**
slaag met onderskeiding/lof

distinct': **~ive** onderskeidend *also* **characteris'=
tic;** **~ly** uitdruklik *also* **clear'ly**

distin'guish (v) onderskei; kenmerk; naam
maak; **~ed** (a) onderskeie; aansienlik, be=
roemd, vernaam; **~ed guests** geëerde/vername
gaste; **~ed company** uitgelese geselskap

distort' verdraai *also* **fal'sify;** verwring; **~ion**
verdraaiing; **~ionist** lyfwringer, slangmens

distract' (v) aflei, aftrek (aandag); verbyster; **~ed**
afgetrokke; deurmekaar; verbyster; **~ion**
afleiding; verwarring, verstrooiing; **~or** afleier
(by veelkeusevrae)

distress' (n) ellende; angs, benoudheid; nood, gevaar; rampspoed *also* **ag'ony, mis'ery; mis'fortune;** (v) in verleentheid bring; *damsel in* ~ nooientjie in nood; **~ed** ontsteld; verdrietig, bedroef; ~ **call** noodroep; ~ **sig'nal** noodsein; ~ **syn'drome** noodsindroom

distri'bute (v) uitdeel, verdeel, versprei, distribueer

distribu'tion uitkering (van winste); verdeling (van goedere, geld); verspreiding, distribusie; ~ **board** verdeelbord (elektr.)

distri'butor (n) verspreider, verteenwoordiger (persoon); vonkverdeler (motor)

dis'trict distrik; streek, area, gebied; ~ **sur'geon** distriksgeneesheer

distrust' (n) wantroue; argwaan; (v) wantrou *also: be wary of*

disturb' (v) steur/stoor (iemand); hinder, pla; versteur, **~ance** (n) versteuring; opskudding; oproerigheid *also* **un'rest, disor'der;** (pl) onluste; **~ing** (a) steurend

disuse' (n): *fall into* ~ in onbruik raak

disyllab'ic tweelettergrepig

ditch (n) sloot, voor; grag; *die in the last* ~ volhard tot die (bitter) einde; (v) uitskop; oorboord gooi; noodlanding op see (vliegtuig); slote grawe; dreineer

dit'to dieselfde, ditto

ditt'y (n) **ditties** liedjie, deuntjie; kenwysie *also* **jing'le**

divan' (n) sofa, divan, rusbank

dive (n) duik; duikvlug; speelhol, (dobbel)hool; *make a* ~ *for* duik/gryp na; (v) duik; ~ *into one's pocket* jou hand in jou sak steek; ~ **bom'ber** duikbomwerper; **~r** duiker (persoon); duikelaar (duif)

diverge' (v) afwyk; uiteenloop; **~nce** afwyking; uiteenloping, divergensie; **~nt** uiteenlopend

diverse' (a) verskillend, ongelyk, uiteenlopend *also* **miscella'neous, va'rious**

diver'sified verskillend; afgewissel; gediversifiseer (bedrywighede van maatskappy); ~ *farming* gemengde boerdery

diver'sify (v) afwissel, diversifeer/diversifiseer

diver'sity verskeidenheid, verskil; diversiteit; ~ *of opinion* meningsverskil

divert' aflei; ontspan; vermaak; onttrek; uitkeer, wegkeer; verlê (pad); ~ *attention* die aandag aflei

divest' ontbloot; beroof; ontdoen (van titel), vervreem *also* **deprive', strip** (of title); onttrek (belegging)

divide' (n) verdeling; skeiding; grens; waterskeiding; (v) deel, verdeel; skei; splits

divi'ded (a) (ver)deel; afgeskei; onenig, oneensgesind ('n familie)

div'idend dividend; uitkering; deeltal; *declare a* ~ 'n dividend verklaar; *pay a* ~ 'n dividend uitbetaal; *cum* ~ met dividend; *ex* ~ sonde dividend; **in'terim** ~ tussentydse dividend tussendividend; ~ **yield** dividendopbrengs

divi'der deler; (pl) verdeelpasser

divine' (v) voorspel; gis, raai; 'n voorgevoel hê waterwys; (a) goddelik *also* **ho'ly, spi'ritua sublime';** verruklik, heerlik, wonderlik, man jifiek; **~r** voorspeller, waarsêer; waterwyser; **service** erediens (in kerk); huisgodsdiens boekevat

di'ving bell duik(er)klok

divi'ning rod wiggelroede, waterstok(kie)

divin'ity godheid; godgeleerdheid

divi'sion deling; verdeling; afdeling; verdeel heid; onenigheid; divisie (leër); *long* ~ lan deling; *short* ~ kort deling; ~ **sum** deelsom

divorce' (n) egskeiding; (v) skei; egskeidin toestaan

divorcee' geskeide persoon

div'ot (n) sooitjie, sooimerk (gholf)

divulge' (v) rugbaar maak, wêreldkundig maak onthul, openbaar *also* **disclose', reveal'**

dix'ie/dix'y (n) **dixies** veldpot (mil.)

diz'ziness duiseligheid

diz'zy (a) duiselig, lighoofdig *also* **gid'dy grog'gy;** (v) verbyster; swymel

do (v) doen, maak, verrig, werskaf; volbring; ~ *badly* sleg vaar; ~ *come* kom tog asseblief; ~ *or die* alles of niks; ~ *honour* eer bewys; *how* ~ *you* ~? aangenaam!; aangename kennis; bly (u) te kenne; ~ *it yourself (DIY)* doen dit self (DDS); ~ *mischief* kattekwaad aanvang; ~ *time* sy tyd uitsit; *that will* ~ dis genoeg; ~ *withou* daarsonder klaarkom

do'cile (a) leersaam; hanteerbaar, mak *also* **pli'ant**

dock¹ (n) skeepsdok; getuiebank; **dry** ~ droog dok; **floa'ting** ~ dryfdok; **na'val** ~ marinewerf; (v) dok, vasmeer (skip)

dock² (n) wilde suring; steenboksuring

dock'et dossier, strafregister (polisie); uittreksel; faktuur; strook, strokie

dock: **~land** hawebuurt; **~yard** skeepswerf

doc'tor (n) dokter, huisarts; mediese spesialis; doktor (in die regte, lettere, ens.); (v) dokter, medies behandel; opknap

doc'toral doktoraal, doktors= (graad)

doc'torate (n) doktoraat (kwalifikasie)

doc'trine leer, leerstelling, doktrine *also* **dog' ma, ten'et**

doc'udra'ma (n) dokumentêre drama, dokudrama

doc'ument (n) dokument, geskrif; bewysstuk; (v) dokumenteer

documen'tary (n, a) dokumentêr (TV); ~ **film** dokumentêre film, feitefilm

documenta'tion (n) dokumentasie

dodge (n) ontwyking, lis, uitvlug; draai; truuk

(v) ontwyk, verbyglip, koes; uitoorlê; **~r** ontduiker; skelm, draaijakkals *see* **bil'ker**

loe hert-ooi; ree, hinde; wyfiehaas

lo'er dader, verrigter; man van die daad

loff afhaal (hoed); uittrek; wegsit

log (n) hond; (nare) vent; skurk; *be in the ~ box* in onguns wees; *go to the ~s* ten gronde gaan; *lucky ~* geluksvoël; *an old ~* 'n ou kalant; *let sleeping ~s lie* moenie slapende honde wakker maak nie; *top ~* uitblinker, uithaler, bobaas; (v) navolg; naspeur; *~ s.o.'s heel* soos 'n hondjie agter iem. aandraf; **~ col'lar** hondehalsband; ronde predikantsboordjie; **~fight** hondegeveg; enkelgeveg (in die lug); **~ ken'nel** hondehok; (pl) hondehotel, woefietuiste; verbitterde twee= geveg; **~ged** (a) stuurs; koppig, hardnekkig; vasbeslote *also* **deter'mined, res'olute;** *a person ~ged by bad luck* 'n ongeluksvoël

log'gerel (n) kreupelrym, rymelary

log'gybag (n) brakkiesakkie, woef(ie)kardoes

log'leg (n) skerp draai/hoek (gholf)

log'ma (n) leerstuk, dogma *also* **doc'trine**

loi'ly (n) **doilies** doilie, kraaldoekie, melklappie, bekerlappie

dol'drums (streke van) windstilte, doldrums

do-gooder (n) welmenende doener (onbewus van nagevolge)

dole[1] (n) aalmoes *also* **alms;** *on the ~* staats= toelae trek

dole[2] (n) gehuil; droefheid, verdriet; **~ful** treurig, droewig, klaend

doll (speel)pop; mooi meisie

dol'lar dollar (Am. geldeenheid; simbool: $)

dol'omite dolomiet, kalkgesteente

dol'phin dolfyn (seedier)

domain' (n) gebied; domein; sfeer; heerskappy

dome koepel, gewelf, dom

domes'tic (n) huishulp (vroulik); huiswerker; (a) huislik, huishoudelik; binnelands; **~ an'imal** huisdier; **~ econ'omy** volkshuishouding; huis= bestuur; **~ science** huishoudkunde; **~ wor'ker** huishulp; huiswerker

domes'ticate (v) mak maak; kamerwys maak *also* **house-train';** inburger; **~d animal** hans= dier, huisdier

do'micile (n) woonplek; verblyf; domisilie; (v) vestig, woon

dom'inant (a) (oor)heersend; dominant

dom'inate (v) beheers; oorheers; domineer

domineer' (v) baasspeel, oorheers; **~ing** (a) baasspelerig, heerssugtig, dominerend

domi'nion (n) heerskappy, gesag *also* **sov'= ereignty;** gebied; dominium, vrygewes

do'mino mantel (met 'n kap) **do'minoes** domino= spel

don[1] (n) don (Spaanse edelman); mafiabaas; universiteitsdosent (Engeland); **D~ Juan'** los= bol, pierewaaier; rokjagter, opperste vryer

don[2] (v) aantrek; opsit (hoed, pet)

donate' (w) skenk, gee *also* **grant;** begiftig

dona'tion (n) skenking, donasie, gif *also* **gift, grant, contribu'tion; gratui'ty** (fee); *make a ~* 'n skenking doen

don'ga spoelsloot, donga

don'key esel, donkie; domkop (persoon); *for ~'s years* van toeka se dae af; *vir donkiejare*

do'nor gewer; skenker, donateur, weldoener *also* **spon'sor, benefac'tor**

don't = do not moenie

doo'dle (v) krabbel *also* **scrawl**

doom (n) ondergang; lot, noodlot; vonnis, oordeel; (v) verdoem; vonnis; **~say'er/proph'= et of ~** doemprofeet; **~sday** oordeelsdag

door deur, ingang; *lay at the ~ of* verwyt; *next ~* langsaan; *out of ~s* buitekant; **~bell** deur= klok(kie); **~frame/~post** deurkosyn; **~kee'per** portier, deurwagter; **~sill** drumpel; **~vie'wer** kykgaatjie, loergaatjie *also* **doorscope'; ~way** ingang, deuropening

dope (n) dwelmstof; doepa (vir renperde); paljas, toorgoed; **~ push'er** dwelmsmous; dwelm= koerier; **~ tes'ting** dwelmtoetsing, doepatoet= sing; (v) bedwelm; opkikker; **do'ping** (be)= dwelm; opkikker(ing)

dor'mant sluimerend, slapend, rustend, dormant *also* **inert'**

dor'mitory slaapsaal, slaapvertrek (skoolkos= huis)

dor'mouse waaierstertmuis

dor'mie doedoe (gholf)

dose (n) dosis; (v) doseer, medisyne ingee, dokter; **boos'ter ~** skraagdosis

dos'sier dossier, lêer; strafregister

dot (n) punt, stippel; vlek; stip; (v) stippel *also* **spot;** *~ one's i's* puntjies op die i sit; *~* **mat'rix prin'ter** stippeldrukker; **~ted line** stippellyn; stippelstreep (verkeerskeiding)

do'tage (n) kindsheid *also* **seni'lity;** sotheid

dote (v) kinds word; suf wees; dweep; *~ on* versot wees op; *begin to ~* kinds word

dot'ty gestippel; versprei; suf, mallerig *also* **sil'ly**

dou'ble (n) duplikaat; dubbelganger *also* **look-alike** (person); looppas; (pl) dubbelspel; *at/on the ~* op 'n draf(fie)/drafstap; (v) verdubbel; vou; ombuig; inmekaarkrimp; hardloop; be= drieg; (a) dubbel; tweevoudig; *~ standards* dubbele standaarde/maatstawwe; *in ~ time* vinnig; *~* **adap'ter** dubbelpasstuk (elektr.); **~-bar'rel** tweeloop, dubbelloop (geweer); *~* **bed** dubbelbed; **~-cab bak'kie** dubbelkajuit= bakkie; *~* **chin** onderken; **~-dea'ler** bedrieër; **~= den'sity** dubbeldigtheid (disket, rek.); **~-fa'ced** huigelagtig, vals; **~-job'bing** dubbelwerk(ery) (ekstra werk/inkomste hê) *also* **moon'= lighting; ~sto'rey** dubbelverdieping, twee= vlakhuis

doub'let doeblet, onderkleed; tweelingwoord (bv. regtig/rêrig)

doubt (n) twyfel; argwaan; *give the benefit of the* ~ die voordeel van die twyfel gee; *beyond a* ~/*no* ~/*without* ~ ongetwyfeld; (v) twyfel, weifel; argwaan koester; ~**ful** twyfelagtig, onseker *also* **du'bious;** ~**less** ongetwyfeld

douche (n) uitspoeling, uitspuiting (van inwendige dele); waterstraal

dough deeg; ~**nut** oliebol, oliering, stormjaer (vetkoek)

dought'y dapper, onverskrokke *also* **fear'less, undaun'ted**

dour (a) streng, stug, stroef *also* **austere', stern** (attitude, bearing)

dove duif; ~**cot** duiwehok; ~**tail** (n) swaelstert (houtwerk); (v) inlas, inpas (houtwerk)

do'wager adellike weduwee

dow'dy (n) sloerie, slodderkous, slons; (a) slordig, slonsig, onelegant *also* **shab'by**

down[1] (n) dons; melkbaard

down[2] (n) teenslag; *ups and* ~*s* wederwaardighede; (v) neergooi; neerslaan; ~ *tools* staak; ~ *a beer* 'n bier wegslaan; (a) afdraand; neerslagtig; ~ *in the dumps* mismoedig, neerslagtig, bedruk; ~*grade* afdraande; (adv) neer, na onder toe, ondertoe; *fall* ~ platval; *knock* ~ platslaan; omry; *run* ~ slegmaak; omry; *shout* ~ doodskree(u); ~**cast** neerslagtig, mismoedig; ~**fall** instorting, val, ondergang; ~**hear'ted** neerslagtig, bedruk; ~**hill** afdraand; bergaf; ~**load** (v) aflaai (rek.); ~**pipe** afvoerpyp (van geut); ~**pour** stortbui, stortreën; ~**right** pure; gewoonweg; *a* ~*right lie* 'n onbeskaamde leuen; ~**scale** afskaal, ~**shif'ting**/~**si'zing** afskaal; ~**stairs** (n) die onderste verdieping (van gebou/huis); (adv) (na) onder, ondertoe; die trap af; ~**town** middestad, sakekern *also* **CBD;** ~**turn** afplatting (in ekon.) *also* **slowdown; D~ Under** Doer Onder (skerts. vir Australië)

dow'ry (n) bruidskat *also* **lobo'la** (Zulu); talent

dow'ser waterwyser (persoon) *also* **wa'ter divin er**

dow'sing waterwys *also* **wa'ter divi'ning**

do'yen doyen; oudste lid; nestor (wyse raadgewer)

doze (n) dutjie *also* **forty winks, catnap;** (v) sluimer, dommel, dut, visvang

do'zen dosyn; **ba'ker's** ~ dertien

drab vaal, ligbruin; saai, eentonig *also* **drea'ry**

drachm dragme (Oud-Griekse geldeenheid)

draft (n) skets, plan; ontwerp; konsep; wissel; (v) teken, opstel; ontwerp; uitsoek; ~ **amend'ment bill** wysigingswetsontwerp; ~ **bill** konsepwetsontwerp; ~ **constitu'tion** ontwerpgrondwet; ~ **legisla'tion** konsepwetgewing; ~**s'man** (skets)tekenaar; opsteller, ontwerper *also* **draughts'man**

drag (n) rem; eg; sleepnet; blok aan die been; (v) sleep, sleur; draal, talm; ~ *and drop* sleep en los (rek.); ~ *along* saämsleep; saampiekel; ~ *on* voortsleep; ~ *out* uitrek; ~ **fac'tor** sleursyfer (lugdinamika); ~**net** dregnet, sleepnet

drag: ~ **ar'tist/queen** fopdosser (manlike transvestiet) *also* **cross-dres'ser;** ~ **ra'cing** versnelrenne; ~**ster** renstel

drag'gle (v) bemodder, bevuil; aansukkel

drag'on draak; ~ **fly** naaldekoker

dragoon' (n) dragonder, soldaat (hist.); (v) vervolg, vertrap

drain (n) sloot; riool, afleisloot; (v) droog maak, dreineer; ~**age** dreinering; riolering *also* **sewerage;** ~ **clea'ner** rioolreiniger; ~**hole** skuiwergat (vir water) *also* **weep'hole;** ~**pipe** rioolpyp

drake mannetjieseend

dra'ma toneelstuk, drama

dramat'ic (a) dramaties; ~ **arts** dramatiese kunste; spraak en drama (skoolvak) *also* **speech and dram'a**

dra'matist (n) dramaskrywer, toneeldigter, dramaturg

dra'matise (v) dramatiseer

drape (v) drapeer, omhang; oortrek; ~**r** handelaar in kledingstowwe; klerasiehandelaar; ~**ry** materiaalwinkel, klerasiehandel; behangsel

dras'tic (a) kragtig, drasties *also* **extreme', rad'ical;** ~ *measures* strawwe/drastiese maatreëls

draught (n) (lug)trek, tog; teug, sluk; drankie; vatbier, tapbier *also* ~ **beer;** diepgang (van skip); *beer on* ~ bier uit die vat; (v) afstuur; ~**board** dambord; ~ **cable** trektou; ~ **horse** trekperd; ~**s** (n) dambord(spel); ~**s'man** *see* **drafts'man;** ~**y** trekkerig, togtig

draw (n) trek; gelykopspel (sport); loot, loting (sport); skuifie (rook); (v) trek, sleep; span; teken; skets; opstel; uitkies; gelykop speel (sport); onbeslis/gelykop eindig (krieket); skep, put (water); trek (wissel); uittrek; intrek; inasem (rook); aftap (bier); ~ *a blank* niks kry nie; ~ *the long bow* spekskiet; ~ *comparisons* vergelykings tref; ~ *level* kop aan kop; ~ *the line* nie verder gaan nie; ~**back** beswaar, nadeel *also* **snag; disadvan'tage;** ~**bridge** ophaalbrug; ~**card** trekpleister, attraksie; ~**ee'** nemer, akseptant (wissel); ~**er** trekker (wissel); tekenaar *also* **drafts'man;** ~**ers** onderbroek

draw'ing tekening, tekenkuns; skets; ~ **board** tekenbord; ~ **mate'rials** tekengerei; ~ **pen** tekenpen; ~ **pin** duimspyker(tjie); drukspykertjie; ~ **room** sitkamer, voorhuis

drawl (n) geteem, temerige spraak; (v) teem

drawn getrek; onbeslis/gelykop (geëindig)

dread (n) skrik; vrees, ontsetting; (v) bang wees,

vrees; (a) verskriklik, vreeslik; **~ful** verskrik=
lik, ontsettend *also* **ter′rible, aw′ful, appal′=
ling; ~locks** Rastalokke

dread′nought slagskip (hist.); dril (jasstof)

dream (n) droom; hersenskim *also* **hallucina′=
tion, pipe dream;** (v) droom; *he little ~t* min
het hy geweet; **~er** (dag)dromer *also* **day′=
dreamer; ~world** sprokieswêreld; **~y** drome=
rig, vaak

drea′ry (a) treurig, aaklig, somber *also* **gloo′my,
dis′mal, som′bre**

dredge (n) sleepnet; (v) dieper maak, (uit)bag=
ger; **~r** baggerboot; baggermasjien

dregs (pl) moer, afsaksel; uitvaagsel *also* **out′=
cast;** *~ of humanity* uitvaagsels v.d. mensdom

drench (v) drenk, deurweek *also* **sat′urate;**
medisyne ingee (vir diere); **~ed** (a) sopnat,
druipnat *also* **soa′ked**

dress (n) rok; tabberd; (v) aantrek (klere); afrig,
dresseer (dier); verbind (wond); kap (klip);
brei (vel); *~sed to kill* spoggerig uitgedos;
uitgevat; *~sed up* opgetooi; **~ed chick′en**
bevrore hoender; **~ed stone** bewerkte/gekapte
klip; **~ circle** eerste balkon, voorbalkon
(teater); **~ coat** manel *also* **tail′coat**

dres′ser (n) kombuiskas; spenskas

dres′sing toebereiding; verband (wond); sous;
loesing; **~ gown** japon, kamerjas; **~ room**
kleedkamer; **~ ta′ble** spieëltafel

dress: ~ma′ker kleremaakster; modiste; **~ma′=
king** kleremakery (vir vroue); **~ rehear′sal**
kleedrepetisie (vir opvoering); **~ suit** aandpak;
~y keurig, smaakvol, swierig, pronkerig (ge=
klee)

drib′ble (n) druppel; motreën; (v) dribbel (rugby,
sokker); druppel; kwyl *also* **driv′el; ~r** kwyler
(persoon)

dried gedroog *see* **dry; ~ up** verdroog; **~ fruit**
droëvrugte

drift (n) neiging, tendens *also* **trend;** strekking
also **purport′;** drif(fie), spruit *also* **brook;**
stroming *also* **stream;** trek; (v) wegdryf,
aanspoel; rondswalk (persoon)

drill[1] (n) boor; grippie *also* **slit trench;** (v) boor;
in rye plant

drill[2] (n) (militêre) oefening; (v) dril; oefen

drill[3] (n) dril (katoenstof)

drill: ~er boorman; **~ hole** boorgat; **~ plough**
saaiploeg; **~ -ser′geant** drilsersant

drink (n) drank, sopie; *~ and drive* drink en
bestuur; *have a ~* maak 'n drankie; *lace/spike
s.o.'s ~* iem. se drankie dokter; (v) **drank,
drunk** drink; *~ (to) the health of s.o.* op iem.
se gesondheid drink; *~ to* drink op; *~ a toast to*
'n glasie klink op; **~able** drinkbaar; **~er**
drinker; dronklap, suiplap

drin′king drinkery; dronkenskap; **~ cup** drink=
beker; **~ par′ty** drinkparty; dronknes; **~ place**
suiping (beeste); **~ prob′lem** drankprobleem;
~ wa′ter drinkwater

drip (n) gedrup; dakrand; drup (med.); jandooi,
bleeksiel (persoon); (v) drup, lek; **~ irriga′tion**
drupbesproeiing; **~ping** (n) braaivet; druipvet;
lek; *~ping wet* papnat, sopnat; **~stone** druip=
steen (geol.)

drive (n) ritjie; pad; oprit, inrit *also* **drive′way**
(home); rylaan; aandrywer (rek.); dryfhou
(gholf); aandrywing; dryfkrag, stukrag; klop=
jag; poging; (v) dryf, dwing; bestuur (motor);
dryf (lorrie); *~ away* verdryf; *~ a car* 'n
motor/kar bestuur; *~ fast* voet in die hoek (sit);
vetgee; *~ to despair* tot wanhoop dryf; *~ mad*
gek maak; **four-wheel ~** vierwieldryf; vier=
trek; 4×4

drive-by shoo′ting (n) verbyryskiet, glip en skiet
(misdadigers)

drive′-in inrit; **~ bank** inrybank; **~ bi′oscope/=
thea′tre** inrybioskoop, veldfliek

driv′el (n) kwyl; geklets; twakpratery; (v) kwyl;
klets *also* **waf′fle**

driv′en (a, adv) gedrewe

dri′ver (n) bestuurder (motor); drywer (lorrie;
lokomotief); masjinis (lokomotief); dryfwiel;
~'s li′cence rybewys, bestuurslisensie

drive′way (n) oprylaan (huis), inrit, oprit

dri′ving: ~ ran′ge dryfbaan, dryfbof; oefenbof
(gholf) *see* **prac′tice tee; ~ school** bestuurskool

driz′zle motreën(tjie), stuifreën

droll (n) grapmaker; (v) skerts, gekskeer; (a)
koddig, klugtig, snaaks *also* **com′ic**

drom′edary dromedaris (soort kameel)

drone (n) hommel, waterdraerby; luiaard (per=
soon); gebrom; (v) gons, brom, zoem; **~fly**
brommer *also* **blow′fly, blue′bottle**

droop (v) neerhang; kwyn; sink; *~ing shoulders*
hangskouers

drop (n) druppel; skepskop (rugby); val; daling;
afname; sopie; drop (lekkergoed); oorbel; (v)
drup; neerval; ophou; neerlaat; daal; *~ behind*
agterraak; *~ dead* dood neerval; *~ a hint* 'n
wenk gee; *~ in* gou aanloop; *~ it!* hou op!; *~ a
line* 'n brief skryf; *~ out* uitval, uitsak; *~ a
remark* 'n opmerking maak; **~ kick** skepskop
(rugby); **~-down list** aftreklys (rek.); **~down
menu** aftuimelmenu (rek.); **~out** uitsakker,
skoolstaker; mislukkeling; **~per** stutpaaltjie;
spar (in draadheining); **~pings** (pl) kuttels/
keutels, uitwerpsels (van klein diere); **~ scon′e**
plaatskon, flappertjie; **~ shot** valhou (tennis)

drop′sy watersug, water (siekte)

dross (n) moer; skuim; afval; vuilgoed

drought droogte; **~-strick′en** droogtegeteis=
ter(de)

drove (n) trop, kudde, swerm *also* **herd, flock;
~r** veedrywer; veesmous

drown (v) verdrink (mens); versuip (dier)

drowse (v) sluimer, dut, dommel *also* **doze′, snooze′**

drow′sy lomerig, vakerig *also* **slee′py**

drub (v) afransel; inhamer (kennis); **~bing** gedugte loesing (sport)

drudge (n) slaaf, werkesel; (v) swoeg, afsloof; ploeter; **~ry** sleurwerk; roetinewerk

drug (n) geneesmiddel, medikasie; geneeskruid; verdowingsmiddel (med.); dwelmstof, verslaafmiddel; (pl) dwelms; (v) medisyne toedien; verdoof; bedwelm; vervals; ~ **abuse′** dwelmmisbruik; ~ **ad′dict** dwelmslaaf; ~ **addic′tion** dwelmverslawing; ~ **depen′dence** dwelmafhanklikheid; **~gist** drogis, apteker; **~lord** dwelmbaas, dwelmbaron; ~ **ped′lar/pu′sher** dwelmsmous; ~ **traf′ficker** dwelmkoerier; dwelmsmous; ~ **traf′ficking/trade** dwelmhandel, dwelmsmokkel

drum (n) tamboer, trom; slagmusiek; trommelvlies (oor); konka, houer; blik, silinder; trommel; (v) tamboer slaan; ~ *into* inhamer; ~ **ma′jor** tamboermajoor; ~ **majorette′** trompoppie, tamboernooi; **~mer** tromspeler (in poporkes); tamboer(slaner)

drunk (a) dronk, besope, beskonke; gekoring, getier, hoenderkop (omgangst., soms skerts.) *also* **intox′icated; ~ard** dronklap; **~(en) driving** dronkbestuur; **~enness** dronkenskap

dry (v) droog maak, uitdroë/uitdroog; verdroog; opdroog; (a) droog, dor; ongeërg; *a ~ book* 'n eentonige/vervelende boek; **~-clean** droogreinig, (uit)stoom; **~-clea′ner** droogskoonmaker, droogreiniger; **~-clea′ning** droogreiniging; ~ **dock** droogdok; ~ **goods** droë ware; weefstowwe; **~ing** droog; **~ing kiln** droogoond; **~ness** droogheid; droogte *also* **drought;** ~ **rot** molm; houtswam; ~ **shod** droogvoets

du′al (a) tweeledig, tweevoudig; tweetallig; **~-me′dium** dubbelmedium; ~ **car′riageway** dubbelpad *also* **divi′ded high′way; ~ism** dualisme, tweeslagtigheid

dub[1] (v) tot ridder slaan/verhef; **~bing** (n) ridderslag

dub[2] (v) oorklank (TV); **~bing** (n) oorklanking (TV)

dub[3] (v) smeer (leer); **~bin(g)** (n) leervet

du′bious twyfelagtig, onseker, problematies *also* **doubt′ful;** weifelend

duc′at dukaat (muntstuk, hist.)

duch′ess hertogin

duck (n) eend; nul (krieket); liefling; (v) duik; koes, wegbuk *also* **dod′ge;** indompel; **~ling** eendjie; **~tail** eendstert (persoon, hist.)

duct pyp, geleibuis; kanaal; **~ile** rekbaar; smeebaar; inskiklik, buigsaam (persoon)

dud (n) swak/slegte produk (bv. motor wat probleme gee); domkop, niksnut(s); (a) dom; niksswerd, onbruikbaar

due (n) reg; eis; die verskuldigde (bedrag); (a) skuldig, betaalbaar; betaamlik; behoorlik; weens, vanweë; *become* ~ verval; word betaalbaar (rekening); ~ *to* weens/vanweë *also* **o′wing to;** *in ~ course* mettertyd; ~ *date* vervaldatum; *money ~ to him* geld aan hom verskuldig; *in ~ time* te/ter geleëner/gelegener tyd; ~ *west* reg wes

du′el (n) tweegeveg, duel; (v) duelleer

duet′ duet; tweesang; tweespraak

duf′fel/duf′fle: ~ **bag** buissak (leër)

duf′fer (n) uilskuiken, swaap, mamparra *also* **block′head, bung′ler**

dug (v) *see* **dig; ~-out** uitgrawing; boomkano; skuilgat, frontskuiling

duke hertog

dul′cet (a) soetklinkend; strelend, lieflik (mus.)

dull (v) dof maak, verstomp *also* **dishearten′, dar′ken;** (a) saai, eentonig; dom, dig, onnosel, toe (persoon) *also* **stu′pid;** dof; loom; betrokke (lug); slap (mark); ~ *of hearing* hardhorend; *the ~ season* die slap tyd, komkommertyd (nuusmedia); **~ness** stompheid, domheid; somberheid; loomheid; **~-wit′ted** dom, traag van begrip

du′ly behoorlik, noukeurig *also* **sui′tably;** op tyd; ~ *completed* behoorlik ingevul/voltooi

dumb stom; stemloos; stilswygend; toe; *don't be so* ~ moenie so toe wees nie; **~bells** handgewigte; **~ blonde** dom blondine, dowwe dolla (skerts.); **~found** (v) dronkslaan, verstom, oorbluf; **~ness** stomheid; ~ **show** gebarespel

dum′dum dum-dum-koeël, loodpuntkoeël

dum′my (n) fopspeen; figurant; drukmodel; pypkan (rugby); (a) nagemaak; oneg; skyn-; (v) pypkan (rugby)

dump (n) opslagplek (ammunisie); mynhoop; (v) stort *also* **ditch;** dump (produkte op mark); **~ing** storting; *no ~ing* stort(ing) verbode/belet; dumping (produkte op mark); **~ing site** storterrein; ashoop, asgate

dump′ling kluitjie; stormjaer *also* **dough′boy**

dumps (pl) bedruktheid, moedeloosheid; *down (in) the* ~ mismoedig, neerslagtig

dum′py (n) buksie (bierbotteltjie); ~ **level** (n) nivelleerder, bukswaterpas

dun (a) vaalbruin, muisvaal, vaalgrys; **blue** ~ vaalblou; **yel′low** ~ geel (perd)

dunce (n) domkop, stommerik, sufferd, swaap, skaap (persoon) *also* **fat′head, plon′ker**

dune (n) duin (langs kuslyn)

dung (n) mis; ~ **bee′tle** miskruier *also* **scav′enger beetle; ~hill** mishoop

dun′geon ondergrondse sel, kerker (hist.)

dunk (v) (in)doop, indompel (beskuit in koffie)

duode′nal ul′cer maagseer

dupe (n) slagoffer; (v) bedrieg, mislei, beetneem, inloop *also* **con**

du'plex dupleks, tweevloerwoning, tweevlak=
woonstel

du'plicate (n) duplikaat, afskrif; kloon; replika; *in
~ in* tweevoud/duplo; (v) verdubbel; dupliseer;
kloon; (a) dubbel, duplikaat=; ~ **key** duplikaat=
sleutel

du'plicator (obs.) afrolmasjien, dupliseerder
(veroud.) *see* **photocop'ier**

duplic'ity dubbelhartigheid, valsheid

durabi'lity duursaamheid *also* **las'tingness**

du'rable (a) duursaam, sterk *also* **sta'ble,
long-las'ting, tough**

dura'tion duur, voortduring (van tyd)

duress' dwang; gevangenskap; *under ~* daartoe
gedwing; noodgedwonge

du'ring gedurende, tydens

dusk (n) skemering *also* **twi'light;** (v) verdon=
ker; (a) skemer, duister; ~**y** skemer

dust (n) stof; gruis; saagsel; *bite the ~* in die stof
byt; (v) afstof; bestrooi; opvee; uitlooi; *~ his
jacket* hom 'n pak slae gee; ~**bin** vullisblik; ~
coat stofjas; ~ **co'ver** stofomslag (boek); ~**er**
stoffer, stoflap; ~**man** vullisverwyderaar; ~**y**
stowwerig

Dutch (a) Nederlands; Hollands; *we are going ~*
elkeen betaal vir homself; *~ courage* jenewer=
moed; **Cape ~** Kaaps-Hollands (boustyl);
Kaaps (streektaal); ~**man** Nederlander; Hol=
lander; ~ **Reformed' Church** Nederduitse
Gereformeerde Kerk

du'tiful (a) plig(s)getrou, oppassend *also*
conscien'tious; dienswillig

du'ty plig *also* **obliga'tion, responsibi'lity;**
diens; belasting, aksyns; *do one's ~* jou plig
nakom/vervul; *be off ~* van diens af wees, vry
wees; *be on ~* op diens wees; ~ **ros'ter**
diensrooster, wagrooster

duvet' (n) duvet, kwilt *also* **quilt, down**

dwarf (n) dwerg *also* **mid'get;** (v) verdwerg *also*
overshad'ow; (a) dwergagtig, miniatuur

dwell (v) woon, bly *also* **inhab'it, live';** *dwell
upon (a subject)* uitwei oor ('n onderwerp); op
iets nadruk lê; ~**ing** woning, woonhuis

dwin'dle inkrimp, verminder, wegkwyn; ver=
klein; ~ *away* wegkrimp; *dwindling interest*
kwynende/krimpende belangstelling

dye (n) kleursel, kleurstof; (v) verf, kleur, tint;
she is ~ing her hair sy kleur haar hare

dy'ing (n) dood, (af)sterwe; (a) sterwende, sterf=;
in the ~ moments of the match in die
doodsnikke van die wedstryd

dynam'ic (a) dinamies, energiek, lewenskragtig
also **energet'ic, vi'brant, vi'gorous;** ~**s** bewe=
gingsleer, kragteleer, dinamika

dy'namite (n) dinamiet, plofstof, springstof; (v)
opblaas; ~ **fac'tory** dinamietfabriek; ~**r** dina=
mietskieter

dy'namo (n) **-s** dinamo, kragopwekker *also*
(po'wer) gen'erator

dyn'asty dinastie, vorstehuis

dys'entery disenterie (mense); bloedpersie (diere)

dys'function (n) wanfunksie, disfunksie

dyslex'ia disleksie; leesgestremdheid

dyspep'sia slegte spysvertering, dispepsie

dyspep'tic (n) lyer aan slegte spysvertering; (a)
dispepties; neerslagtig

E

each elkeen, iedereen, elk; ~ *other* mekaar; *R10* ~ R10 elk

eag′er gretig, begerig *also* **keen;** ywerig; ver= langend; ~ **bea′ver** besige by(tjie) (persoon)

eag′le arend, adelaar (roofvoël); arend (gholf, 2 onder putjiesyfer); **~t** jong arend

ear[1] (n) oor; *be all ~s* belangstellend luister; *box on the ~* oorkonkel, oorveeg; *turn a deaf ~ to* nie wil luister nie; *a word in your ~* 'n woordjie privaat; *prick up one's ~s* die ore spits; **~ache** oorpyn; ~ **cap** oorskerm; **~drum** trommelvlies; ~ **guard** oorskut *also* **ear′muff**

ear[2] (n) aar (koring); kop (mielie)

earl graaf (adelstitel); **~dom** graafskap

ear lobe oorlel

earl′y vroeg, tydig; spoedig; vroegtydig; *the ~ bird catches the worm* die môrestond het goud in die mond; *at your earliest convenience* spoedig, so gou moontlik; ~ **bird** doutrapper (persoon)

ear′mark (n) (oor)merk (dier); (v) (oor)merk (dier); afsonder; oormerk, bestem, bewillig (fondse)

ear: ~ **piercing** (n) prik van gaatjies in die ore; **~-piercing** (a) wat die ore laat pyn (geluid); oorverdowend; **~plug** oorpluisie, oorprop(pie)

earn (v) verdien; verwerf *also* **deserve′, mer′it**

earn′est (n) erns; (a) ernstig, ywerig; *in ~* in alle erns, met mening

earn′ings inkomste, verdienste; loon *also* **wa′= ges;** besoldiging *also* **remunera′tion, sal′ary**

ear′ring oorring, oorbel, oorkrabbetjie

earth (n) aarde, grond; aardbol; wêreld; (v) aard (elektr.); begrawe; operd (aartappels); **~en** erde=; **~en′ware** breekgoed, erdewerk; ~ **flax** asbes, gareklip; ~ **leak′age protec′tion** aard= lekbeveiliging (elektr.); **~ling** aardbewoner; ~ **mo′ving** (n) grondverskuiwing; **~quake′** aard= bewing; ~ **sat′ellite** satelliet; ~ **trem′or** aardtrilling, aardskok

ear′wig oorkruiper, oorwurm (insek); vleier (persoon)

ease (n) gemak; rus; verligting; *at ~* maklik, vry; *ill at ~* nie op jou gemak nie; *stand at ~!* op die plek rus!; *with ~* maklik; (v) gerusstel; versag; verlig; lenig (pyn) *also* **soothe′**

eas′el (bord)esel

eas′ily maklik; fluit-fluit; tjop-tjop (omgangst.)

east oos; ooste; **the E~** die Ooste; ~ **coast** ooskus; ~ **coast fe′ver** ooskuskoors

Eas′ter Pase, Paasfees, ~ **bun′ny** paashaas/ paashasie; ~ **egg** Paaseier; ~ **ho′lidays** Paas= vakansie; ~ **show** Paasskou, Paastentoon= stelling; ~ **Sun′day** Paassondag; ~ **Mon′day** Paasmaandag *nou* Gesinsdag (vakansie)

Eas′tern Cape Oos-Kaap (provinsie)

Eas′terner Oosterling (persoon)

eas′tern oostelik, oos=

eas′y (a) maklik; inskiklik; bedaard; gerus; lig; welgesteld; *in ~ circumstances* welgesteld; **~-going** sorgeloos *also* **care′free;** *take it ~* bly kalm; ~ **chair** leunstoel, armstoel, luierstoel

eat eet, opeet; ~ *away something* iets (bv. metaal) wegvreet; *have something to ~* eet gerus 'n stukkie; iets te ete hê; ~ *s.o.out of house and home* iem. die ore van die kop af eet; ~ *humble pie* 'n nootjie laer sing; mooi broodjies bak; ~ *without appetite* langtand eet; **~en up with pride** deur hoogmoed verteer; **~ables** eetware, eetgoed; **~ery** (n) (uit)eetplek, restaurant/restourant

eau-de-Cologne′ laventel, reukwater, eau-de-co= logne

eaves dakrand, dakgeut; **~drop** afluister; **~drop= per** luistervink (persoon); **~drop′ping equip′= ment** meeluisterapparaat, luistervlooi *also* **bug**

ebb (n) eb; ~ *and flow* eb en vloed; *at a low ~* op 'n lae peil; (v) afneem, eb; verval

eb′ony (n) ebbehout; (a) ebbehout=; swart

eccen′tric (a) eksentriek, sonderling *also* **queer′, odd, kin′ky;** snaaks, oordrewe

ecclesias′tic (n) geestelike (persoon); (a) geeste= lik

ec′ho (n) -es weerklank, eggo; nabootsing; (v) weergalm *also* **resound′;** napraat; herhaal

eclipse′ (n) verduistering, eklips; oorskaduwing (fig.); **lu′nar ~** maan(s)verduistering; **so′lar ~** son(s)verduistering; (v) verduister, verdonker; oorskadu *also* **outdo′, outperform′; over= shad′ow**

ecol′ogist omgewingsbewaarder

ecol′ogy (n) ekologie, omgewingsleer

e-com′merce e-handel; elektroniese handel

econom′ical (a) spaarsaam, ekonomies *also* **fru′gal**

econom′ics ekonomie (ook skoolvak); *home ~* huishoudkunde, verbruikerswetenskap (skool= vak) *also* **consu′mer science′**

econ′omist ekonoom; spaarsame persoon

econ′omise (v) spaar, bespaar, uitspaar; besuinig *also: be frugal*

econ′omy ekonomie, staatshuishoudkunde; spaarsaamheid, besuiniging *also* **thrift;** *mar= ket orientated/directed ~* markgerigte ekono= mie; ~ **run** besparing(s)rit (motors)

eco: **~system** ekosisteem; **~tou′rism** ekotoë= risme

ec′stasy verrukking, opgetoënheid, geesdrif; ekstase *also* **rap′ture** (n); ecstasy (dwelm)

ecstat'ic (a) verruk, opgetoë, ekstaties *also* **bliss'ful, ela'ted**

ecumen'ical universeel, ekumenies (hoofs. kerk=lik)

ec'zema uitslag, ekseem; roos

ed'dy (n) maalstroom *also* **whirl'pool;** dwarrel=wind

e'delweiss (n) kapokblom (wit Alpeblom)

E'den Eden, paradys, lushof

edge (n) kant, rand; skerp kant (mes); *be on* ~ gespanne wees; *set one's teeth on* ~ jou laat gril; (v) skerp maak; omsoom; omboor; ~ *on* aanhits; ~ **cut'ter** randsnyer (grasperk)

ed'gy (a) senu(wee)agtig, angstig *also* **an'xious, tense**

ed'ible eetbaar *also* **eat'able**

e'dict (n) gebod, verordening, edik *also* **decree'** (religious)

edifica'tion stigting, opbouing, lering *also* **uplift'ment**

ed'ifice imposante gebou/struktuur

ed'ify (v) stig, opbou *also* **el'evate;** ~**ing** (a) verheffend, opbouend

ed'it (v) redigeer; persklaar maak *also* **sub'edit**

edi'tion uitgawe, edisie *also* **is'sue;** oplaag

ed'itor redakteur; bewerker (van teks); ~**-in-chief** hoofredakteur; redigeerder (film)

editor'ial (n) hoofartikel; (a) redaksioneel

ed'ucate (v) onderwys, onderrig; opvoed; groot=maak; ~**d** (a) opgevoed, ontwikkel; skoolge=gaan; geleerd

educa'tion (n) onderwys, opleiding, onderrig *also* **schoo'ling, instruc'tion;** opvoedkunde *also* **ped'agogy;** ~**al** onderwyskundig, opvoed=kundig; ~**ist** opvoedkundige

ed'ucator opvoeder; onderwyser *also* **teach'er**

eel paling, aal (slangagtige vis)

eer'ie spookagtig; onheilspellend, angswekkend *also* **weird, spoo'ky; om'inous**

efface' uitwis, uitvee, verdelg; in die skadu stel; ~ *oneself* jou op die agtergrond hou *also: keep a low profile*

effect' (n) uitwerking, gevolg; (pl) bates, besit=tings; *to no* ~ tevergeefs; *take* ~ in werking tree; *to that* ~ met daardie strekking; *with* ~ *from 3 March* met ingang 3 Maart; (v) bewerk, teweegbring; ~**ive** doelmatig, effektief; diens=tig; ~**ual** van krag, bindend

effem'inate (a) verwyf, meisieagtig; weekhartig

effervesce' (v) opkook, gis, opbruis (vloeistof); ~**nce** opkoking, gisting, opbruising (vloei=stof); lewendigheid, sprankeling (persoon); ~**nt** opbruisend, opborrelend (vloeistof); le=wendig, sprankelend (persoon); ~**nt tab'let** bruistablet

ef'ficacy (n) krag, doeltreffendheid; werking

effi'ciency (n) doeltreffendheid; bekwaamheid; nuttigheidsgraad; prestasievermoë

effi'cient (a) doeltreffend; bekwaam, geskik (persoon) *also* **com'petent, ca'pable**

ef'figy (n) afbeeldsel; beeltenis, effigie; ikoon *also* **ï'con**

ef'fluent (n) syrivier, tak; uitloop; afwater (fabriek); (a) uitvloeiend; *factory* ~ *must be controlled* fabrieke se afwater moet beheer word

ef'fort (n) poging, inspanning, probeerslag; mag; ~**less** speel-speel, sonder inspanning

effron'tery onbeskaamdheid, astrantheid, ver=metelheid *also: shameless impudence*

e-fraud'ster e-bedrieër *also* **compu'ter fraud'=ster**

egg (n) eier; *bad* ~ vrot eier; niksnut, deugniet (persoon); *newlaid* ~*s* pasgelegde eiers; *fried* ~*s* gebakte eiers; *poached* ~*s* geposjeerde eiers; *scrambled* ~*s* roereiers; (v) ~ *on* aanspoor, aanhits; ~**bea'ter** (eier)klitser; ~**cup** eierkelkie; ~ **dan'ce** eierdans (slim ontduiking); ~ **flip/advokaat** eierbrandewyn *also* **egg'nog;** ~ **fruit** eiervrug, brinjal; ~**shell** eierdop; ~ **ti'mer** sandloper(tjie); ~**whisk** eierklopper *also* **eggbea'ter**

e'go ek, ego; eie ek; *boost one's* ~ jou ego streel; ~**ism** selfsug, eieliefde, egoïsme *also* **self-cen'tredness;** ~**ist** selfsugtige mens, egoïs; ~**tism** ekkerigheid, selfgenoegsaam=heid; ~**tis'tical** selfsugtig, egoïsties, ekkerig *also* **self-cen'tred**

e'gret kuifreier (voël) *also* **white her'on**

E'gypt Egipte (land)

eid'er eidereend; eiderdons; ~**down (quilt)** verekombers, donskombers, donskwilt

eight ag(t); ~**een** ag(t)tien; ~**eenth** ag(t)tiende; ~**h** ag(t)ste; **(the)** ~**ies** die jare (dekade van) tagtig, die tagtigs, die tagtigerjare; ~**ieth** tagtigste; ~**y** tagtig

eisteddʹfod (n) **-s, -au** sangfees, eisteddfod *also* **song/sing'ing fes'tival**

ei'ther (a, pron) albei; (adv, conj) of; *not that one* ~ ook nie dié een nie; ~ **or** óf . . . óf

ejac'ulate (v) uitroep; uitskiet, uitstort, ejakuleer (van manlike saad in orgasme); uitspuit

ejacula'tion uitroep, skree(u); uitwerping; (saad)uitstorting, ejakulasie

eject' (v) uitgooi, uitwerp; uitdryf; ~**ion** uitwer=ping, uitdrywing; ~**ion seat** (uit)skietstoel (vliegtuig)

eke (v) vermeerder, vergroot, aanvul; ~ *out* aanvul; ~ *out an existence* met moeite 'n bestaan vind/voer

elab'orate (v) noukeurig uitwerk; deeglik bear=bei; verwerk; ~ *on* uitwei (oor); (a) uitvoerig, noukeurig

e'land eland (groot wildsbok)

elapse' (v) verstryk (spertyd); verloop *also* **lapse, pass by**

elas'tic (n) rek, gomlastiek *see* **rub'ber;** (a) rekbaar, elasties; veerkragtig *also* **flex'ible**

elasti'city veerkrag(tigheid), elastisiteit; spankrag

elate' (v) verhef, verheug; aanmoedig; ~d (a) uitgelate, verruk *also* **joyful;** hoogmoedig, opgeblase

el'bow (n) elmboog; bog, kromming; *out at ~s* armoedig, verslete; (v) stoot, stamp (met die elmboog); ~ **chair** armstoel; ~ **grease** moei= like handearbeid; spierkrag; ~**room** speling, staanplek; beweegruimte *also* **lee'way**

el'der[1] (n) vlier (boom)

el'der[2] (n) ouer persoon; ouderling; (a) ouer; *the ~ly* die bejaardes/oumense; ~**ly** bejaard

el'dest oudste (van broers/susters) *also* **ol'dest**

elect' (n) uitverkorene; (v) uitverkies; verkies, kies; (a) uitgekies; verkose; *president-elect* verkose/aangewese president; ~*ed as chair= man* tot voorsitter verkies; as voorsitter gekies; ~**ion** verkiesing, eleksie; ~**ion campaign'** verkiesing(s)veldtog; ~**ion day** stemdag; ~**ion dis'trict/divi'sion** stemdistrik, kiesafdeling; ~**ioneer'** stemme werf; ~**or** kieser *also* **vo'ter**

elec'toral: ~ **col'lege** kieskollege; ~ **dis'trict** stemdistrik, kiesafdeling

elec'torate kiesers, kieser(s)korps

elec'tric elektries; ~ **bulb** gloeilamp; ~ **cur'rent** elektriese stroom; ~ **plug** kragprop

electri'cian elektrisiën (persoon); ~ **work** elek= trisiënswerk (skoolvak) *also* **elec'trical technol'ogy**

elec'trical: ~ **engineer'** elektrotegniese/elektrie= se ingenieur; elektrotegnikus; ~**ly po'wered** elektries aangedrewe; ~ **technol'ogy** elektriese tegnologie (skoolvak) *also* **electri'cian work**

electri'city elektrisiteit

elec'trify (v) elektrifiseer; ~**ing** (a) (elektries) gelade; opwindend; sensasioneel

elec'trocardiogram (ECG) elektrokardiogram (EKG) *see* **car'diograph**

elec'trocute (v) doodskok; elektries teregstel

elec'trode elektrode

elec'trolyte elektroliet, batterysuur

electro'nic (a) elektronies; ~ **com'merce** elek= troniese handel, e-handel; ~ **control'** elektro= niese beheer; ~ **high'way** elektroniese snelweg; ~ **mail, e'mail/e'-mail** elektroniese pos, e-pos, vonkpos

electron'ics elektronika, elektroneleer

elec'troplate (n) pleetwerk, versilwerde ware; (v) versilwer

el'egance (n) sierlikheid, bevalligheid, elegansie *also* **style, taste, refine'ment**

el'egant (a) elegant, sjiek; sierlik, bevallig; smaakvol *also* **refined', cul'tivated**

elegi'ac elegies, treur= *also* **mourn'ful**

el'egy elegie, dodelied, treursang; treurdig, klaagsang *also* **dirge, re'quiem**

el'ement element, grondbestanddeel; (pl) ele= mente, beginsels; *brave the ~s* die elemen= te/gure weer trotseer

elemen'tary elementêr, eenvoudig *also* **ba'sic;** allereerste

el'ephant olifant *also* **tus'ker;** *white ~* wit olifant (duur nuttelose besitting); ~ **tusk** olifanttand

el'ephant's food spekboom

el'evate (v) ophef, verhef; veredel; ~**d** (a) ver= hewe, hoog *also* **dig'nified;** oorhoofs; lug=; ~**d rail'way** lugspoor(weg)

eleva'tion verheffing; hoogte; veredeling *also* **lof'tiness, gran'deur**

el'evator (n) hyser, hysbak; ligter; (hys)kraan; **grain** ~ graansuier, silo

elev'en elf; elftal (krieket); ~**th** elfde

elf kaboutermannetjie, dwerg; elf(ie); ~**ish** plae= rig, ondeund

eli'cit (v) te voorskyn bring, ontlok, uitlok *also* **exact'**

el'igible verkiesbaar; verkieslik, geskik; ~ *for re-election* herkiesbaar (persoon); ~ **bach'elor** hubare/gesogte (oujong)kêrel/vrygesel

elim'inate (v) weglaat, uitlaat; verwyder; uitdun; doodmaak, vermoor, elimineer (meesal poli= tieke teenstander); uitskakel *also* **exclude';** verdryf; wegsyfer

elimina'tion weglating, verwydering, uitskake= ling, eliminasie; vermoording (meesal poli= tieke teenstander)

eli'sion uitlating, weglating; elisie (gram.)

elite' (a) keur, elite, elegant; *an elitist surburb* 'n deftige/vername voorstad; *the ~* hooggeplaas= te/vooraanstaande mense; die elite; ~ **troops** keurtroepe

elix'ir elikser, lewensdrank; afkooksel

elk elk, (Europese) eland

ell el (ou lengtemaat); *give him an inch and he'll take an ~* gee hom 'n vinger en hy neem die hele hand

ellipse' ellips, ovaal

ellips'is weglating, uitlating (gram.)

ellip'tic(al) ellipties, ovaal

elm olm, iep (boom)

elocu'tion voordrag(kuns), elokusie *also* **voice produc'tion;** ~**ist** spraakonderwyser; voor= draer

e'longate (v) verleng, langer maak

elope' wegloop (met minnaar, om te trou); dros; skaak; ~**ment** wegloop; skaking, ontvoering

el'oquence welsprekendheid *also* **expres'= siveness**

el'oquent (a) welsprekend *also* **arti'culate;** veelseggend

else anders; *anyone ~?* iem. anders?; nog iem.?; *anything ~?* nog iets?; *nothing ~* niks anders nie; *somewhere ~* êrens anders, elders; ~*where* êrens anders, elders

elu′cidate (v) ophelder, toelig, uitlê *also* **clar′ify**

elude′ (v) ontwyk, ontduik, vermy *also* **dodge′, circumvent′**

elu′sive ontduikend, ontwykend *also* **eva′sive; bedrieglik**

Elys′ian (a) Elisies, verruklik, geluksalig; **Ely= sium** (n) Elisium, plek van geluksaligheid

ema′ciate (v) uitmergel, uitteer; uitput (grond); (a) uitgemergel, vermaer

e′mail/e′-mail (n, v) e-pos, vonkpos

em′anate uitgaan van *also* **ori′ginate;** uitvloei, voortvloei

eman′cipate (v) vrymaak (slawe); vrylaat, vry= stel, emansipeer

emancipa′tion vrymaking, vryverklaring *also* **libera′tion;** vrywording, emansipasie

emas′culate (v) ontman, kastreer, sny *see* **cas′= trate, geld**

embalm′ (v) balsem (lyk) *also* **mum′mify**

embank′ (v) indyk, opdam; **~ment** dyk, afdam= ming; skuinste; wal

embar′go (n) verbod, embargo *also* **prohibit′= ion, ban, restric′tion**

embark′ (v) skeepgaan; inskeep; aanpak, onder= neem; ~ ·*on a project* 'n projek aan= pak/aandurf; **~a′tion** aan boord gaan; inskeping

embar′rass (v) verleë maak *also* **distress′;** embarrasseer; hinder; verwar; belemmer, be= moeilik; *you* ~ *me* jy bring/stel my in die verleentheid; **~ment** verleentheid

em′bassy (n) **embassies** ambassade (dipl.)

embel′lish (v) mooi maak, versier, verfraai *also* **dec′orate, adorn′**

em′bers (n) warm as, gloeiende kole, sintels

embez′zle (v) bedrieglik toeëien; verduister, steel, ontvreem (geld); **~ment** bedrieglike toeëiening; verduistering (geld, fondse)

embit′ter (v) verbitter, vergal; versuur (iem. se lewe); **~ed** (a) bitter, stuurs

em′blem sinnebeeld, simbool, embleem, wapen (skool, stad) *also* **crest**

embod′iment beliggaming *also* **sym′bol, incarna′tion**

embody′ (v) beliggaam, omvat, insluit

emboss′ bosseleer, in reliëf bring

embrace′ (n) omarming, omhelsing; (v) omarm, omhels *also* **hug;** insluit, omvat; ~ *an opportunity* 'n geleentheid aangryp

embroca′tion smeermiddel, vryfmiddel (medi= kasie)

embroid′er borduur; opsier (fig.); **~y** borduur= werk, borduursel

embroil′ verwar, verleë maak; verwikkel, in= sleep (in rusie) *also* **entangle′**

em′bryo vrug, embrio; *in* ~ in wording

embryon′ic in wording, embrionies

em′erald (n) smarag (siersteen); (a) smaraggroen

emerge′ (v) opkom, verrys; te voorskyn kom *see* **emer′ging**

emer′gency (n) nood(geval) *also* **cri′sis;** ~ **brake** noodrem; ~ **chute** glygeut *also* **e′xit slide** (airliner); ~ **exit** noodDeur, nooduitgang; ~/**forced landing** noodlanding (vliegtuig); ~ **fund** (nood)hulpfonds; ~ **lane** noodbaan (ver= keer); ~ **mea′sure** noodmaatreël; ~ **med′icine** noodmedikasie; ~ **mee′ting** noodvergadering, spoedvergadering; ~ **mes′sage** noodberig; ~ **num′ber** bystandnommer; ~ **regula′tions** nood= regulasies; ~ **relief′** noodleniging

emer′ging (a) opkomende, ontwikkelende (mid= de(l)stand); ~ **far′mers** opkomende boere, begin(ner)boere; (klein)boere *see* **commer′= cial far′mers**

emer′itus rustend, emeritus= (bv. predikant)

em′ery: ~ **pa′per** skuurpapier *also* **sand′paper;** ~ **wheel** slypwiel

emet′ic (n) braakmiddel, vomitief; (a) braak=

em′igrant (n) landverhuiser, emigrant; trekker (hist.); (a) trekkend, verhuisend

em′igrate (v) emigreer *also* **relocate′, move abroad;** trek, uitwyk

emigra′tion landverhuising, landverlating, emi= grasie *see* **im′migration**

em′inence verhewenheid; voortreflikheid; hoog= heid; **His E~** Sy Eminensie (RK, aanspreek= vorm vir kardinaal)

em′inent verhewe *also* **el′evated, exal′ted;** voortreflik, uitnemend; **~ly** (adv) by uitstek/ uitnemendheid

em′issary gesant, afgesant *also* **en′voy;** handlan= ger; sendeling

emit′ (v) uitstraal; uitstuur, uitgee; uit

emol′ument besoldiging, salaris, honorarium; emolument (deftige taal) *also* **remunera′tion**

emo′tion emosie, ontroering; aandoening; **~al** aandoenlik, emosioneel, roerend; **~al scenes** roerende tonele

em′pathy (n) empatie, mededoë, erbarming, meelewing *also* **compas′sion, char′ity**

em′peror keiser

em′phasis nadruk, klem; beklemtoning *also* **stress; ac′cent**

em′phasise (v) benadruk, beklemtoon; uitlig; glim (met glimpen) *also* **high′light**

emphat′ic nadruklik; uitdruklik

emphyse′ma (n) emfiseem, luggeswel (siekte)

em′pire ryk; keiserryk, koninkryk

empir′ic(al) proefondervindelik, uit ervaring, empiries *also* **pragmat′ic**

employ′ (n) diens; (v) werk gee, emplojeer; besig hou; gebruik; **~ee′** werknemer; **~er** werkgewer, indiensnemer; **~ment** werk; **~ment opportunities** werkgeleenthede; *condi= tions of* **~ment** diensvoorwaardes; *law of* **~ment** arbeidsreg, diensreg; **~ment place′=**

ment werkverskaffing, indiensplasing, in=
diensneming; **~ment/place′ment** a′**gency**
werkverskaffingsburo, werkagentskap; **~ eq′=
uity** diensbillikheid

empo′rium handelsentrum, markplek *also* **mart,
bazaar′**

empow′er (v) magtig; bemagtig; in staat stel

empo′werment (n) bemagtiging; instaatstelling

em′press keiserin

emp′tiness leegheid; ydelheid

emp′ty (v) leegmaak; ontlas; leeg word; (a) leeg;
ydel; **~-hea′ded** dom, onnosel *also* **feath′=
erbrained**

em′ulate nastreef; wedywer; oortref *also*
surpass′, out′class, out′perform

emul′sion emulsie (mengsel van vaste stof en
vloeistof)

ena′ble in staat stel, bekwaam maak, help

enam′el (n) glasuur; emalje/enmemmel; erd; (v)
emaljeer, vererd; **~ dish** enemmelskottel; **~
paint** glansverf *also* **gloss′ paint**

enam′our verlief maak *also* **infat′uate;** bekoor
also **enchant′;** ~ed verlief *also* **in love**

encamp′ kamp opslaan, laer trek; uitkamp,
kampeer; **~ment** laer, kamp

encephali′tis harsingontsteking, inflammasie
v.d. brein

enchant′ (v) betower, verruk, bekoor *also* **cap′=
tivate, delight′;** ~ed betowerd, verruk; **~er**
bekoorder, sjarmanter; towenaar; **~ing** beto=
werend, bekoorlik; **~ment** betowering; **~ress**
verleidster *also* **seduc′tress;** towenares

encir′cle (v) omsingel, omring, omvleuel

enclose′ (v) insluit; omhein, inkamp; ~*d herewith*
hierby ingesluit; bygaande

enclo′sure omheining; afgekampte plek; hok,
kamp; bylae, byvoegsel

encode′ (v) (en)kodeer; kodifiseer

encom′pass omring, omvat *also* **include′,
embrace′**

encore′ (n) herhaling; toegif (by opvoering/
konsert); (v) ′n toegif vra

encoun′ter (n) ontmoeting; skermutseling; krag=
meting *also* **con′test** (sport); (v) teëkom,
raakloop; tref, slaags raak

encou′rage aanmoedig, aanspoor *also* **urge,
inspire′;** **~ment** aanmoediging, aansporing

encroach′ inbreuk maak, oortree, indring; **~ment**
aantasting, aanmatiging, indringing

encum′ber (v) belemmer, bemoeilik, belas

encum′brance belemmering; las *also* **bur′den,
inconve′nience**

encyclopae′dia ensiklopedie; *encyclopaedic
knowledge* omvattende kennis

end (n) end, einde; afloop; doel, oogmerk *also*
goal, pur′pose; punt; *defeat its own* ~ sy eie
doel verydel; *to no* ~ tevergeefs; *no* ~ *of*
verskriklik baie; *on* ~ regop; *to this* ~ met dié

doel; *at wit′s* ~ raadop; (v) end, eindig,
besluit; ophou

endan′ger in gevaar bring; **~ed spe′cies/an′=
imals** bedreigde spesies/diere

endear′ bemind maak; **~ment** gehegtheid; lief=
kosing, streling

endeav′our (n) poging, probeerslag, strewe; (v)
probeer, poog, trag

endem′ic inheems, endemies (siekte)

end′ing end, uiteinde; slot, einde

en′dive (n) andyvie (blaargroente)

end′less eindeloos *also* **bound′less;** onafsienbaar

endorse′ (v) endosseer, onderskryf; rugteken
(tjek); oordra; bevestig, bekragtig; **~ment**
endossement, onderskrywing; goedkeuring

endow′ (v) skenk, bemaak; begiftig; toerus; ~*ed
with many talents* hoogbegaaf

endow′ment (n) skenking, bemaking *also*
bequest′; dona′tion; gawe, talent; **~ po′licy**
uitkeerpolis (assuransie)

endu′rance uithouvermoë; ontbering; **~ flight**
duurtevlug; **~ race** uithou(wed)ren

endure′ (v) verduur *also* **cope with;** verdra;
volhou, aanhou *also* **persevere′**

end u′ser eindverbruiker, eindgebruiker

en′ema lawement, klisma; enema

en′emy (n) vyand; teenstander; (a) vyandelik

energet′ic kragtig, energiek *also* **dynam′ic,
vig′orous;** deurtastend

en′ergy krag; daadkrag, dryfkrag; energie; ar=
beidsvermoë

enforce′ (af)dwing; aandring; deurdryf; ~ *the
law* die wet toepas/uitvoer; **~ment** uitvoering,
toepassing; *law* ~*ment* wetstoepassing; hand=
hawing van die reg

enfran′chise stemreg gee *see* **dis′enfranchise;**
burgerreg skenk; **~ment** verlening van stem=
reg; naturalisasie

engage′ (v) verbind, verpand; verloof (raak);
besig hou; aanpak; veg; bespreek; sak in
skrum (rugby); ~ *gear* inkoppel, inskakel van
ratte (motor); ~*d to* verloof aan; **~ment**
verlowing; verbintenis; verpligting *also*
commit′ment; ~*ment ring* verloofring

engen′der (v) veroorsaak, voortbring *also*
provoke′; kweek

en′gine enjin; motor; werktuig; lokomotief; *the* ~
backfires/stalls die enjin plof terug/staak/
kets; **~ dri′ver** enjindrywer, masjinis (loko=
motief)

engineer′ (n) ingenieur (met graad/diploma)
werktuigkundige; **civ′il ~** siviele ingenieur;
elec′trical ~ elektrotegniese ingenieur; elek=
trotegnikus; **mechan′ical ~** meganiese/werk=
tuigkundige ingenieur; **~s** genietroepe (leër)
(v) bewerk; bou; ontwerp; genieer; *engineered
to perfection* volmaak afgewerk/gegenieer
~ing ingenieurswese (vak); masjinering, fa=

brisering, geniëring (proses); **~ graph'ics and design** ingenieursontwerp (skoolvak) *also* **tech'nical draw'ing**

Eng'land Engeland

Eng'lish (n) Engels (taal); (pl) (die) Engelse (volk); (a) Engels (gebruike, ens.); **~man** Engelsman; **~ tea'cher** Engelsonderwyser

engrave' graveer; inprent; **~r** graveur (persoon)

engrav'ing (n) gravure, gravering

engross' in beslag neem; *~ed in* verdiep in

enhance' verhoog, vergroot, verhef *also* **el'evate, reinforce'**

enig'ma (n) raaisel, enigma *also* **mys'tery; ~tic** (a) duister, raaiselagtig

enjamb'ment enjambement, oorvloeiing (vers= reël)

enjoin' (v) oplê, inskerp, op die hart druk, beveel; verbied *also* **interdict** (in law)

enjoy' geniet, verheug, vermaak; *~ yourself (at the party)* geniet (die partytjie); **~able** aan= genaam, prettig, genotvol; **~ment** genot, vermaak, plesier, pret *also* **fun**

enlarge' vergroot; uitbrei; uitwei; *~ upon* uitwei oor, uitbrei op; **~ment** vergroting (van foto); uitbreiding; verruiming

enlight'en (v) verlig; ophelder; voorlig *also* **inform', coun'sel; ~ed** verlig; **~ing** insigge= wend

enlist' inskryf *also* **enrol'**; registreer; **~ment** inskrywing; (in)diensneming

en'mity (n) vyandskap; vyandigheid, kwaai= vriendskap

enno'ble (v) veredel; tot die adelstand verhef

enor'mity ontsaglikheid; afskuwelikheid

enorm'ous (a) ontsaglik, enorm, yslik, tamaai *also* **hu'ge, tremen'dous**

enough' genoeg, voldoende; *oddly* ~ vreemd genoeg; *sure* ~ wraggies, warempel

enquire' (v) navraag doen, verneem; *~ after* verneem/vra na

enquir'y (n) navraag; (pl) navrae; *make enquir= ies* navraag doen *see* **inqui'ry**

enrage' (v) kwaad word; woedend maak, vertoorn; **~d'** woedend, smoorkwaad

enrap'ture (v) verruk, in verrukking bring

enrich' (v) verryk; vrugbaar maak; **~ed ura'= nium** verrykte uraan *see* **deple'ted ura'nium; ~ing experience** verrykende ervaring/onder= vinding

enrol' (v) inskryf, registreer; aansluit; in diens neem; **~ment** inskrywing, registrasie

ensemble' ensemble *also* **assem'blage; mu'= sic/thea'tre cast; ~ sin'ging** samesang

enshrine' (v) wegsluit; heilig bewaar *also* **sanc'tify**

en'sign (n) vaandel, vlag, standaard; onderskei= ding(s)teken; vaandrig (mil. rang); vaandel= draer

en'silage (n) inkuiling; kuilvoer; (v) inkuil

ensile' (v) inkuil (voer)

enslave' (v) slaaf maak, verslaaf *also* **sub'= jugate; ~ment** slawerny, verslawing

ensnare' (v) verstrik, vastrek; verlei

ensu'ing daaropvolgende; *~ from* voortvloeiend uit

ensure' (v) versorg; waarborg, verseker, seker maak *also* **effect', make cer'tain**

entail' (v) meebring; behels; noodsaak; veroor= saak

entan'gle (v) verwar, verstrik; versper; **~ment** verwarring, verstrikking; versperring

en'ter (v) ingaan, intree; inskryf, registreer; invoer (rekenaardata); betrek; aangaan, aan= knoop; byhou; boek; *~ into* tree in; aangaan; sluit (kontrak); *~ for a race* inskryf vir 'n wedren; **~ key** invoertoets (rek.)

enter'ic fever/enteri'tis ingewandskoors

en'terprise (n) (sake)onderneming; projek; waagstuk; ondernemingsgees; *free* ~ vrye ondernemerskap, vryemarkstelsel

en'terprising (a) ondernemend, innoverend *also* **resource'ful, ven'turesome**

entertain' (v) onthaal; vermaak *also* **amuse'**; koester; in oorweging neem; *~ guests* gaste onthaal; *~ an offer* 'n aanbod oorweeg; **~er** vermaaklikheidskunstenaar; **~ing** onderhou= dend; vermaaklik; **~ment** onthaal; vermaak= likheid; **~ment cen'tre** vermaaksentrum; **~ment tax** vermaaklikheid(s)belasting

enthral' (v) verslaaf; bekoor; boei, bind; **~ling** spannend, boeiend/pakkend (verhaal) *also* **cap'tivating**

enthu'siasm geesdrif, entoesiasme

enthu'siast entoesias; liefhebber *also* **buff, fan, lov'er;** *sport/sporting* ~ sportliefhebber

enthusias'tic geesdriftig, entoesiasties *also* **keen, ea'ger**

entice' (v) verlok, verlei, in versoeking bring; *~ away* afrokkel

entire' heeltemal, volledig, volkome; onbeska= dig; ongedeel; **~ly** heeltemal, geheel en al, totaal *also* **complete'ly; ~ty** geheel *also* **total'ity**

enti'tle (v) betitel, noem; reg gee op; **~d** geregtig op, gewettig; *be ~d to* reg hê op, geregtig wees op

en'tity (n) **entities** wese, geheel, entiteit

entomb' begrawe, ter aarde bestel; **~ment** begrawing; begrafnis

entomol'ogist entomoloog, insektekundige

entomol'ogy insektekunde, entomologie

entourage' (n) gevolg; stoet; omgewing

entrails' ingewande, binnegoed, derms

en'trance[1] (n) ingang, toegang; portaal; intrede; aanvaarding (van 'n amp)

entrance'[2] (v) verruk, in geestesvervoering bring

en'trance: ~ examina'tion toelaateksamen/toe-
latingseksamen; ~ fee toegangsgeld; inskryf-
geld; ~ require'ments toelaatvereistes/
toelating(s)vereistes

en'trant kandidaat, nuweling; deelnemer

entreat' (v) smeek, bid, soebat *also* **beg,
beseech'**; ~y bede, smeking

entrench' (v) verskans; jou ingraaf; ~ed clau'ses
verskanste klousules (grondwet); ~ment ver-
skansing

e'ntrepôt pakhuis *also* **ware'house;** handelsen-
trum

entrepreneur' entrepreneur; ondernemer; inno-
veerder; ~ial skills/expertise' (sake)kundig-
heid; ~ship ondernemerskap

entrust' (v) toevertrou; opdra

en'try (n) entries ingang, intrede; inskrywing;
pos; **double en'tries** dubbele inskrywings;
dubbelboekhou, dubbelboeking; ~ form in-
skryfvorm

entwine' (v) omwind, deurvleg *also* **interlace'**

enu'merate (v) opsom, opnoem, lys *also* **list,
i'temise**

enu'merator (n) sensusopnemer

envel'op (v) omwikkel, omklee, omhul, hul

en'velope (n) koevert; omslag, omhulsel

en'viable benydenswaardig *also* **fa'voured**

en'vious (a) afgunstig, naywerig, jaloers *also*
jeal'ous

envi'ron (v) omring, omsingel, insluit; ~ment
(n) omgewing, milieu; ~men'tal (a) omge-
wing(s)-; ~mental(ly) friendly omgewinggun-
stig; omgewing(s)vriendelik; ~men'tal
conserva'tion omgewingsbewaring; ~men'tal
im'pact study omgewingsimpakstudie;
~men'tal studies omgewingsleer; ekologie
also **ecol'ogy;** ~men'talist omgewing(s)be-
waarder *see* **conserva'tionist;** ~s omstreke

envis'age beoog; oorweeg *also* **con'template;**
voor die gees roep

en'voy gesant, afgesant *also* **go-between'**

en'vy (n) afguns, naywer; *be the* ~ *of* beny word
deur; (v) beny, misgun

ephem'eral (a) kortstondig, verbygaande, efe-
meer *also* **flee'ting, tran'sient**

ep'ic (n) heldedig, epos; (a) epies, verhalend

ep'icure fynproewer (van kos) *also* **con-
noisseur', gour'met;** lekkerbek (persoon)

epidem'ic (n) epidemie, landsplaag *also* **pla'gue;**
(a) besmetlik, epidemies

epiglot'tis keelklep, strotklep; sluk

ep'igram puntig, epigram *also* **wit'ty remark'**

ep'igraph opskrif, inskripsie; motto, epigraaf

ep'ilepsy epilepsie; vallende siekte; *fit of* ~
(epileptiese) toeval

ep'ilogue narede, slottoespraak *also* **conclu'ding
speech;** epiloog, naspel (drama); naskrif;
oordenking *see* **medita'tion**

ep'isode voorval, episode *also* **in'cident, hap'-
pening**

epis'tle brief, sendbrief

ep'itaph (n) grafskrif

ep'ithet bynaam; byvoegsel (tot naam)

epit'ome uittreksel, kort samevatting *also* **di'-
gest, sum'mary**

epit'omise (v) verkort, saamvat; tipeer

e'poch tydperk, epog *also* **(momen'tous) pe'-
riod, e'ra**

e'pos heldedig, (mondelinge) epos *also* **hero'ic
poem**

e'qual (n) gelyke, weerga; (v) ewenaar, dieselfde
wees, gelyk wees; (a) dieselfde, gelyk; ~
opportunities employer werkgewer bied ge-
lyke geleenthede (advertensie vir personeel
vakature); ~ to gelyk aan; opgewasse teen/vir
on ~ footing op gelyke voet

e'qualise (v) gelykmaak; gelykstel; ewenaar; ~r
gelykmaker (van punte); effenaar (radio)

equal'ity gelykheid; ~ of votes staking van
stemme

e'qually gelyk, eenders/eners, net so

equanim'ity (n) gelykmoedigheid, onverstoord-
heid; gelatenheid

equa'tion (n) vergelyking; ewewig *also* **like'-
ness; pair'ing**

equa'tor ewenaar, ekwator; sonlyn; linie

eques'trian (n) perderuiter, ruiter; (a) ruiter-; ~
statue ruiter(stand)beeld

equidis'tant ewe ver

equilat'eral gelyksydig

equilib'rium (n) ewewig; balans

equinoc'tial (n) ewenagslyn; (a) nagewenings-

e'quinox dag-en-nagewening

equip' (v) toerus, uitrus; voorsien; beman *also* **fit
out; rig**

equip'ment toerusting, uitrusting, benodig(d)-
hede *also* **out'fit, supplies'**

equipped' (a) toegerus; beman; bewapen

eq'uitable billik, redelik, regverdig *also* **fair,
impar'tial**

eq'uity (n) equities billikheid, onpartydigheid;
billikheidsreg; (pl) ekwiteite, (gewone) aan-
dele; ~ cap'ital aandelekapitaal, ondernemers-
kapitaal

equiv'alent ekwivalent; ~ to gelyk aan

equiv'ocal dubbelsinnig *also* **ambig'ious;** twy-
felagtig; onseker

e'ra (n) tydvak, era; jaartelling

erad'icate (v) uitroei, verdelg *also* **destroy';**
ontwortel

erase' skrap, uitwis, uitvee, deurhaal; ~r uitveër,
wisser

erect' (v) oprig, stig, bou; (a) penregop,
kersregop/kietsregop, penorent; ~ion oprig-
ting, stigting; opbouing; ereksie (penis)

erf (n) erven erf; standplaas *also* **stand, site**

e′rica heide, erika (blom)

er′mine hermelyn (wit pels)

erode′ (v) verweer, wegvreet; uitkalf, wegspoel

ero′sion (n) erosie, verwering, (grond)verspoe= ling; invreting; wegvreting *combat* ~ bekamp erosie

ero′sive (a) wegvretend, verwerend

erot′ic (a) eroties, minsiek *also* car′nal, sen′sual; ~ fic′tion hygroman, korsetknakker, boesemdei= ner *also* bod′ice rip′per; ~ film hygfliek; ~ism erotiek, seksuele prikkeling/drang

err (v) misgis, fouteer; dwaal; sondig; *to* ~ *is human* dwaal is menslik

er′rand boodskap; opdrag *also* mes′sage; mis′= sion; *fool's* ~ dwase onderneming

er′rant swerwend, dwalend *also* ro′ving, stray′= ing

errat′ic (a, adv) ongereeld, ongelyk; wisselval= lig; onbestendig (sport)

erra′tum (n) erra′ta drukfout, skryffout, erratum

erro′neous verkeerd, onjuis, foutief *also* faul′ty, defec′tive

er′ror fout, dwaling, vergissing; *commit an* ~ 'n fout/flater begaan; ~ *of judgment* oordeelsfout; *unforced* ~ ongedwonge fout (tennis); ~ *mes′sage* foutboodskap (rek.)

ersatz′ (sintetiese) substituut, plaasvervanger; surrogaat; ersatz

er′udite (a) geleerd, belese *also* lear′ned, lit′= erate (person)

erudi′tion geleerdheid, belesenheid, erudisie

erupt′ uitbars (vulkaan); uitbreek; ~ion uitbars= ting *also* out′burst; uitslag (van vel)

es′calate (v) progressief toeneem; aanwas; intensiveer, verhewig, verskerp; eskaleer

es′calator roltrap

escape′ (n) ontsnapping, ontvlugting, ontkoming; opslag (plante); reddingstoestel (vuur); *a narrow* ~ 'n noue ontkoming; *there is no* ~ daar is geen uitweg nie; (v) ontsnap; vlug, ontkom; ontval (woorde); vryspring (beris= ping); ~ *notice* onopgemerk bly; *it* ~*d my attention* dit het my aandag ontgaan/ontsnap; ~key ontsnaptoets (rek.)

escarp′ment (n) platorand, eskarp; valskerpte, skuinste, hang

es′cort[1] (n) begeleier, eskort; (vry)geleide; ~ a′gency gesellinklub, huurmeisieklub

escort′[2] (v) begelei, vergesel, wegbring *also* conduct′; guard

escutch′eon skild, familiewapen *also* coat of arms′; naambord; beslag (op deur)

Es′kimo Eskimo; ~ pie Eskimoroomys

esote′ric geheimsinnig, verborge, esoteries

espe′cial besonder; ~ly veral, vernaamlik

Esperan′to Esperanto (wêreldtaal)

es′pionage spioenasie, bespieding; industrial ~ nywerheidspioenasie

esplanade′ strandweg, esplanade, wandelbaan

espou′sal bepleiting (van 'n saak)

espouse′ (v) verdedig, steun ('n saak)

esprit′ de corps′ *see* team spi′rit

esquire′ (n) weledele heer; skildknaap

essay′ (v) beproef, toets; essaieer (minerale)

es′say (n) opstel, verhandeling, skripsie, essay; proef; ~ist opstelskrywer; essayis (literêr)

es′sence wese, essensie *also* core, crux; krag; grondbestanddeel; reukwerk; geur, geursel; ~ *of life* lewensessens; ~ *of meat* vleisekstrak

essen′tial (n) (die) wesenlike, kern; essensiële; (a) wesenlik; essensieel, noodsaaklik, onont= beerlik; ~ oil vlugtige olie

essen′tially hoofsaaklik, in hoofsaak/wese

estab′lish vasstel; instel; oprig, stig, vestig; staaf (feite); ~ed gevestig, opgerig; ~ed prac′tice vaste gebruik/gewoonte; geves= tigde praktyk (prokureur); ~ment oprigting, vestiging; personeel; heersersklas, establish= ment, gevestigde orde; saak, inrigting, on= derneming

estate′ besitting, goed, eiendom; vermoë; land= goed; boedel; *surrender one's* ~ boedel oorgee; ~ du′ty boedelbelasting; per′sonal ~ roerende goed, losgoed; real ~ vaste eiendom, onroerende goed, vasgoed

esteem′ (n) agting; waardering; hoogagting; *hold in* ~ hoogag, waardeer; (v) ag, hoogag *also* val′ue, ven′erate; skat, takseer; ~ed person gesiene persoon

es′timate (n) begroting, (be)raming, skatting; waardering *also* assess′ment, projec′tion; (v) begroot; raam, skat; waardeer, benader; *an* ~*d R5 million* 'n geraamde R5 miljoen; *he* ~*s the cost at R2 000* hy raam die koste op R2 000 *see* fore′cast

estrange′ vervreem; ontvreem; ~ment ver= vreemding, verwydering *also* aliena′tion

estreat′ (v) 'n afskrif maak (wetlik); verbeurd verklaar (borggeld)

es′tuary riviermond(ing)

et cet′era (etc.) ensovoorts (ens.)

etch ets; ~er etser; ~ing etskuns, etswerk, ets

eter′nal (a) ewig, ewigdurend *also* ever′lasting

etern′ity ewigheid *also* infin′ity

eth′anol etanol, etielalkohol

e′ther (n) eter; lugruim

ethe′real (a) hemels, eteries

eth′ical (a) eties, sedekundig

eth′ics etiek, sedeleer, sedekunde; co′de of ~ gedragskode

eth′nic volkekundig, etnies *also* indi′genous, tradi′tional; ~ clean′sing etniese suiwering, volksuiwering; ~ lan′guage inheemse taal

ethnol′ogy etnologie, volkekunde, antropologie

e′thos (n) (volks)aard, etos *also* spi′rit/cul′ture (of a people)

e'tiquette (n) etiket *also* **conven'tion, deco'rum;** fatsoen, wellewendheidsvorme

etymol'ogy (n) woordafleiding, etimologie

eucalyp'tus (n) **..ti** bloekom(boom); **~ oil** bloekomolie

Eu'charist Nagmaalsakrament

eul'ogise (v) loof, prys, verheerlik

eul'ogy (n) (lyk)rede; lofrede, lofspraak

eun'uch ontmande (persoon), kamerling, eunug

euph'emism eufemisme, verbloeming, versag=ting, versagwoord

euphor'bia noorsdoring, melkbos; vingerpol (plant)

eupho'ria geluksgevoel, welbehae, euforie *also* **ec'stacy, ela'tion, exhilara'tion**

eurhyth'mic (a) euritmies; **~s** (n) euritmiek (ritmiese gimnastiek)

eu'ro (n) **-s** euro (geldeenheid van EU; simbool: €)

Euro'centric (a) Eurosentries

Eu'rope Europa (vasteland)

European' (n) Europeaan, Europeër (persoon); blanke (persoon, hist.); (a) Europees; **~ Parliament** Europese Parlement; **~ U'nion (EU)** Europese Unie (EU)

euthana'sia genadedood, eutanasie *also* **mer'cy kil'ling**

evac'uate leegmaak; ontruim, verlaat; *~ the building* die gebou ontruim; *~ the inhabitants* die inwoners verwyder

evacua'tion ontruiming; ontlasting (van maagin=houd)

evade' (v) ontwyk, ontduik *also* **avoid, dodge';** ontgaan

eval'uate evalueer *also* **assess';** bereken

evalua'tion (n) evaluering, waardebepaling *also* **assess'ment, apprai'sal**

evangel'ical (a) evangelies

evan'gel: **~isa'tion/~ism** evangelisasie, verbrei=ding van die evangelie; **~ist** evangelis

evap'orate uitwasem; verdamp, vervlieg *also* **va'porise; ~d milk** ingedampte melk

evapora'tion uitwaseming; verdamping

eva'sion ontwyking, ontduiking, ontvlugting

eva'sive (a) ontwykend, ontduikend *also* **elu'= sive, decep'tive;** vaag

eve aand; vooraand; *Christmas E~* Oukersaand; *New Year's E~* Oujaarsaand; *on the ~ of* op/aan die vooraand van

e'ven[1] (v) gelykmaak; gelykstel; (a, adv) glad, effe, egalig, reëlmatig; kalm; onpartydig; *~ and odd numbers* ewe en onewe getalle; *get ~ with s.o.* iem. terugbetaal; kiets raak met iem.; *odd and ~* gelyk en ongelyk; *we are ~/quits* ons is kiets

e'ven[2] (adv) selfs, ook, eweneens; *~ as* net soos; *~ if* al was; *not ~* nie eers/eens nie; *~ now* selfs nou; *~ though* selfs

e'vening aand; skemering, voornag; **~ dress** aanddrag; aandrok; aandtabberd; **~ shirt** borshemp, aandhemp; **~ star** aandster

e'venness gelykheid, gladheid

e'vensong aanddiens (Anglikaanse kerk)

event' gebeurtenis *see* **hap'pening;** geleentheid, okkasie; (ge)doe; voorval; gebeurde; (pl) gebeure; uitslag; byeenkoms; sportnommer; *at all ~s* in alle geval; *in the ~ of* in geval van; *in either ~* in albei gevalle; **~ful** merkwaardig; gebeurtenisvol, gedenkwaardig *also* **mem'= orable, note'worthy**

even'tual moontlik, gebeurlik; (uit)eindelik *also* **ul'timate**

eventual'ity gebeurlikheid *see* **contin'gency**

even'tually (a) ten slotte; uiteindelik *also* **ul'= timately**

ev'er ooit; steeds, altyd, ewig(durend), blywend; *~ after* van die tyd af; *did you ~?* het jy ooit?; *for ~* ewig; *the highest score ~* die hoogste telling nog/ooit; *thank you ~ so much* hartlike/opregte dank; duisend dankies; *~ since* sedertdien; **~green** immergroen, groen=blywend, blaarhoudend; *~green trees* immer=groenbome; *~ song* tydlose treffer(lied); **~last'ing** (n) sewejaartjie (blom); (a) ewigdu=rend *also* **eter'nal; ~more** vir altyd/ewig, altoos

ev'ery elke, ieder, alle; *~ now and then* kort-kort; *~ other day* al om die ander dag; *~ person who* elkeen/iedereen wat; *~ time* telkens, telke=male; **~bo'dy** elkeen, iedereen, **~day** daagliks; alledaags; **~one** elkeen, iedereen, almal, algar; **~thing** alles; **~where** oral(s)

evict' (v) (geregtelik) uitsit *also* **expel';** *~ from a house* uit 'n huis sit; **~ion** uitsetting; **~ion or'der** uitsettingsbevel

ev'idence (n) bewyslewering; getuienis; *give ~* getuienis aflê

ev'ident duidelik, klaarblyklik; **~ly** klaarblyklik *also* **ob'viously**

e'vil (n) kwaad, euwel; laagheid, boosheid; sonde; *fall on ~ days* slegte tye beleef; (a) kwaad, sondig *also* **depra'ved; ~do'er** boos=doener; **~~min'ded** sleggesind, boosaardig

evoke' (v) oproep; uittart, uitlok *also* **ele'cit**

evolu'tion evolusie/ewolusie; bestaansontwik=keling

ewe ooi; **~ lamb** ooilam

ew'er waskan, lampetkan, lampetbeker *also* **toi'let jug**

ex- (prefix) gewese, voormalige; oud=; eks=; **~hus'band** eksman; **~pu'pil** oudleerling; **~wife** eksvrou

exa'cerbate vererger; verskerp (onderlinge ver=skille); verbitter

exacerba'tion verergering; verskerping; verbit=tering

exact'[1] (v) afdwing, opeis, afpers *also* **extort', extract'**; vorder, eis; verg

exact'[2] (a) noukeurig, juis, presies, eksak *also* **precise'; ac'curate**

exact'ing veeleisend, streng *also* **deman'ding**

exag'gerate (v) oordryf, vergroot, opblaas *also* **overdo', overstate'** (v); ~d (a) oordrewe

exaggera'tion oordrywing, vergroting *also* **o'ver-statement**

exalt' verhef; prys, roem, ophemel; ~a'tion verheffing, ophemeling *also* **jubila'tion**

examina'tion eksamen *also* **exam'** (infml.); ondersoek; *fail the* ~ die eksamen dop/druip/sak; *pass the* ~ (in) die eksamen slaag; *sit for an* ~ eksamen doen/aflê; ~ **mar'ker** nasiener, merker; ~ **pa'per** eksamenvraestel

exam'ine (v) ondersoek *also* **probe'**; eksamineer; ondervra, uitvra, verhoor; ~e' (eksamen)-kandidaat; ~r eksaminator; ondervraer

exam'ple voorbeeld; monster; proef; eksemplaar; *for* ~ byvoorbeeld; *make an* ~ *of* as voorbeeld laat dien

exas'perate (v) vertoorn, treiter, terg, irriteer *also* **an'ger, infu'riate**; verbitter; vererg

exaspera'tion (n) gramskap, toorn, ergernis *also* **an'ger, annoy'ance**; desperaatheid; *in* ~ tot frustrasie gedryf; *exasperatingly slow* pynlik stadig

ex'cavate uithol; uitgrawe

excava'tion uitgrawing; opgrawing; uitholling

exceed' oortref; oorskry; *losses* ~ *revenue* verliese oorskry inkomste; ~ing(ly) buitenge-woon, uitermate

excel' oortref; uitmunt, uitblink; ~ *in tennis* in tennis uitblink, uitmunt

ex'cellence uitnemendheid, voortreflikheid

ex'cellency eksellensie (aanspreekvorm)

ex'cellent (a) uitstekend, voortreflik, uitmuntend, puik; bak(gat) (omgangst.); koel (omgangst.) *also* **outstan'ding, superb'**

except' (v) uitsonder, uitsluit; (prep) uitgeson-der(d), behalwe, buiten; ~ *for* afgesien van; behalwe vir

excep'tion (n) uitsondering; teenwerping; aan-stoot; *the* ~ *proves the rule* die uitsondering bevestig die reël; *take* ~ *to* aanstoot neem aan; *with the* ~ *of* uitgesonder(d); ~al (a) buitenge-woon, besonder, uitsonderlik *also* **extraor'-dinary**

ex'cerpt[1] (n) uittreksel (uit 'n teks); verkorting *also* **ex'tract**

excerpt'[2] (v) 'n uittreksel maak, ekserpeer

excess' (n) oordaad; oormaat, oorskot, surplus; byslag, bybetaling; buitensporigheid; *carry to* ~ oordryf; ~ *baggage* oor(gewig)bagasie; ~ive oormatig, buitensporig

exchange' (n) ruiling; wisseling; beurs (effekte, aandele); wisselkoers, valuta; telefoonsentrale; ~ *blows* handgemeen raak; ~ *of views* same-sprekings, oorlegpleging; **bill of** ~ wissel (bank); ~ **control'** valutabeheer; **for'ward** ~ termynvaluta; (v) wissel; ruil; verruil; uitwis-sel; ~ **ra'te** wisselkoers (geld); ~ **stu'dent** (uit)ruilstudent

excheq'uer (n) skatkis, landskas; fiskus

ex'cise[1] (n) aksyns; (v) belas

excise'[2] (v) uitsny; skrap *also* **expunge'**

exci'table (a) prikkelbaar, liggeraak; (gou) opgewonde

excite' (v) aanspoor; opwen; prikkel; ~d (a) opgewonde; ~ment opwinding; opgewonden-heid; prikkeling

exci'ting (a) opwindend, spannend *also* **thril'-ling**; *an* ~ *day* 'n heerlike/opwindende dag; ~ *match* opwindende/spannende wedstryd

exclama'tion uitroep, skree(u); ~ **mark** uitroep-teken

exclude' (v) uitsluit, uitsonder *also* **ban, bar, ve'to; expel'**

exclu'sion uitsluiting *also* **elimina'tion; expul'-sion; embar'go**

exclu'sive (a) uitsluitend, uitsluitlik, eksklusief; deftig, weelderig *also* **posh, elite'**; ~ *residen-tial area* spog(woon)buurt; ~ *suburb* deftige voorstad *also* **up'market a'rea**; ~ly uitslui-tend, uitsluitlik

excommun'icate in die ban doen, ekskommuni-seer (uit kerkverband)

excommunica'tion kerklike ban, sensuur, eks-kommunikasie

ex'crement uitwerpsel, ontlasting *see* **excre' tion**

excre'ta (pl) uitwerpsels, ontlasting; kuttels (diertjies); moer

excrete' afskei, uitskei, uitwerp

excre'tion afskeiding, uitwerping, ekskresie

excru'ciating (a) martelend, folterend (pyn) *also* **intense', unbea'rable**; ~ly *funny* skree(u)-snaaks

excur'sion uitstappie, ekskursie; ~ **tar'iff** eks-kursietarief; vakansietarief; ~ **tick'et** ekskur-siekaartjie

excu'sable vergeeflik, verskoonbaar *also* **par'-donable**

excuse' (n) verskoning, ekskuus; verontskuldi-ging; uitvlug, voorwensel, smoesie; (v) ver-ontskuldig, verskoon, ekskuseer; ~ *from* vrylaat/vrystel van; ~ *me!* ekskuus (tog)!

ex'ecute (v) uitvoer; voltrek; verrig; vervul; teregstel, ophang, onthoof, fusilleer; ~ *a deed* 'n akte vervaardig/verly

execu'tion uitvoering; voltrekking (doodstraf); teregstelling, onthoofding; beslaglegging; *sell under* ~ eksekusieverkoping; ~**er** laksman, beul, skerpregter

exec'utive (n) bestuurshoof, bestuursleier; be-dryfshoof, bedryfsleier; **chief** ~ **of'ficer** (CEO)

bestuurshoof, hoofbestuursleier; (a) uitvoe=
rend; ~ **commit′tee** uitvoerende komitee;
dagbestuur; ~ **direc′tor** uitvoerende direkteur;
~ **jet** privaat-straler; **op′erating** ~ bedryfshoof
exec′utor eksekuteur (van 'n boedel); **exec′utrix**
eksekutrise (vrou)

exege′sis (n) uitlegging, skrifverklaring, eksegese

exem′plary (a) voorbeeldig, navolgenswaardig
also **commen′dable, ster′ling** (performance of
a student)

exem′plify met voorbeelde verduidelik; as voor=
beeld dien

exempt′ (v) vrystel, vryskeld; ontslaan; ~ *from a
subject* van 'n vak vrystel; (a) vrygestel,
onthef, verskoon; ~**ion** vrystelling (van
vak/diens)

ex′ercise (n) oefening; liggaamsbeweging; op=
gawe; uitoefening, optrede; (v) oefen, dril,
liggaamsoefening doen; beoefen; aanwend; ~
book skryfboek, oefeningboek

exert′ aanwend; inspan; beywer; ~ *influence*
invloed uitoefen; ~ *oneself* jou inspan; ~**ion**
inspanning *also* **endea′vour;** aanwending

exhala′tion (n) uitaseming; wasem, damp

exhale′ uitasem; uitdamp, uitwasem

exhaust′[1] (n) afvoer; uitlaatpyp; knaldemper

exhaust′[2] (v) uitput, afmat; leegmaak; ~**ed**
gedaan, kapot, pootuit, uitgeput *also* **dead′=
beat;** ~**ion** uitputting, afmatting; **heat** ~**ion**
hitte-uitputting, ~**ive** (a) volledig, uitvoerig,
grondig

exhib′it (n) uitstalling; skou; (v) vertoon, ten
toon stel, skou; uitstal; ~ *one's cattle* jou
beeste skou

exhibi′tion vertoning; tentoonstelling, skou;
uitstalling; *make an* ~ *of oneself* jou belaglik
maak; ~ **cen′tre** uitstalsentrum; ~ **match**
vertoonwedstryd

exhil′arate vrolik maak, opwek, opvrolik; verfris

exhil′arating verfrissend, opwekkend, spranke=
lend *also* **stir′ring, stim′ulating**

exhort′ aanmaan, vermaan; aanspoor, aanmoe=
dig

exhuma′tion opgrawing (van lyk/liggaam)

exhume′ (v) opgrawe; opdiep (fig.)

ex-hus′band eksman, gewese man (na egskei=
ding)

ex′igence/ex′igency vereiste, behoefte, dring=
ende noodsaaklikheid *also* **pressing need**

ex′ile (n) ballingskap; banneling, balling (per=
soon); (v) verban

exist′ (v) bestaan, lewe

exis′tence (n) bestaan, lewe; aansyn, wese;
precarious ~ sukkelbestaan

exis′tent bestaande, aanwesig

existen′tialism eksistensialisme (filosofie)

exis′ting bestaande, aanwesig; ~ *arrangement*
huidige reëling

ex′it (n) deur, uitgang; (v) (gaan) af (toneel);
uitgaan, verlaat program (rek.)

ex′odus uittog, eksodus

exon′erate onthef (van skuld) *also* **absolve′;**
ontslaan; vrypleit

exor′bitant buitensporig (pryse); erg, verre=
gaande *see* **overchar′ging**

ex′orcise (v) uitdryf (duiwel); besweer, uitban

ex′orcism duiwelsbeswering, duiwelbanning

ex′orcist geestesbesweerder; duiweluitdrywer

exot′ic uitheems (plant, dier); vreemd, eksoties
also **a′lien;** ~ **dan′cer** buikdanseres *also*
belly′dancer

expand′ (v) uitsprei; uitbrei; uitsit *also* **am′plify;**
vergroot; swel; ontwikkel; ~**ed mem′ory**
vergrote geheue (rek.)

expanse′ uitgestrektheid, ruimte

expan′sion (n) uitsetting; uitbreiding; ontwikke=
ling; toename; ~**ism** ekspansionisme, uitbrei=
dingsdrang; ~ **joint** uitsitvoeg

expa′triate (n) uitgewekene, landverlater; ban=
neling; (v) uitwyk; verban

expect′ verwag; veronderstel, vermoed; ~**ance/
~ancy** verwagting, hoop; **life ~ancy** lewens=
verwagting, verwagte lewensduur; ~**ant** ver=
wagtend, swanger (vrou) *also* **preg′nant**

expecta′tion verwagting; vooruitsig; afwagting;
contrary to ~s teen die verwagting in

expec′torate (v) spoeg/spuug *also* **spit**

expe′diency gepastheid, geskiktheid; dienstig=
heid; haas, spoed

expe′dient (n) hulpmiddel, noodhulp, uitweg; (a)
dienstig, raadsaam, geskik *also* **appro′priate,
desi′reable, benefi′cial**

ex′pedite (v) bespoedig, verhaas *also* **hasten′,
speed up**

expedi′tion ekspedisie; onderneming; veldtog

expedi′tious (a) gou, haastig, glad, vlot

expel′ verdryf, uitsit, verban, wegja(ag); ~ *from
school* uit die skool sit/skors

expend′ (v) uitgee, bestee (geld) *also* **spend;**
deurbring; verkwis; verloor; ~**able** afskryf=
baar, opofferbaar, vervangbaar

expen′diture uitgawe, onkoste; besteding; **in′=
come and** ~ inkomste en uitgawes

expense′ (n) koste, onkoste, uitgawe, prys; *at any*
~ tot elke prys; *go to* ~ (on)koste aangaan;
incidental ~s los/onvoorsiene uitgawes; *run
into* ~ baie (on)koste aangaan

expen′sive (a) duur *also* **cost′ly;** *very* ~ peperduur

expe′rience (n) ondervinding, ervaring; *by* ~ uit
ervaring; (v) ondervind, ervaar; ~**d** (a) ervare,
kundig, deurwinter (persoon)

exper′iment (n) proefneming, eksperiment; pro=
beerslag; (v) beproef, eksperimenteer, probeer
also **research′;** test (v)

experimen′tal proefondervindelik, eksperimen=
teel; ~ **farm** proefplaas

ex′pert (n) deskundige, vakkundige, kundige, kenner, ekspert; (a) bedrewe, deskundig, vakkundig, vaardig; **~ise** (sake)vernuf, kundigheid, kennis *also* **know′how**

expira′tion uitaseming; asemtog, ademtog; afloop, vervaltyd (van wissel); einde

expire′ (v) uitasem; sterf; verval, verloop, verstryk, eindig; **expi′ry date** verstrykdatum, vervaldag

explain′ (v) verduidelik, uitlê, verklaar *also* **cla′rify**; ~ *away* goedpraat

explana′tion (n) verduideliking, uitleg, verklaring, opheldering *also* **clarifica′tion**

explan′atory verklarend (woordeboek)

exple′tive (n) stopwoord; stoplap; vloekwoord, kragwoord; (a) aanvullend, afrondend

expli′cit uitdruklik, nadruklik, stellig *also* **express′, empha′tic**; openhartig, ongesensureer (bv. seks in film)

explode′ ontplof, bars, spring; laat ontplof; ~ *a theory/myth* 'n teorie/mite afbreek

ex′ploit[1] (n) daad, heldedaad *also* **hero′ic/remar′kable deed**

exploit′[2] (v) ontgin, bewerk; uitbuit; verrig, volbring; ~ *the poor* die armes uitbuit; **~ation** (n) ontginning, benutting, eksploitasie (van grondstowwe); uitbuiting (van mense)

explora′tion ondersoek(ing), navorsing; eksplorasie, verkenning; ontginning

explor′ative/explor′atory ondersoekend, eksploratief *also* **pro′bing**

explore′ ondersoek, navors, naspoor; ~ *the implications* die implikasies deurdink; **~r** ontdekkingsreisiger; ondersoeker, navorser

explo′sion ontploffing, uitbarsting, slag, knal *also* **blast**; ~ **inhib′itor** bomkombers *also* **bomb blan′ket**; ~ **shot** plofhou (gholf)

explo′sive (n) plofstof; (pl) plofstof, springstof; (a) ontploffend, (ont)plofbaar; opvlieënd; ~ **cot′ton** skietkatoen; **~s ex′pert** plofstof(des)kundige

ex′po (n) ekspo, uitstalling, skou, tentoonstelling *also* **exposi′tion**

expo′nent eksponent, verklaarder; vertolker (van 'n komposisie)

ex′port[1] (n) uitvoer; uitvoerhandel; **~s** uitvoer; uitvoerartikels

export′[2] (v) uitvoer, eksporteer

ex′port: ~ **a′tion** uitvoer; ~ **du′ty** uitvoerbelasting; **~er** uitvoerder; ~ **trade** uitvoerhandel

expose′ (v) ontbloot *also* **reveal′**; blootstel; uitstal, vertoon *also* **display′**; openbaar (maak), blootlê, oopvlek; ~ *one's life* jou lewe waag; **~d** (a) onbeskut; blootgestel; **~r** ontbloter *also* **flash′er**

exposi′tion uitstalling, skou; blootstelling, ooplegging; verklaring

expos′tulate (v) redekawel, protesteer, verwyt, vermaan; (iem.) kapittel

expo′sure blootstelling; onthulling (van korrupsie); ontmaskering

expound′ uitlê, verklaar, blootlê

express′ (n) spesiale boodskapper, koerier; (v) uitdruk; uitspreek; vertolk; uit; betuig; (a) spoed=; opsetlik, uitdruklik *also* **expli′cit**; **~ion** uitdrukking, gesegde; *beyond ~ion* onbeskryflik; **~ive** betekenisvol; veelseggend; ~ **way** snelweg *also* **high′way**

expro′priate (v) onteien, ontvreem (eiendom) *also* **con′fiscate, seize**

expropria′tion onteiening

expul′sion uitsetting (uit skool) *see* **expel′** (v); verbanning

expunge′ (v) uitwis, skrap (woorde uit wet, regulasie); **~d** (a) geskrap, verwyder

ex′purgate (v) suiwer; kuis; skrap; **~d edit′ion** gekuiste/gesuiwerde uitgawe (van boek)

exqui′site (a) keurig; voortreflik; verruklik; wondermooi; volmaak; buitengewoon *also* **outstan′ding, superb′**

ex-service′man oudstryder, oudgediende, oudsoldaat

extem′porise (v) uit die vuis praat (onvoorbereid), improviseer *also: speak impromptu/off the cuff*

extend′ (v) uitstrek; uitbrei; verleng; rek; bied; verwelkom; verleen; ~ *our best wishes* die allerbeste toewens; **~ed** uitgestrek; uitgebrei; **~ed mem′ory** uitgebreide geheue (rek.); **~ed order** uitmekaar, versprei

exten′sion uitbreiding; verlenging; bylyn (telefoon); verlengstuk; bepaling; **Eloff Street E~** Eloffstraatverlenging; **Park′wood E~** Parkwood-uitbreiding; ~ **cable/cord/lead** verlengkoord; ~ **lad′der** skuifleer; ~ **of′ficer** voorlig(tings)beampte, veldbeampte

exten′sive uitgestrek, uitgebrei(d), omvangryk

extent′ uitgestrektheid, omvang; *to the ~ of* tot die bedrag/omvang van; *to some ~* in sekere mate; *to what ~* in hoeverre

exten′uating: ~ **cir′cumstances** versagtende omstandighede *also* **mitigating circumstances**

extenua′tion (n) versagting; verskoning; verontskuldiging

exte′rior (n) uiterlike, voorkoms; buitekant; (a) uitwendig; uiterlik; buite

exter′minate (v) uitroei, uitwis, verdelg *also* **destroy′, anni′hilate**

extermina′tion uitroeiing, uitdelging; *war of* ~ verdelgingsoorlog

extern′al (n) uiterlike; (pl) uiterlikhede; bykomstighede; (a) uitwendig, ekstern, buite=; ~ **stud′ies** eksterne/buitemuurse studie

extinct′ dood; geblus, uitgedoof; uitgesterf; uitgewerk (vulkaan)

exting′uish doodblaas, uitdoof, blus (vuur); **~er** blusser; domper

extol' (v) prys, loof, ophemel *also* **praise, glor'ify; ~ment** verheerliking, aanprysing

extort' (v) afpers, afdwing, afdreig; **~ion** (n) afpersing *also* **coer'cion, black'mailing**

ex'tra (n) toegif, ekstratjie; *no ~s* alles inbe= grepe; (a) buitengewoon, ekstra; **~curri'cular** buitekurrikulêr (studie)

ex'tract (n) uittreksel, aanhaling *also* **ex'cerpt, selec'tion;** ekstrak; aftreksel; afkooksel

extract' (v) uittrek; uithaal; 'n uittreksel maak; 'n ekstrak maak; **~ion** uittrekking; afkoms, afstamming (familie) *also* **an'cestry; ~or fan** dampkas (bo stoof)

ex'tradite (v) uitlewer (misdadiger, tussen lande)

extradi'tion uitlewering; **~ or'der** uitlewerbe= vel

extra: ~mar'ital buite-egtelik *also* **out of wed'= lock; ~mun'dane** boweaards; **~mu'ral** buite= muurs (studie)

extra'neous (a) vreemd, uitheems; nie-essensieel

extraor'dinary buitengewoon, uitsonderlik; son= derling *also* **unu'sual**

extrasen'sory: ~ percep'tion buitesintuiglike waarneming

extraterres'trial (a) buiteaards

extrav'agance verkwisting, oordaad; buitenspo= righeid

extrav'agant (a) buitensporig, uitspattig; ver= kwistend, kwistig, spandabel

extravagan'za groots opgesette musikale kyk= spel, extravaganza

extreme' (n) uiterste; *in the ~* op die uiterste; (a) uitermate, ekstreem; laaste; oordrewe; **~ unc'= tion** laaste oliesel (RK, vir sterwende); **~ly** uiters, uitermate *also* **excee'dingly**

extre'mist (n) ekstremis *see* **rad'icalist** (person)

extrem'ity uiterste, uiteinde; uiterste nood;

hoogste graad; uiterste maatreëls; die uiterste ledemate (vingers, tone); *drive to ..extremities* tot die uiterste dryf

ex'tricate loswikkel, ontwar; uitred, uithelp

ex'trovert (n) ekstrovert; na buite lewende persoon; (a) ekstrovert

exu'berance uitgelatenheid, lewenslustigheid; oorvloed, oortolligheid *also* **lavish'ness**

exu'berant uitgelate, lewenslustig; oorvloedig, welig *also* **abun'dant, am'ple, profuse';** weelderig; oordrewe

exude' uitsweet; afskei

exult' juig, jubel, opgetoë wees; **~ over** triomfee= oor; **~ant** opgetoë, jubelend, uitgelate *also* **ela'ted, ju'bilant; ~a'tion** opgetoënheid, uit= gelatenheid; gejuig, gejubel

exu'viate (v) vervel *also* **peel** (skin), **slough** (snake), **cast** (insect)

ex-wife eksvrou, gewese vrou (na egskeiding)

eye (n) oog; lus (in tou); *turn the blind ~* oogluikend toelaat; *give s.o. a black ~* iem. 'n blou oog gee (met vuishou); *keep an ~ open* dophou; op die uitkyk wees (vir iets); *see ~ to ~ with* dit volkome eens wees met; *up to one's ~s* tot oor die ore (in werk); (v) dophou, bekyk, beskou, gadeslaan; **~ball** oogappel; **~brow** wenkbrou; **~ con'tact** oogkontak; **~glass** oogglas, monokel *also* **mon'ocle; ~hole** kykgaatjie, loerkyker(tjie) (in deur) *also* **door'scope; ~lash** wimper, ooghaar; **~lev'el** ov'en** ooghoogteoond; **~lid** ooglid; **~o'pener** openbaring; verrassing; ontnugtering; **~sight** gesig; **~sore** onooglik(heid); misbaksel (per= soon); **~tooth** oogtand; **~wash** oogwater; oëverblindery, kaf; **~wit'ness** ooggetuie *also* **wit'ness**

eyr'ie/ae'rie/a'ery arendsnes; bergwoning

F

fab′ (infml.) (interj) puik, wonderlik; lekker, heerlik (bv. 'n partytjie, uitstappie); fantasties; bak(gat), koel (omgangst.) *see* **fab′ulous**

fa′ble (n) fabel; sprokie; gelykenis *also* **pa′rable;** verdigsel *also* **myth;** (v) verdig, fantaseer

fab′ric (n) weefstof, materiaal *also* **tex′tiles;** **~ate** (v) maak, vervaardig; fabriseer, bou; versin, optower; **~a′tion** vervaardiging; verdigsel, versinsel *also* **fig′ment (of the imagination)**

fab′ulous fabelagtig *also* **fantas′tic;** puik, wonderlik; lekker, heerlik (bv. 'n partytjie, uitstappie); fantasties; ongelooflik bak(gat), koel (omgangst.)

facade′ (voor)gewel, fasade (by hoofingang)

face (n) gesig, gelaat; voorkoms; wyserplaat; voorkant; aanskyn; wese; gedaante; ~ *the bowling* slag bied (krieket); ~ *the facts* feite onder (die) oë sien; ~ *the consequences* die gevolge dra/trotseer; *make ~s* skewebek trek; ~ *the music* die gevolge dra; *save one's* ~ die skyn red; ~ *to* ~ onder vier oë; *won't* ~ *up to* wil nie aanvaar nie; (v) in die gesig kyk; onder die oë sien; weerstand bied; kyk op; trotseer; afsit (met lint); **~brick** siersteen, buitesteen; ~ **cream** gesigroom, pommade; **~lift** (gesigs)ontrimpeling, gesigkuur, verjonging; ritidektomie (med.); hysbakkies (skerts.)

fac′et (n) vlak; faset

face′tious grappig, geestig, snaaks (dikwels by 'n ongepaste geleentheid) *also* **friv′olous, flip′pant**

face value sigwaarde; nominale waarde (geld, wissel); *accept at* ~ woordelik glo

fa′cia/fas′cia board fasiebord, gewelbord (gebou); naamplaat

fa′cial (a) gesig(s)=, aangesigs=, gelaats=; ~ **shin′gles** belroos; ~ **tis′sue** gesigsnesie

fa′cile (a) toegewend, inskiklik, meegaande

facil′itate vergemaklik, fasiliteer; (aan)help, verlig; ~ *matters* sake vergemaklik

facil′itator fasiliteerder *also* **or′ganiser, plan′ner**

facil′ity (n) **..ties** gemak(likheid), vaardigheid; (pl) hulpmiddels, geriewe, fasiliteite

fa′cing (n) voorkant; omboorsel, belegsel; laag; (adv) teenoor; reg voor

facsim′ile reproduksie; faksimilee *see* **fax;** nabootsing

fact feit; daad; werklikheid; ~ *or fancy?* feit of foefie?; *in* ~ inderdaad; **~-finding mission/tour** feitesending

fac′tion¹ (n) faksie, kliek, (politieke) groep *also* **cli′que;** party, partyskap; ~ **fight** stamgeveg, faksiegeveg

fac′tion² (n) faksie (gedramatiseeerde weergawe van feite in boek/film)

fac′tor faktor; agent; **~ing** faktorering (sake= proses)

fac′tory fabriek, werkplek; ~ **act** fabriekswet; ~ **ef′fluent** (fabrieke se) afwater; ~ **o′verheads** fabrieksbokoste

factotum handlanger, helper, faktotum *also* **han′dyman**

fac′tual feitelik; ~ *details* feitelike gegewens

fac′ulty fakulteit (van 'n universiteit, technikon); vermoë, bekwaamheid, talent

fad (n) gier, gril, idee *also* **fan′cy, craze;** stokperdjie

fade (v) verwelk, verlep; kwyn, verflou *also* **lan′guish;** verdof, uitdoof (radio); wegsterwe (geluid); **~less** kleurhoudend, kleurvas; onverganklik

fae′ces ontlasting, uitwerpsels *also* **ex′crement, dung**

fag¹ (infml.) (n) swaar/vervelige werk; groentjie (wat vir seniors moet werk in skoolkoshuis); werkesel; (v) swoeg, (af)sloof; **~ged** uitgeput, pootuit *also* **exhaus′ted**

fag² (slang) (n) sigaret; **~-end** (slang) stompie (sigaret); oorskot, oorskiet

fail (n) fout, feil; *without* ~ seker; (v) sak, dop, druip (eksamen); faal; mis; weier (masjien); te kort kom, in gebreke bly; misluk

fail′ing (n) fout, gemis; tekortkoming; (a) ontbrekend; agteruitgaande; *a* ~ *subject* 'n druipvak; ~ *which* so nie; anders; in gebreke waarvan (regstaal)

fail′ure (n) mislukking; druiping; versuim, nalatigheid; versaking (organe); druipeling (kandidaat in eksamen); ~ **rate** druipsyfer

faint (n) floute; (v) flou val, beswym; (a) swak, onduidelik; dof; *grow* ~ dof word; **~-hear′ted** halfhartig *also* **tim′id;** **~ing** floute, beswyming *also* **swoon** *see* **black′out**

fair¹ (n) jaarmark, kermis *also* **fê′te, bazaar′; trade** ~ handelsbeurs

fair² (a) fraai, skoon; blond, lig; eerlik; taamlik, redelik; gunstig; opreg; helder (weer); *give a* ~ *chance* 'n billike kans gun; ~ *game* maklike prooi; *by* ~ *means or foul* tot/teen elke prys; *the ~(er) sex* die skone geslag; ~ *and square* eerlik; ~ *weather* mooi weer; ~ **dea′ling** opregtheid, eerlikheid; ~ **play** (n) eerlike/skoon spel; sportmanskap; (a) regverdig, reg, eerlik; ~ **price** billike prys; **~way** vaarwater, vaargeul; skoonveld (golf); ~ **wea′ther** mooi weer; **~-wea′ther friend** skynvriend, mooiweersvriend

fair′y (n) **fairies** fee(tjie); **~land** towerland, feëryk; ~ **tale** sprokie

faith (n) geloof; vertroue; *bad* ~ kwade trou; *breach of* ~ troubreuk; *in good* ~ te goeder trou; *keep* ~ woord hou; **~ful** getrou; gelowig; **~fulness** getrouheid; ~ **heal'er** geloofsgeneser; **~less** troueloos

fake (n) vervalsing; namaaksel; bedrog *also* **falsifica'tion; hoax;** (a) vals; (v) vervals *also* **forge**

fa'ked (a) oneg, nagemaak *also* **pho'ney, forg'ed**

fakir'/fa'kir (n) fakir, bedelmonnik (Indies)

fal'con valk; **~er** valkenier; **~ry** valkejag *also* **haw'king**

fall (n) val; daling; ondergang; waterval; prys= daling; (v) val; sink; sneuwel (soldaat); neerdaal; sak; bedaar (wind); ~ *away* wegval; ~ *due* verval; raak verskuldig; ~ *foul of* bots met; ~ *in love* verlief raak; ~ *to pieces* tot niet gaan; ~ *short* kortkom; ~ *through* deur die mat val; ~ *a victim to* 'n slagoffer word van

falla'cious bedrieglik, misleidend

fal'lacy dwaalbegrip *also* **misconcep'tion, false'= hood;** drogrede; wanopvatting

fal'lible (a) feilbaar, faalbaar *also: liable to err*

fal'ling (n) val; (a) vallende; ~ *price of gold* dalende goudprys; ~ **star** vallende/verskie= tende ster

fallout (n) (radioaktiewe) neerslag; afval(stow= we); nadelige bygevolge

fal'low (v) braak; (a) braak *also* **i'dle, inac'tive;** ~ **land** (n) braakland

false vals, skynheilig; onwaar; troueloos; ver= vals, nagemaak (munt); ~ *bottom* dubbele boom; *play s.o.* ~ iem. bedrieg; *a* ~ *move* misstap; dom/dwase ding; **~hood** valsheid; leuen, bedrog *also* **deceit', decep'tion; ~ness** valsheid

falset'to keelstem, kopstem, falset

falsifica'tion vervalsing *also* **for'gery**

fal'sify (v) vervals *also* **forge;** namaak *also* **im'itate, sim'ulate**

fal'ter strompel, struikel; hakkel, stamel; **~ing** weifelend; stamelend

fame roem, beroemdheid, faam, vermaardheid; *ill* ~ berugtheid; *house of ill* ~ bordeel, hoer= huis; **~d** vermaard, beroemd

famil'iar (a) goed bekend; vertroulik; familiêr; eie, danig, vrypostig; ~ *surroundings* beken= de/vertroude omgewing; ~ *with the facts* vertroud met die feite

familiar'ity vertroulikheid; gemeensaamheid *also* **informal'ity;** vrypostigheid; ~ *breeds comtempt* goed bekend, sleg geëerd; te goed bekend maak onbemind

famil'iarise (v) vertroud maak (met), op hoogte stel (van); oriënteer

fam'ily familie, bloedverwant(e), (huis)gesin; geslag; stam; *be in the* ~ *way* in geseënde omstandighede (swanger) wees; ~ **circle**

familiekring; ~ **doc'tor** huisarts *see* ~ **practi'= tioner;** ~ **kil'ling** gesinsmoord; ~ **life** gesins= lewe; ~ **name** van, familienaam; ~ **plan'ning** gesinsbeplanning, gesinsvoorligting; ~ **prac'= tice** huisartskunde; ~ **practi'tioner** huisarts, huisdokter *also* **gen'eral practi'tioner;** ~ **pray'ers** huisgodsdiens; ~ **resem'blance/like'= ness** familietrek; ~ **tree** stamboom *also* **an'= cestry**

Fa'mily Day Gesinsdag (vakansie)

fam'ine hongersnood *also* **starva'tion;** gebrek *also* **dearth'**

fam'ish (v) verhonger; **~ed** (a) uitgehonger

fa'mous beroemd, vermaard, gevierd *also* **cel'= ebrated;** *a* ~ *singer* 'n beroemde/gevierde sanger; *he is* ~ *for* hy is beroemd vir/om, weens; **~ly** pragtig, skitterend

fan[1] (n) bewonderaar, aanhanger; dweper; en= toesias; *football/soccer* ~s sokkergeesdriftiges

fan[2] (n) waaier; wan; (v) koel waai; wan; aanwakker (verset, onrus)

fanagalo' (n) fanagalo *also* **pid'gin lan'guage**

fanat'ic (n) dweper, fanatikus *also* **extre'mist; fan** (person); (a) dweepsiek; **~al** dweepsiek fanatiek/fanaties; **~ism** dwepery, dweepsug

fan belt (n) waaierband (motor, masjien)

fan'cied (a) denkbeeldig *also* **imag'inary** *see* **fan'ciful;** gewild, geliefd; gunsteling (om te wen); *the* ~ *tennis player* die tennisspeler wat as gunsteling beskou word (om 'n toernooi te wen)

fan'ciful grillig, grotesk; sonderling; fantasties *also* **capri'cious; whim'sical;** denkbeeldig, onwerklik *also* **unreal'**

fan'cy (n) verbeelding, inbeelding; gril, nuk, gier; fantasie; liefhebbery; inval; *catch the* ~ *of* in die smaak val van; *take a* ~ *to* aangetrokke voel tot; (v) verbeel; baie hou van; (interj) dink net!; *I don't* ~ *him* ek het nie ooghare vir hom nie; ~ **ar'ticles** modeartikels, snuisterye; ~ **dress** fantasiekostuum; **~=dress ball** kostuumbal, maskerbal; ~ **goods** snuiste= rye; sierware; **~work** borduurwerk, fynhand= werk

fan'fare fanfare, trompetgeskal *also* **trum'pet call**

fang slagtand; giftand (van slang)

fan'light bolig (in kamer)

fan: ~ **mail** dweeppos, bewonderaarspos, aan= hangersbriewe; ~ **palm** waaierpalm; **~tail (pigeon)** waaierstert, pronkduif

fantas'tic (a) ingebeeld (met fantasie); grillig fantasties *also* **absurd, weird, grotes'que;** wonderlik, pragtig; bak(gat), koel (omgangst.) *also* **ex'cellent, superb, cool**

fan'tasy fantasie; inbeelding; waanbeeld *also* **illu'sion;** verbeeldingskrag; gril, gier

far (a) ver/vêr, afgeleë; baie; (adv) baie, veel

ver/vêr, ver/vêr weg; *by* ~ verreweg; ~ *gone* ver gevorder; hoog in die takke; ~ *and near* wyd en syd; *in so* ~ *as* in sover/sovêr, in soverre

farce (n) grap, klug *also* **(low) com'edy**

Far East Verre-Ooste

fare (n) reisgeld, passasiersgeld; kos; (v) gaan, vaar; gebeur; oorkom; ~ *badly* teenspoed kry; **bill of** ~ spyskaart *also* **men'u**

farewell' vaarwel, afskeid; ~ **din'ner** afskeid(s)= dinee; ~ **gift/pres'ent** afskeid(s)geskenk

far'-fetched vergesog/vêrgesog *also* **unli'kely, du'bious**

farm (n) plaas; boerdery; boereplaas; (v) boer; bebou, bewerk; ~ *out* uitbestee; **~er** boer, landbouer; **~ing** boerdery, landbou; *cattle ~ing* beesboerdery; *crop ~ing* saaiboerdery, akker= bou; ~ **la'bourer** plaasarbeider; **~stall** pad= stal(letjie), plaaskiosk; kontreiwinkel; **~stead** (plaas)opstal; **~yard** plaaswerf

far'-reaching verreikend/vêrreikend; ~ *benefits* betekenisvolle/uitgebreide voordele

far'rier (n) hoefsmid

far'row (n) drag, werpsel, nes kleintjies *also* **lit'ter;** (v) kleintjies kry

far'-sighted (a) versiende/vêrsiende *also* **judi'= cious**

fart (vulg.) (n, v) poep (vulg.); wind(jie) laat

farth'er (a) verder/vêrder; (adv) verder/vêrder; buitendien

farth'est verste/vêrste, mees afgeleë

farth'ing oortjie (eertydse geldstuk)

fas'cia = fa'cia

fas'cinate (v) betower, bekoor, boei

fas'cinating (a) boeiend, bekoorlik *also* **absorb= ing, compel'ling, cap'tivating**

fash'ion (n) mode *also* **style; cus'tom;** drag; fatsoen; manier; maaksel; trant; *out of* ~ uit die mode; *set the* ~ die toon aangee; *in such* ~ op dié manier; (v) fatsoeneer, vorm; inrig; **~able** modies, modieus *also* **tren'dy;** deftig, sjiek; ~ **desig'ner** modeontwerper; ~ **parade'** mode= skou, modeparade; ~ **show** modeskou

fast¹ (n) vas; (v) vas, sonder kos bly

fast² (a, adv) vinnig, snel; rats, wakker; vas, standvastig, sterk; amper; losbandig; *the clock is too* ~ die klok loop voor; ~ *and furious* teen 'n geweldige tempo; *pull a* ~ *one* kul, inloop *also* **bamboo'zle;** *the ~est growing industry* die snelgroeiendste bedryf/nywerheid; ~ **bow'ler** snelbouler (krieket); ~ **col'our** vaste kleur; ~ **food** kitskos *see* **junk'food;** ~ **mail** voorkeurpos

fas'ten vasmaak; bevestig; ~ *down* vasmaak; ~ *one's eyes upon* die oë vestig op

fastid'ious (a) kieskeurig, uitsoekerig, punte= ne(u)rig (persoon)

fast'ness¹ (n) vinnigheid

fast'ness² (n) vesting, sterkte *also* **strong'hold** (hist.)

fat (n, a) vet; (a) dik *also* **bul'ky;** korpulent; *the* ~ *is in the fire* die gort is gaar

fa'tal noodlottig, dodelik *also* **le'thal, dead'ly;** fataal; ~ *accident* noodlottige ongeluk; **~ism** fatalisme (geloof in die onvermydelike [nood]= lot)

fatal'ity ongeluk, ongeval (dodelik/noodlottig); noodlot; rampspoed; (pl) sterfgevalle, dooies

fat cat (slang) (n) dikvreter, geilkat, roomvraat, kripstaner (persoon); **~cat op'ulence** geildik rykdom/weelde

fate noodlot; lot, bestemming *also* **des'tiny;** **~d** voorbeskik, noodlottig; **~ful** noodlottig

fat'head (infml.) (n) domkop, klipkop *also* **fool, clod, plon'ker, dunce** (person)

fa'ther (n) vader, pa; (v) verwek; verantwoorde= lik wees vir; **~hood** vaderskap; **~-in-law (fathers-in-law)** skoonvader, skoonpa; **~land** vaderland; **~ly** vaderlik

Fa'ther Christ'mas Kersvader

fath'om (n) vaam/vadem (waterdiepte van omtrent 1,83 m); (v) omvat, deurgrond; peil; begryp; *I can't* ~ *it* ek kan dit nie begryp/ kleinkry nie; **~less** bodemloos, onpeilbaar; ~ **line** dieplood

fatigue' (n) moegheid, vermoeienis, afmatting *also* **exhaus'tion;** werkdrag; mondering (sol= daat); (v) moeg maak, vermoei; lastig val; **met'al** ~ metaalverswakking

fat: **~ness** vetheid *also* **obes'ity; ~ten** vet maak (slagdier); **~ty** (n) vetsak, diksak; potjierol (kind)

fat'uous (a) onnosel, dwaas, mal *also* **absurd', lu'dicrous;** onbenullig, niksseggend

fault fout, gebrek; skuld; *at* ~ verkeerd, skuldig; *find* ~ *with* fout vind met; vit; **~fin'der** foutvinder, vitter; **~less(ly)** onberispelik *also* **impec'cable;** feilloos; foutvry, fout(e)loos; **~y** gebrekkig, foutief, defek

faun sater, bosgod, faun

faun'a dierewêreld, fauna

fa'vour (n) guns; begunstiging; gunsbewys; aan= denking; *by* ~ *of* deur (vriendelike) tussen= koms/bemiddeling van; *curry* ~ witvoetjie soek; *do s.o. a* ~ iem. 'n guns bewys; *in* ~ *of* ten gunste van; (v) begunstig; bevoorreg; voortrek *see* **fa'vorite; ~able** gunstig; welwillend; **~ite** (n) gunsteling, uitverkorene (persoon); kans= perd; voorkeuropsie, gunsteling (internet) *also* **fa'vorite;** (a) lieflings=, geliefkoosde; *~ite dog* lieflingshond; *~ite poet* gunstelingdigter; **~itism** voortrekkery, begunstiging *also* **partiality**

fa'vorite (US spelling) voorkeuropsie, gunste= ling (internet)

fawn¹ (n) jong takbok/hert; (v) lam; (a) vaal= bruin *also* **beige**

fawn[2] (n) vleiery; (v) vlei, pamperlang *also* **curry favour, creep, cringe**

fax (n, v) faks; faksimilee; *please ~ your letter* faks asseblief u brief

fear (n) vrees, angs, bangheid; *for ~ of* uit vrees vir; *stand in ~ of* bang wees vir; (v) bang wees, vrees; *never ~* moenie bang wees nie; **~ful** bang, vreesagtig; **~less** onbevrees, onver= skrokke *also* **undaun'ted; ~lessness** doods= veragting

feasibil'ity: ~ stu'dy haalbaar(heid)studie, uit= voerbaarheidstudie

feas'ible haalbaar, uitvoerbaar *also* **vi'able; lonend**

feast (n) fees, feesmaal; makietie *also* **festi'vity;** (v) feesvier; onthaal, trakteer; fuif

feat kordaatstuk, prestasie *also* **achieve'ment, accom'plishment**

feath'er (n) veer; *birds of a ~* voëls van eenderse vere; *a ~ in one's cap* 'n pluimpie; *in fine ~* in 'n goeie bui; *in high ~* in feestelike stemming; (v) vol vere maak, met vere versier; **~ bed** verebed, bulsak; **~-brai'ned** dom; **~weight** veergewig (boks, stoei)

fea'ture (n) gelaatstrek; kenmerk; glanspunt; spesiale artikel (koerant, tydskrif), (v) uit= beeld; laat optree, vertoon; **~ pro'gramme** glansprogram

Feb'ruary Februarie

fed (v, past tense) gevoed; *~ up* vies; keelvol; gatvol (vulg.)

fed'eral federaal, bonds=

federa'tion federasie; verbond, bondgenootskap

fee (n) fooi (vir kelner) *also* **tip; gratu'ity;** fooi, vergoeding, honorarium (vir beroepswerk); **med'ical ~s** doktersgelde, mediese koste

fee'ble swak *also* **frail;** kleinmoedig; **~-min'ded** swaksinnig; **~ness** swakheid, halfhartigheid; slegtigheid

feed (n) voer, kos; toevoer; (v) voer, voed; onderhou; insleutel (rek.); **~back** terugvoer= (ing) (inligting); kringfluit (radio); **~er** baba= bottel; sytak (rivier); borslappie (vir kind); voeder; **~er ser'vice** toevoerdiens; **~ing bot'tle** suigbottel, bababottel; **~lot** voerkraal (vir beeste)

feel (n) gevoel, aanvoeling; *~ings ran high* gemoedere het hoog geloop; (v) voel; bevoel; gevoel; aanvoel; *~ up to* in staat voel om; *~ one's way* die terrein verken; **~er** voelhoring, voeler; proefballon; verkenner; **~ing** (n) ge= voel, gedagte; opinie; (a) gevoelig; gevoelvol

feign (v) veins; voorgee; versin *also* **sham, pretend'**

feint (n) voorwendsel; skynbeweging *also* **pre= tence';** (v) fop, flous; liemaak

feli'citate (v) gelukwens, felisiteer *also* **con= grat'ulate**

felicita'tion gelukwensing

feli'city geluk, geluksaligheid; seën

fe'line kat=, katagtig *also* **cat'like, sleek, steal'= thy**

fell[1] (v) laat val; (neer)vel; platslaan *see* **fall** (v)

fell[2] (a) wreed; woes; fel; *in one ~ swoop* plotselinge/verrassende aanval; met een skie= like slag (fig.)

fel'low maat, kêrel, ou; lid, genoot (van 'n vereniging); gelyke; vent; vennoot; *good/jolly ~* 'n gawe kêrel; **~-crea'ture** medemens; **~ fee'ling** saamhorigheidsgevoel; **~ship** broe= derskap, kameraadskap; spangees; genootskap (van vereniging), lidmaatskap *also* **bro'ther= hood, frater'nity**

fel'on[1] (n) kwaaddoener *also* **per'petrator;** misdadiger; (a) misdadig, wreed

fel'on[2] (n) fyt *also* **whit'low**

fel'ony (n) misdaad, misdryf, wandaad *also* **grave crime**

felt (n) vilt; (a) vilt=; *~ hat* vilthoed

fe'male (n) vrou, vroumens; wyfie; (a) vroue=; vroulik; wyfie=; **~ suf'frage** vrouestemreg

fem'inine vroulik *also* **wo'manly, la'dylike**

fem'inism (n) feminisme

fem'inist feminis

fem'power vrouekrag *also* **wo'man po'wer** *see* **man'power**

fe'mur (n) dybeen *also* **thigh'bone**

fen moeras, vlei *also* **marsh, swamp, moor**

fence (n) heining *also* **hedge; bar'rier; pal= isade;** (heining)draad; muur; skermkuns; *sit on the ~* die kat uit die boom kyk; (v) omhein; beskut; skerm, verdedig; *~ in* inkamp, omhein, toespan

fen'cing omheining; skermkuns; **~ school** skermskool; **~ sword** degen

fend afweer, wegkeer; *~ for* sorg vir; *~ off* afweer, afhou; **~er** beskutting; skutpaal; kag= gelskerm; modderskerm *also* **mud'guard**

fen'nel vinkel (kruie)

ferment' (v) gis, fermenteer *also* **brew; ~a'tion** gisting, fermentasie

fern varing (plant)

fero'cious wild, wreed, woes *also* **sa'vage, cruel, bru'tal**

feroc'ity wildheid, wreedheid *also* **cruel'ty, barba'rity**

fer'rous (a) yster=, ysterhoudend

fer'ret (n) fret (knaagdier); snuffelaar; (v) met frette jag; uitsnuffel

ferrocon'crete gewapende beton, skokbeton

fer'ry (n) veerboot; pont; (v) oorsit, oorvaar; vervoer, karwei; *~ boat* veerboot

fer'tile (a) vrugbaar *also* **fruit'ful, yiel'ding**

fertilisa'tion (n) bevrugting

fert'ilise (v) bemes; **~r** kunsmis, misstof *also* **com'post**

fertil'ity vrugbaarheid *also* **produc'tiveness**

fer'ule (n) platriem, plak; kweperlat *also* **ca'ne** (n)

ferv'ent vurig, hartstogtelik; warm; ywerig

ferv'our warmte, (gees)drif, ywer, gloed

fes'ter (n) sweer, verswering; (v) sweer, etter

fes'tival (n) fees, feesdag *also* **feast, celebra'tion;** (a) fees=, feestelik

fes'tive (a) feestelik, vrolik; **~ occa'sion** feesviering; **~ sea'son** feestyd/feesgety (Kersfees en Nuwejaar)

festiv'ity (n) feestelikheid, feesviering, vreugdefees, makietie *also* **bash, mer'rymaking**

festoon' (n) festoen, loofwerk *also* **gar'land;** (v) met loofwerk versier, festoeneer *also* **drape**

fetch (v) (gaan) haal, bring, te voorskyn bring; **~ in** inpalm; **~ a price** 'n prys behaal; **~/heave a sigh** sug

fête (n) fees, kermis, basaar *also* **bazaar'**

fe'tid stinkend, galsterig, vuil

fe'tish fetisj *also* **am'ulet, tal'isman** (object supposed to have magical power); afgod

fet'lock vetlok, muis, koot (bokant perd se hoef)

fet'ter (n, often pl) ketting, boei; (v) kluister, boei

feud (n) (bloed)vete *also* **vendet'ta, strife;** twis, rusie; **~ing** rusie maak, haaks wees *also* **quar'reling, bick'ering**

feud'al leen=, feodaal; **~ sys'tem** leenstelsel (in Middeleeue)

fe'ver koors; onrus; **enter'ic ~** maagkoors; **scar'let ~** skarlakenkoors; **~few** (n) moederkruid, koorskruid (plant); **~ish** koorsig; koorsagtig, haastig; **~ tree** koorsboom

few party; 'n paar; min, weinig; **a ~** 'n paar; **~ and far between** dun/yl gesaai *also* **sparse;** seldsaam; **a good ~** baie, heelparty (mense); **in a ~ words** kortom

fez (n) ..zes fes, kofia (keëlvormige mus)

fian'cé verloofde, aanstaande (manlik); **~e** verloofde, aanstaande (vroulik)

fias'co (n) mislukking, fiasko *also* **flop, disas'ter**

fib (n) (nood)leuen(tjie) *also* **white lie;** (onware) storie; **tell ~s** jok; kluitjies bak; (v) jok; 'n leuen(tjie) vertel

fi'bre vesel; **~glass** glasvesel/veselglas; **mor'al ~** innerlike krag

fibrosi'tis fibrositis (siekte)

fib'ula kuitbeen (tussen kuit en voet)

fic'kle (a) wispelturig, veranderlik, onbestendig, willekeurig *also* **whim'sical, freak'ish**

fic'tion romankuns, fiksie; verdigsel *see* **nonfic'tion; fac'tion;** *science ~* wetenskapfiksie

ficti'tious (a) verdig, versin, denkbeeldig *also* **fab'ricated, im'provised**

fid'dle (n) viool *also* **vi'olin;** *as fit as a ~* so reg soos 'n roer; (v) vioolspeel; vermors (tyd); *~ with* peuter aan; **~ bow/stick** strykstok;

~sticks! gekheid!; kaf!; onsin! **~/vi'olin string** vioolsnaar

fidel'ity getrouheid, eerlikheid *also* **alle'giance; ~ guarantee'** getrouheidswaarborg; **high ~** hoëtrou *also* **hi-fi**

fidg'et (n) onrustigheid; rustelose persoon; *have the ~s* miere/kriewels hê; (v) onrustig wees, woel, vroetel; **~y** (a) kriewelrig, rusteloos, ongedurig *also* **jit'tery**

fidu'ciary (n) vertrouenspersoon; trustee; (a) vertrouend; vertroud; fidusiêr

field (n) land(ery); veld, vlakte; speelveld; gebied; kamp; slagveld; *lead the ~* op die voorpunt wees; **~ of vision** gesig(s)veld; (v) veldwerk doen (krieket); **~ day** galadag; suksesvolle dag/geleentheid (veral sport); **~er** veldwerker (krieket); **~ event'** veldnommer (atl.); **~ glass(es)** verkyker; **~ing** veldwerk (krieket); **~mar'shal** veldmaarskalk; **~mouse** streepmuis; **~piece** veldkanon; **~ ran'ger** veldwagter

fiend (n) bose gees, woesteling, besetene *also* **e'vil spi'rit, dev'il, de'mon; ~ish** duiwels, demonies, hels

fierce (a) wild, geweldig, woes; fel, skerp, verbete; verwoed *also* **fero'cious;** vurig; **~ness** wildheid; woestheid, wreedaardigheid

fier'y (a) vurig; gloeiend; driftig, opvlieënd

fife (n) dwarsfluit; (v) fluit

fifteen' vyftien; **~th** vyftiende

fifth vyfde; **~ col'umn** vyfde kolonne (binneverraaiers); **~ly** in die vyfde plek, vyfdens; **fif'tieth** vyftigste

fif'ty (n) fifties vyftig; **~~~** gelykop; helfte-helfte; *in the fifties* in die vyftigerjare/vyftigs

fig vy; vyeboom; *I don't care a ~* dit skeel/raak my nie

fight (n) geveg; twis, rusie, bakleiery; (v) veg, twis, rusie maak, baklei; **~ shy of** ontwyk; **~er** bakleier, vegter; **~er plane** vegvliegtuig; **~ing** geveg, bakleiery; **~ing fit** veggereed, veglustig; perdfris, topfiks; **~ing spi'rit** veggees

fig'ment verdigsel, versinsel; **~ of the imagination** hersenskim, waanbeeld

fig'urative figuurlik, sinnebeeldig, oordragtelik

fig'ure (n) gedaante, gestalte, vorm; figuur; syfer; *at a low ~* teen 'n lae prys; **~ of eight** 'n agt maak (in sierskaats, kunsvlieg); **~ of speech** stylfiguur; (v) vorm, afbeeld; patrone/figure maak; syfer; **~ out** uitreken; uitpluis; **~head** (boeg)beeld (skip); strooipop; skynhoof, pion (persoon)

figurine' beeldjie

fil'ament veseltjie, draadjie; gloeidraad

filch (v) gaps, skaai, debs *also* **pinch;** stroop

file[1] (n) vyl; *bite a ~* 'n onbegonne taak aanpak; (v) vyl

file[2] (n) lêer; omslag; dossier *also* **dos'sier,**

dock'et (police); lys; gelid; ry; *rank and* ~ laer range; *in single* ~ agter mekaar; *stand in* ~ toustaan *also* **queue**; ~ *off* afmarsjeer; ~ **name** lêernaam (rek.)

fil'ial kinderlik (seun en/of dogter); ~ **love** kinderliefde (teenoor ouer(s))

fil'ibuster (n) vrybuiter, boekanier *also* **pi'rate, free'booter, buccaneer';** kaper *also* **hi'= jacker;** rower, stroper; **~ing** obstruksionisme (in politiek); (v) roof, stroop

fi'ling (n) liassering; ~ **cab'inet** liasseerkabinet; lêerkas

fill (n) versadiging; opvulling, opvulwerk; *eat one's* ~ jou versadig eet; (v) vol maak, vul; versadig; inneem, beklee (pos); stop (tand); ~ *in* invul; ~ *up* aanvul; invul; vol gooi; vol tap (petrol); **~er** vuller(tjie)

fil'let moot (vis); filet, beeshaas (vleis); haarband

fil'ling aanvulling; vulsel, stopsel (tand); ~ **sta'tion** vulstasie, petrolstasie

fil'ly merrievul; lewendige/wilde meisiekind

film (n) film, rolprent *also* **mo'vie;** velletjie, vlies; newel, sluier; (v) verfilm, 'n rolprent= (opname) maak; afneem; ~ **crew** kameraspan; ~ **fan** fliekvlooi; ~ **li'brary** filmoteek; ~ **review'** fliekresensie

fil'ter (n) filter, suiweraar; melkdoek; sif; (v) filtreer, suiwer; **~ing cloth** melkdoek; ~ **pa'per** filtreerpapier

filth vuilgoed, vuilheid *also* **ref'use, gar'bage;** **~y** (a) vuil, vieslik, smerig; liederlik

fin vin; ~ **di'ving** vinduik, swemduik

fi'nal (n) eindeksamen; eindwedstryd; eind= rondte; ~ **set** finale/beslissende stel (tennis); (a) finaal, laaste; beslissend; slot=; end=, eind=; ~ **round** eindrondte; ~ **score** eindtelling

fina'le (n) slot, finale (van opvoering, musiek= stuk) *also* **culmina'tion**

fi'nalise (v) afsluit, afrond, afhandel

final'ity (n) **..ies** finaliteit, slot

fi'nally uiteindelik, ten slotte

finance'/fi'nance (n) finansies; (pl) geldmiddele, finansies *also* **funds, as'sets;** geldwese; (v) geld verskaf, finansier; geldelik beheer; ~ **commit'tee** finanskomitee

finan'cial (a) geldelik, finansieel *also* **monetary;** *annual* ~ *statements* finansiële jaarstate; ~ **year** boekjaar, geldjaar, finansiële jaar

finan'cier finansier; geldbaas *also* **cap'italist**

finch vink (voël)

find (n) vonds (mv vondste); vangs; ontdekking; (v) vind, kry, aantref; bevind (in hof); ~ *against* uitspraak gee teen (in hof); ~ *and replace* vind/spoor op en vervang (rek.); ~ *fault with* afkeur; ~ *one's feet* touwys raak; ~ *guilty* skuldig bevind (in hof); ~ *out* ontdek; agterkom; opspoor

fine[1] (n) (geld)boete; (v) beboet

fine[2] (a) mooi, fyn, fraai, keurig; suiwer; helder; bak(gat), koel (omgangst.); *the* ~ *arts* die skone/beeldende kunste; *one* ~ *day* op 'n goeie dag; ~ **print** fyn druk (op kontrak)

fi'nery (n) opskik, opsmuk, sieraad, tooisel *also* **trap'pings, trin'kets**

finesse' (n) finesse; spitsvondigheid; sluheid, geslepenheid *also* **discret'ion;** (v) bluf; lis gebruik; manipuleer

fing'er (n) vinger; *little* ~ pinkie; *have a* ~ *in the pie* betrokke wees by; (v) bevoel, betas *also* **fon'dle** (a girl); steel; bespeel; ~ **board** toetse, manuaal; **~bowl** vingerbakkie; **~breadth** vingerbreedte; ~ **buf'fet/lunch** vingerete, peu= selete; **~ing** bevoeling, betasting; vingeraan= wysing; (fyn) breiwol; **~ling** vingerling, jong vissie; **~lick'ing** watertandlekker; **~print** vin= gerafdruk; **~tip** vingertop; *have at one's* **~tips** op jou duim ken

fin'ical/fin'icky/fin'icking puntene(u)rig, vol fie= mies, vitterig *also* **fus'sy, tou'chy**

fin'is (n) end, einde, slot (van boek, film)

fin'ish (n) end, einde; voltooiing; afwerking; wenstreep (atl.); *fight to a* ~ uitveg, uitspook; **~ed and klaar** (SAE, infml.) uit en gedaan; afgehandel; (v) klaarmaak, eindig; voltooi, ophou; afwerk; doodmaak; uitskei; ~ *off* afwerk; **~ed** klaar, gereed; stokflou, gedaan; **~ed prod'uct** klaarproduk; **~ing** (n) afwer= king; (a) laaste; *give the* **~ing** *touches* finaal afwerk; **~(ing) line** wenstreep (atl.); **~ing school** afrond(ing)skool, slypskool *also* **train= ing school**

fi'nite (a) beperk, begrens; eindig (wisk.)

Fin'land Finland; **Finn** Fin (persoon); **Fin'nish** (n) Fins (taal); (a) Fins (gebruike, ens.)

fir'cone dennebol

fire (n) brand; vuur, vlam; ywer; hartstog; drif; skietery; *catch* ~ vlam vat; *cease* ~ die vuur staak (op slagveld); *destroyed by* ~ afgebrand; *the fat is in the* ~ die poppe is aan die dans; (v) aansteek, aan die brand steek; skiet; aanvuur; (summier) afdank, ontslaan *also* **dismiss', sack;** pos (sport) *also* **axe** (v); aanspoor, besiel; ~ **alarm'** brandalarm; **~arm** vuurwa= pen; **~bomb** brandbom *also* **incen'diary bomb; ~brand** onrusstoker, dweper, vuur= vreter (persoon); **~break** voorbrand; **~brick** stoofsteen; vuurvaste steen; ~ **briga'de** brandweer; **~drum** vuurkonka *also* **bra'zier, mbo'la; ~ea'ter** vuureter (goëlaar); ~ **en'gine** brandspuit; ~ **esca'pe** brandtrap; **~extin'= guisher** brandblusser; **~fight'er** brandweer= man; brandbestryder, brandslaner (bosbran= de); **~fight'ing** brandbestryding; **~fly** glim= wurm, vuurvlieg(ie); **~hose** brandslang; ~ **insu'rance** brandassuransie, brandversekering; ~ **jet** brandsproeier; **~man** brandweerman;

stoker (stoomtrein); ~ **ordeal'** vuurproef *also*
ac'id/cru'cial test (fig.); ~ **pol'icy** brandpolis;
~proof brandvry, vuurvas; ~ **screen** vuur=
skerm; **~side** vuurherd, haard; kaggel; ~
sta'tion brandweerstasie; **~wall** brandmuur
(ook op internet); **~wood** brandhout, vuur=
maakhout; **~works** vuurwerk

fi'ring skietery; ontsteking; ~ **pin** slagpen
(handgranaat); ~ **squad** vuurpeloton (vir
teregstellings)

firm[1] (n) firma; (sake)onderneming; handelshuis
also **concern', com'pany**

firm[2] (a, adv) standvastig, stewig, sterk, vas *also*
sol'id, secure'; *a ~ offer* 'n vaste aanbod; ~
friendship hegte vriendskap

firm'ament uitspansel, firmament, sterrehemel

firm'ly vas, stewig; kragtig; flink

firm'ness standvastigheid, stewigheid, hegtheid;
vasbeslotenheid; vasberadenheid

first (n) die eerste; begin; ~ *and foremost*
allereers; (a) eerste, vernaamste, voorste;
vroegste; ~ *cousin* eie neef; *in the ~ place* in
die eerste plek, in eerste instansie; (adv)
eerste, eerstens, eers; ~ *come ~ served* eerste
gesien eerste bedien; ~ **aid** noodhulp, **~aid
lea'gue** noodhulpliga; **~born** eersgeborene,
oudste (kind); **~class/~rate** eersteklas, eer=
sterangs, eerstegraads, uitstekend *also*
superb'; ~ **floor** eerste vloer/vlak; **~hand**
eerstehands, regstreeks; **~ly** in die eerste plek;
ten eerste; ~ **name** voornaam; noemnaam; ~
offence' eerste oortreding; **~rate = ~class**

fir tree den(neboom)

fis'cal (a) fiskaal; ~ **pol'icy** fiskale beleid,
belastingbeleid; ~ **year** belastingjaar, aanslag=
jaar

fish (n) vis; ~ *and chips* vis en skyfies/slaptjips;
neither ~ nor flesh nóg vis nóg vlees; *pretty/
nice kettle of ~* 'n deurmekaarspul, lollery; (v)
visvang; uitvis

fish: ~ **bait** aas; ~ **bone** graat; ~ **eagle'** visarend;
~erman visser; visserman/visterman; **~ery**
vissery

fish'ing (n) visvangs; (a) vissers=, vis=; ~ **boat**
vissersboot; **~hook** (vis)hoek; ~ **net** visnet; ~
reel hengelkatrol; ~ **rod** visstok; ~ **tack'le**
hengelgerei, visgereedskap; ~ **traw'ler** vis=
treiler

fish: ~ **mar'ket** vismark; **~mon'ger** vishandelaar;
~ **oil** visolie; ~ **paste** vissmeer; **~y** visagtig;
visryk; verdag *also* **suspi'cious, sus'pect, odd**

fis'sion splitsing; splyting (atoom)

fis'sure spleet; kloof; bars

fist (n) vuis; handskrif; (v) met die vuis slaan;
hanteer

fist'icuffs vuisslanery; boksery

fit[1] (n) toeval, floute; vlaag, aanval; nuk, gril; *go
into ~s* dit op jou senuwees kry; *by ~s and*

starts met horte en stote *also: on and off;* **~s**
(n) stuipe; toeval, beroerte *also* **stroke**

fit[2] (n) snit; passing; (v) pas; aanpas; betaam; *the
cap ~s* die skoen pas; ~ *on* aanpas (klere); **~ter
and turner** passer en draaier; (a) fiks (sport=
man/vrou); fris; bekwaam; in staat; dienstig;
deem ~ goedkeur; *think ~* dit goeddink; **~ness**
geskiktheid, gepastheid; fiksheid; **~ter** mon=
teur; passer; uitruster; **~tings** (pl) benodig(d)=
hede; toebehore, onderdele; bybehore *also*
acces'sories; (a) passend, gepas *also* **prop'er,
appro'priate**; **~ting room** paskamer (in klere=
winkel)

five vyf; **~course meal** vyfgangete; **~speed
gear'box** vyfgangratkas; **~fold** vyfvoudig

fix (n) verleentheid; moeilikheid; *in a ~* in 'n
penarie; in die knyp; (v) vasmaak; regmaak;
opknap; verrig; afreken met; ~ *up* regmaak
(geld verskuldig); ~ *up/tidy up the mess* die
gemors opknap/opruim; **~ed** seker; stewig,
vas; vasgestel(d), neergelê; bepaal (datums)

fix'ture (n) vaste toebehore; aanhegting; vasge=
stelde datum; afspraak; bepaling (sport); (pl)
wedstrydreeks, program

fiz'zle (n) gesis; mislukking; (v) sis; bruis

fjord/fiord' fjord (diep inham in rotskus)

flabber'gast: **~ed** (a) oorbluf, dronkgeslaan *also*
dumb'founded, overwhelmed'; **~ing** verba=
send, verstommend; onthutsend

flab'by/flac'cid slap, pap(perig), week

flack = flak

flag[1] (n) vlag; vaandel (hist.); *dip the ~* met die
vlag salueer; *hoist the ~* die vlag hys;
lower/strike the ~ die vlag stryk; (v) vlag; sein

flag[2] (n) plaveiklip; vloerteël; (v) uitlê, plavei,
bestraat

flag[3] (v) verflou; verslap; kwyn *also* **droop,
slump, pe'ter out**

flag'ellate (v) gesel, slaan; **flag'gelation** geseling

flag'ging[1] (n) plaveisel *also* **pa'ving**

flag'ging[2] (n) verslapping; (a) kwynend, ver=
flouend, verslappend *also* **fa'ding**

flag'hoisting cer'emony vlaghysseremonie

flag: **~man** vlaghouer; seinman, baanwagter
(spoorweë); **~pole** vlagpaal *also* **flag'staff**

fla'grant (a) skaamteloos, skreiend, verregaande,
skandalig, flagrant *also* **outra'geous**

flag: **~ship** vlagskip; **~staff** vlagpaal *also* **flag'=
pole**

flail dorsstok, dorsvleël (boerdery)

flair (n) aanleg, instink; slag, flair (om iets te
doen) *also* **knack, nat'ural abil'ity**

flak/flack (n) lugafweer(vuur), lugdoelvuur;
(mondelinge) kritiek *also* **crit'icism, condem=
na'tion**; *drawing ~* kritiek kry/verduur; met
kritiek bestook

flake (n) vlok; vonk; skilfer; flentertjie; snysel;
(v) afskilfer; afdop; streep

flam'beau fakkel, flambou, toorts *also* **fla'ming torch**

flamboy'ant (n) vlamboom; (a) vlammend; swierig, flambojant *also* **sho'wy, ostenta'- tious, ornate'**

flame (n) vlam; vuur, hartstog; *be all on ~* vuur en vlam wees; *burst into ~s* aan (die) brand slaan; *fan the ~s* die vuur aanwakker/aanblaas; (v) (laat) vlam; blaak; **~-thro'wer** vlamwerper

flamin'go -es flamink (voël)

flam'mable vlambaar, brandbaar *also* **inflam'- mable**

Flan'ders Vlaandere (streek); (a) Vlaams *see* **Flem'ish; ~ pop'py** klaproos

flange (n) rand, flens; **~ bottle** lipbottel

flank (n) sy, flank; lies; (v) die flank dek; **~ attack'** syaanval

flan'nel flanel; (pl) flanelbroek; flennieonder- klere; **~ette** flanelet (veral vir nagklere); **~graph** flenniebord (klaskamer)

flap (n) klap; slag; flap; valdeur(tjie), luik *also* **trap door** (in ceiling); (v) klapwiek; fladder

flap'per stert, vin (van vis)

flare (n) fakkel (noodsein); ligfakkel (mil.); flikkerlig; gloed; (v) flikker, skitter; opvlieg; vertoon; *~ up* opvlam, opvlieg, uitbars

flash (n) blits, flits; glans; ligstraal; skittering; *in a ~* in 'n kits; *a ~ in the pan* 'n opflikkering; 'n gelukskoot; *a ~ of wit* 'n kwinkslag; (v) skitter; flits; blits, weerlig, uitstraal; ontvlam; pronk; *~ back* weerkaats; *~ up* opstuif; **~back** terugflits; **~er** ontbloter *also* **expo'ser; ~ flood** skielike oorstroming; **~light** flits (lig); flikker- lig; **~ point** brandpunt, knalpunt; **~y** (a) spoggerig, uitgevat, pronkerig *also* **sho'wy, glit'zy, snaz'zy; grand**

flask fles, bottel; **hip ~** heupfles

flat[1] (n) woonstel; **~s** woonstelblok, woonstelle

flat[2] (n) vlakte; laagte; mol (musiek); dowwe verf; plat kant; (pl) vlakte; (v) plat maak *also* **~ten;** (a) plat; vlak; smaakloos; flets, laf; vals; mineur (musiek); vervelend; eentonig; pap (band); *give a ~ denial* beslis ontken; *with the ~ hand* met die oop hand; *at a ~ rate* teen 'n vaste tarief; *the ~ season* die komkommertyd (vir koerante); *~ tint* een kleur; *fall ~* platval; misluk; *sing ~* vals sing; **~ beer** verslaan- de/verskaalde bier; **~-foo'ted** platvoet=; **~ iron** strykyster; **~ly** ronduit; **~ten** (v) plat maak/ slaan; plet; afplat

flat'ter (v) vlei, pamperlang, streel, flikflooi *also* **cajole', soft'soap; ~er** vleier, witvoetjiesoe- ker; **~y/~ing** vleiery, vleitaal, mooipraatjies *also* **false praise**

flat'ulence/flat'ulency winderigheid, opgebla- senheid

flaunt (n) vertoon; gewapper; (v) praal, pronk, aanstel; spog met, paradeer

flaut'ist fluitspeler *also* **flut'ist, flute play'er**

fla'vour (n) smaak; geur; (v) geurig maak; kruie, geur; **~ing (es'sence)** geursel (in kos)

flaw (n) spleet; fout, gebrek; defek; gles (in diamant); (v) splits, laat bars; skend; **~ed** (a) gebrekkig, defek *also* **faul'ty; ~less** onberis- pelik *also* **impec'cable**

flax vlas; **~ cul'ture** vlasverbouing; **~en** vlas=, vlasagtig; vlaskleurig

flay (v) afslag, afstroop (dier, vis); afkam, roskam (persoon)

flea vlooi; **~ bee'tle** sandvlooi

fleam vlym (vir bloedlaat)

flea mar'ket vlooimark, snuffelmark *also* **brows- er's mar'ket**

fleck (n) vlek; sproet; stippie; (v) spikkel, vlek; **~ed** bont, gespikkel(d)

fledg'ling klein voëltjie; snuiter (kind)

flee (v) vlug (uit die land) *see* **fu'gitive;** ontwyk, padgee

fleece (n) vlies; vag; skeersel; **gol'den ~** gulde vlies (mitol.); (v) (af)skeer; (iem.) uitmelk, uitbuit

flee'cy wollerig, wollig; vlokkig

fleet[1] (n) vloot; **~ ow'ner** vlooteienaar (motors)

fleet[2] (v) vervlieg, verbygaan, vloei, verdwyn; (a) vinnig, haastig; lustig; *~ of foot* vinnig, vlugvoetig; **~ing** verganklik *also* **ephem'eral;** vlugtig; **~ness** snelheid, vlugheid

Flem'ish (n, a) Vlaams (taal; gebruike, ens.) *see* **Flan'ders**

flesh (n) vlees (menslik); vleis (dierlik); liggaam; *make one's ~ creep* jou hoendervleis laat kry; *sins of the ~* sondes v.d. vlees; (v) prikkel, lus maak (wellus); **~ col'our** vleiskleur/vlees- kleur; **~iness** vlesigheid; **~liness** vleeslikheid; **~ly** vleeslik, sinlik; **~ wound** vleeswond; **~y** vleisagtig; dik

flew *see* **fly**[2] (v)

flex (n) elektriese koord; (v) buig; *~ one's muscles* bult jou spiere; **~time/flexi'time** skiktyd *see* **core time**

flexibil'ity buigsaamheid, aanpasbaarheid; veerkrag, fleksiteit

flex'ible buigsaam, soepel, fleksiel; elasties, meegaande, plooibaar (persoon)

flex'ion buiging, kromming; verbuiging, fleksie (gram.)

flick (v) knip; tik; raps; vee(g)

flick'er (n) geflikker; getril; (v) flikker; tril; klap (vlerke); **~ light** flikkerlig

flick: ~ knife springmes; **~ lover'** fliekvlooi

fli'er = **fly'er**

flight[1] (n) vlug, ontsnapping *also* **escape'** (n) pu to ~ op loop jaag

flight[2] (n) vlug (geskeduleerde reis met 'n vliegtuig; groep vliegtuie); swerm (voëls); *~ of birds* 'n swerm voëls; *~ of stairs* trap; *~*

atten'dant vlugkelner; ~ **engineer'** boordingenieur; ~ **plan/sched'ule** vlugplan/vlugrooster; ~ **da'ta** vlugdata; ~ **recor'der** vlugopnemer; kajuitstemopnemer, dataregistreerder *also* **ca'bin voice recor'der, black box;** ~ **rage** vlugwoede (in vliegtuig); **~y** vlugtig; lossinnig

flim'sy dun; flenterig *also* **fra'gile;** flou; ~ *excuse* flou ekskuus

flinch (v) aarsel, terugdeins, weifel; ~ *from* terugdeins vir/van; *without ~ing* sonder om te weifel

fling (n) gooi; probeerslag; (informele) dans; *have a ~ at* waag, probeer; *have one's ~/good time* die lewe geniet; (v) gooi, slinger, slaan; snel; ~ *away* wegsmyt; ~ *out* uitsmyt, uitboender

flint vuurklip, vuursteen; vuurslag; blinkpitmielie

flip' *-ing cold* (infml.) baie koud; vrek koud (infml.); ~ **chart** blaaibord; **~per** paddavoet (vir paddaman)

flip'pancy (n) ligsinnigheid, onverskilligheid

flip'pant (a) ligsinnig, onbesonne *also* **fri'volous**

flirt (n) flerrie, vryerige vrou/meisie, flirt; (v) flirteer, koketteer; ~ *with the girls* flankeer met die nooiens; **~a'tion** koketterie, flirtasie *also* **flir'ting; toy'ing**

flit(ter) (v) fladder; vlieg; sweef

flit'termouse (obs.) vlermuis *also* **bat**

float (n) vlot; dobber; dryfsel; sierwa, vlot (optog); (roomys)bruis; (v) dryf, dobber *also* **bob, drift;** uitskryf, floteer (lening); vlot maak (skip); oprig, stig (maatskappy); **cash ~** kontantvlot (boekh.); ~ **gauge** dobber (hengel)

float'ing drywend, dryf-, vlottend; ~ **dock** dryfdok; ~ **tro'phy** wisseltrofee

flock (n) trop, kudde; vlug (patryse); swerm; (v) bymekaarkom, saamkom; ~ *to* toestroom (na 'n sentrale plek); ~ *together* saamdrom, saambondel

flog (v) klop, afransel, pak gee; gesteelde goed verkoop; ~ *a dead horse* vergeefse werk verrig; ~ *oneself* jouself moor/oorwerk; **~ging** pak slae, loesing *also* **hi'ding, spank'ing, ca'ning;** tugtiging

flood (n) vloed; oorstroming; sondvloed; (v) oorstroom; onder water sit; versuip (vergasser); ~ **disas'ter** vloedramp; **~gate** sluis; **~lights** spreiligte; ~ **strick'en** vloedgeteister; ~ **tide** hoogwater

floor (n) vloer; verdieping; vlak *also* **floor, lev'el, stor'ey;** *take the ~* die woord voer; **sec'ond ~** tweede vloer/vlak; (v) bevloer; uitstraat; platslaan (boks); **~ing board** vloerplank; ~ **shift** (car) rathefboom; vloerkierie (omgangst.)

flop (n) plof, bons; mislukking, flop, flater; (v) fladder; neerplof; sak; **~-proof** foutvry, flatervry *also* **fool'proof**

flop'py (disk) (n) disket; slapskyf; stiffie *also* **diskette', flex'ible disk; stif'fy** (SAE only)

flor'a plantegroei, flora

flor'ist bloemis; blomkweker

floss dons; vlossy; **den'tal ~** tandevlos

flota'tion oprigting (van maatskappy); uitskrywing (van lening); swewing (van geldeenheid); flotasie

flotil'la flottielje, eskader (vloot)

flot'sam (n) wrakgoed, opdrifsel (aan strand); ~ *and jetsam* rommel; skuim; uitskot (fig.)

floun'der[1] (n) bot, platvis

floun'der[2] (v) ploeter; spartel, kleitrap, sukkel; knoei *also* **fum'ble, blun'der**

flour (n) meelblom; **~bag** meelsak

flou'rish (n) bloei *also* **bloom, blos'som;** glans; prag; voorspoed; sierletter; fanfare, gesketter (van trompette); woordepraal; ~ *of trumpets* trompetgeskal; (v) voorspoed hê, floreer; pronk; **~ing** bloeiend, voorspoedig, welvarend (besigheid) *also* **pros'pering**

flout (n) hoon, spot; (v) bespot, beskimp, tart; veron(t)agsaam *also* **defy', rid'icule, scorn**

flow (n) vloei, (oor)stroming; loop; vloed (van see); *ebb and ~* eb en vloed; (v) vloei, stroom; fladder; oorvloei; ~ **chart** vloeikaart *also: diagram with details*

flow'er (n) blom; bloeisel; fleur; (v) blom, bloei; ~ **arrangement** blommerangskikking; **~bed** blomakkertjie, blombeddinkie; ~ **girl** blommemeisie (by troue); blommeverkoopster; **~ing peach** blomperske, sierperske; ~ **show** blommeskou; **~y** blomryk; weelderig; bloemryk, flamboyant; hoogdrawend (taal, toespraak)

flo'wing (n) loop; (a) stromend, lopend, vloeiend; golwend

flu griep, influensa *also* **influen'za**

fluc'tuate (v) sweef, dobber; skommel, fluktueer, varieer *also* **va'ry, al'ternate; fluct'uating prices** skommelende pryse

fluctua'tion (n) afwisseling; skommeling, variasie

flue[1] (n) skoorsteenpyp; windpyp

flue[2] (n) dons, pluisie

flu'ency vloeiendheid; vlotheid, vaardigheid

flu'ent (a) vloeiend *also* **ef'fortless;** glad, vlot, pront (praat) *also* **artic'ulate**

fluff dons, pluisie; **~y** donserig, donsagtig

flu'id (n) vloeistof; vog; (a) vloeiend, vloeibaar; onvas, veranderlik; *the situation is ~* die toestand/sake is vloeibaar

fluke[1] (n) ankerblad; speerpunt; stert (walvis); (v) met die stert slaan

fluke[2] (n) gelukskoot, gelukslag; meevaller; bonanza; (v) 'n slag slaan; *the perfect ~* die volmaakte gelukhou, putjie-in-een, fortuinhou (gholf)

fluke[3] (n) bot (vis); lewerslak

fluores'cent light buislig

flur'ry (n) windvlaag *also* **flus'ter;** opwinding, drukte; doodstryd (walvis); (v) jaag, agiteer, verbouereerd maak, van stryk bring

flush[1] (n) deurspoeling; blos *also* **blush;** (warm) gloed; (v) deurspoel, wegspoel; na die hoof styg; glad maak; (a) blosend; gelyk; volop (geld); versonke (klinknael); *~ed with joy* uitgelate van vreugde; *~ed with wine* deur wyn verhit; *hot ~es* warm gloede

flush[2] (n) (opgejaagde) vlug (voëls); swerm (voëls); (v) opjaag (voëls); opvlieg

flus'ter (n) woeligheid; (v) oorhaas, oorbluf, in verwarring bring; **~ed** (a) van stryk af, deurmekaar *also* **confu'sed, pertur'bed**

flute[1] (n) fluit; fluitblaser; **~-play'er, flu'tist/ flau'tist** fluitspeler

flute[2] (n) groef; **~d** gegroef

flut'ter (n) gefladder, verwarring; gejaagdheid; beroering; *have a ~* jou kans waag, spekuleer; *speak of angels, and you'll hear the ~ing of their wings* praat v.d. duiwel, dan trap jy op sy stert; (v) fladder; opja(ag); in die war bring; wapper (vlag); jaag (hart)

flux (n) stroming, saamvloeiing; wisseling; soldeersel, vloeimiddel; *state of ~* toestand van veranderlikheid; vloeibare toestand; (v) smelt; saamvloei; stroom; **~ible** smeltbaar

fly[1] (n) **flies** vlieg; kunsvlieg; *a ~ in the ointment* 'n vlieg in die salf; *there are no flies on her* sy is wawyd wakker

fly[2] (n) vliegwiel; onrus (horlosie); tentklap; vlug; gulp (broek); (v) vlie(g), laat waai; vlug; ontwyk; *~/flee the country* uit die land vlug; *~ into a passion/rage* woedend word; *a ~ing visit* 'n vlugtige besoek; **~-by-night** (n) eendagsvlieg; kulparty

fly[3] (a) geslepe; oulik, slim, gevat; oorlams *also* **cun'ning, craf'ty; smart; cute**

fly'blow maaier (brommerlarwe); vliegeier

fly'er/fli'er (n) vlieënier (persoon); strooibiljet; vlugskrif

flyfish'ing kunsvlieghengel (forelle)

fly'half (n) **..halves** losskakel (rugby)

fly'ing (n) vlieg; vliegkuns: (a) vlieënd; **~ ant** rysmier; **~ corps** vliegkorps; **~ jump** aan=loopsprong; **~ sau'cer** vlieënde piering; **~ squad** blitspatrollie; **~-squad car** blitsmotor; **~ stunt/trick** kunsvlieg; **~ trapeze'** sweef=stok

fly'leaf skutblad, dekblad (van boek); los blad (in tafel)

fly'-over (bridge) (n) oorbrug, sneloorgang

fly: ~pa'per vlieëpapier; **~ swat'ter** vlieëplak, vlieëklap; **~trap** vlieëvanger

fly'wheel vliegwiel (van horlosie)

foal (n, v) vul (perd)

foam (n, v) skuim; **~ rub'ber** skuimrubber, sponsrubber

fob (v) fop, kul, inloop, bedrieg *also* **cheat, swin'dle**

fo'cal fokaal; **~ point** brandpunt, fokus

fo'c'sle/fore'castle voorkasteel, voorkajuit, bak (van skip, hist.)

fo'cus (n) brandpunt; fokus *also* **hub, fo'cal point;** (v) saamtrek, konsentreer; instel, fokus *also* **converge', pin'point**

fod'der (vee)voer

foe vyand *also* **en'emy, adver'sary**

foefie slide (SAE) (n) foefieslaaid (omgangst.), glydraad *also* **sli'ding ca'ble**

foet'us ongebore vrug, fetus

fog (n) mis *also* **mist;** newel; (v) omnewel; vlek (foto); verbyster; **~gy** mistig, newelig; dof, onduidelik; **~horn** mishoring; **~ patch** miskol

foi'ble swakheid; voorpunt (van swaard)

foil[1] (n) skermdegen; floret (vir skermkuns)

foil[2] (n) foelie; bladmetaal, bladgoud

foil[3] (v) fnuik, verydel *also* **thwart;** uitoorlê

foist: *~ something (up)on s.o.* iem. iets afsmeer; iets op iem. afskuiwe *also* **palm off**

fold[1] (n) trop; kudde; kraal; (v) omsluit

fold[2] (n) vou; plooi; (v) vou; *~ back* omvou; *~ in* invou; *~ up* opvou, toevou; **~er** vouer, voublad; omslag; subgids (rek.); **~ing chair** voustoel; **~ing doors** voudeur, oopslaandeur

fo'liage loof, blare; lommer; blaredak

fo'lio (n) bladsy; folio

folk mense; folk (musiekstyl); *little ~s* die kleinspan; *old ~s* die ou mense; *other ~s* ander mense; **~ dan'cing** volksdanse; **~lore** volksoorlewering; volksgebruike; folklore; **~ med'icine** boereraat *also* **home rem'edy; ~ mu'sic** volksmusiek; moderne folk(musiek); **~ song** volksliedjie; **~ tale** sprokie

fol'licle blasie; saadhuisie; follikel (anat.)

fol'low (v) volg, navolg; gehoorsaam; vervolg beoefen, uitoefen (beroep); begryp (vraag) aanhang; *as ~s* as/soos volg; *~ on* opvolg (krieket); *~ suit* dieselfde doen; kleur beken; *~ through* deurswaai (tennis, gholf); *~ up* opvolg; voortsit; nasit; **~er** navolger, volgeling; ondersteuner; proseliet; trawant *also* **lack'ey, hench'man; ~ing** (n) aanhang; (a) volgende, onderstaande; **~ing dis'tance** volgafstand (tussen motors); **~-on** (n) opvolgbeurt (krieket); **~-up** opvolg(brief)

fol'ly (n) dwaasheid, gekheid *also* **mad'ness, stupid'ity**

foment' (v) aanmoedig, aanhits (oproer); warm pap opsit, fomenteer (med.); aankweek; *~ discord* twis/tweedrag (aan)stook; **~a'tion** warm omslag (by 'n sieke)

fond versot, verlief *also* **lo'ving, ca'ring;** ~ *of* lief vir, gek na

fon'dle (v) liefkoos, streel, (ver)troetel; betas, bevoel *also* **feel, cud'dle; fin'ger**

fond'ly liefkosend; liefhebbend; vurig

fon'due fondue (Switserse gereg)

font[1] (n) doopbak(kie), doopvont

font[2] (n) letter(tipe) (op rek., in drukwerk)

food kos, voedsel, spys(e); ete, ~ *for thought* stof tot nadenke; pitkos (fig.); ~ **poi'soning** voed=selvergift(ig)ing; **~stuff** eetgoed, eetware

fool (n) dwaas, gek; domkop, swaap, skaap, mamparra *also* **fat'head, plon'ker, dunce, i'diot;** *make a ~ of* vir die gek hou; *make a ~ of oneself* jou belaglik maak; *play the ~ with s.o.* iem. vir die gek hou; (v) fop, flous; vir die gek hou; bedrieg, inloop; korswel; **~har'dy** roekeloos, domastrant, onbesonne *also* **reck-less; ~ish** (a) dwaas, mal, simpel *also* **stu'pid; ~ishness** dwaasheid, onnoselheid; **~proof** flousvry, flatervry, peutervry; **~'s pa'radise** gekkeparadys, luilekkerland, kokanje

foot (n) **feet** voet; voetenent; voetstuk; *find one's feet* op stryk kom; *on ~* te voet; *put one's ~ down* ferm optree; **~-dragging** talmery; (opset-like) vertraging; *put one's ~ into it* 'n flater begaan; (v) dans; loop; skop; ~ *the bill* opdok, betaal; **~age** (n) beeldmateriaal (TV); **~ball** voetbal; **~bath** voetbalie, voetbad; **~bridge** voetbrug; **~hills** voetheuwels; **~hold** vastrap-plek; **~ing** vastrapplek; verstandhouding; **~light(s)** voetlig(te) (teater); **~man** hofkneg; **~mark** spoor; **~-and-mouth disea'se** bek-en-klouseer; **~note** voetnoot; **~path** sypaadjie; **~print** (voet)spoor; **~slog** voetslaan; **~sore** met seer voete; **~step** voetstap, tree; **~wear** skoene, skoeisel

fop (n) modegek, fat, ydeltuit, pronker (man)

for[1] (prep) vir, na, om, tot, teen; *care ~* omgee vir; ~ *all I care* sover dit my aangaan; *an eye ~ an eye* 'n oog vir 'n oog; ~ *ever* vir altyd/ewig; ~ *example* byvoorbeeld; ~ *the first time* die eerste keer; *go ~ a walk* 'n ent gaan loop; gaan wandel; ~ *God's sake* in vadersnaam; om Gods wil; ~ *her good* vir/om haar eie beswil; ~ *goodness' sake* in hemelsnaam; ~ *all I know* sover ek weet; *long* ~ verlang/hunker na; ~ *my part* wat my betref; ~ *sale* te koop; ~ *years* jare lank

for[2] (conj) want, omdat, aangesien; *she will succeed ~ she is bright* sy sal slaag, want sy is knap

'or'age (n) (vee)voer, kos; (v) kos soek (vee, wild); snuffel; stroop, plunder, roof

'orasmuch' as aangesien, nademaal (regstaal)

'o'ray (n) rooftog, strooptog, inval *also* **raid, incur'sion;** (v) roof, plunder

'orbear' (v) laat staan, nalaat; vermy *also*

refrain', withhold'; verdra; **~ance** verdraag-saamheid; onthouding

forbid' verbied, belet, verhinder; *Heaven ~* mag die hemel dit verhoed; **~den** verbode, belet, ongeoorloof

force (n) krag, mag, geweld; slaankrag; (pl) troepe; ~ *of circumstances* weens omstandig-hede; ~ *of gravity* swaartekrag; *by ~ of habit* uit gewoonte; *in ~* van krag; *put in ~* in werking stel; van krag maak; (v) dwing, verplig; forseer; oorweldig; oopbreek; af-dwing; ~ *s.o.'s hand* iem. dwing; ~ *the pace* hard aanjaag; ~ *yourself upon s.o.* jou opdring aan iem.; **~d** onnatuurlik, gedwonge; gesog, gekunstel(d); **~d er'ror** gedwonge fout (ten-nis); **~d/emer'gency lan'ding** noodlanding *see* **crash lan'ding; ~-fee'ding** dwangvoeding; **~less** kragteloos

for'ceps tang, tandetrekker, knyper *also* **pliers**

force'ful/for'cible (a) kragtig, kragdadig; heftig, geweldig *also* **power'ful, po'tent**

ford (deurwaadbare) drif(fie), beek *also* **brook**

fore (n) voorgrond, voorpunt; (a) voor=, voorste; (adv, prep) voor

fore'arm (n) onderarm; voorarm

for(e)'bear (n) voorvader, voorsaat *also* **fore'-fa'ther, an'cestor**

forebo'ding (n) voorgevoel, voorspooksel *also* **(bad) o'men; premoni'tion**

fore'cast (n) vooruitskatting, projeksie; (be)ra-ming, prognose; (v) vooruitskat, projekteer; **wea'ther ~** weervoorspelling

fore'castle = fo'c'sle

foreclose' (v) uitsluit; oproep, opsê (verband)

fore: ~father (n) voorvader *also* **for(e) bear; ~fin'ger** voorvinger; **~front** voorgewel, voor-kant; voorhoede; *in the ~front* vooraan; op die voorpunt; **~gone** verby; afgedaan; ~*gone conclusion* uitgemaakte saak; **~ground** voor-grond; **~hand** voorarm (tennis); **~head** voor-hoof, voorkop

for'eign buitelands; vreemd; uitheems *also* **a'-lien; F~ Affairs** Buitelandse Sake; **~er** buite-lander, uitlander; vreemdeling; ~ **exchange'** buitelandse valuta; ~ **trade** buitelandse handel

fore'knowledge voorkennis

fore'lock kuif; *take time by the ~* die geleentheid aangryp; die kans waarneem

fore: ~man voorman, opsigter; **~mentioned** voornoemd (regstaal) *also* **above'-mentioned; ~most** eerste, voorste, vernaamste; **~name** voornaam *also* **first name; ~noon** voormiddag

foren'sic (a) geregtelik, juridies; forensies; ~ **med'icine** geregtelike geneeskunde, regsge-neeskunde *also* **med'ical jurispru'dence;** ~ **au'dit** geregtelike oudit/ondersoek

fore: ~play (n) (liefdes)voorspel; **~run'ner** voorloper, voorbode; **~sail** voorseil, fokseil

foresee′ (v) verwag, in die vooruitsig stel; vooruitsien *also* **anti′cipate, envi′sage;** *in the ~able future* binne afsienbare tyd; **~able** (a) voorsienbaar, voorspelbaar

fore: **~shad′ow** voorafskadu; **~shore** (n) strand=gebied; voorstrand, vloedgebied; **~sight** voor=kennis, voorsorg; **~skin** voorhuid (van penis)

for′est (n) bos, woud; (v) bebos

forestall′ (v) voorspring *also* **pre-empt;** voor=kom, fnuik *also* **foil**

for′ester bosbouer; boswagter

for′estry (n) bosbou, boswese

fore′taste (n) voorsmaak

foretell′ (v) voorspel, vooruitsê *also* **predict′, fore′cast**

fore′thought (n) voorbedagtheid; voorsorg, oorleg

forever′ ewig, vir altyd *also* **eter′nal(ly);** aanhoudend, voortdurend

forewarn′ vooruit waarsku; **~ed is forearmed** voorkennis maak voorsorg

fore′wheel voorwiel; **~ drive** voorwielaandry=wing, voorwieldryf

fore′word voorwoord *also* **pre′face**

for′feit (n) verbeuring; (pl) pandspel; (v) ver=beur, inboet *also* **surren′der;** **~ mo′ney** rou=koop; **~ure** verbeuring; verbeurdverklaring *also* **sequestra′tion, sei′zure**

forge[1] (n) smeltoond *also* **fur′nace;** smidswin=kel, smedery; (v) smee; vervals, namaak; **~d mo′ney** vervalste geld; **~d sig′nature** ver=valste handtekening/naamtekening

forge[2] (v) met moeite vooruitbeur; vestig, ontwikkel *also* **estab′lish, construct′**

forg′ery vervalsing, namaaksel *also* **falsifica′=tion, fake**

forget′ vergeet, in gebreke bly; afleer; **~ful** vergeetagtig

forget′-me-not vergeet-my-nietjie *also* **myoso′=tis** (flower)

forgive′ (v) vergeef/vergewe, kwytskeld; ver=skoon *also* **par′don;** **~ness** vergewing, vergif=nis; kwytskelding

forgo′ (v) afsien van; laat vaar, prysgee *also* **relin′quish, aban′don**

fork (n) vurk; gaffel; mik (boom); (v) vertak; met 'n vurk werk; verdeel, splits; **~ out** opdok; opdiep, betaal; **~lift** vurkhyser

forlorn′ verlore, verlate *also* **forsaken′;** ellendig, wanhopig

form (n) vorm; gedaante; formulier; formaliteit; skyn; *in good/great ~* (goed) op stryk (sport); *a matter of ~* 'n blote formaliteit; (v) vorm; maak, vervaardig; rangskik; opstel

form′al formeel; styf, plegtig, vormlik; stelselma=tig; uitdruklik; **~ism** vormdiens; formalisme

formal′ity formaliteit *also* **conven′tion;** plegtig=heid

for′mat (n) formaat; (v) formateer (rek.)

forma′tion vorming; stigting, vestiging *als* **estab′lishment;** samestelling; formasie

for′mer (a) vroeër; vorige; voormalige, gewese (pron) eersgenoemde; **~ pres′ident** voorma=lige president; **~ly** (adv) voorheen, eertyds vanmelewe, vroeër

for′midable (a) gedug, formidabel, imponeren *also* **strong, migh′ty, daun′ting;** **~ opposition** gedugte teenstand

for′mula (n) **-s** voorskrif, formule; formulier

for′mulate (v) omskryf, formuleer, stel *als* **defi′ne, i′temise**

for′nicate (v) ontug pleeg; hoereer

fornica′tion hoerery; owerspel; ontug

forsake′ verlaat, in die steek laat; versaak

fort vesting, burg, fort, blockhouse *also* **strong hold**

for′te (n) sterkte, krag; sterk kant; *his ~* sy ster punt

forth voorwaarts, verder; vervolgens, voort voortaan; *bring ~* voortbring; *hold ~* betoo *set ~* uiteensit; *and so ~* ensovoorts; **~com′in** naderende, (eers)komende; **~with** dadelik, staande voet, op die daad, oombliklik

fort′ieth veertigste

fortifica′tion (n) versterking; verskansing, ve ting *also* **for′tress, bas′tion, bul′wark**

fort′ify (v) versterk, verskans *also* **reinforce** aanmoedig; fortifiseer (wyn)

fort′itude standvastigheid; sielskrag, lewen moed *also* **mor′al strength, cour′age**

fort′night: *this day ~* vandag oor veertien dae

fort′ress vesting, fort *also* **castle, strong′hold**

fortu′itous (a) toevallig

fort′unate (a) gelukkig; voorspoedig *also* **luck′ bles′sed, pros′perous;** **~ly** (adv) gelukkig, p geluk *also* **luck′ily**

fort′une geluk; lot; fortuin; rykdom *also* **rich′e** vermoë; *good ~* voorspoed, geluk; *tell s.o.'s* iem. se toekoms voorspel; iem. inklim/roska (fig.); *try one's ~* jou geluk beproef; **~ hun′te** fortuinsoeker, geluksoeker; **~-tel′ler** waarsê fortuinverteller *also* **clairvoy′ant**

fort′y veertig; **~ winks** 'n uiltjie knip; effe skuins lê

for′ward (n) voorspeler; (v) bevorder; (af)stu versend; (a) voorwaarts; vroegryp, voorbari *a ~/precocious child* 'n vrypostige/vroegr kind; (adv) voorwaarts; **~ pass** vorent aangee (rugby); *brought ~* oorgebring, oorg dra; *look ~ to* uitsien na; *put ~* opper, aan d hand doen *also* **propo′se;** **~ exchange′** t mynvaluta, vooruitvaluta; **~ing address′** stuuradres; **~ness** voorbarigheid, vryposti heid; bereidwilligheid

for′ward(s) (adv) vooruit, verder

fos′sil (n) fossiel; verstening; (a) fossiel; **~ise** fossileer; laat versteen; verstar

fos'ter grootmaak *also* **raise';** kweek; bevorder; ~ **care** pleegsorg; ~ **child** pleegkind, groot= maakkind; ~ **pa'rents** pleegouers *see* **steppa'= rents**

foul (n) vuil spel, fout; (v) vuil maak, bemors; onteer; besmeer; versper; (a) walglik, smerig, vuil *also* **loath'some, repul'sive, sor'did;** oneerlik; bedorwe; troebel; gemeen; ~ **deed** gemene daad; ~ **lan'guage** vuil/smerige taal; **~-mouth'ed** vuilbekkig; ~ **play** gemene/vuil spel; **~-tong'ued** vuilbekkig; **~/in'clement weath'er** gure/guur weer

found[1] (v) giet; smelt (metaal)

found[2] (v) stig, oprig, vestig

founda'tion (n) fondament; fondasie; stigting; grondslag; (pl) grondveste; ~ **gar'ment** vorm= drag, postuurdrag; ~ **stone** hoeksteen

foun'ded opgerig, gestig (firma); gegrond, geba= seer

foun'der[1] (n) oprigter, stigter; grondleêr/grond= legger; ~ **mem'ber** stigter(s)lid

foun'der[2] (v) sink *also* **submerge';** vergaan (skip); vasval, inval *also* **collapse'**

found'ling (n) vondeling; optelkind

found'ry (n) (metaal)gietery, smeltery *also* **smel'ter** (metal casting)

foun'tain fontein; bron, oorsprong; **~head** oor= sprong; bron; **lea'ping ~** spuitfontein *also* **wa'ter ~;** ~ **pen** vulpen

four vier; *on all* ~s handeviervoet, op hande en voete; **~fold** viervoudig; **~foo'ted** viervoetig; **~-in-hand** vierspan (perde); **~-pos'ter** he= melbed; ledekant; **~some** beurtspel (gholf)

four'teen veertien; **~th** veertiende

fourth vierde; **~ly** vierdens

our'-way stop (street) vierrigtingstop(straat)

owl (n) hoender *also* **chicken';** (pl) pluimvee; **~house** hoenderhok; **~run** hoenderkamp

ox (n) jakkals, vos; (v) skelm handel/optree; flous; vlek (boeke); **~brush** jakkalsstert; **~glove** vingerhoedjie (giftige plant); ~ **hunt** jakkalsjag; vosjag; ~ **ter'rier** foksterriër; **~trot** jakkalsdraf (dans); **~y** slu, skelm *also* **cun'= ning, wi'ly, craf'ty**

o'yer voorportaal, voorhal, foyer

'ac'as (sing and pl) bakleiery, vuisslanery; relletjie *also* **brawl, scuf'fle**

'ac'tion brokstuk; deel; breuk; fraksie; ~ *of a second* breukdeel van 'n sekonde; **compound** ~ saamgestelde breuk; **dec'imal** ~ desimale breuk; **recur'ring** ~ repeterende breuk; **vul'= gar** ~ gewone breuk

ac'ture (n) breuk, beenbreuk; (v) breek; ~ *of the skull* skedelbreuk

ag'ile (a) breekbaar *also* **break'able, brittle;** broos, swak, tinger(ig)

frag'ment brokstuk, fragment *also* **par'ticle**

frag'mentary (a) fragmentaries, brokkelrig, stuksgewyse

fra'grance geurigheid *also* **per'fume, sweet od'our**

frail (a) tingerig, tenger/tinger; swak; broos *also* **in'firm;** ~ **a'ged** verswakte bejaarde; ~ **care** verswaktesorg

frame (n) raam, lys; skets; omtrek; kosyn (deur); vorm; liggaamsbou; gietvorm; ~ *of mind* gemoedsgesteldheid; (v) lys; omlys, raam; saamstel; vals beskuldig; **~r** ramer; ontwerper; ~ **saw** spansaag; **~work** raamwerk, lyswerk; opset

franc frank (geldeenheid)

France Frankryk (land) *see* **French**

fran'chise (n) konsessiereg, franchise *also* **char'= ter;** stemreg, kiesreg; **~r** konsessiegewer; **~e'** konsessiehouer; agent

frangipa'ni (n) frangipani, Indiese jasmyn (plant)

frank[1] (v) frankeer (briewe)

frank[2] (a) openhartig, reguit *also* **can'did, forth'right;** vrymoedig; rondborstig

frank'incense wierook *also* **in'cense**

frank'ly openhartig; rondborstig; *quite* ~ om die waarheid te sê

frank'ness (n) openhartigheid, eerlikheid, vry= moedigheid *also* **can'dour**

fran'tic (a) woedend, rasend; briesend *also* **fren'zied, ra'ving**

frater'nal: ~ **strife** broedertwis

frater'nity (n) broederskap; vereniging; gilde

frater'nise (v) verbroeder; maats/kamerade bly

frat'ricide broedermoord *see* **gen'ocide**

fraud (n) bedrog, bedrieëry *also* **deceit', treach'= ery; scam;** bedrieër (persoon); **~ulent** (a) oneerlik, bedrieglik, vals

fraught gelaai; vol; ~ *with danger* gevaarvol; ~ *with problems* vol probleme

fray[1] (n) twis, rusie; geveg; *enter the* ~ tot die stryd toetree

fray[2] (n) rafel (materiaal); (v) verslyt, uitrafel *also: become threadbare;* skaaf

frayed (a) verslete, verslyt (klere) *also* **tat'tered, rag'ged**

freak frats; misbaksel; wangedrog; nuk, gril, gier *also* **whim;** ~ **ac'cident** fratsongeluk; ~ **of nature** natuurfrats; ~ **weather'** fratsweer

frec'kle sproet, vlek; **~d** vol sproete

free (v) vrymaak, bevry, verlos; vrystel; (a, adv) vry, onbelemmerd; gratis; los; vrywillig; oorvloedig; ~ *and easy* ongedwonge; ~ *for all* straatbakleiery *also* **brawl;** ~ **enterprise economy** vryemarkstelsel; vrye onderneming; ~ *entrance* vrye toegang; ~ *on board* vry aan boord; *set* ~ op vrye voet stel; ~ *translation* vrye vertaling; ~ **associa'tion** vrye assosiasie;

~**boo'ter** vrybuiter, seerower, kaper; ~ **burgh**-
er vryburger (hist.); ~**dom** vryheid; ~*dom*
fighter vryheidsvegter; ~*dom of the city*
ereburgerskap; **F~dom Day** Vryheidsdag (va-
kansiedag, 27 April); ~ **en'terprise** vrye
ondernemerskap, markekonomie; ~**hold** vry-
pag, vrybesit *see* **lea'sehold;** ~*hold property*
vrypageiendom; ~ **kick** strafskop; ~**lance** (n)
vryskut; onafhanklike werker; (v) vryskut;
~*lance journalist* vryskutjoernalis; ~**man** ere-
burger

Free'mason Vrymesselaar

free: ~**ness** vryheid; vrypostigheid; ~ **pass** vry
kaartjie, vrypas; ~**phone** (v) vrybel; ~ **quar'**-
ters vrye inwoning; ~-**range chick'en** skrop-
hoender, werfhoender *see* **bat'tery chick'en;** ~
sample gratis monster

frees'ia fresia, kammetjie (blom)

Free State Vrystaat (provinsie)

free: ~**think'er** vrydenker; ~ **tra'de** vryhandel;
~-**tra'der** vryhandelaar; smokkelaar; smok-
kelskip; ~**ware** gratis program(me) (rek.);
~**way** deurpad (tussenstedelik); snelweg (in
stad); ~**wheel** vrywiel; ~ **will** (n) vrywillig-
heid; vrye wil; (a) vrywillig, uit eie beweging;
(v) vrywil *also* **volunteer'**

freeze (n) ryp; **deep~** vrieskas, hardvrieser; (v)
vries, bevries, ys; stol (TV-beeld); ~ *one's*
blood jou bloed laat stol; ~**r** vrieskas;
ysmasjien *see* **deep~**

freez'ing yskoud; ysig; *Kroonstad was* ~ Kroon-
stad was ysig

freez'ing point vriespunt

freight (n) vrag, lading; vraggeld; (v) bevrag,
belaai; ~**er** vragskip

French (n, a) Frans (taal; gebruike, ens.); (pl)
(die) Franse (volk); *take* ~ *leave* wegloop,
dros; ~ **bean** snyboon; ~ **drain** syferput,
stapelriool, dreineerput; ~**man** Fransman (per-
soon); ~ **pol'isher** lakvernisser (persoon)

fren'zy waansin, kranksinnigheid, dolheid *also*
fu'ry

fre'quency (n) gedurige herhaling; frekwensie; ~
of the pulse polssnelheid, polsslag *also* **pulse**
beat; ~ **modula'tion (FM)** frekwensiemodu-
lasie (FM); ~ **range** frekwensiebestek

frequent' (v) dikwels besoek; boer by *also*
pat'ronise; haunt

fre'quent (a) herhaaldelik, dikwels, gedurig

fre'quently dikwels, herhaaldelik

fres'co (n) -es muurskildering, wandskildering,
fresko

fresh (a) vars, fris, koel; onervare; soet (water);
hard (wind); astrant; *as* ~ *as a daisy* spring-
lewendig; ~ *from* net aangekom van; ~**en**
vervars, opfris; vernuwe; opsteek (wind);
~**er**/~**man** nuweling, groentjie, groenkop
(aan universiteit); ~**ette** (vroulike) nuweling,

groentjie (aan universiteit); ~ **milk** vars melk,
soetmelk

fret[1] (n) (figuur)saagwerk; afkarteling; (v) skuu-
afslyt; uitsaag; ~**saw** figuursaag

fret[2] (n) ergernis; kniesery; (v) jou verknie-
bekommer; pla; vererg; ~ *away one's life* jo-
doodknies

fri'ar (n) monnik

fric'ative (n) skuurgeluid; frikatief (gram.); (a
skurend

fric'tion wrywing; haaks wees (met iem.); friksi-
also **dis'cord**

Fri'day Vrydag

fridge = **refri'gerator**

friend vriend, vriendin, maat; *firm/fast* ~*s* d-
vriende; *make* ~*s* maats maak; *a* ~ *in need is a*
indeed in die nood leer 'n mens jou vriende ke-
~**liness** vriendelikheid; ~**ly** vriendelik, vrien-
skaplik; ~**ly coun'try** bevriende/goedgesin-
land/moondheid; ~**ly match** vriendskaplik
wedstryd; ~**ship** vriendskap *also* **fond'ness**

Fries'land (n) Friesland; friesbees; **Fri'sian** (
a) Fries (taal; gebruike, ens.)

frie'ze fries, rand, omlysting *also* **bor'der**

frig'ate fregat (vlootskip)

fright skrik; vrees; *take a terrible* ~ oorhoe-
skrik; ~**en** bang maak, vrees aanja; ~**en**-
verskrik; ~ *to death* doodgeskrik; ~**ful/frigh**-
ening verskriklik, vreeslik, ontsettend, vree
aanjaend *also* **dread'ful, hor'rifying, ghast**-

frig'id yskoud; koud, koel, kil *also* **aloo**-
(person); styf

frill (n) valletjie, plooisel; fiemies, aansteller-
(v) plooi, kartel, valletjies maak

fringe (n) fraiing; soom; ~ **ben'efits** byvoord-
also **perks';** ~ **fes'tival** rimpelfees

frip'pery tierlantyntjies, versierseltjies; tooi-
also **trim'mings**

frisk (v) huppel, spring; ~ *a suspect* 'n verdag-
(lyflik) visenteer; ~**y** dartel, vrolik

frit'ter (n) vrugtepannekoekie; poffertjie; sky-
repie; (v) in repies sny, versnipper; ~ *y-*
chances away jou kanse verspeel

friv'olous (a) ligsinnig, kinderagtig *also* **fli**-
pant, wan'ton; beuselagtig

frizz (v) sis, sputter

friz'zle[1] (n) krulhare; (v) krul, friseer

friz'zle[2] (v) braai; borrel

fro terug; *to and* ~ heen en weer

frog[1] (n) padda *also* **toad**

frog[2] (n) muis (aan perd se poot)

frog[3] (n) knooplus (van uniform)

frog'man paddaman

frog'march (n) dra-mars; (v) dra-sleep (onw-
lige persoon)

frol'ic (n) plesier, vermaak; (v) jakker *also*
ca'pers; ~**some** dartel, vrolik *also* **mer'**-
plesierig

rom van, vandaan; uit, vanuit; *apart* ~ afgesien van; behalwe, buiten; ~ *childhood* van jongs/kindsbeen af

ront (n) voorste gedeelte, voorkant; front; voorkop; *come to the* ~ op die voorgrond tree; *in* ~ *of* voor; ~**age** voorgewel; voorkant, front; ~ **door** voordeur; ~ **loader** hysvurk; ~ **room** voorkamer; ~ **tooth** voortand; ~ **view** vooraansig; ~~**wheel** dri've voorwielaandrywing, voorwieldryf

ront'ier (n) grens, grensskeiding *also* **bor'der;** ~ **dispute'** grensgeskil; ~ **war** grensoorlog

ron'tispiece voorgewel (gebou); titelplaat, titelprent (boek)

ost (n) ryp; (v) ryp; mat verf; versier (koek); ~**bite** (n) vriesbrand *also* **chil'blains;** ~**bit'ten** gevriesbrand; ~**ed glass** matglas, ysglas; ~**y** (a) yskoud *also* **i'cy;** kil, onvriendelik *also* **unfriend'ly, standof'fish** (person)

oth skuim; ~**y** skuimagtig, skuimend

ou'-frou geritsel, geruis, sirp-sirp

own (n) frons, suur gesig; strengheid; (v) frons, die voorkop plooi; stuurs kyk *also* **glare, glow'er**

o'zen (a) bevries *see* **freeze;** yskoud; styf; ~ **meat** bevrore vleis

u'gal (a) spaarsaam, matig, suinig *also* **thrif'ty, prov'ident**

uit vrug(te); nut; resultaat; *first* ~*s* eerstelinge; ~~**bea'ring** vrugdraend; ~**er** vrugtekweker; vrugteboom; vrugteskip; ~**e'rer** vrugtehandelaar; ~ **fly** vrugtevlieg; ~**ful** vrugbaar *also* **fer'tile;** ~ **grove** vrugteboord *also* **or'chard**

ui'tion rypwording; verwerkliking; *come to* ~ tot rypheid kom; werklikheid word

uit: ~ **juice** vrugtesap; ~ **mar'ket** vrugtemark; ~ **sal'ad** vrugteslaai; ~ **shop** vrugtewinkel; ~ **tree** vrugteboom

ustra'te (v) dwarsboom, fnuik, verydel, frustreer *also* **forestall', thwart**

ustra'tion verydeling, frustrasie *also* **foi'ling, obstruc'tion**

y[1] (n) klein vissies; kleinighede; kleingoed; *small* ~ niksbeduidende mense; onbenulligs hede; kleinspan

y[2] (n) braaivleis; (v) braai; ~ *eggs* eiers bak; ~**ing pan** pan; *from the* ~*ing pan into the fire* van die wal in die sloot

ddle' (v) verwar; dronk maak; ~**d** (a) deurmekaar, benewel(d); beskonke

dge (n) fudge (lekkers)

el (n) brandstof; (v) van brandstof voorsien; ~ **consump'tion** brandstofverbruik; ~ **econ'= omy/sa'ving** brandstofbesparing; ~ **injec'tion** brandstofinspuiting

gitive (n) vlugteling; uitgewekene *also* **refu= gee';** voortvlugtige (van die gereg) *also* **escapee';** (a) voortvlugtig, vlugtig *also* **flee'ting**

fugue fuga (mus.)

fulfil' (v) vervul; verwesenlik; uitvoer, nakom *also* **achie've, accom'plish;** ~**ment** vervulling, verwesenliking, nakoming *also* **accom'plish= ment, realisa'tion**

full (a) vol; gevul; voltallig; ~ *to the brim* propvol; ~ *details of* volledige besonderhede oor/aangaande; ~ *marks* (eksamen) volpunte; ~*time employment* voltydse/heeltydse werk; *on* ~ *pay* met volle betaling; *in* ~ *swing* in volle gang; (adv) ten volle, ruim, baie; ~**back** heelagter (rugby); ~ **blood** volbloed, opreg (geteel); ~~**blown** (a) volslae, volskaals; ~*blown Aids* volskaalse vigs (siekte); ~~**bos= omed** (a) goedbedeel (vrou); **fully-fled'ged** uitgegroei; volleerd; volledig, volkome, volslae; ~~**grown** volwasse, uitgegroei; ~~**sca'le** volskaals; ~ **speed** in volle vaart; ~ **stop** punt *also* **pe'riod;** ~~**time** (a) voltyds, heeltyds; ~ **time** einde van wedstryd; ~**y** volkome, geheel en al

ful'minate (v) ontplof; fulmineer, uitvaar teen

fum'ble (v) rondtas; friemel, frommel

fume (n) damp; rook; woede; (v) damp; rook; kwaad/briesend wees; kook (van woede)

fu'migate (v) berook; uitrook, fumigeer; ontsmet *also* **disinfect'**

fu'migator beroker (persoon); ontsmetter

fun (n) pret(makery); plesier; tydverdryf; *for* ~ vir die grap; *for the* ~ *of* vir die aardigheid/lekkerte; *poke* ~ *at* die gek skeer met; *have* ~ dit gate uit geniet

func'tion (n) funksie; byeenkoms, plegtigheid; verrigting; werking; beroep, amp; (v) werk, fungeer, funksioneer; ~**al** funksioneel; ~**ary** amptenaar, beampte, ampsdraer

fund (n) fonds; kapitaal *also* **fi'nance, cap'ital;** (pl) rykdom *also* **resour'ces;** (v) belê; befonds, bekostig; ~**rai'sing** geldinsameling

fundamen'tal (n) grondslag; (a) hoof=, vernaamste, fundamenteel; grond=; prinsipieel *also* **ba'sic, car'dinal;** ~**ism** fundamentalisme (gewoonlik godsdienstig); ~**ist** fundamentalis; ~ **rights** fundamentele regte, menseregte

fun'di (n) ~**s** kenner, gesaghebbende, fundi/ foendi(e)

fund'ing befondsing (van projek); borgskap

fu'neral (n) begrafnis, teraardebestelling; (a) begrafnis=, graf=, doods=; ~ **march** treurmars; ~ **ora'tion** grafrede; ~ **par'lour** begrafnison= dernemer(saak); ~ **proces'sion** roustoet, lyk= stoet; ~ **ser'vice** roudiens *also* **memo'rial ser'vice;** ~ **underta'ker** begrafnisondernemer, lykbesorger

fun'fair pretpark *also* **amuse'ment park;** kermis *also* **fête**

fun'gicide (n) swamdoder *see* **pes'ticide**

fun'gus fungus, swam; paddastoel; uitwas

funic′ular (a) kabel=; ~ **rail′way/train** kabel=
spoor *also* **cable′way;** tandratspoor

funk[1] (n) vrees; weifelaar, bangbroek; *get the ~s*
bang word; (v) bang wees/word; iem./iets
ontwyk; **~y** bang, lafhartig

funk[2] (n) funk (dansmusiek met hewige ritme);
~y (a) funky; aards; kief, koel (omgangst.);
anders, uitheems, onkonvensioneel; eksen=
triek; gevoelvol (mus.)

fun′nel (n) tregter; skoorsteen

fun′ny grappig, snaaks, koddig *also* **hu′morous,
amu′sing; ~bone** elmboogbeentjie, kielie=
beentjie; *have a ~ feeling* 'n nare vermoede/
spesmaas hê

fun run pretloop

fur (n) pels, bont; bontmantel; aanpaksel (tong;
ketel); sagte hare; kim (op wyn); (v) aanpak
(tong; ketel); beslaan

furb′ish (v) opvrywe, poleer; opknap *also* **ren′-
ovate**

fur: ~ **cloak** pelsmantel; ~ **coat** pelsjas

fu′rious (a) woes, waansinnig, rasend *also*
ra′ging, fran′tic, fu′ming

furl (v) oprol; inhaal (seil)

furl′ong furlong (afstand: 201,17 m)

fur′nace (smelt)oond; stookoond; smeltkroes;
vuurherd, haard; **blast ~** hoogoond

fur′nish (v) verskaf, lewer, voorsien; meubi=
leer/meubeleer; uitrus *also* **out′fit, equip′; ~ed**
gemeubileer(d)/gemeubeleer(d); **~er** meubi=
leerder/meubeleerder; **~ings** uitrusting, stof=
fering

fur′niture meubels, huisraad, meubelment/meu=
blement; *piece of* ~ meubelstuk

furore′ (n) raserny, massawoede, massahisterie
also **up′roar, pub′lic out′rage;** opgewonden=
heid; geesdrif

fur′rier pelshandelaar, bonthandelaar

fur′row (n) sloot *also* **ditch;** rimpel; (v) vore
trek/maak, ploeg; ~ **weed** kweekgras

fur′ry (a) bont=; aangepak, beslaan (tong) *see*
fur (v)

furth′er (v) bevorder; aanhelp *also* **pro′mote;** (a
adv) verder/vêrder, bowendien, buitendien; ~
information meer/nader(e) inligting; *till ~
notice* tot nader(e) kennisgewing; *till ~ order*
tot nader(e) bevele; ~ *to* met betrekking to
also: with reference to; **~ance** bevordering
~more verder, bowendien; **~most** verste,
vêrste, uiterste

furth′est/farth′est verste/vêrste, uiterste

fur′tive (a) heimlik, skelm, onderduims, agter
baks *also* **sly, cun′ning, craf′ty**

fu′runcle bloedvint, pitsweer *also* **boil**

fu′ry (n) woede, raserny *also* **(out)rage;** waan
sin; heftigheid; *in a ~* rasend

fuse (n) lont; smeltdraad(jie), sekering; *the ~ i
blown* die sekering/smeltdraadjie het gesmelt
(v) smelt; uitbrand; saamsmelt

fu′selage romp (van vliegtuig)

fusilade′ (n) geweervuur; salvo; fusillade; (v
fusilleer, teregstel (deur vuurpeloton)

fu′sion fusie (atoom)

fuss (n) ophef, drukte, herrie, gedoente; (v) ′
ophef maak; lol, seur; **~y** (a) puntene(u)ri
also **fasti′dious;** bemoeisiek

fus′ty muf, vermuf

fu′tile vergeefs, nutteloos *also* **use′less**

futil′ity (n) vrugteloosheid; vergeefsheid; yde
heid

fu′ture (n) toekoms; toekomende tyd; *bright ~*
rooskleurige toekoms; *in ~* voortaan, in d
vervolg; *the near ~* die nabye/afsienbar
toekoms; (a) toekomstig, aanstaande; toeke
mende; **~s** termynaandele (effektebeurs);
shock toekomsskok; ~ **tense** toekomende ty
(gram.)

fu′turism futurisme

fuz′zy pluisig, gerafel; benewel(d); vaag

fyn′bos (n) fynbos (Kaapse plantegroei)

G

gab (n) gebabbel, gekekkel; *have the gift of the ~* 'n gladde bek hê; glad met die mond wees; (v) babbel, klets, kekkel

gab'erdine gaberdienstof (materiaal)

ga'ble (n) gewel; geweltop

gad (v) ronddrentel; *~ about* (doelloos) rondslenter, rondjakker, vir kwaadgeld rondloop *also* **gal'(l)ivant, gal'avant** (v)

ad'fly perdevlieg; laspos (persoon)

ad'get (n) toestel(letjie), katoeter/katotter; kontrepsie

gaff (n) vishaak, ysterhaak, gaffel; (v) haak

gaffe (n) flater, blaps *also* (**so'cial**) **blun'der**

gag (n) (mond)prop; grappie; grappige opmerking (veral deur komediant) *also* **joke', wise'crack;** (v) die swye oplê *also* **muzzle', si'lence** (v); muilband

gag'gle (n) trop ganse; (v) snater, kekkel

gai'ety (n) joligheid, jolyt, vrolikheid; pret *also* **mirth, mer'riment**

gain (n) wins, profyt; voordeel; aanwins; (v) wen; verkry, verwerf; *~ ground* veld wen; *~ the upper hand* die oorhand kry; *not for ~* sonder winsoogmerk (organisasie); *~ one's goal/object* jou doel bereik/verwesenlik; *~ time* tyd wen; **~ful** voordelig, winsgewend; **~ings** winste *also* **ta'kings, win'nings**

gain'say (v) teenspreek, weerspreek *also* **contradict';** ontken

gait gang, stap; beweging (perd)

gai'ter (n, usually pl) oorkous, slobkous; kort kamas (mil.)

gal'a fees, karnaval, gala; **swim'ming ~** swemgala, swembyeenkoms; **~ day** feesdag, luisteryke byeenkoms; **~ occa'sion** feesgeleentheid

gal'axy (n) sterrestelsel; melkweg, galaksie; hemelstraat; skitterende geselskap

gale (n) stormwind, windvlaag; **~ war'ning** stormwaarskuwing

gall[1] (n) gal; vermetelheid; *dip one's pen in ~* jou pen in gal doop; (v) terg; vergal

gall[2] (n) skaafplek *also* **chafe', abra'sion;** kwelling; (v) skaaf

gall[3] (n) galneut, galappel (plantsiekte)

gal'lant (n) minnaar, hofmaker; beleefde/hoflike man; galant; (v) begelei ('n dame); (a) dapper, moedig *also* **dash'ing;** galant, hoflik *also* **cour'teous, poli'te; ~ry** galanterie, hoflikheid; dapperheid

ll bladder galblaas

l'leon galjoen (outydse oorlogskip)

l'lery galery, tribune; *play to the ~* effek soek; **up'per ~** engelebak, boonste galery (teater)

l'ley galei (outydse slaweskip); skeepskombuis; **~ proof** galeiproef, strookproef (druk-

werk, veroud.); **~ slave** galeislaaf; **~ worm** oorkruiper

Gal'licism Gallisisme, Franse taalindringer

gal'(l)ivant/gal'avant (v) rondjakker, rondrits, rondflenter; rinkink, jollifikasie hou

gal'lon gallon/gelling (vloeistofeenheid)

gal'lop (n) galop; *at a ~* op 'n galop; (v) galop(peer)

gal'lows (n) galg; **~ geck'o** galgsalmander

gall'stone galsteen

galore' volop, in oorvloed *also* **in profu'sion**

gal'vanise (v) galvaniseer *also* **elec'trify; ~d i'ron** (sink)plaat, (ge)galvaniseerde yster

galvanom'eter swakstroommeter, galvanometer

gam'ble (n) dobbelary/dobbelry, dobbelspel; onsekerheid; (v) dobbel *also* **bet;** *~ away* verwed, verspeel; verkwis; **~r** dobbelaar

gam'bling dobbelary/dobbelry; **~ den** dobbelnes; **~ house** dobbelhuis, casino/kasino; **~ table** dobbeltafel

gam'bol (n) bokkesprong; (v) baljaar, ravot, kaperjolle maak *also* **cut ca'pers, frol'ic**

game[1] (n) spel, spel(l)etjie, pot(jie)/spel (tennis); wedstryd, kragmeting; *the ~ is not worth the candle* die kool is die sous nie werd nie; *~ of cards* kaartspel; *~ of chance* dobbelspel, waagspel; *play a double ~* vals/bedrieglik optree; *drawn ~* gelykop wedstryd; *give the ~ away* die saak verklap; *play the ~* eerlik optree; optree soos van jou verwag word; *the ~ is up* die saak is verlore; (v) speel; dobbel; **~s e'vening** speletjiesaand

game[2] (n) wild; wildvleis; **big ~** grootwild; **~cock** veghaan; **~ conserva'tion** wildbewaring; **~ farm** wildplaas; **~-farm fen'cing** wildwering; **~ far'ming** wildbedryf; **~ fish** sportvis; **~kee'per** wildopsigter, boswagter; **~ lodge** wild(plaas)herberg; **~ poa'cher** (wild)stroper, wilddief; **~ ranch/lodge** wildplaas; **~ ran'ger/war'den** wildbewaarder; **~ reserve'** wildtuin, wildreservaat

game[3] (a) bereid, gereed *also* **wil'ling;** veglustig; moedig; flink

game[4] (a) mank; lam; kruppel

ga'mes (nasionale/Olimpiese) spele

games'manship onsportiewe wentaktiek; kullery

gam'ut musiekskaal, toonleer, omvang *also* **ran'ge, sco'pe;** *the whole ~* die hele reeks

gan'der gansmannetjie; domkop, uilskuiken (persoon)

gang (n) bende *also* **mob;** trop; span (werkers); **~ lea'der** bendeleier; **~ rape** bendeverkragting, groepverkragting; **~land** (n) bendebuurt, boewewêreld, rampokkergebied

gang'lion (n) senu(wee)knoop (med.); middel= punt, uitstraalpunt

gang'rene kouevuur, gangreen *also* **necro'sis** (med.); verrotting (veral van weefsel)

gang'ster rampokker, straatboef *also* **thug; ~ism** boewery

gang'way loopplank; deurgang

gan'try (n) steier, stellasie; laaibrug; kraanbaan

gaol (n) gevangenis, tronk; tjoekie (omgangst.) *also* **jail;** (v) in die tronk sit, opsluit; **~bird** tronkvoël; **~er** (tronk)bewaarder; sipier

gap (n) gaping, opening; bres; leemte; *narrow the* ~ die gaping vernou; *fill the* ~ die leemte vul

gape (n) opening; gaping; (v) gaap (van verba= sing); oopmond staar; ~ *at* aangaap *also* **stare, won'der**

gar'age garage, vulstasie, motorhawe (publiek) *also* **fil'ling/ser'vice sta'tion;** motorhuis (pri= vaat)

garb (n) kleding, kleredrag; (v) klee, aantrek

garb'age vullis *also* **ref'use;** afval, oorskiet; ~ **bin** vullisblik *also* **trash/rub'bish bin/can;** ~ **remo'val** vullisverwydering

gar'ble (v) vermink, verknoei; ~**d/distorted** *message* warboodskap

gar'den tuin; hof; **~er** tuinier (eienaar); tuinhulp, tuinman (werker); ~ **hose** tuinslang

garde'nia katjiepiering (blom)

gar'den: **~ing** tuinmaak, tuinbou; ~ **par'ty** tuinparty

gar'gle (n) gorreldrank; spoeldrank; (v) gorrel (in keel)

gar'goyle Gotiese (dak)spuier, drakekop

gar'land (n) blomkrans; sierkrans; loofwerk; bloemlesing; (v) bekrans, omkrans, versier

gar'lic knoffel; ~ **bread** knoffelbrood

gar'ment kleding; kledingstuk; ~ **wor'kers** klerewerkers

gar'net granaatsteen; karbonkel (velinfeksie)

gar'nish (n) garneersel, versiering; (v) garneer, versier *also* **adorn', dec'orate; ~ment** garne= ring

gar'ret solderkamer, dakkamer *see* **pent'house;** ~ **win'dow** soldervenster

gar'rison (n) besettingsmag; garnisoen; (v) beset (met troepemag)

gar'rulous (a) praterig, praatsiek *also* **chat'ty, talk'ative; verbo'se**

gar'ter kousband; *Order of the G*~ Orde v.d. Kousband (Br.)

gas (n) **-es** gas; petrol; bluf; *step on the* ~ jaag; voet in die hoek sit (met motor); (v) met gas verstik/behandel; bluf; **~bag** windlawaai, grootprater, bluffer *also* **brag'gart, boas'ter** (person); ~ **cyl'inder** gassilinder; ~ **en'gine** gasenjin

gash (n) sny, hou; (v) sny, kloof *also* **slash, slit**

gas'ify in gas verander; vergas

gas'ket pakstuk; pakking, voering (enjin)

gas: ~ **lamp** gaslamp; **~light** gaslig; ~ **me'ter** gasmeter; ~ **stove** gasstoof

gas'oline (US) petrol

gasp (n) snik; hyging; *the last* ~ doodsnik; (v snik, snak, hyg; ~ *for breath* snak na asem; ~ *for life* met die dood worstel

gas'tric (a) maag=, gastries; ~ **fe'ver** maagkoors ~ **juice** maagsap; ~ **ul'cer** maagseer

gas'tronome/gastron'omist (n) koskenner smulpaap, lekkerbek, gastronoom *also* **gour' mand; bel'ly wor'shipper**

gate (n) hek, deur, ingang; hekgeld; toeskouers publiek (by 'n sportwedstryd); toegang; (v insluit; hok; **~-crash'er** indringer; ongenooid gas (partytjie); hekstormer (by 'n sportwed stryd); **~kee'per** hekwagter, portier; ~ **mon'e** toegangsgeld, hekgeld; **~way** poort; toegan tot (fig.)

gath'er (v) vergader, byeenkom; versamel plooi, inryg ('n bloese); aflei; opraap; oes aanneem, kry; optrek (bene); ~ *breath* aser skep; *the clouds* ~ die wolke pak saam; *flowers* blomme pluk; ~ *in* oes; ~ *strength* kra kry; **~ing** byeenkoms; samekoms; saamtre *also* **assem'bly**

gatsom'eter gatsometer (spoedbeheer)

gau'che (a) onhandig, lomp, links, taktloo **~ness** onhandigheid, lompheid

gau'cho (n) gaucho (cowboy on the S. Am pampas)

gaud'y (a) opsigtig; (kakel)bont, veelkleuri pronkerig *also* **flash'y, ostenta'tious**

gauge (n) ykmaat; berekening; peilstok; spoo wydte; diepgang; maat; meter; **nar'row** smalspoor; (v) yk; noukeurig meet; pei afmeet; **rain ~** reënmeter

gaunt (a) skraal, maer; uitgeteer *also* **hag'gar scrag'gy**

gaunt'let (pantser)handskoen (Middeleeue); *r the* ~ (onder die aapstert) deurloop; *thr down the* ~ die handskoen toewerp (ien uitdaag)

Gauteng' Gauteng (provinsie)

gauze gaas; wasigheid, dynserigheid

gauz'y (a) gaasagtig; wasig

gav'el voorsittershamer; afslaershamer; klopha mer

gay[1] (n, a) homoseksueel; gay *also* **que** (derog.); moffie (neerh.); lesbiër (vrou); **bash'ing** gay-treitering; ~ **erot'ic fic'tion** g lektuur; gay hygroman

gay[2] (a) lewendig, vrolik (tans selde meer in d sin gebruik) *also* **jol'ly, cheer'ful, mer'r** los(bandig); opsigtig; **~ness** vrolikheid, lewe digheid; **~some** opgewek, plesierig

gaze (v) (aan)staar *also* **stare';** aangaap, tuur

aze'bo (n) somerhuisie; uitkyktoring *also* **sum'=merhouse; roof tur'ret**

azelle' gasel (wildsbok)

azette' (n) koerant; gaset; **govern'ment** ~ staatskoerant; (v) aankondig, afkondig

azetteer' aardrykskundige ensiklopedie/na=slaanwerk

ear (n) rat (van motor); tandrat, ratwerk; gereedskap; tuig; uitrusting; *change* ~ ratte wissel; oorskakel; *in* ~ in rat; *low/high* ~ laagste/hoogste versnelling; *out of* ~ uitgeska=kel; uit orde; *throw out of* ~ in die war stuur; (v) aanpas (by); inspan; aan die gang sit; inskakel; ~*ed/adjusted to requirements* aange=pas/ingepas by behoeftes; **bev'elled** ~ koniese tandrat; ~**box** ratkas; ~**ing** hefboomfinansie=ring; ~**lock** ratslot; ~ **ra'tio** ratverhouding

eck'o (n) boomgeitjie, gekko; **gal'lows** ~ galgsalmander

ee' whiz! allawêreld!; verbeel jou!

ei'ger coun'ter geigerteller

ld (v) sny, kastreer; ~**ed pig** burg

ld'ing reun (perd)

m (n) edelsteen *also* **gem'stone;** juweel; briljant

ms'bok (n) gemsbok *also* **or'yx**

m' squash skorsie, lemoenpampoentjie

n'der (n) geslag; ~**-ben'ding** uniseksing, alkant selfkant *also* **gen'der lev'elling;** ~ **equal'ity/eq'uity** geslagsgelykheid

ne (n) geen (erflikheidsbepaler)

nealog'ical genealogies, geslags=; ~ **tree** stamboom, geslagsregister

neal'ogy (n) genealogie, familiekunde *also* **an'cestry, lin'eage**

n'eral (n) generaal (mil. rang); die menigte; *in* ~ oor/in die algemeen; (a) algemeen; uni=verseel, globaal; gewoon; **G~ Assem'bly** Algemene Vergadering (VN); ~ **deal'er** alge=mene handelaar; ~**isa'tion** veralgemening; ~**ise** (v) veralgemeen; ~**ist** generalis, veelsy=dige kenner; ~**ity** gemeenplaas *also* **plat'=itude;** vaagheid; ~**ly** gewoonlik, deurgaans, oor die algemeen/geheel; ~ **man'ager** hoof=bestuurder; ~ **meet'ing** algemene vergadering; ~ **practi'tioner** algemene praktisyn; huisarts, huisdokter *also* **fam'ily practi'tioner** *see* **med'ical practi'tioner;** ~ **pub'lic** gewone/algemene/groot publiek; ~ **rea'der** deursnee=leser; ~ **Sales Tax (GST)** Algemene Ver=koopsbelasting (AVB)

n'erate (v) opwek (elektr.); ontwikkel (stoom); genereer (inkomste); teel, voortplant *also* **procreate'**

nera'tion (n) geslag; generasie; voortbrenging; teling; **lost** ~ verlore geslag; ~ **gap** ouder=domsgaping, generasiegaping

n'erator (n) kragopwekker; ontwikkelaar

gener'ic geslags=, generies (biol.); ~ **med'icines** generiese medisyne/middels

generos'ity (n) vrygewigheid *also* **benev'olence;** edelmoedigheid

gen'erous grootmoedig, edelmoedig; vrygewig, milddadig; ruim; vol; ~ **dona'tion** ruim/ruimhartige/rojale skenking; ~**ly** **rewar'ded** ryklik/rojaal beloon

gen'esis wording, ontstaan, skepping, genesis

gen'et muske(l)jaatkat

genet'ic geneties, geslags=; ~**s** erflikheidsleer, genetika; ~ **enginee'ring** genetiese program=mering/manipulering; ~ **screen'ing** genetiese tipering

ge'nial (a) gesellig, lewendig, hartlik, vrolik, joviaal *also* **jo'vial, jol'ly**

ge'nie (n) **genii** (lug)gees; djin *also* **jinn** (super=natural spirit)

gen'ital(s) (n, pl) geslagsdele, geslagsorgane; skaamdele

gen'itive genitief (gram.)

ge'nius (n) -**es** genie (persoon); aanleg, begaafd=heid, skeppingsvermoë *also* **bril'liance;** (be=skerm)gees

gen'ocide volksmoord; menseslagting

geno'me genoom (biol.); ~ **code** genoomkode (kartering v.d. gene in 'n organisme)

genre genre (kunssoort); soort

gent meneer; ~**s** here (toilet)

genteel' (a) beleef(d); fatsoenlik; wellewend *also* **cul'tivated, refi'ned;** lieftallig

gen'tile (n) nie-Jood, heiden (vir Jode); Christen; (a) nie-Joods; heidens, ongelowig

gen'tle (a) sagsinnig, vriendelik *also* **plac'id, mild;** sag, teer; beskaaf; minsaam, meegaande; mak (perd); *the* ~ *sex* die skone geslag; ~ **breeze** ligte/sagte bries; ~**folk** vername stand; ~**man** fatsoenlike man; heer, gentleman; ~**man's** **agreement** ereooreenkoms; ereakkoord; ~**ness** sagsinnigheid, minsaamheid, sagtheid

gent'ly (a) sag, saggies, suutjies; stadigaan

gen'try (n) (mense van) goeie/deftige stand; fatsoenlike klas

genufle'xion kniebuiging (voor koning(in))

gen'uine eg, opreg, onvervals; *the* ~ *article* die ware Jakob/jakob; die regte ding

gen'us (n) **gen'era** geslag, genus (biol.)

geod'esy aardmeetkunde

geog'rapher geograaf, aardryskundige

geograph'ical aardryskundig

geog'raphy aardrykskunde, geografie

geol'ogical geologies

geol'ogist geoloog, aardkundige

geol'ogy aardkunde, geologie

geomet'rical meetkundig, geometries; ~ **draw'=ing** lyntekening; ~ **pen** trekpen

geom'etry meetkunde, geometrie; **plane** ~ vlak=meetkunde; **sol'id** ~ stereometrie

geophys'ic(al) geofisies

geophy'sics geofisika

gera'nium geranium, malva (blom)

geriatri'cian geriater, ouderdomspesialis

geriat'ric: ~ **problems** ouderdomsprobleme, geriatriese probleme; ~s (n) geriatrie, ouder=domskunde

germ (n) (siekte)kiem *also* **vi'rus;** oorsprong; ~ **war'fare** bakteriologiese oorlogvoering

Ger'man (n) Duits (taal); Duitser (persoon); (a) Duits (gebruike, ens.); ~ **flute** dwarsfluit; ~ **mea'sles** Duitse masels, rooihond; ~ **sau'sage** metwors

German'ic (a) Germaans (betreffende Ger=maanse stamme)

Ger'many Duitsland

germ'icide kiemdoder

germ'inate (v) ontkiem, uitloop, opkom *also* **sprout, veg'etate**

gesta'tion dragtigheid (dier); swangerskap (mens)

gesti'culate (v) gebare maak, gestikuleer *also: express by gestures*

gesticula'tion gebarespel, gestikulasie

ges'ture (n) gebaar, beweging; *I appreciate your* ~ ek waardeer jou gebaar/gesindheid; (v) gebaar; deur gebare beduie

get (v) kry, verkry; bekom, verwerf; bereik; verdien; haal; word; bring; beland; ~ *along with s.o.* met iem. klaarkom; ~ *away with* ongestraf/skotvry bly; ~ *the better of* die oorhand kry; ~ *the boot* in die pad gesteek word *also* **being fi'red;** ~ *a cold* koue vat; ~ *going* val weg; kry koers; ~ *hold of* beetkry; ~ *out of* handuit ruk; ~ *on* vooruitgaan; ~ *out* uithaal; uitkom; uitlek; uitklim; uit raak (krieket); ~ *ready* klaarmaak; ~ *rich quick* kitsryk word; ~ *up* opstaan; ~ *wind of* agterkom; ~**-at'-able** (infml.) bekombaar; bereikbaar *also* **access'ible;** ~**-away'car** weg=kommotor, wegjaagmotor; ~**-together** (n) samekoms; ~**-up** vermomming, uitvoering; ~**-well card** beterskapkaartjie

gey'ser warm bron, spuitbron; geiser, badketel

ghast'ly (a) afgryslik, vreeslik, aaklig *also* **hid'eous, hor'rible, grue'some**

gherk'in (n) agurkie *also* **(small) cu'cumber**

ghet'to ghetto, Jodebuurt *also* **Je'wish quar'ter**

ghost spook, gees, skim; *not the* ~ *of a chance* nie die geringste kans nie; *give up the* ~ die gees gee; **Holy G~** Heilige Gees *also* **Holy Spirit;** ~**ly** spookagtig, aaklig *also* **ee'rie;** ~ **squad** skimpatrollie; ~ **sto'ry** spookstorie; ~ **wri'ter/au'thor** skimskrywer, spookskrywer

ghoul (n) monster *also* **e'vil spi'rit;** lykverslin=der; grafskender

gi'ant (n) reus; (a) reuse=, reusagtig; ~ **buil'ding** reusegebou; ~'**s stride** reuseskrede

gib'ber (n) brabbeltaal, koeterwaals; (v) brabbe[l] ~**ish** wartaal, brabbeltaal, koeterwaals

gib'bet (n) galg *also* **gal'lows;** galgpaal; (v[)] ophang (teregstellingsmetode)

gibe (n) hoon, smaad, skimp; (v) spot, skim[p] uitkoggel *also* **scoff, jeer, taunt**

gid'diness duiseligheid *also* **diz'ziness**

gid'dy (a) duiselig, lighoofdig; naar

gift (n) geskenk, present, gif, gawe; ~**ed** [(] begaaf, talentvol; ~*ed child* begaafde kin[d] ~**shop** geskenkwinkel *also* **fancy'goods sho[p]** ~ **vou'cher** geskenkbewys; ~ **wrap** geskenk[-] papier, toedraaipapier

gigan'tic reusagtig; ontsaglik *also* **huge, mas**[-] **sive, vast**

gig'gle (n) gegiggel; (v) giggel *also* **snig'ge[l]** **chuckle'**

gig'olo gigolo; katelknapie, bedjonker, kooivlo[ ] *also* **toy'boy** (paid lover of older woman)

gild (v) verguld, verfraai; ~**ed** verguld; ryk; ~[ ] vergulder; ~**ing** vergulding, verguldsel

gill (n) kief/kieu (van vis); ~ **nets** kiefnette (v[ ] onwettige visvang); (v) kaak, skoonmaak (vi[s])

gilt (n) verguldsel; klatergoud; (a) verguld; [~] **edge** goudrand; ~**-edged** goudgerand (boek[)] doodveilig (belegging); ~**-edged share** prim[ ] aandeel; ~ **pa'per** goudpapier; ~s prim[ ] effekte

gim'let (n) frikboor, swikboor

gim'mick truuk, foefie *also* **trick, contri'vanc[e]**

gin[1] (n) jenewer (sterk drank)

gin[2] (n) pluismeul; (v) afpluis (katoen)

gin'ger (n) gemmer; rooikop (persoon); ~ [a]**[ ]** gemmerlim(onade); ~ **beer** gemmerbier; **bran'dy** gemmerbrandewyn; ~**bread** gemm[er] brood; peperkoek; (a) rooiharig, rooik[op] (persoon); ~**ly** versigtig, behoedsaam, ligvoe[tig] *also* **guar'ded, wa'rily, cau'tiously**

gip'sy/gyp'sy (n) **gip'sies/gyp'sies** sigeuner *al[so]* **vag'abond, no'mad, va'grant;** vabond

giraffe' kameelperd, giraf

gird (v) omgord; omring; ~ *on* omgord; ~ [ ] omgord; ~**er** dwarsbalk

gir'dle (n) (vroue)gordel; lyfband, buikgor[del] omtrek; (v) omgord; ~/**gridd'le cake** rooste[r] koek

girl meisie, meisiekind; **G~ Fri'day** Antjie All[ ] kantoormeisie, kantoorassistent; ~**friend** vrie[n]din, nooi, meisie; ~**hood** meisie(s)jare; ~[ ] skaam, meisieagtig; ~**s' high school** h[ ] meisieskool

girth buikgord, buikriem *also* **bel'lyband;** o[ ] vang *also* **circum'ference**

gist kern *also* **core, es'sence;** hoofsaak; *the* ~ [of] *the report* die kern van die verslag

give (v) gee; oorgee; skenk; lewer; oorhand[ig] doen; aflê (getuienis); ~ *away* weggee; ~ *ch*[ ] agternasit; ~ *ground* wyk; ~ *in* tou opgooi; [t]

gee; ~ s.o. a bit of one's mind iem. se kop was/die waarheid sê; ~ notice kennis gee; ~ offence aanstoot gee; ~ up hope hoop opgee/laat vaar; ~ way wyk, padgee; ~n gegewe; gegee; ~r gewer (persoon)

z'zard krop; maag; pens; that sticks in his ~ dit steek hom in die krop (hinder hom)

a'cier (n) gletser (bewegende ysmassa)

ad bly, verheug also plea'sed, delight'ed; I shall be ~ to do this ek doen dit graag; ~den bly maak, verbly; ~ eye knipogie (vir iem.)

ad'iator (Romeinse) swaardvegter, gladiator (hist.)

adio'lus gladiolus, swaardlelie (blom)

ad: ~ly (adv) graag; blymoedig also cheer'=fully; ~den (v) opvrolik, opbeur; ~ness blydskap, vrolikheid; ~ rags (infml.) kisklere; beste klere; ~ ti'dings heuglike/goeie nuus; ~wrap kleefplastiek

am'orise (v) glansend/betowerend/verleidelik laat lyk

am'orous (a) glansend, betowerend, verleide= lik also cap'tivating, enchan'ting

am'our (n) skittering; betowering, aantreklik= heid also charm, enchant'ment; ~ boy laven= telhaan, swierbol; ~ girl prikkelpop also pin-up

ance (n) oogopslag; skrams hou; skynsel, flikkering; at a ~ in een oogopslag; (v) sydelings kyk, aanblik; flikker; ~ off afskram; ~ over vlugtig deurkyk, glylees

und klier (in liggaam)

an'ders droes (perdesiekte)

an'dular klieragtig

are (n) (lig)skittering, blikkering (motorhoof= igte); klatergoud (fig.); (v) skitter, blikker also daz'zle; woedend aangluur

'ring vonkelend, skitterend; verblindend; ~ njustice skreiende onreg; ~ omission skande= ike versuim

ss (n) glas; ruit; venster; (a) glas=; ~-blower glasblaser; ~es bril also spec'tacles; ~ eye glasoog; ~pa'per skuurpapier also sand/em= ery pa'per; ~wa're glasware; glaswerk; ~works glasfabriek

ze (n) glasuur (by keramiek); (v) verglaas (ruite insit); polys; verglans; glaseer (voedsel)

'zier glasmaker; glaswerker

'zing glasuur; beglasing

am (n) ligstraal, flikkering; glimp; glans; (v) straal, flikker also glit'ter, spar'kle

e (n) vrolikheid, blydskap; ~ful (a) bly, vrolik, dartel also spright'ly, frol'icsome

n dal, laagte, vlei also nar'row val'ley

b (a) glad; oppervlakkig also slick, plau'sible; ~ tongue gladde/listige tong

le (n) gly; sweef; (v) gly, glip; sweef; ~r weeftuig; sweeftuigvlieër; glyvlieër see uang-glider

glim'mer (n) flikkering, glinstering; ~ of hope ligpuntjie; (v) flikker, glinster

glimpse (n) vlugtige blik; ligstraal; catch a ~ of skrams raaksien

glint (n) skynsel, glinstering; glimp; (v) blink, glinster; a ~ in his eyes 'n (ondeunde) kyk/ flikkering in sy oë

glis'ten glinster, flikker see glit'ter

glitch (n) (tegniese) blaps/glips also blun'der, slip-up

glit'ter (n) glans, glinstering; luister; (v) blink, glinster; ~ing skitterend also spark'ling, bril'= liant; ~ing occasion glansgeleentheid

glit'zy (slang) (a) glansryk, swierig, vonkelend (dinee, ens.)

gloat (v) lekker kry, jou verkneukel/verlustig also rev'el in, rel'ish; loer, gluur; ~ing (n) leedvermaak also mali'cious pleasure

glo'bal (a) globaal, wêreldwyd; omvattend also all-embra'cing; world'wide; all-inclu'sive; ~ power wêreldmag, wêreldmoondheid; ~ vil'= lage wêrelddorp(ie); wêreldwerf; aarddorpie; ~ warm'ing aardverwarming

globalisa'tion (n) globalisering, internasionali= sering (inligting, nuywerhede)

globe (aard)bol; oogbol; glaskap (lamp); celes'= tial ~ hemelbol; terres'trial ~ aardbol; ~trot= ter wêreldswerwer

gloom (n) duisterheid; swaarmoedigheid; som= berheid; ~ and doom wanhoop, vertwyfeling; (v) somber word; ~y somber, droefgeestig also dis'mal, drea'ry, som'bre

glorifica'tion verheerliking, lofbetuiging

glor'ify (v) verheerlik, verhef; ophemel

glor'ious (a) deurlugtig, roemryk also illus'= trious; heerlik also love'ly, delight'ful; a ~ holiday 'n salige/heerlike/verruklike vakansie

glor'y (n) roem, glorie, heerlikheid; saligheid; (v) roem, trots wees; ~ over spog oor

gloss[1] (n) kommentaar, kanttekening also com'= ment, annota'tion

gloss[2] (n) glans; opheldering; (v) glans; ophel= der; glad vrywe; ~ paint glansverf

glos'sary (n) ..ries woordelys, glossarium

glos'sy glansend, blinkend; ~ magazine'/jour'= nal glansblad, glanstydskrif

glot'tis (n) stemspleet (van keel)

glove handskoen; fit like a ~ pragtig pas; be hand in ~ kop in een mus wees also: in cahoots with; ~ box/compart'ment paneelkassie also cub'by ho'le; ~r handskoenmaker

glow (n) gloed, vuur also ra'diance; (v) gloei, blaak; a ~ing/complimentary report 'n gloed= volle aanprysing; ~-worm glimwurm, ligkewer

glu'cose (n) glukose, druiwesuiker

glue (n) lym, gom; (v) vaslym, vasplak; ~d to the TV vasgenael voor die TV; ~ snif'fing gomsnuif; ~y lymerig, taai

glum (a) somber, bedruk, droefgeestig *also* **gloom′y, down′cast, depres′sed**

glut (n) oorvloed, oorversadiging; oorvoorsie= ning (op mark) *also* **o′versupply**

glu′ten (n) kleefstof; glutien, beenlym

glu′tinous klewerig, taai, lymerig

glut′ton vraat, smulpaap, gulsigaard; *a ~ for punishment* ′n smartvraat; *a ~ for work* ′n regte werkesel/werkolis; **~ous** vraterig, gulsig

gly′cerine gliserien (vir seepmaak)

gnarled kwasterig, knoesterig; vergroei

gnash kners; *~ the teeth* op die tande kners

gnat muggie

gnaw (v) knaag, kou, knabbel *also* **chew, nib′ble**

gnome[1] (n) kabouter, dwergie; gnoom; aardgees

gnome[2] (n) sinspreuk, lyfspreuk, leuse

gnu (n) wildebees; **black/white-tail′ed ~** swart= wildebees; **brin′dled ~** blouwildebees

go (n) gaan; gang; voortvarendheid; energie, dryfkrag; *from the word ~* uit die staanspoor; *on the ~* aan die gang; (v) gaan; loop; vertrek *also* **leave′;** voortgaan; verdwyn; *~ ahead* voortgaan; *~ bad* bederf; *~ far* ver reis; dit ver bring; *~ for* die kop was; aanval; roskam; *~for it!* doen dit!; reg so! *~ halves* gelykop deel; *~ hungry* honger ly; *~ mad* gek word; *~ off* weggaan; ontplof; *~ on* verder gaan; verby= gaan; *~ out with* uitgaan (met ′n meisie/kêrel); *~ to pieces* breek; versleg; *~ places* rondreis; *~ to seed* saadskiet; *~ slow* sloer, stadig beweeg; *the story ~es* daar word gesê; *~ straight* reguit gaan; padlangs loop; die reguit/regte pad bewandel (gerehabiliteerde misdadiger); *~ under* te/ten gronde gaan; *~ west* doodgaan

goad (v) aanspoor, aanpor; aandryf/aandrywe

goal[1] (n) oogmerk, doel(stelling), doelwit *also* **aim, objec′tive**

goal[2] (n) doel (sport); **~keep′er** doelwagter; **~kick′er** stelskopper (rugby); doelskieter (sok= ker); **~posts** doelpale (rugby); doelhok (sok= ker, hokkie) *move the ~posts* die doelpale verskuif *also: change the rules;* **~shoot′er** doelgooier (netbal)

goat bok; *cut he~~* bokkapater; *he~~* bokram; *she~~* bokooi; **~ee′** bokbaardjie

gob′ble[1] (v) klok (kalkoen)

gob′ble[2] (v) gulsig eet, inlaai *also* **gorge, guz′zle; ~r** gulsigaard, vraat

gob′elin (n) muurtapyt, tapisserie, gobelin *also* **tap′istry**

go′-between tussenganger, bemiddelaar (in on= derhandelings) *also* **interme′diary**

gob′let bokaal, kelk, drinkbeker

gob′lin spook (klein van gestalte); bose gees; aardgees

go′-cart kaskar, seepkiskar *see* **go-kart**

God God; *~′s acre* kerkhof; *~ bless Africa* God seën Afrika (Nkosi Sikelel′ iAfrika); *for ~′s sake* om Gods wil, in Gods naam; *thank ~* goddank; *~ willing* as God/die Here wi **~-fea′ring** godvresend, godvrugtig *als* **devout′**

god god; *a sight for the ~s* ′n kostelike gesi **~child** peetkind; **~dess** godin; **~fa′ther** pee oom; Mafiabaas; **~liness** godsvrug, vroor heid; **~ly** godvresend; vroom; **~mo′the** peettante; **~pa′rent** peetouer; doopgetuie; engelebak (in teater); **~send** uitredding, b stiering, gelukslag *also* **bles′sing; ~son** pee seun

go′er loper, hardloper

go′-getter deurdrywer, vasvatter, hoogvlieë pasaangeër, inhaler, inpalmer (persoon)

gog′gle (v) die oë rek; aanstaar; **~s** stofbr oogklappe

go-go girl wikkeldanseres

go′ing (n) vertrek; gaan; *the ~ is good* dit gaa voor die wind; (a) gaande; *~* **concer** gevestigde/lopende saak/onderneming

goi′tre (n) kropgeswel

go′-kart knortjor; *~* **ra′cing/kar′ting** knortjo renne

gold (n) goud, (a) goue, goud=; *~* **dig′g** goudgrawer; fortuinsoeker

gol′den (a) goue; gulde; *~ age* goue eeu; *~ handshake* goue handdruk; tattatjek (skerts *the ~ mean* die gulde midde(l)weg; *~ old* goue oues; *~ opportunity* gulde/goue geleer heid; *the ~ rule* die gulde reël; *~ syr* gouestroop; *~ wedding* goue bruilof

gold: ~finch geelvink; **~fish** goudvis; *~* **le** bladgoud; *~* **med′al** goue medalje; *~* **mi** goudmyn; *~* **ore** gouderts; *~* **plate** goudse vies; **~pla′ted** (a) verguld; *~* **price** goudpry *~* **rush** goudstormloop; **~smith** goudsmid

golf (n) gholf; (v) gholf speel; *~* **ball** gholfbal; **club** gholfklub; gholfstok; *~* **course** gho baan; **~er** gholfspeler

gol′liwog (n) paaiboelie; spookpop

golosh′ (n) -es oorskoen

gon′dola gondel (in Venesië)

gondolier′ gondelier

gone (v, past tense) gegaan; verlore

gong ghong (metaalskyf wat galm)

gonorrhoea′ druiper, gonorree (geslagsiekte)

good (n) die goeie; voorspoed; nut; baat; *be n* nie deug nie; *for his own ~* in sy eie belang; adv) goed, gaaf; geskik; lekker (kos); *be ~* s wees; *in ~ faith* te goeder trou; *~ gracio* goeie genade!; grote genugtig!; (alla)magti mastig!; jislaaik; *~ heavens!* liewe aard goeie tyd!; *~ looks* mooi/aantreklike vo koms (persoon); *make ~* vergoed; (teko aanvul; (belofte) nakom; *in ~ spirits* opgewekte stemming/luim; *taste ~* lek smaak; *do a ~ turn* ′n diens bewys; *as ~*

is word 'n man van sy woord; ~ **afternoon** (goeie)middag; **~bye** tot siens/totsiens, vaar= vel, goedgaan; koebaai/ghoebaai (omgangst.); ~ **day** goeiedag, dagsê!; ~ **e'vening** (goeie)= aand, naandsê!; **~-for-nothing'** niksnuts, eugniet *also* **nincompoop', wash-out**

od Fri'day Goeie Vrydag (vakansie)
d: **~-hu'moured** opgewek; **~-loo'king** aan= reklik; ~ **luck** geluk; ~ **luck!** sterkte!; ~ **nor'ning** (goeie)môre, môresê!, dagsê! **~-na'=** **ured** goedgeaard, goedaardig, goedig
d'ness goedheid; vriendelikheid; ~ *knows* ugter weet; *for* ~' *sake* in hemelsnaam, om iefdeswil; *thank* ~ die hemel sy (ge)dank
d night (w) (goeie)naand, naandsê!
ds (pl) goedere, goed; ~ **shed** goedereloods; ~ **traf'fic** goederevervoer; ~ **train** goedere= rein, vragtrein
d'time: ~ **girl** loskopdolla; **~r** swierbol, ierewaaier, darteldawie *also* **play'boy**
d'will welwillendheid, goedgesindheid *also* **enev'olence;** hartlikheid; klandisie(waarde), andelswaarde (van maatskappy)
od'will Day Welwillendheidsdag (vakansie, 6 Desember) *also* **Day of Good'will**
d'y-goody mamma se soet kindjie; heilige oontjie (seun, man); skynheilige (persoon)
se gans; uilskuiken, swaap (persoon); **~ber'=** y appelliefie; ~ **bumps/flesh/pim'ples** hoen= ervel, hoendervleis (fig.); ~ **quill** gansveer; ~ tep paradepas
rd'ian Gordiaans, ingewikkeld; *cut the* ~ *knot* ie Gordiaanse knoop deurhak
e (n) gestolde/dooie bloed; bloederigheid veral in rolprente); (v) steek, deurboor; stoot, affel (dier)
ge (n) keel, strot; bergpas; kloof, ravyn; (v) oreet, oorvreet; verslind; inwurg
'geous (a) skitterend, pragtig, kostelik *also* nagnifi'cent, splen'did, exqui'site
gon gorgon; monster, skrikbeeld (mitol.)
il'la gorilla (grootste aap)
y (a) bloedig, bebloed; aaklig, grusaam
h (interj) gits!; *by* ~! allawêreld!
hawk (patrys)valk
ling ganskuiken, jong gans
low' strike sloerstaking
pel (n) evangelie; gospel (geestelike liedere); er evangelieprediker; ~ **oath** eed op die ybel; ~ **songs** gospelliedere; ~ **truth** heilige aarheid
samer herfsdraad, spinnerak; *fine as* ~ gfyn
sip (n) skinderpraatjie; ligsinnige gebabbel so titt'le-tattle; (v) skinder; babbel; **~er** kinderbek
ge (n) guts, holbeitel; (v) uitdiep, uithol; tsteek (iem. se oë)

gou'lash (n) vleisbredie, ghoelasj
gourd karkoer; kalbas
gour'mand vraat, lekkerbek; smulpaap
gour'met fynproewer (van kos en drank); gourmet
gout (n) jig; pootjie, podagra; **~y** jigtig
go'vern (v) regeer, beheer, bestuur; **~ance** regeerkunde; bestuurskunde; **~ess** goewer= nante, privaat onderwyseres; **~ing bo'dy** bestuursraad
go'vernment (n) regering, staat; owerheid; (a) regerings=, staats=; ~ **gazette'** staatskoerant
go'vernor (n) goewerneur; bestuurder; beheer= der; (spoed)reëlaar (masjien)
gown (n) kamerjas; tabberd (vir vrou); mantel; toga (akademies)
grab (n) greep; vanghaak; (v) gryp, beetpak; **~ber** inhaler, hebsugtige mens
grace (n) genade; guns(bewys); goedertieren= heid; welwillendheid; tafelgebed; bevallig= heid, swier, bekoorlikheid *also* **beau'ty,** **charm, el'egance;** *by the* ~ *of God* deur die genade van God; *days of* ~ uitsteldae, respytdae; *have the* ~ *to* so fatsoenlik/gaaf wees om; *say* ~ die tafelgebed doen; *in the year of* ~ in die jaar van ons Here; *Your G~* U Hoogheid; Hoogeerwaarde Heer; (v) bege= nadig; begunstig; verfraai, versier *also* **adorn';** **~ful** bekoorlik, bevallig; innemend
gra'cious genadig; minsaam; bevallig, deug= saam, hoflik *also* **polite';** *good ~ (me)!* goeie genade!; grote genugtig!
grada'tion graad, klassifikasie, indeling; volg= orde; oorgang
grade (n) graad; rang; trap; styging (baan); klas (aartappels); (v) klassifiseer, gradeer, sorteer; kruis; ~ **12** graad 12 (matriek); **~r** padskraper
gra'dient helling; helling(s)hoek; gradiënt
gra'ding (n) gradering *also* **rank'ing** (sport); sortering; ~ **list** ranglys
grad'ual geleidelik; trapsgewyse; **~ly** langsamer= hand, geleidelik, gaandeweg
grad'uate (n) gegradueerde, graduaat (persoon); (v) gradueer, promoveer; gradeer; (a) nagraads (universiteit, technikon)
gradua'tion promosie, graduasie (universiteit, technikon); graadindeling; gradering; ~ **cer'=** **emony** gradeplegtigheid; ~ **day** gradedag
graffi'ti *(pl of* **graffi'to**) muurkrapsels, graffiti
graft[1] (n) bedrog, knoeiery, korrupsie *also* **fraud, mal'practice, dishon'esty**
graft[2] (n) ent; oorplanting; (v) ent; oorplant; **~er** enter (persoon); **~ing** enting
grail (n) graal; Ho'ly G~ Heilige Graal
grain (n) graan, graankorrel; grein; draad; nerf (leer); aard, natuur; (v) grein, vlam; aar; korrel; diep verf; ~ **el'evator** graansuier, (graan)silo; ~ **sor'ghum** graansorghum

gram gram; *50 ~s of sugar* 50 gram suiker; ~ **ca'lorie** gramkalorie

gram'mar (n) grammatika, spraakleer, spraakkuns

grammat'ical grammatikaal, grammaties

gram'ophone (obs.) grammofoon (veroud.); ~ **rec'ord** grammofoonplaat

granadil'la grenadella (vrug)

gran'ary graanskuur, koringskuur

grand (a) groot; groots; vernaam, verhewe, pragtig, deftig; uitgevat; spiekeries (om= gangst.) *also* **flash'y;** ~**child** kleinkind; ~**dad** oupa; ~**daugh'ter** kleindogter; ~ **duch'ess** groothertogin; ~ **duke** groothertog

gran'deur grootheid, grootsheid, aansienlikheid *also* **great'ness, lof'tiness, splen'dour;** *illu= sions of* ~ grootheidswaan

grand'father oupa, grootvader *also* **gran'dad;** ~ **clock** staanhorlosie

gran'diose (a) groots; windmakerig; spoggerig *also* **swan'ky, flash'y, ostenta'tious**

grand: ~ **old man** doyen, nestor; ~**mas'ter** grootmeester; ~**mo'ther/~ma** ouma, groot= moeder; ~ **occa'sion** glansgeleentheid; deftige doe; ~**pa'rents** grootouers; ~ **pia'no** vleuel= klavier; ~**sire** grootvader; voorvader; ~**son** kleinseun; ~**stand** hoofpawiljoen; ~ **to'tal** groottotaal

grange (n) (plaas)opstal *also* **home'stead;** skuur

gran'ite graniet (harde gesteente)

gran'ny ouma; ~ **flat** tuinwoonstel, herfstuiste

grant (n) vergunning, toekenning; skenking; bydrae *also* **contribu'tion, dona'tion;** toelae; (v) vergun, toeken; verleen; inwillig, erken; skenk; ~**ee'** begunstigde; ontvanger; ~**or'** skenker; gewer; toekenner

gran'ular/gran'ulous korrelrig, korrelagtig

gran'ulate (v) verkorrel, granuleer; ~**d su'gar** korrelsuiker

gran'ule (n) korreltjie

grape druif; ~**fruit** pomelo, bitterlemoen; ~ **juice** druiwesap; ~ **stone** druiwepit; ~ **sy'rup** moskonfyt; ~**vine** wingerdstok; bostamboer, rondfluistering, hoorsê (skinderstories; ver= troulike inligting)

graph (n) grafiek; kromme, kurwe; (v) grafies voorstel; ~**ic** skilderend, lewendig, grafies *also* **picto'rial; explic'it;** ~**ic file** grafikalêer (rek.)

graph'ite grafiet, potlood

graphol'ogist handskrifontleder, grafoloog *also* **hand'writing an'alyst**

grap'ple (n) gryphaak; greep; worsteling; (v) gryp; vasvat; aanklamp; ~ *with* worstel met; ~ **plant** rankdoring

grasp (n) greep; houvas; bereik; mag; *beyond one's* ~ buite jou bereik; *get a good* ~ 'n goeie begrip/houvas kry; (v) gryp *also* **clutch;** begryp; vashou; najaag; ~ *an opportunity* 'n geleentheid aangryp

grass (n) gras; weiveld; *keep off the* ~ bly w van die gras; (v) met gras beplant; neertre platslaan; ~**hop'per** sprinkaan *also* **lo'cust; plot** grasperk *also* **lawn;** ~**-roots** lev grondvlak, voetsoolvlak; ~ **wid'ow** graswed wee; ~ **wid'ower** graswewenaar

grate (n) rooster; traliewerk; vuurherd; (v) kna rasper; irriteer *also* **annoy', vex;** ~ *on t nerves* laat gril

grate'ful (a) dankbaar, erkentlik *also* **thank'f appre'ciative**

gra'ter rasper

gratifica'tion bevrediging, voldoening

grat'ify (v) bevredig; beloon, vergoed; verhe *also* **glad'den**

gra'ting (n) traliewerk, rooster(werk); (a) on voelig, irriterend *also* **jar'ring, vex'ing**

gra'tis gratis, vry, kosteloos

grat'itude (n) dankbaarheid, erkentlikheid a **thanks**

gratu'ity (n) fooi(tjie); beloning, vergoedi toelae. *also* **grant, per'quisite;** gratifikas bonus; geskenk

grave[1] (n) graf

grave[2] (v) graveer, (in)beitel

grave[3] (v) skoon brand; skoonmaak *see* **gra'vi dock**

grave[4] (a) ernstig; plegtig; swaar *see* **grav'i** *be ~ly mistaken* jou lelik misgis

grave: ~ **dig'ger** grafgrawer; ~ **rob'ber** gr rower *also* **bo'dy snat'cher**

grav'el (n) (klip)gruis; growwe sand; grawe steen; (v) gruis; ~ **road** gruispad, grondpad

grave: ~**stone** grafsteen *also* **tomb'stone;** ~**ya** kerkhof *also* **cem'etery, church'yard**

gra'ving dock droogdok (vir skoonmaak/hers van skepe) *also* **dry dock**

grav'itate (v) aangetrek word; graviteer (d aantrekkingskrag)

gravita'tion (n) swaartekrag; aantrekkingskr oorhelling

grav'ity (n) erns, belangrikheid; swaarte, gew gewigtigheid; **centre of** ~ swaartepunt; **fo of** ~ swaartekrag; **speci'fic** ~ soortlike gew

gra'vy (n) **gravies** (vleis)sous; ~ **train** soustre strooptrein; mannawa

graze[1] (n) skaafplek; skramskoot; (v) skram

graze[2] (v) wei, laat wei (vee)

gra'zing (n) weiding, weiveld *also* **pas'ture**

grease (n) ghries; (v) smeer, ghries, olie; ~ *palm* omkoop *also* **bribe;** ~ **gun** ghriesspui **nip'ple** ghriesnippel; ~**proof** vetvry *also* **f free**

greas'y olierig, vetterig, smerig; salwend, d perig (persoon)

great (a) groot, tamaai *also* **big, huge;** la beroemd, aansienlik; oor=; bedrewe, handig ~ *deal* baie

reat Brit'ain Groot-Brittanje (land) *see* **Brit'ain**

eat: ~**coat** oorjas; winterjas; ~**-grandfa'ther** oupagrootjie; oorgrootvader; ~**-grandmo'ther** oumagrootjie, oorgrootmoeder; ~**ly** grootliks; ~**ness** grootte *also* **size;** grootheid

eaves kaiings; moer, afsaksel

reece Griekeland

eed'(iness) (n) gulsigheid *also* **glut'tony;** hebsug, inhaligheid; begeerte

eed'y (a) gulsig; hebsugtig, inhalig, snoep *also* **avari'cious, self-enrich'ing; mean**

reek (n) Griek (persoon); Grieks (taal); *this is* ~ *to me* dis vir my Grieks (te moeilik); (a) Grieks (gebruike, ens.)

een (n) groen; groen(ig)heid; grasperk; setperk (gholf); (a) groen; fris; onryp; baar, onervare; ~**ery** groenigheid; ~**-eyed** jaloers, afgunstig, jantjie; ~**fee** baangeld (gholf); ~ **fin'gers** groeihand; ~**fly** groen plantluis, bladluis; ~**gage** groenpruim; ~**gro'cer** groentehandelaar **een'horn** nuweling, groentjie *also* **fresh'er; no'vice;** *be a* ~ nie eens/eers droog agter die ore nie

een: ~**house** kweekhuis; broeikas; ~**house effect'** kweekhuiseffek (op die ekologie); ~**ish** groenerig; **G~land** Groenland; ~**er pas'= tures** groener/aanlokliker weivelde (fig.); ~ **pep'per** soetrissie; ~**stick frac'ture** knakbreuk (by kinders)

eet (v) groet, begroet; ~**ing(s)** groet(e), groetnis; groeteboodskap, groetewens(e); ~**ings!** dagsê!; mooi loop!; goedgaan!

egar'ious (a) gesellig *also* **so'ciable;** tropsge= wyse (diere); groep=, kudde=; ~ **an'imal** kuddedier

em'lin duiweltjie, tokkelossie *also* **gob'lin, gnome;** setfout, drukfout

enade' granaat (projektiel); ~ **laun'cher** gra= naatwerper

ey (n) grys (kleur); (blou)skimmelperd; (v) grys word; (a) grys, grou; gespikkel, blou (perd); *the* ~ *mare is the better horse* die vrou dra die broek; ~ **horse** (blou)skimmelperd; ~**hound** windhond; ~**ish** grysagtig, valerig, grouerig

id (n) rooster, tralie; motorhek; bagasierak **idd'le cake** = **gir'dle cake**

id'iron (braai)rooster; traliewerk; Ameri= kaanse voetbal

id reference ruitverwysing

ief (n) droefheid, hartseer, smart, verdriet *also* **sor'row, sad'ness;** kommer; sorg; *come to* ~ 'n ongeluk/teenspoed kry; misluk; *good* ~*!* grote Griet!

iev'ance grief *also* **resentment;** ergernis, krenking; beswaar

ieve (v) treur; verdriet/pyn aandoen; droewig maak

griev'ous (a) smartlik; ernstig; gevaarlik, be= denklik *also* **crit'ical, grave** (condition)

griff'on griffioen, witaasvoël; grypvoël

grill (n) rooster; braaigereg, braaivleis; **mix'ed** ~ allegaartjie; (v) braai; rooster; (iem.) kruisvra; ~**room** braaihuis *also* **steak'house**

gril(le) sierrooster, skermrooster (aan motorkar)

grim (a) bars, nors; afsigtelik; meedoënloos; wreed *also* **fierce', grue'some;** grimmig; *hold on like* ~ *death* op lewe en dood vasklou; ~ *humour* galgehumor

grimace' (n) grimas (grynsende, suur gesig); (v) skewebek trek, gryns *also* **sneer, scowl**

grime (n) vuiligheid *also* **filth, smut;** aanpaksel; roet; (v) besmeer, betakel

gri'my (a) vuil, morsig *also* **fil'thy, grub'by, mes'sy**

grin (n) gryns, grynslag, spotlag; (v) gryns, grinnik

grind (v) maal, vergruis; slyp; skuur; kners; uitmergel; kwel; ~ *on* voortploeter, voortsuk= kel; ~ *the teeth* die tande kners; ~**ing stone** maalklip; ~**stone** slypsteen *also* **whet'stone**

grip[1] (n) grippie, voortjie, slootjie

grip[2] (n) greep; begrip; beheer; houvas; mag; meesterskap; haak; *come to* ~*s* handgemeen raak; (v) vasgryp; gryp

gripe (n) klagte, beswaar(dheid), grief; gekrenkt= heid; (pl) koliek, maagkramp; (v) beswaar maak, kla *also* **moan;** ~ **wa'ter** krampwater

gris'ly (a) aaklig, grillerig *also* **hid'eous; ghast'= ly;** afskuwelik; afsigtelik

grist koring, maalkoring; *all is* ~ *to his mill* dis water op sy meul (net wat hy wil hê)

grit (n) gruis; sand; vylsel; durf, (waag)moed *also* **guts;** (v) knars, skuur; ~**ty** sanderig, korrelrig

griz'zly (n) grysbeer (Noord-Amerika); (a) grys; gryserig, valerig

groan (n) gekreun, gesteun; (v) kreun, steun

groats hawergort

gro'cer kruidenier; ~**y** kruidenierswinkel; (pl) **..ries** kruideniersware

grog grok *also* (**hot**) **tod'dy** (before sleeping)

grog'gy (a) aangeklam; dronkerig *also* **tip'sy;** bewerig *also* **stun'ned, da'zed**

groin (n) lies, sy; graatrib

groom (n) bruidegom; staljong (vir perde); (v) roskam (perd); skoonmaak; slyp, brei, voor= berei; ~*ed for a senior post* opgelei/voorberei vir 'n senior pos; *well* ~*ed* netjies uitgevat/ versorg

groove (n) keep, groef; sleurgang; *fall into a* ~*/rut* die ou sleur/roetine volg; (v) uithol, ingroef

grope (v) rondtas, voel (in die donker) *also* **fum'ble; floun'der**

gross[1] (n, sing and pl) gros (12 dosyn)

gross² (a) dik, grof, lomp; ru; ~ **er'ror** growwe fout; ~ **neg'ligence** growwe nalatigheid

gross³ (a) bruto; totaal; ~ **amount'** (groot)totaal; ~ **earn'ings** bruto inkomste; ~ **nat'ional product** bruto nasionale produk, bruto volks= inkome; ~ **prof'it** bruto wins

grotesque' grillig, grotesk *also* **bizarre', weird**

grot'to grot, spelonk *also* **cav'ern, cave**

ground¹ (n) grond; rede; oorsaak; land; vloer; veld; (pl) besinksel, moer; redes; grond(e); *cover much* ~ wye/groot veld dek; *gain* ~ veld wen; *get off the* ~ op dreef/stryk kom; *give* ~ wyk, padgee; *lose* ~ veld/terrein verloor

ground² (v) grond; grondves, vestig; bou; plant; strand (skip); belet om te vlieg (vliegtuig)

ground³ (a) gemaal; geslyp

ground: ~ **control'** grondbeheer (lugvaart); ~ **floor** grondvloer, grondvlak (gebou); ~ **host= ess** grondwaardin; ~**ing** grondslag; ~**less** ongegrond *also* **unfounded'**; ~**nut** grond= boon(tjie); ~ **plan** grondplan, plattegrond; ~**s'man** terreinopsigter; ~**work** grondslag; aanvoorwerk

group (n) groep; hoop, klomp; (v) groepeer, rangskik; ~ **dynam'ics** groepdinamika; ~ **leader** groepleier

grouse¹ (n) (sing and pl) korhoender

grouse² (n) grief, beswaar, klag(te); (v) teen= stribbel, mopper, mor, murmureer; ~**r** brom= pot, bitterbek, knorpot *also* **grumb'ler, moan'er** (person)

grout afsaksel; ~**(ing)** pleisterkalk, voegvulsel (bouwerk)

grove boord *also* **or'chard;** laning; bos(kasie)

grov'el (v) kruip (in die stof) voor iem. *also* **cringe, boot'lick**

grow groei, aanwas; groter word; verbou, kweek (gewasse); uitloop; ontstaan; voortbring, teel; ~ *a beard* 'n baard kweek/laat groei; ~ *up* groot word, opgroei; ~ *vegetables* groente kweek; ~**er** kweker, teler, verbouer, boer

growl (n) geknor, gebrom; (v) knor, brom; ~**er** brompot, knorpot *also* **grum'bler**

grown begroei; gekweek; grootgeword; ~**-up** (n) grootmens, volwassene; (a) volwasse, opge= groei, opgeskote

growth (n) groei; ontwikkeling; gewas, (ver)= groeisel (kanker); ~ **fund** groeifonds; ~ **hor'= mone** groeihormoon; ~ **point** groeipunt; ~ **rate** groeikoers

groyne (n) pier, wandelhoof in see in *also* **jet'ty, pier**

grub¹ (n) wurm; maaier; smerige vent; teerputs

grub² (n) (slang) kos, eetgoed (omgangst.)

grub³ (v) opgraaf/opgrawe; ontwortel; omspit; omvroetel

grudge (n) wrok, haat *also* **mal'ice, grievance'; animos'ity;** afguns; *bear s.o. a* ~/*have a* ~ *against s.o.* 'n wrok teen iem. koester; (beny, misgun

gru'el gortwater; pap; loesing; ~**ling** (a) uitpu tend, veeleisend; ~*ling match* strawwe/kwa wedstryd

grue'some (a) grusaam, aaklig, afsigtelik; *murder* grumoord

gruff nors, stuurs, suur (persoon) *see* **grum'py**

grum'ble (v) mor, knor, brom; ~**r** brompo knorpot *also* **grow'ler, grou'ser**

grump'y knorrig, prikkelbaar, iesegrimmig *al* **ir'ritable, sur'ly, tes'ty**

grunt (n) geknor, gebrom; (v) knor, brom

G'-string (n) deurtrekker; genadelappie, ter toutjie; lendedoek (inboorling)

gua'no ghwano/guano; voëlmis

guarantee' (n) waarborg, garansie *also* **wai ranty;** (v) borg, waarborg, vrywaar; bo staan *also* **war'rant**

gua'rantor borg, waarborger

guard (n) wag; veiligheidswag; lyfwag *al* **body'guard;** kondukteur (trein); beskermin bewaking, beskutting; wagter, bewake brandwag; skerm; *advance* ~ voorhoede; *ke* ~ waghou; *rear*~ agterhoede; *relieve* ~ die w aflos; (v) oppas; wag hou; bewaar; bewaak; *against* waak teen

guard'ian (n) voog, beskermer *also* **custo'dia** oppasser; bewaker; kurator (museum); ~ **a** **gel** beskermengel, skutspatroon

guard: ~ **rail** (n) sperreling *also* **bar'rit rail'ing;** ~**room** wagkamer; ~**ship** wagskip

gua'va koejawel (vrug)

guerill'a guerrilla; ~ **war** guerrillaoorlog

guess (n) raaiskoot, raaislag; gissing; vermoed *make a* ~ raai, gis; (v) gis, raai; skat; ~**tima** raaiskatting (infml.); ~**work** raaiery

guest gas, kuiergas, kuiermens; ~ *of hono* eregas; ~ **appear'ance** gasoptrede; ~**far** gasteplaas; ~**house** gastehuis; **paying** ~ losee der *also* **boarder;** ~ **room/cham'ber** vrykame ~ **speaker'** geleentheidspreker, gasspreker

guffaw' (n) brulgelag; gebrul; (v) skaterla luidrugtig/smalend lag

guid'ance (n) leiding, bestuur; (beroeps)voorli ting

guide (n) gids, (ge)leier; leidsman; wegwyse raadgewer; leidraad; handleiding; (v) le bestuur; raadgee; rondlei; ~**book** reisgids; **dog** gidshond; ~**d** gerig; ~*d missile* geleid gerigte missiel; ~*d tour* begeleide toe rondleiding (museum); ~**line** riglyn, rigsnoe

guild gilde, vakvereniging *also* **frater'nity, fe lowship**

guil'der gulden (voormalige Nederlandse ge eenheid)

guile (n) bedrog, valsheid, misleiding *al* **cun'ning, deceit'**

uillotine' (n) guillotine, valbyl, valmes; (pa=
pier)snymasjien; (v) guillotineer, onthoof;
afsny

uilt skuld; **~y** skuldig, strafbaar; *found ~y of*
skuldig bevind aan; **~ com'plex** skuldgevoel
also **self-reproach'**

uin'ea ghienie (eertydse Britse geldeenheid); **~
fowl** (sing and pl) tarentaal, tarentale, **~ pig**
marmotjie; proefkonyn (persoon in bv. med.
toetse)

uise (n) manier, voorkoms; masker; *under the ~
of* onder die skyn/voorwendsel/dekmantel van

uitar ghitaar/kitaar

ulf golf, baai; draaikolk; kloof, afgrond

ull (n) seemeeu *also* **sea'gull**

ull'et (n) slukderm, keel

ull'ible (a) liggelowig, goedgelowig *also* **cred'=
ulous**

ull'y (n) riool(put); geut, grip; (v) uitspoel

ulp (n) sluk; (v) insluk; wegsluk

um[1] (n) gom; (v) gom, (vas)plak; **~boot**
waterstewel; mynwerkerstewel; **~pole** teerpaal

um[2] (n) tandvleis

ump'tion (n) dryfkrag; skranderheid; oorleg *also*
en'terprise, sav'vy, guts, drive, ini'tiative

un (n) geweer; wapen; roer; kanon; vuurwapen
also **fire'arm**; *at ~point* gedreig met 'n
vuurwapen; *stick to one's ~s* voet by stuk
hou; **~bar'rel** geweerloop; **~boat** kanonneer=
boot; **~cot'ton** skietkatoen; **~fire** kanonvuur;
~man gewapende boef/rower; rampokker;
~met'al geskutmetaal; **~ner** kanonnier;
boordskutter; **~pow'der** kruit, buskruit; **~run'=
ner** wapensmokkelaar; **~run'ning** wapen=
smokkel(ary); **~shot** geweerskoot; **~ sight**
visier; **~~to'ting/~~wiel'ding (person)** rollie=
pronk(er); snellermal mens

ar'gle (n) borreling; gegorrel; (v) gorrel

a'ru (n) (geestelike) leier, leermeester, ghoeroe
also **lea'der, men'tor**

ash (n) uitstroming; uitstorting; vloed; dwe=
pery; oliespuitbron; (v) uitstroom, uitstort;

oorborrel; **~er** spuitbron (olie uit bodem);
dweper (mens)

gust (n) windvlaag *also* **blast**; vloed; **~y** (a)
winderig, buierig, onstuimig

gus'to genot, lewendigheid *also* **zeal, zest**; *tell
with ~* lewendig/smaaklik vertel

gut (n) derm; dermsnaar; (pl) ingewande; fut,
ruggraat, durf; *I don't have the ~s* ek het nie
die moed/durf nie; (v) die ingewande uithaal;
plunder; verwoes; afbrand; **~ feel'ing** intuï=
tiewe gevoel, kropgevoel, penspersepsie; **~
string** dermsnaar; **~sy** (a) moedig, flink,
kordaat; **~ted:** *completely ~* heeltemal/totaal
uitgebrand/afgebrand

gut'ter (n) geut (aan dakrand); slootjie, voor; (v)
uithol; vore maak; rioleer; druip (kers)

gut'tural (n) keelklank, gutturaal; (a) gutturaal,
keel=

guy[1] (n) ou; kêrel; vent; vriend, maat; pel
(omgangst.); *a nice ~* 'n gawe ou; voëlver=
skrikker; (v) die gek skeer met; kul; bespot

guy[2] (n) ankertou, stuurtou; stormlyn (van tent);
(v) stuur (met 'n tou)

guz'zle (v) vreet; suip; gulsig eet/drink *also*
gorge, stuff (oneself)

gym (infml.) springjurk; gimnastieksaal, gimna=
sium

gymkha'na gimkana, perdesport(byeenkoms),
perdegala

gymna'sium gimnasium; gimnastiekskool

gym'nast gimnas (persoon)

gymnas'tics gimnastiek; **~ display'** gimnastiek=
vertoning

gynaecol'ogist ginekoloog, vrouedokter, vroue=
spesialis

gynaecol'ogy ginekologie *see* **obstet'rics**

gypsoph'ila (n) krytblom

gyp'sum gips; **~ board** gipsbord

gyp'sy = gip'sy

gyrate' (v) wentel, ronddraai, rondomtalie maak

gyra'tion omwenteling, rotasie; kringloop

gy'roscope giroskoop, tolkompas (toestel)

H

hab′erdasher(y) naaldwerkafdeling (van klera=
siewinkel); naaldwerkwinkel (verkoop knope,
garing, ens.)

hab′it[1] (n) kostuum; beroepsdrag (veral monnik,
non); (perd)rydrag

hab′it[2] (n) gewoonte; neiging; aanwensel; *be in
the ~ of* gewoond wees; *force of ~* mag van die
gewoonte

hab′itat (n) habitat; blyplek, woonplek (natuur=
like voorkomsgebied van diere, plante)

habita′tion woning *also* **res′idence;** bewoning
see **co′habitation**

habit′ual gewoonlik, gebruiklik; ~ **crim′inal**
gewoontemisdadiger

habit′ué gereelde besoeker/klant *also* **fre′quent/
reg′ular pa′tron**

hack[1] (n) (ou) knol, huurperd *also* **nag; plod′der**
(person); broodskrywer, knolskrywer, prul=
skrywer *also* **pen′ny-a-liner**

hack[2] (n) pik, byl, kapmes; keep, hou; (v) kap,
inkerf; hoes, aanhoudend kug

hack[3] (n) raamwerk, stellasie

hac′ker (n) stelselindringer, stelselvandaal (rek.)

hac′kle[1] (n) kunsvlieg (vir hengel); vlashekel;
lang nekveer; *with his ~s up* op sy agterpote;
veglustig

hac′kle[2] (v) skeur, stukkend breek; kap, ver=
mink; hekel

hack′ney (n) drawwer (perd); ryperd, karperd;
huurrytuig (veroud.); (v) verslyt; holrug ry,
afgesaag maak; ~**ed** afgesaag, holrug gery,
alledaags, verslete *also* **clichéd**

hack′saw ystersaag

had′dock skelvis

had′es onderwêreld, doderyk (mitol.); hel

haemoglob′in hemoglobien, bloedkleurstof

haem′orrhage bloeding; bloedstorting

haem′orroids aambeie *also* **piles**

hag ou wyf; heks *also* **vixen′, shrew**

hagg′ard (a) vervalle, afgerem, maer en bleek
also **drawn, ema′ciated;** verwilder(d)

hagg′is harslag met meelsous (Skotse gereg)

hag′gle (n) getwis; knibbelary; (v) knibbel,
kwansel, afding (prys) *also* **bick′er, bar′ter**

hagio′graphy (n) hagiografie, geskiedenis van
heilige

hail[1] (n) hael; (v) hael; ~ **cov′er** haeldekking,
haelversekering; ~ **dam′age** haelskade; ~
insu′rance haelversekering; ~**sho′wer** haelbui;
~**stone** haelkorrel

hail[2] (n) heilgroet; begroeting; (v) begroet;
aanroep; ~ *from* afkomstig wees van; 'n
boorling wees van; (interj) heil!; welkom!
~**er** luidroeper *also* **loud′hailer**

hair haar; (pl) hare; *by a ~'s breadth* op 'n haar

na; ternouernood; *to a ~* presies; op 'n haar na;
split ~s hare kloof; ~**brush** haarborsel/hare=
borsel; ~**do** kapsel; ~**dres′ser** haarsnyer,
haarkapper *also* **bar′ber, hair sty′list;** ~ **gel**
haarjel; ~**piece** pruik *also* **wig;** ~**pin** haar=
naald; ~*pin bend* skerp draai, S-draai; ~**-rais**=
ing skokkend, skrikwekkend *also* **alar′ming;**
~ **resto′rer** haarmiddel; ~ **rib′bon** haarlint,
haarband; ~ **slide** haarknippie; ~**split′ting**
haarklowery, vittery; ~**spray** haarsproei;
~**spring** haarveer; ~ **sty′list** kappersalon;
~**worm** haarwurm; ~**y** harig; haaragtig; ruig

hake stokvis

hal′cyon (n) ysvoël (mitol.); (a) kalm, stil,
vreedsaam; rustig *also* **plac′id, sere′ne;** ~ *days*
tyd van kalmte en geluk

hale gesond; ~ *and hearty* fris en gesond; pure
perd

half (n) helfte; halwe; skakel (rugby); *better* ~
wederhelf (man of vrou); *go halves* gelykop
deel; ~ *an hour* 'n halfuur; ~ *past three*
halfvier; (a, adv) half; ~**back** skakel (rugby);
~**-ba′ked** halfgaar, onbekook; ~**-bro′ther** half=
broer; ~**-crown** halfkroon (eertydse geldstuk);
~**hear′ted** halfhartig, lusteloos; ~**-jack** half=
bottel(tjie) (sterk drank); ~**-length** kniestuk;
~**-mast** halfstok (vlag); ~**-price** halfprys;
~**-time** rustyd, blaaskans, pouse; ~ **vol′ley**
lepelhou, skephou (tennis); ~**way** halfpad;
~*way line* middellyn; ~**-wit′ted** onnosel, simpe=
also **dot′ty, fee′ble-mind′ed;** ~**-year′ly** half=
jaarliks *also* **bian′nual** *see* **bien′nial**

hal′ibut heilbot (vis); ~ **li′ver oil** lewertraan

halito′sis (n) slegte asem, halitose

hall saal; voorportaal, vestibule, hal, foyer *also*
lob′by; ~ **stand** hoedestaander, gangrak

hallelu′jah! (interj) halleluja!

hall′mark (n) waarmerk, keurmerk *also* (**offi**=
cial) **em′blem;** ~**ed** gewaarmerk

hall′ow (v) heilig, wy; heilig verklaar; ~**e**
ground gewyde/heilige grond

hallucina′tion (n) sinsbedrog, hersenskim; hal
lusinasie, dwaling, waan *also* **delu′sion**

ha′lo (n) stralekrans, ligkrans *also* **aureole**
coro′na

halt[1] (n) halt; halte (trein); stilstand; *call a ~* ha
maak; (v) stilstaan; weifel; ~, *who goes there*
halt, wie loop daar?; werda?; ~*ing/stumblir*
voice hortende stem

halt[2] (v) kruppel/mank loop; (a) mank, kreupe
kruppel

hal′ter (n) halter; strop; galgtou

halve (v) in die helfte deel, halveer

ham ham; dy; **ra′dio** ~ radio-amateur

ham′ba (Xhosa, Zulu) (v) loop!, skoert!, ga

weg!, hamba!; ~*kahle* mooi loop; gaan in
vrede

ham'burger (n) hamburger, frikkadelbroodjie

ham-fisted, ham-han'ded (a) lomp, onhandig;
taktloos, kru

ham'let dorpie, gehug(gie)

hamm'er (n) hamer; haan (geweer); ~ *and sickle*
hamer en sekel (simbool van Kommunisme);
~ *and tongs* met alle mag; (v) hamer; slaan;
smee; instamp; ~ *something into s.o.'s head*
iets (bv. 'n feit) in iem. se kop inhamer; ~ *out*
oplos, uitprakseer *also* settle'; ~ *upon* aanhou-
dend aandring; **~head** hamerkop, paddavanger
(voël)

hamm'ock hangmat

ham'per[1] (n) smulmandjie; keurpakket *also:
basket with food/drink*

ham'per[2] (v) belemmer, bemoeilik; verwar;
hinder *also* **hin'der, obstruct', han'dicap**

ham'shackle (v) kniehalter; kortwiek

ham'ster hamster (troeteldier)

ham'string (n)· dyspier *also* **thigh muscle;**
kniesening; (v) die kniesening deursny; kort=
wiek *also* **incapac'itate**

ham'strung (a) belemmer, gekortwiek, gefnuik
also **disa'bled**

hand (n) hand; wyser/wyster (horlosie); skrif;
helper, werksman, handlanger; tros (piesangs);
at ~ byderhand; *by* ~ per bode; *~-to-~ fighting*
handgemeen; *be ~ in glove with* kop in een
mus wees met *see* **cahoots';** *the matter in* ~ die
onderhawige saak; *from ~ to mouth* 'n
sukkelbestaan voer; *give s.o. a big* ~ iem.
luide applous gee; *~s off!* hande tuis!; *an old* ~
'n ou kalant; *second* ~ tweedehands; *try one's
~ at* (uit)probeer; *under his* ~ deur hom
onderteken/geteken; *~s up!* hen(d)sop!; *win
~s down* fluit-fluit wen; (v) oorhandig; hand
gee; aangee; vasmaak; help; ~ *in* inlewer,
inhandig; indien, voorlê; ~ *in the assignment*
die taak/werkstuk inlewer; ~ *on* aangee; **~bag**
handsak; **~bill** strooibiljet, blaadjie *also*
hand-out; ~book handleiding *also* **text'book,
man'ual; ~brace** omslagboor; **~brake** hand=
rem; **~cart** stootkarretjie, handwaentjie; **~cuff**
(n) handboei; (v) boei *see* **shack'les; ~feed/
~rear** hans grootmaak; **~ful** hand vol; ~
grena'de handgranaat; **~gun** handwapen

hand'icap (n) voorgee; voorgeewedloop; handi=
cap; belemmering *also* **bar'rier, drawback';**
(v) belemmer, bemoeilik; kniehalter; voorgee;
(a) gestrem; **the ~ped** die gestremdes; ge=
stremde persone *also* **the disa'bled; ~per**
voorgeër

han'dicraft handwerk, handearbeid; kunsvlyt
also **craft, han'diwork**

han'diwork handewerk; ontwerp; skepping *also*
design'; prod'uct

hand'kerchief (n) sakdoek *also* **hanky**

han'dle (n) handvatsel, vatsel; hingsel; steel;
stuur; (v) hanteer; behandel; betas; aanpak;
bestuur, beheer; behartig; **~bar** stuur(stang)

hand'ling hantering; behandeling

hand: ~ **lo'tion** hande(vloei)room; **~made** hand=
gemaak, selfgeskep *also* **self'made; ~mir'ror**
handspieël; **~-out** vlugskrif, strooibiljet;
~pick'ed staff gekeurde personeel; **~-reared'**
hans grootgemaak *also* **hand/bottle fed; ~saw**
handsaag; **~set** handstuk, hoorstuk (selfoon)

hand'some (a) aantreklik; aanvallig, fraai *also*
attrac'tive, good-loo'king; ~ **gift** ruim(harti=
ge)/rojale geskenk; **~ly rewar'ded** ryklik
beloon

hands'-on: ~ **train'ing** werkgedrewe/werkge=
bonde opleiding, ervaringsopleiding *also*
on-the-job' training

hand'spike koevoet *also* **crow'bar; jem'my**

hands'upper hen(d)sopper, oorgeër (vegter)

hand'writing handskrif

han'dy (a) handig, behendig; nuttig, veeldoelig
(gereedskap); *come in* ~ goed/nuttig te pas
kom; **~man** nutsman, handlanger, faktotum

hang[1] (n) hang; helling; rigting; neiging; *not
care a* ~ niks/geen flenter omgee nie; *get the
~/knack of* die slag kry; verstaan, snap *also:
grasp the meaning of*

hang[2] (v) hang; behang; ophang; ~ *about*
rondstaan; drentel *also* **loi'ter;** ~ *against the
wall* aan/teen die muur hang; ~ *it!* vervlaks!; ~
a murderer 'n moordenaar (op)hang/teregstel;
thereby ~s a tale dis weer 'n ander storie; **~ing
file** hanglêer

hang'ar vliegtuigloods, hangar

hang'dog boef, deugniet; *have a* ~ *look* lyk soos
'n hond wat vet gesteel het; ~ **face** gluiperige
voorkoms, galgetronie

hang'-glider (n) vlerkswewer (persoon); vlerk=
sweeftuig

hang'-gliding vlerksweef

hang'man beul, laksman *also* **execu'tioner**

hang'-out lêplek, boerplek; blyplek *also* **digs,
den;** gewilde eetplek/uithangplek *also* **pop'=
ular res'taurant**

hang'over bab(b)elas, wingerdgriep, wynpyn;
dikkop *also* **bab'alas blues** (SAE)

hang-up (n) inhibisie, fobie; fiemies; obsessie,
kompleks (oor iets) *also* **obses'sion**

hank string; ~ *of wool* string wol

hank'er (v) vurig verlang, hunker *also* **crave,
pine; ~ing** (n) hunkering; (a) verlangend

haphaz'ard (b) lukraak; ongeorden *also* **ran'=
dom; slapdash'**

hap'pen (v) gebeur, geskied, plaasvind; voor=
kom; *I ~ to know* toevallig weet ek

hap'pening (s) gebeurtenis; kunstenaarsfees,
happening, makietie

hap′piness (n) geluk, vreugde *also* **joy, bliss**

hap′py gelukkig, voorspoedig *also* **joy′ful, cheer′ful;** *many ~ returns* veels geluk (met jou verjaardag); *have a ~ day* geniet die dag; **~-go-lucky** onbekommerd, onbesorg, sorg(e)= loos *also* **light-hearted′**

hara-ki′ri hara-kiri; rituele selfmoord/selfdo= ding (in Japan)

har′ass (v) kwel, pla *also* **pes′ter, pla′gue; sex′ual ~ment** seksuele teistering

harb′our (n) hawe; skuilplek; (v) herberg, huisves, skuilplek gee; koester (agterdog); ~ **mas′ter** hawemeester

hard (a) hard; swaar; streng *also* **strict;** stewig *also* **firm;** skerp; *drive a ~ bargain* onbillik baie verg; te veel vra; *a ~ case* 'n hopelose vent; *a ~ and fast rule* 'n vaste reël; (adv) hard; stewig; hewig; vlak; *~ of hearing* hardhorend, hardhorig; dowerig; *try ~* hard probeer; *be ~ up* platsak wees; **~-bit′ten** hardekoejawel; har= dekwas (persoon); **~-boi′led** hardgekook (eier); hardvogtig (persoon); hardkoppig (persoon); ~ **cash** klinkende munt, ~ **disk** hardeskyf (rek.); ~ **(disk) drive** hardeskyfaandrywer (rek.); **~en** hard maak, verhard; **~ened** gehard, vereelt; ~ **feelings′** aanstoot; *no ~ feelings* geen aanstoot bedoel/geneem nie; **~hear′ted** verhard, hard= vogtig *also* **cal′lous, heart′less;** ~ **la′bour** dwangarbeid, hardepad; **~liner** hardekwas, bittereinder (onversetlike persoon); ~ **lines!/ luck!** simpatie!; hoe jammer!; **~ly** nouliks, skaars; kwalik; **~ness** hardheid; ongevoelig= heid; **~-pres′sed** verleë, in die knyp; gestres; platsak; **~ship** ontbering, teenspoed; **~ware** hardeware, ysterware; apparatuur, hardeware (rek.); **~-wea′ring** (a) slytwerend *also* **dur′able;** **~-wor′king** arbeidsaam, fluks; **~y** sterk, taai, gehard *also* **ro′bust, brave, head′strong**

hare haas *see* **rab′bit;** **~brai′ned** ondeurdag; onbesonne; *a ~brained scheme* 'n simpel/on= deurdagte plan; **~lip** haaslip, gesplete lip *also* **(upper) cleft lip**

ha′rem (n) harem, vroueverblyf (in Oosterse paleis/huis)

har′icot snyboon(tjie) *also* **French bean**

hark luister; ~ *back to* terugsnuffel; terugverlang na

har′lequin harlekyn, hanswors, nar *also* **jo′ker, jes′ter; come′dian**

har′lot hoer *also* **whore, pros′titute**

harm (n) skade *also* **dam′age;** nadeel; (v) skade aandoen/berokken, kwaad doen; benadeel; **~ful** skadelik, nadelig, **~less** onskadelik; onskuldig

harmon′ica (n) mondfluitjie; harmonika

harmo′nious (a) harmonies, welluidend; ooreen= stemmend

harmo′nium harmonium; huisorrel, traporrel, serfyn

har′mony harmonie; ooreenstemming; eendrag *also* **good′will, u′nity, rapport′**

har′ness (n) tuig; wapenrusting; (v) optuig; inspan

harp (n) harp; (v) op die harp speel; ~ *on the same string* dieselfde (ou) liedjie/deuntjie sing (fig.); **jew's ~** trompie, mondharp

harpoon′ (n) harpoen; (v) harpoeneer (walvis)

harp′sichord (n) klavesimbel

har′rier[1] (n) haashond, jaghond; afstandloper

har′rier[2] (n) verwoester, plunderaar; ~ **eagle** uilarend; valk, kuikendief

har′row (n) eg; (v) eg, êe; pynig, folter; **~ed** (a) gekwel, beangs; **~ing** (a) ontstellend; hartroe= rend; aangrypend *also* **ag′onising, traumat′ic**

har′ry (v) pla, kwel *also* **pes′ter, torment′;** plunder; verwoes

harsh ru *also* **crude, pit′iless;** hard; nors; skerp; **~ness** ruheid, strengheid *also* **rough′ness, sever′ity;** ~ *measures* streng/strawwe maat= reëls

hart takbok, hert

har′t(e)beest hart(e)bees (wildsbok)

har′um-scar′um (n) rabbedoe, maltrap (meisie); (a) wild, holderstebolder, halsoorkop

har′vest (n) oes; oestyd; (v) oes; insamel, ingaar; **~er** snyer, oester (persoon); snymasjien; **~er cric′ket** koringkriek; **~er ter′mite** knipmier stokkiesdraer, grasdraer; ~ **time** oestyd

has′-been (n) uitgediende (persoon wat onbe= langrik geraak het)

hash (n) fynvleis; mengelmoes; *make a ~ of* verknoei, verbrou; (v) fynmaak

hasp (n) grendel; werwel; (v) op slot/knip sit, grendel, toemaak; ~ **and sta′ple** kram en oorslag

has′sle (n) gesukkel; moeite; (v) kibbel, stry; pla, treiter *also* **pes′ter, har′ass**

has′sock knielkussing, knielmat (vir gebed)

haste (n) haas, spoed; vaart; *make ~* gou maak, opskiet; *more ~ less speed* hoe meer haas hoe minder spoed

ha′sten (v) gou maak, bespoedig, aanja(ag) *also* **dash, fly**

ha′sty (a) haastig; driftig, voortvarend *also* **impul′sive, impet′uous**

hat hoed; *talk through one's ~* kaf verkoop grootpraat; *keep it under your ~* be mum about it; **~band** hoedband; **~box** hoededoks

hatch[1] (n) luik; onderdeur; **~back** luikrug (motor

hatch[2] (n) broeisel; (v) uitbroei (eiers); prakseer uitdink, beraam; **~ery** broeiery, broeihui (pluimvee)

hatch′et handbyl; strydbyl; ~ **man** huurmoorde naar *also* **hitman, assassin;** *bury the ~* vred maak

hatch'way valluik *also* **trap'door**

hate (n) haat, afkeer; (v) haat, verafsku; *I ~ peaches* ek haat perskes; **~ful** haatlik; **~r** hater; **~ speech** haatspraak

ha'tred haat, wrok, nyd *also* **en'mity, antip'athy**

hat: ~ stand kapstok, staander; **~ter** hoede= maker; **~ trick** driekuns (krieket)

haught'iness hoogmoed, trots *also* **pri'de**

haugh'ty (a) hoogmoedig, aanmatigend, trots *also* **proud, up'pish**

haul (n) vangs; (v) trek, sleep, hys; **~ in** inbring; **~ier** (vrag)karweier *also* **com'mon car'rier, car'tage contrac'tor, truck'er**

haunch heup; dy; boud; (pl) *sit on one's ~es* op jou hurke sit

haunt (n) drukbesoekte plek; boerplek; woon= plek; (v) ronddwaal; spook; druk besoek, boer (by 'n plek); *~ed house* spookhuis; **~ing** (a) kwellend, obsederend

have (v) hê; besit; kry; ontvang; *~ no doubt* nie daaraan twyfel nie; *~ a heart!* moenie laf wees nie!; wat verwag jy alles?; *he has no objection* hy het geen beswaar nie; *~ it out* dit uitspook, uitpraat; *~ a try* probeer; *the ~s and the ~-nots* die rykes en die armes

ha'ven (n) (veilige) hawe, toevlugsoord

hav'ersack knapsak, rugsak

hav'oc (n) verwoesting; verwarring; chaos; *cause ~* verwoesting/verwarring/chaos veroorsaak

hawk[1] (n) valk (roofvoël; persoon wat oor= log/militêre optrede voorstaan); (v) met valke jag

hawk[2] (v) rondvent, smous *also* **peddle'**

haw'ker[1] (n) valkenier (jagter met valke)

haw'ker[2] (n) (straat)smous, straatverkoper *also* **street ven'dor, infor'mal tra'der**

haw'ser ankertou, skeepskabel

hawk'-eyed skerpsiende; met valkoë

haw'king valkejag *also* **fal'conry**

haw'thorn meidoring, haakdoring

hay (n) hooi; *make ~ while the sun shines* die geleentheid aangryp; **~box** hooikis, prutpot (selfkookhouer); **~ fe'ver** hooikoors; **~fork** hooivurk, gaffel; **~stack** hooimied; **~wire** (a) deurmekaar, verward

haz'ard (n) risiko, gevaar; hindernis (gholf); toeval; **~ but'ton** gevaarknoppie *see* **pan'ic button; ~ light** klikliggie (in motor) *also* **war'ning light;** (v) waag; **traf'fic ~** ver= keer(s)gevaar; **~ous** onseker, gevaarlik *also* **insecure', per'ilous; ~ous waste** gevaarlike afval

haze (n) dyns(e)righeid, mis; (v) benewel

ha'zel (n) haselneut; (a) ligbruin; **~-eyed** brui= noog=

ha'zy dyns(e)rig, mistig *also* **fog'gy, mis'ty;** nat; vaag

he (pron) hy

head (n) kop; hoof; koppenent; verstand; kapsel (hare); aantal (diere); stoomdruk; kruin; hoof= man, leier; skuim (bier); krop (slaai); bopunt; opskrif *also* **head'ing** (in newspaper); *~ of cattle* stuk(s) vee; *from ~ to foot* van kop tot toon; *~ over heels* bolmakiesie; halsoorkop (bv. verlief raak); *lose one's ~* die kluts kwytraak; *off one's ~* van jou verstand/wysie af; *~ of the family* gesinshoof; *~ of state* staatshoof; president; *~s or tails* kruis of munt; *win by a ~* met 'n koplengte wen; (v) aanvoer, lei; van opskrifte voorsien; koers vat na; *~ the poll* die meeste stemme kry; **~ache** hoofpyn, kopseer; **~gear** hoofbedekking; **~guard** kop= skerm; skrumpet; **~-hun'ter** koppesneller *also* **scalp hun'ter; ~land** wenakker; voorgebergte, kaap; **~lights** hoofligte, kopligte (motor); **~line** hofie, opskrif, kop *also* **head'ing** (in news= paper); **~line ear'rings** wesensverdienste (maatskappy); **~long** blindelings, onbesonne *also* **has'ty, impul'sive; ~man** hoofman, kaptein; **~mas'ter** skoolhoof, prinsipaal *also* **school prin'cipal; ~mis'tress** prinsipaal; **~-on colli'sion** trompopbotsing; kop-teen-kop-bot= sing, frontbotsing; **~quar'ters** hoofkwartier; **~rest** kopstut; slagkussing (motor); **~room** deurryhoogte (vir hoë vragmotors); **~shrinker** (slang, joc.) psigiater; kopdokter (skerts.); **~stone** grafsteen *also* **tomb'stone; ~strong** koppig, eiewys *also* **stub'born, foolhar'dy; ~way** vooruitgang

heal (v) genees, heel, gesond maak/word; **~-all** wondermiddel, panasee; **~er** heler, heelmees= ter, geneser

health gesondheid; welstand; **~ care** gesond= heidsorg; **~ sciences'** gesondheidsweten= skappe; geneeskunde; **~y** (a) gesond, fiks *also: hale and hearty*

heap (n) hoop, klomp; stapel *also* **mound; menigte;** (v) ophoop, opstapel *also* **stack, stock'pile**

hear (v) hoor; verneem; luister; **~er** toehoorder, hoorder; **~ing** gehoor (vermoë om te hoor); verhoor, tugondersoek; **~ing aid** hoorapparaat; **~ing-impair'ed** gehoorgestremde

hear'say (n) hoorsê, gerug, bostamboer *also* **ru'mour, gos'sip; grape'vine**

hearse (n) roukoets, lykwa; doodsbaar

heart (n) hart; gemoed; krag; liefde; pit, kern; *to one's ~'s content* na hartelus; *a change of ~* tot inkeer kom; *cry/weep one's ~ out* jou doodhuil; *have the ~* die moed hê; *keep ~* moed hou; *learn by ~* van buite leer; *lose ~* moed verloor; *lose one's ~* verlief raak; *~ and soul* hart en siel; *speak one's ~* jou hart lug; *take to ~* ter harte neem; *~ to ~* openhartig (gesprek); **~ache** hartseer, sielsmart; **~ attack'** hartaanval; **~beat** hartslag, hartklop; **~break=**

ing hartverskeurend; **~bro'ken** ontroosbaar; **~burn** sooibrand; **~ by'pass** hart(vat)omlei= ding; **~ disease'** hartkwaal; **~ do'nor** hart= skenker; **~en** bemoedig, aanmoedig, opvrolik; **~ fail'ure** hartverlamming *also* **car'diac arrest';** **~felt** (a) hartlik, opreg, innig *also* **sincere', gen'uine**

hearth (n) vuurherd, haard *also* **fire'place**

heart: ~ily hartlik; **~less** harteloos, wreed; **~~ren'= ding** hartverskeurend; **~s** hartens (kaarte); **~scan** harttasting (med.); **~sore** hartseer; **~~stir'ring** hartroerend; **~ pace'maker** hartpas= aangeër; **~ trans'plant** hartoorplanting; **~y** hartlik *also* **cor'dial;** vrolik; gesond

heat (n) hitte, warmte; gloed; loopsheid (by diere); branderigheid; drif; uitdun (wedstryd); (v) warm maak; verhit; *on ~* bronstig, op hitte (wyfiedier); **dead ~** gelykop (uitslag); **~ conduc'tor** warmtegeleier; **~er** verwarmer; **~ exhaus'tion** hitte-uitputting; sonsteek

heath heide, erika; kaal vlakte *also* **hea'ther**

heath'en (n) heiden *also* **in'fidel, pa'gan;** (a) heidens; **~dom** heidendom

hea'ther (Skotse) heide; vlakte, heideveld

heat: ~ stroke hitteslag, hittesteek, sonsteek; **~ wave** hittegolf

heave (v) ophef; laat swel; slaak (sug); lig (anker); dein; snak (na lug); *~ a sigh* 'n sug slaak

hea'ven hemel; uitspansel, lugruim; *move ~ and earth* hemel en aarde beweeg; *for ~'s sake* om hemelswil; *in vredesnaam; ~ only knows* die joos weet; **~ly** hemels; salig

hea'vy (a) swaar; gewigtig; taai, moeilik; log; **~ type** vetdruk; **~weight** swaargewig (boks)

He'brew (n) Hebreër (persoon); Hebreeus (taal)

heck: *what the ~* wat op aarde!; wat de drommel/duiwel!

hec'kle (v) hekel, tart *also* **jeer, bar'rack; ~r** hekelaar (persoon)

hec'tare hektaar (10 000 m²)

hec'tic (a) koorsagtig, woes, wild *also* **tur'= bulent, fran'tic, fren'zied**

hec'togram hektogram

hec'tolitre hektoliter

hec'tometre hektometer

hedge (n) heining; laning; belemmering *also* **bar'rier, boun'dary;** (ver)skans(ing) (beleg= ging); (v) omring; omhein; uitvlugte soek; ontwykend antwoord; verskans (belegging); **~hog** krimpvark(ie), rolvark(ie); **~shears** hei= ningskêr

hedg'ing (n) verskansing (teen prys- of waarde= daling)

he'donism (n) hedonisme, genotsug

heed (n) aandag, sorg; hoede; *pay ~ to* ag slaan op; (v) oppas, ag gee, oplet; **~less** agte(r)losig *also* **care'less**

heel[1] (n) hakskeen; polvy; hoef; *kick one's* ongeduldig staan en wag; *take to one's* weghol; laat spaander; (v) haak (rugby)

heel[2] (n) oorhelling; (v) krink (skip)

hef'ty (a) stewig; groot en sterk; gespierd *at* **sol'id; stur'dy; braw'ny;** *a ~ bill* 'n stywe/h rekening

hege'mony (n) hegemonie; leierskap, oorw (van magtige staat)

he'-goat bokram

hei'fer vers *also* **fe'male calf**

height (n) hoogte *also* **eleva'tion;** leng toppunt; *the ~ of folly* die opperste dwaashe **~en** (v) hoër maak, verhef; vererger

hei'nous verfoeilik, afskuwelik, grusaam *a* **repug'nant, detes'table**

heir erfgenaam; **~ appar'ent** regmatige erfg naam/opvolger; **~ess** erfgename, erfdogt **~loom** erfstuk, familiestuk; **~ presump'ti** vermoedelike opvolger/begunstigde

heist (n) (bank)roof; (transito)rooftog *also* **hol up**

heli'copter helikopter; tjopper (omgangst.)

helio'graph (n) heliograaf (ligseintoestel); • heliografeer

helio'trope heliotroop, sonsoekertjie (plant)

heli'pad heliblad (op gebou)

heli'port helihawe

he'lium helium (ligte gas)

hell hel; hades; vuurpoel; *come ~ or high wa* kom wat wil; *give s.o. ~* iem. uitvreet; *~ o noise* helse lawaai; **~cat** tierwyfie, fee (vrou); **~dri'ver** jaagduiwel, spoedvraat *a* **speed mer'chant**

Hel'lene (n) (antieke) Griek (persoon) *a* **Hel'lenian, Hel'lenic**

Hel'lenic (a) Helleens, Grieks (antieke tyd)

hell: ~fire helvuur; **~hound** helhond; **~ish** he

helm roer, helmstok; *at the ~* aan die roer (v sake) *also: in charge/control of*

hel'met helm; stormhoed; **crash ~** valhel pletterpet

helms'man stuurman

help (n) hulp, steun, bystand; helper, handlang raad; *with the ~ of* met behulp van; (v) he steun; bedien; *I could not ~ laughing* ek k nie my lag hou nie; *a ~ing push/shove* hupstootjie; **~er** helper, hulp; **~ful** behu saam, hulpvaardig, nuttig; **~ing** (n) porsie (~ kos); (a) helpend; **~less** hulpeloos; **~l** hulplyn

hel'ter-skel'ter (a, adv) holderstebolder, halso kop *also* **top'sy-tur'vy**

hem (n) soom, rand; (v) omsoom; omboor

hemis'phere (n) halfrond; halfbol

hem'lock (n) dollekerwel, giftige kerwel *a* **cher'vil, black'jack(s)** (plant)

hemp hennep; tou; **wild ~** dagga, marijuana

m'stitch (n) siersoom, soomsteek; (v) soom=
steke/siersome aanbring (naaldwerk)
n hen; hoenderhen; =wyfie; wyfie=
nce van nou af; hiervandaan; derhalwe;
vandaar; ~ *this problem* vandaar hierdie
probleem; ~forth voortaan *also: from now on*
nch'man (n) handlanger, trawant *also* cro'ny
n: ~house hoenderhok; ~peck'ed (husband)
onder die plak/pantoffelregering, pantoffel=
held
p'tagon sewehoek
r (possessive pron) haar
r'ald (n) herout; voorloper; bode; (v) aankon=
dig, uitroep; ~ic (a) heraldies, wapenkundig;
~ist (n) heraldikus, wapenkundige; ~ry (n)
wapenkunde, heraldiek
rb krui(e); bossie; ~age kruie; weiding; ~al (n)
kruieboek; (a) kruie=; ~al ointment kruiesalf;
~alist kruiekundige; bossiedokter; ~a'rium
herbarium; ~ gar'den kruietuin, fyntuin;
~icide' onkruiddoder; ~iv'orous (a) plant=
etend, plantvretend
rd (n) herder, (vee)wagter; trop, kudde; (v)
vee oppas; saamhok; ~s'man beeswagter
re hier, hierso; hiernatoe; ~ *you are* hier is
dit/hy; dè, asseblief; *that's neither* ~ *nor there*
dis nie ter sake nie; ~about(s)' hierrond;
~af'ter (n) hiernamaals; (adv) hierna, later;
~by' hierby, hiermee
ed'itary (a) erflik, oorerflik
re: ~in hierin; ~on' hierop
~'esy kettery, dwaalleer *also* schism
~'etic (n) ketter *also* un'believer, in'fidel
re: ~upon hierop; toe; ~with hiermee, hierbe=
newens
~'itage erfenis, erfdeel, erflating *also* estate'
ri'tage Day Erfenisdag (vakansie, 24 Sep=
ember)
~maph'rodite (n) hermafrodiet, trassie; (a)
hermafrodities, tweeslagtig
~meneut'ics uitlegkunde, skrifverklaring
~met'ical hermeties, lugdig (verseël)
m'it (n) kluisenaar, hermiet *also* recluse'
(person)
~m'itage kluisenaarshut; verskuilde woonplek;
hermitagewyn
~'n'ia breuk; umbi'lical ~ naelbreuk (med.)
ro (n) -es held; ~'s welcome heldeontvangs
~o'ic (a) heldhaftig, heroïes *also* daunt'less,
val'iant; ~ poem heldedig
~'oin (n) heroïen (dwelmstof)
roism heldhaftigheid, heldemoed *also* bra=
very
~'on reier (watervoël)
~'o wor'ship (n) heldeverering *also* idolisa'=
tion, ven'eration
~'pes (n) koorsblare; omloop; ~ zos'ter
gordelroos *also* shing'les

herpetol'ogist herpetoloog, slangkenner
her'ring haring (vis); *a red* ~ 'n poging om die
aandag af te lei/iem. op 'n dwaalspoor te
bring; pick'led ~ pekelharing; smo'ked ~
gerookte haring; bokkem/bokkom
hers (possessive pron) hare
herself' haarself; *by* ~ sy alleen; *that's like* ~ dis
nes sy is
hes'itant (a) aarselend, weifelend
hes'itate (v) aarsel, weifel, talm *also* wa'ver
hesita'tion (n) aarseling, weifeling, getalm
hes'sian goiingsak, goiingstof
heteroge'neous (a) ongelyksoortig, heterogeen;
vreemdsoortig
heuris'tic (a) ontdekkend, heuristies
heuris'tics (n) heuristiek (as wetenskap)
hew (v) kap, neervel *also* axe, chop; ~er kapper;
~ers of wood houtkappers
hex'agon seshoek
hexam'eter sesvoetige vers, heksameter
hey'day glorietyd, glansperiode; bloeityd
hia'tus (n) gaping, leemte, breuk, opening, hiaat
also gap, breach
hi'bernate (v) oorwinter; winterslaap hou;
hiberneer
hibis'cus vuurblom, heemswortel, hibiskus
hic'cup/hic'cough (n) hik; (v) hik
hid'den (a) verborge; ~ agen'da verskuilde/ver=
borge agenda
hide[1] (n) vel, huid; *to save his* ~ om sy bas/lewe
te red; ~bound gewoontevas; verstard; be=
krompe, verkramp
hide[2] (v) wegkruip; wegsteek, verberg; ~ *one's
head* jou kop laat sak; ~-and-seek (n)
wegkruipertjie, aspaai
hid'eous afskuwelik, aaklig, afgryslik *also*
grue'some, hor'rid, ghast'ly
hide'-out skuilplek, wegkruipplek *also* lair,
hideaway'
hi'ding[1] (n) pak (slae), loesing *also* thrash'ing,
whack'ing
hi'ding[2] (n) skuilplek, skuiling; *be in* ~ weg=
kruip; ~ place skuilplek, skuiling, wegkruip=
plek
hi'erarchy hiërargie, gesagslyn *also* ran'king,
gra'ding; kerkregering, priesterheerskappy
hi'eroglyph(ics) beeldskrif (waaronder spyker=
skrif); hiëroglief/hiërogliewe
hi-fi set (infml.) (n) klanktroustel, hoëtroustel
hig'gle (v) kwansel, afding, knibbel *also* bick'er,
wran'gle, has'sle
hig'gledy-pig'gledy (a) deurmekaar, onderstebo
high (n) die hoë; maksimum; toppunt; *the most
H~* die Allerhoogste; (a) hoog; verhewe; sterk;
ryk; adellik; duur (prys); trots; opgewek; ~
and dry hoog en droog; *feelings ran* ~ die
gemoedere was gaande; *the meat is* ~ die vleis
het 'n kraak/klankie; *in* ~ *spirits* uitgelate;

~*est score ever* hoogste telling nog/ooit; *it is ~ time* dis hoog tyd; (adv) hoog; kragtig; ~ **al′titude** hoog bo seespieël/seevlak; ~ **blood pres′sure** hoë bloeddruk, hipertensie; ~**brow** (a) boekgeleerd, intellektueel; pedanties *also* **bookish;** ~ **care** hoë sorg (hospitaal); **(the) H~ Church** die Anglikaanse Kerk; ~ **command′** opperbevel (van leër); **H~ Commis′sioner** Hoë Kommissaris (dipl.); **H~ Court** Hoogge=regshof; ~**den′sity housing** hoëdigtheidsbe=huising; ~**falu′tin** hoogdrawend, bombasties; ~ **fide′lity** hoëtrou, hoë klankgetrouheid *also* **hi-fi** (infml.); ~**han′ded** trots, uit die hoogte *also* **bos′sy, dominee′ring;** ~ **jinks** jolyt, pret(makery); ~**land** hoogland; ~**le′vel** hoë vlak; ~**level talks** hoëvlaksamesprekings

high′light (n) hoogtepunt; glanspunt; (v) uitlig; beklemtoon *also* **stress, em′phasise;** merk, glim (met glimpen); ~**er** glimpen, glimstafie; *the* ~*ed words* die glimwoorde (in 'n teks)

high′ly (adv) hoog, hoogs; ~ *commended* sterk aanbeveel; ~ *esteemed/respected* hoog in aansien; ~ *gifted* uiters/hoogs begaafd; *speak* ~ *of* met lof praat; ~ **strung** hooggespanne

high: ~**-min′ded** edeldenkend, idealisties; ~**ness** hoogheid; hoogte; ~ **perfor′mance** hoë werk=verrigting (enjin); ~**-pitch′ed** hooggestem; verhewe; spits (dak); ~ **priest** hoëpriester; ~**road** grootpad; ~ **school** hoërskool, sekon=dêre skool *also* **sec′ondary school;** ~ **sea′son** hoogseisoen; ~ **socie′ty** (hoë) sosiale kringe; gesiene mense; ~ **tea** teemaaltyd (Engelse gebruik); ~ **technol′ogy** hoë tegnologie, hoë tegnologie *also* **hi′ tech** (infml.); ~ **tide** hoogwater; ~ **trea′son** hoogverraad; **h~veld/ highfield** hoëveld; ~ **water** hoogwater; ~**-wat=er mark** hoogwaterlyn; hoogtepunt; ~**way** (Am.) snelweg, deurpad (tussenstedelik); ~**wayman′** struikrower *also* **ban′dit**

hi′jack (v) kaap; skaak; ~ **dra′ma** kapingsdrama; ~**er** kaper (van motor, vliegtuig); **car** ~**ing** motorkaping, motorroof *also* **car′jacking**

hike (n) staptoer; styging (pryse; lone); (v) voetslaan, 'n staptoer onderneem; verhoog (pryse)

hi′ker (n) voetslaner

hi′king trail staproete; voetslaanpad, wandelpad

hilar′ious baie snaaks, lagwekkend *also* **amus=ing;** vrolik, opgeruimd, uitgelate *also* **jol′ly, mer′ry;** ~*ly funny* skree(u)snaaks

hill heuwel, bult, koppie; ~**lock** heuweltjie, bultjie *also* **knoll;** ~**top** heuweltop

hilt (n) handvatsel, greep, hef; *to the* ~ afdoende, duidelik; onweerspreeklik

him (pron) hom; ~**self** homself; *all by* ~*self* hy heeltemal alleen; *he is not* ~*self today* hy is vandag nie op sy stukke/op dreef nie

hind[1] (n) ooi; hinde (takbokooi)

hind[2] (a) agter=, agterste

hin′der (v) hinder, verhinder, pla *also* **frustrat** **thwart** *see* **hin′drance**

hind′quarter agterkwart, agterdeel; (pl) agte= dele, agterste

hin′drance (n) hindernis, belemmering, strem ming *also* **han′dicap, imped′iment**

hind′sight agternawysheid

Hin′du (n) Hindoe; (a) Hindoe=; ~**ism** Hi doeïsme (godsdiens)

hinge (n) skarnier; hingsel; spil; (v) draa skarnier; buig; afhang

hin′ny (n) (muil)esel, botterkop; (v) runnik

hint (n) wenk; toespeling; aanduiding, vinge wysing *also* **poin′ter, tip, tip-off;** skimp; *ta the* ~ die wenk verstaan/snap; (v) 'n wenk ge sinspeel op; opper

hin′terland agterland; binneland

hip[1] (n) heup; hoekbalk; *smite* ~ *and thig* sonder genade uitdelg; ~ **flask** heupfle ~**hug′gers** heupbroek

hip[2] (a) kief; byderwets, in; baie modern; ~**-h** hip-hop (rapmusiek)

hip′pie (n) hippie; onkonvensionele perso (veral in 1960's) *also* **bohe′mian; drop′out**

hip′podrome hippodroom; renbaan; sirkus

hippopot′amus (n) **..mi** seekoei

hire (n) huur; loon; (v) huur; verhuur; *for* ~ huur; ~**ling** huurling *also* **mer′cenary** (soldie ~**-pur′chase** huurkoop

his (possessive pron) sy, syne, s'n

hiss (n) gesis; geblaas; gejou; (v) sis, blaa (uit)jou; uitfluit; ~ *at* uitjou *also* **boo;** ~**i** gesis; gejou; ~**ing sound** sisklank

histor′ian geskiedskrywer, historikus

histor′ical geskiedkundig, histories

his′tory geskiedenis, relaas *also* **an′nals, chron icle;** *that is ancient* ~ dis ou nuus

histrion′ics (n) melodrama, teatrale bohaai *al* **melodra′ma**

hit (n) slag; steek; raps; suksesstuk, treffer *al* **box-of′fice success′;** *more by* ~ *than by* v meer geluk as wysheid; (v) slaan; moker; tre raak *also* **achieve′;** vind; ~ *it off with o another* met mekaar klaarkom; ~ *or m* lukraak; ~**-and-run case** tref-en-trapvoorval; *upon* aantref, raakloop

hitch (n) lissie, haak; klink; beletsel, kinkel; (haak, vang; vasmaak; knoop; *there were* ~*es/glitches* daar was geen haakplekke nie; *on to* vashaak aan; ~**hike** ryloop, duim duimgooi; ~**hi′ker** ryloper, duimgooi duimryer

hi tech (infml.) (n) hoë tegnologie, hoogtegr logie; hoogteg (infml.) *also* **high-technol′o**

hith′er hiernatoe, hierheen; ~**to** tot nog toe, dusver

hit: ~ **list** moordlys; tjoplys (omgangst.); ~**n**

huurmoordenaar *also* **assas′sin;** **~ parade** trefferparade; **~ squad** moordbende

ve (n) byekorf, heuningnes; byeswerm; (v) huisves, saamhok; saamwoon *also* **cohab′it;** **~ off** 'n eie koers inslaan; afstig

ard (n) skat; spaargeld; stapel, hoop, voor= raad; (v) opgaar; opstapel, ophoop; spaar; oppot (goud, geld); **~ed** (a) opgepot *also* **stock′piled**

ard′ing plankheining; advertensiebord, (lok)= plakkaat *also* **bill′board, pos′ter, plac′ard**

ar′frost ruigryp

arse hees, skor *also* **croa′ky, ras′ping;** **~ness** heesheid, skorheid

ar′y grys, grou *also* **grey, fros′ty; an′tiquated**

ax (n) grap, poets, foppery *also* **prank;** vals alarm; (v) kul; fop; **~ (tel′ephone) call** fop-oproep; **~er** poetsbakker

b′ble (n) strompelgang; spanriem; verleent= heid; (v) mank loop; hobbel, hinkepink; span (perd)

b′by (n) stokperdjie, liefhebbery, tydverdryf *also* **pas′time;** knutselwerk; **~horse** stokperd= jie; hobbelperd; rietperd

b′goblin kabouter; aardmannetjie; spook, paaiboelie

b′nob (v) meng (met ryker/vernamer mense) *also* **frat′ernise, so′cialise**

′bo (n) -es boemelaar *also* **tramp;** landloper

ob′son: ~'s *choice* geen keuse (nie)

ck (n) hakskeensening (perd; pluimvee); (v) die hakskeensenings afsny, verlam (perd)

ck′ey hokkie (sport)

c′us-poc′us goëlery, oëverblindery

e (n) skoffelpik; (v) skoffel; losmaak (grond)

g (n) vark *also* **pig;** swyn; burg (gekastreerde mannetjiesvark); smeerlap (persoon); *the whole* ~ tot by oom Daantjie in die kalwerhok; (v) iets (wederregtelik) toe-eien (bv. die regterbaan van snelweg); maanhare kort knip (perd); **~s′back** varkrug; middelmannetjie; maanhaar (in plaaspad)

gs′head okshoof (groot vaatjie)

g′sty varkhok *also* **pig′sty, swi′nery**

g′wash (n) bog, kaf, strooi snert *also* **ut′ter non′sense**

i polloi′ (n) gepeupel, plebs, agterklas, hoi= polloi *also* **riff′raff′**

ist (n) ligter; hystoestel; (v) hys, optrek; ~ *down* neerhaal, laat sak; **~ en′gine/machine′** hysmasjien

ld[1] (n) skeepsruim, (vrag)ruim (skip)

ld[2] (n) handvatsel; vatsel; greep, houvas; steun; *have a* ~ *upon* 'n houvas hê op; (v) hou; stilhou; teenhou; beklee (pos); ~ *back* agterhou; ~ *good* geldig wees; *please* ~ *the line* bly/hou aan asseblief (telefoon); ~ *an office* 'n pos beklee; ~ *on* vashou; wag 'n

bietjie; ~ *over* agterhou; uitstel; ~ *one's own* vasstaan; ~ *one's tongue* jou mond hou; **~-all** stop-maar-in (tas, sak); komberssak; **~er** houer, krat; besitter, bekleër/bekleder (pos); **~ing com′pany** houermaatskappy; **~-up** roof, kaping *also* **rob′bery, heist, mug′ging, hijacking;** aanhouding; ophoping, knelpunt (verkeer)

hole (n) gat; opening; kuil; putjie (gholf); *pick ~s in* stukkend kritiseer; (v) deurgrawe; tonnel; in 'n gat jaag; **~-in-one** kolhou, fortuinhou (gholf)

hol′iday vakansie *also* **vaca′tion;** feesdag; *he is on* ~ hy is op/met vakansie; *during the ~s in* die vakansie; **~ accomma′tion** vakansiever= blyf; **Christ′mas ~** Kersvakansie; **~-ma′ker** vakansieganger; **~ resort′** vakansieoord; ple= sieroord

hol′iness heiligheid *also* **divin′ity, pi′ety**

Hol′land Holland, Nederland; **~er** Hollander, Nederlander (persoon) *also* **Dutch′man**

hol′low (n) holte; *have s.o. in the ~ of one's hand* iem. volkome in jou mag hê; (v) uithol, uitkalwe; (a) hol, leeg; vals, onopreg; *beat* ~ uitstof *also* **trounce; ~ness** leegheid, holheid, holte; leegte

hol′ly huls (struik); **~hock** stokroos (plant)

hol′ocaust (n) groot slagting *also* **car′nage, gen′ocide; the H~** die slagting v.d. Jode deur die Nazi's

hol′ster (n) holster, pistoolsak *also* **pis′tol ca′se**

ho′ly heilig; *holier than thou* huigelagtig; ~ *wa′ter* wywater

hom′age (n) eerbetoon; hulde, huldeblyk; *pay ~ to* hulde betoon aan; (v) (iem.) huldig

home (n) tuiste; woning, woonplek *also* **res′= idence, dwel′ling;** tehuis; (v) huisves; *at* ~ tuis; *go* ~ huis toe gaan; *make yourself at* ~ maak jou tuis; *see* ~ tuis bring; ~, *sweet* ~ oos, wes, tuis bes; *scrape* ~ naelskraap wen; (a) huislik, huis=; plaaslik, binnelands; (adv) huis toe, huiswaarts; **~ affairs′** binnelandse sake (staatsdepartement); **~ cir′cle** familiekring; gesin; **~ com′forts** huislike geriewe; **~coming** tuiskoms, terugreis; **~craft** huisvlyt; **~ econ= om′ics** huishoudkunde; **~/house′hold appli′= ances** huisgerei, **~ in′dustry** tuisnywerheid; **~land** vaderland, geboorteland; **~less** hawe= loos *also* **des′titute; ~loan** huislening; **~ly** huislik, gesellig; **~-made** tuisberei, tuisgebak; **~ man′agement** huisbestuur; **~ medica′= tion/rem′edy** boereraat; **~ page** tuisblad (internet); **~ perm** tuiskarteling

homeopath′ homeopaat (med. praktisyn); **~y** homeopatie

ho′mer posduif; boflopie (in bofbal)

home: **~ rule** selfregering; **~ shot** raakskoot; **~sick:** *be ~sick* heimwee hê; **~site** tuisblad (internet); **~stead** opstal, plaaswerf; **~ stretch** pylvak (atl.) *also* **ho'me straight; ~ study** tuisstudie; **~ truth** harde/padlangse waarheid; **~work** huiswerk (skool); tuiswerk *also* **cho'= res**

hom'icide manslag *also* **man'slaughter;** moord, doodslag; **cul'pable ~** strafbare manslag

hom'ily (n) kanselrede; predikasie; sermoen (skerts. vir 'n lang sedepreek)

ho'ming: ~ devi'ce aanpeiler; **~ pig'eon** posduif *also* **ho'mer**

homoge'neous (a) gelyksoortig, homogeen *also* **alike', kin'dred**

hom'onym gelykluidende woord (met ander betekenis), homoniem

homosex'ual (n, a) homoseksueel *also* **gay; les'bian** (woman)

hone (n) oliesteen, slypsteen; (v) (skerp) slyp

hon'est (a) eerlik, opreg *also* **truth'ful;** **~ly** regtig/rêrig, eerlikwaar *also* **frank'ly**

hon'esty eerlikheid, opregtheid; **~** *is the best policy* eerlikheid duur die langste

ho'ney heuning; soetigheid; soetlief, skat, hart= lam (vir nooi, beminde); **~comb** heuning= koek; **~dew** heuningdou; **~moon** witte= brood(sdae), huweliksreis; **~-mouth'ed** wel= bespraak; soetsappig; **~suck'le** kanferfoelie (klimplant)

hon'ky-tonk (piano) tokkelklavier, tingeltangel

honora'rium honorarium, vergoeding *also* **fee**

hon'orary ere=; honorêr, eervol; **~ life mem'= bership** lewenslange erelidmaatskap; **~ mem'= ber** erelid; **~ profes'sor** ereprofessor; **~ sec'retary** eresekretaris

hon'our (n) eer; waardigheid; aansien; eerge= voel; onderskeiding; *debt of* **~** ereskuld; *do* **~** eer betoon/bewys; *do the* **~s** die pligte/plig= plegings waarneem; *funeral* **~s** laaste eer/eer= bewys; *in* **~** *of* ter ere van; tot sy eer; *roll of* **~** ererol, erelys; *take the* **~s** die louere wegdra; *word of* **~** erewoord; *Your H~* Edelagbare; Agbare Regter; (v) eer; vereer, eer bewys; **~** *a bill* 'n wissel honoreer; *The H~able the President* Sy Edele die President; **~able** edel; agbaar; eervol

hon'ours degree honneursgraad

hood (n) kap; hoofdeksel; kleurserp, gradeband (oor akademiese toga); (v) 'n kap omhang; **~ed** bedek; kap=; **~ed cart** kapkar; **~ed snake** kapelslang (kobra)

hood'lum (n) straatboef, skollie, skorriemorrie; skobbejak *also* **lout, thug, vil'lain**

hoo'doo (n) magiese beswering, vloek (op iem.); teenspoed, ongeluk; (v) toor, beheks

hood'wink (v) mislei; fop, kul, flous *also* **mislead', bamboozle'**

hoof (n) hoef, klou; (v) voetslaan; **~** *it* stap; kry jou loop; **~ mark** spoor

hook (n) hoek; haak; sekel; vishoek; *by ~ or b crook* eerlik of oneerlik; **~,** *line and sinke* huid en haar; volkome; (v) haak, aanhaak uitlok; vang; inpalm, steel; **~ed on** versot op verslaaf aan; **~er** haker (rugby); dief, rampok ker; prostituut, sekswerker; **~worm** haakwurm

hool'igan straatboef *also* **ruf'fian, lout;** gomtor gomgat; **~ism** (straat)boewery; **~s** gespuis skorriemorrie *also* **riff'raff, rab'ble; soc'ce ~s** sokkerboewe

hoop (n) hoepel; band; hoepelrok; beuel; (v hoepels omsit (om 'n vat)

hoot (n) gejou, gefluit; getoet (motor); *not care* **~** g'n flenter omgee nie; (v) uitjou; toet(er) **~er** fluit; toeter (van motor)

hop[1] (n) hop; **~ beer** hopbier

hop[2] (n) sprong, huppeling; (v) spring, huppel wip; hink, op een been spring; **~,** *skip an jump* driesprong (atl.); **~ping mad** smoor kwaad, briesend; **~scotch** eenbeentjie, klippie hink (speletjie)

hope (n) hoop, verwagting; (pl) verwagtings *give up* **~** hoop opgee/laat vaar; **~s were raise** die hoop het opgevlam; *no* **~** *in hell* g'n kat s kans; (v) hoop, verwag; **~ful** veelbelowend hoopvol *also* **up'beat; ~fully** hopelik; **~les** hopeloos *also* **point'less, vain;** wanhopig onverbeterlik

hop'per springer, hinker, huppelaar (persoon) tregter; danser; vlooi; voerbak; voetgange (vlerklose sprinkaan)

horde (n) horde, bende, swerm, trop *also* **mu titude, throng, crowd**

hori'zon (n) gesigseinder, horison, kim

horizon'tal (n) horisontale lyn; (a) waterpa horisontaal; **~ bar** rekstok (gimnastiek)

hor'mone (n) hormoon (chem. stof)

horn horing; voelspriet; *be on the* **~s** *of* dilemma in die verknorsing/'n penarie wee **~blende** horingblende/hoornblende (mine raal); **~ed** gehoring, horing=

horn'et (n) perdeby, wesp *also* **wasp**

horn: ~pipe horrelpyp; doedelsak; **~y** (a horingagtig; jags, katools (vulg.)

hor'oscope horoskoop

hor'rible afskuwelik, gruwelik, aaklig, verskrik lik *also* **dread'ful, ghast'ly**

horrif'ic gruwelik, ysingwekkend, afgryslik *al* **hor'rid**

hor'rify (v) verskrik *also* **ter'rify;** met afsk vervul

hor'ror (n) afsku, gruwel; afkeer, afgryse; *one's* **~** tot jou ontsteltenis

hors d'oeuvre' voorgereg, snoepgereg, ho d'oeuvre

horse (n) perd; bok (gimnastiek); **~** *and traile* voorhaker en treiler, leunwa; *a* **~** *of anothe colour* glad iets anders; *look a gift* **~** *in th* *mouth* 'n gegewe perd in die bek kyk; *on ~* berede, te perd; *white ~s* hoë golwe; (v) perdry; **~drawn car'riage** perdekoets; **~fly** perdevlieg; **~man** (perde)ruiter; **~ mack'erel** ma(r)sbanker (vis); **~manship** ruiterkuns, rykuns; **~play** speelse/ruwe gestoei *also* **bois'-terous play/an'tics**; **~po'wer** perdekrag; **~ ra'cing** perde(wed)renne *also* **turf racing**; **~rad'ish** ramenas, peperwortel; **~-ri'ding competi'tion** perdesportkompetisie; **~shoe** hoefyster; **~ sick'ness** perdesiekte; **~whip** (n) karwats, peits *also* **quirt**; (v) afransel, uitlooi

hort'iculture tuinbou

hosan'na (n) hosanna, lofsang, juigkreet

hose kous; tuinslang; brandspuit; **pan'ti~** broe-kiekouse

ho'sier (n) koushandelaar; **~y** kousware; kouse en onderklere

hos'pice (n) hersteloord; herstelkliniek; hospies, hospitium (vir terminaalpasiënte)

hos'pitable gasvry, herbergsaam

hos'pital hospitaal; **gen'eral ~** algemene hospi-taal; **~isa'tion** hospitalisasie; **~ised** in hospi-taal op(ge)neem

hospital'ity (n) gasvryheid, herbergsaamheid; *abuse s.o.'s ~* op iem. se nek lê; **~ in'dustry** gastebedryf, gasvryheidsbedryf; **~ room/suite** onthaalsuite; **~ and ca'tering** hotelbedryf en spyseniering (kursus); **~ stud'ies** gasvryheid-studies, hotelhouding (skoolvak) *also* **hotel' keep'ing**

host[1] (n) gasheer; *we are ~ing the event* ons is gasheer vir die byeenkoms; **~ team** gasheerspan

host[2] (n) skare, menigte *also* **crowd, mul'titude**

hos'tage gyselaar *also* **pawn**; *release of ~* vrylating van gyselaar

hos'tel (n) koshuis; hostel; losieshuis; tehuis

hos'tess gasvrou; waardin; geselskapsdame; ge-sellin, huurmeisie (in gesellinklub)

hos'tile vyandig *also* **antagonis'tic**; vyandelik (mil.); **~ at'titude** vyandige houding; **~ take-over** vyandige oorname (van maatskappye)

hostil'ity vyandigheid, vyandelikheid, antago-nisme *also* **animos'ity**

hot warm, heet; vurig; brandend (pyn); *a ~ favourite* 'n sterk gunsteling; *give it a person ~* iem. goed oor die kole haal/uitvreet/roskam; *in ~ haste* in aller yl; **~-air balloon'** (warm)-lugballon; **~-air hand'drier** warmlughand-droër; **~bed** broeikas; broeines (van dwelms e.a. euwels); **~-blood'ed** warmbloedig; hart-stogtelik *also* **pas'sionate**

hotch'potch (n) mengelmoes, bredie, hutspot *also* **hash, (mixed) stew; potpourri'**

hot ~ cross bun paasbolletjie, kruisbolletjie; **~ dog** worsbroodjie, warmbrak; **~dog stand** worswaentjie

hotel' hotel; **~-kee'per/hotel'ier** hotelhouer,

hotelier; **~keep'ing** hotelhouding, gasvryheid-studies (skoolvak) *also* **hospital'ity studies**

hot: ~head vuurvreter, heethoof, wildewragtig (persoon); **~house** kweekhuis; broeikas; **~ key** sneltoets (rek.); **~line** blitslyn, kookfoon; **~ness** warmte, hitte; **~ pants** sjoebroekie; **~plate** kookplaat; **~ pursuit'** hakkejag, opvolgaanval; **~rod** hitsmotor, hitstjor; **~-tem'pered** opvlieënd, heethoofdig; **~-water bot'tle/bag** warmwatersak

hound (n) jaghond; (v) (met honde) jag; agtervolg, uitdryf *also* **per'secute, pes'ter**

hour uur; *after ~s* na kantoortyd; *keep early ~s* vroeg gaan slaap; *keep late ~s* laat gaan slaap; *the small ~s* na middernag; in die vroeë ure; **~glass** sandloper(tjie), uurglas; **~-hand** uur-wyser/uurwyster (horlosie); **~ly** elke uur; **~ly rate/wage** uurtarief, uurloon

house (n) huis, woonhuis, woning; skouburg; ge-hoor; geslag, stamhuis; *H~ of Commons* Britse Laerhuis; *full ~* uitverkoop (teaterkaartjies); *~ of God* godshuis; *~ of ill fame* bordeel, hoerhuis; *keep open ~* baie ontvang; *H ~ of Assembly* Wetgewende Vergadering; Volksraad (hist.); *~ to ~* van huis tot huis; **~-train a pet** 'n troetel-dier/huisdier (goeie) toiletgewoontes leer; ka-merwys maak; (v) huisves; herberg; woon; onder dak bring; beveilig, bêre; **~ a'gent** huis-agent; **~ arrest'** huisarres, huisaanhouding; **~ boat** woonboot; **~brea'ker** inbreker, huisbreker *also* **bur'glar**; **~brea'king** huisbraak, inbraak

house'hold (n) huis(houding); huisgesin; (a) huishoudelik, huis-; **~ appli'ances** huisgerei, huisbehore; **~ effects'** huisraad; **~ rem'edy** huismiddel; boereraat; **~ troops** lyfwag *also* **body'guard'**; **~ word** welbekende/alombe-kende gesegde/uitdrukking

house: ~ jour'nal/magazine' firmablad, lyfblad; **~kee'per** huishoudster; **~kee'ping** huishou-(ding); **~ rent** huishuur; **~s of par'liament** parlement(s)gebou; **~-train'ed** sindelik, ka-merwys (huisdier) *see* **potty-trained** (baby); **~-war'ming** huisinwyding; **~wife** huisvrou

housing huisvesting *also* **accommoda'tion**; be-huising; omhulsel; **~ scheme** behuisingskema; **~ shortage'** woningtekort

hov'el pondok, strooihuis/stroois, hut *also* **shan'-ty, shack**; krot, hool

hov'er (v) fladder *also* **flut'ter**; sweef/swewe, hang; **~ about** rondswerf; speel; **~craft** skeertuig, kussingtuig

how hoe; waarom, hoekom; **~ are you?** hoe gaan dit?; gaan dit goed?; hoesit/hoezit? (om-gangst.); **~ do you do** aangenaam; aangename kennis; bly te kenne; **~ nice of you** dis baie gaaf van jou; **~ever** egter, nogtans, maar, nietemin *also* **nev'ertheless, notwithstan'ding**

howl (n) gehuil, getjank; gil; (v) huil, tjank *also* **yelp** (dog); grens; **~er** huiler, tjanker, grens-

balie (veral kind); (eksamen)flater/blaps *also*
blun′der; bloo′mer; ~ing (n) getjank; (a)
huilend, tjankend

hub naaf; spil; middelpunt: **~cap** wieldop, naafdop

hub′bub (n) lawaai, rumoer, geraas *also* **tu′mult,**
up′roar

hub′by manlief (deur sy vrou gesê)

hud′dle (n) hoop; bondel; warboel *also* **disor′=**
der, mess; (v) op 'n hoop gooi; opeendring,
saambondel; *go into a* ~ beraad/koukus hou;
oorleg pleeg

hue[1] (n) kleur, tint

hue[2] (n) geskree(u), lawaai, ophef *also* **hub′bub;**
raise a ~ *and cry* moord en brand skree(u)

huff (n) opvlieëndheid; *be in a* ~ beledig voel;
kwaad/opgeruk/nukkerig wees; (v) opblaas;
afjak, raas, te kere gaan

hug (n) omhelsing *also* **embrace′** (n); (v)
omhels, vasdruk; ~ *the shore* naby die kus
vaar (skip)

huge (a) reusagtig, kolossaal, tamaai *also* **colos′=**
sal, gigan′tic, vast

Hug′uenot Hugenoot (hist.)

hulk ou skip, romp *also* **der′elict ship, wreck;**
swaarlywige/log mens

hull (n) romp (van skip); dop; (v) skil; afdop

hullabaloo′ (n) lawaai, bohaai, herrie, geroese=
moes *also* **commo′tion, hub′bub**

hum (n) gegons; gemompel; geneurie; (v) gons;
neurie; mompel; zoem; *make things* ~ lewe in
die brouery bring *also: get things going*

hu′man (n) mens; (a) menslik; ~ **im′mu=**
nodeficiency vi′rus (HIV) menslike immuni=
teitsgebrekvirus (MIV/vigs); ~ **move′ment**
stud′ies menslike bewegingskunde; ~ **rela′=**
tions menseverhoudinge; ~ **resour′ces** mense=
hulpbronne; menslike hulpbronne; ~ **rights**
menseregte, fundamentele regte; ~ **sciences**
geesteswetenskappe; **H~ Sciences Research′**
Coun′cil (HSRC) Raad vir Geesteswetens=
skaplike Navorsing (RGN)

humane′ mensliewend, humaan; ~ **kil′ler** slag=
masker; genadedoder; ~ **kil′ling** pynlose
doding/slag(ting)

hu′manism humanisme; menslikheid

hu′manise (v) beskaaf, humaniseer *also* **civ′ilise,**
refine′

humanita′rian (n) filantroop; (a) mensliewend,
humanitêr; filantropies

human′ity (n) (die) mensheid, mensdom; mens=
likheid; (pl) humaniora, klassieke studies

Hu′man Rights' Day Menseregtedag (vakansie,
21 Maart)

hum′ble (a) nederig, beskeie *also* **meek, mod′=**
est; ootmoedig; (v) verneder; *eat* ~ *pie*
mooi/soet broodjies bak

hum′bug (n) bog; onsin; bedrieër, swendelaar;
klontlekkertjie; (v) kul, bedrieg, inloop

hum′drum (n) eentonigheid, saaiheid, sleur=
gang; (a) eentonig, alledaags, vervelend

hu′mid bedompig, vogtig, klam *also* **moist,**
clam′my; sul′try (weather)

humid′ity vogtigheid, klamheid, humiditeit

humil′iate (v) verneder, verlaag, (ver)kleineer
also **hum′ble** (v); *feel ~d* afgehaal voel; *day of*
humiliation dag van verootmoediging

humil′iating vernederend, kleinerend; ~ *experi-*
ence vernederende ervaring

humil′ity (n) nederigheid, beskeidenheid, oot=
moed *also* **mod′esty**

hu′miture ongemak(likheid)syfer (klimaat) *also*
dis′comfort in′dex

hum′ming (n) gegons; (a) gonsend; bedrywig;
sterk (drank); skuimend; **~bird** kolibrie

hum′mock (n) bultjie, heuweltjie, koppie *also*
knoll, kop′pie

hu′morist humoris; grapmaker *also* **jes′ter, jo′ker**

humorist′ic (a) humoristies, geestig, koddig,
amusant

hu′morous (a) luimig, grappig, geestig *also*
amu′sing, entertai′ning

hu′mour (n) bui, luim; humeur; humor ('n lag
met 'n traan); *in a good* ~ in 'n goeie bui; *a*
sense of ~ humorsin; (v) toegee, inwillig, paai
iem. sy sin gee

hump bult(jie); skof (dier); hobbel, spoedwal;
~back′ed geboggel *see* **hunch′back**

hump′ty-dump′ty diksak, vetsak; Oompie
Doompie, Hompie Kedompie

hu′mus teelaarde, humus

hunch knop, boggel; spesmaas *also* **no′tion;**
voorgevoel, vermoede *also* **premoni′tion,**
suspi′cion; ~back boggel(rug) *also* **hump′=**
back (person)

hun′dred honderd; honderdtal *also* **cen′tury**
(also in cricket); **~fold** honderdvoud(ig); **~th**
honderdste; **~weight** sentenaar

Hunga′rian (n) Hongaar (persoon); Hongaars
(taal); (a) Hongaars (gebruike, ens.); **Hun′=**
gary Hongarye (land)

hung′er (n) honger; hongerte; begeerte; ~ *is the*
best sauce honger is die beste kok; (v) honger
hê/kry; honger ly; verhonger; hunker; ~ **cure**
hongerkuur; ~ **strike** eetstaking, hongerstaking

hun′gry (a) honger; hongerig; verlangend, lus
also **ea′ger, keen**

hunk (groot) stuk, brok; ~ *of bread* homp brood
(skaapwagtersny); ~ *of a man* (slang) spierbol=
vleispaleis (man); macho-man; pure man

hun′ky-dor′y (infml.) (a) piekfyn; pienk en
plesierig

hunt (n) jag; jaggeselskap; (v) jag; soek; najaag,
vervolg; ~ *down* vaskeer, opspoor; **~er** jagter
jagperd; **~ing box/lodge** jaghuis; **~ing**
expedit′ion jagtog; **~ing ground** jagveld; **~**
sea′son jagseisoen, skiettyd

hur'dle (n) hekkie; versperring, dwarsboom *also* **bar'rier, obstruc'tion;** (pl) hekkies(wed)loop (atl.) *also* **hurdle race;** (v) oorspring

hur'dy-gurdy draaiorrel, straatorrel *also* **bar'rel or'gan**

hurl gooi, smyt, slinger; ~ *abuse at* uitskel; ~ *out* uitsmyt

hurl'y-burl'y geraas, lawaai, harlaboerla *also* **hullabaloo'; tu'mult, up'roar**

hurrah'!/hurray'! hoera!/hoerê!

hur'ricane (n) orkaan *also* **tem'pest**

hur'ry (n) gewoel, haastigheid; gejaagdheid; *be in a* ~ haastig wees; (v) jaag; aanjaag; gou maak, haastig wees; wikkel; ~ *up* gou maak, opskud

hurt (n) skade; seerplek; nadeel; (v) seermaak, beseer; benadeel; ~ *s.o.'s feelings* iem. krenk/kwets; *feel* ~ gekrenk voel; *I* ~ *my leg* ek het my been beseer/seergemaak

hur'tle (v) gooi, slinger; (weg)smyt (met krag/spoed)

hus'band[1] (n) man, eggenoot *also* **spouse**

hus'band[2] (v) spaar, opgaar, suinig werk *also* **econ'omise;** behou; versorg

hus'bandry boerdery, landbou; huishoudkunde; spaarsaamheid; **ani'mal** ~ veeteelt

hush (n) stilte, kalmte; (v) stilmaak, bedaar; ~ *up* stil hou, smoor; **~ed voices** gedempte stemme; (interj) sjuut!; ~ **mon'ey** swyggeld; omkoopgeld *also* **bri'be (mon'ey)**

husk (n) dop, skil; bas; (v) uitdop; afskil

hus'ky[1] (n) **..kies** poolhond, sleehond, Eskimohond

hus'ky[2] (a) hees, skor *also* **hoarse; throa'ty**

hussar' husaar (soldaat, hist.)

hus'sy flerrie; slet; snip (meisie); **bra'zen** ~ skaamtelose meisiemens/meisiekind

hustle' (n) gedrang; drukte; harwar; (v) druk, stamp, stoot; dring; ~ *and bustle* drukte

hut strooihuis/strooihuis; pondok, hut *also* **shack, shan'ty**

hut'ment huttekamp, barak

hy'acinth naeltjie(blom), hiasint

hy'brid (n) baster; hibried; basterwoord; (a) baster-; **~ise** baster, kruis; ~ **maize/mea'lies** bastermielies

hy'dra waterslang; hidra; **~-hea'ded** (a) veelkoppig

hydran'gea hortensia, krismisroos

hy'drant (n) brandkraan, hidrant

hydraul'ic hidroulies, water-; ~ **bra'kes** hidrouliese remme; **~s** water(werktuig)kunde

hydroceph'alus (n) waterhoof (persoon)

hydrochlor'ic acid soutsuur

hydroelec'tric hidroëlektries/hidro-elektries; (elektriese) waterkrag

hy'drofoil (n) skeerboot *also* **hy'droplane**

hy'drogen waterstof; ~ **bomb** waterstofbom

hydrog'rapher hidrograaf, waterbeskrywer

hydrog'raphy hidrografie, waterbeskrywing

hydrol'ysis watersplitsing, hidrolise

hydrom'eter watermeter, hidrometer

hydrop'athy waterkuur, watergeneeskunde

hydropho'bia (n) watervrees (as siekteverskynsel by hondsdolheid); hondsdolheid (in mense)

hy'droplane skeerboot; watervliegtuig

hydropon'ics waterkweking, hidroponika

hy'dropo'wer waterkrag

hydrostat'ics hidrostatika, waterweegkunde

hye'na hiëna, (strand)wolf

hy'giene (n) gesondheidsleer, higiëne

hygien'ic (a) higiënies, sindelik *also* **san'itary;** gesondheids-

hygrom'eter vogmeter

hy'men maagdevlies, himen

hymn gesang, kerklied, himne; ~ *of praise* loflied, pryslied; ~ **book** gesangboek, liedboek

hype' (n) oordrewe reklame; (v) ophemel; **~d up** in ekstase *also* **exci'ted; ner'vous**

hyperac'tive (a) hiperaktief (kind)

hyper'bole oordrywing, hiperbool *also* **exaggera'tion**

hy'phen (n) koppelteken; strepie; **~ate** (v) koppel, met 'n koppelteken verbind

hyper'market hipermark; kettingwinkel, alleswinkel

hyperten'sion hoë bloeddruk, hipertensie; oorspanning, stres

hypertext' hiperteks (internet)

hypno'sis hipnose (suggestieslaap)

hypnot'ic (n) slaapdrank; gehipnotiseerde mens; (a) hipnoties *also* **mesmer'ic**

hyp'notism hipnotisme

hyp'notise (v) hipnotiseer *also* **mes'merise;** fassineer *also* **fas'cinate, spell'bind**

hypochon'dria ipekonders/hipokonders, verbeelsiekte

hypochon'driac (n) ipekonder/hipokonder, hipochondris (persoon); (a) ipekondries/hipochondries; vol aanstellery

hypoc'risy huigelary, skynheiligheid *also* **decep'tion, pretence'**

hyp'ocrite huigelaar, hipokriet, tweegatjakkals (persoon) *also* **char'latan**

hypocrit'ic(al) skynheilig, hipokrities *also* **two-faced**

hypoderm'ic (a) hipodermies, onderhuids (med.)

hypot'enuse skuinssy (meetk.)

hypoth'esis veronderstelling, hipotese *also* **assump'tion, supposi'tion**

hys'sop (n) hisop, geurkruid; marjolein

hyserec'tomy (n) histerektomie, baarmoederverwydering

hyster'ical (a) histeries, op die senuwees *also* **distraught', fren'zied**

hyster'ics (n) senu(wee)aanval, senutoeval, histerie *also* **hyste'ria**

I

I ek; ~ *say* hoor ('n) bietjie; ~ *for one* wat my betref; *my friend and* ~ ek en my maat

Ibe′rian (a) Iberiese (skiereiland: Spanje, Portugal)

ib′is ibis; **brown/Egyp′tian** ~ hadida (voël)

ice (n) ys; *break the* ~ die ys breek; (v) laat verys; ys vorm; versuiker (koek); ~ **age** ystyd(perk); **~berg** ysberg; *tip of the ~berg* punt v.d. ysberg; die ore v.d. seekoei; **~bound** vasgeys, vasgevries; **~brea′ker** ysbreker (skip); ~ **cream** roomys; **~-cream cone** roomyshorinkie; **~floe** ysskots, ysblok

Ice′land Ysland; ~ **pop′py** Yslandse papawer

ice rink (n) (ys)skaatsbaan

ice suck′er (n) suigysie

ichthyol′ogist viskundige, viskenner, igtioloog

ichthyol′ogy (n) viskunde, igtiologie

i′cicle yskeël, ysnaald

i′cily: ~ *cold* ysig/snerpend koud

i′cing yskors; suikerkors; ~ **su′gar** (ver)siersuiker

i′con (n) iko(o)n (gewyde beeld/portret; rekenaarsimbool); beeltenis, portret; (simboliese) leiersfiguur

icon′oclasm (n) beeldstormery, ikonoklasme

i′cy ysagtig; yskoud, ysig *also* **ice-cold, free′zing**

idea′ (n) idee, denkbeeld, begrip *also* **con′cept, view(point);** spesmaas *also* **no′tion;** *have a high* ~ *of* 'n hoë dunk/opinie hê van; **fixed** ~ obsessie

ideal′ (n) ideaal; (a) ideaal, volmaak; denkbeeldig; **~ise** idealiseer; **~ism** idealisme; **~ist** idealis *also* **vi′sionary**

id′em idem, ditto, dieselfde

iden′tical (a) identies, eners/eenders, dieselfde

identifica′tion identifikasie, identifisering; vereenselwiging; aanwysing; uitkenning; ~ **para′de** uitken(nings)parade

iden′tify identifiseer; vereenselwig; aanwys, uitken, aantoon; ~ *with* vereenselwig/identifiseer met

iden′tikit (n) identikit, identistel, gesigsamestelling (van verdagte persoon)

iden′tity eie aard; identiteit; individualiteit; ~ **card** identiteitskaart, persoonskaart; ~ **cri′sis** identiteitskrisis; ~ **do′cument** identiteitsdokument

ideol′ogy (n) ideologie (stel vaste idees, veral polities)

id′iom segswyse, idioom, taaleie; tongval, dialek; **~a′tic** idiomaties

idiosyn′crasy eienaardigheid, sonderlingheid, idiosinkrasie *also* **eccentri′city**

id′iot idioot; domkop, swaap, mamparra *also* **fool, dunce, twerp, nit′wit**

idiot′ic idioties, mal, dwaas *also* **sil′ly, stu′pid, daft**

idiot′icon (n) dialekwoordeboek, idiotikon

i′dle (v) leeglê, lanterfanter; leegloop, slenter (persoon); vrydraai, vryloop, luier (enjin); (a) lui, ledig, traag, niksdoende *also* **in′dolent;** werkloos; uitgeskakel (enjinrat); *bone* ~ aartsledig; ~ **gos′sip/talk** wolhaarstories, kafpraatjies; **~ness** luiheid, ledigheid; ydelheid; **~r** luiaard, leeglêer

i′dling leeglêery; niksdoenery; luierspoed (motor)

i′dol afgod *also* **gra′ven im′age;** dwaalbegrip, skynbeeld

idol′atry afgodediens, beeldediens

i′dolise (v) verafgod/verafgood; 'n afgod maak van *also* **wor′ship, de′ify**

i′dyll (n) idille, herdersdig *also* **pas′toral poem**

idyll′ic (a) idillies, landelik rustig/bekoorlik

if (conj) indien, as, so, ingeval; ~ *need be* desnoods; ~ *not* so nie; ~ *so* indien wel

igloo′ (n) iglo(e), sneeuhut, Eskimohut

ig′neous vuur=, vulkanies; ~ **rock** stollinggesteente

ignite′ aansteek; aan die brand steek; ontvlam

igni′tion ontbranding; ontsteking (enjin); gloeiing; **sponta′neous** ~ selfontsteking

igno′ble (a) laag, gemeen, veragtelik

ignora′mus domoor, domkop, uilskuiken; onwetende (persoon)

ig′norance onkunde, onwetendheid; *display his* ~ sy onkunde openbaar

ig′norant (a) onkundig, onwetend *also* **un′-informed; obli′vious**

ignore′ (v) misken, verbysien, ignoreer, verontagsaam *also* **disregard′; overlook′** (a mistake)

igua′na (n) likkewaan *also* **leg′uan**

ilk klas, soort; *of that* ~/*sort* van dieselfde/daardie naam/soort

ill (n) kwaal; ramp, ongeluk; onheil; kwaad; (a) siek, ongesteld; (adv) sleg; kwalik; skaars; *he became* ~ hy het siek geword; *it bodes* ~ dit wek kommer; ~ *at ease* nie op jou gemak nie; *be taken* ~ siek/ongesteld raak; *think* ~ *of* kwaad/sleg dink van; **~-advi′sed** onverstandig, onbesonne, onbedag; **~-beha′ved** onmanierlik, onbeskof *also* **ill-dis′ciplined; ~-bred** ongemanierd, ongepoets, onbeskof

ille′gal onwettig, wederregtelik; ~ **im′migrant** onwettige immigrant

illeg′ible onleesbaar *also* **unrea′dable**

illegit′imate (a) onwettig; buite-egtelik (kind)

ill: **~-equip′ped** sleg toegerus; ~ **feel′ing** kwaaivriendskap *also* **animos′ity;** ~ **for′tune** teenspoed; terugslag; ongeluk; ~ **health** swak gesondheid, sieklikheid

illi′cit ongeoorloof, onwettig; ~ *diamond buying* onwettige diamanthandel

illit′erate (a) ongeletterd, analfabeties *also* **unlet′tered**

ill: ~ **luck** teenspoed *also* ~ **for′tune;** ongeluk; **~-man′nered** ongemanierd; onbeskof *also* **~-bred**

ill′ness siekte, ongesteldheid

illog′ical onlogies, onredelik *also* **inconsis′tent, irrat′ional**

ill: **~-tem′pered** humeurig, knorrig; **~-ti′med** ontydig; ongeleë; **~-treat** mishandel *also* **abuse′**

illu′minate (v) verlig *also* **light up;** versier; opluister; verklaar, toelig *also* **clar′ify; ~d sign** ligreklame, neonadvertensie; neonlig

illumina′tion verligting; versiering; illuminasie *also* **clarifica′tion**

illu′minative (a) verligtend; inligtend, leersaam *also* **infor′mative, instruc′tive**

ill-use (v) mishandel *also* **ill′-treat, abuse′**

illu′sion (n) sinsbedrog, hersenskim; waan, illusie *also* **misconcep′tion**

illu′sive/illu′sory bedrieglik *also* **decep′tive**

ill′ustrate illustreer (boek); ophelder, verduidelik *also* **dem′onstrate;** toelig; kenskets; **~d** geïllustreer; verduidelik

illustra′tion illustrasie, prent; afbeelding; toeligting, opheldering

illus′trious beroemd, vermaard *also* **fa′mous, cel′ebrated, disting′uished**

ill will kwaadwilligheid; teensin

im′age (n) beeld; afbeelding; ewebeeld; toonbeeld; voorstelling; (v) afbeeld; voorstel; weerspieël; *boost one's* ~ jou beeld opkikker/poets; jou ego streel; ~ **buil′der/boos′ter** beeldbouer; beeldpoetser; **pub′lic** ~ beeld na buite, openbare beeld

im′agery beeldspraak (taalgebruik); verbeelding; hersenskim; verbeeldingswêreld

imag′inary (a) denkbeeldig *also* **inven′ted; fictit′ious, illu′sory**

imagina′tion verbeelding, voorstelling; voorstellingsvermoë

imag′inative verbeeldingryk; vindingryk, innoverend *also* **in′novative, inven′tive**

imag′ine (v) jou verbeel, jou voorstel; fantaseer

im′aging beelding, voorstelling

im′becile (n) swaksinnige, imbesiel (persoon); (a) simpel; geestelik gestrem, imbesiel

imbibe′ (v) drink; suip *also* **swallow, swig;** opdrink; insuig

imbue′ (v) opneem, vervul, inprent; **~d** *with* deurtrek/deurdring van; besiel met

im′itate (v) navolg, namaak, naboots

imita′tion (n) navolging, namaaksel, nabootsing; (a) namaak=; ~ **gold** klatergoud; ~ **lea′ther** kunsleer

im′itator na-aper, nabootser

immac′ulate rein, onbevlek; onberispelik; ~ **concep′tion** onbevlekte ontvangenis

immate′rial (a) onliggaamlik, geestelik; onbelangrik, immaterieel; *that's* ~ dis om 't ewe; dit maak nie saak/geen verskil nie

immature′ (a) onvolwasse *also* **ju′venile;** onbekwaam; ontydig; onryp, groen (groente)

imme′diate onmiddellik, oombliklik, terstond; regstreeks; dadelik, haastig; **~ly** dadelik

immemor′ial onheuglik; eeue oud; *from time* ~ van toeka se dae af

immense′ onmeetlik, kolossaal *also* **huge, colos′sal;** onafsienbaar

immerse′ (v) indompel, insteek, onderdompel

immer′sion onderdompeling, indompeling *also* **dip′ping;** diepgang (skip); ~ **hea′ter** dompelaar, dompelverwarmer

im′migrant immigrant; intrekker (van 'n ander land af) *also* **new′comer**

imm′igrate (v) immigreer; intrek

immigra′tion immigrasie

imm′inent naderend, dreigend *also* **loo′ming, men′acing;** ~ *danger* dreigende gevaar

immobil′ity onbeweeglikheid *also* **inert′ness**

immo′bilise (v) onbeweeglik maak, immobiliseer; lam lê; **~r** (n) immobiliseerder

immod′est onbeskeie; onfatsoenlik, onbetaamlik, onwelvoeglik; skaamteloos

immor′al onsedelik; sedeloos *also* **licen′tious**

immoral′ity onsedelikheid; sedeloosheid; ontug *also* **vice′**

immor′tal onsterflik; onverganklik; *the* ~*s* die onsterflikes

immortal′ity onsterflikheid

immort′alise (v) verewig, onsterflik maak *also* **enshrine′, glo′rify** (a person)

immortelle′ sewejaartjie (blom)

immo′vable onbeweeglik; onroerend; vas; onwrikbaar; ongevoelig; ~ **prop′erty** vaste eiendom, vasgoed; **~s** vaste eiendom

immune′ vry van *also: exempt from;* immuun, gesout (teen siekte)

immun′ity onvatbaarheid; immuniteit; vrystelling; voorreg; **diplomatic** ~ diplomatieke onskendbaarheid

im′munodefic′ient (a) immuungebrekkig

imp (n) kabouter; kwelgees; vabond, rakker *also* **brat, ras′cal**

im′pact (n) skok, stamp, botsing; impak; *point of* ~ trefpunt

impact′ (v) stamp, druk, saampers; ~ *on* 'n uitwerking hê op

impair′ (v) beskadig, verswak; gestrem; *visually* **~ed** gesiggestrem

impal′a rooibok

impart′ (v) meedeel *also* **relate′, disclose′;** verleen

impar'tial onpartydig *also* **unbi'ased, unprej=udiced;** afsydig

impartial'ity onpartydigheid

impas'sable onbegaanbaar, onrybaar (pad); on=toeganklik

impasse' dooiepunt; benarde toestand; dood=loopstraat *also* **dead'lock, stale'mate**

impas'sioned (a) hartstogtelik, vurig, meesle=pend *see* **dispas'sionate**

impas'sive (a) ongevoelig; onbewoë *also: revealing no emotion*

impa'tience ongeduld; driftigheid

impa'tient (a) ongeduldig; onverdraagsaam *also* **pet'ulant;** *be ~ of* nie kan verdra nie

impeach' (v) aankla; beskuldig; afdank, afsit; **~ment** (n) ampsaanklag (staat van beskuldi=ging, veral in VSA)

impec'cable (a) onberispelik (maniere); onfeil=baar *also* **immac'ulate, fault'less**

impecu'nious (a) arm, platsak, boomskraap

impede' (v) verhinder, belemmer *also* **retard';** *~ his progress* hom belemmer/vertraag

imped'iment hindernis, beletsel; belemmering; hinderpaal *also* **ob'stacle; speech ~** spraak=gebrek

impel' (v) aandryf, aanspoor, voortstu

impend' (v) dreig, nader kom; **~ing** dreigend, naderend *also* **loom'ing, im'minent**

impen'etrable ondeurdringbaar, ondeurgronde=lik *also* **inexpli'cable;** ongevoelig

imper'ative (a) gebiedend *also* **cru'cial; ~ mood** gebiedende wys (gram.)

impercep'tible onmerkbaar, onwaarneembaar

imper'fect (n) onvoltooid verlede tyd (gram.); (a) onvolmaak, onvolkome; onvoltooid

imperfec'tion onvolmaaktheid; gebrek; tekort=koming *also* **de'fect, flaw**

impe'rial keiserlik, imperiaal *also* **re'gal; ~ism** imperialisme

impe'rious (a) heerssugtig; gebiedend

imper'ishable onverganklik; onbederfbaar

imper'sonal onpersoonlik; objektief; saaklik

imper'sonate (v) vertolk ('n rol, veral op die verhoog) *also* **enact';** uitgee vir, voorstel *also* **im'itate;** *~ a character* 'n karakter speel/ver=tolk

impersona'tion (n) verpersoonliking; voorstel=ling, vertolking (van 'n rol); identiteit(s)bedrog

imper'tinence parmantigheid, astrantheid; ver=metelheid *also* **audac'ity, im'pudence**

imper'tinent (a) parmantig, astrant, vermetel; onbeskaamd *also* **chee'ky, ar'rogant**

impertur'bable onversteurbaar *also* **unexcit=able**

imper'vious ontoeganklik; ondeurdringbaar; doof (vir) *also: untouched by;* sypeldig

impet'uous (a) voortvarend, onvoorbedag; on=stuimig *also* **has'ty, rash, impul'sive**

im'petus beweegkrag, dryfkrag, impetus; aan=drang; *give fresh ~ to* nuwe stukrag gee aan

im'pi impi(e), Zoeloeregiment

impinge' (v) slaan, stoot, bots (teen); **~ on** inbreuk maak op

im'pish (a) ondeund, onnutsig, speels *also* **mis'=chievous**

implac'able onversoenlik *also* **inflex'ible**

im'plant (n) inplanting (veral med.); (v) inprent; inplant(eer) (med.); oorent (plant); **~ation** inplanting (med.); oorenting (plant)

im'plement (n) gereedskapstuk, werktuig; (pl) be=nodig(d)hede; plaaswerktuie; (v) toepas, uitvoer, volbring, vervul, verwesenlik, implementeer

im'plicate (v) verwikkel; betrokke wees/maak; betrek (by) *also* **invol've; incrim'inate;** in=wikkel; *be ~d in* betrokke raak by

implica'tion implikasie *also* **incrimina'tion;** ge=volgtrekking *also* **conclu'sion;** deelneming; bybetekenis, insinuasie; *by ~* by implikasie (indirek)

impli'cit vanselfsprekend; onvoorwaardelik; **~ faith** volkome/vaste vertroue

implied' (a) stilswyend; inbegrepe, daaronder begrepe; **~ war'ranty** stilswyende waarborg

implode' (v) inplof ('n ou gebou)

implo'sion (n) inploffing

implore' (v) bid, smeek *also* **beg, beseech'**

imply' (v) te kenne gee, sinspeel op *also* **sig'nify; insin'uate;** bevat; behels

impolite' onbeleef, onbeskof *also* **unciv'il**

im'port (n) invoer; belang; implikasie, beteke=nis; (pl) invoerartikels; (v) invoer, importeer; bekend stel *also* **introduce';** intrek (rekenaar=dokument); **~ control'** invoerbeheer

import'ance belangrikheid *also* **signi'ficance;** aansienlikheid; betekenis, gewig

import'ant (a) belangrik, betekenisvol, gewigtig *also* **signi'ficant, no'table, vi'tal**

importa'tion invoer; invoerartikel

im'port dues/du'ty invoerreg(te)

impor'ter invoerder, importeur

impose' oplê (vonnis); voorskryf *also* **in'stitute, enforce';** kul; mislei; **~ upon** gebruik/misbruik maak (ook van iem. se tyd/goedheid)

impo'sing indrukwekkend, imponerend, impo=sant *also* **impres'sive, dig'nified**

impossibil'ity onmoontlikheid

imposi'tion (n) swaar las, verpligting, moeite *also* **bur'den;** bedrog *also* **fraud**

impos'sible onmoontlik, ondoenlik, onbegonne *also: out of the question*

impos'tor kuller, bedrieër, swendelaar *also* **cheat, fake, imper'sonator**

im'potence (n) onmag, magteloosheid; onver=moë, onbekwaamheid; impotensie (seksueel)

im'potent (a) magteloos; onbekwaam; impotent (seksueel)

impound' (v) skut (rondloopdiere); opsluit

impov'erish (v) verarm, uitput also **pau'perise;** **~ed** (a) verarm, hulpbehoewend

imprac'ticable onuitvoerbaar, onprakties also **imprac'tical, unprac'tical**

impreg'nable onverowerbaar (fort, vesting); ondeurdringbaar

impreg'nate bevrug; beswanger; deurtrek, ver= vul; **~d with** deurtrek van

impresar'io impresario (konsertorganiseerder)

im'press (n) stempel; merk, afdruk; druknaam also **im'print;** embleem, motto; (v) indruk; beïndruk; indruk maak also **em'phasise; ~** *something on s.o.* iem. iets op die hart druk

impres'sion (n) indruk; druk, uitgawe (van boek); uitwerking; *create the ~* die indruk wek; **~ism** impressionisme (in skilderkuns); **~ist** impressionis (persoon)

impres'sive (a) indrukwekkend; gevoelig, tref= fend also **stir'ring, touch'ing**

im'prest voorskot (boekh.)

im'print (n) stempel; afdruk; druknaam (van uitgewer); (v) druk; stempel; inprent

impris'on (v) in die gevangenis/tronk sit; opsluit; **~ment** gevangenskap, opsluiting

improb'able onwaarskynlik also **unli'kely, du'= bious**

impromp'tu (n) impromptu (mus.); improvisa= sie; (a, adv) uit die vuis (toespraak); onvoor= bereid, impromptu (praat)

improp'er onbehoorlik, onbetaamlik; verkeerd; **~ frac'tion** onegte breuk

improve' (v) verbeter, veredel, verhoog; voor= uitgaan (pasiënt); **~ment** verbetering, vorde= ring also **pro'gress, recov'ery**

improvisa'tion improvisasie (onvoorbereide toe= spraak/uitvoering)

im'provise (v) improviseer, uit die vuis/im= promptu lewer (toespraak/uitvoering); haastig prakseer/tot stand bring also **contrive'**

impru'dent onbesonne, onbedag also **heed'less;** onversigtig

im'pudence onbeskaamdheid, vrypostigheid, vermetelheid also **audac'ity**

im'pudent parmantig, (dom)astrant also **ar'= rogant, chee'ky**

im'pulse impuls; aandrang, spoorslag; stukrag, prikkel

impul'sive (a) impulsief, voortvarend also **impet'uous, has'ty**

impu'nity straffoosheid; *with ~* straf(fe)loos

impure' onsuiwer, onrein; onedel, vuil

impu'rity onsuiwerheid also **contam'ination;** onreinheid, onkuisheid

imputa'tion (n) aantyging, beskuldiging also **accusa'tion; slan'der, slur;** verwyt; toereke= ning, aanspreeklikheid; toeskrywing

in (n): *the ~s and outs* die kleinste besonderhede;

die toedrag van sake; (adv) in, binne; (prep) in, by, op, na, tot met; *~ camera* agter geslote deure, in camera; *~ any case* in elk/alle geval; *~ cash* kontant; *~ fact* inderdaad, om die waarheid te sê; *~ so far as* in soverre (as); *~ honour of* ter ere van; *~ ink* met ink; *~ itself* op sigself; *~ a jiffy* in 'n oogwenk/oogwink, tjop-tjop, in 'n kits; *~ all likelihood* na alle waarskynlikheid; *~ memoriam* ter nagedagtenis aan/van; *~ terms of* ingevolge, kragtens; *~ time* met verloop van tyd; betyds, op tyd; *~ this way* op hierdie manier; *~ a week* oor 'n week/agt dae; *~ writing* op skrif

inabil'ity onvermoë, onbekwaamheid also **incom'petence** (of worker)

inacces'sible ontoeganklik, ongenaakbaar ('n persoon); on(be)klimbaar (berg); moeilik be= reikbaar (plek)

inac'curacy onjuistheid, onnoukeurigheid

inac'curate (a) onnoukeurig, onakkuraat, onjuis also **faulty, incorrect'**

inac'tive ledig; onaktief; traag; werkloos

inad'equate (a) onvoldoende, ontoereikend also **insuffic'ient, defic'ient;** oneweredig

inadvert'ent agteloos, onagsaam; onoplettend; onopsetlik; **~ly** per abuis/ongeluk

inan'imate (a) leweloos also **life'less;** onbesield

inappli'cable ontoepaslik, ongeskik also **un= suit'able**

inapprehen'sible onverstaanbaar, onbegryplik

inappro'priate onvanpas; misplaas, ontoepaslik also **unsuit'able; improp'er**

inartic'ulate onduidelik, onverstaanbaar also **in'distinct speech;** *he is quite ~* hy kan hom nie behoorlik/logies uitdruk nie

inasmuch': *~ as* aangesien

inatten'tive onoplettend, onopmerksaam

inaud'ible onhoorbaar

inaug'ural intree=, wydings=; **~ address'** intree= rede; intreepreek; openingsrede; **~ mee'ting** stigtingsvergadering

inaug'urate (v) inwy, inhuldig also **induct', install'** (in office); inseën also **ordain** (a clergyman)

inaugura'tion (n) inhuldiging; inwyding, inge= bruikneming also **launch;** bevestiging

in'born aangebore, ingeskape also **inher'ent**

in box inboks (rek.)

incal'culable onberekenbaar (skade; invloed)

incandes'cent (a) gloeiend; liggewend; **~ lamp** gloeilamp also **elec'tric bulb**

incanta'tion towerspreuk, beswering, inkantasie also **invoca'tion; charm** (n), **spell**

inca'pable (a) onbekwaam, onbevoeg, onkapabel also **incom'petent, un'fit, un'skilled**

incapac'itate (v) onbekwaam/onbevoeg maak

incapac'ity onbekwaamheid, onbevoegdheid

incar'cerate (v) iem. opsluit, gevange sit; in= kerker, toesluit also **jail'** (v), **impris'on**

incarn'ate (v) beliggaam, verpersoonlik; (a) vleeslik, in die vlees; *the devil* ~ die ver= persoonlikte duiwel

incarna'tion vleeswording, inkarnasie; verper= soonliking, beliggaming

incau'tious onversigtig *also* **care'less, rash**

incen'diarism brandstigting *also* **ar'son**

incen'diary (n) brandstigter; opruier; (a) brand= stigtend; opruiend *also* **provoc'ative; ~ bomb** brandbom

in'cense[1] (n) wierook; bewieroking; (v) bewie= rook; wierook brand; geurig maak

incense'[2] (v) kwaad maak, verbitter, vertoorn *also* **enrage', exas'perate**

incen'tive (n) aansporing, spoorslag; prikkel; (a) aanmoedigend, aansporend; ~ **bo'nus** aan= spoorbonus; ~ **scheme** aanspoorskema

incep'tion begin, aanvang

inces'sant(ly) (a, adv) onophoudelik, onverpoos, aanhoudend *also* **contin'ual, perpet'ual, unen'ding**

in'cest (n) bloedskande (seks tussen nabloedver= wante)

inch duim (ou lengtemaat); *every* ~ *a gentleman* 'n regte heer; *to an* ~ op 'n haar; *within an* ~ ampertjies; ~ **rule** (n) duimstok; ~ **tape** maatband/meetband

in'cidence voorkoms; insidensie (van siekte); raakpunt; invloedsfeer; *angle of* ~ invalshoek

in'cident (n) gebeurtenis, voorval, insident *also* **occur'rence, event'**; (pl) gebeure

inciden'tal (a) toevallig *also: by the way;* onvoorsien; ~ *remark* terloopse opmerking; ~**ly** toevallig, terloops; ~**s** (n) bykomen= de/onvoorsiene uitgawes *also* **ex'tras**

incinera'tion verbranding, verassing

incin'erator (n) verbrandingsoond, verasser

incis'ion insnyding, kerf, sny *also* **notch, slash**

incis'or snytand

incite' (v) opsweep, opstook, oprui, aanhits *also* **in'stigate, stir up; provoke'**; ~**ment** aanhit= sing, opsweping; aansporing

inciv'il (a) onbeleef *also* **impolite', discour'teous**

inclem'ent (a) stormagtig (weer); onbarmhartig; wreed

inclina'tion neiging, geneigdheid; tendens; hel= ling, skuinste; **angle' of** ~ hellingshoek

incline' (n) helling, afdraand, opdraand; skuinste; val; skuins skag (myn); (v) neig, geneig wees *also* **predispo'sed**; swenk; oor= hang; hel

incli'ned geneig; hellend; *be* ~ *to* geneig wees om

include' (v) insluit, behels, bevat; meereken; ~**d** met inbegrip van; *not* ~**d** nie inbegrepe nie

inclu'sion (n) insluiting, opneming; inbegrip

inclu'sive insluitend, ingeslote, inklusief; ~ *price* omvattende prys; **VAT-**~ BTW ingesluit

incog'nito as onbekende, onbekend, incognito *also* **un'known, unrec'ognised**

incoher'ent (a) onsamehangend (spraak)

in'come inkomste; inkome; ~ **state'ment** inkom= stestaat (boekh.); ~ **tax** inkomstebelasting; ~ **tax return'** inkomstebelastingopgawe

in'coming (n) binnekoms, aankoms; (a) inko= mend; aankomend; ~ **chair'person** verkose/ benoemde/aanstaande voorsitter

in'-company trai'ning = in'-house trai'ning

incom'parable (a) onvergelyklik, weergaloos *also* **match'less, unri'valled**

incompat'ible onverenigbaar; onaanpasbaar; onversoenbaar; ~ *with* strydig/onverenigbaar met

incom'petence/incom'petency onbekwaamheid; onbevoegdheid (sonder kundigheid)

incom'petent (a) onbevoeg, onbekwaam, onge= skik *also* **inca'pable, un'fit**

incomplete' onvolledig; onvoltooi

incomprehen'sible onbegryplik, onverstaanbaar

inconceiv'able ongelooflik, ondenkbaar, onbe= gryplik

inconclus'ive onoortuigend; onopgelos *also* **unsettled'**

incon'gruous (a) onverenigbaar; ongelyksoortig, inkongruent *also* **contradic'tory**

incon'sequent teenstrydig, inkonsekwent, onlo= gies

inconsid'erable onbeduidend, gering *also* **insig= nif'icant;** *a not* ~ *amount* 'n aardige bedraggie

inconsid'erate onbedagsaam *also* **self-centred';** agte(r)losig; onverskillig *also* **indiscreet'**

inconsis'tent (a) teenstrydig *also* **contradic'= tory;** onverenigbaar *also* **incompat'able;** on= gerymd; wispelturig; ~ *with* strydig met

inconso'lable ontroosbaar *also* **heart'broken**

inconspic'uous onopvallend; onaansienlik; be= skeie, nederig; onmerkbaar *also* **hid'den**

inconve'nience (n) ongerief, ongemak; *put to* ~ ongerief veroorsaak; (v) ~ *s.o.* iem. ontrief

inconven'ient ongerieflik *also* **uncom'fortable;** ongeleë *also* **inopportune'**

incor'porate (v) inlyf, verenig *also* **merge, amal'gamate;** inkorporeer; (a) ingelyf, vere= nig; ~*d association not for gain* ingelyfde vereniging sonder winsoogmerk

incorpora'tion inlywing; inkorporasie; belig= gaming

incorrect' verkeerd, foutief, onnoukeurig, on= juis; inkorrek *also* **erro'neous**

incor'rigible (a) onverbeterbaar (persoon) *also* **intrac'table**

in'crease (n) vermeerdering, aanwas; verhoging; styging, toename; aanteling (vee); *on the* ~ aan die toeneem; (v) vermeerder, verhoog, ver= groot *also* **augment', am'plify; extend';** aangroei

increa'singly (adv) toenemend, al hoe meer *also: more and more*

incred'ible ongelooflik *also* **unbeliev'able**

incred'ulous ongelowig; skepties *also* **scep'tical, du'bious**

in'crement verhoging (in salaris); inkrement; aanwas; vermeerdering

incrim'inate (v) beskuldig; betig; *incriminating evidence* beswarende/inkriminerende getuienis (in die hof)

in'cubate broei; uitbroei

in'cubator (n) broeimasjien, broeikas; inkubator

in'cubus (n) **..bi** nagmerrie (veral met seksuele teistering)

in'culcate (v) inprent, inskerp, verstewig

incum'bent (n) amp(s)bekleër; predikant (in Engeland); (a) opgelê as plig; *it is ~ on you* dis jou plig/verantwoordelikheid

incur' (v) op die hals haal, blootstel aan; *~ debt* skuld maak/aangaan; *~ risk* gevaar loop

incu'rable ongeneeslik; terminaal

incur'sion inval, strooptog *also* **raid**

inda'ba (n) indaba, (bos)beraad, samespreking(s), beraadslaging; koukus *see* **lekgot'la**

indebt'ed skuldig, verskuldig, verplig; *be ~ to* verskuldig wees aan; **~ness** verpligting

inde'cent onbetaamlik; onfatsoenlik; onwelvoeglik; *~* **assault'** onsedelike aanranding; *~* **expo'sure** onbetaamlike ontbloting

indeci'pherable onontsyferbaar

indeci'sive besluiteloos, onbeslis

indec'orous (a) onbehoorlik, onbetaamlik *also* **improp'er, unseem'ly, unbecom'ing**

indeed' inderdaad, regtig/rêrig, waarlik, voorwaar; *~ and ~* werklik, regtig; *who is he ~?* wie is hy nogal?

indefat'igable onvermoeid, onvermoeibaar *also* **unti'ring** (worker)

indef'inite onbepaald, onbegrens; vir altyd; vir tyd en ewigheid; onbeslis; *~* **pro'noun** onbepaalde voornaamwoord (gram.)

indel'ible onuitwisbaar *also* **endu'ring, las'ting;** *~ memories* onvergetelike herinneringe; *~* **pen'cil** inkpotlood

indel'icate onkies, onbetaamlik, onbehoorlik (gedrag) *also* **indec'orous**

indemnifica'tion skadevergoeding *also* **compensa'tion;** skadeloosstelling

indem'nify (v) vrywaar; skadeloos stel, vergoed *also* **reimburse'**

indem'nity skadeloosstelling, vrywaring, vergoeding; afkoopprys

indent' (n) kerf, keep; insnyding, inkerwing; inham; bestelling; stempel; inkeping, inspring (drukwerk); (v) inkeep, inspring (ook paragraaf in drukwerk); inkerf; uitsny, insny; bestel, induik; inskryf, inboek; *~* **a'gent** invoeragent; **~a'tion** inkeping; kerf; holte

inden'ture (n) kontrak; inboeking (van arbeiders); (v) 'n kontrak sluit; inboek

indepen'dence onafhanklikheid; *declaration of ~* onafhanklikverklaring

indepen'dent (n) onafhanklike (persoon); (a) onafhanklik, selfstandig *also* **free, auton'omous**

in'-depth stu'dy dieptestudie, diepgaande studie

indescri'bable onbeskryflik; wonderbaarlik; onnoembaar; *~ suffering* onuitspreeklike lyding

indestruc'tible onvernietigbaar

indeter'minate onbepaald, onseker; onbeslis; vaag; *~* **sen'tence** onbepaalde vonnis

in'dex (n) **-es** bladwyser; indeks; register; inhoudsopgawe; (pl.) **indices** eksponent (algebra); (v) indekseer; aanwys; *~* **fin'ger** voorvinger, wysvinger; *~* **num'ber** indeksgetal

In'dia Indië (land); **~man** Oosindiëvaarder (skip, hist.)

In'dian (n) Indiër (persoon, Asië/SA); Indiaan (Amerika); (a) Indies; Indiaans (gebruike, ens.); *in ~ file* die een agter die ander, tou-tou; *~* **corn** mielies; *~* **ink** Indiese ink; *~* **O'cean** Indiese Oseaan; *~* **sum'mer** opslagsomer, ontydige somer; *~* **wrest'ling** armdruk(wedstryd) *also* **arm wrest'ling**

in'dicate (v) aanwys, aandui; aantoon *also* **sig'nify, spe'cify**

indica'tion aanduiding, aanwysing; teken

indic'ative (n) aantonende wys (gram.) *also* **~ mood;** (a) aanwysend

in'dicator (n) aanwyser; rigtingwyser; nommerbord; **flash** *~* flikkerlig (motor)

indict' (v) beskuldig, aankla, vervolg; **~ment** aanklag; (akte van) beskuldiging

indif'ference (n) onverskilligheid, ongeërgdheid

indif'ferent (a) onverskillig *also* **care'less, unconcer'ned;** agte(r)losig; middelmatig; onbeduidend; *his health is ~* sy gesondheid is swak

in'digence armoede, gebrek *also* **pov'erty, want**

indig'enous inheems, eielands; *~* **lang'uage** plaaslike/inheemse taal *also* **vernac'ular;** *~* **trees** inheemse bome

in'digent (a) arm, behoeftig, armlastig

indiges'tion (n) slegte spysvertering, indigestie

indig'nant (a) verontwaardig, gebelg, die joos/hoenders in *also* **annoy'ed**

indigna'tion verontwaardiging

indig'nity (n) smaad, belediging *also* **humilia'tion**

indirect' indirek, onregstreeks, sydelings; onopreg; *~* **speech** indirekte rede (gram.)

indiscreet' (a) onoordeelkundig; onbedagsaam; onbesonne; taktloos

indiscre'tion (n) onbedagsaamheid *also* **(so'cial) gaffe, blun'der**

indiscrim'inate (a) willekeurig; deur die bank, voor die voet, sonder onderskeid *also* **ran'dom; ~ly** blindweg, voor die voet

indispen′sable onontbeerlik, onmisbaar *also* **essen′tial**

indispose′ (v) ontstem; ongesteld maak; ~d′ (a) ongesteld, olik, siek; ongeneë

indispu′table onbetwisbaar, onweerlegbaar

indistinct′ (a) onduidelik, dof, vaag

individ′ual (n) individu, persoon, mens; enke= ling; (a) individueel, afsonderlik

individual′ity individualiteit, (eie) persoonlik= heid, karakter *also* **personal′ity**

individ′ually persoonlik, afsonderlik, indivi= dueel, apart *also* **sing′ly**

indoctrina′tion (n) indoktrinasie/indoktrinering, inprenting; breinspoeling

in′dolence (n) luiheid, traagheid, ledigheid *also* **lazi′ness, idle′ness**

in′dolent (a) lui, traag, vadsig *also* **i′dle, la′zy,** **slack**

indom′itable ontembaar, onoorwinlik *also* **res′= olute, unflin′ching**

in′door (a) huis=, binne=; ~ **game** huisspeletjie; ~ **plants** binnehuise plante, kamerplante

in′doors (a) binnenshuis, binne

induce′ (v) beweeg; oorhaal, oorreed, aanspoor *also* **persuade′, prompt;** veroorsaak; besluit; ~**ment** aansporing; beweegrede; lokmiddel, prikkel *also* **incen′tive**

induct′ (v) installeer; in ′n amp bevestig; inwy; bevestig (predikant); ~**ion** inhuldiging (burge= meester); bevestiging (predikant); induksie; in= wyding, inburgering (groentjies) *see* **initia′tion**

indulge′ (v) toegee; jou oorgee aan; begunstig met

indul′gent (a) toegewend, inskiklik, meegaande *also* **forbea′ring**

indu′na indoena, ringkop, kaptein *also* **chief′= (tain)**

indus′trial (a) industrieel, nywerheids=; ~ **ac′tion** arbeidsonrus; massa-optrede, werkersoptrede; ~ **court** nywerheidshof; ~ **dispute′** arbeidsgeskil; ~ **espi′onage** bedryfspioenasie; ~**ist** fabrikant, nyweraar; ~**isa′tion** industrialisering; ~ **plant** fabrieksaanleg; ~ **psychol′ogist** bedryfsielkun= dige; ~ **rela′tions** arbeidsverhoudinge; bedryfs= verhoudinge; ~ **school** nywerheidskool; ambagskool

indus′trious werksaam, fluks, vlytig, ywerig *also* **keen, dil′igent**

in′dustry nywerheid, industrie, bedryf; vlyt, ywer, werksaamheid

ine′briate (n) dronkaard; (a) dronk, beskonke, besope

ined′ible oneetbaar

ineffec′tive (a) ondoeltreffend; oneffektief *also* **inad′equate;** vrugteloos, vergeefs

ineffi′ciency (n) onbekwaamheid, onbevoegd= heid; ondoeltreffendheid; vrugteloosheid

ineffic′ient (a) onbekwaam; ondoeltreffend; on=

geskik *also* **incom′petent, inca′pable, un′fi** onbruikbaar

inel′igible onverkiesbaar (vir ′n amp); onbe roepbaar

inept′ (a) onbekwaam *also* **unfit′, unqual′ified** onbeholpe; ongepas; ongerymd; dwaas ~**itude** (n) onbekwaamheid *also* **incom′** **petence;** ongepastheid, ongerymdheid

inequal′ity ongelykheid *also* **dispar′ity**

ineq′uitable (a) ongelyk; onbillik, onregverdig

inert′ (a) onaktief; loom; bewegingloos

iner′tia traagheid, inersie *also* **immobil′ity;** **reel seat′belt** rukstopgordel (motor)

ines′timable onskatbaar, onberekenbaar; ~ *dam* *age* onberekenbare skade; ~ *value* onskatbar waarde

inev′itable onvermydelik *also* **unavoi′dable**

inexcus′able onvergeeflik, onverskoonbaar

inexhaus′tible onuitputlik; onvermoeid *alse* **tire′less, unflag′ging** (person′s energy)

inexpe′dient ondienstig; ongeskik

inexpen′sive (a) goedkoop; billik, bekostigbaa *also* **afford′able**

inexpe′rience onervarenheid; ~**d** onervare, on bedrewe

inexplic′able onverklaarbaar *also* **unaccount** **able, enigmat′ic**

inexpres′sible onuitspreeklik

inexpres′sive uidrukkingloos *also* **impas′sive** va′cant (stare)

infal′lible onfeilbaar; onbedrieglik *also* **fault′** **less, uner′ring, unfail′ing**

in′famous berug (persoon); skandelik, skandalig verfoeilik (daad, optrede); ~ **lie** infame leuen

in′famy skande, eerloosheid; berugtheid

in′fancy kinderjare, kleintyd, kindheid

in′fant (n) babatjie, suigeling; klein kind kleuter; (a) klein, jonk; minderjarig; ~ **mortal′ity rate** kindersterftesyfer

infan′ticide kindermoord; kindermoordenaar

in′fantile kinder=, kinderlik; kinderagtig, infan= tiel; ~ **paral′ysis** kinderverlamming

in′fantry infanterie, voetsoldate

in′fant school kleuterskool; bewaarskool

infat′uate (v) versot maak, verdwaas; ~**d** (a) ver= sot op; smoorverlief *also* **obses′sed, cap′tivated**

infatua′tion (dol)verliefdheid; infatuasie *also* **fixa′tion;** bevlieging; verblinding

infect′ (v) besmet, aansteek; ~**ed** besmet, aan= gesteek; ~**ion** besmetting; infeksie; ~**ious** besmetlik; aansteeklik; ~*ious disease* aan= steeklike siekte, infeksiesiekte

infer′ (v) aflei, ′n gevolgtrekking maak *also* **dedu′ce, surmi′se;** meebring

in′ference gevolgtrekking, afleiding

infe′rior (n) ondergeskikte, mindere (persoon); (a) minderwaardig; ondergeskik; *be* ~/*subor= dinate to* ondergeskik wees aan

nferior'ity minderwaardigheid; ondergeskikt= heid; ~ com'plex minderwaardigheid(s)kom= pleks

nfer'nal (a) hels, duiwels; verfoeilik

nfer'no inferno, hel

nfer'tile onvrugbaar *also* bar'ren; steriel *also* ster'ile

nfest' vervuil, verpes; krioel/wemel (van); ~*ed with rats* vervuil/wemel van die rotte

in'fidel (n) ongelowige (persoon); (a) ongelowig

in'fighting binnegevegte; broedertwis

in'filtrate insypel, infiltreer *also* sneak in (refugees); insyg, intrek *also* pen'etrate

infiltra'tion insypeling, infiltrasie; deursyfering

infiltra'tor (n) insypelaar (persoon)

in'finite (n) oneindigheid; (a) oneindig, grens= loos *also* bound'less

infinites'imal oneindig klein/gering *also* min'us= cule

infin'itive (n) onbepaalde wys (gram.) *also* ~ mood; (a) oneindig, eindeloos

infin'itude/infin'ity oneindigheid, grensloosheid

infirm' swak; sieklik, kranklik; gebreklik, ge= strem; ~ary kliniek, siekehuis; ~ity swakheid, swakte *also* frail'ty

inflame' (v) aanvuur, aanhits *also* an'ger, enrage'; inflammasie kry, ontsteek

inflam'mable brandbaar, (ont)vlambaar *also* flam'mable

inflam'mation ontsteking, inflammasie

inflam'matory verhittend; ontstekend; opruiend, aanhitsend (taal)

inflate' opblaas; oppomp; opjaag (pryse)

infla'table (n) rubberboot(jie), opblaasboot(jie) *see* din'ghy; ballon; (a) opblaasbaar

infla'tion inflasie (van pryse); opblasing

inflect' buig; verbuig (gram.)

inflexibil'ity onbuigsaamheid, onversetlikheid

inflex'ible onbuigsaam, onfleksiel *also* firm, fix'ed

inflex'ion/inflec'tion verbuiging, infleksie (gram.)

inflict' (v) toedien, oplê, laat voel; ~/*apply punishment* straf toedien

in'flow (n) invloeiing, instroming, toestroming (van vlugtelinge) *also* influx

in'fluence (n) invloed; inwerking; (v) beïnvloed

influen'tial (a) invloedryk; ~ *people* invloedry= ke/gerekende mense

influen'za influensa, griep *also* flu

in'flux instroming, toestroming, influks *also* in'flow

in'fo (infml.) (n) inligting, info (omgangst.) *also* informa'tion

in'fonomics (n) infonomie (studievak)

inform' (v) meedeel, vertel; verwittig, laat weet; sê; berig; aandra, verklik; aankondig

infor'mal (a) informeel; ~ dress informe= le/kasuele drag; gemakdrag; ~ lang'uage omgangstaal; ~ settle'ment informele neder= setting/woonbuurt; plakkerskamp *also* squat= ter camp; ~ tra'der informele handelaar; straathandelaar, straatsmous *also* kerb'side tra'der; ~ sec'tor informele sektor (v.d. ekonomie)

infor'mant (n) informant *see* infor'mer; segs= man, woordvoerder; beriggewer

informa'tion inligting; informasie; berig, mede= deling; full ~ volle/volledige inligting; further ~ meer/verdere inligting; ~ highway informasiesnelweg; ~ stud'ies informatika; ~ technol'ogy (IT) inligtingstegnologie (IT), inligtingskunde *also* compu'ter science

inform'ative informatief, leersaam *also* instruc'= tive

informed' (a) goed ingelig, saakkundig; *keep s.o.* ~/*posted* iem. op (die) hoogte hou

inform'er (n) nuusdraer; verklikker, verklapper *also* whis'tle-blo'wer; informant; aanklaer

in'fotech (infml.) (n) infotegnologie (IT) *see* informa'tion technol'ogy

in'fra (Latin) benede; ~ *dig(nitatem)* benede iem. se waardigheid; onvanpas

in'frastructure (n) infrastruktuur (onderbou van 'n onderneming)

infre'quent seldsaam *also* sel'dom; ~ly selde

infringe' (v) oortree; verbreek; inbreuk maak op; vergryp; ~ment inbreuk *also* breach

infu'riate (v) woedend/briesend maak, vertoorn, vererg, irriteer *also* exas'perate

infuse' (v) ingiet, ingee

inge'nious (a) vernuftig, vindingryk, innoverend *also* in'novative, inven'tive, resource'ful; talentvol, knap *also* bright, crea'tive

ingenu'ity (n) vernuftigheid, vindingrykheid

ingen'uous (a) ongekunsteld, openhartig, onge= veins; naïef; opreg *also* can'did

inglo'rious roemloos, skandelik *also* shame'ful; ~ *defeat* smadelike neerlaag/nederlaag

in'got gietblok (yster/staal)

in'grained diep (in)gewortel; verstok

ingrat'itude ondankbaarheid *also* thank'less= ness, ungrate'fulness

ingred'ient bestanddeel, ingrediënt (vir 'n resep)

inhab'it bewoon; woon; ~able bewoonbaar; ~ant bewoner, inwoner *also* oc'cupier, res'= ident

inhala'tion inaseming

inhale' (v) inasem, intrek, opsnuif

inher'ent (a) onafskeidelik; aangebore, ingebore, eie aan, inherent *also* congen'ital; *it is* ~ *in our nature* dit sit in ons natuur

inher'it (v) erf; ~ance (n) erfenis, erflating, erfporsie; nalatenskap; ~ed geërf, oorgeërf

inhib'it (v) verbied, belet; verhinder, strem; ~ing/~ory effect' stuitwerking

inhibi′tion verbod *also* **embar′go;** stuiting; inhibisie; skorsing; verhindering

inhos′pitable ongasvry; onherbergsaam

in′-house trai′ning binne-opleiding, indiensopleiding, interne opleiding, inhuisopleiding

inhu′man (a) onmenslik, gevoelloos, barbaars *also* **bru′tal, bar′barous, cruel**

inhumane′ (a) onmensliewend, inhumaan

inim′itable onnavolgbaar, onkopieerbaar (gedrag, optrede) *also* **unri′valled, uni′que;** *his ~ style* sy unieke styl/optrede

iniq′uity (n) onregverdigheid; ongeregtigheid *also* **e′vil, wrong;** onbillikheid

ini′tial (n) voorletter; (pl) paraaf; (v) parafeer; (a) eerste, begin=, aanvangs=; inisieel; *please ~ this paragraph* parafeer asseblief hierdie paragraaf; *~ investigation/exploration* aanvangsondersoek; **~ly** (adv) aanvanklik, allereers

ini′tiate (n) ingewyde; (v) inwy, inisieer; ontgroen, doop; inburger; touwys maak

initia′tion induksie; ontgroening, dopery; inburgering; *~* **school** inisiasieskool, bergskool *also* **circumci′sion school**

ini′tiative (n) inisiatief; voortou; eerste stap; begin; *have the ~* die leiding/voorsprong hê; *take the ~* die inisiatief/leiding neem; die aanvoorwerk doen; (a) aanvangs=, begin=

inject′ inspuit

injec′tion inspuiting, injeksie; **intrave′nous** ~ aarinspuiting; **subcuta′neous** ~ onderhuidse inspuiting; *~* **nee′dle** inspuitnaald

injudi′cious onoordeelkundig *also* **ill-jud′ged**

injunc′tion bevel, opdrag *also* **command′, ru′ling**

in′jure (v) beseer, seermaak; beskadig; benadeel; krenk; beledig; onreg aandoen *also* **abuse′, harm, hurt; disa′ble**

inju′rious skadelik; beledigend, krenkend

in′jury besering, letsel; benadeling; ~ **time** beseringstyd (sport)

injus′tice onregverdigheid, onreg; *do an ~* iem. 'n onreg aandoen

ink (n) ink; *write in ~* met ink skryf; (v) met ink merk; ink aansmeer; ~ **bot′tle** inkbottel; **~-jet prin′ter** inkstraaldrukker

ink′ling (n) vermoede; idee; wenk; snuf (in die neus); *have no ~ of something* geen vermoede van iets hê nie

ink: ~ **stain** inkvlek; **~stand/~well** inkpot

in′laid (a) ingelê; ~ **work** inlegwerk

in′land (n) binneland; (a) binnelands *also* **inte′rior;** ondervelds; (adv) landwaarts

in-law′ aangetroude familielid; *my ~s* my skoonfamilie

in′lay (n) inlegsel, inlêwerk

in′let inham, baai (aan kus); ingang, opening

in′line (rol′ler) skates lemskaatse, rollemskaatse *also* **Rol′lerblades** (trademark)

in′mate bewoner; huisgenoot; inwoner (van 'n gestig)

in′most binneste; diepste, innigste (gevoelens)

inn (n) taverne, herberg, kroeg *also* **tav′ern**

innate′ aangebore, ingeskape *also* **in′born, in′bred**

in′ner (a) innerlik, geheim; *the ~ man* die inwendige mens; **~most** binneste, innigste

in′nings (n) beurt, kolfbeurt (krieket)

inn′keeper herbergier *also* **host, hotel′ier**

in′nocence (n) onskuld; eenvoudigheid, onkundigheid

in′nocent (n) onskuldige (persoon); (a) onskuldig; argeloos; onbedorwe (kind) *also* **guilt′less, bla′meless; nai′ve**

innoc′uous onskadelik

in′novating (a) innoverend; vernuwend, kreatief, skeppend

innova′tion nuwigheid *also* **novel′ty**

innuen′do toespeling, sinspeling; skimp, insinuasie *also* **insin′uation**

innu′merable ontelbaar *also* **count′less; incal′culable**

innu′merate (a) ongesyfer(d) *see* **illit′erate**

inobser′vant (a) onoplettend, agtelosig *also* **innatten′tive, heed′less**

inoc′ulate (v) inent; ent, okuleer

inocula′tion inenting

inoffen′sive onskadelik *also* **harm′less;** onskuldig

inop′erative buite werking *also* **out of order, bro′ken-down; down** (comp. system)

inopportune′ ongeleë, ontydig *also* **inconve′nient, ill-timed**

inord′inate buitensporig; oordrewe

inorgan′ic anorganies; ~ **chem′istry** anorganiese skeikunde/chemie

in′-patient binnepasiënt (van kliniek, hospitaal)

in′put bydrae; inset (produksiemiddele); *make an ~* 'n inset/bydrae lewer *see* **out′put, through-put;** ~ **un′it** toevoereenheid (rek.)

in′quest (n) geregtelike ondersoek *also* **foren′sic investiga′tion;** nadoodse ondersoek, lykskouing *also* **autop′sy**

inquire′ ondersoek instel; *~ into the affairs of the company* ondersoek instel na die maatskappy se sake

inquir′y (n) ondersoek, navorsing *also* **investiga′tion, probe;** *commission of ~ into* kommissie van ondersoek na *see* **enqui′ry**

inquisi′tion inkwisisie (kerklike hof, hist.); ondersoek; ondervraging

inquis′itive (a) nuuskierig; weetgierig; vraagsiek *also* **curious, nosy;** **~ness** nuuskierigheid; weetgierigheid

inquis′itor inkwisiteur (hist.)

in′road inval, strooptog; *make ~s into* inbreuk maak op *also: encroach upon*

insane′ (a) kranksinnig, sielsiek; mal *also* **mad, lu′natic**

insan'ity (n) kranksinnigheid *also* **men'tal disor'der; mad'ness**

inscribe' inskryf, graveer, ingrif; opdra (aan iem.) *also* **ded'icate**

inscrip'tion (n) inskrywing, inskrif; inskripsie (in 'n boek, op 'n grafsteen); byskrif; opskrif

inscru'table onnaspeurlik, ondeurgrondelik *also* **unfath'omable;** ~ *smile* (of Mona Lisa) onpeilbare glimlag

in'sect (n) insek, gogga *also* **gog'ga** (SAE)

insec'ticide insekdoder, insektegif *also* **pes'= ticide**

insecure' onveilig, onseker *also* **un'safe**

insecu'rity onveiligheid, onsekerheid *also* **anxiety', fear**

insem'inate (v) saai, inplant; bevrug, insemineer

insemina'tion bevrugting, inseminasie; **artifi'= cial** ~ kunsmatige bevrugting, kunsmatige inseminasie

insen'sible ongevoelig; onbewus

insen'sitive ongevoelig *also* **unca'ring;** ~/*in= different to* ongevoelig/onverskillig vir

insep'arable onskei(d)baar; onafskeidelik (vrien= de)

in'sert (n) invoeging, invoegsel; insetsel; (v) invoeg, inlas; inset; inskakel; plaas; **~ion** invoeging, opname *also* **in'set;** plasing (in koerant); ~ **mode** invoegmodus (rek.)

in'-service: ~ **trai'ning** (in)diensopleiding, in= huisopleiding; ~ **tu'ition** (in)diensonderrig

in'set inlas; insetsel; inlegsel; bylae, by= voegsel; (v) inlas; invoeg; opplak; ~ **map** bykaart

in'shore naby die kus/wal; ~ **fish'ery** kusvissery

in'side (n) binnekant; binneste, inbors; inwen= dige; binnegoed; *know* ~ *out* deur en deur ken; ~ *out* binne(n)stebuite; (a) binneste, binne=; (adv) binnekant; binne(ns)huis; (prep) binne; ~ **job** binneknoei(ery); **~r tra'ding** binnehandel (aandele en effekte)

insid'ious verraderlik, (arg)listig, slu *also* **sly, treach'erous**

in'sight insig; begrip; onderskeidingsvermoë *also* **aware'ness, percep'tion**

insig'nia (pl) onderskeidingstekens, ordetekens, insignia, dekorasies

insignif'icant onbeduidend, onbelangrik *also* **tri'fling**

insincere' onopreg, huigelagtig, skynheilig

insin'uate (v) sinspeel, te kenne gee, insinueer *also* **imply**

insinua'tion sinspeling, toespeling, toedigting, insinuasie, skimp *also* **allu'sion, hint, slur**

insip'id (a) smaakloos, laf, flou *also* **bland, taste'less**

insist' (v) aandring; aanhou; volhou; volhard; ~ *on* aandring op; voet by stuk hou; **~ence** aandrang, deurdrywing

insofar': ~ *as* in dié mate dat; vir sover *see* **inasmuch'**

in'solence parmantigheid, onbeskaamdheid, on= beskoftheid *also* **imper'tinence**

in'solent (a) parmantig, onbeskaamd, onbeskof *also* **ar'rogant, chee'ky**

insol'uble onoplosbaar

insol'vency bankrotskap, insolvensie

insol'vent (n) insolvent; bankrotspeler (persoon); (a) bankrot, insolvent; ~ **esta'te** insolvente boedel

insom'nia slaaploosheid/slapeloosheid, insom= nia

insomuch' vir sover; aangesien; ~ *as* vir sover as; ~ *that* in so 'n mate dat

inspan' (SAE) (v) inspan, voorspan *also:* **put to work**

inspect' (v) ondersoek, inspekteer; nagaan, kontroleer; (op)tjek (omgangst.); **~ion** inspek= sie, ondersoek; **~or** inspekteur; opsiener *also* **super'visor**

inspira'tion (n) besieling, inspirasie; ingewing, opwekking

inspire' (v) inboesem; besiel; inspireer, aanvuur; ~ *confidence* vertroue inboesem; **~d** ingegee, besiel, geïnspireer, begeester(d); **~d** *leadership* besielende/begeesterende leiding/leierskap

inspir'ing (a) besielend, inspirerend *also* **stim'= ulating, uplif'ting**

instabil'ity (n) onbestendigheid, onstabiliteit; veranderlikheid

install' (v) installeer, aanlê; inrig; bevestig (in 'n amp); vestig *also* **institute', estab'lish**

install'ation installasie, bevestiging; aanleg (fa= briek); oprigting; vestiging

instal'ment paaiement; aflewering; gedeelte; termyn; bydrae; *pay in* ~*s* (in paaiemente) afbetaal

in'stance (n) voorbeeld, geval; versoek; *at the* ~ *of* op aandrang van; *in the first* ~ in die eerste plek, in eerste instansie; *for* ~ byvoorbeeld; *in your* ~ in jou geval; (v) as voorbeeld gee; aanhaal *also* **men'tion, cite; quote'**

in'stant (n) oomblik, tydstip; (a, adv) onmiddel= lik, oombliklik, dadelik *also:* **in a flash/jiffy;** kits=; **~a'neous** oombliklik; skielik; ~ **coffee** kitskoffie; ~ **lawn** kitsgrasperk

instead' (of) in plaas daarvan; pleks van

in'step (n) voetboog, wreef

in'stigate (v) aanhits, opstook, opsweep, aanpor, aanspoor, aanstig *also* **incite'**

instiga'tion aanhitsing, aansporing, aandrif, uit= lokking; *at the* ~ *of* op aandrang van

in'stigator opstoker, aanhitser, agitator *also* **ag'itator, per'petrator, ring'leader**

instil' inboesem, inprent; indruppel; ~ *confidence* vertroue gee/inboesem

in'stinct (n) instink, natuurdrif; **~ive** onwille=

keurig, instinktief, spontaan *also* **invol'untary**

in'stitute (n) instelling; wet; instituut; (pl) institute; (v) inrig, invoer; instel, stig, vestig *also* **estab'lish;** ~ *proceedings* regstappe doen/instel

institu'tion (n) instelling; inrigting, gestig; oord; wet; stigting; bepaling

instruct' (v) beveel, gelas, voorskryf; onderrig, leer, voorlig, les gee; **~ion** bevel, instruksie; onderrig; **~ive** leersaam; **~or** leermeester, instrukteur

in'strument (n) instrument; werktuig; dokument; middel; *negotiable* ~ verhandelbare dokument

instrumen'tal bevorderlik, behulpsaam; instrumentaal (mus.); *be* ~ *to* bydra tot

insubor'dinate (a) weerspannig, ongehoorsaam *also* **defiant'**

insubordina'tion (n) ongehoorsaamheid, opstandigheid, verset, insubordinasie

insuf'ferable ondraaglik, onuitstaanbaar

insuffi'cient (a) ontoereikend, onvoldoende, ongenoegsaam *also* **inad'equate**

in'sular (a) eiland=; bekrompe, eng, insulêr

in'sulate (v) isoleer; afsonder

insula'tion isolering; afsondering; ~ **tape** isoleerband

in'sulator isolator, niegeleier (elektr.)

in'sult (n) belediging, affront; *calculated* ~ berekende affront; (v) beledig, beskimp *also* **offend';** **~ing** krenkend, beledigend, kwetsend *also* **abu'sive, offen'sive**

insup'erable onoorkomelik, onoorkoombaar

insu'rance (n) versekering; *third party* ~ derdepartyversekering, derdedekking; ~ **a'gent** versekeringsagent; ~ **com'pany** versekeringsmaatskappy; ~ **pol'icy** versekeringspolis *see* **assu'rance**

insure' (v) verseker, verassureer; seker maak; **~d'** (n) die versekerde; (a) verseker, verassureer; **~r** versekeraar

insur'gent (n) opstandeling, oproermaker *also* **riot'er;** insurgent; insypelaar *see* **in'filtrator;** (a) oproerig, opstandig

insurmoun'table onoorkomelik, onoorkombaar

insurrec'tion (n) opstand, muitery, insurreksie *also* **rebel'lion, mu'tiny**

intact' (a) ongeskonde, onaangeroer, intak(t) *also* **un'harmed, unvi'olated**

in'take (n) inloop; inname; toevoer; opvanggebied

intan'gible (a) onvoelbaar; ontasbaar, onbevatlik

in'teger (n) heelgetal, heeltal, geheel

in'tegral (n) integraal; (a) heel, volledig, integraal, integrerend; ~ *part of* integrerende/ wesenlike deel van; ~ **cal'culus** integraalrekening

in'tegrate (v) volledig maak; inskakel, integreer *also* **blend, combine'**

integra'tion integrasie; inskakeling *also* **assimila'tion**

integ'rity integriteit, betroubaarheid; onkreukbaarheid; eerlikheid; eerbaarheid; volledigheid *also* **cohe'sion**

in'tellect vernuf, gees, intellek, verstand

intellec'tual (n) intellektueel (persoon); (a) verstandelik, intellektueel; verstands=

intel'ligence intelligensie; verstand; oordeel; skerpsinnigheid; vernuf; inligting, berig *also* **report';** ~ **quo'tient** intelligensiekwosiënt; ~ **ser'vice** intelligensiediens

intel'ligent intelligent, verstandig, skrander, slim, vlug, knap *also* **clev'er, bright**

intelligent'sia intelligentsia, intellektuele leiers

intel'ligible verstaanbaar, bevatlik

intem'perate (a) onmatig (klimaat); oordadig; dranklustig

intend' (v) van plan wees, voornemens wees, wil; bedoel, meen; *we* ~ *to go* ons is van plan om te gaan; ~ *no harm* geen kwaad bedoel nie; **~ed** (a) bestem(d), voorgenome

intense' (a) hewig, kragtig, sterk, diep, fel *also* **fierce, vi'olent, severe'**

inten'sify (v) versterk, verskerp, vererger; verhoog; verdiep; intensiveer; *intensified attacks* verskerpte aanvalle

inten'sity hewigheid, felheid; kragtigheid; intensiteit

inten'sive (a) intensief; intens; kragtig; gespanne; ~ **care** waaksorg; ~ **care u'nit** (intensiewe) sorgeenheid; waakeenheid *see* **high- care u'nit**

intent' (n) oogmerk, voorneme, plan, bedoeling; opset (regstaal); *for all* ~*s and purposes*, vir alle praktiese doeleindes; *with* ~ *to* met die opset om; (a) aandagtig, gespanne

inten'tion voorneme, bedoeling; **~al** opsetlik, moedswillig *also* **delib'erate**

intent'ly/intense'ly gespanne, aandagtig (luister); stip (kyk)

inter'[1] (v) begrawe, ter aarde bestel

in'ter[2] (adv) tussen, onder; ~ *alia* onder andere/ meer

interact' (v) op mekaar inwerk *also* **inter'face; ~ion** wisselwerking; interaksie

intercede' (v) pleit, bemiddel, tussenbei kom; ~ *on his behalf* voorspraak wees vir hom

intercept' (v) onderskep ('n aangee); ondervang; afluister; afsny; teenhou

interces'sion bemiddeling, voorspraak, voorbede; tussenkoms *also* **media'tion**

inter'change (n) wisseling; ruiling; vervanging; **traf'fic** ~ (verkeers)wisselaar, wisselkruising; (v) wissel, ruil; afwissel; verwissel

intercit'y (a) tussenstedelik (treindiens)

in'tercourse omgang, verkeer; gemeenskap; **sex'ual** ~ geslagsgemeenskap; liefde maak; **so'cial** ~ gesellige verkeer, sosiale omgang

interdenomina'tional interkerklik, tussenkerklik
interdepen'dence (n) onderlinge afhanklikheid
interdepen'dent onderling afhanklik
inter'dict (n) verbod, beletsel; interdik
in'terest (n) belang; belangstelling; rente; aan=
deel; eiebelang; invloed; *~-bearing investment*
rentedraende belegging; *in the ~ of* in (die)
belang van; *take an ~ in* belang stel in; (v)
belang stel, interesseer; *I am ~ed in* ek stel
belang in; **com'pound** ~ saamgestelde rente;
~ed par'ties belangstellende/belanghebbende
partye; ~ **group** belangegroep; *~ing* inte=
ressant, onderhoudend; belangwekkend; ~
rate rentekoers; **sim'ple** ~ enkelvoudige rente
in'terface (n) koppelvlak, raakvlak; skeidings=
vlak; intervlak; skeidingsvlak; (v) koppel,
inskakel *also* **interact'**
interfere' (v) (jou) bemoei/inlaat (met), inmeng
(in); dwarsboom; ingryp; benadeel *also*
meddle', hin'der
interfe'rence (n) bemoeiing, inmenging *also*
intru'sion; steuring; interferensie (wisk.)
in'terim (n) tussentyd; *in the ~* intussen; (a)
voorlopig, interim-=, tussentyds; ~ **div'idend**
tussendividend, tussentydse dividend
inte'rior (n) (die) binneland; binneste; (a) binne=
lands; binneste; inwendig; binne=; ~ **dec'=
orating** binneversiering; ~ **dec'orator** bin=
neversierder; ~ **design'** binneontwerp; ~ **de=
signer** binneontwerper
interjec'tion tussenwerpsel, interjeksie; uitroep
interlard' deurspek; *to ~ one's writing with
foreign words* om jou skryfwerk/geskrif met
vreemde woorde te deurspek/deurvleg
interlock' (v) grendel; inmekaarpas
in'terloper onderkruiper; smokkelaar; indringer
in'terlude tussenspel; tussenbedryf
intermar'ry (v) onder mekaar trou, ondertrou
interme'diary (n) tussenganger; bemiddelaar;
(a) tussen=
interme'diate (a) tussenkomend, intermediêr,
tussen=; ~ **examina'tion** intermediêre eksamen
inter'ment seremoniële begrafnis; teraardebe=
stelling *also* **fu'neral, bu'rial**
inter'minable oneindig, eindeloos *also* **end'less**
intermin'gle meng *also* **mix/merge (with)**
intermis'sion (n) pouse; tussenpose; onderbre=
king *also* **in'terval, break;** *without ~* onop=
houdelik
intermit'tent afwisselend; periodiek; ~ **sho'wers**
los/verspreide reënbuie
in'tern[1] (n) intern, (proef)arts
intern'[2] (v) interneer; arresteer, aanhou *also*
detain', hold in cus'tody
inter'nal (a) inwendig; binne=; binnelands;
innerlik; ~ **check** interne kontrole; ~ **combus'=
tion en'gine** binnebrandmotor; ~ **control'**
interne beheer; ~ **mat'ter** huishoudeli=

ke/interne saak/aangeleentheid; ~ **stu'dent**
binnemuurse student
interna'tional (a) internasionaal; ~ **air'port**
internasionale lughawe; ~ **law** (die) volkereg;
I~ Mon'etary Fund Internasionale Monetêre
Fonds (IMF)
internet'/Internet' internet (rek.); ~ **ser'vice
provid'er (ISP)** internetdiensverskaffer (IDV)
intern'ment internering *also* **imprison'ment**
interpella'tion (n) interpellasie (in parlement)
interplan'etary interplanetêr
in'terplay wisselwerking; tussenspel
inter'polate inskuif/inskuiwe, tussenvoeg, inlas
also **insert', add;** interpoleer
interpola'tion inskuiwing, invoeging; interpola=
sie
inter'pret vertolk; verklaar, uitlê; *~a'tion* ver=
klaring *also* **clarifica'tion;** vertolking, uitleg,
interpretasie; *~ation of dreams* (die) uitlê van
drome; *~er* tolk; uitlêer; vertolker (mus.;
drama)
interprovin'cial interprovinsiaal
interpunc'tion punktuasie, interpunksie *also*
punctua'tion
inter'rogate (v) ondervra, uitvra, kruisvra *also*
cross'-question, grill
interroga'tion ondervraging
interrog'ative (n) vraende voornaamwoord
(gram.); (a) vraend, vraag=
interrupt' (v) onderbreek; steur; in die rede val;
~ion onderbreking, steuring, tussenwerpsel
also **break, pause**
intersect' (v) deursny, deurkruis; sny; *~ion* (n)
snypunt, kruispunt; kruising (strate)
intersperse' vermeng, tussenin stel; *~d with*
deurvleg/deurspek met
intertwine' (v) deurvleg, ineenstrengel
in'terval rustyd; pouse *also* **intermis'sion,
break;** tussenruimte; tussentyd; interval
(mus.); afstand; *at ~s* met tussenposes
intervar'sity (n) intervarsity, interuniversiteits=
wedstryd
intervene' (v) tussenbei(de) kom; ingryp; toe=
tree; steur
interven'tion tussenkoms *also* **media'tion;** in=
gryping, intervensie
inter'view (n) onderhoud; gesprek; vraaggesprek
(radio, TV); *grant an ~* 'n onderhoud toestaan;
(v) 'n onderhoud voer; ondervra; uithoor; *~er*
onderhoudvoerder; ondervraer, *~ing* (n) on=
derhoudvoering
intes'tate (a) sonder testament, intestaat (boedel)
intes'tine (pl) ingewande; binnegoed, derms *also*
bo'wels
in'-thing: *the ~* die in ding *also* **the pop'=
ular/tren'dy thing (to do)**
in'timacy vertroulikheid, gemeensaamheid, in=
timiteit

in'timate[1] (v) te kenne gee, aandui, meedeel; laat deurskemer

in'timate[2] (a) vertroulik, intiem; inwendig; innig, diepgaande; ~ **friend** boesemvriend; ~ **know'ledge** diep(gaande)/intieme kennis

intima'tion mededeling, aanduiding *also* **communica'tion;** berig

intim'idate (v) intimideer, bang maak, vrees inboesem *also* **fright'en**

intimida'tion intimidasie, afskrikking, vreesaan=jaging *also* **coer'cion**

in'to in, tot; ~ *the bargain* op die koop toe; *come* ~ *property* eiendom erf; *get* ~ *trouble* in die moeilikheid raak; *translate* ~ vertaal in

intol'erable (a) ondraaglik, onuitstaanbaar, onuithou(d)baar

intol'erance (n) onverdraagsaamheid

intol'erant (a) onverdraagsaam

intona'tion (n) intonasie, stembuiging; toonge=wing (mus.)

intox'icant (n) sterk drank

intoxicated (a) dronk, besope, beskonke

intoxica'tion dronkenskap, bedwelming, roes

intrac'table weerspannig, balhorig, halsstarrig (kind); onhandelbaar

intramu'ral binnemuurs (studie)

in transit: ~ **heist/rob'bery** transitoroof(tog)

intran'sitive (n) onoorganklike werkwoord; (a) onoorganklik (gram.)

intrave'nous binneaars; ~ **fee'ding** aarvoeding

intrep'id (a) onverskrokke, dapper *also* **bold, undaun'ted**

in'tricate (a) ingewikkeld, moeilik *also* **invol'= ved, com'plicated;** verward

intrigue' (n) intrige, komplot; gekonkel, knoei=ery; (v) konkel, knoei

intrin'sic intrinsiek, wesenlik, inherent; ~ **val'ue** intrinsieke/werklike waarde

introduce' (v) voorstel, bekendstel (mense); invoer; inlei; aanbring; invoeg; indien (wets=ontwerp)

introduc'tion bekendstelling, voorstelling (mense); introduksie; inleiding (tot boek); voorspel (mus.); aanloop; *letter of* ~ aanbeve=lingsbrief; bekendstelbrief

introduc'tory inleidend, voorlopig; ~ **remarks'** inleidende opmerkings; ~ **let'ter** introduk=siebrief, aanbevelingsbrief

introspect' (v) inwendig beskou; ~**ion** self=ondersoek

in'trovert (n) introvert, in homself gekeerde (persoon)

intrude' (v) indring; lastig val; steur; opdring; inbreuk maak; ~**r** indringer

intru'sion indringing; inbreuk, steuring *also* **encroach'ment**

intui'tion (n) intuïsie, aanvoeling *also* **presen'= timent, hunch, vibe**

in'undate (v) oorstroom; oorstelp; ~**d** (a) oorval/toegeval met

invade' (v) inval, binneval; aanval; indring *also* **assault', attack';** ~**r** invaller *also* **rai'der**

in'valid[1] (n) sieke, invalide (persoon); (a) swak, kranklik, siek *also* **sick'ly**

inval'id[2] (a) ongeldig (dokument) *also* **null and void**

inval'idate (v) ongeldig/kragteloos maak *also* **quash;** nietig/ongeldig verklaar

inval'uable onskatbaar *also* **price'less**

inva'riable onveranderlik, standvastig; konstant (wisk.)

inva'riably gereeld, deurgaans *also* **u'sually, cus'tomarily**

inva'sion inval *also* **raid;** strooptog; indringing

inva'sive (a): ~/**alien vegeta'tion** indringerplan=te(groei)

invec'tive (n) skeldwoord, vloekwoord, krag=woord; bitter verwyt *also* **dia'tribe;** (a) smadelik, skimpend

invei'gle (v) verlok, verlei, meesleur

invent' (v) uitvind; uitdink; ~**ion** uitvinding; uitvindsel; ontdekking; ~**or** uitvinder *also* **orig'inator**

in'ventory (n) inventaris; voorraadopname; boe=delbeskrywing, boedellys; (v) voorraad op=neem, inventariseer *also* **take stock**

in'verse (n) (die) omgekeerde; (a) omgekeer; ~ **propor'tion/ra'tio** omgekeerde verhouding

inver'sion omkering, omsetting; inversie

invert' (v) omkeer, omsit *also* **transpose'**

inver'tebrate (n) ongewerwelde dier; (a) onge=werwel

inver'ted omgekeer, omgedraai; ~ **com'mas** aanhaaltekens (aanhaal afhaal)

invest' belê, investeer (geld); beklee, mag verleen; ~ *with powers* met magte/bevoegd=hede beklee *also* **endow';** **sanc'tion**

inves'tigate (v) ondersoek, nagaan, uitpluis *also* **probe;** *see* **inquire';** ~ *into* ondersoek instel na

inves'tigating of'ficer ondersoekbeampte (poli=sie)

investiga'tion (n) ondersoek *also* **probe**

inves'tigator ondersoeker; speurder

inves'titure (n) inhuldiging (in hoë amp) *see* **inaugura'tion, induc'tion**

invest'ment (n) belegging, investering (geld)

inves'tor belegger (van geld)

invet'erate (a) verstok, ingewortel; gehard; ~ *drunkard/gambler* onverbeterlike/onbekeer=bare suiplap/dobbelaar

invid'ious haatlik; afgunstig; aanstootlik

invig'ilate (v) toesig hou, oppas (by eksamen)

invig'ilator (n) toesighouer (eksamen); opsiener

invig'orating versterkend, opwekkend; verfris=send (berglug); tonies; besielend

invin'cible onoorwinlik *also* **unbea'table**

invis'ible (a) onsigbaar; ~ **ink** geheim-ink, ~ **men'ding** fynstop, kunsstop

invita'tion uitnodiging; beroep (vir kerklike amp)

invite' (v) nooi, uitnooi; ~ *your friends* jou vriende nooi; 'n uitnodiging rig aan jou vriende; ~ *tenders* tenders aanvra; ~ *trouble* moeilikheid/skoor soek

invi'ting (a) aantreklik, aanloklik; uitlokkend *also* **appea'ling, attrac'tive**

in vi'tro: ~ **fertilisa'tion** kunsmatige bevrugting

invoca'tion aanroeping (van God); gebed *also* **pray'er, appeal'**

in'voice (n) faktuur; (v) faktureer; ~ **book** faktuurboek

invoke' (v) aanroep; afsmeek (van God) *also* **beseech', entreat'**

invol'untary onwillekeurig, werktuiglik

invol've (v) betrek; meesleep; verwikkel (in); omvat; ~*d in* betrokke in/by; ~**ment** betrok=kenheid *also* **commit'ment**

invul'nerable onkwesbaar, onaantasbaar *also* **invin'cible**

in'ward (a) inwendig; innerlik; (adv) binne=waarts; die land in

in'wards (adv) na binne, binnewaarts

i'odine jodium, jood

io'ta jota; *not an* ~ *of evidence* geen titseltjie bewys nie

IOU (I Owe You) skuldbewys

Iran' Iran *voorheen* Persië (land); ~**ian** (n) Iraniër/Irannees (persoon); (a) Irans/Irannees (gebruike, ens.)

Iraq' Irak (land); ~**i** (n) Irakiër/Irakees (per=soon); ~**i(an)** (a) Iraks/Irakkees (gebruike, ens.)

iras'cible (a) driftig, opvlieënd; liggeraak, kort=gebonde

irate' (a) (smoor)kwaad, woedend, briesend

ire (n) woede, toorn, gramskap *also* **an'ger**

Ire'land Ierland

irides'cent reënboogkleurig, wisselkleurig

i'ris iris, reënboogvlies (in oog); reënboogblom, flap, iris (blom)

I'rish (n) Ier (persoon) *also* **I'rishman;** Iers (taal) *also* **Erse;** (a) Iers (gebruike, ens.)

irk (v) verveel; vermoei; ~**some** vervelig; lastig *also* **tire'some, boring', ir'ritating**

i'ron (n) yster; strykyster; *have too many* ~*s in the fire* te veel hooi op die vurk hê; *strike when the* ~ *is hot* smee die yster terwyl hy warm is; *cast* ~ gietyster; *wrought* ~ smeeyster; (v) stryk; beslaan; boei; (a) yster=, ysteragtig; ~**clad** (n) pantserskip (hist.); (a) gepantser; ~**foun'dry** ystergietery; ~ **maid'en** spykerkas (vir foltering, hist.)

iron'ic(al) ironies *also* **paradox'ical**

i'roning strykwerk; strykgoed; ~ **board** stryk=plank

i'ron: ~**mon'ger** ysterhandelaar; ~ **sheet(ing)** sinkplaat; ~**ware** ysterware; ~**works** ystergie=tery; ysterfabriek; staalfabriek

i'rony ironie, spot *also* **mock'ery**

irra'diate (v) uitstraal; ophelder

irradia'tion (uit)straling; stralekrans; verligting

irrecov'erable onverhaalbaar, oninbaar (skuld) onherstelbaar; ~ **debt** oninbare skuld, dooie=skuld *also* **bad debt**

irrefu'table onweerlegbaar, onomstootlik (feite)

irreg'ular (pl) ongereelde troepe; volksleër *also* ~ **ar'my;** (a) ongereeld; ~ **war** guerrillaoorlog

irregular'ity onreëlmatigheid; ongereeldheid; afwyking, fout

irrel'evant nie ter sake nie, irrelevant; ontoepas=lik

irrep'arable onherstelbaar; ~ *loss* onherstelbare verlies (deur dood) *also* **irrever'sible**

irreplace'able onvervangbaar

irreproach'able onberispelik, onbesproke (ge=drag) *also* **impec'cable**

irresis'tible onweerstaanbaar; verleidelik, be=koorlik

irrespec'tive: ~ *of* ongeag, afgesien van; ~ *of persons* sonder aansien van persoon

irrespon'sible (a) onverantwoordelik *also* **reck'=less, care'less**

irrev'erent oneerbiedig

irrev'ocable onherroeplik

ir'rigate (v) besproei, natlei

irriga'tion besproeiing, irrigasie; ~ **sche'me** besproeiingskema

ir'ritable (a) prikkelbaar, liggeraak; iesegrimmig *also* **grum'py, touch'y**

ir'ritate (v) irriteer, vererg, prikkel *also* **an'ger, annoy'**

irrita'tion irritasie, prikkeling; ergernis; wrewel

isiNde'bele (n) isiNdebele, Ndebele (taal) *also* **Nde'bele**

isiXho'sa (n) isiXhosa, Xhosa (taal) *also* **Xho'sa**

isiZu'lu (n) isiZulu, Zulu, Zoeloe (taal) *also* **Zu'lu**

i'singlass vislym; waterglas, mika; agar-agar

Is'lam Islam (godsdiens) *see* **Mus'lim;** ~**ic** (a) Islamities (wette, gebruike, ens.)

is'land eiland; ~**er** eilandbewoner, eilander

is'let eilandjie

i'sobar isobaar (lugdruklyn)

isochromat'ic gelykkleurig

i'solate (v) afsonder, isoleer *also* **detach', disconnect'**

isola'tion afsondering *also* **remo'teness;** isola=sie; ~ **hos'pital** afsonderingshospitaal; ~ **ward** afsonder(ing)saal

i'sotope isotoop (chem.)

Is'rael Israel (hedendaagse land); (die volk)

Israel (Bybelse tye); **~i** (n) Israeli (persoon); (a) Israelies (gebruike, ens.)

Is′raelite Israeliet (persoon, Bybelse tye); **~i′tic** Israelities (gebruike, ens.)

is′sue (n) kwessie, strydpunt, strydvraag; kritiese punt/saak; uitgawe (boek, tydskrif) uitmonding (rivier); uitgifte (aandele, banknote); uitreiking; afstammeling, nasaat *also* **sib′ling;** *point at ~* geskilpunt, kwessie; *we must resolve this ~* ons moet hierdie kwessie oplos; (v) uitreik; afgee; uitvaardig; *~ a challenge* 'n uitdaging rig; *~ from* voortspruit uit

isth′mus (n) landengte; vernouing (aan kuslyn)

it (pron) dit; hy; sy; *as ~ is* soos dit is; *face ~* die gevolge dra; aanvaar dit; *~ is all over* dis gedaan; *with ~* daarmee

Ital′ian (n) Italianer (persoon); Italiaans (taal); (a) Italiaans (gebruike, ens.)

ital′ic (n) kursiewe letter; *in ~s* kursief; (a) kursief, skuins; **~ise** (v) kursiveer

It′aly Italië (land)

itch (n) (ge)jeuk/(ge)juk; hunkering; (v jeuk/juk, kriewel; knewel; *~y feet* swerfflus

i′tem punt, beskrywingspunt (vergadering); item nommer; artikel; pos; (nuus)berig

itin′erant rondreisend, swerwend *also* **ro′ving roa′ming, wan′dering**

itin′erary (n) reisplan; reisprogram *also* **route sched′ule**

its (pron) sy, syne; haar, hare

itself′ homself, haarself

i′vory (n) ivoor, olifanttand; dobbelsteen; bil jartbal; **black ~** ebbehout; (a) ivoor=, va ivoor; **~ poa′cher** ivoorstroper; **~ to′we** ivoortoring (afsondering v.d. werklikheid); **trade** ivoorhandel; ~ **traf′ficking** ivoorsmok kelhandel

i′vy (n) **ivies** klimop *also* **(wall) cree′per**

ix′ia kalossie, ixia (blom)

izibon′go (n) pryslied *also* **praise song**

J

jab (n) steek, stoot also **poke, prod;** (v) steek, stoot

jab'ber (n) gebabbel, gekekkel; (v) babbel, kekkel

jacaran'da jakaranda (boom)

jack[1] (n) kêrel, vent; (werks)man; ~ *of all trades* allesdoener; hansie-my-kneg; 'n klein jukskeitjie met 'n groot kop; ~ *of all trades, master of none* kêrel van twaalf ambagte en dertien ongelukke

jack[2] (n) mannetjie (sekere diere, o.m. donkie); matroos; ruiter; boer (kaartspel); domkrag; windas; vleisspit; klink (oorfoon); (v) opdomkrag

jack'al jakkals; **black-backed'** ~ saalrugjakkals, rooijakkals; **sil'ver** ~ silwerjakkals; **~-proof fence** jakkalsdraad

jack'ass eselhings, donkiehings; uilskuiken, domkop (persoon)

jack'boot kapstewel (hist.)

jack'et baadjie; jekker; mantel; stofomslag (boek)

jack: J~ **Frost** die ryp; **~ham'mer** hamerboor; **~-in-the-box** kaartman, kisduiweltjie; **~knife** (n) groot knipmes; herneutermes; (v) knipmes, knakvou (leunwaens agter voorhaker); ~ **plane** grofskaaf; **~pot** woekerpot; boerpot (dobbel); ~ **saw** treksaag; ~ **Tar** pikbroek, janmaat (matroos, hist.)

jacuz'zi borrelbad, jacuzzi

jade (n) niersteen, nefriet (halfedelsteen)

ja'ded (a) moeg, afgemat, afgesloof, vermoeid also **worn-out', wear'ied, tired'**

jag (n) punt; tand; weerhaak; (v) tand, kerf, inkeep; **~ged** getand, puntig, ru, skerp

jag'uar Amerikaanse luiperd, jaguar

jail (n) gevangenis, tronk also **gaol;** (v) in die tronk/agter die tralies sit; **~bird** tronkvoël; **~break** ontsnapping; tronkbraak; **~er** tronkbewaarder

jam[1] (n) (fyn)konfyt

jam[2] (n) gedrang, ophoping; verkeersknoop also **traf'fic ~;** *in a ~* in 'n verknorsing also **predic'ament** (v) vasklem; vasknel; verstop (riool) also **clog**

jamb (n) deurstyl, kosyn also **frame**

jamboree' saamtrek; fees, makietie; jamboree (padvinders)

jam'ming (n) knelling; storing (elektr.); (a) knellend; ~ **sta'tion** steursender (radio)

jam'packed (a) volgepak (mense in saal) also **crammed'**

jan'gle (n) gekras, geratel also **rat'tle;** geharwar; rusie; (v) kras; raas; ontstem; twis

jan'itor deurwagter, portier; opsigter (veral by 'n skool) also **care'taker**

Jan'uary Januarie

Japan'[1] (n) Japan (land); **~ese'** (n) Japannees (taal); Japannees, Japanner (persoon); (a) Jappannees, Japans (gebruike, ens.)

japan'[2] (n) lak also **lac'quer;** (v) verlak, vernis; **~ned goods** lakware

japon'ica japonika, kamelia (blom)

jar[1] (n) kruik also **jug;** vrugtebottel, inmaakbottel

jar[2] (n) wanklank; knarsgeluid; skok, skudding; rusie; **~ring note** wanklank; (v) kras; skok; ~ *upon the nerves* op die senuwees werk

jar'gon koeterwaals, kliektaal, jargon also **gib'berish**

jar'rah jarra(hout)

jas'mine jasmyn; geelsuring (blom)

jas'per jaspis (silika) also **touch'stone**

jaun'dice geelsug; nyd, jaloesie

jaunt (n) uitstappie also **ram'ble, mean'der, trip;** (v) rondflenter; **~y** (a) opgewek; swierig

jav'elin werpspies (atl.)

jaw (n) kaak, kakebeen also **man'dible;** (pl) bek (van skroef); (v) babbel; klets; **~bone** kakebeen, kennebak/kinnebak; **~brea'ker** tongknoper, snelsêer also **tong'ue twis'ter; ~s of life** lewenskake, redkake (by motorongelukke)

jay'walker bontloper, straatgans (persoon)

jazz jazz (musiekstyl); *all that ~* al daardie kaf/snert

jeal'ous (a) jaloers, afgunstig, ~ *of his honour* op sy eer gesteld; **~y** (n) jaloesie, naywer

jeans jeans; slenterbroek

jeer (n) spot, beskimping; (v) spot, uitlag also **heckle'**

Jehov'ah Jehova (benaming vir God, Ou Testament)

jel'ly jellie; **~beans** jellieboontjies; **~fish** seekwal; ~ **pow'der** jelliepoeier

jem'my breekyster, koevoet; koeipoot (omgangst.)

jeo'pardise in gevaar bring/stel also **endan'ger;** waag; verongeluk; ~ *your promotion* jou bevordering in gevaar stel/verongeluk

Je'richo Jerigo (Bybelse stad); *go to ~* loop na die maan/die hoenders

jerk (n) ruk; stoot, stamp; *by ~s* met rukke en stote; (v) ruk, pluk also **wrench;** smyt, stamp; **~y** (a) hortend, rukkend

jer'key (n) biltong also **bil'tong**

jer'ry-builder knoeibouer, knutselbouer

Jer'sey[1] (n) Jersey (eiland); ~ **catt'le** Jerseybeeste/jerseybeeste

jer'sey[2] (n) trui

jest (n) skerts; grap; *in ~* skertsend; vir die grap; (v) skerts, 'n grap maak, korswel; **~ing/jokes**

apart alle gekheid op 'n stokkie; ~**er** (hof)nar, grapmaker, grapjas *also* **jo′ker, har′lequin**

Je′sus Jesus

jet[1] (n) git; (a) git=

jet[2] (n) straal; straler (vliegtuig); tuit; bek; spuit; pit; (v) uitspuit; straal; ~ (**ae′ro**)**plane** straler, straalvliegtuig; ~ **age** straaleeu

jet′ black pikswart, gitswart

jet: ~**fighter** straaljagter, straalvegter (lugmag); ~**lag** vlugvoos, vlugtam; *I am suffering from* ~; ek is vlugvoos/vlugtam

jet′sam (n) strandgoed; wrakstukke, opdrifsel

jet′liner passasierstraler

jet′ set stralerkliek; ~**ter** stralerjakker

jet′ ski (n) jetski, waterponie

jet′tison (v) oorboord gooi *also* **aban′don, dump**

jet′ty hawehoof, pier *also* **pier**

Jew Jood (persoon)

jew′el (n) juweel, edelsteen *also* **gem′stone;** kleinood (sieraad); skat; (v) versier; ~**ler** juwelier; ~**lery** juwele, juweliersware

Jew: ~**ess** Jodin (vrou/meisie); ~**ish** Joods; ~**ry** Jodedom

jew′s-harp trompie, mondharp

jib (v) steeks wees; omdraai; ~ *at* skop teen; ~**ber** steeks perd

jif′fy ommesientjie, kits; *in a* ~ in 'n kits, in 'n japtrap; tjop-tjop (omgangst.)

jig (n) horrelpyp (outydse dans); lewendige deun= tjie; (v) die horrelpyp dans; skommel; sif, skud

jig′ger[1] (n) ertssif, wipsif; biljartbok

jig′ger[2] (n) sandvlooi

jig′gle bar (n) riffelstrook (spoeddemper)

jig′saw figuursaag; ~ **puz′zle** legkaart

jilt (v) afsê; 'n bloutjie laat loop; in die pad steek (minnaar); ~**ed lov′er** verstote minnaar

jin′gle (n) reklamedeuntjie, klingel(rympie) *also* **chime, dit′ty;** (v) klingel, rinkel; ~ **bell** klingelklokkie, veerklokkie

jin′go -es jingo; Engelse chauvinis; dweepsieke patriot; ~**ism** jingoïsme

jit′terbug ritteldans

jit′ters ritteltit; *get the* ~ op die senuwees kry

jive (n, v) jive (dans)

job (n) werk, betrekking, pos; taak; *make the best of a bad* ~ jou na iets skik; los werk(ies)/kontrakwerk(ies) doen; ~*s for pals/ cronies* baantjies vir boeties *ook* **cron′yism;** (v) spekuleer; knoei; ~ **crea′tion** werkskep= ping; werkverskaffing; ~ **descrip′tion** posbe= skrywing; ~ **evalua′tion** posevaluering; ~**in′terview** werk(s)onderhoud; ~ **lot** rommel= spul, bondel (op veiling); ~ **opportu′nity** werkgeleentheid; ~ **place′ment** indienspla= sing; ~ **reserva′tion** werkafbakening (hist.); ~ **see′ker** werksoeker; ~ **satisfac′tion** werk(s)= bevrediging

job′bing stukwerk; konkelwerk; makelary

joc′key[1] (n) jokkie (perde); snuiter, vent; **disc disk** ~ platejoggie

joc′key[2] (v) voordeel verkry (deur ander weg t stamp lett. of fig.); kul; uitoorlê, bedrieg *als* **con, hood′wink;** ~ *for a position* iem. ander probeer voorspring/uitoorlê (bv. om 'n pos t kry)

jock′strap (n) liesband (vir mans)

joc′ular (a) grapperig, grappig *also* **amu′sing play′ful**

jog (n) draf(fie); stoot; (v) draf; pretdraf; stoot sukkel; ~ *along* aansukkel, voortsukkel; ~**ge** (pret)drawwer; ~**ging** (pret)draf, drafspor ~**trot** sukkeldraffie

john′ny kêrel, vent *also* **bloke, guy, chap;** snuite

join (n) voeg, naat, las; verbindingslyn; (v) ver enig, verbind; saamvoeg, aansluit; aanlas meedoen; ~ *battle* slaags raak; ~ *in marriage matrimony* in die eg/huwelik verbind; ~ *u* aansluit

join′er[1] (n) oorloper, joiner (ABO) *also* **collab orator**

join′er[2] (n) skrynwerker; meubelmaker; ~ skrynwerk, houtwerk; skrynwerkwinkel

joint[1] (n) gewrig; lit; verbinding; skarnier; stu vleis; naat (geol.); las; *out of* ~ uit lit

joint[2] (a) mede=; gesamentlik; *on* ~ *account* vi gesamentlike rekening; ~ **estate′** gesamentli ke/gemeenskaplike boedel; ~ **heir** mede-erf genaam; ~**ly** gesamentlik; ~~**stock com′pan** aandelemaatskappy

joke (n) grap, skerts; gekskeerdery; frats; gek heid; *crack* ~*s* grappe verkoop; *it is no* ~ di geen/g'n kleinigheid nie; *play a practical* ~ iem. 'n poets bak; (v) skerts; gekskeer; speel ~**r** grapmaker; grapjas; asjas; joker (kaartspel

jollifica′tion vrolikheid, pret, joligheid, jollifika sie *also* **mer′riment**

jol′ly (a) vrolik, jolig, plesierig; aangeklam lekkerlyf (van drank); *you will* ~ *well hav to* jy sal eenvoudig moet; ~ **jum′per** huppel tuig (kinderspeeltuig)

jolt (n, v) stamp, stoot *also* **bump, jar**

Jo′nes: *keep up with the* ~*es* byhou by die bur

jos′tle (n) gestamp, geworstel; (v) iem. ru (weg) stamp/verdring *also* **scramble′, push, shove**

jot[1] (n) jota, kleinigheid; *not a* ~ nie 'n stukkie krieseltjie nie

jot[2] (v) aanteken, aanstip; ~ *down* aanteken, aansti

jour′nal dagboek; joernaal *also* **chron′icle** tydskrif *also* **magazine′;** dagblad; ~ **en′tr** joernaalinskrywing (boekh.); **house** ~ firmabla

journalese′ (derog.) joernalees, (swak) koerant taal; swak skryfstyl

jour′nalism joernalistiek; die pers; media

jour′nalist joernalis, koerantskrywer, verslagge wer *also* **news(paper)man, news(paper) woman**

jour'ney (n) reis; *a day's* ~ 'n dagreis; (v) reis, 'n reis maak/onderneem *also* **trav'el;** **~man** ambagsman, vakman

joust (n) toernooi, steekspel (riddersport, hist.)

Jove Jupiter; *by* ~*!* grote genugtig!; allawêreld!

jovial (a) vrolik, plesierig, opgeruimd, joviaal *also* **mer'ry, jol'ly**

jowl kakebeen; wang; krop; onderken; *cheek by* ~ kop in een mus

joy blydskap, vreugde; genot, geluk *also* **bliss; delight';** ~ *of living* lewensvreugde; *it gives me* ~ dit doen my genoeë; *ode to* ~ (lofsang) aan die vreugde; *wish s.o.* ~ iem. gelukwens; **~ful** vrolik, bly; **~ous** vreugdevol *also* **joy'ous;** **~ride** plesiertoggie, plesierrit; **~stick** stuurstang; stuurstok (vliegtuig, rekenaarspe= letjies)

jub'ilant juigend, jubelend, verruk

jubila'tion gejubel, gejuig *also* **ec'stasy**

jub'ilee jubileum; bestaansviering; herdenkings= jaar

Juda'ic (a) Joods

Jud'aism (n) Judaïsme (godsdiens en tradisies van Jode)

Jud'as/Jude Judas; verraaier *also* **betray'er**

judge (n) regter; beoordelaar; (v) oordeel; uitspraak lewer; vonnis; beoordeel; *judging by/from* te oordeel na/oor

judg(e)'ment (n) vonnis(oplegging); uitspraak; oordeel; opinie; *day of* ~ oordeelsdag; *in my* ~ na/volgens my mening; *pass* ~ oordeel vel; ~ **day** oordeelsdag

judi'cial (a) geregtelik *also* **foren'sic;** regterlik *also* **le'gal;** ~ **manage'ment** geregtelike be= stuur; ~ **sale** eksekusieverkoping; ~ **separa'= tion** geregtelike egskeiding

judi'ciary (n) die regbank; regterlike mag; (a) regs=, geregtelik

judi'cious (a) oordeelkundig, verstandig *also* **wise, consid'ered, circumspect**

ju'do judo (Japanse kragstoei)

jug kan, beker *also* **jar, pit'cher;** wasbeker

jug'gle goël; kul; ~ *away* wegtoor; ~ *with facts* feite verdraai; **~r** goëlaar, kulkunstenaar; wiggelaar *also* **con'jurer; magi'cian; ~ry** goëlery, wiggelary

juice sap; sop; kern, essensie; **~r** versapper (toe= stel)

jui'cy (a) sappig; smaaklik *also* **suc'culent;** sensasioneel (koerantberig)

juke'box (n) blêrkas, blêrboks

July' Julie; ~ **Han'dicap** Julie(perde)wedren (Durban)

jum'ble (n) verwarring; mengelmoes, allegaar= tjie; ~ **sale** rommelverkoping

jum'bo (n) lomperd, diksak; (a) enorm, kolossaal *also* **giant;** ~ **jet** makrostraler (vliegtuig)

jump (n) sprong; *on the* ~ aan die gang; (v) spring; skrikmaak; opgaan; bedrieg; styg; ~ *to a conclusion* 'n voorbarige/ongegronde gevolg= trekking maak; ~ **lead(s) = jump'er lead(s);** **~-start** springskop, brandstoot (motor); aan die gang kry

jump'er[1] (n) springer; springperd; rotsboor, stampboor; ~ **lead(s)** aansitkabel, kragkabel; **jol'ly** ~ huppeltuig, wiptuig

jump'er[2] (n) oorbloes, oortrui *also* **pullo'ver, sweater'**

jum'ping castle springkasteel (speelapparaat) *also* **boun'cy castle**

junc'tion aansluiting, kruispunt (pad, spoorweg); verbinding; ineenvloeiing (riviere)

junc'ture tydsgewrig, tydstip; sameloop (van omstandighede) *see* **contin'gency**

June Junie

jun'gle oerwoud; wildernis; ruigte; *law of the* ~ vuisreg *see* **mob jus'tice;** ~ **gym** wouterklou= ter, klimraam

ju'nior (a) jonger; junior; ~ **partner** junior/ jongste vennoot

junk[1] (n) rommel, uitskot *also* **lit'ter, trash, deb'ris;** ~ **food** gemorskos, prulkos; ~ **mail** rommelpos, gemorspos (ook in e-pos); ~ **shop** help-my-krap-winkel, rommelwinkel; **~y** dwelmslaaf, verslaafde (mens)

junk[2] (n) jonk (Chinese seilboot)

jurisdic'tion regsgebied, jurisdiksie; regsbe= voegdheid

jurispru'dence regsgeleerdheid, jurisprudensie

ju'rist juris, regsgeleerde

ju'ror/ju'ryman jurielid (in hof)

ju'ry (n) **ju'ries** jurie (in hof)

just[1] (a) regverdig, onpartydig; juis, presies, billik *also* **fair**

just[2] (adv) net, presies; knap; ~ *as* net soos, nes; ~ *now* nou net; netnou; ~ *as well* ook maar goed

jus'tice reg, geregtigheid; regverdigheid; justisie; billikheid; *court of* ~ geregshof; *do* ~ *to* reg laat geskied aan; ~ *of the peace* vrederegter

jus'tifiable (a) geregverdig *also* **law'ful, legit= imate;** verskoonbaar

justifica'tion regverdiging; wettiging; regverdig= making

jus'tify (v) regverdig, verantwoord; bewys, staaf *also* **val'idate;** aanvul; blok (tikwerk); **jus'= tified text** geblokte teks (tikwerk)

just'ly regverdig; noukeurig; met reg

just'ness billikheid, regverdigheid

jut (n) uitsteeksel; (v) uitsteek *also* **protrude'**

jute goiing, jute/juut (tou, sakke)

ju'venile (n) jeugdige (persoon); (a) jong, jeugdig; ~ **delin'quency** jeugmisdadigheid; ~ **delin'quent** jeugmisdadiger, jeugoortreder; ~ **lit'erature** jeuglektuur

juxtaposi'tion teenaanligging *also* **adja'cency, conti'guity;** naasmekaarstelling, jukstaposisie

K

kai′ser (Duitse) keiser (hist.)

kale boerkool, krulkool

kaleid′oscope kaleidoskoop (wisselkleurige ky=
ker)

kangaroo′ kangaroe; ~/bush court boendoehof,
straathof

ka′pok kapok (vesel van kapokboom)

karakul′ karakoel(skaap)

Karoo′ Karoo (streek)

kaross′ (SAE) (n) karos, velkombers also skin
blan′ket

kart (n) renstel see go-cart; ~ing knortjorrenne
also go-cart ra′cing

kay′ak kajak (Eskimobootjie)

keel (n) kiel; skip, vaartuig; on an even ~
gelykmatig, klopdisselboom; (v) kiel; om=
slaan; ~haul kielhaal (strafmetode op skip,
hist.)

keen (a) gretig also ea′ger; skerp; ywerig;
lewendig; skerpsinnig also sharp, can′ny; as
~ as mustard uiters gretig; ~ on versot op also
hook′ed on; ~ sense of humour skerp
humorsin; ~ intellect skerp verstand

keep[1] (n) kasteel, burg also cas′tle, strong′hold

keep[2] (n) bewaring; onderhoud; toesig; for ~s
om te hou; (v) hou; bêre; onderhou; nakom;
bewaar; bly in; woon; ~ up appearances die
skyn bewaar; ~ an appointment ’n afspraak
hou/nakom; ~ faith woord hou; ~ fit bly fiks;
God ~ you mag God jou bewaar; ~ informed
op (die) hoogte hou; ~ late hours laat opbly; ~
open house gasvry wees; in ~ing with in
ooreenstemming met; ~ pace with tred hou
(met); bybly; ~ peace die vrede bewaar; ~ a
promise ’n belofte nakom; ~ time maat hou; ~
in touch/contact in voeling/aanraking bly; ~
up with byhou; ~ up with the Joneses byhou
by die bure; ~ well goed/gesond bly; ~er
bewaarder, opsigter; ~ing bewaring; ooreen=
stemming; verhouding; ~sake aandenking,
soewenier also memen′to, souvenir′

keg (n) vaatjie also cask, vat

ken (n) gesigskring; horison; begrip, kennis,
verstand; beyond one’s ~ bokant iem. se
vuurmaakplek; within ~ in sig, sigbaar

ken′nel(s) diereherberg; kietsiesorg (katte); woe=
fietuiste, hondeherberg; breed′ing ~ hondete=
lery

kerb (n) randsteen/rantsteen; (straat)rand

ker′nel pit also core, es′sence; korrel

ke′rosene paraffien, keroseen, lampolie also
paraffin′

kes′trel rooivalk; toringvalk

ketch′up (n) tamatiesous; kruiesous; ketjap

ket′tle ketel; a pretty ~ of fish ’n mooi
spul/gedoente; ’n breekspul; ~drum ketel=
trom, pouk

key (n) sleutel (deur); klawer (klavier); toets
(alarmbord; toetsbord van rekenaar); toonaard
(mus.); pen; spei; (v) sluit; stem (klavier); ~ in
data data invoer/intik (rek.); ~board toetsbord
(rekenaar, tikmasjien); klawerbord (klavier)
(elektroniese) klawerbord (musiekinstrument)
~ board sleutelbord (net vir sleutels); ~hole
sleutelgat; ~ in′dustry sleutelnywerheid, sleu=
telbedryf; ~note grondtoon; ~note address
tematoespraak; programrede; ~pad toetsbord
(alarmstelsel); ~stone sluitsteen

kha′ki kakie; ~bos (SAE) kakiebos

kibbutz′ (pl. kibbutzim′) kibboets (Israel)
gemeenskapsplaas; ~nik kibboetsbewoner

kick (n) skop; skok; krag; pit; get the ~/boot
ontslaan word; (v) skop; jou versit; ~ the
bucket (infml.) sterf; bokveld toe gaan
(infml.); ~ off afskop (rugby, sokker); ~ out
uitskop (rugby, sokker); ~ over the traces oor
die tou trap; ~back gunsloon, teenguns
smeergeld also bribe; ~ box′ing skopboks
~er skopper; ~off (n) afskop (rugby, sokker)
(v) ~-start (a conference) afskop/afvuur
(met), wegval met

kid[1] (n) boklam; bokvel; kidleer; kind, kannetjie
snuiter; ~ broth′er/sis′ter kleinboet(ie), klein
sus(sie); (v) lam, geboorte gee (bokooi)

kid[2] (v) kul, fop; terg, die gek skeer; ~ding
tergery; no ~ regtig/rêrig waar; ek jok nie

kid′dy (n) kiddies kleintjie, kleinding

kid′nap (v) skaak, kaap; steel (’n kind); ~per
kinderdief; skaker; ontvoerder also abduc′tor
~ping kinderdiefstal, menseroof; ontvoering

kid′ney nier; of the right ~/mettle van die regte
soort/kaliber; ~ bean snyboon(tjie); nier
boon(tjie); boerboon

Kiku′yu Kikoejoe (volkstam, Kenia); ~ grass
kikoejoegras

kill (n) slagting; wildbraad; (v) doodmaak; slag
vermoor; dressed to ~ opvallend/opsigtelik
uitgedos; ~ off afmaak; ~ed instantly op slag
dood (padongeluk); ~ time tyd verdryf/verwyl
con′tracted/hi′red ~er huurmoordenaar also
hit′man; ~er wha′le moordvis; ~ing (n
doodmaak; slagting; ~ing field moordveld
(menseslagting); ~joy suurpruim; pretbe=
derwer, spelbreker also spoil′sport

kiln (n) (droog)oond

kil′ogram kilogram

kil′ometre kilometer

kil′owatt kilowatt

kilt[1] (n) kilt (Skotse tradisionele mansrokkie)

kilt[2] (n) plooi; (v) opskort; ophang; plooi

kin (n) familie, geslag, bloedverwant *also* **kins'folk;** *next of* ~ naasbestaande, bloedverwant

kind[1] (n) soort; geslag; aard; natuur; *earnings in* ~ verdienste in natura/goedere; *nothing of the* ~ geen sprake van nie; *repay in* ~ in gelyke munt betaal

kind[2] (a) vriendelik; minsaam; lief; goedhartig, sorgsaam, hulpvaardig *also* **friend'ly, consid'-erate;** ~ *invitation* vriendelike uitnodiging; ~ *regards* vriendelike groete; beste wense

kin'dergarten kleuterskool; bewaarskool

kind-hearted (a) goedhartig, goedgeaard *also* **consi'derate**

kin'dle (v) aansteek *also* **ignite';** ontvlam; opflikker

kind'ly vriendelik, goedhartig; ~/*please inform/notify me* verwittig my, asseblief

kind'ness vriendelikheid, goedheid, welwillendheid *also* **good'will, benev'olence**

kin'dred (n) verwantskap; familie, bloedverwante; (a) verwant; passend; gelyksoortig; ~ **soul/spirit'** geesgenoot (persoon)

kinemat'ics bewegingsleer, kinematiek

kinet'ic (a) kineties; ~**s** (n) kinetiek, bewegingsleer

king koning; vors; heerser; ~*'s English* Standaardengels; ~**dom** koninkryk; ~**fish'er** visvanger (roofvoël); ~**pin** spil, sleutelfiguur; ~**ship** koningskap; ~**-size** reusegrootte, bieliegrootte

kink (n) kinkel; nuk, gril *also* **quirk';** (v) 'n kinkel gee; ~**y** vol kinkels; eksentriek; pervers *also* **queer, strange;** ~**y sex** kinkelseks *also* **sex'ually de'viate/perverse'**

kin: ~**s'folk** familie, verwante; (bloed)verwante; ~**ship** bloedverwantskap *also* **blood rela'-tionship;** ~**s'man** bloedverwant

kiosk' (n) kiosk; kraampie, stalletjie *also* **booth, stall; news'stand;** tuinhuisie

kip'per/kip'pered her'ring gerookte haring, kipper

kis'met (n) noodlot, fatum, kismet *also:* **predetermined fate**

kiss (n) soen, kus; (v) soen; ~ *the book* op die Bybel sweer; ~ *the dust* in die stof byt; ~ *and be friends* versoen raak; ~ *goodbye* soengroet, 'n afskeidsoen gee; ~ *of life* mond-tot-mondinaseming; ~ **curl** oorkrulletjie, koketkrulletjie; ~**ing** (v) soenery, gesoen; (a) soenend

kit (n) (bou)stel; uitrusting, toerusting *also* **out'fit; set of tools, equip'ment;** knapsak; vaatjie; ~**bag** knapsak; ~ **box** gereedskapkis *also* **tool'box**

kitch'en kombuis; ~ **dres'ser** kombuiskas; ~**ette'** kombuisie; minikombuis; ~ **tea:** *have a* ~ *tea* bruidstee/kombuistee hou; ~ **uten'sils** kombuisgerei

kite (n) vlieër; kuikendief (roofvoël); inhaler, haai (persoon); *fly a* ~ die lug/atmosfeer toets (fig.); *die (openbare) mening toets;* 'n vlieër (laat) vlieg

kith verwante, kennisse; ~ *and kin* vriende en kennisse; ~ *nor kin* kind nóg kraai

kit'ten (n) katjie; (v) katjies kry

kit'ty[1] (n) **kitties** katjie, kietsie

kit'ty[2] (n) poel, pot (met geldbydraes), geldpoel

kitsch (n) namaakkuns, onegte kuns, kitsch

ki'wi (n) kiwi, snipstruis (voël); **K~** Nieu-Seelander (veral in sport); ~ **(fruit)** kiwivrug

kleptoma'nia steelmanie, steelsug, kleptomanie; ~**c** kleptomaan, steelsieke

kloof (SAE) (n) kloof *also* **can'yon, ravine, gorge;** ~**ing** (v) in 'n kloof afgaan/opgaan; 'n kloof verken (sport) *also* **can'yoning**

knack slag, handigheid *also* **han'diness; flair;** gewoonte, hebbelikheid; *have the* ~ *of* die slag hê

knag kwas, knoes (in hout); ~**gy** kwasterig, knoesterig

knap'sack bladsak, knapsak *also* **kit'bag**

knave skurk, skelm; vabond; boer (kaartspel); ~ *of hearts* harteboer; ~**ry** bedrieëry

kna'vish skelm, skurkagtig; ~ *trick* skelmstreek

knead (v) knie (deeg); masseer; ~**ing trough** knieskottel, kniebak

knee (n) knie; kniestuk; *bring s.o. to his* ~*s* iem. tot oorgawe dwing; (v) in die knie skiet; ~**bone** knieskyf; ~**cap** knieskyf; knieskut (by rugby); ~**-deep** (a) kniediep; ~**hal'ter** (v) kniehalter/knelter; ~ **joint** kniegewrig

kneel (v) kniel; op die knieë val; ~ *down* neerkniel; ~**er** knieler (persoon); knielkussing

knell (n) doodsklok; gelui; (v) lui; (onheil) aankondig *also* **peal, toll**

knew (v) het geweet, wis *see* **know**

knick'erbockers kniebroek, kuitbroek, pofbroek

knick-knack (n) snuistery, fieterjasie, tierlantyntjie *also* **bric-a-brac', fan'cy goods**

knife (n) mes; (v) met 'n mes steek; ~ **blade** lem; ~ **board** mesplank, slypplank; ~ **edge** snykant; **flick** ~ springmes; ~ **grin'der/sharp'ener** messlyper

knight (n) ridder; perd (skaak); *K~ of the Garter* Ridder van die Kousband (Br. ridderorde); ~ *of the road* padrower, struikrower; ~ *in shining armour* droomprins; (v) tot ridder slaan; ~**ly** ridderlik, edelmoedig

knit (v) brei; saamvleg; saamvoeg; ~ *the brows* die wenkbroue frons; ~**ter** breier (persoon); breimasjien; ~**ting** breiwerk; ~**ting machine'** breimasjien; ~**ting nee'dle** breinaald; ~**ting wool** breiwol

knob knop; knoets; klont; ~**bed** (a) bulterig, knopperig; ~**by** knoesterig; ~**k(i)er'rie** (SAE) knopkierie; ~**-thorn** (SAE) knoppiesdoring

knock (n) klop; klap, raps; (v) klop, stoot, stamp; rammel (masjien); kolfbeurt (krieket); ~ *and drop* strooikoerant; ~ *on the door* aan die deur klop; ~ *down* platslaan; omry; ~ *down to* toeslaan op (afslaer); ~ *off* ophou; afslaan; ~ *on* aanslaan (rugby); ~ *out* uitslaan (boks); ~ *spots off s.o.* iem. opdons, opfoeter; **~er** klopper; **~-kneed** met X-bene, aankapknieë; **~-knees** aankapknieë, X-knieë; **~-off time** (infml.) tjailatyd (omgangst.)

knock'out (n) uitklophou (boks); triomf; ~ **competi'tion** uitklopreeks

knoll (n) bultjie *also* **kop'pie, hil'lock**

knot (n) knoop; kwas; knop; seemyl, knoop (skeepvaart afstand van 1 852 m); *cut the Gordian* ~ die Gordiaanse knoop deurhak; (v) knoop; strik; verbind; **~ty** (a) geknoop; knoesterig; kwasterig; lastig, netelig, ingewik= keld ('n probleem) *also* **com'plicated**

know (n) wete; *be in the* ~ ingelig wees; *she gave him a ~ing look* sy het hom veelseggend aangekyk; (v) weet, ken; verstaan; onderskei; ~ *for a fact* seker weet; ~ *by heart* van buite ken; ~ *the ropes* gekonfyt wees in iets; *you ~, it is raining after all* weet jy, dit reën tog; **~-all** beterweter, wysneus; pedant; **~-how** kennis, kundigheid; sakevernuf *also* **experti'se; ~ing** kundig, vernuftig; **~ingly** wetend; opsetlik

knowl'edge (n) kennis; wete; kundigheid; we= tenskap; voorkennis; bewussyn; *to the best of my* ~ na my beste wete; sover ek weet; *come to one's* ~ te wete kom; *it is common* ~ dis algemeen bekend; *to my* ~ sover ek weet; *without my* ~ sonder my medewete; **first-hand** ~ eerstehandse kennis; **work'ing** ~ gangbare kennis

known (a) bekend *also* **fa'mous, cel'ebrated**

knuc'kle (n) kneukel; **~-dus'ter** vuisyster

knurl (n) knop, knobbel; kartel; **~ed** (a) gerand, gekeep

koe'(k)sister (SAE) (n) koeksister *also* **crul'ler**

kop'pie (SAE) koppie (heuwel) *also* **hil'lock, knoll**

Koran'/Qur'an Koran/Koer'aan/Qur'aan (hei= lige boek van Islam)

ko'sher kosjer, behoorlik, fatsoenlik *also* **proper**

kraal (SAE) (n) kraal *also* **li'vestock enclo'= sure**

kramat' (n) kramat *also* **Mus'lim shrine**

krans (SAE) krans, rotswand *also* **cliff, prec'= ipice**

ku'dos (n; pl, used as sing) lof, eerbetoon *also* **ac'colade, praise**

Kru'ger National Park Nasionale Krugerwildtuin

ku'du koedoe (wildsbok)

kwai'to (n) kwaito (popmusiekstyl)

kwash'iorkor kwasjiorkor, ondervoedingsiekte

KwaZu'lu-Natal' KwaZulu-Natal (provinsie)

L

la(a)′ger (n) laer (hist.) *also* **wag′on encamp′**= **ment;** (v) laer trek

la′bel (n) etiket; strokie; (v) etiketteer; merk; klassifiseer

la′bial (n) lipletter, labiaal; (a) lip=, labiaal

labor′atory laboratorium; werkvertrek

labor′ious (a) moeisaam, omslagtig (skryfstyl); werksaam, arbeidsaam

la′bour (n) arbeid, werk; moeite; werkers, arbeiders; kraam, kindergeboorte; ~ *of love* liefdeswerk; (v) werk, arbei; ly; bewerk, bebou; ~ *under a mistake* onder ′n dwaling verkeer; ~ *a point* lank uitwei oor iets; ~ **dispute′** arbeid(s)geskil; **~er** arbeider; werks= man, dagloner; (plaas)werker; ~ **inten′sive** arbeidsintensief; ~ **pains** barensweë (kinder= geboorte); ~ **rela′tions** arbeid(s)verhoudinge, arbeid(s)betrekkinge *also* **indus′trial rela′= tions;** ~ **ward** kraamsaal (hospitaal)

laby′rinth (n) doolhof, labirint *also* **maze**

lac lak (rooi (ver)seëling *also* **sea′ling wax;** lakwerk

lace (n) kant; band; skoenveter, skoenriem; (v) ryg, toeryg; met kant versier; borduur; by= meng; dokter (iem. se drankie) *also* **spike;** ~ **bob′bin** kantklos

lac′erate (v) skeur, verskeur *also* **rip, gash, slash**

lace-up boot (n) rygstewel

lack (n) gebrek, gemis, behoefte; ~ *of funds* geldgebrek; *for* ~ *of* by gebrek aan; (v) gebrek hê; ontbreek

lackadais′ical (a) onverskillig, traak-my-nie-ag= tig *also* **care′less, happy-go-luck′y, non= chalant′;** aanstellerig, geaffekteer(d)

lack′ey (n) lyfkneg; lakei; strooipop; handperd, trawant *also* **stoo′ge, pawn, cro′ny;** (v) slaafs volg/dien

lacklus′tre (a) dof, glansloos; dooierig *also* **dull, drab;** ~ *victory* glanslose oorwinning (sport)

lacon′ic (a) droog; kort en bondig, lakoniek *also* **brief, concise′, terse**

lacq′uer (n) lak, vernis; (v) verlak *see* **sea′ling wax;** vernis; **~ed brass** verniste geelkoper

lacta′tion melkvorming; ~ **pe′riod** soogtyd

lac′tic (a) melk=; ~ **ac′id** melksuur

lad (n) seun, jongeling; maat, makker; knapie *also* **la′ddie, chap(p′ie), kid**

la′dies (n) damestoilet

lad′der (n) leer; *go into* ~s lostrek (dameskous); (v) lostrek (kous)

la′ding lading, vrag; **bill of** ~ vragbrief

la′dle (n) (op)skeplepel, potlepel, soplepel; (v) inskep, oplepel; ~ *out* uitskep

la′dy dame; lady (Br. adelstitel); nooi; ~ *of the*
house gasvrou, huisvrou; ~ *of easy virtue* sedelose vrou; **~bird** liewe(n)heersbesie; **~= friend** vriendin; **~~killer** hartbreker *also* **Don Juan; ~like** fyn, beskaaf, vroulik; **~′s man** meisiesgek (persoon); rokjagter

lag (n) vertraging; (v) draal, talm *also* **daw′dle;** ~ *behind* agterbly, uitsak

la′ger[1] (n) = **la(a)′ger** (n)

la′ger[2] (n) lager; ~ **beer** lagerbier; ~ **lout** bierboef, biersuiper

lag′gard (n) luiaard; talmer, slapgat (omgangst.) *also* **lazy′bones, slack′er, daw′dler;** (a) lui, slapgat (omgangst.)

lagoon′ (n) strandmeer, lagune

lair (n) lêplek, boerplek, hool *also* **hide-out**

lake meer; pan; ~ **dwel′ler** paal(be)woner (hist.)

lamb (n) lam; (v) lam, geboorte gee (bok- of skaapooi); ~ **chop** lam(s)tjop

lambast(e)′ (v) uitlooi; uitskel, uitkryt, slegsê

lame (v) verlam; (a) lam, mank, kruppel/kreu= pel; gebreklik, gestrem *also* **disa′bled, han′= dicapped;** *a* ~ *excuse* ′n flou ekskuus/ verskoning; **~ness** mankheid, lamheid

lament′ (n) jammerklag; (v) weeklaag, ween, treur; **~able** beklaaglik, erbarmlik *also* **woe′= ful; ~a′tion** dirge treursang, elegie *also* **el′egy; ~ed** betreur

lam′inate (v) lamineer; lamelleer; uitklop, plat slaan; **~d wood** lamelhout, fineerhout; **~d door** lameldeur

lammer′geyer (n) lammergier (Eur. roofvoël); **Af′rican** ~ lammervanger

lamp (n) lamp; lantern; lig; ~ **chim′ney** lamp= glas; **~ion** lampion; **~post** lamppaal

lampoon′ (n) spotskrif *also* **par′ody, sa′tire;** (v) hekel *also* **mock**

lance (n) lans; harpoen; lansier; (v) deursteek; oopsny; **~r** lansier (berede soldaat)

lan′cet (n) lanset, steekmessie (med.); vlym

land (n) land, grond; landerye; grondbesit; *the* ~ *of promise* die beloofde land; *see how the* ~ *lies* kyk hoe die wind waai; iem. pols; (v) land, aan wal stap *also* **disembark′;** aanland; vang; uittrek (vis)

land: ~ **bar′on** grondbaron; **~drost** (hist.) land= dros *also* **mag′istrate; ~hol′der/own′er** grond= eienaar; **~ing** landing, aanlanding; lan= dingsplek; trapportaal; **~ing strip** landing= strook, aanloopbaan (vliegtuig); **~la′dy** losies= houdster, hospita; **~locked country** land sonder kus(lyn); **~lord** huisbaas; woonstelverhuurder; **~mark** landmerk, baken; mylpaal; keerpunt *also* **bench′mark; ~mine** landmyn; *~mine disposal expert* landmynruimer (persoon); ~ **occupa′tion/grab** grondbesetting; **~scape** land=

skap *also* **vis'ta;** ~**scape ar'chitect/landsca'per**
landskapargitek, tuinargitek; ~**scape gar'=
dening** tuinargitektuur; ~**slide** grondverskui=
wing; politieke ommekeer; ~*slide victory*
wegholoorwinning; ~ **survey'ing** landmeting;
~ **survey'or** landmeter

lane (n) laning, steeg; deurgang; baan (verkeer);
blind ~ doodloopstraat(jie), keerweer

lang'uage taal; spraak; ~ **labor'atory** taallabo=
ratorium; ~ **me'dium** voertaal; ~ **practi'tioner**
taalpraktisyn

lan'guid (a) swak, kwynend; lui, lomerig

lan'guish (v) kwyn, verswak, agteruitgaan; ~*ing
in jail* kwyn/vergaan in die tronk

lank/lan'ky skraal, dun *also* **lean, scrag'gy**

lan'tern lantern; **Chi'nese** ~ lampion, Chinese
lantern *also* **lampion'; mag'ic** ~ towerlantern
(outydse beeldprojektor)

lap[1] (n) skoot; klap (van saal); holte; (v)
inwikkel; toevou; omhul

lap[2] (n) rondte (sport); ~ **rec'ord** baanrekord
(motorrenne)

lap[3] (n) kabbeling; oplekking, opslurping; (v)
kabbel, spoel, klots (water); oplek, opslurp

la'pa (n) lapa (afgeskuurde ruimte by tradisio=
nele Afrikawonings; onthaalarea vir vleis=
braai, ens.); onthaalstroois (skerts.)

lap'dog skoothondjie

lapel' (n) lapel; kraagpunt, kraagomslag; ~
badge lapelwapen, lapelknopie

lap'is laz'uli lasuursteen (halfedelsteen)

lapse (n) verval, verloop; glips, fout, vergissing
also **fault, o'versight;** ~ *of time* tyd(s)verloop;
(v) verval (wissel); verstryk (tyd); dwaal; glip

lap'top compu'ter skootrekenaar

lar'board bakboord *also* **port** (left side of ship)

lard (n) varkvet, reusel; (v) deurspek, lardeer,
met spek stop; ~**er** (voorraad)spens

large groot; breed, wyd; ruim; *at* ~ onbetrap,
ongevang, op vrye voet *also: on the loose; by
and* ~ oor die algemeen; *a gentleman at* ~ 'n
ryk man sonder beroep; *the public at* ~ die
groot/breë publiek; *to a* ~ *extent* in/tot 'n
groot mate; ~**ly** grotendeels, hoofsaaklik *also*
main'ly; ~**ness** grootte; ruimte; breedte

lark[1] (n) leeurik/lewerik (voël)

lark[2] (n) grap, gekskeerdery *also* **prank, an'tic;**
(v) gekskeer, grappe verkoop *also* **gam'bol,
romp;** ~**er** pretmaker

lark'spur ridderspoor, delfinium (sierplant)

lar'va -e larwe, papie, maaier

laryngi'tis keelontsteking, laringitis

lar'ynx strottehoof

lasciv'ious (a) onkuis, wulps, wellustig *also*
lust'ful

la'ser laser; ~ **beam** laserstraal; ~ **prin'ter**
laserdrukker; ~ **scan'ner** lasertaster, laser=
skandeerder

lash (n) raps, sweepslag; voorslag; ooghaar; oog
(van sweep); (v) raps, slaan, gesel *also*
cas'tigate; bespot; ~ *down* vasbind *also* **strap;**
~ *out* lostrek, afhaak

lass (n) meisie; nooientjie; dolla

las'so (n) vangriem, gooiriem, lasso *also* **lar'iat**

last[1] (n) lees (vir 'n skoen)

last[2] (n) laaste; *at (long)* ~ eindelik; *the* ~ *but one*
die voorlaaste; ~ *but not least* les bes; *to the
very* ~ tot die bitter end; (a, adv) laaste,
vergange; eind=; *the* ~ *day* die oordeelsdag; *in
the* ~ *minute* op die nippertjie; in die
doodsnikke (van 'n wedstryd); ~ *night* gister=
aand; ~ *post* laaste taptoe; ~ *Saturday* verlede/
laas Saterdag; **L~ Sup'per** Laaste Avondmaal

last[3] (v) uithou; aanhou *also* **endure', survive';**
voldoende wees; ~ *out* langer aanhou as,
volhou

last'comer laatlammetjie, heksluiter (kind)

las'ting duursaam, blywend, standhoudend *also*
endu'ring, per'manent; ~ *peace* blywende
vrede

last'ly uiteindelik, ten laaste, ten slotte

latch (n) knip; (v) op (die) knip sit; ~**key**
huissleutel, nagsleutel *see* **bolt**

late (a) laat; wyle, oorlede (persoon); ver
gevorder; voormalig; jongste; *keep* ~ *hours*
laat gaan slaap; *the* ~ *premier* die oorlede
premier; ~ *starter* laat ontluiker (kind, leer=
der); (adv) laat; onlangs, vroeër; *of* ~ in die
jongste tyd; *sooner or* ~*r* vroeër of later; ~
e'vening laataand

late'ly onlangs, pas, kort gelede *also* **re'cently**

la'tent (a) verborge; sluimerend; latent

lat'eral (n) sytak, syspruit; (a) sydelings, sy=

la'tex rubbermelk, lateks

lath lat, plankie; deklat; (v) belat

lathe (n) draaibank

lath'er (n) seepskuim; seepsop; (v) inseep;
skuim

Lat'in (n) Latyn; (a) Latyns

lat'itude (n) breedte; ruimte; beweegruimte *also*
scope; range; degree' *of* ~ breedtegraad

latrine' latrine, kleinhuisie; plaaslatrine, long=
drop, plonsput

lat'ter laasgenoemde; laaste; ~~**day** hedendaags,
modern, bydertyds *also* **mod'ern, with'-it,
tren'dy;** ~**ly** onlangs, in die jongste tyd *also*
of late

lat'tice traliewerk, rasterwerk; ~ **win'dow** tralie=
venster

laud (n) lofsang; lof; (v) prys, loof, ophemel;
bewierook; *in* ~*atory terms* vol lof; ~**able**
lofwaardig, prysenswaardig *also* **commend=
able, praisewor'thy**

laugh (n) lag; gelag; (v) lag; ~ *at* uitlag; *he* ~*s
best who* ~*s last* wie die laaste lag, lag die
lekkerste; ~ *loudly* skater v.d. lag *also: roar*

with laughter; ~ *off* jou lag-lag daarvan afmaak; *raise a* ~ (ander mense) laat lag; **~able** belaglik, bespotlik *also* **lu'dicrous, ridi'culous**

laugh'ing lag; gelag; *burst out* ~ skaterlag; *I could not help* ~ ek kon nie my lag hou nie; *no* ~ *matter* g'n grap nie; ~ **gas** laggas; **~ly** lag-lag; ~ **stock** voorwerp van bespotting *also* **fig'ure of fun**

laugh'ter (n) gelag *also* **mirth**

launch¹ (n) plesierboot(jie); barkas, sloep

launch² (n) loodsing, bekendstelling (van bv. nuwe produk, boek, rolprent); tewaterlating (skip); (v) loods (produk, skema); lanseer (ruimtetuig); van stapel laat loop (skip); aanpak; op tou sit; ~ *out* onderneem; van wal steek; ~ *a project* 'n projek begin/van stapel laat loop/van stapel stuur; **~(ing) pad** lanseerblad (ruimtetuig)

Laund(e)rette'/Laun'dromat (trademarks) (n) (munt)wasser(y), wasseret

laun'dry wassery; waskamer; ~ **tub** wasbalie

laur'eate (n) bekroonde (persoon wat 'n onder= skeiding/prys ontvang het, bv. die Nobelprys); (v) bekroon; (a) bekroon(d); **poet** ~ hofdigter (Br.)

lau'rel (n) lourier; *rest on one's* ~*s* op jou louere rus; (v) met louere kroon *also* **hon'our, praise;** ~ **wreath** lourierkrans

la'va lawa (uit werkende vulkaan)

lav'atory toilet; latrine, kleinhuisie, privaat *see* **latrine';** waskamer, wasgeleentheid; ~ **seat** toiletbril

lav'ender (n) reukwater, laventel; (a) laventel=; ~ **blue** lilablou

lav'ish (a) kwistig; volop, oordadig *also* **sump'= tuous;** ~ **din'ner** glansdinee

law (n) wet; regsgeleerdheid; die regte (vak/dissipline); *common* ~ gemenereg, ge= woontereg; *labour* ~ arbeidsreg; ~ *enforce= ment* wetstoepassing; ~ *of the jungle* wet v.d. oerwoud; boendoereg *also* **mob jus'tice;** ~ *of the land* landswet(te); ~ *of nature* natuurwet; *necessity knows no* ~ nood breek wet; ~ *and order* wet en orde; *read/study* ~ in die regte studeer; *Roman Dutch* ~ Romeins-Hollandse reg; *statute* ~ wettereg, statutereg; *take the* ~ *into one's own hands* eie reg gebruik; **~-abid= ing** (a) wetsgehoorsaam; ordeliewend; ~ **court** geregshof; **~ful** (a) wettig, wetlik *also* **legit'= imate;** **~ma'ker** wetgewer, wetmaker; **~less** wetteloos, bandeloos

lawn (n) grasperk; grasveld; ~ **mo'wer** gras= snyer; ~ **ten'nis** tennis

law: ~ **socie'ty** prokureursorde; **~suit** (hof)saak, regsgeding *also* **(court) case**

law'yer prokureur *also* **attor'ney, solic'itor;** regsverteenwoordiger; regspraktisyn

lax (a) slap, los; laks *also* **slack, in'dolent;** nalatig; **~ative** (n) lakseermiddel, purgeermid= del, purgasie; (a) lakserend; **~ity** laksheid, onverskilligheid

lay¹ (n) lied, gesang, gedig

lay² (n) ligging; lê(plek); koers; (v) lê (eier); neersit; bedaar; indien, lê ('n klag); toeskryf aan; smee (plan); voorlê; aanmaak (vuur); dek (tafel) *see* **lie²;** ~ *at anchor* voor anker lê; ~ *a bet* 'n weddenskap aangaan; ~ *a complaint* kla, 'n klag indien/lê; ~ *at the door of* beskuldig; ~ *down* neerlê, voorskryf; vasstel; ~ *down one's life* jou lewe gee; ~ *off* ontslaan *also* **discharge';** ~ *on* oplê; aanlê, aanskaf; ~ *a plot* saamsweer *also* **conspire'**

lay³ (a) wêreldlik, sekulêr; leke=; ~ **bro'ther** lekebroeder; ~ **prea'cher** lekeprediker

lay'-by bêrekoop; *on* ~ op bêrekoop

lay'er laag; loot (plant); lêhoender

lay'man (n) leek, oningewyde (persoon); *for the* ~ *and the expert* vir die leek en die kenner

lay'out (n) uitleg (drukwerk); uiteensetting; inkleding *also* **design'**

laze (v) (rond)luier, leeglê, lanterfanter

la'ziness luiheid, traagheid *also* **in'dolence, i'dleness**

la'zy (a) lui, traag; **~bones** luiaard, stoepsitter; ~ **su'san** draaistaander (op eettafel)

leach (n) loogvat; (v) uitloog; deursyg

lead¹ (n) lood; dieplood; koeël; (pl) looddak; **black** ~ potlood; **~-free pet'rol** loodvry(e)/ ongelode petrol; **red** ~ loodmenie; rooilood; **white** ~ loodwit; (v) verlood; met lood verswaar; (a) lood=

lead² (n) leiding; leidraad; hoofrolspeler (ak= teur); leiband (hond) *also* **leash;** hulp; gelei= ding; voortou (sport); *on a* ~ aan 'n leiband/ketting; *play the* ~ die hoofrol vertolk; *take the* ~ die leiding/voortou neem; (v) lei, voorgaan, voorloop; aanvoer; die leiding neem; dirigeer (orkes); ~ *astray* op 'n dwaalspoor bring; ~ *a dog's life* 'n hondelewe hê/voer; ~ *evidence* getuienis aanvoer; ~ *by the nose* aan die neus lei; ~ *the way* die pad wys

lead'er leier, voorman; voorbok (dier; persoon); hoofartikel (in koerant); ~ **board** punteleer (sport); **~-in-chief** hoofleier; **~ship** leierskap *also* **gui'dance, command', control'**

lead'ing leidend; vernaamste; ~ *article* hoofarti= kel (in koerant); *be* ~ *man/lady* die hoofrol speel; ~ **ci'tizens** vooraanstaande/toonaan= gewende burgers; hooggeplaastes; ~ **ques'tion** (voor)sêvraag, uitlokvraag

lead: ~ **mine** loodmyn; ~ **pen'cil** potlood; **~poi'soning** loodvergift(ig)ing

leaf (n) **leaves** blaar; blad; *take a* ~ *out of s.o.'s book* iem. tot voorbeeld neem; *turn over a new*

~ 'n nuwe blaadjie begin; (v) bot, uitloop; **~less** blaarloos; **~let** vlugskrif, strooibiljet, voubiljet, blaadjie *also* **hand'-out**

lea'gue (n) verbond *also* **alli'ance, u'nion;** liga (sport); **L~ of Na'tions** Volke(re)bond *now* **Uni'ted Na'tions;** ~ **match** ligawedstryd

leak (n) lek(plek); lekkasie; *have a ~* gaan fluit/piepie, 'n draai loop; *spring a ~* 'n lek kry (dam); (v) lek; laat uitlek (inligting) *also* **divulge';** ~ *out* uitlek; **~age** lekkasie, lek

lean[1] (n) maer vleis; (a) maer, skraal; ~ *years* maer jare; ~ **per'son** skarminkel

lean[2] (v) leun; oorhel; geneig wees; ~ *against* aanleun; ~ *back* agteroorleun; ~ *forward* vooroorleun; ~ *on* steun/vertrou op; **~ing** (n) neiging, aanleg *also* **ap'titude, bent**

leap (n) sprong *also* **jump, vault;** *a ~ in the dark* 'n sprong in die duister; (v) spring; huppel; oorspring; **~frog** hasieoor (kinderspeletjie); oorspring ('n fase/stadium); **~year** skrikkel= jaar; **~ing foun'tain** spuitfontein, waterfontein *also* **wa'ter foun'tain**

learn leer; studeer, blok *also* **study, swat/swot, cram;** verneem, hoor; ~ *by heart* uit die hoof leer; **~ed** (a) geleerd, geletterd; *a ~ed man* 'n geleerde/belese man; **~er** leerling *also* **pu'pil;** beginner; leerder; **~er-driver's licence** leer= (ling)rybewys; **~ing** geleerdheid *also* **school'= ing; ~ing a'rea** leerarea, vak *also* **sub'ject**

lease (n) huurkontrak; bruikhuur; huurtyd; *new ~ of life* nuwe lewensduur; *put out to ~* verhuur; (v) verhuur; uithuur; bruikhuur; verpag; **~hold** huurbesit *see* **free'hold; ~hol'der** huurder, huurbesitter

leash (n) leiband, leiriem, ketting; band; *on ~* aan 'n leiband/ketting; (v) vasbind

least (n) die minste; *at ~* minstens; ten minste/tenminste; *at the ~* op sy minste; *not in the ~* glad/hoegenaamd nie; *to say the ~ of it* op sy sagste uitgedruk; (a) kleinste, minste, geringste *also* **sligh'test**

leath'er (n) leer, oorleer; ~ **pouch** leerhouer

leave[1] (n) verlof; vergunning; ~ *of absence* verlof; *apply for ~* verlof vra; *take French ~* wegloop; sonder verlof weggaan/afwesig wees; *on ~* met verlof

leave[2] (n) afskeid; *take ~* afskeid neem; (v) laat staan; verlaat; nalaat; ophou; weggaan; ver= trek; ~ *me (alone)* los my uit; ~ *behind* agterlaat; *I am leaving* ek vertrek; ek loop/ waai/gaan nou

leav'en suurdeeg *also* **yeast**

lech'erous (a) wellustig, onkuis, ontugtig *also* **lasciv'ious, car'nal, lust'ful**

lech'ery (n) wellus, onkuisheid *also* **lust**

lect'ern lesingstaander, knapie *also* (small) **pul'= pit**

lec'ture (n) lesing, voorlesing; berisping; *he*

attends ~s hy loop klas; (v) les/klas gee; 'n voorlesing hou; vermaan, berispe *also* **admon'ish; ~room** lesinglokaal

lec'turer lektor, dosent; ~ **guide** lektorgids

ledge rand; lys *also* **ridge, shelf;** bergrand

ledg'er grootboek (boekh.); dwarsbalk

lee (n) lykant; beskutting, beskerming (teen die wind)

leech bloedsuier (wurm); antieke arts *also* **hu'= man par'asite**

leek prei; *eat the ~* 'n belediging sluk; woorde terugtrek

leer (v) skuins (aan)kyk *also* **o'gle;** aangluur; lonk; gryns *also* **gloat**

lees (n) moer, afsaksel; droesem *also* **dregs**

lee: ~ **shore** lywal; ~ **side** lykant, lyboord; **~way:** *make up ~way* agterstand/skade inhaal

left (n) linkerhand; *second from ~* naaslinks (bv. op foto); *to the ~* links, aan die linkerkant; (a) linker=; hot; (adv) links; **~-hand drive** linker= stuur (motor); **~-han'ded** links, linkshandig, hotklou; onhandig *also* **clum'sy, awk'ward**

left'-overs oorskietkos; oorblyfsels

left'wing (n) linksgesind(e) (politiek)

leg (n) been; poot; boud (vleis); pyp (broek); paal; ~ *of mutton* skaapboud; *pull s.o.'s ~* iem. se been trek; met iem. die gek skeer; skerts, korswel; *shake a ~* opskud; roer (jou riete) *also: get cracking; take to one's ~s* die rieme neerlê; ~ *before wicket* been voor paaltjie (krieket); (v) voetslaan; ~ **i'rons** voetboeie *also* **shack'les**

leg'acy (n) erfenis *also* **inher'itance, leg'acy;** legaat, nalatenskap

le'gal (a) wetlik, wettig; regs=; **~ise** (v) wettig *also* **val'idate;** ~**ity** wettigheid, egtheid; ~ **language** regstaal; ~ **procee'dings** geregtelike stappe; ~ **represen'tative** regsverteenwoordi= ger; ~ **steps/ac'tion** regstappe; ~ **ten'der** wettige betaalmiddel

le'gate (n) legaat, gesant (veral aan pouslike hof)

lega'tion gesantskap *also* **em'bassy, con'sulate**

leg'-bye bylopie (krieket)

leg'end (n) legende; sprokie; randskrif; verkla= ring (op padkaart); **~ary** (a) legendaries *also* **cel'ebrated, immor'tal** (person); fabelagtig

leg'ging(s) beenkouse, kuitkouse *also* **leg'= warmers, gai'ters;** kamas(te) (vir soldate)

leg'ible leesbaar *also* **read'able**

le'gion legioen; keurbende, krygsmag; **~naire** legioensoldaat (hist.)

leg'islate (v) wette maak *also* **enact'**

legisla'tion wetgewing

leg'islative wetgewend; ~ **assem'bly** wetge= wende vergadering

leg'islator wetgewer

leg'islature wetgewende mag/gesag

legit'imate (v) wettig, eg verklaar; (a) wettig, eg

also **law′ful;** ~ **share** regmatige/regsgeldige (aan)deel

leguan′ likkewaan *also* **igua′na**

leg′umes peulgewasse

leg′warmer (n) beenkous

lei′sure ledige tyd, vrye tyd, gemak; *at ~* op jou gemak; sonder haas; (iets) rustig doen; *at your ~* wanneer jy tyd daarvoor het/die tyd daarvoor kan inruim; ~ **stud′ies** vryetyds= kunde; ~ **wear** slenterdrag; **~ly** op sy/haar gemak, luilekker

lekgot′la (n) (bos)beraad; raad, hof; lekgotla

lem′ma (n) trefwoord, lemma *also* **head′word** (in dictionary)

lem′on suurlemoen; ~ **juice** suurlemoensap; ~ **peel** sitroenskil; ~ **squash** kwas

lemonade′ limonade

le′mur vosaap, halfaap, lemur

lend (v) leen; uitleen *see* **bor′row;** ~ *a hand* hand bysit; ~ *itself to* hom leen tot; **~er** uitlener; **~ing rate** uitleenkoers

length (n) lengte; grootte; duur; afstand; *at ~* (uit)eindelik; uitvoerig, omslagtig; *full ~* lewensgroot; *go to any ~* niks ontsien nie; vir niks stuit nie; *keep s.o. at arm′s ~* iem. op 'n afstand hou; **~en** (v) langer maak, verleng; **~wise** in die lengte; **~y** lang, lank; langdurig; uitgerek

le′nient (a) toegeeflik, inskiklik *also* **tol′erant**

lens (n) lens; brilglas

len′til lensie (peulplant)

leo′pard luiperd (roofdier)

leo′tard (n) leotard, lyfkous

le′per melaatse (persoon), lepralyer

lep′rosy (n) melaatsheid, lepra

les′bian (n) lesbiër (homoseksuele vrou); (a) lesbies, gay

le′sion (n) letsel, kwetsuur; besering, verwonding

Leso′tho Lesotho (land)

less (a) minder, kleiner, geringer; *no ~ a person* niemand minder nie; *in ~ than no time* in 'n kits; (adv) minder; *none the ~* nietemin; (prep) min; *for ~* goedkoper; *five ~ four* vyf min vier

lessee′ (n) huurder *see* **les′sor**

les′sen verminder; afneem *also* **curtail′, min′= imise;** kleineer

les′ser minder, kleiner

les′son les; leesstuk; oefening; vermaning; Skrif= lesing

les′sor (n) verhuurder; huisbaas *see* **lessee′**

lest tensy, uit vrees dat; ~ *we forget* sodat ons nie vergeet nie

let (v) verhuur; laat; toelaat; ~ *alone* laat staan; daargelate; ~ *down* in die steek laat; ~ *go* loslaat; ~ *into* inlaat; inlig omtrent; ~ *off* loslaat, vrylaat; afblaas; vrystel, kwytskeld (van straf) *also* **waive′, indem′nify;** *to ~* te huur

le′thal (a) dodelik, dodend *also* **dead′ly, fa′tal**

leth′argy slaperigheid, sufheid, letargie

let′ter (n) letter (skryfteken); brief; (pl) lettere; *by ~* per brief; *to the ~* letterlik; **~box** briewebus; **ca′pital ~** hoofletter; **~card** brief= kaart; **dead ~** onbestelbare brief; **~head** briefhoof; ~ *of attor′ney* volmag; ~ *of cred′it* kredietbrief; ~ *of demand′* eisbrief, maan= brief; **~s pa′tent** oktrooibriewe; **man of ~s** geleerde

let′tuce (n) blaarslaai, kropslaai *see* **sal′ad**

leuke′mia (n) leukemie, bloedkanker

lev′el (n) waterpas; vlak; gelykte; maatstaf; hoogtestand; *on the same ~* op gelyke voet; *upper ~* boonste vlak (van gebou); (v) gelykmaak; (a, adv) gelyk, waterpas; *do one′s ~ best* jou uiterste bes doen; ~ *the playing field* die speelveld gelyk maak; *get ~ with* afreken met; *keep ~/abreast with* byhou, op (die) hoogte bly; ~ **cros′sing** oorgang; oorweg (spoorweg); **~-hea′ded** verstandig, oorwoë, ewewigtig; **~ler** nivelleerder *also* **dum′py lev′el**

le′ver (n) hefboom; ligter (hout); klawer (van slot); (v) oplig; met 'n ligter verskuif; **~age** hefboom(werking); mag, invloed

levi′athan (n) leviatan (seemonster); knewel

lev′ity (n) ligsinnigheid; wispelturigheid *also* **fickle′ness, flip′pancy**

lev′y (n) heffing; toeslag, bybelasting; ligting; werwing; (v) hef; lig; werf; oplê; invorder (geld); ~ *a fine* 'n boete oplê

lewd (a) ontugtig, wellustig *also* **lasci′vious**

lexico′grapher leksikograaf, woordeboekmaker

lexi′con woordeboek, leksikon

lex′is (n) woordeskat *also* **vocab′ulary**

liabil′ity aanspreeklikheid; verantwoordelikheid; verpligting *also* **ob′ligation;** (pl) laste

li′able aanspreeklik *also* **accoun′table;** verant= woordelik; onderhewig; ~ *for* aanspreeklik vir; *an accident is ~ to happen here (eg at a crossing)* dit is heel moontlik dat 'n ongeluk hier sal gebeur

lia′ise: ~ *with* skakel met

liai′son skakeling, liaison; verbinding; verhou= ding; ~ **commit′tee** skakelkomitee; ~ **of′ficer** skakelbeampte; mediabeampte

lia′na/liane′ klimop, slingerplant *also* **cree′per**

li′ar leuenaar, liegbek *also* **fal′sifier;** spekskieter

li′bel (n) laster *also* **defama′tion;** smaadskrif; (v) belaster, beklad; ~ **ac′tion** lasteraksie; **~lous** lasterlik

lib′eral (n) vrysinnige (onbekrompe persoon); liberaal (persoon, in politiek); (a) mild, vrygewig, gul *also* **char′itable;** oorvloedig; liberaal, vrysinnig, onbekrompe; ~ **educa′tion** veelsydige/omvattende opvoeding; **~ism** libe= ralisme (politieke rigting)

lib'erate (v) bevry, vrymaak, vrylaat *also* **release'; redeem'**

lib'erator bevryder, verlosser (persoon)

liber'tine vrydenker, libertyn; losbol (persoon)

lib'erty vryheid; ~ *of conscience* gewetensvry= heid; *have the* ~ *of* die gebruik hê van; *take the* ~ die vryheid/vrymoedigheid neem om

libi'do (n) libido, geslagsdrang *also* **sex'ual urge;** lewensdrif *also* **vital'ity**

libra'rian bibliotekaris

li'brary biblioteek *also* **me'dia centre;** (privaat) boekery

libret'to (n) **..etti** operateks, libretto

li'cence[1] (n) lisensie, permit; sertifikaat; verlof, goedkeuring *also* **man'date; dri'ver's ~** rybewys

li'cense[2] (v) lisensieer; toelaat, vergun *also* **au'thorise; ~e'** lisensiehouer

licen'tious bandeloos; wellustig *also* **promis'= cuous**

li'chen korsmos, ligeen; huidmos, douwurm

lick (n) lek, lekgoed (vir beeste); lekplek; (v) lek; uitstof, kafloop, wen, klop (in kragmeting); ~ *the dust* die stof byt; ~ *into shape* regruk; **~ing** (n) gelek; loesing; neerlaag (sport)

lid (n) deksel; ooglid; *that puts the* ~ *on it* dis darem te erg

lie[1] (n) leuen; kluitjie; *tell a* ~ lieg, jok; *he ~s like a trooper* hy lieg soos 'n tandetrekker; *white* ~ noodleuen(tjie); (v) lieg, jok; ~ **detec'tor** leuen(ver)klikker; ~ **detec'tor (poly'graph) test** kliktoets, leuentoets

lie[2] (n) ligging; rigting, koers; (v) lê, rus *see* **lay**[2]; *have a* ~*-down* gaan skuinslê, 'n uiltjie knip; *take something lying down* iets gedwee aanvaar; ~ *low* plat lê; afwag; wegkruip; ~ *in state* in staatsie lê (belangrike gestorwene)

lien retensiereg, pandreg (om terug te hou); retensiegeld

lieu plaas, plek; *in* ~ *of* in die plek van

lieuten'ant luitenant; **~-gen'eral (lieutenants-general)** luitenant-generaal

life (n) **lives** lewe; lewensduur; duursaamheid, bruikbaarheidsduur (van produk); leefwyse; *bring to* ~ bybring (bewustelose persoon); *for* ~ lewenslank; *full of* ~ springlewendig; *the future* ~ die hiernamaals; *keep* ~ *and soul together* liggaam en siel aanmekaarhou; *new lease of* ~ nuwe lewensduur; *not on your life* glad/volstrek nie; *quality of* ~ lewenskwaliteit, lewensgehalte; *the* ~ *and soul of* die siel/dryf= krag van; *take one's* ~ *in one's hands* jou lewe waag; ~ **assu'rance** lewensversekering *see* **insu'rance** (of goods); ~ **belt** redgordel, swemgordel; **~boat** reddingsboot; ~ **buoy** reddingsboei; ~ **expect'ancy** lewensverwag= ting; **~guard** strandwag, menseredder; ~ **his'= tory** lewensbeskrywing, biografie; ~ **jack'et**

reddingsbaadjie; **~less** leweloos; dooierig; **~long** lewenslank; ~ **mem'ber** lewenslange lid, lewenslid; ~ **orienta'tion** lewensoriënte= ring (skoolvak); ~ **raft** red(dings)vlot; **~-saver** lewensredder, strandwag; ~ **sen'tence** lewen= slange gevangenisstraf; **~-size** lewensgroot; **~span** lewensduur; **~style** leefwyse/lewens= wyse; **~-support'** lewensteun (med.); **~time** lewensduur, leeftyd

lift (n) hyser, hysbak; styging; opheffing; hefvermoë; *give s.o. a* ~ iem. oplaai; *looking for a* ~ *into town* soek 'n saamrygeleentheid dorp toe; (v) optel, oplig; iem. oplaai/laat saamry; ophef; verhef (stem); opklaar (wolke); opwek; ~ **club** saamryklub; **~off** lansering (ruimtetuig) *also* **launch**

lig'ament (n) (gewrigs)band, ligament

li'ger tierleeu, leeutier

light[1] (n) lig; lamp; lantern; vuurhoutjie; *bring to* ~ aan die lig bring; *strike a* ~ lig maak; 'n vuurhoutjie trek; ~ **bulb** gloeilamp; **flash~/torch~** flits(lig); **flood~** spreilig; **lime~** kalklig (publieke aandag); **search~** soeklig; **spot~** kollig; (v) lig; verlig; aansteek; vuur vat; voorlig; (a) lig, helder; blond (hare)

light[2] (a, adv) los, lig; gou, vinnig; ~ *of foot* rats, lenig; *make* ~ *of* gering ag; *in* ~*er vein* in ligter luim; ~ **rea'ding** ligte leesstof; ~ **deli'very van** (ligte) bestelwa, bakkie

ligh'ten[1] (v) verlig; ~ *the area* die omgewing verlig

light'en[2] (v) ligter maak (die las/werk)

ligh'ter aansteker; vuurslag, tonteldoos (veroud.)

ligh'ting (n) beligting

light'-hearted lughartig, vrolik, onbesorg *also* **care'free, cheer'ful, jo'vial**

light'house (n) vuurtoring, ligtoring

light'ly lig; maklik; ~ *come* ~ *go* erfgeld is swerfgeld

light'ning (n) weerlig, blits, bliksem; ~ **conduc'= tor** weerligafleier

lights out (a) pootuit, kapot, poegaai *also* **dead'beat, exhaus'ted**

light'weight liggewig (bokser; onbeduidende persoon)

light year ligjaar (sterrek.)

like (n) gelyke; ewebeeld; voorliefde; *his ~s and dislikes* sy voorkeure en afkeure; (v) hou van; lief wees vir; *I don't* ~*/fancy him* ek hou niks van hom nie; ek het nie ooghare vir hom nie; *I* ~ *him very much* ek is baie lief vir hom; ek hou baie van hom; *I* ~ *that!* dis 'n mooi grap!; (a, adv) gelyk; eenders/eners; soortgelyk; soos; *in* ~ *manner* op dieselfde manier; ~ *a shot* onmiddellik, oombliklik; **~ly** waarskyn= lik, vermoedelik *also* **prob'ably**

like'ness gelykenis, ewebeeld *also* **resem'blance**

like'wise eweneens; insgelyks, net so

li'king behae, smaak, welgevalle *also* **fond'ness, affec'tion;** *take a ~ to* begin hou van; lus kry vir; *not to my ~* nie na my smaak nie; ek het daar geen sinnigheid in nie

li'lac (n) sering (struik); (a) pers, lila

li'lo lugmatras, opblaasmatras

lilt (n) opgewekte ritme; *~ing tune* opgewek=te/sangerige wysie/deuntjie

lil'y (n) lilies lelie (blom); (a) lelie=; **--white** leliewit, spierwit; onskuldig

limb (n) ledemaat; lit; tak; **artifi'cial ~** kunsle=demaat, kunsbeen, kunsarm

lime[1] (n) kalk; voëlent; (v) vaslym; kalk gooi op; **sla'ked ~** gebluste kalk

lime[2] (n) lemmetjie; **~juice** lemmetjiesap, si=troensap; **sweet ~** soetlemmetjie

lime: ~ kiln kalkoond; **~light** kalklig (vir openbare aandag) *also* **prom'inence; ~ pit** kalkput, kalkgroef

lim'erick (n) bogrympie, limeriek

lime: ~**stone** kalkklip; ~ **sul'phur** kalkswael

lim'it (n) grens, perk, limiet; *that's the ~!* dis darem te erg!; *to the ~* tot die alleruiterste; (v) begrens, beperk; **~a'tion** beperking; **~ed** beperk, begrens; **~ed liabil'ity com'pany** maatskappy met beperkte aanspreeklikheid

limousine' limousine (weeldemotor)

limp (v) mank loop, hink *also* **hobble';** *have a ~* mank loop; (a) kreupel/kruppel; mank

lim'pet (n) klipmossel; **~ mine** kleefmyn *see* **stun grenade'**

lim'pid helder, deurskynend

linch'pin (n) spil, hoeksteen, steunpilaar (per=soon); lunspen, steker (in 'n wawiel)

lin'den tree lindeboom

line[1] (n) reël; lyn; streep; linie (mil.); grens; geslag *also* **an'cestry;** versreël; redery (skepe); soort; *~ of communication* verbin=dingslyn; *~ of conduct* gedragslyn; *~ of defence* (versterkte) verdedigingslinie (mil.); *draw the ~* die grens trek; nou (met die saak) ophou; *drop a ~* 'n paar reëls skryf; *hard ~s!* hoe jammer!; *in ~ with* in ooreenstemming met; *read between the ~s* tussen die reëls lees; *~/path of least resistance* die maklikste (uit)weg; *on similar ~s* op dieselfde manier; *~d paper* lyntjiespapier; *stand in ~* toustaan *also* **queue;** (v) lyne trek; afteken; skets; deurtrek; *~ the route* die roete belyn (soldate)

line[2] (v) voering insit (klere); *~ one's pocket* jou (geld)sakke vul; jou beursie volprop (met geld)

lin'eage geslag, afkoms *also* **an'cestry**

lin'eal direk; lyn=

lin'ear (a) lynvormig; lineêr/liniêr; lyn=

lin'en (n) linne; linnegoed; beddegoed; (a) linne=; **~ press** linnekas

lines'man vlagman, lynregter (sport)

lin'ger (v) vertoef; sloer, draal, talm *also* **loi'ter, daw'dle;** kwyn; sukkel; *~ longer* langer êrens bly/vertoef; *~ on* voortsleep

lin'gerie onderklere (vrou); linnegoed

lin'gering talmend, dralend *also* **protrac'ted; ~ disease** slepende siekte

lin'guist taalgeleerde, linguis; **~ic** taalwetenskap=lik, linguisties

lin'iment smeermiddel, smeersalf

li'ning[1] (n) voering; bekleding

li'ning[2] (n) liniëring; rigting

link (n) skakel; (v) (aaneen)skakel; verbind; (vas)koppel; inhaak; **~s** gholfbaan *also* **golf course;** mouskakels, mansjetknope

lin'seed lynsaad; **~ oil** lynolie

lint (n) pluksel (katoen); verbandlinne

lin'tel (n) latei (bokant venster/deur)

lion leeu; **~'s den** leeukuil; **~'s share** leeueaan=deel; **~ess** leeuwyfie; **~-hear'ted** moedig, dapper; **~ise** (v) iem. ophemel/verafgo(o)d, huldig *also: make a great fuss of s.o.*

lip lip; kant, rand; *keep a stiff upper ~* moed hou; nie jou ware gevoelens wys nie; **~ ice** lipdip; **~read** liplees; **~ ser'vice** lippediens, lippetaal, huigeltaal; **~stick** lipstif(fie); lipstiek (om=gangst.)

liq'uefy (v) smelt, vloeibaar maak

liqueur' likeur, soetsopie *see* **liq'uor**

liq'uid (n) vloeistof; vog; (a) vloeibaar; helder; vloei=; likied (geldmiddele); **~ as'sets** likiede bates; **~ate** vereffen *also* **settle;** likwideer; uitdelg (mense) *also* **exterm'inate; ~a'tion** likwidasie (van maatskappy); **~a'tor** likwida=teur; **~ fu'el/gas** vloeibare brandstof; **~iser** versapper *also* **jui'cer** (n); **~ mea'sure** vog=maat; **~ soap** vloeiseep; **~ veneer'** strykvernis

liq'uor drank, sterk drank *also* **al'cohol;** *the worse for ~* dronk, besope; hoenderkop, lek=kerlyf, getier (omgangst.); **~ li'cence** drankli=sensie; **~ store** drankwinkel

liq'uorice (n) liekeries, drop, soethout, soetwor=tel

lisp (n) gelisp(el); (v) lispel, lisp, sleeptong praat, tongstoot

list[1] (n) lys; naamlys; rol; rugstreep (dier); (v) lys (items); inskryf; noteer (op sekuriteitebeurs); *~ your questions* lys jou vrae

list[2] (n) oorhelling; neiging; (v) oorhel (skip)

lis'ten (v) luister; *~ to gossip* jou ore uitleen; *~ in* (in)luister; **~er** luisteraar; toehoorder; **~ing post** luisterpos

list'ing (n) notering (op sekuriteitebeurs)

list'less (a) lusteloos, dooierig *also* **dull, drea'ry**

lit'any (n) smeeksang, smeekgebed, litanie (in RK kerk)

lit'chi (n) ~s lietsjie (vrug)

lit'eracy geletterdheid; leesvaardigheid *see* **nu'=meracy**

lit'eral[1] (n) setfout; drukkersduiwel, setsatan *also* **grem'lin** (in printing)

lit'eral[2] (a) letterlik, woordelik(s)

lit'erary letterkundig; ~ **crit'ic** literêre kritikus; ~ **socie'ty** letterkundige kring/vereniging; ~ **tal'ent** skryftalent

lit'erate (a) geletterd; **compu'ter** ~ rekenaar= vaardig

lit'erature letterkunde, literatuur

lithe/lithe'some (a) lenig, buigsaam, soepel *also* **supple', flex'ible**

li'thograph (n) litografie; steendruk

lithog'raphy litografie; steendrukkuns

lit'igate (v) prosedeer *also* **sue** (in court)

litiga'tion litigasie, gedingvoering *also* **law'suit**

li'tre liter; *two ~s of milk* twee liter melk

lit'ter[1] (n) rommel, afval, vullis; skropgoed (hoenders); kooigoed, strooi (vir diere in stal); (v) afval rondstrooi; omkrap; mors *also* **mess up;** ~**bug** morsjors, rommelstrooier (persoon); ~**ing** rommelstrooi

lit'ter[2] (n) drag, werpsel, nes kleintjies (diere); ~ *of pups* werpsel hondjies; (v) kleintjies kry (dier)

lit'tle (n) bietjie, weinig, min; *every* ~ *helps* alle bietjies help; *very* ~ bloedmin; (a) klein; gering; min, bietjie; (adv) min, weinig; ~ *known* minder bekend; ~ **fin'ger** pinkie; **L~ Red Riding Hood** Rooikappie

lit'toral (n) kusstrook, kusgebied; (a) kus=, strand=; ~ **cli'mate** kusklimaat

litur'gical (a) liturgies *see* **litur'gy**

litur'gy (n) liturgie (handelinge, gebede, ens. in erediens)

live[1] (v) leef/lewe; woon, bly; ~ *on s.o.* leef van; teer op iem.; ~ *to see* beleef/belewe; ~ *up to one's promise* jou belofte gestand doen; ~~**in friends** saamblyers; ~~**in lo'ver** blyervryer

live[2] (a) lewend (nie dood nie), lewendig (nie dood nie; vrolik, opgewek; bedrywig); stroom= draend (elektr.); onontplof (bom); ~ **ammuni'= tion** skerppuntammunisie, skerppuntkoeëls; ~ **broad'cast** lewende/regstreekse uitsending; ~**lihood** lewensonderhoud, ~**ly** lewendig, op= geruimd, vrolik; woelig; ~ **recor'ding** lewen= de/direkte opname

liv'er (n) lewer

live'stock lewende hawe, vee; ~ **far'mer** bees= boer, veeboer *also* **cat'tle/stock far'mer**

live: ~ **weight** lewende gewig; ~ **wire** 'n draad onder stroom; *a ~ wire* (infml.) 'n dinamiese/ wakker persoon; 'n voorslag

liv'id[1] (a) doodsbleek, lykkleurig *also* **pale, wax'en**

liv'id[2] (infml.) (a) smoorkwaad *also* **ang'ry, fu'rious**

liv'ing (n) bestaan, *make a* ~ 'n bestaan vind/voer/maak; *the* ~ die lewendes (mense);

(a) lewend; lewendig; bedrywend; sprekend; *within* ~ *memory* binne menseheugenis; ~ **room** woonkamer; voorhuis (veroud.); ~ **wage** bestaanbare/menswaardige loon

liz'ard akkedis

lla'ma llama (S. Am. kameelskaap)

load (n) vrag, lading; belasting; gewig; (v) laai; belas; inneem; beswaar; ~**ed dice** vals dobbel= stene; ~ **master** laaimeester (vliegtuig) *see* **check'er**

loaf[1] (n) loaves: *a* ~ *of bread* 'n brood; *two loaves of bread* twee brode

loaf[2] (n) leeglêery; *on the* ~ aan die rondslenter; (v) leeglê, loodswaai; lanterfanter; ~**er** leeg= lêer, lieplapper *also* **va'grant, tramp**

loaf su'gar klontjiesuiker

loam (n) leem, klei(grond)

loan (n) lening; geldlening; *put out to* ~ uitleen; (v) leen, uitleen; ~ **cap'ital** leningskapitaal

loath (a) wars, afkerig, onwillig *also* **disin= clined;** *he is* ~ *to issue a summons* hy wil liewers nie dagvaar nie

loathe (v) verfoei, walg, verafsku *also* **dislike'**

loath'ing (n) weersin, walging *also* **disgust';** (a) walgend, walglik, verfoeilik

lob (n) lughou (tennis); (v) hoog slaan (tennis); lomp beweeg; afknot (uitlopertakke)

lob'by (n) voorportaal *also* **foy'er;** wandelgang (parlement); (v) stemme/steun werf *also* **campaign'** (v); druk uitoefen *also* **pres'surise;** ~**ing** (n) stem(me)werwery; gangkoukus

lobe (n) (oor)lel; lob

lob'ster (see)kreef

lob'ule saadhuisie; lelletjie (oor)

lo'cal plaaslik; lokaal; ~ **anaesthet'ic** lokale verdowing; ~**area net'work (LAN)** plaaslike= areanetwerk (LAN) (internet); ~ **author'ity** plaaslike bestuur/owerheid; ~ **con'tent** plaaslike inhoud (van produk, TV-program); ~**ise** lokali= seer; ~ **tou'rists** binnelandse/plaaslike toeriste

local'ity omtrek, omgewing; lokaliteit; plek, buurt *also* **area, neigh'bourhood**

lo'cals (n, pl) plaaslike inwoners (van dorp); lede van 'n gemeenskap(pie)

locate' (v) aanwys, aantoon; ligging bepaal; opspoor (plek of persoon)

loca'tion ligging; aanduiding; plek

loch (n) meer (in Skotland)

lock[1] (n) slot (van deur); sluis (water); *under* ~ *and key* agter slot en grendel; ~, *stock and barrel* die hele boel; (v) sluit; opsluit; afsluit; ~ *away* wegsluit; ~ *in* opsluit; ~ *out* uitsluit, buitesluit

lock[2] (n) (haar)lok; vlok (van wol)

lock: ~ **chain** remketting; ~**er** sluitkas, bewaar= kas; vakkie; ~**et** hangertjie, medaljon; ~**jaw** klem-in-die-kaak *also* **tet'anus;** ~**nut** sluit= moer; ~**smith** slotmaker

locomo′tive (n) lokomotief; (a) bewegend, bewegings=, vervoer=

loc′um ten′ens (tydelike) plaasvervanger (vir dokter)

lo′cust sprinkaan *also* **grass′hopper**

lode (n) ertsaar; **~star** poolster, noordster (gids) *also: guiding principle;* **~stone** magneetsteen; seilsteen *also* **load′stone**

lodge (n) gastehuis, verblyfoord; lodge (om= gangst.); jagverblyf; losie (Vrymesselaars); **coun′try ~** plattelandse gastehuis; wildplaas= (herberg); (v) huisves; loseer; inwoon; depo= neer (geld); indien (klag); **~** *a complaint* 'n klag indien/lê; **~** *a document* 'n voorlegging indien/inlewer; **~** *an objection* 'n beswaar opper; **~** *with* (in)woon/bly by; indien by; **~r** loseerder, kosganger, inwoner

lodg′ing huisvesting, verblyf(plek), inwoning, losies *also* **boar′ding**

loft (n) solder(kamer); duiwehok; **~iness** verhe= wenheid; **~y** verhewe, hoog *also* **el′evated;** trots, hoogmoedig *also* **haugh′ty, proud**

log (n) stomp, stam; blok (hout); lys, puntelys; log; logboek; *sleep like a* **~** slaap soos 'n klip; (v) aanteken, opteken (in logboek)

log′arithm logaritme

log: ~book logboek; reisjoernaal; skeepsjoer= naal; **~ ca′bin** balkhuis; blokhuis

log′gerhead: *at* **~s** haaks, oorhoop(s), aan die twis *also* **quar′relling, at odds**

log′ic logika, redeneerkuns; **~al** logies

logis′tics (n) logistiek (beweging/versending van troepe/voorrade)

loin lende; (pl) lendene; *gird up the* **~s** die lendene omgord; **~cloth** lendedoek

loi′ter drentel, slenter, leeglê; draal, talm, sloer; lanterfanter; *no* **~ing** geen slentery; **~er** drentelaar *also* **va′grant, tramp**

lol′lipop suigstokkie, stokkielekker, stroopballe= tjie; suikerpop

lone (a) eensaam; **~r** (n) alleenloper, eenloper (persoon); **~ly** afgeleë (plek); (stoksiel)alleen; verlate *also* **~some;** *~ly hearts column* soek= hoekie

long[1] (v) verlang, hunker (na) *also* **han′ker, pine, crave**

long[2] (a) lang/lank; langdurig; *not by a* **~** *chalk* glad nie, allermins; *a* **~** *memory* 'n goeie geheue; *in the* **~** *run* op die duur; (adv) lang/lank, lankal; **~** *ago* lank gelede; lankal, vanmelewe; *don't be* **~** moenie lank wegbly nie; *so* **~!** tot siens!; goed gaan!; **~drop** (n) plonsprivaat, plonsput, longdrop, doefpoef *also* **pit toi′let**

longev′ity (n) langlewendheid

long′ing (n) verlange, hunkering; heimwee; (a) verlangend, smagtend; **~** *for* verlang/hunker na

long′itude geografiese lengte

long: ~jump (n) verspring/vêrspring (atl.); **~-las′ting** langdurig, blywend *also* **long-living;** duursaam; **~-play′ing re′cord** (obs.) langspeelplaat, langspeler; **~-range** (a) langaf= stand, langtermyn *also* **long-distance; ~-sight′ed** versiende/vêrsiende; vooruitsiende

long-term (a) op/vir die lang termyn; langdurig; **~invest′ment** langtermynbelegging

loo (infml.) (n) toilet *also* **priv′y, WC, toi′let;** kleinhuisie; privaat

look (n) voorkoms; blik; gesig; uitdrukking; (pl) voorkome? *her good* **~s** haar mooi= heid/mooi voorkoms; *quite a* **~er** mooi mei= siemens, 'n pragstuk van 'n meisie *also* **stun′ner;** (v) kyk, sien, aanskou; oplet; bekyk; **~** *after* oppas *also: care for;* **~** *ahead* vooruitsien; **~** *behind* omkyk; **~** *daggers* kyk of jy kan moor; **~** *forward to* uitsien na; **~** *on* toekyk; **~** *for trouble* moeilikheid soek; **~** *up* naslaan (in 'n boek); (iem.) besoek; **~alike** ewebeeld, dubbelganger (persoon) *also* **doub′le; ~-er-on** toeskouer; omstander; **~ing glass** spieël *also* **mir′ror; ~out** uitsig; uit= kyk(pos)

loom[1] (n) weeftoestel; handvatsel (van roei= spaan)

loom[2] (v) oprys, opdoem *also* **emerge′; ~** *large* 'n belangrike plek inneem

loop (n) lissie, strop; lus/lis; uitwykspoor; (v) 'n oog maak (in 'n tou); met 'n vangstok vang; **~** *the* **~** bol(le)makiesie slaan; **~hole** skietgat, kykgat; skuiwergat, uitvlug; **~line** ooglyn; uitwykspoor

loose (n) losspel (rugby); (v) losmaak; bevry; (a, adv) los, vry; slap; slordig; *at a* **~** *end* ledig; sonder vaste werk; **~-leaf book** losbladboek; **~ly** lossies; **~n** losmaak; **~** *scrum* losskrum (rugby)

loot (n) buit, roof, plundering *also* **loo′ting;** (v) plunder, buit(maak); **~er** plunderaar, buiter

lop (v) snoei, afknip; **~** *away* wegkap; **~** *off* afknot, afsnoei

lop: ~-ear hangoor, flapoor; **~-si′ded** skeef; oorhangend

loq′uat lukwart (vrugteboom)

Lord[1] Here, Heer (God); *the* **~'s Pray′er** die Onse Vader; *the* **~'s Sup′per** (die Heilige) Nagmaal

lord[2] (n) heer, baas; lord; **~** *and master* heer en meester; *your* **~ship** edelagbare (regter) *also* **judge;** (v) kommandeer, baasspeel; **~** *it over* baasspeel oor; **~ly** baasspelerig, heerssugtig

lore kennis; volkskunde; folklore *also* **folk wis′dom**

lorgnette′ knypbril, toneelkyker, lornjet

lor′ry vragmotor, lorrie; **~ dri′ver** lorriedrywer, vragmotorbestuurder *also* **truck′er**

lose (v) verloor; kwytraak; verbeur; misloop; ~ *heart* moed verloor; ~ *marks* punte verbeur; ~ *sight of* uit die oog verloor; ~ *one's temper* kwaad word; jou humeur verloor; ~ *one's way* verdwaal; afdwaal (fig.)

lo′ser verloorder (persoon); *a bad* ~ onsportief; *be a* ~ aan die verloorkant wees

loss (n) verlies, skade; *be at a* ~ buite raad wees; ~ *of blood* bloedverlies; ~ *of memory* geheue= verlies

lost verlore; *get* ~ verdwaal; kry jou loop!; ~ *in thought* in gedagtes verdiep/versonke; ~ **genera′tion** verlore geslag/generasie; ~ **prop′= erty** vermiste goed(ere)

lot lot (eenheid goedere op veiling); aandeel; perseel (grond); party; klomp; hoeveelheid; *draw ~s* lootjies trek; *fall to the ~ of* te beurt val; *sell in ~s* in lotte verkoop; *think a ~ of* 'n hoë dunk/opinie hê van iem.

lo′tion (n) wasmiddel, huidmiddel *also* **lin′= ament**

lot′tery (n) lotery *also* **draw, raf′fle; sweep′= stake**

lo′tus lotus (blom)

loud luid; hard; luidrugtig; opsigtig; ~**-hai′ler** luidroeper, hardroeper *also* **mega′phone;** ~**spea′ker** luidspreker

lounge (n) sitkamer; voorhuis (veroud.); voor= portaal; (v) luier; ronddrentel, slenter *also* **loaf, loi′ter;** ~ *about* rondluier; ~ *away one's time* jou tyd vermors; ~ **suit** dagpak

lou′rie: grey ~ kwêvoël *also* **go-away bird**

louse (n) **lice** luis

lou′sy (a) luisbesmet; goor, beroerd (toestand); *feeling ~/miserable* vrot/oes voel

lout (n) lummel, gomtor; bullebak; jafel/javel *also* **bump′kin, boor, gawk**

louv′er/louv′re luggat, rookgat; ~ **blind** hortjie= blinding; hortjieruit

lo′vable (a) lieftallig, beminlik *also* **sweet, char′ming, a′miable**

love (n) liefde; skat, liefling, geliefde; geneent= heid; nul, niks, stroop (tennis); *fall in ~ with* verlief raak op; *in* ~ verlief; *I* ~ *him* ek lief (bemin) hom; *there is no ~ lost between them* hulle akkordeer nie; *make* ~ liefde maak, saamslaap; *send one's* ~ groete laat weet; *he won six* ~ hy het ses stroop gewen (tennis); (v) liefhê, bemin, baie hou van; ~ **affair′** (lief= des)verhouding; vryasie; ~ **child** (euphemism) kind v.d. liefde (eufemisme vir 'n buite-egte= like kind); ~ **game** strooppot (tennis); ~ **let′ter** minnebrief, vrybrief; ~**liness** lieflikheid; be= minlikheid; ~**lorn** verlate, alleen; ~**ly** lieflik, beminlik; ~ **poem** liefdesgedig, minnedig; ~ **po′tion** minnedrank *also* **aphrodi′siac;** doepa, paljas; ~**r** minnaar, kêrel *also* **boy′friend;** minnares, nooi, beminde *also* **sweet′heart,**

girl′friend; liefhebber (van bv. musiek); ~**sick** smoorverlief; ~ **song** minnedig, minnesang; ~ **story** liefdesverhaal

lo′ving liefhebbend; teer; liefdevol, liefderyk; *in* ~ *memory* in liefdevolle herinnering; *your* ~ *daughter* u liefhebbende dogter

low[1] (n) gebulk; (v) bulk (bees)

low[2] (n) laagtepunt; (a) laag; gemeen; sag; nederig; neerslagtig; gering; *in* ~ *spirits* neerslagtig; *keep a ~profile* hom/haar eenkant hou; jou skaars hou; op die agtergrond bly; (adv) *lie* ~ sake afwag; *speak* ~ sag praat; ~**-class** (a) agterklas (mense); ~**-class/vul′gar fel′low** tang, gomtor, ghwar

low′er (v) verlaag; laat sak; (a) laer; swakker; minder; ~ **case** onderkas (letter) *see* **up′per case** (letter)

low′ermost laagste, onderste

low: ~land vlakte, laagte; ~ **tide** laagwater; ~**veld** laeveld

loy′al getrou, lojaal; ~**ist** lojalis (persoon); ~**ty** getrouheid, lojaliteit

loz′enge (n) suiglekker; hoeslekker; tablet(jie)

lu′bricant smeerolie; masjienolie; ghries

lu′bricate (v) smeer, olie

lucerne′ lusern (voergewas)

lu′cid helder, deurskynend, deursigtig *also* **clear, sound**

Lu′cifer Lucifer, Satan

luck geluk; toeval; *bad* ~! ongelukkig!; simpa= tie!; *by* ~ per toeval; *good* ~! die beste!; beste wense!; ~ *of the draw* blote geluk; *as* ~ *would have it* toevallig; *try one's* ~ dit waag/probeer; ~**ily** gelukkig; ~*ily it was wrong* dit was gelukkig verkeerd

luck′y gelukkig; *a* ~ *hit/shot* 'n gelukskoot; ~ **bean** sierboontjie, toorboontjie; ~ **dip** geluk= pluk, gelukstrekking; ~ **dip/pack′et** (n) ge= lukspakkie; grabbelsak; ~ **draw** pryspret; gelukstrek(king)

lu′crative (a) winsgewend, lonend; voordelig *also* **prof′itable**

lu′dicrous belaglik, bespotlik *also* **ridic′ulous**

lug′gage bagasie *also* **bag′gage;** ~ **car′rier** bagasierak, dakrak (motor)

lug′ger logger (vissersboot)

luke′warm lou; onverskillig *also* **indif′ferent, half-hearted**

lull (n) stilte, kalmte; bedaring; (v) kalmeer, sus *also* **pac′ify;** aan die slaap maak; ~**aby** slaapliedjie, wiegeliedjie

lumba′go lendepyn, lendejig

lum′bar punc′ture lumbaalpunksie, lendesteek

lum′ber (n) rommel, weggooigoed; timmerhout; ~**ing** skoonkap (van bome); ~**jack** boswerker, houtkapper (persoon); ~**jack′et** bosbaadjie

lu′minary (n) beroemde persoon; leiersfiguur (veral moreel)

lu'minous liggewend; stralend; ~ **di'al** glimwy=ser(plaat); ~ **paint** glimverf

lump (n) stuk, klont; hoop *also* **batch;** ~ *together* saamgooi; ~ **sum** ronde som *also* **round fi'gures;** ~**y** klonterig

lu'nacy kranksinnigheid, waansin; malligheid *also* **insan'ity, mad'ness**

lu'nar (a) maan=; ~ **eclipse'** maan(s)verduistering; ~ **jour'ney** maanreis; ~ **trav'eller** maanreisiger

lu'natic (n) kranksinnige (persoon); (a) krank=sinnig; gek; ~ **asy'lum** kranksinnigegestig, sielsiekegestig; ~ **fringe** mal randeiers/ek=sentrieke (persone)

lunch (n) middagete; (v) middagete nuttig; gaan lunch (omgangst.)

lun'cheon (n) formele middagete; noenmaal

lung (n) long; ~ **disease'** longsiekte

lunge (n) uitval; steek, stoot; (v) uitval, steek *also* **stab, strike at**

lurch (n) ruk, swaai; neiging; *leave in the* ~ in die steek laat; (v) swaai, slinger

lure (n) lokaas; *the* ~ *of money* die aanloklikheid van geld; (v) aanlok, weglok

lu'rid (a) somber, aaklig *also* **revol'ting;** ~ *past* aaklige/duister(e) verlede

lurk (v) op die loer lê; skuil; ~*ing danger* verskuilde gevaar

lus'cious sappig, soet, lekker *also* **deli'cious**

lush (a) welig, oordadig *also* **lav'ish, plush;** sappig; mals, geil

lust (n) begeerte, wellus; (v) dors na; ~**ful** wellustig, sinlik, wulps; ~**y** sterk, flink

lus'tre (n) glans; luister; roem; *add* ~ *to* luister voeg by (bv. 'n plegtigheid)

lus'trous (a) glansryk, luisterryk *also* **glit'tering**

lute[1] (n) luit (snaarinstrument); ~**nist** luitspeler *also* **lu'te play'er**

lute[2] (n) kleefstof, lym

Lu'theran (n) Lutheraan (persoon); (a) Luthers (kerkverband)

luxu'riant welig, oorvloedig (plantegroei)

luxu'rious luuks; weelderig (meubilering)

lux'ury (n) weelde, luukse, luuksheid *also* **af'fluence;** oordaad; (pl) weeldeartikels; (a) weelde=, luukse; ~ **ar'ticle** weeldeartikel; ~ **bus** luukse bus; ~ **car** weeldemotor

lye loog (bytende vloeistof)

lymph weefselvog; limf (med.); ~**a'tic** (n) limfvat; (a) limfaties, limf=

lynch (v) lynch (ophang deur gepeupel) *also* **mob jus'tice**

lynx rooikat *also* **car'acal**

lyre lier (Griekse tokkelinstrument)

ly'ric (n, usually pl) lirieke/woorde vir populêre lied(jie); ~**al** (a) liries (poësie); ~**ist** lirikus; liriekskrywer, teksskrywer

M

ma (n) ma; moeder, mammie *also* **moth'er, mum'(my)**

maca'bre (a) aaklig, grieselig, grusaam, makaber *also* **grue'some, gris'ly**

macada'mia makadamia (neut)

macad'amise (v) teer (straat, pad) *also* **tar** (v)

macaro'ni macaroni

Macas'sar oil makassarolie

macaw' (n) ara-papegaai

mace[1] (n) foelie (spesery)

mace[2] (n) ampstaf (parlement); knots; **~bea'rer** stafdraer *also* **ma'cer**

mache'te kapmes, machete *see* **pan'ga**

mach'inate (v) beraam; knoei, konkel; saam=sweer

machine' (n) masjien, werktuig *also* **appli'ance; ~ gun** masjiengeweer; **~ min'der** masjienbe=diener

machi'nery masjinerie; *plant and* **~** aanleg en masjinerie

machi'nist masjinis, (masjien)bediener

mach'o (a) macho, hipermanlik

mack'erel makriel (vis); **~ sky** lug met vlies-wolkies/skaapwolkies

mack'intosh reënjas *also* **rain'coat**

mac'ro: **~cosm** (n) heelal, makrokosmos; **~scop'ic** sigbaar vir die blote oog; makrosko=pies, megaskopies

Madagas'can (n) Malgas (persoon); (a) Mal-gassies (gebruike, ens.) *also* **Malaga'sy; Madagas'car** Madagaskar (eiland)

mad (a) mal, gek, dol; kranksinnig; *go* **~** gek/mal word; *I got raving* **~** (slang) ek was briesend kwaad; *ek wou my moer strip* (omgangst., vulg.); *as* **~** *as a hatter/March hare* stapelgek; **~ on** versot/dol op

mad'am mevrou; juffrou; **M~ Chair** Agbare voorsitter *see* **chair'person**

mad'cap malkop, maltrap, gek (persoon)

mad' cow disea'se dolbeessiekte, malbeessiekte; bees-sponsharsingsiekte *also* **bo'vine spongi=form encephalop'athy**

mad'den (v) mal maak; rasend/woedend maak; **~ing** (a) ondraaglik, ergerlik

made gemaak; kunsmatig; *a* **~** *man* 'n man met pitte (baie geld); **~-up** opgemaak, kunsmatig; **~-up story** versinsel

mad: **~house** (infml.) malhuis, gekkehuis (om=gangst.) *also* **loo'ny bin** (offensive slang); **~ness** malheid, malligheid

Madon'na Moedermaagd, Madonna

mael'strom maalstroom, draaikolk, maalgat

magazine' tydskrif *also* **jour'nal, period'ical;** pakhuis; patroonhouer; magasyn; kruithuis *also* **ar'senal**

mag'got maaier, wurm; nuk, gril

ma'gic (n) towerkuns; betowering; kulkuns; (a) toweragtig; **~ carpet** towertapyt (uit verhale); **~ lan'tern** towerlantern (outydse projektor); **~ wand** towerstaf (magiese invloed); **black ~** duiwelskuns, nigromansie; **white ~** goëlery

magi'cian (n) kulkunstenaar, goëlaar, toorkun=stenaar *also* **con'jurer, sor'cerer**

magiste'rial magistraats=; gebiedend, heersend

ma'gistrate landdros, magistraat; **~'s court** landdroshof, magistraatshof

magnan'imous grootmoedig, groothartig *also* **char'itable, unstin'ting**

mag'nate magnaat, kapitalis, geldman *also* **tycoon', plu'tocrat**

magne'sia magnesia, bitteraarde

magne'sium magnesium; **~ sul'phate** magne=siumsulfaat, Engelse sout (medikasie)

mag'net magneet

magnet'ic (a) magneties; **~ field** magneetveld; **~ nee'dle** magneetnaald; **~ north** magnetiese noorde; **~ pole** magnetiese pool; **~ strip/stripe** magneetstrokie

mag'netise (v) magnetiseer, aantrek; mesmeri=seer

mag'netism magnetisme, aantrekkingskrag

magnif'icent (a) pragtig, heerlik; manjifiek, groots *also* **won'derful**

mag'nify (v) vergroot; verheerlik; ophemel; **~ing glass** vergrootglas

mag'nitude (n) grootte, omvang, trefwydte; grootheid *also* **great'ness, impor'tance**

magno'lia magnolia, tulpboom

mag'pie ekster (vergaarvoël); babbelkous, snater=bek (persoon); opgaarder (persoon); **~ ma'nia** versamelsindroom

mahog'any mahoniehout

maid (n) meisie, maagd; diensmeisie; huishulp, vroulike (huis)bediende *also* **domes'tic; old ~** oujongnooi

maid'en (n) maagd; jonkvrou; nooi; leë boulbeurt (krieket); (a) maagdelik; eerste; ongetroud; **~ aunt** ongetroude tante; **~ flight** eerste vlug; **~hair** fynblaarvaring, venushaarvaring; **~hood** maagdelikheid; **~ish, ~like, ~ly** maagdelik, sedig, rein, kuis; **~ name** nooiensvan; **~ over** leë boulbeurt (krieket); **~ speech** intreerede; nuwelingtoespraak (parlement); **~ voyage** in-wydingsvaart, aanvangsreis

mail[1] (n) harnas; pantser; (v) bepantser

mail[2] (n) pos; posbesending; (v) pos; **~bag** possak; **~coach** poskar (hist.)

mail'ing list (n) adreslys; geselslys (rek.); poslys (e-pos)

mail: **~ or'der** posbestelling; **~shot** posreklame

maim (v) vermink *also* **disa'ble, impair'**

main (n) hoofleiding, hoofkabel (elektr.); hoof= pyp (water); vernaamste deel; (a) hoof=; vernaamste, grootste *also* **fore'most, pre= dom'inant;** ~ **body/force** hoofmag (mil.); ~ **buil'ding** hoofgebou; ~ **deck** hoofdek (skip); ~ **dish** hoofgereg; ~ **en'trance** hoofingang; **~frame** hoofraam (rek.); **~land** vasteland; ~ **line** (v) dwelms binneaars gebruik; **~ly** hoofsaaklik, vernaamlik *also* **pri'marily;** ~ **point** hoofargument; ~ **road** hoofpad, groot= pad; ~ **sea** oop see; **~spring** hoofmotief; dryfveer; **~stay** staatmaker, steunpilaar (per= soon); **~stream** hoofstroom; toonaangewende neiging/mode; ~ **street** hoofstraat

maintain' (v) handhaaf; onderhou; volhou (met 'n mening); in stand hou; bewaar

main'tenance (n) instandhouding; onderhoud; handhawing; verdediging; *pay ~/alimony to divorced wife* betaal onderhoud aan geskeide vrou; ~ **costs** instandhoukoste

naisonette' kamerwoning; skakelwoonstel

naize mielies *also* **mea'lie(s)** (SAE); ~ **far'mer** mielieboer; ~ **por'ridge** mieliepap

najes'tic majestueus, verhewe *also* **no'ble, splen'did, superb'**

naj'esty majesteit; **Your M~** U Majesteit

na'jor[1] (n) majoor (mil. rang)

na'jor[2] (n) meerderjarige, mondige (persoon); majeur (mus.); (a) mondig; hoof=; groot=; grootste, vernaamste *also* **upper'most**

najor'ity (n) meerderheid; meerderjarigheid, mondigheid *also* **ad'ulthood; ab'solute/clear** ~ volstrekte meerderheid; ~ **go'vernment** meerderheidsregering; ~ **vote** meerderheidstem

nake (n) fabrikaat (motor); vorm, gedaante; maaksel, soort; (v) maak, doen; verrig; vervaardig; voer (oorlog); hou (toespraak); trek (gesig); begaan, maak ('n fout); opmaak (bed); aangaan (ooreenkoms); sluit (vrede); verdien (geld); ~ *a clean sweep* skoonskip maak; ~ *one's bow/debut* jou buiging/debuut maak; ~ *do with* klaarkom met; ~ *a fool of* belaglik maak; ~ *good* vergoed (vir), opmaak; vooruitgaan; ~ *the grade* die paal haal; ~ *love* die hof maak, vry; liefde maak; ~ *a mess* mors; ~ *up one's mind* besluit; ~ *peace* vrede sluit; ~ *a speech* 'n toespraak afsteek/hou; ~ *sure of* verseker, sorg dat; ~ *up* vol maak; inhaal (skade); goedmaak; aanvul; versin (verhaal); **~-belie've** (n) aanstellery; skyn, voorwendsel; (a) oneg; **~r** maker, skepper; **~shift** (n) redmiddel; noodhulp; lapwerk; (a) nood=, tydelik=; **~-up** grimering; plooisement (skerts.); vermomming; versinsel

na'king maaksel; wording; *he has the ~s of* hy het die aanleg vir; *his own* ~ sy eie skuld/toedoen

mal'adjusted (a) wanaangepas *also* **unsta'ble**

maladministra'tion (n) wanadministrasie *also* **mismanage'ment**

mal'ady siekte, kwaal *also* **ail'ment, dis'order, afflic'tion**

Malaga'sy = Madagas'can

mal'apropism (n) verspotte/onvanpaste uitdruk= king; woordverwarring; taalflater

mala'ria malaria; moeraskoors

Malay' (n) Maleier (persoon); (a) Maleis (ge= bruike, ens.); **~sia** Maleisië (land)

mal'content (n) ontevredene (persoon) *also* **grou'ser, grum'bler;** (a) ontevrede

male (n) mansmens, manspersoon; mannetjie (by diere); ~ *chauvinist pig* chauvinistiese swyn/vark; (a) manlik *also* **man'ly, mas'= culine;** mans=; ~ **heir** manlike erfgenaam, stamhouer; ~ **issue** manlike afstammeling; ~ **nurse** verpleër

mal'efactor kwaaddoener, boosdoener *also* **per'= petrator, wrongdo'er**

malev'olence (n) boosaardigheid, kwaadwillig= heid

malev'olent (a) kwaadwillig, vyandig *also* **malic'ious, hos'tile, vindic'tive**

malforma'tion (n) mismaaktheid, wanstaltigheid

malformed' (a) wanskape, mismaak *also* **deform'ed, missha'pen**

mal'ice (n) boosaardigheid; plaagsug; (bose) opset; haat *also* **animos'ity;** *bear* ~ 'n wrok koester; *with* ~ *aforethought* (legal phrase) voorbedag; met opset

malic'ious kwaadwillig, boosaardig *see* **malev'= olent;** ~ **damage/injury** opsetlike saakbeska= diging

malign' (v) kwaadspreek; skinder

malig'nant (a) skadelik, kwaadaardig; ~ **tu'= mour/growth** kwaadaardige groeisel/gewas/ tumor

malin'ger (v) siekte voorwend; skoolsiek wees; **~ing** (n) skynsiekte, skoolsiekte

mall (n) wandellaan; winkelbaan; mall (om= gangst.: deurloop in winkelsentrum)

mal'let houthamer, blokhamer

malnutri'tion (n) ondervoeding; wanvoeding

malprac'tice (n) wanpraktyk; korrupsie; bedrog *also* **graft, fraud, scam**

malt (n, v) mout

Mal'tese poodle malteserpoedel, maltees (hond)

maltreat' (v) mishandel, sleg behandel *also* **harm, abuse; ~ment** mishandeling

malt: ~ **spir'its** graanbrandewyn; ~ **whis'ky** moutwhisky

mam'ba mamba (slang)

mamil'la tepel, speen; **~ry** tepelvormig, tepel=

mam(m)a' mamma *also* **moth'er, mum'(my)**

mam'mal soogdier

Mamm'on Mammon (die geldgod); rykdom

mam′moth (n) mammoet; gevaarte; (a) kolos=
saal, reusagtig *also* **huge, colos′sal**

man (n) **men** man, mansmens; eggenoot; mens;
~ *of letters* letterkundige; geleerde; ~ *of straw*
strooipop; *the* ~ *in the street* die gewone man;
Jan Alleman/Publiek; *to a* ~ tot die laaste
man; almal; ~ *about town* pierewaaier, stads=
koejawel; (v) beman; ~ *oneself* moed vat/
skep; (a) manlik *also* **man′ly, mas′culine**

man′acle (n) handboei; (v) boei

man′age (v) bestuur; behandel; regkry; klaarkom
also **cope**; **~able** hanteerbaar; **~ment** bestuur,
leiding, beheer; oorleg; **~r** bestuurder; leier;
~ment by objec′tives doelwitbestuur; **~ment
commit′tee** bestuurskomitee; dagbestuur;
~ment consul′tant bestuurskonsultant

man′aging besturend; ~ **direc′tor** besturende di=
rekteur *also* **chief exec′utive offi′cer (CEO);**
bestuurshoof; bedryfshoof

Mand′arin (n) Mandaryns (ampstaal van Chi=
na)

mand′arin[1] (n) mandaryn (Chinese amptenaar,
hist.)

mand′arin[2] (n) (geel) nartjie (vrug)

man′datary (n) gevolmagtigde; mandaathouer

man′date (n) magtiging; volmag; mandaat *also*
author′ity, war′rant

man′datory (a) voorskriftelik, op bevel, verplig=
tend *also* **oblig′atory, compul′sory**

man′dolin mandolien (musiekinstrument)

mane maanhaar (van leeu); ~ **lion** kraagmanne=
tjie

man: ~ **ea′ter** mensvreter; kannibaal; **~ful**
manhaftig, kordaat, dapper *also* **bold**

man′ganese mangaan (metaal)

mange skurfte, brandsiek(te), omloop

man′ger (n) krip, trog, voerbak

man′gle (n) strykmasjien, mangel (vir wasgoed);
(v) vermink, verskeur; radbraak

man′go (n) **-es** mango (vrug)

man′grove wortelboom, mangrove

man: **~handle** (v) toetakel, afransel, karnuffel; ~
ha′ter mannehater; mensehater; **~hole** inspek=
sieput, skouput; **~hood** manlikheid; manlike
jare *also* **masculi′nity;** **~hunt** mensejag;
polisiesoektog, klopjag

ma′nia (n) manie, waansin; obsessie *also* **fixa′=
tion**

ma′niac (n) waansinnige, besetene; maniak; (a)
waansinnig, mal *also* **fanat′ic**

man′icure (n) manikuur, handsorg; naelversor=
ging; handversorger (persoon) also **man′icurist;**
(v) manikuur; ~ **set** naelstel, manikuurstel

man′ifest (v) bekend maak; manifesteer; laat
blyk/toon; (a) duidelik, sigbaar, openbaar;
~a′tion bevestiging, manifestasie; betoging
also **demonstra′tion**

manifes′to (n) **-es** manifes, openbare bekend=

making *also* **pub′lic state′ment** (of intentions
or opinions)

man′ifold (n) verdeelpyp (motorenjin); spruit=
stuk (pyp); (a) baie, menigvuldig *also* **mul′=
tiple**

man′ikin (n) dwergie; mannetjie

manip′ulate (v) behandel, bewerk; kook, dokter
(syfers); manipuleer *also* **cook** (figures,
marks); **rig** (election)

manipula′tion (n) behandeling, bewerking; han=
tering; betasting; knoeiery, manipulasie

man: **~kind** (die) mensdom, mensheid *also*
hu′mankind; ~liness manlikheid; manmoe=
digheid *also* **bra′very; ~ly** manlik; manmoe=
dig, moedig *also* **daunt′less**

man′na manna; hemelse brood; geestelike voed=
sel

man′ned beman *see* **staf′fed** (with)

man′nequin mannekyn; modemodel; ~ **parade′**
modeparade, modeskou

man′ner (n) manier, gewoonte, wyse; aanwen=
sel; styl; *all* ~ *of* allerhande; *good* ~*s* goeie
maniere; *in like* ~ op dieselfde manier; **~ism**
gemaaktheid, gekunsteldheid; aanwensel; heb=
belikheid; **~ly** beleef(d), gemanierd; **~s** goeie
maniere/gedrag

man′ning (n) bemanning, personeelvoorsiening
also **staf′fing**

manoeu′vre (n) maneuver, krygsoefening *also*
deploy′ment (of soldiers); kunsgreep; (v)
maneuvreer; bewerkstellig, manipuleer *also*
manip′ulate, contrive

man′-of-war (n) **men-of-war** oorlogskip, slag=
skip

manom′eter drukmeter, manometer

man′or (n) herehuis *also* **man′sion;** landgoed

man′power mannekrag; arbeidskrag, mensekrag,
mensebronne *also* **hu′man resour′ces;** ~
research mannekragnavorsing; ~ **utilisa′tion**
mannekragbenutting

man′rope valreep (aan kant van skip)

manse (n) pastorie, predikantswoning *also* **vic′=
arage, rec′tory**

man′sion herehuis *also* **man′or;** **~s** woon(stel)=
gebou

man′slaughter manslag, doodslag *also* **hom′=
icide**

man′telpiece (n) skoorsteenmantel, kaggelrak

mantil′la sluier, mantilla

man′tis (n) **mantes** bidsprinkaan, mantis *also*
pray′ing ~

man′tle (n) mantel; omhulsel; gloeikousie; (v)
bemantel, bedek *also* **cover, hide**

man′trap (n) voetangel; val, strik

man′ual (n) handleiding; handboek; leidraad;
toetsbord; manuaal (orrel); (a) met die hand,
hande=; ~ **al′phabet** vingertaal; ~ **choke**
handsmoorder; ~ **la′bour** handearbeid; **~ly**

handsgewys(e); ~ **trai′ning** ambagsopleiding; **staff** ~ personeelhandleiding

manufac′ture (n) fabrikaat; vervaardiging; (pl) fabrikate; (v) vervaardig; ~*d by* vervaardig deur; ~**r** fabrikant, vervaardiger (persoon, firma)

manufac′turing vervaardigings=; ~ **je′weller** juwelevervaardiger

manure′ (n) mis; misstof *see* **fer′tiliser;** (v) mis gee, bemes

man′uscript manuskrip; handskrif; ~ **selec′tor** (manuskrip)keurder *also* **(publisher′s) reader**

ma′ny (a) **more, most** baie, veel; talryk; ~ *happy returns* (veels) geluk met jou verjaardag; *one too* ~ een te veel (gedrink); ~ *a time* baiemaal, baiekeer; ~~**col′oured** veelkleurig, bont *also* **mul′ticol′oured;** ~~**sided** veelsydig *also* **ver′= satile**

map (n) kaart, landkaart; plattegrond; *put on the* ~ alom bekend maak; (v) karteer; afbeeld; ~ *out* teken, ontwerp, uitskets; ~ **ma′king** (n) kartografie

ma′ple esdoring, ahornboom

mar (v) bederf/bederwe *also* **spoil;** beskadig; skend; ontsier; *make or* ~ maak of breek

ma′rabou maraboe, Indiese ooievaar, adjudant= voël

mar′athon marat(h)on (wedloop)

maraud′ (v) plunder, roof, buit *also* **ran′sack, pil′lage;** ~**er** buiter, plunderaar *also* **pil′lager, plun′derer;** ~**ing raid** plundertog, strooptog; inval

mar′ble (n) marmer; albaster; (a) marmer=; ~ **quar′ry** marmergroef

March (n) Maart; *as mad as a* ~ *hare* stapelgek; onnosel, dwaas

march (n) (op)mars; tog; loop, gang; pas; tred; parade; *steal a* ~ *on* voorspring; ~**ing orders** afdanking/ontslag (van werk); (v) marsjeer; trek; opruk; ~ *on* aanruk; voortmarsjeer; ~ *out* uittrek; ~ *past* verbymarsjeer; ~~**past** (n) defileermars, verbymars, parademars

Mardi Gras′ (n) Mardi Gras, karnaval; kermis; openbare feesviering

mare (n) merrie; nagmerrie

margarine′ (n) kunsbotter, margarien

mar′gin (n) rand; kant; grens; kantlyn, kant= ruimte; dekking; speling, speelruimte; marge (ekon.); ~ *of safety* veiligheidsgrens; *win by a narrow* ~ naelskraap wen; ~**al** (a) aan die rand, marginaal, grens=, kant= *also* **periph′eral;** ~**al land** marginale grond (om te bewerk); ~**al note** kantaantekening; ~**a′lia** kanttekeninge; ~ **line** kantlyn; ~**alise** (v) marginaliseer, uitran= geer (uit 'n werk of hoofstroom)

mar′grave (n) markgraaf (adeltitel)

mar′guerite margriet(jie), gans(e)blom

na′rigold afrikaner; gousblom

nari′na marina, waterdorp

marine′ (n) vloot; seesoldaat, vlootsoldaat, mari= nier; **mer′cantile** ~ handelsvloot; (a) see=, marine=; mariene; skeeps=; kus=; ~**biol′ogy** seebiologie, mariene biologie; ~ **cadet′** adel= bors; ~ **insu′rance** seeversekering

mar′iner matroos, seevaarder *also* **sea′farer**

marionette′ marionet, draadpop

mar′ital huweliks=, egtelik; ~ **po′wer** maritale mag; ~ **state** huwelikstaat

mar′itime (a) maritiem; see=, strand=, kus=; ~ **law** seereg; ~ **po′wer** seemoondheid

mark[1] (n) mark (eertydse Duitse geldeenheid, vervang deur euro)

mark[2] (n) merk; teken; doel; punt (eksamen); skoonvang (rugby); klad, (skand)vlek *also* **blem′ish, blot;** *below the* ~ benede peil; *make one's* ~ diep spore trap; naam maak; (v) merk; nasien, merk (toetse); opmerk; aandui; punte gee; ~ *down* afmerk; ~ *off* afbaken; ~ *time* die pas markeer; ~**er** merker, merkpen, glimpen *also* **high′lighter;** nasiener, merker (eksamen= skrifte)

mark′et (n) mark; afsetgebied; handel; *be in the* ~ te koop wees; (v) bemark, verkoop; **bear** ~ beermark, daalmark (effektebeurs); **bull** ~ bul= mark, stygmark (effektebeurs); ~**er** bemarker; ~ **in′dicator** markaanwyser; ~**ing** bemarking; ~**ing expertise′/know-how** bemarkingskunde; ~ **mas′ter** markmeester; ~**place** markplek; afsetpunt; ~ **price** markprys; ~~**rela′ted** mark= verwant; ~ **re′search** marknavorsing; ~ **share** markaandeel

mark: ~**ing** merk; tekening; ~**ing ink** merkink, letterink; ~ **sheet** puntelys, puntestaat; ~**s′man** skerpskutter, skut

mar′lin marlyn (swaardvis)

mar′malade lemoenkonfyt, marmelade

mar′mot marmotjie/malmokkie *see* **guinea′pig**

maroon′[1] (v) (iem. op 'n onbewoonde eiland) agterlaat *also:* **cast ashore**

maroon′[2] (a) maroen, bruinrooi, kastaiingbruin

marquee′ (n) markee(tent)/markiestent

mar′riage (n) huwelik; bruilof; troue(ry) *also* **wed′ding;** *promise of* ~ troubelofte; ~**able** troubaar, hubaar; ~ **certi′ficate** huweliksertifi= kaat; **civ′il** ~ burgerlike huwelik; ~ **con′tract** huweliksvoorwaardes; ~ **coun′sellor** huwe= lik(s)berader; ~ **day** troudag; ~ **knot** huweliks= band; ~ **li′cence** huwelikslisensie; ~ **song** bruilofslied; ~ **vow** huweliksgelofte

mar′ried getroud; ~ *to* getroud met; *the* ~ *couple* die egpaar; ~ **life** huwelikslewe

mar′row (n) murg; pit, kern; **baby** ~ skorsie *also* **gem squash;** ~**bone** murgbeen

mar′ry (v) trou, in die huwelik/eg tree *also:* **tie the knot** (infml.); ~ *money* met 'n ryk vrou/ man trou

marsh vlei, moeras *also* **swamp**

mar'shal (n) maarskalk; ordehouer, optog=
beampte (by betogings); (v) rangskik, versa=
mel, orden; **~ling yard** rangeerwerf, op=
stelterrein (spoorweë)

marsh: ~ fe'ver moeraskoors; malaria; **~mal'low**
malvalekker; **~y** moerassig

marsu'pial (n) buideldier (bv. kangaroe, koala);
(a) buideldraend

mart (n) mark; vandisielokaal/vendusielokaal,
verkoopsaal *see* **auc'tion mart**

mar'tial krygs=; oorlogs= *also* **bellig'erent; ~
arts** verweerkuns (judo, karate); **~ ea'gle**
breëkoparend; **~ law** krygswet; **~ mu'sic**
krygsmusiek

mar'tin huisswaeltjie (voël)

mar'tingale (n) springteuel (vir perde)

mar'tyr (n) martelaar; (v) martel, folter *also*
tor'ture; ~dom martelaarskap

maru'la maroela(boom)

mar'vel (n) wonder; verbasing; *the ~ of it* die
wonderlikste van alles; (v) verwonder, ver=
baas; **~lous** (a) wonderbaarlik, wonderlik,
verbasend *also* **won'derful, ama'zing**

Marx'ism Marxisme

marzipan' (n) marsepein *also* **march'pane,
al'mond paste**

mas'cot gelukbringer, talisman *also* **charm** (n)

mas'culine manlik; fors; kragtig *also* **ro'bust,
strap'ping, vig'orous**

mash (n) mengsel; kapokaartappels; meelkos
(vir perde en vee); (v) fynstamp; meng; **~ed**
gestamp, fyngemaak; **~ed pota'toes** kapokaar=
tappels

mask (n) masker; vermomming; mombakkies;
dekmantel; (v) vermom; verberg; kamoefleer;
verbloem; **~ed** gemasker, vermom; **~ed ball**
maskerbal

mas'king tape (n) maskeerband

mas'ochism masochisme, selfkastyding (dikwels
seksgedrewe)

mas'ochist masochis, selfpyniger; smartvraat

Ma'son (n) Vrymesselaar; **~ic lodge'** Vrymesse=
laarslosie

ma'son (n) messelaar; (v) messel; **~ry** messel=
werk

masquerade' (n) maskerade; (v) vermom; ver=
mom rondloop; jou voordoen as/uitgee vir;
huigel

mass[1] (n) massa; trop, menigte, groot klomp;
massa (gewig); *the ~es* die menigte; **~ ac'tion**
protesoptrede; massabetoging *also* **indus'trial
ac'tion; ~ attack'** massa-aanval; **~ me'dia**
massamedia; **~ mee'ting** monstervergadering;
~ produc'tion massaproduksie; (v) ophoop,
vergader *also* **gath'er, mus'ter**

mass[2] (n) mis (RK kerk); *attend ~* na die mis
gaan; *say ~* die mis lees; **high ~** hoogmis

mas'sacre (n) bloedbad, (mense)slagting; mas=

samoord *also* **car'nage, slaugh'ter, blood'=
bath;** (v) uitdelg, verdelg, uitmoor *also*
exter'minate

mas'sage (n) masseerdery, massage; (v) masseer,
vrywe, smeer; **~ par'lour** masseersalon;
streelperseel (skerts.); seksklub, bordeel

masseur' (n) masseur, masseerder (albei ge=
slagte); masseuse (vrou) *also* **masseuse'**

mas'sive (a) massief, enorm, reusagtig, kolossaal
also **bul'ky, huge, colos'sal**

mast (n) mas (skip); *serve before the ~* as
gewone matroos dien; (v) mas; bemas

mas'ter (n) meester; baas; skipper; kaptein
(skip); weesheer; werkgewer; onderwyser;
huisvader; bobaas; jongeheer; (v) oormeester,
oorwin *also* **outdo'**; baasraak (bv. 'n vak) *also*
grasp; tem; beheer; aanleer (taal); (a) hoof=; **~
boot sec'tor** hoofselflaaisektor (rek.); **~ build=
er** meesterbouer; **~ doc'ument** hoofdokument
(rek.); **~ key** loper, diewesleutel; **~liness**
meesterlikheid; **~ly** meesterlik; **~mind** (n)
meesterbrein *also* **ge'nius;** (v) beplan en
uitvoer ('n ingewikkelde onderneming, bv. 'n
bankinbraak); **~ of cer'emonies** seremonie=
meester, tafelheer; **~ of the supre'me court**
weesheer; **~piece** meesterstuk; **~'s degree**
meestersgraad, magister(graad); **~stroke**
meesterlike set; **~y** beheer, heerskappy, oor=
hand, meesterskap *also* **know-how, exper=
tise'**

mas'ticate (v) kou, fynkou; maal *also* **munch**

mas'tiff boel(hond), boerboel *also* **boerbul'**

mas'todon mastodon (uitgestorwe olifant)

mas'toid (n) agteroorbeen, mastoïedbeen

masturba'tion masturbasie, onanie

mat[1] (n) mat; vloerkleed; *put s.o. on the ~* iem
voor stok kry; (v) vleg; met matte bedek

mat[2] (v) dof maak; (a) dof, mat

mat'ador matador, stiervegter *see* **tor'reador**

match[1] (n) vuurhoutjie

match[2] (n) paar; eweknie; ampsgenoot; gelyke
portuur; wedstryd, kragmeting *also* **competi'
tion, con'test;** *be a ~ for* opgewasse wees teen;
be a good ~ goed by mekaar pas; *meet one's*
jou moses/dreuning kry; (v) paar; pas (klere,
skoene); laat trou; ewenaar; aanpas

match: ~box vuurhoutjieboks(ie); **~ fac'tor**
vuurhoutjiefabriek

match: ~ fixer' wedstrydknoeier; **~~fixing** wed=
strydknoeiery; **~ing** (a) (by)passend; **~less**
weergaloos, ongeëwenaard *also* **unsurpas'sed,
unpar'alleled; inim'itable** (too good to be
imitated); **~ma'ker** huweliksmakelaar, paar=
tjiemaker; vegknoper (boks, stoei); **~ point**
wedstrydpunt

mate[1] (n) maat, kameraad *also* **chum; br=**
laaitie (township slang); metgesel; vriend;
huweliksmaat, gade, eggenoot/eggenote *als*

compan'ion, partner; stuurman (skip); hel-
per; (v) paar (dier)

mate[2] (n) mat (skaak); (v) skaakmat sit; (adv)
skaakmat

mate'rial (n) materiaal, stof, goed; (pl) boustof;
(a) stoflik, materieel; gewigtig; belangrik; *no ~
difference* geen wesenlike verskil; *~ well-
being* stoflike welvaart; *it has ~ised* dit is
bewaarheid/verwesenlik; **~ism** materialisme;
~ist materialis (persoon); **~is'tic** stoflik, mate-
rialisties; **~ise** (v) verwesenlik, verwerklik;
iets (op)lewer

nater'nal moederlik, moeder-; *~ love* moeder-
liefde

natern'ity moederskap; *~* **home** kraaminrigting;
~ **leave** kraamverlof; *~* **wear** kraamdrag,
ooievaarsdrag

nathemat'ic(al) wiskundig, matematies; *~* **liter-
acy** wiskundegeletterdheid (skoolvak); *~*
prob'lem wiskundeprobleem

nathemat'ics wiskunde; matesis (veroud.);
applied' *~* toegepaste wiskunde; **pure** *~*
suiwer wiskunde

nat'in (a) môre-, oggend-, vroeg-; **~s** (n)
vroegmette, vroeë oggenddiens (RK)

nat'inée middagvertoning, middagvoorstelling,
matinee(vertoning)

na'ting: *~* **call** paringroep (diere); *~* **ground-**
broeiplek; *~* **sea'son** paartyd

nat'riarch aartsmoeder, stammoeder

natric/matricula'tion matriek, matrikulasie
(graad 12)

nat'ricide moedermoord; moedermoordenaar

natrimo'nial huweliks-, egtelik *also* **mar'ital;** *~*
a'gency huweliksburo

nat'rimony (n) huwelik(staat); eg

nat'rix (n) **matrices** matrys, gietvorm *also*
mould; matriks (wisk.); kweekplek

na'tron (n) huismoeder; matrone; verpleeg-
diensbestuurder

nat'ter (n) stof; materie; saak; voorwerp;
aangeleentheid; kwessie; *for that* *~* wat dit
betref; *no* *~* *what* ongeag, om 't ewe; *printed* *~*
drukwerk; *what is the* *~?* wat makeer?; (v) van
belang wees, saak maak; **~-of-course** (a)
vanselfsprekend; **~-of-fact** (a) nugter, prakties,
saaklik

nat'tress matras; **in'ner spring** *~* binneveerma-
tras

nature' (v) ryp word/maak; verval (wissel,
belegging) (a) ryp; beleë (wyn); uitgegroei;
volwasse; **~d** ryp; volgroei, volwasse; verval,
opeisbaar (wissel, belegging)

natu'rity rypheid *see* **adoles'cence;** vervaldag;
at *~* op (die) vervaldag

naud'lin (a) sentimenteel, oorgevoelig, huilerig
also **sentimen'tal, tear'ful, squea'mish**

naul (n) voorhamer, mokerhamer; los skrum/

gemaal (rugby); (v) moker; molesteer; (dood)-
byt (persoon, deur roofdier)

mauso'leum praalgraf, mausoleum/mousoleum

mauve ligpers, malvapers, mauve (kleur)

mav'erick (n) dwarstrekker; hardekwas; jukskei-
breker (politiek) *also* **nonconform'ist** (person)

maw (n) pens, maag; krop; **~kish** (a) sentimen-
teel; laf, stroperig *also* **feeble, insip'id**

max'i (n) maksi (lang rok); (a) maksi-; **~skirt**
maksiromp

max'im grondreël, stelreël; leus(e) *also* **mot'to,
ax'iom**

max'imise (v) maksimeer; vermeerder; vergroot

max'imum (n) **..ma** maksimum; (a) maksimum,
grootste, maksimale

May (n) Mei (maand)

may (v) mag, kan; *come what* *~* wat ook al (mag)
gebeur; *you* *~* *know* dalk weet jy

may'be dalk, miskien, altemit(s) *also* **perhaps';
pos'sibly**

May'day noodsein *also* **alarm' call**

may'flower meiblom

may'fly (n) eendagvlieg(ie)

may'hem (n) deurmekaarspul, chaos *also*
commo'tion, hav'oc

mayonnaise' mayonnaise, slaaisous

may'or burgemeester (albei geslagte); burgemees-
teres (vroulik, veroud.); **~al** (a) burgemeesterlik,
burgemeesters-; **~ess** burgemeestersvrou (vrou
van burgemeester); **~'s par'lour** burgemeesters-
kamer

may'pole (n) meipaal, meiboom

maze (n) doolhof; warboel; verleentheid; (v)
verbyster, verwar

mazur'ka masurka (dans)

McCoy'/Mackay': *the real* *~* die ware jakob/
Jakob

me my; ek; *poor* *~* arme ek

mead[1] (n) heuningbier, mee; karie(bier)

mead[2] (n) (obs., mainly used in poetry) weiland
see **mea'dow**

mea'dow (n) weiveld, weiland *also* **pas'ture**

mea'gre (a) maer, skraal; skraps; armsalig; **~ness**
maerheid, skraalheid, armoedigheid

meal[1] (n) meel

meal[2] (n) maal(tyd); *prepare a* *~* kos maak; 'n
maaltyd berei; *make a* *~* *of something* iets
(op)eet; *~s on wheels* aanryete; reisende spyse;
~ **tick'et** (slang) bron van inkomste

meal'ie mielie *also* **maize;** *~* **grain** mieliepit; *~*
gro'wer mielieteler, mieliekweker *also* **maize
grow'er;** *~* **har'vest** mielie-oes; *~* **meal**
mieliemeel; *~* **por'ridge** mieliepap; *~* **stalk/~
cob** mieliestronk

meal'time etenstyd

meal'y melerig; krummelrig; bleek; **~-mouth'ed**
soetsappig; papbroekerig

mean[1] (n) middel, middelmaat; gemiddelde; (pl)

middele; geld, vermoë; *by all* ~*s* alte seker; *beyond his* ~*s* bo sy inkomste; *not by any* ~*s* glad nie; *by fair* ~*s or foul* op eerlike of oneerlike wyse; *the golden* ~ die gulde/goue midde(l)weg; (a) gemiddeld; middelmatig

mean[2] (v) meen, bedoel; beteken; van plan wees; bestem; ~ *well by* dit goed bedoel; *what do you* ~*?* wat bedoel jy?

mean[3] (a, adv) gemeen, laag *also* **nas'ty, vul'= gar;** sleg, vuil, smerig *also* **foul, dir'ty;** suinig, gierig; nederig, gering; *of* ~ *birth* van lae afkoms; *feel* ~ jou skaam; *no* ~ *achieve= ment/accomplishment* geen geringe prestasie nie; *no* ~ *scholar* 'n geleerde van beteke= nis/naam

mean'der (v) kronkel, slinger; loslit wandel, slampamper, slenter *also* **am'ble, ram'ble, stroll;** ~**ing** (a) kronkelend (rivier, stroompie)

mean'ing (n) betekenis *also* **connota'tion;** be= doeling; ~**ful** betekenisvol, veelseggend, sin= ryk; ~**less** betekenisloos, niksseggend

mean: ~**ness** gemeenheid, laagheid; vrekkerig= heid; ~**spir'ited** laag, gemeen

mean'time/mean'while intussen, ondertussen, onderwyl, inmiddels

mea'sles (n) masels (siekte)

meas'ly treurig, armsalig, ellendig

mea'sure (n) maat; maatstaf; maatreël; omvang; *greatest common* ~ grootste gemene deler; *made to* ~ op maat gemaak; pasgemaak; *take proper* ~*s* behoorlike maatreëls tref; (v) meet, maat neem; skat; takseer; goed bekyk; ~ *swords with* die swaard kruis met; te staan kom teen; ~**d** (a) afgemeet; ~**less** (a) onmeet= lik; ~**ment** (n) maat; inhoud; (af)meting, (op)meting *also* **calcula'tion, assessment**

mea'suring meet=, maat=; ~ **glas** maatglas

meat (n) vleis; kos, voedsel; maaltyd; ~ **chop'= per** vleisbyl; ~ **loaf** vleisbrood; **minced** ~ maalvleis; ~ **pat'ty** frikkadel; ~ **pie** vleispastei; ~ **ten'deriser** vleisbeuk; ~**y** kragtig

mechan'ic (n) werktuigkundige; handwerksman, ambagsman

mechan'ical (a) meganies; werktuigkundig; masjinaal; werktuiglik; ~ **engineer'** meganie= se/werktuigkundige ingenieur; ~ **engineer'ing** meganiese ingenieurswese; werktuigkunde; ~ **horse** voorhaker (lorrie); ~ **technol'ogy** mega= niese tegnologie (skoolvak) *also* **mo'tor mechan'ics**

mechan'ics werktuigkunde, meganika

mech'anism meganisme *also* **device, appli'= ance;** meganiek; tegniek

mechanisa'tion meganisering

mech'anise (v) meganiseer

med'al medalje; ordeteken; **commem'orative** ~ gedenkpenning; ~ **of hon'our** erepenning

medal'lion gedenkpenning, medaljon

med'allist (n) medaljewenner, bekroonde stu= dent/navorser; muntkenner

med'dle (jou) bemoei, lol (met), inmeng (in); ~**r** bemoeial, lolpot; ~**some** bemoeisiek

me'dia media; ~ **cen'tre** mediasentrum; media= teek; **mass** ~ massamedia; ~ **liai'son** media= skakel, persbeampte; ~ **u'sers** mediagebruikers; ~ **wor'kers** mediawerkers, koerant-, TV- en radiopersoneel

me'dian (n) mediaan; middellyn

me'diate (v) bemiddel, tussenbei(de) kom/tree; besleg *also* **ar'bitrate; conci'liate**

media'tion (n) bemiddeling; bedinging; voor= spraak; versoening

me'diator (be)middelaar; arbiter *also* **ar'biter;** tussenganger *also* **go-between';** voorspraak

med'ic (n) mediese ordonnans; hospitaalsoldaat *see* **par'amedic**

med'ical (a) medies, geneeskundig; ~ **chest** medisynekis; ~ **examina'tion** mediese/ge= neeskundige ondersoek; ~ **aid fund** siekefonds ~ **jurispru'dence** geregtelike geneeskunde; ~ **practi'tioner** geneesheer, dokter, (huis)arts *see* **gen'eral/family practi'tioner;** ~ **stu'dent** stu= dent in die medisyne, mediese student

medic'ament geneesmiddel, preparaat, medika= ment *also* **drug**

medica'tion (n) medikasie, (genees)middel *also* **drug;** ~ *for hyperactivity* medikasie/medisyne vir hiperaktiwiteit

medic'inal (a) geneeskragtig, genesend *also* **cu'rative**

med'icine (n) medisyne, geneesmiddel; mediese wetenskap; geneeskunde; *take one's* ~ die (bitter) pil sluk; **depart'ment/fa'culty of** ~ departement/fakulteit gesondheidsweten= skappe *also* **health sciences;** (v) dokter, genees; ~ **chest** medisynekassie, huisapteek

Mediev'al (a) Middeleeus (v.d. hist. tydvak)

mediev'al (infml.) primitief; outyds, ouderwets; uit die ou doos

medio'cre (a) middelmatig, niks besonders *also* **insignif'icant**

med'itate (v) (be)peins, oordink, mediteer *also* **pon'der, reflect'**

medita'tion oordenking; (be)peinsing; meditasie

Mediterra'nean (a) Middellands, Mediterreens; ~ **Sea** Middellandse See

me'dium (n) middel; medium; voertaal; tussen= koms; middelmaat; tussenpersoon; (pl) medi= (pers, radio, TV); (a) gemiddeld; middelmatig; deursnee=; **lang'uage** ~ voertaal

med'lar mispel(boom)

med'ley (n) allegaartjie, mengelmoes; potpourri (a) gemeng, bont; ~ **race** wisselaflos

medul'la (n) murg; pit, kern; ~**ry** murgagtig

meek (a) sagmoedig, sagsinnig *also* **kind, soft,** gedwee; nederig *also* **demure';** ~**ness** sag

moedigheid, sagsinnigheid; ootmoed, nederig=
heid

meer′kat meerkat, erdmannetjie *also* **su′ricate**
(rodent)

meer′schaum meerskuim(pyp)

meet (n) byeenkoms *see* **mee′ting**; saamtrek;
byeenkomplek; geselskap; (v) vergader, by=
eenkom *also* **assem′ble**; ontmoet, raakloop,
teenkom *also* **encoun′ter, run into**; voorsien;
afhaal (by lughawe); nakom; bestry (onkoste);
~ *my friend John* ontmoet/maak kennis met
my vriend Jan; ~ *the need* die behoefte
bevredig; ~ *troubles halfway* moeilikhede
vooruitloop, die bobbejaan agter die bult haal;
~ *with approval* die goedkeuring wegdra

meet′ing (n) vergadering, byeenkoms; saamtrek
also **gath′ering**; ontmoeting; *adjourn a* ~ 'n
vergadering verdaag; *close a* ~ 'n vergadering
(af)sluit; *convene a* ~ 'n vergadering be=
lê/byeenroep; *notice convening the* ~ byeen=
roepende kennisgewing; ~ **house** bedehuis
(Kwakers); ~ **place** vergaderplek *also* **ven′ue**

meg′a= (prefix) mega= (aanduiding van 'n beson=
der groot getal – in die reël 10^6 = 1 miljoen
maal die basiseenheid; in rekenaartegnologie
2^{20} = 1 048 576)

neg′a (infml.) (a) enorm, baie groot, reusagtig;
uiters plesierig/geslaag (bv. 'n byeenkoms)

negabyte′ megagreep (rek., ong. 1 000 000
greep)

neg′acity megastad, metropool *also* **metrop′=
olis, u′nicity**

negaloma′nia grootheidswaan(sin)

neg′aphone megafoon, luidroeper

nelanchol′ic (a) swaarmoedig, swartgallig, mel=
ancholiek/melancholies, melankoliek/melan=
kolies

nel′ancholy (n) swaarmoedigheid, swartgallig=
heid, droefgeestigheid, melancholie/melankolie
also **gloom, (the) blues**; (a) swaarmoedig,
droefgeestig, swartgallig *also* **depres′sed**

ne′liorate (v) verbeter; versag; veredel

nel′low (v) ryp word; saf/sag maak; temper; (a)
ryp; saf/sag; ontspanne, bedaard; ~ **wine** beleë
wyn, volronde wyn

nelo′dious (a) welluidend, melodies

nelodramat′ic (a) melodramaties, teatrale ge=
drag/optrede

nel′ody (n) melodie, wysie, deuntjie *also* **tu′ne**

nel′on spanspek *also* **sweet** ~

nelt (n) smeltsel; (v) smelt; versag; oplos;
ontdooi; ~ *away* versmelt; ~ *down* smelt;
~**ing** (n) smelting; vertedering; (a) smelt=,
smeltend; ~**ing heat** smelthitte; ~**ing pot**
smeltkroes (fig., suiwerende beproewing)

nem′ber (n) lid; lidmaat (van kerk); deel, stuk;
the three of them are ~*s of that club* al drie is
lid van daardie klub; ~ **coun′try** lidland

mem′bership lid(maat)skap (van klub, vereni=
ging); lidmaatskap (van kerk); ledetal (aantal
lede); *forfeit your* ~ jou lidskap verbeur; ~
card lidkaart(jie); ~ **fee** lidgeld

mem′brane vlies, weefsel, membraan; vel

memen′to (n) **..toes** herinnering; aandenking,
soewenier; gedenkteken

mem′oir gedenkskrif; ~**s** lewensbeskrywing,
memoirs *also* **recollec′tions**

memorabil′ia (n, pl) gedenkwaardighede, me=
morabilia (medaljes, eretekens, gedenkitems)

mem′orable (a) heuglik, gedenkwaardig; ~ *day/
occasion* gedenkwaardige dag/geleentheid

memoran′dum (n) **..da** memorandum; voorleg=
ging; verslag; ~ **book** aantekeningboek

memor′ial (n) gedenkteken *also* **mon′ument**;
aandenking; memorie; versoekskrif; adres; (a)
gedenk=, gedagtenis=, herinnerings=; ~**ise** peti=
sioneer; herdenk, vier; ~ **plaq′ue** gedenkplaat,
plakket; ~ **ser′vice** roudiens, gedenkdiens (vir
gestorwene)

mem′orise (v) memoriseer, uit die hoof leer
also: learn by heart

mem′ory (n) geheue (ook van rek.); herinnering;
nagedagtenis; *from* ~ uit die hoof; *a good* ~ 'n
goeie geheue; *in* ~ *of* ter nagedagtenis
aan/van; *in loving* ~ in liefdevolle herinnering;
take a trip down ~ *lane* op 'n nostalgietoer
gaan; ~ **back-up po′wer** geheuebystandkrag
(rek.)

men (n, pl) mense; mans; manne (van daad)

men′ace (n) bedreiging; oorlas; (v) bedreig *also*
intim′idate, ter′rorise

men′acing (a) dreigend, onheilspellend *also*
om′inous, alarm′ing

menag′erie diereversameling, klein dieretuin,
menagerie

mend (n) lasplek; stopplek; (v) heelmaak, lap;
verbeter; stop (kouse); *be on the* ~ gesond/
beter word; ~ *your manners* gedra jou beter

men′dicant (n) bedelaar *also* **beg′gar, tramp**;
(a) bedelend; bedelaars=

men′ding (n) verbetering; heelmaak; herstel=
werk; stopwol; **invi′sible** ~ fynstop(werk)

men′folk mansmense

me′nial (n) diensbode, kneg; (a) diensbaar;
slaafs; dienend *also* **ser′vile, humble**

meningi′tis harsingvliesontsteking, meningitis

men′opause (n) menopouse, oorgangsleeftyd

menstrua′tion (n) menstruasie, maandstonde

men′tal (a) geestelik, verstandelik *also* **cer′=
ebral**; ~ **age** verstandsouderdom; ~ **arith′=
metic** hoofrekene; ~ **asy′lum** sielsiekegestig
also ~ **hos′pital**; ~ **block** geheuestilstand; ~
defi′ciency swaksinnigheid; ~ **disease′** siel=
siekte; ~ **fac′ulties** geestesvermoë(ns); ~ **han′=
dicap** geestelike gestremdheid; ~ **hos′pital**
kranksinnigegestig, sielsiekegestig

mental'ity denkwyse; geestesgesteldheid; men=
taliteit *also* **disposi'tion**

men'tally (adv) geestelik, verstandelik; ~ *de=*
ranged geestelik versteur(d); ~ *handicapped*
geestelik/verstandelik gestrem(d)

men'tion (n) (ver)melding, gewag(making); (v)
meld, noem, opnoem, gewag maak; *don't ~ it!*
nie te danke nie!

men'tor (n) leermeester, leidsman, mentor *also*
coun'sellor, teach'er, gui'de

men'u spyskaart; kieslys, menu (rek.)

mer'cantile handels=, koopmans=, kommersieel;
~ **law** handelsreg *see* **commer'cial law;** ~
marine' handelsvloot

mer'cenary (n) huursoldaat *also: soldier of*
fortune; (a) omkoopbaar; inhalig; geldsugtig;
also **greedy**

mer'chandise handelsware *also* **commod'ities;**
negosieware (veroud.)

mer'chant handelaar; winkelier; koopman *also*
tra'der; ~ **bank** aksepbank *see* **commer'cial**
bank; ~ **na'vy** handelsvloot

mer'ciful (a) genadig, barmhartig *also* **compas'=**
sionate

mer'ciless (a) ombarmhartig, meedoënloos

mercu'rial (a) veranderlik; kwik(silwer)agtig;
lewendig

mer'cury kwik(silwer) (in termometers, ens.)

mer'cy (n) genade, barmhartigheid, ontferming;
be at the ~ of aan die genade oorgelewer wees
van; *have ~ (up)on us* wees ons genadig;
ontferm u oor ons; ~ **flight** reddingsvlug; ~
kil'ling genadedood *also* **euthana'sia**

mere[1] (n) (klein) meer *also* **large pond;** vlei,
moeras

mere[2] (a, adv) louter, eenvoudig, bloot, maar
net; *a ~ chicken* maar net 'n bogkind/snuiter;
~ chance louter(e) toeval; *a ~ detail* 'n bysaak;
~ly (adv) net, slegs, sommer, bloot

merge (v) indompel; sink; saamsmelt *also*
consol'idate; saamvoeg (dokumente op reke=
naar); **~r** samesmelting, amalgamasie (maat=
skappye); fusie (wetenskaplik)

merid'ian (n) middaglyn, toppunt, meridiaan; (a)
middag=, hoogste; hoogte=

meringue' (n) skuimpie, skuimkoekie; ~ **pie**
skuimtert

meri'no merinoskaap; merino

mer'it (n) verdienste, meriete *also* **ex'cellence;**
waarde; *make a ~ of necessity* van die nood 'n
deug maak; *on its own ~s* op sigself; op eie
meriete; (v) verdien; aanspraak hê op; **certifi'=**
cate of ~ sertifikaat van verdienste; **lit'erary** ~
letterkundige gehalte; ~ **ra'ting** verdienstelys
also **lea'der board** (sport)

meritor'ious verdienstelik, voortreflik *also* **ad'=**
mirable; ~ **ser'vice** voortreflike/uitnemende
diens

mer'lin steenvalk

mer'maid meermin

mer'riment vrolikheid, pret, plesier *also* **fun,**
frol'ic, mirth

mer'ry vrolik, plesierig, lewendig *also* **cheer'ful,**
jol'ly; 'n bietjie dronk, getik, aangeklam *also*
tip'sy; *a ~ Christmas* 'n geseënde Kersfees;
make ~ pret maak; *make ~ with* die gek skeer
met; **~-go-round** mallemeule, wieliewalie
also **carousel';** **~ma'king** pretmakery, jolyt,
makietie hou

mesembryan'themum vygie *also* **vy'gie**

mesh (n) netwerk; maas; strik; skakel (rat); (v) in
'n net vang; inskakel *also* **interlock'**

mes'merise (v) (iem.) mesmeriseer, hipnotiseer;
bedwelm

mess (n) wanorde, deurmekaarspul *also* **sham'=**
bles, foul-up; smeerboel; bak (eetplek var
matrose op skip); menasie (eetplek van soldate
op land); *make a ~/balls-up of* verfomfaai
bederf; opbokker/opboggher (omgangst.); ~ *c*
pottage lensiesop; (v) saameet; knoei; be
smeer; mors; ~ *up* verknoei, verongeluk *als*
botch; of'ficers' ~ offisiersmenasie

mes'sage (n) boodskap, berig

mes'senger boodskapper, koerier; bode; ~ **of th**
Court balju, geregsbode

Messi'ah Messias *see* **Sa'viour**

messieurs' menere, here; **Messrs Jones & C**
(die firma) Jones & Kie

mes'sy (a) vuil, smerig, morsig *also* **dir'ty, fo**

mesti'zo (n) halfbloed (persoon, Midde- e
Suid-Am.)

metab'olism metabolisme, stofwisseling (
liggaam)

met'al (n) metaal; steengruis; (a) metaal
metaalagtig; **base** ~ onedele metaal; ~ **dete**
tor metaal(ver)klikker; ~ **fati'gue** metaalve
swakking; ~ **scan'ner** metaaltaster

metal'lic (a) metaalagtig, metaal=

met'allurgy/metall'urgy (n) metaalkunde, m
tallurgie

metamor'phosis (n) gedaanteverandering, g
daantewisseling, vormverandering, metam
fose

met'aphor beeldspraak, metafoor

metaphy'sical bonatuurlik, metafisies

metaphys'ics metafisika ('n vertakking v
wysbegeerte)

metath'esis (n) (klank)omsetting, letterv
springing (medeklinkers), metatese

mete (obs.) (n) grens; baken; maatstaf; (v) m
uitdeel; toedien (straf)

met'eor (n) meteoor, verskietende ster

meteor'ic (a) meteories, meteoor= *also* **bril'li**
dazz'ling; *~ rise* snel(le) opgang; ~ **sho'**
sterrereën

met'eorite (n) meteoriet, meteoorsteen

meteorolog′ical weerkundig, meteorologies
meteorol′ogist weerkundige, meteoroloog
meteorol′ogy weerkunde, meteorologie
me′ter (n) meter (meetapparaat); **~maid** par=
 keerbeampte (vrou); boetebessie (skerts.)
methinks′ (obs.; currently only used joc.) dit lyk
 my, ek dink
meth′od (n) metode, manier; werkwyse; stelsel
 also **man′ner, fash′ion, sys′tem**
method′ical metodies, stelselmatig
Meth′odist Metodis; **~ Church** Metodistekerk
 (kerkverband)
methodol′ogy metodiek; metodologie
meth′ylated spirits brandspiritus
metic′ulous (a) nougeset, noulettend; angsvallig
 also **care′ful, exact′; pain′staking**
me′tre[1] (n) meter (lengtemaat)
me′tre[2] (n) versmaat, metrum
met′ric metriek; **~ sys′tem** metrieke/tiendelige
 stelsel; **~al** metries, tiendelig
netrifica′tion metrisering
net′ro (n) metro, moltrein; **~ coun′cil** metroraad
net′ronome (n) metronoom, maatmeter (mus.)
 also **mu′sical ti′mer**
netrop′olis (n) wêreldstad, metropolis/metro=
 pool, moederstad *also* **meg′acity**
netropol′itan (n) metropoliet, aartsbiskop
 (kerklike ampsdraer); (a) hoofstedelik, metro=
 politaans; **~ coun′cil/sub′structure** metropo=
 litaanse raad/substruktuur
net′tle ywer, moed; fut, vuur, gees *also* **guts, go,
 spir′it, en′terprise;** *a man of* ~ ′n staatmaker;
 show/prove one′s ~ jou staal/slag toon
new[1] (n) meeu *also* **(sea)′gull**
new[2] (n) koutjie; hok (vir voëls); (v) toesluit, in
 ′n hok sit; verveer (voël, veral arend); verhaar
 (dier)
ew[3] (n) gemiaau; (v) miaau (kat)
ews woningkompleks; skakelhuise; stalkom=
 pleks (hist.)
ex′ican (n) Mexikaan/Meksikaan (persoon);
 (a) Mexikaans/Meksikaans (gebruike, ens.); **~
 haw′thorn** skaapvrug; **~ pop′py** bloudissel,
 blouduiwel
ex′ico Mexiko/Meksiko (land)
ezzanine′ (floor/lev′el) tussenvloer, tussenvlak
z′zo-sopra′no mezzosopraan (sangeres)
aow′ (n, v) miaau *also* **mew**[3] (cat)
as′ma (n) gifdamp (uit moeras), smetstof,
 miasme/miasma
′ca mika *also* **transpar′ent sil′icate**
cro′bus taxi mikrobustaxi
cro′chip (n) mikrovlokkie, mikroskyfie; **~
 m′plant** (mikro)senderinplanting
cro′compu′ter mikrorekenaar, mikrokomper
cro′cosm mikrokosmos; klein gemeenskap/
 wêreld
ro′film mikrofilm

micro′len′der mikro-uitlener; geldskieter (op
 klein skaal) *also* **mon′ey len′der**
micro′light/mi′crolite (n) mikroligte vliegtuig,
 mikrotuig, muggie(vlieg)tuig
microm′eter mikrometer
micro′or′ganism mikroörganisme/mikro-orga=
 nisme
micro′: **~phone** mikrofoon; **~pro′cessor** (n)
 mikroverwerker (rek.); **~scope** mikroskoop
micro′surgery mikrochirurgie
micro′wave (n, v) mikrogolf; **~ o′ven** mikrogolf=
 oond
mid (a) middel=; (prep) tussen
mid-′air: *in* ~ tussen hemel en aarde
mid′day (n) middag; noentyd; (a) middag=
mid′dle (n) middel; midde(l)weg; **~-of-the-road**
 (music) middewegmusiek; (v) verdeel; (a)
 middel=, middelste; **M~ Ages** Middeleeue
 (hist. tydvak); **M~ East/Mid′east** Mid=
 de-Ooste (streek); **~-a′ged** middeljarig; **~ class**
 middestand; **~man** middelman; tussenganger
 also **go-between′; interme′diary;** **~ man′=
 agement** middel(vlak)bestuur; **~most** mid=
 delste
mid′dling (a) middelmatig, swakkerig; (adv)
 taamlik; so-so
midge (n) muggie, warmassie (klein insek);
 dwergie
midg′et (n) dwerg *also* **dwarf, gnome;** (a) klein;
 ~ car muggiemotor; **~ golf** miniatuurgholf
mid: **~land** (n) middelland; (a) binnelands;
 ~most middelste; **~night** (n) middernag; (a)
 middernagtelik; *burn the* **~night** *oil* laat
 studeer; **~night sun** middernagson; **~riff**
 middelrif; **~shipman** adelbors, seekadet
midst (n) middel; *in our* ~ in ons midde; *in the* ~
 of te midde van; (prep) te midde van
mid′summer hartjie van die somer
mid′term break termynreses (skool)
mid′way halfpad
mid′wife vroedvrou, kraamverpleegster; **~ry**
 verloskunde, obstetrie
mien (n) voorkoms; gesig, gelaat; houding
might (n) mag, geweld *also* **po′wer, vig′our;**
 vermoë; ~ *is right* mag is reg
might′-have-been moontlikheid, wat kon ge=
 wees het
migh′ty (a) magtig, groot, sterk; ~ *cheeky* danig
 astrant/parmantig; *high and* ~ hoog verhewe
mignonette′ (n) reseda (blom) *also* **rese′da**
mi′graine skeelhoofpyn, migraine
mig′rant (n) trekvoël; (a) trek=, rondtrekkend; **~
 la′bourer** trekarbeider
migrate′ (v) verhuis, trek *also* **relocate′; e′mi=
 grate;** swerf/swerwe
migra′tion (n) verhuising, trek; migrasie
migra′tory swerwend, trek=; **~ birds** trekvoëls
mike (infml.) (n) = **micro′phone**

milch melkgewend, melk=; ~ **goat** melkbok (Switsers)

mild mild, sag; koel; sagsinnig, meegaande (persoon); lig (siekte, rookgoed); kalm; ~ *attack of flu* ligte griepaanval; ~ **cigars'** ligte sigare; ~ **cli'mate** sagte klimaat; ~ **soap** ligte seep; ~ **steel** sagtestaal, vloeistaal, weekstaal

mil'dew (n) skimmel *also* **blight;** meeldou (swamme)

mild'ness mildheid, sagtheid *also* **gentle'ness, soft'ness;** ligtheid; goedaardigheid

mile myl (lengtemaat); ~*s ahead* ver voor; ~**age** mylafstand (lett.); opbrengs, resultaat (fig.); **nau'tical** ~ seemyl (1 852 m); ~**stone** mylpaal *also* **land'mark**

milieu' milieu, omgewing, agtergrond

mil'itant (a) veglustig, strydlustig; strydend, militant

mil'itarism militarisme

mil'itary (n) die militêre owerhede/bestel (van 'n land); die weermag; (a) militêr, krygs=; ~ **court** krygshof *also* **court mar'tial;** ~ **force** krygsmag; ~ **intel'ligence** militêre inligting/ intelligensie; ~ **science** krygskunde; ~ **ser'vice** diensplig; krygsdiens; ~ **stores** krygsvoorrade

mil'itate (v): ~ *against* stry teen; teenwerk; weerspreek

mili'tia burgermag; landweer; milisie *also* **yeo'= manry**

milk (n, v) melk; ~ *of human kindness* mensliewendheid; ~ **bar** melksalon, katte= kroeg; ~**bush** melkbos; ~ **churn** karring (n); **conden'sed** ~ blikkiesmelk; ~**er** (n) melker (persoon); melkkoei; **fresh** ~ vars melk; ~**ing strap** spantou; ~**ing salve** melksalf, speensalf; ~ **jug** melkbeker; ~ **pail** melkemmer; dopem= mer; ~ **sa'chet** melksakkie; ~ **shake** bruis= melk; **skim'med** ~ afgeroomde melk; ~**sop** papbroek, kêskuiken; ~**tart** melktert; ~ **tooth** melktand, wisseltand; ~**white** spierwit; ~**y** melkagtig; soetsappig; **M~y Way** Melkweg (sterrek.)

mill (n) meul(e); fabriek; spinnery; *put through the* ~ laat swaar kry; (v) maal; klits, klop (room); ronddraai; ~**ed** gemaal; gekartel (munt); gewals (metaal)

millen'nial (a) duisendjarig

millen'nium (n) **millen'nia** millennium; dui= sendjarige (vrede)ryk

mil'ler (n) meulenaar

mil'let (boer)manna; kanariesaad; giers

mil'liard miljard (1 000 miljoen) *also* **bil'lion**

mil'li: ~**gram** milligram; ~**litre** milliliter; ~**metre** millimeter

mil'liner (n) hoedemaakster; ~**y** hoedemakery

mil'lion miljoen; ~**aire'** miljoenêr

mil'liped duisendpoot *also* **songolo'lo**

mill: ~**pond** meuldam; ~**stone** meulsteen;

~**wright** meulmaker; freeswerker; masjien monteur

milt (n) milt *also* **spleen;** hom (van 'n vis); (v bevrug (vis)

mime (n) mimiek; gebarespel; gebarespele mimikus; (v) mimeer, naboots, simuleer *als* **sim'ulate**

mim'ic (n) mimikus; na-aper; koggelaar; ~ (uit)koggel, namaak *also* **im'itate;** (a) naboot send; mimies; ~**ry** mimiek; na-apery

mimos'a mimosa (doringboom)

min'aret minaret (moskeetoring)

mince (n) maalvleis; frikkadel; (v) maal; be wimpel; *do not* ~ *matters* moenie doeki omdraai nie; ~**d** (a) gemaal, fyngekap; ~**mea** maalvleis; *make* ~*meat of s.o.* iem. kafloop; **pie** vleispastei; Kerspastei; ~**r** vleismeul

mind (n) verstand; siel; gees, gemoed; menin gedagte; wil; lus; neiging; gesindheid; doe *change one's* ~ van plan verander; *keep in* onthou; *make up one's* ~ besluit; *with an op* ~ onbevange; *presence of* ~ teenwoordighe van gees; *in one's right* ~ by jou vol verstand; *speak one's* ~ reguit/padlangs pra *be in two* ~*s* twyfel; (v) oppas; oplet; omge bedien (masjien); ~ *your own business* bemc jou met jou eie sake; *I don't* ~ ek gee nie o nie; ek het geen beswaar nie; *never* ~*!* t maar!; *would you* ~*?* gee jy om?; sal jy asb.?; *you* sien jy; ~**bog'gling** (a) verbysterend; ~ gesind; ~**ful:** ~*ful of* gedagtig aan; oplettend: **map** breinkaart; ~**rea'der** gedagteleser; ~ (n) denkrigting, denkpatroon; instelling; ~ **eye** geestesoog *also* **men'tal image**

mine[1] (n) myn; (v) delf, ontgin; ondermy opblaas; **antipersonnel** ~/**bomb** persone myn; kwesmyn, kwesbom; **lim'pet** ~ kleefm

mine[2] (pron) myne

mine: ~ **cap'tain** mynkaptein; ~**field** mynve ~**lay'er** mynlêer; ~ **overseer** mynopsigter; mynwerker, myner

min'eral (n) mineraal, delfstof; spuitwat koeldrank; (a) mineraal=; delfstof=; ~ **bat** kruitbad(dens), borrelbad(dens), minera bad(dens) *see* **spa**

mineral'ogy mineralogie, delfstofkunde

min'eral water (n) mineraalwater; bruisdrank

min'ers' phthi'sis (n) myntering

mine: ~ **survey'or** mynopmeter; ~**sweepe** ~**hunter** mynveër; ~**workers' u'nion** my werkers(vak)bond, mynwerkersunie

min'gle (v) meng, deurmekaar maak *also* **ble mix**

min'i (n) mini (kort rokkie); (a) mini=

min'iature (n) miniatuur; (a) klein, miniatuur= **pood'le** dwergpoedel

min'i=: ~**bus taxi** minibustaxi; ~**dic'tiona** miniwoordeboek; ~**dress** minirok

in'ify (v) verklein; verkleineer, geringskat, verag

in'im (n) klein bietjie; halwe noot (mus.); dwergie; (a) miniem; ~al minimaal; ~ise (v) verminder, minimeer/minimaliseer; verklein also dimin'ish; belitt'le

in'imum (n) min'ima minste; minimum; kleinste waarde; (a) kleinste, minimum

i'ning (n) mynbou; mynwese; (a) myn=; ~ engineer' myningenieur; ~ house mynhuis

in'ion (n) gunsteling; handlanger, trawant also flat'terer, hench'man

ini'skirt miniromp, minirok

in'ister (n) minister (parlement); predikant, leraar, dominee also cler'gyman; gesant also en'voy; (v) bedien, versorg; hulp verleen; ordained as a ~ in die bediening/as predikant bevestig; ~ to voorsien in; bydra tot; versorg also: take care of

niste'rial amptelik, ministerieel; geestelik

n'istry bediening (kerk); ministerie (staats= kantoor); ampsverrigting; in the ~ in die bediening (kerk)

nk (n) wesel, nerts (Am. en Eur. pelsdier); nerts, bont (pels); ~ coat nertsjas, weselbontjas

'nor (n) onmondige, minderjarige (persoon); mineur (mus.); minor (wisk.); (a) onmondig, minderjarig; van minder belang also insignif= icant; ondergeskik; gering; mineur (mus.); minder, kleiner; in a ~ key in mineur; ~ de'tail bykomstigheid; ~ offence' geringe/mindere oortreding

nor'ity minderheid; onmondigheid; minder= arigheid; ~ report' minderheidsverslag

n'ster (n) hoofkerk, domkerk, munster

n'strel (n) minstreel, minnesanger (hist.) also troubadour'; bard

nt[1] (n) kruisement; peperment

nt[2] (n) munt; groot som; (v) munt; beraam; (a) eersteklas, nuut; in ~ condition splinternuut; -age munt; muntreg; nuutskepping, neolo= gisme (woord); ~er muntmaker; uitvinder; ~ nas'ter muntmeester

nt sauce kruisementsous

nuet' menuet (dans)

nus min, minus; a ~ quantity 'n negatiewe hoeveelheid; he fled ~ his shoes hy het kaalvoet die hasepad gekies

n'ute[1] (n) minuut; (diens)brief; memorandum; pl) notule; in the ~s in die notule (van 'n vergadering); just a ~ net 'n oomblikkie; (v) die tyd opneem/klok; notuleer

nute'[2] (a) baie klein, gering, nietig; haarfyn

n'ute: ~ book notuleboek; ~ hand minuutwy= (t)er (horlosie)

nute'ly (adv) noukeurig, haarfyn, in beson= derhede (iets beskryf) also exact'ly, precise'ly

~'acle (n) wonderwerk; mirakel; work ~s wondere verrig; ~ cure wonderkuur; ~ drug wondermiddel; ~ play mirakelspel (drama); ~ wor'ker wonderwerker

mirac'ulous wonderbaarlik also ama'zing

mirage' lugspieëling, opgeefsel also op'tical illu'sion

mire (n) modder; slyk; vuiligheid; (v) bemodder, besoedel

mir'ror (n) spieël also loo'king glass; toon= beeld; (v) weerkaats, weerspieël

mirth (n) vrolikheid, opgeruimdheid, joligheid also merri'ment, hilar'ity

misadven'ture ongeluk, teenspoed, terugslag also mis'hap

misapprehend' misverstaan also misun= derstand'

misapprehen'sion misverstand; be under a ~ onder 'n misverstand verkeer

misappro'priate wanbestee (geld); onwettig toe-eien, verduister also embez'zle

misappropria'tion wanbesteding, verduistering (geld); onwettige toe-eiening

misbecom'ing (a) ongepas, onbetaamlik also improp'er, unseem'ly

misbehave' (v) sleg gedra, wangedra

misbehav'iour wangedrag also miscon'duct; misstap

miscal'culate misreken, mistas; onder 'n wanin= druk verkeer/wees

miscalcula'tion misrekening; mistasting

miscar'riage miskraam (by geboorte) see abor'= tion; mislukking; dwaling; wangedrag; ~ of justice regsdwaling

mis'carry (v) misluk;'n miskraam kry also abort'

miscegena'tion (n) bloedvermenging, ras= vermenging

miscella'neous gemeng; deurmekaar; uiteenlo= pend; diverse, varia, allerlei also di'verse, sun'dry

mis'chief (n) kattekwaad; onnutsigheid; onheil; nadeel; be up to ~ iets in die skild voer; kwaad stook; do ~ (katte)kwaad doen; ~ ma'ker/ mon'ger kwaadstoker

mis'chievous (a) ondeund, onnutsig; moedswil= lig; skadelik, nadelig also harm'ful

misconceive' verkeerd begryp, verkeerd opvat

misconcep'tion (n) wanopvatting, wanpersepsie; dwaalbegrip, dwaling

miscon'duct (n) wangedrag also wrong'doing

misconduct' (v) wangedra; oor die tou trap

misconstrue' misverstaan, verkeerd opvat

miscount' (n) verkeerde telling; (v) verkeerd (op)tel also miscast' (figures)

mis'creant (n) kwaaddoener also per'petrator; skelm (persoon)

misdeed' (n) misdaad, misdryf, wandaad

misdemean'our (n) misdryf, oortreding also transgres'sion; wangedrag

misdirect' (v) misbeduie; verkeerd adresseer

mi'ser gierigaard, vrek (persoon) *also* **nig'gard, churl, pen'ny-pin'cher**

mis'erable (a) ellendig, miserabel, naar, onge=
lukkig *also* **wret'ched, forlorn'**

mis'ery (n) ellende, nood, narigheid *also* **hard'=
ship, ordeal'**

misfire' (n) ketsskoot, weierskoot; (v) kets

mis'fit (n) mislukkeling; misgewas, misbaksel
(persoon); slegpassende kledingstuk

misformed' (a) wanskape, mismaak *also*
deformed'

misfor'tune ongeluk, teenspoed; *~s never come
singly* 'n ongeluk kom nooit alleen nie

misgiv'ing twyfel; argwaan *also* **doubt, suspic'=
ion, unease'**

misgov'ern (v) wanbestuur, wanbeheer; **~ment**
(n) wanbestuur

mishan'dle (v) verkeerd aanpak *also* **botch,
bun'gle**

mis'hap (n) ongeluk, ongeval *also* **ac'cident**

mis'hit (n) misslag, mishou; (v) mis

misinform' verkeerd inlig *see* **disinforma'tion**

misinter'pret verkeerd uitlê/vertolk *also* **mis=
construe'; distort'**

misjudge' (v) verkeerd oordeel/skat

misjudg'ment (n) verkeerde/skewe beoordeling

mislaid' verlê, weggeraak, soekgeraak (voor=
werp)

mislead' mislei *also* **deceive'**; kul; **~ing** (a)
misleidend

misman'age (v) wanbestuur; **~ment** (n) wanbe=
stuur, wanbeheer

misnom'er verkeerde benaming

misog'amist huwelikshater (persoon)

misog'ynist vrouehater (persoon) *also* **woman'=
hater**

misplace' misplaas, verlê *also* **mislay'**

mis'print (n) drukfout, setsatan *also* **grem'lin**

mis'quote' (v) verkeerd aanhaal *also* **misre=
present', distort'**

misrepresent' (v) verkeerd voorstel; verdraai;
~a'tion (n) wanvoorstelling

miss[1] (n) (me)juffrou

miss[2] (n) misstoot; misskoot; gemis; (v) mis,
misloop; oorslaan; *~ the bus/train* die bus/
trein mis/verpas; *~ an opportunity* 'n kans
verspeel

mis'sal (n) misboek, missaal (met gebede/
gesange v.d. RK kerk)

missha'pen (a) mismaak, misvorm, wanskape
also **deform'ed**

mis'sile (n) missiel; projektiel; gooiding (bv.
klip); werptuig; **guid'ed ~** geleide/gerigte
missiel

mis'sing verlore, ontbrekend; *the ~ link* die
ontbrekende skakel; *reported ~* as vermis
aangegee

mis'sion (n) sending; opdrag; missie *also*
assign'ment; lewenstaak, roeping; sendingsta=
sie; (a) sending=; **~ary** sendeling; **fact-fin'ding
~** feitesending; **~ sta'tion/post** sendingstasie,
sendingpos; **~/mis'sionary work** sendingwerk

mis'sive (n) formele brief; sendbrief

misstate' (v) verkeerd voorstel; **~ment** (n)
verkeerde voorstelling, verdraaiing

mis'step (n) misstap *also* **false step, slip-up'**

mist (n) mis *also* **fog;** newel; waas; (v) motreën,
misreën; bewasem *also* **blur**

mistake' (n) fout, dwaling, glips, vergissing; *by
~ per abuis/ongeluk; ~n identity* persoonsver=
warring; *make a ~* 'n fout maak/begaan; jou
vergis, verkeerd verstaan; *be ~n* dit mis hê

mis'ter meneer; (die) heer; **Mr Chair'man**
Meneer die voorsitter; Agbare voorsitter *see*
chair'person; Mad'am Chair

mis'tiness (n) mistigheid, newelagtigheid; wa=
sigheid

mistle'toe (n) mistel, voëlent

mis'tress meesteres; nooi, ounooi; onderwy=
seres; minnares *also* **para'mour; ~** *of th=
house* die huisvrou, die gasvrou

mistrust' (n) wantroue, verdenking; (v) wantro=
verdink; **~ful** (a) agterdogtig, wantrouig

mis'ty (a) mistig, bewolk, dyns(er)ig, wasig *al=*
fog'gy, ha'zy

misunderstand' (v) misverstaan; **~ing** (n) mis=
verstand *also* **misconcep'tion**

misuse' (n) misbruik; verkeerde gebruik; mi=
handeling *also* **abuse', maltreat'ment;** (=
misbruik; mishandel *also* **abuse', ill-treat**

mite miet (wurm); myt (insek); kleinighei=
klein kindjie; *not a ~* hoegenaamd nie

mit'igate (v) versag, lenig, verlig; **mit'igati=
cir'cumstances** versagtende omstandighe=
also **exten'uating cir'cumstances**

mitiga'tion versagting, tempering, verligting

mi'tre biskopsmus, myter

mit'ten duimhandskoen; vuishandskoe=
handle without ~s hard aanpak

mix (v) meng, vermeng, deurmekaarma=
aanmaak; omgaan (met mense); *~ up* verw=

mixed gemeng, deurmekaar; *~ up with* betrok=
wees in; *~ grill* allegaartjie, gemengde bra=
gereg; *~ pick'les* suurtjies, atjar; *~* **sal'=
mengelslaai *also* **tos'sed sal'ad**

mix'ture (n) mengsel, mengelmoes, mikst=
also **blend, potpourri'**

mix'-up (n) warboel, deurmekaarspul *a=
confu'sion, disor'der**

mnemon'ics (n) geheueleer, geheuekuns

moan (n) gekerm; weeklag; (v) kerm, kla=
whine'; steun; bejammer; **~er** klakous, ke=
kous; sanikpot; **~ing** (n) gekerm, gejamme=

moat grag; watersloot; singel (in Nederland)

mob (n) gepeupel, gespuis, oproerige skare=

toesak (op), toetakel; **~jus'tice** boendoehof *see*
kangaroo' court; ~vi'olence massageweld
o'bile beweeglik, mobiel *also* **move'able;**
lewendig; reisend; gemotoriseer; **~ crane**
loopkraan; **~ hous'ing** mobiele behuising; **~**
patrol' blitspatrollie
bil'ity beweeglikheid
bilisa'tion (n) mobilisasie/mobilisering (van
troepe)
'bilise (v) mobiliseer, oproep (troepe)
c'casin mokassin, Indiaanskoen
ck (n) bespotting; namaaksel; (v) spot,
uit)koggel; bespot, naboots; terg; (a) nage=
naak, oneg; **~er** (n) spotter; **~ery** (n) spot,
uitkoggelry; *make a ~ery of* bespot, beskimp;
~ fight/bat'tle spieëlgeveg, skyngeveg; **~ing**
n) spot, hoon; (a) tergend, spottend; **~ing**
bird piet-my-vrou; kwêvoël; koggelaar; **~**
ob'ster kammakreef; **~ shut'ters** kamma=
nortjies; **~ tri'al** skynverhoor; **~ tur'tle** kalfs=
kop (vir sop)
de (n) metode, manier, wyse; gewoonte;
oonaard (mus.)
d'el (n) model; voorbeeld, paradigma; man=
nekyn; (v) vorm, modelleer; as model optree;
a) model=, uitsoek=; **~ler** (n) modelleerder,
'ormer; **~ling** (n) boetseerkuns; modelwerk
'dem modem (internet)
d'erate (n) gematigde (persoon); (v) matig;
nodereer (eksamen); temper, kalmeer; (a)
natig, middelmatig; gematig; redelik *also*
eason'able
dera'tion matigheid, besadigdheid; *in ~*
natig
d'erator (n) moderator; bemiddelaar
d'ern modern, nuwerwets; bydertyds *also*
with-it, tren'dy; mod (infml.); **~ise** moderni=
eer *also* **up'date; ~ism** modernisme; **~ist**
nodernis (persoon)
d'est (a) beskeie, sedig, ingetoë *also* **unas=**
u'ming, demure'; reser'ved; ~y beskeiden=
eid, sedigheid, fatsoenlikheid
d'icum (n) greintjie, bietjie; weinig, 'n
rieseltjie
difica'tion (n) wysiging *also* **amend'ment,**
djust'ment; verandering; modifikasie (aan
njin)
'ify (v) wysig, verander *also* **adjust';** matig;
epaal (gram.)
dish (often neg. connotation) modies; mo=
ieus *also* **with-it, tren'dy, fashionable**
liste' modiste, klere- en hoedemaakster *also*
ress'maker, mil'liner
'ular (a) modulêr
'ulate (v) moduleer; reguleer; reël
lula'tion modulasie; reëling; *~ of the voice*
embuiging
'ule module; eenheid; maatstaf

mo'dus operan'di werkwyse, prosedure, modus
operandi
mo'gul (n) magnaat, grootbaas *also* **big shot,**
mag'nate
mo'hair (n) (sy)bokhaar, angorahaar
Moham'med Mohammed
moist klam, natterig, vogtig; **~en** natmaak,
bevogtig: *~en one's throat* 'n dop steek;
~ure vog, klammigheid, vogtigheid *also*
damp; ~uriser (n) bevogter, bevogtiger
mo'lar (n) kiestand, maaltand
molas'ses melasse; swartstroop; triakel
mole[1] (n) mol (dier); geheime agent, dubbel=
agent; (v) ondergrawe, uithol
mole[2] (n) moesie, moedervlek
mole[3] (n) hawehoof, pier; golfbreker; dyk;
dwarswal, keerdam
mol'ecule (n) molekule/molekuul; stofdeeltjie
mole'hill molshoop; *make a mountain (out) of a*
~ van 'n muggie 'n olifant maak
molest' (v) molesteer, lol *also* **abuse', harass';**
pla, hinder, treiter; **~er** molesteerder; plaer
mollifica'tion versagting, leniging
mol'lify (v) versag, laat bedaar; stil; verteder
mol'lusc weekdier, mollusk
mo'ment oomblik, rukkie, kits, oogwenk/oog=
wink; moment; *half a ~* wag 'n bietjie; *in a ~*
nou-nou; in 'n kits; *just a ~* 'n oomblikkie; *at*
a ~'s notice gou, dadelik; *this ~* oombliklik;
~ary kortstondig, vlugtig *also* **ephem'eral,**
flee'ting
momen'tous gewigtig, belangrik *also* **vi'tal; ~**
occa'sion gewigtige oomblik/beslissing
momen'tum dryfkrag, stukrag, momentum; im=
puls
mon'arch monarg; alleenheerser *also* **ru'ler,**
sov'ereign; ~ism monargisme; **~ist** monargis
(persoon); **~y** heerskappy deur konings; al=
leenheerskappy
mon'astery klooster (vir monnike) *see* **con'vent**
monas'tic (n) monnik, kloosterling; (a) klooster=,
monnik=; **~ vow** kloostergelofte
Mon'day Maandag; **blue ~** blou Maandag
mon'dial wêreldwyd *also* **glo'bal**
mo'netary (a) geldelik, monetêr, geld=, munt=;
Internat'ional M~ Fund (IMF) Internasio=
nale Monetêre Fonds (IMF)
mo'netise (v) aanmunt, in omloop bring (geld)
mo'ney (n) **moneys** geld, munt; betaalmiddel; *~*
galore geld soos bossies; *marry ~* 'n vrou/man
met geld trou; *be out of ~* platsak; *ready ~*
kontantgeld; *make ~ spin* geld laat rol; *get*
one's ~'s worth waarde vir jou geld kry; *~*
from home 'n meevaller(tjie), gelukslag; **~belt**
geldbelt *also* **bum'bag** see **moon'bag; ~ box**
spaarpot, spaarbus; geldtrommel *also* **cash'=**
box; ~ bro'ker geldmakelaar; **~ chang'er**
geldwisselaar; **~ ear'ner:** *list of ~ earners*

verdienstelys (sport); **~ed** welgesteld, ryk *also* **af'fluent; ~ grub'ber** geldwolf; **~laun'dering** geldwassery (misdaad); **~len'der** geldlener; geldskieter *also* **loan'shark** *see* **micro'len' der; ~ mar'ket** geldmark; **~or'der** poswissel, geldwissel; **~-spin'ner** geldmaker (onderne= ming; produk)

Mon'gol[1] (n) Mongool (lid van hist. ryk)

Mon'gol[2] (obs.) (n) mongool (veroud., neerh. benaming vir Downsindroomlyer)

mon'goose muishond; **yel'low ~** rooimeerkat

mon'grel (n) baster; basterbrak, straatbrak

mon'itor monitor (ook rek.); klasleier (skool); (v) monitor/moniteer; dophou; meeluister, afluister, kontroleer; **~ing commis'sion** toe= sigkommissie, moniteerkommissie

monk monnik, kloosterling (man)

mon'key (n) aap; blouapie; heiblok, ramblok; straatstamper; (v) na-aap; uitkoggel; **~ about** peuter, foeter met; **~gland steak** krui(d)e= ryskyf; **~ nut** grondboon(tjie); **~ trick** bobbe= jaanstreek; **~ wrench** moersleutel; bobbejaan= spanner (omgangst.)

monoceph'alous (a) eenhoofdig

mono'chrome eenkleurig, monochroom

mon'ocle oogglas, monokel

monog'amist monogamis; eenwywer (man)

mono'gram naamletters, monogram

mono'graph monografie, verhandeling, studie= stuk *also* **treat'ise**

mo'nokini (n) monokini (bikini sonder bostuk)

mono'lith monoliet, rotsmonument

mono'logue alleenspraak, monoloog *also* **solil'= oquy**

mono'plane eendekker (vliegtuig)

monop'olist (oorheersende) alleenhandelaar, monopolis (persoon)

monop'oly monopolie, alleenhandel; kartel *also* **trust** (Am.)

mono'rail (n) lugbus; eenspoor(trein)

monosyllab'ic eenlettergrepig, monosillabies

mono'theism monoteïsme, eengodedom

monot'onous (a) eentonig, monotoon *also* **tone'= less, unva'ried**

monot'ony eentonigheid, vervelendheid

mono'unsat'urated mono-onversadig (vette)

monsoon' passaatwind, moeson

mon'ster (n) monster, gedrog; dierasie *also* **beast, brute**

monstros'ity gedrog, monsteragtigheid *also* **abomina'tion**

mon'strous (a) monsteragtig, wanskape, afsku= welik, vreeslik *also* **hor'rible, hid'eous**

month maand; **~ after ~** maand na maand; **~ by ~** maande agtereen, maand op/tot maand

month'ly (n) maandblad; (a) maandeliks, maand=; **~ instal'ment** maandpaaiement; **~ mee'ting** maandvergadering

mon'ument monument, gedenkteken; **~al** monu mentaal; enorm; groots *also* **majes'tic; ~ali** grafsteenmaker

moo (v) bulk (bees)

mood (n) gemoed(stemming), bui, luim; wys((gram.); toon, manier; *get into the ~/spir* gees vang; *in a good ~* in 'n goeie bui; *in the* in die stemming; **~y** buierig, knorrig, hume rig *also* **grum'py, fick'le, temperamen'tal**

moon maan; *once in a blue ~* baie selde; enkele keer; *crescent ~* sekelmaan; *cry for t* **~** die onmoontlike begeer

moon: ~bag maansakkie, heupsak, pensport feulje; **~beam** maanstraal; **~craft** maantui **~-ey'ed** bysiende; **~light** (n) maanlig; (na-ure/saans ekstra verdien *also* **dou'ble-jol bing; ~light'ing** sluikwerk, privaatwer **~scape** maanlandskap; **~shine** onsin; onwet‹ gestookte drank (Am.); **~shiner** dranksmo‹ kelaar (Am.); **~struck** maansiek; sentimente

moor[1] (n) heide; vlei, moeras *also* **swam marsh; vlei** (SAE)

moor[2] (v) vasmeer, anker *also* **berth, doc ~age** ankerplek

moor: ~cock bleshoender(mannetjie); **~h** bleshoender(wyfie)

moor'ings ankerplek (vir bote)

moot (n) (akademiese) debat; dispuut; (bespreek, debatteer *also* **raise;** (a) betwisba‹ **~ point** geskilpunt; ope vraag

mop (n) poetsbesem, dweil; boskasie; (v) afve‹ opvrywe; **~ the floor with s.o.** iem. kafloop; up opvee; opvang; opruim (mil.) *also* **rou up;** afrond

mope (n) knieser, druiloor; (v) suf; druil; **~ on‹ heart out** jou verknies/doodknies

mo'ped (n) kragfiets

mo'pish (a) knieserig, druilerig, verdriet‹ droefgeestig *also* **fret'ful**

mop'stick opvryfstok, dweilstok *see* **mo‹** sukkelaar, ploeteraar

mor'al (n) sedeles; boodskap; moraal; *guard‹ of ~s* sedebewaker; *his ~s* sy sedelike gedra (a) sedelik; moreel; **~ decay'** sedelike verval‹ **du'ty** morele plig

morale' (n) moed, volharding; moreel (van leër); *improve the ~ of his soldiers* sy solda se moreel verstewig/opkikker; **~ boos'‹** moreelkikker *also* **pep'talk**

mor'alist sedepreker, moralis

moral'ity sedelikheid, sedeleer, moraliteit *a* **vir'tue, integ'rity;** sinnespel, moraliteit (d ma)

mor'alise (v) sedelesse gee, moraliseer

mor'als (n) sedes, morele waardes

morass' moeras *also* **swamp, marsh**

morator'ium moratorium; wettige uitstel (v betaling) *also* **suspen'sion, stand'still**

mor′bid (a) sieklik, ongesond, morbied *also* **gloo′my, grim; sick′ly;** ~ **anatomy** anatomiese patologie; ~ **hu′mour** galgehumor

morbid′ity/morbid′ness sieklikheid, siektetoestand; siektesyfer

more meer, groter; *the* ~, *the better* hoe meer, hoe beter; ~ *or less* min of meer; *the* ~, *the merrier* hoe meer siele, hoe meer vreugde; *once* ~ nog 'n keer; *some* ~ nog meer; ~**over** bowendien, buitendien; origens

mor′gen morg (oppervlaktemaat)

mor′gue lykshuis, dodehuis *also* **mor′tuary**

mo′ribund sterwend, doodsiek *also* **wa′ning, dy′ing**

Mor′mon Mormoon (aanhanger van Mormoonse geloofsrigting)

morn′ing (n) môre/more, oggend, voormiddag; *good* ~ goeiemôre!; *this* ~ vanmôre; *tomorrow* ~ môreoggend; ~ **glo′ry** purperwinde, trompettertjie, eendagskoon (blom); ~ **gown** kamerjas; ~ **pa′per** oggendblad (koerant); ~ **pray′ers** oggend(gods)diens; ~ **star** môrester

moroc′co marokyn(leer)

mo′ron moron/moroon, verstandelik vertraagde mens; ~**ic** (a) geestelik onvolgroei, swaksinnig, moronies *also* **back′ward, simp′le-min′ded**

morose′ (a) stuurs, nors, stug, knorrig

mor′phia/morphine′ morfien (doofmiddel)

morphol′ogy morfologie, vormleer (gram.)

mor′sel (n) stukkie, happie *ook* **tit′bit;** krummel

mor′tal (n) sterfling; (a) sterflik; dodelik; menslik; ~ **en′emy** doodsvyand; ~ **fear** doodsangs; ~ **remains′** stoflike oorskot; ~ **shame** 'n ewige skande; ~ **sin** doodsonde

ortal′ity sterflikheid, sterfte; ~ **rate** sterftesyfer; in′fant ~ rate kindersterftesyfer

mor′tar messelkalk, pleisterklei; dagha; mortier (kanon); vysel (vir stamper); ~ **board** pleisterplank

ort′gage (n) verband (op huis); hipoteek; (v) onder verband plaas, met verband beswaar; verpand; ~ **bond** verband(akte); ~**d prop′erty** verbande/beswaarde eiendom; ~**e′** verbandhouer, verbandnemer (bank); ~**r/mort′gagor** verbandgewer (eienaar)

orti′cian (n) begrafnisondernemer, lykbesorger *also* **fu′neral un′dertaker**

ortifica′tion kwelling, verdriet, selfverloëning, selfkastyding; kouevuur (med.)

or′tified (a) gekrenk, beledig *also* **hurt, offen′ded**

or′tify (v) kwel; affronteer; tugtig, kasty, onderdruk

or′tise (n) tapgat, voeggat (in stuk hout); (v) invoeg

r′tuary (n) dodehuis, lykshuis *also* **mor′gue;** (a) dode=, sterf=, graf=

mosa′ic (n) mosaïek; (a) mosaïek=

Mos′cow Moskou (Russiese hoofstad)

Mos′lem = Mus′lim

mos′que moskee, masiet

mosquit′o (n) **-es** muskiet; ~ **net** muskietnet, muskietgaas

moss (n) mos; (v) bemos

most (a) meeste, uiterste, grootste; *at the* ~ hoogstens; *make the* ~ *of* die beste maak daarvan; ~ *probably* heel waarskynlik; ~ *of us* die meeste van ons; (adv) hoogs, baie, uiters, besonders, aller=; ~ *certainly* alte seker; ~**ly** mees(t)al, merendeels, grotendeels, hoofsaaklik

mote (n) stofdeeltjie, stof; stipseltjie, splinter; *the* ~ *in another's eye* die splinter in die oog van 'n ander

motel′ (n) motel *see* **hotel′**

moth (n) mot; ~**-ea′ten** motgevreet

mo′ther (n) moeder; huismoeder; (v) vertroetel, versorg; (a) moeder=; ~**board** moederbord (rek.); ~ **city** moederstad, metropool; ~ **coun′try** vaderland; ~**craft** moederkunde; ~**hood** moederskap; ~**ing** moedersorg, troetelry; ~**-in-law (-s-in-law)** skoonmoeder; ~**less** moederloos; ~**ly** moederlik; ~**-of-pearl** perlemoen *also* **ab′alone, perlemoen;** ~**'s help** kindermeisie; au pair; huishulp; ~**spot** moedervlek; moesie; ~ **supe′rior** moederowerste (RK kerk); ~ **tongue** moedertaal

motif′ (n) motief, grondtema *also* **theme, feature**

mo′tion (n) beweging; mosie; aansoek; ~ *of no confidence* mosie van wantroue (op vergadering); *of one's own* ~ uit eie beweging; *put a* ~ 'n voorstel tot stemming bring; *in slow* ~ in stadige aksie; (v) wink; 'n teken gee; ~**less** botstil, bewegingloos; ~ **pic′tures** rolprent, bioskoop *also* **mo′vies**

mo′tivate (v) aanspoor, motiveer *also* **inspire, prompt**

motiva′tion (n) motivering; beweegrede, rasionaal

mo′tive (n) beweegrede; motief (vir 'n moord); (a) bewegend; beweeg=; dryf=

mot′ley (n) mengelmoes; bont spul; narrepak; (a) bont, kakelbont; vreemdsoortig; *a* ~ *crowd* 'n bont menigte/skare

moto′cross veldfiets(wed)ren; veld(tyd)ren

mo′tor (n) motor; enjin; beweegkrag; (a) dryf=; ~**boat** motorboot; ~**cade** motorstoet, motorkade; ~**car** motor, motorkar, kar; vuurwa (omgangst.) *also* **car;** ~**coach** toerbus; ~**cycle** motorfiets; ~**ist** motoris; ~**ised car′avan** motorwoonwa, motorwoning; ~ **launch** motorboot; ~ **ral′ly** motortydren; motorbyeenkoms; ~ **scoot′er** bromponie; ~ **truck** vragmotor; ~ **van** bestelwa, aflewering(s)wa; bakkie *also*

light delivery van (LDV); ~ ve´hicle motor=
voertuig; **~way** deurpad (stedelik); snelweg
also **high´way**

mot´tle (n) vlek, kol; (v) vlek, streep; (a) bont,
gevlek, gespikkel; **~d** bont, gestreep

mot´to (n) **mottoes** leuse, slagspreuk *also* **slo´=**
gan, max´im; motto, devies

mould¹ (n) vorm, gietvorm; matrys; model;
teelaarde; (v) vorm, giet; afgiet; modelleer;
skep; **~** *his character* sy karakter vorm

mould² (n) skimmel; (v) skimmel, kim, muf

mould´y (a) beskimmel, (ver)muf; verouder *also*
stale

moult (v) verveer (hoender); verhaar (dier);
vervel (slang)

mound (n) hoop, heuweltjie; wal, skans *also*
embank´ment; (v) omwal; ophoop (grond)

mount (n) montering; beslag; ryperd; berg; kop,
knewel; (v) monteer; opplak; opklim, bestyg;
oploop (skuld); uitsit (wag); *crime is* **~ing**
misdaad styg; **~ed in gold** in goud geset; **~ing**
costs stygende koste

moun´tain berg; kop; *a* **~** *off his mind* 'n pak van
sy hart (af); *make* **~s** *of molehills* van 'n
muggie 'n olifant maak; **~ bike** bergfiets; **~**
chain bergreeks, bergketting; **~eer´** bergklim=
mer; bergbewoner; **~ous** bergagtig; **~ pass**
bergpas, poort, nek; **~ range** bergreeks; **~ slide**
bergstorting, rotsstorting; **~ ze´bra** bergkwag=
ga

moun´tebank (n) bedrieër, swendelaar; kwak=
salwer *also* **con´man, cheat´**

moun´ted: ~ police berede polisie

moun´ting beslag, montering, montuur; **~ pa´per**
monteerpapier

mourn (v) rou, treur *also* **grieve, lament´;**
betreur; **~er** rouklaer (persoon); **~ful** treurig,
droewig *also* **sad, griev´ous; ~ing** rou; droef=
heid; **~ing paper** roupapier

mouse (n) muis (ook rek.); **~ but´ton** muisknop
(rek.); **~ click** muisklik (rek.); **~pad** muismat=
jie (rek.); (v) **~** *about* rondsnuffel, rondsluip;
~trap muisval

mousseline´ moeselien; neteldoek

moustache´ (n) snor(baard)

mous´y (a) muisagtig; bangerig, bedees *also* **shy,**
tim´id

mouth (n) mond; bek; monding (rivier); uitloop
(pyp); *from hand to* **~** van die hand in die tand;
keep your **~** *shut* hou jou mond; *by word of* **~**
mondeling; (v) kou; **~ful** hap, mondvol; **~**
harp trompie *also* **jew's harp; ~ or´gan**
mondfluitjie; **~piece** woordvoerder, segsman
also **spokes´person;** spreekbuis; mondstuk;
~wash mondspoeling

mo´v(e)able (a) beweegbaar, verplaasbaar *also*
por´table; ~ prop´erty losgoed, roerende
eiendom

move (n) beweging; verhuising; stoot, skuif
spel); stap, maatreël; set; *clever* **~** slim set; *ge*
~ *on!* opskud!; (v) beweeg, roer; verhuis, ve
also **relocate´;** skuif; voorstel (op 'n verga
ring); ontroer; **~** *heaven and earth* hemel
aarde beweeg; **~** *in* intrek; **~** *out* verhuis; **~**
opskuif; **~d** (a) bewoë, aangedaan; **~me**
beweging; verplasing; gang; meganiek; sto
gang *also* **stool; ~r** voorsteller (van mosie)

mo´vie rolprent, fliek (film) *also* **cin´ema;** *we*
going to the **~s**/*flicks* ons gaan fliek, ga
bioskoop toe; **~ fan** fliekvlooi; **~ house** fli
bioskoop

mo´ving (a) bewegend, beweeg=; (ont)roere
aandoenlik; **~**/*motivating spirit* die siel van i

mow (v) maai, sny; **~er** maaier (persoo
snymasjien; **lawn´mower** grassnyer

Mozambique´ Mosambiek (land); **Mozambi´c**
(n) Mosambieker (persoon); (a) Mosambie
(gebruike, ens.)

Mpumalan´ga *formerly* **Eas´tern Trans´v**
Mpumalanga (provinsie)

much, more, most baie, veel; *in as* **~** *as*
soverre as; *make* **~** *of* 'n ophef maak v
nothing **~** niks besonders/watwonders nie;
as I would like hoe graag ek ook (sou) wil
worse veel erger/slegter

muck (n) vullis; smerigheid; mis *also* **du**
bog; *make a* **~**/*mess of* verbrou; verkno
beduiwel *also* **botch, bungle; ~heap** misho
~iness smerigheid; **~worm** miswurm

mu´cous (a) slymerig; **~ mem´brane** slymvli

mu´cus (n) slym, fluim; snot (vulg.)

mud modder; vuilgoed; *fling* **~** *at* met mod
gooi (fig.); beswadder; **stick-in-the-~**
terblyer, remskoen (persoon)

mud´dle (n) verwarring; warboel; (v) verw
verbrou; **~d** (a) deurmekaar *also* **confu´s**
perplex´ed, mix´ed up; ~r (n) knoeier (p
soon)

mud´dy (v) bemodder; vertroebel; (a) modde
troebel

mud: ~guard modderskerm; **~ slide** modd
storting

muez´zin (n) gebedsroeper, muezzin/mued
(Islam)

muf´fin (n) muffin, plaatkoekie, kolwyntjie

muf´fle (n) doek; duimhandskoen; (v) inwikk
mompel; skelm wegsteek *also* **conceal´;**
halsdoek; bokshandskoen; klankdemper

muf´ti (n) burgerdrag, siviele drag; *in* **~**
burgerdrag

mug (n) kommetjie, beker; koppie; bakki
tronie, gevreet (omgangst. vir iem. se gesi
(v) straatroof; wurgroof; **~ger** straatrow
wurgrower; **~ging** straatroof, wurgroof; **~**
(a) klam, vogtig, bedompig; **~shot** polisief

Muham´mad Mohammed

mul'berry moerbei

mulch (n) dekblare, molm, grondkombers

mule muil, esel; hardekop (persoon); ~ **kick** volstruisskop (in rofstoei)

mu'lish (a) koppig *also* **stub'born, ob'stinate**

mul'let harder (vis)

mul'ti veel=, meer=, multi=; ~**col'oured** veelkleurig; ~**cul'tural** multikultureel; ~**disciplin'-ary** multidissiplinêr; ~**grade oil** meergraadolie; ~**lat'eral** veelsydig, multilateraal; ~**lin'gual** veeltalig, meertalig; ~**media** multimedia; ~**millionaire'** multimiljoenêr; ~**na'tional** veelvolkig; ~**party con'ference** veelpartykonferensie; ~**ped(e)** duisendpoot *also* **mil'liped(e)**

mul'tiple (n) veelvoud; *least common* ~ kleinste gemene veelvoud; (a) veelvoudig, veelvuldig; veelkeusig; ~ **choice questions (MCQ)** veelkeusevrae (VKV), meervoudige vrae; ~ **in'-juries** veelvuldige beserings

mul'ti: ~**plica'tion** vermenigvuldiging; ~**plier** vermenigvuldiger; versterker (klank); ~**ply** (v) vermenigvuldig; toeneem; ~**pur'pose** meerdoelig, veeldoelig; ~**racial** (a) veelrassig, veelvolkig *see* **non'-racial**

multi'task'ing multitaakverwerking (rek.)

mul'titude menigte, massa *also* **crowd**

mum[1] (n) mams, mamma

mum[2] (a) stil, swyend; ~*'s the word!* stil(bly)!; moet niks sê nie!; *he is* ~ *on the issue* hy swyg oor die kwessie

num'ble (n) gemompel; (v) mompel; prewel

num'mify (v) balsem, mummifiseer

num'my[1] (n) mummie (gebalsem)

num'(my)[2] (n) mammie, mamsie

numps (n) pampoentjies (siekte) *also* **paroti'-tis**

nunch (v) knabbel, oppeusel *also* **mas'ticate, scrunch**

nun'dane wêrelds, aards, ondermaans *also* **earth'ly; com'monplace, ba'nal**

nu'nicipal munisipaal, stads=, stedelik; ~ **coun'-cil** stadsraad *see* **met'ro coun'cil**; ~ **ra'tes** erfbelasting; ~ **theatre** stadskouburg *also* **ci'vic thea'tre**

nunicipal'ity munisipaliteit, stadsraad, plaaslike owerheid/bestuur

nuni'tion (n) krygsvoorraad; (pl) krygstuig

nu'ral (a) muur=; ~ **pain'ting** muurskildery *also* **fres'co, mu'ral** (n)

nur'der (n) moord; *commit* ~ moord pleeg; *horrible* ~ gruwelike moord, grumoord; (v) vermoor; moor; ~**er** moordenaar; ~**ous** (a) moorddadig *also* **bru'tal, sav'age**

nur'ky (a) duister, donker, somber *also* **dis'mal, gloomy'**; ~ *darkness* dik duisternis

nur'mur (n) gemurmel; gemompel; (v) murmureer *also* **grouse', grum'ble;** mompel

nuscadel'/muscatel' muskadel(wyn)

muscle' (n) spier; spierkrag; woema; *without moving a* ~ sonder om 'n spier te verrek; ~ **flexing'** spierbultery; ~**man** kragman; spiertier; ~ **relax'ant** spierverslapper

Mus'covy Moskowië; ~ **duck** makou; ~ **glass** mika; ~ **lea'ther** Russiese leer

mus'cular (a) gespier(d), sterk *also* **stur'dy, braw'ny**

muse[1] (n) sanggodin, muse

muse[2] (v) peins, mymer *also* **pon'der, med'-itate;** ~ *on* oordink, bepeins

muse'um (n) museum

mush (n) (meel)pap; moes, bry

mush'room (n) paddastoel; sampioen; slangkos (wanneer giftig); (v) opskiet, uitbrei *also* **increase', proli'ferate**

mush'y papperig; week, slap

mu'sic musiek; toonkuns; *face the* ~ die gevolge dra; *make* ~ musiek maak; *set to* ~ toonset; ~**al** (n) musiekspel, musiekblyspel; (a) musikaal, welluidend; ~**al chairs** stoeledans, notepote; ~ **book** musiekboek; ~ **box** musiekboks; ~ **cen'tre** musieksentrum; ~ **hall** konsertsaal; ligte vermaak met liedjies en grappe (veral Br.); **clas'-sical** ~ klassieke musiek; **sa'cred** ~ gewyde musiek

musi'cian musikus; toonkunstenaar; musikant (speler)

mu'sic: ~ **les'son** musiekles; ~ **mas'ter** musiekonderwyser; ~**mis'tress** musiekonderwyseres; ~ **stand** musiekstaander

mu'sing (n) mymering, gepeins *also* **medita'-tion;** (a) peinsend, dromerig, mymerend

musk (n) muskus (afskeiding van muskushert); muskusgeur; muskusdier; muskusplant; ~ **cat** muskusdier; ~ **deer** muskushert

mus'ket (n) musket (hist.); roer; geweer; ~**eer'** musketier; ~**ry** geweervuur; infanterie; skiet= kuns

musk: ~**mel'on** spanspek; ~**ox** muskusbees; ~**rat** muskusrot

Mus'lim (n) Moslem/Moesliem; (a) Moslems/ Moesliems

mus'lin neteldoek; moeselien

mus'sel mossel (weekdier)

must[1] (n) mos; jong wyn; ~**bun** mosbeskuit; mosbolletjie *also* **must'roll**

must[2] (n) skimmel, kim; (v) beskimmel

must[3] (n) verpligting, 'n moet; (v) moet, verplig wees; *you* ~ *not* jy moenie

mus'tard mosterd; ~ **gas** mosterdgas; ~ **poul'tice** mosterdpleister (med.)

mus'ter (n) monstering; byeenroeping; wapenskou; inspeksie; *in full* ~ voltallig; (v) monster (troepe oproep); versamel; ~ *up courage* moed skep

must'roll (n) mosbolletjie, mosbeskuit *also* **must'bun**

mus'ty muf, beskimmel; verslyt, verouder *also*
obsolete'; ~ *bread* skimmelbrood

muta'tion (n) mutasie (biol.); wisseling; wysi=
ging; verskuiwing

mute (n) stom mens; (toon)demper; (v) demp
also **muf'fle;** (a) stom; stemloos, spraakloos;
~ness stomheid; sprakeloosheid

mu'ti (n) toormedisyne, doepa, moetie; **~ mur'=**
der moetiemoord, **~ shop** moetiewinkel

mu'tilate (v) vermink, skend *also* **maim**

mutineer' (n) muiter, oproerling

mu'tinous (a) oproerig, opstandig *also* **rebel'=**
lious

mu'tiny (n) muitery, oproer; (v) muit

mut'ter (v) mompel; brom; prewel; **~er** mom=
pelaar; **~ing** gebrom, gemompel, gemor

mut'ton skaapvleis; skaap; *as dead as ~* so dood
soos 'n mossie; *leg of ~* skaapboud

mu'tual (a) onderling, wedersyds; wederkerig
also **reci'procal;** gemeenskaplik; *on ~ terms*
op gelyke voorwaardes; **~ friend** gemeenskap=
like vriend; **~ in'terests** gemeenskaplike
belange/belangstellings

mu'tually wederkerig, wedersyds, onderling

muz'zle (n) snoet, bek; loop (van geweer);
muilband (vir hond); (v) muilband; besnuf=

fel; **~ loa'der** voorlaaier (outydse gewe

my my; *oh ~!* goeie/grote genade!

mycol'ogist swamkundige, mikoloog

mycol'ogy (n) swamkunde, mikologie

myop'ic (a) bysiende; stiksienig, kortsigtig *a*
short-sighted; miopies

my'nah (n) **-s** Indiese spreeu *also* **(In'dian) st**
ling

my'riad (n) miriade, tallose menigte *also* **mu**
titude; (a) ontelbaar *also* **count'less**

myrrh mirre, welriekende gomhars

myr'tle mirt(eboom)

myself' ekself, myself; *by ~* ek alleen; *I am no*
ek voel nie lekker nie

myste'rious geheimsinnig, misterieus; verbor
duister *also* **dark, cryp'tic, mys'tic**

mys'tery (n) geheim, misterie; raaisel; enig
verborgenheid; misteriespel (drama)

mys'tic (n) mistikus (persoon); (a) misti
geheimsinnig, duister *also* **occult'; ~ism n**
tiek

mys'tify (v) kul, fop *also* **puz'zle, perpl**
bamboo'zle

myth (n) mite; fabel *also* **leg'end;** *explode*
mites afbreek; **~olog'ical** mitologies; fabel
tig; **~ol'ogy** mitologie; godeleer

N

naar′tjie = nartjie

nab (infml.) (v) betrap; gryp; arresteer

na′bob (n) nabob; rykaard; kapitalis

na′dir (n) laagste punt, nadir; voetpunt

nag[1] (n) bossiekop, ponie (perd)

nag[2] (v) lol, sanik, seur, pes, neul *also* **pes′ter, annoy′, wor′ry**

naga′na nagana, tripanosomiase, perdesiekte (weens tsetsevlieg) *also* **cor′ridor disease′**

nag: ~**ger** sanikpot, lolpot, neulkous; ~**ging** gesanik, geneul

nail (n) spyker; nael (vinger, toon); *a* ~ *in his coffin* 'n spyker in sy doodkis; *as hard as a* ~ kliphard; taai soos 'n ratel; (v) vasspyker; inslaan; ~ *one's colours to the mast* openlik jou standpunt stel; vasstaan (in jou oortui=ginge); *also* **cliff′hanger;** ~**bi′ting** senutergend; ~ **bomb** spykerbom; ~**brush** naelborsel; ~ **pol′ish** naellak

naive/naïve′ (a) naïef, eenvoudig, kinderlik *also* **art′less, trus′ting**

naiv′ety/naïv′eté naïwiteit, ongekunsteldheid

na′ked nakend, naak, kaal; *with the* ~ *eye* met die blote oog; *strip* ~ kaal uittrek; *stark* ~ poedelnakend; *the* ~ *truth* die blote/naakte waarheid; ~**ness** naaktheid; weerloosheid

name (n) naam, benaming; roem; *call s.o.* ~*s* iem. uitskel; *first (Christian)* ~ voornaam; *leave one's* ~ jou kaartjie afgee; *make a* ~ naam maak, spore afdruk; *the* ~ *of the game* al wat saak maak; *no* ~*s no packdrill* die doener bly liefs naamloos; (v) noem, naam gee; opnoem; ~ *the day* die (trou)dag bepaal; ~**board** naambord *also* **sign′board;** ~**less** naamloos; onbekend; ~**ly** naamlik; ~ **part** titelrol; ~**plate** naambordjie; ~**sake** genant, naamgenoot; ~ **tag** kenstrokie, naamplaatjie

Namib′ia Namibië (land); ~**n** (n) Namibiër (persoon); (a) Namibies (gebruike, ens.)

nan′cy (taboo) (n) melkdermpie, verwyfde man, moffie (taboe) *also* **gay, ho′mo**

nan′ny (n) kinderoppasser; kinderjuffie *also* **au pair;** ~ **goat** bokooi

na′nosecond (n) nanosekonde (een duisendmil=joenste van 'n sekonde)

nap[1] (n) nop (klere; setperkgras); dons (vrugte); (v) pluis; *against the* ~ teen die nop (in)

nap[2] (n) dutjie, sluimering; *catch s.o.* ~*ping* iem. onverwags betrap; *take a* ~ gaan dut; 'n uiltjie knip/knap; skuins lê

nape nekholte

nap′ery tafellinne; tafelgoed *also* **house′hold lin′en**

naph′thaline naftalien, mottegif

nap′kin servet; luier (vir baba) *also* **nap′py**

nap′py (n) luier, babadoek *see* **nap′kin; dispos= able nap′pies** wegdoenluiers; ~ **rash** brand= boudjies

nar′c(iss)ism narsis(sis)me, narcis(sis)me; siek= like selfliefde *also* **self-admira′tion**

narcis′sus narsing (plant)

narcot′ic (n) slaapmiddel; verdowingsmiddel, doofmiddel *see* **drug;** (a) narkoties, verdo= wend; ~**s bureau′** narkotikaburo

nard nardus (balsemplant)

narrate′ (v) vertel, verhaal *also* **relate′**

narra′tion vertelling, verhaal, verslag, relaas; **min′utes of** ~ notule van relaas

nar′rative (n) verhaal; (a) verhalend

narra′tor verteller

nar′row (n) engte; (v) vernou; beperk; ~ *the wage gap* die loongaping vernou; (a) nou, smal *also* **confined′;** bekrompe, eng *also* **big′oted, paroc′hial;** *in* ~ *circumstances* behoeftig; ~ *escape* noue ontkoming; ~ *majority* klein/geringe meerderheid; ~ *views* bekrompe idees; ~ **gauge** smalspoor (trein); ~**mind′ed** kleingeestig, bekrompe *also* **bi′= as(s)ed;** ~**minded′ness** bekrompenheid, kleingeestigheid

nar′tjie (SAE) nartjie *see* **mandarin′, tan′gerine**

nar′whal narwal (soort walvis)

na′sal (n) neusklank; (a) nasaal, neus=; ~ **cav′ity** neusholte; ~**ise** (v) nasaleer

nas′tiness (n) narigheid; liederlikheid; onaan= genaamheid; aakligheid

nastur′tium kappertjie (blom); bronkors

nas′ty (a) naar, aaklig; gemeen *also* **mean;** geniepsig; vuil *also* **dir′ty;** ~ **feel′ing** nare gevoel; ~ **fel′low** onaangename/skurwe vent, satanskind, vreksel

na′tal (a) geboorte=

na′tion volk, nasie; moondheid; **Uni′ted N~** Verenigde Nasies

nat′ional (n) (lands)burger; landgenoot; (a) nasionaal; vaderlands; volks=, staats=; ~ **an′= them** volkslied; **N~ Assem′bly** Nasionale Vergadering; **N~ Coun′cil of Prov′inces** Nasionale Raad van Provinsies; ~ **costume/ dress** volksdrag; ~ **debt** staatskuld; ~ **flag** landsvlag; ~**ise** (v) nasionaliseer; ~**ism** nasio= nalisme; ~**ist** nasionalis (persoon); ~**ity** nasio= naliteit, volkskarakter; ~ **lan′guage** volkstaal; ~ **ser′vice** diensplig *also* **conscrip′tion;** ~ **so′cialism** nasionaal-sosialisme

Nat′ional Women's Day Nasionale Vrouedag (vakansie, 9 Augustus)

na′tionwide (adv) land(s)wyd

na′tive[1] (n) burger, landgenoot *also* **coun′=**

tryman, cit′izen; boorling (van land/streek); inboorling (vandag in dié betekenis in on= bruik); ~ **coun′try** vaderland, geboorteland

na′tive[2] (a) aangebore; oorspronklik; eie; in= heems *also* **indig′enous;** vry; natuurlik

na′tive: ~ **land** vaderland; ~ **lan′guage** moeder= taal; ~ **lan′guage spea′ker** moedertaalspreker; ~ **town** geboortedorp; ~ **wit** gesonde verstand; natuurlike gevatheid

nativ′ity geboorte, natiwiteit; ~ **play** Kersspel

na′tron (n) natron, loogsout

nat′ural (a) natuurlik; ongekunsteld; vriendelik, menslik; natuur=; ~ **death** natuurlike dood; ~ **gas** aardgas; ~ **his′tory** natuurkunde, natuur= leer; ~**isa′tion** naturalisasie; ~**ise** naturaliseer; ~**ist** natuurvorser; ~**ly** natuurlik, vanselfspre= kend; ~ **resour′ces** natuurbronne, natuurlike hulpbronne; ~ **science** natuurwetenskap, na= tuurkunde

na′ture (n) natuur; karakter, aard, geaardheid, inbors; *by* ~ van nature; *freak of* ~ natuurfrats; *from its very* ~ uit die aard van die saak; *in* ~*'s garb* in Adamsgewaad, poedelnaak; *true to* ~ natuurgetrou; ~ **conserva′tion** natuurbewa= ring; ~ **founda′tion** natuurstigting; ~ **reser′ve** natuurreservaat; ~ **resort′** natuuroord

nat′urist naturis, natuurnudis

nat′uropath naturopaat, natuurgeneser

naught (n) niks, nul *also* **nought;** *come to* ~ op niks uitloop; (a) nikswerd, waardeloos

naugh′tiness stoutheid; ondeundheid; ongehoor= saamheid

naugh′ty stout; ondeund; ongehoorsaam; ~ *boy* karnallie, rakker *also* **little ras′cal/ro′gue/ dev′il**

naus′ea mislikheid, naarwording *also* **bil′= iousness; vom′iting;** walging

naus′eous (a) mislik; walglik

naut′ical (a) see=, skeeps=; seevaart=; ~ **al′manac** seemansalmanak; ~ **chart** seekaart; ~ **com′= pass** skeepskompas; ~ **mile** seemyl (1 852 m); ~ **term** skeepsterm

na′val (a) see=; skeeps=; vloot=; ~ **base** vlootba= sis; ~ **bat′tle** seeslag; ~ **cadet′** adelbors; ~ **col′lege** vlootkollege, marineskool; ~ **gun** skeepskanon; ~ **of′ficer** vlootoffisier; ~ **patrol′** seepatrollie; ~ **po′wer** seemoondheid, seemag; ~ **stores** skeepsvoorrade; ~ **war** see-oorlog, seestryd; ~ **yard** vlootwerf

nave naaf (van wiel) *also* **hub**

na′vel[1] (n) nawel; ~ **or′ange** nawellemoen

na′vel[2] (n) nael(tjie) (op buik) *also* **bel′ly but′ton**

nav′igate (v) vaar; bevaar *also* **cruise;** navigeer

naviga′tion navigasie (koersbeheer van vliegtuig of skip)

nav′igator seevaarder (persoon); koerspeiler (lugv.); navigator, roetegids (by tydrenne)

nav′vy (infml.) (n) werksman (veral op 'n

bouperseel); slootgrawer; (pl) doodtrappe (skoene)

na′vy (n) seemag, vloot; ~ **blue** vlootblo marineblou; ~ **yard** vlootwerf

nay (n) nee, weiering; teenstem *also* **neg′ati vote;** *I'll take no* ~ basta teëpraat

Nde′bele Ndebele (etniese groep); **isi~** (la guage) isiNdebele (taal)

neap′tide laagwater, laaggety, dooie ty/gety

near (v) nader (kom), (a) naby, digby, nabyg leë; nouverwant; dierbaar; ~ *future* afsienba toekoms; ~ *relative* bloedverwant; ~*est rel tive* naaste bloedverwant; (adv) naby, digl byna; *far and* ~ wyd en syd; (prep) by, nal digby; ~ *the mark* byna; ~ *at hand* nab byderhand; ~ **ac′cident** amper-ongeluk; ~**l** langsaan, naby; ~**ly** amper(tjies), byna *al* **al′most;** ~**-sight′ed** bysiende *also* **myop′ic**

neat (a) netjies, sindelik *also* **ti′dy;** keurig; sko (onvermengde drankie)

neat: ~**ly** netjies; keurig; ~*ly done* mooi/kn gedoen; ~**ness** netheid; ordelikheid

neb′ula (n) newelvlek (sterrek.); ~**r** (a) newe wolk=

neb′ulous newelagtig, mistig; vaag *also* **ha′ va′gue**

necessar′ily noodwendig, noodsaaklik

ne′cessary (a) nodig, noodsaaklik *also* **i dispen′sable;** noodwendig; onvermydelik; **e′vil** noodsaaklike euwel/ergernis

neces′sitate (v) noodsaaklik maak, noodsaak

neces′sity (n) noodsaaklikheid; behoefte; *knows no law* nood breek wet; ~ *is the mot of invention* nood leer bid; *of* ~ noodsaak kerwys; *make a virtue of* ~ van die nood deug maak; *from sheer* ~ noodgedwonge

neck (n) nek (van mense/diere); pas, en (tussen berge); ~ *and* ~ kop aan kop; *esc with one's* ~ met jou lewe daarvan afko ~**lace** (n) halsketting, halssnoer; ~**lace mu der** halssnoermoord (kill/execute by (burnin tyre round neck); ~**tie** das

necrol′ogy sterftelys, nekrologie

nec′romancy (n) towerkuns, swartkuns

necrop′olis (groot) dodestad, begraafplek (his

nec′tar nektar, godedrank; heuningsap (v plante)

nec′tarine kaalperske, nektarien (vrug)

née geb(ore); nooiensvan *see* **mai′den nam** *Mrs Brown née Smith* mev. Brown geb. Sm

need (n) nood; behoefte; *if* ~ *be* as dit nodig is; geval van nood; *a friend in* ~ *is a friend inde* in die nood leer mens jou vriende ken; *in hi* in sy ellende; *in time of* ~ as die nood druk; nodig hê, benodig; makeer; gebrek ly; *you not come* jy hoef nie te kom nie; *you* ~ have come jy hoef nie te gekom het nie; ~ nodig, noodsaaklik *also* **essen′tial**

eed′le (n) naald; wyser; magneetnaald; *look for a ~ in a haystack* 'n onbegonne werk aanpak/verrig; *on pins and ~s* op hete kole; **hypoder′mic ~** spuitnaald; **~work** naaldwerk; naaiwerk

eed′less onnodig, nodeloos

eeds (n) behoeftes; benodig(d)hede

eed′y (a) behoeftig, arm *also* **poor, des′titute;** hulpbehoewend

e′er′-do-well niksnut(s) *also* **good-for-noth′ing, rot′ter** (person)

efa′rious skandelik, goddeloos *also* **atro′cious**

egate′ (v) ontken, loën, weerspreek

ega′tion ontkenning; weiering; negasie

eg′ative (n) negatief (fot.); minusteken; ontken‑ning; *answer in the ~* ontkennend antwoord; (a) ontkennend, negatief; (v) ontken; afstem; *~/invalidate a motion* 'n voorstel/mosie ver‑werp; **~ growth** negatiewe groei (ekon.); **~ quan′tity** negatiewe hoeveelheid; **~ sign** minusteken; **~ vote** teenstem

eglect′ (n) verwaarlosing, versuim; *~ of duty* plig(s)versuim; (v) verwaarloos; versuim; stief behandel; **~ful** nalatig, agte(r)losig *also* **neg‑ligent, care′less**

ég′ligé (n) négligé, oggendjapon *also* **(light) dres′sing gown**

eg′ligence (n) nalatigheid, versuim, agte(r)lo‑sigheid *also* **slack′ness**

eg′ligent (a) nalatig, agte(r)losig

eg′ligible nietig, onbeduidend *also* **insignif‑icant, triv′ial**

ego′tiable (a) verhandelbaar; *salary ~* salaris reëlbaar/onderhandelbaar; **~ doc′ument** ver‑handelbare dokument, waardepapier

ego′tiate (v) onderhandel *also* **debate′; consult′;** verhandel; deurdruk; sluit, bewerk; behartig; plaas (lening); *~ a bill* 'n wissel verhandel; *~ a difficulty* 'n moeilikheid baasraak; *~ a fence* oor 'n heining spring

gotia′tion (n) onderhandeling, beraad(sla‑ging); *carry on ~s with* onderhandel met

go′tiator onderhandelaar

eg′ro Neger; **~ spir′itual** geestelike Negerlied

igh (n) gerunnik; (v) runnik, hinnik (perd)

igh′bour (n) buurman/buurvrou; naaste; *duty to one's ~s* naasteplig; *next-door ~s* naaste bure; (v) grens aan; (a) naburig; **~hood** buurt; buurskap; **~hood watch** buurtwag; **~ing** na‑burig, aangrensend *also* **adja′cent;** *~ing coun‑tries* buurlande

ith′er (adv) ewemin, ook nie; (conj) nie een nie; *that's ~ here nor there* dit maak geen saak nie; *~ . . . nor . . .* nóg . . . nog . . .

em′esis Nemesis, wraakgodin

ol′ogism (n) nuutskepping (van woord), neo‑logisme

ph′ew (n) neef, nefie; broerskind, susterskind

nephrit′is nefritis, nierontsteking

nep′otism (n) familiebegunstiging, nepotisme *also* **cro′nyism**

nerd/nurd (slang) (n) nerd (omgangst.); bleek‑siel, noffie, slimkous (asosiale boekwurm)

nerve (n) senu(wee); moed, durf; spierkrag; (pl) senuwees; *fit of ~s* senu(wee)toeval; *get on one's ~s* op jou senuwees kry; *not have the ~/guts* nie die moed/durf hê nie; *you have got a ~!* jy verbeel jou darem!; (v) krag gee, sterk maak; *~/fortify oneself* moed bymekaarskraap; **~less** kragteloos, slap; **~-rack′ing** senutergend

ner′vous (a) senu(wee)agtig; skrikkerig; **~ attack′** senuaanval; **~ breakdown′** senu-in(een)storting *also* **collapse′; ~ strain** senuspanning, stres *also* **stress; ~ness** senu(wee)agtigheid

nest (n) nes; *feather one's ~* jou verryk; voordele inpalm; *foul one's ~* jou nes bevuil; (v) nes maak, nestel; **~ egg** neseier; **~ of tables** hen-en-kuikens, neskassie

nestle′ (v) nestel *also* **cuddle′;** nes maak; lekker lê; *~ close to* aankruip/aanvly teen

nest′ling (n) neskuiken; jongste kind

net¹ (n) net; spinnerak; netwerk; stuk; **the Net** die internet; **~ sur′fing** netswerf, kuberswerf (internet); (v) vang; inbring, oplewer (omset; wins)

net² (a) netto; skoon, suiwer; *~ amount* netto bedrag; *~ profit* netto wins

neth′er laer‑, benede‑, onder‑; **the ~ world** die onderwêreld

Neth′erlander (n) Nederlander, Hollander *also* **Dutch′man**

Neth′erlands (n) Nederland *also* **Hol′land;** Nederlands (taal) *also* **Dutch**

ne′tiquette netiket (internet)

net′ting netwerk, gaas; **~ wire** ogiesdraad, sifdraad

net′tle (n) brandnetel/brandnekel; *be on ~s* op hete kole sit; (v) (iem.) kwaad maak, vererg; prikkel; **~ rash** netelroos

net′work (n) netwerk; **~ing** netwerking

neural′gia senu(wee)pyn, gesigspyn, sinkings

neuri′tis senuontsteking, neuritis

neurol′ogy (n) neurologie (med.); senuleer

neuro′path neuropaat, senulyer

neuro′sis neurose, senustoring

neurot′ic (n) senulyer (persoon); (a) neuroties *also* **maladjus′ted**

neut′er (n) onsydige geslag; (a) onsydig; geslag‑loos; (v) kastreer, regmaak; spei (wyfiedier)

neu′tral (a) neutraal, onpartydig, onsydig; **~ity** neutraliteit; onpartydigheid, onsydigheid *also* **nonalign′ment**

neu′tron neutron; **~ bomb** neutronbom

nev′er nooit, nimmer; *well, I ~!* my liewe tyd!; nou toe nou!; *~ ever* so nooit as te nimmer; *~ mind* toe maar/toemaar; dit maak nie saak nie;

~ *a word* geen stomme woord nie; **~more** nooit meer/weer nie; **~theless** nieteenstaande, nietemin *also* **notwithstan′ding**

new (a) nuut; vars; modern; onervare; ~ *to the business* nog onervare; ~ *generation cars* nuwe geslag motors; *turn over a ~ leaf* 'n nuwe begin maak; *a ~ student* 'n groene/ groentjie *also* **fresh′er/freshette′**; *the ~ year* die (hele) nuwe jaar; **~born** pasgebore; **~comer** nuweling, aankomeling; **~-fang′led** nuwerwets *also* **mod′ern, tren′dy**; **~laid** pasgelê, vars (eiers); **~ly** nuut; onlangs; **~ly** *appointed* pas aangestel(de); **~ly** *rich* pasryk

news (n) nuus, tyding, berig; *the latest ~* die jongste nuus; *that's ~ to me* die eerste wat ek daarvan hoor; **~a′gent** nuusagent; **~cast/~= bul′letin** nuus (radio, TV); ~ **co′verage** nuusdekking; **~flash** flitsberig (radio); **~group** nuusgroep, gespreksgroep, diskussiegroep (in= ternet) *also* **chat group;** **~let′ter** nuusbrief; ~ **me′dia** nuusmedia; **~pa′per** koerant, nuus= blad; **~pa′pers** die pers(wese) *also* **the press, me′dia**

new′speak (n) nuwe politieke retoriek, magheb= bertaal

news ven′dor koerantverkoper

New Tes′tament Nuwe Testament (Bybel)

New Year′ Nuwejaar; **~'s Day** Nuwejaarsdag (vakansie, 1 Januarie); **~'s Eve** Oujaarsaand; **~'s mes′sage** Nuwejaarsboodskap; **~'s resolu′= tion** Nuwejaarsvoorneme

New Zea′land Nieu-Seeland; **~er** (n) Nieu-See= lander (persoon)

next (n) (die) volgende; (a) volgende, eersvol= gende, aanstaande; naaste, langsaan; ~ *Tues= day* aanstaande/eerskomende/volgende Dinsdag; ~ *best* die naasbeste; op een na die beste; ~ *door* langsaan; ~ *month* eerskomende maand; ~ *of kin* naasbestaande(s); ~ *to nothing* so goed as niks; ~ *time* die volgende keer; (adv) daarna; ~ *to* langs(aan); neffens, naas; *what ~?* wat gaan nou gebeur?; (prep) langsaan, naasaan

nex′us verbinding, skakeling *also* **link, tie**

nib (n) pen(punt)

nib′ble (n) geknaag; (v) knaag *also* **gnaw;** peusel

nib′bling geknabbel, gepeusel

nice (a) lekker; gaaf *also* **plea′sant, agree′able; cool** (slang); lief; oulik; netelig, ingewikkeld; **~/delicate distinction** fyn onderskeid; ~ *mess* mooi gemors

ni′cety fynheid, noukeurigheid; kieskeurigheid; lekkerny; *to a ~* uiters noukeurig, eksieper= feksie

niche (n) nis (muurholte) *also* **al′cove;** hoekie (in die son); *she found her ~* sy het haar nis/hoekie gevind (bv. 'n werk waarin sy haar kan uitleef); ~ **publica′tion** nispublikasie

Nick: *old* ~ die duiwel, satan; mammon

nick (n) kerf; stippie; *in the* ~ *of time* op d[ie] nippertjie; net betyds; (v) inkerf; net-net tre[f]; gaps, skaai *also* **pinch, pil′fer**

nic′kel nikkel; **~-plated** vernikkel

nick: **~name** bynaam; **~named** bygenaam= **~stick** kerfstok *also* **tal′ly (stick)** (for notche[s])

nic′otine (n) nikotien

niece nig(gie); susterskind, broerskind

nig′gard (n) gierigaard *also* **mi′ser;** (a) suini[g] vrekkerig, inhalig; **~liness** inhaligheid, he[b]= sug, gierigheid, vrekkerigheid; **~ly** inhali[g] gierig; krenterig

nig′gle (v) neul, sanik, seur *also* **nag, fus[s] both′er; ~r** (n) neulpot, sanikpot, kermkous[?]

nig′gling (n) gesanik, geneul, vittery; (a) vitteri[g] neulerig *also* **fus′sy**

night nag; aand; *all* ~ die hele nag; *at* ~ saar[?] snags; *by* ~ snags; *good* ~ goeienag; nags[?] *last* ~ gisteraand; *make a* ~ *of it* laat deurlo[e]= dag(breek) toe; *spend the* ~ oornag; oorslaa[p] ~ **ad′der** nagadder; **~cap** slaapmus; slaapdo[p] aandsnapsie; **~cloth′es** slaapklere; **~cl[ub]** nagklub; **~dress** nagrok, naghemp; **~fa[ll]** aandskemering, sononder

night′ingale nagtegaal (voël)

night: **~ly** nagtelik, snags; **~mare** nagmerrie; quar′ters** nagverblyf; **~shift** nagskof; ~ **wat[ch]** nagwag

ni′hilism nihilisme (filosofie van verwerping v[an] beginsels)

nil nul, zero; niks *also* **naught, ze′ro**

nim′ble (a) lenig, vinnig, rats *also* **a′gile; ~ne[ss]** ratsheid, lenigheid

nim′bus reënwolk; stralekrans, nimbus *al[so]* **coro′na**

nincompoop′ (n) (ou) twak/nikswerd (persoo[n]) *also* **sim′pleton, nit′wit, block′head**

nine nege; **~pins** kegels (spel); **~teen** negenti[en] **~teenth** negentiende; **~teenth hole** (jo[?]= gholfklubkroeg; **~ties** die negentiger jare, [?] negentigs; **~tieth** negentigste; **~ty** negentig

ninth negende

nip[1] (n) byt; knyp; steek; *a ~ in the air* 'n sker[p] bytende luggie; (v) byt; knyp; ~ *in the bud* die kiem smoor

nip[2] (n) snapsie, sopie; (v) klein slukkies ge[?] nip

nip′per knyper *also* **pin′cers;** knapie, pikk[ie] tjokker(tjie), snuiter (seun); **~s** knyptar[?] knypbril *also* **pince-nez**

nip′ple tepel (mens); speen (dier); nippel (g[?] weer)

nip′py bytend, bitsig, skerp; rats, gou

nirva′na nirwana, heiltoestand, sewende hem[?]

ni′trate (n) nitraat (salpetersuursout)

ni′tric salpeter=, salpeteragtig

ni′trogen stikstof, nitrogeen

t'ty-grit'ty (n) die fyner/delikater besonder=
hede (van 'n saak)

t'wit (n) domkop, uilskuiken, mamparra *also*
half'wit, nincompoop' (person)

x^1 (n) watergees (manlik); **~ie/~y** watergees
(vroulik)

x^2 (infml., mainly US) niks

co'si Sikelel' iA'frika God, seën Afrika (SA
volkslied)

• (n) **-es** nee; weiering; teenstem; *the ~es/nays
have it* die voorstel is verwerp; (a) geen, g'n; ~
one niemand; ~ *admittance* toegang verbo=
de/belet; ~ *parking* geen parkering (nie); *to ~
purpose* tevergeefs; *in ~ time* gou, in 'n
kits/japtrap; tjop-tjop (omgangst.); *of ~ use*
van geen waarde nie; ~ *sooner said than done*
so gesê, so gedaan;

•b^1 (n) knop; kop

b^2 (slang) (n) hoë meneer, groot kokkedoor;
windmaker *also* **big shot**

bil'ity adel, adeldom *also* **aristoc'racy;** ~ *of
mind/soul* sieleadel

'ble (n) edelman; (a) edel; grootmoedig;
adellik *also* **high-born; ~man** edelman, ka=
valier; **~-min'ded** edelmoedig, grootmoedig;
~ness grootmoedigheid *also* **chiv'alry**

'body niemand

ctam'bulist slaapwandelaar *also* **somnam'=
bulist, sleep'walker**

ctur'nal nagtelik, nag= see **diur'nal**

c'turne (n) naglied, nokturne

d (n) knik; wenk/wink; *getting the ~* die
goedkeuring/jawoord kry; (v) knik; **~ding
acquaintance** oppervlakkige kennis (persoon);
iem. op 'n afstand ken

de (n) knoes; kwas; knoop

d'ular (a) kwasterig, knoesterig; knopperig

d'ule klontjie, knoesie, knoppie

ise (n) geraas, lawaai, rumoer; *make a ~*
lawaai maak; *make much ~* rinkink, baljaar;
(v) raas; rondstrooi, uitbasuin; **big ~/shot**
groot kokkedoor (persoon); ~ **abate'ment**
geraasbestryding; **~less** stil, geruisloos

i'sy (a) luidrugtig, rumoerig, lawaaierig *also*
bois'terous, vocif'erous

'mad swerwer, nomade *also* **wan'derer, drif'=
ter, ro'ver**

mad'ic swerwend, rondtrekkend, nomadies

-man's-land niemandsland

m de plume' skuilnaam, skryfnaam *also* **pen
name**

men'clature benaming; titulatuur (betiteling
v. persoon)

m'inal (a) in naam, nominaal; naamwoordelik;
~ *rent* uiters lae huur; ~ **val'ue** nominale waarde

m'inate (v) benoem, nomineer; vasstel, be=
paal; ~ *a candidate* 'n kandidaat voor=
stel/benoem/nomineer

nomina'tion benoeming, nominasie

nom'inator voorsteller; noemer (van breuk)

nominee' benoemde, genomineerde; voorge=
stelde (persoon) *also* **can'didate**

nonactiv'ity (n) nie-aktiwiteit

non'agon negehoek

nonaggres'sion pact nieaanvalsverdrag

nonalign'ed onverbonde/neutrale (land) *also*
neu'tral

non'ary (n) negetal; (a) negetallig

nonattend'ance niebywoning; nieverskyning

non'chalant (a) onverskillig, ongeërg, noncha=
lant *also* **ai'ry, cas'ual**

noncommis'sioned of'ficer onderoffisier

noncommit'tal niebindend, ontwykend (ant=
woord) *also* **discreet', circumspect'**

noncompli'ance nienakoming, weiering

nonconduc'tor niegeleier (elektr.)

nonconfor'mist (n) nonkonformis *also* **mav'=
erick, dissent'er** (person); afgeskeidene

non'descript (a) niebeskryfbaar; onbeduidend

none (a) niks, geen; (pron) geeneen, niemand;
(adv) niks; ~ *too soon* net betyds; glad nie te
gou nie; *be ~ the wiser* nog net so in die
duister; *this ~ of your business* dit (t)raak jou
nie; ~ *the worse for* glad nie slegter daaraan
toe nie; ongedeerd (na 'n ongeluk) *also* **un=
harmed'**

nonen'tity (n) nonentiteit, niksbeduidende mens

none'theless nietemin, nieteenstaande, nogtans
also **never'theless**

nonfic'tion (n) niefiksie; feiteboeke

nonmem'ber nielid

nonpay'ment niebetaling, wanbetaling *also*
default'

nonplus' (v) in die war bring; **~sed** (a)
dronkgeslaan, verwar *also* **baf'fled, perplex'=
ed**

nonprof'it underta'king onderneming sonder
winsoogmerk/winsbejag

nonra'cial (a) nierassig; nierassisties *see*
multira'cial

nonreturn': ~ *valve* eenvloeiklep, terugslagklep

non'sense onsin, nonsens/nonsies, bog, kaf,
twak, malligheid *also* **trash, rub'bish, twad'=
dle, tripe, bulldust**

nonsen'sical (a) verspot, onsinnig, gek

nonstar'ter (n) niedeelnemer (persoon, bv. in
wedloop; perd in wedren); iets/iem. wat geen
kans (op sukses) het nie

non'stop deurlopend, ononderbroke *also* **end'=
less;** ~ *dance* langasemdans

nontax'able niebelasbaar *also* **tax'free**

nook hoek(ie), plekkie *also* **al'cove, cav'ity**

noon middag, twaalfuur; **~tide** middaguur, noen

noose (n) strop; galgtou; lus, strik; (v) knoop;
vang; strik; **hang'man's ~** galgtou

nor ook nie, nóg; **neither ... nor ...** nóg ... nóg ...

norm (n) norm, standaard, maatstaf, rigsnoer *also* **crite'rion**

nor'mal normaal; **~ly** normaalweg; deurgaans

north (n) noord; die noorde; *due* ~ reg noord; ~ *of* noord van; (a) noord=; noordelik; (adv) noordwaarts; **~east** noordoos; **~erly** noordelik; **~ern** noordelik, noord=

Nor'thern Cape Noord-Kaap (provinsie)

Nor'thern Prov'ince Noordelike Provinsie *nou* Limpopo (provinsie)

Nor'thern Transvaal' Noord-Transvaal *kyk* **Nor'thern Prov'ince**

North-West' Noordwes (provinsie)

northwest' noordwes; **~er** noordwestewind

Nor'way Noorweë (land); **Norwe'gian** (n) Noor(weër) (persoon); (a) Noors(e) (gebruike, ens.)

nose (n) neus; reuk; *blow your* ~ snuit jou neus; *make s.o. pay through the* ~ iem. die vel oor die ore trek; *poke one's* ~ *into* jou neus insteek; *under his* ~ vlak voor hom; (v) ruik; snuffel; **~dive** (n) duikvlug; (v) neusduik; **~ traf'fic** buffer-teen-buffer-verkeer

nos'tril neusgat

no'sy par'ker (infml.) nuuskierige agie, be= moeial *also* **busy'body, snoo'per**

not nie; g'n; ~ *at all* glad nie; ~ *transferable* nie oordraagbaar (tjek); ~ *yet* nog nie

notabil'ity (sosiaal) vooraanstaande persoon; hooggeplaaste (persoon); hoogwaardigheids= bekleër *also* **celeb'rity, dig'nitary**

no'table (n) vername/hooggeplaaste persoon; (a) merkwaardig *also* **conspic'uous**

nota'rial notarieel; ~ **bond** notariële verband (regsdokument)

no'tary notaris (persoon)

nota'tion aantekening, notasie; noteskrif

notch (n) kerf, keep; (v) kerf; opskryf, aanteken; uitkeep; ~ **stick** kerfstok *also* **nick'stick**

note (n) aantekening; nota; noot (geld; mus.); *make a mental* ~ *of* dit in jou oor knoop; *make* ~*s* aantekeninge maak; *a man of* ~ iem. van aansien; *take* ~ *of* kennis/notisie neem van; (v) oplet; let wel; aanteken, opskrywe/opskryf; opmerk; **~book** aantekeningboek; **~book com= puter** notaboekrekenaar; **~d** beroemd, ver= maard; **~pad** notablok; **~pa'per** skryfpapier, briefpapier; **~wor'thy** merkwaardig, opmerk= lik *also* **remar'kable, stri'king**

noth'ing niks, glad nie; nul; ~ *at all* glad niks nie; *come to* ~ misluk; ~ *less than* niks minder nie as; *next to* ~ so goed as niks; ~ *to speak of* onbenullig; niks besonders; ~ *like trying* aanhouer wen; ~ *ventured* ~ *done* wie nie waag nie, sal nie wen nie

no'tice (n) aandag; kennis(gewing); bekendma= king, aankondiging; berig; ~ *calling the meet=*

ing byeenroepende kennisgewing; *escap* *one's* ~ nie raaksien nie; onopgemerk bly *until further* ~ tot nader/verdere kennisg wing; *give* ~ kennis gee; ~ *is hereby give* kennis geskied hiermee (van 'n vergadering *at short* ~ op kort kennisgewing; (v) opmer bemerk; oplet; bespreek; aankondig; **~ab** merkbaar; ~ **board** kennisgewingbord *al* **bul'letin board**

notifia'ble (a) aanmeldbaar; ~ **disease'** aanmel bare siekte

notifica'tion (n) bekendmaking, aankondigin kennisgewing *also* **advice'**

no'tify (v) kennis gee, meedeel, aankondi verwittig *also* **advi'se;** aangee, aanmel (siekte)

no'tion denkbeeld, idee; benul; begrip; opva ting, voorstelling; *have no* ~/*idea of* glad gee idee/benul hê nie van

notor'ious (a) berug; wêreldkundig *also* **in famous, disrep'utable;** ~ *for* berug vir

notwithstand'ing nieteenstaande, desnietee staande, nietemin, ondanks, tog *also* **neve theless';** *this* ~ ten spyte hiervan

nou'gat (n) noga (lekkers)

nought niks, nul *also* **ze'ro** *see* **naught; ~s an crosses** nulletjies-en-kruisies, tik-tak-tol (sp letjie) *also* **tick-tack-toe**

noun (n) selfstandige naamwoord, nomen

nou'rish (v) voed, koester *also* **nur'ture; ~in** (a) voedsaam, voedend *also* **nutrit'iou ~ment** voedsel, voeding, voedingskrag

nov'el[1] (n) roman (boek)

nov'el[2] (a) nuut, modern *also* **new, tren'd** ongewoon *also* **unfami'liar;** innoverend *al* **in'novating**

nov'el: ~ette' (n) novelle *also* **novel'la; ~i** romanskrywer (albei geslagte), romansier

nov'elty nuutheid; nuwigheid; (pl) snuistery fantasieware

Novem'ber November

nov'ice nuweling (persoon) *also* **begin'ne new'comer;** groentjie, groenkop *see* **fresh'e** beginner; leek *also* **lay'man**

now (n) hede, teenswoordige; *before* ~ tevo vroeër; (adv) nou, tans, teenswoordig; ~ *an again* af en toe; *every* ~ *and then* telkens; ~ *never* nou of nooit; ~ *and then* af en toe; n en dan; partykeer; ~ *then* toe nou; (conj) no ~ *that* noudat; **~adays** teenswoordig, deesda **no'ways/no'wise** (infml.) geensins, glad/ho genaamd nie

no'where nêrens; ~ *near* glad nie naby nie

nox'ious skadelik, verderflik; ~ **weed** skadeli onkruid

noz'zle (n) nossel, sproeipyp (waterleiding spuitkop; tuit

nu'ance nuanse, skakering; graad

nu'bile (a) hubaar, troubaar (vrou) *also* **mar'riageable;** seksueel aantreklik

nu'clear (a) kern= *also* **nuke** (Am. slang); ~ **deb'ris** kernafval; kernoorskot; ~ **fall-out** kern-as; ~ **fis'sion** kernsplyting, kernsplitsing; ~ **phy'sics** kernfisika; ~ **reac'tion** kernreaksie; ~ **war** kernoorlog; ~ **waste** kernafval; ~ **wea'pons** kernwapens

nuc'leus (n) **nuclei** kern, nukleus; pit *also* **co're**

nude (n) naakfiguur; naakte (persoon); (a) kaal, naak, bloot; ~ **ba'ther** kaal(bas)swemmer, kaalbaaier; ~ **pho'to(graph)** naakfoto; ~ **show/perfor'mance** kaalbasvertoning

nudge (v) stamp, stoot *also* **prod**

nu'dism nudisme; naaklopery

nu'dist nudis, naakloper, kaalbas (persoon); **nu'dity** naaktheid

nug'get klont; **gold** ~ goudklont

nuis'ance oorlas, ergernis; plaag; laspos; *he is a regular* ~ hy is 'n ware laspos; ~ **val'ue** irritasiewaarde; steurfaktor

null nikswerd, nietig; ongeldig; kragteloos; ~ *and void* van nul en gener waarde ('n kontrak); **~ifica'tion** ongeldigverklaring; vernietiging; **~ify** ongeldig verklaar; vernietig *also* **quash, rescind'**

numb (a) gevoelloos, verkluim (van koue)

num'ber (n) nommer; aflewering (blad); getal, aantal; klomp; *one of our* ~ een van ons (geledere); *his* ~ *goes up* dis klaar(praat) met hom; sy doppie het geklap; *without* ~ sonder tal; *get the wrong* ~ die verkeerde nommer skakel (telefoon); (v) nommer; tel, reken *also* **com'pute;** **~less** ontelbaar, talloos *also* **count'less;** **~plate** nommerplaat

nu'meracy (n) syfervaardigheid, gesyferdheid *see* **lit'eracy**

nu'meral telwoord; syfer

nu'merate (v) opsom, tel *see* **enu'merate**

nu'merator teller (wisk.)

numer'ical numeriek, getal=; *~ly stronger* getal= sterker; ~ **or'der** getal(s)orde

nu'merous (a) talryk, baie *also* **abun'dant;** ~ *family* groot huisgesin

numismat'ics muntkunde, numismatiek

num'skull dwaas, domkop, uilskuiken (persoon) *also* **fool, id'iot, dunce**

nun non; **~nery** nonneklooster *see* **mon'astery** (for monks)

nup'tial (a) huweliks=, bruilofs=; ~ **cer'emony** trouplegtigheid; **~s** bruilof, huweliksfees

nurd = **nerd**

nurse (n) verpleegkundige (manlik of vroulik); verpleegster; kinderoppasser; (v) verpleeg, op= pas; soog; kweek (plante); bewaar; opspaar (geld); ~ *a grievance* 'n grief koester; ~ *a secret* 'n geheim sorgvuldig bewaar; **~maid** kinder= meisie; **male** ~ verpleër, verpleegkundige

nurs'ery kinderkamer; babasaal (in hospitaal); kwekery; ~ **rhyme** kleuterversie, kinderversie; ~ **school** kleuterskool *also* **pre-pri'mary school**

nurs'ing verpleging; verpleegkunde; ~ **home** ver= pleeginrigting; ~ **ser'vices** verpleegdienste; ~ **sis'ter** verpleegsuster; ~ **staff** verpleegpersoneel

nur'ture (n) voeding *also* **nourish'ment;** (v) voed, grootmaak

nut[1] (n) neut; mal vent, malkop (persoon); *a hard* ~ *to crack* 'n moeilike taak; *an old* ~ 'n ou kalant; **~crack'er** neut(e)kraker; **~grass** uintjies; **~meg** neutmuskaat

nut[2] (n) moer (van skroef)

nutri'tion voeding, kos; voedingsleer (vak)

nutri'tious voedsaam *also* **nou'rishing**

nut'shell neutedop; *in a* ~ baie beknop, kort en saaklik

nut'ty (a) prikkelend; pikant; mallerig; verlief, beenaf

nymph (n) nimf; **~et** (n) sekskatjie, wulpse mei= sie; **~oma'niac** (n) nimfomaan, seksbehepte vrou; (a) mansiek

O

oaf (n) lomperd, lummel, swaap, *also* **dunce, lout, trash** (person)

oak (n) eikeboom, akkerboom; eikehout; (a) eike=, akker=; ~ **table** eikehouttafel; ~ **tree** eikeboom, akkerboom; ~ **wood** eikehout

oar (n) roeispaan; roeiriem; ~s'man roeier

oa'sis (n) oases oase (waterkol in woestyn) *also* ha'ven, sanc'tuary (fig.)

oath eed *also* vow, pledge; vloek; ~ of allegiance eed van getrouheid; on ~ onder eed; take the ~ ~ die eed sweer/aflê; ~ brea'king meineed *also* per'jury

oat: ~meal hawermeel; ~meal porridge hawermoutpap; ~s hawer

ob'durate koppig, hardnekkig, halsstarrig *also* stub'born, ob'stinate

obe'dience gehoorsaamheid *also* obser'vance

obe'dient gehoorsaam, dienswillig; your ~ servant u dienswillige dienaar (veroud.)

ob'elisk gedenknaald, obelisk

obese' (a) vet(sugtig), dik, geset, swaarlywig; oorgewig *also* o'verweight

obes'ity (n) vetsug; obesiteit; gesetheid; oorgewig(toestand)

obey' (v) gehoorsaam; luister na; ~ traffic rules verkeersreëls eerbiedig/gehoorsaam

obit'uary (n) doodsberig; sterflys

ob'ject¹ (n) voorwerp; doel, oogmerk; bedoeling; plan; ~ in life lewensdoel; money is no ~ geld is bysaak

object'² (v) beswaar maak, teenkap, teenwerp, objekteer *also* oppose'; ~ion (n) beswaar, objeksie; raise ~ions besware opper; ~ionable (a) aanstootlik, laakbaar; afkeurenswaardig

ob'jective (n) doel, doelstelling; doelwit; (a) objektief *also* impar'tial, unbi'ased; aims and ~s doelstellings; man'agement by ~s (MBO) doelwitbestuur

objectiv'ity objektiwiteit *also* impartial'ity

ob'ject lesson aanskouingsles; sprekende voorbeeld

object'or teenspreker; beswaarmaker; conscien= tious ~ gewetensbeswaarde (persoon)

obliga'tion (n) verpligting *also* commit'ment; verband, obligasie; be under an ~ verplig wees om/aan; without (any) ~ sonder verpligting

oblig'atory (a) verpligtend *also* manda'tory

oblige' (v) verplig; diens bewys; dwing, noodsaak; feel ~d gedwonge/verplig voel; much ~d baie dankie; hartlike dank

obli'ging (a) diensvaardig, vriendelik *also* help'= ful, wil'ling, consid'erate

oblique' (a) skeef, skuins; indirek; sydelings; afwykend; ~ an'gle skewe hoek

oblit'erate (v) doodvee, uitwis, skrap, uitkra[p] vernietig *also* erad'icate, expunge'

obliv'ion vergetelheid *also* obscu'rity; fall into in (die) vergetelheid raak

obliv'ious vergeetagtig *also* neg'ligent; ~ onbewus van

ob'long (n) reghoek; (a) langwerpig

obnox'ious skadelik, nadelig; aanstootlik *als* unplea'sant, offen'sive; harm'ful

o'boe hobo (musiekinstrument)

o'boist hobospeler

obscene' (a) onwelvoeglik, sedeloos, liederli[k] obseen *also* pornograph'ic

obscure' (v) verduister; oorskadu; verberg; (duister, onbekend; verborge; onduidelik; glass matglas *also* fros'ted glass

obscu'rity (n) duisterheid; onduidelikheid; o bekendheid; live in ~ stil/onbekend lewe

ob'sequies (n, pl, used in sing) begrafni[s] roudiens *also* memo'rial service; uitvaa[rt] lykstasie; lykdiens

obse'quious (a) slaafs, gedwee, onderdani[g] oorgediensstig; ~ness kruiperigheid

obser'vance waarneming; viering; nakomin[g] Sunday ~ Sondagsheiliging

obser'vant (a) oplettend *also* atten'tive

observa'tion opmerking; waarneming; vierin[g] nakoming; ~ post observasiepos; ~ to'w[er] uitkyktoring

obser'vatory sterrewag, observatorium

observe' (v) waarneem; bemerk; opmerk; notee[r] nakom; vier, hou; bewaar; ~ the law die w[et] eerbiedig; ~ silence stilbly; ~r waarnemer

obsessed' vol van; gepla deur; besete; be ~ wi[t] besete wees van; behep wees met

obses'sion (n) obsessie, kwelling, manie *al* hang-up, com'plex, fixa'tion

obsoles'cence veroudering; planned ~ beplan[de] veroudering

obsolete' (a) verouder(d), uitgedien *also* outmo[ded] ed, extinct; in onbruik

ob'stacle beletsel, belemmering *also* obstru[c] tion; hinderpaal; ~ race hindernis(wed)ren

obstetri'cian verloskundige (med. spesialis)

obstet'rics verloskunde, obstetrie

ob'stinate (a) koppig, hardkoppig, hardnekki[g] steeks *also* stub'born, head'strong

obstrep'erous weerspannig; opstandig *als* unru'ly, ri'otous; woelig; luidrugtig

obstruct' (v) verhinder; belemmer; verspe[r] teenhou; ~ion belemmering, versperring; ve[r] stopping; haakplek; ~ive (a) belemmeren[d] versperrend; dwarstrekkerig; obstruktief

obtain' (v) verkry, kry; in gebruik wees; bestaa[n] heers; geld; ~able verkry(g)baar

btru′sive (a) opdringerig, bemoeisiek *also* **interfe′ring, med′dling, push′y**

btuse′ stomp; bot; onnosel; ~ **an′gle** stomp hoek; **~ness** stompheid; domheid

b′verse (n) voorkant; bokant; ander kant; voorsy, omgekeerde; (a) omgekeer

b′viate (v) voorkom, vermy, verhoed, onder= vang; ontseil; uit die weg ruim

b′vious duidelik, klaarblyklik; voor die hand liggend; vanselfsprekend; *it is ~ that* dit spreek vanself dat; *for ~ reasons* om verklaarbare/ geldige redes; uiteraard

cari′na okarina (musiekinstrumentjie)

ceana′rium (n) oseanarium *see* **aqua′rium**

cca′sion (n) geleentheid *also* **opportu′nity;** okkasie *also* **celebra′tion;** geselligheid; pleg= tigheid; aanleiding; rede, oorsaak; behoefte; *rise to the ~* jou uitstekend kwyt van; *on the ~ of* by geleentheid van; (v) veroorsaak, te= weegbring; aanleiding gee tot; **~al** toevallig, af en toe, geleentheids=; **~ally** af en toe *also* **periodi′cally, at inter′vals**

c′cident Weste; *the ~* die Aandland/Weste

c′ciput agterhoof, agterkop

ccult′ (a) geheim, verborge; okkult; misties; **~ism** (n) okkultisme

c′cupancy (n) inbesitneming; bewoning; ~ **rate** besettingsyfer (hotelkamers)

c′cupant bewoner (van 'n huis); insittende (in 'n motor)

ccupa′tion beroep, okkupasie; ambag, bedryf; besetting (van 'n land, van grond); *by ~* van beroep; **~al disease′** beroepsiekte; **~al haz′ard** beroepsrisiko; **~al rent** verblyfhuur, okkupa= siehuur; **~al ther′apy** arbeidsterapie

c′cupied besig *also* **enga′ged;** beset; bewoon

c′cupier bewoner, huurder, okkupeerder

c′cupy besit; bewoon, okkupeer; beset; beklee (pos, amp); besig hou; inneem; *be occupied with* besig wees met

ccur′ (v) voorkom, voorval, gebeur, byval; *it ~red to me* dit het my bygeval; **~rence** voorval, gebeurtenis, gebeure *also* **in′cident, hap′pening;** aanwesigheid, voorkoms

cean oseaan; **~og′raphy** oseanografie, seebe= skrywing; ~ **tramp** vragsoeker (skip)

ch′re oker, geelklei

′clock′ op die klok; *it is ten ~* dis tienuur

c′tagon agthoek; **~al** agthoekig

ctane′ oktaan (koolwaterstof in petrol)

c′tave oktaaf (mus.)

′ctob′er Oktober

ctogena′rian tagtigjarige (persoon)

c′topus seekat, oktopus

c′ular (n) oogglas; (a) oog=, gesig=

c′ulist oogarts, oogkundige; oftalmoloog

dd onewe (getal), ongelyk; onpaar; koddig, sonderling *also* **cu′rious;** ~ *and even* gelyk en ongelyk; *fifty ~* 'n rapsie oor vyftig; ~ *gloves* onpas handskoene; ~ *jobs* loswerkies; stuk= werk; skropwerk; ~ *moments* ledige oom= blikke; ~ *times* so af en toe; **~-col′oured** bont; **~ity** sonderlingheid, koddigheid; **~ly** snaaks, koddig; **~ments** oorskietsels, afvalstukke *see* **re′jects**

odds ongelykheid *also* **dispar′ity;** verskil; voor= gee; oormag; kans; wedprys; waarskynlikheid *also* **probabil′ity;** *the ~ are* die kans bestaan; *be at ~* haaks wees met mekaar *also: at loggerheads;* ~ *and ends* stukkies en brokkies; *fight against ~* teen die oormag stry

ode (n) ode, lofsang, lofdig

od′ious (a) haatlik, verfoeilik, walglik

od′ium haat; vyandskap; afkeer; blaam

odom′eter (n) afstandmeter, odometer; mylmeter

odontol′ogist odontoloog (tandspesialis)

odorif′erous/o′dorous geurig, welriekend *also* **fra′grant, sweet-smel′ling**

o′dour geur, reuk *also* **aro′ma;** *be in bad ~* in slegte reuk staan (fig.); **~less** reukloos

oesoph′agus (n) slukderm, esofagus

of van; uit; aan; *she ~ all people* dat dit juis sy moet wees; *all ~ a sudden* meteens; *the city ~ Durban* die stad Durban; ~ *late* in die jongste tyd; *late ~* voorheen van; ~ *necessity* nood= saaklikerwys; ~ *right* na regte

off (a) ander; regter=, haar= (perd of os); *on the ~ chance* met die (skrale) hoop; ~ *the* cuff uit die vuis (onvoorbereide toespraak) *also* **im= promp′tu;** *the ~ season* die slap tyd (vir nuusmedia); (adv) af, weg; ver; vandaan; van; *be ~* vertrek; wegspring; *be ~!* maak dat jy wegkom!; *hands ~!* hande tuis!; *take ~* wegneem; opstyg; *be well ~* welgesteld/ vermoënd wees *also* **af′fluent;** (prep) van, van . . . af; ~ *Church Street* uit Kerkstraat; ~ *duty* vry, van diens af; ~ *the record* onoffisieel, nie-amptelik

of′fal (n) afval (vleisgereg); oorskiet

off′-chance moontlikheid; geringe kans; vir geval

off-col′our kroes, olik, oes, siekerig; van stryk af *also* **off-form**

off-course (a) buitebaan (totalisator)

off′-cut afvalstuk

offence′ (n) oortreding, misdryf; aanstoot, bele= diging; struikelblok; *take ~ (to a remark)* aanstoot neem; kwalik neem; *no ~ was meant* geen kwaad is bedoel nie

offend′ (v) beledig, aanstoot gee; in die gesig vat *also* **provoke′;** **~ed** beledig, gekrenk; *easily ~ed* liggeraak; **~er** oortreder, misdadiger *also* **wrong′doer, per′petrator**

offen′sive (n) aanval, offensief; (a) beledigend, aanstootlik

of′fer (n) aanbod, aanbieding; bod; (v) aanbied,

bied; offer; ~ *an apology* verskoning maak;
~ing offerande; **~tory** offergebed; offerande;
kollekte

off´-hand (a) kortaf, hooghartig *also* **aloof´;**
ongeërg; (adv) kortaf; prontweg

of´fice kantoor; amp, diens; **~-bea´rer** amps=
draer; ampsbekleër *see* **of´ficer**

of´ficer offisier; amptenaar, beampte *also* **func´=
tionary, offi´cial**

of´fice: ~ **staff** kantoorpersoneel *also* **staff(ers);**
~ **work** kantoorwerk

offi´cial (n) amptenaar; ampsbekleër; beampte
(polisie, ens.); (a) amptelik, offisieel, amps=; ~
car ampsmotor; **~dom** amptenary; **~ese** (joc.)
amptenaraans (skerts); ~ **let´ter** amptelike
brief; diensbrief; ~ **or´gan** lyfblad (van
organisasie); spreekbuis *also* **mouth´piece**

offi´ciate (v) 'n diens lei (kerk); optree; 'n pos
beklee; ~ *as* optree/fungeer as

offi´cious (a) bemoeisiek, offisieus *also* **self-
impor´tant**

of´fing (n) (die sigbare) oop see; *in the* ~ in die
verskiet, aan die kom *also* **im´minent**

of´fish (infml.) (a) uit die hoogte, neusoptrekkerig

off´-peak afspits=; ~ **traf´fic** slapverkeer, afspits=
verkeer

off-line ongekoppel, afgeskakel (rek.)

off´-load (v) aflaai *also* **un´load**

off: **~-ramp** afrit, uitrit (verkeer) *see* **on-ramp;**
~-road ra´cing veldrenne; **~-sales** buitever=
kope, buiteverbruik (drank); **~-season** buite=
seisoen(s); **~set** (n) teenrekening *also*
coun´terbalance; verrekening, vergoeding;
(v) opweeg teen; verreken (teen); goedmaak;
neutraliseer; **~shoot** loot, suier, uitspruitsel,
tak; **~shore** aflandig, seewaarts; **~shore
invest´ment** buitelandse belegging; **~shore
wind** aflandige wind, seewaartse wind; **~side**
onkant (sport); **~spring** kroos, spruite, nasate,
nakomelingskap *also* **is´sue; ~-street par´king**
buitenstraatse parkering, terreinparkering;
~-white naaswit

of´ten dikwels, baiemaal, baiekeer

o´gle (n) lonk; (v) wink, ogies maak, oogknip

o´gre (n) skrikbeeld; paaiboelie, weerwolf *also*
bug´bear, spec´tre

oh! o!; ag!; og!; ~ *well* nou ja

oil (n) olie; *strike* ~ 'n oliebron ontdek; 'n fortuin
maak; (v) olie (gee); ~*/grease s.o.'s hands*
iem. omkoop; **~cloth** oliekleedjie; ~ **col´our**
olieverf; ~ **consump´tion** olieverbruik; ~
drum oliekonka; **~field** olieveld; ~ **pipe´line**
oliepyp(leiding); ~ **pain´ting** olieverfskildery;
~ **rig** olieboor(toring); **~skin** oliejas; ~
slick/patch olieslik, oliekol, ~ **spill(age)**
oliestorting; **~stone** oliesteen, slypsteen; ~
stove paraffienstoof; ~ **tan´ker** olietenkskip;
olietenkwa; **~y** olieagtig; olierig

oint´ment salf, smeergoed

oka´pi boskameelperd, okapi (antiloop)

okay´ (infml.) oukei (omgangst.); in orde; in die
haak *also* **O.K.**

oke (infml.) (n) 'n ou, kêrel, (mv) ouens *also*
blokes, guys

old (a) oud, ou; geslepe, slim; ouderwets; *as* ~ *as
the hills* so oud soos die Kaapse wapad; *of* ~
vanouds, vanmelewe; ~ **age** ouderdom; **~-age
pension** ouderdomspensioen; **~-age(d) home**
tehuis vir bejaardes, ouetehuis; **~en** oud,
vanmelewe; **~ie** outoppie (man, infml.);
~-fash´ioned ouderwets, oudmodies, outyds;
~ness oudheid, ouderdom; **~/ex pu´pil** oud=
leerling, oudleerder; ~ **school tie** oudleerling=
solidariteit; **O~ Tes´tament** Ou Testament
(Bybel); **~-ti´mer** veteraan, ringkop

olean´der selonsroos, oleander (blom)

olfac´tory: ~ **nerve** reuksenuwee

ol´igarchy (n) oligargie (regering deur klein
groepie/kliek)

ol´ive (n) olyf; olyfkleur; olyfboom; (a) olyf=
kleurig; ~ **branch** olyftak; ~ **col´our** olyfkleur;
~ **grove** olyfboord; ~ **oil** olyfolie; ~ **tree**
olyfboom

olym´piad olimpiade (tydperk van vier jaar)

Olym´pic Ga´mes Olimpiese Spele

om´budsman (n) ombudsman *also* **pub´lic
protec´tor** (in SA); burgerregtewaker

ome´ga omega, end, slot

om´elet (n) omelet, (eier)struif

o´men (n) voorteken *also* **fore´boding;** *bad/ill* ~
voorspooksel; (v) voorspel; aankondig

om´inous (a) onheilspellend, dreigend *also* **sin´=
ister, fate´ful; men´acing**

omis´sion (n) weglating; uitlating; versuim; *sins
of* ~ *and commission* sondes van doen en laat

omit´ (v) weglaat; uitlaat; versuim; vergeet,
nalaat *also* **overlook´**

om´nibus bus; ~ **book** versamelboek

omnifar´ious allerhande, allerlei, veelsoortig

omnip´otence almag, alvermoë *also* **divine
right**

omnip´otent almagtig, alvermoënd *also* **all-
po´werful**

omnipres´ence (n) alomteenwoordigheid

omnipres´ent alomteenwoordig

omniv´orous allesetend, allesverslindend; ~ **an´=
imal** omnivoor

on (a) aangeskakel; aan die gang/beurt; (adv)
aan, deur, op; verder; *off and* ~ af en toe;
(prep) op, in, aan, te, na, bo, met, teen; ~
account of as gevolg van, weens; ~ *no account*
hoegenaamd nie; ~ *account* op rekening; ~
board aan boord; ~ *business* met/vir sake; ~
call op roep (dokter); ~ *duty* op diens; ~ *foot* te
voet; ~ *form* op stryk; ~ *hand* in voorraad; ~
holiday met/op vakansie; ~ *my honour* op my

erewoord; ~ *purpose* opsetlik; ~ *the job training* indiensopleiding; ~ *the sly* stilletjies, agteraf; ~ *standby* op bystand; ~ *the spot* ter plaatse, byderhand; ~ *time* betyds, op tyd; ~ *the way* onderweg; *win ~ points* met punte wen (boks); *what is ~ tonight?* wat wys/vertoon vanaand (in die fliek)?; wat doen ons vanaand?

on'anism masturbasie, onanie *also* **masturba=tion**

once (n) een keer/maal (spesifiek); *for ~ he behaved himself* hierdie keer het hy hom gedra; (a) eenmaal, eens (op 'n tyd); vroeër, voormalig, eertyds; (adv) eendag, eenkeer, eens; ~ *again* nog 'n keer, weer eens/weereens, nog eens/nogeens, nogmaals; *all at ~* skielik; *at ~* dadelik; ~ *in a blue moon* baie selde; ~ *more* nog een keer; ~ *only* eenmalig; ~ *upon a time* eendag; ~ *or twice* een of twee maal/keer; ~ *in a while* so af en toe

on'coming (n) nadering; (a) naderend, aan=staande; ~/*approaching traffic* aankomende verkeer, teenverkeer

one (n) een; *go ~ better* iem. oortref; *I for ~* wat my betref; *little ~s* die kleintjies; ~ *more* nog een; (a) een, enigste; ~ *by* ~ een vir een; ~ *day* eenmaal/eendag; ~ *for the road* loopdop (drankie); *my ~ wish* my enigste wens; (pron) een; iemand, 'n mens; ~ *and all* almal; *every~* elkeen; **~-act play** eenbedryf, eenakter; **~-arm'ed ban'dit** dobbeloutomaat, slotma=sjien; **~-horse town** dooiedonkiedorp

o'nerous (a) swaar, drukkend (werk; verpligting) *also* **exac'ting, deman'ding**

oneself' homself, haarself; sigself, jouself

one'-sided eensydig

on'ion ui

on'line aanlyn, aangeskakel, ingeskakel (rek.)

on'looker toeskouer, aanskouer *also* **by'stander**

on'ly (a) enigste; *an ~ child* 'n enigste kind; *the ~ of its kind* enig in sy soort; (adv) alleen; slegs, maar net; *it is ~ fair* dis net billik; ~ *too glad* maar alte bly; *it is ~ right* dis nie meer as reg nie

onomas'tics (n) naamkunde, onomastiek

onomatopoeia' klanknabootsing, onomatopee

on'-ramp oprit, inrit (verkeer) *see* **off-ramp**

on'set begin; aanval; *the ~ of old age* die naderende ouderdom

on'shore aanlandig (wind)

on'slaught aanval, bestorming, stormloop *also* **assault', attack'**

o'nus (n) (no pl) (bewys)las; verpligting, ver=antwoordelikheid *also* **liabil'ity**; onus; *the ~ rests on/upon him* die onus rus op hom

on'ward voorwaarts, verder

on'yx oniks (halfedelsteen); ~ **mar'ble** oniks=marmer

oom'pah band oempa(pa)orkes, blaasorkes

ooze (n) slyk/slik; sug (wond); (v) syfer, sypel, syg

o'pal opaal (halfedelsteen)

opaque' ondeurskynend; donker; onduidelik *also* **clou'dy, mur'ky**

o'pen (n) ruimte; oopte; *in the ~* onder die blote hemel; (v) oopmaak; open (konferensie); oopgaan; inlei (onderwerp); oopstel; bloot lê; begin; (a, adv) oop, deursigtig; openhartig; blootgestel; ontvanklik; ~ *to conviction* vat=baar vir oortuiging; *keep ~ house* gasvry wees; *with an ~ mind* met 'n oop gemoed; ~ **air** buitelug; ~-*air museum* opelugmuseum; ~**cast** oopgroef (myn); ~ **day** ope/oop dag (vir besoekers); ~-**en'ded** oop; sonder beper=king(s); ~**er** inleier (debat); oopmaker, oopsnyer; ~-**ey'ed** met oop oë; waaksaam; ~-**han'ded** mededeelsaam, gulhartig, vrygewig *also* **gen'erous**; ~**ing** opening; begin; kans; ~**ing night** openingsaand, première; ~**ly** open=lik; ~-**min'ded** verlig *also* **enlight'ened**

op'era opera; ~ **cloak** operamantel; ~ **com'pany** operageselskap; ~ **glas'ses** toneelkyker; ~ **house** operagebou, operahuis

op'erate (v) werk; opereer (chirurg); teweeg=bring; bestuur; bedien, bedryf (masjien)

op'erating: ~ **cost** bedryfskoste (boekh.); ~-**room** operasiekamer; ~ **sys'tem** bedryfstelsel (rek.); ~ **thea'tre** operasiesaal, operasieteater (hospitaal)

opera'tion operasie; bewerking; werking; ver=rigting; bediening; *in ~* in werking; ~**al** in bedryf

op'erative (a) werksaam; operatief; doeltreffend; *become ~* in werking tree

op'erator bediener, operateur, beheerder (van masjien); werker; operator (wisk.)

ophthal'mic (a) oog=; ~ **sur'geon** oogarts, oftalmoloog *also* **ophthalmol'ogist**

ophthalmol'ogy oftalmologie, oogheelkunde

o'piate (n) slaapmiddel; pynstiller

opin'ion (n) opinie; mening; sienswyse; oordeel; goeddunke; *have a high ~ of* 'n hoë dunk hê van; *in my ~* na/volgens my mening; *public ~* openbare mening; ~**ated** (a) eiewys, voorbarig *also* **self-asser'tive**; **big'oted;** ~ **former** me=ningvormer; ~ **poll** meningspeiling, menings=opname

o'pium opium; ~ **pop'py** opiumpapawer

oppo'nent teenstander, opponent *also* **adver'=sary, ri'val**

opportune' geleë, tydig

opportunist' opportunis; manteldraaier, twee=gatjakkals (fig.)

opportu'nity (n) geleentheid, kans; *afford an ~* geleentheid bied/gee

oppose' (v) bestry; opponeer; teenwerk; ~**r**

teenstander, opponent, verdediger *also* **oppo'- nent**

op'posite (n) die teenoorgestelde; (a) teenoor- gestel(d); teengestel(d); *the ~ sex* die ander/ teenoorgestelde geslag; (adv) oorkant, ander- kant; (prep) teenoor, regoor; ~ **bank** oor- kantste wal (rivier); ~ **num'ber** eweknie, ampsgenoot; teëhanger; ~ **page** teenoor- staande bladsy; teenblad

opposi'tion (n) teenstand, teenkanting/teëkan- ting, opposisie; teenparty; teenstelling; *in ~ to* teenoor; in stryd met; *in spite of ~* ten spyte van teenstand; **Lea'der of the O~** Leier van die Oppossisie (in die parlement)

oppress' (v) onderdruk, verdruk *see* **suppress'**; beswaar; ~**ed** (n) verdrukte (persoon); *the ~ed* die verdruktes; (a) verdruk; benoud, terneer- gedruk *also* **dejec'ted;** ~**ion** verdrukking; neerslagtigheid; ~**ive** benoud; ~**or** verdrukker, tiran

oppro'brious veragtelik, eerloos; skimpend, beledigend *also* **in'famous, disgrace'ful;** ~ *language* skeltaal, skimptaal, marktaal

opt (v) kies; ~ *for* (ver)kies *also* **prefer';** ~ *out (of)* uittree, uitskei, uitlos

op'tic (a) gesigs-, oog-, opties; ~ **an'gle** gesigs- hoek; ~ **nerve** oogsenuwee

op'tical (a) gesigs-, opties; ~ **illu'sion** gesigsbe- drog, optiese illusie

opti'cian brilmaker, optisiën, optikus

op'tics optika; gesigskunde

op'timise (v) optimeer/optimaliseer *see* **min'- imise**

op'timism optimisme; hoopvolheid

op'timist optimis (persoon)

optimis'tic (a) optimisties, hoopvol

op'timum (a) optimaal, gunstigste, lonendste; ~ **produc'tion** optimale/gunstigste produksie

op'tion (n) opsie, keuse, voorkeur; *the ~ of a fine* boetekeuse; *have no ~ but* geen keuse nie as; ~**al** opsioneel, na keuse *also* **discret'ionary**

optom'etry (n) optometrie, gesig(s)meting (med.)

op'ulence rykdom, weelde *also* **af'fluence, wealth;** oorvloed

op'ulent ryk; vermoënd; weelderig *also* **rich, af'fluent;** oorvloedig

o'pus (n) **-es,** opera werk, opus (meesal mus.)

or of; *either . . . ~* óf *. . .* óf; ~ *else* of so nie

or'acle godspraak, orakel (mitol.)

orac'ular dubbelsinnig, duister, geheimsinnig, raaiselagtig; profeties

o'ral mondeling; mondelings; ~ **confes'sion** oorbieg (RK kerk); ~ **examina'tion** monde- linge eksamen

or'ange lemoen, soetlemoen; oranje (kleur); ~ **blos'som** lemoenbloeisel; ~ **or'chard** lemoen- boord; ~ **peel** lemoenskil; ~ **squash** lemoen- kwas

Oran'ge Free State Oranje-Vrystaat (voorma- lige provinsie, nou Vrystaat)

Oran'ge River Oranje(rivier), Gariep

orang'utan' orangoetang, pongo

ora'tion (n) redevoering, toespraak, rede *als* **speech, address'**

or'ator (n) spreker, redenaar *also* **pub'lic speake**

orato'rio (n) oratorium, (Bybelse) musiekdram

or'atory (n) welsprekendheid, redenaarskuns

orb bol, sfeer; oog; kring *also* **circle', globe** hemelliggaam

or'bit[1] (n) oogkas, oogholte

or'bit[2] (n) wentelbaan (satelliet); (v) wentel; ~**e** (n) wenteltuig

or'chard (vrugte)boord

or'chestra orkes

or'chestrate (v) orkestreer; instrumenteer; orga niseer *also* **organise'**

or'chid orgidee (blom)

ordain' (v) orden, inseën ('n geestelike) *als* **con'secrate;** wy; instel; bepaal, verorden

ordeal' beproewing *also* **afflic'tion;** godsgerig; *by fire* vuurproef, vuurdoop

or'der (n) orde; volgorde; reëlmaat; order, bevel opdrag; bestelling (van goedere); rang, stand klas; skikking; *alphabetical ~* alfabeties volgorde; *by ~ of the court* op las van di hof; *by ~ of management* in opdrag van di bestuur; *cash with ~* kontant met bestelling; *i fine ~* in uitstekende toestand; *give an ~ '* bevel gee; *place an ~* bestel; 'n bestellin; plaas; *in ~ that* sodat; *keep in ~* aan kant hou skoon hou; in bedwang hou; ~ *of mer* rangorde (sport) *also* **leader' board;** merie telys; *out of ~* buite werking, stukkend; (v bestel; reël; beveel, gelas; bepaal; voorskryf verorden; ~ *about* rondkommandeer; rondo der (omgangst.); ~ **book** bestelboek; ~ **forr** bestelvorm; ~**less** deurmekaar; wanordelik ~**ly** (n) lyfdienaar; ordonnans (mil.); (a ordelik *also* **ti'dy, trim**

or'dinal (n) rangtelwoord; (a) rangskikkend; **num'ber** ranggetal

or'dinance (n) reglement; ordinansie (kerklik) ordonnansie (wet/verordening van SA provin sie, hist.); voorskrif

ordinar'ily (adv) gewoonlik, in die reël *als* **u'sually, com'monly**

or'dinary (a) gewoon; gebruiklik; *something ou of the ~* iets ongewoons/buitengewoons; **debts** lopende skuld, boekskuld(e)

ordina'tion wyding, ordening, inseëning (van ' geestelike); rangskikking; bepaling

ord'nance geskut, artillerie; **hea'vy ~** grofgeskut **piece of ~** kanon; ~ **fac'tory** kanongietery geskutfabriek; ~ **map** stafkaart

ore (n) erts; ~ **crush'er** ertsbreker, vergruiser; **depos'it** ertsafsetting; ~ **reserve'** ertsreserwe

or'gan[1] (n) orgaan; blad (van bv. 'n vereniging); mondstuk; werktuig; ~ **of scent** reukorgaan; ~**s of speech** spraakorgane; ~ **do'nor** orgaan= skenker (uit eie liggaam)

or'gan[2] (n) orrel; ~ **grin'der** orreldraaier, speler van draaiorrel

organ'ic (a) organies

or'ganism organisme

or'ganist orrelis, orrelspeler

organisa'tion (n) inrigting, instelling, organisa= sie

or'ganise organiseer; reël, inrig; ~**d** georgani= seer; ~**r** organiseerder, fasiliteerder

or'ganising commit'tee reëlingskomitee

or'gasm (n) orgasme *also* **sex'ual cli'max**

or'gy (n) swelgparty, drinkparty, orgie *also* **debauch'ing** (n)

o'ribi oorbietjie, oribie (wildsbok)

Or'ient[1] (n) die Ooste, Oriënt; **or'ient** (a) oostelik; glansend, stralend

or'ient[2] (v) oriënteer; die ligging/plek/rigting bepaal; ~/*orientate oneself* jou oriënteer; die rigting vind

Orien'tal (n) Oosterling (persoon); (a) Oosters; ~ **pla'za** Oosterse basaar

orienta'tion (n) oriëntering; ontgroening, inbur= gering, induksie *also* **induc'tion** (of new students)

or'ifice opening, gaatjie *also* **ap'erture**

or'igin oorsprong; bakermat, bron; herkoms *also* **source**

ori'ginal (n) oertipe; (a) oorspronklik, eerste; innoverend, vindingryk *also* **in'novative**

original'ity oorspronklikheid *also* **ingenu'ity, crea'tiveness**

orig'inally oorspronklik

orig'inal: ~ **mea'ning** grondbetekenis; ~ **sin** erfsonde; ~ **text** grondteks

orig'inate (v) ontstaan, ontspring, voortspruit *also* **ini'tiate**; ontkiem

or'nament (n) sieraad, ornament, kleinood *also* **adorn'ment, decora'tion;** (pl) versierings; tierlantyntjies; (v) versier, tooi, verfraai

ornamen'tal sierlik, versierend; fraai, dekoratief; ~ **grid** sierrooster (motor); ~ **let'tering** sierskrif; ~ **peach** blomperske; ~ **shrub** sierstruik

ornamenta'tion versiering, tooi(sels) *also* **decora'tion, adorn'ment**

ornate' (a) versier(d); swierig; bloemryk; oor= versier, opgetooi *also* **o'verelaborated, flor'id**

ornithol'ogist voëlkenner, ornitoloog

ornithol'ogy voëlkunde, ornitologie

orog'raphy orografie, bergbeskrywing

or'phan (n) weeskind; (v) wees maak; (a) wees=, ouerloos; ~**age** weeshuis; ~**ed** wees, ouerloos; ~ **mas'ter** weesheer (hist.)

orthodon'tist ortodontis, tandheelkundige (med. spesialis)

orth'odox regsinnig, ortodoks *also* **doc'trinal; conven'tional;** ~**y** regsinnigheid, ortodoksie

orthog'raphy spellingleer; spelwyse; ortografie

orthopae'dic (a) ortopedies; ~**s** ortopedie, been= heelkunde; ~ **sur'geon** ortopeed (med. spesia= lis)

orthopae'dist ortopedis, beenheelkundige *see* **podi'atrist**

os'cillate (v) slinger, skommel *also* **sway;** ossileer; weifel *also* **wa'ver**

oscilla'tion slingering, ossilasie; weifeling

osmo'sis osmose, vermenging, verspreiding

os'prey visarend, see-arend

os'seous (a) beenagtig

os'sified (a) verbeen; versteen

ossifica'tion (n) beendigtheid, beendigting, been= vorming (med.)

osten'sible skynbaar, oënskynlik; kastig *also* **purpor'ted**

osten'sibly oënskynlik; kastig, kwansuis *also* **see'mingly**

ostenta'tion vertoon(sug), pronkery

ostenta'tious ydel, opsigtig, praalsiek, wind= makerig *also* **boast'ful, extra'vagant**

os'tracise (v) (sosiaal) uitsluit, verstoot, ostra= seer *also* **expel'**

os'trich volstruis; ~ **farm** volstruisplaas; ~ **fea'ther** volstruisveer

o'ther (n, a, pron) ander; anders; *the ~ day* onlangs, nou die dag; *each ~* mekaar; *on the ~ hand* aan die ander kant; *none ~ than* niemand anders nie as; ~ *than* behalwe

o'therwise anders(ins); origens; *what could he do ~?* wat kon hy anders doen?; *know ~* beter weet; ~ *minded* andersdenkend *also* **dis'sident**

ot'ter otter (waterdier)

ought (v) behoort, moet; *you ~ to do it* jy behoort dit te doen; *he ~ to have said it* hy behoort dit te gesê het

ounce ons (gewigsmaat)

our (pron) ons; ~**s** *is a large family* ons is 'n groot gesin

ours (pron) ons s'n; *he likes ~ better* hy hou meer van ons s'n

ourself'/ourselves' (pron) ons, onsself

oust (v) verdryf, uitdryf, uitstoot; uitstem

out (a) nie tuis nie; buitengewoon; (adv, prep) uit; weg; dood; buite; ~ *and ~* deur en deur, heeltemal; ~ *of bounds* buite perke; buiteveld (gholf); ~ *of breath* uitasem; ~*-of-court settlement* skikking buite die hof; ~ *of date* verouder, outyds; ~ *of fashion* uit die mode, ouderwets; *not far ~* nie ver verkeerd nie; ~ *of buitekant;* van; ~ *of print* uit druk (boek); *put oneself ~* jou inspan; ~ *of the question* buite die kwessie; ~ *of town* uitstedig; ~ *of the way* buitengewoon, anders; uit die pad; ~ *of work* werkloos *also* **unemploy'ed**

outbid' (v) hoër bie; oortroef

out'board buiteboord=, buiteboords; **~ mo'tor** buiteboordmotor, aanhangmotor

out: **~box** uitboks (rek.); **~break** uitbreking, uitbraak (van epidemie); **~building** buitege= bou; **~burst** uitbarsting; **~cast** (n) balling; verstoteling *also* **castaway'**; (a) uitgeworpe, verstote; dakloos

outclass' (v) ver oortref, oorskadu *also* **outper= form'**; *we were* **~ed** hulle het ons vêr/ver oortref/geklop

out'come resultaat, uitslag; afloop

outcomes-based educa'tion (OBE) uitkomsge= baseerde onderwys (UGO)

out'crop (n) dagsoom (geol.)

out'cry (n) lawaai, geskreeu; uitbarsting; open= bare woede *also* **pub'lic out'rage**

out'dated (a) verouderd, outyds, uitgedien *also* **obsolete'**

outdo' (v) oortref; **~/outsmart** *s.o.* iem. ore aansit/die loef afsteek

out'door buite=, buitelug=

out'er buite=; uiterste; **~ dark'ness** buitenste duisternis; **~most** uiterste

out'fit (n) uitrusting, uitset; **~ter** uitruster (klerehandelaar)

outflank' (v) omvleuel, omtrek *also* **outdis'= tance;** uitoorlê *also* **out'manoeu'vre**

out'flow uitvloei(ing) (van kapitaal); uitloop *also* **ef'fluence**

out'going vertrekkend; aftredend; uittredend (bv. voorsitter)

outgrow' uitgroei; ontgroei

out'ing (n) uitstappie, toer(tjie) *also* **jaunt; plea'sure trip**

outlan'dish vreemd, uitlands, uitheems *also* **a'lien**

outlast' (v) oorleef *also* **outlive';** langer duur as

out'law (n) voëlvryverklaarde (persoon) *also* **ban'dit, high'wayman;** (v) voëlvry/onwettig verklaar

out'lay uitgawe, koste, besteding *also* **expense', expen'diture**

out'let verkooppunt, afsetpunt; uitgang

out'line (n) skets; omtrek; *in* **~** in hooftrekke; *the* **~s** die hoofpunte; (v) skets *also* **draft;** die hooflyne aangee; in breë trekke uiteensit

outlive' (v) oorleef, langer leef as *also* **outlast'**

out'look (n) vooruitsig; kyk; uitsig; *his* **~** *on life* sy kyk op die lewe; sy lewensbeskouing

out'lying ver/vêr, afgeleë

outmanoeu'vre uitoorlê, die loef afsteek *also* **out'do, out'flank, out'smart**

outmo'ded (a) uitgedien *also* **old-fash'ioned**

outnum'ber oortref; *they were* **~ed** hulle was in die minderheid

out-of-date verouder *also* **outmo'ded, obsolete'**

out'-of-doors' buite(ns)huis, buite=

out-of-pock'et expenses klein/los uitgawes *also* **sun'dries;** sakgeld, spandeergeld

out'patient buitepasiënt (hospitaal)

out'post voorpos, buitepos

out'put (n) opbrengs/opbrings, produksie, uitset; lewering *also* **produc'tion, yield; ~ u'nit** afvoereenheid (rek.)

out'rage (n) publieke afgryse/woede; vergryp; wandaad; (v) beledig

outra'geous (a) skandalig, verregaande; god= skreiend; gewelddadig *also* **shock'ing**

out'reach uitreik; **~ pro'gramme/ac'tion** uit= reikprogram, uitreikaksie

out'right heeltemal, volkome, volstrek; onom= wonde; **~ major'ity** volstrekte meerderheid

outriv'al (v) oorskadu, oortref, wen *also* **out'= class, out'wit, outperform', out'smart**

out'room buitekamer

out'set begin, aanvang; *at/from the* **~** van die begin (af); uit die staanspoor

out'side (n) uiterlike; buitekant; *at the* **~** op sy hoogste, uiters; **~** *in* binne(n)stebuite; (a) buite=; uiterste; (prep) buite, buitekant; **~** *chance* buitekans; **~r** (n) vreemde; oninge= wyde; buitestander, alleenloper, eenloper; randeier; outsider (letterk.); buiteperd

out'size ekstra groot nommer, buitemaat

out'skirts (n) buitewyke (van stad); grens

out'smart (v) uitoorlê; flous; fnuik *also* **out'wit; ~** *s.o.* iem. ore aansit

out'source (v) uitkontrakteer; uitbestee; **out'= sourcing** uitkontraktering

out'span (n) uitspanning, uitspanplek; (v) uitspan

outspo'ken (a) openhartig, reguit; uitgesproke; **~ness** rondborstigheid, openhartigheid

out'standing (a) onbetaal(d), uitstaande (skul= de); uitstekend, uitmuntend, voortreflik *also* **first-rate, commen'dable; ~** *achievement* uitstaande prestasie; **~** *person* uitblinker

out'stretch (v) uitstrek; **~ed** (a) uitgestrek

outvote' (v) uitstem

out'ward (a) uiterlik, uitwendig, buitekant; (adv) uitwaarts; **~** *jour'ney* heenreis; uitreis; **~** *pol'icy* uitwaartse beleid

outweigh' (v) swaarder weeg as; oortref

out'wit (v) uitoorlê, flous; fnuik *also* **out'smart**

o'val (n) krieketveld; (a) ovaal

o'vary (n) eierstok; vrugbeginsel (bot.)

ova'tion hulde, ovasie, toejuiging *also* **acclama'= tion;** *standing* **~** staande toejuiging

ov'en oond; **~ roast** oondbraad

o'ver (n) boulbeurt (krieket); (adv) oor; om, onderstebo; *all* **~** oral(s); **~-***the-counter med= icines* toonbankmedisyne; *hand* **~** oorhandig; *run* **~** oorhardloop; iem. raakry; **~** *there* daarso; (prep) oor; uit; bo, op; **~** *and above* bo en behalwe, boonop, bowendien; *all the* *world* **~** die hele wêreld deur

over'all[1] (n) oorpak; (pl) oorklere; morspak

overall'[2] (a) totaal; algeheel; ~ **major'ity** volstrekte meerderheid; ~ **win'ner** algehele wenner (kompetisie/wedstryd)

overan'xious (a) oorbesorg, alte besorg

overawe' (v) ontsag/vrees inboesem; oorbluf; imponeer

overbear'ing (a) aanmatigend, hoogmoedig, baasspelerig *also* **ar'rogant, bos'sy**

over'board oorboord; *throw* ~ gooi oorboord; verwerp

overbur'den (v) oorlaai (met take/opdragte)

overcast' (a) bewolk, betrokke *also* **cloudy**

overcharge' (v) te hoog bereken; te veel laat betaal *also* **rip off** (v); *he ~d/overbilled/ fleeced me* hy het my te veel gevra/laat betaal

over'coat jas, oorjas

overcome' (v) bemeester; oorkom, baasraak; (a) verslae, oorstelp, aangedaan; ~ *with grief* oorstelp deur droefheid

overcon'fident oormoedig *also* **presump'tious;** oorgerus *also* **cock'sure**

overcrop'ping roofbou (boerdery)

overcrowd' (v) oorlaai; verdring (in saal); ~**ed** oorvol, stampvol

overdo' (v) oordryf; te ver dryf; te gaar maak; ~ *it* jouself moor/afsloof

overdone' (a) oorgaar, te gaar (vleis) *also* **overcoo'ked, char'red**

over'draft (n) oortrokke bankrekening; oortrek= king

over'drive (n) snelrat, spoedrat (motor)

overdue' (a) agterstallig (skuld; paaiemente) *also* **bela'ted;** te laat

overexpo'sure oorbeligting (fot.)

over'flow[1] (n) oorloop; oorstroming

overflow'[2] (v) oorstroom (rivier)

overgrazed' (a) oorbewei

overgrow' (v) begroei, oorgroei, toegroei

over'hang (n) oorhang, uitsteek(sel); (v) uitsteek *also* **protrude'**

overhaul' (v) opdoen, opknap; herkondisioneer (enjin) *also* **recondi'tion**

over'head (a) lug=, oorhoofs, oorkoepelend; bogronds; (adv) bokant die grond; ~ **cam'shaft** bonokas; ~ **expen'ses** bokoste *also* **over= heads';** ~ **irriga'tion** sprinkelbesproeiing; ~ **projec'tor** oorhoofse projektor; ~ **rail'way** lugspoor

overhear' (v) toevallig hoor; opvang; afluister, meeluister *see* **tap'(ping)**

overheat' (v) oorverhit (enjin)

overjoyed' (a) verruk, opgetoë, dolbly *also* **delight'ed, ela'ted, thril'led**

overkill (n) oorbeklemtoning; oorvoorsiening

overlap' (v) oormekaar val, oorvleuel

overleaf' keersy, agterop; *see* ~ blaai om

over'locker (n) omkap(naai)masjien

overlook' (v) oor die hoof sien, verskoon, oorsien *also* **ignore';** uitkyk op; toesig hou

overnight' die vorige nag; oornag, snags

overpop'ulated oorbevolk

overpo'wer (v) oorweldig, bemeester *also* **con= quer, sub'jugate, overwhelm'**

overproduc'tion oorproduksie

overrate' (v) oorskat; ~**d** oorskat

overreach' (v) uitoorlê, kul, fop; aankap (perd); ~ *oneself* te veel wil aanpak/bereik

overreact' (v) oorreageer; ~**ion** oorreaksie

override' (v) ('n besluit) omverwerp *also* **overrule', coun'termand**

overrule' (v) verwerp (voorstel) *also* **coun= termand, nul'lify;** oorstem, uitstem; ~ *a decision* 'n besluit omverwerp/tot niet maak

overrun' (v) oorstroom; platloop; wemel van (miere; kakkerlakke)

over'seas (a) oorsees; ~ **mail** oorsese pos

oversee' (v) toesig hou oor *also* **invig'ilate** (examination)

over'seer opsigter, opsiener; toesighouer

overshad'ow (v) oorskadu, oortref *also* **out= class, eclipse'**

over'shoe (n) oorskoen *also* **galosh'**

overshoot' (v) verbyskiet; mis; ~ *the mark* dinge oordryf; te ver gaan; ~/*overreach oneself* te veel wil aanpak/bereik

over'sight vergissing, fout, versuim *also* **er'ror, lapse, slip-up, glitch**

oversleep' (v) jou verslaap

overspend' (v) te veel spandeer; oorbestee

overstate'ment oorbeklemtoning *see* **un'= derstatement**

overstock' (v) oorinkoop, oorvoorsien; oorbewei (beeste)

overstrung' (a) oorspanne, stresvol *also* **tense, stres'sed**

oversupply' (n) oorvoorsiening (mark); ooraanbod

o'vert (a) openbaar, openlik, deursigtig *also* **transpar'ent;** kenbaar

overtake' (v) verbysteek; oorval; ~ *a car* 'n motor verbysteek

overtax' (v) ooreis; te swaar belas; oorbelas

overthrow' (v) omgooi, omverwerp; oorwin, verslaan; tot 'n val bring (regering) *also* **top'ple, bring down**

over'time (n) oortyd (diens); ~ **pay** oortydbeta= ling

o'verture (n) voorspel, ouverture (mus.); toena= dering; uitnodiging; voorstel; *make ~s* toena= dering soek

overturn' (v) onderstebo keer, omkeer *also* **over'throw;** verslaan *also* **defeat', destroy'**

overween'ing (a) trots, hoogmoedig *also* **proud, haugh'ty, concei'ted**

over'weight (a) oorgewig *also* **obese;** te swaar (vrag, bagasie)

overwhelm′ (v) oorstelp, oorweldig, oorrompel; **~ing** oorweldigend, verpletterend *also* **crushing′**; **~ing support′** oorweldigende steun/belangstelling
overwork′ (v) oorwerk, te veel werk
over′write (v) oor(heen)skryf (rek.)
overwrought′ (a) oorspanne *also* **tense, fran′tic**
ovi′duct (n) eierleier
o′vum (n) ova eier; eiersel (bot.)
owe (v) skuld; verskuldig wees; te danke hê; ~ *s.o. a grudge* 'n wrok teen iem. koester
o′wing (a) onbetaal, verskuldig; *amount* ~ verskuldigde bedrag; (prep) weens, vanweë; danksy; ~ *to an error* weens 'n fout
owl uil (voël); uilskuiken, domkop, swaap (persoon)
own[1] (v) besit; erken; eien; ~ *up* beken, bieg

own[2] (a) eie; *of one's* ~ *accord* uit eie beweging; *hold one's* ~ jou man staan; ~ **brand/la′bel** huismerk; **~er** eienaar; besitter; **~ership** eiendomsreg; eienaarskap (bv. van 'n huis) *also* **posses′sion, ti′tle**; **~er-driv′en** deur eienaar bestuur (motor)
ox (n) **-en** os; *young* ~ ossie, tollie; **~bow** rivierdraai; boogjuk; **~bow lake** kronkelmeer, meandermeer, osboogmeer; ~ **braai** osbraai; **~tail** beesstert (vleisgereg); ~ **wagon** ossewa
oxida′tion (n) oksidasie
ox′idise (v) oksideer
ox′ygen (n) suurstof, oksigeen; ~ **thief** (derog.) nuttelose mens
oys′ter oester; ~ **cul′ture** oesterteelt
o′zone osoon; ~ *friendly* osoongunstig, osoon-vriendelik; ~ **lay′er** osoonlaag

P

pa (n) pa; vader, pappie *also* **fa'ther, dad'(dy)**

pace (n) tree, pas, skrede *also* **step, stride;** gang; tempo; vaart; *keep ~ with* tred hou met *also: keep abreast of; set the ~* die pas aangee; (v) stap; aftree; die pas aangee; **~ma'ker** pasaangeër (hart); **~set'ter** pasgeër (persoon) *also* **~ma'ker** (athl.)

paci'fic (a) vreedsaam, vredeliewend; stil; **P~ O'cean** Stille Oseaan; **~a'tion** (n) versoening, toenadering *also* **concilia'tion;** vredestigting

pac'ifism (n) pasifisme; vredeliewendheid

pac'ifist pasifis, vrede(s)voorstander; versoener

pac'ify (v) vrede maak; kalmeer, paai; versoen

pack (n) pak; vrag; bondel; klomp; baal; rugsak; trop (honde); pakys; voorhoede (rugby); *~ of cards* pak kaarte; *~ed hall* stampvol saal; *~ of rogues* bende skurke; (v) pak, inpak; inmaak; volprop; **~age** pakkasie; pakket *also* **batch; ~age deal** pakketakkoord, bondeltransaksie; **~age tour** groeptoer; *~ drill* pakdril; **~et** pakkie, pakket; **~horse** pakperd; **~ing** verpakking; pakgoed; pakking; **reti'rement ~age** aftreepakket; **~sad'dle** paksaal; **sal'ary ~age** salarispakket

pact (n) verdrag, verbond *also* **trea'ty, alli'ance;** ooreenkoms, pakt; akkoord

pad[1] (n) kussinkie; skryfblok; beenskut (krieket); opstopsel; (v) opvul; volstop; watteer; **~ding** vulsel, stopsel; bladvulling, uitspinnery (bv. om 'n opstel langer te maak)

pad[2] (infml.) (n) blyplek, woonplek; (slaap)kamer

pad'dle (n) roeispaan; skepspaan; pagaai; (v) roei; pagaai; plas, speel (in water); waggel (baba); soos 'n hond swem; *~ ski'er* skiroeier; *~ ski'ing* skiroei; *~ wheel* skeprat, skepwiel

pad'dling pool (n) plaspoel, plasdam(metjie)

pad'dock kamp; veekamp; renbaanperk

pad'lock (n) hangslot

pad're (n) kapelaan *also* **chap'lain;** veldprediker; priester (RK)

paediatri'cian kinderarts, pediater (med. spesialis)

pae'dophile pedofiel; kindermolesteerder, kinderloller

pa'gan (n) heiden, nie-Christen *also* **hea'then, in'fidel;** (a) heidens, nie-Christelik; **~ism** heidendom; paganisme

page[1] (n) (hotel)bode, hoteljoggie; hofknapie (by troue); skildknaap (hist.); livreikneg; (v) spoor, roepsoek; **~r** roepradio, roepstel; spoorder (apparaat) *see* **bleep'er**

page[2] (n) bladsy, pagina; (v) pagineer *also* **pa'ginate**

pag'eant optog, skouspel, vertoning; **~ry** praal *also* **gran'deur;** *pomp and ~ry* prag en praal

page'boy hoteljoggie; hofknapie (by troue) *see* **page**[1]

page: *~ **break*** bladsyskeiding (tik- of drukwerk); *~ **layout*** blad(sy)uitleg (tik- of drukwerk)

pago'da (n) pagode (Oosterse tempel)

paid betaal; voldaan; *~ **mem'ber*** opbetaalde lid; **reply'** *~* antwoord betaal(d), vrypos

pail (n) emmer, dopemmer *also* **buck'et**

pain (n) pyn; smart; leed; straf; kommer; (pl) moeite, inspanning; *for one's ~s* vir jou moeite; *be in ~* pyn ly; *under ~ of* op straf van; (v) seermaak; kwel; bedroef; **~ful** pynlik, seer, smartlik; **~kil'ler** pyndoder, pynstiller; **~less** pynloos

painsta'king (a) presies, nougeset; deeglik *also* **dil'igent**

paint (n) verf; (v) verf (bv. 'n muur); skilder (bv. 'n skildery); afskilder; *~ed in oils* in olieverf; *~ the town red* fuif; jollifikasie hou; **~box** verfboks; **~brush** verfkwas; **~er** verwer (ambagsman); (kuns)skilder (skilderye); **~ing** skildery; skilderkuns; **~ed la'dy** bergpypie; afrikaner (blom); *~ **remo'ver**/~ **strip'per*** verfstroper

pair (n) paar; *~ of com'passes* passer; *~ of scis'sors* skêr; *~ of spec'tacles* bril; *~ of trou'sers* broek; (v) paar; saampas; *~ off* afpaar

pal (n) maat; makker; pêl, tjom(mie) (omgangst.); bra (township-Afr.) *also* **chum; cro'ny;** *jobs for ~s* baantjies vir boeties *also: jobs for cronies;* (v) omgaan met; *~ up* maats maak

pal(a)eontol'ogist (n) paleontoloog, fossielkenner; **pal(a)eontol'gy** paleontologie

pal'atable (a) lekker, smaaklik *also* **tas'ty, sa'voury**

pal'ate (n) verhemelte/gehemelte; smaak; **cleft ~** gesplete verhemelte

pala'ver (n) palawer; uitgerekte bespreking; geredekawel; ophef *also* **fuss;** (v) babbel, flikflooi; redekawel

pale[1] (n) paal, balk (vir palissade)

pale[2] (v) bleek word; verbleek; (a) bleek, vaal, flets; dof; *turn ~ with fright* verbleek van skrik; *~ ale* ligte bier

Palesti'nian Palestyn (persoon); *~ **Libera'tion Organisa'tion (PLO)*** Palestynse Bevrydingsorganisasie (PBO)

pal'ette palet, skilderbord; *~ knife* spatel

pal'indrome (n) letterkeer, palindroom (bv. lepel) *see* **an'agram**

pa'ling (n) rasterwerk, paalwerk, heining

palisade' (n) paalwerk, palissade *also* **stockade';**

(v) omhein; verskans; ~ **fence** palissadehei=
ning

pall[1] (n) doodskleed; mantel; sluier; ~ *of smoke*
rookwolk

pall[2] (v) smaakloos/vervelig word; verflou;
onaantreklik word; *it ~s on one* mens word
daar moeg/sat van

pall′bearer (n) (slip)draer (by begrafnis)

pal′let[1] (n) strooimatras

pal′let[2] (n) pottebakkerskyf; hegstrook; laaikis;
laaiplank, laaibord (vir vrag)

pal′liate (v) versag, verlig; verbloem

pal′liative (n) versag(tings)middel; noodhulp;
(a) versagtend, verligtend

pal′lid (a) bleek, asvaal (ongesond)

pal′lor (n) bleekheid

palm[1] (n) palm(boom); segepalm (hist.); ~ **oil**
palmolie

palm[2] (n) palm (hand); (v) inpalm; hanteer;
streel; omkoop; *grease s.o.'s* ~ iem. omkoop;
~/*fob off upon* afsmeer aan; ~ **greasing**
omkopery; omkoopgeld; ~**ist** handkyker,
handleser *also* ~ **reader′**; ~**-top compu′ter**
handrekenaar

palm′y palmryk; voorspoedig, roemryk;
~/*halcyon days* bloeitydperk, voorspoedjare

pal′pable (a) voelbaar, tasbaar *also* **ob′vious,
conspic′uous**

palpita′tion hartklopping, polsslag

pal′sied (a) verlam; (liggaamlik) gestrem *also*
spas′tic; cer′ebral(ly) ~ serebraal verlam/ge=
strem

pal′sy (n) beroerte; verlamming *also* **paral′ysis;**
(v) verlam

pal′try (a) onbeduidend, beuselagtig; onbenullig
also **small, pet′ty, insigni′ficant**

pam′pas grass pampasgras

pam′per (v) vertroetel, bederf, piep *also* **spoil,
mollycod′dle**

pam′phlet pamflet, vlugskrif; voublaadjie; trak=
taat(jie); strooibiljet *also* **leaf′let**

pan[1] (n) pan (kombuis- en prospekteergereed=
skap); *fry′ing* ~ braaipan; (v) was; spoel; ~ *out*
goud oplewer; ~ *out well* sukses behaal; slaag

pan[2] (n) pan (holte in grond); **salt** ~ soutpan

pan-[3] (a) al=, pan=; **Pan-Af′rican** Pan-Afrika=;
Pan-Af′ricanist Con′gress (PAC) Pan-Afri=
canist Congress (polit. party)

panacea′ (n) wonder(genees)middel, (al)heil=
middel, panasee *also* **univer′sal rem′edy**

panache′ (n) swier(igheid) *also* **flou′rish,
flamboy′ance**

pan′cake (n) pannekoek

pan′creas alvleisklier, pankreas (anat.)

pande′mic (a) pandemies, wêreldwyd, globaal
(siekte)

pandemo′nium (n) opskudding, uitbarsting,
pandemonium *also* **bed′lam, tu′mult**

pan′der (n) koppelaar; tussenganger; (v) be=
vredig, bevorder; ~ *to* toegee aan; paai

pane (n) ruit; paneel; vak

panegy′ric (n) lofrede, lofprysing *also* **eu′logy;**
~**al** ophemelend

panegy′rist lofredenaar *also* **praise′singer, eu′=
logist**

pan′el (n) paneel; naamlys; strook; baan; (v)
panele aanbring; lambriseer; op die rol plaas;
~**bea′ter** duikklopper; ~**ling** paneelwerk; lam=
brisering; ~ **pin** paneelpen; ~ **van/truck** pa=
neelwa

pan′flute (n) panfluit

pang (skielike) angs/benoudheid; pyniging,
smart *also* **an′guish, ag′ony;** ~*s of conscience*
gewetenswroeging

pan′ga kapmes, hakmes, panga *also* **mache′te**

pan′golin ietermagô, miervreter (dier)

pan′handle (n) pypsteel (toegangspad al langs
bestaande erf met winkelhaak)

pan′ic (n) skrik, paniek; (a) paniekerig; ~
but′ton noodknop(pie), angsknop(pie); ~**ky**
paniekerig; ~**-stricken** paniekbevange *also*
ter′rified

pan′nikin pannetjie, kommetjie; blikbeker

panora′ma panorama, vergesig *also* **vis′ta, sce′=
nic view**

pan′sy (n) **pansies** gesiggie, viooltjie (blom);
verwyfde mansmens

pant (n) gehyg; (v) hyg, snak; kortasem wees

pantech′nicon (n) verhuiswa, meubelwa

pan′theism panteïsme (geloofsopvatting)

pan′ther panter; luiperd; ~ **li′ly** tierlelie

pan′tie knapbroekie, damesbroekie

pan′tihose broekiekouse

pan′tomime pantomime, gebarespel

pan′try spens *also* **lar′der**

pants broek (veral in VSA); onderbroek (Eng.)

pant′suit broekpak *also* **slack′suit**

papa′ pappa, pappie, paps *also* **fa′ther, dad′(dy)**

pa′pacy pousdom, pouslike mag

pa′pal pouslik; ~ **legate′** pouslike gesant

paparaz′zo (n) **paparaz′zi** steelfotograaf, papa=
razzo

papaw′ papaja (vrug)

pa′per (n) papier; vraestel; papiergeld; koerant;
verhandeling; plakpapier; (pl) dokumente; ge=
tuigskrifte; *commit to* ~ op skrif stel; *read a* ~ 'n
(voor)lesing hou; *send in one's* ~*s* jou getuig=
skrifte voorlê; (v) plak, behang; (a) papier=;
~**back** slapband(boek) *also* **soft-co′ver;** ~**bag**
kardoes, papiersakkie; ~ **chase** snipperjag; ~**clip**
skuifspeld; papierknyper; ~ **cur′rency** papier=
geld; ~ **fas′tener** papierspy; ~ **hang′er** plakker,
behanger; ~**knife** papiermes; ~ **mill** papierfa=
briek; ~ **mon′ey** papiergeld; ~ **prof′it** skynwins;
~**shred′der** snipperaar

papil′la (n) papil, (smaak)tepel

papil'lary tepelvormig

pa'pist (n) papis (neerh.); Rooms-Katoliek; (a) paaps (neerh.); pousgesind; **~ry** pousgesind= heid, Rooms-Katolisisme

papyr'us (n) **papyri** papirus, papierplant, papier= riet

par pari, gelykheid; (baan)syfer (gholf); *at* ~ teen pari; *above* ~ bo pari; *five under* ~ vyf onder (baan)syfer (gholf); *on a* ~ *with* gelyk staan met

par'able (n) gelykenis, parabel *also* **mor'al tale**

parabo'la parabool (meetk.)

par'achute (n) valskerm; (v) met 'n valskerm spring; valspring

parachu'tist valskermspringer

parade' (n) parade, optog *also* **(ceremo'nial) proces'sion;** wapenskou(ing); (v) paradeer; oefen; pronk met

para'dise paradys, lushof; (sewende) hemel

para'dox paradoks, (skynbare) teenstrydigheid

para'ffin paraffien, lampolie; ~ **oil** lampolie; ~ **stove** paraffienstoof, pompstofie

para'gon (n) toonbeeld, model; voorbeeld; ~ *of virtue* toonbeeld van deug

para'graph (n) paragraaf; (v) paragrafeer

para'keet parkiet; **grass** ~ budjie (voël)

para'llel (n) parallel; ewewydige lyne; *draw a* ~ *between* 'n vergelyking tref tussen; *without* ~ sonder weerga; (a) parallel, ewewydig; ~ **bars** brug (gimn.); **~ism** ooreenkoms, parallelisme, vergelyking; **~(-me'dium) school** parallel(me= dium)skool; ~ **port** parallelpoort (rek.)

parallel'ogram parallelogram (meetk.)

paralym'pics paralimpiese spele (vir ge= stremdes)

para'lyse (v) verlam; magteloos maak *also* **incapac'itate**

paral'ysis verlamming; beroerte; magteloosheid; **in'fantile** ~ kinderverlamming

paralyt'ic (n) verlamde (persoon); (a) verlam; smoordronk, papdronk; ~ **stroke** beroerte

para'medic (n) paramedikus *also* **med'ic;** mediese ordonnans; **~al** (a) paramedies

param'eter parameter, buitelyne *also* **guide'= line(s), frame'work**

para'mount hoogste, vernaamste; *of* ~ *impor= tance* van die allergrootste belang; ~ **chief** hoofkaptein, opperhoof

para'mour minnares; houvrou (neerh.) *also* **mis'tress**

para'pet borswering, parapet; keermuur

parapherna'lia toebehore, bybehore; rommel *also* **scrap, odd'ments; trap'pings**

para'phrase (n) parafrase *also* **rewor'ding;** (v) parafraseer, omskryf

paraple'gic (n) parapleeg (persoon); (a) para= plegies

para'site parasiet; bloedsuier; woekerplant; klaploper (persoon) *also* **scroun'ger**

parasit'ic parasities

para'sol (son)sambreel, sonskerm

parasta'tal (n) parastataal; (a) semistaats, para= staats (maatskappy)

para'troops valskermtroepe *also* **para'bats**

par'cel (n) pakkie, pakket; stuk; *part and* ~ *of* 'n onmisbare deel van; (v) inpak; verdeel; ~ *out* uitdeel; ~ **bomb** pakketbom; ~ **post** pakketpos

parch (v) opdroë/opdroog; verseng, versmag; **~ed** verdroog, verskroei *also* **scorch'ed;** **~ment** perkament

par'don (n) vergifnis, kwytskelding, begenadi= ging; genade; amnestie; *I beg your* ~ ekskuus; verskoon my; *general* ~ algemene amnestie *also* **am'nesty;** (v) kwytskeld; begenadig; verskoon; **~able** vergeeflik

pare (v) (af)skil, afsny, sny; afskaaf

paregor'ic (n) pynstiller *also* **pain'killer;** (a) pynstillend

pa'rent (n) ouer; vader, moeder; (a) oorspronk= lik, moeder=; **~age** afkoms, geboorte

paren'tal (a) ouerlik; ~ **care** ouersorg

paren'thesis parentese, hakies (); *in* ~ tussen hakies *also: in brackets*

pa'renthood/pa'rentship (n) ouerskap

par ex'cellence by uitnemendheid/uitstek *also* **pre-eminently**

pariah' (n) uitgeworpene, onaanraakbare, paria (persoon) *also* **out'cast, untouch'able**

pa'ring skil; bas; ~ **knife** skilmes, hoefmes

Pa'ris Parys; **plas'ter of** ~ gips

pa'rish gemeente *also* **congrega'tion;** parogie

parish'ioner lidmaat, gemeentelid

Pari'sian (n) Parysenaar; (a) Paryse

pa'rity gelykheid, pariteit, pari *also* **confor'mity** *see* **dispar'ity**

park (n) park; wildtuin; (v) parkeer; afsluit; laat staan; *no* ~*ing* geen parkering; **~ade** parkade; **~ing** parkering; stalling; **~ing a'rea/bay** staanplek, parkeerplek; **~ing atten'dant** par= keerbeampte

Par'kinson's disease' Parkinsonsiekte, sidder= verlamming

Park'town prawn (joc.) (n) (grieselige) koring= kriek

par'lance spreekwyse, uitdrukking; idioom; *in common* ~ in die omgangstaal; *in legal* ~ in die regstaal

par'liament (n) parlement; **~ar'ian** (n) parle= mentariër, parlementslid; **~ary** parlementêr; **~ary elec'tion** parlementêre verkiesing

par'lour (n) sitkamer, voorhuis (veroud.); ont= vangkamer, ontvanglokaal (burgemeester); salon; ateljee; ~ *joke* netjiese/skoon grap; **beau'ty** ~ skoonheidsalon; ~ **game** geselskap= spel

par'lous (a) haglik, gevaarlik *also* **per'ilous;** lastig; geslepe

paroch′ial parogiaal; bekrompe, verkramp *also* **in′sular, nar′row-minded′**

par′ody (n) bespotting; spotskrif; parodie *also* **mock′ery, sat′ire;** (v) parodieer

parole′ (n) parool; erewoord; wagwoord; (v) op parool vrylaat

paroti′tis pampoentjies, parotitis (siekte) *also* **mumps**

par′quet parket; ~ **floor(ing)** parketvloer, blok= kiesvloer

par′ricide (n) vadermoord, moedermoord

par′rot (n) papegaai; na-aper; (v) naboots, napraat

parse (v) woorde/sinne ontleed (gram.); beteke= nis/waarde van data ontleed (rek.)

parsimo′nious suinig, gierig *also* **close-fis′ted, fru′gal, stin′gy, mis′erly;** karig

pars′ley pietersielie (groente)

pars′nip witwortel

par′son predikant, prediker *also* **clergy′man;** ~**age** pastorie; ~**'s/pope′s nose** eetbare stuitjie (van pluimvee)

part (n) deel; onderdeel; aandeel; rol; stuk; (pl) bekwaamhede, talente; *for the most* ~ hoof= saaklik; *play a* ~ 'n rol speel; *take* ~ *in* deelneem aan; *take s.o.'s* ~ iem. se kant kies; (v) deel, verdeel; vertrek; afstand doen; uiteen= gaan; ~ *company* van mekaar skei; ~ *with* afstand doen van; afskaf; **pi′rate** ~ roofonder= deel; ~**s of speech** woordsoorte, rededele

partake′ (v) deelneem *also* **parti′cipate;** deel in; geniet *also* **consume′** (food)

par′tial gedeeltelik *also* **lim′ited;** partydig; *be* ~ *to* voortrek; lief wees vir

parti′cipant (n) deelnemer; deelhebber *also* **stake′holder;** (a) deelnemend

parti′cipate (v) deelneem *also* **take part;** deel hê; meedoen

participa′tion deelname; inspraak; medeseggen= skap; ~ **bond** deelneemverband

par′ticiple deelwoord (gram.)

par′ticle deeltjie; greintjie, krieseltjie

partic′ular (n) besonderheid; *give full* ~*s* gee/verstrek volle/volledige besonderhede; *in* ~*s* in besonderhede/detail; (a) kieskeurig, puntene(u)rig; presies, noukeurig; besonder; buitengewoon; merkwaardig; *be* ~ kieskeurig wees; *a* ~ *friend* 'n intieme vriend; *for no* ~ *reason* om geen besondere rede nie; ~**ly** (adv) vernaamlik, besonderlik; by uitstek; *not* ~ *good* nie danig goed nie

par′ting (n) deling, skeiding; paadjie (in die hare); *at the* ~ *of the ways* by die kruispad; (a) afskeids=; ~ **meal** afskeidsete; galgemaal

partisan′ (n) partyganger, partyman; aanhanger, volgeling, meeloper; partisaan *also* **resis′tance fight′er;** (a) partydig *also* **bi′ased;** ~ **con′flict** guerrillastryd

parti′tion (n) afdeling; partisie; verdeling; af= skorting; (v) verdeel; afskei; afskort

part′ly gedeeltelik *also: to a certain degree/extent*

part′ner (n) metgesel; lewensgesel; eggenoot, gade; vriend/vriendin; maat; vennoot; deel= hebber; dansmaat; (v) iem. vergesel (bv. na 'n partytjie); die maat/vennoot wees van iem.; ~**ship** vennootskap, deelgenootskap; same= spel: *dissolve a* ~**ship** 'n vennootskap ontbind; **sleeping** ~ stil/rustende vennoot; **spar′ring** ~ skermmaat (boks)

part′-owner mede-eienaar *also* **co-ow′ner, joint ow′ner;** deelhebber

part′ pay′ment gedeeltelike betaling, paaiement; *in* ~ ~ op afbetaling

part′ridge patrys (voël)

part-time deeltyds; nauurs; ~ **min′ister** tent= maker (deeltydse predikant); ~ **cour′ses** deel= tydse/nauurse kursusse

par′ty (n) party; instansie; party(tjie), jol, makietie; geselskap; gesellige aand; *be* ~ *to* deelneem aan; medepligtig wees aan; *become a* ~ *to* betrokke raak in; medepligtig word; (v) partytjie hou, jol *also* **re′vel;** *we partied all night* ons het tot laatnag gejol; ~ **poo′per** pretbederwer *also* **spoil′sport;** ~ **ral′ly** stryd= dag, saamtrek; ~ **spi′rit** partytjiegees

pass[1] (n) nek, bergpas; deurgang (in berge)

pass[2] (n) pas (identifikasiedokument, hist.) *also* **pass′book;** aangee (rugby, sokker); moeilike toestand; slaag (eksamen); (v) verbygaan; passeer; omgaan; aangee; verloop; slaag (eksamen); deurbring; vel (vonnis); goedge= keur word; oortref; ~ *away* sterf; verdwyn; ~ *a bill* 'n wetsontwerp aanneem; ~ *with distinc- tion* met lof slaag; ~ *an examination* (in) 'n eksamen slaag; ~ *on* deurgee; aangee (bal); ~ *over* verbygaan *also* **ignore′, overlook′;** ~ *round* rondgee; ~ *sentence* vonnis oplê; ~ *the time* die tyd verdryf; ~**able** gangbaar *also* **ad′equate;** draaglik; begaanbaar, rybaar (pad)

pas′sage gang; deurgang; deurweg; passasie, oortog; reisgeld; *birds of* ~ trekvoëls

pass′book bankboek, depositoboek; bewysboek (hist.)

pas′senger passasier; ~ **li′ner** passasierskip; ~ **plane** passasiersstraler *also* **air′liner**

pas′ser-by verbyganger *also* **on′looker, by′= stander**

pas′sing (n) verbygaan; deurkom, slaag; verloop; afsterwe; *in* ~ terloops; (a) verbygaande; tydelik; terloops; ~ *rich* skatryk; ~**-out parade′** voorstel(lings)parade

pas′sion hartstog, drif, passie; toorn, woede; liefde *also* **infatua′tion;** voorliefde *also* **craze;** *fly into a* ~/*rage* woedend raak/word

pas′sionate (a) hartstogtelik, vurig; driftig *also* **ar′dent, fer′vent, vehe′ment**

pas'sion: ~ flow'er passieblom; ~less koel, koud, kalm; ~ play passiespel; P~ Week Lydens=week

pas'sive (n) lydende vorm (gram.); (a) lydend; lydelik; gedwee; ~ resis'tance lydelike verset; ~ verb lydende werkwoord (gram.); ~ voice lydende vorm (gram.); ~ness gedweeheid

pass: ~ list slaaglys; ~ mark slaagpunt

Passov'er Joodse Paasfees

pass'port (n) paspoort

pass'word (n) wagwoord *also* watch'word; toegangskode, wagwoord (rek.)

past (n) verlede; (a) verlede, vergange, afgelope; oud=; (adv, prep) verby, langs, oor; ten ~ six tien oor/na ses (tyd); ~ comprehension onbegryplik; ~ recovery onherstelbaar; ~ stu'=dent oudstudent

paste (n) gom; deeg; pasta (vir tande); smeersel; (v) plak, vasplak; ~board bordpapier

pas'tel pastel, papierkryt

pas'teurise (v) pasteuriseer (melk)

pas'time tydverdryf, tydkorting; spel; stokperd=jie; ontspanning *also* hobby; recreation

past' mas'ter bobaas, uithaler (persoon); vol-leerde *also* old hand

pas'tor predikant; pastor; pastoor *also* cler'=gyman

pas'toral (n) herdersdig; herderspel; (a) herder-lik, pastoraal; herders=; ~ vi'sit huisbesoek (van predikant)

pas'try deeg; tert, soetgebak; ~ cook pasteibak=ker; ~ cut'ter deegwieletjie

pas'ture (n) weiveld, weiding *also* mea'dow; (v) wei, laat wei

pat (n) tikkie, klappie; sagte geluid; stukkie (botter); ~ on the back pluimpie; kompliment; (v) tik, streel; (a) vlot; oppervlakkig; toepas-lik; (adv) vanpas, toepaslik; know off ~ op jou duimpie ken; ~-a-cake handjiesklap

patch (n) lap, stuk; (v) lap, heelmaak; ~ up lap, saamflans; ~word stoplap, stopwoord; ~work lapwerk *also* hash, hotch'potch

pate (n) kop, skedel, harspan, klapperdop

pâté' patee (gereg)

pa'tent (n) patent; oktrooi; (v) patenteer; (a) duidelik, vanselfsprekend; gepatenteer; uitste-kend; ~ee' patenthouer; ~ lea'ther lakleer, glansleer; ~ med'icine huismiddel, patente medisyne

paterfamil'ias huisvader

patern'al vaderlik; ~ism paternalisme

patern'ity vaderskap *also* lin'eage; bron; oor-saak; dispu'ted ~ betwiste vaderskap

paternos'ter Onse Vader; paternoster

path (n) pad, weg, baan *also* track, route'; roete (rek.)

pathet'ic (a) pateties; aandoenlik, roerend

pathol'ogist patoloog (med. spesialis)

pathol'ogy patologie, siektekunde

pa'thos aandoenlikheid, patos *also* sad'ness

pa'tience (n) geduld, lydsaamheid; lankmoedig=heid; solitêr (kaartspel) *also* solitaire'; have no ~ with nie kan verdra nie

pa'tient (n) pasiënt; lyer, sieke; (a) geduldig; gelate *also* compo'sed; onvermoeid

pa'tio (n) (buite)stoep, patio

patois' brabbeltaal, streektaal, patois, dialek

pa'triarch aartsvader, patriarg

patri'cian (n) gesiene persoon; adellike burger; patrisiër (hist.); (a) waardig; patrisies

pat'ricide (n) vadermoord; vadermoordenaar *also* par'ricide

pa'triot (n) vaderlander, patriot; ~ic (a) patrio-ties, vaderlandsliewend; ~ism vaderlands-liefde, patriotisme

patrol' (n) patrollie; ronde/rondte; (v) patrolleer; die rondte doen/maak *also* cruise

pa'tron (n) beskermheer; begunstiger, donateur; gereelde besoeker, klant *also* reg'ular cus'=tomer; (pl) klandisie; ~age begunstiging, beskerming; klandisie; ~ise begunstig, onder-steun *also* spon'sor, support'; frequent' (restaurant); ~ising beskermend; neerbuigend *also* condescen'ding; ~ saint beskermheilige, skutspatroon

pat'ter[1] (n) gekletter, geklater; geklap; getrap-pel; (v) kletter; ratel; trippel, trappel

pat'ter[2] (n) afgerammelde taal; gesnater, gebab-bel; (v) aframmel; babbel

pat'tern (n) (knip)patroon; model *also* design'; voorbeeld; toonbeeld; paradigma; gedragswyse

pat'ty (n) frikkadel, vleiskoekie

pat'typan (n) krulpampoentjie

pau'city (n) geringheid; skaarsheid, skaarste *also* shortage', dearth

Paul Paulus; ~ Pry nuuskierige agie

paunch (n) boepens, boepie *also* potbel'ly

paup'er (n) armlastige, behoeftige (persoon); ~ bu'rial armebegrafnis; ~ise verarm

pause (n) pouse, verposing, ruspoos, blaaskans; (v) rus, wag, pouseer *also* break

pave (v) plavei, bevloer, bestraat; uitlê; ~ the way die weg baan/berei; ~ment sypaadjie *also* side'walk; ~ment spe'cial (joc.) superbrak (hond)

pa'ving plaveisel; cra'zy ~ lapbestrating

pavil'ion pawiljoen/paviljoen *also* (grand) stand

paw (n) poot, klou; (v) krap; kap (perd); betas, beklou

pawn (n) pand; pion, strooipop, lakei *also* pup'pet, stooge, hench'man; pion (skaak); (v) verpand; ~bro'ker pandjieshouer; ~shop pandjieswinkel

pay (n) betaling; salaris, loon; soldy; (v) betaal; beloon; vereffen; uitkeer; ~ s.o. a compliment iem. 'n kompliment maak; ~ *a dividend* 'n dividend uitbetaal/uitkeer; ~ *down* kontant betaal; ~ *off* afbetaal; afdank *also* **discharge'**, **retrench'**; ~ *out* uitbetaal; ~ *the piper* die gelag betaal (alleen vir ander betaal/op= dok/boet); ~ *up* opdok; ~ *a visit* besoek; **~able** betaalbaar; **~-as-you-earn (PAYE)** lopende belastingstelsel **(LBS)**; ~ **chan'nel** betaal= kanaal (TV); **~day** betaaldag; **~ee'** ontvanger; **~er** betaler; ~ **hike/in'crease** salaris=/loon= verhoging; **~ing guest** loseerder; **~mas'ter** betaalmeester; **~ment** betaling; *~ment in full* volle vereffening; *default of ~ment* niebeta= ling, wanbetaling; **~roll/~sheet** betaalstaat

pea (n) ertjie, groen(erte); **green ~** dop-ertjie; **sweet ~s** pronk-ertjies, blom-ertjies

peace (n) vrede *also* **con'cord, har'mony; rus,** kalmte; *hold one's ~* jou mond hou; *justice of the ~* vrederegter; *keep the ~* die vrede bewaar; *~ of mind* gemoedsrus; **~ful** vreedsaam, rustig: *~ful solution* vreedsame oplossing; **~fully:** *passed away ~fully* sag heengegaan (gesterf); **~lov'ing** vredeliewend; **~ma'ker** vredemaker; ~ **of'fering** soenoffer

peach[1] (n) perske; *a ~ of a girl* 'n beeld/blom van 'n meisie; ~ **bran'dy** perskebrandewyn, perskesnaps; mampoer *see* **wit'blits;** ~ **roll** perskesmeer

peach[2] (v) verklap, verraai, (ver)klik

pea: ~cock pou(mannetjie); **~hen** pouwyfie

peak (n) punt, spits; top, piek *also* **a'pex, pin'nacle;** (v) piek; ~ **pe'riod** spitstyd, spits= uur; ~ **traf'fic** spitsverkeer; ~ **vie'wing/lis'= tening time** spitskyk=/luistertyd

peal (n) klokgelui; donderslag; *~s of laughter* skaterlag, geskater; ~ *of thunder* donderslag; (v) lui; beier (klokkespel); weergalm

pea'nut (n) grondboon(tjie); ~ **but'ter** grond= boontjiebotter

pear (n) peer; **~-sha'ped** peervormig; **~tree** peerboom

pearl (n) pêrel; (v) bepêrel; (a) pêrel=; *~ly gate* hemelpoort; *cast ~s before (the) swine* pêrels voor die swyne werp/gooi; ~ **bulb** matgloei= lamp; ~ **di'ver** pêrelduiker, pêrelvisser; ~ **fish'ery** pêrelvissery; ~ **oy'ster** pêreloester

pea'sant (n) (klein)boer, landbouer, landman

pea'shooter (n) blaaspyp(ie)

pea soup ertjiesop

peat (n) veen, moerasturf

peb'ble spoelklippie, kiesel(steen)

pe'can nut pekanneut

peck (n) hap; pik; (v) pik; ~ *at* pik na; vit op; **~er** pikker; houtkapper; **~ing or'der** pikprioriteit, gesagsorde

pec'tin pektien, plantselei

pecu'liar (a) eienaardig; buitengewoon; snaaks; besonder *also* **strange, queer, odd**

pecu'niary geldelik, finansieel, geld=; ~ *trouble* geldnood

pedagog'ic opvoedkundig, pedagogies; **~s** op voedkunde, pedagogie

ped'agogue opvoeder, pedagoog *also* **ed'ucato**

ped'al (n) pedaal; trapper; (v) trap; fiets; ~ **ca** trapkar(retjie)

pe'dant pedant (persoon); skoolvos, wysneus **~ic** pedanties, verwaand, eiewys *also* **pom pous, concei'ted**

ped'dle (v) smous, vent; met negosie rondr (hist.)

ped'estal voetstuk, onderstuk; *put s.o. on a* iem. ophemel/verafgod; ~ **lamp** staanlamp

pedes'trian (n) voetganger; stapper; (a) voet= voetganger=; alledaags; vervelend *also* **bor ing, dull;** ~ **bridge** voetbrug; ~ **cros'sin** voetoorweg; ~ **mall** wandellaan, winkelbaar ~ **traf'fic light** voetganger(verkeers)lig

paediatric'ian pediater, kinderarts

ped'icure (n) voetheelkunde, pedikuur *also* **chi rop'ody;** podiatris, voetkundige *also* **podi' atrist**

ped'igree (n) stamboom; geslagsregister; stam boek; (a) raseg; stamboek=; volbloed= *als* **pure'bred;** ~ **cattle/stock** stamboekvee

ped'lar (n) smous, bondeldraer, venter *als* **haw'ker; drug ~** dwelmsmous *see* **dru trafficker; street/pave'ment ~** straatsmous **~'s tray** penswinkeltjie

pedom'eter (n) pasmeter, treëteller, pedometer

peek (v) beloer, kyk; **~aboo'** kiekeboe; waar' hy? (kinderspeletjie)

peel (n) skil; dop; (v) afskil; afdop; afskilfer; ba afmaak; ~ *and stick* pluk en plak (etikette posseëls); **can'died ~** versuikerde skil

peep (n) kykie; ~ *of dawn* dagbreek; (v) loer gluur; koekeloer; **~hole** loergaatjie *also* **spy' hole; door'scope, doorviewer; ~ing Ton** (af)loerder, loervink; **~show** kykspel; ~ **sigh** gaatjievisier (op geweer)

peer[1] (n) edelman; gelyke, eweknie, portuur **without** ~ sonder weerga; **~age** adelstand, ade *also* **nobil'ity;** ~ **group** portuurgroep; **~less (a** weergaloos *also* **unsurpassed'**

peer[2] (v) loer, gluur *also* **peep, snoop**

pee'ved (a) omgekrap; vererg

peev'ish nors; prikkelbaar; knorrig *also* **grum' py;** ~ *fellow* korrelkop

peg (n) (tent)pen; kapstok; wasgoedknyper; (v vasslaan; afpen; ~ *prices* pryse vaspen

Pekin(g)ese' Pekinees (persoon, van Pe king/Beijing); pekinees (hond)

pela'gian (n) diepseebewoner; (a) diepsee= pelagies; **pela'gic/~ fish** diepseevis

pel'ican pelikaan (watervoël)

pel'let (n) balletjie; pilletjie; koeëltjie; korrel; (v beskiet; ~ **gun** windbuks *also* **air'gun**

pell′-mell′ (n) warboel *also* **confu′sion;** (adv) halsoorkop

pel′met gordynkap

pelt[1] (n) vag, vel; pels *also* **an′imal skin**

pelt[2] (n) gooiery; (v) gooi; neerkletter; ~ *with questions* met vrae bestook

pel′try (n) peltery, bontwerk; velle, huide

pel′vic (a) bekken=; ~ **mas′sage** bekkenmassering

pel′vis (n) bekken (anat.)

pen[1] (n) hok, kraal; kampie; (v) opsluit; injaag

pen[2] (n) pen; (v) neerpen; skryf/skrywe

pe′nal (a) straf=; strafbaar; ~**ise** (v) straf, beboet, penaliseer; ~ **law** strafwet; ~ **ser′vitude** harde= pad, dwangarbeid; ~ **settle′ment** strafkolonie

pen′alty (n) straf; boete; strafskop (rugby, sokker); strafpunt (in sport)

pe′nance (n) boetedoening *also* **atone′ment**

pence (n) pennie(s) (eertydse geldstuk)

pen′cil potlood; ~ *of rays* straalbundel; *write in* ~ met potlood skryf; ~ **box/**~ **case** potloodblik= kie, potloodboks

pend (v) (laat) oorstaan, afwag

pen′dant (n) hanger(tjie); pendant; wimpel; hangkroon

pen′dent (a) hangend; hang=; hangende, onbe= slis; ~ **watch** hangoorlosie; halsoorlosie

pen′ding (a) hangende; onbeslis; in afwagting; ~ *his return* totdat hy terugkom; (prep) gedu= rende; ~ **tray** (af)wagmandjie

pen′dulum (n) slinger, pendule/pendulum

pen′etrate (v) deurdring; deurgrond; binnedring; penetreer *also* **pierce; probe**

penetra′tion indringing; skerpsinnigheid *also* **in′sight;** deurbraak

pen friend penmaat, penvriend *also* ~ **pal**

pen′guin pikkewyn

penicil′lin penisillien

penin′sula (n) skiereiland

pe′nis (n) penis *also* **fal′lus**

pen′itence boetvaardigheid, berou

pen′itent (n) boeteling (persoon); (a) boetvaar= dig, berouvol *also* **repen′tant, remorse′ful**

peniten′tiary (n) strafgevangenis

pen: ~**knife** knipmes, sakmes; ~**manship** skryf= kuns; ~**name** skryfnaam; skuilnaam *also* **pseu′donym**

pen′nant wimpel *also* **strea′mer;** driehoekvlag= gie

penni′less arm, behoeftig *also* **des′titute**

pen′ny (n) **pennies** pennie, dubbeltjie (eertydse geldstuk); oulap (omgangst.); *in for a* ~, *in for a pound* wie nooit waag nie, sal nooit wen nie; ~~**-a-liner** broodskrywer, knolskrywer; ~~**-far′= thing** (old-fashioned cycle) tiekiewawiel; ~ **hor′rible** goedkoop sensasieverhaal; ~~**-pinch′= ing** (a) inhalig; ~**weight** 24 grein; ~ **whis′tle** kwêlafluit; ~~**-wise** agterstevoor suinig, ver= keerd suinig

pen: ~ **pal** penmaat, penvriend *also* ~ **friend;** ~ **por′trait** penskets; ~**push′er** (derog.) penne= lekker (neerh.)

pen′sion (n) pensioen; jaargeld; losieshuis; *retire on* ~ met pensioen aftree; (v) ~ *off* pensioe= neer; (a) pensioens=; ~**able** op pensioen geregtig; ~**ed** gepensioeneer; ~**er** pensioen= trekker, pensioenaris, gepensioeneerde; ~ **fund** pensioenfonds

pen′sive (a) peinsend *also* **mu′sing;** swaarmoe= dig, droefgeestig

pent-up opgekrop, onderdruk (gevoelens); *I've been pent up in this office for over a year* ek sit nou al meer as ’n jaar teen my sin in dié kantoor

pen′tagon vyfhoek

Pen′tateuch Pentateug (die vyf boeke van Moses)

pentath′lon vyfkamp (sport)

Pen′tecost Pinkster

pent′house dakwoonstel; skermdak, afdak; ~ **suite** dakstel

penul′t(imate) voorlaaste

peo′ny (n) **peonies** pioenroos, pinksterroos

peo′ple (n) mense; volk; nasie; *he of all* ~ juis hy; *the chosen* ~ die uitverkore volk; (v) bevolk

pep (n) fut, lewe, woema, pit; ~ **pill** opkikkerpil, opkikker(s); (v): ~ *up* opvrolik *also: cheer up*

pep′per (n) peper; (v) peper; inpeper; bestook (met); afransel; ~**box** peperpotjie; ~ **castor** peperpotjie, peperbus; ~**corn** peperkorrel; ~**mint** peperment/pipperment

pep talk (n) motiveerpraatjie, (op)kikpraatjie, moreelkikker *also* **morale′ boos′ter**

pep′tic spysverterend; ~ **ul′cer** maagseer

per per, deur, deur middel van; ~ *annum* jaarliks; ~ *diem* per dag; ~ *post* per pos

peram′bulate (v) rondloop, rondwandel *also* **pere′grinate;** rondswerf, ronddwaal

peram′bulator kinderwaentjie, stootwaentjie *also* **pram**

perceive′ (v) waarneem; bemerk, bespeur, ge= waar *also* **observe′**

per cent′/percent′ persent; per honderd

percent′age persentasie; ~ **point′** persentasie= punt

percep′tible waarneembaar, (be)merkbaar, be= speurbaar

percep′tion (n) idee, opvatting, begrip, persepsie

percep′tive waarnemings=, waarnemend; ~ **fac′= ulty** waarneemvermoë

perch[1] (n) baars (vis)

perch[2] (n) stokkie (in ’n voëlkou); stellasie (hoenders) *also* **roost;** sitplek; (v) neerstryk; ~*ed on a hill* op ’n koppie (geleë)

perchance′ miskien, dalk, altemit *also* **perhaps′, may′be**

per′colate (v) deursyfer, deursyg; perkoleer; filtreer; **~d cof′fee** perkoleerkoffie

per′colator (n) perkoleerder; filter; filtreerkan

percus′sion skok; slag, perkussie; botsing; slag= werk; **~ band** slagorkes; **~ cap** slagdop(pie)

perdi′tion verderf, verdoemenis

pere′grinate (v) rondswerf, dool, dwaal, slam= pamper, peregrineer *see* **peram′bulate**

peregrina′tion (n) omswerwing, peregrinasie

peremp′tory (a) gebiedend *also* **comman′ding;** beslissend, afdoende

peren′nial (a) aanhoudend, voortdurend; meer= jarig (plant); standhoudend (water); **~ plant** meerjaarplant

per′fect[1] (n) voltooid teenwoordige tyd (gram.); (a) volmaak; ideaal; perfek; eksie-perfeksie; **~ nonsense** klinkklare onsin; **~ stranger** volslae vreemdeling; **~ fluke** kolhou (gholf)

perfect′[2] (v) (ver)volmaak, perfeksioneer *also* **fulfil′;** voleindig; **~ the art** die kuns verfyn; **~ion** volmaaktheid, perfeksie; voortreflikheid; **~ionism** perfeksionisme; **~ionist** perfeksionis *also* **preci′sionist**

perfid′ious (a) troueloos, verraderlik, vals *also* **trea′cherous, deceit′ful**

per′forate (v) deurboor, perforeer *also* **honey′= comb** (v)

perfora′tion (n) tanding, perforasie; skeurogies

perforce′ (adv) met/deur geweld, noodge= dwonge

perform′ (v) uitvoer, verrig, vervul, volbring *also* **accom′plish;** opvoer (toneelstuk); uit= voer, speel (mus.); voordra; nakom; **~ a play** 'n toneelstuk opvoer

perform′ance (n) opvoering (toneel); uitvoering (mus.); vervulling; werkverrigting (van enjin); werkprestasie (van persoon) *also* **achie′ve= ment;** vertoning (ekon.); prestasie; **~ apprais= al/assessment/evalua′tion** prestasiemeting, presteertoets

perform′er (toneel)speler; voordraer

perform′ing uitvoerend; **~ arts** uitvoerende kunste; **~ group/com′pany** toneelgroep, to= neelgeselskap; **~ rights** opvoerregte

per′fume (n) reukwater, parfuum, lawentel; geur, reuk *also* **scent, aro′ma**

perfume′ (v) parfumeer; **~ry** reukwerk, parfu= merie

perfunc′tory (a) agte(r)losig, slordig *also* **care′= less, slipshod;** **~ inspection** vlugtige onder= soek/inspeksie

pergo′la (n) prieel, pergola

perhaps′ miskien, dalk, altemit *also* **may′be**

per′il (n) gevaar; **in ~ of one's life** in doodsge= vaar; (v) aan gevaar blootstel; **~ous** gevaarlik *also* **dan′gerous, haz′ardous**

perim′eter (n) omtrek, buitelyn, buitegrens

per′iod (n) tydperk, tydvak, tyd, periode; tydsduur; termyn; lestyd; punt (end van sin); **~ fur′niture** stylmeubels

period′ical (n) tydskrif *also* **jour′nal, maga= zine′;** (a) periodiek, van tyd tot tyd

pe′riods (n, pl) maandstondes *also* **menstrua′= tion**

periph′erals randapparatuur (rek.)

periph′ery periferie, omtrek

per′iscope periskoop (by duikboot)

per′ish (v) omkom, doodgaan; vergaan; bederf **~ed with cold** verkluim; **~able** bederfbaar (vrug= te) *also* **decay′able;** **~ables** bederfbare produkte

peritoni′tis (n) buikvliesontsteking, peritonitis

pe′ri-urban buitestedelik, omstedelik

per′iwinkle alikreukel/alikruik; maagdepalm katoog (plant)

per′jury (n) meineed; woordbreuk; *commit* = meineed pleeg

perk (v): **~ up** penorent sit/wip; mooi maak optooi, opfris; lewendig/wakker word/maak **~y** astrant, snipperig

perks (infml.) (n, pl) byvoordele *also* **per′= quisites**

perlemoen′ (SAE) (n) perlemoen *also* **ab′alone**

perm (n) vasgolf (hare) *also* **perm′anent wave**

per′manence/per′manency (n) duur, duursaam= heid; vastheid, bestendigheid

per′manent (a) blywend, vas, permanent; **~ co′lours** vaste kleure; **~ cus′tomer** vaste klant **~ force** staande mag; **~ staff** vaste personeel; **~ wave** vasgolf (hare)

perman′ganate (n) permanganaat (ontsmetmid= del)

per′meate (v) deurdring, deurtrek

permis′sible toelaatbaar, geoorloof *also* **legit′= imate; ko′sher** (infml.)

permis′sion (n) verlof, vergunning, permissie *give* **~** toestemming/die jawoord gee

permis′sive (a) toestemmend; toelaatbaar; bande= loos, permissief; **~ socie′ty** permissiewe same= lewing; **~ness** permissiwiteit; toegeeflikheid

per′mit[1] (n) permit, vrybrief, pas

permit′[2] (v) toelaat, veroorloof, vergun *also* **au′thorise, empo′wer, sanc′tion**

permuta′tion (n) verwisseling, permutasie *also* **transforma′tion**

perni′cious (a) skadelik, verderflik, verpestend *also* **nox′ious, iniq′uitous**

perora′tion langdradige/bombastiese toespraak; slotrede

perox′ide peroksied (suurstofverbinding)

perpendic′ular (n) loodlyn; *let fall a ~/plumb* 'n loodlyn neerlaat; (a) penregop; vertikaal, loodreg

per′petrate (v) begaan, pleeg ('n misdaad) *also* **commit′**

per′petrator (n) wandader, kwaaddoener, aan= stigter, booswig *also* **wrong′doer**

perpet'ual (a) onophoudelik, ewigdurend; onaf=
losbaar; ~ **mo'tion** ewigdurende beweging

perpet'uate (v) verewig, perpetueer, bestendig;
~ *his memory* sy nagedagtenis verewig

perpetu'ity ewigheid; bestendigheid; lewens=
lange rente; *in/to/for* ~ vir ewig en altyd

perplex' (v) oorbluf, verbyster; verbouereer;
~ed' (a) verslae, onthuts; verward, verbys=
ter(d) *also* **mys'tified**

perq'uisite (n) byvoordeel *also* **fringe ben'efit,
perk;** byverdienste; ekstra inkomste

per'secute (v) vervolg, kwel, pla *also* **harass',
hound**

persecu'tion (n) vervolging; ~ **ma'nia** vervol=
gingswaan

perseve'rance (n) volharding, wilskrag *also*
determina'tion

persevere' (v) volhard, aanhou, deurdruk *also*
persist'

Per'sia Persië (land, *nou* Iran); **~n** (n) Pers
(persoon); Persies (taal); (a) Persies (gebruike,
ens.); **~n wheel** bakkiespomp

per'siflage (n) spot; onsin; jillery, kafpraatjies

persim'mon persimmon, tamatiepruim, snotap=
pel (vrug)

persist' (v) aanhou, volhard; volhou; **~ency** vol=
harding; koppigheid; **~ent** volhardend;
hardnekkig; knaend (neul); **~ent cough** aan=
houdende hoes

per'son (n) persoon; mens; persoonlikheid; *every*
~ *who* elkeen/iedereen wat; *in* ~ persoonlik;
no ~ *may* niemand mag; **~age** persoon; **~al**
persoonlik, self; **~al compu'ter (PC)** persoon=
like rekenaar (PR); **~al liabi'lity** persoonlike
aanspreeklikheid; ~ **or'ganiser** (elektroniese)
dagbeplanner

persona'lia persoonlike inligting

personal'ity persoonlikheid *also* **disposi'tion,
iden'tity**

per'sonally persoonlik; ~ *present (eg at a
meeting)* self teenwoordig

per'sonate (v) voorstel, die rol speel van, optree
as, personeer *also* **im'personate**

personifica'tion (n) verpersoonliking, personi=
fiëring, personifikasie

person'ify (v) verpersoonlik, personifieer

personnel' personeel, bemanning *also* **staff,
staf'fing;** ~ **a'gency** personeelagentskap *also*
employ'ment/place'ment a'gency; ~ **man'=
agement** personeelbestuur

perspec'tive perspektief *also* **view, out'look;**
uitsig, vergesig

perspicac'ity skerpsinnigheid, skranderheid *also*
in'sight, sharpness

perspicu'ity duidelikheid, helderheid

perspira'tion sweet, perspirasie *also* **sweat,
exuda'tion**

perspire' (v) sweet, perspireer

persuade' (v) oorhaal, ompraat; oorreed; oor=
tuig; *be ~d of* oortuig wees van; vas glo

persua'sion (n) oorreding; oortuiging; geloof

persua'sive (a) oortuigend *also* **convinc'ing;**
oorhalend, ompratend, oorredend

pert (a) snipperig, vrypostig, astrant, wysneusig;
~ **girl** snip

pertain' (v) behoort (by); deel wees (van); ~ *to*
behoort by; betrekking hê op

pert'inence/pert'inency geskiktheid, gepastheid

pert'inent geskik, gepas, saaklik, ter sake

perturb' (v) versteur, verontrus; **~ed** (a) bekom=
mer, ontstel; **~ing** kommerwekkend

peru'sal deurlesing; ondersoek; *for ~/inspection*
ter insae

peruse' (v) deurlees, noukeurig lees *also* **scru'=
tinise**

pervade' (v) deurdring, vervul, deurtrek

perverse' (a) pervers; dwars, eiewys; befoeterd
also **cantan'kerous**

perver'sion (n) perversie; verdraaiing; verlei=
ding; ~ *of justice* regsverdraaiing

per'vert[1] (n) pervert; verdorwene *also* **degen'=
erate;** afgedwaalde, afvallige

pervert'[2] (v) verlei; misbruik; perverteer *also*
corrupt', deprave'

perver'ted (a) verdorwe, pervers

pes'simism (n) pessimisme; swaarmoedigheid,
neerslagtigheid *also* **despon'dency**

pes'simist (n) pessimis; swaarmoedige (persoon)

pessimis'tic (a) pessimisties; swaarmoedig, neer=
slagtig *also* **depres'sed, mel'ancholy**

pest pes, plaag; kwelling; ~ **control'** plaagbe=
heer; **~er** (v) pla; verpes *also* **annoy', harass';**
~icide plaagdoder, insek(te)doder

pes'tilence pestilensie *also* **epidem'ic, pla'gue**

pe'stle (n) stamper

pet (n) troeteldier; hansdier; liefling; (v) vertroe=
tel, streel; vry, liefkoos, kafoefel; (a) geliefde;
hans=; *one's ~ aversion/hate* jou doodsteek; jou
grootste hekel; die doring in jou vlees; ~ **dog**
skoothondjie; ~ **lamb** hanslam

pet'al blomblaar

pe'ter: ~ **out** doodloop, opraak

petite' (a) klein (van figuur), fyn, petite

peti'tion (n) beswaarskrif, petisie, versoek(skrif);
(v) petisioneer; **~er** petisionaris

pet name lieflingsnaam, troetelnaam

pet'rel stormvoël; rusverstoorder (persoon)

pet'rified (a) versteen; vreesbevange *also* **fos'=
silised; ter'rified**

pet'rify (v) versteen; verhard; verstar *also* **hard=
en;** lam skrik

pet'rol petrol; ~ **atten'dant** pompjoggie; ~
consump'tion petrolverbruik

petro'leum petroleum; aardolie

pet'rol: ~ **pump** petrolpomp *also* **bow'ser;** ~
sta'tion vulstasie; ~ **tank** petroltenk

pet shop (n) troeteldierwinkel; arkmark (infml.)

petti'coat onderrok; vrou (neerh. konnotasie); *~-ridden* onder die pantoffel (van sy vrou) *also* **hen'pecked; ~ govern'ment** (derog.) vroueregering

petti'fog (v) knoei, konkel; kibbel; redekawel; *~ger* knoeier; boereverneuker

pet'tiness kleinsieligheid; bekrompenheid; nie= tigheid, beuselagtigheid

pet'ting (infml.) (n) vryery; gekafoefel; liefko= sery; *~* **zoo** hansdieretuin

pet'ty (a) klein, gering, nietig *also* **small, insigni'ficant;** onbeduidend *also* **tri'fling;** kleinlik; *~* **cash** kleinkas

pet'ulant prikkelbaar, kriewelrig, knorrig *also* **sour, sul'ky**

pew (n) kerkbank; hoë bank

pew'ter (n) piouter, edeltin

phal'anx (n) slagorde, falanks; vingerbeentjie; toonbeentjie

phantasm' hersenskim, gesigsbedrog; geesver= skyning

phantasmagor'ia droombeeld; fantasmagorie, skimmespel; towerlantern

phan'tom spook, skim, drogbeeld, fantoom *also* **appari'tion, spec'tre;** hersenskim, droom= beeld; *~* **ship** spookskip

pha'raoh farao (Egiptiese heerser)

pharisa'ic (a) skynheilig, huigelagtig *also* **sanctimo'nious**

pha'risee (n) fariseër, skynheilige, huigelaar *also* **hy'pocrite**

pharmaceu'tical (a) farmaseuties

pharmaceu'tics farmasie; artsenybereiding

pharm'acist apteker, drogis *also* **chem'ist** (shop= keeper)

pharmacol'ogist farmakoloog, medikasiekun= dige

pharmacol'ogy farmakologie; artsenyleer, medi= syneleer

phar'macy apteek (winkel) *also* **chem'ist** (pop= ular name); artsenykunde

pharyngit'is keelontsteking

pha'rynx keelholte

phase fase *also* **junc'ture;** toestand; stadium; *~ in* infaseer; *~ out* uitfaseer

phea'sant fisant (voël)

phenom'enal (a) wonderlik, buitengewoon, merkwaardig *also* **remark'able, stri'king**

phenom'enon (n) **..na** (natuur)verskynsel; na= tuurfrats; fenomeen *also* **spec'tacle, mir'acle; occur'rence**

phi'al botteltjie, flessie

philan'der (v) vry, flirt; *~er* (n) vryer, rokjagter *also* **wo'maniser**

philanthrop'ic (a) mensliewend, filantropies

philan'thropist filantroop, mensevriend *also* **al'truist**

philat'elist posseëlversamelaar, filatelis

philat'ely (n) posseëlkunde, filatelie

philharmon'ic (a) filharmonies

Phil'istine (n) Filistyn (Bybelse volksgroep); filistyn (kultuurlose/onverfynde/onbeskaafde persoon) *also* **barba'rian, lout**

philol'ogist taalwetenskaplike, linguis, filoloog

philol'ogy (n) taalwetenskap, linguistiek, filolo= gie

philos'opher wysgeer, filosoof

philosoph'ic(al) (a) wysgerig, filosofies

philos'ophy (n) wysbegeerte, filosofie

phiz (slang) (n) bakkies, gevreet, smoel *also* **mug, dial** (slang)

phlegm (n) slym; onverskilligheid, traagheid, *~at'ic* (a) onverskillig, flegmaties; slymagtig

phlox floks(ie), vlamblom

pho'bia (n) fobie, sieklike vrees; afkeer (van) *also* **aver'sion; fear**

phoen'ix feniks (fabelvoël)

phone (n) telefoon *also* **tele'phone;** (v) (op)bel, skakel; telefoneer; *~* **card** foonkaart; *~-in* **pro'gramme** inbelprogram; *~* **tap'ping** afluis= ter (oor foon)

phonet'ic: *~* **spel'ling** fonetiese spelling (volgens klank van woord)

phonet'ics (n) klankleer, fonetiek

pho'ney (n) nabootser, bedrieër *also* **impos'tor;** (a) vals, oneg, nageboots *also* **false, fa'ked**

phos'phate fosfaat (vir bemesting)

phosphoresce' (v) glim, fosforesseer; *~nce* (n) fosforlig; *~nt* (a) ligtend, blinkend, skynend

phos'phorus (n) fosfor (chem. element)

pho'to (n) foto *also* **photo'graph;** *~copy* (n) fotokopie; (v) fotokopieer; *~degradable* (a) ligafbreekbaar (plastiek); *~* **fin'ish** fotobeslis= sing (wedrenne); *~gen'ic* fotogenies (foto-aan= treklik); liggewend

photo'graph (n) foto; portret; (v) afneem, fotografeer; *~* **al'bum** foto-album

photog'rapher fotograaf; afnemer

photograph'ic fotografies

photog'raphy fotografie

pho'to library fototeek

photom'eter ligmeter, fotometer

Pho'tostat (trademark) fotostaat, fotostatiese afdruk; fotokopie *also* **photoco'py**

phrase (n) frase, sinsnede; uitdrukking; (v) fraseer; bewoord; *~* **book** taalgids (vir toe= riste); *~ol'ogy* woordkeuse, skryftrant *also* **expres'sion, style**

phrenet'ic (a) kranksinnig, rasend, mal *also* **fren'zied, fran'tic**

phthi'sis (n) longtering, myntering

phyllox'era filloksera, druifluis

phys'ical (a) natuurkundig, fisies; liggaamlik fisiek; *~* **chem'istry** fisiese skeikunde; *~* **cul'ture** beweegkunde; *~* **educa'tion** menslike beweegkunde, liggaamsopvoeding; ~ **ex'ercise** liggaamsoefening; ~ **pre'sence** fisieke teen= woordigheid; ~ **science** natuur- en skeikunde (skoolvak); ~ **sciences** natuurwetenskappe (skoolvak)

physi'cian (n) internis (med. spesialis); dokter, (huis) arts

phys'icist natuurkundige, fisikus

phys'ics natuurkunde, fisika

physiol'ogist fisioloog

physiol'ogy fisiologie

physiothe'rapist fisioterapeut

physiothe'rapy fisioterapie

physique' liggaamsbou *also* **bod'y, fig'ure**

pi'anist pianis, klavierspeler (manlik, vroulik)

pian'o klavier; piano; ~ **accom'paniment** kla= vierbegeleiding; ~ **accor'deon** trekklavier

piano'la pianola (meganiese klavier)

pick[1] (n) keuse; (die) beste; *the ~ of the basket/bunch* die allerbeste; (v) kies; ~ *and choose* uitsoek

pick[2] (n) pik; kielhouer; tandestokkie; (v) pik; pluk; afeet (been); skoonmaak; ~ *a bone with s.o.* 'n appeltjie skil met iem. (fig.); ~ *to pieces* uitmekaarpluk; ~ *a quarrel with* rusie/skoor soek met; ~ *up* optel; oplaai (passasiers); oplig (poot); **~-a-back** (a) abba=, op die rug *also* **pig'gyback**

pick'ax(e) kiel(houer)pik; ~ **han'dle** piksteel

pick'er plukker, opraper; kapper (persoon)

pick'et (n) paal; brandwag (op kommando); staakwag (by staking); (v) omhein (met pale); wagstaan

pick'ings (n) oorskiet, oorblyfsel, afval

pi'ckle (n) pekel; moeilikheid; *in a fine ~* in die knyp/verknorsing; (v) insout, inlê, inmaak; **~s** piekels; atjar, suurtjies *also* **a'char**

pick'lock slotoopmaker; inbreker

pick'-me-up (n) opknapper(tjie); sopie; versterk= middel(tjie) *also* **ton'ic, stim'ulant**

pick'pocket (n) sakkeroller, goudief

pick'-up klankopnemer (grammofoon); bakkie (motor); ~ **van/truck** patrolliewa; bakkie, bestelwa(entjie)

pic'nic (n) piekniek; veldparty; (v) piekniek (hou) *also* **pic'nicking**

pic'togram (n) beeldteken, piktogram (veral verkeerstekens)

pictor'ial (a) skilderagtig; afgebeeld, geïllus= treer; ~ **his'tory** geïllustreerde geskiedenis

pic'ture (n) prent; skildery; afbeelding; toon= beeld; *she is a ~ of health* sy geniet blakende gesondheid; (v) beskryf/beskrywe; afbeeld; voorstel; ~ **book** prenteboek; ~ **gal'lery** kuns= galery, fotogalery, kunssaal; ~ **puz'zle** soek= prentjie, prentlegkaart

picturesque' (a) skilderagtig, asemrowend (na= tuurskoon) *also* **sce'nic**

pid'dle (v) piepie, fluit, 'n draai loop

pie[1] (n) verwarring, chaos; warboel

pie[2] (n) pastei, tert; *have a finger in the ~* in iets betrokke wees; *eat humble ~* mooi/soet broodjies bak; *a ~ in the sky* wensdenkery

pieb'ald swartbont; ~ **horse** bontlap-perd

piece (n) stuk; deel; munt; rol; *give a ~ of one's mind* goed die waarheid vertel; *of one ~* uit een stuk; (v) 'n stuk insit, lap, heelmaak; las; ~ **goods** stukgoed (weefstof); **~meal** stuksge= wys(e); **~work** stukwerk; skrop (op plase) *also* **cas'ual la'bour**

pied (a) bont, geskakeer; **P~ Pi'per** Rottevanger/ Fluitspeler (van Hameln)

pier (n) hawehoof, seehoof, pier *also* **jet'ty;** pyler, heipaal *also* **pile** (for vertical foundation)

pierce (v) deursteek, deurboor, 'n gat steek in

pier'cing (a) deurdringend, skerp (geluid) *also* **pen'etrating**

pi'ety (n) vroomheid, piëteit *also* **sanc'tity**

piff'le bog, kaf, twak *also* **trash, tripe, driv'el**

pig (n) vark, otjie (dier); smeerlap (persoon); *buy a ~ in a poke* 'n kat in die sak koop; **gel'ded ~** burg; **suck'ling ~** speenvark

pig'eon (n) duif; **~-hear'ted** (a) bang, skrikkerig; **~-hole** (n) (pos)vakkie, sluitkassie, loket; (v) bêre; uitstel

pig'gery varkboerdery, ottery; varkhok

pig'gyback (v) op die rug/skouers dra; ~ *a child* 'n kind abba; (a) abba=, op die rug *also* **pick-a-back;** ~ **heart** abbahart

pig: ~gy bank spaarvarkie, otpot; **~hea'ded** eiesinnig, dwars, koppig; ~ **iron** ruyster *also* **crude iron**

pig'ment (n) kleurstof, pigment *also* **col'ouring**

pig: ~skin varkleer; varkvel; **~'s trot'ters** varkpootjies; **~sty** varkhok; **~tail** varkstert; (pruik)stert; **~weed** misbredie, marog

pike[1] (n) spies; lans; varswatersnoek

pike[2] (n) tolhek *also* **toll'gate, toll'plaza**

pil'chard sardyn, pelser (vis)

pile[1] (n) paal; pyler (brug); heipaal (vir fonda= ment); (v) (in)hei *also* **~-dri'ving**

pile[2] (n) hoop, massa, stapel; fortuin; suil (elektr.); *make one's ~* jou fortuin maak; ~ *up* op(een)stapel; (v) opstapel, ophoop; **~-up** (n) op(een)stapeling; kettingbotsing *also* **chain ac'cident**

pile[3] (n) pluis; wol; pool, nop (van weefsel)

piles (n, pl) aambeie *also* **hae'morrhoids**

pil'fer (v) vaslê, skaai; (bietjie-bietjie) wegmof= fel; gaps *also* **filch; ~er** (n) skaaier, gapser; **~ing** diewery, gapsery

pil'grim pelgrim; **~age** pelgrimstog, bedevaart

pi'ling/pile-dri'ving heiwerk *see* **pile**[1]

pill (n) pil; **contracep'tive ~** voorbehoedpil

pil'lage (n) roof; plundering; (v) roof, plunder, buit *also* **raid, loot**

pil'lar (n) pilaar; steunpilaar; *from ~ to post* van Pontius na Pilatus; (v) steun, stut; **~ box** straatbriewebus

pill'box (n) pil(le)boks; veldbunker *also* (small) **gun shelter**

pil'lion agtersaal(tjie) (van motorfiets)

pil'lory (n) skandpaal; (v) aan die kaak stel

pil'low (kop)kussing; **~case/~slip** kussingsloop

pi'lot (n) stuurman, loods (van skip); vlieër, vlieënier (van vliegtuig); gids; **automat'ic ~** stuuroutomaat; (v) loods; die pad wys *also* **nav'igate; ~ plant** gidsaanleg; **~ scheme** proefskema

pimp (n) koppelaar *also* **procu'rer** (of prosti‑ tutes)

pim'pernel muurkruid, pimpernel (klimop)

pim'ple puisie *also* **pap'ul(e), pustule** *see* boil

pin (n) (kop)speld; skroef; kegel; *be on ~s and needles* op hete kole sit; (v) vassteek, vasspeld; *~ one's faith on* volle vertroue stel in; *~ together* vassteek; **~ al'ley** kegelbaan *see* **ten'pin bow'ling**

pin'afore (n) voorskoot

pince'-nez (n, sing and pl) knypbril, knyper

pin'cers (n, pl) knypers; tangetjie; pinset

pinch (n) knyp; nood, verleentheid; snuifie; *at a ~* as die nood druk; *a ~ of salt* 'n knypie sout; (v) knyp, knel; noustrop trek; pynig; vaslê, gaps; *that is where the shoe ~es* daar lê die knoop

pin: **~cu'shion** speldekussing; **~head** speldekop

pine[1] (n) denneboom; pynboom

pine[2] (v) kwyn; versmag; *~ away* wegkwyn; *~ to death* doodtreur; *~ for* smag/hunker na

pine: **~ap'ple** pynappel; **~ cone** dennebol; **~ tree** denneboom; pynboom; **~ wood** dennehout, greinhout

ping'-pong tafeltennis, pingpong *also* **ta'ble ten'nis**

pin'ion[1] (n) vlerkpunt; (v) arms vasmaak; boei; kortwiek *also* **man'acle, shac'kle**

pin'ion[2] (n) tandrat *also* **gear wheels**

pink[1] (n) naelblom, grasangelier; toonbeeld; die beste; *in the ~ of condition* in blakende gesondheid; (a) pienk; ligrooi

pink[2] (n) gepingel; (v) pingel, klop (motorenjin)

pin money (infml.) sakgeld, spandeergeld

pin'nacle (n) toppunt, hoogtepunt *also* **zen'ith; sum'mit, peak;** toringspits

pin num'ber pinnommer (OTM; internethan‑ del)

pin'prick speldeprik

pint pint (inhoudsmaat); **~-si'zed** klein (van gestalte)

pin-up girl prikkelpop; kalenderpoppie

pioneer' (n) pionier, baanbreker *also* **trail'‑ blazer;** voortrekker (hist.); (v) die weg berei/baan

pi'ous vroom, godvrugtig *also* **ho'ly, devout', saint'ly;** skynheilig *also* **sanctimo'nious**

pip[1] (n) piep (hoendersiekte); nukkerigheid; depressie

pip[2] (n) vrugtepit

pip[3] (v) klop, troef; kafloop; raak skiet; *~ at the post* uitknikker, troef

pipe (n) pyp; fluit; geluid; (pl) doedelsakke; *fill a ~* 'n pyp stop; *in the ~line* aan die kom; in voorbereiding; *put that in your ~ and smoke it* dit kan jy op jou brood smeer; (v) op 'n fluit speel; huil; sing; **~bomb** pypbom; **~ dream** droombeeld; **~line** pypleiding (olie), pyplyn; **~ed mu'sic** agtergrondmusiek, blikmusiek; **~r** fluitspeler; doedelsakspeler; **~ wrench** pyp‑ sleutel (gereedskap)

pi'ping (n) omboorsel, koord; pypleiding; ge‑ fluit; gepiep; (a) fluitend; piepend; *~ hot* vuurwarm

pip'squeak (n) nikswerd/onbeduidende vent; uilskuiken

pi'quant (a) pittig, skerp, prikkelend, pikant

pique (n) wrok, wrewel; twis; (v) beledig; prikkel; *be ~d* gekrenk wees; *~ oneself on* roem op; **~d** (a) gebelg(d), gekrenk *also* **peeved'**

pi'racy seerowery; roofkopiëring (drukwerk, sagteware); onwettige handel in sagteware; letterdiewery, plagiaat *also* **pla'giarism**

pi'rate (n) seerower, vrybuiter *also* **buccaneer', marau'der, rai'der;** rowerskip; letterdief; (v) plunder; steel; **~ part** roofonderdeel (motor‑ handel); **~ ta'xi** rooftaxi; **~ vie'wers** roof‑ kykers (TV); **~ vie'wing** roofkyk (TV)

piscator'ial vis‑, vissers‑

pis'ciculture visteelt

piss (vulg.) (n, v) pis (vulg.); water, piepie *also* **wee, pass water/urine';** **~ed** (vulg.) (a) dronk, besope; gekoring (omgangst.)

pis'til stamper (van blom)

pis'tol (n) pistool; **automat'ic ~** outomatiese pistool; **~-packer** rolliepronker

pis'ton (n) suier; klep; **~ ring** suierring; **~ rod** suierstang (enjin)

pit (n) put, kuil; bodemlose put; afgrond; mynskag; bek; kuip (motorwedren); (v) uithol, uitgrawe; ophits; merk (pokke); *~ one's strength against* kragte meet met; **orches'tra ~** orkeskuip (teater); **~ bull ter'rier** vegbul‑ terriër; **~ toilet/latrine** putlatrine, plonsput, doefpoef *also* **long'drop**

pitch[1] (n) pik; **~-dark** (a) pikdonker

pitch[2] (n) hoogte, toppunt; gang (van skroef); toonhoogte (mus.); duik (skip); graad; kolf‑ blad (krieket); helling; galop (perd); staanplek; *the highest ~* die hoogste punt; (v) slinger; opslaan (tent); inplant; vasmaak; uitstal; gooi (bal); te lande kom; aanval; *~ camp* kamp opslaan; *queer s.o.'s* ~ iem. se planne in die wiele ry

pit′ched: ~ **bat′tle** hewige veldslag; beplande veldslag; ~ **roof** staandak

pitch′er kruik; kan; *little ~s have long ears* klein muisies het groot ore

pitch′fork gaffel, hooivurk

pit′fall (n) vangkuil, valkuil; valstrik *also* **trap**

pith kern, pit *also* **core, crux;** murg; krag; energie; ~y pittig, kernagtig

pit′iful (a) treurig, beklaenswaardig; armsalig, ellendig

pit′iless (a) onbarmhartig, meedoënloos *also* **harsh, relent′less**

pit′tance bietjie; *work for a (mere)* ~ vir 'n karige loon/hongerloon werk

pitu′itary gland slymklier, pituïtêre klier

pit′y (n) medelye, jammer(te); *for ~'s sake* in hemelsnaam; *take ~ on* medelye hê met; *jou ontferm oor; what a* ~ hoe jammer tog; (v) medelye hê, jammer kry

piv′ot (n) spil, draaipunt; (v) om 'n spil draai

pix′el beeldelement (rek.)

pix′ie: ~ **cap/hat** punthoedjie, puntmus

piz′za pizza

piz(z)az′ (n): *he's got* ~ hy's opwindend/lewendig/energiek

plac′able (a) versoenbaar; inskiklik

plac′ard (n) plakkaat, aanplakbiljet *also* **pos′ter** (fixed or carried)

placate′ (v) versoen; paai *also* **appease′**

place (n) plek, oord, plaas; woonplek; rang, stand; amp; *in the first* ~ in die eerste plek; *pride of* ~ ereplek; *take the* ~ *of* vervang; *take* ~ plaasvind; (v) plaas, neersit; aanstel; ~ *in arrest* arresteer, aanhou *also* **detain′;** ~ *an order* bestel; 'n bestelling plaas; **Clarendon P~** Clarendonoord, Clarendon Place

place′bo (n) troosmedikasie, plasebo; fopmiddel

placen′ta nageboorte, plasenta

place: ~ **kick** stelskop (rugby); ~ **name** pleknaam

plac′id (a) kalm, sag, vreedsaam *also* **peace′ful, serene′, tran′quil**

pla′giarism (n) plagiaat, letterdiewery, letterdiefstal

pla′giarise (v) plagiaat/letterdiefstal pleeg, plagieer *also* **crib, pi′rate** (v)

plague (n) plaag, pes *also* **epidem′ic;** (v) kwel, pla, versondig, lastig val

plaid Skotse mantel/geruit; reisdeken

plain (n) vlakte; vlak; gelykte; (a) eenvoudig; duidelik; plat; gewoon, gelykvloers; onaansienlik (meisie); ongetooi; effe; ~ *language* gewone/padlangse/eenvoudige taal; ~ *speaking* reguit/openhartig praat; ~ *sailing* maklik, seepglad; *the* ~ *truth* die naakte waarheid; (adv) duidelik; ~**clo′thes** burgerdrag; ~ **Jane** vaal meisie; ~**ly** duidelik, klaarblyklik

plain′tiff (n) klaer, eiser (in hof)

plain′tive (a) klaend, klaaglik *also* **mourn′ful**

plait (n) haarstring, haarvlegsel; plooi; (v) vleg, strengel; plooi, vou

plan (n) plan; voorneme; ontwerp, skets *also* **design′;** *make a* ~ 'n plan maak/beraam; (v) beplan; ontwerp, teken; vooraf reël; aanlê

plane[1] (n) plataanboom

plane[2] (n) skaaf; (v) skaaf/skawe

plane[3] (n) vlak; hoogte, gelykte; vliegtuig; (v) vlieg; skeer oor (die water); (a) plat, vlak

plan′et (n) planeet

planetar′ium (n) -s, ..ria planetarium

plan′etary (a) planeet=; aards; ~ **sys′tem** planeetstelsel, sonnestelsel

plane tree plataanboom *see* **plane**[1]

plank (n) plank; doel(stelling); verkiesingsleuse, beleidspunt (polit. party)

plank′ton plankton (klein wateorganismes)

plan′ner (n) beplanner, ontwerper

plan′ning beplanning; voorbereiding, ordening

plant[1] (n) plant; (v) plant, beplant; vestig; aanlê; opstel; ~ *a bomb* 'n bom plant; ~**a′tion** plantasie; ~**er** planter (persoon; masjien)

plant[2] (n) aanleg, installasie; uitrusting; **indus′trial** ~ fabrieksaanleg; ~ **and machi′nery** aanleg en masjinerie; ~ **op′erator** masjienbediener

pla′que (n) gedenkplaat; plakket; muurplaat *also* **pan′el;** plaak (tande)

plas′ma plasma, bloedwei (kleurlose bloedvloeistof)

plas′ter (n) pleister; gips; ~ **cast** gipsverband; ~ **of Par′is** gips; (v) pleister

plas′tic (a) plastiek=; beeldend; plasties; ~ **arts** beeldende kuns(te); ~ **cup** plastiekkoppie, plastiekbeker; ~ **sur′gery** plastiese snykunde

plas′ticine boetseerklei, kunsklei

plate (n) bord; plaat; plakket; ~ **event′** plaatkompetisie (sport); (v) versilwer, plateer

plateau′ (n) -s hoogvlakte, hoogland, plato

plate glass (n) spieëlglas, winkelglas

plat′form platform; perron (stasie); verhoog; podium; politieke program

plat′inum platina (erts); platinum, witgoud (element)

plat′itude (n) platheid; gemeenplaas *also* **cliché′, truism**

platon′ic (a) platonies; ~ **love** platoniese liefde (sonder seksbegeerte)

platoon′ (n) peloton (mil.)

plaus′ible (a) aanneemlik; geloofwaardig

play (n) spel; vermaak; toneelstuk, verhoogstuk; (v) speel, baljaar; bespeel; opvoer; uitvoer; ~ *by ear* op gehoor speel; ~ *the fool* die gek skeer; ~ *the game* eerlik wees/handel; *level the* ~*ing field* op gelyke voet meeding; ~/*act a part* 'n rol vertolk; ~ *for safety* die kat uit die boom kyk; ~ *tricks* poetse bak; ~ *truant* stokkies draai; ~ *up* opspeel, opblaas *also* **stress; give trouble;** **~boy** pierewaaier, swierbol, darteldawie, prikkelprins *also* **good= ti'mer, wo'maniser;** **~er** speler; toneelspeler, akteur/aktrise; **~ful** spelerig, dartel, speels; **~ground** speelterrein, speelplek; **~house** teater, skouburg; **~ing card** speelkaart; **~mate** speelmaat; **~-off** uitspeelwedstryd; **~school** peuterskool; **~time** speeltyd, pouse; **~wright** toneelskrywer, dramaturg

plea (n) pleidooi; pleit; verdediging, verweer

plead (v) soebat, smeek, pleit *also* **appeal';** pleidooi lewer; jou beroep op; ~ *guilty* skuld erken/beken; ~ *for mercy* om genade smeek; **~ing** (a) smekend

plea'sant (a) aangenaam, genoeglik, prettig *also* **enjoy'able, conge'nial; ~ry** skerts, kwinkslag *also* **wit'ticism;** kompliment; pligpleging

please (v) behaag; genoeë verskaf; aanstaan; ~ *God* as dit God behaag; *if you* ~ asseblief; (interj) asseblief; ~ *turn over* blaai om (bladsy); sien ommesy(de); **~d** (a) ingenome, tevrede; *~d with his marks* bly oor/ingenome met sy punte

pleas'ing aangenaam *also* **enjoy'able;** innemend

plea'sure (n) genot; vermaak; genoeë; plesier; wens, begeerte; welgevalle; singenot; *I have ~ in* dis my 'n genoeë om; *take ~ in* behae skep in; (v) genot verskaf; ~ **cruise** plesiervaart; ~ **gar'den** lushof; ~ **resort'** plesieroord

pleat (n,v) plooi, vou

plebei'an (n) plebejer, proletariër *also* **pleb;** (a) laag *also* **base, com'mon;** burgerlik

pleb'iscite volkstemming, referendum *also* **referen'dum**

plebs (n) gepeupel, plebs, skorriemorrie *also* **proleta'rians**

pledge (n) pand; waarborg; *hold in ~* in pand hou; (v) verpand, plegtig belowe *also* **vow; ~e'** pandhouer; **~r/pledgor** pandgeër

ple'nary volkome; voltallig (vergadering); ~ **po'wers** volmag; ~ **ses'sion** voltallige sitting, volsessie (vergadering)

plenipoten'tiary (n) gevolmagtigde (dipl.)

plen'tiful oorvloedig, volop *also* **am'ple, abun'= dant**

plen'ty (n) oorvloed; (a) genoeg, oorvloedig, volop *also* **abun'dant, profuse'**

pleth'ora (n) oorvloed *also* **profu'sion;** oormaat; ~ *of words* woordevloed

pleur'isy borsvliesontsteking, pleuritis (siekte)

pli'able buigsaam, lenig, soepel; fleksiel; plooibaar; meegaande; voubaar

pli'ant lenig, soepel; handelbaar; inskiklik, meegaande *also* **trac'table, adap'table**

pli'ers (pair of) (n) draadtang, knyptang

plight (n) verknorsing, dilemma, penarie *also*

predic'ament; *the ~ of the unemployed* di benardheid/verknorsing van die werkloses

plinth (n) plint, voetlys

plod (v) swoeg, ploeter; voortsukkel; ~ *alon* aansukkel; **~der** (n) ploeteraar, sukkelaar

plot[1] (n) (klein)hoewe, klein plasie; (bou)pe seel, erf

plot[2] (n) sameswering, komplot, intrige; (v saamsweer, saamspan *also* **contrive';** beraan skets, teken, stip; afbaken; ~ *together* saam span; **~ter** samesweerder, swendelaar *als* **sche'mer, con'man**

plough (n) ploeg; (v) ploeg, braak (landerye sak, druip (eksamen) *also* **fail, plug;** ~ *bac* belê; terugploeg; ~ *in* inploeg; **~ing** ploeër geploeg; **~share** ploegskaar

plo'ver kiewiet; strandloper(tjie) (voël)

ploy (n) voorwendsel, set, slenter, skuif *als* **trick, bluff;** rookskerm; doenigheid; *politice* ~ politieke skuif

pluck (n) (waag)moed, durf; harslag (dier); (v ruk, pluk; laat sak; bedrieg, kul; ~ *u courage/heart* moed skep; *~ed from the se* opgepik uit die see (drenkeling); **~y** moedi dapper, kordaat *also* **bold, brave, undaun'te**

plug (n) prop; pluisie; vonkprop; steker, krag prop (elektr.); trektou; (v) toestop; 'n pro insteek; beskiet; swoeg; dop, druip (eksamen *also* **fail;** ~ *away at* swoeg, ploeter; lostrek o

plum (n) pruim; (a) die beste; ~ *job* uitsoekpo: keurbetrekking

plu'mage vere, veredrag

plumb (n) paslood, skietlood; (v) peil; waterpa maak; (a) loodreg, regop; presies *also* **spot-o**

plumb'er loodgieter, (sanitêre) pypwerker

plum'cot appelkoospruim, pruimkoos

plume (n) pluim, veer; veerbos; (v) uitdo pronk; ~ *oneself* pronk, spog (oor jouself)

plum'met peillood, dieplood; ~ *down* neerstort

plump[1] (n) plons, plof; (v) neerplof; ~ *for candidate* almal vir een kandidaat stem

plump'[2] (v) dik word; swel; (a) dik *also* **obese** mollig; *a ~ lie* 'n onbeskaamde/flagrante leue

plum pud'ding vrugtestoompoeding, doekpoe ding, Kerspoeding

plun'der (n) buit, roof, plundering; (v) buit, roo plunder *also* **loot, raid**

plunge (n) duik, val; indompeling; *take the ~* di sprong waag; (v) duik; plons; indompel; *~d i thought* in gedagte(s) versonke

plun'ger (n) dompelaar; perkoleerder, koffiefilte

plu'perfect voltooid verlede tyd, plusquar perfectum (gram.)

plu'ral (n) meervoud (gram.); (a) meervoudig

plus (n) plus(teken); (a) ekstra; (adv) plus, mee daarby; ~ **fours** kniebroek; pofbroek, kardoes broek, sambalbroek; ~ **point** pluspunt *als* **cred'it point**

plush (n) wolfluweel; (a) weelderig, luuks, deftig
plutoc'racy plutokrasie, geldheerskappy
plu'tocrat plutokraat *also* **cap'italist, tycoon'**
plu'viometer reënmeter *also* **rain gauge**
ply (n) draad (wol); twyn; laag (hout); vou, plooi; (v) beoefen (beroep); behartig; hanteer; vaar (skip); lastig val *also* **har'ass**; ~ **between Durban and Maputo** (gereeld) tussen Durban en Maputo vaar (skip); ~ *s.o.* **with questions** iem. met vrae bestook; **two-~** tweedraad=; **tweelaag=; three-~ wood** drielaaghout
Ply'mouth Rock koekoek(hoender)
ply'wood laaghout, plakhout
pneumat'ic lug=, pneumaties
pneumo'nia longontsteking
pneumon'ic pla'gue longpes *see* **bubon'ic pla'gue**
poach[1] (v) posjeer (eier); **~ed egg** (n) kalfsoog, posjeereier
poach[2] (v) (wild) steel; vertrap; **~er** wildstroper, wilddief *also* **game ~er; ~ing** (wild)stropery, (wild)stelery
pock'et (n) sak; broeksak; beursie; diepte; *she has him in her* ~ sy kan hom om haar pinkie draai; (v) in die sak steek; wegbêre; toe-eien; ~ *your pride* jou hoogmoed bêre; **~book** sakboek; **~knife** sakmes, knipmes; ~ **mon'ey** sakgeld; **~-size** sakpas, sakformaat
pod (n) dop, peul *also* **shell, husk;** (v) uitdop; peule dra
podag'ra jig, pootjie; voetjig, toonjig
podge (n) dikkerd, vaatjie, vetsak (persoon)
pod'gy (a) dik, vet, geset, korpulent *also* **plump, chub'by, ro'ly-po'ly**
podia'trist (n) voetkundige
po'dium verhoog, podium
poem (n) gedig, vers *also* **verse**
po'et (male or female) digter
poetas'ter rymelaar, pruldigter, poëtaster
poet'ic (a) digterlik, poëties; ~ **li'cence** digterlike vryheid
po'etry (n) digkuns, poësie
po'grom (n) pogrom, bloedbad (veral die georganiseerde vervolging van Jode)
poig'nant (a) skrynend; pynlik; skerp; aangry= pend *also* **sad; stri'king, cap'tivating**
poinset'tia (n) karlienblom, poinsettia
point (n) punt; stippel; onderwerp, kwessie; toppunt; piek; kenmerk, eienskap; (pl) wissel (treinspoor); *at this* ~ op hierdie tydstip; ~ *by* ~ puntsgewys; *a case in* ~ 'n toepaslike/ pertinente geval; *in* ~ *of fact* in werklikheid; *the* ~ *in question* die onderhawige kwessie; *s.o.'s strong* ~ iem. se sterk punt; *to the* ~ ter sake, saaklik; *up to a* ~ tot op sekere hoogte; ~ *of view* gesig(s)punt; (v) skerp/spits maak; wys; voeg (messelwerk); ~ *out* aanwys; **~-blank'** trompop, op die man af; botweg; ~ **du'ty** puntdiens, verkeersdiens; **~ed** skerp;

geestig, gevat; **~er** wyser *also* **in'dicator;** pyltjie (rek.); pylflits (vir projeksie op skerm); voorvinger; jaghond, patryshond; **~less** sin= loos; **~-to-point** reguit
poise (n) ewewig; gewig; houding; (v) weeg; in ewewig hou; sweef; **~ed** (a) selfverseker(d)
poi'son (n) gif, gifstof; venyn *also* **ven'om;** (v) vergif(tig); vergewe; verpes, vergal; ~ **fang** giftand; **~ing** vergift(ig)ing; **food ~ing** voed= selvergift(ig)ing; **~ous** giftig
poke[1] (n) stoot, stamp; (v) stoot, stamp; pook, rakel (vuur); steek; ~ *fun at* gekskeer met; ~ *one's nose into s.o.'s affairs* jou neus in iem. se sake steek
poke[2] (n) sak; *buy a pig in a* ~ 'n kat in die sak koop
po'ker (n) vuuryster, vuurpook; poker (kaart= spel); **~work** brandwerk, sierbrand
Po'land Pole (land) *see* **Pole**[1], **Po'lish**[1]
po'lar (a) pool=; polêr; teenoorgesteld *also* **op'posite;** ~ **bear** ysbeer
po'larise (v) polariseer
polarisa'tion polarisasie/polarisering *also: creating opposites/extremes*
Pole[1] (n) Pool (persoon; inwoner van Pole) *see* **Po'land, Po'lish**[1]
pole[2] (n) paal; disselboom (kar); roede; *drive s.o. up the* ~ iem. gek/rasend maak
pole[3] (n) pool; *poles apart* hemelsbreed verskil
pole'cat muishond (SA); stinkdier (Eur.)
polem'ical (a) polemies, twis= *also* **controver'= sial**
polem'ics (n) polemiek, twis(geskrif), penne= stryd *also* **(pub'lic) dispu'te**
Pole'star Poolster
pole'vault paalspring (atl.)
police' (n) polisie (mv); geregsdienaars; (v) polisieer; ~ **drive/raid** (polisie)klopjag; ~ **investiga'tion** polisie-ondersoek; **~man/~= woman** polisiebeampte, geregsdienaar; ~ **reser'vist** polisiereservis; ~ **ser'vices** polisie= diens(te); ~ **sta'tion** polisiestasie, polisiekantoor
poli'cing polisiëring; die wet/orde handhaaf
pol'icy[1] (n) polis (versekering)
pol'icy[2] (n) beleid; riglyn, gedragslyn *also* **guide'line;** oorleg; ~ **ma'ker** beleidbepaler, beleidvormer
po'lio(myelitis) kinderverlamming, poliomiëlitis
Po'lish[1] (n) Pools (taal); (a) Pools (gebruike, ens.) *see* **Po'land, Pole**[1]
pol'ish[2] (n) politoer, waks; glans; verfyning; beskawing; (v) poets; poleer; polys; ~ *glass* glas slyp; ~ *off* wegsluk; gou klaarmaak; kafloop; **~ed** (a) beskaaf(d); verfynd; glad (spreker); gepolitoer, gepoleer; **~er** poetser (persoon, masjien)
polite' (a) beleef(d); beskaaf(d); hoflik; verfynd *also* **cour'teous, ci'vil, gra'cious**

pol'itic (a) poliets, geslepe, slu *also* **shrewd, cun'ning**

polit'ical (a) staatkundig, staats=; politiek, poli= ties; ~ **econ'omy** staathuishoudkunde; ~ **science** staatsleer

politi'cian (n) politikus (persoon)

poli'ticise (v) (ver)politiseer

pol'itics (n) staatkunde, politiek *also* **state'craft**

pol'ka polka (Tsjeggiese dans)

poll[1] (n) verkiesing; stembus; *go to the* ~*s* gaan stem; *be at the top of the* ~ die gewildste wees; die meerderheid hê; (v) stem, stem uitbring *also* **vote**

poll[2] (n) poenskop(dier); (v) top, snoei (boom); afsaag (horings)

pol'lard (n) semelmeel, fynsemels; poenskop= dier; (v) knot, top

pol'len (n) stuifmeel

pol'linate (v) bestuif

pollina'tion bestuiwing; **cross-~** kruisbestuiwing

pol'ling (n) stemmery; (a) stem=; ~ **booth** stembus; stemhokkie; ~ **of'ficer** stemopnemer, stembeampte; ~ **sta'tion** stemlokaal

pollute' (v) besoedel; bevuil; verontreinig

pollu'tion besoedeling; bevuiling *also* **contam= ina'tion;** verontreiniging

po'lo polo (sport); ~ **neck** rolhals, rolnek (trui)

polonaise' polonaise (Poolse dans)

polo'ny polonie, dikwors

pol'tergeist (n) poltergees/poltergeist, bulder= spook *also* **noisy' spir'it**

poly'chrome (n) veelkleurigheid; (a) veelkleurig

polyethylene' poliëtileen/poli-etileen

polyg'amist veelwywer, poligamis (man)

polyg'amy veelwywery, poligamie

poly'glot (n) veeltalige (persoon), poliglot; (a) veeltalig

poly'gon veelhoek

poly'graph (n) waarheid(s)toetser, leuenverklik= ker, poligraaf; ~ **test** kliktoets *also* **lie detec'= tor test**

pol'yp (n) poliep (groeisel)

polytech'nic (n) politegniese skool/kollege

poly'theism politeïsme, veelgodery

pomade' pommade, gesig(s)room *also* **fa'ce cream**

pomegran'ate (n) granaat (vrug)

pom'iculture vrugtekwekery

pom'mel (n) knop; saalknop *also* **sadd'lebow**

pomol'ogist pomoloog, vrugtekundige

pomol'ogy pomologie, vrugtekunde

pomp prag en praal; vertoon *also* **pag'eantry, ceremo'nial splen'dour;** staatsie

pom'pon pompon/pompom *also* **ornamen'tal tuft;** soort dahlia

pom'pous (a) verwaand, opgeblase *also* **conceit= ed, overbear'ing;** deftig, statig

pond vywer; poel

pon'der (v) peins, besin, mymer *also* **med'itat**

pon'derous swaar, gewigtig, lomp *also* **cum bersome**

pon'tac pontak (wyn)

pon'tiff pous (RK); hoëpriester (antieke tyd)

pontif'ical (n) pouslik; pontifikaal; (a) pouslik hoëpriesterlik

pontoon' ponton; pontonbrug; dryfdok

pon'y (n) **ponies** ponie; ~**tail** poniestert

pooch par'lour (joc.) woefieboetiek, braksalo (skerts.)

poo'dle poedel (hond)

pool[1] (n) poel, vywer, kuil; (private) swembad

pool[2] (n) ring, sindikaat *also* **syn'dicate;** trus inset, pot; poel; (v) saamvoeg; poel (huu gelde), kombineer; winste deel; ~**ing sys'te** poelstelsel; **ty'ping** ~ tikpoel

poop (n) agterstewe (van skip)

poor (n): *the* ~ die arm mense, die armes; (a arm, behoeftig *also* **des'titute;** armsalig beskeie, nederig; skraal, dor (grond); ~ *con* solation skrale troos; *in* ~ *health* nie geson nie; *have a* ~ *opinion of* nie baie dink van nie *a* ~ *show* 'n swak vertoning; ~ **box** armbus ~**ly** armsalig; ellendig; armoedig; siekerig *als* **ail'ing**

pop[1] (n) knal, slag; (v) skiet; plotseling verskyn ~ *in* inwip; inloer (by iem., vir 'n kor besoekie); ~ *off* uit die weg ruim; ~ *ope* oopspring; ~ *the question* die jawoord vra (v verlowing/troue); ~ *up* opduik; uitspring opspring

pop[2] (*abbr. of* **pop'ular**) (a) populêr, pop=; **chart** gewildheidsleer; ~ **con'cert** pop(mu siek)konsert

pop'corn springmielies, kiepiemielies

pope (n) pous *also* **pon'tiff;** ~**dom** pousdom

pop'gun propgeweertjie

pop'injay papegaai; grootprater, pronker (pe soon)

pop'lar populier (boom)

pop'lin popelien (materiaal)

pop mu'sic popmusiek

pop'py (n) papawer, klaproos; ~**cock** twak, ka bog *also* **non'sense**

pop-riv'et (n) popklinker

pop sin'ger popsanger(es)

pop'ulace (volks)menigte, gepeupel *also* **crow mob**

pop'ular (a) gewild, populêr *see* **pop**[2]; gesog algemeen *also* **univer'sal; wide'spread** volks=

popular'ity gewildheid, populariteit; ~ **pol rating** gewildheid(s)peiling

pop'ularise (v) populariseer; gewild/populê maak

pop'ulate (v) bevolk

popula'tion (n) bevolking (mense); populasi

(van diere); ~ **explo'sion** bevolkingsontplof=
fing; ~ **group** volksgroep, bevolkingsgroep

pop'ulous volkryk, (dig)bevolk

pop-up: ~ **men'u** (op)wipmenu, (op)wipkieslys
(rek.); ~ **toas'ter** wiprooster

porce'lain porselein; ~ **dish** erdebak, porselein=
bak

porch stoep, veranda; portaal; patio

por'cupine ystervark

pore[1] (n) sweetgaatjie, porie

pore[2] (v) tuur, aandagtig kyk; bepeins; ~ *over*
verdiep wees in

pork varkvleis; ~**er** vleisvark

porn/por'no *(abbr. of* **porno'graphy**): ~ **book**
pornoboek; ~ **film** pornofilm

pornograph'ic (a) pornografies; obseen *also*
obscene'

porno'graphy (n) pornografie; prikkellektuur;
vuilskrywery *see* **porn**

po'rous poreus *also* **spon'gy**

por'phyria porfirie (siekte)

por'phyry porfier (gesteente)

por'poise (n) to(r)nyn, seevark

por'ridge pap

port[1] (n) hawe; ingang; poort; ~ *of call*
aanloophawe; ~ *of embarkation* inskeephawe

port[2] (n) portwyn

port[3] (n) bakboord (linkerkant van skip)

port'able (a) draagbaar; vervoerbaar; ~ **ra'dio**
draradio; ~ **televi'sion** draagbare televisiestel

por'tal deur; poort; portaal *also* **foy'er, lob'by**

port: ~ **cap'tain** hawemeester, hawekaptein; ~
dues hawegeld

portend' (v) voorspel; aankondig *also* **her'ald;**
forewarn

por'tent (n) voorteken, voorbode *also* **premoni'=**
tion; wonder

por'ter (n) kruier; portier, deurwagter *also*
commissionaire'; pakdraer; ~**age** draloon

portfo'lio (n) portefeulje; ministerspos; sak, tas;
minister without ~ minister sonder portefeulje;
sha'res ~ aandeleportefeulje

port'hole patryspoort, (ronde) kajuitvenster
(skip)

por'tico portiek, voorportaal; oordekte suilegang
see **por'tal**

por'tion (n) porsie *also* **help'ing** (of food); deel,
gedeelte; erfdeel; (v) verdeel, uitdeel

port'ly swaarlywig, vet, dik *also* **stout, cor'=**
pulent; statig

por'trait portret; beeld, beeltenis *also* **pic'ture;**
portray'al

portray' (v) afbeeld, afskilder; uitbeeld *also*
depict'; beskryf; ~**al** uitbeelding

Por'tugal Portugal (land); **Portuguese'** (n, a)
Portugees (taal; persoon; gebruike, ens.)

portula'ca postelein, portulak (opslagplant)

pose[1] (n) houding, pose *also* **pos'ture, bea'ring;**

aanstellery, gemaaktheid; (v) poseer; voor=
doen; uithang; ~ *as an expert* (jou) voordoen
as 'n (des)kundige

pose[2] (v) vasvra; lastige vrae stel; ~**r** strikvraag
also **conun'drum, brain-teaser'**

posh (a) deftig, vernaam; eksklusief (woonbuurt)
also **grand, up'market; glit'tering;** ~ *occa=*
sion swierige geleentheid, glansparty; ~ *up* jou
opdollie (infml.); jou deftig aantrek

posi'tion (n) stand; toestand; posisie; ligging;
houding; rang, status; *not in a* ~ *to* nie in staat
nie om; ~ *of power* magsposisie, magsbasis;
(v) plaas, staanmaak, posisioneer

pos'itive (n) positief (fot.); stellende trap
(gram.); werklikheid; (a) positief, bevestigend,
seker; *be quite* ~ iets seker weet; ~ **sign**
plusteken

possess' (v) besit, hê *also* **own;** bemagtig;
beheers

possessed' (a) besete, gepla *also* **demen'ted,**
berser'ked; ~ *by the devil* van die duiwel
besete; *what* ~ *him to do such a thing?* wat het
hom makeer om so iets te doen?

posses'sion (n) besitting, besit, eiendom; balbesit
(rugby); besetenheid; *be in* ~ *of* besit; *take* ~ *of*
besit neem van

posses'sive (n) besitlike voornaamwoord; tweede
naamval (gram.); (a) besitlik

possess'or besitter, eienaar *also* **ow'ner**

possibil'ity moontlikheid *also* **like'lihood**

pos'sible (a) moontlik; haalbaar, doenlik *also*
fea'sible; *the only* ~ *man* al geskikte man

pos'sibly (adv) miskien, straks, dalk, altemit *also*
perhaps', may'be

post[1] (n) pos; poskantoor; posterye, poswese; *by*
~ per pos; *last* ~ taptoe, militêre treurmars; *by*
return of ~ per kerende pos; (v) pos; oorboek;
weglaat (uit span) *also* **ax'e;** *keep* ~ed op die
hoogte hou

post[2] (n) paal; stut; styl (van deur); (v) opplak,
aanplak; bekend maak

post[3] (n) pos, posisie, betrekking; *apply for a* ~
aansoek doen vir 'n pos/betrekking

post=[4] (prep) na=; later

pos'tage posgeld; ~ **stamp** posseël

pos'tal pos=; ~ **order** posorder

post: ~**bag** possak, briewesak; ~ **bank** posbank;
~**box** posbus, briewebus; ~**card** poskaart;
~**code** poskode

postdate' (v) vooruitdateer; ~**d cheq'ue** voor=
uitgedateerde tjek

pos'ter plakkaat, aanplakbiljet *also* **plac'ard**

poste restante' poste restante

poste'rior (n) agterste; (a) later; agterste

poster'ity (n) nageslag, nakomelingskap *also*
descen'dants, off'spring

post'free posvry

postgrad'uate (n) gegradueerde; (a) nagraads; ~

school of bus′iness nagraadse sakeskool; ~ **stud′ies** nagraadse studie

post′humous postuum, nadoods; nagelate; ~ *poems* nagelate/postume gedigte

post: ~**man** posbesteller, briewebesteller, posman; ~**mark** posmerk, posstempel; ~**ma′ster** posmeester

postmor′tem (a) nadoods, postmortem; nabe= tragting; ~ **examination** nadoodse ondersoek, lykskouing *also* **autop′sy**

postna′tal (n) nageboortelik, postnataal

post of′fice poskantoor

postpone′ (v) uitstel; verskuif; verdaag; ~**ment** uitstel *also* **defer′ment;** verdaging

post′script naskrif, post scriptum

pos′tulant kandidaat (vir kerklike amp), postu= lant

pos′tulate (n) veronderstelling; hipotese; postu= laat; (v) veronderstel; postuleeer

pos′ture (n) houding; postuur; (v) houding aanneem; poseer

post′war naoorlogs, na die oorlog

po′sy (n) **posies** ruiker(tjie)

pot (n) pot; kan; blompot; *keep the ~ boiling* die pot aan die kook hou; *the ~ calls the kettle black* die pot verwyt die ketel; ~*s of money* geld soos bossies; (v) in 'n blik/pot plant; inmaak, inlê (voedsel); lukraak skiet *see* **pot′shot**

pot′ash potas, kaliumkarbonaat

potas′sium kalium (element)

pota′to (n) **..es** aartappel/ertappel; **sweet ~** patat(ta); ~ **chips** aartappelskyfies, slapskyfies; ~ **peel** aartappelskil

pot′belly boepens, boepie; bierbuik *also* **paunch**

po′tent magtig, kragtig, potent *also* **power′ful**

po′tentate (n) (magtige) heerser, maghebber, potentaat

poten′tial (n) potensiaal; vermoë; moontlikheid; *this trainee has* ~ hierdie (vak)leerling toon belofte/moontlikhede; (a) gebeurlik, moontlik, potensieel *also* **like′ly**

pot′hole slaggat (in pad); rotsholte; maalgat

pot′jiekos (SAE) (n) potjiekos, ysterpotbredie *also* **i′ron-pot stew**

po′tion (n) drank(ie) (medisyne); gifdrank; **love** ~ liefdesdrank(ie), liefdesdoepa; **ma′gic** ~ towerdrank(ie)

pot′luck (infml.) (n) wat die pot verskaf; wat ook al beskikbaar is

potpourri′ (n) potpourri, mengelmoes; same= raapsel

pot′shot (n) potskoot; trompop/lukraak skoot

pot′still (n) stookketel

pot′ted (a) ingemaak *also* **can′ned**

pot′ter (n) pottebakker; (v) peuter, knutsel, sukkel; ~ *about* knutselwerkies verrig; ~**'s wheel** pottebakkerskyf; ~**y** pottebakkery; er= dewerk *also* **earthen′ware**

pot′ty[1] (children's word) (n) (baba)kamerpotjie ~-**train′ed** potjiesindelik, van doeke af (baba

pot′ty[2] (a) simpel; dwaas; niksbeduidend

pouch (n) sak; tabaksak; beurs; buidel; krop; (v insluk, opsluk, inpalm; toe-eien

pouf (n) poef *also* **wad′ded floor′seat**

poul′terer (n) pluimveehandelaar

poul′tice (n) (warm) pap; (v) pap opsit (o wond)

poul′try (n) pluimvee; hoenders; ~ **far′min,** hoenderboerdery

pounce (v) aanval, gryp; neerskiet; afspring o *also* **leap on, swoop**

pound[1] (n) pond (geld; simbool: £); pon (massa, gewig); ~ *of flesh* dit wat iem. toekon

pound[2] (n) skut; (v) skut (losloopdiere)

pound[3] (v) maal, stamp; bombardeer, beskiet moker, hamer *also* **beat, stri′ke;** beu (golwe); ~**ing** (n) gehamer; gedreun; bombar dement

pound′age (n) skutgeld

pound: ~ **keep′er,** ~ **mas′ter** skutmeester; ~ **sal** skutverkoping

pour (v) giet; inskink; uitstort; sous (stortreën) *money came* ~*ing in* geld het ingestroom; · *out* inskink; uitstort; ~*ing rain* gietende reën; i *never rains but it* ~*s* 'n ongeluk kom noo alleen nie; *it was* ~*ing* dit het gesous; ~ *col water on* koue water gooi op (fig.); afkeur doodpraat

pout (n) suur gesig; (v) pruil *also: purse one'* *lips;* 'n suur gesig trek *also* **mope;** ~**er** pruile

pov′erty armoede, gebrek *also* **depriva′tion** *abject* ~ volslae armoede; ~-**strick′en** brand arm *also* **impov′erished, des′titute**

powd′er (n) poeier; kruit; (v) (be)poeier; fyn stamp; ~ **box** poeierboks; ~**ed** fyn; gepoeier; · **horn** kruithoring (hist.); ~ **puff** poeierkwas; · **room** kleedkamer, tooikamer

pow′er (n) mag; krag; gesag; bevoegdheid invloed; vermoë; (wêreld)moondheid; ~ *c* *attorney* volmag, prokurasie; *the* ~*s that be* di owerheid; *more* ~ *to your elbow* alle sukses sterkte!; *those in* ~ die maghebbers; ~ **block** magsblok; ~**boat** kragboot (motorboot); · **brakes** kragremme; ~ **fail′ure** kragonderbre king; ~**ful** magtig; kragtig; vermoënd; in vloedryk; sterk; ~**less** magteloos; kragteloos ~**lift′ing** kragoptel (sport) *see* **weight′lifting;** · **plug** kragprop; ~ **saw** kragsaag; ~-**sha′rin,** magsdeling; ~ **source** kragbron; ~ **sta′tion** kragsentrale; kragstasie; ~ **stee′ring** kragstuu (motor); ~-**strug′gle** magstryd; ~ **supply** kragvoorsiening; kragtoevoer

pox pokke; **chick′en**~ waterpokkies

prac′ticable (a) uitvoerbaar, doenlik, doelmatig haalbaar *also* **feas′ible**

prac′tical (a) prakties, doelmatig; *play a ~ jok*

'n poets bak; ~ **expe'rience** praktiese onder=
vinding; ~ **teaching'** praktiese onderwys,
proefonderwys (vir studente)

prac'tically (adv) feitlik; prakties; ~/*almost
everyone was there* feitlik almal was daar

prac'tice (n) oefening; uitoefening; praktyk;
gebruik; gewoonte; *corrupt* ~*s* wanpraktyke;
have a large ~ 'n groot praktyk hê (bv. 'n
dokter); *in* ~ in die praktyk; *keep in* ~ in
oefening bly; *out of* ~ uit oefening; van stryk;
~ *makes perfect* al doende/deur oefening leer
mens; *put into* ~ toepas, uitvoer; ~ **bike**
oefenfiets; **gen'eral** ~ huisartspraktyk; ~ **ses'=
sion** oefensessie

prac'tise (v) oefen *also* **ex'ercise, train;** beoe=
fen; instudeer (rolle vir toneel) *also* **rehearse';**
uitoefen; toepas; uitvoer; praktiseer; ~ *what
you preach* doen wat jy sê; ~ *a profession* 'n
beroep beoefen

practi'tioner praktisyn; **gen'eral** ~ algemene/me=
diese praktisyn, huisarts *also* **fam'ily doc'tor/
practi'tioner; le'gal** ~ regspraktisyn, regsver=
teenwoordiger

pragmat'ic (a) pragmaties (volgens die feite/
omstandighede); prakties *also* **prac'tical;
bus'inesslike**

prag'matist (n) pragmatis

prair'ie (n) uitgestrekte grasvlakte, prêrie

praise (n) lof, roem, eer; *sing/sound the* ~ *of* die
lof besing/verkondig van; (v) loof, prys,
verheerlik; ophemel; bewierook *also* **ad'ulate;**
~ *the Lord* loof die Here; ~ **sin'ger** lofsanger,
prysdigter, imbongi; ~**wor'thy** loflik, prysens=
waardig *also* **lau'dable, commen'dable**

pram (n) kinderwaentjie, stootwaentjie *also*
peram'bulator

prance (v) spring, bokspring *also* **ca'per, gam'=
bol;** pronk *also* **strut, swag'ger**

prank (n) streek, kwajongstreek; kaperjol; kas=
kenade, poets; (v) pronk, uitdos, optooi; ~**ster**
poetsbakker, gekskeerder *also* **prac'tical jo'ker**

prat'tle (n) gebabbel, gekeuwel; (v) keuwel,
babbel (soos 'n kind)

prawn (n) steurgarnaal, (swem)krewel *see*
shrimp; Park'town ~ (joc.) koringkriek *also*
har'vester crick'et; ~ **cock'tail** garnaalkelkie

pray (v) bid; smeek, pleit, versoek; ~/*please be
careful* pas tog op

prayer' (n) gebed; versoek, smeking *also* **pray'=
ers;** *the Lord's P*~ die Onse Vader; *say one's*
~*s* bid; ~ **book** gebedeboek; ~ **mee'ting** biduur

pray'ing man'tis (n) bidsprinkaan, mantis

preach (v) preek; verkondig; ~**er** prediker

pream'ble (n) aanhef, voorrede, aanloop; (v)
inlei, van 'n inleiding voorsien

pre-arrange' (v) vooraf reël/skik

preca'rious onseker, wisselvallig; haglik *also*
ris'ky, di'cey; *a* ~ *living* 'n sukkelbestaan

precau'tion (n) voorsorg, voorsorgmaatreël

precau'tionary voorsorg=; ~ **mea'sures** voor=
sorgmaatreëls

precede' (v) voorafgaan, voorgaan

pre'cedence (n) voorrang, prioriteit; *take* ~ die
voorrang geniet/hê; *table of* ~ voorranglys
(protokol)

prece'dent (n) presedent; voorbeeld; *create a* ~
'n presedent skep; *without* ~ sonder gelyke/
weerga

pre'cept (n) voorskrif, stelreël; *example is better
than* ~ leringe wek, voorbeelde trek

pre'cinct (n) grenslyn; buurt, wyk; gebied; ~**s**
buurt, omgewing

prec'ious (a) kosbaar, kostelik; ~ *little* bloed=
weinig; ~ **met'als** edelmetale; ~ **stone** edel=
steen *also* **gem'stone**

prec'ipice (n) afgrond, krans *also* **a'byss, chasm,
cliff**

precip'itate[1] (n) neerslag, presipitaat (chem.);
(v) neerslaan, presipiteer (chem.); neerstort

precip'itate[2] (v) versnel, verhaas; ~ *matters* sake
verhaas; (a) oorhaastig; onbesonne

precip'itous[1] (a) steil *also* **steep** (falling sharply)

precip'itous[2] (a) oorhaastig *also* **hasty; heed'=
less**

préc'is (n) opsomming, samevatting; uittreksel;
précis

precise' (a) noukeurig, presies; nougeset *also*
exact', ac'curate, metic'ulous

preci'sion (n) noukeurigheid, presiesheid, juist=
heid, presisie *also* **ac'curacy**

preclude' (v) uitsluit *also* **restrain';** belet

preco'cious (a) vroegryp (kind) *also* **prem'=
ature;** oulik; vrypostig

preconceive' (v) vooraf opvat; ~*d opinion*
vooropgesette mening; vooroordeel

precondi'tion (n) (voor)vereiste, voorwaarde
also **prereq'uisite**

precurs'or (n) voorloper, voorganger *also* **her'=
ald;** voorbode; ~**y** (a) voorafgaande, voorlopig

predate' (v) vroeër dateer

pred'ator (n) roofdier, predatoor; ~**y** (a) roof=
sugtig=, roof=

pre'decessor voorganger; voorvader *also* **an'=
cestor, fore'father**

predes'tinate/predes'tine voorbeskik; uitver=
kies; *predestined to fail* tot mislukking
gedoem

predestina'tion (n) voorbeskikking; uitverkie=
sing, predestinasie *also* **des'tiny**

predic'ament (n) penarie, verknorsing *also*
dilem'ma, plight

pred'icate (n) gesegde, predikaat (gram.)

predict' (v) voorspel, voorsê; ~**able** voorspel=
baar; ~**ion** voorspelling; waarsegging

predilec'tion voorliefde, partydigheid *also* **pref'=
erence, li'king**

predispose′ (v) voorberei, geneig maak, ont= vanklik maak; **~d′** vooringenome; *~d to* ontvanklik/vatbaar vir

predom′inant (a) oorheersend, oorwegend; **~ly** (adv) hoofsaaklik, oorwegend

predom′inate (v) die oorhand hê; oorheers *also* **overshad′ow;** in die meerderheid wees

pre-em′inent (a) voortreflik, uitstekend, uitmun= tend *also* **outstan′ding, peer′less**

pre-empt′ (v) voorspring, vooruitloop; 'n opsie verkry oor; *~ a decision* 'n besluit/beslissing vooruitloop; **~ion** opsie, voorkoop(reg); **~ive strike** voorsprongaanval (van troepe)

preen (v) glad stryk (veral voëls met hul vere); tooi; *~ oneself* jou uitvat/optooi

prefab′ricated opslaan=; vooraf vervaardig; fabrieks=, monteer=; *~ house* opslaanhuis, monteerhuis/montasiehuis

pref′ace (n) voorwoord *also* **fore′word;** inlei= ding; voorrede; (v) inlei; (vooraf) uiteensit

prefer′ (v) verkies; die voorkeur gee aan; *~ tea to coffee* verkies tee bo koffie

pref′erable verkieslik *also* **fa′voured**

pref′erence (n) voorkeur; voorrang; voorliefde; *have the ~/priority* die voorrang geniet/hê; *~* **share** voorkeuraandeel

preferen′tial begunstigend, voorkeur=; *~* **tar′iff** voorkeurtarief

pref′ix (n) voorvoegsel (gram.)

preg′nancy (n) swangerskap (vrou); dragtigheid (dier); gewigtigheid

preg′nant (a) verwagtend, swanger (vrou) *also* **expec′tant;** dragtig (dier); vrugbaar; veelseg= gend, betekenisvol; *be ~ with meaning* vol/ryk aan betekenis

prehistor′ic voorhistories, prehistories, voorwê= reldlik *also* **prim′eval**

prej′udice (n) vooroordeel *also* **partial′ity;** nadeel; (v) benadeel; *without ~ to* sonder benadeling/aantasting van; **~d** bevooroordeeld *also* **bi′ased;** vooringenome

prel′ate prelaat (hoë RK ampsdraer)

prelim′inary (n) inleiding; voorbereiding; (pl) vooritems; (a) inleidend, voorlopig, preliminêr; *~* **bout/fight** voorgeveg; *~* **match** voorwedstryd

prel′ude (n) voorspel, prelude (mus.); (v) inlei, begin

prema′rital sex voorhuwelikse seks

prem′ature voortydig, prematuur; voorbarig; *~/***unti′mely birth** voortydige geboorte

premed′itate bepeins, oordink; **~d** voorbedag; **~d mur′der** moord met voorbedagte rade

prem′ier (n) premier (eerste minister); (a) eerste, vernaamste

première′ (n) eerste opvoering, première

prem′ise (n) veronderstelling *also* **assump′tion;** (pl) perseel; gebou; werf; *on the ~s* op die plek/perseel *also* **on site**

pre′mium (n) premie; prys, beloning; *somethin... is at a ~* daar is 'n groot (aan)vraag na iets; *se... at a ~* met wins verkoop

premoni′tion (n) voorgevoel, voorbode; voor spooksel *also* **fore′boding, o′men**

prena′tal voorgeboortelik

preoccupa′tion (n) afgetrokkenheid, verstrooid heid; besorgdheid

preocc′upied (a) afgetrokke, verstrooi(d) *als... ***ab′sent-minded′**

prepaid′ posvry; vooruitbetaal

prepara′tion voorbereiding; gereedmaking; be werking; instudering (van toneelstuk) *als... ***rehear′sal**

prepa′rative (a) voorbereidend

prepa′ratory (a) voorbereidend; inleidend voorbereidings=; *~* **school** voorbereidingskoo...

prepare′ (v) voorberei (vir 'n taak); berei (ete) klaarmaak, gereed maak *also* **arrange′, assem′** **ble;** oplei *also* **train, coach**

prepared′ klaar, gereed; gewapen(d), paraa... **~ness** weerbaarheid, paraatheid

prepense′ (a) voorbedag, opsetlik; *of malice* (legal phrase) met voorbedagte rade, met bos opset

prepon′derance oorwig *also* **dom′inance**

preposi′tion (n) voorsetsel (gram.)

prepossess′ voorinneem; vooraf besit neem van **~ing** innemend, aantreklik *also* **invi′ting** **attrac′tive, char′ming**

prepos′terous (a) bespotlik, dwaas, onsinni... *also* **absurd′, cra′zy;** ongerymd

pre′primary (a) voorskools, preprimêr

prereq′uisite (n) voorvereiste; noodsaaklikheid... (a) noodsaaklik, vereis; verplig(tend) *als... ***imper′ative, manda′tory**

prerog′ative voorreg, prerogatief; privilegie

presbyop′ic (a) versiende, presbioop (oogge... brek)

pres′byter ouderling, presbiter; **~y** kerkraad

Presbyter′ian (n) Presbiteriaan (persoon); (... Presbiteriaans (kerkverband)

pre′-school/pre′school (a) voorskools

prescribe′ (v) voorskryf; behandel; **~d′** (a... voorgeskrewe; verjaar (skuld); *~d book* voor geskrewe boek

prescrip′tion voorskrif (vir apteker); verjarin... (van 'n skuld)

pres′ence (n) teenwoordigheid, aanwesigheid voorkoms; persoonlikheid; *in the ~ of* i... teenwoordigheid/bysyn van; *~ of mind* teen woordigheid van gees *also* **alert′ness**

pres′ent[1] (n) present, geskenk *also* **gift**

pres′ent[2] (n) die teenwoordige, die hede; *at ~* tans; (a) teenwoordig, aanwesig; teenswoor dig, huidig; onderhawig; *in the ~ case* in di onderhawige geval; *~* **tense** teenwoordige ty... (gram.)

present′³ (v) aanbied; skenk; oorhandig; indien, voorlê, voorstel; vertoon; oplewer; ~ *arms* presenteer geweer; ~ *oneself* jou aanmeld; ~ *a paper* 'n referaat lewer; ~ *prizes* pryse uitdeel; **~able** (ver)toonbaar; presentabel; **~a′tion** aanbieding; voorstelling; indiening; oorhandiging/uitdeel van pryse *also* **prize′giving**; **~er** aanbieder (radio, TV)

present′iment (n) voorgevoel, voorbode *also* **premoni′tion**

pres′ently netnou, nou-nou, aanstons, straks *also* **shortly, soon**

preserva′tion bewaring, behoud; handhawing; ~ *of nature* natuurbewaring *also* **na′ture conserva′tion**

preserv′ative (n) preserveermiddel; voorbehoedmiddel; (a) preserveer=, voorbehoed=

preserve′ (n) ingelegde vrugte; konserf; konfyt; (v) bewaar; preserveer; inmaak; onderhou; handhaaf; **~d′** ingelê, ingemaak

preside′ (v) voorsit, presideer *also* **chair** (the meeting); lei, bestuur

pres′idency presidentskap; voorsitterskap; presidensie, presidentswoning

pres′ident (n) president; voorsitter; **~-elect′** verkose/aangewese president

presiden′tial (a) presidents=; voorsitters=; **~ address′** voorsittersrede (op (jaar)vergadering)

press (n) pers, koerantwese; drukpers; pers (toestel wat druk uitoefen); haas, gejaagdheid; *freedom of the* ~ persvryheid; *go to* ~ ter perse gaan; (v) pers; druk; dring; aanspoor, aanpor; bestook; *hard* ~*ed* in die knyp; *be* ~*ed for time* min tyd hê; ~ *upon* aandring op; beklemtoon

press: ~ **bar′on** persmagnaat; **~-button tele′phone** drukknoptelefoon; ~ **cut′ting** koerant(uit)knipsel; ~ **gal′lery** persgalery (parlement); **~ing** dringend *also* **vi′tal, cru′cial; ~man** joernalis, koerantskrywer; ~ **photog′rapher** persfotograaf; ~ **release′** persverklaring *also* **news/me′dia release′**

pres′sure druk; drukking; aandrang; *bring* ~ *to bear on* druk uitoefen op; *do something under* ~ iets (bv. werk) onder druk doen; **atmosphe′ric** ~ lugdruk; ~ **burst** drukbars (in 'n myn); ~ **coo′ker** stoompot, drukkastrol; ~ **group** drukgroep, pressiegroep

pres′surise (v) druk uitoefen (op iem.)

prestige′ (n) invloed, prestige, aansien *also* **sta′ture, em′inence**

presti′gious (a) gesog; ~ *award* gesogte toekenning/bekroning

presu′mably vermoedelik *also* **seem′ingly**

presume′ (v) vermoed, veronderstel

presu′ming (a) aanmatigend, voorbarig, vrypostig *also* **ar′rogant, preten′tious**

presump′tion (n) veronderstelling, vermoede; verwaandheid, voorbarigheid

presump′tuous (a) voorbarig; vermetel, aanmatigend, verwaand, astrant *also* **concei′ted, in′solent** see **presu′ming**

pre′tax in′come voorbelaste inkomste (boekh.)

pretence′ (n) voorwendsel *also* **pre′text;** pretensie; *on* ~ *of* onder voorwendsel van

pretend′ (v) voorgee; huigel, voorwend; beweer; ~ *you are angry/cross* maak of jy kwaad is; **~ed** skyn=; voorgegewe; **~er** aanspraakmaker (op 'n titel); ~*er to the throne* aanspraakmaker op die kroon/koningskap

preten′tious pretensieus; pronkerig; aanmatigend; verwaand *also* **presump′tious, ar′rogant, cock′y, concei′ted**

pre′text (n) voorwendsel *also* **pretence′;** skuifmeul *also* **ploy;** *on/under the* ~ *of* onder voorwendsel/die skyn van

pret′tiness mooiheid, fraaiheid; gesogtheid

pret′ty (a) mooi, lief, aanvallig *also* **attrac′tive, goodloo′king;** *cost a* ~ *sum* 'n mooi sommetjie kos; (adv) taamlik, vrywel; ~ *much the same thing* ongeveer dieselfde; *as* ~ *as a picture* prentjiemooi; ~ *sure* taamlik/heel seker

prevail′ (v) heers; in swang wees; van krag wees, geld; seëvier; ~ *on s.o.* iem. ompraat/oorreed; **~ing** heersend: ~*ing conditions* heersende toestand(e)

prev′alent oorwegend; heersend, algemeen

preva′ricate (v) uitvlugte soek, bontspring, jakkalsdraaie maak, jok *also* **dodge, evade′**

prevent′ (v) belet, verbied; verhinder, verhoed, voorkom *also* **bar, block, stop**

preven′tion (n) voorkoming, verhindering; ~ *is better than cure* voorsorg keer nasorg

preven′tive (n) voorbehoedmiddel *also* **imped′iment;** (a) voorkomend *also* **protec′tive; preven′tative**

pre′view (n) voorskou, voorbesigtiging (kunswerke); voorvertoning (rolprent); vooruitskouing

pre′vious voorafgaande, vroeër, vorige; **~ly** vantevore, voorheen; ~*ly disadvantaged person (PDP)* voorheen benadeelde persoon

pre′war voor die oorlog, vooroorlogs

prey (n) prooi; buit; slagoffer; *fall* ~ *to* slagoffer word van; (v) roof, aas; ~ *on* teer op; **bird of** ~ roofvoël

price (n) prys; waarde; *at any* ~ tot elke prys; *what is the* ~? hoeveel kos dit?; (v) die prys vasstel; waardeer; prys; ~ **brack′et/range** prysklas; **~control** prysbeheer; **~-fix′ing** prysbinding; ~ **in′crease** prysstyging; prysverhoging; **~less** onskatbaar *also* **inval′uable; ~list** pryslys; **recommen′ded** ~ rigprys

prick (n) steek; prikkel; wroeging; doring; ~*s/pangs of conscience* gewetenswroeging; (v) steek, prik; aanspoor; knaag; ~ *up the ears* die ore spits; **~ly** stekerig, doringrig; prikkelbaar; **~ly pear** turksvy

pride (n) trots *also* **dig'nity, self-esteem;** hoogmoed, fierheid; trop (leeus); ~ *will have a fall* hoogmoed kom voor die val; *his father's* ~ sy vader se oogappel/trots/vreugde; (v) trots wees, roem op; ~ *oneself on* jou (be)roem op; spog met

priest (n) priester; geestelike; **~ess** priesteres; **~hood** priesterskap; **~ly** priesterlik; **~ly hab'it/ robe** priesterkleed

prig (n) pedant, wysneus (persoon); **~gish** (a) preuts, eiewys *also* **pru'dish, smug**

prim (a) styf, sedig, preuts; gekunsteld; ~ *and proper* netjies, agtermekaar

prim'a eerste, prima; ~ **don'na** prima donna, hoofpersoon (in opera) *also* **div'a**

pri'mary (a) eerste; aanvanklik, primêr; hoof=; grond=; ~ **col'ours** grondkleure; ~ **health care** primêre gesondheidsorg; ~ **school** primêre skool, laerskool

pri'mate aartsbiskop (hoë ampsdraer in verskeie kerke); primaat

prime[1] (n) begin, eerste tyd; bloeityd; *in full* ~ op sy beste; ~ *of life* fleur/bloei van die lewe; (a) eerste, vernaamste *also* **supe'rior, top;** prima; *of* ~ *importance* van die grootste belang

prime[2] (v) afrig, voorberei; 'n grondlaag gee (verf); laai (outydse geweer); ~ *a witness* 'n getuie voorsê

prime: ~ **cattle** prima beeste; ~ **cost** inkoopprys; ~ **min'ister** eerste minister, premier *also* **pre'mier;** ~ **num'ber** priemgetal, ondeelbare getal; ~ **len'ding rate** prima uitleenkoers (bank); ~ **time** spitstyd (radio, TV)

pri'mer eerste leesboek, abc-boek; grondverf

prim'eval (a) oer=, oeroud, oorspronklik *also* **primor'dial;** ~ **for'est** oerwoud

prim'itive primitief *also* **unciv'ilised, undevel'= oped;** oorspronklik; vroegste, allereerste

primor'dial oorspronklik, eerste *also* **prim'eval**

prim'rose (n) sleutelblom, paasblom; (a) liggeel

prim'ula primula *also* **prim'rose**

Pri'mus (stove) primus(stofie), pompstofie

prince prins, koningseun, vors; ~ *of darkness* vors van die duisternis; Satan; *p*~ *of peace* vredevors (Christus); ~ **char'ming** (jou) droomprins; ~ **con'sort** prinsgemaal; **crown** ~ kroonprins; **~ly** vorstelik; *~ly reward/ income* vorstelike beloning/inkomste; **P~ of Wales** Prins van Wallis (Br. kroonprins)

prin'cess prinses, koningsdogter; vorstin; ~ **royal** koninklike prinses

prin'cipal (n) hoof; skoolhoof, prinsipaal *also* **head'master;** rektor (universiteit); opdrag= gewer, prinsipaal (van 'n agent); kapitaal, hoofsom (geld); (a) vernaamste; belangrikste, hoof=; gewigtigste; ~ **deb'tor** hoofskuldenaar

principal'ity vorstedom (bv. Monaco); prinsdom

prin'cipally hoofsaaklik, veral *also* **main'ly**

prin'ciple (n) (grond)beginsel; prinsiep, uit= gangspunt *also* **crite'rion;** *in* ~ in beginsel; *on* ~ uit beginsel; *lack/want of* ~ beginselloos

print (n) druk; afdruk; merk, spoor; prent; *large* ~ groot druk; *out of* ~ uit druk, uitverkoop (boek); (v) druk; merk; stempel; uitgee, publiseer; in/met drukletters skryf

print'er (n) drukker; **~'s devil** drukkersduiwel, setsatan *also* **grem'lin;** **~'s er'ror** drukfout, erratum; **~'s proof** drukproef

print'ing drukkuns, drukwerk; ~ **of'fice** druk= kery; ~ **press** drukpers; ~ **works** drukkery

print-out drukstuk (rek.)

print: ~ **pre'view** drukvoorskou (rek.); ~ **run** oplaag (drukwerk)

prior[1] (n) prior, kloosterhoof, owerste; **~ress** priores, abdis

prior[2] (a) vroeër, eerder, voorafgaande; ~ *approval* voorafgaande goedkeuring

prio'ritise (v) priori(ti)seer, (die) voorkeur gee aan

prio'rity (n) voorrang, prioriteit; uitgangspunt; *get your priorities right* kry jou prioriteite reg; ~ **mail** (voor)keurpos

prise (v) loswikkel, oopbreek, oopforseer

prism prisma (meetk.)

pris'on gevangenis, tronk *also* **jail;** tjoekie (omgangst.)

pris'oner gevangene, prisonier; ~ *at the bar* die aangeklaagde; *take* ~ gevange neem; ~ **of war** krygsgevangene

pris'on war'der (tronk)bewaarder; sipier (hist.)

pris'tine (a) ongerep (bv. natuurskoon) *also* **un'spoilt;** suiwer, onbevlek; oorspronklik, eerste *also* **an'cient;** ~ *glory* eertydse glorie

pri'vacy privaatheid; geheim; afsondering

pri'vate (n) weerman, manskap; (a) privaat; vertroulik; geheim; *in* ~ alleen, in die geheim; agter geslote deure; ~ **ache** innerlike wroe= ging; ~ **bag** privaat sak; ~ **conversa'tion** vertroulike gesprek

privateer' (n) kaper *also* **pi'rate, buccaneer'**

pri'vate: ~ **inves'tigator** privaat speurder; **~ly** privaat, in die geheim; ~ **parts** geslagsdele, skaamdele; ~ **prop'erty** privaat besit; ~ **sec'= retary** privaat sekretaris; privaat sekretaresse; ~ **sec'tor** private/privaat sektor

privatisa'tion (n) privatisering (staatsonderne= ming); **pri'vatise** (v) privatiseer

priv'ilege (n) voorreg; privilegie (parlement); (v) bevoorreg; vrystel; magtig; **~d commu'nity** bevoorregte gemeenskap *see* **disadvan'taged commu'nity**

priv'y[1] (n) **privies** kleinhuisie *also* **toi'let, loo**

priv'y[2] (a) heimlik, geheim

prize[1] (n) prys, toekenning *also* **award';** voor= deel; (v) op prys stel; waardeer *also* **val'ue**

prize[2] (n) buit (ter see); prysskip; (v) buit

prize: **~fight'er** beroepsbokser; vuisvegter;

~giv′ing prysuitdeling, prysoorhandiging; **~ring** bokskryt; **~win′ner** pryswenner

pro voor; *~s and cons* voor- en nadele

pro′active proaktief; dinamies *also* **dinam′ic**

pro′-am: (gholf)toernooi vir beroepspelers (pro's) en amateurs; oop (gholf)toernooi

probabil′ity (n) waarskynlikheid *also* **like′lihood**; gebeurlikheid *also* **contin′gency**

prob′able waarskynlik

proba′tion (n) proeftyd *see* **approba′tion**; ondersoek; *on ~* op proef; **~ of′ficer** proefbeampte; **~al** proef-; **~ary** proef-; **~ary pe′riod** proeftyd; **~er** proefleerling; kwekeling

probe (n) (geregtelike) ondersoek *also* **investiga′tion, inqui′ry;** wondyster; (v) ondersoek, ondervra *also* **inves′tigate, inquire** (into); uitvis, uitsnuffel; sondeer (wond)

pro′bity eerlikheid, opregtheid, regskapenheid *also* **scru′pulous hon′esty**

prob′lem (n) probleem, vraagstuk; raaisel; werkstuk; *address a ~* 'n probleem aanpak/aanroer; *financial ~(s)* geldnood; *tricky ~* netelige probleem, turksvy; *solve a ~* 'n probleem oplos/uitstryk *also* **resolve; ~ a′rea** knelpunt; **~ sol′ving** probleemoplossing

problemat′ic twyfelagtig; problematies

probos′cis snuit, slurp (van insek, dier)

proce′dure (n) werk(s)wyse; metode; prosedure; handel(s)wyse, **law of ~** proses reg

proceed′ (v) aangaan, voortgaan; te werk gaan; *~ against s.o.* 'n aksie/saak instel teen iem. (in hof)

proceed′ing (n) handel(s)wyse, handeling, gedragslyn; (pl) handelinge, verslae; verrigtinge, werksaamhede (op 'n vergadering); *institute ~s* regstappe doen

pro′ceeds (n) opbrengs/opbrings; wins(te) *also* **yield, prof′it(s), earn′ings**

pro′cess (n) proses; voortgang; verloop; regsgeding; (v) verwerk, prosesseer; prosedeer, 'n aksie instel; dagvaar *also* **sue;** kos inmaak

proces′sion (n) optog, prosessie; stoet

pro′cessor verwerker (ook rek.); **word ~** woordverwerker, teksverwerker (rek.)

proclaim′ (v) afkondig, bekend maak, proklameer; verkondig (die evangelie)

proclama′tion (n) afkondiging, proklamasie

procras′tinate (v) uitstel, sloer, talm *also* **dal′ly, daw′dle, dith′er**

procrastina′tion (n) uitstel, getalm; *~ is the thief of time* van uitstel kom afstel

pro′create (v) verwek, voortbring; teel

proc′tor saakgelastigde, saakwaarnemer; toesighouer

proc′urator (n) gevolmagtigde *also* **prox′y** (person)

procura′tion volmag, prokurasie *also* **po′wer of attor′ney;** verkryging, verskaffing

procure′ verkry, verskaf, besorg; **~r** verskaffer (van produkte); koppelaar (vir prostitute) *also* **pimp**

prod (n) steek; priem; prikkel; (v) steek; aanpor; **~der stick** porstok (vir beeste)

prod′igal (n) verkwister, deurbringer; (a) spandabel, verkwistend *also* **extrav′agant;** roekeloos; verlore; *the ~ son* die verlore seun

prodi′gious (a) kolossaal, enorm *also* **huge, mas′sive, gigan′tic;** verskriklik; ontsaglik; wonderbaarlik

prod′igy (n) wonderkind *also* **child ge′nius;** wonder, seldsaamheid

prod′uce (n) produkte; voortbrengsels; oes, opbrengs/opbrings; uitset *also* **crop, yield, out′put**

produce′ (v) voortbring; oplewer, produseer; wys; opvoer; *~ a play* 'n toneelstuk opvoer; **~r** produsent (van groente, plaasprodukte); produksieleier, spelleier, regisseur (toneel, rolprent)

prod′uct (n) produk; opbrengs; gevolg; **~ tam′pering** voedselsabotasie, produkpeuter(ing)

produc′tion (n) produksie; vervaardiging *also* **manufac′ture;** opbrengs/opbrings; opvoering (van toneelstuk)

produc′tive (a) produktief, vrugbaar

productiv′ity (n) produktiwiteit *also* **out′put, yield**

profane′ (v) ontheilig; ontwy; skend; (a) ontheiligend, profaan; godslasterlik *also* **sacrilegious; ~ lang′uage** skeldtaal, vloektaal

profan′ity heiligskennis, godslastering

profess′ (v) erken, bely; betuig; verseker; beweer, voorgee; beoefen ('n beroep); *~ to be clever* jou slimhou; **~edly** oënskynlik, sogenaamd

profes′sion beroep, professie *also* **career′, call′ing;** belydenis, bekentenis; *by ~* van beroep; *follow a ~* 'n beroep beoefen

profes′sional (n) beroepsmens; beroepspeler (sport); (a) beroeps-, professioneel; **~ code of con′duct/ethics** professionele gedragskode; **~ know′ledge** vakkennis, kundigheid *also* **expertise′, know-how; ~ play′er** beroepspeler; **~ rugby** beroepsrugby, geldrugby; **~ soc′cer** beroepsokker *also* **associa′tion foot′ball**

profes′sor professor; hoogleraar; belyer; *~ of English* professor in Engels; **~ship** professoraat; leerstoel

prof′fer (n) aanbod; (v) aanbied, toesteek

profi′ciency (n) bedrewenheid, bekwaamheid, vaardigheid, kundigheid *also* **com′petence, abil′ity, expertise′**

profi′cient (a) knap, bedrewe, bekwaam, vaardig *also* **ca′pable, com′petent**

pro′file (n) profiel, buitelyn; *have a high ~* groot

aansien geniet; baie bekend wees; *keep a low ~* op die agtergrond bly; jou eenkant hou

prof′it (n) wins, profyt; verdienste; nut; *derive ~ from* nut trek uit; *to one's ~* met voordeel; **~ af′ter tax** (na)belaste wins; **~ befo′re tax** voorbelaste wins; **~ and loss** wins en verlies; **~ mar′gin** winsgrens, winsmarge; (v) wins maak; voordeel trek uit; van nut wees; **~able** (a) winsgewend, voordelig, lonend; **~abil′ity** winsgewendheid

profiteer′ (n) woekerwinsmaker; (v) woeker= winste maak; **~ing** uitbuiting; winsbejag *also* **exploita′tion; greed(iness)**

profound′ (a) diep, diepsinnig, grondig; **~ly** innig, grondig

profuse′ kwistig; oorvloedig; *~ly illustrated* ryk(lik) geïllustreer

profu′sion (n) kwistigheid; oorvloed

prog′eny (n) nageslag, nakomelingskap, afstam= melinge *also* **descen′dants, is′sue**

progno′sis (n) prognose, vooruitsig (med.); voor= spelling *also* **fore′cast** (n)

prognos′tic (n) prognose (med.); voorteken; (a) voorspellend; aanduidend

pro′gram (n) program (rek.); **~r** programmeer= der, programmeur

pro′gramme (n) program; beplanning; skedule; prosedure

pro′gress[1] (n) vordering, vooruitgang; verloop; vaart; (voort)gang; *be in ~* aan die gang wees; **~ report′** vorderingverslag; **work in ~** onvol= tooide werk (boekh.)

progress′[2] (v) vorder, vooruitgaan *also* **ad= vance′, proceed′, devel′op**

progres′sion (n) voortgang; vordering; progres= sie; **arithmet′ical ~** rekenkundige reeks

progres′sive (a) vooruitstrewend; progressief; toenemend; **~ num′ber** volgnommer *also* **se′rial num′ber**

prohi′bit (v) belet, verbied *also* **ban, forbid′**

prohibi′tion verbod; afskaffing

prohi′bitive verbiedend; afkeurend; *~ price* onbetaalbare/onmoontlike prys

proj′ect[1] (n) ontwerp; projek; **~ engineer′** pro= jekingenieur; **~ manage′ment** projekbestuur

project′[2] (v) ontwerp *also* **design′;** beraam *also* **devise′;** uitsteek; uitskiet; **~ile** projektiel; **~ing** uitstekend (rots); **~ion** vooruitskatting *also* **fore′cast;** ontwerp; projeksie; uitsteeksel

projec′tor projektor (vir films)

pro′lapse (n) breuk, afsakking; (v) uitglip, uitsak; neerval

proleta′riat proletariaat, gepeupel; Jan Rap/ janrap en sy maat *also* **plebs, com′moners**

prolif′erate (v) woeker; vervuil (plante); verme= nigvuldig, prolifereer

prolif′ic vrugbaar *also* **fer′tile;** oorvloedig *also* **abun′dant**

pro′lix (a) langdradig *also* **long-winded′;** verve= lig; **~ity** (n) wydlopigheid, langdradigheid

pro′logue (n) voorrede; voorspel; proloog

prolong′ (v) verleng, uitrek *also* **protract′;** *~ed illness* langdurige siekte

promenade′ (n) wandelpad, promenade; (v) op en neer loop; **~ deck** wandeldek (skip); **~ pier** wandelhoof

prom′inence (n) vernaamheid *also* **em′inence;** prominensie; *give ~ to* op die voorgrond bring; prominensie verleen/gee aan

prom′inent (a) opmerklik; prominent, vooraan= staand (persoon); uitstekend, uitstaande (rots); **~ person** vername/vooraanstaande/hoogge= plaaste/toonaangewende persoon

promiscu′ity (n) vrye geslagsomgang, promis= kuïteit; deureenmenging

prom′ise (n) belofte; *keep one's ~* jou belofte nakom; (v) beloof/belowe; 'n belofte doen

prom′ising (veel)belowend; **~/rising young player** belowende jong speler

prom′issory belowend; bindend; **~ note** pro= messe, (skuld)bewys

promon′tory voorgebergte, kaap

promote′ (v) bevorder; promoveer; bespoedig; oprig; aanmoedig; reël; **~/launch a new product** 'n nuwe produk loods

promo′ter (n) promotor; vegknoper, vegventer (boks, stoei); voorstander, bevorderaar; oprigter

promo′tion (n) bevordering, promosie; verho= ging van pos; produkbevordering; promosie, reklame *also* **public′ity;** veldtog *also* **drive** (n)

prompt (v) aanspoor; voorsê; besiel; *what ~ed you?* wat het jou besiel?; (a) vinnig, vlug, snel; vaardig; **~/punctual payment** stipte betaling; **~er** voorsêer, souffleur (toneel); **~ly** dadelik, spoedig, pront *also* **in′stantly**

prom′ulgate (v) afkondig, promulgeer, uitvaar= dig (wette)

promulga′tion afkondiging, promulgering (wette)

prone (a) geneig *also* **incli′ned;** plat, uitgestrek *also* **pros′trate;** *accident- ~* ongeluksvatbaar; *~ to* geneig tot; **~ness** geneigdheid

prong (n) hooivurk; gaffel; tand (van eg, vurk); **three-~ed attack′** drieledige aanval

pro′noun voornaamwoord; **demon′strative ~** aan= wysende voornaamwoord; **indef′inite ~** onbe= paalde voornaamwoord; **inter′rogative ~** vraende voornaamwoord; **per′sonal ~** persoon= like voornaamwoord; **posses′sive ~** besitlike voornaamwoord; **rel′ative ~** betreklike voor= naamwoord

pronounce′ (v) uitspreek; uitspraak doen; kon= stateer; vonnis (in hof); **~d** (a) uitgesproke; beslis; skerp; opmerklik *also* **conspic′uous**

pronuncia′tion (n) uitspraak, tongval; **literal ~** letteruitspraak

proof (n) bewys; proef; drukproef; *burden of* ~ bewyslas; (v) bestand maak teen; waterdig maak; (a) beproef, bestand; onkwesbaar; **bul'= let~** koeëlvas; **~rea'der** proefleser; **~sheet** drukproef

prop (n) stut; steun; stutpaal; steunpilaar; voorryman (rugby); (v) ondersteun; stut; ~ *up* onderskraag, stut

propagan'da (n) propaganda

propagan'dist (n) propagandis (persoon)

prop'agate (v) voortplant; propageer, bevorder *also* **promote'**

propel' (v) voortdryf, aandryf, vorentoe beweeg *also* **thrust; ~lent/~ant** (n) dryfkrag; (a) dryf=; **~ler** drywer; skroef (vliegtuig, skip)

propen'sity (n) neiging, geneigdheid *also* **inclina'tion, ten'dency**

prop'er (a) reg; betaamlik, welvoeglik; behoor= lik; eintlik; geskik; aangewese; *the ~ time* die regte/geskikte tyd; *please be dressed ~ly* trek asseblief fatsoenlik aan; **~ly** behoorlik, eintlik; ~ **name** eienaam

prop'erty (n) eiendom, besitting; goed; eien= skap; vermoë; (pl) eienskappe; toneelrekwi= siete; ~ **devel'oper** eiendomontwikkelaar; **fix'ed** ~ vasgoed, vaste eiendom; **lan'ded** ~ vaste eiendom; **mo'vable** ~ losgoed, roerende goed

pro'phecy (n) profesie, voorspelling; waarseg= ging

pro'phesy (v) profeteer, voorspel *also* **predict', fore'cast**

pro'phet (n) profeet; ~ *of doom* doemprofeet

prophet'ic (a) profeties; ~ *eye* sienersoog

prophylac'tic (n) voorbehoedmiddel; (a) voor= behoed=, voorbehoedend, profilakties

propinq'uity (n) (bloed)verwantskap; nabyheid; ooreenkoms

propor'tion (n) eweredigheid, proporsie *also* **ra'tio**; (pl) afmetings; *in ~ to* in verhouding tot; *out of all ~* buite alle verhouding/verband; (v) afmeet, eweredig maak

propor'tional (a) eweredig, proporsioneel; ~ **representa'tion** proporsionele verteenwoordi= ging

propo'sal (n) voorstel; aanbod, aanbieding; ~ *of marriage* huweliksaansoek

propose' (v) voorstel; ~ *the health of* die heildronk instel op; ~ *a vote of thanks* die dankwoord rig; **~r** voorsteller; aansoeker; indiener

proposi'tion (n) voorstel, proposisie *also* **mo'= tion, propo'sal**; stelling; probleem; saak; *make s.o. a ~* iem. 'n aanbod/voorstel maak/doen; **bus'iness** ~ sakevoorstel; **pay'ing** ~ lonende/betalende onderneming

propound' (v) voorstel; voorlê; opper; aanbied

propri'etary (n) eiendomsreg; (a) eienaars=,

eiendoms=; ~ *info(rmation)* vertroulike inlig= ting; ~ **com'pany** eiendomsmaatskappy; **P~ Lim'ited (Pty Ltd)** Eiendoms Beperk (Edms. Bpk.); ~ **med'icines** patente medisyne/mid= dels; ~ **rights** eiendomsregte

propri'etor eienaar (van winkel); besitter

propri'ety (n) fatsoenlikheid; gepastheid; juistheid *also* **de'cency, fit'tingness, respectabil'ity**

props (n, pl) toneelbenodig(d)hede

propul'sion dryfkrag, stukrag

pro ra'ta in verhouding, pro rata

proroga'tion (n) prorogasie (van (parlement)sit= ting); sluiting

prorogue' (v) prorogeer (parlement); verdaag, opskort, ontbind

prosa'ic (a) prosaïes, alledaags, verbeeldingloos *also* **ba'nal, com'monplace**

prose (n) prosa; verhaalkuns

pros'ecute (v) vervolg; voortsit; uitoefen; *tres= passers will be ~d* oortreders word vervolg

prosecu'tion (n) vervolging *also* **litiga'tion** (law)

pros'ecutor (n) aanklaer; **pub'lic** ~ staatsaan= klaer

pros'elyte (n) bekeerling, proseliet

prose'writer (n) prosaskrywer, prosaïs *also* **aut'hor**

pros'ody (n) prosodie, versleer

pros'pect[1] (n) vooruitsig, verwagting; moontlike klant; kandidaat; ~ *of success* kans op sukses/ welslae

prospect'[2] (v) prospekteer; ondersoek; **~ive** (a) voornemende; aanstaande, toekomstige; waarskynlike; *~ive buyer* voornemende koper; **~or** (n) prospekteerder

prospec'tus (n) prospektus, brosjure van voor= neme

pros'per (v) bloei; voorspoedig wees; vooruit= gaan *also* **flou'rish, thrive**

prospe'rity (n) voorspoed, welvaart

pros'perous (a) voorspoedig; welvarend, bloeiend *also* **thri'ving, weal'thy**

pros'tate gland prostaat(klier)

pros'titute (n) prostituut, hoer; straatvlinder; sekswerker *also* **whore, hoo'ker;** (v) onteer, skend; ontug bedryf; misbruik; ~ *one's talents* jou talente vermors/verspil

prostitu'tion (n) prostitusie, ontug, hoerery

pros'trate (v) neerwerp; eerbiedig buig; neer= kniel; uitput; (a) neergebuig; ootmoedig

protag'onist hoofkarakter (in drama); voorstan= der, pleitbesorger, protagonis *also* **expo'nent, cham'pion** (of a cause)

pro'tea suikerbos, protea (blom)

protect' (v) beskerm, behoed, beskut, beveilig, verdedig; vrywaar; **~ion** beskerming, beskut= ting, vrywaring; vrygeleide; **~ion mon'ey** beskermgeld, afdreiggeld; **~ion rail** skermre= ling

protec'tive (a) beskermend; ~ **clo'thing** skerm=
drag, skutklere

protec'tor (n) beskermer; ~**ate** protektoraat
(gebied)

pro'tégé (n) beskermling, protégé *also* **depen'**=
dant, ward (of s.o. else)

prot'ein (n) eiwitstof, proteïen

pro'test[1] (n) protes, verset; teenverklaring; *under*
~ onder protes

protest'[2] (v) beswaar maak, protesteer *also*
rem'onstrate; betuig; plegtig verklaar

Prot'estant (n) Protestant (aanhanger van 'n
Christelike geloofsrigting); (a) Protestants;
~**ism** Protestantisme

protesta'tion (n) beswaar, protestasie, verset;
verklaring

pro'tocol (n) protokol *also* **diplomat'ic code of**
beha'viour; voorrangkode

pro'toplasm (n) protoplasma

pro'toteam (n) protospan, reddingspan (mynon=
gevalle) *also* **res'cue team**

pro'totype (n) prototipe; paradigma *also* **para'**=
digm; grondbeeld; voorbeeld, model

protozo'a (n, pl) protosoa, oerslymdiertjies

protract' (v) uitstel, verleng; op skaal teken;
~**ion** uitstel, verlenging; ~**or** gradeboog

protrude' (v) vooruitsteek, vooruitstaan, uitpeul;
protruding eyes uitpeuloë

protu'berance (n) geswel, uitwas, uitgroeisel
also **protru'sion;** knop *also* **bump**

proud (a) trots, hoogmoedig, hooghartig *also*
concei'ted; eergevoelig; styf; statig; groots;
you did me ~ jy het my (ekstra) goed
behandel/onthaal

prove (v) bewys; beproef; bewys lewer; toon; *it*
~*d to be false* dit het vals geblyk; ~ *to be true*
bewaarheid word

prov'erb (n) spreekwoord, spreuk, segswyse
also **id'iom, expres'sion, aph'orism;** ~**ial**
spreekwoordelik

provide' (v) verskaf, voorsien, lewer; bepaal,
neerlê; ~ *for* sorg vir; *the law* ~*s* die wet
bepaal; ~ *with* voorsien van; ~*d that* met dien
verstande dat; mits

Prov'idence[1] (n) die Voorsienigheid

prov'idence[2] (n) voorsorg, voorsiening; spaar=
saamheid; sorgsaamheid *also* **pru'dence**

prov'ident (a) sorgvuldig; spaarsaam; ~ **fund**
voorsorgfonds

provi'der (n) verskaffer, leweransier, leweraar;
ser'vice ~ diensverskaffer

prov'ince (n) provinsie; afdeling; gebied, terrein
also **func'tion, responsibil'ity**

provin'cial (n) plattelander; (a) provinsiaal;
gewestelik; bekrompe *also* **paro'chial;** ~**ism**
provinsialisme

provis'ion (n) voorsiening, voorsorg; voorraad;
bepaling; (pl) lewensmiddele, proviand; pad=

kos (vir 'n reis); *make* ~ *for* voorsiening maak
vir; *under the* ~*s of the law* ooreenkomstig/
kragtens die bepalings van die wet; (v) van
lewensmiddele voorsien; ~**al** voorlopig, voor=
waardelik *also* **condit'ional**

provi'so (n) .. **so(e)s** bepaling, voorwaarde *also*
condi'tion; *with the* ~ *that* mits, op voor=
waarde dat

provoca'tion (n) provokasie, uittarting; *on the*
slightest ~ by die geringste aanleiding

provoc'ative/provo'king (a) tartend, uitdagend,
provokatief; prikkelend, stimulerend

provoke' (v) terg, (uit)tart *also* **infu'riate;** kog=
gel; uitlok *also* **in'stigate**

prow voorstewe, boeg (van skip)

prowess' moed, dapperheid; bekwaamheid, vaar=
digheid *also* **expertise'**

prowl (n) gesluip; rooftog; *on the* ~ op roof uit;
(v) rondsluip; uit op roof; ~**ler** rondsluiper,
sluipdief *also* **scav'enger**

proxim'ity nabyheid *also* **vicin'ity**

prox'imo aanstaande (maand)

prox'y (n) ..**xies** volmag, prokurasie; gevolmag=
tigde (persoon) *also* **dep'uty;** *marry by* ~ met
die handskoen trou; ~ **vote** volmagstem

prude (a) preuts; (skyn)vroom; *I am no* ~ ek is
glad nie preuts nie *see* **pru'dish**

pru'dence (n) versigtigheid, omsigtigheid; ver=
standigheid, wysheid *also* **care, cau'tion;**
~/*discretion is the better part of valour*
versigtigheid is die moeder v.d. wysheid

pru'dent (a) verstandig, wys *also* **sen'sible;**
diskreet, taktvol *also* **discreet';** spaarsaam
also **fru'gal, thrif'ty**

pruden'tial (a) verstandig, oordeelkundig

pru'dish (a) preuts, skynsedig *also* **prim and**
prop'er, straight-laced *see* **prude**

prune[1] (n) pruimedant, gedroogde pruim

prune[2] (v) snoei; knot; ~**r** snoeiskêr

prun'ing: ~ **knife** snoeimes; ~ **scis'sors** snoei=
skêr *also* **secateur'**

Prus'sian (n) Pruis (persoon); (a) Pruisies
(gebruike, ens.); ~ **blue** berlynsblou, pruisies=
blou

prus'sic ac'id pruisiessuur, blousuur

pry (v) (rond)snuffel; loer; oopmaak, oopbreek;
~ *into* neus insteek (in iem. anders se sake);
~**ing** nuuskierig, bemoeisiek *also* **cu'rious**

psalm psalm; ~**ist/~odist** psalmdigter

psal'ter psalmboek, psalter

pseud'o= vals, oneg; half=, pseudo=; ~**science**
skynwetenskap

pseud'onym (n) skuilnaam, pseudoniem, skryf=
naam *also* **nom de plume**

psych'e (n) siel, psige, gees; ~**de'lic** (a) psigede=
lies; geestesverrukkend (weens dwelms); ek=
staties, hallusinasie=; wild; bont

psychi'atrist psigiater (spesialis)

psychi′atry (n) psigiatrie, senusiekteleer

psy′chic (n) spiritistiese medium; (a) psigies

psychoanal′ysis psigoanalise

psycholog′ical (a) sielkundig, psigologies; ~ **war′fare** sielkundige oorlogvoering

psychol′ogist sielkundige, psigoloog (spesialis)

psychol′ogy sielkunde, psigologie

psychom′ancy (n) geestebeswering, towerkuns

psy′copath (n) psigopaat, sielsieke (persoon)

psycho′sis psigose, sielsiekte

psychother′apy psigoterapie (behandeling van sielsiektes)

psychot′ic (a) psigoties, sielsiek

ptom′aine lykgif, ptomaïen; ~ **pois′oning** voed=selvergift(ig)ing *also* **food pois′oning**

pub kroeg; kantien; ~**-crawler** kroegkruiper, kroegvlieg (persoon); ~**-lunch** kroeghappie *also* ~ **grub**

pu′berty puberteit, geslagsrypheid *also* **adoles′=cence, young adult′hood**

pu′bic (a) skaam=; ~ **hair** skaamhare

pub′lic (n) publiek; *in* ~ in die openbaar; (a) openbaar, publiek; algemeen; staats=; ~ **affairs′** openbare aangeleenthede, staatsake; ~ **address′ system** luidsprekerstelsel; ~**an** kroeghouer; ~**a′tion** uitgawe; publikasie; bekendmaking; ~ **debt** staatskuld; ~ **demonstra′tion** protesoptog, betoging; ~ **domain′** (dorps)meent; *in the* ~ *domain* in die publieke domein (geskrif, rekenaarprogram); ~ **fight′ing** straatbakleiery *also* **brawl;** ~ **health** volksgesondheid; ~ **im′=age** openbare beeld, beeld na buite; ~**ity** publisiteit; openbaarmaking; ~**ity stunt** rekla=meset, reklamefoef(ie); ~ **out′cry** publieke woede/protes *also* **out′rage;** ~ **pros′ecutor** staatsaanklaer; ~ **protec′tor** openbare besker=mer *also* **om′budsman′;** ~ **rela′tions** openbare betrekkinge; ~ **relations of′ficer** (openbare) skakelamptenaar, skakelbeampte, mediaskakel; ~ **school** regeringskool; privaat skool (in Enge=land); ~ **sec′tor** openbare sektor, owerheidsek=tor; ~ **ser′vice** staatsdiens; ~ **spea′king** openbare redevoering, redenaarskuns; ~ **util′ity com′pany** nutsmaatskappy; ~ **wor′ship** erediens *also* **divine′ ser′vice**

pub′lish (v) uitgee, publiseer; openbaar maak; aankondig; ~**er** uitgewer; uitgewery

puck (n) kaboutermannetjie, elf *also* **mis′=chievous gob′lin;** stouterd

puck′er (n, v) kreukel, rimpel, plooi

pud′ding poeding, nagereg *also* **dessert′; black** ~ bloedwors

pud′dle (n) poel(etjie) water; warboel

puden′da (n, pl) skaamdele, geslagsdele (meesal vroulik) *also* **gen′itals**

pudge (n) diksak, buks, potjierol *also* **fat′ty**

pue′rile (a) kinderagtig *also* **in′fantile;** beusel=agtig, niksbeduidend

puff (n) geblaas; rukwind; poeierkwas; trek; rookwolk; *give a few* ~*s* ’n paar skuiwe trek (rook); (v) blaas; hyg; pronk; ophemel; *be* ~*ed* uitasem wees; ~ **ad′der** pofadder; ~**er** spog=ger; opjaer (by veilings); ~**y** winderig; kort=asem, uitasem

pug[1] (n) mopshondjie; kabouter

pug[2] (n) steenklei; (v) klei aanmaak/brei

pu′gilist vuisvegter, bokser *also* **box′er, prize′=fighter**

pugna′cious strydlustig, bakleierig *also* **aggres′=sive**

puke (v) (vulg.) kots (vulg.); braak, opbring *also* **vom′it**

pull (n) trek, ruk, pluk; *a long* ~ ’n kwaai ent; (v) trek, ruk; roei; ~ *faces* skewebek trek; ~ *in* inhou; inkom; ~ *s.o.’s leg* iem. vir die gek hou; ~ *to pieces* vernietigend/afbrekend kritiseer; ~ *up one’s socks* jou (lyf/litte) roer; ~ *oneself together* jou regruk; ~ *up* stilhou; intoom; ~ *one’s weight* alle kragte inspan

pul′let jong hennetjie; bakvissie (meisie) *also* **flap′per**

pul′ley katrol *also* **reel** (fishing)

pull′over oortrektrui *also* **jer′sey**

pul′monary (a) long=; ~ **disea′se** longsiekte

pulp (n) murg; pap; pulp (papier); moes (van vrugte); (v) pap maak, fynmaak; verpulp

pul′pit preekstoel, kansel; **small** ~ knapie *also* **lec′tern;** lesingstander, kateder

pulsate′ (v) klop; tril

pulsa′tion klopping; polsslag, hartslag

pulse[1] (n) pols; *feel s.o.’s* ~ iem. se pols voel; (v) klop, pulseer *also* **throb;** slaan; tril; ~ **beat/rate** polsslag

pulse[2] (n) peulvrugte; peulplante

pul′verise (v) verpoeier, fynstamp; vermorsel

pu′ma (n) poema, bergleeu

pu′mice puimsteen (poreuse gesteente)

pump (n) pomp; (v) (op)pomp; leegpomp; ~ *s.o.* iem. uitvra/uithoor; ~ **atten′dant** pompjoggie, petroljoggie; ~ **han′dle** pompslinger

pump′kin (n) (boer)pampoen; ~ **frit′ter** pam=poenkoekie

pun (n) woordspeling *also* **quip;** (v) ’n woord=speling maak

Punch[1] (n) Jan Klaassen (poppekaskarakter); ~ **and Ju′dy show** poppekas, poppespel *also* **pup′pet show**

punch[2] (n) pons (drank); vrugtebole; ~ **bowl** ponskom

punch[3] (n) vuisslag; slaankrag; deurslag; knyp=tang; knipper; (v) slaan, stamp, knip; pons; perforeer; ~**-drunk** vuisvoos; ~**ed work** per=foreerwerk; ~**bag** oefensak, slaansak (ook fig.); ~ **line** trefreël; ~ **sys′tem** ponsstelsel

punctil′ious (a) puntene(u)rig, nougeset *also* **metic′ulous, fus′sy**

punc′tual stip, presies; *always* ~ altyd op tyd

punc′tuate (v) punktueer; onderbreek; beklem= toon *also* **stress, accen′tuate**

punctua′tion interpunksie, punktuasie; ~ **marks** leestekens

punc′ture (n) lek(plek); (v) prik; ~**-proof** lekvry

pun′dit (n) gesaghebbende, kenner *also* **ex′pert, bof′fin, fun′di**

pun′gent (a) skerp, deurdringend *also* **tan′gy**; bytend; bitsig *also* **sca′thing**

pun′ish (v) straf, tug(tig), kasty; toetakel; ~**able** strafbaar; ~**ment** straf, kastyding; boete

pun′itive (a) straf=, straffend; ~ **mea′sures** straf= maatreëls, vergeldingstappe *also* **repri′sals**

punk (n) punk (aanhanger van jeugbeweging van die 1970's); vrot/waardelose persoon/ding; ~ **mu′sic** punkmusiek; (a) punk; vrot(sig), niks= werd, miserabel

pun′net (n) handmandjie; kardoesie

punt[1] (n) platboomskuit; (v) vooruitstoot

punt[2] (n) lugskop, vlugskop (rugby); (v) hoog skop

pun′ter[1] (n) vlugskopper, hoogskopper (rugby)

pun′ter[2] (n) (beroeps)wedder (by perdewed= renne)

pu′ny pieperig, klein, swak *also* **fee′ble, frail, stun′ted**

pup (n) jong hondjie; *litter of* ~*s* werpsel hondjies; (v) kleintjies kry (hond)

pu′pa -e papie (toegespinde insek)

pu′pil[1] (n) leerling, skolier; leerder *also* **learn′= er**; minderjarige, onmondige; ~**(l)age** leertyd; onmondigheid, minderjarigheid; ~**s coun′cil** leerderraad *also* **stu′dent coun′cil**; ~ **tea′cher** aspirantonderwyser

pu′pil[2] (n) pupil (oog); oogappel; kyker

pup′pet (n) handpop, marionet; strooipop *also* **stooge, hench′man**; ~**eer** marionetmeester, poppespeler; ~ **show** poppekas, poppespel

pup′py (n) **puppies** jong hondjie; ~ **fat** jeugvet; ~ **love** kalwerliefde

pur′blind (a) halfblind; bysiende; kortsigtig

pur′chase (n) koop, aankoop; (pl) inkope; *make* ~*s* inkope/inkopies doen; gaan winkel; (v) koop, verwerf; optel; ~ **deed** koopbrief, koopakte, koopkontrak *also* **deed of sale**; ~ **price** (in)koopprys; ~**r** (aan)koper, klant

pur′chasing po′wer koopkrag

pure (a) suiwer, rein, kuis; eg; louter; onvervals; ~ *joy* die ene lekkerte; ~ **mathema′tics** suiwer wiskunde; ~ **non′sense** pure onsin/kaf

purée′ (n) puree, moes (verpulpte vrugte/ groente)

pur′gative (n) purgeermiddel, purgasie, lakseer= middel; (a) suiwerend, purgerend

pur′gatory (n) vaevuur (plek van lyding); (a) reinigend, suiwerend

purge (n) (uit)suiwering; (etniese) reiniging/

suiwering (volksmoord); (v) suiwer; uitwis *also* **exter′minate, wipe out**

pu′rifier (n) reiniger, suiweraar

pu′rify (v) suiwer, reinig, skoonmaak; louter, suiwer (jou gees)

pu′rism (n) taalsuiwering; purisme

pu′rist (n) taalsuiweraar, puris (persoon)

pu′ritan (n) puritein; (a) puriteins *also* **rig′id, austere′**

pu′rity (n) suiwerheid, reinheid

purl[1] (n) gestikte rand; aweregse breiwerk; borduurdraad; (v) stik; omboor; aweregs brei

purl[2] (n) gekabbel; (v) kabbel, murmel

purl[3] (n) val, tuimeling; (v) val, omtuimel

purloin′ (v) steel; ontfutsel; gaps, skaai

pur′ple (n) pers, purper (kleur); purpergewaad; (v) pers word; purper kleur; (a) pers, purper

pur′port (n) sin, mening, bedoeling, strekking

purport′ (v) inhou, behels; voorgee, beweer; ~/*pretend to be* voorgee om te wees

pur′pose (n) voorneme, doel, oogmerk; *for domestic* ~*s* vir huisgebruik; *to no* ~ tevergeefs; *on* ~ opsetlik; *serve a good/useful* ~ van groot nut wees; (v) bedoel, beoog; ~**-built** doelgebou; ~**less** doelloos, vrugteloos; ~**ly** opsetlik, aspres/ aspris, moedswillig *also* **delib′erately**

purr (v) spin (kat); snor (masjien)

purse[1] (n) beurs(ie) *also* **pouch, wal′let;** beurs *also* **bur′sary** (for student); skatkis, middele; ~ **bea′rer** (obs.) penningmeester, sentmeester, tesourier *also* **trea′surer;** ~**r** betaalmeester (op 'n passasierskip)

purse[2] (v) plooi, frons; die mond saamtrek *also* **puck′er**

pursu′ance (n) voortsetting, nakoming; *in* ~ o*[]* (legal phrase) ingevolge, ooreenkomstig

pursue′ (v) agtervolg; vervolg; voortsit; volg (beleid); nastreef/nastrewe; beoefen (beroep *also* **prac′tise, enga′ge in;** ~**r** agtervolger vervolger; najaer

pursuit′ (n) agtervolging; vervolging; (pl) werk saamhede; ~ *of knowledge* die strewe n kennis

purvey′ (v) versorg, verskaf, lewer; ~**anc** verskaffing, versorging, voorsiening; ~**or** (n verskaffer, leweransier *also* **suppli′er, ca′** terer

pur′view strekking; gesteldheid; omvang *als* **scope; am′bit**

pus etter; sug, pus (van wond)

push (n) stamp, stoot; volharding, deursettings vermoë; nood, knyp; ambisie; gedrang; *whe it comes to the* ~ in geval van nood; *a helpin* ~ hupstoot; (v) stamp; stoot; aanhelp, be vorder; bespoedig, verhaas; deurdryf; aar dring; ~ *back* terugstoot; ~ *for paymer* aandring op betaling; ~*ed for time* min ty hê; ~ *off!* trap!; skoert!; waai!; ~**-bike** trapfiet

~cart stootkar; **~-start** brandstoot; **~-up** (n) opstoot; *start with 20 ~-ups* begin met 20 opstote; **~ing/~y** (a) opdringerig; voorbarig; ondernemend

pus'sy (n) **pussies** katjie; **~foot** (a) soet= jies/suutjies loop

pus'tular puisierig, vol puisies

pus'tule puisie(tjie), vratjie

put (v) neersit, stel, plaas; gooi; stoot (gewig, atl.); *~ away* bêre, spaar; *~ aside* opsy sit; *~ down* uitsit, afmaak (ou/siek dier); *~ to death* doodmaak; *~ forward* indien, voorlê, opper *also* **submit'**; *to ~ it mild(ly)* om dit sag te stel; *~ money on a horse* op 'n perd wed; *~ a motion* 'n voorstel/mosie tot stemming bring; *~ off* uitstel *also* **defer, delay'**; iem. van stryk bring; *~ in order* regmaak; *~ right* regmaak; *~ a stop to* 'n end maak aan; *~ together* saamstel; *~ up with* verdra; *~ to the vote* tot stemming bring; *~ on weight* gewig aansit; swaarder word; *~ in a word for* 'n goeie woordjie doen vir; *~ in writing* dit op skrif stel

pu'trefy (v) verrot, bederf, ontbind *also* **decompose', rot**

pu'trid (a) verrot, vrot *also* **foul, rot'ten; bedorwe**

putt (n) sethou (gholf); (v) set, put (gholf); *~ing for par* set/put vir syfer

put'ter (n) setyster; setter, putter (gholf)

putt'-putt set-set (minigholf)

put'ty (n) stopverf; *~ knife* stopmes; *~ plas'ter* fynpleister

puz'zle (n) raaisel; vraagstuk; verleentheid; **crossword ~** blok(kies)raai(sel); **jig'saw ~** legkaart; (v) in die war bring; verleë maak; dronkslaan, verbyster; **~d** (a) verwar(d), deur= mekaar; **puz'zling** (a) vreemd, raaiselagtig, enigmaties; *~* **pic'ture** soekprentjie

pyg'my pigmee; dwerg *also* **mid'get; dwarf**

pyja'mas nagklere, slaapklere, pajamas, slaap= pak *also* **paja'mas**

py'lon (n) kragmas, spanmas, piloon (elektr.)

py'ramid (n) piramide/piramied

pyre (n) brandstapel

pyret'ic (n) koorsmiddel; (a) koorswekkend; koorsig; koors=

pyroma'niac (n) piromaan, (impulsiewe) brand= stigter

pyrom'eter hittemeter

pyrotech'nics vuurwerkkuns, pirotegniek *also* **fi'reworks display'**

pyth'on (n) luislang, piton

Q

q t (infml.): *on the* ~ stilletjies, suutjies; heimlik

quack[1] (n) gekwaak; (v) kwaak

quack[2] (n) kwaksalwer (persoon) *also* **char´=
latan, hum´bug;** ~ **doc´tor** kwak(salwer) *also*
bo´gus doc´tor; ~**ery** kwaksalwery; ~ **med´=
icine** kwaksalwermiddels

quad´bike (n) knorfiets (vir berge, duine)

quad´rangle (n) vierkant; vierhoek; binneplaas,
binneplein *also* **quad** (esp. at school)

quadran´gular (a) vierkantig; vierhoekig

qua´drant (n) hoekmeter, kwadrant

qua´drate (n) vierkant; kwadraat; (v) ooreen=
bring; kwadreer

quadrat´ic (n) vierkantsvergelyking; (a) vier=
kants=, tweedemags=; ~ **equa´tion** vierkants=
vergelyking

quadren´nial vierjarig; vierjaarliks

quadrilat´eral (n) vierhoek, viersy; (a) vierkan=
tig, viersydig

quadrille´ kadriel (outydse dans)

quadril´lion (n) kwadriljoen (syfer met 24 nulle)

quadripleg´ic (n) kwadrupleeg, verlamde (per=
soon); (a) kwadruplegies

qua´druped (n) viervoetige dier; (a) viervoetig

qua´druple (n) viervoud; (a) viervoudig; (v)
verviervoudig; vervierdubbel

qua´druplet een (lid) van ´n vierling/viertal; ~**s**
vierling

quadrup´licate (v) verviervoudig; vervierdubbel

quaff (v) drink; groot slukke (weg)sluk

quag´ga kwagga (dier)

quag´mire (n) moeras, modderpoel *also* **bog,
mire, marsh;** drilgrond, welsand *also* **quick´=
sand**

quail (n) kwartel (patrysvoël)

quaint (a) snaaks, koddig, sonderling; vreemd=
soortig; ouderwets *also* **queer, odd, eccen´tric**

quake (n) bewing, siddering; (v) beef/bewe, tril,
skud; ~ *in one's boots* jou broek bewe

Quak´er Kwaker (lid van Protestantse geloofs=
groep) *also* **Friend** (member of Society of
Friends)

quak´ing bewing, siddering; ~ **grass** bewertjies,
trilgras; klokgrassie(s)

qualifica´tion (n) kwalifikasie; bevoegdheid,
bekwaamheid; vereiste

qua´lified (a) bevoeg, bekwaam, gekwalifiseer
also **train´ed, equip´ped;** gewysig *also* **mod´=
ified;** voorwaardelik, nie onvoorwaardelik nie,
beperk (bv. goedkeuring) *also* **reserved´;**
geregtig

qua´lify (v) kwalifiseer, jou bekwaam; be=
voeg/bekwaam maak; wysig; matig; aandui;
beperk; aanmeng; ~ *for* in aanmerking kom
vir, kwalifiseer vir

qua´lity (n) hoedanigheid, eienskap; gehalt‹
kwaliteit *also* **cal´ibre;** aanleg; inbors; ran‹
in the ~ *of* in die hoedanigheid van; ~ *of li‹*
lewensgehalte, leefgehalte; ~ **assu´rance** g‹
halteversekering; ~ **control´** gehaltebeheer

qualm (n) angsgevoel *also* **anxi´ety;** twyfe‹
bedenking *also* **misgiv´ing;** mislikheid *al‹*
nau´sea; ~**s**/*pangs of conscience* gewetens‹
wroeging *also* **remorse´;** ~**ish** mislik, naar

quan´dary (n) penarie, verknorsing, verleen‹
heid, dilemma *also* **predic´ament;** *be in a* ~ ‹
die knyp sit

quan´tify (v) kwantifiseer, hoeveelheid bepaal

quan´tity (n) hoeveelheid, kwantiteit *also* **vol‹
ume; mass;** ~ **survey´or** bourekenaar

quan´tum hoeveelheid; bedrag

qua´rantine (n) kwarantyn; (v) in/onder kwa‹
rantyn plaas; afsonder, isoleer

quar´rel (n) twis, rusie *also* **dispute´;** *have no*
against s.o. niks teen iem. hê nie; *pick a*
rusie/skoor soek; (v) rusie maak; kyf, str‹
twis; skoor; ~**ling** getwis; gekyf; ~**som‹**
twissiek, skoorsoekerig, rusiemakerig *al‹*
pet´ulant, argumen´tative

quar´ry[1] (n) **quarries** prooi *also* **prey;** bui
wild; (v) (wild) agtervolg

quar´ry[2] (n) **quarries** steengroef, gruisgat

quart (n) kwart (ou inhoudsmaat – 2 pinte)

quar´ter (n) kwart; kwartier; vierde deel; kwartaa‹
wyk, buurt *also* **dis´trict, local´ity;** (pl) kwa‹
tiere; verblyfplek; *from all* ~**s** van alkante/all‹
kante; *give no* ~ geen genade betoon nie; ~ *of a*
hour ´n kwartier; *married* ~**s** kwartiere vir g‹
troudes; *roomy* ~**s** ´n ruim woonplek; *single* ‹
enkelkwartiere; (v) in vier verdeel; inkwartie‹
drawn and quartered iemand vierendeel (hist.
~ **fi´nalist** speler/span in kwarteindrondte; ~‹
(n) kwartaalblad; (a) driemaandeliks, kwartaal
~**ly test** kwartaaltoets; ~**mas´ter** kwartiermeeste‹

quartet´ kwartet (musiekstuk vir vier instrumer
te/sangers); viertal

quar´to kwarto; kwatryn

quartz kwarts; ~ **watch** kwartshorlosie

quash (v) nietig verklaar, verwerp *al‹*
overrule´; dooddruk *also* **suppress´, crush**

quas´i- (a) kastig, kwansuis; kwasi= *also* **pseu‹
do;** ~**offi´cial** kwasi-amptelik

quat´rain vierreëlige vers, kwatryn

quav´er (n) agtste noot; triller; (v) tril, vibreer

quay (n) hawehoof, kaai *also* **wharf**

queas´y (a) mislik, naar *also* **nau´seous;** onb‹
haaglik *also* **uneasy´**

queen (n) koningin, vorstin; vrou (kaartspe‹
dame (skaak); (v) as koningin heers; ~
hooghartig wees; ~ **dow´ager** koninginwed‹

wee; ~ **con'sort** vrou v.d. regerende vors; **~ly**
(a) vorstelik, statig; ~ **moth'er** koninginmoeder
queer[1] (n) (derog.) 'n homo(seksueel) *also* **gay;**
~ **bash'ing** homo-/gayteistering
queer[2] (v) verbrou, bederf; ~ *s.o.'s pitch* iem. se
saak/planne bederf; (a) snaaks, sonderling
also **cu'rious;** duiselig (voel); verdag; *be in
Q~ street* in die verknorsing/knyp wees
quell (v) demp, bedwing, onderdruk; ~/*crush a
revolt/rebellion* 'n opstand/rebellie onderdruk
quench (v) les (dors); blus, uitdoof (vuur);
onderdruk ('n opstand)
quer'ulous (a) klaerig, klaagsiek, iesegrimmig
also **touch'y, tes'ty, cantan'kerous**
que'ry (n) navraag; twyfelvraag; kwelpunt *also*
mis'giving; (v) navraag doen; bevraag(teken);
betwyfel, in twyfel trek; ~ *the facts* die feite
bevraag(teken)
quest (n) ondersoek; soektog *also* **pursuit';
crusade';** *the ~ for* die soeke/strewe na
ques'tion (n) vraag; vraagstuk, kwessie; strydpunt;
twyfel; *beg the ~* die punt ontwyk; *beside the ~*
nie ter sake nie; *beyond ~* sonder twyfel; *out of
the ~* buite die kwessie; geen sprake van nie; *the
point in ~* die onderhawige saak; *put the ~* tot
stemming bring; *without ~* sonder twyfel; (v)
(uit)vra; ondervra; bevraag(teken); betwyfel; ~
the accused die beskuldigde/verdagte ondervra;
~able twyfelagtig *also* **du'bious; controver'=
sial;** ~ **bank** vraagbank; **~er** (onder)vraer; **~ing**
ondervraging; kruisverhoor; ~ **mark** vraagte=
ken; **~naire'** vraelys
queue (n) ry, tou; haarvlegsel *also* **pig'tail;** *form
a ~* toustaan; *jump the ~* by die tou indruk;
long ~s of people lang toue mense; (v)
toustaan; ~ *up* toustaan *also* **queue'ing**
quib'ble (n) haarklowery; beuselagtige/ontwy=
kende beswaar; (v) hare kloof; uitvlugte soek;
kibbel *also* **nig'gle, hag'gle; ~r** haarklower
quick (n) lewe; *the ~* die lewende persone; (a, adv)
lewendig; vinnig, gou, rats; *be ~ about it!* roer
jou!; *a ~ eye* 'n skerp oog; ~ *to take offence*
liggeraak; **~en** (v) verlewendig, versnel; aan=
spoor, aanwakker; besiel; ~ **grass** kweek; **~lime**
ongebluste kalk; ~ **march** gewone marspas;
~sand welsand/wilsand; suigsand; **~sil'ver**
kwiksilwer *also* **mer'cury;** ~**tem'pered** op=
vlieënd, kortgebonde; ~**thorn** meidoring;
~wit'ted skerpsinnig, gevat *also* **sharp, shrewd**
quid[1] (n) tabakpruimpie, tabakkoutjie
quid[2] (Br. slang) (n) 'n pond sterling (geld)
quid pro quo' teenprestasie, quid pro quo
qui'et (n) stilte, rus; bedaardheid; *on the ~*
stilletjies; *peace and ~* rus en vrede; (v) tot
bedaring bring, kalmeer; (a) rustig, stil,
bedaard; stemmig (klere); *keep ~/mum* stilbly;
iets stilhou; **~en** (v) stilmaak, kalmeer *also*
si'lence; soothe'; ~ly (adv) stilletjies, soet=

jies; **~ness/~ude** rustigheid, stilte *also* **seren'ity**
quill (n) penveer (van voël); veerpen (vir skryf,
hist.); skag (van veer); fluit; (ystervark)pen;
spoel; ~ **dri'ver** (derog.) pen(ne)lekker
(neerh.); klerk
quilt (n) kwilt; donskombers *also* **du'vet, ei'der=
down;** (v) watteer, kwilt
quin'ary vyfdelig, vyftallig
quince kweper; ~ **jel'ly** kweperjellie
quincente'nary (n) vyfde eeufees; (a) vyfhon=
derdjarig
quinine' kina, kinien (antimalariamiddel)
quinquang'ular vyfhoekig
quinquelat'eral vyfsydig
quinquen'nial vyfjarig; vyfjaarliks
quin'sy (n) mangelsweer; keelsweer (siekte)
quint kwint; vyfkaart
quintes'sence kern, essensie, kwintessens
quintet' kwintet (musiekstuk vir vyf instrumen=
te/sangers); vyftal
quin'tuple (n) vyfvoud; (v) vervyfvoudig; (a)
vyfvoudig; **~t** een (lid) van 'n vyfling/vyftal;
~ts vyfling
quip (n) kwinkslag, geestigheid, spitsvondigheid
also **plea'santry; wise'crack;** skimp; (v) 'n
grap/kwinkslag maak
quirk (n) gril, streep (in iem. se geaard=
heid/karakter) *also* **whim**
quis'ling quisling, (volks)verraaier
quit (v) tou opgooi; staak *also* **discontin'ue;**
verlaat *also* **aban'don;** bedank (werk); opskop
(omgangst.); vertrek; ~ *the service* die diens
verlaat; (a) ontslae, vry, los
quite (adv) heeltemal, glad, volkome; *I ~ like
him* ek hou nogal van hom; ~ *so* presies; ~ *the
thing* die nuutste mode; ~ *warm* taamlik warm
quits (infml.) (a) gelyk, kiets; *we are ~ now* nou
is ons kiets
quit'tance kwytskelding; kwitansie
quit'ter (n) touopgooier, slapgat (infml.), hen(d)s=
opper
quiv'er (n) pylkoker; trilling; *in a ~* sidderend;
(v) tril, bewe, ril, dril; ~ **tree** kokerboom
quixot'ic (a) buitensporig; dwaas-avontuurlik
quiz (n) **-zes** vasvra (kompetisie); (v) ondervra,
uitvra *also* **inter'rogate, grill**
quiz'zical (a) grappig; skalks, ondeund
quoit (n) gooiskyf, gooiring; **~s** ringgooi
quor'um (n) kworum
quo'ta (n) aandeel, kwota *also* **share**
quota'tion (n) aanhaling; kwotasie; notering;
prysopgawe; ~ **marks** aanhaaltekens
quote (v) aanhaal, siteer; kwoteer; noteer
(pryse); ~ *. . . unquote* aanhaal . . . afhaal
quo'tient (n) resultaat (van deling); kwosiënt;
blood ~ bloedsyfer
Qur'an Koran/Koer'aan/Qoer'aan/Qur'aan
(heilige boek van Islam)

R

rab′bet (n) sponning, groef *also* **re′bate;** (v) inmekaarvoeg

rab′bi (n) **-s** rabbi, rabbyn (Joodse geestelike)

rab′bit (n) konyn (knaagdier) *see* **hare;** nuwe=ling, groentjie

rab′ble (n) gespuis, hoipolloi, gepeupel *also* **rif′raf, scum;** **~-rouser** massa-opsweper, dema=goog

ra′bid (a) rasend, woes, onstuimig *also* **berserk′;** dol (hond)

ra′bies hondsdolheid

race[1] (n) ras; geslag; stam; **~ and gender discrimination** ras- en geslagsdiskriminasie; **hu′man ~** die mensheid/mensdom; **~ rela′=tions** ras(se)verhoudinge

race[2] (n) wedloop (atl.), (wed)ren (perde, motors), wedvaart (kano's, seiljagte), wedvlug (vlieg- en sweeftuie; duiwe); (v) re(i)sies ja; jaag, hardloop; **~course** renbaan (perde); **~horse** renperd; **~ meet′ing** (perde)wedrenne *also* **turf ra′cing;** **~ track** renbaan (motors) *also* **~way**

rachit′is ragitis; Engelse siekte (veroud.) *also* **rick′ets**

ra′cial (a) ras=; rasse=; **~ discrimina′tion** rasse=diskriminasie; **~ism** rassehaat; **~ist** rassehater

ra′cing renne, wedrenne; re(i)siesjaery; **~ car** renmotor; **~ cy′clist** renfietser; **~ dri′ver** ren=jaer

ra′cism rassisme

ra′cist (n) rassis (persoon); (a) rassisties

rack[1] (n) rak; kapstok; pynbank; tandrat (spoor=lyn); *put on the* **~** op die pynbank sit; (v) rek, strek; folter, martel; aftap; uitput; **~ one's brains about** jou hoof breek oor

rack[2] (n) ondergang, verwoesting; *go to* **~ and ruin** ten gronde gaan; (v) uitmekaar jaag

rack′et[1] (n) raket (tennis); spaan

rack′et[2] (n) geraas, rumoer *also* **commo′tion, up′roar;** bedrogspul, swendelary; (v) baljaar; lawaai maak

racketeer′ (n) rampokker, afperser, uitsuier, swendelaar *also* **spiv, con′man**

rac′quetball (Am.) raketbal

ra′cy geurig (wyn); pittig; raseg; **~/sparkling language** pittige/sappige taal

ra′dar radar, radionasporing; **~ op′erator** radar=operateur

ra′dial: ~ ply straallaag (band); **~ tyre** straalband

ra′diance/rad′iancy glans(rykheid), skittering *also* **bril′liance**

ra′diant (n) uitstraalpunt; (a) glansryk, glinste=rend; **~ with joy** stralend van geluk

ra′diate (v) uitstraal; glinster; versprei *also* **scat′ter**

radia′tion (uit)straling; bestraling; **so′lar** sonstraling

ra′diator (n) verkoeler (motor); straalverspreier (elektriese) verwarmer

rad′ical (n) wortel; grondwoord; grondstof; (a) radikaal, ingrypend *also* **fundamen′tal;** **~ change** radikale/grondige verandering; **vo′wel** stamklinker

ra′dio (n) radio; draadloos (veroud.); (v) uitsaai **~ac′tive** radioaktief; **~ announ′cer** (radio) omroeper; **~ car′bon da′ting** radiokoolstofda=tering; **~ dra′ma/play** hoorspel, radiodrama

radiog′rapher radiografis

radiog′raphy radiografie

ra′dio ham radioamateur (persoon)

ra′diologist radioloog (med. spesialis)

radiol′ogy radiologie (med.)

ra′dio pa′ger roepradio, radioroeper, spoorder *also* **pa′ger**

rad′ish radys; **black ~** ramenas

ra′dium radium (radioaktiewe element)

ra′dius (n) **radii** straal, radius

ra′dix wortel; grondgetal

raf′fia raffia (palmdrade vir vleg)

raf′fle (n) uitloting; (kantoor)loting (vir spesi=fieke item); lotery (vir groot publiek) *also* **lot′tery, sweep′stake;** (v) uitloot

raft (n) vlot; dryfhout; **~ing** vlotvaart; *(white) river ~ing* riviervlot (w)

raf′ter (n) dakbalk, kap; dakspar

rag[1] (n) vod, toiing, flenter; **~s to riches** van armoede tot rykdom; lompe tot luukse; vodd=na vere; *in* **~s** in flenters/toiings/vodde; **~tag and bobtail** Jan Rap/janrap en sy maat; **~s** toiings, flarde

rag[2] (n) (studente)jool; (v) skerts, pla; 'n plek of horings neem

rag′amuffin (n) skobbejak, lieplapper, skolli=*also* **scoun′drel, ras′cal, vil′lain**

rag′ doll lappop

rage (n) woede, raserny *also* **fu′ry;** hartstog=begeerte; *all the* **~** hoog in die mode; (v) woed; tier, te kere gaan *also* **fume, rave**

rag′ged toiingrig, verflenter *also* **in tat′ters;** ongelyk; gerafel; slordig; knoesterig

ra′ging tierend, briesend *also* **fu′rious, ra′ving**

rag: ~magazine′ joolblad; **~out** gekruide brediː ragout; **~ proces′sion** jooloptog; **~time** gesin=kopeerde (jazz)musiek

raid (n) rooftog, inval, strooptog; klopjag; (v) roof, stroop *also* **pil′lage, plun′der**

rail[1] (n) reling; leuning; heining *also* **fence, bar′rier;** latwerk; treinspoor, spoorstaaf; *by* per spoor; (v) per spoor stuur; **~ in** omraster afsluit

ail[2] (v) spot, skimp; skinder; uitvaar (teen)

ail'age (n) spoorvrag, vraggeld

ail'ing (n) reling, tralie *also* **bal'ustrade**

ail'road (US) = **rail'way**

ail' tariff spoortarief

ail'way (n) spoorweg; treinspoor; (pl) spoor-
weë, spoorwegdiens; ~ **bridge** treinbrug; ~
car'riage spoorwa; ~ **compart'ment** kompar-
tement; ~ **cros'sing** spooroorweg, spooroor-
gang; ~ **line** spoorlyn; ~ **tick'et** treinkaartjie; ~
track spoorbaan, trajek

ain (n) reën; *in* ~ *or sunshine* onder alle
omstandighede; (v) reën; laat reën; ~ *cats
and dogs* dit reën outannies met hekelpenne/
paddas en platannas; ~*ing hard* dit sous; dit
giet soos dit reën; *it never* ~*s but it pours* 'n
ongeluk kom nooit alleen nie; ~**bow** reënboog;
~**fall** reënval; ~**for'est** reënwoud; ~ **gauge**
reënmeter; ~**proof** waterdig, reëndig; ~ **show-
er** reënbui; ~**storm** stortbui; ~**wa'ter** reën-
water; ~**y** reënerig *also* **drizz'ly**

aise (n) verhoging (salaris); opdraande (in pad);
styging; styggang (in myn); (v) optel, ophef,
oplig; verhoog; teel (diere); hys (vlag); verhef
(stem); werf, op die been bring (troepemag);
ophef (beleg); ~ *heaven and earth* hemel en
aarde beweeg; ~ *hopes* verwagtinge wek; ~ *a
loan* 'n lening aangaan; ~ *objections* besware
opper

ais'in rosyn(tjie)

ake[1] (n) losbol, swierbol, pierewaaier (persoon)
also **lib'ertine**

ake[2] (n) hark; *as lean as a* ~ so maer soos 'n
kraai; plankdun, rietskraal; (v) hark; oprakel;
deursoek; versamel; bestryk (met kanonvuur);
~ *together* bymekaarskrap

ake[3] (n) helling; hellingshoek; (v) oorhel,
oorhang

ak'ish (a) losbandig; windmakerig *also* **dash'-
ing, snaz'zy** (man)

al'ly[1] (n) byeenkoms, saamtrek; tydren (mo-
tors); aanval; (v) vergader (mense); saamstaan,
herenig; herstel *also* **recu'perate;** houe (ver)-
wissel (tennis); ~ *to the support* te hulp snel

am (n) ram; stormram (hist.); stamper; (v)
vasstamp *also* **force, slam**

amadan'/Rhamadhan' Ramada(a)n (Islam-
vastyd)

am'ble (n) uitstappie; wandeling; (v) rondloop,
rondslenter *also* **mean'der;** ~**r** swerwer,
lanterfanter (persoon); klimplant; rankroos

am'bling dwalend; deurmekaar, onsamehang-
end; rankend *also* **strag'gling, spraw'ling**

amifica'tion (n) vertakking; uitvloeisel, gevolg
also **complica'tion**

amp (n) helling; laaibrug; oprit (verkeer) *also*
on'-ramp; (v) steier (perd)

ampage' (n) woeste aanval; wildheid; uitgela-

tenheid; *on the* ~ amok maak; (v) woes te kere
gaan *also* **run amok'/ri'ot;** rinkink

ram'pant (a) aggressief (gedrag); welig, onbe-
heerd (plantegroei); *bribery was* ~ omkopery
was algemeen/aan die orde van die dag

ram'part (n) skans *also* **bar'ricade, bas'tion;**
bolwerk

ram'rod/ram'mer laaistok (vir voorlaaier, hist.)

ram'shackle (a) bouvallig, lendelam *also* **dilap'-
idated, tumbledown'**

ranch (n) groot veeplaas (meesal beeste); wild-
plaas; (v) met grootvee/wild boer; ~**er** groot-
veeboer, beesboer

ran'cid (a) suur, rens; goor, galsterig *also*
pu'trid, stale'

ran'cour (n) wrok, haat, wrewel *also* **grudge,
ha'tred, animos'ity**

rand[1] (n) -s rand (geldeenheid)

rand[2] (n) rant; **the R~** die Witwatersrand *also*
the Reef

ran'dom (n) toeval; geluk; *at* ~ blindweg,
lukraak; (a) lukraak; toevallig; willekeurig;
ewekansig; ~**-ac'cess mem'ory (RAM)** ewe-
toeganklike geheue, lees-en-skryf-geheue
(rek.); ~ **sam'ple/test** steekproef *also* **spot
check;** ~ **shot** blinde skoot

ran'dy (vulg.) (a) wulps; jags, katools (vulg.)
also **lech'erous**

range (n) ry, reeks; speelruimte; skietbaan;
rooster; omvang, bestek *also* **param'eter(s);**
(tref)afstand, reikafstand; *at close* ~ op kort
afstand; *give free* ~ *to one's thoughts* vrye
teuels aan jou gedagtes gee; *out of* ~ buite
bereik (van die geskut); ~ *of vision* gesig(s)-
veld; *within* ~ onder skoot; binne bereik; (v) in
'n ry sit, rangskik *also* **align';** uitstrek;
ronddwaal; skaar; bestryk (met kanonvuur);
dra; ~**fin'der** afstandmeter

ran'ger (n) veldwagter, boswagter; swerwer

rank[1] (n) rang; ry; gelid; staanplek; (pl)
geledere; *the* ~ *and file* die minderes; die
gewone lede van 'n groep; *persons of* ~ mense
van hoë rang; (v) rangskik; in gelid stel;
beskou word; ~*ed/seeded third* derde op die
ranglys/merietelys (sport); ~**ing** gradering
also **see'ding** (order of merit)

rank[2] (a) welig, geil (plantegroei); galsterig; stink;
onbeskof *also* **crude';** totaal, volslae; ~ *non-
sense* pure kaf, klinkklare onsin; ~ *outsider*
volstrekte buitestander/buiteperd (wat onver-
wags gewen het); ~ *treason* lae/gemene verraad

ran'kle (v) ontsteek, sleg word (sere); knaag,
irriteer; *it* ~*s me* dit pla/irriteer my

ran'sack (v) deursoek, fynkam *also* **rum'mage;**
plunder, roof, beroof *also* **loot, plun'der,
rav'age**

ran'som (n) losgeld, losprys; *hold/put to* ~
losgeld vra; (v) vrykoop

rant (n) grootspraak; bombas(me); (v) groot=
praat, spog; uitvaar (teen); ~ *and rave*
raas/vloek en skel

ranun′culus ranonkel, botterblom

rap[1] (n) tik; klop; (v) klop, tik; uitblaker; ~ *s.o.
on the knuckles* iem. op die vingers tik; *take
the* ~ die blaam/straf kry (vir iem. anders)

rap[2] (n) rap, praatmusiek, kletsrym (popmusiek=
styl)

rape[1] (n) raap *also* **tur′nip;** ~**seed** raapsaad

rape[2] (n) verkragting; roof; (v) verkrag; onteer;
~ **case** verkragtingsaak; **date** ~ geselverkrag=
ting, afspraakverkragting; **gang** ~ bendever=
kragting

rap′id (n) stroomversnelling; stroomvernouing;
(a) gou, snel, rats; ~ **fire** snelvuur

ra′pier (n) rapier (kort swaard); ~ **fish** swaardvis

ra′pist (n) verkragter

rapport′ (n) verhouding; verstandhouding; rap=
port *also* **affin′ity**

rapproche′ment (n) toenadering

rapt (a) opgetoë, verruk *also* **fas′cinated,
entran′ced;** ~ *attention* die ene aandag

rap′ture (n) verrukking; *in* ~*s* verruk, opgetoë,
in ekstase *also* **rap′turous**

rare (a) seldsaam, skaars; buitengewoon, voor=
treflik; yl, dun (lug); ~ **collec′tion** seldsame
versameling; ~ **sight** iets buitengewoons (om
te sien/aanskou)

rare′bit roosterbrood met kaassous; **Welsh** ~
Walliese kaasroosterbrood

ra′refy (v) verdun; veredel; verfyn

rare′ly selde, min, by uitsondering

ras′cal (n) skurk, skelm; karnallie; swernoot *also*
scoun′drel, vil′lain

rash[1] (n) uitslag (op mens se vel); roos (op
gesig) *see* **shin′gles**

rash[2] (a) haastig, onbesonne, voortvarend *also*
hasty′, inconsi′derate

rash′er (n) sny, reep; ~ **of ba′con** reep spek

rash′ness onbesonnenheid, voortvarendheid

rasp (n) rasper; gekrap; (v) rasper, skraap; kras;
laat gril

rasp′berry framboos (vrug)

rat (n) rot (knaagdier); oorloper, verklikker
(persoon); (v) rotte jag/vang; oorloop; onder=
kruip

rat′-catcher rot(te)vanger *also* **ro′dent erad′=
icator**

ratch′et (sper)rat; klikkersleutel (gereedskap)

rate[1] (n) tarief; prys; belasting; maatstaf; graad;
syfer; snelheid; koers; *at any* ~ in alle geval;
(v) takseer, valueer *also* **assess′;** reken; ~**able**
belasbaar; **first** ~ eersteklas; ~ **of exchange′**
wisselkoers; ~ **of in′terest** rentekoers; ~**pay′er**
belastingbetaler (munisipaal); ~**s** erfbelasting

rate[2] (v) uitskel, inklim, uitvaar; ~ *at* te kere
gaan, raas met, slegsê

ra′ther liewer(s); taamlik *also* **fair′ly;** alte seker;
enigsins; nogal; ~ *not* liewer nie; *or* ~ beter
gesê; ~ *pretty* nogal mooierig

ratifica′tion bekragtiging, ratifikasie

rat′ify (v) bekragtig, bevestig; goedkeur *also*
approve′, confirm′, val′idate

ra′ting[1] (n) skrobbering, teregwysing, afjak

ra′ting[2] (n) aanslag; rang, klas; matroos (van laer
rang); vermoë; aanslag, sterkte (motor); **TV** ~
kyksyfer

ra′tio (n) verhouding, proporsie, ratio *also*
propor′tion

rat′ion (n) porsie; rantsoen; (pl) rantsoene,
kosvoorraad, proviand; (v) rantsoeneer

rat′ional (n) wortelgetal (wisk.); (a) redelik,
rasioneel; verstandig *also* **log′ical, sens′ible**

rationale′ (n) grondrede, beweegrede; logika;
rasionaal *also* **lo′gic**

rat′ionalise (v) rasioneel/verstandelik verklaar;
rasionaliseer; herstruktureer, herskik *also*
restruc′ture; verminder (personeel, toerusting)

rat poi′son rot(te)gif

rat race (infml.) (n) rotren, rotre(i)sies; hap en
hol; lewenswedloop *also* **hec′tic rush**

rattan′ (n) rottang, bamboes *also* **cane;** spaans=
riet

rat′ter (n) rotvanger (hond)

rat′tle (n) geratel, gerammel; rammel(aar), rate=
l(aar) (speelding); babbelkous; gebabbel; (v)
ratel, rammel, klater; klets; ~**brain** malkop;
~**snake** ratelslang

rat′tling (n) geratel, gerammel; (a) ratelend;
vinnig; uitstekend; ~ *pace* vinnige gang/pas

rat′-trap rot(te)val; muisval

rau′cous (a) hees, skor *also* **hoarse;** ~/*grating
voice* rasperstem

rav′age (v) verwoes, plunder, verniel *also* **ran′=
sack, dev′astate; raze;** onteer; *the* ~*s of time*
die tand v.d. tyd

rav′aging (n) verwoesting; ontering; (a) ver=
woestend

rave[1] (infml.) (n) rave (omgangst.); partytjie;
opskop

rave[2] (v) uitvaar, te kere gaan; ophemel, dweep
met

rav′el (n) verwarring, knoop; rafel; (v) uitrafel,
ontwar; deurmekaarmaak; verwar

ra′ven (n) raaf; (v) verslind; opvreet; **Cape** ~
rinkalskraai; ~**ous**/~**ing** (a) roofgierig; verslin=
dend; vraatsugtig *also* **glut′tenous;** rasend

ra′ver (infml.) (n) raver (omgangst.); partytjie=
lustige (persoon)

ravine′ (n) (berg)kloof, ravyn, skeur *also* **gorge,
can′yon**

ra′ving (a) rasend, mal *also* **fran′tic;** ylend
waansinnig

rav′ish (v) verkrag, onteer; wegvoer; meesleep
bekoor; ~**ing** (a) betowerend, verruklik; ~ *ma*

stapelgek; *a ~/stunning beauty* 'n beeldskoon/
verruklike mooi meisie

raw (n) seerplek; *in the ~/buff* (poedel)kaal,
nakend; (a) ru; rou; onbedrewe (werker); **~
bricks** rou stene; **~ cof'fee** ongebrande koffie;
~ hide rou vel; **~ mate'rial** grondstof, ruma=
teriaal; **~ prod'ucts** grondstowwe

ray[1] (n) straal *also* **flash, beam;** (v) uitstraal

ray[2] (n) pylstert, rog (vis)

ray'on rayon (soort kunssy)

raze (v) uitkrap; sloop, afbreek *also* **demol'ish;
~ *to the ground** met die grond gelykmaak

ra'zor skeermes; **~ blade** skeerlem(metjie); **~
strop** slypriem; **~ wire** lemmetjiesdraad

raz'zle(-daz'zle) (infml.) (n) gewoel, opgewon=
denheid, drukte *also* **great activ'ity**

razz'matazz (infml.) (n) opwinding; grootdoe=
nery; makietie

re = regar'ding

reach (n) bereik; uitgestrektheid *also* **range,
scope;** boloop (rivier); armlengte (boks);
above my ~ bokant my vuurmaakplek; *out of
~* buite bereik; *within ~* binne bereik; byder=
hand; (v) aangee; uitstrek; **~ *an agreement***
ooreenkom; akkoord gaan

react' (v) reageer; teenbeweeg; **~ion** reaksie;
terugwerking; mening, beskouing; **~ion com'=
pany** reaksiemaatskappy (sekuriteit); **~ionary**
(n) opstandeling, reaksionêr (persoon); (a)
opstandig, reaksionêr; **o'ver~** oorreageer;
~or' (nu'clear) kernreaktor

read (v) lees; verklaar; verstaan *also* **compre=
hend';** studeer; 'n lesing hou; raai, gis; **~ *aloud***
hardop lees, luidlees; **~ *for a degree*** vir 'n
graad studeer; **~ *the future*** die toekoms
voorspel; **~ *s.o. a lesson*** iem. die leviete
voorlees; **~ *over*** deurlees; **~able** leesbaar; **~er**
leser; proefleser; leesboek; handboek

rea'dily geredelik, graag *also* **keen, wil'ling**

rea'diness (n) gereedheid, paraatheid; gewillig=
heid, bereid(willig)heid; vaardigheid

read'ing (n) lees; (voor)lesing; belesenheid; ver=
tolking; leesstof; stand (termometer); *light ~*
ligte lektuur, strooilektuur; *a man of vast ~* 'n
besonder belese/erudiete man; (a) lesend;
lees=; **~ book** leesboek; **~ desk** lessenaar; **~
glas'ses/spec'tacles** leesbril; **~ lamp** leeslamp;
~ room leeskamer, leeslokaal

readjust' (v) herstel, herskik, herorden *also*
realign'

read-only mem'ory (ROM) leesalleengeheue
(rek.)

rea'dy klaar, gereed; bereid, bereidwillig; *too ~
to get angry* te gou op jou perdjie; *be ~* klaar
wees; **~ cash** kontant; **~-made** klaargemaak,
pasklaar; **~ reck'oner** kitsrekenaar (tabelle om
berekeninge te bespoedig – voorloper v.
rekenaar); **~ wit** gevatheid

reaffirm' (v) herbevestig, herbeklemtoon

real[1] (n) reaal (eertydse muntstuk)

real[2] (a) werklik, waar, regtig; reëel; eg; **~ *idiot***
regte aap/skaap (persoon); *the ~ McCoy/
Mackay* die ware Jakob/jakob; *in ~ terms* in
reële terme; **~ esta'te** vaste eiendom; **~-estate'
a'gent** eiendomsagent

realisa'tion (v) verwesenliking; besef; realise=
ring (van bates)

re'alise (v) besef; verwesenlik; realiseer (geld
oplewer); werklik maak

re'alism (n) realisme, werklikheidsin

re'alist (n) realis (persoon)

realis'tic (a) realisties *also* **sen'sible, pragmat'ic**

real'ity (n) werklikheid, wesenlikheid

real'ly regtig/rêrig, inderdaad, werklik

realm' ryk, koninkryk

real'ty vaste eiendom *also* **real estate'**

ream[1] (n) riem ('n pak skryf- of tikpapier)

ream[2] (v) wyer maak, ruim; **~er** ruimer
(apparaat vir skroewe vasdraai)

reap (v) oes *also* **gath'er, har'vest;** insamel;
win; **~ *the fruits of*** die vrugte pluk van; **~er**
maaier, snyer (persoon); snymasjien; **~ing
machine'** snymasjien

reappear' (v) herverskyn; **~ance** herverskyning

reappoint' (v) herbenoem; **~ment** herbenoe=
ming, heraanstelling

rear[1] (n) agterhoede; agtergrond; *in the ~*
agteraan; in die rug; *bring up the ~* die agter=
hoede vorm

rear[2] (v) steier (perd)

rear[3] (v) kweek, teel; oplei, oprig; **~ *cattle***
beeste teel; **~ *children*** kinders grootmaak

rear: ~-ad'miral skout-by-nag; skoutadmiraal;
~guard agterhoede

rearrange' (v) omskik, verstel, her(rang)skik

rear'view mir'ror (n) truspieël(tjie) (in motor)

reas'on (n) oorsaak; dryfveer, beweegrede *also*
rationale'; rede, verstand *also* **in'tellect, log'ic;**
by ~ of weens; *with good ~* met reg; *it stands to
~* dit spreek vanself; *lose one's ~* jou verstand
kwytraak; *listen to ~* na rede luister; *without ~*
sonder oorsaak; (v) redeneer; bespreek; **~able**
redelik, billik; skaflik; verstandig *also* **sound,
sen'sible; ~ing** redenering *also* **exposi'tion**

reassem'ble (v) hermonteer, weer inmekaarsit;
hervergader

reassert' (v) bevestig, herhaal; **~ *authority*** gesag
herstel

reassure' (v) gerusstel; herverseker

reassur'ing (a) gerusstellend

re'bate[1] (n) korting, afslag, rabat *also* **dis'count;**
(v) verminder, afslaan

re'bate[2] (n, v) = **rab'bet**

reb'el[1] (n) oproerling, rebel *also* **insur'gent;** (a)
opstandig, rebels

rebel'[2] (v) opstaan, rebelleer; **~lion** opstand,

oproer, rebellie *also* **revolt′, mu′tiny; ~lious** oproerig, opstandig

re′birth (n) weergeboorte; herlewing *also* **revi′val**

reboot′ herlaai (rek.)

reborn weergebore; ~ *Christian* weergebore/ herbore Christen

rebound′ (n) terugstuiting, terugslag *also* **repercus′sion; kick′back;** reaksie; (v) terug= stuit, terugslaan; terugkaats

rebuff′ (n) weiering; afjak; teenslag; (v) afjak; verhinder; afwys *also* **reject′; spurn**

rebuke′ (n) berisping, teregwysing; (v) berispe, teregwys, roskam *also* **admon′ish**

re′bus (n) rebus, figuurraaisel, beeldraaisel *also* **pic′ture puz′zle**

rebut′ (v) terugslaan; weerlê; **~tal** weerlegging

recal′citrant (n) weerspannige (persoon); (a) weerspannig, weerbarstig *also* **unru′ly**

recall′ (n) intrekking; terugroeping *beyond* ~ onherroeplik; (v) herroep *also* **repeal′, counter′mand;** terugtrek; in geheue roep, onthou; opsê; ~ *to mind* byval; *you will* ~ *that . . .* jy sal onthou dat . . .

recap′ (v) versool (bande) *also* **retread′;** (infml.) saamvat, opsom

recapit′ulate (v) saamvat, opsom, rekapituleer *also* **sum′marise**

recap′ture (n) herowering; (v) herower, herwin; weer gevange neem

recast′ (v) opnuut giet, hergiet; wysig (teks); heroptel (lys syfers)

rec′ce (infml.) (n) verkenningsoldaat, recce; **~s** spesmagte

recede′ (v) wyk, terugtrek; *receding hairline* halfmaanbles

receipt′ (n) ontvangs; kwitansie *also* **sales slip;** bewys; *on ~ of* by ontvangs van; (v) ′n kwitansie ontvangsbewys gee; kwiteer; ~ **book** kwitansieboek

receive′ (v) ontvang; kry; onthaal; opvang; heel (gesteelde goed); ondervind; ~ *treatment* behandeling kry/ondergaan (med.)

receiv′er (n) ontvanger; hoorstuk, handstuk (telefoon); ontvangtoestel; heler (gesteelde goed); kurator; ~ *of* rev′enue belastinggaar= der, ontvanger van belasting/inkomste; Jan Taks (skerts.)

re′cent nuut, vars; onlangs, pas gelede; jonk; **~ly** onlangs *also* **late′ly**

recep′tacle houer, vergaarbak *also* **contain′er;** bewaarplek

recep′tion (n) ontvangs; onthaal, resepsie (by= eenkoms); verwelkoming; **~ist** ontvangsdame; ~ **room** ontvangskamer; onthaalsuite *also* **hospital′ity suite**

recep′tive ontvanklik, vatbaar *also* **o′pen-minded, impres′sionable, ame′nable**

recess′ (n) nis, hoek; gleuf, holte; skuilplek;

pouse; vakansie; reses; **~ion** insinking, slapte resessie (handel)

recharge′ (v) herlaai; **~able** (a) herlaaibaar (battery)

recheck′ (v) weer nasien/nagaan; weer tjek (omgangst.)

recid′ivist (n) terugvaller, ou sondaar, residivis

re′cipe (n) resep, voorskrif *also* **proce′dure**

recip′ient (n) ontvanger

recip′rocal wederkerig; wedersyds *also* **mu′tual correspon′ding**

recip′rocate (v) beantwoord; vergeld, terugdoe (gunstig); *your good wishes are ~d* ons best wense ook aan jou/julle

reciproc′ity wederkerigheid, resiprositeit

reci′tal (n) voordrag(aand); uitvoering (mus. *also* **perfor′mance;** verhaal, vertelling *als* **nar′rative;** voorlesing *also* **read′ing, lec′tur**

recita′tion (n) voordrag, resitasie

recite′ (v) opsê, voordra, resiteer; **~r** voordraer

reckless roekeloos, onverskillig, onversigti waaghalsig; ligvaardig, oormoedig *also* **foo hardy; ~ness** onverskilligheid, waaghalsig heid, onbesonnenheid

reck′on (v) reken *also* **cal′culate, compute′;** te skat; veronderstel; gereken word; ~ *on* staa maak op *also: depend on;* ~ *with* rekening ho met; **~er** (n) berekenaar *also* **cal′culator**

reclaim′ (n) herroeping; *beyond* ~ onherroepli verlore; (v) herroep; terugeis; herwin, teru win *also* **regain′;** hervorm; bebou, bewer **~ed land** drooggelegde/herwonne gebied

reclama′tion (n) terugwinning, terugvordering eis; ontginning; drooglegging

recline′ (v) leun, agteroor lê, rus, neervl **recli′ning chair** lêstoel *also* **lazy′boy**

recluse′ (n) kluisenaar *also* **her′mit;** (a) ee saam, afgesonder *also* **sol′itary**

recogni′tion (n) herkenning; erkenning, waa dering; *in ~ of* ter erkenning van

rec′ognise (v) herken, eien *also* **iden′tify;** erke waardeer *also* **appre′ciate;** insien

recoil′ (n) terugsprong, terugslag *also* **back′fir** teenreaksie *also* **back′lash;** (v) terugsprin terugdeins (van skrik); skop (geweer)

recollect′ (v) onthou, herinner *also* **recall**

recollec′tion (n) herinnering; geheue; besinnin *to the best of my* ~ na my beste wete

recommend′ (v) aanbeveel, aanprys, aanra **~ed price** aanbevole prys; rigprys

recommenda′tion (n) aanbeveling; **let′ter of** aanbevelingsbrief *also* **ref′erence**

rec′ompense (n) beloning; vergelding; skad loosstelling; (v) beloon, vergoed; vergel skadeloos stel

rec′oncile (v) versoen; herenig, verenig; by *also* **har′monise, appease′;** ~ *with* verso met

reconci'lable (a) versoenbaar (mense); verenig=
baar (beginsels)

reconcilia'tion (n) versoening; toenadering *also*
com'promise, accommoda'tion

recondi'tion (v) herbou; opknap; hernu, vernuwe
also **ren'ovate**

recon'naissance (n) verkenning, spioentog,
spioenasie; ~ **flight** verken(nings)vlug

reconnoi'tre (v) verken, bespied, spioen(eer)
also **explore'**

reconsid'er (v) heroorweeg, weer oordink *also*
reassess'; ~**a'tion** heroorweging

reconstruct'ion her(op)bou, rekonstruksie; ~
and devel'opment her(op)bou en ontwikke=
ling

rec'ord[1] (n) verslag; register; dokument; rekord;
(grammofoon)plaat; aantekening; gedenkskrif;
(pl) argief; annale; *beat/break a* ~ 'n rekord
slaan/oortref; *for the* ~ vir die rekord; *keep a* ~
of rekord hou van; *off the* ~ uit die vuis; nie vir
publikasie nie; *on* ~ aangeteken, op rekord; ~
turno'ver rekordomset, rekordverkope

ecord'[2] (v) opteken, aanteken; opneem (mus.);
inskryf; lys; boekstaaf; vermeld; ~**ed mu'sic**
musiekopname; ~**ing** (n) opname (klank,
beeld)

e'cord book verslagboek; rekordboek

ecor'der[1] (n) notulehouer *also* **min'utes clerk;**
argivaris; geskiedskrywer *also* **chron'icler;**
opnemer

ecor'der[2] (n) blokfluit

e'cord: ~ **libra'rian** diskotekaris; ~ **li'brary** dis=
koteek; ~ **play'er** platespeler (toestel)

ecount' (n) oortelling; (v) oortel, hertel; mee=
deel, vertel (aan iem.) *also* **relate'**

ecoup' (v) terugvorder, verhaal *also* **claim
back;** verreken; skadeloos stel; goedmaak
(verlies); ~ *losses* verliese verhaal; skade
inhaal

ecourse' (n) toevlug *also* **rem'edy** (legal);
toegang (tot)

ecov'er (v) terugkry *also* **regain';** invorder,
terugvorder, verhaal (geld); herstel, gesond
word; ~ *damages* skadevergoeding verhaal/
kry; ~ *lost time* verlore tyd inhaal; ~**y** her=
stel(ling); terugvordering; (her)winning
(myn); herstel, beterskap (in siekte); *speedy*
~**y** goeie beterskap

e-create'[1] (v) herskep, omskep

e'create[2] (v) jou vermaak, ontspan; verkwik;
jou verlustig

e-crea'tion[1] (n) herskepping

ecrea'tion[2] (n) tydverdryf, vermaak, spel *also*
amu'sement; vryetydbesteding, ontspanning;
rekreasie; ~**al facil'ities** ontspangeriewe; ~**al
stud'ies** vryetydstudie

ecruit' (n) rekruut; (v) werf, rekruteer *also*
can'vass, mus'ter; versterk, herstel; ~**ing** (n)

werwing; ~**ing of'ficer** werwing(s)beampte;
~**ment** werwing *also* **can'vassing**

rec'tangle (n) reghoek

rectan'gular (a) reghoekig

rec'tify (v) regstel *also* **correct', mend;** aan=
suiwer

rectilin'ear (a) reglynig

rec'titude (n) regskapenheid, opregtheid *also*
integ'rity; juistheid, korrektheid (van oordeel)

rec'tor (n) rektor, visekanselier (hoof van
universiteit/technikon); predikant (van sekere
kerke); ~**ship** rektoraat, rektorskap; leraar=
skap; ~**y** pastorie

rec'tum (n) **recta** endelderm, rektum

recum'bent (a) leunend; agteroor rustend

recu'perate (v) herstel, aansterk (pasiënt) *also*
convalesce'

recur' (v) weer gebeur; herhaal; terugkom,
repeteer (wisk.); ~**rence** terugkeer, herhaling;
~**rent** wederkerend; ~**ring dec'imal** repete=
rende desimaal/breuk; ~**ring ill'ness** herhalen=
de/terugkerende siekte

recuse' (v) onttrek; verwerp; beswaar maak; ~
himself/herself hom/haar aan 'n hofsaak
onttrek (advokaat, regter)

recy'cle (v) herwin, her(ge)bruik, hersikleer;
herraffineer (olie); hersirkuleer (geld); ~**d
pa'per** kringlooppapier, herwonne papier; ~
bin herwingids (rek.)

red (n) rooiheid; rooi kleur; (a, adv) rooi;
~-*carpet reception* vorstelike ontvangs; *in
the* ~ in die skuld; *grow* ~ bloos; *see* ~
woedend/briesend word; *R*~ *Cross Society*
Rooikruisvereniging; *R*~ *Riding Hood* Rooi=
kappie; ~ **bait** rooiaas; ~**breast** rooiborsie
(voël); ~**buck** rooibok; ~**bush tea** rooibostee,
rooitee; ~-**chested cu'ckoo** piet-my-vrou
(voël); ~**den** rooi maak; rooi kleur

redeem' (v) loskoop, vrykoop; verlos; nakom;
aflos, delg (skuld); inlos; vergoed; ~ *a promise*
'n belofte nakom; ~**ing death** soendood; ~**ing
feat'ure** goeie hoedanigheid

Redeem'er Verlosser, Heiland

redemp'tion (n) verlossing, bevryding; delging,
aflossing; ~ **pe'riod** delgtermyn

redeploy' (v) herontplooi; herskik *also* **redis=
trib'ute;** ~**ment** herontplooiing (van perso=
neel); herskikking; regskikking

red: ~-**fa'ced** skaamverleë; ~-**han'ded:** *catch*
~-*handed* op heter daad betrap; ~ **her'ring**
aandagafleier; skuifmeul; ~-**hot** gloeiend
warm

redirect' (v) heradresseer, aanstuur (brief)

red'-letter day gedenkwaardige/heuglike dag

red'olent (a) geurig, welriekend *also* **fra'grant;**
be ~ *of* ruik na; herinner aan

redoubt'able (a) gedug, gevrees *also* **for'=
midable**

redraft' (v) herontwerp; heropstel, herfraseer

redress' (n) herstel(ling), vergoeding *also* **rem'= edy;** (v) herstel, verhelp; verhaal, vergoed; verbeter

red: ~tape rompslomp, burokrasie, amptelike omslagtigheid; **~ tide** rooigety

reduce' (v) verminder; herlei; onderwerp; ver= laag *also* **degrade';** **~ to ashes** tot as verbrand; **~d to beggary** tot die bedelstaf gebring; **in ~d circumstances** armoedig; **~d to despair** tot wanhoop gedryf; **~d rate** verlaagde tarief/ koers

reduc'ing: ~ a'gent reduseermiddel; **~ sock'et** verloopsok *also* **dimin'ishing sock'et**

reduc'tion vermindering; afslag; beperking, (in)korting; onderwerping

redun'dance/redun'dancy (n) oortolligheid; oorvloed, oordaad; **~ pay'ment** skeidingspak= ket *also* **sev'erance pack'age** *see* **retrench'= ment**

redun'dant (a) oortollig (personeel); oorbodig *also* **super'fluous**

reduplica'tion (n) herhaling, reduplikasie

red' water rooiwater, bilharziase (siekte); bil= harzia (parasiet)

reed (n) riet; matjiesgoed, biesie; fluitjie; tongetjie (orrel); (pl) riete, fluitjiesriet; **~buck** rietbok; **~ war'bler** rietvink (voël)

reef (n) rif; klipbank, rotsbank; rotslaag

reek (n) stank *also* **stench;** wasem, damp; (v) ruik, stink; rook, walm; damp

reel[1] (n) rolletjie; katrol (hengel); garetolletjie; (v) oprol, opdraai; **~ off** afrol (tou); aframmel (toespraak)

reel[2] (n) riel (outydse dans); (v) wankel; rol; waggel, slinger *also* **stumble', totter;** 'n riel dans; *my head ~s* my kop draai, ek word duiselig

re-elect' (v) herkies; *the members are eligible/ offer themselves for ~ion* die lede is/stel hulle herkiesbaar; **~ion** herkiesing

re-engage' (v) opnuut verbind; heraanstel, op= nuut in diens neem

re-examina'tion (n) hereksamen

re-exam'ine (v) hereksamineer; herondersoek; herondervra (in hof)

refer' (v) verwys; sinspeel op; melding maak van; toeskryf aan; voorlê aan; **~ back** terug= verwys; **~ to a book** (in) 'n boek naslaan; **~ to** verwys na

referee' (n) skeidsregter (sport); referent (vir getuigskrif); (v) as skeidsregter optree

ref'erence (n) verwysing; referensie; getuigskrif; melding; bewysplaas; *terms of ~* opdrag; *with ~ to* met betrekking tot; met verwysing na; **~ book** naslaanwerk; **~ guide** naslaangids; **~ li'brary** naslaanbiblioteek; **~ num'ber** verwy= s(ings)nommer

referen'dum referendum, volkstemming, pleb= siet *also* **plebiscite'**

re'fill[1] (n) hervul(ling), vuller; vulbuisie

refill'[2] (v) hervul, weer vol maak, byvul

refine' (v) verfyn; beskaaf/beskawe *also* **c= tured,** **civ'ilised;** suiwer, raffineer (suik olie); **~d manners** beskaafde maniere; verfyn; gesuiwer; **~ment** verfyning; vere ling; **~ry** raffinadery/raffineerder(y) (suik olie); suiweringsaanleg

reflect' (v) weerkaats; nadink, oorpeins; sinsp op; terugwerp; **~ credit on** tot eer strek; *it the true position* dis 'n juiste weergawe

reflec'tion (n) weerkaatsing; terugskouing, denking, refleksie; weerspieëling; afkeuri blaam *also* **crit'icism;** *cast a ~ upon* bla werp op; *on ~* by nabetragting; **an'gle o** uitvalhoek

reflec'tive (a) weerkaatsend

reflec'tor (n) (weer)kaatser; trukaatser; **strip/tape** glimstrook

re'flex (n) weerkaatsing; spieëlbeeld; refleks; bespiegeling; refleks=; teruggekaats; **~ act** refleksbeweging; **~ cam'era** reflekskamera

reflex'ive (a) wederkerend, refleksief; **~ v** wederkerende werkwoord (gram.)

reform' (n) hervorming; verbetering; (v) h vorm; verbeter; **~a'tion** hervorming, refor sie; **the R~a'tion** die Hervorming/Kerkh vorming; **~atory, ~ school** verbeter(ing)sk (a) hervormings=, verbeterings=; **~ed** h vorm(d), gereformeer(d); **~er** hervormer

refract' (v) breek (ligstraal); **~ion** (n) straal king; **~ory** (a) weerspannig, eiesinnig; v vas; **~ clay** vuurklei

refrain'[1] (n) refrein (herhaling van woorde/re

refrain'[2] (v) beteuel, bedwing, terughou, w hou *also* **abstain';** **~ from** jou weerhou va

refresh' (v) verfris, verkwik, verkoel; opfrisser; versterkinkie; **~er course** opkr kursus; stapelkursus; **~ing** verfrissend, kwikkend *also* **invig'orating**

refresh'ment verversing, verkwikking; **~ r** verversingskamer, koffiekamer; **~s** verversing (tee/koeldrank en eetgoed)

refri'gerate (v) verkoel, koel maak *also* **fre**

refri'gerator yskas, koelkas; koelboks; k kamer (in fabriek); **~ truck** koelwa, koel t

re'fuel (v) brandstof inneem/intap

ref'uge (n) toevlug, skuilplek, toevlugsoord **retreat; sanc'tuary;** *city of ~* vrystad; toevlug soek

refugee' (n) vlugteling, uitgewekene (pers *also* **fu'gitive**

refund' (n) terugbetaling *also* **reimburse'm** (v) terugbetaal; **~able** (a) terugbetaalbaar

refur'bish (v) opknap, herstel *also* **ren'ov revamp', redec'orate**

fu′sal (n) weiering; verwerping; *a flat ~ ’n besliste weiering; give the ~ of ’n* opsie gee op

f′use[1] (n) afval, vullis *also* **gar′bage;** oorskiet, rommel; (a) vuilgoed=; **~ bin** vullisblik; **~ dump/site** vullishoop; stortterrein *also* **dump= ing site;** **~ collec′tion/remo′val** vullisverwy= dering

f′use[2] (v) weier, verwerp; *~ flatly/point-blank* verseg

fute′ (v) weerlê *also* **disprove′**

gain′ (v) herwin; *~ consciousness* bykom (ná bewusteloosheid)

g′al (a) koninklik, vorstelik

gale′ (v) onthaal, vergas, trakteer; genot ver= skaf

ga′lia (n) koninklike waardigheidtekens, kroonsierade; ampsierade; *in full ~* in volle ornaat/regalia

gard′ (n) agting; opsig, betrekking; aandag; (pl) groete; *in ~ to* met betrekking tot *also: with reference to; in this ~* in hierdie opsig; *with ~ to* met betrekking tot; *kind ~s to* hartlike groete aan; *give my ~s to* sê/stuur groete aan; (v) beskou, ag; betref; aangaan; *as ~s myself* wat my betref; **~ing** aangaande, betreffende, ra= kende, insake *also* **re; concer′ning**

gard′less: *~ of expense* ongeag die koste

gat′ta (n) wedvaart, roeiwedstryd, regatta

gency (n) regentskap (plaasvervanging vir koning(in))

gen′erate (v) laat herleef; herskep; opwek *also* **invig′orate, revive′;** (a) weergebore

genera′tion (n) verjonging; herlewing

gent regent; vors

g′gae (n) reggae (popmusiekstyl)

g′icide (n) koningsmoord; koningsmoordenaar

gime′ (n) regering; bewind; regime *also* **reign** n); *under the old ~* onder die ou bedeling/be= wind

g′imen leefwyse, leefreël; stelsel; dieet

gi′ment (n) regiment; **~al** (a) regiments=; **~ colours** regimentsvaandel

gion (n) streek, landstreek, kontrei, gebied *also* **dis′trict, a′rea;** *the lower ~s* die doderyk/ onderwêreld; *the upper ~s* die lug/hemel

gional (a) streek(s)=, regionaal, gewestelik; **~ ommit′tee** streekkomitee; **~ expres′sions** treek(s)gesegdes, gewestelike uitdrukkings; **~ of′fice** streekkantoor

′ister (n) register; rol; kieserslys; presensielys vergadering); orrelregister; (v) registreer; anteken; inskryf; *~ a letter* ’n brief laat anteken/registreer; *~ed owner* geregistreer= le/regmatige eienaar; *~ed student* ingeskre= ve/geregistreerde student; **~ ton** registerton, keepston (inhoud)

′istrar (n) registrateur (universiteit); kliniese ssistent (med.); griffier (hof)

registra′tion (n) registrasie; inskrywing

regress′ (v) agteruitgaan *also* **revert′;** teruggaan; **~ion** (n) agteruitgang; terugkeer; regressie; **~ive** (a) terugkerend; regressief

regret′ (n) spyt, berou; verdriet, hartseer; *hear with ~* met leedwese verneem (van iem. se heengaan); (v) spyt hê, betreur; *I ~ to say* dit spyt my om te sê; **~table** (a) betreurenswaar= dig; jammer (genoeg); **~tably** (adv) tot my/ons spyt

reg′ular (n) professionele langdienssoldaat (mil.); (pl) gereelde troepe (mil.); (a) gereeld *also* **consis′tent;** reëlmatig; formeel; staande; **~ ar′my** staande mag; **~ fool** regte esel/swaap (persoon); **~ for′ces** beroepstroepe; **~ hours** vaste ure; **~ mee′tings** gereelde vergaderings

regular′ity (n) reëlmatigheid

reg′ulate (v) reël, rangskik, reguleer *also* **man′= age, or′ganise**

regula′tion (n) voorskrif; regulasie; verordening; reglement; reëling, skikking

reg′ulator (n) reëlaar (aan enjin); regulator; balans; slinger (aan uurwerk)

regur′gitate (v) terugloop; terugvloei; opgooi, vomeer

rehabil′itate (v) herstel, rehabiliteer

rehabil′itee (n) gerehabiliteerde (persoon)

rehabilita′tion rehabilitasie, eerherstel

rehash′ (n) opgewarmde kos; blote herhaling (van ’n ou storie/argument); (v) opwarm; weer opdis (’n ou storie); vervelend herhaal

rehears′al (n) repetisie, instudering

rehearse′ (v) repeteer, instudeer, inoefen

reign (n) regering; bewind; oorheersing; (v) regeer, heers; **~ of ter′ror** skrikbewind

reimburse′ (v) terugbetaal, vergoed; goedmaak; **~ment** terugbetaling, vergoeding

rein (n) teuel, leisel; *give ~ to* die vrye teuels gee; (v) beteuel, in toom hou; leisels hou

reincarna′tion (n) wedervleeswording, reïnkar= nasie *also* **re′birth**

rein′deer (n) rendier, kariboe *also* **caribou′**

reinforce′ (v) versterk, verstewig; inskerp; **~d con′crete** skokbeton, gewapende beton; **~ment/reinforcing** versterking, verstewiging

reinstate′ (v) herstel (in ’n amp) *also* **restore′**

reinvest′ (v) herbelê; weer beklee; **~ment** herbelegging

re′issue (n) heruitgawe, nuwe uitgawe (van boek, blad); (v) heruitgee

reit′erate (v) herhaal, herbeklemtoon

re′ject[1] (n) afgekeurde voorwerp/ding; (pl) uitskot

reject′[2] (v) verwerp, afwys; weier; verstoot; **~ion** verwerping; verstoting

rejoice′ (v) verheug wees; juig; verbly *also* **cel′ebrate**

rejoi′cing(s) vreugdebetoon *also* **joy, jubila′tion**

rejoin' (v) weer verbind/aansluit; **~der** (n) antwoord, weerwoord

rejuv'enate (v) verjong; verlewendig

relapse' (n) herinstorting; verswakking, insin= king *also* **deteriora'tion;** (v) weer instort, terugval *also* **back'slide, wea'ken**

relate' (v) vertel, verhaal *also* **narrate', de= scribe';** **~d** (a) verwant, verbandhoudend *also* **affil'iated**

rela'tion (n) verwantskap; bloedverwant *also* **rel'ative;** *in ~ to* met betrekking tot; *out of all ~* buite alle verhouding; **~ship** verwantskap; verhouding, verband (tussen)

rel'ative (n) bloedverwant, familielid; (pl) fami= lie; *nearest ~* naaste familielid; (a) betreklik, relatief; *~ to* met betrekking tot; **~ pro'noun** betreklike voornaamwoord

relativ'ity (n) betreklikheid, relatiwiteit; **theory of ~** relatiwiteitsteorie

relax' (v) verslap; losmaak; ontspan; versag, verlig; **~a'tion** verslapping; ontspanning

re'lay (n) aflosspan; (v) aflos; afwissel; heruit= saai; **~ race** afloswedloop, spanwedloop

release' (n) loslating; ontslag; oordrag; vry= stelling, aankondiging, beskikbaarstelling (nuus); (v) loslaat; ontslaan; onthef; vrylaat; bekend/openbaar maak, aankondig; uitreik (rolprent, boek) *also* **launch;** uitbring (ver= slag) *also* **is'sue;** *~ from duty* van diens onthef/vrystel; *~ of hostages* vrylating van gyselaars; **press ~** persverklaring

rel'egate (v) terugskuif, verplaas; verwys; rele= geer

relega'tion (n) terugverplasing; relegasie (verla= ging in status)

relent' (v) swig, toegee; versag; **~less** onver= setlik, onverbiddelik, genadeloos *also* **mer'= ciless, unyiel'ding**

rel'evance/rel'evancy (n) toepaslikheid

rel'evant (a) toepaslik, ter sake, relevant *also* **applic'able**

reliabil'ity (n) betroubaarheid; deugdelikheid

reli'able (a) betroubaar, vertroubaar *also* **depend= able, trustworth'y**

rel'ic (n) oorblyfsel; reliek, relikwie (in RK kerk); aandenking *also* **memen'to, souvenir';** (pl) oorblyfsels; relikwieë (in RK Kerk)

relief'[1] (n) reliëf; verhewe beeldwerk; *stand out in ~* skerp afgeteken/uitgebeeld wees

relief'[2] (n) verligting; opligting; ondersteuning, hulp, noodleniging; *what a ~!* wat 'n verlig= ting!; **~ fund** noodlenigingsfonds; bystand(s)= fonds, steunfonds; **~ wor'kers** reddings= werkers (by 'n ramp)

relieve' (v) verlig; ondersteun; aflos; bevry, ontset; ontslaan; afwissel; laat uitkom; ontlas; *~ s.o. of an office/post* iem. ontslaan/afdank

reli'gion godsdiens; geloof *also* **faith**

reli'gious (a) godsdienstig; vroom *also* **godfe ing;** *with ~ care* nougeset, pligsgetrou; **denomina'tion** kerkverband; kerkgroep; **instruc'tion** Bybelonderrig, godsdiensond rig; **~ objec'tor** godsdiensbeswaarde (perso

relin'quish (v) laat vaar; opgee (jou werk)

rel'ish (n) smaak, geur; voorsmaak; toesp versnapering; suurtjie; kruiesous; *eat wit* smaaklik eet; (v) smaaklik maak; behae s in; *~ the prospect* uitsien na

relocate' (v) hervestig; (weg)trek, verhuis *move*, **reset'tle;** emigreer *also* **em'igr** padgee, waai

reluc'tance (n) teensin(nigheid); halfhartighe

reluc'tant (a) teensinnig, halfhartig *also* **aver loath';** **~ly** teensinnig, langtand

rely' (v) vertrou/reken op; staatmaak op

remain' (v) bly; oorbly; oorskiet; *~ beh* agterbly; *that ~s to be seen* dit moet ons sien; **~der** oorblyfsel, oorskot; res; **~s** blyfsels; stoflike oorskot

remand' (n) terugsending; (v) terugstuur; ter roep; ('n hofsaak) uitstel; *~ for trial* strafsitting verwys

remark' (n) opmerking; aanmerking (me ongunstig); uitlating *also* **observa'tion;** opmerk *also* **com'ment;** aanmerk (ongun **~able** merkwaardig, opmerklik, uitsonder

reme'dial (a) heilsaam, helend, genesend; stellend; remediërend; **~ educa'tion** reme rende onderwys/onderrig

rem'edy (n) geneesmiddel; regsmiddel, rem (regstaal); herstel; baat; **home/tradi'tion** huismiddel, boereraat; (v) (ver)help, reg herstel; genees; remedieer

remem'ber (v) onthou; byval; *~ me to* **friends** sê groete aan jou vriende; *if correctly/rightly* as ek dit nie mis het nie

remem'brance (n) herinnering; aandenk gedagtenis; **day of ~** gedenkdag

remind' (v) herinner; help onthou; **~er** aanmaning, vermaning; herinnering

reminis'cence (n) herinnering (pl) herinneri

reminis'cent: *~ of* (dit) herinner/laat dink a

remiss' (a) agte(r)losig, nalatig, onverskillig **head'less, neg'ligent;** *~ in one's duties* pligte afskeep/verwaarloos

remis'sion (n) vergifnis, kwytskelding; afs *cancer is in ~* kanker is onder beheer

remit' (v) oorstuur; oormaak; terugstuur; te betaal; afneem; versag, verminder (st terugverwys (hofsaak); **~tal** vergifnis; k skelding; **~tance** geldsending, oorgema aangestuurde bedrag

rem'nant (n) oorblyfsel, oorskot *also* **l over(s);** restant; oorskietlap, reslap(pie) oorgeblewe; **~ sale** restantverkoping, oors uitverkoop

monstrate (v) beswaar maak; betoog; berispe; remonstreer *also* **chal'lenge**

norse' (n) (gewetens)wroeging *also* **self-reproach'**; berou *also* **repen'tance; ~ful** berouvol

note'[1] (infml.) (n) afstand(s)beheerder

note'[2] (a) ver/vêr, afgeleë; verwyderd; gering; lou; *not the ~st idea* nie die vaagste benul nie; **~ control'** afstand(s)beheer; afstand(s)beheer= der (vir hek); **~ness** verte, vêrheid; afgeson= derdheid

nov'al (n) verwydering; verplasing; verhui= sing; **~s van** verhuiswa, meubelwa *also* **pantech'nikon**

nove' (v) verwyder; verplaas, verskuif; ver= huis; ontslaan, afdank; *~ mountains* berge versit; *~ from office* ontslaan, afdank; *~ from chool* uit die skool haal; skors

nu'nerate (v) betaal, besoldig; beloon, ver= goed

nunera'tion (n) vergoeding, betaling, besol= diging *also* **pay, earn'ings;** beloning

nais'sance[1] (n) Renaissance (hist. tydvak)

nais'sance[2] (n) herlewing; wedergeboorte *also* **reawa'kening, revi'val; re'birth**

nal nier=; *~ su'gar* niersuiker

d (v) vanmekaar skeur, verskeur; verdeel

'der (v) lewer; oorgee; oorsit; vertaal; anbied; oplewer; vergeld; *account ~ed* gele= verde rekening; *~ assistance* hulp verleen; *~ a ervice* 'n diens bewys; *~ thanks* dank betuig

'dering (n) lewering; vertaling; vertolking musiekstuk) *also* **perfor'mance**

'dezvous (n, sing and pl) bymekaarkomplek, ergaderplek, saamtrek, rendezvous

'egade (n) renegaat, oorloper; afvallige

ege' (v) verbreek, verloën; oorloop (na ander roep/party); *to ~ on a promise/undertaking* m 'n belofte/ooreenkoms te verloën/ver= reek; om terug te gaan op jou woord

ew' (v) vernieu/vernu(we), hernieu/her= u(we); hervat; laat herleef; heelmaak; *please your subscription* geliewe u intekening/ ubskripsie te hernu; **~al** vernuwing, hernu= ing; **~al no'tice** hernuwingskennisgewing

'net (n) stremsel; **~ curd** dikmelkkaas, suur= nelkkaas

ounce' (v) verloën; opgee; verwerp, afsweer; fstand doen (van); *~ friendship* vriendskaps= ande verbreek; *~ the world* die wêreld aarwel sê/die rug toekeer

ovate (v) vernuwe, opknap *also* **revamp'**, efur'bish

ova'tion (n) vernuwing, opknapping

own' (n) beroemdheid, vermaardheid; faam; ed beroemd, vermaard *also* **fa'mous, cel'= brated, disting'uished**

t[1] (n) skeur; bars; opening

rent[2] (n) huur; huurgeld; (huur)pag; (v) huur; verhuur; **~al** huur(geld); pag; **~-free** huurvry

renuncia'tion (n) versaking, afstanddoening, afswering; selfverloëning *see* **renounce'** (v)

re'open (v) heropen (bv. skool na vakansie)

reorganisa'tion (n) herindeling, herskikking; hergroepering; reorganisasie

reor'ganise (v) hergroepeer, herskik *also* **re(de)ploy';** reorganiseer

repair'[1] (n) skuilhoek, skuilplek; (v) wegbe= weeg; *~ to* afsit/begewe na

repair'[2] (n) (pl) herstel(werk), reparasies; *out of ~* onklaar; stukkend; (v) regmaak, herstel; vergoed

repara'tion (n) herstelling; reparasie (oorlog= skuld) *also* **restitu'tion;** skadeloosstelling; *also* **compensa'tion, indem'nity;** voldoening; vergoeding

repartee' (n) gevatte antwoord/wederwoord, kwinkslag *also* **wit'ticism;** *quick at ~* gevat; snedig *also* **snide;** kwetsend, smalend

repast' (n) maaltyd, maal

repat'riate (v) repatrieer (terug na eie land)

repatria'tion (n) repatriasie, terugsending (van persoon)

repay' (v) terúgbetaal; vergoed; vergeld; **~able** terugbetaalbaar; **~ment** terugbetaling

repeal' (n) herroeping; afskaffing; (v) herroep, intrek, afskaf *also* **annul', rescind'**

repeat' (n) herhaling; nabestelling; (v) herhaal; nasê; oorvertel; repeteer; **~edly** herhaaldelik *also: time and again*

repel' (v) verdryf, terugdryf; afslaan, afweer; weerstaan; afstoot; **~lent** (n) afweermiddel; (a) afwerend; weersinwekkend *also* **nausea'ting;** o'dour **~lent** reukweerder, deodorant

repent' (v) berou hê; spyt hê; **~ance** berou; **~ant** boetvaardig, berouvol *also* **regret'ful**

repercus'sion (n) nasleep, nadraai; reperkussie *also* **back'lash;** terugslag; terugkaatsing; *cause ~s* opslae maak; 'n nasleep hê

rep'ertoire (n) repertoire

repeti'tion (n) herhaling; repetisie

repine' (v) ontevrede wees; mor, kla, knies *also* **mope, sulk**

replace' (v) vervang; terugsit; verplaas; vergoed; **~ment** vervanging, vernuwing; opvolger (per= soon) *also* **succes'sor**

re'play (n) trubeeld, kyk weer (TV)

replen'ish (v) aanvul; vol maak *also* **restock'**

replete' (a) vol; oorvol *also* **brim'ful**

rep'lica (n) kopie; replika; ewebeeld; nabootsing (bv. ou gebou)

reply' (n) antwoord; *in ~ to* in antwoord op; *~ paid* antwoord betaal; (v) antwoord (gee); **~-paid en'velope** antwoordkoevert

rep'o (abbr., infml.) teko, repo; *~ rate* tekokoers, repokoers, terugkoopkoers (Reserwebank) *also* **repur'chase rate**

report' (n) berig, verslag; rapport; beriggewing; gerug; skoot, knal; *submit a ~ 'n* verslag indien/ voorlê; (v) aanmeld; berig, verslag doen/lewer, rapporteer; verkla, aangee; *~ back* terugrapporteer; *he must ~ to the trainer* hy moet hom by die afrigter aanmeld; **~er** verslaggewer, berig= gewer *also* **jour'nalist; ~ing** verslaggewing

repose' (n) rus, verposing; kalmte; sluimer; (v) gerus wees; rus, uitrus; vertrou op

repos'itory (n) bewaarplek; rusplek; graftombe

repossess' (v) in herbesit neem; **~ed prop'erty** teruggeneemde eiendom

reprehend' (v) berispe, betig; blameer

reprehen'sible (a) laakbaar, afkeurenswaardig *also* **disgrace'ful**

represent' (v) verteenwoordig; voorstel *also* **sym'bolise, person'ify; ~a'tion** verteenwoor= diging

represent'ative (n) verteenwoordiger *also* **rep** (sales); (a) verteenwoordigend; **~/liai'son commit'tee** skakelkomitee; **~ coun'cil** verteen= woordigingsraad; **House of R~s** Huis/Raad van Verteenwoordigers

repress' (v) onderdruk; beteuel; opkrop (gevoe= lens); bedwing; **~ion** onderdrukking; bedwang

reprieve' (n) uitstel, opskorting; kwytskelding; *grant a ~* begenadig; (v) opskort; begenadig

rep'rimand (n) berisping, teregwysing; (v) berispe, teregwys, bestraf *also* **reproach'**

re'print[1] (n) herdruk (boek); oordruk (uit ander publikasie)

reprint'[2] (v) herdruk (boek); oordruk (uit ander publikasie)

repri'sal (n) vergelding, weerwraak *also* **retribu'tion; ~ attack'** wraakaanval

reproach' (n) verwyt, berisping; blaam; *abstain from ~* moenie verwyte maak nie; (v) verwyt, berispe; **~able** laakbaar; **~ful** verwytend

rep'robate (n) goddelose/slegte mens; (v) ver= werp; verdoem; (a) verworpe, goddeloos

reproduce' (v) reproduseer; kopieer; namaak *also* **im'itate;** vermenigvuldig; voortplant

reproduc'tion (n) reproduksie; kopie; weer= gawe; voortplanting

reprove' (v) berispe, verwyt, bestraf *also* **admon'ish, rebuke'**

rep'tile (n) reptiel; kruipende gedierte; kruiper (persoon); (a) kruipend; veragtelik, laag

repub'lic republiek; **~an** (n) republikein; (a) republikeins; **~anism'** republikanisme

repu'diate (v) repudieer; loën, ontken (skuld)

repug'nance (n) afkeer, weersin

repug'nant (a) walglik, afstootlik *also* **revolting, disgus'ting;** afkerig; weerstrewig

repulse' (n) teenstand; terugslag; *meet with a ~* 'n bloutjie loop; (v) terugdryf; afslaan

repul'sive (a) weersinwekkend, afstootlik, walg= lik *also* **despic'able, loath'some**

repur'chase rate terugkoopkoers (Reserw(bank); tekokoers, repokoers (infml.)

rep'utable (a) fatsoenlik, agtenswaardig, ho(aangeskrewe, respektabel; betroubaar (firma

reputa'tion (n) aansien, status; eer, agtin(reputasie *also* **stan'ding, stat'ure;** *a bad ~* slegte naam; *keep up one's ~* jou naam/rep tasie hooghou; *a man of ~* iemand van naar aansien

repute' (n) agting; roem; naam; *in bad/ill ~* m 'n slegte naam; (v) reken, beskou; *he is ~d* be honest hy staan bekend as eerlik/dat I eerlik is; **~d** (a) beweerde, voorgegee, sog naamd; *his ~d father* sy beweerde/vermeen(vader

request' (n) versoek; (aan)vraag; *at his ~* op versoek; *by ~* op versoek; *make a ~ 'n* verso(rig; (v) versoek, vra; *~ the company* hartlik/vriendelik (uit)nooi; **~/applica'ti(form** aansoekvorm

req'uiem dodemis, requiem (in RK kerk)

require' (v) (ver)eis, verg; nodig hê; **~d (** gevra, verlang; **~ment** (n) vereiste; ben dig(d)heid, behoefte; (pl) behoeftes; voe waardes (van 'n kontrak)

requisi'tion (n) versoek; rekwisisie; aanvraa (v) opkommandeer *also* **seize, appro'priate**

rescind' (v) herroep, afskaf, nietig verklaar (wet, regulasie)

res'cue (n) redding, bevryding; verlossing; (red *also* **save;** uithelp, bevry, verlos *also* **fr(~ attempt** redpoging; **~ par'ty** reddingspa reddinggeselskap; **~r** redder, verlosser; **work** reddingswerk

research' (n) navorsing; ondersoek *also* **expl(ra'tion;** (v) navors, naspoor; ondersoek; (navorsings=; **~ work** navorsing

rese'da reseda (blomplant)

resem'blance (n) ooreenkoms, gelykenis *a(* **like'ness;** afbeelding

resem'ble (v) lyk/trek na *also* **look li(** ooreenkom

resent' (v) kwalik neem; beledig voel; **~** liggeraak, gevoelig; haatdraend; **~ment** wr(wrewel, haat *also* **animos'ity, um'brage**

reserva'tion (n) voorbehoud; voorwaarde *a(* **condi'tion;** bedenking(e); bespreking (by e of verblyfplek)

reserve' (n) ingetoënheid, terughoudendhe voorbehoud; reserwe, noodvoorraad; res(weprys; reservaat; *in ~* in voorraad; *with(~ sonder* voorbehoud; (v) voorbehou; agt(hou, reserveer *also* **store;** bespreek (sitplek) *the right* die reg (voor)behou

reser'vist (n) reservis (polisiediens)

res'ervoir reservoir *also* **ba'sin; tank;** opga(tenk, opgaardam; (bêre)plek

re'settle (v) hervestig; **~ment** hervestiging

:side' (v) woon, bly *also* **live, stay;** setel

:s'idence (n) woning, woonhuis; residensie; verblyf, inwoning; *be in ~* tuis/terug wees; inwoon (onderwyser in koshuis); **board and ~** kos en inwoning

:s'idency (n) residensie; drosdy

:s'ident (n) bewoner; inwoner, ingesetene; (a) woonagtig; inwonend; **~ doct'or** inwonende dokter; **~ engineer'** residentingenieur; **~'s per'mit** verblyfpermit

:siden'tial (a) woon=, verblyf=, inwonend; **~ address'** woonadres, huisadres; **~ a'rea/quar'= ter** woonbuurt; woongebied

:sid'ual (a) oorblyfsel; restant, res; (a) oorbly= wend, resterend; **~ val'ue** reswaarde

:s'idue (n) oorblyfsel, oorskot *also* **remain'der;** oorskiet, res *also* **left'overs**

:sign' (v) bedank; ontslag neem; afstaan, opgee; neerlê; *~ from a committee* uit 'n komitee bedank; **~a'tion** (n) bedanking, uittrede; ont= slag; gelatenheid; **~ed** (a) gelate, berustend *also* **submis'sive, compli'ant** (attitude); *~ed to one's fate* in jou lot berus

:sil'ience (n) veerkrag, elastisiteit, fleksiteit

:s'in (n) harpuis

:sist' (v) weerstaan; teenstribbel; jou ver= set/weerstand bied teen; weerstreef; *he cannot ~ a joke* hy kan nie nalaat om 'n grap te maak nie; *~ the temptation* die versoeking weerstaan

:sis'tance (n) weerstand, teenstand; *the line of least ~* die weg van die geringste weerstand; die maklikste weg/metode; *passive ~* lydelike verset; **~ move'ment** weerstand(s)beweging

:sis'tant (a): *~ to* weerstandbiedend aan/teen

:sole' (v) versool *also* **retread'** (tyres)

:s'olute (a) vasberade, onverskrokke *also* **dog'= ged, deter'mined**

:solu'tion (n) besluit, beslissing; resolusie (van 'n vergadering); oplossing; voorneme; *good ~s* goeie voornemens; *propose a ~* 'n voor= stel/mosie indien/voorlê

:solve' (n) besluit; voorneme; (v) voorneem; besluit, beslis; oplos (probleem); ontbind; *be ~d* vasbeslote wees om; *~ a problem/crisis* 'n probleem/krisis oplos/uitstryk

:s'onance (n) weerklank, resonansie

:'onant (a) weerklinkend, weergalmend

:ort' (n) (vakansie)oord; toevlugsoord; red= middel; *last ~* laaste toevlug; (v) jou toevlug neem tot; jou begewe na; *~ to force* geweld gebruik; **hol'iday ~** vakansieoord; **plea'sure ~** plesieroord

:ound' (v) weergalm, weerklink, skal *also* **rever'berate**

:ource' (n) hulpbron; redmiddel, toevlug; (pl) hulpbronne; geldmiddele; talente; *at the end of one's ~s* ten einde raad; **hu'man ~s** mense= (hulp)bron, mannekrag; **nat'ural ~s** natuur=

bronne; **~ful** (a) vindingryk, vernuftig, skerp= sinnig *also* **in'novative, inge'nious**

respect' (n) eerbied; agting; (pl) groete; *in all ~s in* alle opsigte; *give my ~s to* sê groete aan; *have ~ for* eerbied hê vir; *in ~ of* met betrekking tot; betreffende, rakende; uit hoofde van; *pay last ~s* die laaste eer bewys; *with ~ to* met betrekking tot *also: in respect of;* (v) eerbiedig; respekteer; betref; ontsien; **~able** agtenswaardig; fatsoenlik; respektabel; aansienlik; **~ed** geëer, geag; **~ful** eerbiedig, beleef(d); **~ive** betreklik; onderskeie; *the ~ive captains* die onderskeie kapteins

respira'tion (n) asemhaling *also* **brea'thing**

res'pirator (n) respirator; gasmasker; **~y** asem= haal=, asemhalings=; **~y distress'** asemnood

respire' (v) asemhaal, asemskep

res'pite (n) uitstel, respyt; verademing, verpo= sing; (v) uitstel; skors, opskort; verligting gee; **~ days** respytdae, uitsteldae

resplen'dent (a) luisterryk, glansryk

respond' (v) antwoord, beantwoord, reageer; vatbaar wees vir; **~ent** (n) verweerder, respon= dent (in hofsaak)

response' (n) antwoord; reaksie, respons(ie) *also* **feed'back;** weerklank; *in ~ to* in antwoord op; **~ form** responsvorm

responsibil'ity (n) verantwoordelikheid; aan= spreeklikheid *also* **accountabi'lity;** *on his own ~* op eie verantwoordelikheid

respon'sible (a) verantwoordelik; aanspreeklik; betroubaar *also* **depen'dable**

respon'sive (a) simpatiek *also* **sympathet'ic;** responsief *also* **recep'tive;** *be ~ to* reageer op

respon'sory (n) teensang, beurtsang (mus.)

rest[1] (n) oorskiet, res; *for the ~* origens

rest[2] (n) rus; pouse; ruspunt; slaap; blaaskans; kalmte; bok (biljart); *day of ~* rusdag; *lay to ~* ter ruste lê (begrawe); *set s.o.'s mind at ~* iem. gerusstel; (v) rus; slaap; steun; baseer; laat rus; *~ assured* wees gerus; *the decision ~s with you* jy moet besluit; *God ~ his soul* mag sy siel in vrede rus

res'taurant (n) restaurant/restourant, (uit)eet= plek *also* **ea'tery**

restaurateur' (n) restaurateur/restourateur, res= tauranthouer

rest: **~ camp** ruskamp; **~ cure** ruskuur; **~ful** rustig, stil; **~ house** herberg

res'titute (v) teruggee; herstel; vergoed

restitu'tion (n) teruggawe; restitusie, herstel; oorlogsvergoeding *also* **repara'tion;** *~ of conjugal rights* herstel van huweliksregte

res'tive (a) ongedurig (persoon); onhanteerbaar (perd)

rest'less (a) rusteloos, woelig *also* **unsta'ble, un'settled**

restora'tion (n) teruggawe; herstel(ling); restou= rasie

restore' (v) teruggee; herstel (ook rekenaardata); restoureer (ou gebou) *also* **ren'ovate; revamp;** terugbring; genees; ~ *to health* gesond maak

restrain' (v) bedwing, beteuel, inhou, weerhou; *I could not* ~ *myself* ek kon my nie bedwing/ inhou nie

restraint' (n) bedwang; beperking; selfbeheer= sing; verbod; ~ **of trade** inkorting van handelsvryheid

restrict' (v) beperk, begrens; inperk *also* **confine';** bepaal; ~**ed a'rea** beperkte gebied, spergebied; ~**ed per'son** ingeperkte (persoon)

restric'tion (n) beperking, inperking; restriksie

restruc'ture (v) herstruktureer, herskik

result' (n) gevolg; uitslag; resultaat; slotsom; uitvloeisel; uitkoms *also* **out'come;** (v) uitloop op; volg, ontstaan, voortspruit; **examina'tion** ~**(s)** eksamenuitslag; (a) gevolglik; resulte= rend; ~ *from* voortspruitend uit

rés'umé (n) (kort) samevatting, opsomming, uittreksel, résumé

resume' (v) hervat; herneem; saamvat; terug= neem; vervolg *also* **contin'ue**

resump'tion (n) hervatting *also* **restart', con= tinua'tion**

resur'face (v) hervlak (vloer, pad); weer bokom (uit water)

resurge' (v) herrys, herleef/herlewe

resurrec'tion (n) wederopstanding, verrysenis *also* **revi'val;** ~ **plant** roos van Jerigo

resus'citate (v) bybring *also* **bring round, revi'talise;** opwek, laat herleef

resuscita'tion (n) opwekking, herlewing; herstel, herinstelling

re'tail¹ (n) kleinhandel; ~ **dea'ler** kleinhande= laar; ~**er** kleinhandelaar; kleinhandelsaak; ~ **price** kleinhandelprys, verbruikersprys; ~ **price in'dex** kleinhandelprysindeks; ~ **price main'tenance** prysbinding

retail'² (v) by die kleinmaat verkoop; in besonderhede vertel

retain' (v) behou; in diens hou; huur; bespreek (advokaat); ~**ing fee/**~**er** bindgeld; vaste honorarium; akkoordloon; retensiegeld; ~**ing wall** stutmuur, keermuur

retal'iate (v) vergeld, terugbetaal, (weer)wraak neem

retalia'tion (n) vergelding, wraakneming, weer= wraak *also* **repris'sal;** *in* ~ uit weerwraak

retard' (v) vertraag; uitstel; agteruitsit; belem= mer; ophou; teenhou; ~**ed child** (verstandelik) gestremde/vertraagde kind

retch (v) braakbewegings/braakgeluide maak; vomeer, braak, opbring, kokhals

reten'tion (n) terughouding, retensie; behoud; ~ **mon'ey** retensiegeld

reten'tive (a) terughoudend; vashoudend; ~ **mem'ory** goeie/sterk geheue

ret'icence (n) stilswyendheid, verswyging; te rughouding *also* **restraint'**

ret'icent (a) terughoudend, geslote, swygsaan *also* **discreet', tight'lipped**

retic'ulate (v) retikuleer (water); netvormi verdeel; (a) netvormig

reticula'tion (n) retikulasie, netwerk

ret'ina (n) netvlies (oog), retina

ret'inue gevolg (by plegtige prosessie); stoet

retire' (v) aftree; ontslag neem; uittree; uit di diens tree; (jou) terugtrek; terugwyk, retireer gaan slaap; stil gaan lewe; jou verwyder; ~ *t bed* gaan slaap; ~ *from business* uittree uitspan; ~ *on pension* met pensioen aftree ~**d** (a) oud=, gewese; gepensioeneer; terugge trokke

retire'ment (n) aftrede (uit werk); uittrede (u posisie); afsondering; ontslag; ~ **annui't** uittree-annuïteit, aftreejaargeld; ~ **vil'lag** aftreeoord, korftuiste

reti'ring (a) stil, beskeie; ingetoë

retort'¹ (n) retort, kolfglas, kromnek(fles); (v suiwer

retort'² (n) berisping; teenwerping; gevatt antwoord; (v) teenwerp, skerp antwoord

retrace' (v) naspoor; weer nagaan; ~ *one's step* (op jou voetspore) teruggaan

retract' (v) terugtrek (jou woorde); herroe ~**ion** terugtrekking; herroeping; ~**able ro** oopskuifdak (stadion)

re'tread (v) versool; ~**s** (n) versoolde band versolings

retreat' (n) aftog, terugtog; afsondering; skui plek *also* **shel'ter, sanc'tuary;** *beat/sound th* ~ die aftog blaas; (v) (jou) terugtrek; stil gaa lewe; terugval, retireer (voor die vyand)

retrench' (v) besnoei, ontslaan, uit diens ste aflê (personeel); ~**ed** uit diens gestel; ontslaa *also* **dismis'sed;** ~**ment** uitdiensstelling; b snoeiing, inkorting (van personeel) *als* **curtail'ment;** ~**ment pack'age** skeidingspa ket

retribu'tion (n) vergelding, wraak *also* **retalia tion, repri'sal; war of** ~ vergeldingsoorlog

retrieve' (v) herstel; terugkry *also* **recov'e** opspoor; red; ~ *a loss* 'n verlies goedmaa verhaal; ~ *information* inligting ontsluit; jaghond, apporteerhond

ret'rograde (v) verslegte persoon; (v) agterui gaan, versleg; (a) ontaardend, verslegtend

retrogress' (v) agteruitgaan; versleg; ~**ion** agte uitgang, retrogressie; verslegting

ret'rospect(tion) (n) terugblik *also* **af'te thought;** agternawysheid *also* **hind'sight;** ~ agterna beskou, terugskouend

retrospec'tive (a) terugwerkend; ~ *to* terugwe kend tot

return' (n) terugkeer; terugkoms; teruggaw

wins; verdienste, opbrengs (produksie) *also*
yield; rendement (op belegging); opgawe;
retoerkaartjie; (pl) state; rapporte; *by ~ (mail/
post)* per kerende (pos); *many happy ~s* nog
baie jare (verjaardaggelukwense); (v) terug=
kom; terugstuur, teruggee; terugslaan; *~ a
profit* wins (op)lewer; *~ a verdict* uit=
spraak/vonnis lewer (in hof); *~ good wishes*
wederkerige beste wense; **~ date/~ day** keer=
datum, keerdag; **~ jour'ney** terugreis; **~ match**
teenwedstryd; **~ tick'et** retoerkaartjie

un'ion (n) hereniging, reünie/re-unie

unite' (v) herenig; versoen

val'ue (v) herwaardeer *also* **reassess'**

vamp' (v) opknap *also* **restore'; refur'bish;**
restoureer, vern(ie)u

veal' (v) openbaar; bekend maak; vorendag
kom met; blootlê, onthul *also* **disclo'se,
divulge'** *see* **revela'tion**

veille' opstaan(beuel)sein (mil.); wekroep;
ontwaking; reveille

v'el (n) rumoer; jolyt; drinkparty; straatgeraas;
(v) jolyt maak; fuif; rinkink; bras; *~ in* jou
verlustig in

vela'tion (n) openbaring, onthulling *also*
disclo'sure; expo'sure

v'eller (n) losbol, joller, pierewaaier *also*
mer'rymaker, play'boy

v'elry (n) jolyt, jollifikasie, makietie *also*
festiv'ity, mer'rymaking; (luidrugtige) fees=
vreugde; pretmakery

venge' (n) wraak; vergelding *also* **retribu'=
tion, repri'sal;** (v) wreek, wraak neem; **~ful**
wraakgierig, wraaksugtig; **~r** wreker

v'enue (n) inkomste *also* **in'come; ~ account**
inkomsterekening; **~ services** inkomstediens=
(te); **~ stamp** inkomsteseël

ver'berate (v) weergalm; natril; terugkaats

vere' (v) eer, hoogag, eerbiedig *also* **ven'erate**

v'erence (n) eerbied, hoogagting, ontsag; *pay
~ to* eer/hulde betoon aan

v'erend (n) dominee; eerwaarde; (a) eerwaar=
dig; **r~ mother** moederowerste *also* **mother
supe'rior; very ~** hoogeerwaarde (aanspreek=
vorm vir hoë ampsdraer in sekere kerke)

v'erie (n) mymering, dromery, gepeins *also*
pon'dering, day'dreaming; reverie (mus.)

verse' (n) keersy, agterkant; teenspoed; teen=
oorgestelde; omgekeerde; neerlaag; trurat
(motor); (v) omkeer; omsit; agteruitry, tru
(motor); omverwerp; nietig verklaar (be=
slissing) *also* **coun'termand;** terugloop; *~
the charge* die debiet terugskryf; *~ a judg(e)=
ment* 'n uitspraak/vonnis omverwerp/ter
syde stel; (a) omgekeer; teenoorgesteld; **~d'**
(a) omgekeer; verkeerd; **~ gear** trurat; **~ side**
keersy

ver'sible (a) omkeerbaar, dubbelkantig

revert' (v) omkeer; terugkeer; terugval; *~ to a
subject* op 'n onderwerp terugkom

review' (n) oorsig; resensie, bespreking (boek,
opvoering, rolprent); tydskrif; wapenskou=
(ing); hersiening; (v) nagaan; beoordeel,
resenseer; hersien *also* **revise'; ~er** beoorde=
laar, resensent (persoon)

revile' (v) beskimp, uitskel, uitkryt; verguis

revise' (v) hersien, bywerk; verbeter; wysig; **~d
edition** hersiene uitgawe (van boek); **~r**
hersiener, reviseur

revi'sion (n) hersiening, revisie *also* **amend'=
ment; up'dating**

revi'val (n) herlewing; oplewing; opwekking;
herstel; **~ist** opwek(kings)prediker

revive' (v) herleef; weer oplewe; opwek; *~ a
patient* 'n pasiënt bybring

revoke' (v) herroep ('n wet); intrek *also* **abol'ish,
repeal'**

revolt' (n) opstand; oproer; rebellie; (v) rebel=
leer, verset, in opstand kom; met afkeer vervul
also **offend', sick'en; ~er** (n) oproermaker,
opstandeling *also* **a'gitator, ri'oter; ~ing**
walglik; afgryslik; opstandig, oproerig

revolu'tion (n) revolusie/rewolusie; omwente=
ling; kringloop; wenteling, toer; **~ary** (n)
opstandeling, revolusionêr; (a) revolusionêr,
oproerig, opstandig; **~s coun'ter** toereteller
also **rev counter; ~ise** omkeer, totaal hervorm

revolve' (v) draai, wentel *also* **rotate';** omdraai;
oorweeg *also* **consid'er, reflect'**

revol'ver (n) rewolwer

revol'ving: ~ cred'it wentelkrediet; **~ res'=
taurant** wentelrestaurant; **~ to'wer** wentelto=
ring

revue' (n) musiekkomedie, revue

revul'sion (n) afkeer *also* **loa'thing**

reward' (n) beloning, vergoeding; vergelding;
offer a ~ 'n beloning uitloof; *due ~* verdiende
loon/straf; (v) beloon *also* **remu'nerate;**
vergeld

re'wind (v) terugspoel (film, band)

rhap'sody rapsodie (mus.)

rhet'oric (n) retoriek; deklamasie; woordepraal,
bombasme *also* **bom'bast; ~al** (a) retories,
hoogdrawend; bombasties; *~al question* reto=
riese vraag

rhetori'cian bombastiese redenaar, retorikus;
rederyker (hist.)

rheum (n) verkoue; slymafskeiding (van neus en
oë)

rheumat'ic (n) rumatieklyer; (a) rumaties; *~
fe'ver* rumatiekkoors, sinkingkoors

rheum'atism rumatiek; gewrigsontsteking/ar=
tritis

rhinoc'eros renoster *also* **rhi'no**

rhino'scope neusspieël, rinoskoop

rhinos'copy neusondersoek (med.)

Rhode′sia Rhodesië (land *nou* Zimbabwe); **~n ridge′back** rifrug(hond), pronkrughond

rhomb (n) ruit, rombus; **~ic** (a) ruitvormig; **~oid** (n) romboïed; **~us** (n) ruit, rombus

rhu′barb rabarber (groente)

rhyme (n) rym; rympie; poësie; *without ~ or reason* sonder sin/logika of rede; (v) rym, dig; op rym sit; laat rym; **~r** versemaker, rymelaar

rhy′thm ritme, maat *also* **beat, swing, tem′po**; **~ic(al)** ritmies *also* **met′rical**

rib (n) rib, ribbetjie, ribbebeen; (v) riffel

ri′bald (n) vuilbek, vuilprater, smeerlap (per= soon); (a) liederlik, vieslik, vuil *also* **inde′= cent, vul′gar**

rib′bed geriffel, gerib

rib′bon lint, band; wimpel; *tear to ~s* in flenters/flarde skeur; **~ worm** snoerwurm

rice (n) rys; **~ flour** rysmeel; **~ pa′per** ryspapier

rich (a) ryk; kosbaar; vrugbaar (grond); kragtig, voedsaam (kos); **~ food** ryk kos; **~es** rykdom, weelde *also* **af′fluence; ~ness** rykheid, oorvloed

rick′ets ragitis; Engelse siekte (veroud.)

rick′ety (a) slap, lendelam, waggelend *also* **sha′ky, tot′tering, decrep′it**

rick′shaw riksja (mensgetrekte karretjie)

ric′ochet (n) opslagskoot; wegskramkoeël; (v) opslaan; wegskram, wegkaats

rid (v) vry maak; verlos; verwyder; *be ~ of* kwyt wees; *get ~ of* ontslae raak van *also* **dump, dispose′ of; ~dance** (n) bevryding, verlossing; *good ~dance* 'n ware verligting; dankie-bly (hy is weg); *disease-~den* deur siektes geteis= ter

rid′dle[1] (n) raaisel; (v) raai

rid′dle[2] (n) sif; (v) vol gate skiet; uitsif

ride (n) rit, toer; rypad; *give a ~* laat saamry; (v) ry; bery; *~ about* rondry; *~ at anchor* voor anker lê (skip); *~ the wind* op die wind seil; *~ a winner* wen; **~r** (n) ruiter (persoon); bygevoegde klousule; meetkundige vraagstuk

ridge (n) rug; nok (dak); kant; krans; bult, bergrug; middelmannetjie (in plaaspad); (v) rimpel, riffel; operd (plant); **~back** rifrug= (hond)

rid′icule (n) belaglikheid; spot; *hold up to ~* belaglik maak; (v) belaglik maak, bespot

ridic′ulous (a) belaglik, verspot *also* **absurd′; prepos′terous**

ri′ding: ~ bree′ches rybroek; **~ crop/whip** peits, rysweep, karwats; **~ hab′it** rykostuum; **~ hood** rymantel; **~ mas′ter** pikeur; **~ school** ryskool

riem (SAE) riem; **~pie** riempie

rife (a) oorvloedig; algemeen; vol/wemelend van; *be ~* baie/algemeen voorkom; *rumour is ~* gerugte doen die rondte

riff-raff (n) (s, pl) uitvaagsel, gespuis, skorrie= morrie, hoipolloi *also* **rab′ble, scum, hoi polloi**

ri′fle (n) geweer, roer; (v) skiet; roof, plunder; **club** skietvereniging; **~ comman′do** skietkor mando; **~man** skutter; skerpskutter, skut *al* **shot′tist; ~ range** skietbaan *also* **shoo′ti range**

rift[1] (n) skeur, bars *also* **crev′ice; r~ val′l** slenkdal, skeurdal; (v) skeur, kloof

rift[2] (n) onenigheid, skeuring *also* **quar′rel, sp** (mostly political)

rig[1] (n) uitrusting; touwerk (seilskip); boort ring; (v) aantrek, opmaak; optooi; *~ up* optoo aanmekaartimmer **~ger** takelaar (ambagsma

rig[2] (v) kul, fop, bedrieg; knoei met, manipule (veral uitslag van verkiesing of wedstryd); **~** *match* 'n wedstryd kook/knoei; *the electi* *was ~ged* die verkiesing is gemanipuleer

rig′ging (n) takelwerk (van seilskip); knoeiery

right (n) reg; aanspraak; regterkant; regterhan (pl) regte; *be in the ~* gelyk hê; *~ away* dadel *also* **instantly;** *keep to the ~* regs hou; *might ~* mag is reg; *~ of occupation* okkupasiereg; *~ way* deurgangsreg; reg van weg; (v) regst regmaak; verbeter; regsit; (a) regter=; haar= ('n span osse); billik *also* **fair;** regskap regverdig; *all ~!* in orde!; orra(a)it (omgangst *at ~ angles* reghoekig; *as ~ as rain* so reg so 'n roer; *in his ~ mind* by sy volle verstand; (ad presies, reg; behoorlik; regs; regverdig; *~ at t end* heel aan die einde; *put ~* reghelp; **~abou** regsom; **~-about turn** regsomkeer (soldate); **angle** regte hoek; **~eous** regverdig, regska *also* **up′right, hon′est; ~ful** regmatig, wetti **~-han′ded** regs; **~s issue** regte-uitgif (effekt beurs); **~ly** tereg, presies, juis; **~si′zing (** regskikking (in transformasieproses) *al* **redeploy′ment; ~-wing** (n) regtervleuel (ru by); **~wing** (a) regsgesind (politiek)

rig′id (a) styf; streng; strak; vas; rigied *also* **sti stern;** *~ discipline* strenge/harde tug/dis pline

rig′marole (n) lang/omslagtige prosedure/g doente; kafpraatjies; (onsamehangende) sne

rig′orous (a) streng *also* **austere′, stern;** st (die weer); nougeset

rill (n) lopie, stroompie, beek *also* **strea brook, riv′ulet**

rim (n) rand; lys; raam; velling (wiel)

rind (n) bas; skil; kors; (v) afskil; bas afmaak

rin′derpest runderpes (siekte onder beeste, his

ring[1] (n) ring; kring; kartel, sindikaat, netwe (misdaad); kryt (boks); *make ~s round s* iem. ver oortref; (v) 'n ring aansit; omrin omkring ('n fout)

ring[2] (n) klank; geluid; gelui; klokkespel; *have familiar ~* bekend klink; *I'll give you a ~/c* ek sal jou bel/lui/skakel; (v) lui; laat klin telefoneer, bel; weerklink, weergalm; *~ in t new year* die nuwe jaar inlui

ing: ~ **fin′ger** ringvinger, naaspinkie; **~lea′der** belhamel, voorbok; **~let** ringetjie; ~ **road** ringpad, sirkelpad; **~worm** douwurm, omloop

ink (n) baan, skaatsbaan, ysbaan

ink′hals (SAE) rinkhals(slang) *also* **ring-necked co′bra**

inse (v) uitspoel; afspoel *also* **wash, dip**

i′ot (n) oproer, onrus, onlus *also* **disor′der, an′archy;** rusverstoring; muitery; ~ *of colour* bont kleureprag; *run* ~ wild groei; (v) oproer maak; muit; **~er** oproermaker; rusverstoorder; ~ **gear** oproerdrag (van polisie); **~ous** rusverstorend; oproerig *also* **unru′ly;** ~ **police′** onlus(te)polisie; ~ **shield** onlusskild, oproerskild

ip (n) skeur, bars; (v) oopskeur; lostorring; lostrek; ~ *apart* uitmekaar skeur; ~ *up old quarrels* ou koeie uit die sloot haal; **~cord** trekkoord (valskerm)

ipa′rian (n) oewerbewoner; (a) oewer-

ipe ryp; oud; beleë (wyn); ~ **age** hoë ouderdom; **~n** ryp word; ryp maak *also* **mature′**

ip-off (n) bedrogspul; swendelary; uitbuitery; **rip off** (v) bedrieg, verneuk

ip′per (n) skeurploeg; kloofsaag *also* **rip′saw;** uithaler, bulperd, doring (persoon) *also* **ace, crack, champ(ion)**

ip′ple (n) rimpeling, kabbeling; (v) kabbel, rimpel; ~ **effect′** rimpeleffek, uitkringeffek

ise (n) styging; opgang; opkoms (son); verhoging (salaris); toename; hoogte, bult, opdraand; *give* ~ *to* aanleiding gee tot; (v) styg; opstaan; opkom; verhoog; toeneem; voortspruit; ontstaan; rys (brood); ontspring (spruit); uiteengaan (vergadering); ~ *(up) in arms* die wapen(s) opneem; ~ *from the dead* uit die dode opstaan; ~ *to the occasion* opgewasse wees vir die taak

i′sing (n) opstand *also* **up′rising;** opgang; (a) opgaande, stygend; rysend

isk (n) gevaar, risiko; *cover the* ~ die risiko dek; *at the* ~ *of his life* met lewensgevaar; *run a* ~ gevaar loop; *take* ~*s* waag; (v) waag *also* **ven′ture;** op die spel sit; **~y** (a) gewaag, gevaarlik, riskant *also* **di′cey**

is′sole frikkadel(letjie)

ite (n) plegtigheid, ritus, rite *also* **rit′ual**

it′ual (n) rituaal; ritueel; kerkgebruik; (a) ritueel; ~ **mur′der** rituele moord, stammoord

i′val (n) mededinger *also* **advers′ary, compet′itor;** teenstander *also* **oppo′nent;** medeminnaar; *without a* ~ sonder weerga; (v) meeding, wedywer; (a) mededingend; **~ry** mededinging, wedywer(ing); kragmeting *also* **con′test**

iv′er (n) rivier; stroom; *the* ~*s are in flood* die riviere kom af; ~ **ba′sin** stroomgebied; ~ **bed** rivierbedding; **~head** fontein; **~side** rivieroewer; ~ **tor′toise** waterskilpad; **(white)** ~

rafting witwaterroei, skuimwaterroei; stroomversnellingsry

riv′et (n) klamp, kram; klinknael; (v) klink, vasklink; **~ing** pakkend, boeiend

road pad, weg; ankerplek; *one (last drink) for the* ~ loopdop; *rules of the* ~ verkeersregulasies; **~block** padversperring; ~ **clo′sure** straatsluiting; ~ **deaths** dodetal op paaie; padslagting; ~ **freight dri′ver** padvragdrywer *also* **truck′er;** ~ **hog** padvark, padbuffel, jaagduiwel; **~house** padkafee; ~ **ñump** spoedbult, spoedboggel; ~ **map** roetekaart, padkaart; skedule, plan (vir politieke skikking); **~race** padwedloop, padren; ~ **rage** padwoede, ryraserny; ~ **sa′fety** padveiligheid; ~ **sign** padteken, padwyser; predikant (skerts.); **~wor′ker** padwerker; **~works** padwerke; **~wor′thy** padwaardig; *~worthy certificate* padwaardig(heid)sertifikaat

roam (v) rondswerf/rondswerwe, ronddool; **~ing** swerwing (selfoon)

roan (n) skimmel (perd); **blue** ~ blouskimmel; **bay/red** ~ bruinskimmel, rooiskimmel; **straw′berry** ~ vosskimmel

roan′ antelope bastergemsbok

roar (n) gebrul; gebulder; geraas; (v) brul; raas; ~ *with laughter* skater van die lag

roar′ing (n) gebrul, gedreun; (a) brullend; dreunend; eersteklas, uitstekend; *a* ~ *time* groot pret/plesier; ~ **for′ties** stormbreedtes (suidelike oseane); ~ **trade** reusesake

roast (n) braaistuk, braaivleis; (v) braai, bak; rooster; brand (koffie); (a) gebraai, braai-

rob (v) (be)roof, (be)steel; plunder; **~ber** rower, dief; **~bery** (n) roof, rooftog *see* **heist** (bank); *armed ~bery* gewapende roof

robe (n) japon; toga *also* **academ′ic gown;** mantel; **~s of of′fice** ampsgewaad; (v) (toga) aantrek

rob′in rooiborsie (voël)

ro′bot (n) robot; verkeerslig *also* **traf′fic light;** outomaat

robust′ (a) sterk, stewig, gespierd *also* **vir′ile, braw′ny, mus′cular**

rock[1] (n) rots, klip; *run upon the* ~*s* skipbreuk ly; verongeluk; ~ **art** rotskuns

rock[2] (v) skud, skommel; wieg; wankel; ruk (hoë pryse); ~ *to sleep* aan die slaap wieg/sus; *don′t* ~ *the boat* los dinge/sake net so; **~er** rystoel, skommelstoel

rock[3] (n) rock (musiekstyl) *see* **soul, coun′try**

rock and roll ruk-en-rol, ruk-en-pluk (danssoort) *also* **rock-′n-roll**

rock′ery rotstuin

rock′et vuurpyl; ~ **boos′ter** vuurpylaanjaer; ~ **launch′er** vuurpylrigter; ~ **propul′sion** vuurpylaandrywing

rock: ~ **fall/~ slide′** rotsstorting; drukbars (myn)

also **burst;** ~ **gar'den** rotstuin; **~hare** kolhaas, rooihaas

rock'ing: ~ **chair** skommelstoel, wiegstoel; ~ **horse** hobbelperd

rock: ~ **pain'ting** rotstekening; ~ **pig'eon** bosduif, kransduif; ~ **rab'bit** das(sie); **~y** (a) rotsig, klipperig *also* **sto'ny**

rod (n) stang, staaf; (tug)roede; staf; stok; *spare the ~ and spoil the child* wie sy kind liefhet, kasty hom

ro'dent (n) knaagdier; (a) knaag=; ~ **exter'= minator** rot(te)vanger *also* **rat catcher'**

roe (n) ree; **~buck** reebokram; ~ **deer** reebokooi

rogue (n) skurk, skelm; karnallie, vabond *also* **ras'cal, scoun'drel, crook, vil'lain;** ~ **el'ephant** dwaalolifant, eenloperolifant

role (n) rol; funksie; ~ **mod'el** rolmodel (persoon); ~ **play** rolvertolking; ~ **play'er** rolspeler

roll (n) rol, register; presensielys; silinder; broodjie; gerol; slinger (skip); *call the ~* appèl hou (mil.); die rol/register lees; ~ *of honour* ererol, erelys; (v) rol; oprol; laat rol; slinger (skip); ~ *out* platrol, uitrol; laat rol; ooprol; ~ *over* omrol; ~ *one's R's* bry; ~ *over* oordra, oorplaas (fondse, skulde); ~ *up* oprol; opdaag; **~-back** abbawa (karweivoertuig); **~call** appèl (mil.); naamlesing; **~ed** gerol; gewals; **~ed gold** goudpleet; **~-top desk** rolluiklessenaar

rol'ler (n) roller; rolstok; **R~blade(s)** (trade= mark) rollemskaats(e), inlynskaats(e) *also* **in= line skates; ~blade ska'ting** rollemskaats; ~ **blind** rolgordyn; ~ **coas'ter** tuimeltrein(tjie), wipwaentjies; ~ **mill** walsmeule; **~-ska'ting** rolskaats

rol'lick (n) pret, uitgelatendheid; (v) baljaar; **~ing** (a) uitgelate, vrolik *also* **mer'ry**

rol'ling golwend; rollend; ~ **pin** deegrol(ler), rolstok; ~ **press** rolpers; ~ **stock** spoorwaens

roll'-over (n) verlenging, hernuwing (van lening)

rol'y-pol'y (n) rolpoeding; klein vetsak, potjierol (kind); (a) dik, plomp, poffertjie=

Ro'man[1] (n) Romein (persoon); romein (letter); (a) Romeins (v. antieke Rome); Rooms (v.d. R.K. Kerk) ; ~ **Cath'olic Church** Rooms-Katolieke Kerk; **~-Dutch law** Romeins-Hollandse reg

ro'man[2] (n) (rooi)roman (vis)

romance' (n) romanse, liefdesverhouding *also* **(love) affair;** (ligte) liefdesroman; romantiek; (v) fantaseer; oordryf; **~r** romanskrywer

Roma'nia/Ruma'nia (n) Roemenië (land); **~n** (n) Roemeniër/Roemeen (persoon); Roemeens (taal); (a) Roemeens (gebruike, ens.)

roman'tic (a) romanties; **~ism** romantiek; **~ist** romantikus

Rome (n) Rome; ~ *was not built in a day* môre is nog 'n dag; *do in ~ as the Romans do* skik jou na die omstandighede

romp (v) stoei, baljaar, ravot *also* **gam'bol;** *home* maklik eerste kom; fluit-fluit wen

ronda'vel (SAE) rondawel; huthuis

roo (infml.) (n) = **kangaroo'**

rood roede ('n kwart acre); kruisbeeld

roof (n) dak; verhemelte (van mond) *al* **pal'ate;** gewelf; (v) 'n dak opsit; ~ *in* d opsit; bedek; ~ **car'rier** dakrak, bagasier (motor); ~ **clut'cher** dakvink (motoris insittende); ~ **frame** timmerasie; ~ **gar'd** daktuin; **~ing** dakwerk; ~ **tile** dakpan; **~l** dakloos; ~ **ridge** (dak)vors; **thatched** grasdak; **~wet'ting** dakviering, huisinwydi *also* **house-war'ming**

rook[1] (n) kraai; **Cape** ~ swartkraai

rook[2] (n) bedrieër; kierangspeler (persoon); (bedrieg, geld afrokkel *also* **rip off, swin'dl**

rook[3] (n) kasteel (skaakspel); (v) rokeer

rook'ery (n) kraaines; broeiplek/kolonie v pikkewyne/robbe

roo'kie (n) (baar) rekruut, nuweling *also* **r (ar'my) recruit**

room (n) kamer, vertrek; lokaal; ruimte; gelee heid; *make* ~ plek maak; **~s** spreekkam (dokter); **~y** (a) ruim, groot *also* **spa'cious**

roost (n) slaapplek; (slaap)stellasie; *go to* ~ **ga** slaap, inkruip; *the chickens have come to* boontjie kry sy loontjie; kierankies het g braai; *rule the* ~ baasspeel *also* **dom'inate; (** gaan slaap

roos'ter (n) (hoender)haan

root[1] (n) wortel; stam; oorsprong; bron; gron toon; *the ~ of all evil* die wortel van a kwaad; *take* ~ wortelskiet; (v) wortelskiet; *up/out* uitroei; ~ **direc'tory** hoofgids (rek **~-bound** vasgewortel; potvas

root[2] (v) vroetel (varke); ~ *out* uitsnuffel *a* **un'earth, erad'icate**

root'ed (a) ingewortel, diep *also* **entrench'ed**

rope (n) tou, lyn; *know the* ~s touwys/gekon wees; (v) vasbind *also* **fas'ten, tie;** ~ *in* na trek; vang (perd); ~ **dan'cer** koorddanser(e ~ **lad'der** touleer; ~ **rail'way** kabelspoor *a* **ca'bleway; ~wal'ker** koordloper

rosa'rium (n) roostuin, rosetuin

ro'sary (n) rosekrans, bidsnoer, paternost roostuin

rose (n) roos; rooskleur; roset; sproeier (giete *under the* ~ in die geheim; stilletjies; ~ **ap'** jamboes; ~ **bowl** roosbak; ~ **bud** roosknop **bush** roosstruik; ~ **mal'low** stokroos

rose'mary (n) roosmaryn (struik met blare reukwater)

rosette' (n) roset, kokarde; strik (as spanteker

rose: **~-water** rooswater; **~wood** rooshout

ros'in (n) (viool)hars, harpuis *also* **res'in**

ros'ter (n) (diens)rooster, tydtafel *also* **tim table**

os′trum (n) spreekgestoelte, rostrum, podium *also* **po′dium, plat′form, dais;** snawel, bek (dier)

′sy (a) rooskleurig, pienk; blosend

ot (n) verrotting; onsin; *dry* ~ vermolming; *talk (tommy)*~ twak verkoop; (v) verrot, vergaan; ~ *off* afvrot

otar′ian (n) Rotariër (persoon)

′tary (a) (rond)draaiend; roterend; rondgaan= de; ~ **lawn′mower** rotasie(gras)snyer

otate′ (v) draai, wentel, roteer *also* **revolve′**

ota′tion (n) ronddraaiing, rotasie, wenteling; volgorde; *by* ~ om die beurt; rotasiegewys; ~ **of crops** wisselbou (boerdery)

ote (n) (vaste) gewoonte; sleur; *know by* ~ insigloos/meganies aan(ge)leer

′tor rotor (draaiende deel van dinamo)

ot′ten (a) verrot, bederf *also* **decomposed′;** sleg, vrotsig, beroerd *also* **bad; wick′ed**

ot′ter (n) niksnut(s), vrotterd, vreksel (persoon) *also* **wash′out, no-good′, cad**

otund′ (a) rond, bolvormig; vet *also* **fat, flesh′y;** omvangryk; ~**a** (n) rotonde, uitkykkoepel

ou′ble roebel (Russiese geldeenheid)

ouge (n) rooisel, rouge; rooi poetspoeier; (v) (rooi) verf

ough (n) skurk; ruwe grond; ruveld, sukkelveld (gholf); (v) ru behandel; ~ *it* reis/kampeer sonder luukses; (a) ru; rof (stoei); grof, ongemanierd; wild, woes *also* **disor′derly;** verward, deurmekaar; *make a* ~ *guess* naas= tenby skat; *have a* ~ *time* swaarkry, noustrop trek; ~**-and-ready** onafgewerk; oppervlakkig; ~**-and-tumble** bakleiery *also* **brawl;** slordig, onordelik; ~ **book** kladboek; ~**cast** (n) rofkas, grintspat; (v) rofkas; 'n ruwe skets maak; ~ **di′amond** ongeslypte diamant; ~ **draft** (eerste) konsep, kladontwerp; ~**ly** naaste(n)by; ~ **man′ners** onbeskaafde maniere; ~**ness** ruheid; ongelykheid; ~ **play** ruwe spel; ~**ri′der** perdetemmer, baasruiter

oulette′ roulette/roelet; dobbelwiel; ~ **mas′ter** kroepier/croupier

ound (n) rondte (om baan); rondgang; kring; ronde (boks, stoei); rondreis; patroon; ~*s of ammunition* patrone *also* **car′tridges;** *go one's* ~ jou rondte doen; (v) omseil, omvaar (Kaap); (a) rond; rondborstig; gerond; wel= luidend (klank); ~ *figures* rondesom, globale syfers; (adv) om; rondom; in die rondte; *all* ~ in alle opsigte; *bring* ~ bybring (na 'n floute); *come* ~ besoek; van opvatting verander; ~*-the-clock* dag en nag; vir 24 uur; *show* ~ rondneem, rondlei; ~**ed** gerond, afgerond; ~**ly** ronduit; ~**ness** rondheid; volheid; ~ **rob′in** rondomtalie (speelpatroon by 'n toernooi); ~**-up** bymekaarmaak (vee); klop= jag (misdadigers)

Round′ Table Tafelronde; ~**r** Tafelaar (persoon)

round′-table con′ference tafelronde

rouse (v) wakker maak, wek; opja(ag)

rous′ing besielend, inspirerend *also* **stir′ring;** ~ **applause′** dawerende toejuiging

rout[1] (n) wilde vlug, verwarde terugtog; oproer, twis; lawaai; (v) op die vlug jaag

rout[2] (v) uitdiep, vroetel; ~ *out* opjaag

route (n) pad, koers, roete; *en* ~ onderweg; ~ **map** roetekaart

routine′ (n) sleur, gewoonte, roetine; ~ **tasks** roetinetake, sleurwerk *also* **cho′res**

ro′ve (v) rondswerwe/rondswerf, ronddool; ~**r** rondswerwer; seerower; losspeler (rugby)

ro′ving eye dwalende oog

row[1] (n) ry; reeks; *in* ~*s* in rye

row[2] (n) rusie, struweling; geraas, lawaai; *kick up a* ~ lawaai maak; (v) rusie maak; ~**dy** (a) rumoerig *also* **nois′y, bois′terous**

row[3] (v) roei (in 'n roeiboot)

ro′wing (n) roei(sport); (a) roei=

row′lock (n) roeimik, dolpen

roy′al (a) koninklik *also* **impe′rial, august′;** rojaal; uitstekend, eersteklas; *a* ~ *time* 'n heerlike tyd; ~ **blue** koningsblou (k]eur); ~ **game** beskermde wild, kroonwild; ~**ist** rojalis, koning(s)gesinde; ~**ty** (n) konink= likes; lede van die koninklike familie; koningskap; outeursaandeel, tantième (aan skrywer); vrugreg (myn, patent); ~ **war′rant** bevelskrif

rub (n) wrywing, knoop, moeilikheid; *there's the* ~ daar lê die knoop; (v) skaaf; blink maak; vryf; skuur; ~ *in* invryf, inpeper; ~ *out* uitvryf; uitvee; ~ *shoulders with* omgaan met; ~ *s.o. (up) the wrong way* iem. verkeerd aanpak; iem. omkrap

rub′ber gomlastiek, rubber; wisser, uitveër; ~ **cheq′ue** ongedekte tjek; ~**-join′ted** slaplittig; ~ **stamp** stempel, tjap

rub′bish vuilgoed, vullis *also* **trash;** vuilis, afval; rommel; onsin, kaf; *talk* ~ kaf/twak praat; ~ **remo′val** vullisverwydering

rub′ble puin; bourommel; ~ **dump** puinhoop

ru′bric rubriek, afdeling *also* **col′umn**

ru′by robyn; robynkleur; ~ **wed′ding** robynbrui= lof

ruck (n) trop, klomp; losskrum (rugby)

ruck′sack (n) rugsak; knapsak *also* **knap′sack**

ruc′tion (n) onenigheid, struweling; rusie, twis; herrie *also* **dis′cord, dispute′, quar′rel**

rud′der roer, stuur (van boot)

rud′dy (a) rooi, rooierig, blosend *also* **ro′sy**

rude (a) onbeskof, ongeskik, onbeleef, onma= nierlik *also* **impolite′;** onbeskaaf; grof, ru *also* **coarse, crude;** ~ *shock* hewige skok; ~**ness** onbeskoftheid

ru′diment grondslag; (pl) grondbeginsels

rudiment′ary rudimentêr; elementêr *also* **ba′sic, elemen′tary**

rue[1] (n) wynruit (plant)

rue[2] (n) leedwese, berou; (v) betreur; beklaag; berou hê oor; *you will ~ the day* jy sal die dag berou; **~ful** treurig, droewig

ruff (n) plooi; plooikraag, pypkraag; kraagduif, ringnekduif

ruf′fian (n) booswig, skurk, molesmaker *also* **rogue, hood′lum**

ruf′fle (n) plooi; steurnis, beroering; (v) from= mel, plooi, kreukel; vererg, ontstel; aanstelle= rig maak; twis; **~d hair** deurmekaar hare

rug (n) reiskombers, (reis)deken; vloerkleed

rug′by (foot′ball) rugby (sport); **~ league** beroepsrugby (Br.); **~ un′ion** rugby

rug′ged (a) ru; hobbelrig, ongelyk (terrein); sterk, gehard (persoon); nors, stug; onbeskaaf

ruin (n) bouval, puinhoop, ruïne, murasie; ongeluk; ondergang; *in ~s* in puin; (v) verwoes, verniel, ruïneer, (ver)rinneweer; in die verderf/ongeluk stort; **~ your eyes** jou oë bederf; **~a′tion** verderf, verwoesting

rule (n) reël; reglement; maatstaf; voorskrif; bewind; duimstok, liniaal; *as a ~* gewoonlik; *the golden ~* die gulde reël; *~ of law* oppergesag v.d. reg; die regsorde; *~s and regulations* reglemente; *~ of the road* ver= keersreël; *~ of thumb* praktiese metode; (v) reël; vasstel; bestuur; regeer; linieer; *~ out* uitskakel; *~ out of order* buite die orde verklaar; *~ the roost* baasspeel; **~r** heerser, regeerder, bewindhebber; liniaal

ru′ling (n) beslissing; uitspraak, reëling; (a) regerend; heersend; *~ par′ty* bewindhebben= de/regerende party; *~ price* heersende prys

rum[1] (n) rum (alkoholiese drank)

rum[2] (a) snaaks, vreemd, koddig; *a ~ affair* 'n snaakse/sonderlinge gedoente

rum′ble (v) rommel, ratel; dawer, dreun; *~ strip* dreunstrook (vir spoeddemping)

ru′minant (n) herkouer (bees); (a) herkouend; peinsend, diepdinkend

ru′minate (v) herkou; diep dink, oorpeins; *~ upon/on* diep dink oor *also* **med′itate**

rum′mage (v) snuffel, soek; grawe (bv. in 'n kas); *~ sale* rommelverkoping *also* **jum′ble sale**

ru′mour (n) gerug; riemtelegram, hoorsê *also* **gos′sip, hearsay**

rump (n) stuitjie; kruis, agterste; kruisstuk (vleis); **~y** stompstertkat

rum′ple (v) rimpel, kreukel, verfrommel, ver= fomfaai; *~d suit* verkreukelde pak

rump′steak kruisstuk, kruisskyf, rumpsteak

rum′pus (n) herrie, moles, opstootjie; *~ room* jolkamer, gesinskamer

run (n) wedloop; lopie (krieket); toeloop;

aanloop; *on the ~* op vrye voet(e) (misdadi= ger); *in the long ~* op die lange duur; (v) hardloop, hol; draf; stroom (rivier); vloei (ink); laat skiet, skiet gee (tou, kabel); rank (plant); skif (melk); etter (seer); *~ after* agternaloop; *~ up bills* skuld maak; *~ down* omry; omloop; opspoor; slegmaak, afkraak *also* **den′igrate** (a person); *~ foul of* bots met; *~ in* inslyt, inry (motor); *~ low* min word; *~ off* weghol, spaander; *~ out* afloop, opraak; *~ the risk* die risiko loop; *~ second* tweede eindig (dus naaswenner); *~ to seed* saadskiet; *~ a shop* 'n winkel bestuur/bedryf; *~ short* kortkom; *~ the show* die baas/eienaar wees

run′away (n) wegloper, droster; (a) weggeloop; gevlug; op hol; *~ veld′fire* wegholveldbrand; *~ vic′tory* wegholoorwinning

rune (n) runeskrif; geheime/magiese teken(ing)

rung (n) sport (van 'n leer)

runn′er (n) hardloper; (ren)bode, boodskapper; gangtapyt; rank; *~ bean* rankboon; **~up** naaswenner (kompetisie, sport)

runn′ing (n) loop, hardloop; (a) stromend, lopend; *three days ~* drie dae aanmekaar; **board** treeplank (aan motor); *~ com= mentary* (deur)lopende kommentaar; *~ cost* loopkoste (motor); *~ expen′ses* daagliks= uitgawe; *~/snot′ty no′se* loopneus; snotneus (kind); *~ shorts* drafbroekie; *~ stom′ach* **tum′my** loopmaag, diarree; *~ to′tal* lopend= totaal

runt (n) dwerg; misgewas, ghwar (persoon)

run′way (n) aanloopbaan, stygbaan, landing= baan (vliegtuig); rolbaan; stroombed (rivier)

rupee′ roepee (Indiese geldeenheid)

rup′ture (n) breuk *also* **frac′ture;** bars, skeu= (v) breek; 'n breuk kry; **~d** gebreek

rur′al landelik *also* **pas′toral;** *~ area* plattelan= buitedistrik

ruse (n) lis, skelmstreek *also* **decep′tio** krygslis

rush[1] (n) biesie, riet; ruigte

rush[2] (n) stormloop; toeloop; *make a ~ for* stor= na; losstorm op; (v) stormloop; haastig maa= jaag; *~ at* bestorm; *~ away* weghol; haas= vertrek; *~ matters* oorhaastig/onnadenkend werk gaan; *~ past* verbyjaag; *~ hour* spitsu= *also* **peak hour; ~ time** spitstyd

rusk (boer)beskuit

Ru′ssia Rusland; **~n** (n) Rus (persoon); Russ (taal); (a) Russies (gebruike, ens.)

rust (n) roes; (v) roes, korrodeer, verroes

rus′tic (a) landelik, vreedsaam; eenvoud= onbedorwe; boers

ru′stle (n) ritseling; (v) ritsel, ruis; veediefs pleeg; **~r** (n) veedief, veestroper

rust′proofing roeswering

rus'ty (a) roeserig, verroes *also* **corro'ded**

rut[1] (n) groef; slaggat *also* **pot'hole;** gewoonte; roetine, sleur; *get into a* ~ in 'n groef raak

rut[2] (n) bronstyd, hittigheid, loopsheid (dier); (v) bronstig/loops word/wees (dier)

ruthless (a) genadeloos, wreed, meedoënloos, harteloos *also* **mer'ciless, heart'less**

rutt'ish (a) op hitte *also* **on heat;** bronstig, loops (dier)

rye rog; ~ **bread** rogbrood

S

Sab'bath Sabbat; rusdag; *keep the* ~ die Sabbat vier/heilig

sabbat'ical (a) sabbat=; ~ **leave** sabbatsverlof (langverlof vir studie/navorsing)

sa'ble[1] (n) sabeldier; ~ **an'telope** swartwitpens (bok)

sa'ble[2] (a) donker, swart (kleur)

sab'otage (n) sabotasie; (v) saboteer, rysmier, ondergrawe *also* **subvert**

saboteur' (n) saboteur, ondermyner (persoon)

sa'bre (n) sabel; ~ **rattling** sabelgekletter

sac'charin (n) saggarien, suringsuiker

sach'et (n) (melk)sakkie, plastieksakkie; reuk= sakkie (parfuum, kruie)

sack[1] (n) sak *also* **bag;** ~ **race** sakre(i)sies (boeresport)

sack[2] (n) ontslag; plundering; *give s.o. the* ~ iem. ontslaan/afdank; *get the* ~ die trekpas kry; afbetaal word *also: be fired/sacked;* (v) in die pad steek, ontslaan, afdank (uit werk) *also* **dismiss', discharge';** **retrench';** afsê ('n kêrel/vryer); plunder ('n stad)

sac'rament sakrament (heilige/kerklike handel= ling)

sa'cred (a) heilig; gewyd *also* **ho'ly, divine';** onskendbaar; ~ *to the memory of* ter nage= dagtenis aan/van; ~ **con'cert** gewyde konsert

sac'rifice (n) offer; offerande; opoffering; *make the supreme* ~ die hoogste offer bring; (v) offer; opoffer

sac'rilege (n) heiligskennis, ontheiliging *also* **blas'phemy, desecra'tion**

sac'rosanct heilig, onskendbaar, onaantasbaar

sad (a) treurig, droewig, somber *also* **sor'rowful;** *a* ~ *moment* 'n treurige/aandoenlike oomblik; *miss her* ~*ly* haar erg/besonder baie mis; ~**den** treurig maak/word

sad'dle (n) saal (op perderug); stut; (v) opsaal; belas, opskeep; *be* ~*d/burdened with* opge= skeep sit met; ~**bag** saalsak; ~**cloth** saalkleed= jie; ~ **girth** buikgord; ~ **horse** saalperd; ~**r** saalmaker; ~**stitch** saalsteek; ~**ry** saalmakery; ~**sore** deurgery, gaargery; ~**tree** saalboom

sa'dism (n) sadisme, pynwellus

sadis'tic (a) sadisties; dierlik *also* **bru'tal**

sad'ness droefheid, treurigheid, verdriet *also* **sor'row**

safa'ri jagtog; safari; ~ **lodge** safarigastehuis; lodge; ~ **suit** safaripak

safe[1] (n) brandkas; kluis *also* **strong'room;** geldkis

safe[2] (a) veilig, seker; ~ *custody* versekerde/ veilige bewaring; ~ *and sound* fris en gesond; veilig en wel; ~ *conduct* vrygeleide; ~ *sex* veilige . seks; ~**crack'er** brandkasbreker;

~=**depos'it** bewaarkluis; ~**guard** (n) beske⸗ ming, vrygeleide; beveiliging; waarborg; (v) beskerm *also* **protect';** vrywaar; ~*guard against* vrywaar teen/van

safe'ty (n) veiligheid; sekerheid; ~ **belt** veilig⸗ heidsgordel, redgordel; sitplekgordel *also* **seat'belt;** ~ **brake** noodrem; ~ **catch** veilig⸗ heidsknip; ~ **chain** nagketting; ~ **clo'thing** glimdrag; ~ **lamp** veiligheidslamp; ~ **match** vuurhoutjie; ~ **pin** haakspeld, knipspeld; ~ **ra'zor** veiligheidskeermes; ~ **valve** veilig⸗ heidsklep

saf'fron (n) saffraan (spesery); (a) saffraankle⸗ rig

sag (n) versakking, verslapping; daling; (v) uitsak, afsak, (pap) hang; verslap; oorhel; da⸗

sa'ga (n) sage, volksverhaal, legende; familiero⸗ man; saga (Noors); heldegeskiedenis

saga'cious (a) skerpsinnig, skrander *also* **keen-wit'ted, shrewd**

sage[1] (n) wyse, wysgeer (persoon) *also* **wis⸗ man;** (a) verstandig, wys

sage[2] (n) salie (plant)

sag'o sago; ~ **tree** meelboom

said (v, past tense) het gesê; (a) genoemd⸗ gemelde; *the* ~ *accused* genoemde aang⸗ klaagde/verdagte; *all* ~ *and done* per slot va⸗ rekening; op stuk van sake

sail (n) seil; seilskip; *in full* ~ met volle seile; afvaar, uitseil; gly; ~**cloth** seildoek

sail'ing (n) afvaart, vertrek; *it's plain* ~ d⸗ maklik genoeg; ~ **ves'sel** seilskip, seiljag

sail'or matroos, seeman *also* **sea'man, Jack T⸗**

saint (n) sint, heilige; *play the* ~ jou vroo⸗ voordoen; ~**ly** (a) heilig, vroom *also* **ho'l⸗ pi'ous**

sake: *for the* ~ *of* ter wille/terwille van; *for yo⸗* ~ om jou ontwil; *for goodness* ~ in hemel naam; om liefdeswil

salaam' (n) (Oosterse) plegtige groet/buiging salaam; (v) groet, buig; salaam

sal'ad (n) slaai *see* **let'tuce;** ~ **dres'sing** slaa⸗ sous; ~ **oil** slaaiolie

salaman'der (n) sal(a)mander; vuurgees (mito⸗

sal ammo'niac (n) salmiak (ammoniumchlorie⸗

sal'aried (a) gesalarieer; loontrekkend, besoldi⸗ ~ **staff** besoldigde personeel

sal'ary (n) salaris; loon, besoldiging; (v) beso⸗ dig, salarieer; ~ *negotiable* salaris reëlbaar; **pack'age** salarispakket

sale (n) verkoop, (uit)verkoping; prysfees; ve⸗ ling, vandisie/vendusie; (pl) verkope, afset; *in execution* eksekusieverkoping; *for* ~ koop; *put up for* ~ opveil; ~ *and leaseba⸗* verkoop en terughuur; ~ **price** uitverkooppry⸗

~sman verkoper; **~s man'ager** verkoopbe=
stuurder; **~smanship** verkoopkuns; **~sper'son**
verkoper; **~s talk** verkooppraatjie, smous=
praatjies; **~swo'man** verkoopsdame

lient (a) uitstaande; treffend, opvallend *also*
prom'inent, conspic'uous; ~ feat'ures hoof=
trekke

line (a) sout, soutagtig, souterig
in'ity soutgehalte, southeid

i'va (n) spoeg/spuug, speeksel
livary speeksel=; **~ gland** speekselklier
livate (v) kwyl; laat kwyl

'low bleek; blas *also* **swar'thy** (complexion)
'ly (n) uitstappie; uitval (mil.); sarsie; kwink=
slag; **~ of wit** raak gesegde; (v) uitstorm
'mon (n) salm; (a) salmkleurig; **~ trout**
salmforel

oon' salon; (eet)saal; kantien, kroeg
t (n) sout; seeman, matroos; vernuf; geestig=
heid; (pl) Engelse sout; *the ~ of the earth* die
sout v.d. aarde; *take with a grain of ~* nie te
letterlik opvat nie; *worth one's ~* jou
sout/salaris werd; (v) sout; insout, pekel; (a)
sout; gesout; pekel=, gekrui; **~ed** gesout; **~ed**
pea'nuts sout grondbone; **~less** soutloos, laf,
onsmaaklik; **~pan** soutpan

tpet're/salpet'er (n) salpeter, kaliumnitraat
u'brious gesond, heilsaam *also* **benefic'ial**
'utary heilsaam, weldadig; **~ effect'** heilsame
uitwerking

uta'tion (n) groet, begroeting; aanhef (van
brief)

ute' (n) saluut; groet; *fire a ~* saluutskote
afvuur; *take the ~* die saluut beantwoord/
waarneem; (v) groet; salueer; aanslaan

'vage (n) berging (veral van skip); bergloon;
wrakgoed, strandgoed; (v) berg, red *also*
retrieve'; ~ char'ges/mon'ey bergloon; **~**
ship/ves'sel bergingskip; **sal'vaging** berging

va'tion (n) saligmaking; sieleheil; redding,
verlossing; behoud; *be the ~ of* die behoud
wees van; *work out one's own ~* jou eie heil
uitwerk; **S~ Ar'my** Heilsleër

ve (n) salf; smeersel; balsem; **milk ~** speen=
salf, melksalf; (v) salf, insmeer; genees;
versag; berg, ophaal (skip) *see* **sal'vage** (v);
sus (jou gewete)

'vo (n) salvo, sarsie
ma'ritan (n) Samaritaan; *good ~* barmhartige
Samaritaan; (a) Samaritaans

ne (die)selfde; eenders; einste; gelyksoortig;
genoemde; *one and the ~* presies dieselfde
np stampmielies, gekookte gebreekte mielies
n'ple (n) monster, proefmonster *see* **spec=**
men; ran'dom ~ steekproef; (v) monsters
neem; proe; toets; **~ room** uitstallokaal
n'pling monsterneming; **~ er'ror** steekproef=
out

sanator'ium (n) sanatorium
sanctimo'nious (a) skynheilig, skynvroom, hui=
gelagtig *also* **hypocri'tical, smug**
sanc'tion (n) bekragtiging, goedkeuring; sanksie;
(usually pl) (ekonomiese) strafmaatreëls/sank=
sies; (v) bekragtig, goedkeur *also* **approve'**,
au'thorise
sanc'tity (n) heiligheid, onskendbaarheid, rein=
heid
sanc'tuary (n) toevlugsoord *also* **retreat'**; hei=
ligdom *also* **shrine; bird ~** voëlreservaat
sanc'tum: ~ (sanctorum) heiligdom; allerhei=
ligste; privaat vertrek; (skerts.) werkkamer,
studeerkamer
sand (n) sand; sandbank; sandoewer; (pl) strand;
(v) versand; met sand meng/skuur
san'dal (n) sandaal; **strap ~s** bandjiesandale
sand: ~bag (n) sandsak; (v) sandsakke pak;
~bank sandbank; **~blast** sandspuit; **~boar'ding**
duin(plank)gly; **~glass** sandloper(tjie) *also* **egg**
timer; ~man Klaas Vakie *also* **Willy Winky;**
~pa'per skuurpapier; **~shoe** strandskoen;
~stone sandklip, sandsteen; **~y** sanderig
sand'wich (n) toebroodjie, (v) inskuif; tussenin
sit; **~ course** stapelkursus *also* **crash cóurse; ~**
man plakkaatdraer
sane (a) gesond (van gees/verstand) *also: of*
sound mind; verstandig; *he is quite ~* hy is by
sy volle verstand/positiewe
sangom'a (n) tradisionele geneser, sangoma
sang'uine (a) vurig, hartstogtelik; hoopvol,
optimisties *also* **spir'ited; cheer'ful;** rooi
(veral gelaatskleur)
san'itary (a) sanitêr, gesondheids=; **~ inspec'tor**
gesondheid(s)inspekteur *also* **health' inspec'=**
tor; ~ ware sanitêre ware
sanita'tion (n) sanitasie; higiëniese versorging;
suiwering *see* **purifica'tion**
san'ity (n) verstandigheid *also* **good sense;**
geestesgesondheid; gematigheid
San'ta Claus Sinterklaas; Kersvader
sap[1] (n) sap, sop, vog; lewenskrag; (v) tap;
verswak; **~ energy** kragte ondermyn
sap[2] (n) loopgraaf, ingrawing; ondermyning; (v)
loopgrawe maak; ondermyn; **~per** (n) sappeur,
geniesoldaat; (pl) genietroepe, sappeurs
sap'ling jong boompie
sapon'ify (v) verseep; **sap'onite** (n) seepsteen
sapph'ire saffier (edelsteen); **~ wed'ding** (45
years married) saffierbruilof
sa'raband(e) sarabande (outydse dans; musiek=
vorm)
sar'casm (n) sarkasme; bitsigheid
sarcas'tic sarkasties, spottend, bytend *also* **deri'=**
sive, sardon'ic
sarco'phagus (n) sarkofaag, marmerdoodkis
sardine' sardien(tjie) *ook* **sardyn'; ~ run** sar=
dientjieloop, sardynloop

sardon'ic sardonies, bitter, sinies *also* **cyn'ical; ~ hu'mour** galgehumor; ~ **laugh** grynslag

sarong' sarong (Maleise (huis)kleed)

sarsaparill'a sarsaparilla (sweetmedikasie)

sartor'ial (a) klere=; kleremakers=

sash[1] (n) lyfband, serp

sash[2] (n) raam; ~ **win'dow** skuifraam

Sa'tan Satan; die duiwel; **~ism** duiwelsaanbidding, Satanisme

satan'ic satanies, duiwels *also* **diabol'ic(al)**

satch'el boeksak, skooltas; toksak; handsakkie

sateen' wolsatyn, satinet

sat'ellite (n) satelliet; volgeling, naloper; trawant (persoon); ~ **dish** satellietskottel; ~ **TV** satelliet-TV

sa'tiate (v) ooreet, oorlaai *also* **glut, gorge; ~d** (a) oorversadig, dikgeëet

sat'in (n) satyn; ~ **fin'ish** satynglans

sat'ire (n) satire, spotskrif, hekelskrif *also* **sar'casm, rid'icule**

satir'ical satiries, bitsig, smalend *also* **bi'ting, mock'ing**

sat'irise (v) hekel, bespot

sat'irist hekeldigter, satiris (persoon)

satisfac'tion (n) voldoening, bevrediging, satisfaksie; vergoeding, betaling

satisfac'tory (a) bevredigend; voldoende, toereikend, genoegsaam *also* **ad'equate**

sat'isfied (a) tevrede; versadig; bevredig; ~ **with** tevrede met; daarvan oortuig

sat'isfy (v) bevredig; voldoen aan; versadig; gerusstel; ~ **the examiners** slaag; ~ **oneself** jou oortuig (van die feite); **~ing** bevredigend; vervullend; oortuigend *also* **convin'cing**

sat'rap (n) satraap, goewerneur, onderheerser (in antieke Persië); onderdrukker, despoot

sat'urate (v) deurweek, deurtrek *also* **soak, drench;** versadig; **~d** deurtrek, deurweek *also* **soa'ked**

satura'tion versadiging; deurweking; ~ **point** versadiging(s)punt

Sat'urday Saterdag

saturna'lia (n, pl) drinkpartye, brasserye; losbandigheid

sat'yr (n) sater, faun, bosgod; wellusteling; **~ic drama** saterspel

sauce (n) sous; astrantheid, vrypostigheid; pikantheid; *hunger is the best* ~ honger is die beste kok; (v) sous; smaaklik maak; astrant wees; ~ **boat** souskom(metjie); **~pan** kastrol

sau'cer (n) piering

sau'cy (a) vrypostig, snipperig, bekkig *also* **im'pudent**

sauer'kraut (Germ.) suurkool

saun'ter (n) slentergang; (v) slenter, drentel, lanterfanter *also* **am'ble, mean'der**

sau'sage wors; sosys; ~ **roll** worsrolletjie

sav'age (n) barbaar; woestaard; (v) toetakel; verskeur; (a) wild, woes; barbaars *also* **barbar'ic, fero'cious**

savan'nah savanne, grasvlakte *also* **prai'rie; step'pe, pam'pa**

save[1] (v) red, verlos *also* **res'cue;** salig maa *also* **redeem';** spaar, bêre; behoed; bewaa (ook rekenaardata); ~ **one's face** jou aansie red; ~ **one's skin** jou bas red

save[2] (prep) behalwe; uitgesonder; (conj) tensy *the last* ~ *one* die voorlaaste *also: the las but/bar one*

sa'ving (n) besparing; redding; voorbehoud; (p spaargeld; (a) saligmakend *also* **redeem'in** reddend; spaarsaam; *his only* ~ *grace is. . .* di enigste goeie ding wat van hom gesê ka word, is. . .; (prep) behalwe, behoudens; ~ **clause** voorbehoud; ~ **grace** (uit)redding; ~ **account'** spaarrekening; **~s bank** spaarbank

Sa'viour[1] (n) Heiland, Saligmaker *also* **Re deem'er**

sa'viour[2] (n) redder (persoon) *also* **lib'erator**

sa'vour (n) smaak; geur; (v) proe; ruik; **~ine** geur; smaaklikheid; **~y** soutigheid, southappi (a) smaaklik, geurig, pikant *also* **ap'petisin; ~less** smaakloos, laf

sav'vy (slang) (n) begrip; (a) skrander *als* **quick-witted**

saw (n) saag; (v) saag; **~dust** saagsel; **~m** saagmeul(e); **~-pit** saagkuil

saxe blue saksiesblou

sax'ophone (n) saxofoon/saksofoon (musie instr.)

say (n) mening; bewering; *have a* ~ *in the matt* seggenskap/inspraak in die saak hê, meepraa (v) sê, vertel; beweer; *never* ~ *die* moen moed opgee nie; ~ **goodbye** groet, dags vaarwel toewens; ~ **grace** bid (voor ete tafelgebed doen; *to* ~ *the least of it* om dit s; te stel; *so to* ~ as 't ware

say'ing (n) gesegde, spreekwoord *also* **expre: sion, aph'orism, proverb;** *it goes without* dit spreek vanself; *as the* ~ *goes* soos d spreekwoord lui

scab (n) roof; skurfte; brandsiek(te); onderkru per (by staking); skobbejak, vuilgoed (pe soon)

scab'bard (n) skede *also* **sheath** (of a swor dagger)

scab'by brandsiek=; skurf

sca'bies (n) skurfte, jeuksiekte, lekkerjeuk

scaf'fold (n) steier; skavot (vir teregstelling hist.); **~ing** steierwerk, stellasie

scald (n) skroeiwond, brandplek; (v) skro brand; opkook; uitkook

scale[1] (n) skaal; toonleer (mus.); maatstaf; v houding, proporsie; *on a large* ~ grootskaa grootskeeps; (v) opklim, bestyg; ~ **dov** afskaal; verklein; ~ *a wall* oor 'n muur klim

ale[2] (n) skub (vis); skilfer; dopluis; aanpaksel; (v) afskilfer; skubbe afkrap

ale[3] (n) weegskaal; trekskaal(tjie); *pair of ~s* (weeg)skaal; *tip/turn the ~* die deurslag gee; (v) weeg; hang (aan trekskaal)

al'lop (n) kammossel; skulpwerk; (v) uitskulp; *~ed edge* skulprand

al'lywag (n) vabond, bedrieër, skelm *also* **scoun'drel, ro'gue, bas'tard**

alp (n) skedel; kopvel; (v) skalpeer; kwaai kritiseer; **~ hun'ter** trofeejagter (Indiane, hist.)

al'pel (n) ontleedmes, skalpel (vir chirurgie)

al'y skubberig; skilferig *also* **fla'ky**

am (n) bedrog(spul), skelmstreek, swendelary *also* **swin'dle; shady deal**

am'per (n) haastige draf; (v) weghol, vlug; die hasepad kies

an (n) tasting, skandering; (v) (af)tas, skandeer; vluglees, glylees ('n boek); **brain ~** breintasting, breinskandering

an'ner (n) (af)taster, skandeerder; **la'ser ~** lasertaster

an'ning (n) (af)tasting, skandering

an'dal (n) skandaal, skande; laster, skindery; **~ise** (be)laster, beledig; aanstoot gee, ergernis verwek; **~mon'ger** skinderbek, kwaadspreker; **~ous** skandelik, skandalig *also* **disgrace'ful, outra'geous**

andina'via Skandinawië (streek); **~n** (n) Skandinawiër (persoon); (a) Skandinawies (gebruike, ens.)

an'sion (n) skandering (poësie)

ant (v) inkrimp; verminder; (a) skraal, karig, armoedig; *with ~ success* met weinig sukses; *~ily dressed* skamel gekleed; *~ of breath* kortasem

ant'y (a) karig, skraal, skraps; **~ in'fo(rma= tion)** karige inligting; **~-pan'ty** amperbroekie, minabroekie, sjoebroekie

ape'goat (n) sondebok; skuldlose mens *also* **whip'ping boy**

ar (n) litteken; kwesplek; (v) skram; toegaan (seer); littekens vorm

ar'ab (n) miskruier *also* **dung beet'le;** kewer; karabee (juweel)

ar'amouch grootprater, bluffer *also* **boas'ter, brag'gart**

rce (a) skaars, skraps; seldsaam; *make oneself ~* sorg dat jy wegkom; **~ly** nouliks, kwalik, ernouernood *also* **bare'ly**

r'city (n) skaarsheid, skrapsheid; gebrek

re (n) paniek, vrees, skrik; (v) skrikmaak; afskrik; *~ away* wegjaag; **~d** (a) bang, bevrees; *~d stiff* lamgeskrik; **~crow** voëlverskrikker; elikerd; **~mon'ger** alarmis; onrussaaier; **~mon'gering** paniekstokery; **scary** skrikaan= aend; bangerig

scarf[1] (n) serp, halsdoek *see* **shawl; ~ pin** das= speld

scarf[2] (n) (lip)las, naat; (v) las, saamvoeg

scarlati'na skarlakenkoors, rooivonk *also* **scar'= let fe'ver**

scar'let (n) skarlaken, skarlakenrooi; (a) skarla= kenrooi; **~ fe'ver** skarlakenkoors

scathe (n) letsel; *without ~* ongedeer(d); (v) benadeel, beskadig, beseer; **sca'thing** (a) snydend, vernietigend, verpletterend (kritiek); *a scathing report* 'n verdoemende verslag; **~less** ongedeer(d) *also* **unharm'ed**

scat'ter (v) verstrooi, versprei; uitstrooi *also* **diffuse'; dissem'inate;** wegspat; verdryf; **~brain** warkop (persoon) *also* **mad'cap; ~brained** deurmekaar, verwar(d); **~ cush'ion** los kussing, sierkussing

scav'enge (v) afval deursoek (vir iets van nut/ waarde); opruim; skoonmaak; **~r** afval(deur)= soeker (persoon); aasvoël; aasdier; **~r bee'tle** miskruier *also* **dung' beetle**

scena'rio (n) draaiboek, filmteks *also* **sto'ryline;** toekomsbeeld, toekomsblik; scenario

scene (n) toneel (in drama); tafereel; skouspel; *behind the ~s* agter die skerms; *don't make a ~* moenie 'n moles maak nie; *it is not my ~* dis nie iets waarvan ek hou nie; *quit the ~* van die toneel verdwyn; **~ pain'ter** dekorskilder, toneelskilder; **~ry** natuurskoon, landskap; toneeldekorasie, dekor

sce'nic toneel=; skilderagtig; **~ beau'ty** natuur= skoon; **~ drive/road** uitsigpad; **~/sight-seeing drive** sigrit

scent (n) geur, reuk *also* **aro'ma, fra'grance;** reukwater, laventel *also* **per'fume;** *follow the ~* die spoor volg; *on the right ~* op die regte spoor; (v) ruik; parfumeer; vermoed; ontdek *also* **discov'er; ~ spray** parfuumspuit= jie

scep'tic (n) twyfelaar, skeptikus (persoon) *also* **disbelie'ver;** (a) skepties, ongelowig; **~ism** twyfelsug, skepsis, skeptisisme

scep'tre septer, staf; *wield the ~* die septer swaai (baas speel, heers)

Scha'denfreude (Germ.) leedvermaak *also* **mali'cious plea'sure**

sched'ule (n) lys, skedule, opgawe; inventaris, staat; tabel; (v) lys; skeduleer; inventariseer; **~d flight** roostervlug, diensvlug

scheme (n) skema; plan; ontwerp; skets; oog= merk; (v) ontwerp; planne maak; konkel, knoei; **~r** plan(ne)maker; konkelaar, knoeier

schem'ing (n) gekonkel, geknoei, intrige; (a) agterbaks, slu, geslepe *also* **cun'ning**

schism skeuring, verdeeldheid, tweespalt *also* **breach, rift, split**

schol'ar (n) geleerde; akademikus; vakkundige; leerling, skolier; beurshouer; **~ly** geleerd, (vak)kundig; ~ **patrol'** skolierpatrollie; ~**ship** studiebeurs *also* **bur'sary;** geleerdheid

scholas'tic (a) skolasties; akademies *also* **academ'ic; learn'ed;** pedanties; skools

school[1] (n) skool; oefenskool, leerskool; skool=gebou; *after* ~ na skooltyd; *at* ~ op skool; *attend* ~ 'n skool besoek; *dual-medium* ~ dubbelmediumskool; ~ *of (fine) art* kunsskool; ~ *of thought* denkrigting; *keep after* ~ laat skoolsit; (v) onderwys, leer, onderrig, oplei; ~/ *train s.o.* iem. oplei/geskoold maak *also* **ed'ucate, train**

school[2] (n) skool (visse); ~ *of fish* skool visse; (v) skole vorm (visse)

school: ~ **atten'dance** skoolbesoek; ~**atten'dance officer** skoolbesoekbeampte, lammervanger (skerts.); ~ **bazaar'** skoolkermis; ~ **board** skoolraad; ~ **book** skoolboek; ~**boy** skoolseun *also* **learn'er;** ~ **for the deaf** doweskool; ~**girl** skooldogter *also* **learn'er;** ~ **gov'erning body** skoolbeheerraad; ~ **hol'iday(s)** skoolvakansie; ~**ing** opvoeding; onderrig; skoling; ~ **inspec'tor** skoolinspekteur; ~**lea'ver** skoolverlater; ~ **li'brary** skoolbibliotek; mediasentrum *also* **me'dia centre;** ~**magazine'** skoolblad; ~**mas'=ter** skoolmeester, onderwyser; **med'ical** ~ mediese skool; ~ **of man'agement** bestuur=skool, sakeskool; ~ **prin'cipal** skoolhoof, hoofonderwyser; ~**tea'cher** onderwyser, op=voeder

schoon'er skoener (seilskip)

sciat'ic (a) heup=; ~**a** (n) heupjig

sci'ence (n) natuurwetenskap; wetenskap; ~ **fic'tion** wetenskapfiksie

scientif'ic wetenskaplik

sci'entist wetenskaplike (persoon)

scim'itar (n) kromswaard

scin'tillate (v) vonkel, flikker, sprankel *also* **daz'zle**

scin'tillating (a) glinsterend, sprankelend, prik=kelend *also* **glit'tering, spark'ling; stim'=ulating**

sci'on (n) spruit, loot; kind, telg, afstammeling (van 'n familie)

scis'sors skêr; *pair of* ~ skêr; ~ **mo'vement** skêrbeweging (rugby, sokker, hokkie)

sclero'sis (sieklike) verharding (med.), sklerose

scoff[1] (coll.) (n) eetgoed, kos; (v) haastig eet/kou

scoff[2] (v) spot, skimp *also* **rid'icule;** ~ *at* bespot, afkraak; ~**er** spotter; ~**ing** spottend, smalend

scold (n) feeks; rissie; neulpot; (v) uittrap; berispe, bestraf; ~**ing** (n) uitbrander, berisping; (a) berispend; *get a* ~*ing* raas kry, uitgetrap raak

scone (n) skon, botterbroodjie

scoop (n) potlepel, skeplepel; skop, skepper; wins; gelukslag, meevaller; trefferberig, scoop (joern.); *make a big* ~ 'n groot slag slaan; (v)

uitskep; uithol *also* **ex'cavate;** 'n slag slaan wins maak; eerste met 'n berig/nuus wee (koerant); ~ **wheel** skeprat

scoot'er (n) bromponie; skopfiets

scope (n) gesigskring, beweegruimte *also* **lat'= itude;** trefwydte; speling; skoop (med.); *giv s.o. ample* ~ iem. vrye spel gee; *beyond the of* buite die bestek van

scorch (v) brand, skroei *also* **blis'ter;** verseng blaak; ~**ed earth** versengde/verskroeid aarde; ~**er** doodhou; kishou (sport); pragstu (meisie) *also* **stun'ner;** ~**ing** snikheet, bloedi warm; skroeiend, versengend (hitte) *als* **swel'tering**

score (n) (punte)telling; kerf; rekening; twintig tal; skraap, merk; partituur (mus.); *keep the* telling/aantekening hou; *rake up old* ~*s* c koeie uit die sloot haal; (v) tel, telling ho inkerf; aanteken; sukses hê; 'n doel aanteke punte behaal; skram; onderstreep; ~ *a great h* groot sukses behaal; ~ *a try* 'n drie dru (rugby); ~**board** telbord; punteleer; ~**car** telkaart; ~**r** teller; puntemaker (sport); te linghouer (sport)

scorn (n) veragting *also* **contempt';** hoon; *put* ~ beskaam; (v) verag, versmaad/versma hoon; ~**ful** veragtend *also* **deris'ive, sca'thin**

scorp'ion (n) skerpioen

Scotch[1] (n) (Skotse) whisky; (a) Skots (gebruik ens.) *also* **Scot'fish**

scotch[2] (n) kerf; keep; wig; (v) kerf, sny, ke maak; onskadelik maak; verydel, blokkee ~**cart** skotskar; ~**light** glimstrook, glimplaat

scot-free (a) skotvry, ongestraf; ongedeer heelhuids

Scot'land Skotland; **Scots'man** (n) Skot, Skot man *also* **Scotch'man; Scot'tish** (a) Skc (gebruike, ens.)

scoun'drel (n) skelm, skurk, boef, blikser vreksel (persoon) *also* **ras'cal, rogue**

scour[1] (n) afskuring; ~**s** buikloop, diarree; (skuur, vryf/vrywe

scour[2] (v) rondsoek; fynkam; ~ *the area* d omgewing fynkam; ~ *the coasts* langs d kuste vaar; ~ *the seas* die oseane deurkruis

scourge (n) gesel; plaag; (v) kasty, striem, teis

scout (n) spioen, verkenner; padvinder (B= Scout); (v) spioeneer, verken, verspied

scout'master troepleier, padvinderleier (B= Scouts)

scowl (n) suur gesig; frons *also* **dir'ty/bla look;** (v) suur kyk, frons *also* **glo'wer**

Scrab'ble[1] (trademark) (n) Scrabble, krabb (woordspeletjie)

scrab'ble[2] (n) gekrabbel, gekrap; (v) krabbel

scrag (n) maer/skraal mens of dier; skarmink (v) nek omdraai; (a) maer, brandmaer; ~ dun, rietskraal, (brand)maer; verpot

cram (slang) (v) trap; (interj) trap!; siejy!; skoert!; voertsek

cram'ble (n) gewoel; gestoei; (v) klouter; woel; grabbel; huts (syfers/vrae deurmekaar maak); ~ *for* oormekaarval vir; **~d eggs** roereiers; **~d mes'sage** warboodskap; **~r** veldfiets

cram'bling veldrenne *see* **kar'ting**

crap[1] (n) brok, stuk; oorskot, afval, skroot; knipsel (uit koerant); (pl) afvalstukkies, uit= skot; *on the ~heap* weggesmyt as uitskot; afgeskryf *also* **ditched', discar'ded**; *not care a ~* geen flenter omgee nie; (v) skrap; weggooi; sloop, aftakel

crap'dealer (n) skroothandelaar

crap[2] (n) bakleiery; vegtery *also* **brawl;** (v) baklei

crap'book (n) plakboek, knipselboek; kladboek

crape (n) gekrap; gekras; moeilikheid; *be in a ~* in die knyp/verknorsing sit; (v) skraap, kras; afvee (skoene); skuur; ~ *out* uithol, uitskraap; ~ *through* net deurglip; ~ *together* bymekaar= skraap; **~r** skraper, krapper; krapyster; skrop (vir grond); padskraper

crap'heap vullishoop, asgat; afvalhoop; stort= terrein *also* **dum'ping site**

crap: ~ i'ron afvalyster, skroot; **~ val'ue** oorskotwaarde, sloopwaarde; rommelwaarde; **~yard** skrootwerf, wrakwerf

ratch (n) krap, skraap, skram; wegspringlyn; streep; *start at ~* by nul/met niks begin; (v) krap, skraap, skrop (hoender); onttrek (sport); trek (vuurhoutjie); ~ *a horse* 'n perd onttrek (uit wedren); ~ *through* skrap, deurhaal, doodtrek; (a) deurmekaar, saamgeraap; *a ~/haphazard team* 'n raap-en-skraap-span; *up to ~/standard* aanvaarbaar *also* **ad'equate, accept'able;** **~y** krapperig; krassend

rawl (n) slordige skrif, gekrap; (v) slordig skrywe, krabbel *also* **scribble'**

ream (n) skree(u), gil; *a perfect ~* iets om jou oor slap te lag; skree(u)snaaks; (v) skreeu, gil; ~ *with laughter* skater v.d. lag; **~er** blitsbal (sport)

ream'ing (n) geskreeu, geraas; (a) skreeuend; rasend; *~ly funny* vreeslik snaaks

reech (n) gekras, gekrys; gil; (v) kras, krys; gil; ~ *owl* steenuil, naguil

reed (n) langdradige toespraak; jeremiade; deklaag, sementblad; (v) afvlak

reen (n) skerm (ook v. rekenaarmonitor); doek; silwerdoek; raster (drukkery); voorruit (motor); sif; *throw on the ~* op die skerm gooi; (v) beskerm, beskut; bedek *also* **conceal';** sif; vertoon; ~ *off* afskort

rew (n) skroef; vrek (persoon); ou knol, armsalige perd; loon, salaris; *there is a ~ loose* daar is iets nie pluis nie; (v) vasskroef; druk; afpers *also* **extort';** ~ *up courage* moed

vat/skep; **~dri'ver** skroewedraaier; ~ **jack** domkrag; ~ **nut** moer; ~ **propel'ler** skroef (v. vliegtuig); **~-up** knoeispul

scrib'ble (n) gekrap, gekrabbel; (v) krap, krabbel *also* **scrawl; ~r** kladboek, kladskrif

scrib'bling gekrabbel; ~ **pad** kladblok

scribe (n) skrywer; skriba (kerk); skrifgeleerde (Bybel); kopieerder van vroeë handskriftekste

scrim'mage (woeste/deurmekaar) worsteling; skermutseling; gestoei

scrim'py suinig, vrekkerig *also* **stin'gy, mean**

scrip (n) bewys; aandeelsertifikaat, skrip

script (n) geskrif; manuskrip; draaiboek (film); antwoordskrif (eksamen); skryfletter, kalligra= fie; **~ural** skriftuurlik; **~ure** 'n heilige geskrif; skriftuur; **(Holy) Scrip'tures** Heilige Skrif, die Bybel

scrof'ula kliersiekte, klierswelling

scroll (n) rol; lys; krul; (v) (op)rol, opkrul; met krulle versier; ~ **bar** rolstaaf (rek.); ~ **saw** figuursaag *also* **fret'saw**

scrot'um (n) skrotum; teelsak

scrounge (v) rondbedel, aas; skaai; **~r** gapser; klaploper (persoon) *also* **spon'ger, cad'ger**

scrub (n) ruigte, struikgewas, kreupelhout; bossies; fynbos; borsel; sukkelaar; (v) skrop, skuur; swoeg; **~bing board** wasplank; **~bing brush** skropborsel; **~by** klein; ruig; **~catt'le** prulbeeste; ~ **veld** bossiesveld, struikveld

scruff (n) nekvel; *take by the ~ of the neck* agter die nek beetkry

scrum (n) skrum (rugby) *also* **~mage;** worste= ling; (v) skrum; ~ **half** skrumskakel

scru'ple (n) beswaar; gewetensbeswaar; *have ~s about* gewetensbeswarè hê oor; *a man without ~s* 'n gewetenlose persoon; (v) beswaar maak

scru'pulous (a) nougeset, sorgvuldig, noukeurig *also* **metic'ulous; ~ly clean** uiters skoon, silwerskoon

scrutineer' (n) stemopnemer (by verkiesing)

scru'tinise (v) noukeurig bestudeer/bekyk *see* **probe**

scru'tiny (n) noukeurige ondersoek, bestudering

scu'ba skuba; waterlong; ~ **di'ver** skubaduiker

scuf'fle (n) stoeiery, skermutseling; handgemeen *also* **brawl;** (v) skermutsel *also* **tuss'le**

scull (n) (ligte) roeispaan; (v) (skif)roei

scul'lery (n) opwasplek, bykombuis, opwaska= mer

sculp'tor (n) beeldhouer

sculp'ture (n) beeldhouwerk; beeldhoukuns; (v) beeldhou

scum (n) skuim; afval; uitvaagsel, gepeupel *also* **riff'-raff', rab'ble;** (v) afskuim; **~mer** skuim= spaan(tjie)

scup'per(hole) spuigat; skuiwergat *also* **drain'= hole**

scurf (n) roof; skurfte; aanpaksel; skilfers; kors

scur'rilous (a) laag, gemeen, vuil, vulgêr *also* **foul-mouth'ed, nas'ty, abu'sive**

scur'ry (n) haas; gejaag; (v) weghol *also* **dart (away)**

scur'vy (n) skeurbuik (siekte, hist.); (a) gemeen, laag *see* **scur'rilous;** *a ~ trick* 'n gemene poets

scut'cheon/escut'cheon (n) (wapen)skild; wa= penbord

scut'tle[1] (n) steenkoolbak, kole-emmer

scut'tle[2] (n) luik; valdeur; (v) self laat ver= gaan/sink (skip)

scut'tle[3] (v) vlug, weghardloop *also* **hast'en/ hur'ry away'**

scut'tleport patryspoort (skip) *also* **port'hole, cab'in win'dow**

scythe (n) sens, seis

sea (n) see; oseaan; golwe, deining; *be at ~* die kluts kwyt wees; dwaal; *on the high ~s* op die oop see; ~ **anem'one** see-anemoon; ~ **breeze** seebries, seewind; ~ **cap'tain** skeepskaptein; **~coast** seekus; **~dog** (ou) seerob (persoon); **~fa'rer** seevaarder; ~ **fight** seeslag; **~front** strandfront, waterkant; **~weed** seewier; **~gull** seemeeu; ~ **hawk** visarend; ~ **horse** seeperdjie

seal[1] (n) rob, seehond; ~ **col'ony/rook'ery** rob(be)kolonie; **~skin** robbevel

seal[2] (n) seël, stempel; lak; *put one's ~ to* goedkeur; (v) beseël, verseël, toelak; **~ed or'ders** verseëlde instruksies/opdrag

sea level (n) seespieël, seevlak

seal'ing wax (n) (seël)lak; deklaag

sea lion seeleeu (robsoort)

seal ring seëlring

seam (n) soom, naat; (v) aanmekaarstik; om= soom

sea'man seeman, matroos; seevaarder; **able ~** bevare seeman; **~ship** seevaartkunde

seam: ~ **bow'ler** naatbouler (krieket); **~less** naatloos; **~stress** naaldwerkster, klerewerkster

sé'ance/se'ance (n) séance (spiritistevergade= ring)

sea: ~ **nymph** seenimf; **~plane** seevliegtuig; **~port** seehawe; ~ **po'wer** seemoondheid

sear (v) brand, (ver)skroei *also* **scorch;** (a) droog, dor; **~ing** kwaai, fel, hewig

search (n) soek(tog); deursoeking; ondersoek; (v) soek; deursoek; peil *also* **probe;** *~ for* soek na; **~ing** (a) deurdringend *also* **pen'etrating, pro'bing;** skerp; ~ **en'gine** soekprogram (rek., internet); **~light** soeklig *see* **flood'light;** ~ **par'ty** soekgeselskap, soekspan; ~ **war'rant** lasbrief (vir visentering)

sea: ~ **rob'ber** seerower *also* **pi'rate;** ~ **ser'pent** seeslang; **~shell** seeskulp; **~shore** seekus; **~sick** seesiek; **~side** strand; **~side resort'** strandoord

seas'on (n) seisoen, jaargety; speelvak (teater); *the dead/dull ~* die komkommertyd (vir

koerante); *in ~* gedurende die seisoen; seiso= naal; *out of ~* buite seisoen; *the ~s* d jaargetye; (v) smaaklik maak; belê (hou toeberei; matig; **~able** geskik; geleë; ~ seisoenaal; **~al gree'tings** Kers- en Nuw jaarsgroete; **~ed** (a) gekrui; beleë; ervar deurwinter (joernalis, reisiger, diplomaat **~ing** toebereiding; kruie, smaakmiddel *al* **fla'vouring;** ~ **tick'et** seisoenkaartjie

seat (n) sitplek; setel; sitting; sitvlak, boom (v broek); landgoed; *keep one's ~* bly sit; *take a* gaan sit; *take one's ~* jou plek inneem; *the ~* *war* die oorlogstoneel; (v) sit, plaas nee plek aanwys; mat (stoel); ~ **belt** sitplekgord sitgord, redgordel

sec'ateur (n) snoeiskêr; tuinskêr

secede' (v) afskei *also: split from;* terugtrek

seces'sion (n) afskeiding, afstigting, sesess terugtrekking

seclude' (v) uitsluit; afsonder; **~d** (a) afgeso der(d), afgeleë *also* **remote', i'solated**

seclu'sion (n) afsondering *also* **sol'itude;** u sluiting

sec'ond (n) sekonde (tyd); tweede; tweede ste (sang); ~ *in command* tweede in bevel; (sekondeer, ondersteun ('n voorstel); sekonde (na ander plek/pos); ~ *a motion* 'n voc stel/mosie sekondeer; (a) tweede; ~ *best* een na die beste; naasbeste; ~ *cousin* klei neef; *every ~ day* al om die ander dag; *~ flo* tweede vloer/vlak; *~ from left* naaslinks

sec'ondary (n) ondergeskikte; (a) sekond ondergeskik *also* **subor'dinate;** ~ **sch** sekondêre skool

sec'ond class tweede klas; **second-class** tweedeklas, tweederangs *also* **me'diocre**

sec'onder (n) sekondant (op vergadering)

sec'ond: ~ **hand** (n) sekondewyser (horlosi **~-hand** (a) tweedehands; halfslyt; **~ly** twe dens; **~-rate** tweederangs; minderwaardig *a* **infe'rior**

se'crecy geheimhouding; heimlikheid; verb genheid; *in ~* in die geheim; *he was sworn t* hy het 'n eed van geheimhouding afgelê/g sweer om sy mond te hou

se'cret (n) geheim; *in ~* in die geheim; *keep* 'n geheim bewaar; *let out a ~* 'n gehe verklap; *an open ~* 'n ope/openbare gehei (a) geheim, heimlik, bedek, verborge; *keep thing ~* iets geheim hou *also: keep mum abc* ~ *admirer* geheime/stille bewonderaar

secreta'rial (a) sekretaris=, sekretarieel; ~ **p** sekretariële betrekking

secreta'riat (n) sekretariaat; sekretarisskap

sec'retary (n) sekretaris; **pri'vate** ~ priv sekretaris; privaat sekretaresse, sekretares ~ **bird** sekretarisvoël; **~-gen'eral** sekretar generaal

'crete' (v) afskei; wegsteek, afsonder

cre'tion (n) afskeiding; afsondering; verber=
ging

c'retive (a) geslote, geheimhoudend *also* **ret'=
icent, withdrawn'**

c'ret: **~ly** in die geheim, stilletjies; **~ ser'vice**
geheime diens; **~ sin** verborge sonde

ct (n) sekte; **~ar'ian** (n) aanhanger van 'n
sekte; (a) sektaries *also* **fac'tional**

c'tion (n) afdeling, seksie; wetsartikel; groep;
horizontal **~** horisontale deursnee; *transverse*
~ dwars deursnee; **~al** plaaslik; seksioneel;
deursnee=; ingedeel; **~al interests** groepbe=
lange; **~al ti'tle** deeltitel

c'tor (n) sektor; **pri'vate ~** privaat sektor;
pub'lic ~ openbare sektor, owerheidsektor

c'ular (a) wêreldlik, sekulêr, stoflik *also*
world'ly, mundane'; **~isa'tion** sekularisasie/
sekularisering; verwêreldliking; **~ise** verwê=
reldlik; **~ po'wer** wêreldlike mag; **~ school**
staatskool (teenoor kerkskool)

cure' (v) verseker; beveilig; vasmaak; verkry,
bereik; (a) veilig *also* **safe;** seker, wellig,
stellig; **~d by a bond** gedek deur 'n verband

cu'rity (n) veiligheid, sekuriteit, beveiliging,
sekerheid; geborgenheid; waarborg, pand;
obligasie; (pl) aandele, effekte, obligasies; *in*
~ for as borg vir; **collat'eral ~** aanvullende/
kollaterale sekuriteit; **so'cial ~** bestaansbevei=
liging; sosiale sekerheid; **~ clea'rance** seker=
heid(s)klaring; **S~ Coun'cil** Veiligheidsraad
(VN); **~ gate** veiligheid(s)hek; **~ guard**
sekerheidswag, veiligheidswag; **~ poli'ce** vei=
ligheidspolisie; **~ sys'tem** sekuriteitstelsel

dan' (n) sedan, toemotor; draagstoel

date' (a) kalm, besadig, bedaard *also* **calm,**
plac'id, compo'sed

d'ative (n) susmiddel, kalmeermiddel *also*
tran'quilliser; (a) kalmerend

d'entary sittend; **~ life** onaktiewe/passiewe
lewe *also* **desk-bound life**

dge watergras, matjiesgoed

d'iment (n) besinksel, afsaksel, moer, sedi=
ment; **~ary** (a) sedimentêr, afsettings=

di'tion (n) opruiing, opstand, sedisie, aanhit=
sing

di'tious (a) oproerig, opstandig *also* **subver'=
sive, mu'tinous**

duce' (v) verlei, verlok *also* **dishon'our;** **~r**
verleier

duc'tion (n) verleiding, seduksie

duc'tive (a) verleidelik, verlokkend, aanloklik
also **bewit'ching, temp'ting**

ɛ (v) sien, kyk; besoek, kuier; begryp; besef;
ɔppas; raadpleeg; **~ a doctor** 'n dokter
sien/raadpleeg; **~ s.o. about a matter** iem.
ɔor 'n saak/aangeleentheid spreek/sien; **~ s.o.**
home iem. huis toe neem/bring; *I* **~** ek

verstaan/begryp; *let me* **~** laat ek eers dink;
~ the manager die bestuurder spreek/sien; **~**
s.o. off iem. wegsien/afsien; iem. weg=
bring/begelei; **~ the sights** die besienswaar=
dighede sien; **~ to it** sorg daarvoor; toesien dat

seed (n) saad/saat *also see* **se'men, sper'ma;**
nakomelingskap, afstammelinge; (v) saad=
skiet; saai; keur (sport); *run/go to* **~** saadskiet;
the first **~** die eerste gekeurde (speler); **~ed**
player gekeurde speler; **~bed** saadakkertjie; **~**
leaf kiemblad; **~ling** saailing; **~ pota'to**
aartappelmoer; **~ mer'chant** saadhandelaar;
~y armoedig *also* **tat'ty;** olik, oes, siekerig,
kroes *also* **run-down, un'well**

see'ing (n) gesigsvermoë; (die) sien; (conj)
aangesien, omdat *also* **since;** **~ he is handi-**
capped aangesien hy gestrem is; *worth* **~**
(be)sienswaardig; **~ eye** loerkyker(tjie) *also*
door'scope; **~-eye dog** gidshond (vir blindes)

seek (v) soek; probeer; begeer; beoog; **~ advice**
raad vra; **~ a quarrel** rusie/moles soek; **~ the**
truth die waarheid nastreef; **~r** soeker

seem (v) lyk, skyn; daar uitsien; *he* **~s to be tired**
hy lyk nogal moeg; **~ing** skynbaar, oënskyn=
lik; **~ly** (a) betaamlik, gepas *also* **prop'er,**
appro'priate, becom'ing; **~ingly** (adv) skyn=
baar, oënskynlik

seep (v) (deur)syfer, sypel; **~ away** wegsyfer/
wegsypel (water); kwyn (kragte)

se'er (n) siener, profeet (persoon)

seesaw (n) wip(plank); (v) wip, wipplank ry

seethe (v) kook, borrel, sied

seeth'ing kokend, siedend *also* **fu'rious, fu'ming;**
~ with rage briesend, smoorkwaad

see-through: **~ blouse** deurskynbloes(e)

seg'ment gedeelte, segment; stuk

seg'regate (v) afsonder, afskei, segregeer

segrega'tion (n) afsondering, afskeiding, segre=
gasie *also* **separa'tion**

seine (n) sleepnet, treknet (visvangs)

seis'mic (a): **~ shock** aardskok, aardbewing

seis'mograph seismograaf (apparaat vir opteken
van aardskokke)

seismol'ogy seismologie, aardbewingsleer

seize (v) gryp; vasvat; beslag lê op, konfiskeer;
beset (grondgebied); vasbind; vasbrand (ma=
sjien); *be* **~d with fear/panic** deur vrees
aangegryp

sei'zure (n) inbesitneming, beslaglegging *also*
confisca'tion; bevangenheid (dier); toeval,
stuipe (ongesteldheid) *also* **convul'sion, fit;**
~ of assets beslaglegging van bates, batebe=
slaglegging

sel'dom selde, min

select' (v) uitkies, keur, uitsoek; (a) uitgekies;
keurig; vernaam *also* **exclu'sive, eli'te;** **~**
audience uitgelese gehoor; **~ commit'tee**
gekose komitee; **~ion** keuse, keur; keuring,

seleksie; keurspel; versameling; **~ion board** keurraad; **~ive** selektief; uitsoekerig, kieskeu= rig; *~ive reporting* selektiewe beriggewing; **~or** keurder (sport); selektor (tegn.)

self (n) **selves** self, eie ek; ekheid; *love of ~* eieliefde; *my other ~* my tweede ek *also: my alter ego;* **~absorb'ed** selfbehep, selfgerig; **~adhe'sive la'bel** kleefetiket; **~asser'tion** selfaktualisering; **~ca'tering** selfsorg (vakan= sie-eenheid); **~cen'tred** egosentries, selfbehep; **~con'fidence** selfvertroue; **~con'scious** self= bewus; **~control** selfbeheersing; **~defen'ce** selfverdediging, noodweer; **~determina'tion** selfbeskikking; **~discipline** selfbeheer, selftug; **~employ'ed** in eie diens; **~enrich'ing** self= verrykend; **~esteem'** selfbeeld; **~ev'ident** klaarblyklik, vanselfsprekend; **~flat'tery** self= streling; **~help** eiehulp; **~im'age** selfbeeld *also* **self-esteem'**; **~indul'gence** selfbevreding, gemaksug; **~in'terest** eiebelang; **~ish** self= sugtig; **~love** eieliefde; **~made man** self= baner; outodidak; **~medica'tion** selfmedikasie; **~reli'ance** selfvertroue; **~respect'** selfrespek; **~restraint'** selfbeheersing; **~reproach(ing)** skaamkwaad; **~right'eous** selfgeregtig; **~sac'= rifice** selfopoffering; **~same** dieselfde; **~sat'= isfied** selfvoldaan; **~see'king** selfsugtig; **~ser'vice** selfbediening; *~service shop* self= dienwinkel; **~star'ter** aansitter; **~suffi'cient** selfgenoegsaam; **~suppor'ting** selfversorgend, selfonderhoudend; **~tap'ping screw** selfsny= skroef; **~ti'mer** selfsluiter, selfontspanner (fot.)

sell (v) verkoop, van die hand sit; bedrieg, kul; *~ by auction* laat opveil; *~ out* uitverkoop; **~er** verkoper

sel'vage/sel'vedge selfkant (weefstof)

seman'tics (n) betekenisleer, semantiek; *a mat= ter/question of ~* 'n kwessie van betekenis

sem'aphore seintoestel, semafoor

sem'blance skyn, voorkome; *put on a ~ of anger* maak of jy kwaad is

se'men (n) semen; sperma; saad

semes'ter semester, halfjaar (van jaarstudie)

sem'i half=; **~an'nual** halfjaarliks; **~bre've** heel= noot (mus.); **~cir'cle** halfsirkel; **~cir'cular** halfrond; **~co'lon** kommapunt (;); **~con'= scious** halfbewus; **~detached' house** skakel= huis; **~fi'nal** voorlaaste (wedstryd), half= eindwedstryd, halfeindrondte, semifinaal

sem'inal saad=, kiem=

sem'inar (n) kursus, werksessie, seminaar, slypskool *also* **work'shop**

sem'inary kweekskool, seminarie (vir teologiese opleiding)

semioffi'cial halfamptelik

sem'ipre'cious halfedel; *~ stone* halfedelsteen

sem'iqua'ver sestiende noot (mus.)

sem'irough sukkelveld (gholf)

sem'itrail'er leunwa (agter voorhaker) *s=* **artic'ulated ve'hicle**

Sen'ate Senaat; hoërhuis (van parlement) (VS= en ander lande; voorheen ook SA)

send (v) stuur, wegstuur, versend, afstuur, sen= *~ flying* laat spaander; *~ for* laat haal; *~ message* 'n boodskap stuur; *~ off* wegstuur; *on* aanstuur; *~ word* laat weet; **~er** versende= stuurder; afsender; **~off** (n) vaarwel, afskeid= fees *also* **going-away' par'ty**

se'nile (a) kinds, seniel; ouderdoms=

senil'ity ouderdomswakte, afgeleefdheid, senil= teit

se'nior (n) senior; (a) ouer, senior; oudst= hoogste; *~ cit'izen* senior burger; *~ part'n=* senior vennoot

senior'ity voorrang; senioriteit; hoër ouderdo= *also* **el'dership**

sensa'tion (n) gewaarwording, gevoel; opsku= ding; sensasie; *cause a ~* opskudding/o= spraak verwek/veroorsaak; **~al** (a) sens= sioneel, opspraakwekkend

sense (n) sintuig (orgaan); besef, gevoel; be= kenis; insig; begrip, verstand; *~ of humo=* humorsin; *in every ~* in elke opsig; *five ~s v=* sintuie; *~ of responsibility* verantwoordeli= heid(s)gevoel; *it doesn't make ~* dit het/ma= geen sin nie; (v) voel, gewaarword, bese= **common ~** gesonde verstand; **~less** bewus= loos; dwaas, sinloos *also* **cra'zy;** *~ or'ga=* sintuig

sensibil'ity fyngevoeligheid; ontvanklikheid

sen'sible (a) verstandig, wys, realisties *also* **wi= pru'dent**

sen'sitive (a) fyngevoelig, liggeraak; sensitief

sen'sory (a) gevoels=, sensories, sintuiglik

sen'sual (a) sin(ne)lik, vleeslik *also* **car'n=** wellustig; **~ist** wellusteling

sen'suous (a) sinstrelend *also* **plea'surab= grat'ifying**

sen'tence (n) sin; vonnis, uitspraak; *~ to dea=* ter dood veroordeel; (v) vonnis (oplê); v= oordeel; **sen'tencing** vonnisoplegging

sen'timent (n) gevoel; gewaarwording; ide= sentiment *also* **feel'ing**

sentimen'tal (a) oorgevoelig, sentimenteel; st= perig; **~ist** gevoelsmens

sen'tinel (n) *see* **sen'try**

sen'try (n) skildwag, brandwag; *~ box* (skil= waghuisie

sep'arable (a) skeibaar

sep'arate (v) skei; afsonder; verdeel; (a) afso= derlik, apart; *in a ~ envelope* afsonder= apart; *~ devel'opment* afsonderlike ontw= keling (beleid)

separa'tion skeiding; afsondering; **judi'cia=** skeiding tussen tafel en bed

sep'aratist (n) separatis, afgeskeidene (perso=

p'arator (n) afskeier; roomafskeier, romer

pe'di (n) Sepedi, Noord-Sotho (taal) *also* Seso'tho sa Lebo'a, Nor'thern So'tho

'pia sepia (kleur); sepiastuk; inkvis, seekat

ptang'ular sewehoekig

ptem'ber September

pte'nary (a) persoon in sy/haar sewentigerjare

p'tic (a) septies *also* infec'ted, tox'ic; verrot= tend; besmet; ~ tank septiese tenk

ptuagena'rian sewentigjarige (persoon)

pul'chral graf=; begrafnis=; ~ voice grafstem

'pulchre graf *also* bu'rial vault, tomb; grave; *whited* ~ witgepleisterde graf (huigelaar)

'quel (n) nasleep, nagevolge; uitvloeisel, resultaat *also* out'come; vervolg (verhaal, rolprent) *also* follow-up'

'quence (n) volgorde, opeenvolging, reeks; ooreenstemming; ~ *of tenses* ooreenstemming van tye (gram.); *logical* ~ logiese volgorde; ~/*succession of events* opeenvolging van gebeurtenisse

quen'tial volgend; voortvloeiend

q'uestrate (v) beslag lê op; sekwestreer (boedel); konfiskeer

questra'tion sekwestrasie; beslaglegging

quoi'a mammoetboom, sequoia

ra'glio vrouehuis, harem (Turkye, hist.)

r'aph serafyn, (hoogste) engel *also* cher'ub

r'enade (n) serenade; (v) serenadeer

rene' (a) kalm; helder; bedaard *also* tran'quil, sedate', calm

ren'ity kalmte; helderheid; gemoedsrus *also* compo'sure

rf lyfeiene (persoon); ~dom lyfeienskap (hist.)

rge sersje/serge, kamstof

r'geant sersant; ~-at-arms stafdraer *also* mace bea'rer; ~-ma'jor sersant-majoor

rial (n) vervolgverhaal; (a) periodiek; in afleweringe; ~ kil'ler reeksmoordenaar; ~ num'ber volgnommer, reeksnommer; ~ port seriepoort (rek.); ~ ra'pist reeksverkragter

ria'tim puntsgewys, agtereenvolgend

ries (n) serie, reeks *also* progres'sion, se'= quence

rious (a) ernstig; bedenklik (siektetoestand); plegtig; aansienlik; *quite* ~ in alle erns; ~ *attention* dringende aandag; ~ *situation/condi= tion* ernstige/kritieke/bedenklike toestand

~'mon (n) preek, predikasie; vermaning; straf= preek; S~ on the Mount Bergrede (Bybel); ~ise preek; sedelesse leer; vermaan

~'pent (n) slang, adder; *cherish a* ~ *in one's bosom* 'n adder aan jou bors koester; ~ char'mer slangbesweerder; ~ine slangagtig; kronkelend; slu

'rate getand, saagtandig; ~d *edge* getande rand

~'ried geslote, vas teen mekaar; ~ ranks aaneengeslote geledere

se'rum (n) serum, entstof

ser'val (n) tierboskat

ser'vant (n) bediende, huishulp *also* domes'tic; diensmeisie; dienaar, (diens)kneg; beampte, amptenaar; *your obedient* ~ u dienswillige dienaar (veroud.); domes'tic ~ huishulp, diensmeisie *see* maid; pub'lic ~ staatsampte= naar

serve (v) dien; bedien; baat; dek (diere); afslaan (tennis); uitdien (tronkstraf); beteken ('n dagvaarding); ~ *one's apprenticeship* jou leerskap doen; as vakleerling dien; ~ *a jail sentence* gevangenisstraf uitdien; *if my mem= ory* ~*s me right* as ek goed onthou; ~ *its purpose* aan sy doel beantwoord; ~*s him right!* dis sy verdiende loon!; ~ *summons on* dagvaarding bestel/beteken op/aan; ~ *up* opskep; ~r afslaner (tennis); dienaar; bediener (masjien; rekenaar); ~ry/ser'ving hatch dien= luik

ser'vice (n) diens; bediening; kerkdiens; ere= diens; nut; gereg; afslaan (tennis); diens, versiening (motor); stel, servies; *at your* ~ tot u diens; *I am having my car* ~*d* ek laat my kar/motor versien/diens; *in* ~ in (regerings)= diens; (v) bedien; dien; versorg, onderhou; diens, versien (motor); ~able diensbaar, dien= stig; ~ charge diensheffing; tafelgeld (restau= rant); ~d flat dienswoonstel; ~d stand dienserf; ~ provi'der diensverskaffer; ~ revol'ver diensrewolwer; ~ sta'tion motor= hawe, vulstasie

serviette' servet; *damp* ~ jammerlappie

ser'vile (a) (oor)gedienstig, onderdanig; slaafs, kruiperig

ser'ving (n) porsie, skep(pie) *also* hel'ping

ser'vitude (n) serwituut, beperking; diensbaar= heid; verslaafdheid; pe'nal ~ dwangarbeid

ses'ame (n) sesam (kruid)

ses'sion (n) sitting, sessie *also* assem'bly; ple'= nary ~ volle/voltallige sitting, volsessie

sestet' (n) sekstet (laaste 6 reëls van sonnet)

Seso'tho Sesotho, Suid-Sotho (taal) *also* South'= ern Sotho; ~ sa Lebo'a *see* Sepe'di

set (n) servies; stel (ook tennis); kliek (persone); span; toestel (radio, TV); (v) sit; bring; plaas; skik; aanhits; spalk (arm); aansit; afbyt; verhard (sement); koers rig op; rig; slyp (mes); aangee (toon); laat broei; dek (tafel); ondergaan (son); golf (hare); taan (roem); ~ *alight* aan die brand steek; ~ *aside* eenkant sit; tersyde stel (vonnis); ~ *at ease* gerusstel; ~ *an example* 'n voorbeeld stel; ~ *the fashion* die toon aangee; ~ *free* vrylaat; *jewels* ~ *in gold* juwele in goud gevat; ~ *one's heart on* begeer; ~ *a hen* 'n hen laat broei; ~ *a leg* 'n been spalk; ~ *off* verreken; ~ *out* orden; vertoon *also* arrange', display'; ~ *the pace* die pas

aangee; ~ *the table* die tafel dek; ~ *to work* aan
die werk spring; (a) styf, strak, vas, onver=
anderlik; vasbeslote; gereeld; voorgeskrewe; ~
book voorgeskrewe boek *also* **prescri'bed
book;** ~ *phrases* vaste uitdrukkings; ~ *purpose*
vaste voorneme; **~back** teenslag, teenspoed
also **mis'fortune;** ~ **men'u** vaste spyskaart;
~-off skuldvorrekening, skuldvergelyking; ~
point stelpunt (tennis)

Setswa'na Setswana, Tswana (taal) *also* **Tswa'=
na**

settee' (n) rusbank, sofa

set'ter (n) jaghond, setter

set'ting (n) setting; toonsetting (mus.); (toneel)=
dekor; verharding, verstywing; omlysting;
omgewing, agtergrond *also* **back'drop**

set'tle (v) vestig; vasstel; regmaak; vereffen;
koloniseer; gaan sit; stadig sink; bylê (twis); ~
an account 'n rekening vereffen; ~ *differences*
geskille uit die weg ruim/uitstryk; ~ *down*
bedaar; jou vestig (op 'n plek); ~ *the matter*
die saak/kwessie skik; ~ *a score* met iem.
afreken; **~d** vas; vasgestel; betaal; gevestig;
gereël; **~ment** skikking, vergelyk (in 'n
dispuut) *also* **agree'ment;** nedersetting; vesti=
ging; volksplanting; vereffening (van reke=
ning); **~ment plan** skikplan; **~r** kolonis,
nedersetter, setlaar

set'-to (n) bakleiery *also* **scuffle', brawl, scrap;**
woordetwis

sev'en sewe; **~th** *heaven* sewende hemel *also:
supreme bliss;* **~teen** sewentien; **~teenth**
sewentiende; **~th** sewende; **~tieth** sewentigste;
~ty sewentig; **~ty'four'** streepvis; **~-year itch**
lekkerjeuk, lekkerkrap

sev'er (v) skei; afsonder; skeur, afsny; ~
relations with die betrekkinge verbreek met

sev'eral (a) verskeie, verskillende *also* **respec'=
tive;** afsonderlike; etlike; eie; (pron) verskeie,
'n hele paar; ~ *others* baie/heelparty ander;
~ly (adv) afsonderlik

sev'erance (n) skeuring, afsondering, losmaking;
~ **pack'age** skeidingspakket, uittreepakket

severe' (a) streng *also* **strict; dour;** ernstig;
kwaai; *a ~ blow* 'n swaar slag; *leave ~ly alone*
heeltemal links laat lê; *a ~ winter* 'n strawwe
winter

sever'ity (n) felheid; hoë erns *also* **grav'ity**

sew (v) werk (met naald en gare), naai; ~ *on*
aanwerk; ~ *up* toewerk

sew'age rioolvuil, rioolwater

sew'er (n) riool/rioel *also* **drain; ~age** riool=
stelsel, riolering

sew'ing naaldwerk; ~ **machine'** naaimasjien

sex (n) geslag *also* **gen'der;** seks; *they had ~*
hulle het seks/(geslags)gemeenskap gehad;
kin'ky ~ kinkelseks *also* **twis'ty ~**

sexagena'rian persoon in sy/haar sestigerjare

sex' appeal sekstrek, geslagsaantrekking

sexang'ular seshoekig

sex: ~ **drive/urge'** geslagsdrang, seksdrang
libido; ~ **educa'tion** geslagsvoorligting, ge
slagsonderrig, seksopvoeding; **~ism** seksism
also **gen'der pre'judice; ~is'tic** seksisties;
kit'ten sekska(a)tjie; **~less** geslagloos; **~ol'
ogist** seks(u)oloog (persoon); **or'al** ~ oral
seks; ~ **stim'ulant** seksopkikker, liefdesdoepa
~ **sym'bol** sekssimbool

sex'tant sekstant, hoogtemeter

sex'ton koster *also* **bea'dle, ver'ger**

sex'tuple (v) versesvoudig; (a) sesvoudig

sex'ual geslags=, seksueel; ~ **abuse'** seksuel
mishandeling/misdryf; **~ity** seksualiteit, ge
slagsdrif; ~ **harass'ment/intimida'tion** sek
suele teistering/intimidasie, seksteistering;
in'tercourse geslagsgemeenskap; intiem wee
met; **~ly promis'cuous** seksbehep; wulps;
or'gan geslagsorgaan; ~ **perver'sion** geslags
afwyking; ~ **urge** geslagsdrang

sex'y (a) sexy (omgangst.); verleidelik *als*
sen'sual; wulps

shab'biness (n) armoedigheid, skamelheid

shab'by (a) toiingrig, skamel, verslete; gemee=
slordig *also* **run-down;** ~ *treatment* geme
ne/swak behandeling

shack (n) hut, krot, pondok; skuiling (plakkers

shac'kle (n) voetboei, voetketting *also* **le
i'rons;** skakel; (pl) boeie; belemmering; (v
boei; belemmer; koppel; **~d** voetgeboei

shad (n) elf (vis)

shad'dock pampelmoes/pompelmoes (sitrus)

shade (n) skadu(wee); koelte; skakering; skim
skerm, lampkap; tikkie, sweempie; *a ~ bette*
'n ietsie/rapsie beter; *put in the ~* in die skad
stel *also* **out'class, eclipse';** ~ **port** skadune
(v) beskadu; skakeer; beskut; oorskadu; ve
duister

shad'ow (n) skaduwee; spook; (skim)beeld
ewebeeld; sweem; *without a ~ of doubt* sonde
die minste/geringste twyfel; (v) beskadu
beskerm; ongemerk volg; ~ **box'ing** skadu
boks; ~ **cab'inet** skimkabinet; **~y** skaduweeag
tig; vaag; duister, onwesenlik *also* **illu'sory**

sha'dy (a) skaduryk, lommerryk; verdag *al*
du'bious, sus'pect; ~ *character* verdagte ven
~ *deal* oneerlike transaksie/akkoord

shaft (n) pyl; skag (myn); disselboom (wa); ste
(gholf); straal (lig); ~ **sin'king** skagdelwing

shag'gy ruig, harig, wolhaar= (hond); ~ **dog stor**
wolhaarstorie

shagreen' sagryn(leer)

shah sjah (Persiese heerser, hist.)

shake (n) skud; skok; trilling, bewing; handdruk
(v) skud, skok; uitskud; wakker skud; bew
tril; *badly ~n* baie onthuts *also* **upset';** ~ *wi*
cold rittel van die koue; ~ *with fear* van ang

bewe; ~ *hands with* die hand gee; blad skud/steek; ~ *off* afskud; ontslae raak van; **~down** (n) kermisbed; **~-up** (n) drastiese omvorming

a′ky (a) bouvallig; bewerig, wankelrig; onvas; ~ *knowledge* skraal/oppervlakkige kennis (van 'n vak/onderwerp)

ale (n) skalie, leiaarde (geol.)

all sal; moet; *Council ~ consist of five members* die Raad bestaan uit vyf lede

allot′ salot *also* **spring on′ion**

al′low (n) vlak plek; sandbank *also* **sand bar;** (a) vlak, ondiep; oppervlakkig; bolangs, skraal (iem. se kennis)

am (n) bedrog, voorwendsel; skyn; namaaksel; (v) bedrieg, fop, kul; veins *also* **feign;** ~/*fake illness* maak of jy siek is; siekte veins; (a) geveins, vals

am′bles (n) warboel, deurmekaarspul; wan= orde *also* **mix-up, confu′sion;** verwoesting

ame (n) skande *also* **disgrace′;** skaamte; *hall of ~* skandlys; *put to ~* in die skande steek; beskaam; (v) skaam; skaam maak, beskaam *also* **humil′iate;** (interj) foei tog!; sies tog!; **~-fa′ced** beskaamd, verleë; **~ful** skandelik *also* **mean, outra′geous; ~less** skaamteloos

am: ~ **fight** spieëlgeveg, skyngeveg; **~mer** aansteller, bedrieër *also* **bluf′fer, con′man, impos′tor/impos′ter**

am′my (n) seemsleer *also* **chamois′ leath′er**

ampoo′ (n) sjampoe; harewas(middel), kop= wasmiddel; (v) sjampoe; hare was

am′rock (n) klawer(blaar/blad) *also* **clo′ver**

an′dy (n) shandy, limonadebier, limbier

anghai′ (slang.) (v) met geweld werf (veral matrose); vir diens/arbeid ontvoer (hist.)

ank (n) skeen; steel, stingel; skeenhou (gholf); *on ~'s mare/pony* met dapper en stapper

an′ty (n) pondok, krot *also* **shack;** ~ **town** blikkiesdorp; krotbuurt, slum

ape (n) vorm; gedaante; gestalte; *take ~* vaste vorm aanneem; *in good ~* perdfris, in goeie kondisie; (v) vorm; maak; fatsoeneer; *see how things ~* kyk/sien hoe sake ontwikkel; **~less** vormloos; wanstaltig; **~ly** welgevorm, mooi gebou (meisie) *also* **curva′cious**

ard (n) potskerf; eierdop

are[1] (n) deel, porsie; aandeel; (pl) effekte, ekwiteite; *do one's ~* jou kant bring; (v) deel, verdeel *also* **appor′tion;** deelneem; ~ *alike* gelykop deel; ~ *a room with* 'n kamer deel; *your fair ~* jou regmatige deel

are[2] (n) ploegskaar (landbou)

are: ~ **block** aandeleblok; ~ **bro′ker** aandele= makelaar, effektemakelaar; ~ **ca′pital** aande= lekapitaal; **~hol′der** aandeelhouer; **~hold′ing** aandeelhouding; ~ **is′sue** aandele-uitgifte; ~ **mar′ket** aandelemark, aandelebeurs; effekte=

beurs; **pref′erence** ~ voorkeuraandeel; **~ware** deelprogrammatuur, deelware (rek.)

shark (n) haai (vis); skurk, swendelaar *also* **swind′ler, exploit′er, con′man**

sharp (n) kruis (mus.); (v) bedrieg, kul; (a) skerp; spits; skerpsinnig, gevat; bytend; bitsig; geslepe; listig; ~ *contrast* skrille kontras; teenstelling; ~ *curve* skerp draai; ~ *practices* kullery, knoeiery; *a ~ tongue* 'n tong soos 'n skeermes; (adv) presies; *at five ~* klokslag vyfuur; **~en** skerp maak, slyp *also* **hone, whet; ~er** bedrieër, kaartknoeier; **~ness** skerpheid; vlugheid; **~shoot′er** skerpskutter, sluipskutter *also* **sni′per; ~-sight′ed** skerpsiende; skerp= sinnig; **~-ton′gued** bitsig, snipperig; **~-wit′ted** geestig, gevat

shat′ter (v) verbrysel, verpletter *also* **pul′verise;** verstrooi; fyn breek; ~*ing experience* nare/ traumatiese ondervinding; **~proof** (a) splin= tervry, splintervas

shave (n) skeer; noue ontkoming; spaander; kullery; *a close ~* naelskraap; (v) skeer; skaaf; ~ *off* afskeer

sha′ver (n) skeerder (persoon; toestel)

sha′ving (n) krul (hout); skeerdery; (pl) krulle, skaafsels; ~ **brush** skeerkwas; ~ **strop** skeer= riem

shawl (n) tjalie *also* **wrap;** sjaal *see* **scarf**

she (pron) sy

sheaf (n) gerf (hooi, koring)

shear (n) skuifskeur (geol.); (v) skeer; knip; pluk; **~ing time** skeertyd; **~s** skaapskêr; tuinskêr

she′-ass donkiemerrie

sheath (n) skede; skild; koker

she′bear beerwyfie, berin

shebeen′ (n) sjebeen/sjebien; taverne, herberg *also* **tav′ern**

she′-cat katwyfie

shed[1] (n) skuur; loods; afdak

shed[2] (v) stort; vergiet; versprei; verloor (hare); laat val (blare); ~ *blood* bloed vergiet; ~ *light upon* lig werp op; ~ *tears* trane stort

sheen (n) glans, glinstering, skittering, skynsel

sheep (n, sing and pl) skaap; *the black ~* die swart skaap (fig.); **~dog** skaaphond; ~ **far′mer** skaapboer; **~fold/~pen** skaapkraal; **~ish** onno= sel, dom; verleë *also* **shame′faced; ~shea′ring** skaapskeerdery; **~skin** skaapvel; bokjol (dans, hist.); **~'s trot′ters** skaappootjies; ~ **wash** skaapdip, dipgoed

sheer[1] (n) giering (skip); afwyking; (v) uit die koers raak; afsak; uitwyk, swenk; ~ *away from* wegskram van

sheer[2] (a) suiwer, rein, eenvoudig; louter, puur, volstrek *also* **ab′solute;** dun, fyn (weefstof); loodreg, regaf (krans) *also* **steep;** *by ~ force* deur brute krag; ~ *coincidence* blote toeval; ~

joy loutere vreugde, die ene lekkerte; ~/*utter nonsense* pure onsin/twak; (adv) steil, lood= reg; heeltemal, totaal

sheet (n) laken; vel (papier); blad; plaat (sink); ~ **an'chor** pleganker; ~ **i'ron** plaatyster; ~ **lead** deklood, plaatlood, bladlood

she'-goat bokooi

sheik sjeik (Moslemleier)

shelf (n) rak; plank; plaat; rotslaag; *on the* ~ afgedank, gebêre; op die bakoond (oujong= nooi); *straight off the* ~ gebruiksgereed; ~ **life** raklewe, rakleeftyd

shell (n) skil; skulp; peul; dop; omhulsel, raamwerk *also* **frame'work;** kanonkoeël, bom, granaat; (v) skil; bombardeer *also* **bombard';** ~**fish** skulpvis, skulpdier; ~**proof** bomvry; ~ **shock** bomskok; ~**y** vol skulpe; skulpagtig

shel'ter (n) skuilplek, skuilkelder; beskutting, beskerming *also* **sanc'tuary;** *take* ~ skuil; *under* ~ onder beskutting; (v) beskut, beskerm; skuiling gee; ~**ed occupation** beskutte/be= skermde werk/beroep

shelve (v) bêre, weglê, wegsit; van rakke voorsien; op die lange baan skuif

shel'ving[1] (n) rakke; rakplanke

shel'ving[2] (a) skuins, hellend

shep'herd (n) veewagter, skaapwagter *also* **herds'man;** herder; *the good S*~ die goeie Herder; ~*'s crook* herderstaf; (v) oppas *also* **guide, usher', mar'shal**

sher'iff (n) balju, geregsbode, skout *also* **mes'senger of the court, bay'liff**

sher'ry sjerrie (wyn)

shib'boleth (n) sjibbolet (Bybel); wagwoord

shield (n) skild; beskutting, beskerming; (v) beskerm *also* **shel'ter; safe'guard**

shift (n) verandering; verskuiwing; verwisseling; skof; (v) verander, verwissel; vervang; ver= huis; ~ *gears* rat(te) wissel (in motor); ~ *for oneself* jou eie potjie krap; ~**ing** (n) verande= ring; verskuiwing; (a) veranderlik; ~**ing span'ner** skroefsleutel; ~**y** (a) skelm, onderduims *also* **craf'ty, wi'ly**

shil'ling sjieling (eertydse geldstuk); *cut off with a* ~ onterf

shil'ly-shal'ly (v) weifel, aarsel

shim'mer (n) glans, glinstering *also* **gleam, lustre;** (v) glinster

shin (n) skeen, maermerrie; ~**bone** skeenbeen

shine (n) skyn, glans *also* **ra'diance;** (v) skyn, glinster, blink *also* **shim'mer;** straal; uitblink, presteer

shin'gle (n) dakspaan; (v) met dakspane dek; stomp knip (hare); ~**d** roof spaandak

shin'gles gordelroos (veluitslag); belroos (op gesig)

shin'guard (n) beenskut, skeenskut

shi'ning skitterend, blinkend *also* **glea'ming**

shi'ny blink, glansend *also* **glos'sy**

ship (n) skip; vaartuig *also* **ves'sel;** (v) verskeep laai; aan boord neem; ~ *of the desert* kameel ~**buil'der** skeepsbouer; ~**hold** skeepsruim ~**load** skeepslading, skeepsvrag; ~**ment** ver= skeping; lading; ~**ow'ner** skeepseienaar, reder ~**per** verskeper; uitvoerder; ~**ping** skeepvaart handelsvloot; inskeping, verskeping; ~**ping a'gent** skeepsagent; ~**ing firm/line** (skeeps= redery; ~**'s cap'tain** skeepskaptein; ~**shape** ir die haak, agtermekaar

ship'wreck (n) skipbreuk; stranding; (v) skip= breuk ly; strand, vergaan

ship: ~**wright** skeepstimmerman; ~**yard** skeeps werf

shirk (v) vermy, ontduik; wegskram *also* **shun side'step;** ~**er** lyfwegsteker, pligversuimer ontduiker *also* **dod'ger, eva'der**

shirt (n) hemp; *bet one's* ~ wed al wat jy het *keep your* ~ *on* moenie op jou perdjie klim nie ~ **col'lar** hempsboordjie; ~ **sleeve** hempsmou

shit (vulg.) (n) kak, stront (vulg.); vrotsige vent ~**-scared** vrekbang; skytbang (vulg.)

shiv'er[1] (n) rilling, bewerasie; (v) bewe/beef bibber; sidder, ril *also* **shud'der**

shiv'er[2] (n) splinter, stukkie; (v) verbrysel

schizophre'nia skisofrenie, gesplete persoonlik= heid

shoal[1] (n) skool (visse); trop; klomp; (v) wemel saamskool

shoal[2] (n) sandbank; vlak plek (in water); (v vlakker word; (a) vlak, ondiep

shock[1] (n) skok *also* **trau'ma;** botsing; (v) skok *also* **trau'matise;** aanstoot gee; ontstig *delayed'* ~ vertraagde skok

shock[2] (n) haarbos, bossiekop, kroeskop

shock' absor'ber skokbreker, skokdemper

shock'ing (a) skokkend; verskriklik *also* **ter'rible, dread'ful;** ~ **pink** skelpienk, knalpienk

shock troops stormtroepe

shod'dy (n) prulwol; (a) sleg; nagemaak; ver= slons *also* **infe'rior, jun'ky; mes'sy;** ~ *worl* knoeiwerk, prulwerk

shoe (n) skoen; hoefyster (perd); remskoen (wa) *step into s.o. else's* ~*s* iem. opvolg; iem. se taak/pligte oorneem; (v) beslaan (perd) ~**black/shine** skoenpoetser (persoon); ~**brusl** skoenborsel; ~ **horn** skoenlepel; ~**lace** (skoen)veter; skoenriem; ~**last** skoenlees ysterlees; ~ **lea'ther** skoenleer; ~**ma'ker** skoenmaker; ~**string;** *on a* ~*string* op die goedkoopste manier; ~*string budget* beperkte knap begroting

sho'far/sho'phar (n) ramshoring *also* **ram' horn**

shoo: ~ *away* verjaag, wegjaag; verwilder

shoot[1] (n) skoot; jagparty; skietwedstryd

stroomversnelling; geut; aar (erts); (v) skiet; verskiet (ster); ~ *ahead* vinnig vooruitgaan; ~ *down* neerskiet; ~ *up* skielik styg (pryse); opskiet

hoot[2] (n) spruit, loot; (v) uitbot, uitloop *also* **sprout**

hoot'er (n) skut(ter) *also* **marks'man; rifle'= man**

hoot'ing (n) skietery; jag; jaggebied; (a) skietend, skiet=; ~ **li'cence** jaglisensie; ~ **range** skietbaan *also* **ri'fle range;** ~ **sea'son** jagtyd; ~ **star** ver= skietende ster

hoot'out (n) skietery, skietgeveg

hop (n) winkel; *closed* ~ geslote geledere (vakbond); ~ *around* pryse vergelyk; *go ~ping* inkopies doen; *talk* ~ vakpraatjies maak; (v) inkope doen; **~ahol'ic** (n) inkopieslaaf; ~ **assis'tant** winkelassistent; **~break'ing** win= kel(in)braak; **~kee'per** winkelier *also* **~ow'ner; ~lift'er** winkeldief, pikdief, gapser; **~lift'ing** winkeldiewery; **~per** (in)koper; **~ing bag** winkelsak; **~ing centre** inkopiesentrum, win= kelsentrum, winkelkompleks; **~ping list** inko= pielys; **~-soiled'** winkelslyt; ~ **ste'ward** vloerleier, werkerskakel (fabriek); **~talk** vak= praatjies; **~walker** winkelopsigter, vloerbe= stuurder; **~win'dow** winkelvenster, toonvenster

hore (n) kus, strand *also* **sea'shore, beach**

hort (n) kortsluiting (elektr.); tekort; *in* ~ kortliks; (a) kort; klein; beperk; kortaf; skaars; bros (koek); (adv) skielik, opeens; *fall* ~ *of* te kort skiet; *make* ~ *shrift of* korte mette maak met/van iem.; *pull up* ~ skielik stilhou; *run* ~ *of* kort raak; *stop* ~ skielik bly staan; ~ *but sweet* kort maar kragtig; **~age** tekort, gebrek; **~bread** brosbrood; brosbeskuit; **~cake** bros= koek, krummelkoek; ~ **cir'cuit** kortsluiting; ~ **cut** kortpaadjie; **~cut key** snelskakel (rek.); **~en** verkort *also* **abridge', curtail'**

hort'hand snelskrif, stenografie; ~ **ty'pist** snelskriftikster; ~ **wri'ter** snelskrywer; steno= graaf

hort: ~ **list** kortlys, groslys; **~ly** netnou, binnekort; **~s** kortbroek; **~sight'ed** bysiende, miopies (lett.); kortsigtig, stiksienig (fig.); **~-staffed** onderbeman; **~sto'ry** kortverhaal; **~-tem'pered** opvlieënd, kortgebaker *also* **tes'= ty, touch'y;** ~ **wave** kortgolf; **~-win'ded** kortasem(ig); aamborstig

hot (n) skut (persoon); skoot (vuurwapen); hael, lopers (haelgeweer); hou (tennis); filmop= name; *a* ~ *in the arm* 'n versterkmid= del/opwekkertjie; *a big* ~ groot kokkedoor, grootkop (persoon); *close* ~ digbyopname (film); *putting the* ~ gewigstoot (atl.); *within* ~ onder sko(o)t; (v) *see* **shoot; ~gun** (n) haelgeweer; **~gun wedding** moet-troue; **~-put** gewigstoot

shoul'der (n) skouer; skof; blad (dier); (pad)= rand; *give the cold* ~ die rug toekeer; ignoreer *also* **ignore', rebuff** ; *put one's* ~ *to the wheel* die skouer teen die wiel sit; alle kragte inspan; *rub ~s with* omgaan met *also* **mix with;** *straight from the* ~ op die man af; met volle krag; (v) op jou neem ('n verantwoordelik= heid); wegstamp; dra; ~ **blade** skouerblad; ~ **bone** skouerbeen; ~ **hol'ster** skouerholster, pistoolsak; ~ **strap** skouerband

shout (n) skree(u) *also* **scream';** geroep; (v) uitroep, skree(u); juig; ~ *s.o. down* iem. doodskreeu; ~ *for joy* juig/jubel van vreug= de/blydskap; ~ *with laughter* skaterlag

shove (n) stoot; hupstootjie, du'tjie; (v) skuif, stoot

shov'el (n) skopgraaf *also* **spade;** (v) skep *also* **scoop**

show (n) tentoonstelling, skou; vertoning; voor= kome; praal; skyn; skouspel; *putting his chickens on* ~ sy hoenders skou; *give the ~ away* die aap uit die mou laat; *by* ~ *of hands* deur opsteek van hande; *just for* ~ net vir skyn; *on* ~ te sien; ~ *of strength* magsvertoon; (v) wys, toon, laat sien *also* **disclose', divulge';** ten toon stel, skou; uitlê; begelei; ~ *a favour* 'n guns bewys; ~ *in* laat binnekom; ~ *mercy* genade betoon; ~ *off* spog, pronk, uithang *also* **swag'ger;** ~*ing off* windmakerig wees; *time will* ~ die tyd sal leer

show' bu'siness/show' biz (n) die teaterbedryf; verhoogkuns

show'case (n) toonkas, toonkabinet; (v) ten toon stel; vertoon; propageer; bekendstel

show'down (n) beslissende konfrontasie

show'er (n) reënbui; stort(bad); (v) reën; stort; besproei; *take a* ~ gaan stort; ~ *upon* oorlaai met; ~ **bath** stortbad; **~y** buierig, reënerig

show: **~girl** verhoogmeisie; **~ground** skou= grond; tentoonstellingsterrein; ~ **house** skou= huis, toonhuis; **~-jum'per** springruiter; **~jum'ping** toonspring, ruitersport, ruiterkuns; **~room** toonlokaal; ~ **window** toonvenster, uitstalvenster *see* **display' win'dow; ~y** prag= tig, glansryk, pronkerig, spoggerig

shrap'nel (n) skrapnel, granaatkartets

shred (n) reep, stukkie, lap; snipper; *not a* ~ *of evidence* nie 'n greintjie bewys nie; *torn to ~s* in flenters; (v) snipper, kerf; **~der** snipperaar, kerwer (masjien)

shrew (n) feeks, wyf, helleveeg, geitjie (vrou)

shrewd (a) slu, listig *also* **sly, cun'ning, craft'y;** *be too* ~ oorlams wees

shrew' mouse spitsmuis; skeerbekmuis

shriek (n, v) skree(u), gil; ~/*scream with laugh= ter* skater/skreeu v.d. lag, skaterlag

shrift (archaic) (n) bieg; *give short* ~ gou speel met; korte mette maak met; iem. stuurs/bars behandel

shrike janfiskaal, laksman (voël)

shrill (a) skril, skel, skerp *also* pier'cing

shrimp (n) garnaal *see* prawn

shrine (n) altaar; heilige plek; grafteken, graf=
tombe

shrink[1] (derog. slang) psigiater; sielkundige

shrink[2] (v) krimp *also* contract'; opkrimp; ~
back; terugdeins; ~ *from* kleinkoppie trek;
~age (in)krimping; ~-wrap krimppak (soort
verpakking)

shriv'el (v) rimpel, verskrompel; ~led (a) verlep,
verdor, verskrompel *also* with'ered

shroud (n) lykkleed *also* wind'ing sheet;
omhulsel, beskutting; (v) bedek, omhul, be=
skut

shrub (n) struik, bossie; ruigte; ornamen'tal ~
sierstruik; ~bery struiktuin; boskasie

shrug (n) skouerophaling; (v) die skouers
optrek/ophaal

shud'der (n) huiwering; siddering; *it gives one
the* ~s dit laat 'n mens gril; (v) huiwer, sidder,
beef/bewe, ril *also* shiv'er, shake

shuf'fle (n) geskuifel; slofgang; (v) skuifel, slof;
meng; verwar *also* disarrange'; skommel
(kaarte); ~ *along* aansukkel; ~ *the cards* die
kaarte skommel; ~ *the feet* met die voete
skuifel; ~r kaartdeler; bedrieër

shun (v) vermy, ontwyk *also* avoid', dodge

shunt (v) rangeer (trein); regstoot; uitstel; laat
vaar; ~er rangeerder; ~ing yard rangeerwerf,
opstelterrein

shut (n) afsluiting; naat, voeg; (v) sluit, toemaak;
~ *down* toemaak; stopsit; ~ *one's eyes* die oë
toemaak/sluit; ~ *your mouth* hou jou mond; ~
out (v) uitsluit; buitesluit; (a) toegesluit; ~ter
(n) luik, hortjie; sluiter (kamera); mock ~ter
kammaluik, kammahortjie

shut'tle spoel(etjie), skoentjie (v. naaimasjien);
weefspoel; space ~ pendeltuig; ~/commu'ting
ser'vice pendeldiens

shy[1] (n) sysprong; sywaartse gooi; (v) wegvlieg;
gooi; *fight* ~ *of* probeer ontduik/ontwyk

shy[2] (a) skaam, bedees, skugter, verleë *also*
bash'ful, tim'id

shyster (n) knoeier, konkelaar (veral 'n proku=
reur wat oneties optree)

Siamese' (n) Siamees (persoon, taal); ~ cat
Siamese kat

Sibe'ria (region) Siberië; ~n (n) Siberiër (per=
soon)

sib'ilant (n) sisklank; (a) sissend

sib'ling (n) broer of suster; kind, afstammeling,
nasaat (van dieselfde ouer(s)) *also* is'sue

sick (n) sieke (persoon); *the* ~ die siekes; (a)
siek; krank; mislik, naar; *feel* ~ naar voel; *be* ~
at heart hartseer wees; ~bag naarsakkie,
vomeersakkie; ~bed siekbed; ~bay siekeboeg;
~ call siekebesoek; ~en siek word/maak; naar

word; walg; ~ening walglik, aaklig, afskuwe=
lik; ~ fund siekefonds *also* med'ical aid

sic'kle (n) sekel; sekelveer; ~ moon sekelmaan

sick: ~ leave siekteverlof; ~ list siekelys; ~ly
sieklik, bekwaald; ~ness siekte, krankheid;
mislikheid; ~room siekekamer; ~ vis'itor
sieketrooster (hist.)

side (n) sy, kant; rand; aspek, faset; *from all* ~s
van alkante/alle kante; *take* ~s party/kant kies;
this ~ *of* duskant/deuskant; *this* ~ *up* dié kant
bo; (v) party kies; ~ *with* iem. se kant kies; (a)
sy=; ~board buffet; ~burns bakkebaardjie;
~car syspan, sywaentjie (v. motorfiets); ~
effect' newe-effek; ~ en'trance syingang;
~face profiel; ~ is'sue bysaak; ~line byver=
dienste *also* moon'shining; liefhebbery; sylyn
(spoorweë); kantlyn (sportveld); ~lined (a)
opsygeskuif, uitgerangeer *also* mar'ginalised;
verlaag (in status); ~road afdraaipad; ~sad=
dle vrouesaal, dwarssaal; ~scenes syskerm,
coulisse; ~show byvertoning; onbelangri=
ke/ondergeskikte gebeurtenis/aspek; ~step
(v) swenk *also* by'pass; ontduik, ontwyk;
liemaak; ~track (n) syspoor, wisselspoor; (v)
uitrangeer; ontwyk; ~ view syaansig, profiel;
~walk sypaadjie *also* pave'ment; ~ways
sydelings; ~ whis'kers wangbaard, bakke=
baard

si'ding (n) (spoorweg)halte, syspoor; wisselspoor

siege (n) beleg, beleëring; *lay* ~ *to* beleër; *raise
the* ~ die beleg ophef

sier'ra (n) (getande) bergreeks, siërra

sies'ta (n) middagslapie, siësta *also* cat'nap,
for'ty winks

sieve (n) sif

sift (v) sif; uitvra, uitpluis *also* probe'

sigh (n) sug; versugting; (v) sug; ~ *for*
smag/hunker na *also:* pine/yearn for; ~ing
gesug

sight (n) gesig; skouspel; vertoning; visier,
korrel (geweer); (die) oë, sig *also* eye'sight;
besienswaardigheid; *know by* ~ van sien ken;
lose ~ *of* uit die oog verloor; *make a* ~ *of
oneself* jou belaglik maak; *pay at* ~ op sig
betaal; *within* ~ in sig; (v) sien; korrelvat;
waarneem; ~ bill/draft sigwissel; ~ly mooi,
fraai *also* pret'ty, attrac'tive; ~seeing trip/
tour kykrit, besigtiging(s)toer

sign (n) teken, merk; wenk; uithangbord *also*
board, hoar'ding; (v) (onder)teken; 'n teken
gee; ~ *away* skriftelik afstand doen van; ~ *on*
aansluit (by 'n organisasie/vereniging); ~ *in/in*
aanteken, inteken (op rek.); ~ *out* afteken,
uitteken (op rek.)

sig'nal (n) sein, teken, sinjaal *also* in'dicator,
bea'con; ~ *of distress* noodsein; (v) sein; 'n
teken maak *also* beck'on; (a) merkwaardig;
uitstekend, buitengewoon; *a* ~ *honour* 'n

besondere/buitengewone eer; ~ **flag** seinvlag; ~**ise** onderskei; aanwys; ~**ler** seiner; ~**man** vlagman, seinwagter (spoorweë); ~**post** seinpaal

sig'natory (n) ondertekenaar (persoon)

sig'nature handtekening; naamtekening; ondertekening, ~ **tune** kenwysie

sign: ~**board** advertensiebord; uithangbord; naambord; ~**er** ondertekenaar

sig'net seël; ~ **ring** seëlring

signif'icance (n) betekenis, belang, gewig *also* **impor'tance**

signif'icant (a) betekenisvol, beduidend, gewigtig, betekenend, veelseggend *also* **meaningful, vi'tal;** ~ *change* beduidende verandering; ~ *of* kenmerkend van

sig'nify (v) aandui; te kenne gee; beteken

sign: ~ **lan'guage** gebaretaal; vingerspraak, vingertaal; ~ **pain'ter** letterskilder; ~**post** padteken, wegwyser, predikant (skerts.); uithangbord; ~ **wri'ter** letterskilder; ~ **wri'ting** letterskrif

si'lage (n) kuilvoer; (v) inkuil

si'lence (n) stilte; stilswye; stilte (asseblief)!; *break the* ~ die stilswye verbreek; *a frosty/ stony* ~ 'n ongenoeglike stilswye; (v) laat swyg/bedaar; ~**r** klankdemper (motor); knaldemper (pistool)

si'lent (a) swygend/swyend, stil; *remain* ~ stilbly *also: keep mum;* ~ **part'ner** stille/rustende vennoot; ~ **reading** stillees (in die klas); ~**ly** soetjies, suutjies; katvoet (iets (skelm) doen)

silhouette' (n) skadubeeld; silhoeët; (v) silhoeëtteer, afteken, afskadu *also* **out'line**

sil'ica (n) silika, kieselaarde

sil'icon (n) (n) silikon, kiesel; ~ **breast im'plant** silikonborsinplanting; ~ **chip** silikonskyfie, silikonvlokkie (rek.) *see* **mi'cro chip**

silk (n) sy; systof; (a) sy=; ~**en** (a) sy=, syagtig; ~ **hat** keil; ~**worm** sywurm; ~**y** (adv) syerig; stroperig, vleierig *also* **sleek, smooth**

sill (n) vensterbank; drumpel *also* **tres'hold**

sil'liness (n) onnoselheid, gekheid, verspottigheid

sil'ly (a) onnosel, gek, dwaas, verspot, kinderagtig, laf *also* **fool'ish, absurd', daft, child'= ish;** ~ **sea'son** komkommertyd (nuuskaarste vir mediamense)

si'lo (n) silo, graansuier, kuiltoring; voerkuil; (v) inkuil

silt (n) afsaksel, slik, modder; (v) versand, vol modder loop; ~ *up* toeslik, toespoel (dam)

sil'ver (n) silwer; silwergoed; silwergeld; (v) versilwer; (a) silwer=; ~ **bea'ter** silwerpletter (persoon); ~ **coin** silwermunt; ~ **foil** bladsilwer; ~ **fox** silwerjakkals; ~**pla'ted** versilwer; ~ **ser'vice** silwerservies; ~**smith** silwersmid; ~ **tree** silwerboom; ~**ware** silwer=

goed, silwerware; ~ **wed'ding** silwerbruilof; ~**y** silweragtig, silwer=

sim card (n) simkaart (vir selfoon)

sim'ilar (a) soortgelyk *also* **alike';** gelyksoortig; eenders/eners; gelykvormig

similar'ity (n) gelyksoortigheid; gelykheid, ooreenkoms *also* **affin'ity**

sim'ilarly (adv) net so, op dieselfde manier, insgelyks, desgelyks *also* **like'wise;** eweneens

sim'ile (n) vergelyking, gelykenis

sim'mer (v) sag kook/stoof; pruttel; sing (ketel)

sim'per (v) aanstellerige/gemaakte lag/glimlag; ~**ing** (a) aanstellerig, meesmuilend

sim'ple (a) eenvoudig; onnosel; enkel; ~ **equa'= tion** eenvoudige vergelyking; ~ **in'terest** enkelvoudige rente; ~ **life** eenvoudige lewens= wyse/leefwyse; ~ **sen'tence** enkelvoudige sin; ~**-hear'ted** eenvoudig, opreg; ~**-min'ded** eenvoudig (van gees) *also* **back'ward**

sim'pleton swaap, dwaas, onnosel(e), uilskuiken (persoon) *also* **dunce, fool, id'iot**

simplic'ity (n) eenvoud; natuurlikheid, onskuld *also* **clar'ity, open'ness**

sim'plified (a) vereenvoudig

sim'plify (v) vereenvoudig

sim'ply (adv) eenvoudig, gewoonweg *also* **clear'ly, ut'terly;** *quite* ~ doodeenvoudig

sim'ulate (v) naboots, simuleer; veins; namaak; ~*d smile* aangeplakte glimlag

simula'tion nabootsing; voorwendsel

sim'ulator nabootser, simulator (toestel)

sim'ulcast (n) koppeluitsending (TV)

simulta'neous gelyktydig *also* **concur'rent;** ~**ly** tegelyk(ertyd)

sin (n) sonde; oortreding; *as ugly as* ~ so lelik soos die nag; *mortal/deadly* ~ doodsonde; ~ *of omission or commission* sonde van versuim of bedryf; ~ **bin** koelkas (sportoortreders) *also* **coo'ler;** (v) sonde doen, sondig; oortree

since (adv) gelede; daarna; (prep) sinds, sedert; (conj) nadat, sinds; omdat, daar, aangesien; vandat; *ever* ~ van toe af; *long* ~ lank gelede; ~ *yesterday* van gister af; ~ *you wish/want to help* omdat/aangesien jy wil help

sincere' (a) opreg, suiwer, eg, eerlik; *Yours* ~**ly** Opreg die uwe

sincer'ity opregtheid, openhartigheid; hartlik= heid

sine sinus (wisk.)

sin'ecure (n) pos/amp sonder (veel) werk; erebaantjie; sinekuur *also* **cush'y job**

sin'ew (n) sening, spier; ~**y** gespierd, sterk, taai

sin'ful (n) sondig *also* **depra'ved, corrupt'**

sing (v) sing; besing; tuit; suis; ~ *s.o.'s praises* iem. se lof verkondig; iem. ophemel; ~ *another song/tune* 'n ander deuntjie sing (fig.)

singe (v) seng, skroei *also* **scorch**

sin'ger (n) sanger (albei geslagte)

sing'ing (n) sang, gesing; sangkuns; ~ **bird** sangvoël *also* **song'bird;** ~ **class** sangklas; ~ **les'son** sangles

sing'le (n) ongetroude persoon; enkele, een; (pl) enkelspel (tennis); (v): ~ **out** uitsoek; (a) enkelvoudig; enkel *also* **individ'ual;** eenper=soons=; ongetroud; *he lost in the ~s* hy het in die enkelspel verloor; *with a ~ purpose* met een doel voor oë; ~ **bed** enkelbed; **~-deck'er** eendekker=; ~ **file** agter mekaar; **~-han'ded** alleen, sonder hulp; **~-hear'ted** opreg, eerlik; **~-me'dium school** enkelmediumskool; **~-min=ded'** doelgerig *also* **ded'icated, deter'mined; ~ness** eenvoud, opregtheid; ~ **pa'rent** enkel=ouer; ~ **quar'ters** enkelkwartiere (woonplek vir ongetroudes)

sing'let (n) onderhemp, frokkie

sing'le ticket enkelkaartjie

sing'ly (adv) alleen, afsonderlik; een vir een *also* **individ'ually**

sing'song jolsang, rasie (studente); sangoefe=ning; deuntjie, eenvoudige wysie

sing'ular (n) enkelvoud; (a) enkelvoudig; seld=saam; vreemd, sonderling, buitengewoon *also* **strange, rare, scarce; excep'tional**

sing'ularly besonder(lik), by uitnemendheid

sin'ister (a) onheilspellend, skrikwekkend, sinister *also* **om'inous, e'vil, eerie;** noodlottig; oneerlik, laag; ~ **char'acter** ongure vent/karakter; ~ **phiz** (slang) boewetronie (van 'n persoon)

sink (n) wasbak; aanreg; sinkput; (v) sink; agteruitgaan; sak; ondergaan (boot); grawe, delf (skag); delg (skuld); ~ *a borehole* 'n boorgat boor/sink; ~ *in* deurdring; ~ *a ship* 'n skip kelder *also* **scutt'le** (self laat sink); **~er** dieplood, sinklood; **~hole** sinkgat

sink'ing (n) sink; ondergaan; keldering (skip); naarheid; (a) sinkend; verminderend; ~ **fund** delgingsfonds, amortisasiefonds

sin'ner (n) sondaar *also* **e'vildoer, mis'creant**

sin'uous (a) kronkelend; onbetroubaar, skelm

si'nus (n) kromming; (sinus)holte (in gesig)

sip (n) mondjievol, slukkie; (v) insuig; proe-proe drink; bietjie-bietjie drink

si'phon (n) hewel, sifon *also* **syph'on;** spuitwa=terfles; (v) opsuig; hewel, oortap; ~ *petrol out of the tank* petrol uit die tenk hewel/uitsuig; ~ **bottle** spuitwaterfles

sir heer, meneer; sir; *Dear S~* Geagte Heer/heer

sire (n) sire (ampstitel veroud.); vaderdier, vaar (dier); (v) teel, verwek (dier)

si'ren (n) sirene; mishoring; verleidster *also* **temp'tres**

si'sal sisalplant; garingboom

sis'kin sysie; vink (voël)

sis'ter suster; verpleegsuster; non; **~-in-law** (**sisters-in-law**) skoonsuster; **~ly** susterlik; teer

Siswa'ti Siswati, Swazi (taal) *also* **Swa'zi**

sit (v) sit; gaan sit; plaas neem; broei; sitting hê; poseer (vir foto); ~ *down* gaan sit; ~ *for an examination* eksamen skryf/aflê; ~ *tight* hou wat jy het; ~ *up* regop sit; opbly; **~com/situa'=tion comedy** sitkom, situasiekomedie; **~-down lunch/supper** aansitete; **~-down strike** sitbeto=ging, sitstaking; **~-in** sitbetoging

site (n) bouterrein; perseel; ligging

sit'ting (n) sitting; sessie (vergadering); broeisel (eiers); *at one* ~ in een slag; (a) sittend; ~ **duck** doodmaklike skoot; maklike teiken (fig.); ~ **room** sitkamer, voorkamer, voorhuis

sit'uated geleë; *awkwardly* ~ in 'n benarde posisie

situa'tion (n) toestand, situasie; ligging; plek *also* **site, local'ity;** betrekking, pos; *the ~ causes concern* die toestand wek kommer; ~ **com'edy** situasiekomedie

six ses; ~ *of one and half a dozen of the other* dis vinkel en koljander; *at ~es and sevens* deurme=kaar, in die war; **~fold** sesvoudig; **~pence** sikspens (eertydse geldstuk); **~-shoot'er** re=wolwer; **~teen** sestien; **~teenth** sestiende; **~th** sesde; **~tieth** sestigste; **~ty** sestig

size[1] (n) muurlym; planeersel; (v) gom, lym

size[2] (n) grootte, omvang; maat; afmeting *also* **dimen'sion(s);** (v) rangskik; sorteer; sif; ~ *up/appraise a situation* dinge deurkyk; **~able** (a) groterig, aansienlik

siz'zle (v) sis, knetter, spat; **~r** (n) snikhete/bloedig warm (dag) *also* **scor'ching day**

sjam'bok (SAE) (n) sambok

skate (n) skaats; (v) skaats; ~ *on thin ice* jou op gevaarlike terrein begewe; **~board** skaatsplank

ska'ting rink skaatsbaan, ysbaan

skedad'dle (infml.) (v) trap, skoert, (laat) spaander *also* **scoot, push off, be gone**

skeet shoot'ing pieringskiet, kleiduifskiet *also* **clay pig'eon shoo'ting, skeet'ing**

skein string; ~ **yarn** stringgaring; knoop; war=boel

skel'eton (n) geraamte, skelet; *a ~ in the cupboard* 'n geheime skande; ~ **key** loper; diewesleutel; ~ **map** sketskaart; ~ **staff** kaderpersoneel, skadupersoneel; kernstaf (mil.)

sketch (n) skets, ontwerp, uitbeelding; *~y knowl'edge* oppervlakkige kennis *also* **skim'py;** (v) skets; **~book** sketsboek; **~er** sketser, ontwer=per; ~ **map** sketskaart

skew skuins, skeef; skots; **~bald** skilderbont (behalwe swart); bruinbont (perd); **~-eyed** skeel *also* **squin'ting**

ske'wer (n) vleispen; sosatiepen; (v) inryg (op 'n stokkie)

ski'(ing) (n) ski, sneeuskaats; (v) ski; *I ski'd last May* ek het Meimaand geski; ~ **boat** skiboot

skid (n) briekblok; (v) gly, rondskuif; uitgly; sleep, rem

skier (n) skiër (persoon)

skiff (n) skuitjie, klein roeibootjie

ski jet (n) waterponie *also* **jet ski**

ski jum′per skispringer

skil′ful bekwaam, bedrewe, handig, knap *also* **han′dy, clev′er, in′novative**

ski lift skihysstoel

skill (n) bekwaamheid, bedrewenheid *also* **abil′ity;** vaardigheid *also* **com′petence, experti′se;** kundigheid; **~ed** (a) vaardig, bekwaam, bedrewe; **~ed la′bour** geskoolde arbeid; **~ sub′jects** vaardigheidsvakke

skim (v) afskuim, afskep; afroom (melk); vluglees, glylees *also* **glance, scan; ~mer** skuimspaantjie; **~ med milk** afgeroomde melk

skim′py (a) skraal, skraps; karig, afgeskeep

skin (n) vel; vlies; bas; **~ and all** met huid en haar; *be ~ and bone* vel en been wees; *cure ~s* velle brei; *save one's ~* heelhuids daarvan afkom; jou bas red; *by the ~ of one's teeth* net, hittete, naelskraap, ternouernood *also* **nar′rowly;** (v) afslag (bok, bees); afskil; **~-deep** oppervlakkig; **~ di′ving** vinduik, swemduik; **~head** kalbaskop, beenkop, skeerkop (persoon); **~ny** brandmaer, rietskraal *also* **scrag′gy; ~ny-dip′per** kaalbaaier

skip[1] (n) hysbak, skip (mynbou)

skip[2] (n) sprong; (v) spring, wip; touspring, riemspring; oorslaan *also* **omit′, pass over**

skip[3] (n) kaptein *see* **skip′per**

ski pants (n) knersbroek; kameelkouse

ski resort′ ski-oord

skip′per kaptein (v. sportspan); skipper (v. skuit of klein skippie); skipper (rolbal)

skip′ping rope springtou

skir′mish (n) skermutseling *also* **clash, engage′ment;** (v) skermutsel *also* **scrap, brush**

skirt (n) romp; rok; slip, pant; kant, rand, soom *also* **periph′ery** (of an area); (v) langs die kus vaar; omsoom; **~ing board** vloerlys

skit (n) parodie, spotskrif, skimpskrif *also* **par′ody**

skit′tish uitgelate, opgewek; dartel; wispelturig; vryerig

skit′tle (n) kegel; **~s** kegelspel(letjie) *see* **ten′pin bowl′ing**

skol′ly/skol′lie (SAE) (n) skollie, leeglêer, kwaaddoener *also* **scoun′drel, hool′igan, thug**

skul′duggery (n) verneukspul, swendelary, kullery

skulk (v) (stilletjies) rondsluip; loer; skuil *also* **lurk, prowl;** ontwyk, ontduik; **~off** wegsluip

skull skedel; doodskop; **~cap** kalotjie, mussie *also* **yarmul′ke** (Jewish); **~ frac′ture** skedelbreuk

skunk muishond (dier); smeerlap, vuilgoed (persoon)

sky (n) **skies** lug, hemel(ruim); uitspansel; **~**

blue hemelsblou; **~di′ver** vryduiker; **~di′ving** valduik, vryval; **~jack(ing)** lugkaping; **~lark** lewerik (voëltjie); **~lark′ing** kattekwaad aanrig, poetse bak; **~light** dakvenster; bolig (bo deur); **~rock′et** vuurpyl; **~scra′per** wolkekrabber; **~wri′ting** rookskrif (met vliegtuig)

slab (n) plaat, steen; reep, skyf; blok; **~ of choc′olate** blok sjokola(de); sjokkie

slack (n) slapte; komkommertyd (media); (pl) slenterbroek; (v) vertraag, verslap, verminder; verflou; laat skiet; (a, adv) slap; traag, lui; laks; *grow ~* laks word; *~ off* spoed verminder; **~en** laat skiet, verslap; **~er** lamsak, slapgat (infml.) (persoon); **~ness** laksheid; traagheid; **~ suit** broekpak

slag (n) metaalskuim, slak (metaal), smeltsel; **~ cement′** slaksement

slake (v) les; blus; **~d lime** gebluste kalk, bluskalk

slam (n) harde slag; kap, slag (kaartspel); (v) toeslaan (deur); kritiseer, verdoem *also* **cen′sure, cas′tigate**

slan′der (n) laster; skinderpraatjies; (v) belaster; skinder *also* **malign′; ~er** lasteraar; skinderbek; kwaadspreker (persoon); **~ous** (a) lasterlik *also* **li′bellous**

slang (n) sleng/slang; groeptaal

slant (n) skuinste, helling; (v) skeef staan/stel; afloop; (a) skuins, sydelings, skeef; **~ed news** skewe/eensydige beriggewing *also* **bi′ased, distor′ted; ~wise/~ways** skuins, skeef

slap (n) klap; slag; (v) 'n klap gee, slaan *also* **clout;** (adv) reg(uit); presies; plotseling; *~ on time* presies op tyd; *he ran ~ into me* hy het reguit teen my vasgeloop; **~dash** (a) agte(r)losig; slordig, ongeërg *also* **slip′shod;** halsoorkop; **~stick** harlekynspel; growwe humor; *~stick comedy* klugtige komedie, dolle/sotlike klug

slash[1] (n) sny, hou; (v) sny, raps; *~ prices* pryse kerf/verlaag; **~er** (n) mesmaniak; **~ing** (a) skerp, snydend; vernietigend *also* **bru′tal, sav′age**

slash[2] (n) streep, balk (/) (op rekenaartoetsbord); **back ~** trustreep, trubalk (\)

slate[1] (n) lei; leiklip; (a) lei=, leikleurig

slate[2] (v) skrobbeer, uitskel, afkam *also* **rebuke′, crit′icise**

slate: ~ pen′cil griffie, griffel; **~ quar′ry** leigroef; **~ roof** leidak

slaught′er (n) slagting; bloedbad; (v) slag; vermoor *also* **but′cher** (v); **~ an′imal** slagdier, slagding; **~ cat′tle** slagbeeste, slagvee; **~house** slagpale, slagplaas *see* **ab′attoir**

Slav (n) Slaaf (persoon); (a) Slawies

slave (n) slaaf; werkesel; (v) swoeg, slaaf

sla′ver[1] (n) slaweskip; slawehandelaar *also* **slave′ tra′der**

sla′ver[2] (v) kwyl *also* driv′el; flikflooi; gatlek (vulg.)

sla′very (n) slawerny

slay (v) doodmaak, vermoor *also* assas′sinate; uitmoor *also* but′cher

sledge (n) slee *also* sleigh (animal-drawn sled); (v) slee; met ′n slee ry

sledge′hammer voorhamer, smidshamer

sleek (v) blink maak; (a) glad, sag, glansend *also* lus′trous; listig, slu; salwend

sleep (n) slaap; vaak; *go to* ~/*bed* gaan slaap/ inkruip; (v) slaap; rus; ~er slaper; dwarslêer (spoorlyn)

sleep′ing slapend; ~ accommoda′tion slaapplek; ~ bag slaapsak; ~ draught slaapdrank; ~ part′ner rustende vennoot; ~ pill slaappil; slaapmiddel; ~ sick′ness slaapsiekte

sleep: ~less slaaploos/slapeloos; ~walk′er slaap= wandelaar *also* somnam′bulist; ~y vaak, slaperig *also* drow′sy; lethar′gic

sleet (n) ysreën, dryfsneeu

sleeve (n) mou; mof; silinder; handvatsel (slin= ger); *have something up one's* ~ iets in die skild voer; *wear one's heart upon one's* ~ die hart op die tong hê; pront sê hoe jy voel/dink; ~less mouloos; ~ link mouskakel, mansjet= knoop *also* cuff′ link

sleigh (n) slee (deur diere getrek) *see* sledge

sleight (n) behendigheid; streek; ~ *of hand* handigheid, kunsgreep, truuk

slen′der (a) skraal, maer, slank; gering; min; *a* ~/*remote chance* ′n geringe kans/moontlik= heid

sleuth (n) speurder *also* detec′tive; ~hound bloedhond, speurhond *also* police′/track′er dog

slice (n) sny; skyf; vislepel; skopgraaf; swenk= (hou) (gholf); deel; ~ *of bread* sny brood; (v) dun sny; skywe sny

slick (a) handig, rats; skoon; glad, blink (dier); (adv) presies; glad, netjies; ~er (n) bedrieër, skelm *also* con′man; city ~er stadskoejawel

slide (n) skuif; glasskyf; skyfie, dia (fot.); haarknip; grondverskuiwing; plaatjie; bloed= smeer; (v) gly, glip *also* slip, slith′er; skuif; *let things* ~ sake hulle gang laat gaan; ~ projec′= tor skyfieprojektor; ~ rule rekenliniaal; ~ show skyfievertoning; ~ valve skuifklep

sli′ding (a) glyend; dalend; skuif=; ~ door skuifdeur; ~ rule rekenliniaal; ~ scale glyskaal

slight[1] (n) minagting; veragting; (v) minag, verontagsaam; beledig *also* scorn, snub

slight[2] (a) gering, min, effentjies; onbeduidend; ~ cold effense/ligte verkoue; ~ in′jury ligte besering; ~ly effentjies, ′n bietjie; ′n rapsie *also* mar′ginally

slim (v) verslank; verskraal; (a) slank, dun; tinger(ig), skraal *also* slen′der; lean

slime (n) slyk, slik, modder *also* sludge; slym

slim′ming (n) verslanking; verslankingskuu *also* ~ diet

sli′my (a) slymerig, glyerig, glibberig; inkruipe rig *also* ser′vile (person)

sling (n) slingervel *see* sling′shot; hangverban draagband (vir arm, ens.); (v) slinger, swaa smyt; ~ *mud* met modder gooi (fig.); ~sho voëlrek(ker), kettie; slingervel *also* cat′apul

slink (v) wegsluip *also:* sneak away

slip (n) vergissing, fout *also* slip-up, glitch stiggie/steggie (plant); kussingsloop; voo skoot; onderrok; strook, strokie; bewys; kaar jie; *a* ~ *of a girl* meisiekind; *give s.o. the* iem. ontglip/ontduik; *make a* ~ jou vergis; *a* *of the tongue* ′n onbedagte woord; (v) gl glip; ′n fout maak; loskom; ~ *away* ontsnap; *one's memory* jou geheue ontgaan; ~ o haastig aantrek, aanpluk; ~cover oortrekse ~ped disc skyfletsel, verskuifde werwel; ~pe pantoffel, sloffie; ~pery glibberig, glyeri ~shod slordig, onpresies *also* slapdash ~-slops plakkies, sloffies *also* beach thong ~stream volgstroom, kielwater (skip); damp spoor (straler); ~way sleephelling (vir bote *also* launch′ing slope; glipweg (uit straat o snelweg)

slit (n) spleet; bars, skeur; groef; slip; (v) kloo splits; sny; ~ *s.o.'s throat* iem. keelaf sny; trench grip(pie), skuilsloot; ~ty eyes skrefie oë

sliv′er (n) splinter, flenter; reep, repie; (v) du sny; in stukkies breek

slob′ber (n) kwyl; geteem; (v) kwyl; slobbe teem (langdradig praat); bemors

slog (v) moker; swoeg, ploeter *also* plod, toil

slo′gan leuse; wagwoord; slagspreuk *also* catch word; wekroep *also* ral′lying cry; verkoop spreuk

slo′mo (infml.) staksie (infml.), stadige aks (TV) *also* slow mo′tion

sloop (n) sloep (klein eenmasboot)

slop (n) (pl) vuil water; slap drank; (v) mors, vu maak

slope (n) skuinste, hang, helling; afdraan styging, opdraand; (v) skuins afloop

slop′ing skuins, opdraand, afdraand *also* slant ing

slop: ~ pail slopemmer; ~py (a) morsig, slord *also* unti′dy; modderig; huilerig, oordrew sentimenteel; ~py joe slobtrui; ~ sink opwa bak

slot (n) gleuf, opening; programitem, insets (radio, TV); time ~ tydgleuf

sloth (n) luiheid, vadsigheid; ai, luidier, luiaar (dier); ~ful lui, traag, vadsig

slot machine (n) (munt)outomaat, slotmasjie dobbeloutomaat *also* one-armed ban′dit

ouch (n) geslof; lummel (persoon); *he is no* ~ hy is op en wakker/laat nie op hom wag nie; (v) pap hang *also* **droop;** lomp loop; slof, sleep; afklap, in die oë trek (hoed); ~ **hat** slaprandhoed

ough[1] (n) moeras, modderpoel; deurslag

ough[2] (n) roof, kors; slangvel; (v) vervel; ~ *off* afwerp

ov'en (n) sloerie, morspot (persoon); **~liness** slordigheid; **~ly** slordig, morsig, vieslik *also* **mes'sy, unti'dy, slop'py**

ow (a) stadig, langsaam; traag; agter (horlosie); matig (oond); ~ *down* stadiger gaan/ry; vertraag, verlangsaam; *~ing down/dowturn of the economy* afplatting/afswaai van die ekonomie; *go* ~ stadig gaan; *in* ~ *motion* in stadige aksie/traagtempo; ~ *but sure* stadig maar seker; **~coach** draaikous, drentelaar; trut, drel (persoon); **~combus'tion stove** smeulstoof; **~ly** stadig, langsaam, tydsaam; ~ **mo'tion** stadige aksie, staksie (infml.) (TV) *also* **slo'- mo** (infml.); ~ **puncture** stadige lek; ~ **train** boemeltrein

udge (n) modder, slik, slyk; rioolslyk

ug (n) naakslak *see* **snail;** luiaard (persoon); **~gard** luiaard; luilak; leegloper *also* **va'grant; ~gish/slug'gardly** lui, traag; **~gishness** traagheid, luiheid *also* **in'dolence;** ~ **pel'lets** slakpille

uice (n) sluis; watervoor; **~gate** sluis(deur)

um (n) agterbuurt, krotbuurt, gops, slum

um'ber (n) sluimer(ing); (v) sluimer *also* **snooze'; ~ing** (n) sluimering; (a) slapend; ~ **wear** nagklere

ump (n) in(een)storting *also* **collapse';** slapte, slap tyd (ekonomie); plotselinge daling *also* **plunge';** (v) daal, skielik sak; inmekaarsak, in(een)stort (persoon)

ur (n) klad, skandvlek, smet *also* **stain, stig'- ma;** verbindingsteken (mus.); slordige uit= spraak; (v) sleg uitspreek; beklad, besmeer; trek (noot)

ush (n) slyk, slik; smeltende sneeu; sentimen= taliteit; kletspraatjies; **~y** modderig

ut (n) sloerie; slet (vrou) *also* **tart, bitch; ~tish** slordig, vuil

ly (n): *on the* ~ tersluiks; (a) slinks, slu, uitgeslape, listig, skelm *also* **cun'ning, craf'ty, wily; ~boots** karnallie; slimmerd; **~ness** lis, sluheid

mack[1] (n) klap, slag; wiks; *hearty* ~ lekker klapsoen; (v) 'n klap gee, slaan, wiks; laat klap; ~ *one's lips* met die lippe smak; (adv) smak; pardoems; ~ *up against* reg teenaan

mack[2] (n) geurtjie, smakie; klankie; ~ *of* smaak/klink bietjie na (bv. bedrog)

mall (a, adv) klein; gering, weinig, min; nietig, niksbeduidend, bekrompe; *the* ~ *fry* die jongspan; die minder belangrikes; *in the* ~ *hours* ná middernag; *the still* ~ *voice* die stem v.d. gewete; *in a* ~ *way* op klein skaal; op beskeie voet; ~ **arms** kleingewere; ~ **beer** dun bier; ~ **far'mer/~hol'der** kleinboer; **~hol'ding** (landbou)hoewe, kleinhoewe; **~-minded'** be= krompe, kleingeestig *also* **verkramp; ~ness** nietigheid; gierigheid; **~pox** (kinder)pokkies; ~ **talk** geklets; kafpraatjies

smalls (n, pl.) klein/geklassifiseerde (koerant)= advertensies; snuffelgids

schmalt'zy (a) soetsappig, stroperig *also* **ul'tra- sentimen'tal**

smart[1] (n) pyn, smart; (v) skryn, brand; *my finger ~s* my vinger brand (v.d. pyn)

smart[2] (a) slim, knap *also* **bright, brai'ny;** vinnig; sjiek, elegant, modieus; netjies, viets; keurig; geestig; oulik, wakker; *the* ~ *set* die hoëlui/elite; ~ **al'eck** slimjan; ~ **card** knap= kaart; ~ **cas'ual** deftig informeel (gekleed); **~ly dres'sed** spoggerig aangetrek, fyn uitgevat

smart'ness (n) deftigheid, swierigheid; knap= heid; gevatheid; handigheid; geslepenheid

smash (n) botsing; breekspul; verbryseling; ineenstorting; moles; mokerhou (tennis); (v) verbrysel; moker; verpletter, breek; **~ing** (a) uitstekend, wonderlik; pragtig; heerlik; **~-up** kettingbotsing *also* **pile-up;** in(een)storting, breekspul

smat'tering (n) mondjievol (van 'n taal); opper= vlakkige kennis (van 'n onderwerp)

smear (n) vlek, kol; smeersel; (v) besmeer; besoedel; ~ **campaign'** smeerveldtog

smell (n) reuk, geur; ruik (van bv. die see); snuf; (v) ruik; snuffel; ~ *of drink* na drank ruik; ~ *out* uitruik; uitsnuffel, opspoor *also* **probe';** ~ *a rat* lont ruik; ~ *sweet* lekker ruik

smel'ling: ~ **bot'tle** reukbottel, reukflessie; ~ **salts** vlugsout *also* **sal volat'ile**

smelt (v) (uit)smelt (metaal); **~er** (n) smelter, smeltery *also* **foun'dry**

smile (n) glimlag; *be all* ~*s* glimlag van oor tot oor; (v) glimlag; *fortune* ~*s on us* die geluk lag ons toe

smi'ling vrolik, glimlaggend; *keep* ~*!* hou die blink kant bo!; hou goeie moed!

smirch (n) klad, vlek, smet; (v) beklad, besmeer

smirk (n) grimlag, grynslag *also* **sneer;** (v) gemaak lag, grimlag, grynslag

smite (v) slaan; straf; verslaan; ~ *hip and thigh* verpletter; *smitten with* geteister deur

smith (n) smid (persoon) *see* **black'smith**

smithereens' (n) flenters, stukkies; *smash to* ~ fyn en flenters slaan

smi'thy (n) **smithies** smidswinkel

smit'ten *see* **smite**

smock (n) smok; oorbroek; oorpak

smog (n) rookmis, dampmis

smoke (n) rook, damp; (v) rook; berook, uitrook *also* **fu'migate;** **~d** (a) rook=, gerook(te); ~ **detec'tor** rook(ver)klikker; **~less** rookloos; **~r** roker; rookkompartement; ~ **screen** rookskerm; versluier(ing); **~stack** (fabriek)skoorsteen

smo'king (n) rook; rookgoed; rookbaadjie (ver= oud.); *no* ~ *(allowed)* rook verbode/belet; ~ **room** rookkamer

smo'ky (a) berook *also* **soo'ty;** rookkleurig

smooch (n) soen; soenery; (a) innig/intiem soen

smooth (v) glad maak; gelykmaak, planeer; ver= sag; ~ *away* gladstryk; uitstryk (probleem); ~ *over* uit die weg ruim; (a) gelyk; glad; sag; vloeiend (styl); onbewoë; **~ness** gladheid; ge= lykheid; vlotheid; **~-sha'ven** gladgeskeer; **~/glib tongue/talk** gladde tong/pratery; slimpraatjies; **~-tongued** vleiend; glad van tong; **~y/~ie gladdejan, gladdejuffie** *also* **char'mer;** dik= drankie

smoth'er (v) versmoor, verstik *also* **choke;** onderdruk; ~ *with gifts* met geskenke oorlaai

smoul'der (n) smeulvuur; *~ing rebellion* drei= gende opstand ·

smudge (n) vlek, vuil kol; smet; (v) bevlek, besmeer, bemors

smug (a) selfvoldaan, selfingenome *also* **prig'= gish, concei'ted;** huigelagtig

smug'gle (v) smokkel; ~ *in* insmokkel; **~r** smokkelaar, sluikhandelaar (persoon)

smug'gling smokkelary; ~ **ring** smokkelring

smut (n) roet (van vuur); vuil taal/geskrif; (v) vuil maak; **~ty** (a) besmet, vuil; liederlik; *~ty joke* skurwe grap

snack (n) porsie; (peusel)happie, versnapering; snoepery(e); ligte maaltyd; *go ~s* deel; ~ **bar** peuselkroeg, snoephoekie; hap-en-hol; **~s** versnaperings, snoeperye *also* **tit'bits**

snag (n) haakplek *also* **hitch, glitch;** belemme= ring; *I struck a* ~ ek het moeilikheid opgetel/ teenspoed gekry

snail (n) slak (met eie skulp); *go at a ~'s pace* die slakkegang gaan; ~ **mail** (infml.) slakke= pos

snake (n) slang; *cherish a ~ in one's bosom* 'n adder aan jou bors koester; ~ **char'mer** slangbesweerder; ~ **ex'pert** slangkenner, her= petoloog; ~ **pit** slangkuil

snap (n) kiekie, foto; hap, byt; fut, energie; breuk, bars; *a cold ~* 'n skielike (vlaag) koue; (v) kraak; knal, klap; breek; kiek, afneem (foto); hap, byt; ~ *at* toesnou, afsnou; ~ *at an offer* 'n aanbod gretig aanneem/aanvaar *also* **seize';** ~ *up* opvang, gryp; ~ **deba'te** kitsdebat (parlement); **~drag'on** leeubekkie (blom); **~pish** bits, snipperig; **~py** fluks; vurig *also* **quick-tem'pered; ~shot** (n) kiekie

snare (n) strik (vir kleinwild); wip (vir voëls) *see* **trap;** (v) vang

snarl (v) knor, grom *also* **growl;** *~ed up* tota= verwar/deurmekaar; vasgevang (veral in ve keer); **~er** brompot *also* **grou'ser, grum'ble**

snatch (n) ruk; greep; vlaag; (v) gryp; wegruk; *away* wegruk; ~ *a kiss* 'n soen steel; **~-an grab thief** grypdief *also* **smash-and-grab thief**

sneak (n) kruiper; nuusdraer, verklikker *als* **tell'tale;** *~ing suspicion* nare vermoede/spe maas; (v) sluip *also* **slink;** verklik, verkla **~ers** (n, pl) seilskoene; ~ **pre'view** lokloertji ~ **thief** goudief, sluipdief; **~y** gluiperi, agterbaks

sneer (n) spotlag, hoonlag; bytende skerts, (grinnik; grynsend lag *also* **snig'ger; ~i** spottend, smalend, spotlaggend

sneeze (n) nies; (v) nies; *not to be ~d at* nie versmaai nie; **~wood** nieshout

snee'zing nies, genies; ~ **gas** niesgas

snide snedig, smalend, kwetsend; ~ *rema* snedige opmerking/aanmerking

sniff (n) gesnuffel; ruik; (v) snuffel, snuif

sniff'er dog snuffelhond, dwelmhond; speurhon

snig'ger (n) skelm gegiggel, (ge)grinnik; (grinnik *also* **smirk, sneer**

snip (n) snippertjie; snytjie; knip; flenter; knips *also* **chip'ping;** winskoop; (v) afsny, afkni **~pets** stukkies en brokkies

snipe (n) snip (voël); domkop (persoon); (sluipskiet; **~r** sluipskutter, skerpskutter (pe soon)

sniv'el(ling) (n) getjank, gesnotter; huigelary; (snotter; huil

snob (n) neusoptrekker, snob; flikflooier, inkru per; ~ **appeal'** snobwaarde; **~bery** snobism **~bish** snobisties *also* **snoo'ty, stuck-u| condescen'ding**

snook[1] (n) (Europese) snoek

snook[2] (n) gebaar van minagting; *cock a ~* skewebek trek; uitkoggel

snook'er (n) snoeker, potspel

snoop (v) snuffel, afloer *also* **pry; ~er** (bemoeisieke persoon, nuuskierige agie *al* **no'sy parker;** bemoeial; sluipdief; **~y** (bemoeisiek

snooze (n) dutjie, slapie; (v) dut; uiltjie knip/kna leeglê; ~ **alarm' (clock)** dutwekker

snore (n) gesnork; (v) snork

snor'ing (n) gesnork

snor'kel (n) snorkel

snort (n) snork; snorkel; (v) snuif/snuiwe (perd snork, proes

snot (vulg.) (n) snot (vulg.); neusslym *al* **mu'cus; ~ty** (a) neusoptrekkerig, minagten *~ty nose* snotneus; snuiter *also* **worth'le: person**

snout (n) snoet; snuit; neus, ~ **bee'tle** kalande snuitkewer

ιow (n) sneeu, kapok; (pl) sneeuvelde; *be ~ed in/up* toegesneeu wees; *~ed under* oorlaai wees met werk *also* in′undated; **~ball** sneeu‑ bal: *not a ~ball's chance* nie 'n kat se kans nie; **~‑blind** sneeublind; **~bound** vasgesneeu; **~cap′ped** met sneeu bedek (bergpiek); **~drop** sneeuklokkie (blom); **~flake** sneeuvlok(kie); **~ line** sneeugrens; **~‑white** sneeuwit, spierwit; **S~‑ White** Sneeuwitjie; **~y** spierwit

ιub[1] (n) afjak; teregwysing; (v) afsnou; afjak; vermy *also* **rebuff′; shun; cold‑shoul′der s.o.**

ιub[2] (a) stomp; **~‑nosed** wipneus, mopsneus, stompneus

ιuff (n) snuif; snuitsel; *take ~* snuif; (v) snuif; besnuffel; *~ a candle* 'n kers snuit; **~box** snuifboks; **~ers** (kers)snuiter

ιuf′fle (v) snuif; deur die neus praat

ιug (a) knus, gesellig, behaaglik *also* **co′sy, snoo′zy;** *lie ~* wegkruip

ιug′gle (v) warm toemaak, toedraai, inkruip, knuffel; *~ up to* naderskuif, aanvly teen *also* **cud′dle, nes′tle**

ι so, sodanig; dus, daarom, derhalwe; sodoende; *~ far ~ good* tot sover goed; *and ~ forth* ensovoorts; *how ~?* hoe so?; *quite ~!* presies!; *~ to say* as 't ware; *~ that* sodat; *I told you ~* ek het jou mos gesê

ιak (v) week, deurweek; drenk; *~ed in* deurtrek van; **~ing** deurweek; *~ing wet* papnat

ιap (n) seep; (v) inseep; *bar of ~* 'n koekie/ steen seep; **~box** seepkis(sie); kaskar; *~* **bub′‑ ble** seepbel; *~* **dish** seepbakkie; *~* **op′era** sepie, strooisage *also* **soa′pie; ~sto ne** seepsteen; *~* **suds** seepsop; **~y** seperig; vleierig

ιar (v) sweef/swewe; opstyg; *~ above* sweef/ uitstyg bo *also* **ascend′, rise′**

ιb (n) snik; (v) snik; huil; ween; *~* **sto′ry** tranerelaas

ι′ber (v) nugter maak/word; kalmeer; bedaar; (a) matig *also* **tem′perate;** sober, nugter; bedaard, besadig; stemmig; beskeie; *as ~ as a judge* volkome nugter (nie dronk nie)

ι′berness/sobri′ety (n) matigheid, nugterheid, soberheid *also* **ab′stinence**

ι′briquet bynaam; spotnaam, skimpnaam; ere‑ naam

ιb′singer sniksanger

ι′‑called sogenaamd; sogenoemd; kastig

ι′c′cer (n) sokker *also* **associa′tion foot′ball;** *~* **hool′igans** sokkerboewe, sokkerskollies

ι′ciable (a) gesellig, aangenaam, vriendskaplik *also* **cor′dial**

ι′cial (n) geselligheid, partytjie; onthaal; (a) sosiaal, maatskaplik; *~* **climber** aansiensoe‑ ker; *~* **drinker′** geleentheidsdrinker; *~* **gra′ces** sosiale etiket/verfyning; *~* **in′tercourse** gesel‑ lige verkeer; *~* **pen′sion** maatskaplike pen‑ sioen; *~* **secu′rity** bestaansbeveiliging; sosiale

sekerheid; *~* **wor′ker** maatskaplike werker; **~ism** sosialisme; **~ist** sosialis; **~ite** sosiale vlinder, sosialiet (persoon)

soci′ety (n) samelewing, maatskappy, gemeen‑ skap; genootskap; vereniging; *high ~* glans‑ kring(e), die hoëlui, elite; **buil′ding ~** bouvereniging

so′cioeconomic sosiaal‑ekonomies, sosio‑eko‑ nomies

sociol′ogist sosioloog (persoon)

sociol′ogy sosiologie (vakrigting)

sock[1] (n) sokkie; toneelskoen; *pull up your ~s* roer jou riete!; opskud!

sock[2] (n) hou; slag; (v) smyt, gooi; slaan, moker

sock′et (n) holte; oogkas; potjie (heup); sok, huls, koker, buis; *~* **joint** koeëlgewrig; sok‑ verbinding; *~* **span′ner** soksleutel

sod[1] (n) (gras)sooi, kluit; *~* **house** sooihuis

sod[2] (slang) (n) smeerlap (persoon); nare vent; domkop

so′da soda; *~* **foun′tain** bruisbron; sodapomp; *~* **si′phon** spuitwaterfles; *~* **water** sodawater, spuitwater

sod′den (v) deurweek; papnat word; (a) papnat; deurweek; kleierig (brood)

so′dium natrium (element)

sod′omite (n) sodomiet

sod′omy (n) sodomie

so′fa (n) sofa, rusbank; *~* **bed** bedbank

soft (a) sag, saf; week; soetsappig; teerhartig, gevoelig; onnosel; verwyf; *~ option/target* maklik(st)e keuse/teiken; **~ball** sagtebal; *~* **drink** koeldrank; alkoholvrye drank; **~en** sag maak; versag; **~e′ning** (n) versagting; (a) versagtend; *~* **goods** weefstowwe, wolstowwe, tekstielware; **~hear′ted** teerhartig *also* **compas′sionate;** *~* **job** maklike, beskutte pos/ betrekking; **~ness** sagtheid; **~‑nosed bul′let** dumdumkoeël, loodpuntkoeël; **~‑ped′al** (v) matig; minder/sagter maak; *~* **porn(o′graphy)** prikkellektuur; *~* **serve** (n) draairoomys, krul‑ ysie; *~* **soap** (n) groenseep; vleitaal, vleiery; **~‑soap** (v) vlei; *~* **spot** teer plek; *~* **tar′get** sagte/maklike teiken/slagoffer; **~ware** sagte‑ ware, programmatuur (rek.); **~y** goeierd; papperd

sog′gy (a) papnat, deurweek

soil[1] (n) grond; bodem; aarde; *~* **conserva′tion** grondbewaring; *~* **ero′sion** gronderosie

soil[2] (n) smet; (v) besmeer, besoedel *also* **tar′nish, pollute**

soir′ée aandparty, soirée

so′journ (n) verblyf; blyplek; (v) vertoef

sol′ace (n) troos, vertroosting *also* **com′fort, consola′tion;** (v) opbeur, troos *also* **soothe**

so′lar son‑; *~* **cook′er** sonkoker; *~* **eclip′se** sonsverduistering; *~* **en′ergy** sonenergie, son‑ krag; *~* **hea′ter** sonverwarmer; *~* **heat′ing**

sonverwarming, sonverhitting; **~pan'el** sonpa=
neel; ~ **po'wer** sonkrag; ~ **sys'tem** sonnestel=
sel; ~ **year** sonjaar

solar'ium solarium, sonkamer (vir siekes)

sol'der (n) soldeersel; (v) soldeer; **~ing i'ron**
soldeerbout

sol'dier soldaat, krygsman; **~'s pay** soldy

sole[1] (n) sool; (v) versool

sole[2] (n) tong(vis)

sole[3] (a) enkel=, alleen=, enigste; ~ **a'gent** alleen=
agent; ~ **right** alleenreg

sol'ecism (n) (growwe) taalfout; onbehoorlik=
heid; flater, vergryp *also* (**so'cial**) **blun'der;**
impropri'ety; solesisme

sole'ly enkel, alleenlik *also* **sing'ly**

sol'emn (a) plegtig, statig *also* **dig'nified, state'**=
ly, ceremo'nious

solemn'ity (n) plegtigheid, statigheid *also* **grav'**=
ity; sanc'tity

sol'emnise (v) vier; voltrek (huwelik)

solic'it (v) ernstig vra, versoek; lok, uitlok (op
straat); ~/*seek support* steun werf; **~a'tion**
aansoek *also* **applica'tion; ~ing** uitlokking;
~or prokureur; regsverteenwoordiger, regsge=
leerde

sol'id (n) vaste liggaam; (a) solied *also* **com'**=
pact; massief; stewig, bestendig; ~ **ar'gument**
gegronde argument; **~ar'ity** gemeenskaplik=
heid, samehorigheid; eensgesindheid, solida=
riteit; ~ **col'our** effe kleur; ~ **con'tents** kubieke
inhoud; ~ **geom'etry** ruimtemeetkunde; ste=
reometrie; ~ **measure** kubieke maat

solid'ify (v) verdig; stol; verenig

solid'ity (n) stewigheid; deugdelikheid; grondig=
heid

solil'oquy (n) alleenspraak, monoloog *also*
mono'logue

solitaire' (n) solitêrsteen (diamant); solitêrspel

sol'itary (n) kluisenaar *also* **her' mit, recluse';**
(a) eensaam; alleen, allenig; afgesonder *also*
seclu'ded; enigste; ~ **confine'ment** alleenop=
sluiting

sol'itude (n) eensaamheid, verlatenheid

solo solo; **~ist** solis, solosanger, solospeler

sol'stice (n) sonstilstand, sonkeerpunt

solu'tion oplossing; ontbinding; rubberlym

solve (v) oplos *also* **resolve'** (v); ontbind; uitlê;
verklaar; ~ *a problem* 'n probleem oplos/uit=
stryk

sol'vency betaalvermoë, kredietwaardigheid

sol'vent (n) oplosmiddel; (a) kredietwaardig,
solvent (persoon wat kan betaal); oplossend

som'bre (a) somber, duister, donker; swaarmoe=
dig *also* **gloo'my, dis'mal, drea'ry**

sombre'ro breërandhoed, sombrero

some (a) party, sommige, enige; ~ *day* een of
ander tyd; *to* ~ *extent* tot op sekere hoogte; ~
more nog 'n bietjie; (adv) ~ *two minutes*

omtrent twee minute; (pron) party, sommige;
iets; ~ *say* party sê; **~bo'dy** iemand; **~one**
iemand

som'ersault bol(le)makiesie, salto, buiteling;
turn a ~ bol(le)makiesie slaan

some'thing iets; *a drop of* ~ 'n snapsie; ~ *nice*
iets lekkers

some: ~time vroeër, vanmelewe; **~times** soms,
partykeer; **~what** iets; enigsins;'n bietjie;
~where êrens, iewers

som'mer (SAE) (adv) sonder bepaalde rede; net
so; sommer

somnam'bulism slaapwandelary, slaaploop

somnam'bulist (n) slaapwandelaar, slaaploper

son (n) seun; ~ *of a gun* (Am. slang) swernoter,
skobbejak *also* **bligh'ter, bug'ger;** ~ *of Mars*
krygsman

sona'ta sonate (musiekvorm)

song (n) lied; sangstuk; poësie; *make a* ~ *about it*
'n ophef maak van; *a mere* ~ 'n kleinig=
heid/bakatel; *he sold it for a (mere)* song hy
het dit vir 'n appel en 'n ei verkoop; *the same
old* ~ die ou/afgesaagde liedjie (fig.); *not
worth a* ~ niks werd nie; **~bird** sangvoël; ~
fes'tival sangfees

son'ic (a) sonies; ~ **bar'rier** klankgrens *also*
sound bar'rier; ~ **boom/bang** supersoniese
knal

son-in-law (sons-in-law) skoonseun

son'net (n) sonnet, klinkdig; **~eer'** sonnetdigter

son'ny seuntjie, boetie, mannetjie, knapie

sonom'eter klankmeter

so'norous (a) welluidend, klankryk *also* **melo'**=
dious, tune'ful

soon gou, gou-gou, spoedig, weldra, binnekort
also **short'ly;** *as* ~ *as* sodra; *the ~er the better*
hoe eerder, hoe beter; **~er** *or later* vroeër of
later; *no ~er said than done* so gesê, so gedaan

soot roet; ~ **flake** roetkorreltjie

sooth (archaic) (n) waarheid; werklikheid; *in* ~
voorwaar, waarlik; **~say'er** waarsêer, dolos=
gooier, siener *also* **for'tune tel'ler, divi'ner**

soothe (v) versag, verlig, kalmeer; ~ *your
conscience* jou gewete sus

sooth'ing versagtend; troostend; kalmerend; ~
mu'sic strelende musiek

sop (n) paaimiddel, troosmiddel; geweekte
brood; (v) week; insop, papnat maak *see*
sop'ping

so'phism (n) drogrede, sofisme

so'phist (n) drogredenaar

sophis'ticated (a) gesofistikeer(d); gevorder(d),
ingewikkel(d); oulik, vroegryp, wêreldwys
(kind); swierig; verfynd; kundig

sophistica'tion (n) verfyning, sofistikasie

soporif'ic (n) slaapmiddel *also* **sed'ative**

sop'ping: ~ *wet* deurweek; papnat, kletsnat

sop'py sentimenteel, soetsappig; nat, papnat

sopra′no sopraan; diskant (mus.)

sor′bet (n) bruissuiker, vrugtedrank, sorbet

sor′cerer towenaar, goëlaar, duiwelskunstenaar *also* **wiz′ard**

sor′ceress towernares, heks

sor′cery towery, toorkuns, goëlary *also* **black mag′ic**

sor′did laag, gemeen, vuil *also* **e′vil, mean, foul**

sor′dine (toon)demper, klankdemper

sore (n) seer, sweer, wond; (a) seer, pynlik; gevoelig; bedroef; *put one's finger on the ~ point* die vinger op die wond lê (fig.); *a ~ point* 'n gevoelige/teer punt; *a sight for ~ eyes* 'n verruklike gesig; *~ly tempted* in sware ver= soeking; *~ly tried* swaar beproef

sorgh′um graansorghum

soror′icide sustermoord; sustermoordenaar

sor′rel[1] (n) suring (plant)

sor′rel[2] (n) vos(perd); (a) vos, rooibruin

sor′row (n) droefheid, smart, verdriet *also* **grief, sadness;** (v) treur, bedroef wees; *~ful* ver= drietig, droewig, treurig *also* **mourn′ful, sad**

sor′ry (a) jammer, spyt; *be ~* spyt wees; *I am ~ to hear* dit spyt my om te hoor/verneem; *I am ~ for him* ek kry hom jammer; *a ~ sight* 'n treurige gesig; (interj) ekskuus (tog); jammer

sort[1] (n) soort, aard, klas; *nothing of the ~* niks van die aard nie; *be out of ~s* van stryk wees

sort[2] (v) sorteer, orden, uitsoek; indeel; rang= skik; *~ out* uitsoek; uitsorteer (sake)

sor′tie (n) uitval (uit beleërde posisie); inval

sosa′tie (SAE) (n) sosatie *also* **ke′bab**

sot (n) suiplap, dronkaard; *~tish* besope

soul[1] (n) siel; wese; skepsel; *not a living ~* nie 'n sterfling nie; *~ful* sielvol, hartroerend; *~ mate* sielsgenoot, geesgenoot; *~-sear′ching* siels= wroeging; gewetenspeiling; *~-stir′ring* aan= grypend, sielverheffend

soul[2] (n) soul (musiekstyl)

sound[1] (n) see-engte, seestraat, sont *see* **strait(s)**

sound[2] (n) geluid; klank; (v) klink; lui; verkon= dig; *~ an alarm* alarm maak; *~ the retreat* die aftog blaas; *~ a note of warning* waarsku; *~ bar′rier* klankgrens; *~ board* klankbord; *~ card* klankkaart (rek.); *~ effect′* byklank

sound[3] (n) peilstif, sondeerstif; wondpeil; (v) peil, sondeer *also* **plumb, probe**

sound[4] (a) gesond; gaaf, sterk; vas; deeglik, suiwer; solied; *a ~ beating/thrashing* 'n gedugte pak slae; *~ of mind* by jou volle verstand; *~ reasons* gegronde redes; (adv) vas; *~ asleep* vas aan die slaap

sound′er dieplood; peiler, (proef)sonde (apparaat)

sound′ film klankfilm

sound′ing: *~ lead* dieplood; *~ line* loodlyn, skietlood

sound′ness vryheid van gebreke; onbeskadigd= heid; deeglikheid; gesondheid

sound: *~proof* klankdig; *~proof′ing* klankdig= ting; *~ recor′ding* klankopname; *~track* klankbaan

soup (n) sop; *be in the ~* in die knyp/verknorsing wees; *~ed-up* (a) opgewoema (enjin), opge= dollie (kos); *~ kit′chen* sopkombuis; *~ la′dle* soplepel; *~ plate* sopbord, diepbord; *~ tureen′* sopkom

sour (v) suur maak, versuur; (a) suur, vrank *also* **ac′id;** wrang; nors, knorrig *also* **grum′py, sur′ly** (person); *~ gra′pes* suur druiwe; *~puss* suurknol, suurpruim (persoon)

source (n) bron, oorsprong *also* **or′igin;** *~ and application of funds* bron/herkoms en aan= wending/besteding van fondse; *~ of informa= tion* bron van inligting, inligting(s)bron; *~ stu′dy* bronnestudie; navorsing

sou′-sou soesoe (rankvrug) *also* **cho′cho**

south (n) suid; die suide; (a) suid=; suidelik; (adv) suidwaarts

South Afr′ica Suid-Afrika; *~n* (n) Suid-Afrika= ner, Suid-Afrikaan (persoon); (a) Suid-Afri= kaans; *~n War* (Tweede) Anglo-Boereoorlog (ABO); Tweede Vryheidsoorlog

south: *~east′* suidoos; *~eas′ter* suidooster, Kaapse dokter (wind); *~erly* suidelik; *~ern* suidelik; *~paw* hotklou (linkshandige per= soon); *S~ Pole* Suidpool; *S~ Seas* Stille Suidsee; *~ward* suidwaarts; *~wes′ter* suid= westewind; reënjas, oliejas

South′ern Afr′ica Suider-Afrika

South′ern Hem′isphere Suidelike Halfrond

souvenir′ (n) soewenier, aandenking, gedagtenis, herinnering *also* **keep′sake;** gedenkstuk

sov′ereign (n) vors, heerser; soewerein; pond (geld); (a) oppermagtig, soewerein *also* **par′= amount, impe′rial;** uitnemend; voortreflik

Sov′iet Sowjet; *~ Un′ion* Sowjetunie (hist.)

sow[1] (n) (vark)sog

sow[2] (v) saai; strooi; versprei; *~ discord* tweedrag saai; *~er* saaier, saaimasjien

soy′bean sojaboon(tjie)

spa (n) badplaas, kruitbad, spa *also* **min′eral baths**

space (n) ruimte; plek; uitgebreidheid; spasie; tyd, duur; *in the ~ of an hour* binne 'n uur; (v) spasieer; *~ age* ruimte-eeu; *~ deb′ris* ruimte= rommel; *~lab* ruimtelaboratorium; *~man* ruimtevaarder *also* **as′tronaut;** *~ probe* ruim= teverkenningstuig; *~ship* ruimteskip; *~ shut′= tle* pendeltuig; *~ tra′vel* ruimtevaart

spa′cing spasiëring

spa′cious ruim, wyd, uitgestrek *also* **roo′my**

spade[1] (n) skoppens (kaarte); *ace of ~s* skoppens= aas

spade[2] (n) graaf, spitgraaf; *call a ~ a ~* geen doekies omdraai nie; *~work* spitwerk; aan= voorwerk *also* **ground′work**

spaghet′ti spaghetti

Spain Spanje (land) *see* **Span'iard, Span'ish**

spam (n) (elektroniese) gemorspos, kubermorspos, prulpos *also* **cy'ber junk' mail**

span (n) span; spanwydte; omvang; spanning (brug); kort tyd; (v) span, oorspan; oorbrug; **eye ~** ooggreep; **~ of life** lewensduur

span'gle (n) versiersel, blinker(tjie), blinkgoed; (v) vonkel, skitter

Span'iard (n) Spanjaard (persoon) *see* **Spain, Span'ish**

span'iel (n) spanjoel, patryshond

Span'ish (a) Spaans (gebruike, ens.) *see* **Spain, Span'iard; ~ fly** spaansvlieg, groenvlieg; **~ plas'ter** Spaanse pleister(werk)

spank (n) klap, slag; (v) pak/streepsuiker gee

spank'ing (n) loesing, slae *also* **bea'ting, thrash'ing;** (a) groot, sterk; gaaf, uitstekend

span'ner (n) skroefsleutel, skroefhamer

spanspek' (SAE) (n) spanspek *also* **muskmel'on**

spar[1] (n) spar; spriet; paal

spar[2] (n) spaat (mineraal); **heavy ~** bariet

spar[3] (n) skerm(oefening); vuisgeveg; (v) skerm (met vuiste) *also* **skir'mish;** redetwis (met woorde)

spare[1] (n) ekstra; reserwe(onder)deel; (pl) onderdele; (a) orig, reserwe=

spare[2] (v) spaar, opspaar, bespaar; mis, ontbeer; **~ no expense** geen koste ontsien nie; **~ the rod and spoil the child** wie sy kind liefhet, kasty hom; **~ oneself the trouble** jou die moeite bespaar

spare[3] (a) maer; skraal; **~ di'et** skraal kos/rant= soen; ryswater

spare: ~ part reserwe(onder)deel; spaarpart (omgangst.); **~ room** vrykamer; gastekamer; **~ time** vrye tyd; **~ tyre** reserweband, spaar= band; **~ wheel** noodwiel, spaarwiel

spa'ring (a) spaarsaam *also* **thrif'ty, fru'gal;** sorgsaam

spark (n) vonk; sprank, greintjie; *a bright ~* (usually ironic) 'n slim kêrel (meesal ironies); *knock ~s out of* ver oortref; (v) vonk; **~ing** vonkontbranding; **~(ing) plug** vonkprop

spar'kle (n) glans, flikkering, sprankeling; ge= skitter; (v) vonkel; flikker; sprankel; bruis; **~r** diamant

spark'ling vonkelend, skitterend; **~ wine** von= kelwyn, bruiswyn

spar'ring skerm, boks; **~ part'ner** skermmaat, oefenmaat (boks)

spar'row mossie; **~ hawk** sperwer, witvalk

sparse (a) dun, versprei, yl (gesaai)

Spar'tan (n) Spartaan (persoon); (a) Spartaans/ spartaans *also* **austere'**

spasm (n) kramp, spasma; **~od'ic** krampagtig; met rukke en stote; spasmodies *also* **errat'ic**

spas'tic (n) spastikus (serebraal gestremde per= soon); (a) spasties

spate (n) vloed, oorstroming; *the river is in ~/flood* die rivier kom af/lê kant en wal

spat'ter (n) spatsel; gespat; (v) spat, bespat

spat'ula (n) tempermes; spatel; strykmes

spawn (n) viseiertjies, saad, kuit; (v) eiers lê, kuit skiet; broei

spay (v) spei (wyfiedier) *also* **neu'ter;** regmaak (omgangst.)

speak (v) praat; spreek; sê; *~s for itself* vanselfsprekend; *~ one's mind* padlangs/reguit praat; *so to ~* so te sê; *it ~s volumes* dit spreek boekdele; **~er** (n) spreker; **~ing** (n) praat; *not on ~ing terms* kwaaivriende wees; **pub'lic ~ing** (die) redenaarskuns, spreekkuns

spear (n) spies, speer; wig; (v) deurboor; **~fish'= ing** spieshengel; **~ gun** spiesgeweer; **~head** speerpunt; (v) voortou neem; van stapel laat loop *also* **launch'**

spec'ial (n) spesiale uitgawe (koerant); ekstra trein/vliegtuig; (a) spesiaal, besonder; **~ist** spesialis, vakman

special'ity/spe'cialty (n) vakgebied, spesialiteit (bv. koekbak) *also* **for'te**

spec'ialise (v) spesialiseer; onderskei; **~d knowl= edge** vakkennis, deskundige kennis

spe'cie (no pl) spesie, gemunte geld

spe'cies (sing and pl) soort, spesie *also* **breed, cat'egory**

specif'ic soortlik, spesifiek; bepaald; **~a'tion** spesifikasie; **~ grav'ity** soortlike gewig

spec'ify (v) noukeurig vermeld, spesifiseer *also* **i'temise;** *unless otherwise specified* tensy anders aangedui

spec'imen (n) (proef)monster, voorbeeld *see* **sam'ple;** monsterboek; proef; staaltjie; eksem= plaar; **~ book/cop'y** monsterboek; proefek= semplaar; **~ sig'nature** proefhandtekening, proefnaamtekening

speck (n) vlek, smet; stip; kolletjie, merkie; deeltjie; spatseltjie; (v) vlek; bespikkel

speck'le (n) spikkel, vlekkie; **~d** bont, gespik= kel(d) *also* **dap'pled, dot'ted**

spec'tacle (n) skouspel; vertoning; kykspel; toneel; (pl) bril; *make a ~ of* 'n spektakel maak (van jouself); **~ case** brilhuisie; **~d** gebril

spectac'ular (a) skouspelagtig *also* **stri'king;** opsienbarend *also* **sensa'tional**

specta'tor (n) toeskouer, aanskouer *also* **by'= stander, looker-on**

spec'tral (a) spookagtig, spook=; spektraal

spec'tre (n) spook(gedaante); skim (gestalte)

spec'troscope spektroskoop (ligontleder)

spec'trum (n) **..tra** spektrum; kleurebeeld

spec'ulate (v) bespiegel; bepeins; spekuleer (geld, beeste); *~ about the future* bespiegel oor die toekoms

specula'tion spekulasie *also: taking a risk;* bespiegeling, oorpeinsing

spec'ulative (a) gewaag, spekulatief

spec'ulator spekulant (persoon); teoretikus

speech (n) toespraak; redevoering; spraak; taal; gesprek; *make a* ~ 'n toespraak hou/lewer/ afsteek; *figure of* ~ stylfiguur; *parts of* ~ woordsoorte, rededele; ~ *from the throne* troonrede; ~ **and dra'ma** spraak en drama (skoolvak); **af'ter-din'ner** ~ tafelrede; ~ **day** (at school) prysuitdeling; ~ **imped'iment** spraakgebrek; ~**less** sprakeloos/spraakloos, verbyster; stom; ~ **recogni'tion technol'ogy** spraakherkenningstegnologie; ~ **ther'apist** spraakterapeut

speed (n) snelheid, spoed, vaart; haas; versnel= ling; *at full* ~ in volle vaart; ~ *up* versnel *also* **accel'erate;** *more haste less* ~ hoe meer haas, hoe minder spoed; (v) spoed; haastig/gou maak; jaag; ~**boat** snelboot, jaagboot, krag= boot; ~ **calm'ing** spoeddemping *also* **traf'fic calm'ing;** ~ **cop** (infml.) verkeersbeampte; spietkop (omgangst.); padvalk (omgangst.); ~ **hump/bump** (spoed)hobbel, spoedwal; ~ **lim'it** snelheidsgrens; snelperk; spoedperk, ~ **mer'chant** jaagduiwel *also* **hell'driver;** ~**ometer** snelheidmeter; odometer; ~**ster** jaag= motor; jaagduiwel, spoedvraat; ~ **trap** jaag= strik, snelstrik; ~**way** snelweg, motorweg; deurpad (stedelik); jaagbaan; ~**way ra'cing** (motor)fietsrenne; ~ **wob'ble** spoedwaggel

speed'y gou, vinnig, haastig; *wish s.o. a* ~ *recovery* iem. 'n spoedige herstel toewens

speleol'ogy speleologie, grotkunde

spell[1] (n) towerkrag, magiese krag; betowering *also* **trance;** towerspreuk; *fall under the* ~ *of* onder die toorkrag/betowering kom van; ~**bin'ding** (a) boeiend, betowerend *also* **enchant'ing;** ~**bound** (a) betower(d), verruk

spell[2] (n) beurt; tyd, rukkie; *a cold* ~ 'n skielike koue; *a long* ~ *of service* 'n lang dienstermyn

spell[3] (v) spel; beteken; voorspel; ~ *out a policy* 'n beleid uitstippel

spell: ~**check'er** speltoetser; ~**er** speller; ~**ing** spelling; ~**ing er'ror/mistake'** spelfout

spend (v) **spent** uitgee, spandeer; bestee (tyd, aandag); deurbring, verkwis; ~ *a day* 'n dag deurbring; ~ *time on* tyd bestee aan; ~**ing mon'ey** sakgeld, spandeergeld; ~**ing spree** wilde kopery; koopjol; ~**thrift** (n) deurbringer, verkwister *also* **was'ter, squan'derer**

spent (a) uitgeput, flou; ~ **cartridge** leë patroon= dop

sperm (n) saad; sperma (meesal v. dier); ~ **bank** spermbank, saadbank

spew (v) uitbraak; uitspoeg; opbring

sphere (n) kring *also* **domain';** sfeer, bol; omvang; ~ **of in'fluence** invloedsfeer, mags= gebied

spher'ical (a) bolvormig, bol= *also* **glo'be-shaped**

spherom'eter (n) rondingsmeter, sferometer

sphe'rule klein bolletjie, koeëltjie

sphinx (n) sfinks

spice (n) spesery(e), kruie; (v) krui(e), smaak gee

spick' and span' (a) silwerskoon; piekfyn, agtermekaar; eksie-perfeksie

spi'cy (a) smaaklik, geurig; pikant; speseryagtig; onbetaamlik, gewaag(d); eroties

spi'der (n) spinnekop; spaider (outydse rytuig); ~**y legs** kieriebene; ~**line** kruisdraad (verky= ker); ~**'s web** spinnerak

spike (n) aar (van gras); priem *also* **prong;** tand; spykerskoen (atl.); briefpriem; (v) vaspen; vasspyker; ~**d drink** gedokterde drankie; ~**d/spiky hair** spykerhare, pennetjieshare

spile (n) spil; (hout)pen, prop, swik; heipaal *also* **pile**

spill (n) val; *have a nasty* ~ lelik val; (v) uitgooi, mors, uitstort, verspil; ~ *the beans* met die hele mandjie patats uitkom

spill'way uitloop, oorloop (uit dam, rivier)

spin (n) draai; tolvlug (vliegtuig); toertjie, ritjie; *go for a* ~ 'n entjie gaan ry; (v) spin, weef; draai; wentel; ~ *a yarn* 'n storie vertel; *kluitjies bak;* *my head* ~*s* ek raak/voel duiselig; ~ **bow'ler** draai(bal)bouler (krieket)

spin'ach spinasie

spi'nal ruggraat=; ~ **col'umn** ruggraat; ~ **cord** rugmurg

spin'dle spil, as; ~**-leg'ged** (a) met speekbene; ~**shanks** (n) speekbene

spin doctor beeldbouer, beeldpoetser; spindok= ter (omgangst.) *also* **im'age buil'der/boos'ter** *see* **praise singer**

spin'dryer toldroër (vir wasgoed)

spine ruggraat, rugstring; doring; ~**-chil'ler** riller (boek, film); ~**less** ruggraatloos; doringloos (plant)

spinet' spinet *also* **vir'ginal** (vroeë klavier)

spin'ner (n) spinner (persoon); spinmasjien; ~**y** spinnery

spin'ning[1] (n) spin; ~ **jen'ny** (outydse) spinma= sjien; ~ **mill** spinfabriek, spinnery; ~ **wheel** spinwiel

spin'ning[2] (n) spin(ning), fietstrap (sonder om te ry)

spin'-off (n) neweproduk; (onbeplande) uitvloei= sel; byvoordeel

spin'ster oujongnooi, vrygesellin

spi'ny doringrig, netelig, lastig

spi'ral (n) spiraal; (v) kronkel, draai; (a) spiraalvormig; ~ **spring** springveer, spiraal= veer; ~**/wind'ing stair'case** wenteltrap

spire toringpunt, toringspits

spir'it (n) gees; lewenskrag; durf, moed *also* **pluck, guts;** besieling; skim, (dwalende) gees; (pl) sterk drank; brandewyn; brandspiritus; *in high* ~*s* opgeruimd; *the Holy S*~ die Heilige

Gees; *in low* ~*s* neerslagtig; ~*s of wine* wyngees; *take it in the wrong* ~ verkeerd opneem; (v) aanwakker, besiel, aanvuur *also* **inspire'**; ~ *away* wegtoor, wegmoffel; **~ed** lewendig, opgeruimd, sprankelend; ~ **lamp** spirituslamp; **~less** geesloos, futloos; ~ **lev'el** waterpas; ~ **stove** spiritusstofie, pompstofie

spir'itual (n) geestelike lied (Afro-Amerikaans), spiritual; (a) geestelik, onstoflik; **~ise** vergees= telik; verinnerlik; **~ism** spiritisme; geestesop= roeping; **~ist** spiritis (persoon)

spit[1] (n) spoeg, spuug; (v) spoeg, spuug, spu; ~ *out* uitspoeg; ~ *it out* sê dit maar reguit; *within* ~*ting distance of* 'n katspoegie ver/vêr

spit[2] (n) (braai)spit; (v) deurboor, deursteek; braai; **~-roast** spitbraai

spite (n) wrok; nyd; boosaardigheid; *in* ~ *of* ten spyte van, in weerwil van; *out of* ~ uit wrok; (v) krenk, vermaak; dwarsboom; pla, vererg; **~ful** vermakerig; geniepsig, haatlik *also* **malic'ious, nas'ty, un'derhand**

spit'fire (n) drifkop, kwaaikop, heethoof, vuur= vreter *also* **fire'brand** (person)

spit'tle (n) speeksel, spuug, spoeg

spittoon' spoegbakkie, kwispedoor *also* **cus'= pidor**

spiv (slang) (n) bedrieër *also* **con'man;** ver= troueswendelaar

splash (n) plas; spatsel; *make a* ~ ophef maak *also: cause a stir;* (v) plons; bespat, plas, spat; ~ *news* nuus in groot letters druk; **~board** modderskerm, spatbord; ~ **lan'ding** plonslan= ding (ruimtetuig); **~y** windmakerig, spoggerig

splay (v) skuinste; (v) verswik, verstuit; skuins afloop; **~foot** platvoet

spleen (n) milt; humeurigheid; ergernis; **~ful/~ish/~y** neerslagtig; ergerlik, brommerig

splen'did (a) uitstekend, puik, bak(gat) (om= gangst.) *also* **superb', first'-rate, fine, top'- notch;** pragtig; luisterryk

splen'dour prag, glans, grootsheid, luister(ryk= heid) *also* **bril'liance, gran'deur**

splenet'ic (n) brompot (persoon); (a) brommerig, knorrig, miltsugtig; ~ **fe'ver** miltkoors, milt= vuur

spleni'tis miltontsteking

splice (n) splitsing; las (tou); (v) splits; las; spalk; verbind

splint (n) splinter; spalk; splytpen; (v) spalk

splin'ter (n) splinter, spaander; (v) versplinter; splinter; ~ **group** splintergroep, wegbreek= groep

split (n) skeuring, tweespalt; skeur *also* **rift;** (v) skeur; splits; verklap; ~ *the difference* die verskil deel (tussen twee bedrae); ~ *hairs* hare kloof; *in a* ~ *second* oombliklik, blitsvinnig; ~ *one's sides* uitbundig lag; (a) gesplits, verdeel; **~-hoo'fed** spleethoewig *also* **clo'ven-footed;** ~

infi'nitive geskeie infinitief; ~ **peas** spliterte; ~ **personal'ity** gesplete persoonlikheid; ~ **pin** splitpen/splytpen; ~ **po'les** gekloofde pale, kloofpale; **~-pole fence** paaltjie(s)heining; **~-sec'ond ti'ming** presisie(tydberekening)

spoil (n) buit, roof; ~*s of war* oorlogsbuit; (v) bederf; verwoes, verniel *also* **ruin;** plunder, roof; verbrou, vergal; verfomfaai (klere); **~ed/~t** bedorwe; **~er** plunderaar; bederwer; drukvin, blitsvlerk (motor) *see* **boot spoiler';** **~sport** pretbederwer, spelbreker *also* **kill'joy;** suurpruim (persoon)

spoke (n) speek; *put a* ~ *in s.o.'s wheel* iem. dwarsboom

spokesper'son woordvoerder, segspersoon; mond= stuk, spreekbuis *also* **spokesman/spokes= woman**

sponge (n) spons; afsponsing; klaploper, neklêer, parasiet (persoon); *throw in the* ~ tou opgooi; (v) afspons; klaploop, parasiteer; opsuig; uitvee; ~ *on s.o.* op iem. teer; iem. uitsuig; ~ **cake** sponskoek; suikerbrood; **~r** (n) klaplo= per, neklêer, parasiet; opskeploerder, uitsuier, inhaler (persoon)

spon'gy (a) sponsagtig; voos

spon'sor (n) borg(maatskappy); doopgetuie; (v) steun, bevorder; borg *also* **promote', fund;** ~ *a tournament/club* 'n toernooi/klub borg; **~ship** borgskap

sponta'neous (a) vrywillig, spontaan, onge= dwonge *also* **instinc'tive, vol'untary**

spoof (n) parodie; (satiriese) spotskrif; poets, streek, grap; (v) (goedig) spot; iem. (goedig) fop; **~er** gekskeerder

spook (n) spook; (Am.) spioen, geheime agent; **~ish/~y** spookagtig; (v) bang maak; spook by

spool (n) spoel(etjie), tolletjie, klos; (v) opdraai

spoon (n) lepel; (v) skep, oplepel, uitlepel

spoon'erism (n) spoonerisme; toevallige/doel= bewuste klankomsetting (bv. *my rags and bugs* i.p.v. *my bags and rugs*)

spoon: ~-feed met die lepel voer; **~ful** (n) lepel vol; *two ~fuls of sugar* twee lepels suiker

spoor (n) spoor; (v) spoorsny

sporad'ic versprei(d), sporadies *also* **irreg'ular', occa'sional**

spore (n) spoor, kiem (plantk.)

sport (n) sport; grap, korswel; tydverdryf; vermaak; afwyking (dier, plant); *be a* ~ wees nou so gaaf/sportief; *make* ~ *of* gekskeer; *a real* ~ 'n gawe kêrel; (v) jou vermaak; spog met; ~ *a gold watch* met 'n goue horlosie pronk/spog; **~ful** vrolik, speels; **~ing** spelend; sport=, sportief

sports (n) sport; **~man** sportman; **~manlike** edelmoedig, sportief; **~manship** sportman= skap; ~ **schol'arship** sportbeurs

spot (n) kol, merk, smet, vlek; penarie; plek;

punt; kleinigheid; moedervlek, moesie; *on the ~* ter plaatse, byderhand; *knock ~s off s.o.* iem. deeglik op sy baadjie gee; iem. kafloop; (v) bespat; bespeur, bemerk; besoedel; uitsoek; uitken, raaksien; reg raai, spot (vrae); **~ cash** kontant; **~ check** koltoets, steekproef; **~ col′our** pletterkleur; **~ fine** afkoopboete; **~less** vlekloos; *~lessly clean* kraakskoon, silwer= skoon; **~light** soeklig, kollig; swaailamp; **~ mar′ket** kontantmark (olie); **~ted** bont, ge= spikkel(d); **~weld** puntsweis

spouse (n) eggenoot (man of vrou), gade, weder= helf(te), huweliksmaat

spout (n) tuit; tregter; geut; spuit; hoos (water, wind); *up the ~* gedaan, klaarpraat *also* **beyond help;** (v) spuit *also* **gush; ~er** (n) opsweper *also* **dem′agogue**

sprain (n) verstuiting; (v) verstuit, verswik (bv. enkel)

sprat (n) spiering, sprot (haringsoort)

sprawl (n) gespartel; lomp houding; (v) uitrek; uitgestrek lê; wyd uitmekaar skryf

spray[1] (n) takkie; loot; bloeisel; (streep)ruiker

spray[2] (n) skuim; sproeireën; (v) spuit, besproei *also* **sprink′le; ~er** spuit, sproeier; **~ can** spuitkan(netjie); **~ paint** spuitverf

spread (n) omvang; uitgestrektheid; versprei= ding; maaltyd, feesmaal; sprei; *prepare a ~* 'n feestelike onthaal (voor)berei; (v) versprei; ontplooi *also* **deploy;** rondstrooi; voortwoe= ker; smeer (brood); span (seil); oopslaan (waaier); verdeel; voortplant; *~ a rumour* 'n gerug rondstrooi; *~/lay the table* die tafel dek

spread′sheet sigblad, werkblad (rek.)

spree (n) drinkparty, fuif *also* **binge′;** makietie; (v) fuif, jol, rinkink *also* **rev′el**

sprig takkie, twygie, lootjie; spriet; uitgroeisel

spright′ly lewendig, vrolik, dartel *also* **brisk**

spring[1] (n) lente, voorjaar; *in ~* in die lente

spring[2] (n) bron, fontein *also* **well, foun′tain**

spring[3] (n) veer; veerkrag *also* **elasti′city;** sprong; spring; oorsprong; (v) spring; ont= spring; *~ a mine* 'n myn laat ontplof; *~ a surprise* verras; **~ bal′ance** trekskaal(tjie), veerbalans; **~ bed** springmatras; **~board** afspringplek (vir aanvalle); springplank; duik= plank; **~bok** springbok; **~ chick′en** piepkui= ken; bakvissie (opgeskote meisie); **~hare** springhaas; **~ tide** springvloed, springty; **~y** elasties, veerkragtig

spring′time lente(tyd); jeug(digheid)

sprin′kle (n) motreën; sprinkeling; (v) sprinkel, besproei; (be)strooi; **~r** sprinkelaar, sproeier; **~r head** spuitkop; **~ irriga′tion** sprinkelbe= sproeiing

sprink′ling (be)sprinkeling; los klompie *also* **smat′tering** (of people); **~ can** gieter *also* **wa′tering can**

sprint (n) naelwedloop, naelren; (v) nael; **~er** naelloper (atl.); renfietser

sprite (n) fee(tjie) *also* **fai′ry;** gees(verskyning), spook(gedaante)

sprout (n) spruit, loot; (v) uitspruit, uitbot; groei; opskiet; **~s** spruitkool

spruce[1] (n) spar (denneboom)

spruce[2] (v) opskik, opdollie; mooimaak; (a) netjies, keurig; viets, piekfyn *also* **neat, smart**

spruit (SAE) (n) spruit, drif(fie) *also* **brook, stream, drift**

spry lewendig, wakker; hups, pure perd *also* **brisk, nim′ble**

spud[1] (n) grafie

spud[2] (infml.) (n) aartappel

spume (n, v) skuim

spu′mous/spu′my (a) skuimend, skuimerig

spunk (n) moed, durf; koerasie; fut, drif; **~y** (a) vurig, vol woema

spur (n) spoor; spoorslag; aansporing, prikkel; uitloper (van 'n berg); *on the ~ of the moment* sonder om na te dink; onbeplan, spontaan *also* **impul′sively;** *win one's ~s* jou spore verdien; (v) aanspoor, aanja; **~ gear** tandrat

spu′rious (a) oneg, vals, nagemaak *also* **faked, bo′gus, false, contri′ved**

spurn (v) minag; verstoot, versmaai *also* **dis′= regard; scorn; snub**

spurt (n) uitspuiting; vlaag; aandrang; (v) uitspuit; weglê; laat nael; versnel (spoed)

spur′-toed frog/toad (n) platanna, plandoeka

sput′nik (n) spoetnik (kunsmatige aardsatelliet)

sput′ter (n) geratel; gesputter; (v) rammel, ratel; sputter; borrel; aframmel, brabbel; knetter

spy (n) spioen, geheime agent; verspieder; bespieder; (v) spioen(eer); bespied; uitvis; afloer; bespeur; *I ~* (blik)aspaai (speletjie); *~ on* bespied, iem. agtervolg *also* **trail; ~ out** uitvis; die terrein verken; **~glass** verkyker/ vêrkyker *also* **binoc′ulars; ~hole** kykgat, loergat; **~ing** spioenasie

squab (n) jong duif; opgestopte kussing; vetsak (persoon); (a) dik, lywig; lomp

squab′ble (n) rusie, twis; (v) twis, rusie maak; dwarstrek, kibbel *also* **bick′er, wrang′le; has′sle; ~r** rusiesoeker, dwarstrekker, korrel= kop (persoon)

squad seksie; afdeling (soldate); klomp; span (werkers; sportlui); **~ car** blitsmotor; **fly′ing ~** blitspatrollie

squad′ron eskadron (ruiters); eskader (vloot); eskader, eskadrielje (lugmag)

squal′id vuil, morsig, smerig, liederlik *also* **fil′thy, foul; sor′did**

squall (n) windvlaag, rukwind; (v) skreeu, gil; **~y** stormagtig, onstuimig, buierig

squal′or (n) morsigheid, smerigheid *also* **filth′, decay′**

squan′der (v) verkwis, verspil, deurbring *also* **waste, dis′sipate**

squan′derer (n) deurbringer, verkwister, ver= morser *also* **spend′thrift, was′ter**

square (n) vierkant; kwadraat; ruit, vak (dam= bord); plein; winkelhaak; tweede mag (wisk.); ouderwetse/verkrampte persoon; *out of* ~ nie haaks/reghoekig nie; (v) vierkantig/reghoekig maak; tot die tweede mag verhef (wisk.); ooreenstem, klop (syfers); ~ *accounts with* afreken met; *back to* ~ *one* terug waar ons was; niks bereik nie; ~ *up* opbetaal; vereffen; (a) vierkantig; kwadraat=, reghoekig; eerlik, regskape; afgereken; gelyk; ouderwets, ver= kramp (persoon); *a* ~ *meal* 'n stewige maal(tyd); *a* ~ *peg in a round hole* nommer onpas; (adv) vierkant; eerlik; *they are* ~ *now* hulle is nou kiets; *treat* ~ eerlik/billik behan= del; ~ **deal** eerlike/billike behandeling/tran= saksie; ~**d** kwadraat; geruit; ~**d pa′per** ruit(jies)papier, grafiekpapier; ~ **mea′sure** oppervlaktemaat; ~ **root** vierkantswortel; ~-**shoul′dered** breedgeskouer

squash¹ (n) (vrugte)sap; kwas, suurlemoen= drank; gedrang; (v) kneus; platdruk; verbrysel *also* **crush;** dooddruk ('n voorstel) *see* **quash**

squash² (n) skors(ie); **gem** ~ lemoenpampoen= (tjie) *see* **but′ternut**

squash³ (n) muurbal (sport) *also* **squash rack′= ets/racq′uets**

squat (n) gehurkte houding; (v) neerhurk; plak (in krotte, skermhutte); ~ *down* neerhurk; (a) gehurk; ~**ter** plakker; ~**ter camp** plakkers= kamp *also* **in′formal settle′ment; ~ting** hurk; plakkery; ~**ting clos′et** hurkkloset

squeak (n) gepiep; gil; (v) piep; gil *also* **yelp, whine**

squeal (n) tjank, gil; skreeu; (v) tjank, gil *also* **screech;** verklik, verkla; ~**er** kermkous, tjank= balie *also* **moa′ner;** verklikker *also* **infor′mer, whis′tle-blower**

squeam′ish (a) liggeraak, oorgevoelig; mislik; sedig, preuts *also* **pru′dish;** kieskeurig, pun= tene(u)rig *also* **fin′icky**

squeeze (n) druk(king); kneusing; gedrang; omarming; *it was a tight* ~ dit het (maar) naelskraap/broekskeur gegaan; (v) druk; pers; vasdruk; uitpers; uitdruk; omhels; druk uitoe= fen op; ~ *money out of* geld afpers; ~ **box** konsertina; krismiswurm (skerts.)

squib (n) voetsoeker, sisser, klapper; hekelskrif, parodie; *a damp* ~ 'n fiasko/mislukking

squid (n) pylinkvis; **com′mon** ~ tjokka

squint (n) skeelheid; *have a* ~ skeel kyk; (v) skeel kyk/wees; ~ *at* skuins kyk na; (a) skeel; ~-**eyed** skeeloog=; ~**ing** (n) skeelheid; (a) skeel; *slightly* ~*ing* soetskeel

squire (n) landedelman (in Eng.) *see* **esquire′;**

skildknaap, wapendraer (hist.); (v) 'n dame begelei/vergesel (veroud.)

squirm (v) kruip, kriewel, wriemel *also* **wrig′gle;** ~/*writhe with pain* krimp van die pyn

squir′rel (n) eekhoring, eekhorinkie; **ground** ~ waaierstertmeerkat

squirt (n) spuit; straal; grootprater, windmaker; (v) (uit)spuit

stab (n) (dolk)steek; belediging; (v) doodsteek; wond; deursteek; ~ *s.o. in the back* iem. skelm/verraderlik aanval/belaster; ~ *to death* doodsteek

stabil′ity (n) bestendigheid, stabiliteit *also* **sound′ness;** vastheid; standvastigheid

sta′bilise (v) stabiliseer, bestendig

sta′ble¹ (n) stal; renperde; (v) stal

sta′ble² (a) stabiel, standvastig, bestendig; duur= saam; *the patient is in a* ~ *condition* die pasiënt se toestand is bestendig

sta′ble: ~ **groom** stalkneg; ~ **horse** stalperd

sta′bling stalling (ook van motors); stalruimte

stacca′to staccato (mus.)

stack (n) mied (hooi); hoop, stapel; (v) mied pak; opstapel

sta′dium (n) stadion

staff (n) staf (mil.); personeel (skool, kantoor); stok; ~*ed with* beman met; *editorial* ~ redaksie; (v) van personeel voorsien; ~**er** personeellid; ~**ing** personeelvoorsiening; bemanning; ~ **nota′= tion** (note)balkskrif (mus.); ~ **nurse** stafver= pleegster; ~ **of′ficer** stafoffisier

stag (n) takbok, hert; kortspekulant (effekte= beurs) *see* **bull, bear;** ~ **par′ty/night** ramparty

stage (n) verhoog; toneel; stadium, fase; trek (bus); *bring upon the* ~ opvoer *also* **stage** (v); *at that* ~ in daardie stadium; *go on the* ~ toneelspeler word; (v) opvoer; ~**coach** pos= koets; ~ **direc′tion** toneelaanwysing; ~ **fe′ver** plankekoors; ~ **fright** verhoogvrees, planke= vrees; ~ **man′agement** regie; toneelleiding, ~ **wri′ter** toneelskrywer, dramaturg

stag′ger (v) waggel, wankel *also* **lurch;** steier (weens skok/verbasing); verspring (plante in rye; tikwerk); weifel, aarsel; dronkslaan; (ver)sprei (oopmaaktye van besighede); ~ *along* aansukkel; ~**ed hours** gespreide werk= ure; skiktyd; ~**ed rows** (plants) verspring= de/skuins rye; ~ **ty′ping** verspringde tikwerk; ~**ing** (n) waggeling; verspreiding; versprin= ging; (a) waggelend; skokkend, verbysterend (koste) *also* **baf′fling, stun′ning;** verspring (plante in rye; tikwerk)

sta′ging opvoering (van toneelstuk); stellasie, steiering *also* **scaf′folding**

stag′nant (a) (stil)staande; traag, doods, luste= loos; stagnant *also* **stale′**

stag′nate (v) stagneer; lui/traag word

staid (a) besadig, stemmig, bedaard *also* **calm**

stain (n) skandvlek; klad, vlek, smet *also* **blot;** kleur, kleursel, tint; *without a ~ on his/her character* met 'n vleklose karakter; (v) vlek, besmet; verf, kleur; beklad; **~ed** besoedel, besmet; gekleur; **~ed glass** kleurglas, brand= skilderglas; **~less** rein, skoon; vlekvry(e), roesvry(e) (staal); **~ remo'ver** vlekverwyderaar

stair (n) trap *also* **stairs;** ~**s** (n) die onderste verdieping (van gebou/huis); (adv) (na) onder, ondertoe; die trap af; *flight of ~s* 'n trap, trapportaal; *up~s* (n) die boverdieping (van gebou/huis); (adv) (na) bo, boontoe; die trap op; **~ car'pet** traploper; **~case** trap

stake (n) paal; brandstapel; aandeel; wedgeld, inset; plaat, pot, prys; (pl) wedgeld, potgeld, inset; *at ~* op die spel; *die at the ~* op die brandstapel sterf; *have a ~ in* belange hê in; (v) ompaal, afbaken, afpen; waag; wed; *~ a claim* aanspraak maak op; *~ out homes (to burgle)* huise skelm dophou (om in te breek); **~hol'der** belanghebber, deelhebber (persoon); aandeelhouer

stal'actite (n) (hangende) drupsteen, stalaktiet; **~ cave** drupgrot

stal'agmite (n) (staande) drupsteen, stalagmiet

stale (a) oud; muf; verslete; afgesaag (grap); (v) muf word; verslyt; **~ beer** verslaande bier; **~mate** dooiepunt *also* **dead'lock** *see* **check'= mate;** **~ news** ou nuus

stalk[1] (n) steel, stingel; skag (van veer)

stalk[2] (v) (wild) bekruip; sluip; **~er** bekruiper; sluipjagter

stall (n) padstal, kraampie; kiosk; stal, hok; loket; koorstoel; toonbank; (v) op stal hou; staak, stol (motor); stopsit, vertraag (om tyd te win)

stal'lion (n) (dek)hings

stalls (n) onderverdieping (teater), stalles

stal'wart (n) staatmaker (persoon); (a) kragtig, stoer, stoutmoedig *also* **staunch, depen'dable, trus'ty, bold**

sta'men (n) meeldraad

stam'ina (n) uithouvermoë, aanhouvermoë, weerstandsvermoë, stamina

stam'mer (n) hakkel, stotter; (v) stamel, hakkel; **~er** hakkelaar *also* **stut'terer; ~ing** gehakkel; (a) stamelend, stotterend

stamp (n) stempel; merk; seël; posseël; ykmerk; waarmerk; *men of that ~* manne van dié kaliber; (v) merk, stempel; tjap (omgangst.); frankeer; 'n posseël opplak; *~ out* doodtrap, uitroei *also* **crush, destroy'; ~ al'bum** pos= seëlalbum; **~ collec'tor** (pos)seëlversamelaar, filatelis *also* **philat'elist; ~ duty** seëlreg

stampede' (n) dolle vlug; stormloop; vertrap= ping; (v) paniekvlug (diere); stormloop

stam'ping ground houplek; boerplek; (gelief= koosde) kuierplek

stamp' pad (n) stempelkussing, stempelblok

stance (n) standpunt, gesigspunt *also* **view= point;** houding *also* **pos'ture**

stanch (v) stelp, dep (bloed, water met depper) *also* **swab**

stand (n) stand, posisie; erf; standplaas; stelling; pawiljoen; staander (vir hoede); voetstuk; stalletjie, kraampie; (v) staan; uithou; weer= staan; opstel; deurstaan; kandidaat wees; trakteer (met drankie); *~ aside* opsy staan; *~ by s.o.* iem. bystaan/(onder)steun; *on ~by* by= stand (dokter); *I can't ~ the fellow* ek kan die vent nie verdra nie; *~ drinks* met/op drankies trakteer; *~ at ease!* op die plek rus!; *~ guard* op wag staan; *~ no nonsense* geen gekheid verdra/duld nie; *it ~s to reason* dit spreek vanself; *~ in good stead* goed te pas kom; *~ stockstill* stokstil/roerloos staan

stan'dard (n) standerd (skool) *kyk ook* **graad;** standaard, peil, gehalte; maatstaf, norm; banier; *below ~* benede peil; *up to ~* op peil; (a) standaard=; vas; stam=; **~ bea'rer** vaandel= draer; **~isa'tion** standaardisering; normalise= ring; **~ise** (v) standaardiseer

stand'by (n) bystand, steun *also* **back-up;** gereedheid(s)diens; nooddiens; *on ~* op by= stand/roep; **~ du'ty** bystanddiens; **~ time** bystaantyd, steuntyd (selfoon)

stan'ding (n) rang, stand; posisie, status *also* **repute', sta'tus;** *of good ~* van goeie karakter; *a man of high ~* 'n vername persoon; iemand van aansien; *of long ~* lank gevestig; (a) staande; duursaam; vasgestel, bepaal; *~ joke* ou grap; *~ or'der* vaste bestelling; *~ or'ders* reglement van orde; *~ ova'tion* staande ovasie/toejuiging; *~ room* staanplek; *~ rule* vaste reël; erkende gebruik

stand-off'ish neusoptrekkerig; terughoudend

stand'point standpunt, gesigspunt *also* **view'= point, stance'**

stand'still stilstand; onderbreking; verposing

stan'nary (n) tinmyn, tinfabriek

stan'nic tinagtig, tin=; **~ acid** tinsuur

stan'za (n) vers, strofe; stansa

sta'ple[1] (n) kram; (v) (vas)kram

sta'ple[2] (n) stapel; draad (wol); hoofproduk, hoofbestanddeel; (v) sorteer; (a) vernaamste; **~ food** stapelkos, stapelvoedsel

sta'pler (n) kramdrukker; krambinder; krammer

star (n) ster; beroemde (film)ster/aktrise; ster= retjie, asterisk (*); kol (by perd); *you may thank your (lucky) ~s* jy kan van geluk spreek; (v) as hoofspeler optree (veral in 'n rolprent); *Titanic ~s Kate Winslet* Kate Winslet is die ster van/speel die hoofrol in Titanic; **~board** stuurboord (regterkant van skip)

starch (n) stysel; (v) styf/stywe; **~ed col'lar** gestyfde boordjie

stare (n) starende/turende blik; (v) (aan)staar, aangaap *also* **gape´**; tuur; ~ *at* aanstaar

star: ~**ga´zer** sterrekyker; dromer; ~**ga´zing** sterrekyk(ery); verstrooidheid

sta´ring starend; *stark* ~ *mad* stapelgek

stark (a) styf; strak; volslae *also* **comple´tely;** ~ *and stiff* stokstyf; (adv) heeltemal, totaal; ~ *mad* stapelgek; ~ *naked* poedelnakend *also* **in the buff**

star´ling (n) (blinkvlerk)spreeu; **wat´tled** ~ sprinkaanvoël *also* **lo´cust bird**

star: ~**ry** met sterre besaai; ~**-span´gled/-stud´- ded** met sterre besaai

start (n) begin, aanvang; voorsprong; skrikbe= weging; wegspringplek; *from the* ~ van die begin af; (v) begin; vertrek; skrik; wegspring, hardloop; oprig; aansit (motor); van stapel stuur; loods ('n projek); *to* ~ *with* om mee te begin; ~**er** aansitter (enjin); afsitter (persoon, by wedloop); voorgereg

star´ting begin, wegspring; ~ **block** wegspring= blok (naellope); ~ **grid** wegspringrooster (renmotors); ~ **mo´tor** aansitmotor; ~ **place** beginplek; ~ **point** uitgangspunt

star´tle (v) ontstel, skrikmaak, laat skrik *also* **frigh´ten;** verbaas, verras *also* **astound´**

start´ling ontstellend, skrikwekkend; sensasio= neel; verrassend

starva´tion uithongering, hongersnood; ~ **wage(s)** hongerloon

starve (v) verhonger, uithonger *also* **star´ving;** uitteer

state[1] (n) staat; toestand; luister, prag; staatsie; ~ *of affairs* toedrag van sake; *affairs of* ~ staatsake; ~ *of the art* die jongste stand (v. kennis/ontwikkeling); ultramodern (tegnolo= gie); ~ *of emergency* noodtoestand; ~ *of the nation address* staatsrede (VSA); *lie in* ~ in staatsie lê; ~ *of mind* gemoedstoestand; (a) staats=, parade=; praal=

state[2] (v) meld, berig; verklaar; noem; meedeel; *at* ~*d times* op vaste/gesette tye

state: ~ **aid** staatsteun; ~**craft** regeerkuns; staatkunde; ~ **fu´neral** staatsbegrafnis; ~**ly** statig, deftig, imposant

state´ment (n) rekening *also* **bill;** opgawe, staat; verklaring; stelling *also* **assert´ion**

state: ~ **occa´sion** staatsgeleentheid; ~ **pre´sident** staatspresident; ~**room** luuksekajuit (op skip); ~**sman** staatsman; ~**smanship** staatsmanskap; ~**swo´man** staatsvrou; ~ **wit´ness** staatsgetuie

stat´ic (a) staties; vas *also* **inert´, fix´ed**

stat´ics (n) ewewigsleer, statika

sta´tion (n) stasie; rang, stand, status, aansien; posisie; pos; ~ *in life* status in die samelewing; maatskaplike aansien; *a man of* ~ iem. van stand/aansien; (v) stasioneer; opstel, rangeer; plaas

sta´tionary (a) stilstaande, vas, onbeweeglik blywend; ~ **ve´hicle** stilstaande voertuig

sta´tioner (n) handelaar in skryfware; boekhan delaar; ~**y** skryfware, skryfgoed

sta´tion: ~ **mas´ter** stasiemeester; ~ **wag´o◂** stasiewa *also* **ranch wag´on**

statis´tic(al) (a) statistiese

statis´tician statistikus (persoon)

statis´tics statistiek (vak); statistieke (syfers)

stat´uary (n) beeldegroep; beeldhoukunde beeldhouwerk

stat´ue standbeeld

statuette´ (stand)beeldjie

stat´ure (n) gestalte, grootte; statuur, aansien

sta´tus stand, rang, status; posisie, aansien *als◂* **em´inence, stan´ding;** ~ **sym´bol** statussim bool

stat´ute wet; statuut; ~ **book** wetboek; ~ **la◂** wettereg, statutereg, (die) landswette

stat´utory (a) wetlik, regtelik, statutêr

staunch (a) sterk, stewig *also* **sol´id;** trou beproef, onwankelbaar *also* **trustworth´y;** **suppor´ter** lojale/betroubare ondersteune◂ staatmaker

stave (n) duig (van vat); staf; stansa, strof (poësie); notebalk (mus.); (v) verbrysel, stuk kend slaan; duie insit (vat); ~ *off* afwend, afwee◂

stay (n) verblyf; stut, steunsel; stilstand; opskor ting; uithouvermoë; (pl) korset; (v) bly; losee◂ vertoef; stut, steun; opskort (vonnis); teëhou uithou, volhou; ~ *away* wegbly; ~ *for dinne◂* vir ete bly; ~ *in* tuisbly; skoolsit; ~ *on* in diem bly; ~ *up* opbly; ~ *with* loseer/woon by ~**-at-home** huishen (vrou); ~**-away ac´tio◂** wegbly-aksie (staking)

stead (n) plek; plaas; nut; diens; *stand one ◂ good* ~ goed te pas kom; van nut wees; *in his* in sy plek; *instead of* in plaas van; ~**fa◂** standvastig, bestendig, onwrikbaar *also* **loy´a◂** ~**iness** deeglikheid; stewigheid

stead´y (v) tot bedaring bring; nie laat skud ni◂ koers laat hou; *go* ~ *with* gekys wees (met ´ nooi/kêrel); (a) standvastig; deeglik; konstan◂ bestendig; gelykmatig; besadig; ~ *declin◂* geleidelike agteruitgang; *work at a* ~ *pac◂* een stryk deur werk

steak (n) biefstuk, steak; moot (vis); ~**hóus◂** braaihuis, braairestaurant

steal (n) diefstal; (v) steel; ~ *away* wegsluip; ~ ◂ *person's heart* iem. se hart verower; ~ *t◂ limelight* al die aandag trek; ~ *a march on s.◂* iem. voor wees; ~**ing** stelery, diefstal

stealth heimlikheid; onderduimsheid; ~**ily** hein◂ lik; ~**y** skelm, onderduims, agterbaks; heiml◂ *also* **snea´ky, clandestine´;** stilletjies, soe◂ jies-soetjies

steam (n) stoom, damp, wasem; *at full* volstoom; (v) stoom, damp; uitstoom; ~**boi◂**

er stoomketel; **~-en′gine** stoomenjin; **~ed pud′ding** doekpoeding; **~rol′ler** (v) stoomrol=
ler, deurdryf; forseer *also* **override′**; **~ship** stoomskip, stoomboot *also* **steam′er**; **~y** stomend; eroties (film)

steed (n) strydros *also* **char′ger** (hist.)

steel (n) staal; swaard; vuurslag; (v) staal, hard maak; ~ *oneself* jou staal (vir die stryd); (a) staal=; **~-clad** gepantser; ~ **plate** staalplaat; ~
trunk trommel; reiskoffer

steen′bok steenbok, vlakbok(kie)

steen′bras steenbras (vis)

steep[1] (n) steilte; afgrond; helling; (a) steil; kras; ~ *hill* steil/kwaai opdraand(e); ~ *price* hoë prys; ~ *turn* skerp draai

steep[2] (v) indoop, indompel; *~ed in alcohol* deurtrek van die drank; *~ed/drenched in the classics* deurdrenk in die klassieke; *~ed in misery* in ellende gedompel

stee′ple (n) kloktoring; **~chase** hinderniswedren (perde); hinderniswedloop (atl.) *also* **ob′stacle race**

steer[1] (n) bul; stier; jong os

steer[2] (v) stuur, rig; lei, loods; ~ *clear of* vermy, omseil *also* **avoid′, evade′**; **~age** stuur, roer; tussendek (skip); **~ing commit′tee** reëlingsko=
mitee, loodskomitee *also* **or′ganising com=
mit′tee**; dagbestuur; **~ing wheel** stuurwiel; stuurrat; **~sman** stuurman

stel′lar (a) sterre=, van die sterre, stellêr

stem[1] (n) stam, stingel, steel; voorstewe, boeg (skip); skag; steel (van pyp); (v) afstroop (tabak); stingels verwyder; *stem(ming) from* voortspruit/ontstaan uit

stem[2] (v) stuit, teenhou *also* **curb, resist′**; opdam; stelp (bloed); ~ *the tide* walgooi teen

stench (n) stank

sten′cil (n) patroonplaat; sjabloon; tekenpatroon; (v) sjabloneer; ~ **pa′per** wasvel

stenog′rapher snelskrywer, stenograaf (persoon)

stenog′raphy snelskrif, stenografie

stento′rian (a) hard, luid, bulderend; ~ **voice** stentorstem

step (n) stap, tree; sport (van leer); trappie; voetstap; maatreël; stief=; (pl) trapleer; ~ *by* ~ stap vir stap; *keep* ~/*pace with* byhou, tred hou met; *take the necessary* ~s die nodige stappe doen; (v) stap, tree; betree; loop; *~/stand back* terugtree; ~ *down* afklim; ~ *this way* hierlangs asseblief; ~ *up* maak gouer/vinniger, versnel *also* **speed up**; **~bro′ther** stiefbroer; **~child** stiefkind; **~daugh′ter** stiefdogter; **~fa′ther** stiefvader; **~-in** inklimgordel; **~lad′der** trap=
leer; **~mo′ther** stiefmoeder

steppe (n) steppe, grasvlakte

step′ping stone trapklip; oorgang

te′reo stereo=; **~phon′ic** stereofonies; ~ **record=
ing** stereo-opname

ste′reoscope stereoskoop (driedimensionele in=
strument)

ste′reotype (n) stereotieplaat (vir drukwerk); (v) stereotipeer; (a) stereotiep; onveranderlik; konvensioneel (gesegde, gedrag); *~d expres=
sion* stereotiepe/afgesaagde uitdrukking

ster′ile (a) steriel; onvrugbaar; dor; ~ **cow** kween, guskoei

sterilisa′tion (n) sterilisasie; onvrugbaarmaking

ster′ilise (v) steriliseer; onvrugbaar maak; kas=
treer; spei (wyfiediere)

ster′ling (n) sterling; **pound** ~ pond sterling (Br. geldeenheid); (a) uitstekend, voortreflik *also* **superb′**; eg, onvervals; *~/splendid fellow* gawe/eersteklas kêrel

stern[1] (n) agterstewe (skip); stert, agterste

stern[2] (a) ernstig, streng; stug, stroef *also* **strict, rig′id, severe′**; *be made of ~er stuff* van sterker stoffasie gemaak

ste′roids (n, pl) steroïede, opkikkers, stimulante (verbode in sport); ~ **check** opkikkertoets

steth′oscope stetoskoop, gehoorpyp

ste′vedore (n) stuwadoor; dokwerker

stew (n) bredie *also* **rag′out**; gestoofde vleis; *be in a* ~ in die knyp sit; (v) stoof; smoor; **I′rish** ~ aartappelbredie

stew′ard (n) kelner, tafelbediende; bottelier *see* **but′ler**; hofmeester; rentmeester; beampte (sport); ordehouer (byeenkoms) *also* **mar′shal**

stick (n) stok; lat; kierie; (v) steek; kleef, vassit; aanhou; verdra; ~ *around* aanbly; rondhang; ~ *by* trou bly aan; *I can′t* ~/*stand him* ek kan hom nie verdra nie; ~ *together* aanmekaar plak; mekaar trou bly; ~ *to one′s word* jou woord hou/gestand doen; *get/have the wrong end of the* ~ die kat aan die stert beethê; **~er** plakker(tjie); kleefstrook; aanhouer, volhouer (persoon); **~iness** taaiheid, klewerigheid; **~ing plas′ter** hegpleister; **~-in-the-mud** sukkelaar, jandooi, bleeksiel (persoon)

stic′kler (n) puntene(u)rige persoon; deurdrywer, voorvegter; *be a ~ for etiquette* erg gesteld wees op etiket

stick′y (a) klewerig, taai; netelig *also* **trick′y** (problem); swoel *also* **sul′try** (weather)

stiff (n) stywe vent; (Br. slang) niksnuts, nikswerd (persoon); (Am. slang) lyk (meesal by moord); (a) styf, stram *also* **rig′id**; houterig; hoogmoedig *also* **pom′pous**; swaar, moeilik; koppig; *to bore s.o.* ~ iem. dodelik verveel; *a ~/tough examination* 'n moeilike/strawwe/
swaar eksamen; *keep a ~ upper lip* dapper wees; selfbeheersing toon; *scared* ~ lamge=
skrik; **~en** styf maak; **~ness** styfheid, stram=
heid

stiff′y (SAE) stiffie, disket (rek.) *also* **dis′kette**

sti′fle (v) verstik, versmoor *also* **choke′**; onder=
druk

stif'ling (a) drukkend; bedompig (weer)

stig'ma (n) brandmerk; skandvlek, smet; stigma; **~tise** (v) brandmerk; stigmatiseer ('n persoon)

stile (n) oorklimtrap; oorhek; steg

stilet'to (n) stilet, dolk(ie); ~ **heel** spykerhak

still[1] (n) stookketel; (v) stook, distilleer (mam= poer, witblits)

still[2] (n) stilte; (v) stilmaak, bedaar; (a) stil, kalm; *a ~ small voice* die fluisterstem van die gewete; ~ *waters run deep* stille waters, diepe grond; (adv) nog, altyd; nogtans, tog; ~ *more* steeds meer

still: ~born doodgebore; ~ **life** stillewe (skil= dery); **~ness** stilte, rus, kalmte

stilt (n) stelt; *on ~s* op stelte; (v) op stelte loop; **~ed** hoogdrawend, bombasties (styl) *also* **stiff, unnat'ural;** ~ **bird** steltvoël; ~ **wal'ker** stelt= loper

stim'ulant (n) opwekmiddel, stimulant (verbode in sport); tonikum *also* **ton'ic;** (a) prikkelend; opwekkend; stimulerend; opbeurend

stim'ulate (v) aanspoor, aanvuur, stimuleer

stim'ulating (a) prikkelend, stimulerend *also* **rou'sing, stir'ring**

stim'ulus (n) ..li prikkel, spoorslag, stimulus *also* **encou'ragement**

sti'my (n) blinder (ghol f)

sting (n) angel; prikkel; steek; (v) steek, prik; kul (met pryse) *also* **fleece', rip off;** *stung by remorse* vol gewetenswroeging/berou; **~ing** stekend, brandend; **~ing net'tle** brandnetel/ brandnekel; **~ray** pylstertvis

stin'giness (n) suinigheid, inhaligheid, vrekke= righeid

stin'gy (a) inhalig, gierig, hebsugtig *also* **avari'= cious, gree'dy**

stink (n) stank; (v) stink, sleg ruik; ~*(s) to high heaven* stink vir die vale; ~*ing/super rich* stinkryk; **~ard** stinker(d), lieplapper; ~ **bomb** stinkbom; **~wood** stinkhout

stint[1] (n) suinigheid; karigheid; *without* ~ rojaal, volop; (v) beperk, begrens; skraps uitdeel; ~ *oneself* jou te kort doen

stint[2] (n) opdrag, plig; *he did his* ~*/share* hy het sy plig gedoen

sti'pend (n) besoldiging; stipendium (aan pre= dikant, student)

stip'ulate (v) bepaal, neerlê, voorskryf, stipuleer *also* **spec'ify; ~d** bepaal, neergelê

stipula'tion (n) bepaling, voorskrif *also* **condi'= tion**

stir (n) beweging; geraas; opskudding; drukte, beroering; *cause a* ~ opskudding veroor= saak/verwek; (v) roer, beweeg; aanpor; opwek; ~ *up discontent* ontevredenheid veroor= saak/aanblaas/stook; *he did not* ~ *a finger* hy het nie 'n vinger verroer nie; ~ *the imagination* die verbeelding aangryp; ~ *up* omroer; aanhits,

opstook *also* **incite', provoke'; --fry** roerbraai

stir'ring (a) roerend, aangrypend *also* **mo'ving;** opwindend *also* **thril'ling**

stir'rup (n) stiebeuel; ~ **strap** stiegriem

stitch (n) steek; hegsteek (wond); naaldwerk; *remove the ~es* die steke uithaal (med.); (v) stik; hegstik; ~ *up* toewerk (met die hand of masjien)

stock (n) voorraad; kapitaal; stam; veestapel; vleisekstrak; aandele, effekte *also* **stocks; bonds, gilts;** vilet (blom); *of good* ~ van goeie familie/afkoms; *hold* ~ aandele besit/hê *in* ~ in voorraad; *lock,* ~ *and barrel* romp en stomp; *out of* ~ uit voorraad; *take* ~ voorraad opneem; krities beskou, evalueer; ~ *a farm* dam 'n plaas uitrus/'n dam bevis; ~ *jok* staande grap

stockade' (n) skanspale, palisade; paalheining

stock: ~book voorraadboek; **~bree'der** veeboer ~ **brick** gewone baksteen; **~bro'ker** aandele makelaar; **~car** stampmotor; **--car ra'cin;** stampmotor(wed)renne; ~ **far'mer** veeboer *see* **crop far'mer**

stock exchange' aandelebeurs *also* **bourse'**

stock'ing (n) kous; windkous (lughawe)

stock: --in-trade (handels)voorraad; ~ **let'te;** vormbrief; ~ **mar'ket** effektemark, aandele mark; veemark; **~pi'le** (v) opstapel; oppot *also* **hoard; ~piling** (n) voorraadstapeling (bv wapens opslaan); oppotting *also* **hoar'ding**

stock'-still doodstil, botstil *also* **mo'tionless**

stock'taking voorraadopname, inventarisasie

stock: ~ theft veediefstal *also* **cat'tle raid;** ~ **tie/cravat'** stropdas

stoep (SAE) stoep *also* **pat'io, veran'da, porch**

sto'ic (n) stoïsyn (persoon); (a) stoïsyns; **~al** (a stoïsyns, onversteurbaar, gelykmoedig; **~isn** stoïsisme, gelatenheid *also* **forbea'rance, tol'= erance**

stoke (v) stook; volstop; **~r** stoker (persoon)

stok'vel (SAE) (n) stokvel, gooi-gooi (spaarklub begrafnisklub) *also* **bu'rial socie'ty**

stole (n) stola/stool (serp van predikant/prieste; in sommige kerke); lang sjaal/serp (vroue drag)

stol'id (a) dom; gevoelloos; bot *also* **dull**

stom'ach (n) maag; buik; pens (dier); *on a; empty* ~ op 'n nugter maag; (v) sluk, verkrop *I cannot* ~ *that* ek kan dit nie verdra/sluk nie ~ **ache** maagpyn; ~ **trouble** maagaandoening

stom'ping ground = stam'ping ground

stone (n) klip, steen; pit (vrug); *leave no unturned* hemel en aarde beweeg; *a* ~*'s thro* 'n hanetreetjie; (v) stenig; pitte uithaal; (a klip=; steen=; (adv) totaal, heeltemal; **S~ Ag** Steentyd(perk); ~ **bea'con** klipbaken; ~ smoordronk; poegaai; **~-dead** morsdood **~-deaf** stokdoof; **~dres'ser** klipkapper; ~ **frui**

pitvrugte; **~ma′son** klipwerker; ~ **quar′ry** steengroef; ~ **thro′wing** klipgooiery; **~ware** erdewerk

ston′y (a) klipperig; hard; ongevoelig; **~fa′ced** stug, stroef

stooge (n) strooipop, lakei, pion *also* **pawn;** handlanger, ondergeskikte

stool stoel (sonder leuning); bankie; venster= bank; stoelgang, ontlasting *also* **mo′vement of bo′wels;** ~ **pig′eon** lokvoël, lokvink (persoon)

stoop (n) krom houding; (v) buk, buig; vooroor loop; jou verlaag/verneder; (af)daal tot

stop (n) halte (spoorweg); stilhouplek; stilstand; end; register (van orrel); leesteken; *put a ~ to* 'n end/einde maak aan; (v) stilhou; stop; ophou; teenhou, keer; toestop; 'n end/einde maak aan; stelp (bloed); staak; ~ *at nothing* vir niks stuit nie; ~ *a cheque* 'n tjek keer/stop; ~ *payment* betaling staak; ~ *work* staak; **~cock** afsluitkraan; **~gap** stoplap *also* **ma′keshift;** ~ **or′der** aftrekorder *see* **deb′it order; ~page** staking, stilstand *also* **shutdown′** (production); **~per** prop, kurk; ~ **press** laat berigte (koerant); ~ **sign** stopteken; ~ **street** stopstraat; **~watch** stophorlosie

stor′age (n) (op)berging; bergloon; bêreplek; pakhuisruimte; ~ **bat′tery** akkumulator; ~ **capac′ity** berging(s)vermoë (silo, pakhuis); ~ **dam** opgaardam; ~ **space** pakplek

store (n) winkel; pakhuis; stoor(kamer); maga= syn; voorraad; (pl) benodig(d)hede; *set (great)* ~ *by* waarde heg aan *also* **appre′ciate, val′ue;** *in* ~ in voorraad; (v) bêre, opberg; bewaar; opgaar; stoor; ~ *away* bêre, stoor; **~kee′per** winkelier; **~man** magasynmeester; **~room** pakhuis, pakkamer, stoor(kamer), skuur; bêre= plek

stor′ey (n) **-s** verdieping; vlak, vloer; *double-~ (house)* dubbelverdieping(huis); *the first ~* die eerste verdieping/vloer/vlak; *wrong in the upper ~* effens mal/getik

stork (n) ooievaar; sprinkaanvoël; ~ **par′ty** ooievaarstee *also* **ba′by sho′wer**

storm (n) storm; onweersbui; uitbarsting *also* **out′burst;** ~ *and stress* storm en drang; *a ~ in a teacup* bohaai/ophef oor niks; (v) storm; stormja(ag); bestorm; ~ **wa′ter** vloedwater; **~y** stormagtig *also* **gus′ty, win′dy, tur′bulent**

stor′y (n) storie, verhaal, vertelling *also* **tale;** relaas *also* **nar′rative;** verdigsel *also* **fic′tion;** *make a long ~ short* kortom; *tell stories* spekskiet; **~book** storieboek; **~tel′ler** verteller; spekskieter, grootprater

stout (n) stout(bier), swartbier; (a) fris, fors, kragtig; geset *also* **bul′ky, port′ly;** **~-hear′ted** moedig, dapper *also* **brave′, daunt′less; ~ness** gesetheid; moed, sterkte

stove (n) stoof; fornuis; kaggel

stow (v) bêre; wegsit; ~ *away* wegpak; **~age** (n) bêreplek; opberging; bergloon; **~away′** (n) verstekeling (op skip, vliegtuig, trein)

strad′dle (v) wydsbeen loop

strag′gle (v) dwaal, swerf *also* **drift;** streep= streep loop; verstrooid raak; **~r** agterblyer; afdwaler; sukkelaar (persoon)

strag′gling versprei(d); uitgestrek; verstrooi(d)

straight (n) reguit stuk; pylvak (atl.); (a) reguit; direk; eerlik, opreg, ruiterlik; ~ *talk* open= hartige gesprek; (adv) oombliklik; ~ *away* op staande voet; ~ *from the elbow* reguit, padlangs; ~ *on* reguit; *put* ~ regmaak, regstel; ~ *sets* skoon stelle (tennis); **~ed′ge** reihout, reiplank (messelwerk); **~en** reguit maak; gladstryk; **~en out** rectify, resolve; **~for′ward** maklik, eenvoudig ('n taak); reguit; open= hartig, padlangs *also* **can′did**

strain (n) inspanning; spanning; stres; verstui= ting (van enkel); trant; toon; wysie; vormver= andering (geol.); ras (vee); stam (hoenders); *in the same ~* in dieselfde trant; (v) oorspan; ooreis; inspan; verstuit, verswik, verdraai (enkel); pers; deursyfer; ~ *a muscle* 'n spier verrek; ~ *one's eyes* die oë ooreis; ~ *out* uitsyg; **~ed** gespanne, stresvol; **~er** sygdoek, melkdoek; sif(fie), filtreerder *also* **colan′der**

strait (n) seestraat, see-engte; bergpas; moeilik= heid, verknorsing; *in dire ~s* hoog in die nood; (a) nou, eng; **~jack′et** dwangbaadjie; **~-la′ced** styf geryg; streng, nougeset, preuts *also* **prim, pru′dish**

strand[1] (n) string; draad; vesel; **~ed cot′ton** stringgare

strand[2] (n) kus, strand; (v) strand; **~ed** gestrand; verleë *also* **help′less, aban′doned; ~ed/ maroo′ned goods** strandgoed, wrakgoed

strange (a) vreemd, onbekend; snaaks; onge= woon, seldsaam *also* **rare;** eienaardig *also* **queer;** wonderlik; ~ *but true* raar maar waar *also: believe it or not*

stran′ger (n) vreemdeling, onbekende (persoon); *a total ~* 'n wildvreemde (persoon)

stran′gle (v) verwurg, versmoor *also* **choke; ~d** (a) verwurg; **~hold** wurggreep; **~r** (ver)wurger (persoon)

strangula′tion (n) (ver)wurging; afsnoering, afbinding

strap (n) (plat)riem, gord, strop, band; (v) vasgord; skerp maak (skeermes); **~ped for cash** platsak; **~ping** (a) sterk, groot, fris(ge= bou) (persoon)

strate′gic (a) strategies; beplan *also* **cal′culated, planned**

strat′egy (n) strategie; krygskunde

strat′ified gelaag, meerlagig

strat′osphere stratosfeer (bolaag v.d. atmosfeer)

straw (n) strooi(tjie); nietigheid; *man of ~* strooipop *also* **stooge, pup'pet**

straw'berry aarbei; **~ mark** (sagte rooi) moe= dervlek

straw hat strooihoed

stray (n) verdwaalde dier; verwaarloosde kind; swerweling, swerwer; (v) verdwaal; wegloop; (a) afgedwaal; dakloos; verspreid; **~ bul'let** dwaalkoeël; **~ dog** losloperhond, losloophond

streak (n) streep; strook; straal; *~ of humour* tikkie humor; *~ of lightning* bliksemstraal; *~ of luck* groot geluk, meevaller; (v) strepe maak; kaalnael; **~er** (n) kaalnaeler, poedelnaeler; **~ing** (n) kaalnaelery (in openbaar)

stream (n) stroom; spruit *also* **brook;** *up ~* stroomop; (v) stroom, vloei; wapper (vlag); **~er** wimpel, spandoek (dwarsoor straat, in= gang); papierlint; **~ing** stromend; **~let** stroom= pie; spruitjie *also* **brook'(let), rivu'let;** **~line** (v) vaartlyn, stroomlyn; **~li'ned** (a) vaartbelyn, gestroomlyn *also* **sleek, slick**

street (n) straat; *be ~s ahead* ('n hele ent) los voor wees; *the man in the ~* die groot publiek, Jan Publiek; **~ clea'ner/swee'per** straatveër, rommelruimer; **~ light'ing** straatverligting; **~ chil'dren/kids** (verwaarloosde) straatkinders; **~ ven'dor** straatsmous, sypaadjiehandelaar; **~wal'ker** straatloper, straatvlinder; prostituut

strength (n) sterkte, krag; woema; *on the ~ of* op grond van; **~en** (v) versterk, verstewig

stren'uous (a) ywerig, onvermoeid *also* **tire'less;** energiek; inspannend *also* **deman'ding, daun'ting**

stress (n) nadruk, klem, klemtoon; stres, drukte= spanning; lewensdruk; spanning, stremming *also* **ten'sion;** (v) beklemtoon, benadruk; **~full** (a) stresvol; **~ man'agement** streshantering

stretch (n) uitgestrektheid; streek; vlakte; span= ning; oordrywing; ruk, tydperk; *~ of imagina= tion* verbeeldingskrag; *a long ~ of road* 'n lang ent pad; (v) rek, uitrek; span; inspan; oordryf; *~ one's legs* litte losmaak; gaan stap; *~ the truth* oordryf, bylas; **~ed** strak, gespan; **~er** voukatel(tjie), kampbed(jie); draagbaar; baar; **~er bea'rer** (draag)baardraer

strew (v) strooi, besaai, bestrooi

strick'en (a) gepla; siek; swaar beproef; *~ with terror* vreesbevange

strict (a) streng; stip, nougeset, presies; eng *also* **austere', stern, rig'id; metic'ulous;** *~/stern discipline* streng(e) dissipline/tug; *~ly confi= dential* streng vertroulik

stric'ture (n) sametrekking; vernouing; kritiese opmerking/aanmerking; afkeuring

stride (n) tree, stap; skrede; *get in one's ~* op dreef/stryk kom; *take in one's ~* iets maklik/ fluit-fluit doen; (v) stap; lang treë gee

stri'dent (a) krassend *also* **gra'ting;** skerp (geluid)

strife (n) twis, tweedrag, onenigheid, onmin *also* **animos'ity, dis'cord**

strike (n) (werk)staking; rigting (geol.); vonds; *go-slow ~* sloerstaking; *wild-cat ~* wilde staking; (v) slaan; aanslaan (toon); bots; staak (werkers); stryk (vlag); lyk, skyn; trek (vuur= houtjie); munt (geld); *~ root* wortelskiet; *~ out* skrap *also* **erase';** *~ a snag/hitch* vashaak; 'n bloutjie loop; *~ up* begin speel (musikante); **~r** staker; slaner (van bal); doelskieter (sokker)

stri'king (a) roerend; treffend *also* **impres'sive, stun'ning**

string (n) lyn, tou; snaar (viool); vlegsel (hare); koord; snoer, string (pêrels); *a ~ of beads* kralesnoer; *keep s.o. on a ~* iem. aan 'n lyntjie hou; *a ~ of lies* 'n rits leuens; (v) inryg (krale); besnaar (viool); *~ together* inryg; **~ band** strykorkes; *~* **bean** snyboon, rankboon; **~ed** besnaar; **~ed in'strument** snaarinstrument; *~* **play'er** stryker; *~* **quar'tet** strykkwartet

strin'gent streng, veeleisend *also* **strict, exact'= ing;** skaars, skraps (geld)

strip (n) strook, streep; (v) afstroop; plunder, (be)roof; ontklee; *~ off* afruk

stripe (n) streep, striem; **~d** gestreep

strip'ling (n) jongeling, opgeskote seun, penkop *also* **youth, young'ster**

strip'per (n) ontkleedanser(es), naakdanser(es)

strip'tease ontkleedans, lokdans

strive (v) streef/strewe; jou inspan; wedywer; *~ for* streef na, beywer vir

stroke (n) hou; raps; slag; beroerte; *a ~ of apoplexy* beroerte; *a ~ of lightning* 'n bliksemslag; *a ~ of luck* 'n gelukslag, meevaller; *on the ~ of one* op die kop/klokslag eenuur; *not a ~ of work* nie 'n steek werk nie; (v) streel, liefkoos *also* **caress';** paai *also* **com'fort**

stroll (n) wandeling; (v) wandel, slenter, drentel *also* **ram'ble, mean'der**

strong (a) sterk, kragtig; vurig; ferm *also* **tough, stur'dy;** *his ~ point* sy sterk punt; *use ~ language* jou kras uitdruk; **~-headed** koppig; **~-hold** vesting, burg, slot *also* **cas'tle** (hist.); **~-minded** vasberade; **~room** (brand)kluis *see* **safe** (n); brandkas

strop (n) skeerriem, slypriem; (v) slyp

strophe (n) strofe *also* **stan'za**

struc'tural (a) bou=, boukundig; struktureel

struc'ture (n) struktuur *also* **construc'tion;** bouwerk; (v) struktureer

strug'gle (n) worsteling; struggle/stryd vir be= vryding; (v) worstel, baklei; *~ along* aansuk= kel; **~r** swoeger; ploeteraar, sukkelaar

strum (n) gekras; getjingel; (v) kras; tjingel

strut[1] (n) deftige/geaffekteerde manier van stap; (v) trots/plegstatig loop; pronk *also* **prance, swag'ger**

strut[2] (n) stut; spar (in draadheining); (v) stut

strych'nine (n) wolwegif, strignien

stub (n) stompie (sigaret); entjie, puntjie; teenblad (tjekboek); (v) skoonkap, uitkap (bosse); dooddruk (sigaret)

stub'ble (n) stoppel; **~field** stoppelland

stub'born (a) koppig, hardnekkig, hardekwas *also* **ob'stinate, head'strong**

stuck'-up (a) verwaand, neusoptrekkerig, sno= bisties *also* **proud, ar'rogant, supe'rior**

stud[1] (n) stoetery (diere); ~ **book** stamboek; **~horse** volbloedperd; dekhings; **~ram** stoet= ram; aanteelram

stud[2] (n) halsknopie, boordjieknoop; klinknael; knoppie; (v) beslaan; bedek; besaai; *~ded with stars* met sterre besaai (rolprent, vertoning)

stu'dent (n) student; leerling, leerder; navorser; **~s' representative council** (verteenwoordi= gende) studenteraad; ~ **teach'er** aspirantonder= wyser

stud'ied (a) geleerd, bestudeerd; belese; opsetlik *also* **cal'culated, premed'itated**

stu'dio (n) ateljee, studio; ~ **or'chestra** atel= jeeorkes

stu'dious (a) fluks, ywerig, vlytig, leergierig *also* **dil'igent, indust'rious; schol'arly**

stud'y (n) studeerkamer; studie; *branch of* ~ studievak, leerarea; *her face was a* ~ haar gesig was 'n prentjie; *take your studies seriously* jou studie ernstig opneem; (v) studeer; bestudeer; instudeer (toneel); ~ *law/ medicine* in die regte/medisyne studeer; ~ **fees** studiegeld, klasgeld *also* **tuit'ion fees;** ~ **leave** studieverlof

stuff (n) goed, goeters; materiaal *also* **things; odds and ends;** *that's the* ~! ditsem!; dis die ware Jakob/jakob; (v) stoffeer; opvul; **~ed an'imals** opgestopte diere (taksidermis); **~iness** bedompigheid, benoudheid; **~ing** vulsel; stop= sel; **~y** bedompig, benoud *also* **close, sul'try;** preuts *also* **prig'gish, smug**

stum'ble (v) struikel, strompel; ~ *across/upon s.o.* iem. raakloop; ~ *along* voortstrompel *also* **floun'der**

stum'bling block struikelblok; belemmering

stump (n) stomp; pen, paaltjie (krieket); (v) afstomp; stonk (krieket); vasvra; *be ~ed for an answer* antwoordloos, vasgevra

stun (v) verbyster; bedwelm; katswink slaan; ~ **bat'on** porstok (beeste) *also* **cat'tle prod'der, shock stick;** ~ **grenade'** skokgranaat *also* **percus'sion bomb/grenade**

stun'ner (n) pragstuk (mooi meisie); mokerhou; *she is a ~/smasher* sy is 'n pragstuk

stun'ning (a) bedwelmend; oogrowend, asemro= wend, pragtig *also* **dazz'ling, gor'geous, strik= ing**

stunt[1] (n) toertjie; kordaatstuk; streek; foefie;

kunsvlug; nuwigheid; (v) toertjies/kunsies uithaal; ~ **fly'er** kunsvlieër, lugakrobaat; ~ **fly'ing** kunsvlieg; **~man** waagarties

stunt[2] (n) dwerg; (v) groei belemmer; teenhou; **~ed** dwergagtig; verpot *also* **dwarf'ed**

stupefac'tion (n) bedwelming, verdowing; ver= basing *also* **awe', amaze'ment**

stu'pefy (v) bedwelm; verdwaas; dronkslaan *also* **confound';** bot/suf maak *also* **stun**

stupen'dous (a) verbasend; kolossaal, ontsaglik

stu'pid (n) domoor, domkop (persoon); (a) dom, onnosel; dig, toe; onsinnig *also* **dumb, dense, daft**

stupid'ity/stu'pidness domheid, onnoselheid; dwaasheid *also* **indiscret'ion**

stu'por bedwelming, loomheid, verdowing; ge= voelloosheid, stompsinnigheid

stur'dy (a) kragtig, stoer, fors, stewig, robuus

stur'geon steur (vis)

stut'ter (n) (ge)stotter; gehakkel; (v) stotter, stamel, hakkel *see* **stam'mer; ~er** stotteraar; **~ing** gestotter

sty[1] (n) varkhok

sty[2] (n) karkatjie (op die oog); staar (oogkwaal)

style (n) styl; mode; manier; skryftrant; bena= ming; boustyl; deftigheid; stif(fie) *also* **styl'us;** (v) noem, betitel *also* **enti'tle, la'bel;** ~ **guide** huisreëls; stylgids

sty'lish (a) deftig, modieus, stylvol *also* **chic, fash'ionable**

sty'list (n) stilis, vormgewer (persoon)

styl'us (n) **..li, ..luses** skryfstif(fie); naald (plate= speler); stilus

suave' (a) glad, vlyend, onopreg; vriendelik, goedig

sub'committee onderkomitee, subkomitee

subcon'scious (n) (die) onderbewuste; (a) on= derbewus, halfbewus

sub'contract (v) subkontrakteer; **~or** (n) sub= kontrakteur

subcuta'neous onderhuids

subdirect'ory (n) subgids (rek.)

subdivide' (v) onderverdeel

subdivis'ion (n) onderverdeling; gedeelte

subdue' (v) onderwerp *also* **overpo'wer; quell** (a rebellion); oorwin; beteuel; demp (lig); mak maak; **~d** (a) onderworpe; gelate; gedemp

subed'it (v) redigeer; persklaar maak

subed'itor (n) subredakteur, redigeerder

sub'ject[1] (n) (studie)vak (deel van leerarea); onderdaan (van 'n land); onderwerp (gram.); individu; *on the* ~ *of* in verband met; (a) onderworpe, onderhorig; vatbaar; onderhewig; ~ *to approval/ratification* onderhewig aan goedkeuring; *changing the* ~ van die os op die esel/jas

subject'[2] (v) onderwerp; ondergeskik maak; blootstel aan; **~ive** subjektief

sub'ject matter (n) inhoud; leerstof
sub'jugate (v) onderhorig/diensbaar maak
subjuga'tion (n) oormeestering; onderhorigheid
subjunc'tive (n) subjunktief, konjunktief (gram); (a) toevoegend, aanvoegend, subjunktief
sublet' (v) onderverhuur (huis)
sub'limate (v) sublimeer, veredel, vergeestelik
sublima'tion (n) sublimasie, veredeling, ver= geesteliking
sublime' (a) verhewe, subliem *also* **el'evated, exal'ted;** (v) sublimeer; veredel, verfyn
sub'marine (n) duikboot; (a) ondersees
submerge' (v) onderdompel; oorstroom
submis'sion (n) onderwerping *also* **surren'der;** onderdanigheid; voorlegging (van dokumente)
submis'sive (a) onderdanig, nederig, volgsaam *also* **compli'ant;** gedwee, berustend
submit' (v) voorlê, indien (verslag); beweer; betoog
subord'inate (n) ondergeskikte (persoon) *also* **un'derling;** (v) ondergeskik maak; (a) onder= horig; ~ **sen'tence** ondergeskikte sin (gram.)
subordina'tion (n) onderhorigheid, onderge= skiktheid *also* **subser'vience, subjec'tion**
subpoen'a (n) (getuie)dagvaarding; (v) dagvaar
subscribe' (v) inteken; bydra; onderskryf; on= derteken; *the loan was fully* ~*d* die lening is volskryf; ~ *to a newspaper* op 'n koerant/ nuusblad inteken; ~**r** intekenaar
subscrip'tion (n) subskripsie, intekengeld; lid= geld (vir klub); bydrae; ~ **list** intekenlys
sub'section (n) onderafdeling
sub'sequent (a) (daarop)volgende *also* **ensu'ing;** naderhand; ~**ly** (adv) daarna, vervolgens
subser'vient (a) onderdanig, dienstig; diensbaar
subside' (v) sak; bedaar, uitwoed *also* **lev'el off;** wegsak *also* **sink**
subsid'iary (n) plaasvervanger, noodhulp; filiaal (van maatskappy); byvak; (pl) hulptroepe; (a) behulpsaam; aanvullend; **wholly owned ~** volfiliaal; ~ **com'pany** filiaalmaatskappy; dogtermaatskappy; ~ **troops** hulptroepe
sub'sidise (v) geldelik steun, subsidieer *also* **fund, fi'nance; sponsor**
sub'sidy (n) subsidie, toelae, bydrae *also* **finan'= cial aid, grant**
subsist' (v) bestaan; leef/lewe
subsist'ence (n) bestaan, broodwinning; ~ **econ'= omy** bestaansekonomie *see* **mar'ket econ'= omy;** ~ **far'mer** selfversorgende boer
sub'stance (n) stof; werklikheid; kern, hoofsaak; wesenlikheid; bestanddeel; selfstandigheid; *give the* ~ *of* die (hoof)inhoud meedeel van; *in* breë trekke vertel van; *man of* ~ vermoën= de/welgestelde man
substan'tial (a) werklik, wesenlik; deeglik; aansienlik, aanmerklik *also* **am'ple;** ~ **repay'= ment** groot afbetaling

substan'tiate (v) bewys, staaf, bevestig *also* **corrob'orate, val'idate**
sub'stitute (n) plaasvervanger; substituut; (v) vervang *also* **interchange';** ~ *nylon for cotton* katoen vervang deur nylon
substitu'tion (n) vervanging, substitusie
sub'structure (n) substruktuur, onderbou
subten'ant (n) onderhuurder (van eiendom)
sub'terfuge (n) uitvlug, voorwendsel *also* **ploy, bluff, pre'text**
subterra'nean (a) onderaards, ondergronds
sub'title (n) ondertitel, tweede titel; byskrif (vir illustrasie)
sub'tle (a) subtiel; listig, geslepe; skerpsinnig, spitsvondig; teer; ~ **distinc'tion** fyn onderskeid
subtract' (v) aftrek (van), verminder (met); ~**ion** (n) aftrekking; ~ **sum** aftreksom
subtrop'ical (a) subtropies
sub'urb (n) voorstad; stadswyk; woonbuurt; buitewyk *also* **out'skirt(s)**
suburb'an (a) voorstedelik (bv. trein)
subver'sion (n) ondermyning, ondergrawing
subver'sive (a) ondermynend, opruiend *also* **sedi'tious, trea'sonous**
sub'way duikweg; tonnel; ~ **train** moltrein *also* **un'derground** (n)
succeed' (v) slaag; vlot; opvolg; ~ *to a title* 'n titel erf; ~**ing** (a) volgende; opvolgende; ~*ing generations* latere geslagte
success' (n) sukses, welslae, gunstige afloop, voorspoed; *wish s.o.* ~ iem. voorspoed toe= wens; ~**ful** suksesvol, voorspoedig, geslaag; ~*ful candidate* geslaagde kandidaat
succes'sion (n) opvolging; volgorde; opeenvol= ging; reeks; *by* ~ volgens erfreg; *in rapid* ~ vinnig na mekaar; ~ **du'ty** sterfreg
succes'sive (a) agtereenvolgend *also* **consec'= utive**
succes'sor (n) opvolger (persoon); erfgenaam
succinct' (a) bondig, beknop, pittig *also* **com'= pact, conci'se, brief**
suc'cour (n) steun, hulp, bystand; (v) steun *also* **support'**
suc'culence (n) sappigheid
suc'culent (a) sappig *also* **jui'cy;** ~ **plants** vetplante, sukkulente
succumb' (v) beswyk; swig *also* **capit'ulate, yield;** ~ *to* swig voor (die versoeking); swig vir (die oormag)
such (a) sulke, sodanig; (pron) sulke mense; diésulkes; *as* ~ (as) sodanig; *until* ~ *time* tot tyd en wyl; *all* ~ *persons who* almal/diegene wat
suck (n) suiging; *give* ~ laat drink; (v) suig; uitsuig; insuig; ~ *dry* droogsuig; ~ *in* opsuig; indrink; ~ *out* uitsuig; ~**er** suier; loot; stokkielekker; domkop, dwaas (persoon) *also* **fool', fat'head, id'iot**

suc'kle (v) soog; laat drink/suip

suck'ling (n) suig(e)ling (baba); suiplam, suip=
kalf; ~ **pig** speenvark(ie)

su'crose (n) rietsuiker, sukrose

suc'tion (n) suiging; ~ **fan** suigwaaier; ~ **pump**
suigpomp

sud'den (a) plotseling, onverwags, skielik,
ineens; subiet; ~ **death** uitkloppot (tennis); ~
im'pulse/urge bevlieging; ~ **in'fant death
syn'drome (SIDS)** skielikebabasterftesin=
droom (SBSS), wiegiedood *also* cotdeath;
~**ly** (adv) skielik, eensklaps, meteens, plotse=
ling; ~**ness** onverwagtheid, skielikheid

sudorif'ic (n) sweetmiddel; (a) sweetwekkend

suds (n) seepsop, seepskuim

sue (v) dagvaar; aanskryf; vervolg (geregtelik);
eis; ~/*charge for damages* dagvaar vir skade=
vergoeding

suède (n) sweedsleer, suède

suf'fer (v) ly, swaarkry, verduur *also* **ag'onise**;
duld *also* **endure'**; ~ *defeat* 'n neerlaag ly; ~
from ly aan; *he will ~ for it* hy sal daarvoor
boet; ~**ance** smart, lydsaamheid; ~**er** lyer;
slagoffer; ~**ing** (n) lyding; smart; (a) lydend

suffice' (v) genoeg/voldoende wees; volstaan
met; ~ *to say* ek volstaan deur te sê

suffic'ient (a) genoeg(saam), voldoende, toerei=
kend *also* **enough'**, **ad'equate**

suf'fix (n) agtervoegsel, suffiks

suf'focate (v) verstik, versmoor *also* **choke**,
smoth'er

su'gar (n) suiker; (fig.) vleitaal, mooipraatjies;
(v) versuiker; versoet; verbloem; ~ *the pill* die
pil versoet/verguld; ~ **bowl** suikerpot; ~ **bean**
suikerboon(tjie); ~ **beet** suikerbeet; ~ **bird**
suikerbekkie, jangroentjie; ~ **can'dy** kandy=
suiker, teesuiker (in klontjies); ~ **cane** suiker=
riet; ~ **cas'tor** suikerstrooier; ~ **dad'dy**
troeteloompie; paaipappie, vroetelvader; ~
in'dustry suikerbedryf; ~ **mill** suikerfabriek;
~ **planta'tion** suikerplantasie; ~ **refi'nery**
suikerraffinadery/suikerraffineerdery; ~ **stick**
borssuiker; ~ **tongs** suikertangetjie; ~**y** stroop=
soet; vleierig (persoon)

suggest' (v) voorstel; suggereer; opper, aan die
hand doen/gee; *I ~ that* ek doen aan die hand
dat; ~**ion** voorstel *also* **propo'sal**; wenk,
suggestie, ingewing; ~**ions box** voorstelbus=
(sie)

sui'cide (n) selfmoord; selfdoding (by genade=
dood); *commit* ~ selfmoord pleeg

suit (n) stel; pak klere; (hof)saak, regsgeding
also **law'suit, case**; kleur (kaartspel); *follow* ~
kleur beken; (v) pas; voldoen; bevredig, deug;
will that ~ you? sal dit deug?; ~ *yourself* soos
jy verkies; ~**abil'ity** geskiktheid; bruikbaar=
heid; ~**able** passend, paslik, geskik; ~**case**
(hand)koffer, reistas

suite (pronunc. *sweet*) stel, suite (uitspr. *swiete*);
gevolg; ~ *of furniture* stel meubels; ~ *of rooms*
stel kamers; **bed'room** ~ (slaap)kamerstel;
exec'utive ~ bestuurstel; **pent'house** ~ dakstel

suit'or (n) vryer, minnaar, vryerklong *also*
lov'er, paramour', beau

sulk (v) pruil, knies, dikbek/nors wees *also* **pout**

sul'ky (a) pruilerig; suur, nors, nukkerig *also*
sul'len, morose'

sul'len (a) suur; ongesellig; stuurs *also* **sur'ly**

sul'ly (v) besmet, bemors, besoedel; skend *also*
defile', taint, dir'ty (v)

sul'phate (n) sulfaat, swa(w)elsuursout

sul'phur (n) swa(w)el, sulfer

sulphu'ric ac'id (n) swa(w)elsuur

sul'tan (n) sultan, Arabiese vors

sulta'na sultana(rosyntjie); sultane (vrou van
sultan)

sul'try (a) drukkend, bedompig, broeierig *also*
clam'my, stuf'fy, hu'mid (weather)

sum (n) som; totaal; inhoud; ~ *total* totaalbedrag;
eindresultaat *also* **bottom line**; (v) optel;
somme maak; ~ *up* saamvat; optel; ~*ming up*
opsomming, samevatting; **lump** ~ rondesom

summar'ily (adv) kortweg; op staande voet,
summier (ontslaan), subiet (teregstel)

sum'marise (v) opsom, saamvat *also* **sum up**,
out'line (v)

sum'mary (n) opsomming, samevatting; (a) kort,
beknop; kortaf; ~ **dismis'sal** summiere ont=
slag/afdanking; ~ **trial** summiere verhoor

sum'mer (n) somer; ~**house** tuinhuis *see* **gaze'bo**;
~ **res'idence** somerverblyf; ~ **sol'stice** somer=
sonkeerpunt

sum'mertime somertyd (vir dagligbesparing)

sum'mit (n) toppunt, kruin, piek; ~ **meet'ing/
talks** spitsberaad, leiersberaad; hoëvlak same=
sprekings *also* **top'-level talks**

sum'mon (v) dagvaar; oproep; opeis; ~ *up
courage* moed bymekaarskraap; ~**er** dagvaar=
der, eiser

sum'mons (n) dagvaarding; (v) dagvaar; *serve a
~ on s.o.* 'n dagvaarding aan/op iem. be=
stel/beteken

sump (n) oliebak; sinkput; mynput

sump'tuous (a) weelderig, luuks *also* **lav'ish**;
plush, grand

sun (n) son; sonlig, sonskyn; *rise with the* ~
douvoordag opstaan; (v) ~ *oneself* jou in die
son koester; ~ **bath** sonbad; ~**bird** suikerbek=
kie; ~**beam** sonstraal; ~ **blind** rolgordyn,
blinding; ~**bon'net** kappie; ~**burnt** (son)ge=
bruin, songebrand *also* **tanned**

sun'dae (n) vrugte-ys, vrugteroomys

Sun'day Sondag; *his ~ best* sy kisklere

sun: ~ **dial** sonwyser; ~**down** sononder, son(s)=
ondergang; ~**dow'ner** skemerkelk(ie) *also*
cock'tail

sun'dries (n, pl) diverse (boekh.); allerlei/aller= hande dinge; kleinighede

sun'dry (a) allerlei, verskeie, diverse *also* **miscella'neous, assor'ted;** *all and* ~ Jan en alleman; ~ **expen'ses** diverse/los uitgawes

sun'flower sonneblom

sun'ken (a) ingeval, hol; ondergegaan (son); hangend (kop); ~ **bath** versonke bad; ~ **rock** blinde klip

sun: ~**light** sonlig; ~**ny** sonnig; opgewek, vrolik *also* **cheer'ful, beam'ing;** ~ **porch** sonportaal; ~**rise** sonop, sonsopgang; ~**set** sononder, son(s)ondergang; ~**shade** sambreel, sonskerm; ~**shine** sonskyn; ~**stroke** sonsteek, sonbrand; hitteslag; ~**tan** (v) sonbruin; ~**tan lo'tion** sonbrandolie; ~ **wor'shipper** sonaanbidder

su'per (prefix) oor=; super=; (a) puik, prima; wonderlik

su'perable oorkombaar, oorwinbaar, haalbaar *also* **feas'ible**

superabun'dant oorvloedig, volop; oordadig

superan'nuate (v) pensioeneer, afdank (werkne= mer); weggooi/vervang (weens ouderdom/ verouderdheid)

superannua'tion (n) pensioen; verjaring; ~ **fund** voorsorgfonds; pensioenfonds

superb' (a) voortreflik, pragtig *also* **magnif= icent, splen'did;** puik, prima

supercil'ious (a) verwaand, aanmatigend *also* **pat'ronising, overbea'ring, stuck-up**

su'per-du'per (infml.) (a) absoluut fantasties, manjifiek *also* **fab(ulous), stun'ning; cool**

superette' (n) superet (klein supermark)

superfi'cial (a) oppervlakkig; simplisties; ~/**shal'low knowl'edge** skraal/oppervlakkige kennis

su'perfine (a) allerfynste; eersteklas, piekfyn

super'fluous (a) oortollig, oorbodig *also* **exces= sive**

superhu'man (a) bo(we)menslik *also* **prodi= gious, phenom'enal**

superimpose' (v) bo-op sit, superponeer

superintend' (v) toesig hou; ~**ence** (n) toesig; ~**ent** (n) superintendent, toesighouer; opsigter *also* **control'ler**

supe'rior (n) meerdere (persoon); (a) hoër; oormagtig *also* **unri'valled;** groter; voortreflik *also* **excep'tional;** *with a* ~ *air* met 'n verwaande/hooghartige houding; *be* ~ *to* oortref *also* **outclass;** ~ **num'bers** oormag (troepe); ~ **rank** hoër rang

superior'ity (n) meerderheid, voorrang, supe= rioriteit *also* **suprem'acy;** ~ **com'plex** meer= derwaardigheidskompleks

super'lative (n) oortreffende trap (gram.); (a) oortreffend; hoogste

su'perman (n) supermens, oppermens

su'permarket supermark, selfdienwinkel

supermun'dane bo(we)aards

supernat'ural bonatuurlik *also* **occult', psy'chic, mys'tic**

supernu'merary (n) bykomende amptenaar/offi= sier; supernumerêr; (a) ekstra

superphos'phate (n) superfosfaat

su'perpower (n) supermoondheid

supersede' (v) vervang, die plek inneem van *also* **replace';** afskaf

superson'ic (a) supersonies (vinniger as klank); ~ **flight** supersoniese vlug

supersti'tion (n) bygeloof

supersti'tious (a) bygelowig

su'perstructure (n) bobou, bowerk

su'pertax (n) superbelasting; bybelasting

su'pervise (v) toesig hou; kontroleer, moniteer *also* **admin'ister, control', mon'itor;** kyk na; beheer uitoefen

supervis'ion toesig, kontrole

su'pervisor toesighouer (fabriek); opsigter (woonstelblok); toesighouer (eksamens) *also* **invi'gilator**

sup'per aandete *also* (informal) **din'ner**

supplant' (v) vervang, verdring *also* **displace';** onderkruip, uitoorlê

sup'ple (a) lenig, buigsaam, soepel, slap *also* **lithe**

sup'plement[1] (n) bylae/bylaag; byvoegsel *also* **appen'dix**

supplement'[2] (v) aanvul, byvoeg *also* **augment';** ~**ary** aanvullend, bykomend, aanvullings=; supplementêr; ~**ary examina'tion** aanvul= ling(s)eksamen

suppli'er (n) verskaffer, leweransier; leweraar

supply' (n) verskaffing; voorraad; lewering; toevoer; (pl) benodig(d)hede; voorraad; le= wensmiddele; ~ *and demand* vraag en aanbod; (v) verskaf, voorsien, bevoorraad, lewer; voldoen aan; ~ *the trade* aan die handel lewer; ~ **dump** opslagplek; ~ **route** toevoerroete; ~ **ship** voorraadskip *also* **supply' ves'sel**

support' (n) steun, bystand, hulp; onderhoud; stut; versterking; *give* ~ *to* steun verleen aan; *in* ~ *of* ten bate van; (v) steun, ondersteun *also* **back, spon'sor;** onderskraag, help; onderhou= van voedsel voorsien; bewys, staaf; aanmoe= dig; rugsteun; ~ *a family* 'n gesin onderhou; ~*ed by facts* deur feite gestaaf; ~/*endorse motion* 'n voorstel steun; ~**er** ondersteuner, helper *also* **al'ly, pa'tron, spon'sor;** ~ **pric** stutprys; ~ **troops** steuntroepe; ~ **wall** stut= muur

suppose' (v) veronderstel, gestel; vermoed, glo meen; *I* ~ *so* dis seker (maar) so; *let us* ~ la= ons aanneem; ~ *you are right* gestel jy he= gelyk; ~**dly** kamstig; kwansuis

supposi'tion (n) veronderstelling, vermoede

suppos'itory (n) steekpil, setpil

suppress' (v) onderdruk ('n opstand); verdruk ('n volk); bedwing; demp; smoor; weglaat; **~ant** eetlusdemper; **~ion** onderdrukking; verbod *also* **clampdown;** weglating; geheimhouding; **~ive** onderdrukkend; **~or** onderdrukker (persoon); demper (toestel)

sup'purate (v) etter, sweer *also* **fes'ter, dis= charge'** (ulcer)

suprem'acy (n) oppermag, oppergesag; heerskappy *also* **dom'inance**

supreme' (n) die hoogste; (a) oppermagtig; opperste, hoogste; *be ~* oppermagtig wees; *the ~ test* die hoogste toets; *the ~ penalty* die doodstraf; **S~ Being** die Allerhoogste, die Opperwese; **~ command'** opperbevel; **S~ Court** Hooggeregshof; **~ly** (a) uiters

sur'charge (n) bybetaling; byslag, toeslag; oorbetaling; (v) ekstra laat betaal

sure (a) gewis, seker, veilig; (adv) seker(lik), waarlik; *be ~ of* seker wees van; *to be ~* werklik; ongetwyfeld; *for ~* beslis, verseker/ vir seker; *make ~ that* maak seker dat; **~ly** seker(lik), stellig, ongetwyfeld

su'rety (n) borg (persoon); pand; waarborg; *stand ~ for* borg staan vir; **~ship** borgskap *also* **spon'sorship**

surf (n) branders, branding; (v) branderplank ry; branders ry; (rond)snuffel, verken (die internet)

sur'face (n) oppervlak; vlak; blad (van pad); *on the ~* oppervlakkig beskou; aan die oppervlak; (v) opduik; opkom *also* **emerge';** (a) oppervlakkig; *~ irrigation of crops* oppervlakbesproeiing van gewasse; *~ resemblance* oppervlakkige ooreenkoms

sur'feit (n) oorversadiging *also* **o'verindul'= gence;** satheid; (v) ooreet, oorlaai

surf: ~board branderplank; **~er** branderryer (persoon); **~ing** branderry; **~ sai'ling** branderseil; **~ skiing** branderski

urge (n) golf, golwing, branding, deining; opwelling; stuwing (elektr.); (v) dein, golf; stu

ur'geon (n) snydokter, chirurg

ur'gery (n) snykunde, chirurgie; heelkunde; spreekkamer; *~ is indicated* 'n operasie is nodig; **plas'tic ~** plastiese chirurgie

u'ricate (n) stokstertmeerkat, graatjiemeerkat

ur'ly (a) nors, stuurs *also* **sul'len, grum'py**

urmise' (n) vermoede, gissing; (v) verbeel, vermoed; raai, gis *also* **guess, spec'ulate**

urmount' (v) oorwin, oorkom (probleme); **~able** oorkomelik, oorkombaar

ur'name (n) van, familienaam

urpass' (v) oortref, verbystreef *also* **out'do, eclipse';** uitblink, uitmunt; **~ing** weergaloos, ongeëwenaard *also* **match'less; unri'valled**

ur'plus (n) oorskot, surplus; oormaat; (a) oortollig; orig; **~ funds** oorskotfondse

surprise' (n) verrassing; verbasing; *take by ~* verras, oorrompel; *to the ~ of* tot verbasing van; (v) verras; verbaas; betrap; *~ in the act* op heter daad/heterdaad betrap; **~ attack'** verrassingsaanval; **~d** (a) verras, verbaas *also* **ama'zed, aston'ished; ~ pack'et** verrassingspakkie; **~ par'ty** verrassingsparty(tjie), invalparty(tjie); **~ vis'it** onverwagte besoek

surpri'sing (a) verrassend, verbasend *also* **amaz= ing**

surren'der (n) oorgawe *also* **capitula'tion;** uitlewering; (v) oorgee; hen(d)sop; uitlewer; afstaan; *~ one's estate* boedel oorgee; *~ an insurance policy* 'n assuransiepolis afkoop; *~ val'ue* afkoopwaarde

surrepti'tious (a) bedrieglik, onderduims, agterbaks *also* **un'derhand, sly, fur'tive**

sur'rogate (n) plaasvervanger, surrogaat; **~ mother** leenmoeder, kweekmoeder, surrogaatmoeder; dra-ma

surround' (v) omring, omsingel, insluit; **~ings** omgewing, omstreke, buurt *also* **envi'= ronment, neigh'bourhood**

sur'tax (n) bybelasting; bobelasting

surveill'ance (n) streng toesig/waarneming *also* **observa'tion; vig'ilance;** *under ~/supervision* onder bewaking/toesig

sur'vey[1] (n) opmeting; opname; **mar'ket ~** markopname

survey'[2] (v) opneem; opmeet *also* **inspect', review'; scan;** toesig hou

survey'ing (n) opmeting; opname; landmeting

survey'or (n) landmeter; opmeter; **quan'tity ~** bourekenaar

survi'val (n) oorlewing; voortbestaan; *~ of the fittest* oorlewing van die sterkste/geskikste; **~ course** oorlewingskursus; **~ suit** dompelpak (ruimtereisiger)

survive' (v) oorleef, voortleef, lewend bly

survi'ving (a) oorlewend, langslewend; **~ spouse** langslewende (eggenoot)

survi'vor (n) oorlewende (van ongeluk); langslewende; agterblywende; opvarende (van gestrande skip)

suscep'tible (a) ontvanklik; gevoelig, vatbaar; *~ to* gevoelig/vatbaar vir (indrukke, invloede)

sus'pect[1] (n) verdagte (persoon)

suspect'[2] (v) verdink, vermoed; wantrou; (a) verdag; *~ed of arson* verdink van brandstigting

suspend' (v) (op)hang; opskort; intrek; skors; *~ a licence* 'n lisensie intrek; *~ payment* betalings staak; **~ed floor** hangvloer; **~ed sen'tence** opgeskorte vonnis (in die hof); **~er** kousophouer, sokkieophouer; **~er belt** kousgordel

suspense' (n) spanning, angs *also* **anxi'ety;** onsekerheid, twyfel; opskorting; **~ account'** (af)wagrekening

suspen′sion (n) staking, opskorting; suspensie, vering (motor); **~ bridge** swaaibrug, hangbrug

suspi′cion (n) agterdog, suspisie, argwaan; wantroue *also* **distrust′; bad vibes;** *above* ~ bo alle verdenking; *have a* ~ *against* agterdog koester teen; *I have a* ~ *that* ek vermoed dat; *rouse* ~ agterdog/argwaan wek; *under* ~ onder verdenking

suspi′cious (a) verdag *also* **sus′pect;** suspisieus, agterdogtig

sustain′ (v) steun; verdra; volhou; aanhou met; uithou; ~ *a loss* 'n verlies ly

sus′tenance (n) onderhoud; lewensmiddele, voed-sel, voeding, kos *also* **provis′ions, vic′tuals**

swab (n) dweil(lap); skropbesem; depper; plui-sie, watteprop; **gauze** ~ gaasdepper; (v) dep; was, skoonmaak; opvee; skrop

swad′dle (v) toedraai, toewikkel

swad′dling band luier, doek, windsel

swag′ger (n) gebluf; spoggerigheid; grootdoe-nery; (v) spog, uithang; grootpraat, bluf *also* **strut, swank; brag, boast; ~ing** (a) wind-makerig, spoggerig; **~ cane** spogkierietjie

swain (archaic) (n) boerkêrel; vryer, kêrel

swal′low[1] (n) sluk; (v) sluk, verswelg; verkrop (fig.); ~ *one's words* jou (taktlose/kwetsende) woorde terugtrek

swal′low[2] (n) swael, swa(w)eltjie; **~tail** swael=stert *see* **dove′tail**

swamp (n) moeras, vlei *also* **marsh, bog;** (v) oorstroom; opsluk; oorweldig; vasval, vassit; **~y** moerassig, vleiagtig, drassig

swan (n) swaan

swank (n) spoggerigheid; windmakery; (v) spog, pronk *also* **swag′ger; ~y** (a) windmaker(ig), spoggerig; uitgevat

swan: ~ **neck** swaannek; ~ **song** swanesang (laaste optrede)

swap = swop

swarm (n) swerm; menigte; (v) swerm; wemel, krioel; *the house is* ~*ing/teeming with ants* die huis krioel/wemel v.d. miere; **~ing bee** trekby

swar′thy (a) donker, blas, soel (gelaatskleur)

swash (v) plas, kletter, klots; **~buck′ler** groot=meneer; waaghals, avonturier *also* **(flamboy′=ant) dare′devil**

swas′tika (n) swastika, hakekruis

swat (v) doodslaan (bv. 'n vlieg) *see* **swat′ter**

swathe (v) verbind (wond); vasbind, toedraai

swat′ter (n) vlieëplak, vlieëklap *also* **fly′swatter**

sway (n) swaai; gesag *also* **author′ity;** (v) swaai, slinger; ~ *the sceptre* die septer swaai; heers, regeer

Swa′zi (n) Swazi, siSwati (taal) *also* **siSwa′ti;** Swazi (persoon); **~land** Swaziland

swear (v) vloek, swets *also* **curse;** sweer; beëdig; ~ *at* (uit)vloek, skel op; ~ *in* beëdig, inhuldig (burgemeester); ~ *an oath* 'n eed aflê;

~ *s.o. to secrecy* iem. plegtig laat beloof/ belowe; **~ing** (n) (ge)vloek, vloektaal, skeltaa[ ] *also* **blas′phemy**

sweat (n) sweet; harde werk; *in the* ~ *of one'[ ]* brow in die sweet van jou aanskyn; (v) sweet swoeg, hard werk; uitbuit, eksploiteer; **~e[ ]** oor(trek)trui; uitbuiter (persoon); **~ing** sweet ~ **pants** sweetpakbroek; ~ **shop** hongerwerk plek, fabriek wat hongerlone betaal; ~[ ] (nat)gesweet

Swede[1] (n) Sweed (persoon)

swede[2] (n) koolraap

Swed′en Swede (land); **Swed′ish** (a) Sweed[ ] (gebruike, ens.)

sweep (n) veeg; slag; swaai; lotery; vaart skoorsteenveër; *make a clean* ~ skoonski[ ] maak; (v) vee; wegvee; wegskuif; bestry[ ] (met kanon); wegvoer; swaai; ~ *the boar[ ]* alles wen; ~ *past* verbyskiet; ~ *up* opvee

sweep′ing (a) algemeen, allesomvattend; ingry pend, deurtastend; ~ **major′ity** verpletterend meerderheid; ~ **state′ment** verregaande/oor drewe stelling/bewering; growwe veralge mening; megabewering (infml.); **~s** veegsel(s vloerafval

sweep′stake (pos)lotery; wedren(prys) (hoo saaklik perderenne)

sweet (n) soetigheid; skat, liefling (persoon); (p[ ] lekkers, lekkergoed; (a, adv) soet; lieflik bevallig; aangenaam; dierbaar; lief, beminlik lekker; *be* ~ *on* verlief wees op; *a* ~ *nature* liewe geaardheid; ~ *water* vars water; **~brea** soetvleis; **~en** (v) versoet; veraangenaam **~ener** versoeter; **~heart** soetlief, skat, skatte bol, liefste *also* **dar′ling; ~ie-pie** soetlief(ie); **mel′on** spanspek; ~ **oil** soetolie; ~ **pe** pronk-ertjie, sier-ertjie, blom-ertjie; ~ **pota′[ ]** patat(ta); ~ **tooth** lekkerbek (persoon); ~[ ] hartjie, liefste, liefling; lekkertjie

swell (n) swelsel, swelling; geswel; deinin (see); grootmeneer, windmaker (persoon); (v swel, opswel; uitdy; ~ *the sails* die seile vu (a) puik, (piek)fyn; ~/*swanky clothes* spogge rige/windmakerige klere; **~ing** (n) swelse geswel *also* **lump, bulge′**

swel′ter (n) smoorhitte, bedompigheid; (v verdroog, verskroei; smoor; versmag; **~i[ ]** (a) snikheet, bloedig warm, skroeiend al scor′ching

swerve (v) afdwaal, afwyk *also* **de′viat[ ] deflect′;** swenk; opsy spring; wegswaai

swift (n) windswael; akkedissie (Am.); houth mer; (a, adv) vinnig, gou *also* **quick;** rats al a′gile; **~-foo′ted** rats *also* **nim′ble;** vinni **~ness** snelheid; ratsheid

swill (n) draf, varkkos *also* **hog′wash;** spoelin skottelgoedwater, vuil water; (v) (uit)spo[ ] suip *also* **gulp**

swim (n) swem; *be in the ~* meedoen, in die mode wees *also* **tren′dy, with-it;** (v) swem; dryf; *my head ~s/reels* ek word duiselig; **~mer** swemmer

swim′ming (n) swem(mery); swemsport; **~ bath** swembad; **~ pool** (private/eie) swembad; **~ trunks** swembroek(ie)

swind′le (n) bedrog, swendelary *also* **scam;** (v) bedrieg, verneuk; **~r** bedrieër, swendelaar, verneuker *also* **con′man, cheat, trick′ster**

swine (n) swyn; vark (dier; soms ook persoon); skobbejak, vuilgoed (persoon)

swing (n) skoppelmaai(er), swaai (op speel= grond); *in full ~* in volle gang; *let her have her ~* gee haar die vrye teuels; (v) slinger, swaai; draai; *~ round* omdraai; **~ bridge** draaibrug; **~ door** swaaideur; **~ glass/mir′ror** draaispieël; **~ing** (a) uitgelate, jolig, plesierig *also* **li′vely, tren′dy**

swipe (n) mokerhou; (v) slaan, moker; gaps, skaai (steel)

swirl (n) warreling, wirwar; draaikolk; (v) draai, warrel *also* **spin, whirl**

swish (n) geruis, ritseling; (v) swiep, suis; **~y** (a) ruisend; swierig, deftig

Swiss (n) Switser (persoon); (a) Switsers (ge= bruike, ens.); **~ roll** rolkoek/konfytrol

switch (n) skakelaar; wissel; wisselspoor; karwats, peits; (v) aanskakel (lig); omskakel; verwissel; wissel, rangeer (trein); *~ off* afskakel, afsit (lig); *~ on* aanskakel; *~ over* omskakel; *~ over to* oor= skakel na; **~board** skakelbord *also* **exchange′;** **~board op′erator** skakelbordoperateur

Swit′zerland Switserland

swiv′el (n) draaiskyf; werwel; spil; (v) krink, swaai; **~ chair** draaistoel

swol′len (a) geswel, verhewe *also* **bloa′ted;** **~-headed** verwaand, selfingenome; **~ ri′ver** vol rivier

swoon (n) beswyming; floute; (v) swymel (tieners oor popsterre); flou word

swoop (n) verrassingsaanval; *with one ~* met een slag; *~* neerstryk; onverwags aanval; jou stort op *also* **pounce** (on); **police′ ~** klopjag *also* **crack′down**

swop/swap (n) ruil(ing); (v) (uit)ruil; **~ shop** ruilwinkel, ruilhoekie

sword (n) swaard; sabel; *cross ~s* kragte meet; *~ of honour* eresabel; *put to the ~* om die lewe bring; **~ dance** swaarddans; **~s′man** swaard= vegter; **~s′manship** skermkuns *also* **fen′cing**

worn (a) beëdig; geswore; **~ en′emies** geswore vyande; **~ state′ment** beëdigde verklaring *also* **affida′vit**

wot (v) blok, swot vir eksamen *also* **cram;** instudeer (toneelrol)

y′cophant (n) valse vleier, kruiper, gatlekker (omgangst.)

yl′lable (n) lettergreep, sillabe

syl′labus (n) **-es** leergang, sillabus

sylph (n) luggees, luggodin; slanke meisie; **~ic** (a) slank

syl′van (a) lommerryk, bosryk *also* **sha′dy, woo′dy, woo′ded**

sym′bol (n) sinnebeeld, simbool *also* **em′blem**

symbol′ic (a) simbolies, sinnebeeldig

sym′bolise (v) simboliseer *also* **exem′plify**

symmet′ric(al) (a) simmetries; eweredig

sym′metry (n) simmetrie; eweredigheid

sympathet′ic (a) medelydend, deelnemend; sim= patiek *also* **warm-hear′ted, compas′sionate, ca′ring**

sym′pathise (v) simpatiseer, meevoel; kondoleer (met familie van oorledene) *also* **condole′; ~r** simpatiseerder

sym′pathy (n) medely(d)e, meegevoel, simpatie; deelneming *also* **condo′lences;** *expression(s) of ~* betuiging(s) van meegevoel

sym′phony (n) simfonie; **symphon′ic poem** simfoniese gedig

sympo′sium (n) **..ia** simposium; seminaar; sa= mespreking; drinkparty (veroud.)

symp′tom (n) simptoom; verskynsel; (ken)teken

syn′agogue (n) sinagoge (Joodse kerkgebou)

synchronisa′tion (n) saamvalling (van tyd); sinchronisasie/sinkronisasie

syn′chronise (v) saamval, sinchroniseer/sinkro= niseer; **~d swim′ming** sinkroonswem

syn′copate (v) s sinkopeer; saamtrek, verkort (van woord)

syncopa′tion (n) sinkopering, sametrekking

syn′dicate (n) sindikaat, kartel, sakegroep

syn′drome (n) siektebeeld, siektesimptome= groep, sindroom

syn′fuel (infml.) sintetiese brandstof *also* **synthet′ic fu′el**

syn′od (n) sinode; vergadering van kerkge= meentes; **~al** sinodaal

syn′onym (n) sinoniem, betekenisverwante woord

synon′ymous (a) sinoniem; eenders/eners; gelyk aan

synop′sis (n) **synopses** kort samevatting; sinopsis

synop′tic (a) sinopties, oorsigtelik; **~ chart** sinoptiese kaart

syn′tax (n) sinsleer, sintaksis

syn′thesis (n) **syntheses** samevoeging, sintese *also* **integra′tion, blend, fu′sion**

synthet′ic (a) sinteties *also* **artific′ial; ersatz′; ~ fi′bre** kunsvesel; **~ rub′ber** kunsrubber

syph′ilis (n) sifilis (geslagsiekte)

syrin′ga (n) sering (struik, boom)

syringe′ (n) spuit; (v) inspuit; **hypoder′mic ~** onderhuidse spuit; spuitnaald

syr′up (n) stroop; **gol′den ~** goue stroop

sys′tem (n) stelsel, sisteem; konstitusie; inrig= ting; metode; **so′lar ~** sonnestelsel; **~at′ic** (a) stelselmatig, sistematies *also* **method′ical**

T

t t; *cross the ~'s* die puntjies op die i's sit; *it suits me to a ~* dit pas my volkome

tab (n) lus(sie); (skouer)lus; oorklap; strokie; veterpunt; *keep ~s on s.o.* iem. in die oog hou

tab′by (n) gewaterde sy; gestreepte kat, huiskat; oujongnooi; (a) gestreep; gevlam

tab′ernacle (n) tabernakel; tent; **Feast of the T~s** Loofhuttefees

ta′ble (n) tafel; dis; tabel, lys; plato; (pl) tafels; tabelle; *clear a ~* 'n tafel afdek; *the ~s are turned* die bordjies is verhang; (v) ter tafel (lê) (vir vergadering); rangskik

tableau′ (n) **-s** lewende beeld, tablo

ta′ble: ~ bell tafelklokkie; **~ boar′der** kosganger, dagloseerder; **~ cen′tre** tafellap, tafelloper; **~cloth** tafeldoek; **~ compan′ion** tafelgenoot; **~ knife** tafelmes; **~land** plato, hoogvlakte; **~ lin′en** tafellinne

Ta′ble Moun′tain Tafelberg

ta′blespoon (n) eetlepel; **~fuls** eetlepels vol

table: ~ talk tafelgesprek; **~-rap′ping** tafelklop (spiritisme); **~ ten′nis** tafeltennis

tab′let (n) tablet; gedenkplaat, plakket *also* **plaque**

tab′loid (news′paper) poniekoerant, sensasie= koerant, vermaakblad

taboo′ (n) verbod, taboe *also* **ban**; (v) verbied; in die ban doen; (a) taboe, verbode

tab′ular (a) tabellaries, tabulêr; tafelvormig

tab′ulate (v) tabelleer/tabuleer *also* **tab′ularise**; **~d** getabelleer/getabuleer

tabula′tion (n) tabellering/tabulering

tachom′eter (n) snelheidsmeter; toereteller *also* **rev(olu′tion)s coun′ter** *see* **odom′eter**

tac′it (a) stilswy(g)end *also* **implied′**; **~ consent′** stilswyende toestemming

tac′iturn (a) swygsaam, stil *also* **ret′icent; antiso′cial**

tack (n) stoffeerspyker, platkopspyker(tjie); wending; koers; (slegte/smaaklose) kos; *get down to brass/tin ~s* by die kern (v.d. saak) kom; (v) laveer (teen die wind seil); vasspy= ker; *~ together* aanmekaarryg; **~ies** (n, pl) *see* **tack′y[1]** (n)

tac′kle (n) laagvat, duik (rugby); gereedskap; tuig; gerei; takelwerk; (v) lak, laagvat, duik (rugby), iem. platloop/aanpak/aanval; **block and ~** katrolblok, takelblok, kettingtakel; **fish′ing ~** hengelgerei

tack′y[1] (SAE) (n) **tack′ies** seilskoen, tekkie

tack′y[2] (a) klewerig; goor; slonserig; swak, smaakloos (styl)

tact (n) takt *also* **discret′ion; ~ful** taktvol; **~ical** takties; meesterlik; **~i′cian** krygskundige; tak= tikus; **~ics** taktiek; krygskunde *also* **strat′egy**

tac′tile (a) voelbaar, tasbaar, tas=

tact′less (a) taktloos *also* **clum′sy, indiscreet′; dom**

tad′pole (n) paddavis(sie)

tag (n) etiket, kenstrokie, naamplaatjie; stif; lissie/lussie; aanhangsel; rafel; leus(e); (v) aanheg; verbind; naloop; **~-end** oorskiet, slot, stert

tail (n) stert; keersy (munt); haarvlegsel; pant= baadjie; *~ off* afname; *turn ~* vlug *also: cut and run;* (v) agtervolg; tou; **~ coat** swaelstert (manel); **~ end** agterste punt, stert; **~ings** oorskiet, uitskot *also* **re′jects; ~less** stomp= stert; **~-light** agterlig, stertlig, remlamp

tail′or (n) kleremaker, snyer; (v) klere maak; **~ing** kleremakery; snit; **~-made** aangemeet; pasklaar; **~-made suit** snyerspak *also* **bespoke suit**

taint (n) smet, besoedeling; kleur, tint; (v) besmet, bevlek, besoedel *also* **tar′nish**; be= derf; **~ed** onrein, besoedel

take (n) vangs; ontvangste; (v) neem, vat; gryp; ontvang; raak; tref; in besit neem; verower; aanpak; gebruik (kos); *~ advantage of* voor= deel trek uit; *~ advice* advies inwin; *~ after* aard na; *~ aim* korrelvat; *~ care* oppas; versigtig wees; *~ the chair* voorsitter wees; *~ a chance* 'n kans waag; *~ charge of* sorg vir; *~ in consideration* in aanmerking neem; *~ courage/heart* moed skep; *~ cover* skuil; skuilplek soek/vind; *~ into custody* in hegte= nis/aanhouding neem; arresteer; *~ delight in* behae skep in; *~ down* neerskryf; afhaal; *~ effect* in werking tree; *~ a fancy to* lief word vir; *~ fire* vlam vat; kwaad word; *~ for granted* (as vanselfsprekend) aanvaar; *~ to heart* ter harte neem; *~ a holiday* met/op vakansie gaan; *~/become ill* siek word; *~ minutes* notule hou; *~ a nap/forty winks* 'n uiltjie knip; dut; *~ an oath* 'n eed aflê; sweer; *~ offence* aanstoot neem; *~ the opportunity* die geleentheid gebruik; *~ out* uitneem; *~ pains* moeite doen; *~ part* deelneem *also* **partic′ipate**; *~ to pieces* uitmekaarhaal; *~ place* gebeur, plaasvind; *~ prisoner* gevange neem; *~ sides* party kies; *~ steps* maatreëls tref; stappe doen; *~ up* aanpak; aanneem, inneem; *~n up* ingenome, bly, verheug *also* **thril′led, delight′ed;** *~ a walk* wandel, gaan stap; **~away′** wegneemplek wegneemkafee (vir kos); **~aways′** wegneem= kos, koop-en-loop-happies, afhaalgeregte; **~-home pay** netto salaris/loon; **~-in** bedrog, kullery; **~-off** wegspringplek; opstyging (vlieg= tuig, vuurpyl) *also* **launch, liftoff; ~over** oorname

ta'king (a) innemend, bekoorlik; aansteeklik; ~ *ways* gawe maniere; **~s** ontvangste

talc (n) (vet)talk, speksteen *also* **tal'low**

tale (n) storie, vertelling *also* **nar'rative**; relaas; verhaal; sprokie; leuen *also* **fabrica'tion; tell** *~s* klik; **~bea'rer** nuusdraer, verklikker *see* **whistle'-blower**

tal'ent (n) talent, gawe, aanleg; **~ed** begaaf, talentvol; *a ~ed/gifted child* 'n begaafde kind; *develop your ~s* jou talente slyp; **~ scout/ spot'ter** talentjagter

tal'isman (n) talisman, gelukbringer *also* **mas= cot;** amulet *also* **charm; protec'tion**

talk (n) gesprek; praatjie; onderhoud; same= spreking; *have ~s with* samesprekings voer met; ~ *is cheap* praatjies vul geen gaatjies nie; *small ~* geklets; kafpraatjies; *the ~ of the town* almal praat daaroor; (v) praat, gesels; spreek; ~ *big* grootpraat; ~ *nonsense* kaf/twak praat/verkoop; ~ *the matter over* die saak uitpraat; ~ *s.o. round* iem. ompraat/oorreed; ~ *shop* vakpraatjies maak; **~ative** spraaksaam; praatsiek; **~er** prater, spreker; **~ie** (infml. obs.) klank(rol)prent, klankfilm; **~ing** gepraat, pratery; gebabbel; **~ing-to** skrobbering *also* **reprimand, rebuke'**

talk: ~ **ra'dio** geselsradio *also* **chat show;** ~ **shop** kletsklub (internet); ~ **show** kletspro= gram

tall (a) groot; lang/lank; hoog; spoggerig; *walk ~* fier/trots beweeg; *this is a rather ~ order* dis nogal kwaai/kras; dis nogal 'n groot/moeilike taak; **~boy** (hoë) laaikas *also: chest of drawers;* ~/**exag'gerated sto'ry** wolhaarstorie; ~ **talk** grootpratery; bluf; **~ness** lengte; grootte

tal'low (n) kersvet, harde vet; talk; ~ **can'dle** vetkers; **~-fa'ced** bleek; **~ish/~y** vetterig

tal'ly (n) kerfstok; kerfmerk, keep; bordjie; *take ~ of* tel, noteer; (v) inkerf; natel; ooreenstem, klop (syfers) *also* **agree', conform';** ~ *with* klop/strook/rym met

Tal'mud (die) Talmoed (Joodse heilige wette)

tal'on klou (van roofvoël); **~ed** met kloue

tam'arind tamaryn (smaakmiddel); ~ **tree** ta= marinde, suurdadelboom

tam'arisk tamarisk(boom), dawee

tam'bour (n) tamboer, (groot) trom; borduur= raam; (v) tamboer slaan; borduur; **~ine'** tamboeryn, beltrommel

tame (v) mak maak, tem; (a) mak; gedwee; suf; vervelend; **~ness** makheid, gedweeheid; **~r** temmer (persoon); **~ly** (adv) gedwee; papperig

tam-o'-shan'ter (Skotse) wolmus *also* **tamm'y**

tam'pan (n) hoenderbosluis, tampan

tam'per (v) knoei/torring met; omkoop (getuies) *also* **manip'ulate;** vervals; **~proof** peutervry *see* **fool'proof**

tam'pon (n) (watte)prop; stopsel; tampon

tan (n) looibas; (v) looi (leer); sonbruin, sonbrand, bruin brand, lyfbraai; afransel; (a) geelbruin; taan (kleur); *she is going to ~ on the beach* sy gaan op die strand sonbruin

tan'dem (n) tweelingfiets, tandem; *in ~ with* in oorleg/sameweerking met

tang[1] (n) sterk bysmaak, nasmaak; **~y** (a) pikant (smaak, geur)

tang[2] (n) tand (van vurk); tongetjie (van gespe); hefpunt

tang'elo (n) tangelo, pomelonartjie

tan'gent (n) raaklyn, tangens; *fly/go off at a ~* skielik van koers/gesprek verander

tangerine' (n) (rooi) nartjie

tan'gible (a) tasbaar, voelbaar; ~ **proof** tasbare bewys

tan'gle (n) verwikkeling; knoop; warboel; wir= war; *be in a ~* in die war wees; (v) verwar

tan'go (n) tango (dans); *it takes two to ~* net twee kan tiekiedraai

tank (n) tenk (waterhouer); tenk (vir oorlogvoe= ring); **~age** tenkinhoud; **~ard** drinkkan; drink= beker; **~er** tenkskip; tenkwa

tan: **~ner** looier; **~nery** looiery; **~nic ac'id** looisuur; **~nin** looistof, looisuur, tannien

tan'talise (v) met ydele hoop streel; tempteer, tantaliseer *also* **provoke', taunt;** **~r** kweller, tempteerder (persoon)

tan'tamount (a) gelykwaardig; gelykstaande met; *it is ~/equivalent to* dit kom neer op

tan'trum (n) (onbeheerste) woedebui; stres= protes; *be in a ~/throw a ~* vloerstuipe gooi/vang

Tanza'nia Tanzanië (land); **~n** (n) Tanzaniër (persoon); (a) Tanzanies (gebruike, ens.)

tap[1] (n) tikkie; rapsie; (v) tik; klop; ~ **dance/ dancing** klopdans

tap[2] (n) kraan; kantien, taphuis; *beer on ~* bier uit die vat; (v) aftap (vloeistof); uittap; aanvoor; ~ *s.o.'s telephone* meeluister, afluis= ter; 'n luistervlooi los *also* **bug** (v)

tape (n) band, lint *also* **rib'bon;** maatband; papierstrook; (oudio)band; *red ~* amptelike omslagtigheid, rompslomp; (v) vasbind, vas= maak; opneem (op band); **~aid** bandhulp (vir blindes); ~ **deck** kassetdek; ~ **li'brary** bando= teek; ~ **meas'ure** maatband, meetband, meet= lint

ta'per (n) waspit; waskers; (v) afspits, taps maak

tape: ~ **recor'der** bandopnemer, bandmasjien; ~ **recor'ding** bandopname; ~ **strea'mer** kasset= aandrywer (rek.)

tap'estry (n) muurtapyt, tapisserie

tape'worm (n) lintwurm

tapio'ca (n) tapioka (maniokmeel)

tap'root (n) penwortel

tap'ster (n) tapper, kantienhouer; skinkjuffer *also* **bar'maid**

tar (n) teer; matroos, janmaat; **Jack T~** pik=
broek, seerob (infml.); (v) teer; *~red with the
same brush* voëls van eenderse/dieselfde vere;
~ and feather teer en veer

taran'tula (n) tarantula (spinnekop)

tard'iness (n) traagheid, onwilligheid

tard'y (a) traag, onwillig *also* **slug'gish**

tare (n) eiegewig, eiemassa, tarra (massa)

tar'get (n) skyf; mikpunt, doelwit, teiken *also*
objec'tive; *soft ~/victim* sagte teiken; (v)
teiken; **~ date** teikendatum, streefdatum; **~
prac'tice** skyfskiet

tar'iff (n) tarief *also* **du'ty, lev'y; ~ union**
tolverbond, tolunie

tar'mac (n) (teer)stygbaan, laaiblad (lughawe)
also **run'way**

tar'nish (n) vlek, smet; (v) skend; beklad *also*
blem'ish, taint (s.o.'s reputation)

tarpaul'in (n) (waterdigte) bokseil/kapseil/
grondseil; matrooshoed

tar'ry (v) draal, sloer, talm; vertoef *also* **daw'dle,
delay'; lin'ger; procras'tinate**

tart[1] (n) tert (koek); **~let** tertjie

tart[2] (infml.) (n) prostituut; ligtekooi; flerrie,
snol (vrou) *also* **pros'titute; slut**

tart[3] (a) skerp; suur *also* **tan'gy, pun'gent**

tar'tan (n) tartan, Skotse ruitwol; Skotse mantel;
~ track tartanbaan (atl.)

tar'tar (n) wynsteen; tandsteen; **cream of ~**
kremetart; **~ic ac'id** wynsteensuur

tart'ness (n) suurheid, wrangheid, bitsigheid *see*
tart[3] (a)

task (n) taak, werk *also* **assign'ment, du'ty,
charge;** *take to ~* op die vingers tik, berispe,
roskam; (v) 'n taak oplê; *we were ~ed to* ons is
aangesê/beveel om; **~ force** taakmag; **~mas'=
ter** tugmeester; leermeester; **~ team** taak=
groep, taakspan

tas'sel (n) tossel, kwas, klossie

taste (n) smaak; voorsmaak; bysmaak; styl,
trant; voorliefde *also* **fond'ness;** *~ of* smaak
na; *to my ~* na my smaak; (v) proe, smaak;
beproef; ondervind; **~ful** smaakvol (meubile=
ring); **~less** laf, smaakloos; **~r** proeër; proef=
glas

ta'sty (a) smaaklik, lekker *also* **deli'cious,
sa'voury**

tat'tered (a) toiingrig; aan flarde

tat'ters (n, pl) flenters, toiings

tat'tle (n) geklets, gebabbel; (v) babbel, kekkel;
skinder; **~r** babbelaar; kekkelbek (persoon)

tattoo'[1] (n) tatoeëring; (v) tatoeëer; **~er** tatoeëer=
der; **~ mark** tatoeëermerk

tattoo'[2] (n) taptoe (militêr); *beat the devil's ~*
met die vingers trommel

taunt (n) hoon; (v) tart, treiter, uitlok *also* **mock,
provoke'; ~ing** tartend, uitlokkend

taut (a) strak, gespanne, styf *also* **rig'id, tight**

tautol'ogy (n) toutologie, woordherhaling

tav'ern (n) taverne, herberg *also* **inn; shebeen'; ~
kee'per** herbergier *also* **inn'keeper, tav'erner**

tawd'ry (a) (smaakloos) opgeskik; bont *also*
tat'ty, vul'gar

tawn'y geelbruin, taankleurig

tax (n) belasting; las; eis; (v) belas; takseer; *raise
~es* belasting(s) hef; *~ one's memory* probeer
onthou; **~able** belasbaar; **~a'tion** belasting; **~
avoi'dance** belastingontwyking; **~ eva'sion**
belastingontduiking *also* **~ dod'ging; ~/rev'=
enue collec'tor** belastinggaarder, ontvanger
van inkomste/belasting; Jan Taks (omgangst.);
~~free belastingvry

tax'i (n) **-s, -es** taxi

taxiderm'ist (n) diereopstopper, taksidermis

taxi' driv'er (n) taxidrywer, taxibestuurder

taxi'me'ter (n) tariefmeter, afstandmeter

tax'ing (a) moeilik, veeleisend *also* **deman'ding**

taxi' rank (n) taxistaanplek

tax: ~payer belastingpligtige, belastingbetaler;
~return' belastingopgawe

tea (n) tee; ligte aandete; **high ~** teemaaltyd
(Engelse gebruik)

teach (v) onderwys (gee), onderrig, skoolhou,
doseer, oplei, slyp *also* **teach, lecture, train;
~er** onderwyser, opvoeder, leerkrag, (skool)=
meester; *~er of Afrikaans* Afrikaans-onderwy=
ser(es); **~er student** aspirant-/student-onder=
wyser; **~ing** (n) onderwys; (a) onderwys=; **~ing
aids** leermiddele; **~ing expe'rience** proefon=
derwys; praktiese onderwys (vir studente)

tea: ~ cosy teemus(sie); **~cup** teekoppie; **~ lady**
(in office) teemaakster

teak (n) teak, kiaathout

team (n) span; (v) inspan; **~ buil'ding** spanbou;
geesvang (infml.); **~~mate** spanmaat; **~ spir'it**
spangees, esprit de corps

tea: ~ par'ty teeparty; **~pot** teepot; **~poy** tee=
tafeltjie (met drie pote); **~spoon'ful** teelepel vol

tear[1] (n) skeur; *fair wear and ~* billike slytasie;
(v) skeur; losruk; storm; pluk, ruk; *~ one's
hair* jou hare uittrek; *~ off* afskeur; *~ open*
oopskeur; *~ up* stukkend skeur

tear[2] (n) traan; *shed ~s* trane stort; **~ful** tranerig,
huilerig *also* **sob'bing, woe'ful; ~ gas** traan=
gas, traanrook; **~~jer'ker** tranetrekker (film,
boek) *also* **wee'pie; ~less** sonder trane

tear-off: ~ cal'ender skeuralmanak; **~ slip**
skeurstrokie

tea'room teekamer; koffiehuis, kafee

tear'smoke traanrook *see* **tear' gas**

tease (n) terggees; kwelgees (persoon); (v) pla,
kwel, terg, treiter; pluiskam (hare); **~r** plaer,
plaaggees; treiteraar (persoon); lokprent

tea service/set teestel, teeservies

teat tepel (mens) *also* **nip'ple;** speen (dier); tiet,
tet

tea: ~**tray** skinkbord; ~ **urn** teekan

tech'nical (a) tegnies; ~ **draw'ing** tegniese tekene (skoolvak) *also* **engineer'ing graph'ics and design'**; ~ **knock'out** tegniese uitklophou (boks)

technical'ity (n) tegniese besonderheid (meesal van mindere belang); vakterm

technic'ian (n) tegnikus (persoon)

tech'nikon (n) technikon

technique' (n) tegniek *also* **crafts'manship, know-how, expertise'**

technol'ogy (n) tegnologie

ted'dybear (n) teddiebeer, speelbeertjie

te'dious (a) vervelig/vervelend, saai *also* **bo'ring**

tee (n) bof (gholf)

teem (v) wemel, krioel; ~ **with** krioel/wemel van; ~**ing** wemelend; volop

teen'age (a) tienderjarig; ~ **dress** tienerdrag; ~ **par'ty** tienerpartytjie; ~**r** (n) tienderjarige, tiener *also* **teen**

teens tienerjare; *in one's* ~ nog nie twintig jaar nie; in jou tienerjare

tee'nybopper (slang) (n) bakvissie, tienerbopper (meisie)

teeth'ing tande kry (baba); ~ **ring** bytring; ~ **trou'bles** beginprobleme, aanvangsmoeilik= hede

tee'totaller geheelonthouer, afskaffer, niedrinker

teff tef(gras)

telat'elist (n) foonkaartversamelaar *also* **phone card collec'tor**

telecommunica'tion telekommunikasie

tele'gram telegram *also* **wire**

tele'fax (tele)faks *also* **fax** (n, v)

tel'egraph (n) telegraaf; (v) telegrafeer

tel'emedicine (n) telemedisyne

telep'athy telepatie, gedagteoordrag *also* **sixth sense**

tele'phone (n) (tele)foon; (v) bel, lui, skakel, telefoneer; ~ **booth/box** telefoonhokkie, munthuisie; ~ **call** telefoonoproep; ~ **direc'= tory** telefoongids; ~ **exchange'** telefoonsen= trale; ~ **listening device'/bug** foonvlooi, luistervlooi, ~ **op'erator** telefonis(te); ~ **receiv'er** gehoorbuis, hoorstuk *also* **hand'set**; ~ **tap'ping** foontap(pery)

telephon'ic (a) telefonies

teleph'onist (n) telefonis(te)

tele'phony telefonie

tele'scope (n) teleskoop; vêrkyker/verkyker; (v) teleskopeer, ineenskuif

telescop'ic (a) teleskopies; ~ **sight** visierkyker

tele'tuition (n) afstand(s)onderrig, korrespon= densieonderrig *also* **dis'tance educa'tion/ learn'ing**

tel'evise (v) beeldsaai, beeldsend

televis'ion (n) televisie, beeldradio; kykkas(sie) (skerts.)

tell (v) vertel, sê, meedeel, berig; beveel; verklik; ~ *s.o.'s fortune* iem. se toekoms voorspel; iem. skrobbeer/teregwys; ~ *that to the marines* maak dit aan die ape/swape wys; ~ *me* sê my; *you never can* ~ 'n mens kan nooit weet nie; ~ *tales* jok; (ver)klik; ~**er** verteller; kassier (bank); (uit)teller

tel'ling (v) vertel; (a) beduidend, treffend *also* **signif'icant, stri'king**; *you're* ~ *me!* moenie praat nie!; ~**off** uitbrander, skrobbering

tell'tale (n) verklikker, klikbek, nuusdraer; (a) kenmerkend, veelseggend

temer'ity (n) vermetelheid, vrypostigheid *also* **cheek, audac'ity**

tem'per (n) aard, temperament, gemoedstoe= stand; slegte humeur *also* **an'ger**; *have a* ~ gou op jou perdjie wees; *lose one's* ~ jou humeur verloor; ~ **tan'trum** *see* **tan'trum**; (v) temper, matig; hard maak (metaal); laat bedaar; ~ *justice with mercy* reg met genade versag

tem'perament (n) gemoedsgesteldheid, tem= perament, geaardheid

temperamen'tal (a) temperamenteel, buierig *also* **moo'dy; unreli'able**

tem'perance (n) matigheid; onthouding (van drank)

tem'perate (a) matig, gematig (klimaat); be= daard; ~ **zone** gematigde streek

tem'perature (n) temperatuur, warmtegraad; *have a* ~ koorsig wees, koors hê; ~**humid'ity in'dex** ongemaksgraad

tem'pest storm; orkaan *also* **hur'ricane**

tempes'tuous stormagtig, onstuimig *also* **ag'ita= ted; vi'olent**

tem'plar tempelier; geheelonthouer

tem'plate sjabloon (ook rek.); patroonplaat; profielvorm; skermplaat; draagsteen (bouk.) *also* **tem'plet**

tem'ple[1] (n) tempel *also* **shrine**

tem'ple[2] (n) slaap (aan kop)

tem'po (n) **tem'pi** tempo, maat (mus.)

tem'poral (a) tydelik; wêreldlik; ~ **po'wer** aardse gesag

tem'porary (a) tydelik; voorlopig; ~ *appoint= ment* tydelike pos/betrekking

tem'porise (v) tyd wen; sloer, draal *also* **daw'dle**

tempt (v) in versoeking bring, uitlok *also* **coax, seduce'**; beproef; trotseer; ~**a'tion** versoeking, aanvegting; *yield/succumb to the* ~*ation* swig vir/voor die versoeking; ~**er** verleier; ~**ing** verleidelik, aanloklik *also* **enti'cing**; ~**ress** verleidster

ten tien; *by* ~*s* by tiene; ~ *to one* tien teen een

ten'able houbaar/houdbaar; verdedigbaar *also* **justifi'able**; ~ *for two years* geldig/van krag vir twee jaar (studiebeurs)

tena'cious taai, hardnekkig *also* **unyiel'ding**

tenac'ity volharding *also* **persis'tence**

ten'ancy huurtermyn; verhuring; huur

ten'ant (n) huurder; bewoner (van huurhuis) *also* **lease'holder**

tend[1] (v) oppas, versorg; verpleeg; ~ *to* versorg

tend[2] (n) geneig wees; 'n neiging toon *also: be inclined;* strek, strewe

ten'dency (n) strekking, neiging; aanleg; tendens *also* **trend;** *have a* ~ *to* neig/oorhel na

tenden'tious (a) tendensieus, omstrede (boek, film) *also* **controver'sial;** partydig

ten'der[1] (n) tender, aanbod; inskrywing; (v) aanbied; tender; ~ *one's resignation* jou bedanking indien; **le'gal** ~ wettige betaalmiddel

ten'der[2] (a) sag, mals; teer; tingerig; pynlik; delikaat; ~ *age* prille jeug; ~ *meat* mals(e)/ sagte vleis; *a* ~ *spot* 'n teer/gevoelige punt/saak

ten'derer (n) tenderaar, inskrywer (persoon)

ten'der: ~**-hear'ted** teerhartig, gevoelig; ~**ise** (v) sagmaak (vleis); ~**iser** (n) vleisbeuk, versagter; ~**ness** sagtheid, teerheid

ten'don (n) sening, pees

ten'dril (n) rank(ie); heiningrank

ten'ement deelhuis; huurkamers

ten'et (n) leerstelling, leerstuk, doktrine *also* **doc'trine**

ten: ~**fold** tienvoudig; ~**ner** (infml.) (n) tienrandnoot

ten'nis tennis; ~ **ball** tennisbal; ~ **court** tennisbaan; ~**et** tenniset, dwergtennis; ~ **tour'nament** tennistoernooi

ten'on (n) pen, tap; haak; ~ **saw** tapsaag, voegsaag

ten'or (n) rigting; gees, strekking; tenoor (stem); *of the same/even* ~ gelykluidend

ten'pin bow'ling (n) kegelbal (sport); ~ **al'ley** kegelbaan

ten'pins (n) (tien)kegelbal *see* **skit'tles**

tense[1] (n) tyd, tempus (gram.)

tense[2] (a) strak, styf, gespan(ne) *also* **strai'ned, stress'ful**

ten'sion (n) trekkrag; spanning; opwinding; stres (emosioneel) *also* **anxie'ty, stress**

tent (n) tent; kap; (v) kampeer, uitkamp; *pitch* ~ tent opslaan; ~ **bed** veldbed; ~ **cloth** seil

ten'tacle (n) (lang) voelorgaan, voelhoring; tentakel (by hoofs. insekte)

ten'tative (a) voorlopig, tentatief *also* **provi'-sional, indef'inite**

ten'terhook (n) spanhaak (vir weefstof); *on* ~*s* in spanning; op hete kole

tenth tiende; ~**ly** in die tiende plek

tent: ~ **ma'ker** tentmaker; deeltydse predikant

tenu'ity (n) dunheid, fynheid; tingerigheid

ten'uous (a) dun, tingerig, swak

ten'ure (n) eiendomsreg; besit; ~ *of life* lewens=

duur; voortbestaan; ~ *of office* dienstyd, ampstermyn

tep'id (a) lou; ongeesdriftig (fig.) *also* **apathet'ic**

tercente'nary (n) derde eeufees; (a) driehonderdjarig

ter'cet terset (in sonnet); tersine (in langer gedig); triool (mus.); drieling

tere'binth (n) terpentynboom

term (n) termyn; dienstyd; kwartaal; term; bewoording, uitdrukking; (pl) voorwaardes; bepalings; verstandhouding; *on* ~*s and conditions* onder/op bepalings en voorwaardes; *on easy* ~*s* op maklike (betaal)voorwaardes; *on equal* ~*s* op gelyke voet; *in* ~*s of* volgens/ ingevolge, kragtens; ooreenkomstig; ~ *of office* ampstermyn; ~*s of reference* opdrag *also* **brief, commis'sion;** *not on speaking* ~*s* kwaaivriende; (v) noem, benoem

term'agant (n) feeks, geitjie, tierwyfie (vrou); rusiemaker; (a) rusiemakerig, twissiek

ter'minal (n) terminaal (rek.); eindfase; uiterste; pool; (a) eind=, grens=; ~ **pa'tient** terminale/ongeneeslike pasiënt

ter'minate (v) beëindig *also* **discontin'ue;** eindig; verstryk (kontrak, termyn)

termina'tion (n) end; verstryking; afbreking; beëindiging *also* **conclu'sion, expi'ry**

terminol'ogy (n) terminologie; **technical** ~ vaktaal

term'inus (n) ..ni eindpunt, eindhalte, terminus

ter'mite (n) rysmier, termiet

tern'ary (n) drietal; (a) drietallig, drieledig

tern'ate (a) driedelig, drietallig, drie-drie

ter'ra (n) aarde; ~ **fir'ma** vaste grond; ~ **incog'nit'a** onbekende land/gebied

ter'race (n) terras; ~**d roof** terrasdak

terracot'ta terracotta (onverglaasde bruinrooi erdewerk)

ter'rapin varswaterskilpad

terres'trial (n) aardbewoner; (a) aards, ondermaans; ~ **an'imal** landdier; ~ **globe'** aardbol

ter'rible (a) verskriklik, vreeslik; ontsettend; vreesaanjaend *also* **hor'rible, dread'ful, aw'ful, appal'ling**

ter'rier terriër (hond)

terrif'ic (a) verskriklik, vreeslik; ontsettend *see* **ter'rible;** wonderlik, uitstekend, koel *also* **fantas'tic, smash'ing**

ter'rified (a) vreesbevange, doodbang *also* **pan'ic-stricken**

ter'rifying (a, adv.) skrikwekkend, vreesaanjaend, grusaam

territo'rial territoriaal; ~ **right** territoriale reg

ter'ritory (grond)gebied, landstreek; terrein

ter'ror (n) skrik, ontsteltenis, angs; skrikbeeld; *reign of* ~ skrikbewind; ~**ism** terrorisme, terreur; skrikbewind; **ur'ban** ~**ism** stedelike terreur; ~**ist** terroris *also* **guerril'la fight'er;**

~**ise** terroriseer; skrik aanja; ~-**strick′en** angs=
bevange, doodverskrik

terse (a) beknop, bondig *also* **succinct′**, **brief**

ter′tiary tersiêr; ~ **educa′tion** tersiêre/naskoolse
onderwys/onderrig

test[1] (n) toets, proef; smeltkroes; toetssteen; *put
s.o. to the* ~ iem. op die proef stel; *stand the* ~
die toets deurstaan; (v) toets, ondersoek;
a′cid/cru′cial ~ vuurproef, vuurdoop

test[2] (n) dop (van skilpad); skulp, skaal

tes′tament (n) testament, (uiterste) wilsbeskik=
king *also* **last will**

testamen′tary (a) testamentêr (volgens testa=
ment)

testa′tor testateur, erflater (man)

testa′trix testatrise, erflaatster (vrou)

test: ~ **case** toetssaak; ~**ed** beproef; ~**er** toetser
(persoon)

tes′ticle (n) teelbal, saadbal, testikel, testes

tes′tify (v) getuig, plegtig verklaar; getuienis
aflê; ~ *to* getuig omtrent/aangaande

testimo′nial (n) getuigskrif *also* **ref′erence**

tes′timony (n) getuienis *also* **ev′idence;** betui=
ging; *bear* ~ getuig; *on the* ~/*affadavit of*
volgens die (beëdigde) verklaring van

tes′ting toetsing; ~ **ground** toetsterrein

test: ~ **match** toetswedstryd; ~ **pat′tern** toetspa=
troon; ~ **pi′lot** toetsvlieënier; proefvlieënier; ~
sam′ple streekproef; ~-**tube** proefbuis, rea=
geerbuis; ~-*tube baby* proefbuisbaba (in vitro-
bevrugting)

tes′ty (a) knorrig, prikkelbaar, liggeraak, kortge=
bonde *also* **tou′chy, pet′ulant**

tet′anus klem-in-die-kaak, kaakklem, tetanus

tête′-à-tête′ (n) geheime samekoms; vertroulike
gesprek; (a) privaat, onder vier oë

teth′er (n) looptou; spantou; riem; speelruimte;
beyond one's ~ bo(kant) jou vuurmaakplek; *be
at the end of one's* ~ pootuit/gedaan wees; *be*
raadop wees; (v) op tou slaan, kniehalter (dier)

tet′rarch (n) viervors, tetrarg (hist.)

tet′ter (n) omloop, veluitslag, roos

Teuton′ic (a) Teutoons, Germaans

text (n) teks; onderwerp; inhoud; ~**book** handlei=
ding, handboek, leerboek; ~**hand** grootskrif

tex′tile (n) weefstof; (a) geweef(de), tekstiel=,
weef=; ~ **fac′tory** tekstielfabriek

text mes′sage (kort) teksboodskap (selfoon) *also*
SMS

text′ual teks=, tekstueel (woordeliks, volgens die
teks)

tex′ture weefsel, tekstuur

Thai (n) Thai(lander) (persoon); (a) Thai(lands)
(gebruike, ens.); ~**land** Thailand *voorheen*
Siam

than as; *bigger* ~ groter as

thank (v) dank, bedank, dankie sê; ~ *God*
goddank; ~ *you* dankie; ~ *you ever so much*

duisend dankies; ~**ful** dankbaar *also* **grate′ful;**
~**less** ondankbaar; ~**(s) of′fering** dankoffer

thanks (n, pl) dankie; *many* ~ baie dankie; *I got
small* ~ ek het stank vir dank gekry; ~ *to Tom
we won* danksy Tom het ons gewen

thanks′giving danksegging; ~ **ser′vice** dankdiens

thank-you card/let′ter dankkaart(jie), dankie=
sêkaart(jie), dankiebrief

that (a) soveel, sodanig; *in* ~ *direction* soontoe;
in ~ *way* op daardie manier; ~ *will be the day!*
dank jou die duiwel!; (adv) so; *not* ~ *I know of*
nie sover ek weet nie; (pron) dié, daardie; wat;
who is ~ *laughing?* wie lag daar? *this,* ~ *and
the other* alles en nog wat; (conj) dat, sodat

thatch (n) dekgras; (v) dek; ~**ed roof** grasdak;
strooidak, rietdak, matjiesdak

thaw (n) dooi(weer); ontdooiing; (v) smelt,
ontvries (sneeu); ontdooi, vriendeliker word
(persoon)

the die; ~ *more the merrier* hoe meer siele, hoe
meer vreugde; ~ *sooner* ~ *better* hoe eerder,
hoe beter

the′atre (n) teater, skouburg; toneel; operasie=
saal, operasieteater; ~ **com′pany** toneelgesel=
skap; ~**go′er** toneelganger

theat′rical (a) toneelmatig; teatraal *also* **melo=
dramat′ic, histrion′ic**

thee (obs. form of address) u

theft (n) diefstal; stelery

their hulle, hul; ~**s** van hulle, hulle s'n

the′ism (n) teïsme (geloof in een God)

them hulle, hul

theme (n) onderwerp, tema; ~ **tune** kenwysie,
temawysie *also* **sig′nature tune**

themselves′ hulleself

then (a) destyds; toenmalig; (adv) dan, toe;
daarna, vervolgens; *the* ~ *adviser* die destydse
raadgewer; *by* ~ teen daardie tyd; *from* ~ van
toe af; *every now and* ~ kort-kort; *now and* ~ af
en toe; nou en dan; *since* ~ van/sedert dié tyd; ~
and there op staande voet; (conj) dan, dus

thence daarvandaan; van toe af

theoc′racy (n) teokrasie; priesterregering; beheer
van die staat deur die kerk/kerklike amptenare

theod′olite (n) teodoliet, hoogtemeter

theolog′ian (n) teoloog, godgeleerde (persoon)

theolog′ic(al) (a) teologies; ~ **stu′dent** teologie=
student; tokkelok (omgangst.)

theol′ogy (n) teologie, godgeleerdheid; ~ **of
libera′tion** bevrydingsteologie

theo′rem (n) stelling, teorema; beginsel

theoret′ic(al) (a) teoreties

theo′rise (v) teoretiseer, bespiegel

theory (n) **theories** teorie *also* **assump′tion;** *in* ~
and practice in die teorie en praktyk

theos′ophy teosofie (mistieke geloof)

therapeut′ic terapeuties *also* **reme′dial, cu′ra=
tive;** genesend, geneeskundig

ther′apist terapeut (persoon)

ther′apy terapie *also* **reme′dial treat′ment;** geneeskuns

there daar, daarso; aldaar; daarnatoe, soontoe, daarheen; ~ *and back* uit en tuis, heen en terug; *you have me* ~ daar het jy my vas; *he is not all* ~ hy het nie al sy varkies in die hok nie; hy is mallerig; ~**about′** daaromtrent; ~**af′ter** daarna; ~**by** daardeur; ~**for** daarvoor; ~**fore** daarom, dus, derhalwe; ~**of** daarvan; ~**to** daartoe; boonop; ~**upon** daarop, daarna, vervolgens; ~**with** daarmee

therm (n) term (warmte-eenheid), ~**al/hot spring** warmbron, warmbad, kruitbad

thermom′eter termometer; koorspennetjie

Therm′os flask termosfles, koffiefles; isoleerfles, vakuumfles *also* **vac′uum flask**

therm′ostat termostaat, warmteregulator

these hierdie, dié

thesau′rus tesourus (sinoniemeboek)

the′sis (n) **theses** stelling; tesis, proefskrif, skrip-sie, verhandeling *also* **disserta′tion, trea′tise**

they hulle, hul; ~ *say* daar word gesê; die mense sê; ~ *who* die mense wat

thick (n) dikte; *in the* ~ *of* in die middel van; *through* ~ *and thin* deur dik en dun; (a) dik; dig; troebel; dom; kras; (adv) dig; dik; *he is a bit* ~ hy is dom/stadig van begrip/onnosel; *that is rather* ~ dis darem te kras; ~**bo′died** swaarlywig *also* **obese′;** ~**en** (v) dik maak, verdik *also* **congeal′; deep′en** (mystery, plot)

thick′et (n) kreupelhout, ruigte, boskasie, struik-gewas *also* **brush′wood, un′dergrowth**

thick: ~**hea′ded** dom, onnosel; ~**ness** dikte; digtheid; ~**set** dig begroei; dik, geset (per-soon); ~**skin′ned** dikvellig; koppig; ongevoe-lig; ~**skul′led** hardkoppig; dom; ~**tongued** swaar van tong; ~**wit′ted** dom, bot

thief (n) **thieves** dief

thieve (v) steel *also* **steal; poach; swin′dle**

thiev′ing (n) stelery; diewery; (a) diefagtig

thigh (n) dy; bobeen; ~**bone** dybeen; ~ **muscle** dyspier

thill (n) disselboom *also* **beam** (wagon); **pole** (cart)

thim′ble (n) vingerhoed

thin (v) dun maak, verdun; maer word; vermin-der; uitdun (plante); ~ *out* uitdun; (a) dun, maer; yl; ~ *excuse* flou ekskuus/verskoning; ~**ner** verdunner (chem.)

thine (obs. form of address) van u; u s′n

thing (n) ding; saak; iets; (pl) goed, goeters; dinge; ~ *of beauty* iets moois; *he knows a* ~ *or two* hy is nie vandag se kind nie; *the latest* ~ *in hats* die allernuutste hoedemode; *poor* ~ arme drommel

think (v) dink; nadink; glo, meen; oorweeg; ~ *alike* eenders dink; ~ *before you ink* besin voor jy begin (skryf); *I don′t* ~ *so* ek dink nie so nie; ~ *fit* goeddink, goedvind; ~ *it over* daaroor nadink; ~**er** (n) denker; filosoof; ~**ing** (n) dink; gedagte; denke; *without* ~*ing* onnadenkend; (a) dink=; denkend; *put on one′s* ~*ing cap* begin prakseer/planne maak; ~**tank** dink=skrum, harsinggalop *also* **brain-stor′ming**

third (n) derde deel; terts (mus.); (a) derde; ; ~ *eye* oog van insig; ~ *time lucky* drie maal is skeepsreg; ~ *degree′* afdreiging van bekentenis; ~~**degree burn** derdegraadse brandwond; ~**ly** derdens, in die derde plek; ~ *par′ty* derde party: ~~*party insurance* derdepartyversekering, der-dedekking; ~~**rate** derderangs, minderwaardig; ~~**world coun′try** derdewêreldland

thirst (n) dors; *quench* ~ dors les; (v) dors hê/wees; ~ *after* vurig verlang na; *to* ~ *for knowledge* om te dors na kennis; ~**y** (a) dors, dorstig

thirteen′ dertien; ~**th** dertiende

thir′tieth dertigste

thir′ty (n) **..ties** dertig

this dit, hierdie, dié; ~ *day week* vandag oor ′n week; oor agt dae; *to* ~ *day* tot vandag toe; *like* ~ op dié manier; ~ *month* vandeesmaand; ~ *morning* vanmôre; ~ *once* hierdie een keer; ~ *way* hierheen; hiernatoe; ~ *week* vandeesweek, hierdie week; ~ *year* vanjaar

thi′stle (n) distel/dissel (struik)

thole (n) roeipen, dolpen

thong (n) riem; agterslag; (v) (vas)bind; uitlooi; **beach** ~**s** plakkies *also* **slip-slops**

thongs (n) deurtrekker; stertriem *also* **loin′cloth**

thorac′ic (a) bors=; ~ **cav′ity** borsholte

tho′rax bors(stuk); borskas

thorn (n) doring; stekel; doringbos; *a* ~ *in one′s flesh* ′n doring in die vlees; *sit on* ~*s* op hete kole sit; ~**y** doringrig; netelig, lastig *also* **tick′lish, di′cey, thorn′y** (problem)

thor′ough (a) deeglik, grondig *also* **exhaus′tive;** volledig *also* **entire′;** volbloed, ras= *also* **ped′igree;** ~**bred** volbloedperd, renperd; ~**fare** deurgang; ~**go′ing** deurtastend, radikaal; ~**ly** deeglik, terdeë *also* **metic′ulously**

those daardie, diegene, dié

thou (obs. form of address) u *see* **thy**

though hoewel, alhoewel, ofskoon, tog; *even* ~ selfs al; *I wish you had told me* ~ jy kon my darem gesê het

thought (n) gedagte; denke; mening; gepeins; *in deep* ~ diep ingedagte; *give it a* ~ dink daaroor na; *lost in* ~ in gedagtes versonke/verdiep; *school of* ~ gedagterigting; (v, past tense) het gedink; *he* ~ *it was Tuesday* hy het gedink (hy dag/dog) dis Dinsdag; ~**ful** bedagsaam, sorg=saam, taktvol *also* **consid′erate, tact′ful; ~less** onbesonne, onbedagsaam; ~~**provo′king** ge-dagteprikkelend

thou′sand duisend; *in their ~s* by die duisende; *it is a ~ pities* dis tog alte jammer; *a ~ times* duisend maal; **~th** duisendste

thrash (v) slaan; uitklop; uitlooi; afransel; verslaan (in wedstryd); *~ out* (a problem) uitpluis, uitredeneer; **~ing** pak slae, loesing; streepsuiker

thread (n) draad; rafel; garing; skroefdraad; *not a dry ~* nie 'n droë draad nie; *take up the ~* vervat, vervolg; *worn to a ~* gaar gedra; (v) inryg; *~ beads* krale inryg; *~ a needle* garing deur 'n naald steek; **~bare** (a) afgesaag; kaal, verslyt/verslete *also* **shab′by, tat′ty, rag′ged** (clothes); **~ mark** sekerheidstrokie (in banknoot)

threat (n) bedreiging; dreigement

threat′en (v) dreig; bedreig; **~ing** dreigend; *~ing letter* dreigbrief

three drie; *the ~ R's* lees-, skryf- en rekenkuns; **~-cor′nered** driehoekig; **~fold** drievoudig; **~-leg′ged** driebeen=; **~-ply** (a) driedraads (wol); drielaag (hout); **~-prong′ed attack′** drieledige aanval; **~-quar′ter** (n) driekwart (rugbyspeler); (a) driekwart=; **~score** sestig; **~some** driespel (gholf); drietal *also* **tri′o**

thresh (v) dors (koring); **~er** dorsmasjien

thresh′old (n) drumpel; ingang *also* **door′step**

thrice drie maal; **~-told** oud, afgesaag (storie)

thrift (n) spaarsaamheid; **~less** (a) verkwistend, spandabel; **~y** (a) spaarsaam, sorgsaam *also* **fru′gal, provi′dent;** voorspoedig, welvarend

thrill (n) rilling, siddering; ontroering; tinteling; sensasie; trilling; (v) ontroer; aangryp; laat tril; *~s and spills* passie en opwinding; **~er** riller; sensasieverhaal; spanningsfilm; **~ing** opwindend, spannend *also* **tense, exci′ting;** trillend

thrips (n) blaaspootjie(s), trips (insek)

thrive (v) bloei, vooruitkom *also* **flou′rish, pros′per;** gedy

thr′iving (a) bloeiend, voorspoedig, florerend (besigheid) *also* **flou′rishing**

throat (n) keel; gorrel; strot; monding; *cut one's own ~* jou eie keel afsny; *jump down s.o.'s ~* iem. invlieg

throb (v) klop; bons *also* **pal′pitate′; ~bing** (n) klop, geklop (van pols, hart); (a) kloppend *also* **pulsa′ting**

throe(s) hewige pyn; doodsangs; barensweë; **~s of death** doodsworsteling

thrombo′sis (n) aarverstopping, bloedklont, trombose

throne (n) troon; *speech from the ~* troonrede

throng (n) gedrang, gewoel *also* **crush;** (v) toestroom, verdring, vertrap

throt′tle (n) keelgorrel; strot, lugpyp; versnelklep (motor); (v) verwurg *also* **choke′**

through (a) deurgaande; (adv) deur; tot die einde toe; *be ~ with this job* hierdie werk gestaak/gelos; *fall ~* deur die mat val; (prep) deur; uit; **~out′** dwarsdeur; deurgaans; **~put** (n) deurset (produksie) *see* **in′put, out′put; ~ train** deurgaande trein; **~way** deurpad; snelweg

throw (n) gooi; worp (w.g.); *a stone's ~* 'n hanetreetjie (weg); (v) gooi; werp; smyt; *~ away a chance* 'n kans laat glip/verbygaan; *~ back* teruggooi; terugaard; *~ a fit* die stuipe kry; 'n beroerte/toeval kry *also: get a stroke; ~ out* uitgooi; versprei; verwerp; *~ overboard* oorboord gooi; *~ into prison* in die tronk/gevangenis smyt; *~ in the sponge* tou opgooi; *~ stones* met klippe gooi; *~ one's weight about* grootmeneer speel; baasspelerig optree; **~er** gooier

thrum (n) getokkel; getjingel; los draad, kwassie; (v) tokkel; tjingel

thrush[1] (n) sproei, spru (keelsiekte)

thrush[2] (n) lyster (voël)

thrust (n) stoot; druk; dryfkrag, stukrag; (v) stoot *also* **drive, prod;** vorentoe beur; *~/force something upon s.o.* iets opdring aan iem.

thud (n) plof, bons; (v) neerplof, bons

thug (n) boef, skurk *also* **crook, scoun′drel, vill′ain, ro′gue;** wurger; sluipmoordenaar

thumb (n) duim; *his fingers are all ~s* hy is onhandig/lomp; *~ a lift* duimry, duimgooi; *hold ~s for s.o.* vir iem. duim vashou; *be under the ~ of* onder die plak sit van; *~s up!* hou moed!; (v) beduimel; deurblaai (bladsye van boek); **~ index′** duimindeks (boek); **~ latch** deurknip; **~ mark** duimmerk; **~nail sketch** penskets; **~screw** duimskroef; **~tack** duimspyker *also* **draw′ing pin; Tom T~** Klein Duimpie

thump (n, v) stoot, bons, stamp *also* **knock, clout**

thum′ping (slang) (a) kolossaal; geweldig; *~ing lie* yslike leuen; *~ majority* klinkende meerderheid

thun′der (n) donder(weer); gerommel; (v) donder; bulder; **~bolt/~clap** donderslag; **~cloud** donderwolk; **~ing** (a) donderend, oorverdowend; **~sho′wer** donderbui; **~storm** donderstorm, swaarweer; **~struck** deur die weerlig getref; stom, verbaas, oorbluf

thu′rible (n) wierookvat *also* **cen′ser**

Thurs′day Donderdag

thus dus; so, aldus; *~ far* tot sover/dusver

thwart (v) dwarsboom, teenwerk, fnuik *also* **foil**

thy (obs. form of address) u, van u

thyme tiemie (plant)

thy′roid (a) skildvormig; **~ gland** (n) skildklier

tia′ra (n) tiara, kroon *also* **cor′onet**

Ti′bet Tibet (streek in China); **~an** (n) Tibettaan (persoon); (a) Tibettaans (gebruike, ens.)

tib′ia (n) **-e, -s** skeenbeen (anat.)

tick[1] (n) bosluis; **~-bird** (n) bosluisvoël, veeryer *also* **white her′on, oxpeck′er; ~-bite fe′ver** bosluiskoors

tick[2] (n) tik; merk; regmerkie; kruisie; *in two ~s* in 'n kits/japtrap; tjop-tjop (infml.); (v) tik; merk, regmerk; *~ the items (off)* tik die items (af)

tick′er (n) voëlkyker *also* **bird′watcher, bir′der**

tick′er-tape: ~ **para′de** snipperparade, konfetti= parade, lintreën (op motorstoet)

tick′et (n) kaartjie; lootjie; reiskaartjie; (v) beboet; merk; **~ box** (kaartjies)loket; **~ collec′= tor** kaartjie(s)ondersoeker, kaartjiesopnemer; **~ hol′der** kaartjiehouer; **~ of′fice** kaartjieskan= toor, loket *also* **box of′fice; ~ tout** kaartjie= swendelaar

tick′ey trippens (eertydse geldstuk); **~ box** munthuisie (met telefoon)

tick′ fever bosluiskoors (mense); ooskuskoors (beeste)

tick′ing[1] (n) getik (van klok)

tick′ing[2] (n) tyk (materiaal), matrasgoed

tick′ing-off (infml.) (n) teregwysing, berisping; *tick off s.o.* iem. berispe; 'n appeltjie skil (met iem.) *also* **rebu′ke**

tick′le (n) gekielie; krieweling; (v) kielie; kriewel; prikkel; *~ the palate* die eetlus (op)wek; *~d pink/to death* uiters geamu= seer(d); groot lag kry

tick′lish (a) kielierig; liggeraak; netelig, delikaat *also* **del′icate, sen′sitive, conten′tious**

ti′dal gety=; **~ har′bour** getyhawe; **~ pool** getypoel; **~ wave** vloedgolf

tid′dlywinks (n) vlooiespel

tide (n) gety; eb en vloed; stroming; *go with the ~* met die stroom saamgaan; *~ over* die (tydelike) moeilikheid te bowe kom; **high ~** hoogwater; **low ~** laagwater; **neap ~** dooiety; **out′going ~** afgaande gety; **spring ~** springty, springvloed; **~ gate** sluisdeur

ti′diness (n) netheid, orde(likheid)

ti′dings (n) berig, tyding, nuus *also* **report′; intel′ligence**

ti′dy (v) aan die kant maak; opruim; opknap *also: spruce up;* (a) netjies, ordelik *also* **or′derly;** sindelik; *a ~ penny* 'n mooi/aansien= like sommetjie/bedrag

tie (n) das; band; knoop; gelykopspel (sport); verbindingsteken; boog; *~s of friendship* vriendskapsbande; (v) bind, vasbind, vas= knoop; gelykop speel; *~ your shoelaces* maak/bind vas jou veters; *~ with* gelykstaan met; gelykop speel teen (sport); **~-brea′k(er)** valbylpot, uitkloppot (tennis)

tier (n) vlak (ook 'n reeks sitplekke, bv. in teater); verdieping; ry, reeks; **se′cond-~ govern′ment** tweedevlakregering

tie-rod (n) stuurstang (motor); koggelstok (tus= sen koppe van trekdiere)

tiff[1] (n) slegte bui; rusie(tjie); *they had a ~* hulle was haaks/het stry gekry

tiff[2] (n) teug, sluk; (v) drink (met klein teugies)

tif′fany (n) sygaas

ti′ger (n) tier; **~′s eye** tieroog (halfedelsteen); **~ li′ly** tierlelie

tight (a) nou, eng; vas, strak; gierig, hebsugtig; dronk, geswael, gekoring; *be in a ~ corner* in die knyp wees; *a ~ fit* nousluitend; *money is ~* geld is skaars; (adv) styf; *hold ~* hou vas; **~en** stywer trek; **~fis′ted** vrekkerig, inhalig *also* **gree′dy; ~-fit′ting** nousluitend; **~-lip′ped** swygsaam *also* **mum; ~rope dan′cer** koord= danser; **~rope wal′ker** koordloper; **~s** span= broek; broekiekouse

ti′gress (n) tierwyfie

tikolosh′(e) = tokolosh′(e)

til′de (n) tilde, slangetjie *also* **swung dash** (eg **self: ~ish**)

tile (n) dakpan, teël; *have a ~ loose* van lotjie getik; 'n bietjie mallerig (persoon); (v) teël; **~d** geteël; ingelê; **~d floor** teëlvloer; **~d roof** pandak

till[1] (n) kasregister, geldlaai(tjie); betaalpunt, kas(sa) *also* **cash reg′ister**

till[2] (v) bebou, ploeg, bewerk *also* **cul′tivate**

till[3] (prep) tot; *~ then* tot dan; *~ we meet again* tot (weer)siens, wederom

till: ~able ploegbaar, beboubaar; **~age** grondbe= werking, akkerbou

til′ler[1] (n) landbouer (persoon)

til′ler[2] (n) skoffelploeg

tilt (n) helling, skuinste *also* **slant;** woordestryd; steekspel (hist.); *have a ~/dig at s.o.* iem. 'n steek gee (fig.); (v) steek; omstamp; skuins hou; kantel, laat oorhel; *~ back* agteroor leun; *~ over* skeef staan; oorhel; *~ at windmills* windmeulens bestorm

tim′ber timmerhout; hout; **~ trade** houthandel; **~ yard** houtwerf

tim′bre timbre, toonkleur, klanktint

time (n) tyd; tydstip; keer, maal; maat, tempo (mus.); *at all ~s* te/ten alle tye; *~ and again* herhaaldelik *also* **fre′quently;** *all the ~* die hele tyd; gedurig; *ask the ~* vra hoe laat dit is; *at the ~ of* ten tye/tyde van; *at that ~* destyds, toentertyd; *for the ~ being* tot tyd en wyl; *from ~ immemorial* van hoeka/toeka se tyd af; *keep ~* die maat hou (mus.); *have the ~ of one's life* dit gate uit geniet; *at my ~ of life* op my leeftyd; *in the nick of ~* net betyds; op die nippertjie; *have no ~ for s.o.* iem. nie kan duld/verdra nie; *in no ~* in 'n kits; tjop-tjop (infml.); *on ~* betyds/op tyd; *at the same ~* terselfdertyd; *serve one's ~* as vakleer= ling/leerklerk dien; (tronk)straf uitdien; *ten*

~s *five* tien maal/keer vyf; ~ *is up* die tyd is verstreke; *what is the* ~? hoe laat is dit?; (v) maat hou; reël; die tyd bereken; ~ *his speech* sy toespraak klok; ~ **bomb** tydbom; ~**kee'per** horlosie; tydopnemer (sport); ~ **lim'it** tyd= grens; ~**ly** tydig, betyds *also* **prompt, punc= tual;** ~**piece** uurwerk, klok; ~**s** maal/keer; ~**share/**~ **shar'ing** tyddeel/tyddeling; bly= beurt; ~ **slot** tydgleuf (radio, TV); ~ **switch** tydskakelaar; ~**table** (diens)rooster, tydtafel; werkplan

tim'id (a) skaam, skamerig, skugter, inkennig, bedees *also* **shy, bash'ful, reserv'ed**

ti'ming (n) tydreëling; tydinstelling (motor); tydopname; tyd(s)berekening

tim'orous (a) bangerig, skrikkerig; skroomvallig, angsvallig *see* **tim'id**

tin (n) tin; blik; (v) vertin; inmaak, blik; (a) tin=; ~**ned meat** blikkiesvleis

tinc'ture (n) tinktuur; tint; aftreksel; (v) kleur

tin'der tontel; ~**box** tonteldoos (hist.) *also* **light'er**

tin'foil (tin)foelie, bladtin *also* **foil**

tinge (n) tint, kleur; smakie; sweempie *also* **smat'tering;** (v) tint, kleur; 'n smakie gee

tin'gle (n) getuit, gesuis, suising; prikkeling; (v) klink, tintel, suis (iem. se ore) *also* **tin'nitus; tuit**

tin: ~ **hat** staalhelm; ~ **o'pener** bliksnyer

tin'ker (n) blikslaer *also* **tin'smith;** knoeier (persoon); blikskottel (persoon) *also* **blight'er;** (v) knutsel; prutsel; lap, heelmaak; knoei, ploeter *also* **fid'dle/muck about**

tin'kle (n) geklink; (v) klink; rinkel; *give s.o. a ~* (infml.) iem. (op)bel, 'n luitjie gee

tin'nitus (n) oorsuising, oortuiting

tin'sel (n) verguldsel; klatergoud, skynprag; (v) verguld; (a) oppervlakkig; skyn=

tin'smith (n) blikslaer *also* **tin'ker**

tint (n, v) tint, kleur

tin'ware (n) blikgoed

ti'ny (a) (piep)klein, nietig, gering *also* **small', minute', tee'ny-wee'ny;** ~ **child/tot** kannetjie, pikkie

tip[1] (n) tip, top *also* **peak, sum'mit;** punt; *on the ~ of my tongue* op die punt van my tong

tip[2] (n) fooi(tjie), bedien(ings)geld *also* **gratu'= ity;** wenk (bv. vir eksamen); (v) 'n fooi(tjie) gee; ~ *off* 'n wenk/inligting gee *also* **cau'= tion/forewarn'**

tip[3] (v) omkantel; laat kantel; ~**ping/dum'ping site** stortterrein; ~**(ping) truck** wiplorrie, stortwa

tip'ple (v) 'n dop steek, drink *also: take a drink;* ~**r** (n) drinkebroer, wynvlieg (persoon)

tip'sy (a) hoenderkop, lekkerlyf, getier, aange= klam (omgangst.); effens dronk; ~ **cake** wynkoek

tip'toe (v) op die tone loop; (adv) op die tone; suutjies; katvoet/doekvoet

tip'top (a) eersteklas, hoogste, beste, puik(ste)

tip-up door wipdeur, opklapdeur

tirade' tirade, heftige woordevloed *also* **harangue'**

tire[1] (n) hooftooisel; opskik

tire[2] (Am.) (n) = **tyre**

tire[3] (v) moeg word/maak; vermoei; verveel; ~**d** moeg, tam; ~**less** onvermoeid *also* **unflag'= ging;** ~**some** vermoeiend, afmattend *also* **ti'ring, stren'uous;** vervelend *also* **dull, bor'= ing**

ti'ro (n) = **ty'ro** (n)

tis'sue (n) weefsel; sneesdoekie, snesie; traan= trosie (skerts.); goudlaken; *a ~ of lies* 'n rits leuens; *get a ~ and blow your nose* kry 'n snesie en snuit jou neus; ~ **cul'ture** weefsel= kultuur; ~ **pa'per** sneesdoekie, snesie

tit (n) tikkie; ~ *for tat* botter vir vet

ti'tan (n) titan, reus; ~**ic** (a) reusagtig, tamaai, titanies *also* **huge, enor'mous**

tit'bit (n) lekkerny *also* **dain'ty, del'icacy**

tithe (n) tiende; tiende gedeelte

tit'illate (v) prikkel *also: stimulate pleasantly;* kielie, kietel; streel

ti'tle (n) titel; naam; aanspraak; eiendomsreg; (v) betitel; noem; ~**d** getitel; met 'n titel; ~**deed** transportakte (eiendom); titelakte (aandele); ~ **page** titelblad; ~ **role** titelrol

tit'ter (n) gegiggel; (v) giggel *also* **gig'gle; snig'ger**

tit'tle (n) tittel, stippie, jota; ~**tat'tle** geklets, gebabbel

tit'ular (a) titulêr; in naam; ~ **saint** (n) beskermheilige *also* **pa'tron saint**

tjai'la (SA slang) (v) tjaila (omgangst.); staak werk; uitval *also* **knock off** (slang)

T-joint (n) T-las

T-junction (n) T-aansluiting

to (adv) toe; ~ *and fro* heen en weer; (prep) tot, na, na . . . toe; om te; ~ *account rendered* aan gelewerde rekening (boekh.); ~ *the best of my ability* na my beste vermoë; ~ *the best of my knowledge* na my beste wete; *compared* ~ in vergelyking met; vergeleke met; *face* ~ *face* van aangesig tot aangesig; *five* ~ *six* vyf minute voor ses; *drink* ~ *your health* op jou gesondheid drink; *hundred* ~ *one* honderd teen een; ~ *the left of* links van; ~ *my liking* na my sin/smaak; ~ *my mind* na/volgens my mening; ~ *the point* ter sake; *pull* ~ *pieces* (in) flenters skeur

toad (n) padda; walglike persoon; ~**stool** pad= dastoel, slangkos; ~**y** (n) gunsjagter; gatkrui= per (vulg.); jabroer *also* **flat'terer, bootlicker;** (a) inkruiperig, witvoetjiesoekerig

toast (n) roosterbrood; heildronk *also* **tri'bute;**

(v) braai, rooster; 'n heildronk instel; ~*y warm*
behaaglik warm; **~er** (brood)rooster; rooster=
vurk; **~ed cheese** kaasroosterbrood *also*
Welsh rarebit; ~ed sand'wich rooster(toe)=
broodjie; **~mas'ter** seremoniemeester, tafel=
heer *also: master of ceremonies*

tobac'co (n) tabak; **~nist** tabakwinkel, tabakboe=
tiek; **~ pouch** tabaksak

to-be' (a) toekomstig, aanstaande; *the bride* ~ die
toekomstige/aanstaande bruid

to'by (n) blaasoppie (vis)

today' (n) vandag; teenswoordig, deesdae; ~
week vandag oor agt dae/'n week

tod'dle (n) waggelgang; (v) waggel, trippel; **~r**
kleintjie, peuter *kyk* **kleu'ter**

tod'dy (n) grok, sopie, pons (palmsap)

to-do' (n) drukte, opskudding, gedoente *also*
fuss, commo'tion

toe (n) toon; *big* ~ groottoon; *little* ~ kleintoon=
tjie; *from top to* ~ van kop tot toon; *tread on*
s.o.'s ~*s* iem. aanstoot gee; (v) skop; kon=
formeer; ~ *the line* iem. gehoorsaam; na iem.
se pype dans; jou skik/voeg na; konformeer;
~d met tone; **~nail** toonnael

tof'fee (n) toffie; tameletjie; **~-ap'ple** toffie-ap=
pel; **~-no'sed** neusoptrekkerig, verwaand

tog (n) kleding(stuk); (pl) sportklere (veral
rugby); (v) aantrek; **~bag** toksak (omgangst.);
sportsak *see* **kit'bag**

to'ga (n) toga *also* **academ'ic gown**

togeth'er saam, bymekaar; gesamentlik; *all of us*
~ almal saam; ~ *with* saam met

toil (n) geswoeg, gesloof; (v) swoeg; swaar
werk; ploeter; ~ *along* afsloof, voortswoeg
also **slog; ~er** werkesel; ploeteraar

toi'let (n) toilet; gemak(s)huisie, latrine, klein=
huisie *also* **lav'atory, loo;** *go to the* ~ 'n draai
loop *also: powder my nose;* ~ **glass** toilet=
spieël; kleedspieël; ~ **pa'per** toiletpapier; ~
soap badseep, toiletseep; ~ **ta'ble** kleedtafel

toil: **~ing** geswoeg; geploeter; **~some** swaar,
vermoeiend; **~worn** afgemat, vermoeid

to'ken (n) teken; kenteken; aandenking; ~ *of*
appreciation blyk van waardering; (a) skyn;
~/superfi'cial gesture leë gebaar; **~ism** toke=
nisme; die maak van 'n leë gebaar

tokolosh'(e)/tikolosh(e) (n) tokkelos *also* **gob'=
lin, grem'lin**

tol'erable (a) draaglik, skaflik, redelik *also*
rea'sonable, bear'able

tol'erance (n) verdraagsaamheid *also* **forbear=
ance;** toelating; speling *also* **fluctua'tion;**
toleransie, toelaatbare afwyking (tegnies)

tol'erant (a) verdraagsaam, meegaande *also*
forbea'ring, understanding (person)

tol'erate (v) verdra, duld *also* **allow', condone'**

toll[1] (n) tol; tolgeld; *take* ~ *of* aantas; eis, verg;
death ~ dodetol

toll[2] (n) klokgelui; geklep; tamp; (v) (doodsklok)
lui; tamp (van kloktoring)

toll: **~bar** slagboom; **~ collec'tor** tolgaarder;
~free tolvry; *call tollfree* vrybel (w); **~free
num'ber** vrybelnommer, tolvrynommer;
~gate tolhek; **~plaza** tolplaza; **~road** tolpad

tol'ly/tol'lie (n) jong ossie, tollie

Tom: ~, Dick and Harry Jan Rap/janrap en sy
maat; ~ **Thumb** Klein Duimpie

tom'ahawk (n) strydbyl (Indiaans)

toma'to (n) tamatie; ~ **sauce** tamatiesous

tomb (n) graftombe *also* **crypt; bu'rial cham'=
ber**

tom'boy (n) rabbedoe (wilde/malkop meisie);
~ish seunsagtig

tomb'stone (n) grafsteen *also* **grave'stone**

tom'cat (n) mannetjie(s)kat, katmannetjie

tomfool'ery (n) gekskeerdery, lawwigheid *also*
foo'ling around', horse'play

tom'my (n) tommie, Britse soldaat (ABO); **~-rot**
bog, kaf, twak, absolute onsin

tomor'row (n) môre/more; *the day after* ~
oormôre; ~ *morning* môreoggend, môre vroeg

tom'tit (n) pimpelmees (soort tinktinkie); buksie

ton (n) ton; ~*s of* baie; ~*s of people* hope mense

tonal'ity (n) toonaard, toonskakering

tone (n) toon; klank; klem; kleur; stemming; (v)
stem; harmonieer; ~ *down* bedaar; versag;
temper; ~ *up* versterk; besiel

tongs (n) (gryp)tang (vir gloeiende kole)

tongue (n) tong; taal, spraak; klepel (klok); *with*
one's ~ *in one's cheek* skertsend; *confusion of*
~*s* spraakverwarring; *hold one's* ~ jou mond
hou; *have a ready* ~ gevat wees; *a slip of the* ~
'n onbedagsame woord; **~-sha'ped** (a) tong=
vormig; **~-tied** (a) swaar van tong; spraakloos
also **mute;** sprakeloos *also* **dumbstruck;**
gemuilband *also* **muz'zled, gag'ged;** ~ **twis'=
ter** (n) snelsêer, tongknoper

ton'ic (n) versterkmiddel, opknapper, tonikum *also*
refresh'er, restor'ative; grondtoon (mus.); (a)
versterkend; tonies (mus.); **gin and** ~ jenewer
met kinawater; ~ **sol'fa** solfanotering

tonight' (n) vanaand; vannag

ton'nage (n) tonnemaat; skeepsruimte, laai=
ruimte

ton'sil (n) mangel; **~li'tis** mangelontsteking,
tonsilitis

tonso'rial (a) skeer=, barbiers=; ~ **art** skeerkuns

too (adv) te, alte; ook, eweneens; ~ *much of a*
good thing darem te erg; *only* ~ *true* maar alte
waar

tool (n) werktuig; gereedskap(stuk); (pl) ge=
reedskap; (v) bewerk; **~bar** nutsbalk (rek.);
~box gereedskapkis

toot (n) getoeter *also* **hoo'ting;** (v) toet(er)

tooth (n) tand; kam (masjien); *cut one's teeth*
tande kry; *long in the* ~ oud; *fight* ~ *and nai*

met hand en tand beveg; *by the skin of the teeth* naelskraap; *have a sweet* ~ 'n lekkerbek wees; **~ache** tandpyn; **artifi'cial** ~ valstand, kunstand; winkeltand (skerts.) *see* **den'tures; back** ~ kiestand *also* **mo'lar; ~brush** tande= borsel; ~ **decay'** tandbederf, karies; **front** ~ voortand; **~less** sonder tande, tandeloos; **~paste** (tande)pasta; **~pick** tandekrapper; ~ **pow'der** tandepoeier; **~some** smaaklik *also* **tast'y**

op[1] (n) tol (speelding); *sleep like a* ~ slaap soos 'n klip

op[2] (n) top, toppunt, spits, kruin; bokant; *at the* ~ *of the table* aan die bo-ent van die tafel; ~ *of one's class* eerste in die klas; *on* ~ bo-op; (v) snoei; oortref; die top bereik; uitmunt; ~ *the poll* die meeste stemme kry; (a) boonste; beste; *at* ~ *speed* teen topspoed

o'paz (n) topaas (edelsteen)

op: ~ **achie'ver** toppresteerder; ~ **boot** kapste= wel; ~ **dog** bobaas, uitblinker (persoon); ~ **dres'sing** bolaag, bobemesting (vir grasperk); ~ **gear** hoogste versnelling; bokerf; ~ **hat'** (pluis)keil; **~-hea'vy** topswaar

o'piary: ~ **art** snoeikuns *also* **pru'ning**

op'ic (n) onderwerp, tema *also* **theme, sub'ject**

op'ical (a) aktueel *also* **up-to-date, cur'rent;** geleentheids=; plaaslik

op: **~less** (a) toploos (vrou sonder bostuk/ toppie); kaalbors; ~ **management** topbestuur; **~mast** marssteng (seilskip); **~most** boonste, hoogste; **~-not'cher** bobaas, bielie, doring, uit= haler (persoon); **~-of-the-range** van topgehalte

opog'rapher topograaf, plekbeskrywer (per= soon)

opog'raphy topografie, plekbeskrywing

op'ple (v) omval, omkantel; omverwerp ('n regering)

op: ~ **price** hoogste prys, topprys; ~ **qual'ity** topgehalte; **~sail** marsseil; **~-se'cret** uiters geheim; **~side** binneboud (vleis); **~soil** bo= grond; **~speed** topsnelheid, topspoed; **~spin** botol (van bal)

ops (slang) (a): *she is* ~*!* sy's bobaas/tops!

opsy-tur'vy (a) onderstebo, deurmekaar, skots en skeef *also* **disor'derly, dis'arranged**

orch[1] (n) flits (lamp); toorts, fakkel; **~bea'rer** fakkeldraer; **~light proces'sion** fakkeloptog; ~ **run** fakkelloop

orch[2] (v) aan die brand steek; afbrand (hut of huis) *also* **set ablaze'**

o'reador/toreador' (n) toreador, berede stier= vegter

orm'ent[1] (n) foltering, pyniging, marteling; kwelling

orment'[2] (v) folter, pynig, martel; treiter *also* **har'row, distress';** **~or** kwelgees, plaaggees (persoon)

torna'do (n) werwelstorm, tornado *also* **tem'pest**

torpe'do (n) **..does** torpedo; drilvis; (v) torpe= deer; ~ **tube** torpedobuis

tor'pid (a) (ver)styf; bewegingloos; loom; traag; ongevoelig

tor'por (n) styfheid; traagheid *also* **leth'argy;** gevoelloosheid

torque (n) wringkrag, draaimoment (enjin)

tor'rent (n) stortvloed *also* **down'pour;** ~ *of words* woordevloed; **~ial** (a) in strome

tor'rid (a) dor, verskroeiend; ~ **zone** warm lugstreek, trope

tor'sion (n) draaiing, kronkeling, torsie

tor'so (n) romp (liggaam), bolyf, torso

tor'toise (n) skilpad; **~shell** skilpaddop

tor'tuous (a) gekronkel, gedraai *also* **cur'ved;** slinks, skelm *also* **mislea'ding;** ~ **road** kronkelpad

tor'ture (n) foltering, marteling *also* **a'gony, torment';** (v) folter, martel; ~ **cham'ber** folterkamer, martelkamer; **~r** folteraar

toss (n) gooi; loot; *win the* ~ die loot wen; (v) gooi *also* **fling; pitch;** loot; skud; rondrol; ~ *about* heen en weer slinger; ~ *aside* opsy gooi; *~out* uitsmyt; ~ *up* opgooi; **~up** (n) onuitge= maakte saak, onsekerheid *also* **e'ven chance**

tot[1] (n) sopie, snaps, dop (drank); ~ **mea'sure** dopmaat, sopiemaat

tot[2] (n) kleuter, peuter; 'n ou kleintjie; snuitertjie

tot[3] (v) optel; bymekaartel; ~*/add up* optel *also* **to'tal up** (v)

to'tal (n) volle som, totaal *also* **ag'gregate;** *grand* ~ eindtotaal; (v) optel; beloop; bedra; (a) volkome, totaal; ~ **ab'stinence** geheel= onthouding; ~ **eclipse'** algehele verduistering; ~ **re'call** onfeilbare geheue

to'talisator (n) totalisator; ~ **jack'pot** boerpot, woekerpot

totalita'rian (a) totalitêr *also* **dictato'rial** (government)

to'tally (adv) heeltemal, glad, volslae *also* **comple'tely**

to'tem (n) totem *also* **guar'dian spir'it** (in the form of a carved image); stamteken; **~ism** totemisme; ~ **pole** totempaal

tot'ter (v) waggel, strompel *also* **stag'ger; ~ing** waggelend, wankelend; weifelend

touch (n) aanraking, tasting; voeling; tik; aanslag (mus.); frot (speletjie); ~ *down* (dood)druk (rugby); neerstryk, landing (vlieg= tuig); *finishing ~es* laaste afronding/afwer= king; *keep in* ~ *with* in voeling/verbinding bly met; (v) voel, tas, aanraak; aanslaan; *do not* ~ *this with a bargepole* moenie eens met 'n tang daaraan raak nie; *no one can* ~ *him* sy maters is dood; ~ *up* opknap; bywerk; ~ *wood!* hou duim vas!; **~-and-go** (a) so hittete, am= per(tjies); broekskeur; **~ing** roerend, aandoen=

lik *also* **moving, stir'ring, poig'nant; ~ kick**
buiteskop; **~line** kantlyn; **~stone** toetssteen
also **crite'rion; ~-ty'ping** blindtik; **~y** fynge=
voelig, liggeraak, gou op sy perdjie *also* **tes'ty,
o'versensitive**

tough (a) taai; hard; styf; moeilik, lastig; *a ~
customer* 'n lastige/ruwe kalant; 'n hardekoe=
jawel (persoon); *~est golf course in Scotland*
strafste gholfbaan in Skotland; *have a ~ time*
les opsê; hotagter kry; **~en** (v) taai maak;
~-min'ded nugter (denkend); vasberade

tour (n) reis, toer; (v) toer, rondreis; **sightsee'=
ing ~** sigrit, besigtiging(s)toer; **~ bus** toerbus;
~ de force kragtoer; **~ism** toerisme *see*
e'cotourism'; ~ist toeris; reisiger; **~ist
attrac'tion** besienswaardigheid, toeristeaan=
treklikheid

tour'nament (n) toernooi, wedstrydreeks

tour'niquet (n) knelverband, toerniket

tour op'erator (n) toeroperateur; reisagent *also*
trav'el a'gent

tout (n) klantelokker, kliëntelokker; kaartjie=
swendelaar; perdespioen (wedrenne); (v) klan=
te/kliënte lok; **~ing** lokkery, werwery (van
klante/kliënte)

tow (n) sleep, sleeptou; *take in ~* op sleeptou
neem; (v) sleep, treil, (voor)trek; *~ away*
insleep, wegsleep; **~age** sleep; sleeploon;
~-away' zone wegsleepsone; **~-away' ser'vice**
insleepdiens

toward' (a) gewillig; gehoorsaam

towards' (prep) na, tot, teen, jeens; *his attitude ~
me* sy houding teenoor my; *~ morning* teen die
môre/die oggend

tow: ~bar trekstang; sleephaak; **~boat** sleep=
boot; **~ truck** insleepwa; **~ truck'er** insleper,
wegsleper (ná motorongeluk)

to'wel (n) handdoek; *throw in the ~* tou opgooi;
ingee; (v) afdroog; afransel

to'wer (n) toring; burg, kasteel, vesting *also*
strong'hold; toevlug; *~ of strength* steunpi=
laar; (v) hoog uitsteek, toring *also* **rise, soar**

tow(ing) rope (n) sleeptou, treklyn

town (n) dorp; stad; *man about ~* windmakerige
niksdoener, stadskoejawel; *paint the ~ red* die
dorp op horings neem; **~ clerk** stadsklerk; **~
coun'cil** stadsraad; **~ coun'cillor** stadsraadslid;
~ cri'er stadsomroeper (hist.); **down'~** mid=
destad, sakekern; **~ hall** stadhuis, stadsaal;
~house meenthuis; **~ship** woongebied, woon=
buurt; township; **~ship lang'uage** flaaitaal;
~s'man stedeling, dorpenaar

tox'ic (a) giftig; gif=; **~ant** (n) gif; (a) (ver)giftig;
~ waste' giftige/toksiese afval

toxicol'ogist gifkundige, toksikoloog

tox'in toksien, gifstof *see* **poi'son** (n, v)

toy (n) speelding *also* **play'thing;** speelbal; (pl)
speelgoed; (v) speel *also* **play; dal'ly;** *~ with*

the idea daaraan dink om; *~ boy* gigolo
kooivlooi, bedjonker, katelknapie (vir oue
vrou); *~ dog* skoothondjie; *~ gun/pis'tol*
speelgeweertjie, speelpistool; **~pom** dwerg=
kees (hond); **~shop** speelgoedwinkel

to'yi-toy'i(ng) (v) toi-toi, lyfswaai (om te
vier/treur/protesteer)

trace[1] (n) string (van tuig); *kick over the ~*
handuit ruk; oor die tou trap

trace[2] (n) spoor; skets; bewys; *keep ~ of* in die
oog hou; *no ~ remains* geen spoor bly oor nie
(v) opspoor; uitvors; natrek; *~ a map* 'n kaar
natrek; **~r bullet** ligspoorkoeël

trach'ea (n) lugpyp, gorrelpyp

tra'cing paper (n) aftrekpapier, natrekpapier

track (n) spoor; (veld)paadjie; snit (op CD)
trajek (spoorlyn); (ren)baan; *cover up one's ~*
jou spore uitwis; *lose ~ of* uit die oog verloor
off the ~ van die spoor; *be on s.o.'s ~* op iem
se spoor wees; *single ~* enkelspoor; (v
naspeur; die spoor volg; *~ down* opspoor *alse*
trace; ~er spoorsnyer; opspoorder; **~er do**
spoorsnyhond, speurhond; **~ event'** baan- e
veldnommer (atl.); **~ing devi'ce** (op)spoorap
paraat; volgtoestel; **~ rec'ord** baanrekord
diensrekord; reputasie; **~ ste'ward** baan
beampte; **~suit** sweetpak

tract (n) streek, gebied *also* **a'rea; expanse'**
sone; traktaatjie *also* **leaf'let; ~abil'ity** buig
saamheid, gewilligheid; **~able** buigsaam, han
delbaar, plooibaar, meegaande *also* **ame'nabl**

trac'tion (n) trekking; trekkrag; traksie (med.)

trac'tor (n) trekker; motorploeg

trade (n) handel, sake; bedryf, beroep; ambag;
chemist by ~ 'n apteker van beroep; *free*
vryhandel; *the trick of the ~* die geheim va
die ambag; fabrieksgeheim; (v) handel dry
sake doen; *~ in* inruil; **~ cy'cle** konjunktuur;
dis'count/allow'ance handelskorting; **~-i.
val'ue** inruilwaarde (van 'n motor); **~ jour'na**
vakblad; **~mark** handelsmerk *also* **bran**
name; ~r winkelier, handelaar; **~s'man** koop
man, winkelier; **~s'man's en'trance** diensin
gang; **~ u'nion** vakbond, vakunie, vakverbonc
~ wind passaat(wind)

tra'ding (n) handel; verhandeling; (v) verhande
~ at R15 teen R15 verhandel (aandele o
beurs); **~ com'pany** handelsmaatskappy;
prof'it bedryfswins; **~ store** (n) algemen
handelaar *also* **gen'eral dea'ler;** negosiewin
kel

tradi'tion (n) tradisie *also* **conven'tion, cus'tom**
oorlewering; **~al** tradisioneel; **~al** (herba
hea'ler tradisionele geneser *also* **sangom'a**
~al hea'ling tradisionele genesing; **~al lea'de**
tradisionele leier

traf'fic (n) verkeer; (v) handel dryf, smous (ver.
met onwettige dinge; bv. dwelms); **~ cir'cl**

verkeersirkel; ~ **calm′ing** verkeer(s)demping; ~ **control′** verkeerbeheer; ~ **cop** (SAE, infml.) spietkop (omgangst.); verkeersbeampte; ~ **fine** verkeersboete; ~ **haz′ard** verkeersrisiko; ~ **in′terchange** verkeerswisselaar, wisselkruising; ~ **is′land** vlugheuwel; ~ **jam** verkeersknoop, verkeersophoping

traf′fick: drug ~**er** (n) dwelmhandelaar; dwelmkoerier; ~**ing** (n) dwelmhandel *also* **drug trade**

traf′fic: ~ **light** verkeerslig; ~ **offen′ce** verkeersoortreding; ~ **of′ficer** verkeersbeampte; spietkop (omgangst.) *also* **speed cop** (SAE, infml.); ~ **vol′ume** verkeersdruk(te)

trag′edy (n) tragedie, treurspel

trag′ic (a) tragies; treurig, droewig *also* **sad, mourn′ful**

tragicom′edy (n) tragikomedie

trail (n) spoor; (voet)pad; voetslaanpad; wandelpad; sleep; stert (komeet); **hiking** ~ voetslaanpad, staproete; wandelpad; (v) agterraak; opspoor; agtervolg; ~ *along* voortsleep; ~ **bike** veldfiets; ~**bla′zer** baanbreker, voorloper *also* **pioneer′**; ~**er** sleepwa, treiler; leunwa; lokfilm, lokprent; ~**er truck** laslorrie, koppellorrie *also* **artic′ulated truck**; ~ **net** treknet

train (n) trein; stoet; gevolg; *by* ~ per spoor; ~ *of events* reeks gebeurtenisse; nasleep; ~ *of thought* gedagtegang; (v) afrig, brei (span); oefen; dril; oplei, slyp; sleep; snoei, lei (plant); ~**ed** geoefen; ervare, geskool; opgelei; gedresseer (dier); ~**ed eye** geoefende oog

train′driver treindrywer, masjinis

trainee′ kwekeling, kadet; opleideling

train′er afrigter, breier *also* **coach**; instrukteur; opleier; drafskoen

train′fare reisgeld, treingeld

train′ing (n) opleiding *also* **coa′ching**; *go into* ~ begin oefen; ~ **col′lege** oplei(dings)kollege, onderwyskollege; ~ **course** opleikursus; ~/**prac′tice ses′sion** oefensessie; ~ **ship** oefenskip (vlootvaartuig)

train′-oil (n) traanolie (van walvisspek)

trait (n) (karakter)trek; eienskap *also* **fea′ture**; streep, streek

trai′tor (n) verraaier, renegaat *also* **ren′egade, quis′ling**

traject′ory (n) baan; koeëlbaan; trajek

tram (n) trem *also* **street′car** (Am.); koolwa; koekepan (in myn); ~**line** tremspoor

tramp (n) landloper, rondloper; boemelaar; omswerwing; voetreis; vragsoeker (skip); (v) swerf, rondloop; voetslaan; slampamper *also* **roam, wan′der, stroll, mean′der**

tram′ple (n) getrap, gestamp; vertrapping *also* **stampede′**; (v) trap; vertrap; ~ *on* vertrap (bv. iem. se regte); ~ *to death* doodtrap

tramp′oline (n) wipmat, trampolien

tram: ~**rail** tremspoor; ~**shed** tremskuur

trance (n) verrukking, geestesvervoering *also* **rap′ture; spell;** beswyming; skyndood

tran′quil (a) rustig, kalm, bedaard *also* **calm, rest′ful, serene′**

tranquil′lity (n) rus, stilte, kalmte, bedaardheid

tran′quillise (v) gerusstel, sus; ~**r** (n) kalmeermiddel, bedaarmiddel, susmiddel, sedatief; ~**r dart** doofpyl (vir diere)

transact′ (v) onderhandel; verhandel; ~**ion** transaksie *also* **deal;** onderhandeling

transatlan′tic (a) transatlanties (vaart, vlug)

transcend′ (v) oortref, transendeer; ~**ent** oortreffend, voortreflik *also* **matchless, sublime′**; ~**en′tal** bowesenlik, transendentaal

transcontinen′tal (a) transkontinentaal

transcribe′ (v) oorskryf; transkribeer; kopieer; ~**r** oorskrywer; kopiïs

trans′cript (n) afskrif, (geskrewe) kopie *also* **cop′y**

transcrip′tion (n) oorskrywing, transkripsie *also* **reproduc′tion**

trans′fer (n) oordrag; transport; oorplasing; **deed of** ~ transportakte

transfer′ (v) verplaas; oordra; oorplaas; ~*red to Cape Town* na Kaapstad verplaas; ~ *to the account of* plaas oor na die rekening van (bank); ~ **reg′ister** aandeleregister

transfer′able oordraagbaar; verplaasbaar; verhandelbaar; *not* ~ nie-oordraagbaar (tjek)

transferee′ transportnemer, ontvanger (van eiendom)

trans′fer: ~**or** oordraer; ~ **pa′per** kalkeerpapier

transfigura′tion verheerliking; gedaante(ver)wisseling

transfig′ure (v) verheerlik; omtower (van gedaante)

transfix′ (v) bewegingloos maak (deur skok/skrik) *also* **stun;** deurboor, deursteek; hipnotiseer *also* **mes′merise**

transform′ (v) vervorm, van vorm verander; transformeer; omskep; herskep *also* **reconstruct′;** herlei; ~**a′tion** transformasie, herskikking, gedaanteverandering, gedaantewisseling; omvorming; ~**er** transformator (elektr.)

transfuse′ (v) oorstort, oorgiet; oortap; ~ *blood* bloed oortap

transfu′sion (n) oorgieting; deurdringing; **blood** ~ bloedoortapping

transgress′ (v) oortree, oorskry; sondig; ~**ion** oortreding; oorskryding; sonde; ~**or** oortreder *also* **offen′der, per′petrator;** sondaar

tran′sient (a) verganklik; kortstondig, vlietend *also* **brief, ephem′eral**

transis′tor (n) transistor

tran′sit (n) deurgang; deurtog; transito; verkeersweg; *goods in* ~ deurvoerware; *in* ~ in transito; onderweg; ~ **heist** transitorooftog; ~ **lounge** deurgangsaal, vertreksaal (lughawe)

transi'tion (n) oorgang, verandering *also*
transforma'tion; **~al** oorgangs=; **~al period**
oorgangstydperk

trans'itive (a) oorganklik; transitief (gram.)

trans'it: ~ **trade** deurvoerhandel

translate' (v) vertaal; oorsit, oorbring; vertolk;
omsit; **~d from Afrikaans** uit Afrikaans
vertaal; ~ **words into deeds** woorde in dade
omsit

transla'tion (n) vertaling; oorsetting; oordrag;
oorplasing; vertolking *also* **explana'tion**

transla'tor (n) vertaler (skriftelik); tolk (mon=
deling) *also* **inter'preter**

translu'cent (a) deurskynend, ligdeurlatend

trans'migrate (v) verhuis, wegtrek *also*
relocate'

transmigra'tion oorgang, verhuising; deurgang;
~ *of the soul* sielsverhuising

transmis'sion oorsending; oorhandiging; oor=
drag; voortplanting (geluid); transmissie (mo=
tor); uitsending (radio); ~ **account'** trans=
missierekening (bank); ~ **line** kraglyn

transmit' (v) oorsend, oorsein (berig); voortplant
(geluid); oorlewer; uitsend (radio); oordra;
oorplant; ~ *a disease* 'n siekte oordra; **~ter**
versender; sender (radio)

transmuta'tion (n) vormwisseling, transmutasie

transpar'ency (n) open(lik)heid, deursigtigheid;
helderheid; transparant (fot.)

transpar'ent (a) deurskynend; deursigtig; open=
lik; openhartig, opreg

transpire' (v) aan die lig kom; plaasvind;
transpireer, sweet *also* **perspire'**

transplant' (v) verplant, oorplant; verplaas;
heart ~ hartoorplanting; **~a'tion** verplanting,
oorplanting, transplantaat; oorbrenging

trans'port (n) vervoer, transport; verrukking,
vervoering; ~ **allow'ance** vervoertoelae; ~ **and
subsis'tence** reis-en-verblyftoelae

transport' (v) vervoer, transporteer; verruk *also*
cap'tivate; ~*ed with anger* blind van woede

trans'port: **~able** vervoerbaar; **~ation** vervoer;
verrukking; ~ **sys'tem** vervoerstelsel; ~ **ri'der**
transportryer (hist.); ~ **ser'vices** vervoerdienste

transpose' (v) omruil, omwissel *also* **inter=
change';** oorbring; transponeer (mus.)

transposi'tion (n) transposisie; woordomsetting

Transvaal' Transvaal (voormalige provinsie);
~er Transvaler (persoon) *also* **Va'lie** (joc.)

transverse' (a) dwars, transversaal; kruiselings
also **cross'wise, oblique'**

transves'tite (n) transvestiet, fopdosser *also*
cross-dres'ser (person)

trap (n) val, wip, strik; slagyster; eenperdkar=
retjie; lokvink (polisie); valstrik; *fall into a* ~
in 'n val loop; 'n stel aftrap (fig.); *set a* ~ 'n
val stel; (v) vang, betrap, verstrik; ~ **door**
(val)luik

trapeze' (n) sweefstok

trap: **~ped** vasgepen; **~per** wildvanger, pelsjagte[r]

trappings (n) tooisel(s), versierings; *the* ~ o[f]
power/success die (uiterlike) kentekens va[n]
mag/sukses

trash (n) afval; vullis; oorskiet; kaf, snert[;]
kletspraatjies *also* **driv'el;** ~ **can** vullisbli[k]
also **ref'use bin;** ~ **compac'tor** vullispers

trau'ma (n) trauma/trouma; ~ **coun'sellin**[g]
traumaberading/troumaberading; **~tised** ge[-]
traumatiseer/getroumatiseer; beseer, seerge[-]
maak; ~ **u'nit** ongevalle(afdeling), trauma[-]
eenheid/trouma-eenheid

traumat'ic (a) traumaties/troumaties (a.g.[v]
skok/pyn) *also* **upset'ting**

trav'el (n) reis; beweging (masjien); (v) rei[s]
bereis; trek; ~ **a'gent** reisagent, reisagentskap[;]
toeroperateur *also* **tour op'erator;** **~ator** ro[l]
loper (lughawe) *also* **(mo'ving) walk'way**
~led bereis (persoon)

trav'eller (n) reisiger; **~'s cheque** reis(iger)tjek[;]
~'s joy bosrank, diewekruid

trav'elling (n) reis; ~ **compan'ion** reisgenoot;
expen'ses reiskoste; ~ **li'brary** reisbiblioteek[;]
~ **trunk** reiskoffer, hutkoffer

trav'elogue (n) reisverhaal, reisbeskrywing

trav'erse (n) dwarshout; dwarsbeweging; tee[n]
spoed; (v) bereis, deurkruis; (a) dwars, oo[r]
kruis; ~ **table** draaiskyf

trav'esty (n) bespotting; parodie, karikatuu[r]
travestie *also* **mock'ery, distor'tion;** ~ [of]
justice bespotting v.d. gereg

trawl (n) sleepnet, treilnet; (v) treil, met [']
sleepnet visvang; **~er** (n) (vis)treiler; treilvis[-]
ser; ~ **net** sleepnet

tray (n) skinkbord; laai (in kas); stellasie

treach'erous (a) verraderlik; vals

treach'ery (n) verraad *also* **trea'son, betray'a**[l]
valsheid

trea'cle (n) (swart) suikerstroop; melasse

tread (n) tree, voetstap, skrede; loopvlak (band[)]
(v) stap *also* **stride;** betree; bewandel; ~ [on]
thin ice op gevaarlike terrein wees/beweeg[;]
lightly/warily versigtig te werk gaan; ~ *th*[e]
room op en neer loop in die kamer; ~ *upo*[n]
vertrap; ~ *water* water trap; **~mill** trapmeu[l]
hardloopband (med.); sleurwerk *also* **drudg**[-]
ery

tread'le (n) pedaal; ~ **machine'** trapmasjien

treas'on (n) verraad *also* **sedi'tion; high**
hoogverraad *see* **treach'ery**

treas'ure (n) skat; kleinood; (v) as 'n sk[at]
bewaar; waardering/liefde hê vir; versamel[;]
house skatkamer; ~ **hunt** skattejag; ~ **hun'te**[r]
skatgrawer, fortuinsoeker; **~r** (n) tesourie[r]
penningmeester

treas'ury tesourie (regering); skatkamer; skatki[s]
~ **bond** skatkisobligasie

reat (n) onthaal; feestelike geleentheid; genot; *a ~ for sore eyes* 'n genot/lus om na te kyk; (v) behandel; onthaal, vergas, trakteer; *~ a patient* 'n pasiënt behandel/versorg; *~ s.o. shabbily* iem. afskeep/sleg behandel; *~ with* onderhandel met *also: negotiate with;* **~ment** behandeling, kuur *also* **rem′edy, medica′tion**

reat′ise (n) verhandeling, proefskrif *also* **disserta′tion, the′sis**

rea′ty (n) verdrag, traktaat; ooreenkoms; *by private ~* uit die hand (verkoop)

reb′le (n) die drievoudige; eerste stem, sopraan (mus.); (v) verdrievoudig; (a) drievoudig; hoog (mus.)

ree (n) boom; saalboom; geslag, stam; *at the top of the ~/wave* op die boonste sport (fig.); *be up a ~* in die knyp/verknorsing wees; (v) in 'n boom jaag/vaskeer; **~fel′ler** boomkapper, boomveller (persoon) **~ or′chid** boomorgidee; **~ snake** boomslang; **~ toma′to** boomtamatie

rek (n) trek *also* **expedit′ion, long jour′ney;** (v) trek; **(the) Great ~** (die) Groot Trek (hist.)

rel′lis (n) tralie(werk); prieel; **~ work** traliewerk, latwerk *also* **lat′ticework**

rem′ble (n) bewing, trilling; bewerasie; (v) beef/bewe, ril; sidder; gril; *~ with cold* bibber van die koue; *~ in one's shoes* staan en beef (van vrees); *~ with fear* beef van angs/vrees

rem′bling (n) bewing, siddering; (a) bewend

remen′dous (a) yslik, ontsaglik; enorm; geweldig *also* **huge;** wonderlik, puik *also* **fab′ulous**

rem′or (n) aardskudding; bewing, siddering; **earth ~** aardtrilling, aardskudding

rem′ulous (a) bewend, rillend; huiwerend, aarselend, skroomvallig

rench (n) loopgraaf (oorlog); voor; riool; (v) uitgrawe; verskans

rench′ant (a) skerp, snydend *also* **cut′ting;** beslis, deurtastend *also* **expli′cit**

rend (n) tendens, neiging; rigting, koers; strekking; *~s in art* tendense in die kuns; *~ of thought* gedagtegang; geestestroming; **~y** bydertyds, byderwets, hedendaags; modieus *also* **with-it, fash′ionable; ~set′ter** byderwetser, toonaangeër (persoon)

repida′tion (n) siddering, ontsteltenis, angs *also* **apprehen′sion, anxi′ety, fright**

es′pass (n) oortreding; sonde; onregmatige betreding; vergryp; *forgive us our ~es* vergeef ons ons oortredinge/skulde; (v) oortree; sondig; inbreuk maak op; *~ against* sondig teen; **~er** oortreder; *~ers will be prosecuted* oortreders word vervolg; **~ing** (wederregtelike) betreding

ess (n) haarlok, haarstring, vlegsel

es′tle (n) stellasie, bok; skraag; **~ table** boktafel

i′ad (n) drietal, triade *also* **three′some, trium′virate;** drieklank

trial (n) verhoor; hofsaak; beproewing; proefneming; ondersoek; *by ~ and error* probeer en tref; *~ marriage* proefhuwelik; *~ run* oefenlopie; proeflopie; *stand ~ for murder* weens moord teregstaan; *a ~ of strength* 'n kragmeting; *~s and tribulations* beproewinge

tri′angle (n) driehoek; triangel (mus.)

trian′gular (a) driehoekig, driekantig

triangula′tion driehoeks(op)meting, triangulasie

tribal (a) stam= *also* **eth′nic; ~ chief** stamhoof; **~ war** stamoorlog; faksiegevegte

tribe (n) (volk)stam; ras *also* **eth′nic group; ~s′man** stamlid; stamgenoot

tribula′tion (n) beproewing, swaarkry, rampspoed *also* **misfor′tune, adver′sity**

tribu′nal (n) regbank, geregshof; (die) regterstoel; tribunaal

trib′une (n) spreekgestoelte, platform; tribune

trib′utary (n) takrivier, syrivier; skatpligtige

trib′ute (n) hulde, huldeblyk *also* **ac′colade, ku′dos;** *pay the ~ of nature* die tol van die natuur betaal; *pay ~ to* hulde betoon/betuig; lof toeswaai; **flo′ral ~s** kranse; ruikers;

trice (n) oogwink, kits; *in a ~* in 'n kits; tjop-tjop (omgangst.)

trick (n) kultoertjie, kunsie, behendigheid; skelmstreek; truuk, foefie *also* **gim′mick;** slag (kaartspel); *learn the ~* kers opsteek (by iem.); *play ~s* poetse bak; *the ~s of the trade* fabrieksgeheime; die geheime van die vak; (v) bedrieg; fop; kul, verneuk; knoei; **~ster** bedrieër, kuller *also* **con′man; ~ery** kullery, verneukery; **~ photog′raphy** truukfotografie

tric′kle (n) sypeling; syferstraaltjie; (v) drup, aftap; *~ out* uitlek; *tears ~d down her cheeks* trane het oor haar wange gerol/gebiggel; **~char′ger** sypellaaier

trick′y (a) bedrieglik, vol streke, listig *also* **craf′ty, cun′ning; ~ prob′lem** netelige kwessie, 'n turksvy; **~ ques′tion** strikvraag, pootjievraag

tri′colour (n) driekleur; (a) driekleurig

tri′cycle (n) driewiel(er)

tri′dent (n) drietand(vurk)

tried (a) beproef, getoets (resep)

trien′nial (n) driejarige plant; driejaarherdenking; (a) driejaarliks (elke drie jaar)

tri′fle (n) kleinigheid; bakatel *also* **trivial′ity;** koekstruif; (v) korswel, skerts; *~ away* verspil, vermors; *he is not to be ~d with* hy laat nie met hom speel nie; *~ with* gekskeer met; (adv) bietjie

trif′ling (a) niksbeduidend, nietig, beuselagtig, onbenullig *also* **insignif′icant**

trig′ger (n) sneller (vuurwapen); (v) aan die gang sit; veroorsaak *also* **ac′tivate, gen′erate; ~~hap′py** skietlustig, snellermal *see* **gun-toting**

trigonom′etry driehoeksmeting, trigonometrie

trilat′eral driesydig; driepartydig

trill (n) triller (mus.); trilling; (v) tril, vibreer

tril′lion triljoen, miljoen miljoen miljoen

tril′ogy (n) trilogie (drie gekoppelde dramas/ro=
mans); drieluik

trim (n) opskik; tooisel, garneersel; toestand; *in
fighting ~* slaggereed; (v) tooi, versier; snuit
(kers); snoei, knip (heining); afwerk; *~ back*
terugsnoei; *~ the sails* die seile na die wind
span; (a) netjies, fyn, viets; in orde; **~gym**
trimgim; **~mer** afwerker; versierder; snoei=
skêr; **~ming** belegsel, versiersel *also* **adorn′=
ment**; **~park** trimpark, oefenpark

trimaran′ (n) drieromp(er) (seilboot)

trin′ity (n) drie-eenheid; drietal; **Holy T~**
Heilige Drie-eenheid

trink′et(ry) (n) sieraad *also* **or′nament**; klei=
nood, snuistery; tooisel *~* **box** juwelekissie

trinom′ial (a) drietermig; drienamig; drieledig

tri′o (n) drietal *also* **three′some**; trits *also*
trip′let, tri′ad; trio (mus.)

trip (n) reis (uit en tuis); uitstappie *also* **out′ing**;
toertjie, rit; misstap, struikeling *also* **blun′der,
slip-up**; dwelmtoer, hallusinasiereis; (v) strui=
kel; (iem.) pootjie; huppel, trippel; uitskakel,
uitskop (elektr.)

tripe (n) beespens (as gereg); bog, kaf, twak *also*
bun′kum, trash

tri′ple (n) verdrievoudig; (a) drievoudig; *~* **eight**
trippelag(t) (888); *~* **time** drieslagmaat

trip′let (n) drieling (persone); tersine (poësie);
drietal; triool (mus.)

trip′licate (n) drievoud, triplikaat; (v) verdrie=
voudig, tripleer; (a) drievoudig

tri′pod (n) driepoot, drievoet

trip switch (n) uitskopskakelaar (elektr.)

triptych′ (n) drieluik, triptiek (skilderkuns)

trisect′ (v) driedeel; **~ion** driedeling

trite (a) alledaags; afgesaag, afgeslyt; uitgedien;
banaal *also* **ba′nal, hack′neyed**

Tri′ton Triton; seegod; meerman; *a ~ among the
minnows* 'n eenoog onder die blindes

tri′umph (n) triomf, seëpraal; (v) triomfeer,
seëvier; *~ over all difficulties* alle moeilikhede
oorwin

trium′phal (a) oorwinnings=, sege=, triomferend;
~ **arch** triomfboog; *~* **march** segetog

trium′phant (a) triomfant(e)lik, seëvierend *also*
victo′rious

trium′virate (n) driemanskap, triumviraat

triv′et (n) drievoet; *as right as a ~* so reg soos 'n
roer; *~* **table** driepoottafeltjie

triv′ial (a) onbeduidend *also* **insignif′icant**; ver=
velig; *~ matters* kleinighede, beuselagtighede

trog′lodyte (n) grotbewoner, troglodiet *also* **cave
dwel′ler**

Tro′jan (n) Trojaan; *work like a ~* 'n barshou
werk

trol′lop (n) slons; straatvrou; slet, sloerie *a..*
slat′tern, har′lot, tart

trol′ly/trol′ley (n) trollie, molwa; dienwaentj..
winkelwaentjie; rolkontak; *~* **bus** trembus

trom′bone (n) tromboon, skuiftrompet

troop (n) trop; hoop; menigte *also* **mul′titu..**
afdeling; (pl) troepe, soldate; *~ the colo..*
vaandelparade hou; *deploy ~s* troepe ontplo..
~ **car′rier** troepevliegtuig; troepedraer (sk..
~er ruiter, kavaleriesoldaat; **~ie** troepie (..
kruut)

tro′phy (n) trofee, beker; **float′ing** *~* wissel..
fee; *~* **hun′ter** trofeejagter (van grootwild)

trop′ic (n) keerkring; (pl) trope; **T~ of Can′..**
Kreefskeerkring; **T~ of Cap′ricorn** Ste..
bokskeerkring; **the ~s** die trope

trop′ical (a) tropies; keerkring=; *~* **disea..**
tropiese siektes; *~* **year** sonjaar

trot (n) draf; *in full ~* op 'n stywe draf; *slo..*
drafstap; (v) draf; op 'n draf ry (te perd); ~
drawwer *see* **jog′ger**; pootjie (dier); (pl) af..
(van vark, skaap); **~ting** (n) draf; (a) dra..
wend

troth (obs.) waarheid; *in ~* regtig, sowaar

troub′adour (n) minnesanger, troebadoer (hi..

trou′ble (n) moeilikheid; moeite; sorg, kwelli..
struweling; verknorsing; *get into ~* in
moeilikheid raak; *look for ~* moeilikheid so..
no ~ at all nie te danke nie; *his old ~* sy
kwaal; *in real ~* kniediep in die moeilikh..
take the ~ die moeite doen; *~d sleep* onrus..
slaap; (v) moeite veroorsaak; lastig val; ..
~ma′ker skoorsoeker *also* **in′stigator; ~shoo..**
foutspeurder, opspoorder; **~some** lastig, n..
lerig; *~* **spot** konflikgebied

trough (n) trog; bak

trounce (v) verpletter, kafloop *also* **thrash**

troun′cing (n) afranseling, loesing *also* **thra..**
ing

troupe (n) geselskap; troep; *~ of danc..*
dansgroep, dansgeselskap

trou′ser: *~* **leg** broek(s)pyp; *~* **pock′et** broek..

trous′seau (n) (bruids)uitset, trousseau

trout (n) forel (vis); **~-col′oured** skimm..
appelblou; *~* **fish′ing** forelhengel *also* ..
fishing

tro′wel (n) troffel; *~* **board** pleisterplank

troy′ weight (n) trooisgewig

tru′ant (n) stokkiesdraaier *also* **dod′ger**; *pl..*
stokkies draai; (a) lui, pligversakend; ~
ficer skool(besoek)beampte; lammervan..
(skerts.)

truce (n) wapenstilstand *also* **cease′fire**

truck[1] (n) goederewa, trok; lorrie, vragmoto..
dri′ver lorriedrywer, vragmotorbestuur..
also **truck′er, haul′ier; ~ing** padvragbed..
vragmotorvervoer; *~* **stop** stilhouplek, oorr..
plek (vir swaar voertuie)

uck[2] (archaic) (n) ruilhandel; negosiegoed *also* **mer′chandise;** *have no ~ with s.o.* niks met iem. te make wil hê nie; (v) handel, smous

uc′ulence (n) veglus; kwaaiheid; woestheid, wreedheid

uc′ulent (a) veglustig; aggressief *also* **defi′ant;** astrant, uittartend *also* **ar′rogant;** woes, wreed

udge (v) aansukkel, voortstrompel *also* **plod**

ue (a, adv) waar; eg *also* **gen′uine, authen′tic;** opreg; juis, suiwer; *a ~ copy* 'n ware/juiste afskrif; *~ love* ware liefde; *may her dreams come ~* mag haar drome bewaarheid word; *~ to life* lewensgetrou; *sing ~* suiwer sing; **~-blue** eg, onvervals; stoer; **~-born** eg; volbloed; **~-bred** aseg, volbloed *also* **thor′oughbred;** ~**love** soetlief, hartjie, skattebol

′ism (n) vasstaande waarheid *also* **ax′iom;** gemeenplaas *also* **stock phrase, plat′itude**

′ly regtig/rêrig, werklikwaar, wrintigwaar; nderdaad; **yours ~** hoogagtend *also* **yours incere′ly**

mp[1] (n) troefkaart; staatmaker; (v) troef; ortroef; **~ card** troefkaart

mp[2] (archaic) (n) basuin, trompet; (v) rompet(ter)

m′pet (n) trompet; trompetgeskal; *blow one's wn ~* jou eie basuin/lof blaas *also* **boast, rag;** (v) uitbasuin; **~ call** trompetgeskal, vekroep; **~er** trompetblaser, trompetter

mp: ~ up (v) versin, uit die duim suig *also* **ab′ricate, fake;** *a ~ed-up charge* 'n valse anklag

n′cheon (n) stok, knuppel *also* **bat′on**

n′dle (n) wieletjie, rolletjie; rolwaentjie; (v) ol

nk (n) stomp; romp; stronk; trommel, koffer, kajuit)kis; slurp (olifant); hooflyn; **~ call** ooflynoproep; **~ line** hooflyn; **~ road** groot= ad, snelweg; **~s** drafbroekie; swembroekie; ~ leeve pofmou

ss (n) tros; bondel; breukband; stut; (v) bind, pbind; *~ up* opbind

st (n) vertroue; krediet; trust; kartel; geloof; *old in ~* in bewaring hou; *a position of ~* 'n ertrouenspos; (v) vertrou; toevertrou; *I ~ that* k hoop/vertrou dat; *~ to* toevertrou aan; ~ om′pany trustmaatskappy; **~ deed** trustakte; ee′ trustee, gevolmagtigde; kurator (van 'n oedel); voog; **~ee′ship** kuratorskap; voogdy= kap; **~iness** eerlikheid, trou; **~ mon′ey** ustgeld; **~ ter′ritory** voogdygebied; **unit ~** ffektetrust; **~wor′thy** betroubaar *also* **reli′= ble; ~y** eerlik; beproef; **~y fel′low** staat= aaker, steunpilaar

h (n) waarheid; opregtheid; trou; egtheid; *evoid of all ~* van alle waarheid ontbloot; *tell o. a few home ~s* iem. goed die waarheid ertel; *~ is stranger than fiction* die waarheid

is vreemder as verdigsel; **~ drug** waarheidse= rum; **~ful** waarheidliewend; betroubaar; waar; **~less** ontrou, vals

try (n) poging, probeerslag; proef; drie (rugby); *convert a ~* 'n drie verdoel (rugby); *have a ~* probeer; (v) probeer *also* **attempt′;** beproef; op die proef stel; verhoor; *~ your best* jou bes probeer; *~ hard to* jou uiterste bes doen; *~ on a dress* 'n rok aanpas; *~ out* toets, uitprobeer; *~ one's patience* jou geduld op die proef stel; *there is nothing like ~ing* probeer is die beste geweer; **~ing** lastig, veeleisend; uitputtend; **~ line** doellyn (rugby); **~ square** winkelhaak

tsar (n) tsaar, (Russiese) keiser (hist.)

tsari′na (n) tsarina, (Russiese) keiserin (hist.)

tset′se fly (n) tsetsevlieg

T-shirt (n) T-hemp, frokkiehemp

Tshiven′da (n) Tshivenda, Venda (taal) *also* **Ven′da**

Tson′ga (n) Tsonga, Xitsonga (taal) *also* **Xitson′ga**

tsot′si (n) **-s** tsotsi, boef *also* **ruf′fian, street thug**

T′-square (n) tekenhaak; winkelhaak

tub (n) balie, kuip *also* **(water) bar′rel; ~by** vatvormig; rond en dik; **~ wheel** bakkiespomp *also* **Per′sian wheel**

tube (n) pyp, buis; binneband; **~less tyre** lugband; **~ rail′way** moltrein *also* **un′der= ground**

tuberculo′sis (n) tuberkulose, tering; **pul′= monary ~** longtering

tu′berose (n) soetemaling/soetamaling (lelie); (a) knolvormig

tuberos′ity (n) knopperigheid; geswel

tube valve binnebandklep(pie), ventiel

tu′bing pyplengte(s); pypwerk; buise, (gomlas= tiek)slang

tub′-thum′per seepkisredenaar (persoon)

tu′bular buisvormig; **~ frame** pypraam

tuck (n) opnaaisel, plooi, vou; eetgoed, snoep= goed; (v) plooi; opnaaisels maak; vou; intrek; oprol; *~ away* (infml.) wegsteek; behoorlik weglê (aan kos); *~ in* lekker toemaak (onder kombers); *~ into* (infml.) lustig eet/weglê (aan kos); **~ box** kosblik, kostrommel; **~ shop** snoepwinkel(tjie), snoepie

Tues′day Dinsdag

tuft (n) bos(sie), kwas(sie), klos(sie), pluim; pol (gras); **~ed** gepluim; met 'n kuif; **~ed rug** pluismat

tug (n) trek, ruk; sleepboot; (v) trek, ruk; sleep *also* **hawl; tow; ~ of war** toutrek

tui′tion (n) onderwys, onderrig; **tele~** afstand(s)= onderrig *also* **dis′tance tea′ching/learn′ing; ~ fees** studiegeld, klasgeld *also* **stu′dy fees**

tu′lip (n) tulp; **~ bulb** tulpbol; **~ tree** tulpboom

tum′ble (n) val, tuimeling; warboel; (v) bolma= kiesie slaan; rol; woel; val-val loop, struikel; ~

down instort; afrol; ~ *off* afduiwel *also*
plum'met; **~bug** miskruier *also* **dung bee'tle;**
~-down (a) bouvallig, vervalle; **~dry'er/drier**
tuimeldroër; **~r** drinkglas; tuimelaar (duif);
akrobaat; **~r switch** tuimelskakelaar

tum'brel/tum'bril (n) vulliswa, stortkar; skots‑
kar; ammunisiewa (hist.)

tum'my (n) **tum'mies** magie *see* **stom'ach;**
pensie

tu'mour (n) gewas, (ver)groeisel, tumor *also*
can'cer, carsino'ma

tu'mult (n) opskudding, rumoer *also* **commo'‑
tion, up'roar**

tumul'tuous (a) rumoerig, oproerig, onstuimig

tu'na (n) tuna (vis) *also* **tun'ny**

tun'dra (n) toendra, mossteppe; moeraswêreld
(in poolstreke)

tune (n) wysie; toon, klank; stemming; *give us a*
~ speel vir ons iets; *out of* ~ vals; *to the* ~ *of* op
die wysie van; tot die bedrag van; (v) stem;
instem, instel (radio); sing, aanhef; ~ *in to*
instem, instel op (radio); ~ *up* stem (musiek‑
instrument); **~ful** melodieus, welluidend *also*
melo'dious; ~less toonloos; **~r** stemmer (per‑
soon); stemvurk (vir klavier); instemmer
(radio)

tung'sten wolfram (vir gloeilampdrade)

tu'nic (n) soldatebaadjie, tuniek; uniform; skool‑
drag, springjurk

tu'ning (n) stem, gestem; ~ **fork** stemvurk

tun'nel (n) tonnel; skag; (v) tonnel; uithol

tun'ny = tu'na

tur'ban (n) tulband (Oosterse hoofbedekking)

tur'bid (a) troebel, modderig; verward

tur'bine (n) turbine (enjin deur stoom, wind of
water aangedryf)

turbo: ~charger turboaanjaer; **~die'sel en'gine**
turbodieselenjin

tur'bot (n) tarbot (vis)

tur'bulence (n) onstuimigheid; oproerigheid *also*
uphea'val; turbulensie

tur'bulent (a) woel(er)ig; onstuimig *also* **gus'ty**
(weather); oproerig *also* **ri'otous**

tureen' (n) sopkom

turf (n) turf, sooi; grasveld; renbaan; reisiesbaan;
~ **club** (perde)wedrenklub; ~ **ra'cing** perde‑
(wed)renne *also* **hor'se ra'cing; ~y** sooierig,
turfagtig

tur'gid (a) geswolle; hoogdrawend, bombasties

Turk (n) Turk (persoon); **~ey** Turkye (land)

tur'key (n) kalkoen; ~ **cock** kalkoenmannetjie; ~
hen kalkoenwyfie

Tur'kish (a) Turks (gebruike, ens.); ~ **delight'**
Turkse lekkers

tur'moil (n) onrus, gewoel *also* **cha'os, confu'‑
sion;** rumoer, konsternasie; gejaagdheid

turn (n) draai; wending, wisseling; beurt (by
spele); kans; aanleg; *a* ~ *for the better* 'n

gunstige wending; (v) draai; omkeer, went
wend; omslaan (blad); ~ *about* omdraai; ~ s
away iem. wegwys; ~ *one's back on s.o.* ie
die rug toekeer; ~ *back* terugdraai; terugke
~ *of the century* eeuwisseling, eeuwending
the corner om die hoek gaan/kom (lett.); (
die ergste heen wees (fig.); oor die hond
stert/rug wees (fig.); ~ *down* afwys (verso
aansoek); ~ *hundred* honderd jaar oud word
inside out binneste buite keer; ~ *over a n*
leaf 'n nuwe begin maak; ~ *up one's nose* j
neus optrek; ~ *off* afdraai; afwend; afskakel
over omslaan; omgooi; ~ *pale* bleek word
~ed *out a fine day* dit het 'n lekker (
geword; ~ *out for practice* vir oefeni
opdaag; *do s.o. a good* ~ iem. 'n guns/welda
bewys; ~ *the tables* die bordjies verhang; ~
opdaag, te voorskyn kom; ~ *upside do*
onderstebo keer; **~bench** draaibank *a*
lathe'; ~coat manteldraaier, tweegatjakk
(persoon); **~er** draaier (ambag) *see* **fit'
and tur'ner**

tur'ning (n) wending; draai; afdraai, opdr
(pad); kruispad; ~ **lathe** draaibank; ~ **po**
keerpunt

tur'nip (n) raap (plant)

turn: ~key (n) (tronk)bewaarder, sipier (his
(a) sleutelklaar (huis vir intrek); **~out** opko
(van persone); **~over** omset (van 'n bes
heid); **~pike** snelweg, tolpad, deurpad (An
tolhek; slagboom; **~screw** skroewedraaier *a*
screw'driver; ~stile draaihek; **~table** draa
fel, platespeler

tur'pentine (n) terpentyn; ~ **tree** mopanie(boc

tur'quoise (n) turkoois (blou edelsteen); t
kooiskleur; (a) turkoois(blou)

tur'ret (n) torinkie; skiettoring; **~ed** met to
kies

tur'tle (n) waterskilpad; *turn* ~ omslaan

tur'tledove (n) tortelduif

tusk (n) olifant(s)tand; slagtand; (v) oopskeu

tus'sle (n) worsteling, gestoei *also* **scrap, bra**
(v) stoei

tus'sock (n) graspolletjie; bossie; veebos

tu'telage (n) voogdy(skap); onmondigheid

tu'telar(y) (a) beskermend, beskerm‑; ~ **an'**
beskermengel *also* **guar'dian an'gel**

tu'tor (n) private onderwyser/leermeester, h
onderwyser; studieleier; afrigter; **pri'vat**
goewernant(e); (v) onderrig; privaat les ge

tutor'ial (n) studieklas; groepklas; private k
slypskool

tuxe'do (n) aandbaadjie

twad'dle (n) bogpraatjies; gebabbel; (v) bab
klets; **~r** kletser, babbelaar

twang (n) getjingel, getokkel; (v) tokkel; ‑
deur die neus praat

tweed (n) tweed (Skotse weefstof)

eedledum': ~ and Tweedledee' vinkel en
oljander; die een is soos die ander

et (n) getjilp; (v) tjilp; ~er hoëtoonluidspre=
:er

ez'ers (n) (haar)tangetjie, pinset; *pair of* ~
aartangetjie, doringtangetjie

lfth twaalfde

lve twaalf

n'tieth twintigste; ~ cen'tury twintigste eeu
n'ty twintig; *in the twenties* in die twintiger=
~-first cen'tury een-en-twintigste eeu;
~-four hours' ser'vice etmaaldiens

rp/twirp (n) domkop, swaap; nikswerd(s)
lso dun'ce

ce twee maal/keer; dubbel; *think* ~ goed
adink/oorweeg; ~-told welbekend

d'dle (n) draaitjie; krul; (v) draai, speel; ~
ne's thumbs met jou duime speel; duimdraai
lso: have nothing better to do

g (n) takkie, twyg *also* sprig, off'shoot

light (n) (aand)skemering; halfdonker; ske=
nerogend *also* dusk; ~ *of the gods* gode=
kemering; ~ sleep pynlose bevalling; ~ zone
kemergebied

ll (n) gekeperde stof; keper; (v) keper

n (n) tweeling; dubbelganger *also* coun'=
erpart; (pl) 'n tweeling; (a) tweeling=;
ubbel=; ~ brother' tweelingbroer; ~-cab
ubbelkajuit (in bakkie)

ne (n) bindgaring, seilgaring, twyn *also* yarn;
ronkeling; (v) inmekaardraai, strengel

nge (n) (pyn)steek *also* pang, stitch; kwel=
ng, wroeging; ~/pangs of conscience gewe=
enswroeging

a'kle (n) flonkering, flikkering; oogknip; (v)
nipoog; vonkel

nk'ling (n) flonkering, flikkering; kits *also*
plit sec'ond; *in the* ~ *of an eye* in 'n
ogwink/kits

a'-tub (n) dubbelbalie (wasmasjien)

rl (n) draai; krul; (v) dwarrel, draai; ~ *one's*
umbs met jou duime speel *see* twid'dle (v)

st (n) draai; kronkel; neiging, aard; verrek=
ing; krul; rinkhalsdans; (v) draai; verdraai;
leg; ~ *one's ankle* jou enkel verswik/verstuit;
evidence getuienis verdraai; ~ *s.o.'s arm*
m. se arm draai; iem. onder druk plaas; ~ed
a) verdraai (die waarheid); vertrek van pyn
gesig); ~ty (a) slinks, geslepe

: (n) domkop, aap, idioot, mamparra (per=

soon) *also* block'head; (v) pla, (be)spot, terg
also tease, mock

twitch (n) senutrekking; (v) trek; vertrek,
stuiptrek; ~y (a) skrikkerig; gespanne

twit'ter (n) gekwetter, getjilp; (v) kweel; bewe
(van angs/vrees)

two (n) -s twee; *cut in* ~ middeldeur sny; *put* ~
and ~ *together* jou gesonde verstand gebruik;
~ *by* ~ twee-twee; ~-ed'ged tweesnydend;
~-en'gined tweemotorig; ~-faced vals, agter=
baks; ~-fold tweevoudig; tweeledig; ~ hun'=
dred tweehonderd/twee honderd; ~-ply
tweelaag=; ~-pron'ged attack' tweeledige/
tweesydige aanval; ~-sea'ter tweesitplekmo=
tor; ~some tweespel, dubbelspel; ~-stroke
en'gine tweeslagenjin; ~-ti'mer tweegatjak=
kals (persoon) *also* double-cros'ser

tycoon' (n) geldmagnaat, geldbaron *also* mo'gul,
plu'tocrat

tym'panum (n) oortrommel, trommelvlies

type (n) tipe, soort *also* cat'egory; voorbeeld; let=
tertipe (drukkery); toonbeeld; *in large* ~ in groot
letters; (v) tik; tipeer; ~o'ver mode oorheen=
skryfmodus (rek.); ~script tikskrif; ~wri'ter
tikmasjien; ~wri'ting tikskrif; ~writ'ten getik

typh'oid fe'ver (n) ingewandskoors, maagkoors

typhoon' (n) tifoon (stormwind)

ty'phus (n) tifuskoors, vlektifus, luiskoors

typ'ical (a) tipies *also* characteris'tic; ~ *of*
kenmerkend/tipies van/vir

typ'ify (v) tipeer *also* char'acterise; versinne=
beeld

ty'ping (n) tik, tikskrif; tikwerk; ~ pool tikpoel

ty'pist (n) tikster, tikker (persoon)

typog'rapher (n) tipograaf (spesialis in boek=
drukkuns)

typograph'ic (a) tipografies, druk=; ~al er'ror
setfout, drukfout, setsatan *also* grem'lin

typog'raphy (n) tipografie; boekontwerpkuns

tyr'anny (n) tirannie, dwingelandy *also* des'=
potism, dicta'torship

ty'rant (n) tiran *also* dicta'tor, oppres'sor;
dwingeland, despoot, geweldenaar (persoon)

tyre (n) buiteband; tube'less ~ lug(buite)band; ~
le'ver bandwipper, bandligter; ~ pres'sure
banddruk

ty'ro/ti'ro (n) beginner, nuweling *also* nov'ice,
begin'ner; rekruut *also* recruit'

Tyrol' (die) Tirol (streek); ~ese' (n) Tiroler
(persoon); (a) Tirools (gebruike, ens.)

U

ubun'tu (n) medemenslikheid, mededeelsaam=
heid; ubuntu

ud'der (n) uier (van koei)

udom'eter (n) reënmeter *also* **rain gauge**

Ugan'da Uganda (land); **~n** (n, a) Ugandees
(persoon; gebruike, ens.)

ug'liness (n) lelikheid, wanstaltigheid

ug'ly (a) lelik; afstootlik; afsigtelik *also* **unsight'=
ly**; gemeen; gevaarlik; skandelik; *make ~ faces*
skewebek trek; **~ cus'tomer** nare/gevaarlike
vent; **~ weath'er** onaangename/ gure weer *also*
foul/in'clement weather

uhu'ru (n) vrywording; onafhanklikheid (van
Afrikalande)

ukule'le (n) ukulele (snaarinstrument)

ul'cer (n) sweer, geswel; ulkus (med.); **gas'tric ~**
maagseer; **~ate** (v) sweer; **~a'tion** ettering

ul'na (n) elmboogpyp, ellepyp

ul'ster (n) reënjas, oorjas

ulte'rior (a) verder, later; aan die ander kant;
verborge, geheim; **~ mo'tive** bybedoeling

ul'timate (a) laaste, uiterste; beslissend *also*
conclu'sive; **~ principles** grondbeginsels *also*
ba'sic prin'ciples; **~ prod'uct** eindproduk

ultima'tum (n) ultimatum; eindbesluit; laaste eis

ul'timo (obs.) laaslede, van die vorige maand
(brieftaal)

ul'tra (n) heethoof, ekstremis (persoon); (a)
aarts=, ekstremisties; **~marine'** donkerblou;
~mod'ern hipermodern; **~mun'dane** bowe(n)=
aards; v.d. hiernamaals; **~son'ic** ultrasonies;
~vi'olet ultraviolet (bestraling); **~ vi'res** bui=
temagtig (regsterm)

u'lulate (v) ululeer, dreunsing (om smart/vreug=
de uit te druk of mense aan te spoor)

um'ber (n) omber; donkerbruin verf; (a) omber=
kleurig, donkerbruin; **~ bird** hamerkop *also*
ham'merhead

umbil'ical (a) nael=; **~ cord** naelstring

um'bra (n) kernskaduwee

um'brage (n) aanstoot, ergernis *also* **displea'sure;
offence', resent'ment**; *give ~ to* aanstoot gee
aan; *take ~* kwalik neem; beledig voel

umbrel'la (n) sambreel; **~ bod'y** oorkoepelende
liggaam; **~ stand** sambreelstander; **~ term**
omvattende term, sambreelterm; **~ tree** kieper=
sol, nooiensboom *also* **cab'bage tree**

um'laut (n) umlaut (Duitse skryfteken – ö, ä, ü)

um'pire (n) skeidsregter; beoordelaar; grensreg=
ter *see* **(line) jud'ge;** (v) as skeidsregter optree,
''blaas'' (rugby)

unaba'ted (a) onverminder(d), onverswak

una'ble (a) onbekwaam, nie in staat nie *also*
inca'pable, im'potent

unabridged' onverkort (boek)

unaccept'able onaanneemlik, onaanvaarbaar

unaccount'ed onverantwoord; *~ for* vermis

unaccus'tomed ongewoon(d), onwennig

unadul'terated onvervals, suiwer, skoon

unaffect'ed (a) natuurlik, ongekunsteld, opre[g]

unaid'ed sonder hulp, alleen *also* **unassis'ted**

unaligned' onverbonde (nasies)

unal'tered onverander(d) *also* **unchan'ged**

unan'imous eenparig, eenstemmig, unaniem;
deci'sion eenparige besluit

unans'wered onbeantwoord (brief, liefde) *a[lso]*
ignor'ed

unap'petising (a) onaptytlik *also* **distaste'f[ul],
unsa'voury**

unapproach'able ontoeganklik, ongenaakba[ar],
stug (persoon) *also* **aloof'**

unappro'priate ontoepaslik; **~d** nie toegeë[is/]
toegewys nie; **~d profi'ts** onverdeelde win[s]

unarmed ongewapen(d) *also* **defence'less**

unask'ed ongevra/ongevraag; ongenooi; op [die]
houtjie

unassu'ming (a) beskeie *also* **mod'est;** pret[en=]
sieloos *also* **unpreten'tious** (person)

unattend'ed alleen, onvergesel; onbewaak

unattrac'tive onaantreklik; onooglik

unauth'orised ongemagtig *also* **unappro'ved**

unavoid'able onvermydelik *also* **inev'itable**

unaware' (a) onbewus, onwetend *also: ignor[ant]*
of; they were ~ of the danger hulle [was]
onbewus van die gevaar

unawares' (adv) onverwags; plotseling; onv[er=]
hoeds; *she caught him ~* sy het h[om]
onverwags/op heter daad betrap

unban' (v) ontperk, ontban ('n persoon; boek[)]

unbear'able ondraaglik, onuithoudbaar, onv[er=]
staanbaar *also* **intol'erable**

unbeat'en onoorwonne, nie verslaan nie *a[lso]*
undefea'ted; ongeklits (eier)

unbecom'ing onbetaamlik, onwelvoeglik,
vanpas *also* **improp'er, unseem'ly**

unbelief' (n) ongeloof, godloëning *also* **dis'be[lief]**

unbeliev'able (a) ongelooflik

un'believer (n) ongelowige (persoon) *also* **a'th[eist]**

unben'ding (a) ontoegeeflik, onwrikbaar *al[so]*
unyiel'ding; stroef

unbi'ased (a) onbevooroordeel(d), onparty[dig]
also **impar'tial, neu'tral**

unbind' (v) losmaak; ontbind; bevry, vrylaat

unblem'ished onbevlek, rein, onbesmet *a[lso]*
flaw'less, untar'nished

unborn' ongebore *also* **unbegot'ten**

unbo'som (v) ontboesem, die hart uitstort *[also]*
unbur'den

unbound'ed onbeperk, onbegrens *also* **bou[nd=]
less**

bri'dled onbeteuel(d), bandeloos *also* un=
heck'ed; losbandig, uitgelate

bro'ken onafgebroke, deurlopend *also*
uninterrup'ted, contin'uous; ongetem; on=
estoord; heel

buc'kle (v) losgespe

bun'dle (v) ontbondel ('n maatskappy); ont=
noop

but'ton (v) losknoop

cal'led ongeroep; astrant; ~ *for* onvanpas *also*
inappro'priate; onafgehaal (goed)

can'ny geheimsinnig, grillerig *also* ee'rie;
nwerklik; bomenslik, bonatuurlik; onbegryp=
ik *also* astoun'ding, aston'ishing

ceremon'ious sonder pligpleging; onbeleef,
ortaf

cer'tain onseker, besluiteloos; veranderlik;
visselvallig; *in no ~ terms* sonder doekies
mdraai; ~ health swak/wankele gesondheid;
ty onsekerheid; wisselvalligheid

char'itable (a) liefdeloos, onmenslik, hard
lso unsympathet'ic

chart'ed ongekaart (oseane)

chaste' (a) onkuis *also* lasciv'ious, lewd

checked' los, vry, ongedwonge; onbeteuel(d);
nbelemmer(d) *also* unconstrain'ed

chris'tian onchristelik

civ'il (a) onbeleef, ongemanierd *also* bad-
man'nered, uncouth'; ~ised onbeskaaf, bar=
aars *also* vul'gar

claimed' onopgeëis (verlore goed)

cle oom; U~ Sam (joc.) die VSA

om'fortable ongemaklik, ongerieflik

omm'on ongewoon, seldsaam, buitengewoon
lso rare, unu'sual; queer

om'promising onversetlik, onbuigsaam; on=
vegeeflik, onverbiddelik *also* inflex'ible,
nyiel'ding; beginselvas

oncern'ed (a) onbetrokke *also* dispas'=
ionate; onverskillig, onbekommerd; doodlui=
ers, houtgerus

ondi'tional onvoorwaardelik; ~ surren'der
nvoorwaardelike oorgawe

onfirmed' onbevestig, ongestaaf (bv. 'n
ewering); nie aangeneem nie (in 'n kerk)
on'scious (a) bewusteloos; onwetend, onbe=
us *also* ig'norant; ~ly (adv) onopsetlik

onsid'ered ondeurdag; nie in aanmerking
eneem nie; verontagsaam

onstitu'tional onkonstitusioneel, ongrondwetlik

onstrained' los, vry, ongedwonge *also*
ncheck'ed

ontest'ed onbestrede; ~ seat onbetwiste setel
n verkiesing)

ontriv'ed ongekunsteld, ongedwonge (iem.
houding)

ontrolled' onbeteuel(d), onbeheers *also*
ncheck'ed

unconven'tional natuurlik, informeel, vry; on=
konvensioneel *also* unor'thodox

unconver'ted onbekeer (tot godsdiens); onver=
doel (drie in rugby)

unconvinced' (a) onoortuig *also* du'bious;
unlike'ly

uncoop'erative (a) ontoeskietlik, ontegemoetko=
mend

uncoor'dinated (a) ongekoördineer(d), onbe=
kwaam *also* inept'

uncouth' (a) ru, grof, onbeskaaf *also* rude,
unciv'il, coarse; ~ fel'low teertou, gomtor

uncov'er (v) ontdek, ontbloot; onthul; blootlê
also reveal'

uncrossed' (a) ongekruis (tjek); nie gedwars=
boom/belemmer nie

uncul'tivated onbebou, onbewerk (plaasgrond)

uncut' ongekerf; ongesny; ongeslyp (diamant)

undam'aged onbeskadig, heel; ongedeerd (per=
soon) *also* unscath'ed, unharmed' (in acci=
dent)

unda'ted ongedateer (brief, ens.)

undaunt'ed onbevrees, onverskrokke, onver=
vaard *also* unflinch'ing, fear'less

undecid'ed onbeslis (wedstryd); besluiteloos

undeciph'erable onleesbaar *also* illeg'ible

undeni'able (a) onweerlegbaar, onbetwisbaar
also indispu'table

undepend'able onbetroubaar *also* untrust'=
worthy

un'der (a) onderste; (adv) onder, onderkant;
(prep) onder; benede; ~ *penalty of* op straf
van; ~ *way* op pad; onderweg

underachie'ver (n) onderpresteerder (student)

undercharge' (v) te min vra/bereken; te swak
laai (battery)

undercover' (a) geheim; klandestien; ~ a'gent
geheime agent

un'dercurrent (n) onderstroom; neiging, strek=
king *also* ten'dency, trend

un'dercut[1] (n) lendestuk, filet (vleis)

un'dercut[2] (n) opskepskoot (gholf); opstopper
(boks)

undercut'[3] (v) ondergrawe; laer prys; onderbie

un'derdeveloped onderontwikkel, agtergeblewe
also underpriv'ileged (community)

un'derdog verdrukte; misgunde (persoon); ly=
dende groep/party; ondergeskikte

un'derdone (a) halfgaar (biefstuk), halfrou

underes'timate (n) onderskatting; (v) onderskat;
te laag skat *also* underrate'

underexpose' (v) onderbelig, te kort belig (foto)

underfed' (a) ondervoed *also* undernour'ished

undergo' (v) ondergaan; ly, verduur *also*
endure', withstand'

undergrad'uate (n) ongegradueerde (student);
(a) voorgraads *see* postgrad'uate

un'derground (n) moltrein; (a) ondergronds,

onderaards; geheim; (adv) ondergronds, on= deraards; in die geheim, agteraf *also* **co'vert, clandestine**

un'dergrowth (n) ruigte, bosgasie/boskasie, struikgewas *also* **brush'wood, un'dergrowth**

un'derhand (a) agterbaks, heimlik, onderduims *also* **sly, se'cret;** (adv) stilletjies

underline' (v) onderstreep *also* **underscore'; em'phasise**

un'derling (n) ondergeskikte (persoon); hand= langer, trawant *also* **cro'ny, hench'man**

underly'ing daaronder geleë; dieperliggend; grond=; fundamenteel; ~ **prin'ciples** grondbe= ginsels *also* **ba'sic prin'ciples**

undermen'tioned ondergenoemde, onderstaande

undermine' (v) ondermyn, benadeel; uitgrawe

underneath' benede, onder

underpaid' onderbetaal, te min betaal

un'derperform (v) onderpresteer

underpin' (v) onderstut (fondament); steun, staaf (argument, betoog)

underpriv'ileged (a) onderbevoorreg, benadeel *also* **disadvan'taged, impov'erished** (commu= nity)

underrate' (v) onderskat; *that player is grossly ~d* daardie speler word gruwelik onderskat

undersell' (v) goedkoper verkoop as; onderbie

undersigned' (n) ondergetekende (persoon)

understaf'fed (a) onderbeman (te min personeel)

understand' (v) verstaan, begryp; veronderstel; hoor, verneem; *I was given to* ~ hulle het my laat verstaan

understand'ing (n) verstand, begrip, kennis; verstandhouding; *come to an* ~/*agreement* tot 'n skikking kom; *on this* ~ op dié voorwaarde; met dié voorbehoud; *on the* ~ *that* met dien verstande dat; (a) begrypend *also* **respon'sive; skrander, knap**

understate' (v) versag; verklein; nie die volle waarheid/werklike toestand meedeel nie; ~**ment** (n) onderbeklemtoning; onderskatting; verkleining

un'derstudy (n) dubbelspeler, plaasvervanger (in toneelrol) *also* **stand-in;** (pos)oornemer, opvolger (in betrekking) *also* **replace'ment** (person)

undertake' (v) onderneem, aanpak; waarborg

un'dertaker (n) begrafnisondernemer, lykbesor= ger *also* **fu'neral underta'ker**

underta'king (n) onderneming, firma; organisa= sie; verpligting *also* **commit'ment**

under-the-counter (a) onwettig, ongeoorloof

un'derwear (n) onderklere *also* **un'derclothing**

un'derworld (n) onderwêreld, boewewêreld *also* **gang'land;** doderyk

un'derwriter (n) onderskrywer, versekeraar; garandeerder; ondertekenaar

undesi'rable (n) ongewenste persoon; (a) on=

wenslik *also* **unsui'table, unwan'ted;** ~/b: **ned publica'tion** ongewenste/verbode pu kasie

undeterred' onverskrokke, onvervaard, nie geskrik/ontmoedig nie *also* **undaun'ted**

undevel'oped onontwikkel(d) *see* **underdev oped**

undig'nified onwaardig, aanstootlik *also* **un fined**

undimin'ished onverminder(d), onverswak

undis'ciplined ongedissiplineer(d), sonder t maniere *also* **unru'ly, unman'nered, uncou**

undisput'able onbetwisbaar *also* **indispu'tal undeni'able**

undispu'ted onbetwis, onbestrede *also* **unqu tioned**

undisturbed kalm, bedaard *also* **calm, pla'c**

undivid'ed onverdeel(d); ~ *attention* volle/on deelde aandag; ~ *loyalty* onverdeelde lojali

undo' (v) losbind, losmaak; ongedaan ma ontdoen (rek.); ~**ing** (n) verderf, vernietigi *drink was his* ~*ing* drank was sy v derf/ondergang

undone' (a) ongedaan; los; verlore; *what is d cannot be* ~ gedane sake het geen keer ni

undoubt'ed ongetwyfeld, stellig, inderdaad, se ~**ly** ongetwyfeld, beslis *also* **undeni'ably**

undress' (v) uittrek, ontklee; ~**ed'** uitget ongeklee; ongekap (klip)

undue' onbehoorlik; buitensporig; ~ *haste* on dige/onbetaamlike haas; ~ *influence* or hoorlike beïnvloeding

un'dulate (v) golf, dein (die vlakte/veld)

un'dulating (a) golwend, wuiwend; wegdein

undu'ly ongepas, onbehoorlik; oordrewe, (matig *also* **exces'sively**

undy'ing ewig, onverganklik; onsterflik *also* **everlas'ting**

unearth' (v) opgrawe; openbaar; opdiep

unea'sy onrustig; besorg *also* **anxious;** ur maklik; ~ *silence* gespanne stilte

uned'ifying (a) onstigtelik; onwaardig; on kwiklik *also* **unsa'voury;** ~ *altercation* verkwiklike twis/gekyf

uned'ucated onopgevoed *also* **unschool** ongeletterd

unemploy'ed (n, pl) (die) werkloses (perso (a) werkloos *also* **job'less;** onaangew (middele)

unemploy'ment werkloosheid; ~ *insu'ra* werkloosheid(s)versekering

unend'ing oneindig, eindeloos *also* **contin' everlas'ting**

unenlight'ened oningelig, onkundig; verkra

unen'viable onbenydenswaardig (taak)

uneq'ual ongelyk, verskillend; ~ *to the task* teen/vir die taak opgewasse nie; ~**ed** on wenaar(d), weergaloos *also* **unpar'alleled**

quiv'ocal (a) ondubbelsinnig, onomwonde *also* **unambi'guous**

r'ring seker, feilloos, trefseker

th'ical (a) oneties *also* **dishon'ourable**

'ven ongelyk, oneffe; skurf; ongelykmatig; newe, ongelyk (getal); **~ness** ongelykheid; nvastheid; **~ num'ber** ongelyke getal

vent'ful rustig, gelykmatig; onbewoë

xpect'ed (a) onverwag, onvoorsien; **~ly** (adv) nverwags

xpired' onafgeloop; onverstreke/onver= rykte (termyn)

ail'ing onfeilbaar; getrou *also* **true, depend= ble;** ~ *courtesy* ingebore hoflikheid

air' onbillik, onredelik; partydig

amil'iar vreemd, onbekend, onvertroud (met) *'so* **unknown'**

as'ten (v) losmaak; losgespe

a'vourable ongunstig *also* **neg'ative**

eas'ible onuitvoerbaar, onhaalbaar; onprak= es *also* **imprac'tical**

n'ished onvoltooi(d); onafgewerk; ~ **sym'=** **hony** onvoltooide simfonie

t' (a) onfiks (sportlui); onbekwaam, onge= kik; ~ *for his position* ongeskik/onaanvaar= aar vir sy pos/posisie

ag'ging (a) onvermoeid, onverslap (pogings)

inch'ing onverskrokke, onwrikbaar, onverset= k *also* **deter'mined, res'olute**

old' (v) ontvou, uitlê, ontplooi, uitsprei

orced er'ror (n) ongedwonge fout (tennis)

oreseen' onvoorsien (uitgawes) *also* **unex=** ec'ted

orget'table onvergeetlik, gedenkwaardig *'so* **mem'orable**

or'tunate (a) ongelukkig, rampspoedig; ~ *hap* stomme vent; **~ly** (adv) ongelukkig

und'ed ongegrond, vals *also* **fa'bricated;** ~ *mour* riemtelegram

an'chised (a) niestemgeregtig, stemloos

riend'ly onvriendelik (persoon); onbevriend n land)

lfilled' onvervul (wense)

urn'ished ongemeubileer(d)/ongemeube= er(d) (huis)

ain'ly (a) lomp *also* **clum'sy;** onhandig

en'tlemanly onhoflik, onverfynd; onfatsoen= k (gedrag)

od'ly (a) goddeloos, sondig

ov'ernable onregeerbaar, wild, woes *also* nru'ly, intrac'table

rate'ful ondankbaar, onerkentlik *also* **ank'less**

uard'ed (a) onbeskerm, onbewaak; onver= illig, onversigtig *also* **heed'less, care'less;** bedagsaam *also* **ill-consi'dered**

am'pered ongebonde, onbelemmerd, onge= nderd *also* **unrestric'ted**

unhan'dy onhandig, lomp *also* **clum'sy;** lastig

unhap'piness (n) ongeluk; ellende; hartseer

unhapp'y (a) ongelukkig; hartseer, verdrietig *also* **down'cast, blue**

unharmed' onbeskadig, ongedeerd, behoue *also* **unsca'thed; intact';** onbenadeel; veilig

unhealth'y ongesond *also* **fee'ble, sickly;** onvei= lig, gevaarlik

unheard' ongehoord; ~ *of* ongehoord; verre= gaande *also* **outra'geous**

unheed'ed onopgemerk; verontagsaam, geïgno= reer (waarskuwing)

unhes'itating vasbeslote, beslis; **~ly** sonder aarseling *also* **unwa'vering**

unhind'ered ongehinderd; ongesteur(d)

unhinge' (v) uithaak; uit die skarniere lig; van stryk bring; *his mind is* ~*d/deranged* sy verstand is aangetas

unho'ly onheilig, goddeloos; ~ *noise* woeste/ onaardse lawaai

unhook' (v) losmaak, afhaak *see* **unhinge'**

unhu'man onmenslik, barbaars *also* **inhu'man**

unhurt' ongedeerd, onbeseer (in 'n ongeluk) *also* **unharm'ed, unsca'thed**

uni'city (n) unistad, megastad *also* **metro'pole**

uni'corn (n) eenhoring (mitol.)

unifica'tion (n) eenwording, unifikasie *also* **mer'ger**

u'niform (n) uniform; mondering; militêre drag; (a) eenvormig, uniform; gelyk, eenparig; ~ **sys'tems** eenvormige stelsels

uniform'ity eenvormigheid, gelykvormigheid

u'nify (v) verenig *also* **unite'**

unilat'eral eensydig; ~ *declaration of indepen= dence (UDI)* eensydige onafhanklikverklaring

unilin'gual eentalig

unimag'inable ondenkbaar *also* **inconcei'vable**

unima'ginative verbeeldingloos, fantasieloos

unimpeach'able onberispelik, onkreukbaar *also* **impec'cable;** onaantasbaar (karakter)

unimpor'tant onbelangrik *also* **insignif'icant, immate'rial**

uninhab'ited (a) onbewoon

uninhib'ited (a) ongebonde; vrymoedig *also* **can'did, frank;** uitgelate *also* **unrestrain'ed**

unini'tiated oningewy; oningeburger

unin'jured onbeseer, ongedeerd *also* **unhurt';** onbeskadig; ongeskonde

uninten'tional onopsetlik, onbedoel(d) *also* **inadver'tent(ly)**

un'interested onbelangstellend (iem.) *see* **dis'= interested**

unin'teresting oninteressant, vervelend *also* **drab**

uninterrup'ted onafgebroke, ononderbroke; on= verpoos; deurlopend *also* **contin'uous;** onge= steur, ongehinder *also* **undisturbed'** (while working)

uninvi'ted ongenooi, ongevra (besoeker)

u'nion (n) unie; vereniging; vakbond, vakunie; samesmelting; verbintenis; eendrag; verbond; koppeling; *in perfect* ~ volkome eensgesind; ~ *is strength* eendrag maak mag

unique' (a) enig, ongeëwenaard, uniek *also* unri'valled, match'less

u'nisex (a) enkelgeslag=, uniseks; ~ school enkelgeslagskool *see* coeduca'tional school

u'nison (n) harmonie, ooreenstemming; *in* ~ eenstemmig, eensgesind

u'nit eenheid; ~ hol'der onderaandeelhouer (in effektetrust); ~ trust effektetrust

uni'te (v) verenig; verbind; saamsmelt; saam= bind; saamspan; ~d (a) verenig; eendragtig; U~d Nations Verenigde Nasies; U~d States of America (USA) Verenigde State van Amerika (VSA)

u'nity (n) eenheid; eendrag, eensgesindheid; har= monie

univer'sal (a) algemeen, universeel *also* cath'= olic; ~*ly applicable* algemeen geldend; ~ peace wêreldvrede; ~ fran'chise/suff'rage algemene stemreg

uni'verse (n) heelal *also* cos'mos; wêreld *also* crea'tion

univer'sity (n) universiteit, tersiêre instansie/ inrigting; (a) universitêr; ~ admis'sion uni= versiteitstoelating

unjust' (a) onregverdig, onbillik *also* unfair'; prej'udiced

unkind' onvriendelik *also* unfriend'ly; ~ness onvriendelikheid

unknown' (n) onbekende; (a) onbekend; the U~ War'rior die onbekende soldaat

unla'dylike onvroulik, onfyn, onverfyn

unlaw'ful onwettig *also* ille'gal; onregmatig, wederregtelik; buite-egtelik (kind) *also* illegit'imate; ongeoorloof

unlead'ed petrol loodvry(e)/ongelode petrol

unless' tensy, so nie, behalwe, indien nie; ~ *you listen* tensy jy luister

unlet'tered (a) ongeletterd *also* illit'erate

unlike' ongelyk; verskillend, anders (as); ~ly onwaarskynlik; *the most* ~*ly places* die (aller)onmoontlikste plekke

unlim'ited onbegrens, onbeperk *also* in'finite

un'lined ongelinieer (skryfpapier); glad; sonder voering (klere, gordyne)

unload' (v) aflaai *also* off'load; ontlaai

unlock' (v) oopsluit, ontsluit *also* unbolt; onthul *also* reveal'

unluck'y ongelukkig *also* unfor'tunate; ramp= spoedig; ~ num'ber ongeluksgetal

unman' (v) ontman (kastreer); ontvolk; ontmoe= dig; ~ned (a) onbeman; ~ned space shuttle' onbemande pendeltuig

unman'ageable (a) onbeheerbaar *also* intrac'= table; onregeerbaar

unman'nerly ongemanierd, ongepoets; onh= belik *also* rude, blunt, abu'sive

unmar'ried ongetroud; ~ mother ongetrou ongehude moeder

unmask' (v) ontmasker, ontbloot *also* expo reveal'

unmatched' ongeëwenaard, enig, weergal *also* une'qualled, match'less; onpaar

unmen'tionable onnoembaar

unmista'kable onmiskenbaar, seker *also* ob'vid ev'ident

unmit'igated onvervals; nie verminder nie scoun'drel deurtrapte skurk/skelm

unmount'ed (a) onberede (polisieman, his ongemonteer (portret)

unmo'ved onbewoë, koel; onwrikbaar; roerlc

unmu'sical onmusikaal; onwelluidend

unnat'ural onnatuurlik; kunsmatig, gekunst *also* artifi'cial, contri'ved

unnec'essary onnodig, oorbodig, oortollig

unnerve' (v) ontsenu; verlam, verswak; unne ing (a) skrikwekkend, vreesaanjaend

unno'ticed (a) ongemerk, onopgemerk *a* unseen'; (adv); soetjies-soetjies *also* stealth

unobli'ging ontegemoetkomend, ontoeskiet onsimpatiek

unobstruct'ed onbelemmerd, ongehinderd; o .unobtain'able onverkry(g)baar; onbereikbaar

unobtru'sive onopvallend *also* inconspic'uc unpreten'tious; beskeie

unoc'cupied onbewoon, leeg (huis); onbe (toilet)

unoffi'cial nie-amptelik, onoffisieel

uno'pened ongeopen; onoopgemaak

unoppo'sed onbestrede; ongehinderd; ~ s onbestrede setel (in verkiesing)

unor'ganised ongeorganiseer(d), onorde! deurmekaar

unorth'odox (a) onortodoks *also* unconve tional; ketters, vrydenkend; afwykend; *approach* ongewone/eiesinnige benadering

unpack' (v) uitpak; aflaai, afpak

unpaid' onbetaal(d), onvereffen; onbesoldig

unpal'atable onsmaaklik, sleg *also* distaste'

unpar'alleled ongeëwenaar(d), weergaloos *a* une'qualled

unpar'donable onvergeeflik, onverskoonbaar

unpatriot'ic onpatrioties; onvaderlands

unpertur'bed onversteur(d), onverstoor houtgerus *also* unflus'tered; koelbloedig

unpleas'ant onplesierig, onaangenaam

unpol'ished onverfyn, ongepoets (manie ongepoleer (edelstene)

unpop'ular onpopulêr, ongewild *also* dislik

unprac'tical onprakties, onuitvoerbaar *a* imprac'tical

unprecedent'ed weergaloos, ongeëwenaar sonder presedent *also* unpa'ralleled

pre'judiced onbevooroordeel(d), onbevange, npartydig *also* **impar'tial, unbi'ased**

remed'itated onopsetlik, onvoorbedag *also* **ponta'neous, unplan'ned**

repa'red onvoorberei; onklaar

reten'ding/unpreten'tious (a) beskeie, nie anmatigend *nie* **also unassu'ming, mod'est**

rin'cipled beginselloos *also* **unscru'pulous, neth'ical**

roduc'tive (a) onproduktief, nutteloos *also* **u'tile;** onvrugbaar

rof'itable nielonend, onvoordelig

rotect'ed (a) onbeskerm, onbeskut *also* **elp'less, vul'nerable**

rovid'ed onvoorsien; onversorg

rovo'ked onuitgelok (aanval); moedswillig

un'ished ongestraf; *go* ~ ongestraf/skotvry ly

qual'ified ongekwalifiseer, onbevoeg *also* nfit'; onomwonde (stelling) *also* **categor'ical** statement)

ques'tionable onbetwisbaar, onaanvegbaar *lso* **indispu'table, undeni'able**

av'el (v) ontwar, uitrafel *also* **disentan'gle;** itpluis

'e'alised onverwerklik, onbereik

eas'onable onredelik, onbillik

econci'lable onversoenlik; onverenigbaar

eel' (v) afdraai, afrol (vislyn; film)

efined' onbeskaaf, onverfyn (maniere) *also* **rude, coarse;** ongesuiwer, ongeraffineer olie, suiker)

eg'istered oningeskrewe; ongeregistreer(d)

elen'ting onverbiddelik, onversetlik, mee-loënloos

eli'able onbetroubaar, onvertroubaar; onge-oofwaardig *also* **false; fal'lible**

eser'ved onbespreek (sitplek; hotel); rond=orstig, voorbehoudloos, onvoorwaardelik

espon'sive stug; terughoudend; onverskillig; nsimpatiek

rest (n) onrus *also* **commo'tion, tur'moil;** evolt'; angs; beroering

estrai'ned onbeteuel, bandeloos; onbeperk

estric'ted onbelemmerd; onbeperk, vry

eward'ed onbeloon; vrugteloos (moeite)

i'valled weergaloos, ongeëwenaar(d) *also* **eer'less, unsurpass'ed**

uf'fled kalm, bedaard, ongeërg; onbewoë *also* **omposed**

u'ly losbandig, onhanteerbaar; weerspannig, veerbarstig *also* **obstrep'erous**

afe' onveilig, gevaarlik *also* **ha'zardous**

alt'ed vars; ongesout; ontsout (seewater)

atisfac'tory (a) onbevredigend; onbevredig *lso* **unaccep'table**

at'isfied ontevrede; onoortuig; onvoldaan

at'urated onversadig (vette)

unsa'voury onsmaaklik; walglik; ~/*nasty character* ongure vent; wildewragtig/willewragtig

unsca'red onverskrokke, onafgeskrik *also* **undaun'ted**

unscathed' (a) ongedeerd, ongewond *also* **unharm'ed** (in accident)

unschooled' ongeskool, onkundig, onopgelei

unscientif'ic onwetenskaplik

unscrip'tural onbybels, onskriftuurlik

unscru'pulous gewete(n)loos; beginselloos *also* **unprin'cipled, corrupt'**

un'seeded ongekeur; ~ **play'er** ongekeurde speler (sport)

unseem'ly onwelvoeglik, onbetaamlik, onbe-hoorlik *also* **improp'er, unbefit'ting**

unseen' (n) (die) ongesiene; onvoorbereide vertaling (eksamen); (a) ongesien, onsigbaar *also* **concealed', invis'ible;** (adv) ongesiens (iets koop)

unself'ish onselfsugtig, onbaatsugtig; mededeel=saam

unset'tle (v) verwar, van stryk bring *also* **confuse';** ~d (a) onseker, verwar(d); rusteloos; onbetaal (rekening); onbestendig (weer); **unset'tling** (a) verontrustend, ontwrigtend

unsex' (v) geslagloos maak; ~**ed** ongeseks (kuikens)

unshak'en onwrikbaar, standvastig *also* **unpertur'bed**

unshape'ly wanstaltig, misvorm(d), mismaak (liggaamlik)

unsight'ly onooglik, lelik *also* **repul'sive, ug'ly**

unskil'led (a) onbedrewe, onervare; onge-skool(d); ~ **la'bour** ongeskoolde arbeid

unso'ciable ongesellig, onsosiaal *also* **with=drawn', standof'fish**

unsolic'ited ongevra(ag); onuitgelok *also* **un=as'ked for;** ~ **support'** spontane steun

unsolved' onopgelos; onuitgewerk

unsophis'ticated ongesofistikeer(d); onbedorwe, onvervals, eg

unsound' (a) gebrekkig *also* **defec'tive;** sieklik; onbetroubaar; *of* ~ *mind* swaksinnig

unspar'ing (a) meedoënloos; kwistig, mild, oorvloedig; ~ *efforts* onvermoeide pogings

unspoilt' onbedorwe (kind); ~ **na'ture** onge-repte/idilliese natuur

unspon'sored ongeborg (wedstryd, toernooi)

unsports'manlike onsportief

unsta'ble onvas *also* **sha'ky;** onbestendig, on=standvastig *also* **inconsis'tent;** onstabiel

unstam'ped ongestempel; ongefrankeer (brief)

unstead'y veranderlik; wankelend, onvas; wis-pelturig; wisselvallig *also* **vol'atile**

unstint'ed ruim, mild, oorvloedig; *unstinting service* toegewyde/ruimhartige diens

unsuccess'ful onsuksesvol, vergeefs

unsuit′ed onpaslik, ondienlik; deug nie

unsurmount′able onoorkomelik (probleme)

unsurpassed′ onoortreflik *also* **supreme′**

unsuspec′ting niksvermoedend, argeloos, hout=
gerus *also* **unwa′ry**

unsympathet′ic onsimpatiek *also* **heart′less,
insen′sitive**

untaint′ed onbesmet, vlekloos (gedrag)

unta′med ongetem, wild, woes

untarn′ished onbesoedel, onbevlek *see* **untaint′ed**

unten′able onhoudbaar (toestand)

untend′ed onversorg (tuin); onopgepas (skape)

unthank′ful (a) ondankbaar

unthink′ing onbedagsaam, onbesonne, onnaden=
kend *also* **unmind′ful**

unti′dy slordig, onnet *also* **mes′sy; shod′dy**

untie′ (v) losmaak, losbind

until′ tot, totdat *also* **till;** *not ~ then* toe/dan eers;
not ~ Sunday nie voor Sondag nie

untime′ly ontydig *also* **ill-ti′med;** ongeleë *also*
unsui′table

unti′ring onvermoeid *also* **unflag′ging, tire′less**
(in achieving goal)

un′to tot, aan; vir; *~ death* (getrou) tot die dood

untold′ talloos; onvermeld; onberekenbaar; *~
misery* namelose ellende

untouch′able (n) paria, onaanraakbare; (a)
onaanraakbaar; onrein

untouched′ onaangeraak; onbewoë; ongedeerd

unto′ward eiewys; onbetaamlik *also* **improp′er**
(attitude)

untrain′ed onopgelei; ongeoefen, onafgerig,
baar *also* **unschool′ed, unskil′led**

untried′ onbeproef, ongetoets; onverhoor (aan=
geklaagde)

untrim′med onversier, onopgesmuk; ongeknip
(hare); ongesnoei (bome)

untrue′ onwaar, vals *also* **mislea′ding, deceit′ful**

untrust′worthy onbetroubaar; ongeloofwaardig

untruth′ (n) onwaarheid, leuen *also* **lie**

unu′sed ongebruik, onbenut

unu′sual ongewoon, buitengewoon *also*
extraor′dinary

unut′terable onuitspreeklik; *an ~ fool* 'n opper=
ste gek

unvarn′ished onvernis; onopgesmuk

unveil′ (v) onthul (standbeeld); ontsluier; inwy

unwant′ed onbegeer; ongewens, ongevra(ag); *~
child* ongewenste kind

unwar′ranted ongeregverdig; ongeoorloof *also*
unjus′tified; nie gemagtig nie

unwav′ering (a) onwrikbaar, koersvas *also* **res′=
olute, stead′fast**

unwel′come onwelkom, ongenooi

unwell′ (a) ongesteld, onwel, olik, siekerig *also*
indispo′sed

unwiel′dy onhanteerbaar; swaar, log *also* **bul′ky,
hef′ty**

unwil′ling onwillig; onbereidwillig; teensinr
ongeneë

unwind′ (v) afrol, losdraai; on(t)span; loswik

unwise′ onverstandig, dom *also* **impru′de
indiscreet′**

unwit′ting(ly) onwetend, onbewus (van) *a*
inadver′tent(ly), uninten′ded

unwork′able (a) onprakties, onuitvoerbaar

unworth′y onwaardig; onbetaamlik *also* **ᵥ
befit′ting, degra′ding**

unwrap′ (v) oopmaak, loswikkel; ontvou **ᵥ
expose′**

unwrit′ten ongeskrewe; *~ law* ongeskrewe ᵥ

unyield′ing onversetlik, koppig, eiesinnig *a*
stub′born, ob′stinate

up (n): *~s and downs* voor- en teenspoed;
oplig; styg; (adv) op, bo, boontoe; (prep) oɲ
in arms in opstand/verset; verontwaard
cheer s.o. ~ iem. opvrolik/moed inpraat; *~*
date tot op (die) datum; bygewerk; byderwɛ
bydertyds *also* **with-it, trendy;** *five floor.*
vyf vloere/vlakke hoër op; *hurry ~* maak gɩ
wikkel; *keep ~ with* op hoogte van sake b
tred hou met; *speak ~* harder praat; *~ ₑ
running* in werking; aan die gang; *time is ~*
tyd is om/verstreke; *what is ~?* wat gaan aɑ
what is he ~ to ? wat vang hy aan?

up′beat (a) positief, hoopvol *also* **pos′itiᵥ**
verheug, opgewek *also* **pleased′**

up′bringing (n) opvoeding *also* **breed′ing**

up′country (a) binneland(s)

up′date (n) bywerking; (v) op datum briɲ
bywerk; hersien; *~d edi′tion* bygewerkɩ
hersiene uitgawe (van boek)

up′grade (n) opgradering (bv. v. rekenaar) *a*
up′grading; (v) opgradeer

upheav′al (n) opstand, oproer; omwenteling

up′hill (a) opdraand; swaar (werk) *also* **strɛ
uous**

uphold′ (v) handhaaf; hoog hou; verdedig; ·
decision 'n uitspraak/beslissing bekragtig

uphol′ster (v) oortrek, stoffeer; *~er* (n) stoffe
der; *~y* bekleedsel, stoffering; tapisserie

up′keep (n) onderhoud; instandhouding *a*
main′tenance (of building)

up′lift¹ (n) verheffing, opheffing; *~ing*
opbeurend; (siel)verheffend

uplift′² (v) oplig *also* **hoist, raise;** ophef; *~m*
(n) opheffing *also* **enrich′ment**

up-mar′ket (a) duur; eksklusief *also* **exclu′siᵥ**
luuks, weelderig; *~ shop* duur winkel; sjɩ
winkel; *~ sub′urb* spogwoonbuurt; rykmɑ
buurt

upon′ op, bo-op, by; *~ my honour* op my ·
once ~ a time eendag; op 'n goeie dag

up′per (n, usually pl) oorleer, boleer (ᵥ
skoen); (a) bo=, hoër, boonste; *gain thɛ
hand* die oorhand kry; *~ case* bokas, hoͻ

letters *see* **lo'wer case; ~ crust** hoogste kringe; **~class; ~ deck** boonste dek; **~hand** (die) oorhand; **~most** hoogste, boonste; **~ sto'rey** boonste vloer/verdieping/vlak

right (a) orent, (kierts)regop; opreg, eerlik, regskape (fig.) *also* **fair, hon'est, true**

rising opstand, oproer *also* **revolt'**

roar oproer, lawaai, herrie *also* **rum'pus, brawl**

root' (v) uitroei, ontwortel

set' (v) omkrap, ontstel; omverwerp; verydel; (a) ontstel(d), onthuts; omgekrap; *get ~* ontstel/oorstuur raak

set price inset; reserweprys *also* **reserve' price**

shot (n) gevolg, uiteinde, uitslag; nadraai *also* **out'come**

side-down' onderstebo, deurmekaar *also: in disarray*

stairs (n) die boonste verdieping (van gebou/huis); (a) bo=, boonste; hoogmoedig; (adv) op die boonste verdieping, (na) bo; boontoe

start (n) ('n) astrant; astrante/vrypostige persoon; (a) vrypostig, verwaand, aanmatigend

stream (n) stroomop(waarts)

swing oplewing, opswaai (ekon.) *also* **(up)'=surge, rise; up'turn**

take begrip; *slow in the ~* traag van begrip **-to-date'** byderwets, bydertyds, nuwerwets *also* **tren'dy;** op die hoogte; tot/op datum; **~rec'ords** bygewerkte stukke/rekords

turn oplewing (ekon.) *see* **up'swing**

ward opwaarts; **~ tendency** opwaartse neiging/tendens; *young ~ly mobile professional person* jappie/yuppie

wards opwaarts, boontoe; *learners of seven and ~* leerders van sewe jaar en daarbo

a'nium uraan; **~ enrich'ment** uraanverryking

ban (a) stedelik, stads=; **~ leg'end** stadslegende, straatpraatjie(s); wolhaarstorie; **~rene'wal** stadsvernuwing; **~ ter'rorism** stedelike terreur; **~ sprawl** stadspreiding; **~ trans'= port** stedelike vervoer

bane' (a) wellewend, hoflik *also* **ci'vil, well-bred**

banisa'tion (n) verstedeliking

banise (v) verstedelik

chin deugniet, skelm, straatseun *also* **brat**

eter (n) urineleier, ureter

ge (n) (aan)drang; aandrywing; spoorslag; (v) aandring, aanspoor; aanpor; bespoedig; **~** *s.o.* *on* iem. aanpor/aanspoor; onder iem. vuurmaak; **sex'ual ~** geslagsdrang

gency (n) dringendheid, spoed; noodsaaklik= heid

ur'gent (a) dringend, spoedeisend; gebiedend; *be in ~ need of* dringend behoefte hê aan

u'ric a'cid urinesuur

ur'inal (n) urinaal, urineerplek; fluitplek; urineglas

u'rinate (v) urineer; pis (vulg.); piepie, water afslaan *also* **pass urine/wa'ter**

u'rine (n) urine; pis (vulg.); piepie

urn (n) urn; kruik; vaas; kooktenk

urol'ogist uroloog (med. spesialis)

urol'ogy urologie, urineleer

us ons; *all of ~* ons almal

u'sage (n) gebruik, gewoonte *also* **cus'tom;** behandeling; **lang'uage ~/use** taalgebruik; **wa'ter ~** waterverbruik

use (n) gebruik; nut; *it is no ~ talking* praat help tog nie; *of ~* nuttig; *put to good ~* goed benut; (v) gebruik; aanwend; nuttig; *get ~d to* gewoond raak aan; *it comes in ~ful* dit kom goed te pas; **~d car** gebruikte motor; **~ful** nuttig, bruikbaar, dienlik; **~less** nutteloos *also* **worth'less**

u'ser (n) gebruiker; **~friend'ly** (a) gebruiker(s)= vriendelik, gebruikergunstig; klantgerig, kliëntgerig, klantvriendelik; **~ name** gebruikersnaam (rek.)

ush'er (n) plekaanwyser; deurwagter; (v) binnelei; *~ in a new era* 'n nuwe tydvak inlui; **~ette'** plekaanwyser (vrou)

u'sual gewoon(lik), gebruiklik *also* **cus'tomary;** *as ~* soos gewoonlik; ouder gewoonte; **~ly** gewoonlik; deurgaans, deurentyd *also* **nor'mally**

u'sufruct (n) vruggebruik (van huis/plaas)

u'surer (n) woekeraar (persoon); **~ in'terest** woekerrente

usurp' (v) wederregtelik toe-eien, aanmatig

u'sury (n) woeker; woekerwins, woekerrente

uten'sil (n) houer; (kombuis)gerei; werktuig, gereedskap

u'terus (n) baarmoeder, uterus *also* **womb**

u'tilise (v) benut, gebruik, aanwend *also* **use**

util'ity nut, nuttigheid; **~ com'pany** nut(s)maat= skappy; **~pro'gram** nutsprogram (rek.); **~ ser'vices** nutsdienste (kursus)

ut'most uiterste *also* **extreme';** *do one's ~* jou uiterste (bes) doen

uto'pia (n) utopie, heilstaat; sewende hemel

ut'ter[1] (v) uiter, uit; in omloop bring; *forging and ~ing* vervalsing en uitgifte

ut'ter[2] (a) volkome, volslae, algeheel; *~ dark= ness* volslae/volkome duisternis; *~ misery* die diepste ellende; *~/unmitigated ruin* volslae ondergang

ut'terly (adv) heeltemal, volkome *also* **whol'ly;** *it is ~ silly* dis die verspotheid self

ut'termost (a) verste, uiterste, buitenste

U-turn (n) U-draai (regsomkeer)

u'vula (n) kleintongetjie, uvula

V

va'cancy (n) vakature; vakante pos/betrekking; leë ruimte; gaping; *fill a ~* 'n vakature vul

va'cant (a) vakant; leeg; oop, onbeset; gedagte= loos, dom; *become ~* oopval, vakant raak; *a ~ post* 'n vakante pos; *a ~ stare* 'n wesenlose blik

vacate' (v) ontruim *also* evac'uate (eg people from burning building); afstand doen van

vaca'tion (n) vakansie; vrye tyd; ~ **course** vakansiekursus; ~ **leave** vakansieverlof

vac'cinate (v) inent, vaksineer

vaccina'tion (n) (in)enting

vac'cine (n) entstof, spuitstof, vaksine

vac'illate (v) weifel, wankel; slinger, swaai

vacilla'tion (n) weifeling, aarseling; besluitloos= heid; slingering

vac'uum (n) vakuum; lugleegte; leegte, leegheid *also* emp'tiness; ~ **clea'ner** stofsuier; ~ **flask** koffiefles, termosfles; ~-**packed** vakuumver= pak

vag'abond (n) landloper, swerwer *also* ro'ver, va'grant

va'gary (n) gril, nuk, luim *also* **whim, prank**

vagi'na (n) vagina, skede

va'grant (n) rondloper, leeglêer *also* ho'bo, tramp

va'gue (a) vaag, onduidelik *also* **unclear'**; *not the ~st notion* nie die flouste/vaagste benul nie; ~**ly** vaag(weg); ~**ness** vaagheid *also* **ambigu'ity**

vain (a) ydel, verwaand; nutteloos, (te)vergeefs; ~ *hope* ydele hoop; *in ~* tevergeefs *also: to no avail; take the name of God in ~* die naam van God ydellik gebruik; ~**glo'rious** verwaand, pronkend; ~**ly** (te)vergeefs

vale (n) kloof, dal, vallei; ~ **of tears** tranedal

valedic'tion (n) afskeid, vaarwel

valedic'tory (a) afskeids=; ~ **address'** afskeids= rede

Val'entine's Day Valentynsdag

val'et (n) lyfbediende; bottelier (veroud.) *also* but'ler, bat'man; ~ **ser'vice** skoonmaakdiens

Valhal'la Walhalla, (stryders)paradys (mitol.)

val'iant (a) dapper, moedig *also* **bra've, bold, coura'geous**

val'id (a) geldig, van krag; gegrond *also* **bind= ing**; ~ *argument* geldige stelling/argument; ~ *reason* gegronde rede; ~**ate** (v) geldig maak, bekragtig

valid'ity (n) geldigheid, (regs)krag

val'ley (n) laagte, vallei, dal *also* **glen, vale**

val'our (n) moed, dapperheid

val'uable (a) kosbaar, waardevol *also* **prec'ious; cost'ly, expen'sive**; (pl) kosbaarhede

valua'tion (n) waardering; waardasie; evalue=

ring; *put too high a ~ on* te hoog aanslaan roll waardasielys

val'uator (n) waardeerder, takseerder (persoo

val'ue (n) waarde; prys; kosbaarheid; *of* waardevol; *to the ~ of* ter waarde van; bedrae van; (v) waardeer, skat; op prys *also* appre'ciate; ~ *highly* hoog op prys s ~-**ad'ded tax (VAT)** belasting op toegevoeg waarde (BTW)

val've (n) klep; ventiel (band); skuif; ~ **d** klepskyf

vamp (n) verlei(d)ster, koket; vryerige meis vrou; (v) koketteer, verlok, uitlok

vam'pire (n) bloedsuier, vampier; woeker (persoon)

van[1] (n) bestelwa, (toe)bakkie, vervoer= kondukteurswa (trein); **light deliv'ery (LDV)** ligte bestelwa; **police ~** patrolliewa

van[2] (n) voorhoede; voorpunt *see* van'guard

van'dal (n) vandaal, vernieler (persoon); ~= vandalisme, vernielsug

vane (n) weerhaan, windwyser; vaandel; vle=

van'guard (n) voorhoede; voorpunt *also* fr line, spear'head; trail'blazer (person)

vanil'la vanielje; ~ **es'sence** vanieljegeursel

van'ish (v) verdwyn, wegraak; vergaan; *ju* soos 'n groot speld verdwyn

van'ity (n) ydelheid; skyn, leegheid; vrugtelo heid; *all is ~* alles is ydelheid; ~ **bag/c** smuktassie, tooitassie, grimeertassie; ~ **m** ror smukspieëltjie

van'quish (v) oorwin, verslaan; verower

van'tage (n) voordeel (tennis) *also* **advan'ta** wins; ~ **point** uitkykplek; gunstige posisie

va'porise (v) verdamp; ~**r** (n) verdamper

va'pour (n) damp, wasem, stoom; (v) (ver)da wasem; ~**ish** (a) windmakerig, spoggerig trail dampspoor (missiel)

var'iable (n) veranderlike; (a) verander onbestendig, wisselvallig; wisselbaar; ~ **g** wisselrat; ~ **wind** veranderlike wind

var'iance (n) afwyking, verskil, variansie; v andering; meningsverskil *also* **dissent', d cord**; *be at ~* haaks wees (met mekaar) *a* *at loggerheads*

var'iant (n) variant; wisselvorm

varia'tion (n) variasie, (af)wisseling; versk denheid; afwyking *also* **devia'tion**

var'icose (a) (op)geswel; spataar=; ~ **ve** spatare

var'ied (a) verskeie, verskillend *also* **assor't** sun'dry

var'iegated (a) veelkleurig, bont, geskakeer ~ **al'oe** kanniedood; ~ **colours** meng(el)kle

vari'ety (n) ..**ties** verskeidenheid *also* **miscel**

ny; afwisseling; variëteit; ~ *of colours* kleure=
mengeling; ~ **con'cert/show** verskeidenheids=
konsert, variakonsert

r'ious (a) verskillend; verskeie

r'nish (n) vernis; lak; (v) vernis; lak *also*
lac'quer, gloss; verbloem, skyn gee

r'sity (infml.) (n) universiteit; (a) universi=
teits=

r'y (v) verander, afwissel; afwyk *also* **diverge;**
wysig; *tastes* ~ smaak verskil; **~ing** afwisse=
lend; uiteenlopend

se (n) vaas, blompot

sec'tomy saadbuisuitsnyding, vasektomie

s'sal (n) ondergeskikte, dienaar, kneg, vasal
(persoon); **~age** diensbaarheid, knegskap

st (n) uitgestrektheid, eindeloosheid; *the ~ of*
the ocean die eindelose see; (a) groot,
uitgestrek, onmeetlik; veelomvattend; baie
also **huge, enor'mous; mas'sive;** *a ~ sum* 'n
groot bedrag; **~ness** uitgestrektheid, oneindig=
heid

t (n) vat, kuip

t'ican Vatikaan (setel v.d. pous in Rome)

u'deville (n) vaudeville, musikale toneelstuk

ult[1] (n) (brand)kluis; gewelf; (graf)kelder

ult[2] (v) spring; oorspring; **~ing horse** bok,
perd (gimn.)

al (n) kalfsvleis

er (v) draai, van rigting verander *also* **swerve**
(change course); skiet gee, uittol (tou)

g'etable (n) groente; (pl) groente; (a) plant=
aardig, plante=; ~ **earth** teelaarde; ~ **gar'den**
groentetuin; ~ **king'dom** planteryk; ~ **mar'**=
row murgpampoen

geta'rian (n) vegetariër; groente-eter (per=
soon); (a) vegetaries; ~ **food** vegetariërkos

g'etate (v) vegeteer *also* **lan'guish, dete'**=
riorate (person); groei *also* **germ'inate**

geta'tion (n) plantegroei; plantwêreld; ge=
wasse

g'gie (infml.) (n) groente; vegetariër

he'ment (a) vurig, hewig, heftig, driftig,
onstuimig *also* **fer'vent, pas'sionate**

hicle (n) voertuig; rytuig; vervoermiddel;
middel, medium *also* **means, me'dium** (eg
the press for announcing something); ~
pile-up (on roads) kettingbotsing

l (n) sluier; masker; skerm; dekmantel;
beyond the ~ anderkant die graf; *draw the ~*
over die sluier trek oor; *take the ~* non word;
under the ~ of onder die dekmantel van; (v)
omsluier; bewimpel, bedek *also* **mask;** '*n*
sluier dra; *~ed/concealed threat* bedekte
dreigement

n (n) aar (anat.; erts); nerf (plant); vlam (in
marmer); bron; luim, stemming, gees; neiging;
rant; *in the same ~* in dieselfde gees/trant

d (n) veld *also: open land* (in Africa)

vel'lum (n) perkament *also* **parch'ment;** velyn

veloc'ity snelheid, vinnigheid; spoed, vaart

vel'skoen (n) vel(d)skoen; vellies (infml.)

vel'vet (n) fluweel *see* **cor'duroy;** (a) fluweel=;
~een' (n) katoenfluweel; (a) (v) fluwelig, **~y**
fluweelagtig

vend (v) verkoop; **~ing** masjienverkope *also*
automa'ted re'tailing; ~ing machine' munt=
outomaat; verkoopmasjien

Ven'da (n) Venda (persoon; taal); Tshivenda
(taal) *also* **Tshiven'da**

vendet'ta (n) bloedwraak; (bloed)vete, vendetta
also **blood feud**

ven'dor (n) smous *also* **haw'ker; street** ~
straatsmous *also* **kerb'side/infor'mal tra'der**

veneer' (n) fineer; (v) fineer; **~ed brick** glasuur=
steen; **~ed door** fineerdeur; **~ing** -finering,
fineerwerk

ven'erable (a) eerbiedwaardig, agbaar *also*
august'

ven'erate (v) eerbiedig, eer betoon

venera'tion eerbied, eerbetoon, verering *also*
rev'erence, esteem'

vene'real (a) veneries; ~ **disease'** geslagsiekte,
veneriese siekte

Vene'tian (n) Venesiaan (persoon); (a) Vene=
siaans (gebruike, ens.); ~ **blind** hortjiesblin=
ding, skuifhortjies; ~ **lace** Venesiaanse kant; ~
shut'ter hortjie(s)luik

ven'geance (n) (weer)wraak *also* **retribu'tion,**
repri'sal; *with a ~* met mening; dat dit so
gons/kraak; erg, kwaai; *wreak one's ~ upon*
jou wraak op iem. koel; ~ **kil'ling** wraakmoord

venge'ful (a) wraaksugtig *also* **vindic'tive**

ven'ison wild(s)vleis; **roast** ~ wildbraad

ven'om (ver)gif; venyn *also* **ma'lice; ~ous** giftig;
venynig *also* **mali'cious**

vent (n) opening, luggat; uitlaat; *give ~ to* uiting
gee aan; (v) lug, uiting gee, uit

ven'til (n) klep, ventiel *also* **val've; ~ate** (v) lug
gee, ventileer; ter sprake bring, opper (in 'n
vergadering); **~ate a grievance** 'n grief lug;
~a'tion ventilasie; lugvervarsing; **~ator** lug=
rooster, lugvervarser, ventilator

ven'tral: ~ **wall** buikwand

ven'tricle holte; ~ *of the heart* hartkamer

ventril'oquist buikspreker (persoon)

ven'ture (n) onderneming; waagstuk; spekulasie;
risiko; (v) waag, riskeer *also* **risk;** op die spel
sit/plaas; ~ **an opinion** 'n mening waag;
nothing ~d, nothing gained wie nie waag
nie, sal nie wen nie; **~r** waaghals

ven'ue (n) (vergader)plek; vergadersaal; sentrum

vera'cious (a) waarheidliewend, waar

verac'ity (n) geloofwaardigheid; waarheidsliefde

veran'da (n) veranda, (oordekte) stoep *also*
pat'io

verb (n) werkwoord (gram.)

ver′bal (a) woordelik; mondeling, verbaal; letterlik; werkwoordelik (gram.); ~ *diarrhoea* babbelsug; woordskittery (vulg.); ~ *evidence* mondelinge getuienis; ~ *translation* letterlike vertaling

verba′tim (a) woordelik; (adv) woordeliks; verbatim *also: word for word*

verbe′na (n) -s verbena, ysterkruid (blom)

ver′biage (n) woordevloed, woordepraal

verbose′ (a) woordryk, breedsprakig *also* **long-win′ded**

verbos′ity (n) woordepraal, woordevloed *also* **word′iness**

ver′dant (a) groen, grasryk; onervare (persoon)

ver′dict (n) uitspraak; vonnis(oplegging); bevinding

verge (n) rand, kant; grens; *on the* ~ *of* op die punt om; aan die vooraand van; (v) naby kom; grens aan; neig, oorhel; *it* ~*s on impudence* dit grens aan onbeskaamdheid/vermetelheid; ~**r** koster; stafdraer *also* **mace bea′rer**

verifica′tion (n) bevestiging; bekragtiging; verifikasie; monitering; bewys

ver′ify (v) bevestig; bekragtig; bewys; verifieer; moniteer/monitor; toets *also* **val′idate**

ver′itable (a) waaragtig, eg, werklik

ver′ily (archaic) (adv) voorwaar, inderdaad

verkramp′ (SAE) (a) verkramp *also* **big′oted, nar′row-minded**

verlig′ (SAE) (a) verlig *also* **enlight′ened**

vermicell′i vermicelli (Italiaanse meelgereg)

ver′micide wurmmiddel, wurmdoder

vermic′ulite vermikuliet (delfstof)

ver′min (n) ongedierte; goggas; gespuis, vuilgoed (persone)

vernac′ular (n) volkstaal, spreektaal *also* **collo′-quial language;** (a) inheems *also* **indi′genous**

ver′nal (a) lente-, voorjaars-; ~ **e′quinox** lente-nagewening; ~ **fe′ver** malaria; voorjaarskoors

ver′satile (a) veelsydig *also* **all-round;** aanpasbaar *also* **resource′ful**

verse (n) vers, versreël; strofe; poësie, gedigte; *blank* ~ rymlose verse; (v) dig; ~*d in* bedrewe/gekonfyt, ervare in *also* **conver′sant, accom′plished**

versifica′tion (n) versbou; beryming

ver′sifier (n) rymelaar, versmaker, pruldigter

ver′sion (n) weergawe *also* **ren′dering;** bewerking; vertolking; vertaling

ver′sus teen, teenoor; versus

ver′tebra (n) -e, ..bras werwelbeen, rugwerwel

ver′tebral (a) werwel-, gewerwel(d), vertebraal; ~ **col′umn** ruggraat

ver′tebrate (n) werweldier; (a) gewerwel(d)

ver′tex (n) ..texes, ..tices top, toppunt, kruin; baantop (van missiel)

ver′tical (n) loodlyn; tophoek; *out of the* ~ nie loodreg nie; (a) regop, vertikaal, loodreg

verve (n) besieling, geesdrif, vuur, energ woema *also* **zeal, ar′dour, vig′our**

ver′vet monkey blouaap, blouapie

ve′ry (a) eg, waar, opreg, werklik; *that* ~ dieselfde dag nog; *the* ~ *man* net die (reg man; (adv) baie, danig, regtig, erg, uiters; ~ *best* die allerbeste; *the* ~ *last* die allerlaas ~ *many* tallose, hope; *I am* ~ *sorry for him* kry hom baie/bitter jammer

ves′per (n) aand; aanddiens; ~ **bell** vesperklo

ves′sel (n) vaartuig; skip; vat; kom, kruik; (vaatwerk; *the weaker* ~/*sex* die swakker(e) (die vrou)

vest[1] (n) onderhemp, frokkie; onderbaadjie

vest[2] (v) beklee; belê; toevertrou; *the pov to ... is* ~*ed in him* hy is met die mag/bevoe; heid beklee om ...; ~*ed interests* gevesti; belange

ves′tal (a) maagdelik, kuis; eerbaar; vestaals

ves′tibule (n) (voor)portaal, vestibule *also* **foy**

ves′tige (n) oorblyfsel; sweem; greintjie; *no* ~/*trace of evidence* geen greintjie bewys n

ves′try (n) konsistorie(kamer); kerkraad Anglikaanse Kerk)

vet′eran (n) veteraan, oudgediende, oudstry *also* **oud-ti′mer;** ringkop; (a) oud, beproef **car** noagmotor, veteraanmotor

veterina′rian (n) veearts, dierearts; (a) veeart nykundig

vet′erinary (a) veeartsenykundig, veterinêr(e) **clin′ic** dierekliniek; ~ **sur′geon** veearts, die arts

ve′to (n) veto; verbod; *right of* ~ vetoreg; veto; verbied; ~ *a marriage* 'n huwe stuit/verbied

vex (v) terg, pla, kwel; ~**a′tion** ergernis, kw ling; ~**a′tious** ergerlik, hinderlik, lastig; ~**i ques′tion/prob′lem** netelige vraag/proble

vi′a oor, via

viabil′ity (lewens)vatbaarheid; ~ **stud′y** ga baarheidstudie, haalbaar(heid)studie *a* **feasibil′ity stu′dy**

vi′able (a) lewensvatbaar, haalbaar; ekonom uitvoerbaar *also* **fea′sible, prac′ticable**

vi′aduct (n) viaduk; boogbrug, lugpad

vi′al (n) (buis)flessie

vibe (infml.) (n, usually pl) aanvoeling (tus mense); gees; gevoelentheid; uitstrali; *spread good/bad* ~*s* 'n positiewe/negatie gees/atmosfeer uitstraal

vi′brant (a) dinamies; tintelend, sprankel *also* **spark′ling, spir′ited;** trillend; bewend

vibrate′ (v) tril, vibreer *also* **pulsate′, fluc′tua** slinger, swaai

vibra′tion (n) trilling; vibrering

vic′ar (n) vikaris; predikant; ~**age** pasto vikariaat

vice[1] (n) onsedelikheid; ondeug; fout, gebrek

...ring prostitusienetwerk; ~ **squad** ontugafde=
ling van polisie; sedepolisie

..e² (n) skroef; klem; (v) vasdraai; vasknel; ~
grip klemtang, kloutang

..e³ (prep) vise=, onder=; ~ **ad′miral** viseadmi=
raal (vlootrang); ~-**chair′man** ondervoorsitter,
visevoorsitter; ~ **chan′cellor** rektor (van uni=
versiteit); ~-**prin′cipal** viseprinsipaal, onder=
hoof; ~**roy** onderkoning

..e **ver′sa** vice versa, andersom, omgekeerd

..in′ity (n) buurt *also* **neigh′bourhood, a′rea;**
nabyheid; omgewing, omstreke

.′ious (a) boosaardig, venynig; kwaai *also*
sav′age; ~ *circle/spiral* bose kringloop; dui=
welspiraal

..is′situde (n) wisselvalligheid; afwisseling; *the*
~*s of life* die lotgevalle/wederwaardighede
v.d. lewe

.′tim (n) slagoffer; prooi; *fall a* ~ *to* die
slagoffer word van; iets/iem. ten prooi val;
~**ise** (v) viktimiseer *also* **per′secute, exploit;**
(iem.) te kort doen

.′tor (n) oorwinnaar *also* **con′queror, win′**=
ner; *the* ~ *and the vanquished* die oorwin=
naar/wenner en die verloorder

..to′rious oorwinnend, seëvierend; *be* ~ seëvier

.′tory oorwinning, sege *also* **tri′umph;** *gain the*
~ *over* die oorwinning behaal oor; seëvier oor

.′tual (n) kos, leeftog, lewensmiddele; (pl) kos,
lewensmiddele *also* **ed′ibles; provi′sions;**
proviand; (v) proviandeer; ~**ler** proviandmees=
ter *also* **purvey′or, ca′terer**

.′tor/vic′trix ludor′um algehele wenner

.′eo (n) -s video; ~ **cassette′** videokasset; ~
li′brary videoteek; ~ (**cassette′**) **recor′der**
video-(kasset)opnemer; ~ **record′ing** video-
opname; ~ **tape** videoband

.. (v) meeding, wedywer

..en′na Wene (Oostenryk); **Viennese′** (a)
Weens

..w (n) gesig, vergesig/vêrgesig, uitsig; me=
ning; beskouing, opvatting; doel; *in full* ~ *of*
ten aansien/aanskoue van; *hold a* ~ van
mening wees; *in* ~ *of* wees, vanweë *also:*
due to; ~ *of life* lewensbeskouing; *point of* ~
standpunt, gesigspunt; *with a* ~ *to* met die oog
op *also: in order to;* (v) besien; kyk (TV);
besigtig, beskou; in oënskou neem; ~**er** kyker
(TV); ~**point** standpunt, gesigspunt; ~
stand/site uitsigerf

.′il (n) wag; (pl) nagwaak; *keep* ~*s* waak;
~**ance** wakkerheid, waaksaamheid; versigtig=
heid; ~**ance commit′tee** waaksaamheid(s)ko=
mitee; ~**ant** (a) waaksaam *also* **alert′**

.′ilante (n) vigilante, lid van 'n waaksaam=
heidskomitee; nagwag; hulpkonstabel

.nette′ (n) vinjet; ornamentele illustrasie;
krul)versiering; karakterskets

vig′orous (a) kragtig, sterk; gespierd *also*
energet′ic; groeikragtig (plant)

vig′our (n) vitaliteit, lewenskrag; woema, oemf
also **vim**

Vi′king Viking(er), Noorman *also* **Norse′man**

vile (a) laag, gemeen; ellendig, beroerd; skande=
lik, afskuwelik *also* **repul′sive**

vil′ify (v) beskinder, belaster *also* **slan′der,**
den′igrate, malign′; verlaag

vil′la (n) villa; **country** ~ landhuis, buiteverblyf

vil′lage (n) dorp; ~ **coun′cil** dorpsraad; ~ **green**
dorpsmeent; ~ **id′iot** dorpsgek (persoon); ~**r**
dorpeling, dorpenaar

vil′lain (n) skurk, booswig *also* **ro′gue, scoun′**=
drel; ~ *of the piece* die skurk in die toneelstuk
(lett.); die skuldige/skurk (fig.); ~**ous** sleg,
veragtelik, gemeen; ~**y** boosheid, laagheid

vim (slang) (n) fut, pit, woema, oemf (infml.);
vitaliteit, energie *also* **e′nergy, vital′ity, dash,**
guts

vin′dicate (v) regverdig; bevestig; handhaaf *also*
up′hold

vindic′tive (a) wraakgierig, wraaksugtig *also*
(re)venge′ful, spite′ful

vine (n) wingerdstok, wynstok; klimop, rankplant;
~ **cul′ture/vini′culture** wynbou, wingerdbou
also **vit′iculture;** ~ **cut′ting** druiwestiggie

vin′egar (n) asyn; (a) asyn=, asynsuur=

vine: ~**ry** druiwekwekery; ~**yard** wingerd
(druiwe)

vin′tage (n) druiweoes; wynjaar; parstyd; (a)
uitstekend *also* **select′, supe′rior** (usually
wine); oud; ~ **car** veteraanmotor, toekamotor,
noagkar; ~ **wine** jaarwyn, kwaliteitwyn; ~
year oesjaar; uitsoekjaar

vi′ol (n) viola, vedel (outydse viool)

vio′la¹ (n) altviool, viola

vio′la² (n) somerviooltjie; (klein) gesiggie
(blom)

vi′olate (v) skend; oortree; verkrag, onteer *also*
defile′; ontheilig (bv. graftes); vandaliseer

viola′tion (n) skending, verbreking; ontheiliging;
verkragting; ~ *of the constitution* skending v.d.
grondwet

vi′olence (n) geweld; geweldpleging; geweldda=
digheid *also* **brutal′ity;** aanranding; hewig=
heid; *continuing* ~ voortslepende geweld

vi′olent (a) geweldig, verskriklik, gewelddadig
also **cruel, destruc′tive;** onstuimig; *a* ~ *death*
'n gewelddadige dood; ~ *temper* verskriklike/
opvlieënde bui; slegte humeur

vi′olet (n) viooltjie; (a) perskleurig; violet=

violin′/vi′olin (n) viool; ~**ist** violis, stryker

violoncell′ist (n) tjellis, tjellospeler (persoon)

violoncel′lo (n) tjello (strykinstrument)

vi′per (n) adder; ~**ous brood** addergebroedsel,
gemene gespuis (persone)

vi′rago (n) mannetjiesvrou, manwyf; helleveeg,

feeks, tierwyfie (vrou, fig.) *also* **bitch'y wom=
an**

vir'gin (n) maagd; (a) maagdelik; ongerep,
suiwer; ~ **for'est** ongerepte oerwoud; ~ **hon'ey**
stroopheuning; ~ **soil** ongebraakte/rou grond;
~ **wool** nuutwol

virgin'ity (n) maagdelikheid, kuisheid

vir'ile (a) manlik, manhaftig; gespierd; viriel

viril'ity (n) manlikheid, manhaftigheid *also*
vig'our; gespierdheid; viriliteit

vir'tual (a) wesenlik, werklik, feitlik; skynbaar;
virtueel; *he is ~ly broke* hy is prakties/feitlik
bankrot; ~ **real'ity** virtuele werklikheid; skyn=
werklikheid (rek.); ~ **world** virtuele/onwerk=
like wêreld

vir'tue (n) deug; kuisheid, reinheid; doeltref=
fendheid; *by ~ of* kragtens; uit hoofde van; *of
easy ~* los van sedes; *make a ~ of necessity* van
die nood 'n deug maak

virtuos'o (n) virtuoos, topkunstenaar (veral
mus.)

vir'tuous (a) deugsaam; voortreklik; rein, kuis

vir'ulent (a) kwaadaardig; venynig, giftig

vi'rus (n) virus (ook rek.); gif, smetstof; ~
check'er virustoetser (rek.)

vis'a (n) visum; stempel; ondertekening

viscos'ity (n) viskositeit, taaivloeibaarheid

vi'scount burggraaf; **~ess** burggravin

visibil'ity (n) sigbaarheid, sig

vis'ible (a) sigbaar; aanskoulik; kennelik; ~ *po=
licing* sigbare polisiëring

vis'ibly (adv) sienderoë (verdwyn); sigbaar

vis'ion (n) gesig, visioen; gesigskerpte; visie,
persepsie *also* **percep'tion;** *field/range of ~*
gesigsveld

vis'ionary (n) visoenêr (iem. wat die toekoms
korrek vooruitsien), plannemaker; dromer;
fantas; dweper; siener *also* **seer, proph'et**

vis'it (n) besoek; kuier (s); *pay a ~* besoek; (v)
besoek, (gaan) kuier; bestraf; **~a'tion** be=
proewing, besoeking *also* **inflic'tion; ~ing
card** naamkaartjie, visitekaartjie; **~ing day**
ope dag, besoekdag, ontvangdag (by 'n
inrigting) *also* **o'pen day; ~ing hours** besoek=
tye (veral in hospitaal); **~or** besoeker; kuier=
mens, kuiergas; **~or's book** besoekersboek,
gasteboek; **~or's bureau** besoekersburo

vi'sor (n) visier; masker; kykgleuf

vis'ta (n) uitsig, vergesig *also* (distant) **view**

vis'ual (a) gesigs= *also* **optic(al); visueel; ~ aids**
aanskouingsmiddele; ~ **arts** beeldende/visuele
kunste; ~ **educa'tion** aanskouingsonderwys; ~
field gesigsveld; **~ise** (v) visualiseer, voor die
gees roep, (in die verbeelding) sien

vi'tal (a) lewensnoodsaaklik, essensieel; gebie=
dend; beslissend; *of ~ importance* van lewens=
belang; **~er'ror** noodlottige fout; ~ **game/
match** beslissende spel/wedstryd; **~ise** (v)

lewenskrag gee, inspireer, besiel; ~**'ity** (r
lewenskrag, vitaliteit *also* **vigour, en'erg**
groeikrag; ~ **ques'tion** deurslaggewen=
vraag, kernvraag

vit'amin (n) vitamien

vit'iculture (n) wynbou, wingerdbou

vitol'philist (n) sigaarbandversamelaar, vitolfil

vit'reous (a) gla(a)sagtig, glasig, glas=

vit'ric (a) glasagtig

vit'rify (v) tot glas maak; verglaas *see* **glaze**

vit'riol (n) vitrioel; **blue ~** blouvitrioel; **green ~**
ystervitrioel; ~**'ic** (a) skerp, bitsig *also* **caus
tic; sca'thing** (fig.)

viva'cious (a) lewenslustig, borrelend, sprank
lend *also* **spir'ited, exu'berant**

viv'id (a) duidelik, helder; ~ *imagination* lewe=
dige/sterk verbeelding(skrag); ~ *recollectic*
heldere herinnering

vivi'sect (v) lewend ontleed/oopsny

vivisec'tion (n) viviseksie

vix'en (n) wyfiejakkals; duiwelin, feeks, tierw
fie, helleveeg (fig., vrou) *see* **vi'rago**

vlei (SAE) (n) vlei; laagte, leegte *also* **val'le
vale; marsh, swamp**

vocab'ulary (n) woordeskat, taalskat; woordel
also **glos'sary**

vo'cal (n) (teks van) populêre lied (veral jazz
(a) stem=; stemhebbend (spraakklank); mo
deling; *become ~* jou stem laat hoor; ~ **co
stemband; ~ item** sangnommer; **~ist** sange
vokalis; ~ **mu'sic** sangmusiek

voca'tion (n) roeping; beroep, professie; wer
ambag; *miss one's ~* jou roeping mis

voca'tional: ~ **gui'dance/coun'selling** beroep
leiding; ~ **train'ing** beroepsopleiding, beroep
gerigte opleiding

vo'cative (n, a) vokatief (gram.)

vocif'erous (a) lawaaierig; luidrugtig; uitbund
also **bois'terous; loudmouth'ed**

vod'ka (n) vodka/wodka

voet'sak!/voet'sek! (SAE) (interj) (v) voe(r)tse
(aanstootlik wanneer teenoor mense gebruik
weg is jy!; gee pad! *also* **be off!; scram!**

voet'stoots (SAE) (a) voetstoots, soos dit sta
(regsterm)

vo'gue (n) swang, mode *also* **cus'tom, fash'io**
populariteit; *come into ~* in die mode raak;
~ in die mode *also* **mo'dish, tren'dy**

voice (n) stem; spraak; uitdrukking; gelui
active ~ bedrywende vorm (gram.); *have r*
~ geen seggenskap/inspraak hê nie; *in a lo*
~ hardop; *in a low ~* sag; *passive ~* lyden=
vorm (gram.); (v) uitspreek, verklank, lug;
my opinion my mening lug; ~ **activa'tic**
spraakaktivering; **~less** sonder stem, stemloo
~mail stempos (telefoon); **~print** stem(af
druk; ~ **produc'tion** stemvorming; ~ **recogni**
tion spraakherkenning

oid (n) ruimte; leegte, gaping; leemte *also* **gap**; (a) leeg; nietig, ongeldig; *declare* ~ nietig verklaar; *null and* ~ van nul en gener waarde; nietig, ongeldig; ~ *of* sonder

ol'atile (a) vlugtig; wisselvallig; ongedurig, opvlieënd *also* **erra'tic, fick'le** (person); ~ **oil** vlugtige olie; **sal volat'ile** vlugsout

olcan'ic (a) vulkanies; ~ **erup'tion** vulkaniese uitbarsting; ~ **rock** effusiegesteente

olca'no (n) **..noes** vulkaan, vuurspuwende berg; **extinct** ~ uitgewerkte vulkaan

olit'ion (n) wil, wilskrag, wilsuiting; *of one's own* ~ uit eie beweging

ol'ley (n) sarsie, salvo (vuurwapens); vlughou (tennis); stortvloed; (v) in sarsies skiet; in die vlug slaan (bal); ~**ball** vlugbal

olt volt; ~**age** stroomspanning (elektr.)

ol'uble (a) woordryk, glad, vlot *also* **artic'= ulate; talk'ative**

ol'ume (n) boekdeel, bundel; volume; *speak ~s* boekdele spreek; *in six ~s* in ses dele; ~ *of traffic* verkeersdrukte

olu'minous (a) dik, omvangryk, lywig (boek); produktief; woordryk

ol'untary (n) vrywilliger (persoon) *see* **volunteer'**; (a) vrywillig; vry, spontaan

olunteer' (n) vrywilliger; (v) vrywillig iets doen/onderneem; ~ *one's service* jou diens aanbied; *he ~ed* hy het vrywillig sy hulp/dienste aangebied; ~ **corps** (a) vrywilli= gerskorps; ~ **plants** opslag (plante)

olup'tuary (n) wellusteling (persoon); (a) wel= lustig, sinlik *also* **sen'sual, lasciv'ious**

olup'tuous (a) wellustig, sinlik *also* **volup'= tuary**

om'it (n) braaksel; (v) braak, vomeer, opgooi; ~**ory** (n) braakmiddel; (a) braak=

o'doo(ism) (n) voedoe(ïsme), toorkuns (op Karibiese eilande)

ora'cious (a) gulsig, vraatsugtig *also* **gree'dy, glut'tonous**

or'tex (n) maalstroom, draaikolk; dwarreling

o'tary (n) aanhanger, volgeling, vereerder (veral van 'n godsdiens, saak of leier) *also* **adher'ent**

vote (n) stem; stemreg; stemming, stemmery; begrotingspos; *casting* ~ beslissende stem; *have a* ~ stemgeregtig wees; ~ *of no confidence* mosie van wantroue; *put to the* ~ tot stemming bring; *record one's* ~ stem; (v) stem, stem uitbring, kies; goedkeur; voorstel; ~ *against* stem teen; ~ *by ballot* per stem= brief(ie) stem; ~ *down* afstem; ~ *for/in favour* stem vir; ~ *money* geld bewillig (vir 'n projek); ~**r** kieser; stemgeregtigde (persoon); ~**rs' roll** kieserslys

vo'ting (n) stemming, stem(mery); ~ **pa'per** stembrief(ie); ~ **right** stemreg

vouch (v) betuig, bevestig; afdoende bewys; ~ *for the truth of* instaan vir die waarheid van; ~**er** kwitansie; strokie; bewys, bewysstuk (boekh.)

vouchsafe' (v) vergun, toestaan *also* **grant, yield;** verwerdig (om te antwoord) *also* **deign, condescend' (to)**

vow (n) eed, gelofte; (v) 'n gelofte doen; plegtig beloof; **Day of the V~** Geloftedag (*voorheen vakansiedag, tans* Versoeningsdag, 16 Desem= ber)

vo'wel (n) klinker, vokaal

voy'age (n) seereis, vaart; (v) reis; bereis; vaar; ~**r** seereisiger; seevaarder

V-sign (n) V-teken; bokhorings maak (vir iem.)

vul'canise (v) vulkaniseer (rubberverhitting vir motorbande, ens.)

vul'canite (n) eboniet, vulkaniet (harde rubber)

vul'gar (a) vulgêr; plat, ordinêr, grof; platvloers; ~ *expression* banale/vulgêre uitdrukking; ~ *fraction* gewone breuk; ~**ism** vulgarisme, straatwoord

vulgar'ity (n) vulgariteit; laagheid, platheid *also* **crude'ness**

vul'nerable (a) kwesbaar, wondbaar *also* **assail'= able**

vul'ture (n) aasvoël; **bearded** ~ lammervanger, lammergier; uitsuier, inhaler, hebsugtige (per= soon)

W

wack'y (slang) (a) gek, mal; van sy trollie af (persoon); eksentriek; onvoorspelbaar

wad (n) vulsel, pluisie, prop; watte; (v) watteer; toestop; ~ding watte; kapok

wad'dle (v) waggel (soos eend); strompel

wade (v) waad (in vlak water); ~r (n) wader (persoon); waadvoël; (pl) waterlaarse; kapste= wels

wa'ding bird (n) waadvoël, moerasvoël, steltlo= per

wa'fer (n) wafel (koekie); hostie (by RK Nagmaal)

waf'fle (n) wafel (koekie); (v) gorrel (in eksa= men); klets, babbel; ~ iron wafelyster, wafel= pan

waft (n) luggie also breeze; vleuelslag; (v) dryf; aanwaai

wag¹ (n) spotvoël, terggees, karnallie, platjie

wag² (n) swaai, kwispeling (hond se stert); (v) kwispel, swaai also wag'gle; the dog ~s his tail die hond kwispel (sy stert); the tail ~s the dog klaas is baas; set tongues ~ging die tonge losmaak

wage¹ (n) verdienste, loon, besoldiging; living ~ bestaansverdienste; ~ demand' looneis; ~ dispute' loongeskil; ~ ear'ner loontrekker; ~ gap loongaping; ~ in'crease loon(s)verhoging; ~ settle'ment loonskikking

wage² (v) voer, maak; ~ war oorlog voer

wa'ger (n) weddenskap; lay a ~ 'n weddenskap aangaan; (v) wed also bet

wag'gish (a) oneund, vol streke see wag'¹ also mis'chievous, im'pish

wag'on (n) wa, bokwa; ~ brake wabriek; ~ dri'ver wadrywer; ~ house waenhuis; ~load wavrag; ~ ma'ker/wright wamaker; ~ road wapad

wag'tail (n) kwikstertjie, kwikkie (voëltjie) also Willy Wag'tail

waif (n) verwaarloosde kind also found'ling; swerwer, daklose; wegloopdier also stray; opdrifsel; ~s and strays verwaarloosde kin= ders; weeskinders; stukkies en brokkies

wail (n) weeklag, gejammer also lament'; ulula'tion; (v) weeklaag, huil; dreunsing, ululeer

wail'ing (n) weeklag, gejammer; ~ wall klaag= muur

waist (n) middel; lyfie; ~band gordel, lyfband, belt/beld; ~cloth lendedoek also loin'cloth; ~coat onderbaadjie; ~-deep tot aan/by die middel; ~line middellyn

wait (n) wagtyd; oponthoud; hinderlaag; lie in ~ for voorlê; (v) wag; versuim; vertoef; ~ a minute wag 'n bietjie; ~ on s.o. iem. bedien;

vir iem. wag; ~ one's turn jou beurt afwag; ~ upon bedien; jou opwagting maak; ~er kelner; tafelbediende, ~ing (n) wag; opwagting; be= diening; (a) in ~ing wagtend; bedienend; play a ~ing game die kat uit die boom kyk; ~ing list waglys; ~ing room wagkamer; ~ress kelnerin

waive (v) opgee, laat vaar, afstand doen van, prysgee; kwytskeld ('n skuld, voorwaarde) also forgo'; renounce'

wake¹ (n) nagwaak (by 'n gestorwene); lykwaak also vi'gil; gedenkfees

wake² (n) kielwater, volgstroom; in the ~ of op die hakke van; in die voetspore van

wake³ (v) wakker word; wakker maak, wek; aanwakker; ~ful (a) waaksaam; ~n (v) wakker maak, wek

Wales Wallis (streek); Prince of ~ Prins van Wallis

walk (n) wandeling, pas, gang; voetpad; go for a ~ gaan stap; (v) loop, wandel, stap; ~ about rondloop also mean'der, stroll; ~ in inkom, binnekom; ~ off wegstap; ~ out uitloop; ~ quickly vinnig loop/stap; ~ upon air baie bly/uitgelate wees; ~er (n) stapper, wandelaar; voetganger; voetslaner; looppraam (been=/ heuppasiënt; bejaarde); loopring (baba); ~ie-tal'kie loopgeselser, tweerigtingradio; ~ing or'ders ontslag, afdanking; ~ing ring loopring; ~ing stick wandelstok, kierie; ~ing tour wandeltog, staptoer; ~out (n) uitstappery (uit vergadering); ~over (n) wegholoorwin= ning (sport); onbestrede verkiesing

wall (n) muur; wal; drive up the ~ (fig.) rasend maak; (v) ommuur

wal'laby (n) wallabie (klein kangaroesoort); W~ Wallaby (Australiese rugbyspeler)

wall' clock (n) hangklok

wal'let (n) (sak)portefeulje, notebeurs(ie) also pouch see moon'bag; knapsak

wall'flower (n) muurblommetjie (by dansparty)

wal'lop (v) (uit)looi, foeter, afransel; ~ing (n loesing; afranseling; opstopper; (a) enorm kolossaal, yslik; a ~ing drop in sales ' enorme daling in verkope

wal'low (v) rolplek; modderkuil; (v) woe vroetel ('n vark); swelg also indulge'

wall: ~pa'per plakpapier; ~-to-~ car'pet vol vloertapyt, volvloermat

wal'nut (n) okkerneut (boom)

wal'rus (n) walrus (groterige rob)

waltz (n) wals; (v) wals; ~ round passies maak

wand (n) staf; ma'gic ~ towerstaf

wan'der (v) swerf, ronddool; slampamper als mean'der; yl; ~ about rondswerf, swalk; h *mind* ~s hy yl; ~ *from the point* afdwaal; **~er** swerfling; swerwer; **~lust** swerfsug, wander= lust *also* **ro′ving spi′rit**

wan′dering (a) ronddwalend, swerwend *also* **drif′ting**

wane (n) verswakking, verval; *on the* ~/*decline* aan die afneem; (v) verminder, verswak

want (n) gebrek, skaarste; behoefte, armoede; *for* ~ *of* by gebrek aan; *supply the* ~s *of* in die behoeftes voorsien van; (v) nodig hê, benodig; wil; wens; verlang; te kort kom; *he* ~s *experience* hy kom ondervinding kort

wan′ting (a) behoeftig, gebrekkig, ontbrekend; *be/found* ~ te kort skiet

wan′ton (n) flerrie; snol *also* **prostitute′, slut;** wellusteling; (a) wild, woes; wellustig, los= bandig *also* **lewd, unchaste′;** ligsinnig, ~/*destruction* sinnelose/moedswillige ver= woesting

war (n) oorlog, stryd, kryg; *be at* ~ oorlog voer; *declare* ~ oorlog verklaar; *make* ~ oorlog voer; ~ *of nerves* senu(wee)-oorlog; (v) veg, oorlog voer; **ci′vil** ~ burgeroorlog

war′ble (n) gekweel; (v) kweel, sing; **~r** sang= voël

war cry (n) oorlogskreet, strydkreet

ward (n) wyk; saal, afdeling (hospitaal); oppas= ser; pleegkind; bewaking, bewaring; (v) be= waak; beskerm, beskut; ~ *off* afweer, keer; **~rounds** saalrondes (hospitaal)

war: ~ **dance** krygsdans; ~ **debt** oorlogskuld

war′den (n) hoof; opsigter; voog; bewaarder

war′der (n) bewaarder (gevangenis), korrek= tiewe beampte; sipier (hist.); wagter, oppasser

ward′robe (n) klerekas; hangkas; garderobe (toneel); ~ **trunk** hangkoffer

ware (n) ware, goed; (pl) koopware *also* **mer′= chandise**

ware′house (n) pakhuis, loods; (v) wegpak, opberg

war′fare (n) oorlog(voering)

war′head (n) plofkop

wa′rily (adv) versigtig, behoedsaam, skrikkerig *also* **cau′tiously**

war: **~like** oorlogsugtig, krygshaftig; oorlogs=; **~lord** krygsheer, strydleier; militêre (oor)heer= ser; ~ **muse′um** oorlogsmuseum

warm (v) warm maak, verwarm; ~ *up* opwarm; (a) warm; vurig; ywerig; innig, hartlik; ~ *reception* hartlike/gulle ontvangs; **~-bloo′ded** warmbloedig; **~-heart′ed** hartlik *also* **kind, cor′dial; ~ing pan** bedwarmer; **~th** (n) warmte; geesdrif *also* **enthu′siasm**

warn (v) waarsku; vermaan; aansê; verwittig; **~ing** waarskuwing; vermaning; aanmaning; **~ing light** kliklig(gie) (in motor, ens.)

warp (n) skering (weefdrade); sleeptou, werptou (skip); afwyking; ontaarding; ~ *and woof*

skering en inslag (op weefstoel); (v) skeef trek (speke van fietswiel); verdraai; skeer (weefdrade); laat afdwaal; ~ *the judgment* die oordeel benewel; **~ed** (a) windskeef; verwronge; ontaard

war′rant (n) volmag; lasbrief (vir arrestasie); bevelskrif, magtiging; mandaat; (v) volmag gee; vrywaar *also* **pledge;** waarborg *also* **guarantee′;** magtig; regverdig, wettig; **~ee′** gevolmagtigde; **~er/~or** waarborger; volmag= gewer; ~ **of ficer** adjudant-offisier; ~ **vouch′er** skatkisorder; **~y** (n) volmag; waarborg, garan= sie

war′rior (n) krygsman, kryger, soldaat, vegsman

war: **~ship** oorlogskip; **~song** krygslied

wart (n) vrat(jie); knoes, kwas

wart′hog (n) vlakvark (dier)

wa′ry (a) behoedsaam, versigtig *also* **alert, cau′tious, guar′ded, circumspect′**

wash (n) wasgoed; kielwater (boot) *also* **wake;** skottelwater; spoelgrond; golfslag; (v) was, uitwas; spoel; afspoel; reinig; ~ *away* weg= spoel; ~ *down* afspoel; ~ *one's dirty linen in public* oneenigheid in die openbaar uitmaak; ~ *off* afwas; **~ed** *out* poot-uit; doodmoeg; afgetakel; ~ *overboard* oorboord spoel; ~ *up* uitspoel (op strand); **~able** wasbaar; **~-and-wear** kreukeltraag (klere); **~ba′sin** waskom; **~day/~ing day** wasdag; **~er** wasser (persoon); wasmasjien; wasser/waster (metaalringetjie); **~ing** wasgoed; **~ing liq′uid** opwasmiddel; **~ing machine′** wasmasjien; **~ing pow′der** waspoeier; **~stand** wastafel; **~tub** wasbalie, waskuip

wasp (n) perdeby, wesp; **~ish** beneuk, befoeter

wast′age (n) verkwisting, vermorsing; slytasie

waste (n) verkwisting; afval; oorskiet; slytasie; woesteny, wildernis; verwaarlosing; afvoer= pyp; poetskatoen; *atomic* ~ kernafval; (v) weggooi, verkwis, mors; verniel; verknoei; ~ *away* wegkwyn; **~ed** *opportunity* verspilde geleentheid; ~ *time* tyd verspil; *lay* ~ verwoes *also* **destroy′;** **rav′age;** ~ *not, want not* wie spaar, vergaar; (a) ongebruik; onbebou; oor= tollig

waste: **~bas′ket** snippermandjie; **~ful** verkwis= tend, spandabel(rig) *also* **extra′vagant; ~land** onbeboude grond; woesteny, onherbergsame streek; ~ **mate′rial/products** afvalmateriaal, afvalprodukte, fabrieksuitskot; **~pa′per** skeur= papier; **~paper bas′ket** snippermandjie; ~ **pipe** afvoerpyp (riool)

watch (n) horlosie; (brand)wag; waaksaamheid; *keep* ~ wag hou; *middle* ~ hondewag; (v) wag hou; bespied; bewaak; ~ *over* 'n wakende oog hou oor; ~ *your step* oppas; kyk wat jy doen/aanvang; ~ *one's time* jou tyd afwag; ~ **chain** horlosieketting; **~dog** waghond; **~ful**

waaksaam; ~ **hand** horlosiewyser; **~ma'ker** horlosiemaker; **~man** wagter *also* (**secu'rity**) **guard; ~to'wer** wagtoring; **~word** wagwoord; leuse

wa'ter (n) water; ~ *on the brain* waterhoof; *be in deep ~s* hoog in die nood; *hold ~* water bevat; steekhou *also: pass the test*; *get into hot ~* in die pekel wees; *shortage of ~* waternood; *spend money like ~* mors met geld; *tread ~* watertrap; (v) water gee, natmaak, natlei; besproei; water (oë); laat suip (dier); *~ down* verdun *also* **dilu'te;** afwater; verwater, verswak; ~ **bai'liff** waterfiskaal; **~bot'tle** waterbottel; **~buck** waterbok; ~ **chute** glygeut; ~ **clo'set** toilet; latrine, kleinhuisie; ~ **col'our** waterverf; **~-cool'ed** waterverkoel; ~ **cure** waterkuur; ~ **divi'ner** waterwyser *also* **dowser** (person); **~fall** waterval *also* **cascade';** ~ **feat'ure** (n) waterfokus (in tuin); ~ **foun'tain** spuitfontein *also* **leap'ing foun'tain;** **~front** waterkant, waterfront; **~grass** uintjie; ~ **ham'-mer** waterslag (in pype); ~ **haz'ard** water-hindernis (gholf); ~ **hy'acinth** waterhiasint; **~ing can** gieter; **~less coo'ker** stoomkastrol; ~ **lev'el** waterpas *also* **spirit level; ~lil'y** water-lelie; **~mark** watermerk; **~mel'on** waatle-moen; **~mill** watermeul; **~po'wer** waterkrag; **~proof** (n) reënjas; waterdigte seil; (a) water-dig; **~-resis'tant** waterwerend; ~ **reticula'tion** waternetwerk (vir huisbewoners); **~-ski** water-ski; **~spout** waterhoos (kolom water in oseaan); ~ **supply'** watervoorraad, watertoe-voer; **~shed** waterskeiding; **~ta'ble** grondwa-tervlak; **~tight** waterdig *also* **wa'terproof; sound, flaw'less** (argument, alibi); **~way** waterweg, vaarwater; **~-wheel** skepwiel, waterwiel, **~works** (pl) waterwerke; water-leiding; **~y** pap; waterig; laf

watt watt (elektr.)

wat'tle[1] (n) bel, lel (van pluimvee, veral kalkoen)

wat'tle[2] (n) looibasboom, wattelboom, Austra-liese akasia; vlegwerk; lat; **~-and-daub hut** hartbeeshuis(ie)

wave (n) golf, brander; wuif; golwing; (v) golf; skommel; waai, wuif; kartel (hare); wapper (vlag); ~ *goodbye* tot siens/totsiens wuif/waai; **~length** golflengte; **per'manent** ~ vasgolf, permanente karteling (hare)

wa'ver (v) weifel, aarsel *also* **hes'itate;** wankel; beef, flikker (vlam); **~er** weifelaar

wax[1] (n) (bye)was; lak; (v) opvryf/opvrywe, waks

wax[2] (v) was, groei (maan); aanwas, groter word *also* **expand';** *~ing moon* wassende/groeiende maan; ~ *and wane* toeneem/groei en afneem

wax: ~bill rooibekkie, sysie (voëltjie); ~ **can'dle** waskers; ~ **chan'dler** waskersmaker; **~en** (a)

wasbleek (gesig); ~ **impres'sion** wasafdruk; light waslig; ~ **wick** waspit

way (n) weg, pad; rigting; manier; wyse; gang *he is in a bad* ~ dit gaan sleg met hom; *by ~ o* by wyse van; *by the* ~ terloops; *the ~ of th cross* die kruisweg; *in the family* ~ swanger verwagtend; *the ~ of all flesh* die weg van all vlees; *get out of the* ~ padgee; *get one's (own* ~ jou sin kry; *go out of one's* ~ jou die moeit getroos; *a long ~ off* ver/vêr; *lose the* verdwaal; *make* ~ uit die pad gaan; padgee; *i no* ~ glad nie; *one ~ or another* op die een *o* ander manier; *pave the* ~ die weg baan/berei *right of* ~ reg van weg; voorrangweg; ~ *thinking* denkwyse, opvatting; *stand in the ~ o* in iem. se pad staan; **~bill** vragbrief; **~fa're** reisiger; wandelaar; **~lay** (v) in 'n hinderlaa lei/lok *also* **am'bush** (v); oorval; **~mark(er** wegwyser, roetebaken *also* **road'sign; ~sid** (n) die kant van die pad; (a) langs die pad **~ward** (a) eiewys, eiesinnig, dwars *als* **head'strong, con'trary**

we ons (nominatief)

weak (a) swak; flou; sieklik; tingerig, pieperig; ~ *demand for* min/geringe vraag na; *his* ~ *point* sy swak kant/punt; *the ~er sex/vessel* di swakker(e) vat (die vrou); *the ~ spot* die swa kant/punt; **~en** (v) verswak; **~-hear'ted** week-hartig; **~ling** swakkeling; lamsak; sissie (om gangst.); **~ly** swak, sieklik *also* **frail; ~nes** swakheid

weal[1] (archaic) (n) welvaart, voorspoed; *in* ~ *an woe* in lief en leed; wel en wee

weal[2] (n) litteken, haal, striem (merk van o wond)

wealth (n) rykdom, welstand, welvarendheic welvaart *also* **af'fluence; ~-crea'ting** wel vaartskepping; **~iness** rykdom; **~y** welgesteldc ryk, vermoënd, bemiddeld

wean (v) speen; afleer, afwen

wea'pon (n) wapen; **~less** weerloos; ongewapen **~ry** wapentuig, krygstuig

wear (n) drag; slytasie; *fair ~ and tear* billik slytasie; *the worse for* ~ baie verslyt; (v) dra verslyt; vertoon; ~ *away* wegslyt; ~ *off* afslyt ~ *threadbare* kaal slyt; ~ *one's years well* jo jare goed dra; *the worse for* ~ geslyt gehawend; **~er** (n) draer

wear: ~ied vermoeid; **~iness** moegheid, ve moeidheid; **~isome** vervelig; vermoeiend *als* **exhaus'ting**

wear'y (v) vermoei; verveel; (a) moeg, tam vervelend; afmattend

weas'el (n) wesel (roofdiertjie)

wea'ther[1] (n) weer; *make bad ~* slegte weer tre ~ *permitting* as die weer goed is; *under the* ongesteld, siekerig; aangeklam (effens dronk)

wea'ther[2] (v) deurstaan *also* **withstand';** aa

wind en weer blootstel; ~ *the storm* veilig deurkom

wea′ther: ~**cock** weerhaan, windwyser; ~ **fore′**=**cast** weersvoorspelling; weersverwagting; weersgesteldheid; ~**glass** weerglas, barometer; ~ **proph′et** weerprofeet; ~ **ser′vice** weerdiens

wea′thering verwering *see* **ero′sion**

weave (v) weef; vleg *also* **entwine′**; ~**r** (n) wewer; gapingvraat (in verkeer); ~**r bird** wewervoël, vink

web (n) web; spinnerak; weefsel; swemvlies; *a* ~ *of lies (and deceit)* 'n weefsel van leuens (en bedrog); ~ **brow′ser** webblaaier, websnuffe=laar (internet); ~**foot** swempoot; ~ **page** webblad (internet); ~ **ser′ver** webbediener (internet); ~**site** webtuiste, webwerf, web=ruimte (internet)

wed (v) trou, hu *also* **mar′ry;** in die eg verbind/verenig

wed′ded getroud; *be* ~ *to* verknog wees aan; ~ *life* getroude lewe

wed′ding (n) bruilof, troue; huwelik *also* **mar′**=**riage**; ~ **anniver′sary** troudag(herdenking); ~ **cake** bruidskoek; ~ **card** troukaart(jie); ~ **day** troudag; ~ **dress** trourok, troutabberd; ~ **feast** bruilofsfees; ~ **march** troumars; ~ **recep′tion** huweliksonthaal; ~ **ring** trouring

wedge (n) wig, keil; *the thin end of the* ~ die eerste toegewing; die eerste (klein) stappie; (v) 'n wig inslaan; oopkloof *also* **split;** ~ *in* indruk, inbeur; ~~**sha′ped** wigvormig

wed′lock (n) huwelik, eg *also* **mat′rimony;** *born out of* ~ buite-egtelik/buite die huwelik gebore *see* **illegit′imate child**

Wed′nesday Woensdag

wee (a) baie klein; *a* ~ *bit* 'n baie klein bietjie; 'n krieseltjie; (v) piepie *also* **wee-wee**

weed (n) onkruid, vuilgoed (in tuin); lummel, slapgat (persoon); (pl) kleed, roukleed (van 'n weduwee); *ill* ~*s grow apace* onkruid vergaan nie; (v) skoffel, skoonmaak; ~ *out* uitroei; suiwer; ~~**eat′er** randsnoeier, randsnyer; ~**ing fork** tuinvurk; ~**kil′ler** onkruiddoder *also* **her′bicide**

week (n) week; *this day* ~ vandag oor 'n week/agt dae; *a* ~ *or two* 'n paar weke; ~**day** weeksdag; werkdag; ~**end** naweek; ~**ly** (n) weekblad; (a) weekliks

weep (v) huil; ween; treur; uitvloei, sweet (plant); ~ *for joy* van vreugde huil; ~ *bitterly* onbedaarlik huil; ~**hole** skuiwergat, syfergat (om water deur te laat); ~**ie** tranetrekker *also* **tear′jerker;** ~**ing** (n) gehuil; geween; (a) huilend; wenend; ~**ing willow** treurwilg(er)

wee′vil (n) kalander (graaninsek)

weigh (v) weeg; oorweeg; bedink; lig (anker); ~*ed down with* neergedruk deur; ~ *in a jockey* 'n jokkie (in)weeg; ~ *the pros and cons* die

gevolge oorweeg/oordink; ~**brid′ge** weeg=brug, brugbalans

weight (n) gewig, massa; swaarte; las; *a* ~ *off one's heart* 'n pak van die hart; *inspector of* ~*s and measures* yker; ~*s and measures* mate en gewigte; *pick up* ~ vet word; *throw in one's* ~ jou kragte inspan; (v) swaarder maak; be=swaar; ~**lif′ter** gewigopteller; ~**lif′ting** gewig=optel *see* **po′wer lifting;** ~**watch′er** iem. wat gewig probeer verloor; kilotemmer (skerts.); ~**y** gewigtig, belangrik; swaar; gesaghebbend, invloedryk

weir (n) stuwal, studam, keerwal (in rivier)

weird (a) eienaardig, vreemd, ongewoon *also* **strange;** bonatuurlik, onheilspellend, spook=agtig *also* **omi′nous, ee′rie, cree′py**

wel′come (n) welkom, verwelkoming; *bid s.o.* ~ iem. welkom heet/verwelkom; *he made me* ~ hy het my vriendelik ontvang/tuis laat voel; *you are* ~ nie te dankie nie; (v) verwelkom, welkom heet; (a) welkom; ~ *home* welkom tuis; **wel′coming** innemend, wellewend (per=soon)

weld (n) sweislas, sweisplek; (v) sweis; ~**able** sweisbaar; ~**ing rod** sweisstaaf

wel′fare (n) welsyn; welvaart, voorspoed; ~ **cen′tre** maatskaplike sentrum; ~ **wor′ker** welsynswerker

well[1] (n) put; bron; fontein; (v) opwel, opborrel; ~ **water** fonteinwater

well[2] (n) die goeie; *leave* ~ *alone* moenie slapende honde wakker maak nie; *wish s.o.* ~ iem. die beste toewens; (a) goed; wel; gesond; *get* ~ beter word; (adv) goed; terdeë; *you may* ~ *ask* jy kan wel vra; *be* ~ *aware* ten volle bewus wees; *it may* ~ *be* dit kan so wees; ~ *done!* mooi so!; ~~*done eggs* hardgebakte eiers; ~~*done steak* goed gaar gemaakte steak/biefstuk; *be* ~ *off* welgesteld/vermoënd/ welaf wees; *sleep* ~*!* lekker slaap; wel te ruste!; *think* ~ *of* 'n hoë dunk hê van; *very* ~ goed; in die haak

well[3] (interj) wel

well: ~~**bal′anced** presies in ewewig; besadig (persoon); ~~**beha′ved** fatsoenlik; ~**being** (n) welstand, welsyn; ~~**belov′ed** dierbaar, bemin; ~~**bred** welopgevoed; volbloed; ~~**do′er** wel=doener *also* **benefac′tor;** ~~**ear′ned** eerlik verdien; ~**fare of′ficer** welsynsbeampte; ~~**inform′ed** goed ingelig; ~~**known** welbe=kend; ~~**man′nered** goedgemanierd; ~~**mean**=**ing** welmenend; ~~**nigh** amper, byna, na=genoeg; ~~**off** welgesteld, welaf; ~~**read** be=lese; ~~**spo′ken** wel ter tale; ~~**to-do** welge=steld, welaf, vermoënd *also* **well-off, weal′thy**

Welsh (n) Wallies (taal); ~**man** (n) Wallieser (persoon); ~ **rare′bit** kaasroosterbrood

wel′ter (n) warboel, beroering, harwar; (v)

slinger, rol, wentel; **~weight** weltergewig (boks); swaargewig (perderenne)

wench (n) meisie(kind), (lewendige) jong mei= sie/vrou

wend (v) gaan; jou begeef; ~ *one's way* die weg inslaan na

were'wolf weerwolf; menswolf (mitol.)

west (n) wes; die weste; *the Far W~* die Verre Weste; (a) weste=, westelik; (adv) weswaarts; na die weste; *go/gone* ~ bokveld toe gaan (sterf/omkom, veral gewelddadig); ~ **coast** weskus; **~erly/~ern** westelik; **W~ernise** (v) verwester; **~ward** weswaarts

Wes'tern Ca'pe Wes-Kaap (provinsie)

wet (n) nattigheid, vogtigheid; (v) natmaak; bevogtig; ~/*(ting) the roof* huisinwyding (vier); ~ *one's whistle* 'n dop steek; (a) nat, vogtig; klam; reënerig; ~ *behind the ears* onvolwasse, onervare; *dripping* ~ sopnat; **~bike** waterponie; ~ **blanket** remskoen, pret= bederwer (persoon)

weth'er (n) hamel (skaap)

wet: **~land** vleiland, moerasland; **~ness** natheid, vogtigheid; ~ **nurse** soogvrou *also* **fos'ter mother**; ~ **suit** duikpak; **~table** (a) benatbaar (poeier)

whack (n) slag; mokerhou; (v) slaan, moker; **~ing** (n) pak slae *also* **bea'ting, thrash'ing**; (a) kolossaal, tamaai *also* **huge, gigan'tic**

whale (n) walvis; **~boat** walvisboot; **~bone** balein; ~ **oil** walvistraan; **~r** walvisvaarder (skip)

wharf (n) kaai *also* **quay, jet'ty**; (v) vasmeer

what (a) wat, watter; *give* ~ *help is possible* alle moontlike hulp verleen; *he knows* ~*'s* ~ hy is goed op die hoogte; *come* ~ *may* wat ook al gebeur; *so* ~*?* en wat daarvan?; *I'll tell you* ~ ek sal jou sê; (interj) hè?; nè?

whatev'er wat ook al; *no doubt* ~ hoegenaamd geen twyfel nie; ~ *happens* wat ook al mag gebeur

what-do-you-call-it hoesenaam, watsenaam, dinges *also* **thingymajic', thingumabob**

wheat (n) koring; **~ear** koringaar; ~ **flour** meelblom; **~meal** koringmeel

whee'dle (v) flikflooi, vlei, pamperlang *also* **flat'ter**; **~r** vleier, flikflooier *also* **char'mer**

wheel (n) wiel; rat; *at the* ~ aan die stuurwiel; *break on the* ~ radbraak (teregstelling, hist.); ~*s within* ~*s* magte agter die skerms; (v) draai; rol; swaai, swenk; omdraai; ~ *round* swenk; ~ **align'ment** wielsporing; **~bar'row** kruiwa; ~ **cap** wieldop; **~chair** rystoel, rol= stoel, siekestoel; **~er-deal'er** konkelaar; ~ **rim** wielvelling; **~wright** wamaker *also* **wain'= wright**

wheeze (n) asemfluit, asemhyg; (v) hyg, fluit (van keel) *also* **gasp; whis'tle**

whelp (n) welp; kleintjie; (v) kleintjies kry; jong

when wanneer; toe; ~ *due* op die vervaltyd; *from* ~*?* van wanneer af?; *say* ~ sê wanneer (dit genoeg is); *till* ~*?* tot wanneer?

whence waarvandaan, van waar; *I take it* ~ *it comes* van 'n esel kan jy 'n skop verwag

whenev'er/whensoev'er wanneer ook al

where waar; wanneer; waarheen, waarnatoe; waarso; waarvandaan; ~ *to?* waarheen?; ~ *was I?* waar was ek nou weer?; *I shall know* ~ *I am* ek sal weet hoe sake staan; **~about(s)** (n) verblyfplek, adres; (a) waar omtrent, waar; **~as'** aangesien, daar, omdat; nademaal (regs= taal); **~at** waarop; **~by** waardeur, waarby; **~fore** waarom; **~in** waarin, waarby; **~of** waarvan; **~on** waarop; **~to** waarby; waarnatoe; **~upon** waarop

wher'ever waar ook al; ~ *they may be living* waar hulle ook al woon

wherewith' waarmee; **~al'** (n) middele, geld

whet (v) slyp; prikkel; (op)wek (eetlus); ~ *your appetite* jou eetlus opwek

wheth'er (pron) watter van twee; (conj) hetsy, of; al dan nie; ~ *we go or not* of ons gaan of nie; of ons gaan al dan nie

whet'stone (n) slypsteen *also* **grind'stone**

whey (n) wei, dikmelkwater

which watter, welke; wie, wat; *one can't tell* ~ *is* ~ 'n mens kan die twee nie uitmekaar hou nie; **~e'ver/soev'er** wat/watter ook (al)

whiff (n) asemtog; trek; (v) uitblaas; *a* ~ *of fresh air* 'n bietjie vars lug

while[1] (n) rukkie, wyle; *after a* ~ kort daarna/ daarop; *for a* ~ 'n tydjie; *in a little* ~ binnekort, nou-nou, netnou *also* **pre'sently**; *once in a* ~ af en toe; sou nou en dan; (v) (die tyd) verdryf

while[2] (conj) terwyl, onderwyl, solank as

whim (n) gril, nuk, gier, frats *also* **freak;** ~ *of fashion* modegier; *full of* ~*s* buierig, vol nukke

whim'per (v) kerm, kreun; sanik; grens, tjank

whim'sical (a) wispelturig, vol nukke/fiemies *also* **capri'cious, frea'kish**

whine/whinge (n) gekerm, getjank; (v) kerm, tjank, sanik, seur *also* **whimper, yelp**

whin'ny (v) (sag) runnik (perd)

whip (n) sweep; peits; karwats; (v) slaan, piets; raps; klop, klits (eiers); *crack the* ~ jou gesag laat geld; **~cord** sweepkoord; ~ **hand** regter= hand; **~han'dle** sweepstok; **~lash** voorslag, sweepslag; ~ **lash in'jury** sweepslagbesering

whipped' cream slagroom

whip'pet (n) klein windhond/renhond; ~ **race** honde(wed)ren

whip'ping (n) pak slae, loesing *also* **bea'ting, ca'ning**; ~ **boy** sondebok *also* **scape'goat;** ~ **post** geselpaal, slaanpaal (hist.)

whip'-round (n) spontane kollekte/geldinsame= ling

whirl (n) (d)warreling, draaikolk; (v) dwarrel, draai; maal (water)

whirl′igig (n) draaitol, woer-woer; mallemeule; waterhondjie; kringloop; *the ~ of time* die beloop/lotswisselinge van die lewe

whirl: **~ing** draaiend; **~pool** draaikolk, maal= stroom; **~wind** (d)warrelwind, werwelwind; windhoos (op land *kyk ook* **wa′terhoos**)

whisk (n) besempie, stoffer; (eier)klitser; room= klopper; (v) afstof, afborsel; rondfladder; klits, klop; *~ away/off* vinnig wegvoer

whis′ker (n) wangbaard, bak(ke)baard

whisk′ey (n) whisky (uit Ierland, Kanada, VSA)

whis′ky (n) whisky (uit Skotland)

whis′per (n) fluister, gefluister; geritsel; (v) fluister; influister *also* **insin′uate;** suis

whis′tle (n) fluit, gefluit; fluitjie; *wet one′s ~* 'n dop steek; **~-blo′wer** oopvlekker, onthuller (van negatiewe inligting/korrupsie) *also* **infor′mer;** (v) fluit; verklap; **~r** (n) fluiter

white (n) wit; blank; blanke, wit mens; (v) wit maak; wit; (a) wit; blank; *show the ~ feather* lafhartig wees; *~ heel* witvoet; *a ~ lie* 'n noodleuen; *~ ant* rysmier; *~ bear* ysbeer; **~-col′lar crime** handelsmisdaad; *~ heat* gloeiende hitte; **~-hot** witgloeiend; *~ lead* witlood; **~-li′vered** lafhartig; *~ met′al* wit= metaal; **~ness** witheid; blankheid; *~ pa′per* witskrif (regeringsverslag); **~wash** (n) witsel, witkalk; (v) wit, afwit; (iem.) verontskuldig; (iets) goedpraat *also* **cov′er-up; suppress′;** *~ water raf′ting* witwaterroei, stroomversnel= lings ry

whith′er waarheen, waarnatoe

whit′low (n) fyt *also* **fel′on;** omloop

Whit′sun(tide) Pinkster(tyd)

whiz (n) gegons *also* **whizz, wiz;** (v) sis, gons, fluit; **~-bang** (a) knap, vernuftig; blitsig; **~kid** jong ster/uitblinker/genie

who wie, wat; **~dun(n)it** (infml.) speurverhaal *also* **detec′tive story; ~ev′er/~soev′er** wie ook (al)

whole (n) geheel; alles; totaal; *in ~ or in part* geheel of gedeeltelik; *on the ~* oor/in die algemeen; (a) heel; gesond; onbeskadig; ongedeerd; volkome *also* **complete′, entire′;** *four ~ days* vier volle dae; *go the ~ hog* tot die uiterste gaan; **~-col′oured** eenkleurig; **~food** rukos, onverwerkte kos; *~grain* vol= graan

whole-hear′ted (a) opreg; heelhartig; *I agree with you ~ly* ek stem volmondig/volkome met jou saam

wholemeal (n) ongesifte meel

whole′sale (n) groothandel; *sell (by) ~* in grootmaat verkoop; (a) groothandel=; (adv) op groot skaal *also* **comprehen′sive;** *~ dea′ler* groothandelaar *also* **whole′saler;** *~ pri′ces*

groothandelpryse; *~ slaught′er* algemene slagting *also* **car′nage** (on holiday roads)

whole′some (a) gesond, voedsaam *also* **nutri′= tious;** heilsaam *also* **benefic′ial**

whole′wheat (n) volgraan, volkoring

whol′ly (adv) heeltemal, volkome

whom wat; vir wie; **~ev′er/~soev′er** wie ook (al)

whoop (n) skreeu, roep; (v) skreeu, roep; asem optrek (kinkhoes); **~ing/hoo′ping cough** (n) kinkhoes

whop (v) slaan, moker; afransel; oorwin; ver= slaan; *a ~ping amount* (infml.) 'n tamaai/ allemintige bedrag; **~per** (infml.) (n) deeglike loesing; 'n groot leuen, yslike kluitjie

whore (n) hoer, prostituut *also* **pros′titute, hoo′ker;** sekswerker *also* **sex′worker**

whorl (n) kronkel, draai(kolk); spilkatrol

whose wie s'n, wie se, van wie

whosoev′er wie ook al

why[1] (n) die waarom; *go into the ~s and wherefores* alle besonderhede wil weet; (adv) hoekom, waarom; *that′s ~* daarom

why[2] (interj) ~, *that′s Colin!* my aarde, dis mos Colin (wat daar aankom)!

wick (n) pit (van lamp of kers)

wick′ed (a) goddeloos, sondig, sleg, boos *also* **e′vil, sin′ful;** onnutsig, ondeund; **~ness** boos= heid, sonde

wick′er (n) riet; rottang; *~ chair* rottangstoel; rietstoel; *~ cra′dle* biesiewieg; **~work** vleg= werk, rottangware

wick′et (n) hekkie, poortjie; paaltjie (krieket); kolfblad (krieket); **~keeper** paaltjiewagter

wide (n) wydloper (krieket); (a, adv) wyd; breed; ruim; uitgebrei(d) *also* **am′ple, comprehen′= sive;** ver/vêr; mis; *far and ~* wyd en syd; *a ~ difference* 'n hemelsbreë verskil; *shoot ~* misskiet; *~ly known* alombekend; **~-awake′** wawyd wakker; uitgeslape; *~ ar′ea net′work* (WAN) wyearea-netwerk (internet); *~ know′= ledge* breë kennis; **~spread** uitgestrek; wyd= verspreid, wydvertak

wid′ow (n) weduwee; **~er** (n) wewenaar; **~hood** (n) weduweeskap

width (n) wydte, breedte; uitgestrektheid; reik= wydte *also* **range, scope;** ruimheid

wield (v) hanteer; swaai; *~ the pen* die pen voer; *~/brandish the sceptre* die septer swaai

wife (n) vrou, eggenote; **~ly** vroulik; *~ bea′ter/ bat′terer* vrou(e)slaner

wig (n) vals hare, pruik *also* **hair′piece**

wig′wam (n) Indiaanse tent/hut, wigwam

wild (n) wildernis, woesteny; (a, adv) wild, woes *also* **fierce;** onstuimig; dwaas; losbandig; *a ~ coast* 'n stormagtige/onherbergsame kus; *go ~* gek word; *make a ~ guess* blindweg raai; *a ~-looking fellow* 'n wildewragtig/wille= wragtig; *~ boar* wildevark; *~ card* onbekende faktor/deelnemer (aan bv. atletieknommer); oorheersstring (rek.); **~cat** (n) wildekat; (a) onbesonne; **~cat strike** wilde/onwettige staking, blitsstaking

wil′debees(t) (n) wildebees *also* **gnu**

wil′derness (n) -es wildernis, woesteny *also* **waste′land**

wild-goose chase dwase/onbesonne onderneming

wild′life (n) natuurlewe *also* **flo′ra and fau′na; ~ socie′ty** natuurlewevereniging

wile (n) (skelm)streek, lis; (v) verlok *see* **wi′ly**

wil′ful (a) opsetlik; moedswillig; eiewys; *~ murder* moord met voorbedagte rade

wi′liness (n) sluheid, listigheid, geslepenheid

will[1] (n) wil; wens; testament; wilskrag; *against one′s ~* teen jou sin; *at ~* na die (eie) goeddunke; *of one′s own free ~* uit vrye beweging *also: as one thinks fit; make one′s ~* jou testament maak; *where there′s a ~ there′s a way* wie wil, kan; (v) wil, begeer; bemaak (in testament) *also* **bequeath′, confer′**

will[2] (auxiliary v) sal; *accidents ~ happen* ongelukke gebeur altyd; *boys ~ be boys* seuns is nou eenmaal seuns; *murder ~ out* moord/misdaad sal (altyd) aan die lig kom; **~ing** gewillig; bereid; **~ingness** gewilligheid; bereid(willig)heid

Wil′lie Wink′ie Klaas Vakie, Sandmannetjie

will-o′-the-wisp′ dwaallig; blinkwater; glibberige mens

wil′low (n) wilg(er), wilgerboom; **bush ~** vaarlandswilg; **~ pat′tern** wilgerpatroon; **weep′ing ~** treurwilg(er)

will′power (n) wilskrag, volharding *also* **determina′tion**

wil′ly-nil′ly noodgedwonge, teen wil en dank

wilt (v) kwyn, verwelk, verlep (weens hitte) *also* **droop, sag**

wi′ly (a) listig, slu, geslepe *also* **cun′ning, craf′ty, shrewd**

wimp (n) drel; papperd; sissie (omgangst.); bleeksiel

win (n) oorwinning; (v) wen, verdien; behaal; bereik; *~ the match by default* die wedstryd by verstek wen; *~ over* oorhaal *also* **convince′, convert′;** *~ one′s spurs* jou spore verdien

wince (v) terugdeins *also* **cringe;** huiwer, aarsel; ineenkrimp (van pyn)

winch (n) windas/wenas; slinger; hystoestel; *~ up* opkatrol

wind[1] (n) kronkeling, draai; (v) hys; slinger; draai, kronkel; opwen; *~ s.o. round one′s little finger* iem. na jou pype laat dans; *~ up* opwen; likwideer; beëindig

wind[2] (n) wind; asem; lug; (pl) blaasinstrumente (in orkes); *find out how the ~ blows* die kat uit die boom kyk; *get ~ of* ′n snuf in die neus kry;

put the ~ up s.o. iem. bang maak *also: frighten/scare s.o.; take the ~ out of s.o.′s sails* iem. die loef afsteek; *throw to the ~s* laat vaar; (v) blaas; uit-asem raak; asem skep; **~break** windskerm; **~brea′ker** windjekker *also* **an′orak; ~ char′ger/gen′erator** windlaaier (elektr.); **~chill (am′bient) fac′tor** windverkoelingsfaktor; **~ chime** windklingel; **~fall** afgewaaide vrugte; buitekans, meevallertjie *also* **bonan′za, jackpot; ~ foil** drukvin *also* **boot spoiler** (car); **~ gauge** windmeter

wind′ing (n) kronkeling, draai; (a) kronkelend, draai=; **~ road** kronkelpad; **~ gear/tack′le** hystuig, hysgerei; **~ sheet** doodskleed; **~ staircase** wenteltrap; **~-up** likiwidasie (van ′n besigheid); afsluiting (van kongres)

wind: **~lass** windas/wenas *also* **winch; ~mill** windmeul; windpomp

win′dow (n) venster; raam; **~ display′** vensteruitstalling, toonvenster; **~ en′velope** ruitkoevert, vensterkoevert; **~ pane** vensterruit; **~ peep′er** afloerder *also* **peep′ing tom; ~ sash** vensterraam; **~ shop′per** kykkoper (persoon); **~-shopping** loerkoop, winkelwandel; **~ shut′ter** vensterluik, hortjie; **~ sill** vensterbank

wind: **~pipe** lugpyp; **~ resis′tance** windweerstand; **~screen** voorruit (motor); **~screen wi′per** ruitveër; **~surf′ing** seilplankry; **~ veloc′ity** windsnelheid; **~ward** na die wind; **~y** winderig; windmakerig, ydel (persoon)

wine (n) wyn; kromhoutsap (skerts.); **~bib′ber** wynvlieg, drinkebroer (persoon); **~ bottle** wynbottel; **~ cel′lar** wynkelder; **~ far′mer** wynboer; **~glass** wynkelkie, wynglas; **~press** parsbalie, wynpers; **~ry** wynkelder; **~ tas′ting** wynproe(wery); **~stone** wynsteen

wing (n) vlerk (voël); vleuel (rugby; van gebou); sygebou, bygebou, anneks *also* **an′nexe;** *clip s.o.′s ~s* iem. kortwiek; *play left ~* (op die) linkervleuel speel; *political ~* politieke vleuel *also* **fac′tion;** *take under one′s ~* onder jou beskerming neem; *take ~* wegvlieg; (v) vlieg; **~ beat** vleuelslag; **~ed** gevleuel, gevlerk; **~ nut** vleuelmoer; **~span** vlerkwydte

wink (n) (oog)wink; knipogie; *forty ~s* ′n uiltjie knip; (v) oë knip, wink; *~ at* knik/knipoog vir; **~ing** oogknip; (a) knippend, knip=

win′ner (n) wenner, oorwinnaar *also* **vic′tor**

win′ning (n) oorwin; (pl) wins; (a) wen=; innemend, lieftallig, sjarmant (geaardheid); **~ es′say** bekroonde opstel; **~ man′ners** innemende/fyn maniere; **~ side** die wenkant; **~ post** wenpaal; **~ shot** kishou (sport)

win′now (v) wan, sif, uitwaai (koring)

win′some (a) innemend, bevallig, bekoorlik (meisie, vrou) *also* **attrac′tive; charm′ing**

win′ter (n) winter; *hard ~* strawwe/kwaai winter; (v) oorwinter; **~ crop** wintergewas, winteroes;

~ **quar'ters** winterverblyf; ~ **sol'stice** winterson keerpunt (21 Junie in S. Halfrond); ~ **sports** wintersport

win'try (a) winteragtig; koud, ysig (weer); guur *also* **chil'ly; bleak**

wipe (n) veeg; klap; (v) afvee; ~ *one's eyes* jou oë afvee/uitvee; ~ *the floor with s.o.* iem. kafloop; ~ *out* uitwis (bv. 'n vyandelike leër); verwoes, vernietig; uitvee; ~ *up* opvee, skoonmaak

wire (n) draad; *pull the* ~s agter die skerms werk; (v) bedraad (elektr.); **barbed** ~ doringdraad; **live** ~ lewende elektriese draad; wakker/ondernemende persoon, pasaangeër; ~ **cutter** draadknipper, draadtang; ~ **dan'cer** koorddanser; ~**less** (obs.) draadloos (veroud.); radio; ~ **net'ting** sifdraad, ogiesdraad; ~ **pul'ler** draadtrekker, draadspanner; konkelaar, knoeier (persoon); ~ **sta'ple** draadkram(metjie); ~**tap** (v) meeluister, afluister *also* **bug** (s.o.'s office)

wi'ry (a) taai, gespierd, seningrig (persoon)

wis'dom (n) wysheid; verstand; ~ **tooth** verstand(s)kies, verstand(s)tand

wise[1] (n) manier, wyse *also* **man'ner**; *in no* ~ glad nie; *in this* ~/*manner* op hierdie manier

wise[2] (a) verstandig, wys; raadsaam; *nobody would have been the* ~r daar sou geen haan na gekraai het nie; *be none the* ~r niks te wete gekom het nie; ~**acre** (n) wysneus, slimjan, beterweter *also* **know-all, pedant'** (person)

wish (n) wens, begeerte, verlange; *good* ~*es* beste wense; heilwense; (v) wens, begeer; *I* ~ *to go* ek wil graag gaan; ~ *s.o. joy* iem. geluk toewens; ~ *s.o. a speedy recovery* ~ iem. 'n spoedige herstel toewens; ~**bone/**~**ing bone** geluksbeentjie

wish'ful verlangend; ~ **think'ing** wensdenkery

wish'ing well (n) wensfonteintjie, wensput

wista'ria bloureën, wistaria (blom)

wist'ful (a) peinsend; smagtend, hunkerend, verlangend *also* **year'ning;** droefgeestig

wit (n) geestigheid; vernuf; verstand *also* **in'tellect;** *at one's* ~*'s end* ten einde raad; *live by one's* ~*s* van skelmstreke leef; *be out of one's* ~*s* skoon van jou sinne beroof; *ready* ~ gevatheid *see* **wit'ty;** (v) weet; *to* ~ te wete (regstaal)

witch (n) (tower)heks; towenares; (v) toor, beheks; verlei; ~**craft** toordery; toorkuns *also* **sor'cery;** ~ **doc'tor** toordokter *also* **sango'ma;** dolosgooier; ~**ery** toordery; betowering; ~**grass** kweekgras; ~**'es hat** hekse(punt)hoed (verkeermerker); ~**hunt** heksejag, ketterjag

with met, saam met, saam, mee; by; van; *popular* ~ gewild by/onder; *put up* ~ verdra, verduur; *tremble* ~ *fear* bewe van angs

withdraw' (v) terugtrek (troepe); herroep; ont‑

trek; ~ *from the match* hom onttrek aan die wedstryd; ~**al** opvraging, onttrekking (geld uit bank); terugtrekking (troepe) *also* **retreat';** afsegging; herroeping; ~**al slip** opvrastrokie (bank); ~**al symp'tom** onttrek(king)simptoom; ~**n** teruggetrokke *also* **mo'dest, reser'ved, in'troverted**

with'er (v) verwelk, verlep; uitdor; kwyn, agteruitgaan *also* **fade;** kwets, seermaak *also* **humil'iate**

with'ering (a) verdorrend; vernietigend; ~ **attack'** moordende aanval; ~ **remark'** kwetsende/afbrekende opmerking

withhold' (v) terughou, agterweë hou (betaling); weerhou; onttrek; weier

within' (adv) binne-in; binne; (prep) binne, in; ~ *an ace of* dit het min geskeel of; ~ *doors* binne(ns)huis; *from* ~ van binne

with-it (a) byderwets, bydertyds *also* **tren'dy**

without' (n) die buitekant; (adv) buitekant; van buite; *do* ~ sonder klaarkom; (prep) sonder; buite; ~ *doubt* ongetwyfeld; *it goes* ~ *saying* dit spreek vanself

withstand' (v) weerstaan, die hoof bied *also* **stand firm, endure'**

wit'ness (n) getuie (persoon); getuienis; waarnemer *also* **on'looker, eye'**~; ~ *a signature* 'n handtekening/naamtekening waarmerk; ~ *for the state* staatsgetuie; (v) getuienis aflê; as getuie teken; aanskou; sien; getuig; ~ **box** getuiebank

wit: ~**ticism** kwinkslag, geestige gesegde *also* **quip;** ~**tiness** geestigheid; ~**tingly** opsetlik; ~**ty** (a) geestig, gevat *also* **spark'ling**

wiz'ard (n) towenaar *also* **sor'cerer;** waarsêer; dolosgooier; kulkunstenaar *also* **magi'cian**

wob'ble (n) slingering; onvastheid; (v) waggel; slinger; weifel *also* **tot'ter; wa'ver**

wob'bly (a) waggelend, wankelrig, onvas

woe (n) wee, ellende, smart; nood; ~ *betide you* die hemel bewaar jou *also: you will regret it; weal and* ~ wel en wee; lief en leed; ~**ful** treurig, droewig; jammerlik

wolf (n) wolf; vraat, gulsigaard (persoon); rokjagter *also* **woman'iser;** wanklank (mus.); *cry* ~ *too often* een keer te veel alarm maak; *keep the* ~ *from the door* die pot aan die kook hou; ~ **call/whis'tle** mannetjiesfluit, wolffluit; ~**dog** wolfhond; ~**ish** wolfagtig, wreed

wol'fram (n) wolfram (mineraal) *also* **tung'sten**

wo'lverine (n) veelvraat (dier) *also* **glut'ton** (animal)

wo'man (n) vrou; vroumens; *a kept* ~ (derog.) bywyf, houvrou, handperd (neerh.); ~ *of the world* vrou van die wêreld; (a) vroue‑; ~ **doc'tor** vrouedokter; ~ **ha'ter** vrouehater; ~**ish** verwyf; vroulik; ~**hood** vroulike staat; ~**iser** rokjagter *also* **sedu'cer, la'dykiller;** ~**ising**

vrouejagtery; ontug; **~kind** vroulike geslag, vroumense; **~ly** vroulik *also* **fem′inine, la′dy= like;** ~ **po′wer** vrouekrag *also* **fem po′wer;** ~ **stu′dent** vrouestudent; ~ **suf′frage** vroue= stemreg; **~′s wit** vroulike instink; ~ **wor′ker** werkster

womb (n) baarmoeder, moederskoot, uterus

wom′enfolk vroumense *see* **woman′hood**

wom′en′s: ~ **dou′bles** vrouedubbelspel (tennis); ~ **lib(erty)** vrouevryheid, vrouebevryding; ~ **res′idence** dameskoshuis

won′der (n) wonder, wonderwerk; verwonde= ring; *no ~ that* geen wonder nie dat; *this method works ~s* hierdie metode verrig wondere/werk perfek; (v) wonder; verbaas wees; nuuskierig wees; jou afvra; **~ful** won= derlik; verbasend; pragtig *also* **fab(ulous), cool; ~land** towerland; **~ment** verwondering, bevreemding; **~struck** verstom

wont (n) gewoonte; *he was ~ to stay* dit was sy gewoonte om te bly; (a) gewoond

woo (v) die hof maak *also* **court;** bearbei; flikflooi; ~ *away* weglok, afrokkel

wood (n) bos; woud; hout; (pl) bosse; hout= soorte; rolballe (vir rolbalspel); *out of the ~* buite gevaar; *wine in the ~* vatwyn; **~bine** (wilde) kamferfoelie *see* **hon′eysuckle; ~ car′ving** houtsnykuns; **~cock** houtsnip (voël); **~craft** houtbewerkingskuns; boskennis; **~cut** houtsnee; **~cut′ter** houtkapper (persoon); **~en** van hout; ~ **engra′ver** houtgraveur; **~land** boswêreld; ~ **nymph** bosnimf; **~peck′er** houtkapper, speg (voël); ~ **pi′geon** bosduif; **~work** houtwerk; **~y/~ed** bosryk

woof (n) weefsel; *warp and ~* skering en inslag (op weefstoel); **~er** (n) basluidspreker

woo′ing (n) vryery, hofmakery *see* **woo** (v)

wool (n) wol; wolgoed; *pull the ~ over s.o.′s eyes* iem. kul/mislei; ~ **auc′tion/sale** wolveiling; **~gath′ering** (n) verstrooidheid; afgetrokken= heid; **~gro′wer** skaapboer, wolboer; **~len** van wol, wol=; **~len blan′ket** wolkombers; **~len goods** wolstowwe; **~ly** wollerig *also* **flee′cy;** vaag, verward (uiteensetting); ~ **mill** wolmeul, wolfabriek; **~pack** wolbaal; **~sack** wolsak; ~ **shears** skaapskêr; ~ **sor′ter** wolsorteerder; ~ **trade** wolhandel; wolbedryf

word (n) woord; berig, tyding; bevel; wagwoord; ~ *of command* bevel; *eat/retract one′s ~s* jou woorde sluk; *fine ~s butter no parsnips* praatjies vul geen gaatjies nie; *too funny/ hilarious for ~s* skreeusnaaks; *have a ~ with* iets uitpraat; ′n appeltjie skil (met iem.); *have ~s with* rusie maak met; ~ *of honour* erewoord; *by ~ of mouth* mondeling; *put in a ~ for* ′n goeie woord doen vir; *send ~* berig stuur; laat weet; *a ~ to the wise is enough* ′n goeie begryper het ′n halwe woord nodig; (v)

uitdruk, bewoord; ~ **count** woordtelling (rek.); **~ing** bewoording, formulering; **~per′= fect** (a) rolvas (toneelspeler); korrek in alle opsigte; ~ **pic′ture** woordskildery; **~play** woordspeling *also* **pun; ~ pro′cessing** woord= verwerking, teksverwerking; ~ **pro′cessor** teksverwerker, woordverwerker; ~ **split′ting** haarklowery; **~y** (a) omslagtig, breedsprakig *also* **verbose′**

work (n) werk; arbeid; werkplek; bedryf; (pl) fabriek, werke; *a ~ of art* ′n kunswerk; *at ~ by* die werk; *out of ~* werkloos *also* **unem= ploy′ed;** *have one′s ~ cut out* jou hande vol hê; *make short ~ of* gou speel met; ~ *in progress* onvoltooide werk; (v) werk, arbei; bearbei; verwerk; laat werk; ~ *at* werk aan; ~ *mischief* onheil stig; *this ~s like a charm* dit werk volmaak/wonderlik; ~ *out* uitwerk; be= reken; ~ *out one′s own salvation* jou eie heil/ saligheid uitwerk; ~ *together* saamwerk; **~a= hol′ic** werkslaaf, werkverslaafde, werko(ho)= lis (persoon) *also* **work ad′dict; ~box** werk= kissie; **~day** werkdag; **~er** werker, arbeider; (pl) werksmense; ~ **eth′ics** werk(s)etiek

Wor′kers′ Day Werkersdag (vakansie, 1 Mei)

work′ing (n) bewerking; beheer; (a) werkend; bruikbaar; *be in ~ order* in werkende toestand wees; ~ **cap′ital** bedryfskapitaal; ~ **hours** werktyd, werkure; ~ **know′ledge** gangbare kennis; ~ **major′ity** effektiewe meerderheid

work: ~ **load** werklading; **~man** werksman; **~manship** vakmanskap; **~place** werkplek; **~shop** werksessie, slypskool; **~shy** werksku; ~ **sta′tion** werkstasie (rek.)

works (n) werke (groot fabrieksaanleg); **clerk of** ~ bou-opsigter; **pub′lic** ~ openbare werke; ~ **fore′man** fabrieksvoorman; ~ **man′ager** werksbestuurder, fabriekbestuurder

world (n) wêreld; die mensdom; *all the ~* die hele wêreld; *a citizen of the ~* ′n wêreldburger; *the ~ to come* die hiernamaals; *the ~ of fashion* die modewêreld; *the lower ~* die onderwêreld; *not for the ~* vir geen geld ter wêreld nie; *all the ~ is a stage* die wêreld is ′n speeltoneel; *they think the ~ of him* hulle het ′n hoë dunk van hom; *all the time in the ~* volop tyd; **~fa′mous** wêreldberoemd; **~ly** wêreldsgesind, wêrelds *also* **sec′ular;** *~ly things* wêreldsgoed; ~ **po′wer** wêreldmoondheid (land); ~ **rank= ing(s)** wêreldranglys (sport); **vir′tual ~** virtue= le/onwerklike wêreld; **~wide** wêreldwyd *also* **glo′bal**

world wide web (www) wêreldwye web (www) (internet)

worm (n) wurm; ruspe(r); skroefdraad (bout); (v) wurm; wriemel; (in)kruip; **~ea′ten** deur wurms gevreet; muf; verouderd; **~y** (a) kruiperig

worn (a) afgeleef, verslyt *also* **hag'gard, weary'** *see* **wear**

wor'ry (n) **worries** kwelling, bekommernis, sorg; (v) kwel; karnuffel; pla, lol; ~ *about* jou kwel/bekommer oor; *I can't* ~ ek gee geen flenter om nie; *don't* ~ moenie bekommerd wees nie; moenie worrie/stres nie (omgangst.); *why* ~? môre is nog 'n dag; ~ **beads** kommer=krale; **~ing** (a) kommerwekkend ('n situasie)

wors (n) wors *also* **sausage(s)**

worse (n) ergste, slegste; *be the* ~ *for drink* besope wees; *none the* ~ *for it* hy het niks daarby verloor/oorgekom nie; (a, adv) erger, slegter; *from bad to* ~ van kwaad tot erger; *for better and for* ~ in lief en leed; *to make matters* ~ tot oormaat van ramp

wor'ship (n) aanbidding, verering; erediens (kerk); *His W*~ *the Mayor* Sy Agbare die Burgemeester; *place of* ~ kerk; moskee; sinagoge; *Your W*~ Edelagbare (landdros, regter); (v) aanbid, loof, vereer; verafgo(o)d; ~ *the Lord* die Here aanbid/dien; **~per** aanbidder; kerkganger

worst (n) ergste; *if the* ~ *comes to the* ~ in die allerergste geval; *have the* ~ *of* aan die kortste end trek; (a) ergste, slegste

wor'sted cloth/fab'ric kamstof

worth (n) waarde; prys; voortreflikheid; (a) werd; ~ *mentioning/hearing* noemenswaardig; *not* ~ *a rap* geen blou duit werd nie; *not* ~ *his salt* nie sy sout verdien nie; **~less** waardeloos, nikswerd *also* **fu'tile; ~while** die moeite werd, lonend *also* **benefic'ial, gain'ful**

wor'thy (a) eerbaar, (agtens)waardig; *a* ~/*deserving cause* 'n verdienstelike saak

would (v, past tense) wou *see* **will**; *he* ~ *like to know* hy wil graag weet; *it* ~ *seem as if* dit wil voorkom of; **~be** kastig, sogenaamd; aspirant=

wound (n) wond, letsel, kwesplek; (v) wond, verwond, kwes; grief, leed veroorsaak; **~ed** gekwes; gewond; *~ed buck* gekweste bok; *~ed soldier* gewonde soldaat

wran'gle (n) twis, rusie *also* **alterca'tion; con=troversy;** (v) twis; rusie maak; **~r** rusiemaker, skoorsoeker *also* **trouble'maker**

wrap (n) (om)hulsel; omslag; tjalie; serp, halsdoek; (v) inwikkel; toedraai; *~ped in paper* in papier toegedraai; *~ed in sleep* vas aan die slaap; *~ped in thought* in gedag=tes/gepeins versonke; ~ **fund** saamvatfonds (effektetrust); **~per** omslag; adresband (vir tydskrifte); reisdeken; **~ping** omhulsel, om=slag; verpakking; **~ping pa'per** toedraaipa=pier; geskenkpapier *also* **gift pa'per**

wrath (n) gramskap, toorn *also* **an'ger, rage; ~ful** woedend *also* **infu'riated**

wreak (v) wraak neem op; lug gee aan; ~ *havoc* verwoesting aanrig/saai

wreath (n) krans (begrafnis); vlegwerk; ring

wreck (n) wrak; gestrande skip; wrakgoed; verwoeste voorwerp (veral motor); verwoes=ting; *go to* ~ *and ruin* te gronde gaan; (v) skipbreuk ly, strand; verongeluk; vernietig; **~age** wrakgoed, strandgoed *also* **deb'ris; ~ed sail'ors** skipbreukelinge

wren (n) winterkoninkie (voël)

wrench (n) skroefsleutel *also* **shif'ting span'ner;** verwringing; ruk, draai; *not without a* ~ nie sonder smart/hartseer nie; (v) verdraai, ver=wring; verrek, verstuit (enkel); ruk; ~ *away* afruk, wegruk; ~ *open* oopbreek

wrest (v) wegruk; draai, wring; ~ *from* ontruk; afneem

wrest'le (n) worsteling; (v) worstel; stoei *also* **grap'ple; ~r** stoeier

wrest'ling (n) stoei; worsteling; (a) stoei=, worstel=; **all-in** ~ rofstoei; **arm** ~ armdruk *also* **In'dian ~;** ~ **match** stoeiwedstryd; **profes'sional** ~ beroepstoei; ~ **ring** stoeikryt

wretch (n) ellendeling, skurk; sukkelaar, (arme) drommel; **~ed** (a) ellendig, armsalig *also* **forlorn', pathe'tic;** vervlakste, vervloekste (dief, inbreker)

wrig'gle (v) woel, kronkel, kriewel; **wrig'gly** (a) wriemelend

wright (n) bouer, vakman *also* **ar'tisan**

wring (v) wring, uitdraai; verdraai; druk, pers *also* **extract';** ~ *one's hands* jou hande wring; ~ *money out of* geld afpers van; ~ *the neck of* die nek omdraai; ~ *clothes* klere/wasgoed uitwring

wrin'kle (n) rimpel, plooi; (v) rimpel; **~d** (a) verrimpel(d)

wrist (n) handgewrig, pols; **~band** armband; mansjet; ~ **guard** polsskerm; **~let** armband, polsband; **~watch** polshorlosie

writ (n) lasbrief, dagvaarding; bevelskrif *also* **decree';** geskrif; *serve a* ~ *upon* 'n dagvaarding bestel/beteken aan; **Ho'ly W**~ die Heilige Skrif

write (v) skryf/skrywe; neerskryf, opskryf; ~ *a cheque* 'n tjek uitskryf; ~ *down* opskryf; afskryf; *nothing to* ~ *home about* niks om oor te kraai nie; ~ *off* afskryf (skuld); ~ *out* uitskryf; ~ *up* uitwerk; bywerk; byboek; **~r** skrywer, outeur *also* **au'thor; ~r's cramp** skryfkramp; **~up** (gunstige) berig/artikel (oor persoon of saak)

writhe (v) (ineen)krimp, (ver)wring; ~ *with pain* krimp van (die) pyn

wri'ting (n) skrif; geskrif; skrywe; *in* ~ op skrif; ~ **desk** lessenaar, skryftafel; ~ **mate'rials** skryfware *also* **sta'tionery;** ~ **pad** skryfblok; ~ **paper** skryfpapier; ~ **table** skryflessenaar (roltop)

writ'ten (a) geskrewe; ~ *exam(ination)* skrifte=like eksamen (teenoor mondeling(e))

wrong (n) onreg; oortreding; kwaad; ongelyk; *be in the* ~ verkeerd wees; verkeerd handel; (v) kwaad/verkeerd doen; mistas; (a) verkeerd, foutief; *don't get me* ~ moenie my verkeerd verstaan nie; *prove s.o.* ~ bewys iem. is verkeerd; *on the* ~ *side of 50* oor vyftig (jaar); *get out of bed on the* ~ *side* met die verkeerde voet/been uit die bed klim; *the* ~ *side up* onderstebo; *on the* ~ *track* op 'n dwaalspoor; *what is* ~*?* wat makeer?; (adv) mis, verkeerd; *do s.o.* ~ iem. onreg aandoen; *go* ~ 'n fout/ mistasting begaan *also* **slip up** (v); verkeerd loop, onklaar raak (masjien); **~do'er** kwaad= doener *also* **e'vildoer, malefac'tor, per'petra= tor; ~do'ing** misdryf, oortreding; **~ful** onbillik; onwettig, wederregtelik *also* **unlaw'ful**

wrought i'ron smeeyster

wry (a) skeef, verdraai *also* **warped; ~-mouthed** skewemond, skewebek; **~-necked'** met 'n skewe nek; ~ **smile** grimlag, grynslag

X

Xanthip′pe Xant(h)ippe (vrou van Sokrates); (spreekwoordelike) boosaardige wyf, kyfagtige huisvrou

X chro′mosome (n) X-chromosoom (genetika)

Xe′rox (trademark) (n) xerox (masjien); xerox(kopie), fotokopie *see* **pho′toco′py;** (v) xerox, fotokopieer

xenog′amy (n) kruisbevrugting

xenopho′bia (n) xenofobie, vreemdelingehaat *also: fear/hatred of foreigners/refugees*

Xho′sa (n) -s Xhosa (persoon, volksgroep, taal); isiXhosa (taal) *also* **isiXho′sa**

xi′phoid (a) swaardvormig, swaard=; xifoïed (biol.)

Xitson′ga Xitsonga (taal) *also* **Tson′ga**

X′mas (infml.) Kersfees, Kerstyd *also* **Christ′mas, Yule′tide**

X′-rays (n) x-strale, röntgenstrale; (v) bestraal, deurlig

xy′lem (n) houtweefsel

xy′lograph (n) houtsnede, houtgravure

xylog′rapher (n) houtgraveur (persoon)

xylog′raphy (n) houtgraveerkuns

xy′lophone (n) xilofoon; houtharmonika

xy′lose (n) houtsuiker

xyster (n) beenskraper

Y

yacht (n) (seil)jag; ~ **club** jagklub, seilbootklub; **~ing** seiljagsport; seiljagvaart; ~ **race** seiljag= wedvaart; **~s'man** seiljagvaarder (persoon)

yack/yackety-yack' (infml., usually derog.) (n) geklets, gebabbel; kletspraatjies

yak (n) jak, knorbuffel

Yale lock (trademark) (n) yaleslot (handels= naam)

yam (n) broodwortel

yank (v) ruk, pluk

Yan'k(ee) (n) Yank(ee), Amerikaner

yap (n) gekef, geblaf; (v) blaf, kef; klets; **~py** (a) kefferig, blafferig (hondjie)

yard[1] (n) agterplaas; werf

yard[2] (n) jaart, tree; *by the* ~ tot in die oneindige; ~ **mea'sure** maatstok, duimstok *also* **foot'rule;** **~stick** maatstaf

yarmul'ke (n) jarmoelka, skedelpet (Joods)

yarn (n) draad, gare/garing *also* **fi'bre;** storie, grap *also* **tall story;** (langdradige) relaas; *swop* ~*s* mekaar grappe vertel

yawl (n) jol, klein seiljag

yawn (n) gaap; (v) gaap; **~ing chasm** gapende afgrond

Y chro'mosome (n) Y-chromosoom (genetika)

ye (obs. form of address) julle, jul

yea ja; ~*s and nays* ja- en neestemme

year (n) jaar; *the* ~ *before last* voorverlede jaar; *in the* ~ *one* in die jaar nul; *the* ~ *round* die hele jaar deur; *this time* ~ oor 'n jaar; **~book** jaarboek; **~-end** jaareinde; **~ling** jaaroud dier; **~ly** jaarliks

yearn (v) sterk verlang, smag *also* **crave, long for;** **~ing** (n) verlange (na iem./iets)

year'-old (a) jaaroud, een jaar oud

year plan'ner (n) beplanning(s)almanak, jaarbe= planner

yeast (n) suurdeeg; gis

yell (n) gil, skree(u), angskreet; (v) gil, skree(u) *also* **shriek**

yel'low geel; jaloers; agterdogtig; lafhartig; **~ish** gelerig; ~ **peach** geelperske; ~ **press** sensa= siepers; ~ **sickness** geelsug *also* **jaun'dice;** **~wood** geelhout (in SA); ~ **wood** geel hout (S. Am.)

yelp (v) tjank, kef (hond)

yen[1] (n) jen (Japanse geldeenheid)

yen[2] (infml.) drang; hewige verlange

yeo'man (n) grondbesitter (hist.); lyfwag, helle= baardier (Br.); hofbediende; vrywilliger; *ren= der* ~ *service* onskatbare hulp/steun verleen; *Y*~ *of the Guard* koninklike lyfwag (Br.); **~ry** landmag, burgermag; grondbesitters (hist.)

yes ja: **~man** jabroer (persoon)

yes'terday gister; *the day before* ~ eergister

yes'teryear verlede jaar; vanmelewe, lank ge= lede, toeka se dae

yet (adv) nog; egter; nogtans, tog, darem; ~ *again* telkens weer; *as* ~ voorlopig, tot nog toe; *not just* ~ nie nou al nie; ~ *he comes to school* tog kom hy skool toe (bv. hoewel hy siek is)

Yidd'ish Jiddisj (taal)

yield (n) opbrengs/opbrings, produksie; lewe= ring; oes; (v) (op)lewer, opbring; ingee, toestem; oorgee, afstaan; verleen; toegee, die voorrang gee (by pad/sirkel); ~ *a point* toegee; inwillig; ~ *profit* wins oplewer/afwerp; ~ *to temptation* vir die versoeking/verleiding swig; **~ing** meegaande (van aard); produktief; ~ **sign** toegeeteken, voorrangteken (pad)

yip'pee (interj) jippie; hoera/hoerê

yob'bish (slang) (a) onbeskaaf, kru, barbaars (persoon, veral tienerseun)

yo'del (v) jodel (Alpynse sang)

yo'ga (n) joga (Hindoe-mistiek)

yo'gi (n) jogi (volgeling van joga)

yo'ghurt (n) jogurt (soort suurmelk)

yoke (n) juk; band; skouerstuk; *yield to the* ~ onder die juk/gesag buig; (v) inspan; koppel; verenig, saamvoeg; ~ **pin/skey** jukskei *also* **juk'skei**

yo'kel (n) takhaar, agtervelder, wildewragtig, jafel/javel (persoon)

yolk (n) eiergeel, dooier

yon'der gunter/ginds, daarso, daar

yore weleer, eertyds, vanmelewe; *in the days of* ~ vanmelewe/vanslewe, toeka (se dae/tyd)

you jou; jy; julle/jul; u (beleef); ~ *never can tell* 'n mens weet nooit nie

young (n) kleintjie; afstammeling *also* **is'sue;** *with* ~ dragtig (dier); (a) jong, jeugdig; baar, onervare; *her* ~ *man* haar kêrel/vryer; *the* ~ *ones* die kleinspan; ~ *in years* jonk van dae; **~ber'ry** youngbessie; ~ **man** jong man/jong= man; **~ster** seun, jongeling *also* **ju'venile;** snuiter; penkop

your jou; julle/jul; u (beleef)

yours joue/joune; julle s'n; van u (beleef); *I like* ~ *better* ek hou meer van joue/joune; ~ *faithfully* hoogagtend (die uwe); ~ *sincerely* opreg die uwe (afsluiting van brief)

yourself' jouself; uself; *you are not quite* ~ jy is nie op jou stukke nie; jy voel nie heeltemal lekker nie; *you* ~ *said so* jy het dit self gesê

youth (n) jeug; jonkheid; jongspan; jongmense; jongkêrel; jeugdige (persoon); ~ **club** jeug= klub; ~ **cul'ture** jeugkultuur; jongmense= bruike; **~ful** jeugdig, jong/jonk; ~ **hos'tel** jeugherberg

Youth Day Jeugdag (vakansiedag, 16 Junie)

yo′-yo (n) klimtol, jojo

yu(c)k (slang) (interj) ga, sies, jig/jêg; **yuck′/ yuk′kie** (a) aaklig, walglik, vieslik; jiggie, jakkie (omgangst.); stroperig, soetsappig (bv. liedjie)

Yule′tide (archaic) (n) Kersfees *also* **Christmas; Kerstyd**

yum′my (interj) njam-njam, lekker, smaaklik

yup′pie (n) jappie (jong opkomende professionele persoon); ~ **flu** jappiegriep, chroniese uitput= tingsindroom *also* **chron′ic fatigue′ syn′drome**

Z

Zambe′zi Zambezi(rivier)

Zam′bia Zambië (land); **~n** (n) Zambiër (persoon); (a) Zambies (gebruike, ens.)

za′ny (vindingryk) snaaks; grappig, komies; hansworserig; effens mal/getik (meesal in goedige betekenis)

zap (infml.) (v) haastig beweeg, rits; skoonmaak, uitwis (op rek.); aanspoel (op videoband); ~ *along the streets* deur die strate (rond)rits; ~ *the channels* van een TV-kanaal na 'n ander spring; TV-roelet speel

zap′py (a) lewendig, energiek; blitsig (motor)

zeal (n) ywer, geesdrif *also* **ar′dour, gus′to**

zea′lot (n) yweraar, dweper, fanatikus; seloot (Joodse groep, Bybelse tyd); **~ry** dweepsug, fanatisme

zeal′ous (a) ywerig, vurig, geesdriftig, vlytig

ze′bra (n) sebra, kwagga; ~ **cros′sing** sebraoorgang (straat); ~ **reflec′tor** sebrakaatser (pad)

ze′bu (n) zeboe, seboe, Brahmaan(bees)

Zeit′geist (n) tydgees *also: spirit of the age*

zen′ith (n) toppunt, hoogtepunt, senit *also* **peak, pin′nacle**

zeph′yr (n) sefier, luggie, windjie

zep′pelin (n) lugskip, zeppelin

ze′ro (n) **-es** zero, nul, nulpunt *also* **ci′pher/ cy′pher;** *be at* ~ op nul staan; *absolute* ~ absolute nulpunt; ~ **hour** aanvalsuur; ~ **line** nullyn; ~ **mark** nulstreep; ~ **rate** (n) nultarief (belasting); (v) van BTW vrystel; **~-ra′ted** (a) wat van BTW vrygestel is; ~ **tem′perature** nultemperatuur; ~ **tol′erance** ontoeskietlikheid; nultoleransie (teenoor misdaad)

zest (n) geesdrif; gretigheid *also* **keen′ness;** genot; smaak; ~ *for life/living* lewensvreugde; **~full** geesdriftig, begeester(d); vurig, entoesiasties

zig′zag (n) sigsag, kwinkwang; sigsag(pad), kronkel(pad); (v) kronkel, sigsag(sgewyse) loop; (a) sigsag=, slingerend, kwingkwang

zilch (Am. slang) (n) heeltemal/hoegenaamd/ne mooi niks

Zimbab′we Zimbabwe (land); **~an** (n) Zim babwiër (persoon); (a) Zimbabwies (gebruike ens.)

zinc (n) sink; ~ **oint′ment** sinksalf; ~ **shee** sinkplaat

zin′nia (n) jakobregop (blom)

Zi′on (n) Sion; **~ism** Sionisme (Joodse politiek beweging); **~ist** Sionis (persoon)

zip (n) ritssluiter *also* **zip fas′tener;** gerits gegons; pit, fut; (v) rits; gons; ~ *up* toerits; **code** (n) Amerikaanse poskode

zir′con (n) sirkoon (halfedelsteen)

zith′er (n) siter (snaarinstrument)

zo′diac (n) diereriem (sterre), sodiak

zol (slang) (n) daggasigaret; handgerolde sigaret (v) steel, gaps, vaslê, skaai

zom′bi(e) (n) zombie, wandelende lyk *als* **revived corpse**

zone (n) gebied *also* **a′rea;** sone; (land)stree *also* **re′gion;** kring; songordel; (v) sonee (erwe in 'n stadsgebied)

zo′ning (n) streekbou; streekindeling; sonering re~ hersonering

zonk (slang) (v) moker, foeter, slaan; **~ed** (a besope, smoordronk; hoog in die takke (va drank); bedwelm(d), in 'n dwelmwaas

zoo (n) dieretuin

zoo′graphy (n) dierebeskrywing, soögrafie

zoolog′ical (a) dierkundig, diere=; ~ **gar′de** dieretuin *also* **zoo**

zool′ogist (n) dierkundige, soöloog (persoon)

zool′ogy (n) dierkunde, soölogie (vak)

zoom (v) zoem (kamera; rek.); ~ *away* zoem weg; wegzoem; ~ *in* zoem in; ~ **appara′tu** zoemer *see* **buz′zer;** ~ **lens** skuiflens, zoem lens; ~ **shot** zoemskoot (kamera)

Zu′lu (n) **-s** Zoeloe/Zulu (persoon, volksgroep taal); isiZulu (taal) *also* **isiZu′lu**

ABBREVIATIONS/ACRONYMS

> **NOTE:** A dash (—) indicates that either the meaning of an abbreviation, or the abbreviation itself, cannot be or is not translated.

A

@ at □ teen **@**

AA Alcoholics Anonymous □ Alkoholiste-Anoniem **AA**

AA Automobile Association □ Automobiel-Assosiasie **AA**

AB — □ Afrikanerbond **AB**

abbr. abbreviation □ afkorting **afk.**

ABET/Abet Adult Basic Education and Training □ Basiese Onderwys en Opleiding vir Volwassenes **ABET/Abet**

ABM antiballistic missile □ antiballistiese missiel **ABM**

ABW Anglo-Boer War □ Anglo-Boereoorlog **ABO**

AC alternating current (electr.) □ wisselstroom **WS/ws.**

a/c account *also* **acc.** □ rekening **rek.**

acc. accusative (case) □ akkusatief **akk.**

ACDP African Christian Democratic Party □ — **ACDP**

actg. acting □ tydelike; waarnemend(e) **wnd./wrn.**

AD *Anno Domini* (in the Year of our Lord) □ ná Christus **n.C.**

ad inf. *ad infinitum* (to infinity) □ tot die oneindige **ad inf.**

adj. adjective □ byvoeglike naamwoord **b.nw.**

adj. adjutant □ adjudant **adjt.**

ad lib. *ad libitum* (at pleasure) □ na keuse **ad lib.**

Adm. Admiral □ admiraal **adm.**

admin. administrator; administration □ administrateur; administrasie **admin.**

Adv. Advocate □ advokaat **adv.**

adv. adverb □ bywoord **b(y)w.**

ad val. *ad valorem* (according to value) □ volgens waarde **ad val.**

advt./ad. advertisement □ advertensie **advt.**

AEB — □ Afrikaner-Eenheidsbeweging **AEB**

AFM Apostolic Faith Mission □ Apostoliese Geloofsending **AGS**

Afr. Africa; African; Afrikaans; Afrikaner □ Afrika; Afrikaan; Afrikaans; Afrikaner **Afr.**

AFU asset forfeiture unit □ batebeslagleggingseenheid **BBE**

AG Auditor-General □ ouditeur-generaal **OG/oudit.-genl.**

AG/Att.-Gen. Attorney-General □ prokureur-generaal **PG/prok.genl.**

AGM annual general meeting □ algemene jaarvergadering **AJV**

AI artificial insemination □ kunsmatige inseminasie **KI**

AI artificial intelligence □ kunsmatige intelligensie **KI**

AIDS/Aids acquired immunodeficiency syndrome □ verworwe immuniteitgebreksindroom **VIGS/vigs**

ald. alderman □ raadsheer **rdh.**

alg. algebra □ algebra **alg.**

alt. altitude (height above sea level) □ hoogte bo seespieël **h.b.s.**

AM amplitude modulation (radio) □ amplitude-modulasie **AM**

am/a.m. *ante meridiem* (before noon) □ voormiddag **vm.**

anat. anatomy; anatomical □ anatomie; anatomies(e) **anat.**

ANC African National Congress □ — **ANC**

Angl. Anglicism □ Anglisisme **Angl.**

ans. answer □ antwoord **antw.**

anon. *anonimus* (anonymous; unknown) □ onbekende **anon.**

a/o account of □ rekening van **rek. van**

APLA/Apla African People's Liberation Army □ — **APLA/Apla**

app. appendix □ aanhangsel **aanh.;** bylae **byl.**

appl. applause □ applous **appl.;** toejuiging **toej.**

appro. (on) approval □ op sig —

approx. approximately □ ongeveer **ong.**

Apr. April □ April **Apr.**

Arab. Arabia; Arabian/Arabic □ Arabië; Arabies(e) **Arab.**

arch. archaic □ argaïes **arg.**

arith. arithmetic □ rekenkunde **rekenk.**

arr. arrival □ aankoms **aank.**

art. article □ artikel **art.**

ASA Advertising Standards Authority □ Gesagvereniging vir Reklamestandaarde **GRS**

ASA Athletics South Africa □ Atletiek Suid-Afrika **ASA**

a.s.a.p. as soon as possible □ so spoedig/gou (as) moontlik —

ASCII American Standard Code for Information Exchange (comp.) □ Amerikaanse Standaardkode vir Inligtingsuitruiling **ASCII**

assoc. association □ vereniging **ver.**

asst. assistant □ assistent **asst.**

ATKV — ☐ Afrikaanse Taal- en Kultuurver=
eniging **ATKV**
ATM automatic teller machine ☐ outomatiese
tellermasjien **OTM**
Att.-Gen./AG Attorney-General ☐ prokureur-
generaal **prok.genl./PG**
attn (for) attention ☐ (vir die) aandag —
ATV all-terrain vehicle ☐ veldvoertuig —
AU African Union ☐ Afrika-Unie **AU**
Aug. August ☐ Augustus **Aug.**
Ave avenue ☐ laan **ln.**
AVF — ☐ Afrikaner-Volksfront **AVF**
AWB — ☐ Afrikaner-Weerstandsbeweging
AWB
AWOL absent without official leave ☐ afwesig
sonder (amptelike) verlof **ASV**
AWS — ☐ Afrikaanse Woordelys en Spelreëls
AWS
Azapo Azanian People's Organisation ☐ —
Azapo

B

b. born; née ☐ gebore **geb.**
b. bowled (cricket) ☐ geboul **(ge)b.**
BA Bachelor of Arts ☐ *Baccalaureus Artium*
B.A./BA
bal. balance ☐ balans; saldo **bal.**
BASIC/Basic Beginner's All-purpose Symbolic
Instruction Code (comp.) ☐ — **BASIC/Basic**
BBC British Broadcasting Corporation ☐ —
BBC
BC before Christ ☐ voor Christus **v.C.**
BCom Bachelor of Commerce ☐ *Baccalaureus
Commercii* **B.Com./BCom**
BCE Before (the) Common Era ☐ voor (die)
Algemene Era **v.AE;** voor die Huidige Jaar=
telling **VHJ**
BD Bachelor of Divinity ☐ *Baccalaureus
Divinitatis* **B.D./BD**
B/E Bill of Exchange ☐ wissel —
BEd Bachelor of Education ☐ *Baccalaureus
Educationis* **B.Ed./BEd**
BEE Black Economic Empowerment ☐ Swart
Ekonomiese Bemagtiging **SEB**
b/f brought forward (bookk.) ☐ oorgebring **ob.**
biol. biology; biological ☐ biologie; biolo=
gies(e) **biol.**
Blvd Boulevard ☐ boulevard **bldv.**
B/L bill of lading ☐ ladingsbrief; laaibrief **LB;**
vragbrief **VB**
BMus Bachelor of Music ☐ *Baccalaureus
Musicae* **B.Mus./BMus**
bn battalion ☐ bataljon **bat.**
BO (infml.) body odour ☐ liggaamsreuk —
bot. botany ☐ plantkunde **plantk.;** botanie **bot.**
B/P bill payable ☐ betaalbare wissel **BW**

B/R bill receivable ☐ ontvangwissel **OW**
Br. Britain; British ☐ Brittanje; Brits(e) **Br(it)**
Bros Brothers (firm) ☐ gebroeders **gebrs.**
BSA Business South Africa ☐ Besighei
Suid-Afrika **BSA**
BSc Bachelor of Science ☐ *Baccalaureu
Scientiae* **B.Sc./BSc**
BSE bovine spongiform encephalopathy ☐
sponsagtige bees-enkefalopatie **SBE**

C

C Celsius; centigrade ☐ Celsius **C**
c cent(s) ☐ sent **c**
c. caught (cricket) ☐ gevang **(ge)v.**
c/ca *circa* (about) ☐ *circa* (ongeveer; om
streeks) **ca./c.**
CA Chartered Accountant ☐ Geoktrooieerde
Rekenmeester **GR**
CA Constitutional Assembly ☐ Grondwetlike
Vergadering **GV**
C/A current account (bank) ☐ lopende rekening
LR/l.r.
CAA Civil Aviation Authority ☐ Burgerlike
Lugvaartowerheid **BLO**
CAD computer-aided design ☐ rekenaarge=
steunde ontwerp **CAD**
CAF Confederation of African Football ☐ Kon
federasie van Afrika-voetbal (sokker) **KAF**
CAI computer-aided instruction ☐ rekenaarge=
steunde onderrig **RGO/RO**
cal. calorie(s) ☐ kalorie(ë) **kal.**
CAM computer-aided manufacture ☐ rekenaar=
gesteunde vervaardiging **CAM**
cap. capital (letter) ☐ kapitaal **kap.;** hoofletter
hfl.
Capt. Captain ☐ kaptein **kapt.**
car./ct. carat ☐ karaat **kar.**
CAT computerized axial tomography (med.) ☐
gerekenariseerde aksiale tomografie **CAT**
C/B credit balance ☐ kredietsaldo **ks.**
CBD central business district ☐ sentrale sake=
gebied/sakebuurt **SSG/SSB**
CBO community-based organisation ☐ ge=
meenskapsgebaseerde organisasie **GBO**
CC close(d) corporation ☐ beslote korporasie
BK
cc (carbon) copy to ☐ afskrif(te) aan **a.a.**
cc cubic centimetre(s) ☐ kubieke sentimeter **cc**
CD compact disk ☐ kompakskyf; laserskyf **CD**
c/d carried down ☐ afgebring **ab.**
CD-ROM compact disk read-only memory ☐
kompakskyf-leesalleengeheue **CD-ROM**
CE (the) Common Era ☐ (die) Algemene Era
AE *ook* (die) Huidige Jaartelling **HJ**
CEO chief executive officer ☐ hoof(-) uitvoe=
rende beampte; bestuurshoof **HUB**

ert. certificate □ sertifikaat **sert.**

f./cp. *confer(atur)* (compare) □ vergelyk **vgl.; cf.**

g centigram(s) □ sentigram **cg**

GT capital gains tax □ belasting op kapitaal= winste **BKW**

h(ap). chapter □ hoofstuk **hfst.**

hB Bachelor of Surgery □ *Chirurgiae Bacca= laureus* **Ch.B./ChB**

hem. chemistry; chemical □ chemie; che= mies(e) **chem.**; skeikunde; skeikundig(e) **skeik.**

hr. Christ; Christian □ Christus; Christelik(e) **Chr.**

IA Central Intelligence Agency (USA) □ Amerikaanse Intelligensiediens **CIA**

i.f. cost, insurance, freight □ koste, assuransie, vrag **k.a.v.**

IS Commonwealth of Independent States (Russia) □ Gemenebes van Onafhanklike State (Rusland) **GOS**

ITES Convention on International Trade in Endangered Species □ Konvensie oor Inter= nasionale Handel in Bedreigde Spesies **CITES**

ℓ centilitre(s) □ sentiliter **cℓ**

lr. councillor □ raadslid **rdl.**

m centimetre(s) □ sentimeter **cm**

/N credit note □ kredietnota **KN**

NN Cable News Network (TV) □ — **CNN**

O Commanding Officer □ bevelvoerende offisier **BO**

o. company □ kompanjie **Kie.**; maatskappy **Mpy.**

/o care of □ per adres **p.a.**

OBOL/Cobol common business-oriented lan= guage (comp.) □ algemene besigheidstaal **COBOL/Cobol**

OD cash on delivery □ kontant by aflewering **KBA/k.b.a.**

OL cost of living □ lewensduurte —

ol. Colonel □ kolonel **kol.**

omdt. Commandant □ kommandant **kmdt.**

on. *contra* (against) □ *versus* (teen) **vs.**

onj. conjunction □ voegwoord **v(oe)gw.**

ons. consignment □ besending **bes.**

ontd. continued □ vervolg **verv.**

o-op. cooperative (society) □ koöperasie/ ko-operasie **koöp./ko-op**

or./cnr. corner □ hoek van **h.v.**

osas Congress of South African Students □ — **Cosas**

osatu Congress of South African Trade Unions □ — **Cosatu**

CP Conservative Party □ Konserwatiewe Party **KP**

p candlepower □ kerskrag **kk.**

CPI consumer price index □ verbruikersprys=

indeks **VPI**

Cpl. Corporal □ korporaal **kpl.**

CPU central processing unit (comp.) □ sentrale verwerk(ings)eenheid **SVE** *ook* **CPU**

CPU Child Protection Unit (police) □ Kinder= beskermingseenheid **KBE**

Cr. credit; creditor □ krediet **kt.**; krediteur **kr.**

CSA Christian Students' Association □ Chris= tenstudentevereniging **CSV**

CSIR Council for Scientific and Industrial Research □ Wetenskaplike en Nywerheidna= vorsingsraad **WNNR**

cu(b). cubic □ kubiek(e) **kub.**

CV *curriculum vitae also* **cur.vit.** □ *curriculum vitae* (lewensprofiel) **CV/cur. vit.**

CWO cash with order □ kontant met bestelling **KMB/k.m.b.**

cwt hundredweight □ sentenaar **cwt**

D

D Roman numeral 500 □ Romeinse 500 **D**

d. *denarius* (penny) □ *denarius* (pennie) **d.**

d. died; late □ oorlede **oorl.**

DA Democratic Alliance □ Demokratiese Alliansie **DA**

Dalro Dramatic, Artistic and Literary Rights Organisation □ Dramatiese, Artistieke en Letterkundige Regte-Organisasie **Dalro**

DAT digital audio tape □ digitale oudioband **DAT**

dat. dative (case) □ datief **dat.**

dB decibel(s) □ desibel **dB**

DBSA Development Bank of Southern Africa □ Ontwikkelingsbank van Suider-Afrika **OBSA**

DC direct current (electr.) □ gelykstroom **GS/gs.**

Dec. December □ Desember **Des.**

dec. declared (cricket) □ verklaar **verkl.**

def. definition □ definisie **def.**

DEIC Dutch East India Company □ Neder= landse Oos-Indiese Kompanjie **NOIK** *ook* **VOC**

dept. department □ departement **dept.**

DG *Dei Gratia* (by the grace of God); *Deo Gratias* (thanks be to God) □ deur Gods genade; God sy dank **DG**

DG Director-General □ direkteur-generaal **DG**

Dg decagram(s) □ dekagram **Dg**

dg decigram(s) □ desigram **dg**

dict. dictionary □ woordeboek **wdb.**

dim. diminutive (word) □ verkleinwoord **verklw.**

disc. discount □ diskonto; afslag **disk.**

dist. district □ distrik **distr.**

div. dividend(s) □ dividend(e) **div.**

div. division □ afdeling **afd.**

DIY do it yourself □ doen dit self **DDS**

DJ disk jockey □ platedraaier (in klub) —

Dℓ decalitre(s) □ dekaliter **Dℓ**

dℓ decilitre(s) □ desiliter **dℓ**

Dm decametre(s) □ dekameter **Dm**

dm decimetre(s) □ desimeter **dm**

DMA direct memory access (comp.) □ direkte geheuetoegang **DMA**

DNA deoxyribonucleic acid □ deoksiribonu‑ kleïensuur **DNS**

do. *ditto* (the same) □ dieselfde **do.**

DOA dead on arrival □ dood by aankoms —

d.o.b. date of birth □ geboortedatum —

DOS disk operating system (comp.) □ skyf‑ bedryfstelsel **DOS** *ook* **SBS**

doz. dozen □ dosyn **dos.**

DP Democratic Party □ Demokratiese Party **DP**

Dr. Drive □ rylaan **rln.**

Dr Doctor □ doktor; dokter **dr.**

dr. debtor □ debiteur **dr.**

DRC Dutch Reformed Church □ Nederduitse Gereformeerde Kerk **NGK**

Drs doctors □ doktors; dokters **drs.**

DStv digital satellite television □ digitale satelliettelevisie (skottel-TV) **DStv**

dt/dr. debit □ debiet **dt.**

DTP desktop publishing □ lessenaarsetwerk; les‑ senaarpublisering; tafelpublisering **DTP; TP**

DV *Deo volente* (God willing) □ as God wil **DV**

dwt. pennyweight □ pennyweight **dwt.**

E

E East □ oos(te) **O.**

E & OE errors and omissions excepted □ behoudens foute en weglatings **F en WU** *kyk* **BFW**

ECG electrocardiogram □ elektrokardiogram **EKG**

econ. economic(s); economical □ ekonomie; ekonomies(e) **ekon.**

ECOSA Economic Community of Southern Africa □ Suider-Afrikaanse Ekonomiese Ge‑ meenskap **SAEG**

Ed. Editor □ redakteur; redaksie **red.**

ed. edition □ druk **dr.**; edisie **ed.**; uitgawe **uitg.**

EDP electronic data processing (comp.) □ elektroniese dataverwerking **EDV**

EEG electroencephalogram □ elektroënkefalo‑ gram **EEG**

EFL English as a foreign language □ Engels as 'n vreemde taal (in onderwys) —

EFTPOS electronic funds transfer at point of sale □ elektroniese fondsoorplasing by ver‑ koopspunt **EFTPOS**

eg/eg./e.g. *exempli gratia* (for example/in‑ stance) □ byvoorbeeld **bv.**

electr. electricity; electrical □ elektrisiteit elektries(e) **elektr.**

email/e-mail electronic mail □ elektroniese po e-pos

encl. enclosure □ bylae/bylaag **byl.**

Eng. England; English □ Engeland; Engel **Eng.**

EPNS electroplate on nickel silver □ versilwe **EPNS**

EPOS electronic point of sale □ elektronies verkoopspunt **EPOS**

Eskom Electricity Supply Commission □ Elek trisiteitvoorsieningskommissie **Eskom**

ESL English as a second language □ Engels a 'n tweede taal (in onderwys) —

ESP extrasensory perception □ buitesintuiglik waarneming **BSW**

Esq. Esquire □ Weledele Heer **Weled. Hr.**

est. established □ gestig; opgerig **gest.**

ET extraterrestrial (being) □ buiteaards(e wese

et al. *et alii* (and others) □ en ander(e) **e.a.** *oo* en so meer **e.s.m.**

etc. *et cetera* (and so forth) □ ensovoorts **ens.** en dergelike/dies meer **e.d.m.;** en so mee **e.s.m.**

et seq. *et sequens* (and the following) □ er volgende **e.v.**

EU European Union □ Europese Unie **EU**

Exc. Excellency □ Eksellensie **Eks.**

excl. excluding □ met uitsondering van **m.u.v.**

ex off. *ex officio* (by virtue of his office) □ ampshalwe **ex. off**

expr. expression □ uitdrukking **uitdr.**

ext. (of street/suburb) □ uitbreiding **uitbr.**

F

F Fahrenheit □ Fahrenheit **F**

f *forte* (loud) (mus.) □ *forte* (luid) **f**

FAK — □ Federasie van Afrikaanse Kultuur verenigings **FAK**

fax facsimile □ faksimilee **faks**

FBI Federal Bureau of Investigation (USA) □ Amerikaanse Federale Speurdiens **FBI**

Feb. February □ Februarie **Feb(r).**

Fedhasa Federated Hotel Association of South Africa □ Federasie van Gastebedrywe var Suid-Afrika **Fedhasa**

f(em). feminine □ vroulik **v(r).**

FF Freedom Front □ Vryheidsfront **VF**

ff *fortissimo* (very loud) (mus.) □ *fortissime* (baie luid) **ff**

Fifa International Football Federation *(Fédéra tion Internationale de Football Association* □ Internasionale Voetbalfederasie (sokker' **Fifa**

fig. figure; figurative □ figuur; figuurlik **fig.**

'M Field Marshal □ veldmaarskalk **veldm.**

'M frequency modulation □ frekwensiemodu= lasie **FM**

o.b. free on board □ vry aan boord **v.a.b.**

ol. folio □ folio/deel **fol./dl.**

ol. following □ volgende **vlg.**; onderstaande **ost.**

o.r. free on rail □ vry op spoor **v.o.s.**

orex (infml.) foreign exchange □ buitelandse valuta —

'relimo Front for the Liberation of Mozambique *(Frente de Libertação de Moçambique)* □ Front vir die Bevryding van Mosambiek **Frelimo**

'ri. Friday □ Vrydag **Vr.**

'S Free State □ Vrystaat **VS**

t. foot, feet (measure) □ voet **vt.**

'TP file transfer protocol (comp.) □ lêeroor= dragprotokol **LOP**

wd forward (letter; goods) □ aanstuur; stuur aan —

G

gram(s) □ gram **g**

al. gallon(s) □ gelling/gallon **gell./gall.**

GATT General Agreement on Tariffs and Trade □ Algemene Ooreenkoms oor Tariewe en Handel **AOTH**

GDP gross domestic product □ bruto binne= landse produk **BBP**

GEAR growth, employment and redistribution □ — **GEAR**

Gen. General □ generaal **genl.**

gen. genitive □ genitief **gen.**

gend. gender □ geslag —

geog. geography □ aardrykskunde **aardr.**; geografie **geogr.**

geol. geology □ geologie **geol.**

geom. geometry □ meetkunde **meetk.**

GIGO garbage in, garbage out (comp.) □ gemors in, gemors uit **GIGU**

GIS Geographic Information System □ Geo= grafiese Inligtingstelsel **GIS**

GM general manager □ hoofbestuurder —

GM genetic(al) modification □ genetiese modi= fisering **GM**

GMP genetically modified product □ geneties gemodifiseerde produk **GGP**

GMT Greenwich Mean Time □ Greenwichtyd **GT**

gnr. gunner □ skutter **sktr.**

gov. governor; government □ goewerneur **goew.**; regering **reg.**

GP general/family practitioner □ huisarts; mediese praktisyn —

GPO General Post Office □ Hoofposkantoor **HPK**

gr. grain(s) □ grein **gr.**

GUI graphical user interface (comp.) □ grafiese gebruikerskoppelvlak —

gym. gymnastics; gymnasium □ gimnastiek; gimnasium **gimn.**

H

ha hectare(s) □ hektaar **ha**

HCF highest common factor □ grootste gemene deler **GGD**

HDE Higher Diploma in Education □ Hoër Onderwysdiploma **HOD**

HE His/Her Excellency □ Sy/Haar Eksellensie **SE/HE**

HF high frequency □ hoë frekwensie **HF**

hg hectogram(s) □ hektogram **hg**

HH His Holiness; His/Her Highness □ Sy Heiligheid; Sy Hoogheid **SH;** Haar Hoogheid **HH**

His. Hon. His Honour □ Sy Edele **S.Ed.;** Sy Edelagbare (in hof) **S.Ed.Agb.**

HIV human immunosuppressive virus □ mens= like immuniteitsgebrekvirus **MIV**

hℓ hectolitre(s) □ hektoliter **hℓ**

HM His/Her Majesty □ Sy/Haar Majesteit **SM/HM**

hm hectometre(s) □ hektometer **hm**

Hon. Honourable □ agbare **agb.**; Sy Edelagbare **S.Ed.Agb.**; Sy Edele **S.Ed.**

Hons. Honours (university degree) □ Honneurs **Hons.**

Hon. Sec. honorary secretary □ eresekretaris **eresekr.**

h.p. horsepower □ perdekrag **pk.**

HPCSA Health Professions Council of South Africa □ Suid-Afrikaanse Raad vir Gesond= heidsberoepe **SARG**

HQ headquarters □ hoofkwartier **HK**

HR human resources □ menslike hulpbronne —

HRC Human Rights Commission □ Mense= regtekommissie **MRK**

HRH His/Her Royal Highness □ Sy/Haar Koninklike Hoogheid **SKH/HKH**

HRT hormone replacement therapy (med.) □ hormoonvervangingsterapie **HVT**

HSRC Human Sciences Research Council □ Raad vir Geesteswetenskaplike Navorsing **RGN**

HTML Hypertext Markup Language (comp.) □ hiperteks-opmaaktaal **HTML**

I

IBA Independent Broadcasting Authority □ Onafhanklike Uitsaai-owerheid **OUO**

ib(id). *ibidem* (in the same place) □ aldaar **ib(id).**

ICBM intercontinental ballistic missile □ interkontinentale ballistiese missiel **IKBM**

ICC International Cricket Council □ Internasionale Krieketraad **IKR**

ICU intensive care unit □ waakeenheid; waaksaal; intensiewe sorgeenheid —

ID identity document □ identiteitsdokument **ID**

id. *idem* (the same) □ dieselfde **id.**

Idasa Institute for Democracy in South Africa □ Instituut vir Demokrasie in Suid-Afrika **Idasa**

IDSEO Investigating Directorate: Serious Economic Offences □ Ondersoekdirektoraat: Ernstige Ekonomiese Misdrywe **Odeem**

i.e./ie *id est* (that is to say) □ dit is **d.i.** *ook* **d.w.s.**

IEC Independent Electoral Commission □ Onafhanklike Verkiesingskommissie **OVK**

IFP Inkatha Freedom Party □ Inkatha-vryheidsparty **IVP**

ill./illus. illustrated; illustration □ geïllustreer **geïll.;** illustrasie **ill.**

ILO International Labour Organisation □ Internasionale Arbeidsorganisasie **IAO**

IMF International Monetary Fund □ Internasionale Monêtere Fonds **IMF**

imp. imperative □ imperatief **imp.;** gebiedende wys **geb. wys**

in. inch(es) □ duim **dm.**

Inc. incorporated (US company) □ ingelyf —

incl. including; inclusive □ inklusief **inkl.;** insluitend **insl.;** met inbegrip van **m.i.v.**

incog. *incognito* (unknown) □ onbekend **incog.**

ind. indicative (mood) □ indikatief **ind.;** aantonend **aant.**

inf. infinitive □ infinitief **inf.**

infra dig. *infra dignitatem* (beneath his dignity) □ benede sy waardigheid **infra dig.**

inst. instant (this month) □ deser **des.**

int. al. *inter alia* (among other things) □ onder andere **o.a.**

Intelsat International Telecommunications Satellite Consortium □ Internasionale Telekommunikasie-satellietkonsortium **Intelsat**

interj. interjection □ tussenwerpsel **tw.**

Interpol International Criminal Police Organisation □ Internasionale Misdaadpolisie-organisasie **Interpol**

intro. introduction □ inleiding **inl.**

inv. invoice □ faktuur **fakt.**

IOC International Olympic Committee □ Internasionale Olimpiese Komitee **IOK**

IOU I owe you □ skuldbewys —

IQ intelligence quotient □ intelligensiekwosiënt **IK**

IRA Irish Republican Army □ Ierse Republikeinse Leër **IRL**

IRB International Rugby Board □ Internasionale Rugbyraad **IRR**

IRC International Red Cross □ Internasionale Rooi Kruis **IRK**

Isasa Independent Schools Association □ Organisasie van onafhanklike skole —

ISBN International Standard Book Number □ Internasionale Standaardboeknommer **ISBN**

Iscor South African Iron and Steel Industrial Corporation □ Suid-Afrikaanse Yster en Staal Industriële Korporasie **Iscor** (*voorheen* **Yskor**)

ISO International Organisation for Standardisation □ Internasionale Standaarde-Organisasie **ISO**

ISP internet service provider □ internetdiens verskaffer **ISP**

ISS International Space Station □ Internasionale Ruimtestasie **IRS**

IT information technology □ inligtingtegnologie **IT**

ital. italics; italicise; italisation □ kursief kursiveer; kursivering **kurs.**

IVF in vitro fertilisation □ in vitro-bevrugting **IVB**

J

Jan. January □ Januarie **Jan.**

JP Justice of the Peace □ vrederegter **VR**

JSE JSE Securities Exhange (*previously* Johannesburg Stock Exchange) □ JSE Sekuriteitebeurs **JSE**

Jul. July □ Julie **Jul.**

Jun. June □ Junie **Jun.**

Jun. junior (the younger) □ junior (die jongere, jongste) **jr.**

K

K/KB/Kb/kbyte kilobyte (comp.) □ kilogreep **KG/Kg/kgreep**

KBE Knight of the British Empire □ Ridder van die Britse Ryk —

kg kilogram(s) □ kilogram **kg**

KGB *Komitet Gosudarstvennoi Bezopasnost* (Russian Secret Police - hist.) □ — Russiese geheimpolisie **KGB**

KKK *Ku-Klux Klan* (USA racialist organisation) □ — **KKK**

KKNK — □ Klein Karoo Nasionale Kunstefees **KKNK**

kℓ kilolitre(s) □ kiloliter **kℓ**

km kilometre(s) □ kilometer **km**

km/h kilometres per hour □ kilometer per uur (*hora*) **km/h**

kPa kilopascal(s) □ kilopascal **kPa**

kW kilowatt(s) (electr.) □ kilowatt **kW**

KWV — □ Koöperatiewe Wynbouersvereni=
ging **KWV**

L

£ pound(s) (money) □ pond (geld) **£**

L learner driver □ leerlingbestuurder **L**

L Roman numeral 50 □ Romeinse 50 **L**

l. line □ reël **r.**

ℓ litre(s) □ liter **ℓ**

ℓ/100 km litres per 100 km □ liter per l00 km
ℓ/100 km

LA Legislative Assembly □ Wetgewende
Vergadering **WV**

lab. laboratory □ laboratorium **lab.**

LAN local area network (comp.) □ lokale-
areanetwerk **LAN**

Lat. Latin □ Latyn **Lat.**

lb(.) pound (weight) □ pond (gewig) **lb.; pd.**

lbw leg before wicket (cricket) □ been voor
paaltjie **b.v.p./bvp**

L/C letter of credit □ kredietbrief **KB**

l.c./lc lower case (letter) □ onderkas (letter) **ok.**

LCD liquid-crystal display □ vloeibare kristal=
vertoon **VKV**

LCM lowest common multiple □ kleinste
gemene veelvoud **KGV**

LDV light delivery van □ ligte afleweringswa
LAW

lib. library □ biblioteek **bibl.**

lit. literal(ly) □ letterlik(e) **lett.**

lit. literature □ letterkunde **lettk.**

LLB Bachelor of Laws □ *Legum Baccaulareus*
LL.B./LLB

loc. cit. *loco citato* (in the place cited) □ *loco
citato* (op die aangehaalde plek) **loc.cit.** *ook*
ter aangehaalde plaatse **t.a.p.**

log. logarithm □ logaritme **log.**

LP long-playing record (obs.) □ langspeler
(plaat) **LS**

LS *Lectori Salutem* (hail the reader) □ heil die
leser **H.d.L./LS**

£.s.d. *librae* (pounds), *solidi* (shillings), *denarii*
(pence/pennies) □ ponde, sjielings en pennies
£.s.d.

LSD lysergic acid diethylamide □ lisergien-
suurdiëtielamied **LSD**

Lt. Lieutenant □ luitenant **lt.**

Lt.-Col. lieutenant-colonel □ luitenant-kolonel
lt.kol.

Ltd Limited □ Beperk **Bpk.**

l. to r. (from) left to right □ (van) links na regs
(v.) **l.n.r.**

M

M. million □ miljoen **m.**

M Roman numeral 1 000 □ Romeinse 1 000 **M**

m metre(s); mile(s) □ meter **m;** myl **m.**

MA Master of Arts □ *Magister Artium*
M.A./MA

Maj. Major □ majoor **maj.**

Mar. March □ Maart **Mrt.**

MASA Medical Association of South Africa □
Mediese Vereniging van Suid-Afrika **MVSA**

m(asc). masculine □ manlik **m./ml.**

maths. mathematics □ wiskunde **wisk.**

MB/Mb/mbyte megabyte (comp.) □ mega=
greep **MG/Mg/mgreep**

MBA/MBL Master's degree in Business Ad=
ministration/Leadership □ Magister (mees=
tersgraad) in Besigheidsadministrasie/Be=
dryfsleiding **MBA/MBL**

MC master of ceremonies □ seremoniemeester
—

MC Metropolitan Council □ Metropolitaanse
Raad **MR**

MCC Marylebone Cricket Club □ — **MCC**

MCQ multiple choice question □ veelkeuse=
vraag **VKV**

MD managing director □ besturende direkteur
BD

MDC Movement for Democratic Change (Zim=
babwe) □ Beweging vir Demokratiese Ver=
andering **MDC**

MDM Mass Democratic Movement □ —
MDM

ME myalgic encephalomyelitis (med. "yuppie
flu") □ mialgiese enkefalomiëlitis **ME**

MEC Member of the Executive Committee □
Lid van die Uitvoerende Komitee **LUK**

MEC Member of the Executive Council □ Lid
van die Uitvoerende Ŕaad **LUR**

Medunsa Medical University of Southern Africa
□ Mediese Universiteit van Suider-Afrika
Medunsa

memo. memorandum □ memorandum **memo.**

Messrs *Messieurs* (gentlemen) □ menere; (die)
firma **mnre.**

MG machine gun □ masjiengeweer **MG**

mg milligram(s) □ milligram **mg**

MI military intelligence □ militêre inligting(s=
diens) **MI**

mil. military □ militêr(e) **mil.**

min. minute □ minuut **min.**

Mintek Council for Mineral Technology □
Raad vir Mineraaltegnologie **Mintek**

MJC Muslim Judicial Council □ Moslem(-)
Juridiese Raad **MJR**

MK Umkhonto weSizwe □ — **MK**

mℓ millilitre(s) □ milliliter **mℓ**

mm millimetre(s) □ millimeter **mm**

MOH Medical Officer of Health □ stadsge=
neesheer —

Mon. Monday □ Maandag **Ma.**

MOTH Memorable Order of Tin Hat(s) □ —
MOTH

MP Member of Parliament □ Lid van die
Parlement **LP**

MPC male chauvinistic pig (infml.) □ manlike
chauvinistiese swyn —

mpg miles per gallon □ myl per gelling **m.p.g.**

mph miles per hour □ myl per uur **m.p.u.**

MPLA People's Movement for the Liberation of
Angola *(Movimento Popular de Libertação de
Angola)* □ Volksbeweging vir die Bevryding
van Angola **MPLA**

MPV multi-purpose vehicle □ meerdoelvoer=
tuig **MDV**

Mr Mister □ meneer **mnr.**

MRC Medical Research Council □ Mediese
Navorsingsraad **MNR**

Mrs (title for married woman) □ mevrou **mev.**

MS manuscript □ manuskrip **ms.**

MS multiple sclerosis (med.) □ multipele/
verspreide sklerose **MS**

Ms (title for woman to avoid making distinction
between married/unmarried women) □ —
me(.)

Mt. Mount □ berg —

mus. music(al) □ musiek; musikaal **mus.**

MW medium wave (radio) □ mediumgolf
MG

MWU Mineworkers' Union □ Mynwerkersunie
MWU

N

N North □ noord(e) **N.**

n. noun □ selfstandige naamwoord **s.nw.**

n. *natus* (born); née □ gebore **geb.**

NA National Assembly □ Nasionale Vergade=
ring **NV**

NA/n.a. not applicable □ nie van toepassing
NVT/n.v.t.

Nafcoc National African Federated Chamber of
Commerce and Industry □ — **Nafcoc**

Nam. Namibia □ Namibië **Nam.**

NASA National Aeronautics and Space Admin=
istration (USA) □ Nasionale Ruimtevaart- en
Ruimteadministrasie **NASA**

Nasrec National Sport, Recreation and Exhibi=
tion Centre □ Nasionale Sport-, Ontspan- en
Uitstalsentrum **Nasrec**

Nato North Atlantic Treaty Organisation □
Noord-Atlantiese Verdragsorganisasie **Navo**

NB *nota bene* (mark well) □ let wel **LW; NB**

NCO non-commissioned officer □ onderoffisier
—

NCOP National Council of Provinces □
Nasionale Raad van Provinsies **NRP**

NE North East □ noordoos **NO**

Necsa Nuclear Energy Corporation of South
Africa □ Suid-Afrikaanse Kernenergiekor=
porasie **Necsa**

Nedlac National Economic, Development an
Labour Council □ Nasionale Ekonomiese
Ontwikkelings- en Arbeidsraad **Nedlac**

neg. negative □ negatief **neg.; ontkennen
ontk.**

Nehawu National Education, Health and Allie
Workers' Union □ — **Nehawu**

Nepad New Partnership for Africa's Develop
ment □ Nuwe Vennootskap vir Afrika-On
wikkeling **Nepad**

NGO nongovernmental organisation □ nie
regeringsorganisasie **NRO**

NNP New National Party □ Nuwe Nasional
Party **NNP**

No. *numero* (number) □ nommer **no./nr.**

n.o. not out (cricket) □ nie uit nie **n.u.n.**

Nocsa National Olympic Committee of South
Africa □ Nasionale Olimpiese Komitee va
Suid-Afrika **Noksa**

nom. nominative (case) □ nominatief **nom.**

Nov. November □ November **Nov.**

NP National Party □ Nasionale Party **NP**

NPSL National Professional Soccer League
(hist.) □ Nasionale Beroepsokkerliga **NBSL**

NSL National Soccer League □ Nasional
Sokkerliga **NSL**

NSRI National Sea Rescue Institute □ Nasic
nale Seereddingsinstituut **NSRI**

NT New Testament □ Nuwe Testament **NT**

NTC National Technical Certificate □ Nasic
nale Tegniese Sertifikaat **NTS/N.T.S.**

NUM National Union of Mineworkers □
Nasionale Unie van Mynwerkers **NUM**

num. numeral □ telwoord **telw.**

Numsa National Union of Metalworkers o
South Africa □ Nasionale Unie van Metaal
werkers van Suid-Afrika **Numsa**

NW North West □ noordwes **NW**

O

o/a on account □ op rekening **o.r.**

OAU Organisation for African Unity (hist.) *se
AU* □ Organisasie vir Afrika-Eenheid **OAE**

ob. *obiit* (died) □ oorlede **ob.; oorl.**

o.b. on board □ aan boord **a.b.**

obdt obedient □ dienswillig **diensw.**

OBE Order of the British Empire □ Orde va
die Britse Ryk —

OBE outcomes-based education □ uitkomsge
baseerde/uitkomsgerigte onderwys **UGO**

obj. object; objective ☐ voorwerp **voorw.**; objek **obj.**

obs. obsolete; becoming obsolete (word/concept) ☐ verouderd; verouderend **veroud.**

OC Officer Commanding ☐ bevelvoerende offisier **BO**

OCR optical character reader/recognition ☐ optiese karakterleser/karakterherkenning —

Oct. October ☐ Oktober **Okt.**

8ov octavo (paper size) ☐ oktavo **okt.**

OFS Orange Free State *now* Free State (province) ☐ Oranje-Vrystaat **OVS** *nou* Vrystaat

OK all correct; okay ☐ goed; reg; okei (omgangst.) **OK**

o.n.o. or nearest offer ☐ of naaste aanbod **o.n.a.**

op. *opus* (work) (mus.) ☐ werk **op.**

op. cit. *opere citato* (in the work quoted/cited) ☐ in die aangehaalde werk **op. cit.; a.w.**

Opec Organisation of Petroleum-Exporting Countries ☐ Organisasie van Petroleumuitvoerlande **Opul**

opp. opposite ☐ teenoor **t.o.**

ord. ordinance (of province) (hist.) ☐ ordonnansie **ord.**

OS operating system (comp.) ☐ bedryfstelsel —

OS outsize (clothing) ☐ groot nommer —

OS, O/S, o.s. out of stock ☐ uitverkoop **uitverk.**

OSEO Office for Serious Economic Offences (since disbanded *see* **IDSEO**) ☐ Kantoor vir Ernstige Ekonomiese Misdrywe **KEEM**/ **Keem** (intussen ontbind *sien* **Odeem**)

OT Old Testament ☐ Ou Testament **OT**

oz. ounce (weight unit) ☐ ons **oz.**

P

p *piano* (softly) (mus.) ☐ *piano* (sag) **p**

p. page ☐ pagina **p.;** bladsy **bl.**

PA personal assistant ☐ persoonlike assistent **pers.assist.**

PA power of attorney ☐ prokurasie **prok.**

PA public adress system ☐ luidsprekerstelsel —

p.a. *per annum* (per year) ☐ *per annum* (per jaar) **p.a./p.j.**

PAC Pan Africanist Congress ☐ — **PAC**

Pagad People against Gangsterism and Drugs ☐ — **Pagad**

PANSALB Pan South African Language Board ☐ Pan-Suid-Afrikaanse Taalraad **PANSAT**

par. paragraph ☐ paragraaf **par.**

part. participle ☐ deelwoord **dw.**

PAYE pay as you earn (tax) ☐ lopende betaalstelsel **LBS**

P/B private/postal bag ☐ privaat(pos)sak **p.s.**

PC personal computer ☐ persoonlike rekenaar **PR**

PC politically correct ☐ polities/politiek korrek **PK**

p.c. per cent ☐ persent **ps.**

pd. paid ☐ betaal(d) **bet.**

p.d. *per diem* (per day) ☐ per dag **p.d.**

PDI previously disadvantaged individual ☐ voorheen benadeelde persoon **VBP**

PEN Poets, Playwrights, Essayists, Editors, Novelists (organisation) ☐ — **PEN**

perf. perfect (tense) ☐ perfectum **perf.;** voltooid teenwoordige tyd **volt.teenw.t.**

phys. physics ☐ fisika **fis.;** natuurkunde **nat.**

PI private investigator ☐ privaat speurder **PS**

PIN personal identification number ☐ persoonlike identifikasienommer **PIN**

pl. plural ☐ meervoud **mv.**

PLC/plc public limited company (Br.) ☐ maatskappy met beperkte aanspreeklikheid —

PLO Palestine Liberation Organisation ☐ Palestynse Bevrydingsorganisasie **PBO**

PM Prime Minister ☐ eerste minister; premier —

pm/p.m. *post meridiem* (in the afternoon) ☐ namiddag **nm.**

p.m. per month/monthly; per minute ☐ per maand; per minuut **p.m.**

PMS premenstrual syndrome ☐ premenstruele sindroom **PMS**

PMT premenstrual tension ☐ premenstruele spanning **PMS**

P/N promissory note ☐ promesse; skuldbrief —

PO Post Office ☐ Poskantoor **Pk.**

Popcru Police and Prisons Civil Rights Union ☐ — **Popcru**

POW prisoner(s) of war ☐ krygsgevangene(s) —

PP public protector ☐ openbare beskermer **OB**

pp *pianissimo* (very softly) (mus.) ☐ *pianissimo* (baie sag) **pp**

pp. pages ☐ bladsye **bl.**

p.p. past participle ☐ verlede deelwoord **verl.dw.**

p.p./per pro. *per procurationem* (by procuration/proxy) ☐ by volmag **p.p./per pro.**

PPI production price index ☐ produksieprysindeks; produsenteprysindeks **PPI**

pref. preface; prefix ☐ voorwoord **voorw.;** voorvoegsel **v(oor)v.**

prep. preposition ☐ voorsetsel **v(oor)s.**

pres. president ☐ president **pres.**

PRO public relations officer ☐ skakelamptenaar; mediaskakel —

pro(.) professional (n, a) ☐ beroepspeler; professioneel **pro.**

Prof. Professor ☐ professor **prof.;** hoogleraar **hoogl.**

pron. pronoun ☐ voornaamwoord **vnw.**

prov. province; provincial ☐ provinsie; provinsiaal **prov.**

prox. *proximo* (next) □ aanstaande **as.;** eerskomende **ek.**

PS *post scriptum* (postscript) □ naskrif **Ns./NS** ook **PS**

Ps. Psalm □ Psalm **Ps.**

pseud. pseudonym □ pseudoniem; skuilnaam **ps.**

PSA Public Servants Association □ Vereniging van Staatsamptenare **VSA**

PSL Premier Soccer League □ Premier Sokkerliga **PSL**

pt. pint; point □ pint; punt **pt.**

PTO please turn over (a page) □ blaai om **b.o.;** sien ommesy **SOS**

Pty Ltd Proprietary Limited □ Eiendoms Beperk **Edms. Bpk.**

PU Potchefstroom University □ Potchefstroomse Universiteit (vir Christelike Hoër Onderwys) **PU(CHO)**

PVC polyvinyl chloride □ polivinielchloried **PVC**

Q

q.e. *quod est* (which is) □ wat beteken **q.e./i.e./d.i.**

QED *quod erat demonstrandum* (which was to be shown or proved) □ wat bewys moes word **q.e.d.**

QEF *quod erat faciendum* (which was to be done) □ wat gedoen moes word **q.e.f.**

q.q. *qualilate qua* (in his capacity as) □ in die hoedanigheid van **q.q.**

qt. quarter □ kwartaal **kw.**

q.t. quietly, secretly □ skelmpies, stilletjies —

R

R Rand(s) (currency unit) □ rand **R**

R/r./rad. radius (geom.) □ radius; straal **r.**

RA retirement annuity □ aftree-annuïteit **AA**

RAM random access memory (comp.) □ ewetoeganklike geheue; lees-en-skryf-geheue **RAM** *ook* **LSG**

R & B Rhythm and Blues □ — **R & B**

R & D research and development □ navorsing en ontwikkeling **N & O**

RAU Rand Afrikaans University □ Randse Afrikaanse Universiteit **RAU**

RC Roman Catholic □ Rooms-Katoliek(e) **RK**

RCC Roman Catholic Church □ Rooms-Katolieke Kerk **RKK**

R/D refer to drawer (banking) □ verwys na trekker **VT**

RDP Reconstruction and Development Programme □ Heropbou- en Ontwikkelingsprogram **HOP**

re regarding □ in sake/insake **is.;** in verband met **i.v.m.**

rec. receipt □ kwitansie **kwit.**

recap(.) recapitulate □ rekapituleer; herhaal —

Ref. Reformed □ Gereformeerd(e) **Geref.** Hervormd(e) **Herv.**

ref. reference □ referensie **ref.;** verwysing **verw**

regd. registered □ aangetekende **aanget.**

rel. pron. relative pronoun □ betreklike voornaamwoord **betr.vnw.**

rem. remark(s) □ opmerking(s) **opm.**

resp. respectively □ respektiewelik **resp.** onderskeidelik **ondersk.**

Rev. Reverend □ eerwaarde **eerw.;** dominee **ds**

rfn. rifleman □ skutter **sktr.**

RIP *requiescat in pace* (may he/she rest in peace) □ rus in vrede **RIP/RIV**

ROM read-only memory (comp.) □ leesalleen geheue **ROM** *ook* **LAG**

RPM retail price maintenance □ prysbinding —

rpm revolutions per minute *also* **r/min** □ omwentelings per minuut **o.p.m.** *ook* **r/min**

RSA Republic of South Africa □ Republiek (van) Suid-Afrika **RSA**

RSI repetitive strain/stress injury (med.) □ ooreisingsaandoening —

RSVP *répondez s'il vous plaît* (please reply) □ antwoord asseblief **RSVP** *ook* **a.asb.**

Rt. Hon. Right Honourable □ (Sy) Hoogedele Haar Edele **H.Ed.**

Rt. Rev. Right Reverend □ Hoogeerwaarde Weleerwaarde **H. Eerw./Weleerw.**

RU Rhodes University □ Rhodes-Universiteit **RU**

S

S South □ suid(e) **S.**

SA Senior Advocate □ Senior Advokaat **SA**

SA South Africa □ Suid-Afrika **SA**

SAA South African Airways □ Suid-Afrikaanse Lugdiens **SAL**

SAAF South African Air Force □ Suid-Afrikaanse Lugmag **SALM**

SABC South African Broadcasting Corporation □ Suid-Afrikaanse Uitsaaikorporasie **SAUK**

SABS South African Bureau of Standards □ Suid-Afrikaanse Buro vir Standaarde **SABS**

SACC South African Council of Churches □ Suid-Afrikaanse Raad van Kerke **SARK**

Sacob South African Chamber of Business □ Suid-Afrikaanse Besigheidskamer **Sabek**

SACP South African Communist Party □ Suid-Afrikaanse Kommunisteparty **SAKP**

SADC Southern African Development Community □ Suider-Afrikaanse Ontwikkelingsgemeenskap **SAOG**

SADF South African Defence Force (hist.) □ Suid-Afrikaanse Weermag **SAW**

Sadtu South African Democratic Teachers' Union □ Suid-Afrikaanse Demokratiese Onderwysersunie **Sadou**

SAM surface-to-air missile □ grond-lug-missiel **SAM**

Samro South African Music Rights Organisation □ Suid-Afrikaanse Musiekregte-Organisasie **Samro**

SAN South African Navy □ Suid-Afrikaanse Vloot **SAV**

SANDF South African National Defence Force □ Suid-Afrikaanse Nasionale Weermag **SANW**

Sapa South African Press Association □ Suid-Afrikaanse Pers-Assosiasie **Sapa**

SAPS South African Police Service □ Suid-Afrikaanse Polisiediens **SAPD**

Saqa South African Qualifications Authority □ Suid-Afrikaanse Kwalifikasieowerheid **Sako**

SARB South African Reserve Bank □ Suid-Afrikaanse Reserwebank **SARB**

SARFU South African Rugby Football Union □ Suid-Afrikaanse Rugbyvoetbalunie **SARVU**

SARS serious acute respiratory syndrome (med.) □ ernstige akute respiratoriese sindroom **EARS**

SARS South African Revenue Services □ Suid-Afrikaanse Inkomstediens **SAID**

Sasol South African Coal, Oil and Gas Corporation □ Suid-Afrikaanse Steenkool-, Olie- en Gaskorporasie **Sasol**

Sat. Saturday □ Saterdag **Sa.**

sci-fi science fiction □ wetenskapfiksie —

scuba self-contained underwater breathing apparatus □ — **skuba**

SE South East □ suidoos **SO**

Sec. secretary □ sekretaris **sekr.**

sec. second(s) □ sekonde **sek.**/s.

Sen. *senior* (the elder) □ senior (die ouere/oudste) **sr.**

Sep(t). September □ September **Sep(t).**

seq. following □ volgende **vlg.**

SG specific gravity *also* **sp.gr.** □ soortlike gewig **s.g.**

sgd. signed □ was geteken/geteken **w.g./get.**

SGML Standard Generalised Markup Language (comp.) □ — **SGML**

Sgt. Sergeant □ sersant **sers.**

SIDS Sudden Infant Death Syndrome □ Skielike Suigelingsterftesindroom **SSSS**

SIM subscriber identity module (cellphone) □ intekenaar-identiteitmodule **SIM**

sing. singular □ enkelvoud **ekv.**

SITE Standard income tax on employees □ standaard-inkomstebelasting op werknemers **SIBW**

SMS Short Message Service (cellphone) □ kortboodskapdiens **SMS**

s.o. someone □ iemand **iem.**

SOS international distress signal □ internasionale noodsein **SOS**

SPCA Society for the Prevention of Cruelty to Animals □ Dierebeskermingvereniging **DBV**

spec. specification □ spesifikasie —

spec. speculation □ spekulasie —

sq. square □ vierkant(e) **vk.**

SRC Students' Representative Council □ (Verteenwoordigende) Studenteraad **VSR/SR**

St. Street □ straat **str.**

St. Saint □ Sint; Heilige **St.**

Std. Standard (formerly in school) □ standerd **st.**

subj. subject, subjunctive □ subjek; subjunktief **subj.**

suff. suffix □ agtervoegsel **a(gter)v.**

Sun. Sunday □ Sondag **So.**

Supt. superintendent □ superintendent **supt.**

s.v.p. *s'il vous plaît* (if you please) □ asseblief **asb.**

Swapo South West African People's Organisation □ — **Swapo**

SWOT strengths, weaknesses, opportunities, threats (analysis) □ (ontleding van) sterk punte, swakhede, geleenthede en bedreigings —

T

t ton (metric) □ ton **t**

t. *tare* (own weight) □ *tarra* (eiegewig) **t.**

TB tuberculosis □ tuberkulose **TB**

tech. technical □ tegnies(e) **tegn.**

tel. telephone □ telefoon **tel.**

Telkom Telecommunication Services □ Telekommunikasiedienste **Telkom**

temp. temperature □ temperatuur **temp.**

temp. temporary □ tydelik(e); waarnemend(e) **wnd./wrn.**

Thurs. Thursday □ Donderdag **Do.**

TKO/tko technical knockout (boxing) □ tegniese uitklophou —

TLC (infml.) tender loving care □ liefdevolle/tere versorging/aandag —

TM transcendental meditation □ transendentale meditasie **TM**

TNT trinitrotoluene (explosive) □ trinitrotolueen **TNT**

TRC Truth and Reconciliation Commission □ Waarheids-en-Versoeningskommissie **WVK**

TSA Technikon South Africa □ Technikon Suid-Afrika **TSA**

TT telegraphic transfer (money) □ telegrafiese oorplasing **TO**

t.t. *totus tuus* (wholly/faithfully yours) □ geheel die uwe **t.t.**

Tu(es). Tuesday □ Dinsdag **Di.**

TU trade union □ vakbond; vakunie —

TV television □ televisie **TV**

Tvl. Transvaal (hist.) □ Transvaal **Tvl.**

U

u.c. upper case (capital letters) □ bokas (hoofletters) **bk.**

UCBSA United Cricket Board of South Africa □ Verenigde Krieketraad van Suid-Afrika **VKRSA**

UCT University of Cape Town □ Universiteit (van) Kaapstad **UK**

UDF United Democratic Front □ — **UDF**

UDI unilateral declaration of independence □ eensydige onafhanklikverklaring —

UFH University of Fort Hare □ Universiteit (van) Fort Hare **UFH**

UFO unidentified flying object □ vreemde vlieënde voorwerp **VVV**

UFS University of the Free State □ Universiteit Vrystaat **UVS**

UIF Unemployment Insurance Fund □ Werk= loosheidsversekeringfonds **WVF**

UK United Kingdom □ Verenigde Koninkryk **VK**

ult. *ultimo* (last) □ *ultimo* (laaslede; jongslede) **ult.; ll.; jl.**

UN United Nations □ Verenigde Nasies **VN**

UN University of Natal □ Universiteit (van) Natal **UN**

Unesco United Nations Educational, Scientific and Cultural Organisation □ — **Unesco**

UNISA/Unisa University of South Africa □ Universiteit van Suid-Afrika **UNISA/Unisa**

Unitra University of the Transkei □ Universi= teit (van) Transkei **Unitra**

UP University of Pretoria □ Universiteit (van) Pretoria **UP**

UPE University of Port Elizabeth □ Universiteit (van) Port Elizabeth **UPE**

UPS uninterrupted power supply (comp.) □ deurlopende kragtoevoer —

URC Uniting Reformed Church □ Verenigende Gereformeerde Kerk **VGK**

US University of Stellenbosch □ Universiteit (van) Stellenbosch **US**

USA United States of America □ Verenigde State van Amerika **VSA**

UVB ultraviolet beta factor □ ultravioletstra= ling; ultravioletsyfer **UVS**

UW University of the Witwatersrand *also* **Wits** □ Universiteit van die Witwatersrand **UW/Wits**

UWC University of the Western Cape □ Universiteit Wes-Kaap **UWK**

V

V Roman numeral 5 □ Romeinse 5 **V**

V volt (electr.) □ volt **V**

v. *versus* (against) □ teen **vs.**

VAT value added tax □ belasting op toege= voegde waarde **BTW**

v(b). *verbum* (verb) □ werkwoord **ww.**

VCR video cassette recorder □ videokassetop= nemer **VKO**

VD venereal disease □ geslagsiekte —

VDU visual display unit (comp.) □ vertooneen= heid —

vet. veterinary surgeon □ veearts —

VHS Video Home System □ — **VHS**

vid. *vide* (see, look) □ kyk, sien —

VIP very important person □ baie belangrik= persoon **BBP**

viz. *videlicet* (namely) □ naamlik **nl.;** te wet **t.w.**

vol. volume □ volume **vol.;** deel **dl.;** jaargan= **jg.**

vulg. vulgar (eg language) □ vulgêr(e) **vulg.**

W

W watt (electr.) □ watt **W**

W West □ wes(te) **W.**

W(ed). Wednesday □ Woensdag **Wo.**

w. week □ week **w.**

w. wicket (cricket) □ paaltjie **p.**

WAN wide area network (comp.) □ wyearea= netwerk **WAN**

WAP Wireless application protocol (cellphone) □ draadlose-applikasie-protokol **WAP/DAP**

WB World Bank □ Wêreldbank **WB**

w.c. water closet □ privaat; gemak; toilet —

WCC World Council of Churches □ Wêreld= raad van Kerke **WRK**

WHO World Health Organisation □ Wêreldge= sondheidsorganisasie **WHO**

WHS World Heritage Site □ Wêreld-Erfenis= gebied **WEG**

W/O Warrant Officer □ adjudantoffisier **adj= off.**

w/o without □ sonder —

WP word processor □ woordverwerker **WV**

wpm words per minute □ woorde per minuu= **w.p.m./wpm**

WTO World Trade Organisation □ Wêreldhan= delsorganisasie **WHO**

WWF Worldwide Fund for Nature □ Wêreld= natuurfonds **WWF**

WWW/www world-wide web (internet) □ wêreldwye web **WWW/www**

X

X Roman numeral 10 □ Romeinse 10 **X**
XL extra large (clothes) □ ekstra groot **XL**

Y

yd. yard(s) □ jaart **jt.**
YMCA Young Men's Christian Association □ Christelike Jongmannevereniging **CJMV**

Yr. Hon. Your Honour (in court) □ U Edele/Edelagbare **U Ed./Ed.Agb.**
Yuppie young upwardly mobile professional/ person □ jong opkomende professionele persoon **Jappie**

Z

Zam. Zambia □ Zambië **Zam.**
ZCC Zion Christian Church □ — **ZCC**
Zim. Zimbabwe □ Zimbabwe **Zim.**
zool. zoology □ dierkunde **dierk.;** soölogie **soöl.**

reltonb